1 MONTH OF
FREE
READING

at

www.ForgottenBooks.com

By purchasing this book you are eligible for one month membership to ForgottenBooks.com, giving you unlimited access to our entire collection of over 1,000,000 titles via our web site and mobile apps.

To claim your free month visit:

www.forgottenbooks.com/free1300149

ISBN 978-0-428-74245-4
PIBN 11300149

Historisches Jahrbuch.

Jahrgang 1896.

Historisches Jahrbuch.

Im Auftrage der Görres-Gesellschaft und unter Mitwirkung

von

Dr. Hermann Grauert,
o. ö. Professor der Geschichte
.k. Ludw.-Maximilians-Universität zu München.

Dr. Ludwig Pastor,
o. ö. Professor der Geschichte
a. d. k. k. Universität zu Innsbruck.

Dr. Gustav Schnürer,
o. ö. Professor der Geschichte
a. d. Universität zu Freiburg (Schweiz).

herausgegeben von

Dr. Joseph Weiß,
Sekretär am k. Geh. Staatsarchive zu München.

XVII. Band. Jahrgang 1896.

München 1896.

Kommissions-Verlag von Herder & Ko.

Inhalt des Historischen Jahrbuches.

XVII. Jahrgang 1896.

3. Rezensionen und Referate.

4. Zeitschriftenschau.

5. Novitätenſchau.

6. Nachrichten.

Erklärungen.

Mitarbeiter im Jahre 1896.

Arens, Dr. E., in Breden (Westfalen).

Bardenhewer, Dr. O., Univ.=Professor in München.

Beyerle, Dr. O., Rechtspraktikant in Wolfach (Baden).

Büchi, Dr. A., Univ.=Professor in Freiburg (Schweiz).

Ebner, Dr. A., Lycealprofessor in Eichstätt.

Ehses, Dr. St., Poenit. apostol. in Rom.

Eubel, P. K., O. M. C., in Rom.

Falk, Dr. Frz., Pfarrer in Kleinwinternheim b. Mainz.

Fijalek, Dr. J., Dozent a. d. Jagellon. Universität in Krakau.

Finke, Dr. H., Professor a. d. k. Akademie in Münster (Westfalen).

Franziß, Dr. Frz., Professor am k. Kadettenkorps in München.

Funk, Dr. F. X. v., Univ.=Professor in Tübingen.

Gietl, Dr. theol. Ambr., in München.

Gottlob, Dr. A., Univ.=Professor in Freiburg (Schweiz).

Grauert, Dr. H., Univ.=Professor in München.

Grupp, Dr. G., f. Bibliothekar in Maihingen.

Greving, Dr. J., Kaplan in Köln.

Helmolt, Dr. H. F., in Leipzig.

Hirn, Dr. phil. J., Univ.=Professor in Innsbruck.

Hirschmann, A., Pfarrer in Schönfeld.

Jansen, Dr. M., in Sagan (Schlesien).

Joachimsohn, Dr. P., Gymnasialassistent in Augsburg.

Kaindl, Dr. R. F., Univ.=Dozent in Czernowitz.

Kampers, Dr. F., Assistent an der k. Hof= und Staatsbibliothek in München.

Kirsch, Dr. J. P., Msgr., Univ.=Professor in Freiburg (Schweiz).

Lang, Dr. A., Professor am f. b. Gymnasium in Graz.

Mayerhofer, Dr. J., k. Kreisarchivar in Speier.

Mayr, Dr. A., Gymnasialassistent in München.

Meier, P. G., O. S. B., Stiftsbibliothekar in Einsiedeln.

Meister, Dr. A., Privatdozent in Bonn.

Merkel, Dr. C., Univ.-Professor in Pavia.

Müllner, Dr. J., Professor a. d. Staatsoberrealschule in Graz.

Orterer, Dr. G., Gymnasialrektor in Eichstätt.

Pastor, Dr. L., Univ.-Professor in Innsbruck.

Paulus, Dr. N., Kurat in München.

Pieper, Dr. A., Professor a. d. k. Akademie in Münster (Westfalen).

Sägmüller, Dr. J. B., Univ.-Professor in Tübingen.

Sauerland, Dr. H. V., in Trier.

Schlecht, Dr. J., Lycealprofessor in Dillingen.

Schmid, Dr. J., Dekan in Ringingen b. Blaubeuren.

Schmitz, Dr. L., in Reydt.

Schnürer, Dr. G., Univ.-Professor in Freiburg (Schweiz).

Schröder, Dr. A., Domvikar u. bisch. Archivar in Augsburg.

Spahn, Dr. M., in Berlin.

Spangenberg, Dr. H., in Berlin.

Striedinger, Dr. J., Sekretär am k. Kreisarchive in München.

Tenckhoff, Dr. Frz., Gymnasial= u. Religionslehrer in Paderborn.

Thijm, Dr. Alberdingk, Univ.-Professor in Löwen.

Unkel, K., Pfarrer in Roitzheim bei Euskirchen.

Wacker, Dr. K., Direktor der Lehrerinnenbildungsanstalt in Aachen.

Weiß, P. A., O. P., Dr., Univ.-Professor in Freiburg (Schweiz).

Weiß, Dr. J., Sekretär am k. geh. Staatsarchiv in München.

Weyman, Dr. K., Privatdozent in München.

Widemann, Dr. J., Gymnasialassistent in München.

Zimmermann, A., S. J., in Exaeten (Holland).

Zöchbaur, Dr. J., Gymnasialprofessor, z. Zt. in Rom.

Claudian, Christ oder Heide?

Von Ed. Arens.

Wie ein leuchtender Stern steht der Dichter Claudian am Himmel
der römischen Literatur, mit seinem hellen Glanze noch einmal das
niedergehende Kaiserreich bestrahlend, ehe es in Dunkel und Finsternis
völlig versinkt. Verschwenderisch gießt der Dichter über das äußerlich
prächtige Leben am Hofe des Schwächlings Honorius aus dem uner=
schöpflichen Füllhorn seines Genius den reichsten Farbenglanz aus; wie
mit einem Zauberstabe scheint bei ihm die leider nur zu schwierige
Lage Weststroms in eitel Glück und Wonne verkehrt. Vor allem aber
ist es sein Herr und Meister, Patron und Gönner Stilicho, den er
während der kurzen Zeit, die ihm das Geschick vergönnt hat am Kaiser=
hofe zu weilen (etwa 396—404), in immer neuer Variation erhebt und
feiert. Nicht leicht ist es, aus des Dichters farbenreicher Schilderung
Dichtung und Wahrheit stets reinlich zu scheiden, eine Aufgabe, die doch
um so nötiger erscheint, je wichtiger er als Geschichtsquelle für die Zeit
der beginnenden Völkerwanderung und namentlich Alarichs Geschichte
erscheinen muß.

Mit recht ist der Dichter jüngst einer monumentalen, von Prof.
Theodor Birt in Marburg mustergiltig besorgten Ausgabe in den Mon.
Germ. hist. gewürdigt worden.[1]) Ohne Zweifel wird diese Ausgabe,
die der kritischen Leistung Jeeps (L. 1876—79) gegenüber einen großen
Fortschritt bezeichnet, der Forschung über Claudian und seine Zeit neue
Anregung und Anstoß in Fülle geben, und zwar nicht bloß dem Kritiker
und Philologen, sondern auch dem Historiker. Welche riesige Arbeit
zu bewältigen war, zeigt schon die bloße Angabe des Inhalts: einer

---

[1]) Claudiani opera rec. Th. Birt. Mon. Germ. Hist., Auctores Antiquissimi.
Tomus X. Berolini 1892. — Die krit. Ergebnisse dieser großen Ausgabe macht eine
ed. minor, v. J. Koch besorgt, in der Bibl. Teubner. (L. 1893) allgemein zugänglich.

umfangreichen praefatio, die sich, oft sehr eingehend, über das Leben
des Dichters, die Ueberlieferung seiner Werke, und einige Punkte seiner
Sprache (letzteres nur nebenbei) verbreitet (S. I—CCXXX!), folgt der
Text mit ausführlicher adnotatio critica, wobei in besonderen Kolumnen
die oft wichtigen loci imitatorum et testium aufgeführt sind, und am
Schlusse ist unter Benutzung der Vorarbeiten ein ausführlicher index
verborum hinzugefügt, welcher der Kritik wie der Interpretation des
Dichters vielfach zu gute kommen dürfte.

Wie erwähnt, verbreitet sich Birt auch über die Lebensverhältnisse
Claudians in umfangreichstem Maße. Leider ist es nicht viel, was wir
über des Dichters Leben und Geschicke wissen, und die widersprechenden
Punkte in seiner Biographie sind noch zahlreich genug, um auch nach
Birts vielfach treffenden und überzeugenden, immer scharfsinnigen Aus-
führungen eine neue Untersuchung zu rechtfertigen. Ja, in manchen
Fällen fordert Birt offenen Widerspruch heraus.

Einen solchen Punkt, der auch für einen größeren Leserkreis nicht
ohne Interesse sein dürfte, wollen wir in dem folgenden Aufsatze herausgreifen.[1] Es ist die von Birt wiederum angeregte Frage, wie der
Dichter Claudian zu Christentum und Heidentum, den bewegenden
Faktoren in der Geschichte des vierten Jahrhunderts, sich gestellt hat.
Birt sucht es, und nicht bloß zuerst in der oben genannten Ausgabe,
aus den verschiedensten Gründen wahrscheinlich zu machen, daß Claudian
nicht Heide, wie man bisher fast stets angenommen hatte, sondern Christ,
wenngleich nicht „getaufter" Christ gewesen sein müsse.[2]

Prüfen wir also des näheren diese Ansicht und die Gründe, worauf
Birt sie stützen zu können vermeint.

Der Kern der Streitfrage liegt in folgenden, allgemein bekannten
Thatsachen. Unter den kleineren Gedichten Claudians (die jetzt als

---

[1] Vf. hat in seinen Quaestiones Claudianeae, wovon ein Teil als Disser-
tationsschrift, Münster 1894 (Aschendorff), erschienen ist, (S. 22—42) außer anderen
Punkten auch diese Frage eingehend behandelt. Es bedarf kaum der Bemerkung,
daß die obigen Ausführungen im allgemeinen darauf beruhen, wenn auch im einzelnen
manches gekürzt bezw. erweitert und auch einiges Neue beigebracht ist (z. B. über
die Viktoriafrage.)

[2] Er vertritt diese Anschauung besonders in seiner Schrift: De moribus
Christianis, quantum Stilichonis aetate in aula imperatoria occidentali in-
valuerit. Progr. Marburg 1885; in der Ausg. Cl.s (1892) besonders praef.
S. LXVIII ff. Kurz diese Ansicht bei Birts Schüler Streder in einer Marburger
Diss. 1889 (de Claudiani veterum rerum Romanarum scientia).

carmina minora in den Ausgaben stehen), findet sich auch ein kleiner, formell wie inhaltlich vollendeter Hymnus auf den Heiland,[1] gewöhnlich nach der Ueberschrift de Salvatore ober nach dem Inhalt der beiden Schlußzeilen, worin Christi Segen auf den Augustus herabgefleht wird, Carmen Paschale genannt.[2] Nun aber heißt unser Dichter bei seinen Zeitgenossen, dem hl. Augustin (de civ. dei V, 26) und bei Orosius (VII, 35), ‚a Christi nomine alienus‘ und ‚paganus pervicacissimus‘. — Wie soll man diese widersprechenden Thatsachen — auf der einen Seite die handschriftliche Ueberlieferung, auf der anderen die bestimmten Zeugnisse — in Uebereinstimmung bringen? Hat Claudian wirklich jenes Carmen Paschale, das eine tiefe christliche Empfindung atmet, gedichtet, so ist das Urteil der beiden Zeitgenossen unbegreiflich und offenbar falsch. Ist aber ihr Urteil aufrecht zu erhalten, so kann das Gedicht nicht gut von Claudian stammen. Man müßte denn annehmen — und diese Ansicht ist nicht bloß einmal ausgesprochen worden — der Dichter habe auf „höheren Befehl" diesen Hymnus auf den Erlöser angestimmt und Schmeichelei und Lobhudelei so weit getrieben, daß er,

---

[1] Birt c. m. 32; Jeep 46; Gesner XCV. Nebenbei bemerkt, ist es recht lästig und störend, wenn jeder Herausgeber bei einem Autor eine andere Reihenfolge der Gedichte festsetzt.

[2] Zur Bequemlichkeit des Lesers folge hier der Wortlaut (nach Koch):

Christe potens rerum, redeuntis conditor aevi,
Vox summi sensusque dei, quem fudit ab alta
Mente pater tantique dedit consortia regni,
Impia tu nostrae domuisti crimina vitae
v. 5. Passus corporea numen vestire figura
Adfarique palam populos hominemque fateri.
[Quem verbo infusum Mariae mox numine viso]
Virginei tumuere sinus, innuptaque mater
Arcano stupuit compleri viscera partu
v. 10. Auctorem paritura suum: mortalia corda
Artificem texere poli, mundique repertor
Pars fuit humani generis, latuitque sub uno
Pectore, qui totum late complectitur orbem,
Et qui non spatiis terrae, non aequoris unda
Nec capitur caelo, parvos confluxit in artus.
Quin et supplicii nomen nexusque subisti,
Ut nos subriperes leto mortemque fugares
Morte tua, mox aetherias evectus in auras
Purgata repetens laetum tellure parentem:
Augustum foveas, festis ut saepe diebus
Annua sinceri celebret ieiunia sacri.
(Vers 7 halte ich mit Koch für unecht und zu tilgen.)

1*

ſeine offenkundige Hinneigung zum Heidentum preisgebend, den Griffel zum Lobe des Chriſtentums und ſeines höchſten Geheimniſſes ge= führt hätte.

Wie vielfältig und mannigfach die Urteile der bisherigen Forſchung in dieſer Frage geſchwankt haben, habe ich a. a. O. (S. 22—26) nach= gewieſen. Nur einiges ſei hier daraus wiederholt und ergänzt, weil es zur Entſcheidung von Bedeutung und unumgänglich iſt.

Das Carmen Paschale iſt wie alle übrigen carmina minora Clau= dians in der ed. princeps (Vicenza 1482) noch nicht enthalten, ſondern erſt 1493 in der Ausgabe Ugolets im Druck erſchienen.

Im Jahre 1510 edierte der Franziskaner Camers in ſeiner Ge= ſamtausgabe noch zwei andere chriſtliche Gedichte, die er, „in vetustissimo codice" dem Claudian zugeſchrieben, entdeckt hatte: es ſind dies die jetzt in die appendix carm. minor. 20 und 21 verwieſenen, Claudian keinesfalls angehörigen Gedichte: Laus Christi (30 Hexameter, unvollſtändig), und Miracula Christi in 9 Diſtichen, letztere wohl als Ueber= oder Unterſchriften unter einzelne Bilder gedacht, nach Art mancher Inſchriften des hl. Damaſus und anderer. Camers zweifelte, wie aus ſeinen Worten in der ſeiner Ausgabe beigegebenen Vita hervor= geht, ebenſowenig an der Echtheit wie daran, daß der Dichter wirklich Chriſt geweſen.

Ludwig Vives, der berühmte ſpaniſche Humaniſt, ſpricht 1522 in einer beiläufigen Anmerkung zu der Auguſtinusſtelle zuerſt die Anſicht aus, Claudian habe das Carmen Paschale dem Kaiſer Honorius zu gefallen gedichtet und damit ſein Heidentum verleugnet: eine Anſicht, die ſpätere wiederholt aufgegriffen und durch weitere Argumente zu ſtützen geſucht haben: ſo Gyraldus (de poetis Latinis dial. IV), 1545, und ebenſo Conr. Gesner in ſeiner Bibl. universalis (1545), der nur irrtümlich ſtatt des Honorius den Theodoſius nennt. Ihre Beweis= führung iſt aber ſo oberflächlich und ſo wenig beweiskräftig, daß Joh. Alb. Fabricius (bibl. lat., ed. Ernesti, 1774 S. 198) ſagt: In Honorii imp. gratiam Christiana scripsisse Ethnicum Claudianum, idoneis probari velim argumentis. Deshalb hat man dieſe Löſung der Frage bis auf Birt allgemein fallen gelaſſen.

Neues, wichtiges Material zur Entſcheidung lieferte 1564 Georg Fabricius in ſeiner Ausgabe: Opera poetarum vett. ecclesiast. Ohne Camers zu kennen, veröffentlichte er das Gedicht Laus Christi, das in dem von ihm benutzten Codex dem Merobandes Hispanus Scho= lasticus zugeſchrieben war. Zugleich gibt er die wichtige Notiz, daß in ſeiner Handſchrift das Carmen Paschale nicht dem Claudian,

fonbern dem Papfte Damafus vinbiciert war, was er unbebenflich als
wahr annimmt.

Einen neuen Weg fchlug der Vielfchreiber Cafp. von Barth ein.
(Advers. crit. Frankfurt 1648, 1. I, c. 7; ed. Claudiani² 1650 an v. St).
Wenn Claubian nicht vom labarum und Kreuzeszeichen, fondern von signa
und aquilae beim Heere feiner Zeit fpreche, fo fei das auf Rechnung des
Dichters zu fetzen. Barth zieht Aufonius zum Vergleiche heran.
Andrerfeits wendet er fich gegen die, welche Claubian für einen Chriften
halten, der fpäter durch Symmachus zum Heidentum herübergezogen
fei (!); fein eigenes Urteil faßt er in die Worte: Christianismi non
ignarum neque abhorrentem una cum Paganismo fuisse. Ueberall
zieht er ähnliche Gedanken der chriftlichen Literatur heran, um zu zeigen,
daß des Dichters gelehrte Mufe auch in folchen Dingen hinreichend be=
lefen war. Das Carmen Paschale felbft fchreibt er wegen der Eleganz
in Stil und Sprache dem Claubian zu; mit nicht minderer Sicherheit
aber urteilt er auch über die oben erwähnten beiden anderen chriftlichen
(unechten) Gedichte, die er gleichfalls als echt anerfennt. Doch fcheint
er in feinem Urteile nicht feft zu ftehen; denn in feiner Claubianausgabe
fpricht er fich bald fo, bald anders aus; er ergeht fich u. A. auch in
der vagen Vermutung (ed. ² S. 204), Claubian habe vielleicht mit Rück=
ficht auf Eucherius, den heidnifch erzogenen Sohn Stilichos, „den Mann
der Zukunft", fich dem Heidentume zugewendet. — Man kann nicht
fagen, daß diefes fchwankende Urteil die Entfcheidung der Frage fehr
gefördert hat.

Joh. Matth. Gesner, der bekannte verdiente Philologe und Päda=
gog, entfcheidet fich in feiner Ausgabe des Dichters (L. 1759), welche
für die Erklärung noch heute unveraltet ift, für die klaren und unzwei=
deutigen Worte des Auguftinus und Orofius, nach denen ein Zweifel nicht
mehr möglich fei. Das Carmen Paschale hält er für unecht. Dennoch
ftellt er wieder alles in frage, indem er hinzufügt, Claubian möchte
ein ähnlicher Charakter gewefen fein, wie Aufonius u. A., deren gerade
feine ägyptifche Heimat Aegypten eine Menge geftellt habe.[1]

---

[1] Wenn G. zum Beweife auf Vopisc., vit. Saturn. 8 (auf den bekannten
Brief Hadrians an den Konful Servian über die religiöfen Verhältniffe in Aegypten)
fich bezieht, fo unterliegt das fowohl hinfichtlich des Inhaltes wie namentlich hinficht=
lich der Zeit (anderthalb Jahrhunderte früher!) fchweren Bedenken. — Mit mehr
Recht könnte man — falls man die Stelle Sid. Apoll. IX, 275 fo deuten darf, daß
Canopus, und nicht Alexandria des Dichters Vaterftadt ift, — aus manchen Nach=
richten über Canopus fchließen, daß Claubian wahrfcheinlich Heide gewefen: denn die

Natürlich erhob sich, wenn man das Carmen Paschale dem Claudian absprach, sofort die Frage, von wem es denn eigentlich stamme. Was lag näher, als an eine Verwechslung mit seinem Namensvetter Claudianus Mamertus, Presbyter von Vienne, zu denken? Wirklich hören wir schon bei Gyrald, daß manche durch diese Annahme die Schwierigkeit aus dem Wege geräumt zu haben hofften. Von G. Fabricius ist schon oben die Rede gewesen. Auf ihn griff der Historiker Niebuhr zurück. Ein glücklicher Fund führte ihn 1823 in St. Gallen auf mehrere größere Fragmente des Merobaudes, der im 5. Jahrhundert in ähnlicher Weise wie Claudian den Stilicho und den Hof des Honorius, so den Aetius und den Hof Valentinians III. gefeiert hat.[1]) In der Sprache zeigt er sich als Nachfolger und Nachahmer Claudians,[2]) dessen Eleganz und Schwung auch seine Verse auszeichnet; auch in metrischer Hinsicht hält er sich mitten in Zeiten beginnender Barberei an sein Muster und Vorbild. — Indem nun Niebuhr die Mitteilungen des Camers und des Fabricius mit einander zu vereinigen strebt, hält er Laus Christi für unzweifelhaftes Eigentum seines Merobaudes, ebenso De miraculis Christi, während er die Vermutung äußert, auch das Carmen Paschale möge von demselben stammen.

Diese Vermutung suchte dann L. Jeep näher zu begründen.[3]) Sprache wie auch die Lebensumstände des Dichters Merobaudes, meint er, machten die Annahme wahrscheinlich.[4])

Diese Auffassung der Frage war bis auf Birts genannte neue Ausführungen gang und gäbe geworden. Versuchen wir es nun, Birts Ansicht kurz darzulegen.

Birt geht aus von der Ueberlieferung des Carmen Paschale. Alle Handschriften schreiben es unserm Claudian zu; es hat seinen

---

reiche Handels- und Industriestadt war bis zur Zerstörung der Heiligtümer durch Bischof Theophilus von Alexandrien (bald nach 390) ein Hauptsitz des Heidentums, das daselbst noch berufsmäßig gelehrt wurde: s. Bitt. Schultze, Gesch. d. Untergangs des griech.-röm. Heidentums. I. Jena 1887. S. 266.

[1]) Merodis carmina ed. Niebuhr². Bonnae 1824.

[2]) Nachweis bei Birt, praef. S. LXVII.

[3]) Rhein. Museum 28 (1872), S. 291/394 (die älteste Textrevision des Claudian); in seiner Ausg. (1876. 79) I S. VII u. XIII.

[4]) Den Umstand, daß C. P. unter die Gedichte Cl.s geraten sei, sucht er so zu erklären: Merobaudes habe die Textrevision des Cl. geliefert, wie wir sie i. g. besitzen, und bei dieser Gelegenheit einige seiner kleinen eigenen (christl.) Gedichte dem Texte angefügt, bezw. darunter verstreut. Ein thatsächlicher Anlaß zu dieser Annahme liegt nicht vor.

feſten Platz in der Rezenſion der carmina minora (nämlich hinter
c. m. 31: epistula ad Serenam). Sprache und Metrik, auch die Ge=
dankenentwicklung iſt ganz wie in den übrigen Gedichten. Alſo iſt an
der Autorſchaft Claudians kein Zweifel. — Was man ſonſt für das
Heidentum Claudians ins Gefecht führt, iſt nicht ſtichhaltig. Die Ent=
faltung heidniſcher Szenerie iſt bloß mythologiſcher Apparat des Epikers;
darin gefallen ſich auch Chriſten vor wie nach Claudians Zeit (z. B.
Auſonius, Merobaudes, Ennodius, Dracontius, Sidonius Apollinaris.).
Es findet ſich aber ſonſt keine Stelle in den Gedichten, aus der auf
des Dichters perſönliche heidniſche Geſinnung zu ſchließen wäre: nirgends
giebt er ſich als cultor deorum; eine Ausnahme macht die Erwähnung
der Viktoria in den letzten Gedichten (ſeit 400 n. Chr.), findet aber
ihre Erklärung darin, daß dieſer Kult offiziell vom Kaiſerhofe gebilligt
war. Nirgends ſpricht er ſich offen gegen das Chriſtentum, wenn er
es auch nicht lobend erwähnt, oder gegen chriſtliche Lehren aus. — Wenn
Auguſtin ihn a Christi nomine alienus nennt, ſo erklärt er ihn
damit, genau interpretiert, nicht einmal für einen Heiden; ſonſt hätte
er ihn gentilis oder paganus nennen müſſen; er wolle damit nur ſagen,
der Dichter ſtehe dem chriſtlichen Namen fern.[1]) Auguſtin kannte
überdies des Dichters Glaubensbekenntnis bloß aus der Lektüre ſeiner
Werke, und vermißte darin ebenſo wie wir den Namen Chriſti und
Chriſtentum; die paar Verſe des Carmen Paschale hat er bei ihrem
geringen Umfange überſehen. Ueber Ruhm und Namen des Dichters
war er wohl unterrichtet, aber über deſſen Religion und Stellung zum
Chriſtentum konnte er nichts Genaues erfahren und ausſagen. —
Oroſius vollends hängt ganz von Auguſtin ab, und kommt als Fanatiker
des Chriſtentums gar nicht in betracht; ſein Zeugnis (paganus ‚pervicacissimus‘) iſt zweifellos unrichtig, mindeſtens eine grobe Uebertrei=
bung und noch dazu ein Mißverſtändnis der Auguſtinſtelle (vgl. die obige
Erklärung!) — Uebrigens muß man auch die damaligen Verhältniſſe
am Kaiſerhofe nicht außer acht laſſen. Wie viele Chriſten waren nicht
getauft? wie viele verſchoben die Taufe bis zum Lebensende? Namentlich
ſeit dem Regimente des allmächtigen Stilicho wurde in Weſtrom eine
Kirchenpolitik befolgt, die zu der des Theodoſius im Gegenſatze ſteht
und ſicher ſchroff abſticht von derjenigen des byzantiniſchen Hofes in
damaliger Zeit. Manche waren bloß äußerlich Chriſten; innerlich war

---

[1]) Alienus a nomine = ‚quamvis in carminibus nomen Christi pertina-
citer sive consulto non professus sit‘; S. LXIII.

vom Christentum nicht viel zu spüren. Birt stellt sich diese Zeit vor
ähnlich wie das italienische Cinquecento.[1]) Ein solcher Christ, im Herzen
Heide, oder vielmehr indifferent in religiöser Hinsicht, kann Claudian
recht wohl gewesen sein. — Andrerseits wäre ein ‚paganus pervicacissimus' als Sänger und Lobredner am Kaiserhofe in jener Zeit, ebenso
als ‚tribunus et notarius' unmöglich gewesen. Noch andere Umstände
kommen hinzu, um Claudian als Christen zu erweisen. Daß er den
Symmachus nirgend erwähnt, geschieht wohl, weil dieser überzeugter
Heide war. Die christliche Literatur ist unserem Dichter wohl bekannt;
ja sogar ein tendenziöses Machwerk im christlichen Sinne, das anonyme
Gedicht contra paganos vom J. 395, scheint er in einzelnen Wendungen
nachgeahmt zu haben. Sedulius, Arator, Merobaudes, Domnulus ahmen
selbst schon das Carmen Paschale nach und beweisen dadurch, daß es
von keinem ‚abiectus auctor' stamme.

Das ist etwa, kurz skizziert, Birts Meinung. Man sieht, die Frage
greift in mancher Hinsicht über den Rahmen einer bloßen Textkritik
hinaus. Prüfen wir nun Birts Argumente einzeln. Wir wollen deßhalb 1. auf die textkritischen Fragen, 2. auf des Dichters Stellung zu
Christentum und Heidentum, soweit sie sich aus seinen Gedichten ergibt,
3. auf die Interpretation der Augustinusstelle näher eingehen

1. Den Angelpunkt, um den die ganze Beweisführung Birts sich
dreht, bildet die Ueberlieferung des Carmen Paschale. Wie gesagt,
weisen alle uns bekannten Handschriften es dem Claudian zu. Indessen
können wir die handschriftliche Tradition nicht über das 9. Jahrhundert
hinaus verfolgen. Könnte man wirklich beweisen, daß das Carmen
Paschale stets unter den Werken Claudians als echtes Kind seiner
Muse Platz und Stelle behauptet hat, so wäre jeder Zweifel an der
Autorschaft Claudians ausgeschlossen. Aber dann erhöbe sich die Frage:
wußten Augustin (und Orosius) das nicht? haben sie das kleine, aber
für ihre Behauptung äußerst wichtige Gedicht übersehen? haben sie es
absichtlich ignoriert? Wie wir den Dichter als Charakter beurteilen
wollen, hätten wir dann noch des weiteren zu untersuchen; und gerade
dazu wäre die weiter unten folgende Erörterung über die aus den
übrigen Werken sich ergebende Stellung zum Christentum unerläßlich. —
Aber dieser Beweis läßt sich zur Zeit nicht erbringen. Birt hat zwar

---

[1]) »Christum atque dogmata catholica quod publice et festis diebus
maxime strenue profitebantur, id concesserunt mori tradito vel semper po-
tentissimae ecclesiae.«

der Handſchriftenfrage und den älteſten Sammlungen der Werke des
Dichters bis ins einzelſte mit ſtaunenswerter Akribie nachgeforſcht,
aber das Ergebnis iſt im ganzen negativ. Das giebt auch Jeep in
einer Rezenſion der Birtſchen Ausgabe zu.[1]) Mehr wie wahrſcheinlich
ſind ſelbſt die Ergebniſſe nicht, die Birt als ſicher zu bezeichnen pflegt.
Der Dichter ſelbſt hat die größeren Gedichte einzeln ediert, die kleineren
fanden ſich hier und da zerſtreut in den Händen von Freunden und
Bekannten, vielfach der Adreſſaten. Ein frühzeitiger und plötzlicher Tod
ſcheint den Dichter verhindert zu haben, eine Geſamtausgabe ſeiner
Dichtungen zu veranſtalten. Die Sammlung fand alſo nach ſeinem
Tode ſtatt. Nach der Ermordung Stilichos (23. Aug. 408) wütete
man nicht bloß gegen ſeine Verwandten und ſeine Güter, ſondern ſogar
ſein Name ſollte ausgelöſcht werden aus dem Gedächtniſſe: daher wurde
derſelbe ſelbſt aus den Ehreninſchriften getilgt.[2]) Da nun die
größeren politiſchen Gedichte Claudians ſich einzig und allein um
Stilichos Verherrlichung gruppieren, ſo kann die Sammlung nicht in
dieſe Zeit fallen. Mit Birt halte ich es für das allerwahrſcheinlichſte,
daß ſie zwiſchen 404—408 n. Chr. ſtatt hatte, und ſpäteſtens in der
erſten Hälfte des Jahres 408 vollendet war. Hinſichtlich der ſogenannten
carmina minora aber liegt die Sache weſentlich anders. Wann
ſie geſammelt wurden, ob etwa mit den größeren poetiſchen Werken
zuſammen, läßt ſich ſchwer ſagen. Das liegt ſchon in der trümmerhaften
Geſtalt begründet, in der wir ſie beſitzen. Auch angenommen, die
carmina minora ſeien ebenfalls bis zum Jahre 408 zu einer Sammlung
vereinigt geweſen (mit oder getrennt von den carmina maiora): ſo hat
ſich im Laufe der Zeit doch viel Unechtes eingeſchlichen, ebenſo wie un=
zweifelhaft Echtes verloren ging. Unſere Handſchriften haben Echtes
und Unechtes gemiſcht. Cod R. (Veronenſis), die älteſte unſerer
Claudian-Handſchriften, aus dem 9. Jahrhundert, jetzt nicht mehr voll=
ſtändig, enthielt früher nachweislich noch mehr zweifelhaftes Gut. Alſo
läßt uns die textkritiſche Betrachtung, die Ueberlieferung hinſichtlich
des Carmen Paſchale im Stich.[3]) Es müſſen alſo, um Echtheit oder
Unechtheit desſelben feſtzuſtellen, andere kritiſche Erwägungen hinzutreten:

---

[1]) Woch. f. kl. Ph. X (Berlin 1893) Sp. 1258 f. „Dagegen iſt die Aufſtellung
über die Geſch. der Ueberlieferung vor der beginnenden handſchriftlichen
Tradition . . . höchſt unſicher.“

[2]) R. Keller, Stilicho. Berlin 1884. S. 63.

[3]) Ich ſehe hier ganz von der ſchon erwähnten Angabe des G. Fabricius (oben
S. 4) ab.

solche liegen 1) in Sprache und Metrik; 2) in der Feststellung der Benützung bei späteren. Hinsichtlich jener Punkte ist das Carmen Paschale des Claudian würdig; ebenso sicher kommen wegen der sprachlichen und metrischen Form Damasus oder Claudianus Mamertus als
Verfasser nicht in Frage. Das ist für Birt ein neues Moment, um an
Claudians Autorschaft festzuhalten. Bezüglich des Merobaudes muß ich
jedoch Birt entschieden widersprechen: es liegt kein sprachlicher Grund
vor, das Carmen Paschale ihm etwa nicht zuzuschreiben.[1] — Was
aber die Späteren angeht: so kannten, wie ihre Nachahmung und Benützung beweist, das Carmen Paschale im 6. Jahrhundert Arator und
Rusticius Helpidius Domnulus. Im 5. Jahrhundert hat Sedulius
nicht bloß das Carmen Paschale, sondern auch die Merobaudes sicher
gehörige Laus Christi benützt. Also steht auch die Chronologie nicht
im Wege, an Merobaudes als Verfasser zu denken. — Das ist nun
zwar nicht viel Positives, aber es genügt, um die Meinung bedenklich
zu erschüttern, als könne das Carmen Paschale unmöglich einen
anderen Verfasser haben als den Claudian. Und das genügt
für unseren Zweck.[2]

2. Wichtiger ist für uns die Untersuchung von Claudians
Stellung zu Heidentum und Christentum auf Grund der unzweifelhaft genuinen Werke, der wir uns nunmehr zuwenden
wollen. Vorab muß natürlich bemerkt werden, daß bei einem Dichter,
der als Ruhmesherold und Sänger am christlichen Kaiserhofe thätig
war, naturgemäß direkte Angriffe gegen Christentum und
direkte Parteinahme für das Heidentum sich von selbst verbieten: sind deshalb die Spuren heidnischer Gesinnung in Claudians
Gedichten auch nur gering und unauffällig, so fallen sie doch um so
mehr ins gewicht. Birt behauptet, nirgends finde sich in ihm eine
Stelle, worin er Lehren des Christentums angreife.[3] Das ist doch
wohl ein Irrtum. Wenigstens eine Stelle beziehe ich sicher darauf,
und für andere läßt es sich wahrscheinlich machen.

---

[1] Vgl. meine Ausführungen a. a. O. S. 41 f.

[2] Freilich bliebe noch immer aufzuklären, wie das C. P. gerade unter die
Gedichte Claudians geraten ist. Wir enthalten uns hierbei aller vagen Vermutungen
(vgl. die von Jeep, oben S. 6) und gestehen offen, das bisher nicht genügend
erklären zu können, trösten uns aber mit dem Worte: non omnia scire possumus.
Wie oft liegen bei anderen Erzeugnissen des Altertums die Verhältnisse ebenso unklar!

[3] Praef. S. LXIV ‚idem . . nullo loco doctrinae christianae sententiis
contradicere suscepit‘.

Im Appendix carm. min. 50 (in Jacobum magistrum equitum: Gesner, n. 78) richtet der Dichter die Pfeile seines Spottes gegen einen uns sonst nicht bekannten chriftlichen Reiteroberften Jakobus, der seinen Zorn herausgefordert hatte durch verletzende oder geringschätzige Aeußerungen über Claudians dichterische Thätigkeit. Er gehörte also zu jenen „Centauren und Faunen", über die sich Claudian an anderer Stelle (IX, 13) beklagt, denen seine Gedichte mißfielen. In scharfer, bitterer Ironie wendet sich der Dichter an den „Helden", der mehr im Trinken als im Schlachten leistet. Der Gotheneinfall im Jahre 401 — so haben wir uns zu denken — steht unmittelbar bevor. Da beschwört der Dichter alle chriftlichen Heiligen, für den Reiteroberften einzuspringen: der hl. Thomas soll ihm als Schild dienen, Bartholomäus soll ihm zur Seite gehen; Susanna und Thekla erhalten ähnliche Schützerrollen; die Gothen sollen ertrinken wie Pharaos Scharen. Und nun der bissige Schluß: „Dafür soll der Mitzecher, den du tot (unter den Tisch) trinkft, dir den Triumph (über den Feind) ersetzen; deinen Durst sollen besiegen die Fässer, die sich in deine Kehle ergießen — aber nimmer beflecke sich deine Rechte mit Feindesblut: doch nur unter einer Bedingung: du darfst meine Verse nicht mehr verunglimpfen! Offenbar ist hier der chriftliche Heiligenkult verhöhnt; Claudian will den Jakobus wohl zugleich als bigotten Frömmler darstellen. — Birt weiß sich dem gegenüber allerdings zu helfen, wenngleich in wenig geschickter Weise. Alia Christi est, sagt er, alia sanctorum religio, quae Claudiani demum aetate incipiebat.[1]) Auf den Nebensatz einzugehen, ist hier nicht der Ort: ein Blick auf die Zeitgenossen, z. B. den hl. Ambrosius, den hl. Hieronymus oder den Dichter Prudentius belehrt uns eines anderen. Kaspar von Barth hat gewiß recht, wenn er von dem besprochenen Gedicht urteilt: (ed. 1650 S. 1067 b) „utique ab homine Idololatra scriptum ironice in christianum ducem, ridens Sanctorum in bellicis rebus aliisque invocationes."

In einer anderen Stelle ist der Spott mehr versteckt: in Eutr. I, 312 ff., praef. in Eutr. II, 37 ff. werden die Prophezeiungen des Mönches Johannes in der Thebais berührt. Bekanntlich sandte Kaiser Theodosius vor seinem Feldzuge gegen Maximus (388) und ebenso vor seinem Feldzuge gegen Arbogast und Eugen (392) an diesen Einsiedler, der bei ihm in hohem Ansehen stand, um den Ausgang seiner Unter-

---

[1]) Praef. S. LXIV not. 2 (mit bezug auf Auguftins: ‚a Christi nomine alienus‘).

nehmungen zu erfahren; das zweite Mal bediente er sich des Eunuchen Eutropius. Beidemal sagte Johannes dem Kaiser Glück und Sieg vorher. Diese Sendung übergießt Claudian a. a. OO. mit der Lauge seines Spottes. Freilich gebe ich zu, daß Claudian seine giftigen Worte zunächst gegen den Eunuchen richtet, der die Antwort des Johannes als eigene „Seherweisheit· rühmt. Aber daß er auch die Befragung selbst verhöhnt, zeigen besonders die Worte Aegyptia somnia und oracula; wobei wir nicht außer acht lassen dürfen, wie hoch und geachtet sonst das gesamte Orakelwesen bei Claudian erscheint.[1]

Birt behauptet ferner, nirgends zeige sich bei Claudian wirkliche Verehrung der Götter.[2] Auch das ist nicht richtig. Birt hält die Fragmente der griechischen Gigantomachie für ein echtes Werk Claudians, und ich stimme seinen Ausführungen darüber (praef. cap. II) voll und ganz bei. Hier lesen wir gleich zu anfang eine Anrufung des Dichters an Phoebus. Auch ein Christ kann sich dieser poetischen Fiktion, wie der Anrufung der Musen, bedienen, aber hier gehen folgende Verse voran, die doch offenbar nur ein Heide schreiben konnte:

v. 1. εἴ ποτέ μοι κυανῶπιν ἐπιπλώοντι θάλασσαν
καὶ φρεσὶ θαμβήσαντι κυκώμενα βένθεα πόντου
εὔξασθαι μακάρεσσιν ἐςήλυθεν εἰναλίοισι·
φωνῆς· δὲ πταμένης ἀνεμοτρεφὲς ἔσβετο κῦμα,
λώφησεν δ' ἀνέμοιο βοή, γήθησε δὲ ναύτης
ὀσσόμενος μεγάλοιο θεοῦ παρεοῦσαν ἀρωγήν.

---

[1] Cl. in Eutr. I, 312 ff. (Eutr. hält als Konsul eine Rede
  Scandit sublime tribunal
  Atque inter proprias laudes Aegyptia iactat
  Somnia prostratosque canit se vate tyrannos.
  Scilicet in dubio vindex Bellona pependit,
  Dum spado Tiresias enervatusque Melampus
  Reptat ab extremo referens oracula Nilo. —
XIX (praef. in Eutr. II), 37 ff. (nach Eutrops Fall und Verbannung):
  Miror, cur, aliis qui pandere fata solebas,
  Ad propriam cladem caeca Sibylla taces.
  Jam tibi nulla videt fallax insomnia Nilus,
  Pervigilant vates nec, miseraude, tui.
(Ich lese mit den früheren Ausgaben nec, nicht iam, wie Koch). Wie die christliche Mitwelt über des Einsiedlers Prophezeiungen und des Kaisers Benehmen dachte, zeigen viele Stellen der Kirchenväter: vgl. Rufin., hist. monach. 1; Palladius, hist. Laus. 43; Augustin., de civ. dei V, 26; Cassian, Institut. IV, 23. — Prosp., chron. ad a. 397; Sozom. VII, 22; Theodor. V, 24.
[2] ,Sincerae deorum adorationis in tot Claudiani carminibus vestigium nullum comparet, id quod gravissimum puto, praeter unius Victoriae', S. LXIV.

Die Erwähnung von Alexandria (v. 11) macht es wahrscheinlich, daß das Gedicht aus der Zeit stammt, wo Claudian sein Vaterland noch nicht verlaffen hatte, noch nicht nach Italien übergefiedelt war, also vor 394/5.[1]

Ferner erkennt felbft Birt offen an, daß Claudian die Viktoria als Göttin einführe, und legt dem eine hohe Bedeutung bei. Die Belegftellen find: XXIV (de laud. Stil. III), 203—217 (aus d. J. 400) und XXVIII (de VI. cons. Hon.), 597 ff. (J. 404).[2] Hieraus zieht Birt eine Folgerung, die zwar äußerft fcharffinnig ift, aber doch vor un= befangener Prüfung nicht beftehen kann Wir müffen deshalb auf diefe Viktoriafrage hier näher eingehen. In den genannten Verfen feiert Claudian die Viktoria fo, als wenn ein Bild der Viktoria im Triumph= zuge des Honorius (404) mitgeführt würde und im Sitzungsfaale des Senates, wie früher, ihr Bild (ihre ara?) wieder ftünde. Die Viktoria wird auffälligerweife von Claudian früher nirgend erwähnt, und er= fcheint bei ihm erft 399/400.[3] Ebenfo auffällig ift, daß um diefelbe Zeit Prudentius in den zwei Büchern contra Symmachum den Kult (der Götzen und in 1 Lt) der Viktoria heftig angreift (i. J. 402.) Daraus fchließt Birt, daß thatfächlich etwa im Jahre 399/400 die Viktoria in den Senat wieder ihren Einzug gehalten habe. Diefer Kult fei von Honorius bezw. Stilicho „toleriert" worden. — Gegen eine folche Schlußfolgerung mache ich hauptfächlich zwei Gründe geltend. Zunächft ift es doch auffällig und ift auch Birt natürlich nicht entgangen, daß die Zeitgenoffen, insbefondere die Hiftorifer und Chronifenfchreiber, und ihre fpäteren Benutzer eine folche Thatfache mit keiner Silbe erwähnen. Birt ift mit der Erklärung bei der hand: ‚satietas harum rerum tenuit eos.‘ Aber das ift doch kaum glaublich bei einer Be= wegung, die feit langer Zeit die Gemüter in Aufregung hielt,[4] die ge=

---

[1] Auch die Apis=Prozeffion in Memphis (VIII, 570/6) wird fo gefchildert, daß man den Eindruck erhält, der Dichter habe die Feier nicht bloß felbft gefehen, fondern auch mitgefeiert. Auch c. m. 26, 81—88 verrät den Verehrer der Götter deutlich.

[2] Die Stelle Praef. Stil. (XXIII) v. 19: Advexit reduces secum Victoria Musas möchte B. ebenfalls gern darauf beziehen; doch fpricht außer der offenbaren allegorifchen Bedeutung der Umftand dagegen, daß diefe Viktoria fich zunächft nicht auf Stilichos, fondern auf Scipios Sieg über Hannibal bezieht.

[3] Doch muß man VIII, 640 (J. 398): sequiturque tuos Victoria fasces unberückfichtigt laffen.

[4] Im folgenden ftelle ich das Chronologifche über die Viktoria=Frage kurz zufammen (vgl. u. a. Schiller, Gefch. d. röm. Kaiferzelt II, 432 f.; B. Schultze im oben (S. 6 Anm.) zitierten Werke S. 91, 275, 281):

rabe in Rom eine scharfe Scheidung pro und contra im gefolge gehabt
hatte. Eine solche einschneidende Thatsache sollte unbeachtet geblieben
sein? Das letzte Glied der Kette, deren frühere Ringe man sorgsam
aneinandergefügt, hätte man fallen gelassen? Gerade hier ist das argu-
mentum e silentio schwerwiegend. Zweitens aber spricht Prudentius
selbst durchaus gegen Birts Auffassung. Prudentius hätte doch
gewiß die wirkliche Zurückführung der Viktoria nicht verschwiegen. Nun
geht aus c. Symm. l. I Anfang bloß hervor, daß paganistische Bestrebungen in Rom noch fortdauern, wenngleich bloß von einer kleinen
Schar (v. 591 ff.) unter Symmachus geschürt. Aus der Praef. l. II
und l. II, 4 ergibt sich als Inhalt des zweiten Buches die Widerlegung der relatio 3 des Symmachus, die offenbar noch viel gelesen wurde. Nach 11, 12 ff. scheint Symmachus die gleichen Gründe
auch bei Honorius (Arcadius wird mit genannt) vorgebracht zu
haben. Aber die Widerlegung ist II, 17 f. und 11, 68 [1]) den Kaisern
selbst in den Mund gelegt; wie wäre es möglich, wenn kurz vorher
die Viktoria wieder ihren Platz eingenommen gehabt hätte! II, 760 läßt
Prudentius die Roma den Honorius anreden:

> Nil te permoveat magni vox rhetoris, oro,
> Qui sub legati specie sacra mortua plorans
> Ingenii telis et fandi viribus audet.
> Heu, nostram temptare fidem . . .; der Fürst solle
(v. 770)　Spernere legatum non admittenda petentem.

Also war wenigstens im Jahre 402 die Viktoria noch nicht wieder zugelassen! Auch den Schluß kann man heranziehen, wo (v. 1116) um

---

357: Erste Entfernung der Ara Victoriae durch Constantius. Zurückführung
unter Julian.

382: Wieder entfernt durch Gratian. Infolge dessen Protest der Minorität
des Senats durch Symmachus, Gegenvorstellungen des Damasus und der Majorität
durch Ambrosius.

384: Die bekannte relatio des Symmachus an Valentinian wird abschlägig
beschieden.

Vergebliche Versuche um Wiedereinführung a) bei Theodosius in Mailand (389),
b) bei Valentinian (392; vielleicht am 14. Mai abschlägiger Bescheid).

393 (394?): Zweite Zurückführung durch den Usurpator Eugenius (nach zwei
vergeblichen Versuchen).

394: Von Theodosius wieder beseitigt, nach dem Siege über Eugenius (Sept.).

402: Prudentius widerlegt c. Symm. II die Gründe der relatio des Symmachus.

[1]) II, 17: Haec ubi legatus (näml. Symm.), reddunt placidissima
fratrum Ora ducum.

II, 68: Talia principibus dicta interfantibus ille Prosequitur.

Abschaffung der (privaten?) Gladiatorenkämpfe gebeten wird, damit der Sohn vollende, was der Vater übrig ließ (v. 1116 et tam triste sacrum iubeas, ut caetera, tolli.) Also spricht die Darstellung bei Prudentius durchaus gegen Birts Auffassung. — Was folgt nun aber aus den angeführten Stellen sowohl bei Prudentius als bei Claudian? Für das Heidentum in Rom lernen wir, daß es noch immer starke Wurzeln im Volke hatte, da Prudentius es für nötig hielt, noch im Jahre 402 dagegen zu schreiben.[1] Für Symmachus lernen wir von neuem, daß er nie aufgehört hat,[2] auch bei Hofe im Sinne seiner relatio stets von neuem vorstellig zu werden. Und was schließen wir für unseren Claudian aus dem oben Gesagten? Wenn der Schluß, den Birt aus unserem Dichter zog, zu weit geht, so stehen doch unleugbar Claudians Sympathien in der Viktoriafrage auf Seiten des Symmachus, und wir nehmen die angegeben Stellen als neuen Beweis heidnischer Gesinnung in Anspruch.

Weiter dürfen wir dazu heranziehen die Stelle XXVIII (de VI. cons. Hon.) 339/350, wo des Kaisers M. Aurelius Zug gegen die Quaden (174 u. Chr.) zu einem Vergleiche benutzt und das bekannte Ereignis der legio fulminatrix berührt wird. Auf Claudians Darstellung (Flammen-regen)[3] will ich dabei kein Gewicht legen, wohl aber auf seine eigene Ansicht und Begründung der wunderbaren Thatsache (v. 358 ff.):

---

[1] Wie mächtig das Heidentum in Rom noch wurzelte, zeigen in der Gesch. der Zeit besonders a) die vorübergehende Herrschaft desselben im J. 394; b) die Vorgänge im J. 404, beim Heranzuge des Radagais (B. Schultze a. a. O. 357 f.); c) im J. 408, beim Anzuge Alarichs: ebenda S. 370 f.

[2] M. E. spricht B. Schultze a. a. O. S. 359 ff. recht über des Prudentius Zwecke. „Daß der Dichter sich gerade gegen Symmachus wendet, findet seine natürliche Erklärung darin, daß die Schutzrede [desselben] in Rom und auch sonst noch viele Leser hatte und überhaupt als Bekenntnisschrift des Heidentums galt." (S. 359.) Vgl. Hist. Jahrb. X, 121.

[3] Vgl. die heidnische Darstellung bei Jul. Capitolin, vita Antonini 24; Dio Cass. 71, 9; Themist. or. 34, 21; Suid. s. v. Julianus; die christliche Darstellung bei: Tertull. apolog. 5, ad Scapulam 4; Euseb. h. e. V, 3 (5), Oros. VII, 15. Ueber die legio fulminatrix hat sich in jüngster Zeit eine lebhafte Kontroverse entsponnen infolge der Ausführungen von Petersen, Röm. Mittlgen. 1894 S. 78/89. Vgl. A. Harnack, Sitz.-Ber. d. Berl. Akad. 1894 S. 835 ff und Th. Mommsen im Hermes 1895 (XXX) 90 ff.; ferner A. v. Domaszewski, Rhein. Muf. 1894 S. 612 ff. und die Entgegnung Petersens (gegen Harnack und gegen Mommsen) im Rhein. Muf. 1895 (N. F. 50) 453 ff., wo auch die ganze neueste Literatur zusammengestellt ist. Uebrigens wird unsere obige Ausführung von dieser Frage nicht alteriert. — Die Chaldaea carmina beziehen sich auf den Magier Arnuphis oder Julianus (vgl. Dio und Suidas).

Chaldaea mago seu carmina ritu
Armavere deos: seu, quod reor, omne Tonantis
Obsequium Marci mores potuere mereri.

Ferner wird de VI. cons. Hon. 324/30 eine feierliche Lustratio Italiae nach Alarichs Abzuge geschildert. Daß eine solche damals offiziell (publice) vorgenommen sei, wird man auf die bloße Autorität Claudians hin nicht behaupten können; umsoweniger, als die schwer-verständliche Stelle kritisch nicht ganz sicher steht.[1] Eine solche lustratio konnte wohl im Jahre 394 in Rom bei dem kurzen Traume des wieder-erstandenen Heidentums stattfinden,[2] aber nicht im Jahre 402 oder 403. Wohl aber zeigt uns die Stelle wieder des Dichters Denken und Meinen.

Eine Menge ähnlichen Materials hat Birt selbst in der oben erwähnten Schrift de moribus christianis (s. o. S. 2 Anm. 2) zusammen-gebracht. Nur zieht er wiederum eine unzutreffende Folgerung daraus. Statt anzuerkennen, daß der Dichter, zum teil in poetischer Fiktion, heidnische Sitten, z. B. Orakel, sibyllinische Bücher u. dergl. auch auf Zeiten überträgt, wo sie sicher nach unserer Kenntnis der Dinge nicht mehr in geltung waren: glaubt er, daß diese heidnischen Bräuche nach dem Tode des Theodosius allmählich wieder aufkamen; von Stilicho geduldet und toleriert wurden.[3] Die Darstellung, welche Birt der von Stilicho beliebten Behandlung der religiösen Frage und seiner Stellung zum Heidentum und Christentum widmet, gibt meines Erachtens ein durchaus schiefes Bild der Zeit.[4]

---

[1] Die früheren Ausgaben lasen v. 324 sic: dann wäre das Ganze bloß ein Vergleich zu v. 321/23, allerdings ein recht ungeschickter und schwer verständlicher; liest man dagegen statt dessen tum (wie nach Em. Birt und Koch), so hat (wenigstens nach der Darstellung des Dichters) eine publica lustratio stattgefunden; d. h. der Dichter fingiert eine solche.

[2] Davon berichtet das anonyme carmen contra paganos, v. 28 f. (gedruckt z. B. bei Bährens, P. L. M. III).

[3] So entnimmt er aus XVIII (in Eutr. I) 11 s., XXVI (b. Poll.) 266 f., daß noch 402 libri Sibyllini eingesehen worden seien; vgl. dagegen Rutil. Namat., de reditu suo II, 52; Baronius, ad a. 399, n. 78, woraus hervorgeht, daß gerade Stilicho sie hat verbrennen lassen. — Aus III. cons. Hon. 110 ff., IV. cons. Hon. 142 ff. 147 soll hervorgehen, daß man nach 395 die von Theodosius geschlossenen Orakel wieder befragt habe (de moribus S. XIII), u. ä. Vgl. meine Ausführung a. a. O. S. 29, Anm. 2.

[4] Vgl. die richtigere Darstellung bei Vogt, de Claudiani carminum, quae Stiliconem praedicant, fide historica. S. 30 ff. Bonn, Diss. 1863. Auch B. Schulze a. a. O. I, 335 Anm. 3 nennt, wie ich zu meiner Freude nachträglich sehe, Birts

ı Unfere folgende Auffaffung erfcheint doch wohl natürlicher: an dem chriftlichen Kaiferhofe konnte der Dichter das Heidentum nicht direkt ver= herrlichen; er greift deshalb zu einem doppelten Mittel: a) Er erwähnt durchaus nichts Chriftliches in feinen Panegyrici. Wie nahe hätte das bisweilen gelegen.[1] b) Er nimmt in volltönender Phrafe Roms alte Macht und Herrlichkeit unter der Herrfchaft feiner alten Götter[2] für die Gegenwart in anfpruch und verbrämt mit diefer goldenen Vor= düre das neue Staatskleid. Im allgemeinen erntete er damit großen Beifall. Man erinnere fich hierbei, daß auch in den aufrichtigen Heiden jener Zeit mehr die hohe Idee von der früheren Herrlichkeit „patrio= tifcher Religion" eine Rolle fpielte. „Das Entfcheidende bei ihnen, fagt V. Schulße a. a. O. S. 330 mit Recht, ift nicht die Religion, fondern ein romantifcher Enthufiasmus für die klaffifche Welt und ihre alten Ordnungen. Man ift fehr verfucht, auch in den nicht ruhenden Forde= rungen des Senats um Wiederherftellung des Altares der Viktoria nicht nur religiöfe, fondern auch vaterländifche und politifche Motive voraus= zufeßen" Deshalb war die epifche Mythologie des Dichters, fchon durch feine Vorgänger gefchüßt, unverfänglich und fand williges Gehör. Und doch geht Claudian darin bisweilen fo weit, daß man, wenn auch nur leife, manchmal feine wirkliche Auffaffung herausklingen hört. So z. B. wenn er den Theodofius unter die Sterne verfeßt, wenn er III, 334/39 dem Stilicho ein Gebet an den Mars in den Mund legt oder XX (in Eutr. II), 396 den Leo fagen läßt: Faveat Tritonia coeptis, In= ceptum peragetur opus; oder wenn ihm XVIII, 210 der Ausruf ent= fchlüpft: heu superi.[3] Daß übrigens diefe Verquickung von Ver=

Urteil über die Lage des Heidentums unter Stilicho „durchaus ungefchichtlich", und gibt felbft S. 334 ff. ein im ganzen der Wirklichkeit entfprechendes Bild der Ent= wicklung des Chriftentums unter Stilicho.

[1] Um nur einiges anzuführen, fo übergeht er im bell. Gild. abfichtlich das religiöfe Element (Ranke, Weltgefch. IV, 1 L. 1883 S. 212 Anm.). — Daß er überall bloß aquilae und dracones vorführt, ohne des Kreuzeszeichens zu erwähnen (vgl. dagegen: Prudent. c. S. II, 714. »Prima hasta dracones Praecurrit, quae Christi apicem sublimior effert.« Hieron. ep 107, 2 ‚vexilla militum crucis insignia sunt‘ aus dem J. 400 oder 403), dafür gibt fchon Baronius Ann. ad a. 395, n. XIX den rechten Grund an: ‚exhorruit ethnicus poeta nomen Christi‘ (vgl. oben S. 16). — Auch in der Bearbeitung des Phoenix (c. m. 27, Geßner 44) ift alles fpezififch Chriftliche fortgelaffen.

[2] XXVIII, 186 heißt es von Alarich, er habe vorgehabt, urbem tentare deorum d. i. Rom.

[3] Vgl. noch XV, 346, wo er Theodofius die Worte in den Mund legt: Di bene, quod . . .

chriſtlichen Gedichte, das wir ſchon einmal erwähnt haben (S. 8)[1]
Es behandelt das erwähnte kurze Wiederaufflackern des heidniſchen
Kultes in Rom im Jahre 394 und höhnt und verſpottet beſonders den
Konſul Flavianus, der am Erfolge der heidniſchen Sache verzweifelnd
vor dem Kampfe am Frigidus den Tod in den Reihen der Feinde
ſuchte. Birt ſcheint zu glauben, als könnte Claudian, wenn er Heide
geweſen, nicht ein ſolches für ihn abſurdes chriſtliches carmen geplündert
und nachgeahmt haben. Aber erinnern wir uns, ein wie enger literariſcher
Verkehr damals in Rom ſtattfand. Die von Claudian ſelbſt bezeugten
öffentlichen Deklamationen hinterließen bei den zahlreichen Hörern ihre
Spuren. Es wäre alſo ſchließlich für Claudian nicht auffälliger, als
daß Prudentius in ſeinem lib. c. Symm. aus dem kurz zuvor vorgetragenen
bell. Poll. in Wort und Wendung Anleihen macht. Zudem war Claudian
ſicher im Herbſte 394 — wo das carmen deklamirt wurde — in Rom;
alſo kann er es gehört und gekannt haben.

3. Aus den Dichtungen Claudians haben ſich alſo für uns noch genug
und hinreichend klare Spuren heidniſcher Geſinnung ergeben, die geeignet
ſind, Birts Auffaſſung zu erſchüttern. Es liegt uns nun noch ob,
Auguſtins klare Worte vor falſcher Auslegung zu ſchützen
und als unanfechtbares Zeugnis zu erhärten. Denn die Auguſtinus=
Stelle iſt für uns wie für die meiſten Früheren, der Ausgangspunkt
der eigenen Unterſuchung und das Fundament unſerer Auffaſſung
geweſen. Wir können uns hierbei kurz faſſen. Birt ſucht ihre Glaub=
würdigkeit beſonders durch zwei Einwürfe zu entkräften.

Auguſtinus, meint er (S. LXIII), hätte aus der Lektüre Claudians
den Eindruck gewonnen und gewinnen müſſen, daß der Dichter, der
begeiſterte Lobredner heidniſcher Sitte, nirgends Chriſti Namen nenne.
Daraus fließe ſein Urteil. Sonſt hätte er nichts über Claudians
religiöſe Stellung erfahren können. — Doch wer ſollte das
glauben oder wahrſcheinlich finden? Ein Mann, der wie Auguſtinus
in ſtetem literariſchen Verkehr mit ſeinen Freunden in Italien blieb,[2]
ſollte über den gefeierten Dichter, deſſen Namen und Blütezeit ſogar
die ſpäteren Chroniſten aufzuzeichnen der Mühe wert hielten, nichts

---

[1] Birt (S. LXV f.) hätte noch hinzufügen können zu v. 27 (abisset = ſterben):
Claud. bell. Gild. 292 cum divus abirem; zu v. 52 mille nocendi vias: Cl.,
Eutr. II, 175 centumque vias meditata nocendi. Doch iſt bei der Verwertung
ſolcher Uebereinſtimmungen große Vorſicht geboten: vgl. Archiv f. Lexikographie IX, 183.
[2] Zu meiner Abh. S. 36 iſt Auguſtins Rückkehr nach Afrika irrtümlich ins
Jahr 391/2 ſtatt 389 geſetzt.

Sicheres haben erfahren können? Mit dem Mallius Theodorus, dessen Konsulatsantritt (398) Claudian besingt, und dessen intimer Freundschaft er sich rühmt (XVI, 10; XVII, 278), unterhielt auch Augustin Beziehungen: er widmete demselben sogar eine eigene Schrift. Andere berühmte Namen zu nennen, die das Wissenswerte über den Dichter ihm mitteilen konnten, ist wohl überflüssig. — Wenn übrigens Augustin den Dichter bloß aus seinen Werken gekannt hätte,[1] wäre es da nicht um so auffälliger, daß er das Carmen Paschale in seinem Urteil vollständig übersehen hat? Birt muß das aus dem „kleinen Umfange" erklären; aber liegt nicht eine andere Erklärung viel näher?

Doch Birt scheint selbst gefühlt zu haben, daß man die Stelle (de civ. dei V, 26) nicht ohne weiteres verwerfen kann. Deshalb versucht er, den wahren Sinn der Worte abzuschwächen. Augustin nenne sonst in den Büchern vom Gottesstaat die Heiden pagani und gentiles; da er nun hier die Wendung brauche: a Christi nomine alienus, so wolle er damit den Dichter nicht als starren Heiden, sondern bloß als „dem Christentum abgeneigt, den Namen Christi fremd" bezeichnen. Was aber Augustin unter alienus a Christo versteht, zeigt deutlich eine Stelle im Enchiridion ad Laurentianum (de fide, spe et caritate),[2] wonach, wer Glaube, Hoffnung und Liebe widerspricht, ,aut omnino a Christi nomine alienus est, aut haereticus'. Auch an unserer Stelle kann es nach dem Zusammenhange nichts anderes heißen. Augustin will zeigen, daß Theodosius seinen Sieg über die Usurpatoren seinem Glauben und Gottes Hilfe verdanke. Das beweist die Hilfe, die ihm Gott in der Schlacht am Frigidus erwies. Die wunderbare Thatsache berichten aber 1. viele Soldaten der Gegenpartei, die als Augenzeugen und Teilnehmer an der Schlacht es dem Augustin selbst erzählt haben; 2. der Dichter Claudianus, der, trotzdem er Heide war, doch für Gottes Macht (und Theodosius Ruhm) Zeugnis ablegt

---

[1] Leider sind die Spuren, welche sonst noch Augustins Kenntnis der Werke Cl.s verraten, sehr unsicher und gering. Birt rechnet dahin C. D. IV, 2 und C. D. XXI, 6, 2. — Auch für Orosius vergleicht er den Schwur des Radagais (VII, 37: omnem Romani generis sanguinem dis suis propinare devoverat) und Claud. bell. Poll. 81 (Schwur Alarichs) ,non nisi calcatis loricam ponere rostris'. Doch ist die Aehnlichkeit verschwindend gering.

[2] Bei Migne XL, col. 233 diligenter sciendo, quid credi, quid sperari debeat, quid amari. Haec enim maxime, immo vero sola in religione sequenda sunt. His qui contradicit, aut omnino a Christi nomine alienus est, aut haereticus.

christlichen Gedichte, das wir schon einmal erwähnt haben (S. 8)[1] Es behandelt das erwähnte kurze Wiederaufflackern des heidnischen Kultes in Rom im Jahre 394 und höhnt und verspottet besonders den Konsul Flavianus, der am Erfolge der heidnischen Sache verzweifelnd vor dem Kampfe am Frigidus den Tod in den Reihen der Feinde suchte. Birt scheint zu glauben, als könnte Claudian, wenn er Heide gewesen, nicht ein solches für ihn absurdes christliches carmen geplündert und nachgeahmt haben. Aber erinnern wir uns, ein wie enger literarischer Verkehr damals in Rom stattfand. Die von Claudian selbst bezeugten öffentlichen Deklamationen hinterließen bei den zahlreichen Hörern ihre Spuren. Es wäre also schließlich für Claudian nicht auffälliger, als daß Prudentius in seinem lib. c. Symm. aus dem kurz zuvor vorgetragenen bell. Poll. in Wort und Wendung Anleihen macht. Zudem war Claudian sicher im Herbste 394 — wo das carmen deklamirt wurde — in Rom; also kann er es gehört und gekannt haben.

3. Aus den Dichtungen Claudians haben sich also für uns noch genug und hinreichend klare Spuren heidnischer Gesinnung ergeben, die geeignet sind, Birts Auffassung zu erschüttern. Es liegt uns nun noch ob, Augustins klare Worte vor falscher Auslegung zu schützen und als unanfechtbares Zeugnis zu erhärten. Denn die Augustinus=Stelle ist für uns wie für die meisten Früheren, der Ausgangspunkt der eigenen Untersuchung und das Fundament unserer Auffassung gewesen. Wir können uns hierbei kurz fassen. Birt sucht ihre Glaub=würdigkeit besonders durch zwei Einwürfe zu entkräften.

Augustinus, meint er (S. L XIII), hätte aus der Lektüre Claudians den Eindruck gewonnen und gewinnen müssen, daß der Dichter, der begeisterte Lobredner heidnischer Sitte, nirgends Christi Namen nenne. Daraus fließe sein Urteil. Sonst hätte er nichts über Claudians religiöse Stellung erfahren können. — Doch wer sollte das glauben oder wahrscheinlich finden? Ein Mann, der wie Augustinus in stetem literarischen Verkehr mit seinen Freunden in Italien blieb,[2] sollte über den gefeierten Dichter, dessen Namen und Blütezeit sogar die späteren Chronisten aufzuzeichnen der Mühe wert hielten, nichts

---

[1] Birt (S. LXV f.) hätte noch hinzufügen können zu v. 27 (abisset — sterben): Claud., bell. Gild. 292 cum divus abirem; zu v. 52 mille nocendi vias: Cl., Eutr. II, 175 centumque vias meditata nocendi. Doch ist bei der Verwertung solcher Uebereinstimmungen große Vorsicht geboten: vgl. Archiv f. Lexikographie IX, 183.

[2] In meiner Abh. S. 36 ist Augustins Rückkehr nach Afrika irrtümlich ins Jahr 391/2 statt 389 gesetzt.

Sicheres haben erfahren können? Mit dem Mallius Theodorus, deſſen Konſulatsantritt (398) Claudian beſingt, und deſſen intimer Freundſchaft er ſich rühmt (XVI, 10; XVII, 278), unterhielt auch Auguſtin Beziehungen: er widmete demſelben ſogar eine eigene Schrift. Andere berühmte Namen zu nennen, die das Wiſſenswerte über den Dichter ihm mit= teilen konnten, iſt wohl überflüſſig. — Wenn übrigens Auguſtin den Dichter bloß aus ſeinen Werken gekannt hätte,[1] wäre es da nicht um ſo auffälliger, daß er das Carmen Paschale in ſeinem Urteil vollſtändig überſehen hat? Birt muß das aus dem „kleinen Umfange" erklären; aber liegt nicht eine andere Erklärung viel näher?

Doch Birt ſcheint ſelbſt gefühlt zu haben, daß man die Stelle (de civ. dei V, 26) nicht ohne weiteres verwerfen kann. Deshalb ver= ſucht er, den wahren Sinn der Worte abzuſchwächen. Auguſtin nenne ſonſt in den Büchern vom Gottesſtaat die Heiden pagani und gentiles; da er nun hier die Wendung brauche: a Christi nomine alienus, ſo wolle er damit den Dichter nicht als ſtarren Heiden, ſondern bloß als „dem Chriſtentum abgeneigt, den Namen Chriſti fremd" be= zeichnen. Was aber Auguſtin unter alienus a Christo verſteht, zeigt deutlich eine Stelle im Enchiridion ad Laurentianum (de fide, spe et caritate),[2] wonach, wer Glaube, Hoffnung und Liebe widerſpricht, ‚aut omnino a Christi nomine alienus est, aut haereticus'. Auch an unſerer Stelle kann es nach dem Zuſammenhange nichts anderes heißen. Auguſtin will zeigen, daß Theodoſius ſeinen Sieg über die Uſurpatoren ſeinem Glauben und Gottes Hilfe verdanke. Das beweiſt die Hilfe, die ihm Gott in der Schlacht am Frigidus erwies. Die wunderbare Thatſache berichten aber 1. viele Soldaten der Gegenpartei, die als Augenzeugen und Teilnehmer an der Schlacht es dem Auguſtin ſelbſt erzählt haben; 2. der Dichter Claudianus, der, trotzdem er Heide war, doch für Gottes Macht (und Theodoſius Ruhm) Zeugnis ablegt

---

[1] Leider ſind die Spuren, welche ſonſt noch Auguſtins Kenntnis der Werke Cl.s verraten, ſehr unſicher und gering. Birt rechnet dahin C. D. IV, 2 und C. D. XXI, 6, 2. — Auch für Oroſius vergleicht er den Schwur des Radagais (VII, 37: omnem Romani generis sanguinem dis suis propinare devoverat) und Claud. bell. Poll. 81 (Schwur Alarichs) ‚non nisi calcatis loricam ponere rostris'. Doch iſt die Aehnlichkeit verſchwindend gering.

[2] Bei Migne XL, col. 233 diligenter sciendo, quid credi, quid sperari debeat, quid amari. Haec enim maxime, immo vero sola in religione sequenda sunt. His qui contradicit, aut omnino a Christi nomine alienus est, aut haereticus.

in ben angezogenen Verſen. Deshalb läßt auch Auguſtin ben mittleren
Vers (cui fundit ab antris Aeolus armatas biemes) fort.[1] Jedenfalls
ift ‚a Christi nomine alienus‘ an bieſer Stelle viel ſchärfer, als das
bloße gentilis wäre, und nähert ſich in etwa bem ‚pervicacissimus‘ des
Oroſius.

Ich glaube, unſere Ausführungen haben als ſicher ergeben, daß an
Auguſtins klaren Worten nicht zu beuteln und Claudian nach wie vor
als Vertreter des Heibentums anzuſehen ift. Wenn bezüglich ber Un=
echtheit bes Carmen Paschale auch bisher ein unwiberleglicher Beweis
nicht geführt werden kann, ſo ſpricht boch bie Wahrſcheinlichkeit mehr
bafür, baß es bem Dichter abzuſprechen ſei, als für bie gegenteilige
Annahme.

Das Carmen Paschale ift zuletzt beſprochen und gebruckt bei Max.
Ihm in ſeiner Ausgabe der Epigramme des Damaſus (Leipzig, 1895).
Derſelbe bezweifelt Niebuhrs Anſicht von Merobaudes als Verfaſſer,
ſagt aber in ber Praef. S. XXV: Fateor tamen mihi Birtium non
prorsus persuasisse carmen a pagano illo pervicacissimo ... profectum esse. Zugleich trage ich zu meiner Schrift S. 39 aus Ihm
nach, baß im Anſchluß an G. Fabricius auch Sarazani (Rom, 1638),
Rivinus (Leipzig 1652) und Merenda (Rom 1754) in ihren Ausgaben
des Damaſus bas Carmen Paschale für ein Werk bieſes Papſtes halten.

---

[1] Bemerkenswert erſcheint mir, weshalb Claub. a. a. O. nicht o nimium dilecte
deis ſetzt, ſonbern deo. Es will mir beinahe ſo vorkommen, als wenn Aug. bas
auffällig gefunden habe. Nun würde aber deis in dieſem Verſe einen Binnenreim
auf antris gegeben haben, ben ber ſorgfältig feilende Claudian ſich nicht geſtattet
hat. Eine genaue Betrachtung ber Sprache bes Dichters zeigt übrigens, baß bas
Wort deus, wo es im allgemeinen Sinne = bie Gottheit gebraucht ift, bei Claub.
ſtets im Plural ſteht: vgl. V, 441; VIII, 99; VIII, 277; XVII, 227; XXIV, 130;
XXVI, 53. Nur III, 7 hat Cl., bem Zwange des Versmaßes folgend (ebenſo
wie oben), ben Singular; bafür ſetzt er aber gleich barauf (III, 21), in demſelben
Zuſammenhange, ohne bieſe Nötigung: Absolvitque deos.

Die kirchenpolitische Thätigkeit des hl. Vincenz Ferrer.

Von Heinrich Finke.

I.

Das Wirken des gewaltigen Bußpredigers aus dem Dominikanerorden Vincenz Ferrer hat so tiefe Spuren hinterlassen, daß sie auch
jetzt nach 500 Jahren nicht völlig verwischt sind. Noch jetzt gehört er
zu den populärsten und verehrtesten Heiligen, die Spanien besitzt. Das
bewies das vierte, 1855 so glänzend verlaufene Centenarium seiner
Heiligsprechung in seiner Vaterstadt Valencia, die keine Straße nach
ihm benannt hat, denn toda Valencia es de san Vicente Ferrer;
ein stattlicher Band von 850 Seiten berichtet über diese Festlichkeiten.
Das beweisen die zahlreichen Bildsäulen, die man ihm in- und außerhalb der Gotteshäuser gesetzt hat, die ihm zu Ehren erbauten Oratorien,
die Stellen in den Bergen und auf den Feldern, die seinen Namen
tragen. Mit Bewunderung wurde seiner in den spanischen Cortes noch
im Jahre 1871 gedacht.

Aber weiter zieht sich der Kreis seiner Verehrer vor allem in
Süditalien und in der Bretagne, wo er seine irdische Wanderlaufbahn
am 5. April 1419 schloß. In Neapel wurde er durch Beschluß der
Stadtverordneten mit Genehmigung des Kardinalerzbischofs nach der
großen Cholera des Jahres 1835 zum Schutzpatron der Stadt erwählt.
Und wenn wir modernen Berichten trauen dürfen, rufen die Hilfe des
Heiligen sogar muhamedanische Frauen für ihre Kinder an. Auch in
Deutschland gehört er zu den bekannteren Heiligen.[1]

Das Leben des hl. Vincenz spielt sich ab im vollsten Lichte der
Geschichte; sein öffentliches Wirken fällt zusammen mit der Zeit des

---

[1] Die Belege hierfür in dem gleich zu nennenden Buch von Fages, II, 298,
319, 327, XC.

großen Schismas. Der Beichtvater Benedikts XIII, der vertraute
Ratgeber Ferdinands I von Aragonien, der Freund so vieler uns aus
der Kirchengeschichte bekannten Kirchen= und weltlichen Fürsten nimmt
an hervorragenden Ereignissen politischer und kirchlicher Art teil; er
unterschreibt z. B. den Wahlakt von Caspe, der die aragonesische Krone
einem andern Geschlechte zuwandte, und hält bei den Verhandlungen
von Perpignan die entscheidende Rede. Sein Predigtgebiet umfaßt
ganz Spanien, selbst das maurische, Frankreich südlich der Linie, die
man von der Bretagne über Besançon nach Freiburg in der Schweiz
ziehen kann, und Norditalien, soweit Benedikts XIII Obedienz reichte.

Um so mehr muß man sich wundern, daß wissenschaftliche Arbeiten
über sein Leben und Wirken in neuerer Zeit eigentlich gar nicht erschienen
sind. Wir haben wohl eine Reihe häufig kritikloser Biographien
spanischer Herkunft aus vergangenen Jahrhunderten, italienischer und
französischer aus diesem Jahrhundert. Die letzte deutsche, wissenschaftlichen
Charakters stammt aus dem Jahre 1830 von einem Schüler Neanders;[1]
sie stellt die Hauptthatsachen aus dem Leben des Heiligen im engen
Anschluß an die Acta Sanctorum ohne tiefere Kritik mit einem gewissen
wohlwollenden Verständnis zusammen; von Heller rührt auch der Artikel
Vincenz Ferrer im Kirchenlexikon von Herzog her. Schon vor einer
Reihe von Jahren betonte der berühmte Sprachforscher Paul Meyer,[2]
daß die meisten Biographien von Diago (dem ersten) bis auf Pradel,
dessen Saint Vincent Ferrier 1864 erschien, nur Panegyristen seien,
die kritiklos den mittelalterlichen Biographen Razzano ausschrieben;
und doch müsse in der Hand eines tüchtigen Forschers, der Lokal=
chroniken und Archive richtig auszubeuten verstehe, eine Biographie des
merkwürdigen Mannes großes Interesse gewinnen.

So mußte man denn eine neue Lebensbeschreibung mit Freuden
begrüßen, die den Anspruch macht: Rien d'essentiel n'est resté dans
l'ombre, und deren Verfasser nicht weniger als 15 Jahre dafür gesammelt
und daran gearbeitet hat,[3] zumal die Ordensapprobation zu anfang
des ersten Bandes die doch etwas außergewöhnliche Bemerkung trägt:
Les abondants documents qui s'y trouvent formeront une notable

---

[1] L. Heller, Vincentius Ferrer nach seinem Leben und Wirken. Berlin, 1830.
[2] Romania, Bd. X (1881), p. 229.
[3] P. Fages, histoire de saint Vincent Ferrier, apôtre de l'Europe.
Paris. 2 Bde. (Ohne Jahr. Anscheinend 1894).

contribution à l'histoire ecclésiastique pendant le grand schisme,[1] und kein geringerer als L. Duchesne dem zweiten Bande das Geleitwort gab: Votre ouvrage est assez riche en preuves de toutes sortes pour que nul désormais, ne puisse s'occuper de saint Vincent Ferrier ou de son époque sans vous consulter.

Ein merkwürdiges Buch! Es ist kein eigentliches Geschichtswerk und auch keine Heiligenlegende. Der Verfasser hat beiden Teilen genügen wollen: dem Forscher und dem Beter; er wollte ein wissenschaftliches Werk schreiben, das zugleich erbauen sollte, und dazu fehlte ihm die Kraft.[2] So folgen sich im bunten Durcheinander Ergebnisse kritischer Forschung und anmutiger Sagen; Darstellungen hochpolitischer Vorgänge und landschaftliche Schilderungen. Hätte er für beide Richtungen ein besonderes Werk abgefaßt, so würde er unzweifelhaft weitere Kreise befriedigt haben. Wo er das Gebiet der allgemeinen Kirchen- oder politischen Geschichte betritt, kann man dem Verfasser nur mit der größten Vorsicht folgen. Irgend welche Spezialwerke, die nichts mit dem Heiligen zu thun haben, sind ihm unbekannt; die größten Schnitzer begegnen einem bei den bekanntesten Thatsachen.[3] Bei der Einteilung in vier Bücher hat er jedem Teile documents und appendices angehängt. Doch darf man nicht glauben, wie es zuerst den Anschein hat, daß diese Dokumente ungedruckt seien; die meisten sind aus mehr oder minder zugänglichen Werken entnommen und nicht immer mit der gehörigen Genauigkeit. Wichtiger sind die appendices;[4] unter ihnen sind

---

[1] Dieser Satz rührt wohl von dem mitunterzeichneten Examinator Prof. Mandonnet in der Schweiz her, der sich mit Arbeiten zur Geschichte des großen Schismas beschäftigt.

[2] Wiederholt entschuldigt sich der Vf. wegen seiner Kritik. Vgl. S. X Bd. 1 und das Schlußwort des 2. Bd.: Jusqu' à la limite extrême du possible, j'ai respecté les traditions, mais je n'ai qu'une foi relative aux songes, par exemple, et aux impressions maternelles; je crois que, plus d'une fois, le chien de saint Dominique a fait rêver. Was er von der bösen modernen Kritik hält, äußert er bei der Erwähnung des großen spanischen Historikers Geronimo Zurita (S. CXIV des 1. Bandes): Honnête, il ne pensait pas qu'on pût soupçonner l'honnêteté. Est-il possible qu'un historien soit de mauvaise foi? Ce phénomène était réservé à nos siècles déchus.

[3] Nur ein Fall! Um zu beweisen, daß das Papsttum stets Schiedsrichter in Europa gewesen, selbst in den traurigen Zeiten des Schismas, heißt es II, 94: Le pontife Romain pouvait déposer l'empereur: il déposa de fait l'indigne Venceslas, auquel succéda Robert de Bavière, élu le 20. avril 1401. Davon ist nichts richtig.

[4] Die Numerierung ist in Unordnung. Der Vf. zählt im Text die beiden Appendices jeden Bandes durch, während im Anhang jeder Appendix wieder mit A beginnt.

wertvolle kleine Unterſuchungen, von denen ich einzelne ſpäter näher beſprechen werde, z. B. über den angeblichen Aufenthalt des Heiligen in Bologna und in Konſtanz. Hiezu gehört auch die dankenswerte Ueberſicht über die Literatur: Vincent Ferrier et l'histoire (S. LXXXVI bis 133), der man ihre Breite leicht verzeiht.

Trotz aller Schwächen hat das Buch ſeinen Wert, weil der Autor mit ſtaunenswertem Fleiße jeder einzelnen Notiz über den Heiligen nachgegangen iſt. An gedrucktem Material iſt ihm nur weniges ent= gangen, wohl faſt nur deutſche Quellen. Wichtiger ſind aber die zahl= reichen ungedruckten Nachrichten. So gelang es ihm in Valencia eine große Materialienſammlung des 1775 geſtorbenen Dominikaners Teyxidor aufzudecken; der Archivar des dortigen Dominikanerkonventes hatte ſein ganzes Leben lang zuſammengeſucht, was er in den Ordensarchiven und in den Regiſterbänden des Ayuntamiento über den hl. Vincenz finden konnte und nichts davon veröffentlicht. Wertvoller noch er= ſcheinen die von Fages aufgeſpürten Rechnungen und Verordnungen der Städte, die Vincenz auf ſeiner Predigtfahrt beſucht hat. Manches köſtliche Stück hat er da ausgegraben, das in der materiellen Form der Wein= oder Kleiderſchenkung an den Heiligen und die ihm folgenden Scharen die Verehrung bekundet, die er überall genoß; das zugleich die untrüglichſte Handhabe bietet, um ein feſtes chronologiſches Gerippe für die letzten 20 Lebensjahre zu erhalten. Schließlich iſt es dem Ver= faſſer gelungen, Bruchſtücke der Zeugenausſagen aus dem Kanoniſations= prozeſſe aufzufinden, die man verſchollen glaubte; ſie ermöglichen es, die bisherige umfangreichſte maßgebende Quelle für die Biographie des Heiligen, die Vita des Razzano, zu kontrolieren.[1]

Eine Ueberſicht des Quellenmaterials, das m. E. jetzt in der Haupt= maſſe vorliegt und höchſtens noch durch unbedeutendere Einzelfunde ver= mehrt werden kann, dürfte verbunden mit einigen kritiſchen Bemerkungen nicht ohne Intereſſe ſein.[2]

1. Die Werke des Heiligen. Seine literariſchen Arbeiten ſind verhältnismäßig nicht zahlreich und auch nicht umfangreich; freilich für

---

[1] Leider hat Fages alles mögliche gethan, um die Ueberſicht und Benutzung ſeiner Findlinge zu erſchweren. Sie ſind meiſt in Form von Noten unter den Text geſetzt, oft ohne genauere Angabe des Fundortes.

[2] Mehr wie eine Ueberſicht kann ich nicht bieten. Ich möchte nur die Auf= merkſamkeit der Forſchung auf den Mann lenken, der einſt die halbe kultivierte Welt in Bewegung ſetzte. Zu weiteren Unterſuchungen bedürfte es vor allem der Einſicht= nahme der HSS.: der Vita des Razzano und der Sermone.

die letzte Periode seines Lebens hatte er kaum Zeit zu einem derartigen,
Ruhe erfordernden Schaffen. Brauchte er doch, um einen Brief an
seinen Ordensgeneral fertig zu stellen, mehrere Monate. Darf man es
auch gerade nicht so buchstäblich nehmen, daß er täglich nur ein paar
Zeilen hätte hinzufügen können, so ist es doch unzweifelhaft sicher, daß
bei dem anstrengenden Wanderleben mit den täglichen, oft wiederholten
Predigten es ihm unmöglich war, eine umfangreiche literarische Thätigkeit zu entfalten. Seine wissenschaftlichen, kirchenpolitischen und wohl
auch die asketischen Werke stammen sämtlich aus der Zeit vor 1399;
die letzten 20 Jahre haben nur seine Predigtentwürfe und einzelne Briefe
gebracht. Eine wesentliche Bereicherung hat unsere Kenntnis seit Quétif-
Echard hierüber nicht erfahren. a) Wahrscheinlich aus seinen jüngern
Jahren, zum teil seitdem er als Lektor der Theologie seit dem 9. Dezember 1385 an der Kathedrale zu Valencia angestellt war, stammen
die annotationes zur Summa des hl. Thomas von Aquin, die sup-
positiones logicae und der tractatus de unitate ipsius universalis.
Von allen denen sind bis jetzt nur Bruchstücke publiziert.[1] b) Von
den asketischen Schriften hat die weiteste Verbreitung erlangt der tractatus
vitae spiritualis, übersetzt ins spanische, italienische und französische:[2]
Hier wird das Idealbild des wahrhaft frommen Menschen in seinen
verschiedensten Richtungen gezeichnet. Das ursprünglich spanisch geschriebene und wiederholt edierte Büchlein Mysteris y contemplacions
de la missa, auch De las ceremonias de la missa tituliert, erscheint
in einer Sammlung seiner Schriften auch in lateinischer Sprache.[3]
Der Tractatus valde utilis et consolatorius in tentationibus circa
fidem scheint in der seltenen Sammlung von Antist gedruckt zu sein.[4]
c) Die 1380 über das Schisma geschriebene, Peter von Aragonien ge-

---

[1] Die ersteren werden aufbewahrt in Saragossa. Vgl. Fages II, 433 Anm.
Der Beginn der zweiten Schrift: Incipiunt supposiciones magistri Vincentii ...
in civitate Valencie. Da er seit 1388 als Magister erscheint, so ist die Entstehung
dieser Schrift wohl in die nächstfolgende Zeit zu setzen. Vgl. Fages I, 81.

[2] Gedruckt zuerst Magdeburg 1493 als Tractatus (Fages hat Compilatio)
de interiori homine formativus. In Venedig erscheint 1500 Tractatus de vita
spirituali. Vgl. Hain Nr. 7023 u. 24. Quétif-Echard, SS. ord. Praed. I, 767 erwähnen eine Recognitio hominis interioris, die sich mit obigem wohl unzweifelhaft
deckt. Vgl. auch Heller S. 22 f. Anm. 20. Die Ueberseßungen dort und bei Quétif-
Echard 766. Fages, II, 432.

[3] Editionen bei Fages II, 432.

[4] Fages II, 432 erwähnt ebenso wie Heller 24, Anm. 22 nur eine Originalhandschrift (?) nach Quétif-Echard.

widmete Abhandlung.[1]) d) Von dem Briefwechsel des Heiligen sind uns nur sieben vollständige Schreiben und zwei Bruchstücke erhalten: Zwei ohne Jahr an den Infanten Martin von Aragonien (also vor 1390) über seinen Besuch und Sendung seiner Sermone;[2]) dann an denselben ein Glückwunsch bei seiner Thronbesteigung 1395; nur ein Monatsdatum trägt ein Brief an seinen Bruder, den Karthäuser Bonifaz Ferrer, worin er ihm die Mitteilung von multa nova terribilia et miranda ankündigt; 1410 zeigt er seine Ankunft in Valencia an; das Fragment eines Schreibens an Gerson ist beim Konstanzer Konzil zu behandeln; von größerer Bedeutung sind nur der Brief an König Ferdinand von Aragonien, worin er 1414 eine Kreuzerscheinung in Guadalaxara deutet, und vor allem das Schreiben an seinen Ordensgeneral vom 17. Dezember 1403, das seine anderthalbjährige Predigtfahrt durch die Alpenthäler schildert, und sehr wichtige Nachrichten über Waldenser und andere Sekten in den Diözesen an der schweizerisch-französisch-savoyischen Grenze gibt; schließlich der berühmte Brief an Benedikt XIII über den Antichrist und das Ende der Welt vom 27. Juli 1412, worin er dem Papst auf seine Aufforderung hin Aufklärung über seine Ansichten über das Weltende gibt; nach ihm war der Antichrist schon mehrere Jahre geboren.[3]) Die Zahl der Briefe ist nicht groß; unzweifelhaft haben mehrere existiert, da aber schon seit den Zeiten von Antist, seit Ende des 16. Jahrhunderts trotz eifrigen Durchstöberns der Archive fast nichts mehr gefunden wurde, so dürfen wir kaum mehr die Hoffnung auf neue Funde hegen. e) Die Sermonensammlungen. Vincenz soll nach Aussage eines Kanonisationszeugen mehr als 20,000 Predigten gehalten haben: eine ungewöhnliche und in der Höhe nur dann glaubwürdige Leistung, wenn er wirklich, wie mehrfach betont wird, Tag für Tag mehrmals gepredigt hat. Jedenfalls ist nur ein geringer Bruchteil auf uns gekommen. Zuerst hören wir von einer Sammlung vor dem Jahre 1395, also vor

[1]) Auf sie komme ich weiter unten zu sprechen. Ebenso auf eine zweite kirchen=politische Schrift Vincenz. In diese Kategorie könnte man auch sein Votum bei der Königswahl in Caspe (1412) zählen.

[2]) Martin kam 1395 zur Regierung. Es sind übrigens nicht die einzigen Briefe, die Vincenz an Martin schrieb, denn zu anfang des Schreibens vom Tage des hl. Sebastian heißt es: Del solve pus, senyor, teniù per cert del fet dels meus sermons, segons que en l'altra letra vos fiu saber. Darüber wissen wir nichts.

[3]) Vgl. die Briefe Fages, I, 253, 289, VII, XXXI, XXXVI und II, 433 und IX. Hain verzeichnet unter Nr. 7016—22 ein opusculum de fine mundi, sechsmal in lateinischer, einmal in deutscher Ausgabe für das 15. Jahrh.; zuweilen als tractatus, zuweilen als sermo („predigt") bezeichnet. Es wird die Predigt sein, die Vincenz gehalten hat und wegen der er bei Benedikt denunziert war; wahrscheinlich deckt es sich teilweise mit obigem.

dem Beginn seines eigentlichen Apostolates. Daß er schon damals als
einer der berühmtesten Redner in Spanien galt, ergeben eine Reihe
von einander unabhängiger Thatsachen. Damals schrieb er in dem
oben genannten Briefe an den Infant Martin del set dels meus sermons ... Jatsia que jamés per ninguna persona nols haja volgut
comunicar e tinchmo, Senyor, à gran honor, que vos siau lo primer
e que la vostra Senyoria per Ietra, que
posada al començament del libre en loch de prolech o prohemi.
Diese Handschrift ist verschwunden. Die uns erhaltenen Sammlungen
entstammen der Zeit seines zwanzigjährigen Apostolats. Als besonders
wertvoll gelten Fages zwei Codices in Valencia und Perugia. Ersteren
möchte er mit seinen Vorgängern als eine Originalhandschrift des Heiligen
bezeichnen und er hat zwischen S. II und III der Einleitung zum ersten
Bande eine photographische Nachbildung einer halben Seite gegeben.
Der Charakter der Schrift entspricht unzweifelhaft der Zeit des ausgehenden 14. und beginnenden 15. Jahrhunderts. Die Ausfüllung der
Alineas ähnelt ganz der Art und Weise, wie der gleichzeitig lebende
Dominikaner Jakob von Soest jeden leeren Fleck Pergament benutzte.
Auch die wenigen Korrekturen würden gegen die Originalität nicht
sprechen. Der mittelalterliche Gelehrte hat auch beim ersten Entwurf
meist Reinschrift geliefert. Andererseits sind die Gründe für die Authentizität doch nicht genügend. Einer im 16. Jahrhundert, also mehr als
hundert Jahre nach dem Hinscheiden des Heiligen, auftauchenden Tradition zufolge hat Vincenz 1414 das Manuskript in Marcella gelassen,
von wo es dann später in die Hände des Erzbischofs zu Valencia Juan
de Ribera kam. Man schließt nun aus Sätzen wie: Socius meus frater
Moya oder Et hic fui infirmus ab hac die u. s. w., daß der Heilige
das Buch selbst geschrieben habe. Warum aber dann nicht ebenso gut
diktiert? Und kann nicht selbst dieses Diktat schon wieder von einem
Kopisten abgeschrieben sein? Ein gewissenhafter Kopist wird doch derartige Stellen nicht ändern. Aus ihnen folgt nur, daß das Original,
welches aber nicht das berührte Manuskript zu sein braucht, entweder
vom Heiligen selbst geschrieben oder diktiert ist. Gegen die Originalität
spricht direkt, daß in der Handschrift Reden zweier anderer Prediger
von derselben Hand eingetragen sind.[1])

---

[1]) Fages, II, XC führt die Daten an und überläßt die Entscheidung dem
Leser. Ist das Manuskript thatsächlich in der Zeit vom 15. Februar 1411 bis zum
Juli 1412 geschrieben (daselbst 379), so rührt es wahrscheinlich von einem Gehilfen
des Heiligen her.

Viel umfangreicher ist der Codex von Perugia: Er enthält 477 Predigten oder Entwürfe und dürfte viel eher Anspruch auf Originalität
machen, wenn die von einer gleichzeitigen Hand erfolgte Eintragung:
Sermonarium scriptum per manus s. Vincentii ordinis Praedicatorum,
quem (!) dedit conventui rᵐᵘˢ Magister Leonardus de Mansuetis de
Perusio auf Wahrheit beruht. Außerdem existieren in Spanien, aber
auch auswärts, eine große Anzahl von Predigthandschriften des hl.
Vincenz.[1]

Die Buchdruckerkunst hat sich der Predigten alsbald bemächtigt.
Seit dem Jahre 1475 erscheinen sie, einzeln und gesammelt, in zahlreichen Auflagen bis ins vorige Jahrhundert,[2] und einzelne Exemplare
der sermones de tempore (oder auch sermones hiemales s. aestivales)
und de sanctis finden sich wohl in den meisten Bibliotheken. Von den
besondern Bearbeitungen sind die distinctiones b. Vincentii die bekanntesten. Leider ist das Wenige, was Fages zur Charakterisierung des
Unterschiedes von Handschriften und Drucken bietet, außerordentlich
dürftig. Er, der die Handschriften selbst eingesehen hat, war allein
dazu im stande, eine solche Arbeit zu liefern. Wahrscheinlich beschränken
sich im allgemeinen die Abweichungen auf Veränderung der Disposition,
daß Predigten an einer anderen Stelle untergebracht und einzelne Stücke
auseinandergerissen werden. Innerhalb des Textes möchte ich keine
wesentlichen Abänderungen vermuten.[3]

Was sind nun diese handschriftlich oder gedruckt vorliegenden sermones? Schon der Umstand, daß sie fast alle lateinisch vorliegen,
bringt uns schnell auf die Fährte: Es sind nicht Aufzeichnungen gehaltener,
sondern die Entwürfe der noch zu haltenden Predigten. Vincenz predigte
höchst wahrscheinlich, abgesehen von einem besonderen Publikum, immer

---

[1] Die Möglichkeit einer Feststellung läge vor, wenn die Marginalnoten zur
Summa des hl. Thomas (vgl. II, XLIV) zur Vergleichung herangezogen würden.
Oder sind sie nicht mehr vorhanden? Bei Fages läßt sich selten feststellen, was denn
noch thatsächlich handschriftlich erhalten ist.

[2] Fages II, 425 zählt eine Anzahl auf, doch ist die Liste nicht vollständig.
Die aus dem 15. Jahrh. f. bei Hain von Nr. 6998 an. Auch in neuerer Zeit sind
noch einzelne ungedruckte erschienen, so 1872 f. in der Zeitschrift La Cruz.

[3] Wenn Fages II, 427 sagt: Le sermon du recueil de Morella, tout en
catalan, pour la fête de saint Pierre et saint Paul est en latin dans l'édition
de Damien Diaz, so kann Diaz doch ganz gut aus einer anderen HS., die den
lateinischen Text enthielt, geschöpft haben.

in seiner Landessprache,[1]) hat aber, wie z. B. unsere deutschen Prediger im 15. Jahrhundert seine Entwürfe erst lateinisch niedergeschrieben oder schreiben lassen. Einen entwurfartigen Charakter zeigen besonders die Stellen, auf die ich in den gedruckten Predigten oft gestoßen bin: exponatur, wenn die Zeit da ist oder es passend erscheint, u. s. w.[2])

Natürlich bieten uns diese Entwürfe nur einen schwachen Abklatsch der von Vincenz thatsächlich gehaltenen Predigten, die tausende und abertausende so entflammten, daß sie alles, Haus und Verwandte, verließen, um ihm zu folgen. Vincenz war der geborne Volksredner,[3]) der größte unter den großen des 15. Jahrhunderts.[4]) Seinem Zauber unterlag alles selbst widerwillig[5]) Könige, Kirchenfürsten, Geistliche und der gewöhnliche Mann. Auch aus den Entwürfen leuchtet allerorten das Volkstümliche heraus,[6]) freilich geht es zuweilen, dem Geschmacke

---

[1]) Man vgl. nur folgende Zeugenaussagen: Et licet idem magister Vincentius praedicando loqueretur in suo vulgari idiomate Cataloniae seu Valentino, tamen omnes tam Tolosani quam Baschones et Gallici ... dicebant ... intellexisse. Ferner: Et illi, qui erant Theutonici et Francigenae et aliarum linguarum audiebant et intelligebant ipsum loquentem lingua Catalana. Die Zeugen stammen aus ganz verschiedenen Gegenden. Wenn es heißt bei einem Zeugen aus der Bretagne: Britones britonizantes licet non intelligerent Gallicum, intelligebant tamen ... praedicationes, so liegt darin doch wohl nicht, daß Vincenz französisch gesprochen hat. Die Stellen bei Fages I, XXXVIII. Aus einer Stelle in einem Briefe des Nikolaus de Clemanges sollte man annehmen, daß er italienisch verstand.

[2]) Interessant ist das Latein der Predigten. Wo dem Heiligen der klassische Ausdruck mangelte, latinisierte er ein spanisches Wort oder setzte es wohl in der landesüblichen Form in den lateinischen Text.

[3]) Einmal sollte er vor dem aragonesischen Könige sprechen. Er bereitete sich sorgfältiger vor als gewöhnlich. Die Rede gefiel nicht: Era mas el ruido (Lärm) que la nuezez (Nüsse), sagte der König. Am andern Tage sprach er in seiner gewöhnlichen Manier und er entzückte alle.

[4]) Ich habe prächtige Reden gehört, ich kenne zahlreiche bedeutende Redner. Aber seines gleichen habe ich nicht gefunden und ich trage keine Bedenken es zu sagen, seines gleichen wird es nicht mehr geben. Die großen Redner in Rom halten keinen Vergleich mit ihm aus. So deponiert der Jurist Pierre Gautier. Fages II, 371.

[5]) Ein Beamter erzählt, daß er und andere sich vorgenommen hatten, ihm durch Fragen eine Falle zu stellen; aber keiner von ihnen hätte die Ausführung gewagt; als er am folgenden Tage gesprochen habe, sei es gewesen, als ob er in ihre Seelen geschaut habe. Denn gerade ihre Punkte habe er besprochen.

[6]) Fages hat II, 381 ff. einiges interessante Material geboten. Ich fand eine Stelle in den sermones, wo er darauf hinweist, was ein Geistlicher in der Beichte thun solle, wenn ihm jemand erkläre, er habe seine Sünden vergessen: er solle ihn nur sofort nach den Schlechtigkeiten seines Nachbars oder seiner Nachbarin fragen, dann würde man sehen, wie viel er zu erzählen wisse.

jener Zeit entsprechend, über die Grenze dessen hinaus, das wir als
volkstümlich bezeichnen würden. Das hat schon Cesare Cantu betont,
und wenn Fages dagegen polemisiert, so mag er insofern recht haben,
daß Cantu es zu scharf hervorgehoben hat und von einer Verweltlichung
der Predigt gesprochen hat; aber manches ist doch außergewöhnlich,
wenn es auch immer nur einzelne Stellen sind.[1]

Soviel kulturhistorisch und für die Charakteristik der Persönlichkeit
aus den Reden zu schöpfen ist, für die Vita liefern sie doch nur ganz
vereinzeltes Material.[2] Es würde überhaupt um sie schlecht bestellt
sein, wenn wir aus den Werken des Heiligen allein sein Bild zeichnen
müßten. Da treten ein:

2. Die zeitgenössischen Quellen. a) Briefe an Vincenz sind
wenigstens in größerer Anzahl erhalten als seine eigenen; vor allem
vom aragonesischen Königshause und seiner Vaterstadt Valencia. Inniger
ist wohl selten das Verhältnis eines Unterthans zu seinem Herrscher
gewesen. Sind auch nur zwei Briefe Martins an ihn erhalten aus
dem Jahre 1409, gerade aus der Zeit, wo Vincenz den durch den Tod
seines Sohnes geknickten König veranlaßte, noch einmal zu heiraten, so
waren das sicherlich nicht die einzigen. König Ferdinand verdankte ihm
seine Krone; sein religiöser Sinn trieb ihn wiederholt an, den Rat des
Heiligen einzuholen, das seit anfang 1414 immer lebhafter bei ihm her=
vortretende Verlangen, die Einigung der Kirche auf jeden Fall herbei=
zuführen, bewirkte auch einen lebhaften Briefwechsel mit Vincenz, den
er für Morella, Nizza und Perpignan zu interessieren suchte, freilich zu=
nächst nicht mit allzu großem Erfolge. Und als vielleicht infolge eines
Mißverständnisses sein ältester Sohn Alfons in den Verdacht gekommen
war, daß er Vincenz in der Juden= und Maurenbekehrung entgegen=
arbeitete, richtete dieser schleunigst an seinen Vater ein Schreiben, worin
er erklärt: Al qual dit maestre Vicent . . . voldria complaure en tot
ço, que pusques honestament. Später hat er dann auf alle Weise
brieflich durch König Sigismund und das Konzil selbst versucht, ihn

---

[1] Ich führe hier nur an aus einer Predigt, wo er die Beichte vergleicht mit
der Rekonvaleszenz, vom Syrup der Reue bis zum Huhn der geistlichen Gesundheit:
Dum post ista per confessionem dat licenciam, ut possit comedere pullum,
scilicet carnem delicatam, et hoc est per communionem, in qua datur quidam
pullus delicatus et endrellet, scilicet Jesus Christus, natus de la lloca et
gallina beata Maria. Das ist doch schwer ins Deutsche zu übertragen.

[2] Leider fehlen seine wichtigsten Reden, die er bei kirchenpolitischen und poli=
tischen Aktionen gehalten hat. So predigte er z. B. vor der Wahl in Caspe und am
Tage der großen Subtraktionsentziehung in Perpignan. Beide Reden fehlen. . . .

zum Besuch der Kirchenversammlung zu bewegen[1]) Ein Dutzend Schreiben richtet die Stadt Valencia[2]) an ihren großen Sohn: in allen Nöten bei Zwietracht, Pest, religiösen Wirren, stets wird Vincenz herangezogen.[3]) b) Die über Vincenz handelnden Briefe sind nur wenige, darunter aber so interessante, wie die prächtige lebenswahre Schilderung, die der bekannte Theologe Nikolaus von Clemanges von ihm entwirft und die packende Darstellung seiner Missionierung in Orihuela und Majorka, sowie ihre Erfolge.[4]) c) Neu in die Lebensbeschreibung eingefügt sind, wie schon kurz erwähnt, die zahlreichen Eintragungen in den Stadt= büchern, so in Toulouse, Lyon, Freiburg (i. Schw.) für die Zeit, in welcher der Heilige dort predigte. Durch sie sind die Irrtümer in den Lebensbeschreibungen beseitigt und zahlreiche Lücken ausgefüllt. Sehr oft zieht Fages auch ältere, wenn auch nicht gleichzeitige Aufzeichnungen, Stadtchroniken des 16. und 17. Jahrhunderts heran; hier ist die Kontrole schwer, da niemals ersichtlich ist, auf welche ältere Quellen derartige Berichte zurückgehen. d) Sehr dürftig sind die Berichte der gleichzeitigen Chroniken; meist begnügen sie sich mit der bloßen Namennennung oder einer kurzen Charakterisierung. Wohl alle Chroniken seiner Ordens= genossen nennen ihn den Ruhm ihres Ordens, aber keiner hat mit Ausnahme von Johannes Nieder sich ernstlich bemüht, etwas Neues über ihn zu erfahren.[5])

3. Die Kanonisationszeugen und Razzano. Bis jetzt galt nach dem Vorgange der Acta SS. die Vita des Humanisten Razzano als die eigentliche Quelle für das Leben des hl. Vincenz und es ist ein Hauptverdienst von Fages, durch seine Funde diese stark verdächtige Quelle in den Hintergrund gedrängt zu haben Schon bald nach dem Hinscheiden des großen Bußpredigers bemühten sich hervorragende welt=

---

[1]) Die hierhin gehörenden Briefe der königlichen Familie stehen Fages I, 228, 234; II, 50, 63, 68, 78, 105, 126, 147. Außerdem in den Appendices.

[2]) Die Briefe Valencias I, 70, 73, 81, 136, 260, 268, 288; II, 39, 43.

[3]) Sogar so fern liegende Dinge wie die Aufrechthaltung von Sitte und Ord= nung wurden ihm zur Entscheidung übertragen. So erwirkte er, daß die Courtisanen nicht mehr in der Stadt Valencia umherlaufen, sondern sich nur in einem ihnen be= sonders zugewiesenen Stadtviertel, das er eigens absondern ließ, aufhalten durften. Fages I, 83.

[4]) Fages I, 186, 290; II, 56.

[5]) Vgl. Stella für Genua in Muratori, Rer. Ital. SS. . . . Nieder in seinem Formicarius l. II c. I. Den hl. Antonin wird man nicht mehr zu den eigentlichen Quellen nehmen können. Ebenso die anderen von den Bollandisten herangezogenen Autoren.

liche und geistliche Persönlichkeiten, vor allem der Herzog Johann von
der Bretagne, Martin V zur Einleitung des Heiligsprechungsprozesses
zu veranlassen, und Martin ist nach Razzano diesen Wünschen bereit=
willigst entgegengekommen Dann überkamen aber der Kirche sinistra
quaedam, die Papst und Kardinäle veranlaßten, sich vorläufig nur mit
der Verteidigung der Rechte und Freiheiten der Kirche zu beschäftigen.[1]
Darunter darf man wohl die feindliche Haltung verstehen, die Alfons
von Aragonien schon seit dem Anfang der Zwanziger Jahre dem heil.
Stuhle gegenüber einnahm, und die erst nach jahrelangem Bemühen
Roms und durch die Sendung des Kardinals von Foix einem freund=
licherem Verhältnis Platz machte, das aber auch nicht lange währte.
Auch Eugen IV interessierte sich für die Angelegenheit. Aber erst nach=
dem die Stellung des inzwischen auch zum Herrscher in Neapel gewordenen
Königs Alfons zur Kirche sich dauernd gebessert hatte und der Dominikaner=
orden an Martialis Auribelli einen General erhalten, den Vincenz selbst
dem Orden zugeführt hatte, wurde sie eifriger von Nikolaus V betrieben.
Die Zeugenvernehmungen begannen; die Prüfung wurde unter dem
spanischen Papste Calixt III fortgeführt und beendet, der denn auch die
Kanonisation am 19. Juni 1455 vollzog; die Bulle selbst veröffentlichte
erst sein Nachfolger Pius II am 1. Oktober 1458.

Die Bulle Nikolaus V, welche die Untersuchung anordnete, wurde
1451 am 28. Oktober, also 32 Jahre nach dem Tode des Heiligen er=
lassen. Die päpstlichen Kommissare ernannten zu Leitern mehrere
Kirchenfürsten und andere hervorragende Personen für die Bezirke
Bretagne, Königreich Frankreich, Dauphiné und Neapel. Die Depositions=
stellen waren Vannes, Toulouse, Avignon und Neapel. Auffällig ist
die Beiseitelassung Spaniens, da in Neapel selbst Vincenz nie ge=
wesen war. Man hat hier wahrscheinlich den Wünschen des altern=
den Königs nachgegeben, der selbst in der Reihe der Zeugen erscheint.
Freilich waren an seinem Hofe eine Reihe offizieller Persönlich=
keiten versammelt, die mit ihm aus Spanien herüber gekommen waren;
aber dadurch sind wir um die Aussagen gerade aus den Kreisen
des spanischen Volkes gekommen, unter dem doch Vincenz den größten
Teil seines Lebens verweilt hatte, und so um eine Quelle, die
wahrscheinlich schon allein in kulturgeschichtlicher Beziehung — man
denke nur an die Stellung Vincenz zu den Mauren und Juden —
von unschätzbarem Werte gewesen wäre. Gerade die Aussagen aus

---

[1] Acta Sanctorum, I. Aprilband, S. 523.

Neapel sind die dürftigsten, weil offiziellsten. An den anderen Orten ließ man die Zeugen frei reden. Hier legte man wie bei den offiziellen Untersuchungskommissionen der Konzilien den Zeugen vorher redigierte Fragen vor, worauf sie mit einem vera esse oder einer ähnlichen allgemeinen Phrase antworteten. Andererseits wird man vom Standpunkte der Quellenkritik aus am wenigsten bei ihnen auszusetzen haben.[1]

Die Zeugen sind meist Persönlichkeiten in höherer Stellung und nicht ohne wissenschaftliche Bildung; so in Frankreich zahlreiche Munizipalbeamte, Juristen, Mediziner; auch Geistliche, Mönche, drei Bischöfe und König Alfons. Fast alle diese Deponenten, deren Zahl sich, wenn wir Razzano trauen dürfen, auf 860 belief,[2] hatten Vincenz gesehen, eine größere Zahl, darunter auch der Bischof von Telesia, waren dem Zuge des Bußpredigers längere Zeit gefolgt, andere waren durch ihn zum Eintritt in eine Ordensgemeinschaft veranlaßt, wieder andern hatte er selbst oder ihre Verwandten Hilfe, oft in menschlich nicht erklärbarer Weise angedeihen lassen. Es war allerdings beinahe ein Menschenalter darüber vergangen; die damals Jünglinge waren, standen jetzt im Greisenalter; das Bild des großen Thaumaturgen stand verklärt vor ihrer Seele und um manche ihrer Aussagen wird sich schon die Sage gerankt haben. Aber alles in allem genommen haben wir hier eine Quelle vor uns, die bei kaum einem Kanonisationsprozesse so rein fließt, die nicht blos für die Heiligen- und Kirchengeschichte, sondern auch für die politische und Kulturgeschichte manches abwirft.

Die Prozesse sollten nach der Kanonisationsbulle bei der Minerva in Rom aufbewahrt und dort zur Verfügung des Publikums gehalten werden.[3] Sie sind dort spurlos verschwunden; wann? läßt sich nicht feststellen. Es ist eine schlecht begründete Ansicht der Bollandisten, die Fages mit einem sans doute schon als sicher hinstellt, daß sie beim Sacco di Roma zu grunde gegangen seien. Ohne irgend eine bestimmte Behauptung aufzustellen, möchte ich doch darauf hinweisen, daß wir zahlreiche Fälle in der Quellenkunde haben, daß, nachdem eine Ueberarbeitung der bisher vorhandenen Quellen in höherem Auftrage erfolgt war, diese selbst verschwanden.

Nun ist es den Bemühungen P. Fages geglückt, größere Stücke der

---

[1] Vgl. das wichtige Dokument über Neapel. Fages, II, LXIV 55.

[2] Die Zahl ist wahrscheinlich zu hoch gegriffen. Vgl. Fages II, 258.

[3] Mandaus processus omnes super illis habitos in ecclesia domus s. Mariae super Miuervam de Urbe dicti ordinis ad perpetuam rei memoriam custodiri et illorum copiam volentibus exhiberi. Acta SS. S. 525.

Akten,[1] die Jahrhunderte lang verschollen waren, wieder aufzufinden; die Akten der Bretagne liegen in Vannes und sind vollständig vorhanden. Von den Akten von Toulouse und Neapel haben sich einige kostbare Fragmente in der Universitätsbibliothek in Valencia erhalten; aus Avignon scheint nichts mehr vorhanden zu sein. Leider hat Fages diese wichtigen Stücke durch sein ganzes Werk zerstreut, anstatt sie an einer Stelle gesammelt der Kritik zu unterbreiten. Sollte es zu einer Neuedition der Werke des Heiligen kommen, auf die Fages hindeutet, so dürften diese Materialien im Anhang nicht fehlen.

Bis jetzt mußte man sich aus Mangel an bessern der Vita bedienen, die im Auftrage des Ordensgenerals Auribelli von Ranzanus 1455 ver= faßt wurde. Wer ist Razzano (Ranzanus)? Ein Sizilianer, der früh in den Orden des hl. Dominikus trat, von Sixtus IV zum Bischofe von Lucerna ernannt und u. a. zu einer wichtigen Gesandschaft an Matthias Corvinus verwandt, von König Ferrante bei der Erziehung seines Sohnes herangezogen wurde. Der humanistischen Richtung an= gehörig, schrieb er poetische und wissenschaftliche Werke in größerer Anzahl und war zugleich ein gewandter Redner. So verfaßte er z. B.: Volu- mina IV grandiora de omnibus scientiis tam practicis quam specu- lativis de geographia etiam et historia ein Opus grande anualium omnium temporum.[2] Das war ein Mann, um eine Vita kunstgerecht zu schreiben; anders allerdings liegt die Sache bei der Frage, ob er geeignet war, das ihm vorliegende Material historisch getreu zu benutzen. Man hatte ihm die Prozesse zur Verfügung gestellt;[3] vielleicht auch einiges andere, aber sie bildeten die Hauptsache. Da sie durchgängig undatiert waren, so konnte nur jemand, der genügende chronologische Kenntnisse besaß, sie verwerten, ohne in grobe Fehler zu verfallen. Diese Kenntnisse besaß Razzano nicht.[4] Abgesehen von den paar Hauptabschnitten: Jugendalter, Thätigkeit im Dienste Benedikts, Reisen, weiß er keine chronologische Unterscheidungen zu machen.

---

[1] Die Zeugenaussagen der Bretagne scheinen im Original vorzuliegen, die andern nur in Kopien.

[2] Vgl. Quétif=Echard, SS. ord. Praed. I, 876; im übrigen das Repertorium von Chevalier.

[3] Quae de eius mirabilibus factis apud maximum pontificem univer- samque Romanam ecclesiam claris veridicisque testimoniis comprobata sunt. a. a. O. 483.

[4] So erwähnt er im Prolog, daß Thomas von Aquin 130 Jahre vorher ge= lebt habe, also um 1325! Schon die Bollandisten rügen den Fehler. Oder sollte hier ein Fehler der Ueberlieferung vorliegen, daß vielleicht ein L fehlt? Dann würde die Rechnung ungefähr stimmen.

Von der chronologischen Verwirrung zeugt vor allem das Kapitel 1 des zweiten Buches über das Schisma. Eine Probe genügt: Et quoniam ... tres summi pontifices praesidebant ecclesiae (also nach 1409) ... vir Dei ad Benedictum pontificem adiit eique suasit, ut universos praelatos, ... quorum Avenione magna multitudo erat, ad se accersiri juberet (nach 1403 war Benedikt XIII nicht mehr in Avignon und für Avignon überhaupt paßt der Vorschlag nicht) ... Die Prälaten kommen und über das Unionswerk plurimis mensibus institerunt. Ac Vincentius interea ... multas Galliae et Hispaniae urbes peragravit, se videlicet conferens modo ad Sigismundum imperatorem (den sah er in Perpignan 1415), qui per ea tempora Cataloniam venerat; modo ad Carolum Francorum regem (darüber ist nichts bekannt und die Angabe ist un= zweifelhaft falsch), aliquando ad Martinum Aragoniae regem (der 1410 gestorben war) ... Horum (also auch Martins) ... principum ... consilio tandem deliberatum est, ut Constantiae (1414) ... concilium fieret. Cum haec Avenione et Constantiae gererentur und nun folgt eine Geschichte, die nachweisbar während des Aufenthaltes des Heiligen in Avignon 1398 f. sich zugetragen hat. Noch fehlerhafter ist eine von Fages benutzte Venezianer Handschrift.

Man könnte hier annehmen, daß Razzano seine Quellen abgeschrieben, diese also in erster Linie für den Irrtum verantwortlich wären; auch dann hätte er noch die Verpflichtung gehabt, vor der Verarbeitung der= artige allgemein bekannte Fehler zu beseitigen. Es scheint mir aber viel eher eine Verarbeitung mehrerer Depositionen in eins zu sein, wobei dann die historischen Schnitzer Razzano zufallen.[2]) Wie Razzano seine Quellen ausschmückte, davon ein charakteristisches Beispiel, das allein durch die Gegenüberstellung wirkt:

---

[1]) Fages I, CVIII. Eine Vergleichung des Venezianischen mit dem von den Bollandisten benutzten Codex aus Utrecht wäre dringend erwünscht. Nach der von Fages zitierten Stelle sieht es allerdings so aus, als ob der Cod. Ultrajectinus eine Ueberarbeitung des Venezianischen (Bibl. s. Marco Cl. IX, XCVI. 6 Cod. LXI) sei, in die die gröbsten Fehler bei seite gelassen wurden. Doch genügt der eine Fall nicht zur Klarstellung. Daß der Arbeit die letzte Redaktion fehlt, ersieht man z. B. aus Acta SS. 496 Nr. 17: Martinus papa et Ferdinandus Aragoniae et Joannes Hispaniae reges consueverunt ei se obviam offerre. Hier ist das papa über= flüssig; es handelt sich um König Martin.

[2]) Gerade für obige Verwirrung scheint die nüchterne, richtige Deposition des Karthäusers Johannes Placentis bei Fages I, 138 Anm. 1 die teilweise Grundlage zu bilden.

Razzano l. c. p. 492.

Cumque nec oblatis huiuscemodi dignitatibus ipse Vincentius flecteretur quodam die convocatis cardinalibus, qui Avenione commorabantur, parateque ex more pileo, eum ad se accersitum collegio eorum una omnium voce voluit adnumerare. Vincentius . . . noluit admittere.

Deposition des Karthäusers Johannes Placentis.

Item audivit dicit, quod idem magister Vincentius fuit electus ad quemdam episcopatum, . . . quam electionem recusavit. Item quod scit bene, quod papa misit sibi capellum cardinalatus, quem eciam recusavit.

Auf der einen Seite eine theatralische Schilderung, auf der andern das einfache Faktum![1] Auch in einem Falle, der das Konstanzer Konzil betrifft, wird man unzweifelhaft eine Ausschmückung annehmen müssen, die die Situation zu einer ganz andern gestaltet. Nimmt man dazu die jetzt nachweislichen groben Fehler, z. B. daß er in Avignon unmöglich magister s. Palacii gewesen sein kann, daß er England und Schottland gar nicht besucht hat, so wird man es mit Genugthuung begrüßen, daß die wieder aufgefundenen schlichten, leichter zu kontrolierenden Depositionen seine Darstellung in zahlreichen Punkten überflüssig gemacht haben.

---

[1] Man könnte hier entgegenhalten, daß, da nicht alle Depositionen bekannt sind, möglicherweise eine unbekannte von Razzano benützt worden sei. Doch möchte ich das entschieden bezweifeln. Das Ausmalen ist auch sonst Razzanos Sache.

Der Dominikaner Johann Faber und sein Gutachten über Luther.

Von N. Paulus.

Als gegen Ende des Jahres 1520 die deutschen Reichsstände sich anschickten, mit dem neugekrönten Kaiser Karl V in Worms darüber zu beraten, wie die vor kurzem ausgebrochenen religiösen Wirren beigelegt werden könnten, erschien zu Köln über die lutherische Angelegenheit eine lateinische Flugschrift unter dem Titel: „Ratschlag eines, der von Herzen wünscht, daß sowohl das Ansehen des Papstes als auch der Friede innerhalb der Christenheit aufrecht erhalten werde" Der anonyme Ratschlag erregte in den weitesten Kreisen großes Aufsehen, und sofort wurden Stimmen laut, die Erasmus von Rotterdam als den Verfasser des merkwürdigen Gutachtens bezeichneten. Daß die Schrift vom dem berühmten Humanisten herrühre, wird heute allgemein angenommen. Und doch ist nicht Erasmus der Verfasser des „Ratschlags", sondern ein wenig bekannter Predigermönch, der Augsburger Dominikanerprior Johann Faber, wie im folgenden nachgewiesen werden soll. Ohne uns indes auf diese spezielle Frage zu beschränken, werden wir zugleich kurz zusammenstellen, was wir in den gleichzeitigen Quellen über das Leben und Wirken des gelehrten Dominikaners gefunden haben. Eine quellenmäßige Untersuchung dürfte hier um so mehr am Platze sein, als über Faber, auch in wissenschaftlichen Werken, verschiedene irrige Angaben fort und fort wiederholt werden.

Johann Faber wurde geboren um 1470 zu Augsburg, nicht zu Freiburg in der Schweiz, wie vielfach behauptet wird.[1] „Ich bin

---

[1] Daß Faber zu Freiburg in der Schweiz geboren worden, behauptete zuerst Quétif, scriptores Ord. Praed. Lutetiae 1721. II, 80, aus dem einzigen Grunde, weil Faber in seiner Leichenrede auf Kaiser Maximilian den bekannten Rechtsgelehrten Zasius als »Zasius noster Friburgensis« bezeichnet! Von Quétif irregeführt, ließen selbst die Augsburger Dominikaner ihren Ordensbruder in der Schweiz geboren werden. Vgl. die bei Veith, Bibliotheca Augustana. Augustae 1785 sqq. I, 62, abgedruckte Inschrift, die sicher erst im Laufe des 18. Jahrhunderts in der Augsburger Dominikanerkirche angebracht wurde. Seitdem ist diese irrige Angabe oft wiederholt

fein geborner Schweizer, sondern ein Schwabe", erklärte er selber; er
selber bezeichnet auch Augsburg als seine Vaterstadt.[1]

Ueber Fabers Jugend und Bildungsgang ist uns nichts bekannt;
wir wissen nur, daß er sowohl in den freien Künsten als in der Theologie
promoviert hat. Als Doktor der Theologie erscheint er bereits im
Jahre 1508.[2]) Da er vom Ingolstädter Professor Johann Eck „Doctor
Paduanus" genannt wird,[3]) so muß man annehmen, daß er sich den
Doktortitel in Padua erworben.

Wie Eck, so liebte auch der Augsburger Dominikaner, vor gelehrter
Zuhörerschaft in öffentlichen Disputationen aufzutreten. Beide Kämpen
trafen sich 1515 in Bologna und konnten sich hier miteinander messen.
Eck, der wegen seiner Ansichten über die Zinsfrage heftig angegriffen
worden,[4]) hatte sich entschlossen, seine Meinung in Bologna an der
durch ihre Rechtsstudien so berühmten Hochschule persönlich zu verteidigen. Am 6. Juli 1515 langte er in der italienischen Universitäts-
stadt an. „Am folgenden Sonntag" (8. Juli), so erzählt er selber,
„verteidigte der Provinzialvikar der deutschen Dominikaner, ein Paduanischer Doktor, die Thesen, die er gegen seinen Widersacher veröffentlicht
hatte, mit Geschick und nicht ohne Ruhm. Bei diesem Anlasse ward auch
mir zu argumentieren gestattet."[5]) Es handelte sich um die Prädestination,
den Wucher und mehrere andere Fragen".[6]

---

worden, z. B. von J. Kellner in der Allg. deutschen Biographie VI, 493;
von Schröbl im Kirchenlexikon IV², 1170; von Lier, der Augsburgische
Humanistenkreis, in der Zeitschrift des histor. Vereins für Schwaben. Jahrg. VII
(1880), 76; von Hergenröther, Conciliengeschichte. Freib. 1890, IX, 851.

[1]) In der unten anzuführenden Leichenrede auf Eisinen und in der Widmung
zu dieser Rede.

[2]) Vgl. Veit Bild an Faber, 11. April 1508, bei A. Schröder, der Humanist
Veit Bild, in der Zeitschr. d. hist. Ver. f. Schwaben. Jahrg. 1893. S. 193.

[3]) Eckii orationes tres. Augustae 1515. E 3 a.

[4]) Vgl. hierüber den gründlichen Aufsatz von J. Schneid, Dr. J. Eck und
das kirchliche Zinsverbot, in den Histor. pol. Blättern. Bd. 108 (1891), 241 ff.

[5]) Eckii orationes tres. E 3 a.

[6]) Fabers Thesen stehen auf einem gedruckten Folioblatt, das auf der Innen-
seite des hinteren Buchdeckels einer Münchener Handschrift (Clm. 18052) aufgeklebt
ist. Nach Aufzählung der Thesen heißt es: ›Disputabuntur Bononiae anno
MDXV die VIII. mensis Iulii p. Rev. sacre Theologie professorem
Magistrum Iohannem Fabrum ordinis fr. Praedicatorum Congregationis
Germanie vicarium generalem, Priorem conventus Augustensis. Ad con-
currentiam venerabilis viri dni Iohannis N. decretorum doctoris, Plebanum
S. Mauricii Augustensis, iuxta obligationem ac sponsionem per ipsum sepius
factam in suis concionibus publicis Auguste coram magna populi multitudine.
Quapropter dictis Mense et Die illic dominatio sua compareat.‹

Ueber einige dieser Fragen hatte Faber schon zu Augsburg mit Dr. Johann Speiser, Pfarrer bei St. Moritz, eine Polemik geführt. Da Speiser sich mehrmals auf der Kanzel erboten hatte, mit dem Gegner an irgend einer Universität öffentlich zu disputieren, so lud ihn Faber nach Bologna ein. Nirgendwo verlautet, daß die Einladung angenommen worden. Faber selbst brachte nur einige Tage in Bologna zu. Ganz irrig hat man mehrfach behauptet, er sei „als hochgefeierter Lehrer an der Hochschule thätig gewesen".[1] Fabers Reise nach Italien hing wohl mit dem Generalkapitel zusammen, das die Dominikaner 1515 in Neapel abhielten.[2]

In der Ankündigung seiner Thesen nennt sich Faber „Prior des Augsburger Klosters und Generalvikar der deutschen Dominikaner= kongregation". Zum Prior war er bereits 1502 erwählt worden; er be= kleidete diese Würde über 20 Jahre.[3] Zu den wichtigsten Begebenheiten der langjährigen Verwaltung gehört die Erbauung einer neuen Kloster= kirche (1512—1515).[4] Die zu diesem Baue nötigen Geldmittel fand Faber bei der Augsburger Bürgerschaft; zudem war ihm vom römischen Stuhle gestattet worden, in verschiedenen Diözesen einen sogenannten Jubelablaß

---

[1] Die falsche Angabe stützt sich auf eine mißverstandene Stelle Leanders (de viris illustribus ordinis Praedicatorum libri sex. Bononiae 1521. fol. 142 a): ».. . Ioh. Fabri Augustensi viro usquequaque eruditissimo, cuius doctrinam Gymnasium Bononiense totum hoc anno, eo quod de se periculum in litteraria disciplina fecerat, admiratum est.‹ Hier handelt es sich bloß um die oben erwähnte Disputation.

[2] Quétif, Veith, Lier und andere versetzen Fabers Aufenthalt in Bologna irrig ins Jahr 1516. Der Irrtum rührt von Quétif her, der sich auf das soeben angeführte Zeugnis Leanders stützt; die Zeitangabe: ›hoc anno‹ bezieht Quétif auf das Jahr 1516, ›quo haec scribebat Leander‹. Allein Leanders Schrift ist schon 1515 verfaßt worden, wie aus den Briefen, die dem Werke vorgedruckt sind, zu ersehen ist.

[3] In der oben erwähnten Inschrift, abgedruckt bei Veith I, 62, heißt es: ›Prior nativi sui Conventus, electus die XXIV Iulii MDII, per 17 annos.‹ Letztere Angabe ist indessen unrichtig, denn noch im Jahre 1526 erscheint Faber als Prior.

[4] Vgl. die Inschrift, die Faber selbst in der neuen Kirche anbringen ließ: ›Frater Ioannes Faber, Sacerdos, Theologie artiumque Doctor, Ordinis Prae- dicatorum Congregationis Germaniae Vicarius generalis, Prior Augustensis aedem hanc sacram, ruinam ob vetustatem minantem, partim Apostolice Sedis beneficio, partim vero civium eleemosynis ... infra triennium (vix crede) a fundamentis fieri curavit. Anno Christi M.D.XV. X. Sept.‹ Bei C. Khamm, hierarchia Augustana. Augustae 1709. I, 308.

predigen zu lassen, unter der Bedingung jedoch, daß er die Hälfte der Einnahmen an Rom auszahle.[1]

Wegen dieses Ablasses kam Faber in Konflikt mit der kaiserlichen Regierung. Da er unterlassen hatte, die Genehmigung des Kaisers nachzusuchen, so erließ Maximilian I unterm 7. März 1515 von Innsbruck aus an verschiedene Fürsten und Reichsstädte ein Mandat, worin er befahl, das bereits gesammelte Geld mit Beschlag zu belegen und die weitere Verkündigung des Augsburger Ablasses zu verbieten.[2] Nachdem aber Faber beim Kaiser, der inzwischen nach Augsburg gekommen war, die nötige Genehmigung eingeholt hatte, wurde das Verbot bereits am 13. April 1515 wieder zurückgenommen.[3]

Faber, der sich bei dieser Gelegenheit dem Oberhaupte des Reiches persönlich vorgestellt, machte auf Maximilian den besten Eindruck. Einige Zeit nachher erhielt er den Titel eines kaiserlichen Rats.[4] Auch wurde er dazu ausersehen, den Bau eines neuen Klosters zu leiten, das der Kaiser für 60 Mönche auf das reichlichste zu fundieren gedachte, zudem sollte ihm die Gründung einer neuzuerrichtenden Akademie für das Studium der griechischen und lateinischen Sprache anvertraut werden.[5]

Um die neue Gründung dem Wohlwollen des Papstes anzuempfehlen, begab sich Faber im Jahre 1517 nach Rom. Schon hatte er

---

[1] Vgl. die Quittung (13. Januar 1515) der Kurie an Fugger für empfangene Ablaßgelder aus der Fastenzeit 1514, bei Hergenröther, Leonis X Regesta VII, 10· Vgl. auch Hist. Jahrb. XVI, 40.

[2] An Kurfürst Friedrich von Sachsen, bei H. Ullmann, Kaiser Maximilian I. Bd. II. Stuttgart 1891. S. 778; an Augsburg: L. Brunner, Kaiser Maximilian I und die Reichsstadt Augsburg. Augsburg, 1877. S. 50; an Regensburg: Gemeiner, Regensburgische Chronik. Bd. IV. Regensburg, 1824. S. 275; an Memmingen: Walch, Luthers Schriften XV, 282; an Straßburg: A. Baum, Magistrat und Reformation in Straßburg. Straßburg 1887. S. 3.

[3] Vgl. die betreffende Verordnung bei Walch XV, 283 f. Aus dem Mandat vom 7. März folgert Ullmann II, 728 ganz mit Unrecht, daß Maximilian dem Ablaß im allgemeinen „wenig gewogen" war.

[4] Daß Faber Beichtvater und Prediger des Kaisers gewesen, wie vielfach behauptet wird, ist unrichtig; er selbst nennt sich bloß «Maiestatis suae a consilio» auf dem Denkmal, das er in der Klosterkirche dem Kaiser Maximilian errichten ließ, abgedruckt bei Khamm I, 329; er hat übrigens, wie er selber berichtet, den Kaiser nur das eine und das andere Mal gesprochen: »Recolo me semel ac iterum apud Maiestatem suam fuisse, ac inter caetera quibus me alloqueretur etiam de fidei nostrae unitate ac solidis fundamentis verba plura habuisse.« In der unten anzuführenden Leichenrede. Schon Erasmus (Opera omnia. Lugd. Bat. 1703. III, 622) hat den Dominikaner irrig »a concionibus Caesaris« genannt.

[5] Lier 76.

von. Leo. X die nötigen Vollmachten erlangt[1]) und wollte wieder nach
Deutschland zurückkehren, als er ersucht wurde, dem Hauptmanne der
päpstlichen Schweizergarde, Kaspar von Silinen, der im Kampfe bei
Rimini nicht ohne Ruhm gefallen war, die Leichenrede zu halten. Er
benutzte diesen Anlaß, um die schweizerische Nation wegen ihrer Tapferkeit,
ihrer Klugheit, ihrer Treue gegen den römischen Stuhl mit den schmeichel=
haftesten Lobsprüchen zu überhäufen. Dies Lob, fügte er noch hinzu,
sei um so unzweideutiger, da es aus dem Munde eines Schwaben
komme!"[2]) Oswald Mykonius, der spätere Neuerer, damals noch
Lehrer an der Stiftsschule in Zürich, ließ es sich angelegen sein, die
von Faber veröffentlichte Rede in neuer Auflage erscheinen zu lassen.
Die schweizerische Nation, bemerkte er freudig in seiner Widmung an
den Luzerner Jodokus Fontanus, sei in lateinischer Sprache noch nie
so herrlich gelobt worden. Für diese Anerkennung erhielt er vom
Verfasser ein warmes Dankschreiben.[3])

Die höhere Ordensschule, für deren Errichtung Faber sich so viele
Mühe gab, sollte leider nie ins Leben treten. Der Tod des Kaisers
und der darauffolgende Ausbruch der religiösen Wirren vereitelten die
hochfliegenden Pläne. Maximilian I starb zu Wels am 12. Januar 1519.
Kardinal Matthäus Lang, dem die Pflicht oblag, für die Trauerfeier
die nötigen Vorkehrungen zu treffen, beauftragte den Augsburger Do=
minikanerprior, die Leichenrede zu halten. Diese Rede, die Faber einige
Monate später in erweiterter Form der Oeffentlichkeit übergab,[4]) enthält

---

[1]) Widmung an Rosinus zur gleich anzuführenden Leichenrede: ›Cum rebus
nostris hic in Urbe summo studio darem operam iamque pietate ac liberalitate
P. M. Leonis X omnia quae tam divina quam humana (maxime autem
greca) concernerent studia, plene impetrassem, quo in communi patria
Augusta Vindelicorum in Praedicatorum monasterio illa plantarentur, oh
quale putas futúrum opus, tum . . .‹

[2]) Oratio funebris habita in Exequiis Gasparis de Silinon Capitanei
Helvetiorum: a custodia secretiori corporis Pont. Max. Leonis X habita
Rome M. D. XVII. Die. XXVI. Augusti. Sine loco et anno. 8 Bl. 4°. Widmung
an den Augsburger Geistlichen Stephan Rosinus, Domherrn von Passau und Trient
und Geschäftsführer des Kaisers in Rom, d. d. Rom, 15. Sept. 1517.

[3]) M. Kirchhofer, Oswald Myconius, Antistes der Baslerischen Kirche.
Zürich 1813. S. 9 ff. Kirchhofer schreibt ganz irrig die Leichenrede dem Konstanzer
Generalvikar Johann Faber von Leutkirch zu; ebenso Mörikofer, U. Zwingli.
Leipzig 1867. I, 67, der noch bemerkt, Faber habe die Schweizer so sehr gelobt, weil
er Bischof von Basel oder Konstanz werden wollte!

[4]) Oratio funebris in depositione gloriosis. Imp. Caes. Maximiliani . . .
in oppido Wels . . . per fratrem Ioannem Fabrum Augustanum, Theologum
ordinis fratrum Praedicatorum, habita anno christi MDXVIII. Die

über Maximilians Charakter und Lebensweise mehrere interessante An=
gaben.[1]

Der Tod des hohen Gönners wurde von Faber um so schmerzlicher
empfunden, da er gerade um diese Zeit, als Generalvikar der deutschen
Dominikanerkongregation, einer kräftigen Stütze bedurfte, um die Selb=
ständigkeit seiner Genossenschaft wahren zu können.

Wie fast in allen anderen religiösen Orden, so war auch unter den
Dominikanern beim ausgehenden Mittelalter eine Trennung entstanden;
auch hier gab es Observanten und Konventualen, so insbesondere
in der sogenannten deutschen Provinz.[2] Da gegen Ende des 15. Jahr=
hunderts die meisten Klöster dieser Provinz sich für die Observanz d. h.
für eine strengere Beobachtung der alten Regel erklärt hatten, so
stand den Observanten das Recht zu, den Provinzial zu wählen; die
Konventualen dagegen bildeten eine besondere Kongregation, die sogenannte
deutsche Kongregation (Congregatio Germaniae), mit einem General=
vikar an der Spitze. Eben dies Amt hatte Faber seit 1511 zu ver=
sehen.[3] Nicht wenige Häuser unterstanden seiner Leitung; nebst Augs=
burg waren es besonders Würzburg, Speyer, Konstanz, Freiburg, Zürich,
Straßburg, Hagenau usw., die zur Kongregation gehörten.

Die Observanten, welche die Lostrennung so bedeutender Konvente
vom alten Ordensverbande nicht leicht verschmerzen konnten, waren un=
ablässig bestrebt, wieder in deren Besitz zu gelangen. So wollte z. B.
im Jahre 1511 der Ordensgeneral Cajetan das Augsburger Kloster

---

XVI. Ianuarii. Augustae, Sig. Grimm. 1519. 32 Bl. 4⁰. Widmung an Kardinal
Lang, Augsburg, 12. Juli 1519. Abgedruckt bei Freher, scriptores rer. germ.
ed. Struve. II, 717—743. In der Allg. d. Biogr. und im Kirchenlexikon wird
diese Rede irrig dem Konstanzer Generalvikar Faber zugeschrieben.

[1] Bemerkenswert ist folgende Stelle über Maximilians erfolglose Reformbe=
strebungen: »Quotiens in conventibus imperialibus, quos plures celebravit,
regulas, decreta ac leges sanxit, quibus sancte atque inconcusse viverent
omnes! Nihil tamen induluit magis vir ille optimus quam quod totiens
verba fuerit habita de nescio qua christianorum reformatione atque ad
pristinae innocentiae christianae normam reductione, cum tamen nullus
unquam subsecutus fuerit effectus.« Bl. D 3 a

[2] Beim Ausbruch der lutherischen Neuerung zählte der Dominikanerorden in
Deutschland drei Provinzen: die deutsche (provincia Teutoniae), hier und da auch
oberdeutsche genannt, die niederdeutsche oder belgische und die sächsische.

[3] Sein Vorgänger war Jakob Wirtenberger, der 1511 starb. Vgl. A Poinsignon
das Dominikanerkloster zu Freiburg, im Freiburger Diözesan-Archiv. Bd. XVI (1883).
S. 44. Faber blieb Generalvikar bis 1523, wo er durch den Konstanzer Domprediger
Anton Pirata ersetzt wurde.

„reformieren" und dasselbe der Jurisdiktion des Provinzials Lorenz Aufkirchen unterwerfen. Der Stadtrat von Augsburg widersetzte sich jedoch entschieden einem solchen Unternehmen, „da die Brüder sich bisher ihrer Regel gemäß wohl und geistlich gehalten hätten." Er wandte sich eilends an Kaiser Maximilian, der Cajetan veranlaßte, von seinem Vorhaben abzustehen.[1]) Die Observanten ließen sich indes durch diesen Mißerfolg nicht abschrecken; sie setzten ihre Bemühungen fort und erlangten endlich, daß Leo X die Kongregation, die er beim Beginn seines Pontifikats bestätigt hatte, auflöste. Diese Auflösung dauerte allerdings nur kurze Zeit; dem Generalvikar gelang es, dieselbe rückgängig zu machen, und die Kongregation wurde von Leo X wieder aufs neue bestätigt.[2]) Unterdessen waren aber die Observanten, mit dem neuen Provinzial Eberhard von Cleve an der Spitze, eifrigst bemüht, verschiedene Konvente an sich zu reißen. Zwar wurde ihnen von Kaiser Maximilian während des Augsburger Reichstags im Jahre 1518 streng befohlen, die Konventualen in Ruhe zu lassen. Kaum hatte jedoch der Kaiser anfangs 1519 die Augen geschlossen, als der alte Streit wieder losbrach.[3]) Dies bewog die Reichskommissare, unter denen sich Kardinal Lang, ein Gönner Fabers befand, am 27. Juli 1519 sowohl an den Ordensgeneral als an den Provinzial Eberhard ein ernstes Schreiben zu richten. Dem Provinzial wurde aufs strengste geboten, die Häuser, die er seit dem Ableben des Kaisers an sich gerissen, der deutschen Kongregation wieder zurückzugeben. In dem Briefe an den General wird bitter darüber geklagt, daß die Observanten sich unterstehen, Johann Faber unablässig zu verfolgen; man möge doch diesen höchst verdienstvollen Mann nicht weiter belästigen; er sei kein Gegner der wahren Observanz, vielmehr sei er ernstlich bestrebt, seinen Orden nach Kräften zu heben.[4])

Welche Ziele Faber eigentlich verfolgte und welche Reform er anstrebte, ersehen wir deutlich aus einem Briefe, den er am 12. August 1519 an Wilibald Pirkheimer gerichtet.[5]) Er beginnt damit, Pirkheimer und

---

[1]) Vgl. Brunner 46.

[2]) Poinsignon 25.

[3]) Gleich nach dem Tode des Kaisers suchte der Provinzial Eberhard das Freiburger Kloster zur Annahme der Observanz zu bewegen; er wandte sich zur Erreichung dieses Zweckes an den Stadtrat, der ihm jedoch eine abschlägige Antwort gab. Poinsignon 25.

[4]) Beide Schreiben sind abgedruckt bei Heumann, documenta literaria varii argumenti. Altorfii 1758. Commentatio isagogica S. 58—63.

[5]) Abgedruckt bei Heumann 87—93.

Erasmus als die Führer der humanistischen Bewegung zu feiern; jeder=
mann erkenne ihnen die Palme zu, außer einigen sophistischen Theo=
logen, die alles, was nicht von ihrem Schlage ist, zu vernichten streben
und Reuchlin wie andere hochgelehrte Männer in Deutschland angreifen.
Ihr, so fährt er fort, habt ihnen zwar gründlich den Mund gestopft,
dafür aber greifen sie jetzt mich an und suchen mich zu stürzen, indem
sie den Papst und einige Kardinäle gegen mich zu gewinnen eifrig be=
müht sind. Der Grund dieser Anfeindung, so viel ich weiß, ist der,
daß ich nie in die Verfolgung gelehrter und unschuldiger Männer ihnen
beigestimmt, sondern vielmehr einem solchen Ansinnen mich widersetzt
habe. Obgleich der Kaiser ihnen auf dem Reichstage vom Jahre 1518
einen sehr ungnädigen Bescheid gegeben, so haben sie doch sofort nach
dessen Tode im Vereine mit Kardinal Cajetan den Vernichtungskrieg
gegen mich wieder begonnen. Er fürchte sie indessen nicht, da er unter
dem Schutze der königlichen Kommissäre stehe, denen seine wahren An=
sichten wohl bekannt seien. Auch er wünsche ein reformiertes Leben,[1]
aber ein anderes, als es sich jene denken. Die wahre Theologie ver=
abscheue auch er keineswegs, vielmehr wolle er sie sein Lebenlang mit
allen Kräften pflegen, allerdings in anderer Weise, als jene; denn
Sophismen und unnütze Fragen seien ihm von Jugend an verhaßt
gewesen. Er wünsche, daß auch die Theologie gut lateinisch rede und
daß man die göttlichen Geheimnisse behandle nach der Art und Weise,
wie es die alten Väter, ein Augustinus, ein Hieronymus gethan. Unter
den Mönchen sollten wenigstens einige griechisch und hebräisch verstehen.
Diesen Zweck zu erreichen, sei sein stetes Bestreben gewesen, und die
Sache hätte wohl einen guten Ausgang genommen, wenn Kaiser
Maximilian nicht gestorben wäre. Nun werde er sich an Karl V wenden,
in der Hoffnung, daß dieser das Vorhaben seines Großvaters glücklich
zu Ende führen werde.

Um Gelegenheit zu finden, sein Anliegen dem neuen Kaiser ans
Herz zu legen, begab sich Faber im Spätjahr 1520 mit Kardinal Lang
in die Niederlande. Anfangs Oktober traf er in Löwen mit Erasmus

---

[1] Ende 1518 hatte Faber den Stadtrat von Zürich um seinen Beistand zur
Erneuerung und Verbesserung des Predigerordens ersucht, indem er die Ansicht aus=
sprach, „die Bettelmönche könnten ohne gelehrte Leute und mit einem ziemlich mittel=
mäßigen ehrbaren Leben nicht bestehen.“ Vgl. Mörikofer I, 68, der jedoch dies
Gesuch wieder irrig dem Konstanzer Generalvikar zuschreibt. In denselben Irrtum
verfällt Horawitz, Joh. Heigerlin, genannt Faber, in den Sitzungsber. d. phil.=hist.
Kl. der Wiener Akademie. Bd. 107 (1884), S. 93.

zusammen. Dieser, dem der humanistisch gebildete Dominikaner nicht wenig gefiel, zeigte sich bereit, ihn aufs wärmste mehreren dem Kaiser nahestehenden Männern zu empfehlen. In einem Schreiben vom 3. Oktober an den kaiserlichen Schatzmeister Jakob Villinger rühmt er Fabers ausgezeichnete Anlagen, seine seltene Unbescholtenheit und nicht gewöhnliche Gelehrsamkeit, sein scharfes Urteil, seine große Verläßigkeit; er nennt ihn eine außerordentliche Zierde seines Ordens und meint, daß er sich wohl selber empfehlen werde.[1]) Nicht weniger warm empfahl er ihn dem Kanzler Karls V, Merkurinus Gattinara (4. Oktober), wobei er hervorhob, daß Fabers Bitte leicht erfüllt werden könne; wünsche er doch nur, im Amte, das er unter Kaiser Maximilian innegehabt, vom neuen Herrscher bestätigt zu werden.[2]) Zwei weitere Empfehlungs= schreiben richtete Erasmus unterm 8. Oktober an Kardinal Albrecht, Erzbischof von Mainz, und an den Lütticher Bischof Erhard von der Mark. Faber wird darin als ein sehr unterrichteter, gelehrter, in der Rede gewandter, im Umgang milder, im Benehmen und Handeln kluger und durch untadelige Sitten ausgezeichneter Ordensmann geschildert.[3])

Erasmus war um so eher geneigt, dem Dominikaner ein glänzendes Lob zu erteilen, als letzterer in der Beurtheilung der lutherischen An= gelegenheit mit den Humanisten voll und ganz übereinstimmte. Die beiden Gelehrten werden wohl schon in Löwen die große Frage, die damals alle Geister beschäftigte, eifrig mit einander besprochen haben. Noch eingehender unterhielten sie sich darüber in Köln, wo sie anfangs November eintrafen, und wo damals, kurz nach der Kaiserkrönung in Aachen, viele hohe Persönlichkeiten sich aufhielten. Von hier aus schrieb Erasmus am 9. November einen längeren Brief an Konrad Peutinger.[4])

„Je näher ich Faber kennen lerne", bemerkt der Briefschreiber, „desto mehr finde ich, daß er sehr verschieden ist von gewissen Mit= gliedern seines Ordens." F. besitze gründliche Gelehrsamkeit, Unbe= scholtenheit und Leutseligkeit und zeichne sich durch klares Urteil und große Besonnenheit aus. „Wir haben oft mit einander beraten, wie die lutherische Tragödie ohne allzu große Störung könnte beigelegt werden." Im folgenden bespricht dann Erasmus die Ansichten des

---

[1]) Erasmi opp. III, 583.

[2]) Erasmi opp. III, 584. Wie wir oben gesehen haben, handelte es sich um den Titel eines kaiserlichen Rats. Ob Faber diesen Titel von Karl V erhalten, wird nicht berichtet. Ganz irrig heißt es im Kirchenlexikon, daß Faber bei Karl V die Hofpredigerstelle versehen habe.

[3]) Erasmi opp. III, 584 f.

[4]) Erasmi opp. III, 590 f.

Dominikaners. Faber, sagt er, wäre strengen Maßregeln nicht allzusehr
abgeneigt, wenn er nicht befürchtete, daß damit wenig erreicht würde.
Es sei hier, meine der Dominikaner, verschiedenes wohl zu überlegen.
Vor allem müsse man auf die Würde und die Autorität des Papstes
Rücksicht nehmen, den alle, die Christus von Herzen lieben, als den
Statthalter Christi mit Recht verehren. Andererseits dürfe man sich
nicht begnügen, darauf zu sehen, was Luther verdiene; man müsse vielmehr bedenken, was zum öffentlichen Frieden dienlich sei. Es handle
sich sehr darum, wer an dies Uebel die Hand anlege, und durch welche
Mittel es geheilt werden könne. Es drängten sich zu diesem Geschäft
auch solche, die durch ihren verkehrten Eifer das Uebel verschlimmern
und verdoppeln und nicht so sehr für das Ansehen des Papstes als
vielmehr für ihren eigenen Vorteil sorgen. Es sei ja nicht nötig,
Luthers wegen auch die schönen Wissenschaften zu schädigen. Aus dem
Hasse gegen die schönen Wissenschaften sei die ganze Bewegung hervorgegangen; durch böswillige Verschlagenheit mische man nun jene in den
lutherischen Streit, um sie mit demselben Geschosse zu vernichten. Daraus
sei erfolgt, daß manche zu Luther übergegangen, die ihm sonst gewiß
nicht freundlich gesinnt gewesen wären. Man müsse staunen, wie schnell
das Uebel sich verbreitet habe; es sei aber auch der Charakter der
deutschen Nation zu berücksichtigen, die sich wohl führen, aber nicht
zwingen lasse; vor allem müsse man sich hüten, daß nicht die angeborne
Wildheit (ferocitas) dieses Volkes durch das Wüten einiger zum Ausbruch komme. Man blicke doch auf Böhmen und auf die Nachbarländer.
Der Haß des römischen Namens sei bei vielen Völkern verbreitet wegen
der Erzählungen von den Sitten der Stadt Rom und wegen der Un-
redlichkeit jener, die im Namen des Papstes ihre eigenen Interessen
vertreten. — Am Schlusse des Briefes erwähnt Erasmus als Vorschlag
des überaus gelobten Dominikaners den Plan eines Schiedsgerichts
aus gelehrten und unbescholtenen, völlig verdachtsfreien Männern.
Näheres werde Faber selbst mitteilen. Erasmus wünscht, daß davon
in Worms gebrauch gemacht werde.

Ganz ähnliche Ansichten bekundet Faber in einem kurzen deutschen
„Bedenken", das er für den Kurfürsten Friedrich von Sachsen verfaßte.[1]
Noch schärfer treten aber die Anschauungen des Dominikaners, wie sie

---

[1] Abgedruckt bei Förstemann, neues Urkundenbuch zur Geschichte der evangelischen Kirchenreformation. Bd. I. Hamburg 1842. S. 66. In lateinischer Uebersetzung bei Seckendorf, com. de Lutheranismo I, 145 und nach Seckendorfs Text
ins Deutsche übersetzt bei Seckendorf-Frick 323 und Walch XV, 2049.

uns von Erasmus mitgeteilt, in dem „Ratschlag" hervor, den wir im Eingange dieses Aufsatzes erwähnt und mit dem wir uns jetzt näher zu beschäftigen haben.

Dieser Ratschlag, der nicht für den Druck bestimmt war und nur durch eine Indiskretion in die Oeffentlichkeit gelangte,[1]) erschien in lateinischer Sprache zu Köln[2]) Ende 1520 oder zu anfang des Jahres 1521.[3]) Gleich nachher wurde die Schrift auch ins Deutsche übersetzt.[4]) Manche schrieben das anonyme Gutachten sofort dem Erasmus zu,[5]) so z. B. der Basler Drucker Cratander, der am 8. Mai 1521 ein Exemplar davon an Vadian schickte, mit dem Bemerken, er erkenne darin den Styl des Erasmus.[6]) Auch in Rom hielt man den Humanisten für den Verfasser.[7]) Dagegen wurde das Gutachten in unserm Jahrhundert, auf grund einer handschriftlichen Bemerkung Vadians, vielfach Zwingli zugeschrieben,[8]) unter dessen gesammelten Schriften es sogar abgedruckt steht.[9]) Die neuesten Biographen Zwinglis haben indessen eingesehen, daß der „Ratschlag" unmöglich vom Züricher Neuerer herrühren könne.[10]) Heute ist man allgemein der Ansicht, Erasmus habe das Gutachten verfaßt. Dies behaupten unter andern Gieseler,

---

[1]) Vgl. Erasmus an die Löwener Theologen. 1521. Opp. III, 673.

[2]) Vgl. Erasmus an Marlianus, 15. April 1521, und an J. Pflug, 20. August 1530. Opp. III, 637, 1412.

[3]) Consilium cuiusdam ex animo cupientis esse consultum et R. Pontificis dignitati, et Christianae religionis tranquillitati. Ohne Ort und Jahr. 4 Bl. 4º. Nebst dieser Ausgabe, die wohl die erste ist, besitzt die Münchener Staatsbibliothek einen sehr fehlerhaften Nachdruck: Consilium etc. M.D.XXI. Sine loco. 3 Bl. 4º.

[4]) Ratschlag eins der von hertzen begerdt das gnug besche des Römischen stuls wirdiceit und dar zu des Christenlichen stands frid. Ohne Ort und Jahr. 4 Bl. 4º. Drei andere deutsche Ausgaben sind angeführt in Wellers Repertorium, Nr. 1976 ff.

[5]) Vgl. Erasmi opp. III, 637, 673, 1412.

[6]) Vgl. Arbenz, die Vadianische Briefsammlung, in den Mitteilungen zur vaterländischen Geschichte. St. Gallen. Bd. XXV (1894), unterm 8. Mai 1521. Auch H. v. d. Hardt, der die Schrift abdruckt (historia literaria Reformationis. Francof. 1717. I, 103—5), meint, Erasmus sei der Verfasser. Das Gutachten steht ebenfalls, aber ohne Angabe eines Verfassers, in Lutheri opera omnia latina. Witeb. 1546. II, 123 . Von hier ins Deutsche übersetzt bei Walch XV, 2043—49.

[7]) Vgl. Pallavicino, istoria del Concilio di Trento. l. i. c. 23. n. 8.

[8]) Z. B. von Usteri, in der Uebersetzung des Lebens Zwinglis von Heß, Zürich 1811. S. 375; von Wirz, neuere helvetische Kirchengeschichte. Zürich 1813. I, 185; von Chr. Sigwart, Zwingli. Stuttgart 1855. S. V; von R. Christoffel Zwingli. Elberfeld 1857. S. 64.

[9]) Zwinglii Opera, ed. Schuler et Schulthess. III, 1—5.

[10]) Mörikofer I, 346; Staehelin, Zwingli. Basel 1895. I, 197.

Riffel, Plitt, Maurenbrecher, Schlottmann, Reuſch, Hergen=
röther, Staehelin.[1]) Hierbei ſtützt man ſich hauptſächlich auf den
Inhalt des Schriftſtückes, deſſen „ganze Haltung erasmiſch ſei" (Gieſeler).
Allerdings enthält das Gutachten verſchiedene Stellen, die ſich faſt wört=
lich in gleichzeitigen Briefen des Erasmus wiederfinden.[2]) Allein aus
dem vorliegenden Falle kann man erſehen, wie vorſichtig man ſein muß,
wenn man bei Feſtſtellung des Urſprungs irgend einer Schrift nur auf
innere Gründe ſich ſtützt. Viel entſcheidender ſind die äußern Gründe,
die Ausſagen gut unterrichteter Zeitgenoſſen. Nun iſt es aber Erasmus
ſelber, der uns bezeugt, daß nicht er, ſondern der Dominikaner Faber
den Ratſchlag verfaßt hat. In ſeinen Briefen kommt er wiederholt
auf das Gutachten zurück

In einem Schreiben vom 15 April 1521 an den Biſchof Aloyſius
Marlianus, der damals in Worms ſich aufhielt, erklärt der Humaniſt,
man halte ihn irrig für den Verfaſſer des Gutachtens. Das Schriftſtück
ſei ihm allerdings zu Köln unterbreitet worden, auch habe es ihm nicht
mißfallen; doch ſtamme dasſelbe nicht von ihm her, ſondern, wie man
erzählt habe, von einem gewiſſen Dominikaner.[3]) Hier beruft ſich Eras=
mus bloß auf Hörenſagen, obſchon er den Verfaſſer ganz genau kannte.
Denn etwas ſpäter ſchrieb er an die Löwener Univerſität, wo einige
Profeſſoren, namentlich Jakob Latomus, den Ratſchlag tadelten: dieſer
Ratſchlag iſt nicht von mir verfaßt worden, ſondern von einem Theologen
aus dem Dominikanerorden, einem Manne von nicht gewöhnlicher Ge=
lehrſamkeit. Das Schriftſtück wurde einem Fürſten unterbreitet und zwar
zu einer Zeit, wo Luthers Schrift „von der babyloniſchen Gefangen=
ſchaft" noch nicht erſchienen war, und wo man noch auf eine gütliche
Beilegung des Streites hoffen konnte. Jener Dominikaner hat mir das
Gutachten mitgeteilt, und er wird ſicher nicht leugnen, daß er der Ver=

---

[1]) Gieſeler, Lehrbuch der Kirchengeſchichte. Bonn 1840. III, 1, 87. Riffel,
Kirchengeſchichte der neueſten Zeit. Mainz 1842 ff. III, 23 Plitt, Einleitung in
die Auguſtana=Erlangen 1867. I, 218. Maurenbrecher, Geſchichte der kath. Re=
formation. Nördlingen 1880. 1, 397. Schlottmann, Erasmus redivivus. Halis 1883.
I, 228 Reuſch, Index. Bonn 1883 I, 355. Hergenröther, Conciliengeſchichte.
Freiburg 1890. IX, 224. Staehelin, Zwingli I, 197.

[2]) Vgl. Erasmi opp. III, 577. 579. 588. 594 ff. 644. Vgl. auch die
›axiomata‹ des Erasmus in Lutheri opp. Wittenberger Ausgabe. II, 121 a

[3]) ›Erat quidem istud (consilium) exhibitum nobis, cum ageret Caesar
Coloniae sed manu descriptum, nec adhuc editis libris, qui plurimorum
animos a Luthero alienarunt; ferebatur autem esse cuiusdam ex ordine
Dominicalium. Et ut ingenue dicam, mihi tum non displicuit.‹ Opp. III, 637.

fasser ist. Uebrigens muß ich offen gestehen, daß mir dasselbe nicht ganz mißfallen hat. Auch die Fürsten hätten es wohl berücksichtigt, wenn nicht inzwischen die „babylonische Gefangenschaft" und andere dergleichen Schriften die Kluft erweitert hätten.[1]

Demnach stammt das Gutachten von einem Dominikaner her, der in Köln mit Erasmus im Verkehr stand; dieser Dominikaner ist aber kein anderer als Johann Faber, wie aus dem oben angeführten Briefe des Erasmus an Peutinger hervorgeht. Zudem erklärt Erasmus ausdrücklich in seiner Schrift gegen Hutten, daß Faber sowohl ihm selbst als dem Kardinal Albrecht von Mainz den Ratschlag über Luther in Köln unterbreitet habe.[2]

Was nun den Inhalt des „Ratschlags" betrifft, so wird man bemerken, daß Faber den Wittenberger Augustiner sehr günstig beurteilt. Man übersehe indessen nicht, daß das Gutachten, wie Erasmus wiederholt hervorhebt,[3] zu einer Zeit verfaßt wurde, wo Luther die revolutionäre Schrift „von der babylonischen Gefangenschaft" noch nicht veröffentlicht hatte. Allerdings hatte er damals schon nicht wenige irrige Behauptungen aufgestellt. Von manchen wurden ihm jedoch diese Irrtümer nicht so hoch angerechnet, in anbetracht der guten Folgen, die, wie man hoffte, aus der ganzen Bewegung hervorgehen würden; glaubte man doch, daß Luther nur eine Abstellung der Mißbräuche, nur eine Reformation, nicht eine Revolution herbeiführen wolle. Dies war ja auch der Grund, warum bei beginn der religiösen Wirren, und noch

---

[1] ›Consilium illud non est a me profectum, sed a Dominicano quodam Theologo, non vulgariter erudito. Id cuidam Principi fuit exhibitum, ut expenderetur an placeret, et exhibitum fuit ante vulgatam Captivitatem Babylonicam, cum res esset adhuc sanabilior. Id quoque nescio quo casu vulgatum est a Germanis, qui haud scio quo consilio nihil non habent palam. Ac mihi quidem tum exhibuit Dominicanus ille, qui non negabit esse suum, nec mihi displicuit omnino, ut ingenue dicam. Folgt dann ein kurzer Inhalt des Ratschlags. Atque id consilium placuit etiam Regibus, nisi Captivitas aliique huic similes libelli complurium animos alienassent.‹ Opp. III, 673.

[2] Spongia Erasmi adversus aspergines Hutteni. Basileae 1523. Bl. D 1 a: ›Coloniae, cum illic esset Caesar, colebat nos (Faber) et de Luthero reliquit aequissimum iudicium, suo manu descriptum, tum apud Cardinalem Moguntinum, tum apud me.‹ Daß Faber auf Ansuchen Albrechts letzterm seine Ansicht über die lutherische Angelegenheit mitgeteilt hat, bezeugt er selber in einem Schreiben vom 2 November 1520, abgedruckt bei Seckendorf I, 145, deutsch bei Walch XV, 2051. Seckendorf verwechselt unsern Faber mit dem Dominikaner Johann Fabri von Heilbronn. Vgl. über letztern meinen Aufsatz im Katholik 1892 I, 17 ff.

[3] Erasmi opp. III, 637. 673. 1412.

4*

gegen Ende des Jahres 1520, manche streng katholische Männer wie
Cochläus und Wimpheling, für den Wittenberger Mönch, ganz ein=
genommen waren.[1])

Was damals in den Herzen vieler treuen Söhne der Kirche vorging,
kann man aus dem Urteile ersehen, das ein hervorragender spanischer
Franziskaner über Luther sich gebildet hatte. Franziskus Quinonez,
später Kardinal, damals noch Provinzial der sogenannten Engelprovinz,
die sich über ganz Spanien erstreckte, war anfangs 1520 vom Ordens=
general Lychetus beauftragt worden, die sächsischen Franziskaner zu
visitieren und zur Reform anzuhalten. Auf der Rückkehr nach Spanien
brachte er ende 1520 einige Tage zu Basel zu. In seiner Unterhaltung
mit dem Basler Guardian Konrad Pellikan scheint er ein großes Interesse
für Martin Luther an den Tag gelegt zu haben. „Er redete viel
mit ,mir", erzählt Pellikan, „über Luthers Sache, die der gute und
gelehrte Mann zum großen Teil billigte, mit Ausnahme des Buches
von der babylonischen Gefangenschaft, das er in Worms mit Betrübnis
und Mißfallen gelesen hatte."[2]) Ganz dieselbe Stellung nahm der Fran=
ziskaner Johann Glapion, der Beichtvater des Kaisers, ein. Dem Kanzler
Brück gegenüber äußerte er, wie letzterer dem Kurfürsten von Sachsen
berichtete, „daß er etwan von Luthers Schreiben, so derselbe gethan,
höchlich und über die Maß erfreut wäre worden; denn er hätte daraus
gespürt und vermerkt ein edel neues Gewächs, das in Luthers Herz
aufgeschlagen . . . mit Zeigung nutzbarlicher Früchte, die der Kirche
davon hätten bekommen mögen . . . Aber da er das Buch von der
babylonischen Gefangenschaft bekommen und dasselbe gelesen habe, wäre
er nicht weniger erschrocken und beschwert worden, denn als hätte ihn
einer mit einer Geißel vom Haupte bis zu den Füßen gegeißelt und
gehauen . . . Er wollte mir nicht bergen, daß er allwegen, ehe er dies
Buch gelesen, dafür gehalten, daß Dr. Luther sein Gemüt und Für=
nehmen auf das heilsame Ende gerichtet, daß er eine gemeine Reformation
in der Kirche, die mit vielen Mißbräuchen eine Zeitlang vermackelt ge=
wesen, zuwege bringen möchte, und dafür, daß solches sein endlich löblich
Bedenken und Fürnehmen wäre, hätten es viele gelehrte Leute gehalten
und ihn darum gelobt. Aber da das Buch von der babylonischen Ge=
fangenschaft ausgegangen, hätten er und andere vermerkt und gespürt,
daß Luther sich unterstehen wollte, einen Stein zu wälzen, der ihm

---

[1]) Vgl. Pastor, die kirchlichen Reunionsbestrebungen während der Regierung
Karls V. Freiburg 1879. S. 11. Döllinger, die Reformation I, 510.
[2]) Riggenbach, das Chronikon des K. Pellikan. Basel 1877. S. 77.

und seinen Kräften viel zu schwer zu bewegen, dadurch er voriger löb=
licher und guten Meinung, woraus gemeiner Christenheit hätte Nutzen
erwachsen mögen, gleich entgegengehandelt und solch Obstakul vorgewälzt,
wodurch solch heilbar Fürnehmen gänzlich zurückgesetzt wurde." [1]

Wenn also vor der Veröffentlichung der babylonischen Gefangen=
schaft Männer wie Glapion und Quinonez Luther noch so günstig be=
urteilten, so darf uns die Stellungnahme des erasmisch gesinnten
Dominikaners weniger wundern. Fabers Gutachten enthält zwar über
den Ursprung und den Charakter des lutherischen Streites verschiedene
irrige Ansichten; [2] doch findet man darin auch mehrere treffende Be=
merkungen; namentlich können wir daraus die Anschauungen, wie sie
kurz vor dem Wormser Reichstage in einigen katholischen, dem Erasmus
nahestehenden Kreisen vorherrschten, besser kennen lernen. Es dürfte
daher angebracht sein, das interessante Gutachten hier in deutscher
Uebersetzung vollständig mitzuteilen.

„Es ist die Pflicht eines christlichen Gemüts, dem Statthalter Christi
von Herzen zugethan zu sein und zu wünschen, daß das Ansehen desselben
nicht vermindert werde; andererseits ist es die Pflicht des obersten Hirten,
daß er alles, was seinen besonderen Vorteil betrifft, so lieb es ihm auch
sein mag, der Ehre Christi, seines Herrn, und dem Wohle der Kirche
willig aufopfert.

Wer das Ansehen und die Ehre des Papstes zu erhalten wünscht, muß
dabei die Rücksichten der Klugheit nicht vergessen. Dies geschieht, wenn
man sich dazu nur solcher Mittel bedient, die von frommen und recht=
schaffenen Männern stillschweigend gebilligt werden. Niemand schadet der
Würde des Papstes mehr, als wer behauptet, sie müsse ausschließlich durch
Drohungen und zeitliche Belohnungen erhalten und verteidigt werden. Je
inniger daher jemand die christliche Religion schätzt, desto weher thut ihm
der durch gewisse Leute erregte Lärm, die Luther erbitterten, ihn dadurch
zu einigen freimütigen Aeußerungen reizten und das sonst sanfte Gemüt des
Papstes so aufbrachten, daß nunmehr Luther härter behandelt wird, als es
vielleicht für die Ruhe und den Frieden der christlichen Kirche zuträglich
ist. Ich frage jetzt nicht, was von den Schriften Luthers zu halten sei; ich
wünsche bloß, daß wir wohl überlegten, nicht nur wie es sich gebühre,
gegen Luther zu verfahren, sondern auch was den Frieden der Kirche er=
halten könne. Man verschont ja manchmal vor jedermanns Augen einen
Verbrecher, um größeres Unheil zu verhüten.

---

[1] Förstemann, neues Urkundenbuch 1, 36 48. Vgl. auch Janssen II[15], 159.

[2] Ich unterlasse es, diese Irrtümer im einzelnen hervorzuheben, das Urteil
hierüber dem Leser anheimgebend.

Vor allem steht es hinlänglich fest, daß der Streit aus einer schlimmen Quelle geflossen ist, nämlich aus dem Haß gegen die Wissenschaften und die Sprachkenntnisse, die nun auch in Deutschland hier und da aufleben. Es besorgten diejenigen dadurch ihr Ansehen zu verlieren, die man bisher, ohne daß sie von diesen Sachen etwas wußten, für hervorragende Gelehrte gehalten hat. Es haben sich daher einige die größte Mühe gegeben, die schönen Wissenschaften zu unterdrücken, hierin ganz verschieden vom Papste, der diese Studien hoch in Ehren hält.

Was dann Luther betrifft, so sind an diesen Unruhen am meisten jene schuld, die über die Abläffe und die Gewalt des römischen Papstes Dinge lehrten, welche allen frommen und gelehrten Leuten unerträglich waren, so daß es scheinen kann, Luther sei bei Beginn des Streites von frommem Eifer und Liebe zur christlichen Religion getrieben worden. Wenn er nachher heftiger wurde, so wird man zwar das nicht rechtfertigen, aber doch zu seiner Entschuldigung sagen können, daß er durch die bittersten Angriffe und Schmähungen gereizt worden. Ehe man seine Schriften gelesen hatte, schrie man ihn beim Volke als einen Ketzer, einen Antichrist und Schismatiker aus, ungeachtet Rom in dieser Angelegenheit noch nicht gesprochen hatte. Niemand warnte, niemand widerlegte ihn, obgleich er sich damals, wie auch jetzt noch, zu jeder Disputation erbot; man verurteilte ihn kurzweg. Selbst jene, welche die Bannbulle wider Luther auswirkten, billigen nicht die Gegenschriften von Prierias und Augustinus Alveldt. Als Luthers Disputation mit Eck dem Urteile der Pariser Universität unterbreitet wurde, legten sich die Universitäten zu Köln und Löwen, denen dies niemand aufgetragen hatte, vorschnell ins mittel und sprachen ein Verdammungsurteil aus. Und obschon sie sich miteinander verabredet, so stimmen sie doch in mehreren, und zwar in den wichtigsten Punkten nicht miteinander überein.

Die Personen, durch welche der Streit bisher geführt worden, können mit Recht als verdächtig angesehen werden, da es sich um ihre eigene Sache handelte. Zudem ist weder ihr Leben noch ihre Gelehrsamkeit so beschaffen, daß ihr Urteil großes Gewicht haben kann, besonders in einer so wichtigen Sache. Daher mißbilligen mit recht die besten und gelehrtesten Männer das Verfahren gegen Luther, gesetzt auch, daß seine Schriften wirklich Ketzereien enthielten. Auch ist einer darum noch nicht ein Anhänger Luthers, wenn er die Quelle des Streites und die Art und Weise, wie man vorgegangen, mißbilligt, ebensowenig als jemand der Mitschuldige eines Vatermörders ist, wenn er behauptet, man dürfe den Missethäter nicht hinrichten, bevor er nicht auf gesetzlichem Wege überwiesen und verurteilt sei.

Die Bulle, die gegen Luther so unglimpflich veröffentlicht worden, mißfällt sogar jenen, die das Ansehen des Papstes geschützt wissen wollen, weil dieselbe mehr den zügellosen Haß einiger Mönche, als die Gelindigkeit

deffen, der der Stellvertreter des sanftmütigen Jesus ist, oder die Gesinnung
des heiligen Vaters Leo verrät, welcher bisher nichts als Güte und Milde
gezeigt hat Daher der starke Verdacht, es gebe Leute, die seine angeborne
Sanftmut und Güte zur Befriedigung ihrer Privatleidenschaften mißbrauchen.
Je heiliger aber die Gewalt des Papstes für jedermann ist, desto sorgfältiger
muß darauf Acht gegeben werden, daß er ja keinen Schritt thue, der nach
dem stillschweigenden Urteile rechtschaffener Männer, das kein noch so
mächtiger Fürst verachten darf, seiner unwürdig scheinen könnte.

Je weiter überdies diese Sache reicht und je gefährlicher sie ist, desto
sorgfältiger hätte man jeden übereilten Entschluß vermeiden sollen.

Jedermann weiß, daß der Wandel der Christen bei der allmählich
einreißenden Verschlimmerung von der lautern evangelischen Lehre Christi
so weit abgewichen ist, daß alle Welt gestehen muß, es sei eine außer=
ordentliche Reform der Gesetze und Sitten notwendig. Wie man also
nichts ohne Ueberlegung vornehmen soll, so darf man ebensowenig den=
jenigen unbedachtsam widersprechen, die aus löblichem Eifer zur Besserung
mahnen, auch wenn es scheinen könnte, sie thun es mit allzu großer Frei=
mütigkeit. Gesetzt, es wäre unwiderleglich bewiesen, Luther sei gänzlich
von der Wahrheit abgewichen, so wäre es dennoch eine Pflicht der theo=
logischen Humanität gewesen, ihn zuerst brüderlich zu warnen, dann mit
tüchtigen Gründen und Zeugnissen der heil. Schrift zu widerlegen und ihn
zuletzt, wenn er, obschon überwiesen, nicht umkehren wollte, so zu behandeln,
wie man ein verloren gegangenes Glied zu behandeln pflegt. Wer solchen
Rat giebt, der begünstigt nicht Luther, sondern die Theologen und den
römischen Stuhl; denn auf diese Weise konnte Luther gänzlich vertrieben
werden zuerst aus den Gemütern der Menschen, dann auch aus den Biblio=
theken. Durch das Verbrennen seiner Schriften kann er nun freilich zum
teil aus den Büchersammlungen entfernt werden; aber unterdessen bleiben
seine Meinungen unverrückt in den Herzen vieler Leute, weil sie dieselben
nicht widerlegt sehen. Auch unter den Laien haben die hellen Köpfe ihr
eigenes Urteil, das hauptsächlich ein Geschenk der Natur ist. Unter den
Gelehrten gibt es viele erleuchtete und rechtschaffene Männer, die an den
Schriften Luthers umsoweniger Anstoß nehmen, je aufrichtiger und inniger
sie der evangelischen Wahrheit zugethan sind. Solche Männer wollen und
müssen belehrt und nicht gezwungen werden. Nur Esel lassen sich zwingen;
nur Tyrannen gebrauchen Zwang. Theologen steht es vorzüglich an, mit
Sanftmut zu lehren, nicht zu schimpfen oder sich mit Protektionen und
Komplotten aus der Sache zu ziehen.

Doch nicht bloß das kommt in betracht, was sich gegen Luther zu
thun schickt, worüber ich diesmal mit meinem Urteile niemandem vorgreifen
will, sondern was in der jetzigen gefährlichen Lage für den Frieden der
Kirche das Zuträglichste ist. Wir sehen, daß Luther sich durch sein un=
sträfliches Leben bei jedermann empfiehlt und daß er besonders unter den

Deutschen, aber auch bei andern Völkern, einen solchen Eindruck gemacht hat, daß jeder, dessen Urteil unbestechlich, sehr günstig gegen ihn gesinnt ist. Jedermann gesteht, er sei durch die Schriften dieses Mannes besser geworden, auch wenn ihm einiges darin mit recht mißfällt. Wir kennen die Gemütsart der Deutschen, wir haben die seit so vielen Jahren wider= spenstigen Böhmen und die ihrer Sekte nicht ganz abgeneigten benachbarten Völker vor Augen. Wir hören täglich die lauten Klagen vieler, welche das Joch des römischen Stuhls für eine nicht länger erträgliche Last er= klären, wiewohl sie das Uebel vielleicht nicht so sehr dem Papste, als jenen zuschreiben, welche die päpstliche Gewalt zu ihrer Tyrannei mißbrauchen. Verfährt man nun auf eine gehässige und gewaltsame Weise, so wird ein kluger Mann leicht voraussehen, welche Unordnung daraus entstehen kann; lehrt doch die Erfahrung, daß öfters aus Kleinigkeiten die unseligsten Händel entstanden sind.

Die Welt scheint überdies der alten nur allzusehr mit sophistischen Spitzfindigkeiten sich beschäftigenden Theologie müde zu sein und nach den Quellen der evangelischen Wahrheit zu lechzen. Oeffnet man ihr den Zugang nicht, so bricht sie mit Gewalt durch. Sollte daher Luther auch nicht den geringsten Beifall finden, so müßte doch die scholastische Theologie erneuert werden.

Da also dieser Streit anfänglich aus einer trüben Quelle herkam, da auf beiden Seiten gefehlt worden, zuerst von jenen, die durch ihre gott= losen Predigten Luthers Gemüt empörten und ihn bald hernach durch ihr boshaftes und wütendes Geschrei immer mehr erbitterten; da jene besonders für ihren Vorteil zu kämpfen scheinen, während auf Luther, der mit seinem geringen Stande zufrieden ist, kein solcher Verdacht fallen kann, so ist offenbar das Ratsamste, die ganze Sache durch einige über jeden Verdacht erhabene Männer beilegen zu lassen. Allerdings steht die Entscheidung in Glaubenssachen besonders dem Papste zu, und dieses Recht soll man ihm nicht nehmen. Doch wird er aus Liebe zum allgemeinen Wohl dies Ge= schäft andern überlassen, Männern von ausgezeichneter Gelehrsamkeit, von erprobter Rechtschaffenheit und Redlichkeit, auf welche kein Verdacht fallen kann, daß sie entweder aus Furcht oder Hoffnung dem Papste zum Nachteile der evangelischen Wahrheit schmeicheln, oder aus zeitlichem Interesse auf die Seite der Gegenpartei neigen.

Diese Schiedsrichter werden von drei Fürsten, die selbst von jeder Verdächtigung frei sind, von Kaiser Karl, den Königen von England und Ungarn aus deren eigenen Unterthanen ernannt. Sie sollen Luthers Schriften aufmerksam durchlesen, ihn selbst anhören, und ihr Urteil, wie es auch lauten mag, soll giltig sein. Von ihnen belehrt, wird Luther seinen Irrtum aufrichtig eingestehen und seine von ihm selbst verbesserten Schriften von neuem auflegen lassen, damit nicht wegen einiger geringen Fehler der große Nutzen seiner evangelischen Aussaat zu grunde gehe. Es scheint

nämlich, vielen Leuten unbillig und unnütz, wegen einiger menschlichen Fehl=
tritte auch das zu verdammen, was richtig ist. Kann man doch in Augustins
Schriften noch jetzt die von Notaren aufgezeichneten Antworten der Ketzer
finden und lesen, so gottlos und lästerlich sie auch lauten. Würde Luther
auch dann noch auf dem bestehen, was die Schiedsrichter verworfen hätten,
so müßte man zu den äußersten Mitteln schreiten. Niemand wird dann
dem auf diese Weise besiegten Luther beistehen. Sollte er aber sein Unrecht
einsehen, so wird die Sache ohne Beunruhigung des christlichen Gemein=
wesens beigelegt werden.

Auch wird dies das Ansehen des Papstes nicht vermindern; dagegen
wird man so dem Argwohn der Leute begegnen, bei denen vielleicht die
Entscheidung des Papstes selbst wenig Gewicht haben würde, weil es scheinen
könnte, er streite der Ablässe und des Primates wegen für seinen eigenen
Vorteil. Noch mehr! Es wird jedermann seinen gottseligen Eifer loben,
daß er aus Liebe zur evangelischen Wahrheit und zum Frieden der Kirche
von seinem Rechte etwas abgetreten habe.

Sollte einigen dieser Vorschlag nicht gefallen, so ist es wohl am
passendsten, die Entscheidung dem nächsten allgemeinen Konzil zu überlassen,
das übrigens der in vielen Stücken verdorbene Zustand der Kirche aus
manchen andern Gründen zu fordern scheint. Denn die Umstände scheinen
es nicht anzuraten, ein so schwieriges Geschäft bei den gegenwärtigen ver=
worrenen Verhältnissen als etwas Geringfügiges zu behandeln, zu einer Zeit
besonders, wo überall in Deutschland und Spanien die Lage so schwankend
ist, daß es nicht ratsam wäre, neue Unruhen zu erregen. Ueberdies ist zu
wünschen, daß der Regierungsantritt des Kaisers unter günstigen Vor=
bedeutungen geschehe und nicht durch herbe Maßregeln getrübt werde.

Dieser Ratschlag soll niemandem vorgreifen. Ich habe bloß aus
redlichem Herzen gesagt, was mir das Beste scheint, besonders da mich
sehr hohe weltliche und geistliche Fürsten dazu aufgefordert haben. Ich
wünsche, daß die evangelische Wahrheit siegt und alles zur Ehre Christi
gereicht."

Auf dem Reichstage zu Worms scheint bei den offiziellen kirchlichen
Verhandlungen Fabers Ratschlag nicht in betracht gezogen worden zu
sein; wenigstens ist in den Berichten des Nuntius Aleander nie davon
die Rede. Dagegen tadelt Aleander in seinem Schreiben vom 13. April 1521
die Leichenrede, die Faber auf den Kardinal Wilhelm von Croy gehalten.
Obschon vom Papste mit Wohlthaten überhäuft, klagt der Nuntius, sei
doch dieser Mönch in seiner Rede gegen den apostolischen Stuhl auf=
getreten.[1]

---

[1] Balan, monumenta reformationis lutheranae. Ratisbonae 1883 f.
S. 164. Brieger, Aleander und Luther. Gotha 1884. S. 139.

Näheres über die Vorgänge bei den am 22. Januar abgehaltenen Exequien erfahren wir aus den Berichten zweier Italiener, die sich damals in Worms aufhielten. Faber, so meldet ein anonymer Bericht= erstatter,[1] habe in seiner deutschen Rede gesagt, man solle nicht dulden, daß Luther fortfahre, seine Schriften zu verbreiten; habe der Papst ge= fehlt, so stehe es dem Kaiser zu, ihn zu strafen. Dann habe der Redner auch noch mit großer Leidenschaftlichkeit den anwesenden Kaiser auf= gefordert, nach Italien zu ziehen, um die dem Reiche von rechtswegen angehörigen Provinzen zurückzuerobern; ebenso habe er die deutschen Fürsten eindringlich ermahnt, den vom Papste, von Frankreich und Venedig bedrohten Kaiser nach Kräften zu unterstützen. — Ganz das= selbe berichtet der venetianische Gesandte Cornaro in seinem Schreiben vom 27. Januar 1521.[2] Auch er bezeugt, daß Faber zum Feldzuge nach Italien aufgefordert und gesagt habe, man solle gegen Luther einschreiten, da es einer Privatperson nicht zustehe, den Papst zur Ordnung zu rufen, wohl aber dem Kaiser und den Kurfürsten.

Es ist leicht zu begreifen, daß dem Nuntius eine so vermessene Rede sehr mißfallen mußte. Aleander beschwerte sich denn auch darüber sowohl beim Kaiser als bei dessen Räten; er erhielt jedoch zur Antwort, man dürfe gegen den Dominikaner nichts vornehmen, da es ein Mann von großem Ansehen sei.[3]

Nach Augsburg zurückgekehrt, wandte sich Faber bald der Ansicht zu, daß er in seinem Gutachten Luther viel zu günstig beurteilt habe; er trug denn auch kein Bedenken, auf der Kanzel ganz entschieden gegen die Neuerung aufzutreten. Unterm Jahre 1524 berichtet ein Augsburger protestantischer Chronist: „Die hl. Schrift wurde fast in allen Städten gepredigt, also auch hier zu Augsburg an allen Orten, ausgenommen im Dom ... und zu den Predigern Dr. Hans Faber, die blieben auf ihrem alten Brauch."[4]

Und nicht nur trat Faber gegen Luther auf; er sagte sich auch von der Humanistenpartei los, welcher er früher so großes Lob gespendet. Eine ganz ähnliche Wandlung vollzog sich um dieselbe Zeit bei einem der hervorragendsten Professoren der Pariser Universität, bei Jodokus Clichtoveus, der früher im Vereine mit seinem Lehrer und Freunde

---

[1] Cuiusdam epistola de rebus Germaniae, Worms, 22. Januar 1521. Bei Balan 41 f.

[2] Bei Sanuto, diarii. t. 29. Venezia 1890, unterm 9. Februar 1521.

[3] Vgl. den erwähnten Bericht von Cornaro.

[4] Veith I, 60; Lier 78. Daß Faber Domprediger gewesen, wie Khamm I, 306 behauptet, ist unrichtig; der damalige Domprediger war Matthias Kreß. Vgl. über letztern meinen Aufsatz in den Histor.=polit. Bl. Bd. 114 (1894), S. 1—19.

Lefèvre d'Estaples in einigen Punkten sehr freien Ansichten gehuldigt und nun, nach Ausbruch der religiösen Wirren, sich gänzlich auf die Seite der strengen Scholastiker schlug.[1] Beide Gelehrten hatten wohl nach und nach die Ueberzeugung gewonnen, daß der einseitige, übertriebene Humanismus der lutherischen Neuerung großen Vorschub geleistet.

Hutten, der, wie es scheint, näheres über Fabers neue Haltung vernommen hatte, machte im Jahre 1523 dem Erasmus die bittersten Vorwürfe, daß er einen Mann, der so feindlich gegen Luther und die schönen Wissenschaften gesinnt sei, aufs wärmste empfohlen habe.[2] In seiner Antwort bemerkt Erasmus, er wisse nicht, wie sich zur Zeit Faber verhalte; sicher sei nur, daß der Dominikaner sich früher als eifriger Lobredner der schönen Wissenschaften gezeigt habe. Er selbst könne nichts dafür, wenn seitdem dieser Mönch ein anderer geworden.[3]

Damals wußte Erasmus noch nichts von Fabers Sinnesänderung; nachher erfuhr er jedoch, daß der Dominikaner in der That ein anderer geworden. In seinen späteren Briefen klagt Erasmus bitter über die Undankbarkeit dieses Mannes, der ihn, um sich bei Kardinal Cajetan einzuschmeicheln, aufs höchste in Rom angeschwärzt habe.[4] Ob nun

---

[1] Clerval, de Iudoci Clichtovei vita et operibus. Parisiis 1894. S. 98 ff Früher ein Freund des Erasmus, trat Clichtoveus jetzt als dessen Gegner auf.

[2] Ulrichi ab Hutten cum Erasmo Expostulatio S. l. e. a. Bl. C 1 b: ›Placet et Ioannes Faber ord. Praed. monachus tibi, qui tamen nemini unquam placuit, homo natura atrox et crudelis, quo nemo et in Capnionem prius et nunc in Lutherum inclementius omnia consuluit. Quod si peccatum ab illo non est, nec tibi improbatur, illud tandem quale est, quod de ipso omnes sciunt, neminem magis semper voluisse extinctum bonas literas?‹ Daß hier Hutten den Dominikaner, was dessen frühere Haltung betrifft, ganz falsch beurteilt, braucht wohl nicht eigens hervorgehoben zu werden.

[3] Spongia Erasmi adversus aspergines Hutteni Basileae 1523. Bl. C8b: ›Is (Faber) qualis nunc sit nescio. Certe mihi Lovanii persuasit, quod institueret Augustae collegium tradendis linguis ac bonis literis Ostendit diploma Caesaris Maximiliani. De capitalibus quibusdam inimicis Lutheri atque de ipsa romana curia plus quam hostiliter loquebatur. Arridebat morum commoditas et in sua theologia videbatur non vulgariter eruditus. His rebus extorsit a me commendationes aliquot ... Si talis est nunc, qualem ille (Huttenus) praedicat, ego tantam vafriciem de homine germano suspicari non potui; nec meum erat praestare, qualis ille post futurus esset.‹

[4] Erasmus an Botzheim, 13. Aug. 1529: ›I. Faber quondam Augustensis coenobii prior, quum ante mihi coram miris modis fuisset adulatus conviciaque non ferenda et in Pontificem et in Caietanum cardinalem effutisset, commendationes etiam aliquot a me extorsisset, simul ut Romam venit, quo se suis approbaret, coepit magna libertate in me debacchari.‹ Erasmi opera III, 1228. Vgl. Erasmus an Kretz, 11. März 1531: ›Ioannem Fabrum Dominicanum novi hominem in thomistica theologia pulchre doctum, sed mire vafrum ac versipellem. Is Romae coepit in me debacchari, videlicet quo se reconciliaret cardinali Caietano, de quo mihi tanta narrarat mala, ut nullus scurra in scurram posset dicere plura.‹ III, 1362.

Faber wirklich Erasmus in Rom verleumdet hat, muß dahingestellt bleiben. Jedenfalls kann die alleinige Aussage des empfindlichen Humanisten, der schon bei der leisesten Kritik laut aufschrie, nicht als genügender Beweis gelten. Doch ergibt sich aus den Klagen von Hutten und Erasmus, daß Faber bald nach dem Wormser Reichstage von der Humanistenpartei sich losgesagt hat.

Ueber seine späteren Lebensschicksale können nur noch einige spärliche Angaben mitgeteilt werden. Im Spätjahr 1524 verließ er für einige Zeit Augsburg, um sich zum Kardinal Lang nach Salzburg zu begeben.[1]

Doch kam er bald wieder in sein Kloster zurück, um den Kampf gegen die Neuerung unermüdlich fortzuführen. Dies hatte zur Folge, daß er im Jahre 1525 ausgewiesen wurde.[2] Umsonst suchte das Dom= kapitel, ihm die Erlaubnis zu verschaffen, wieder in Augsburg predigen zu dürfen.[3] Er konnte nicht mehr zurückkehren.[4] Im Jahre 1530[5] starb er in der Fremde, fern von seinem Kloster und seiner Vaterstadt. „Johann Faber ist vor der Zeit bemitleidenswert in der Verbannung gestorben", schrieb am 22. Februar 1531 der Augsburger Domprediger Matthias Kretz an Erasmus.[6]

---

[1] Urban Rhegius an Oekolampad, 21. Okt. 1524, bei Füslin, epistolae ab Ecclesiae Helveticae Reformatoribus vel ad eos scriptae. Tiguri 1742. S. 30.

[2] Am 4. August 1525 meldet Longin, der Sekretär des venetianischen Ge= sandten, aus Augsburg: Uno che era prior dil monasterio di San Domenico, per esser molto contrario al Luter, lo hanno scezato et dil monasterio et di la terra › Bei Sanuto, diarii. t. 39. Venezia 1894. S. 331.

[3] Pl. Braun, Geschichte der Bischöfe von Augsburg. Bd. III. Augs= burg 1814. S. 239.

[4] Im Frühjahr 1526 wird allerdings Faber noch als Prior des Augsburger Klosters erwähnt. Als solcher ließ er den Nonnen von St. Katharina ein päpstliches Breve, das dieselben zur Treue im katholischen Glauben ermahnte, durch den Rektor Johann Thannhauser vorlesen und erklären. Vgl. L. Hörmann, Erinnerungen an das ehemalige Frauenkloster St. Katharina in Augsburg, in Zeitschrift d. hist. Ver. f. Schwaben. Jahrg. X. S. 322. Daß aber Faber zu jener Zeit in Augsburg sich aufgehalten, wird nicht gesagt. Wäre er anwesend gewesen, so würde er wohl selber den Nonnen das päpstliche Schreiben erklärt haben. Schon 1516 erscheint er als Beichtvater von St. Katharina. Vgl. Gassarus, annales Augsburgenses, bei Menckenius, Scriptores rer. germ. Lipsiae 1728. 1, 1757.

[5] Veith I, 62, auf grund einer Inschrift.

[6] ›D. Ioannes Fabri, Dominicanus, ante diem et misere in exilio obiit.‹ Bei Burscher, Spicilegium autographorum illustrantium rationem, quae intercessit Erasmo Rot. cum aulis et hominibus aevi sui praecipuis. Lipsiae 1784 ff. XXI, 11. Fr. Roth, die Chroniken der deutschen Städte. Bd. 23. Leipzig 1894. S. 334. 520, läßt irrig Faber 1532 noch am Leben sein; auch ver= wechselt er S. 269, 520 den Wiener Bischof Johann Faber mit dem Augsburger Dominikaner.

Kleine Beiträge.

Zu P. K Eubel: „Das Itinerar der Päpste zur Zeit des großen Schismas."

(Hist. Jahrb. XVI, 545—64).

a) Das Itinerar Urbans VI, von H. V. Sauerland.

Bei dem Itinerar des Papstes Urban VI ist Eubel nach eigenen Worten (a. a. O. S. 554 Anm. 2) meist den Angaben G. Erlers in dessen beiden Werken („Dietrich von Niehcim" und „De schismate") gefolgt. Da gerade Urbans VI Pontifikat der wichtigste und interessanteste während der Zeit des großen Schismas ist, werden denen, die sich näher damit befassen, die nachstehenden Mitteilungen nicht unwillkommen sein. Die Quellen, auf welchen diese fußen, zu benennen, behalte ich mir für eine spätere Gelegenheit vor, falls nicht diese inzwischen schon von Erler in einer längst von ihm in Aussicht gestellten Geschichte des großen Schismas oder von N. Valois, von dem die Veröffentlichung eines ersten Bandes der Geschichte des großen Schismas, wie verlautet, nahe bevorsteht, geschehen sein wird.

Urbanus papa VI.

1378 Juni 26 Roma recedit profecturus Tiburim.

„ Aug. 19 Tiburi reversus intrat Romam.

„ „ 21 Romae moratur apud S. Mariam maiorem.

„ „ 26 „ „ „ S. Mariam in Transtiberim.

„ Sept. 3, 16, 18 ibidem.

„ Oct. 1 ibidem.

„ Nov. 6, 9, 21, 29 ibidem.

1379 Jan. 27, 31 „

„ Febr. 9

„ März 15, 17

1379 April 16, 18, 31 ibidem.
„ Juni 12 Romae moratur apud S. Petrum.
1383 Juni 17 Romae moratur.
„ Juli 15, 25 Tiburi moratur.
„ Oct. 6 Suessam intrat.
„ „ 14, 15 Suessae moratur.
„ Dec. 16 Neapoli morans recedit de Castro Novo itque ad habi-
tandum in domibus archiepiscopi Neapolitani.
1385 Juli 7 Castrum Nuceriae relinquit, transit per passum, cui
nomen est l'acqua della Mela, pergitque eodem die usque
ad „casalia Gifini“, que fuisse videntur prope Salernum.
„ „ 9 (vel 10) Inde proficiscitur ad castrum Flumeri tendens.
„ „ 24 Ex castro Flumeri recedit profecturus Beneventum, quod
intrat eiusdem diei vespere.
„ Aug. 3 Benevento recedens redit ad castrum Flumeri.
„ „ 5 Inde proficiscitur Lacedoniam.
„ „ 6 (vel 9?) Inde pergit Minerbinum.
„ „ 19 Minerbino relicto pergit usque ad Adriam, ubi inter
Barlettam et Teanum ascendit classem Ianuensem, qua
media fere nocte vehitur Barum.
„ „ 21 Baro proficiscens transiensque Monopolim vehitur versus
Messanam, ubi tres per dies commoratur. Inde profectus
ad insulam Caprum, ubi naves appellit.
c. in Sept. cum classe moratur in sinu Neapolitano, ubi, dum per
ambasciatores tractat cum Carolo rege Neapolitano, naves
Ianuenses adpelluntur quandoque ad portum Castrimaris
(Castellamare) quandoque ad mare mortuum (prope Baias).
1385 Sept. 8 Mare mortuum relinquit profecturus Cornetum, ubi tres
per dies moratur.
„ „ 17 Moratur in portu Liburni (Livorno).
„ „ 20 Ex portu Liburni vehitur Ianuam.
1386 Dec. 19 Moratur in Portu Veneris, quo vento contrario repulsus
erat, cum Motronum (prope Petram Sanctam) tenderet.
„ „ 22, 23 Ex Portu Veneris noctu profectus, mane naves appellit
ad portum Motroni, unde eodem die pergit Petram Sanctam.
„ „ 24 Mane relinquit cum 10 cardinalibus Petram Sanctam
pervenitque Lucam.
1387 Sept. 23 Luca profectus pervenit usque ad Vicum Pisanum.
„ „ 24 E Vico Pisano proficiscitur usque ad Laiaticum.
„ „ 25 Laiatico relicto proficiscitur usque ad Radicondolum.
„ Oct. 2 intrat Perusium,
1388 Aug. 8 recedit Perusia cum mille lanceis,

1388 Aug. 17 applicat apud Narniam, ubi maxima exercitus pars eum
     deficit. Tiberim apud Tiburtinam civitatem transgressus
     venit Ferentinam (in Campania Romana).
 „ „ 21, 22, 26 commoratur Ferentini.

b) Das Itinerar Johannes XXIII, von L. Schmitz.

Für den Pontifikat Johannes XXIII ist Eubel eine Quelle entgangen,
die für diesen Papst die Aufstellung eines viel genaueren Itinerars ermöglicht. Es sind dies die in römischen, überhaupt italienischen Bibliotheken
so häufig vorkommenden Konsistorialakten,[1]) die in ihren Mitteilungen bis
auf Alexander V zurückreichen. Auf Grund dieser Quelle[2]) stellt sich das
Itinerar Johannes XXIII folgendermaßen dar:

1410 Maii 14 die Mercurii hora XX . . . cardinales numero XVII . . .
      conclave intraverunt.
 „ „ 17 die Sabbati electio Johannis papae XXIII.
 „ „ 24 die Sabbati ⎫ consecratio et coronatio Johannis XXIII.[3])
 „ „ 25 die dominica ⎭
 „ Aug. 31 die dominica s. d. n. Joh. XXIII recessit de suo palatio
      Bononiensi et ivit ad sanctum Michaelem de Busco extra
      muros dictae civitatis.
 „ Sept. 12 die Veneris recessit de monasterio Sti Michaelis in Busco
      et ivit ad castrum Sti Petri Bononiensis dioc. causa
      epidimiae.
 „ Nov. 27 die Iovis recessit de castro Sti Petri Bonon. dioc., ubi
      ipse dominus noster steterat propter epidimiam, et in-
      travit Bononiam.
1411 Martii 31 die Martis recessit cum sua curia de civitate Bononiensi,
      ubi legatus . . . remansit . . . Henricus episcopus Sabi-
      nensis cardinalis Neapolitanus vulgariter nuncupatus,
      et dicta die venit Petram malam.
 „ Aprilis 1 die Mercurii inde recessit et venit Barbarinum.
 „ „ 2 die Iovis venit Sanctum Cassianum.
 „ „ 3 die Veneris venit Senas.

---

[1]) Vgl. Pastor, Gesch. der Päpste I¹, S. 641 ff. und Korzeniowski, Excerpta ex libris manuscriptis Archivi Consistorialis Romani, Cracoviae 1890,
bes. S. 27 ff.

[2]) Ich zitiere nach Cod. Ottob. lat. 2961 fol. 82ᵛ seq. der Vatik. Bibliothek.

[3]) Der Bericht über die Wahl, Weihe und Krönung des Papstes in den
Konsistorialakten stimmt fast wörtlich mit den Eintragungen in den lib. oblig. (bei
Eubel S. 654) überein, weshalb ich hier nur die Ueberschriften wiedergebe.

1411 Aprilis 4 die Sabbati venit Petriolum;

„ „ 5 die dominica Palmarum ibidem facto officio et datis palmis inde recessit et venit Paganicum.

„ „ 6 die Lunae venit Maglianum.

„ „ 7 die Martis venit Montem altum.

„ „ 8 die Mercurii venit Cornetum.

„ „ 9 die Iovis sancta facto ibidem officio et processibus publicatis venit Sutrium.

„ „ 10 die Veneris sancta facto ibidem officio inde recessit et venit sanctum Pancratium prope Romam.

„ „ 11 die Sabbati sancta hora meridiei intravit feliciter almam urbem, ubi a populo Romano fuit cum maximo triumpho ac devotione receptus.

[1413 Junii 8 recessit de alma Urbe rediturus per Florentiam in civitatem Bononiensem; nach Eubel a. a. O. S. 564.]

„ „ 26 die Lunae[1]) morabatur apud sanctum Antonium extra muros Florentinos.

„ Octob. 10 die Lunae recessit de Florentia Bononiam versus.

„ Nov. 13 die Lunae Johannes papa XXIII erat Bononiae.

„ Dec. 8 die Lunae erat Laudae.

1414 Jan. 11 die Martis erat Cremonae.[2])

„ Febr. 7 die Mercurii erat Mantuae.

„ „ 22 die Veneris erat Ferrariae.

„ Martii 5 die Lunae erat Bononiae.

„ „ 28 die Mercurii ibidem

„ Sept. 20 die Jovis ibidem.[3])

---

[1]) Hier, wie im Folgenden mehrfach, ist der Tag unrichtig benannt.

[2]) Auf der Reise von Lodi nach Cremona besuchte er auch Piacenza, Raynald 1414 § 5.

[3]) Ueber die Reise des Papstes nach Konstanz enthalten die Konsistorialakten keine näheren Angaben.

Neuentdeckte Briefe Davouts an Napoleon I.
(Nachtrag zu Hist. Jahrb. XVI, 100—11).

Von Karl Wacker.

Die Geheimschrift der Briefe A, B und C (S. 102—4) ist fast ganz entziffert. Herrn Oberlehrer Dr. Holzhausen in Bonn wurde von befreundeter Seite die Abschrift eines im k. schwedischen Kriegsarchiv in Stockholm aufbewahrten Briefes des Marschalls Davout an den Divisionsgeneral

Lemarois übermittelt. Bei einem Vergleich dieses Schreibens mit den von
Mazade (Correspondance du Maréchal Davout) veröffentlichten Davout=
briefen ergab sich, daß dasselbe mit einem bei Mazade IV, 279—82 be=
reits gedruckten Briefe Davouts an Lemarois bis auf einige orthographische
Abweichungen und geringe Differenzen übereinstimmt. Beide Briefe sind
datiert: Ratzebourg, 23. Sept. 1813. Der eine ist an mehreren Stellen
chiffriert, wo der andere keine Chiffern hat. Bei dem hohen Grade der
Uebereinstimmung beider Briefe konnte man annehmen, eine große Zahl
von Wörtern mit den entsprechenden Chiffern gefunden zu haben. Herr
Geh. Hofrat Willisch, Vorsteher des Chiffrierbureaus des Auswärtigen Amtes
in Berlin, hat sich in der dankenswertesten Weise um die Dechiffrierung
der Geheimschrift bemüht. Es ist ihm gelungen, die chiffrierten Briefe
fast ganz zu entziffern, die noch vorhandenen Lücken können zum teil aus
dem Sinne der Schriftstücke ergänzt werden.

Es folgt hier der dechiffrierte Abdruck der im Hist. Jahrb. XVI,
102—4 mitgeteilten Briefe A, B und C:

A.

Duplicata.

Hambourg, le 9 novembre 1813.

Sire,

Le général Cara St Cyr m'a écrit de Munster en date du 5 novembre que V. Mté par une lettre datée de Mayence du dix l'avait
instruit de me faire connaître de me rapprocher de la Hollande en
laissant une bonne garnison à Hambourg et s'il n'était plus temps de
faire ce mouvement de manoeuvrer sur Hambourg. A la suite il y
avait cinq combats qui n'avaient aucune signifiance. J'ai fait la réponse que ce mouvement était inexécutable puisque des corps con-
sidérables étaient déjà arrivés à ces époques sur les deux rives, ce
qu'il paraît que le prince de Suède est à la tête d'un 57. 972. sur les
hauteurs de Harbourg. Il est déjà 865. 808.[1] de ses gens une très-
bonne tête de pisahp. J'occupe Lubeck, Mollen et Lauenbourg avec
le corps danois, la division Loson[2]) et la division Vichery. Je garderai

---

[1]) Die Zahlen 865. 808. kommen nur einmal vor. Ihre Bedeutung läßt sich
vielleicht erraten, wenn diejenige von pisahp, genauer »pisahope« bestimmt werden
kann. Vgl. Hist. Jahrb. XVI, 107, Anm. 4. Vielleicht soll »prisahope« prise
d'Hope heißen und lautet der Satz: Il est déjà fait [oder ein synonym. Partizip]
de ses gens une très bonne tête de prise d'Hope (Es ist von seinen Leuten
schon ein guter Anfang zur Einnahme Hopes gemacht worden)??

[2]) Wohl Loison, Jean Bapt. Maurice comte de Loison? Geb. 1770, gest.
1816, focht in der Schweiz unter Massena, 1805 unter Napoleon, war 1806 Gou=
verneur in Münster, machte die Kriege in Spanien und Rußland mit. Vgl. über
ihn: Imbert de Saint-Amand, la jeunesse d'Impératrice Joséphine, Paris 1886

ces lignes de la Stecknitz le plus Iongtemps et couvrai ainsi le Holstein et Hambourg — cela me donne le temps de concentrer des appro-
visionnements de tout genre. Nous sommes de gens bien approvisionnés.
J'ai évacué Ratzebourg le 13. C'est qu'il n'y est plus d'objet. L'ennemi
s'est mépris au mouvement et ayant voulu marcher sur Mellen, il a
perdu 3 à 400 hommes, dont 100 tués, notre perte est d'une cinquan-
taine d'hommes. Nous disputons le 89.[1]) le terrain du côté de Carlsbourg sur le Weser nous occupons ce fort.[2]) Un parti de 50 cosaques
russes vient d'être détruit du côté de Carlsbourg. Des gardes mobiles
que j'ai sur le Bas-Elbe me donnent la sécurité[3]) d'en 1134. er 783.
556. Toutes les caisses étant vides, aucun moyen de faire rentrer des
contributions, tous les travaux allaient manquer, je me suis emparé des
fonds de la banque de Hambourg qui montent à près de seize millions.
Tout cela me donnera le plus grand secours pour tout contremarche.
Les communications sont maintenant assurées entre Hambourg et Harbourg — au temps qu'il fasse un homme à pied y va dans une
heure ³/₄ y compris le passage des deux bras de l'Elbe. Les Danois
sont très-inquiets mais jusq'ici je n'ai qu' à me louer d'eux et aussi
du prince de Hesse, leur général. Je ne puis trop me louér du général
Loson du commandeur du général Vichery et de tout le monde. Il
règne un excellent esprit dans les troupes de V. M[té].

J'ai l'honneur d'être avec le plus profond respect,

Sire,

Le m[al] duc d'Auerstaedt,
Prince d'Eckmuhl.

B.

Duplicata.   Le 19 novembre 1813.

Je viens de voir un émissaire parti de Lunebourg le dix Novembre
j'ai tout appris.[4]) D'après ses renseignements la 535. du Hanovre
était reconstituée. Le corps de Woronzow était depuis cinq ou six

---

Dr. P. Holzhaufen im „Zeitgeift“, 1894, Nr. 36; E. Guillon, complots militaires etc., Paris, Plon 1894, ferner Thiébault, Mémoires, Paris, Plon 1895.
Bd. IV und V.

¹) Die Zahl 89 kommt nur einmal vor; nimmt man als ihre Bedeutung
plus an, fo ift »le terrain du côté de Carlsbourg etc.« noch von »nous disputons« abhängig.

²) Die Zahl 557 bedeutet fowohl »force« (mit diefer Bedeutung kommt es in
dem Schreiben an General Lemaroiß dreimal vor) als auch »fort«.

³) In ähnlicher Weife wie bei »for$\frac{ce}{t}$« kann 525 die doppelte Bedeutung
»sec$\frac{urité}{ours}$« haben, wenn nicht noch zwei andere Hauptwörter von gleichem Stamm
und verfchiedenem Gefchlecht gefunden werden, die beffer paffen; secours ift übrigens
ein dem Militär geläufiges, von Davout oft angewandtes Wort.

⁴) So wird die Auflöfung wahrfcheinlich lauten müffen.

464.[1]) à Lunebourg et environs et le corps de 197. lov[2]) était à Celle depuis la seize et ils continueront leur marche sur Lunebourg. Les Suédois étant avancés par la 535. de Hanovre, se dirigent sur Lunebourg par Ulzen, mais ils n'étaient pas encore arrivé dans ce dernier endroit le seize. Le corps de Wintzingerode était à Bremen et son avant-garde était arrivée à Zeven. Avant un combat toutes les troupes devaient être sur les deux rives. On faisait les plus grands efforts pour que le roi de Danemarck et lui 565 fassent le 383 bleau du propos fait au roi de sa mission. Les Danois vont comme à l'ordinaire et je vois chez eux beaucoup d'inquiétude mais je 831. 1189. 771. cet(-te) un. 913.[3]) Je crois à une nouvelle. Ainsi Hambourg fera une bonne diversion. J'ose promettre à V. M^{té} que tout le monde y fera son devoir. J'ai l'honneur d'être etc.

C.

Schwartzembeck le 19 449.[4])

Sire,

J'ai l'honneur d'adresser par duplicata à V. M^{té} un billet bref Avant tout je fais des relais des ordonnances dans ce pays. Les circonstances deviennent à peu près graves. On s'aperçoit d'une partie de troupes qu'on a vu faire des reconnaissances de $\frac{1}{4}$ du côté de Vinsen et de Harbourg. Je reitère mes demandes pour être autorisé à pourvoir aux emplois vacants. Je demande aussi etc.

---

[1]) jours oder semaines.

[2]) Bülow?

[3]) Vielleicht: je br|an le cette union? Der Chiffreur hat an einer Stelle in A »c'est« ausgedrückt durch ces t, die Zusammenstellung je br|an|le wäre daher nicht unmöglich.

[4]) Dürfte »Novembre« heißen. Der Wortlaut des ersten Teiles dieses Schriftstückes, bis »Harbourg« reichend, läßt sich nicht in dem Grade begründen wie derjenige von A und B.

Rezensionen und Referate.

Dr. Fr. L. Baumann, Geschichte des Allgäus. Kempten, Kösel. (1881—94). 3 Bände. 1. Bd. 638 S., 2. Bd. 776 S., 3. Bd. 729 S. 8°. *M.* 39,60.

Als Frucht fünfzehnjähriger Arbeit liegt Baumanns Geschichte des Allgäus nunmehr vollendet vor. In drei handlichen Bänden von technisch untadelhafter Ausstattung hat hier ein an Naturschönheiten reicher und durch den strebsamen Sinn seiner Bewohner ausgezeichneter Teil des Schwabenlandes eine Geschichte erhalten, um die ihn andere Landstriche beneiden mögen

Nicht als Anfänger trat B. im Jahre 1880 an die Geschichte des Allgäus heran. Schon seit zehn Jahren hatte er sich mit derselben beschäftigt und eine Reihe von gediegenen Arbeiten darüber veröffentlicht. Es sind da zu verzeichnen nicht etwa bloß einzelne ortsgeschichtliche Darstellungen, sondern vorwiegend grundlegende Arbeiten, wie Forschungen über Abstammung und Einwanderung der Alamannen und über Schwabens. Gau- und Grafschaftsverfassung, Abhandlungen quellenkritischer Art, nekrologische Studien und Publikationen, Akten, Quellen und Untersuchungen zur Geschichte des Bauernkrieges. So konnte B. mit einer „Geschichte des Allgäus" hervortreten, welche den begründeten Anspruch erheben durfte, zum vornhinein, auch ohne den üblichen wissenschaftlichen Apparat, als Ergebnis ernster, selbständiger, auf der Höhe wissenschaftlicher Forschung sich haltender Studien hingenommen zu werden. Daß in den zahlreichen Quellennachweisen und gelehrten Anmerkungen derartiger Werke ein Haupthindernis ihrer Popularisierung gelegen sei, lehrt sozusagen die tägliche Erfahrung. Doch muß, soll der Zweck der Popularisierung erreicht werden, als positiver Faktor auch eine anziehende und allgemein verständliche Diktion hinzutreten. B. nun verfügt über einen ebenso klaren und concinnen, als lebendig anschaulichen und gefälligen Stil, mit einem Worte über einen

hohen Grad edel populärer Ausdrucksweise. Daher vermag seinen Aus=
führungen auch der intelligente Mann aus dem Volke in der Hauptsache
zu folgen — das Werk ist thatsächlich unter der Landbevölkerung des
Allgäus nicht gar selten anzutreffen —, der Leser von allgemeiner Bildung
vermag das ohne größere Schwierigkeit überall. Und doch kann selbst der
Historiker von Fach sich nicht bloß unbedenklich auf B.s „Geschichte des
Allgäus" berufen, sondern wird auch mannigfache Bereicherung seiner Kennt=
nisse daraus ziehen. Diese hoch anzuschlagende Eigentümlichkeit des
B.'schen Werkes ist in der Persönlichkeit des Vf. begründet. Selbst aus
dem Volke hervorgegangen, dessen Geschichte zu schreiben er unternahm,
hat er über seinen gelehrten Forschungen ein warmes Fühlen für das
heimatliche Land und Volk nicht eingebüßt. Indem er nun die Geschichte
seiner Heimat zunächst für seine Landsleute schrieb, diesen aber das beste
zu bieten bestrebt war, war er durch sein bedeutendes historisches Wissen
und Können in den stand gesetzt, zugleich jenen Ansprüchen, welche Fach=
genossen an derlei Arbeiten zu stellen pflegen, sachlich durchaus, und formell,
soweit es mit jenem ersten Zwecke vereinbar schien, genüge zu leisten. Ein
seltenes Zusammentreffen persönlicher Voraussetzungen ließ hier ein Werk
entstehen, welches zugleich dem Volke und der Wissenschaft zu dienen
vermag.

B. zerlegt die Geschichte des Allgäus in fünf Zeiträume. Die ersten
drei derselben, umfassend die älteste Zeit (mit Einschluß der prähistorischen
Perioden) bis 496 n. Chr., die Zeit von der Einwanderung der Schwaben
bis zum Aussterben der Karolinger (496—911) und die Zeit des schwäbischen
Herzogtums (911—1268) sind im ersten Bande vereinigt. Dem vierten
Zeitraume, dem späteren Mittelalter, ist der zweite Band gewidmet. Der
dritte Band führt die Geschichte des Allgäus im fünften Zeitraume, der
Neuzeit, fort bis zur endgiltigen Unterwerfung und Teilung des Land=
striches unter baierische und württembergische Landeshoheit im Jahre 1810.
Die Zeiträume drei, vier und fünf, deren Geschichte etwa vier Fünftel des
Werkes füllt, werden unter den Hauptgesichtspunkten: Staat und Kirche,
Land und Leute, in folgenden Abschnitten zur Darstellung gebracht: Aeußere
Geschichte, Verfassung und Recht, Kirche; Stände, Leben und Kultur.
Soweit es der Stoff erlaubte, ist dieses Schema selbst schon dem „zweiten
Zeitraum" zu grunde gelegt. Es bewahrt durch seine Einfachheit vor
allzu großer Zersplitterung des umfangreichen Stoffes und damit vor
Wiederholungen und ermöglicht doch wieder durch die scharf durchgeführte
Scheidung der einzelnen Teile eine klare Uebersicht. Schon diese allgemeine
Gliederung des Stoffes läßt erkennen, daß das Allgäu hier nach jeder
historisch beachtenswerten Seite hin in Betrachtung gezogen ist. Politische
Geschichte, soziale Gliederung, Verfassungsentwicklung, Kultur= und Wirt=
schaftsgeschichte nach ihren vielfach verschlungenen Beziehungen zum Leben
mit Einschluß der Geschichte von Wissenschaft und Kunst werden zum
Gegenstand der Darstellung gemacht. Es fehlt dem Bilde zur Vollständigkeit

nichts, wenn auch naturgemäß einzelne Partien im Vordergrunde stehen,
andere mehr zurücktreten.

So wird in der „äußeren Geschichte" des Allgäus kein Ereignis mit
solcher Ausführlichkeit behandelt, wie der Bauernkrieg. Er war ja auch
thatsächlich das „wichtigste Ereignis der Allgäuer Geschichte". Nach Ursache,
Charakter und Verlauf wird er ebenso anschaulich als eingehend geschildert.
Wie das wohlhabende, thatkräftige, selbstbewußte und waffenfähige Landvolk
bei der Zunahme der Lasten und der Schmälerung seiner Rechte und Freiheiten mit Begier die Lehre der Prädikanten von dem „göttlichen Recht"
der Freiheit aufnimmt, wie es dieses „göttliche Recht" auf den Schild erhebt und dadurch, den Boden der historischen Entwicklung verlassend, seiner
Erhebung einen völlig neuen Untergrund gibt, wie diese allzu stürmische
Forderung in sich selbst, in ihrer Uebertriebenheit den Keim des Unheils
trägt und allmählich die Katastrophe heraufführt: all das tritt mit beinahe
dramatischer Lebendigkeit vor Augen. Diese zusammenfassende Darstellung
des Bauernkrieges im Allgäu aus der Feder des bedeutendsten Kenners
jener Bewegung darf von seite der wissenschaftlichen Forschung umsoweniger
unberücksichtigt bleiben, als B. hier manche seiner früheren, in der Abhandlung: „Die oberschwäbischen Bauern im März 1525 und die zwölf
Artikel" niedergelegten Ansichten modifiziert (vgl. auch Hist. Jahrb. XI, 823)
und die seitdem erschienene Literatur verwertet.

Nächst der Geschichte des Bauernkrieges hat B. bekanntlich die Gau-
und Grafschaftsverfassung in Schwaben mit großem Erfolge zum Gegenstande seiner besonderen Forschung gemacht. In der „Geschichte des Allgäus"
wendet er dieser Verfassung gleichfalls seine besondere Aufmerksamkeit zu.
Es kommen hier in betracht der Alpgau und der Nibelgau in ihrer ganzen
Ausdehnung und Teile des Argen-, Iller- und Augstgaues, sowie der Gaue
Duria und Keltenstein. Der Nachweis der Gaugrenzen und ihrer Ver-
schiebungen, die Aufzählung der urkundlich den einzelnen Gauen zugeteilten
Orte, die Erforschung der Grafengeschlechter, die Umschreibung der gräflichen
Amtsgewalt, der Prozeß der Auflösung der Grafschaftsverfassung durch den
Uebergang der öffentlichen Gewalt an die Grundherrschaften: diese für die
Verfassungsgeschichte des früheren Mittelalters so bedeutsamen Fragen finden
hier in bezug auf das Allgäu ihre Lösung. Viel Klarheit gewinnen diese
Untersuchungen durch die Betonung des zwischen Grafengewalt und Grafen-
besitz zu machenden Unterschiedes. Die Grafengewalt ist in der früh-
mittelalterlichen Zeit der eigentliche Inhalt des Grafenamtes, der „Grafschaft", das Amt innerhalb eines gewissen Bezirkes ist das principale, der
Besitz dagegen das accessorium. Daher war es denkbar und thatsächlich
nicht selten der fall, daß ein Teil der Besitzungen einer Grafschaft innerhalb des Amtsbezirkes einer anderen Grafschaft belegen war; dann übte
der Besitzer, obwohl selbst Graf, doch nicht die Grafengewalt über diesen
Teil seines Grafenbesitzes aus, sondern dieses Recht stand dem Inhaber
der Grafengewalt über jenen Amtsbezirk zu. Umgekehrt darf aus der Lage

von Gütern einer beſtimmten Grafſchaft nicht ohne weiteres auf den Amts=
bezirk dieſer Grafſchaft geſchloſſen werden. Erſt im 13. Jahrhundert, als
die Grafengewalt inhaltlich weſentlich entleert war, tritt der mit dem
Grafenamte verbundene Lehenbeſitz als Kern der Grafſchaft in den Vorder=
grund und wird das Grafenamt nach und nach nur mehr als Zugehörde
der namengebenden Burg betrachtet.

Mit Abſicht hat B. die Verfaſſungs=, Rechts= und Ständegeſchichte
ausführlich behandelt; „denn gerade über dieſe ſo ungemein wichtigen
Dinge und Verhältniſſe herrſcht faſt allgemein Unwiſſenheit oder, was
noch ſchlimmer iſt, halbes Wiſſen" (Vorrede). Gewiß darf er dafür auf
den Dank ſeiner Leſer rechnen, auch derjenigen, welche ſelbſt geſchichtliche
Forſchung betreiben. Denn er hat die oft ſehr verwickelte Materie zum
größten Teil direkt aus den Quellen licht= und lebensvoll zur Darſtellung
gebracht. Es iſt hier nicht der Ort, weiter ins einzelne einzugehen. Doch
muß wenigſtens hingewieſen werden, mit welchem Scharfſinn die Geſchichte
und Genealogie der Allgäuer Magnatengeſchlechter erforſcht wurde, welche
Mühe ſich B. für die Klarlegung der im ſpäteren Mittelalter ſo verworrenen
gerichts= und grundherrlichen Verhältniſſe koſten ließ, welch eingehende
Sorgfalt er der Geſchichte der Städteentwicklung zuwandte, welch beſondere
Berückſichtigung, die dem Allgäu eigentümlichen, rechtlichen und volkstümlichen
Einrichtungen fanden. Unter letzteren Erſcheinungen gehört zu den merk=
würdigſten jedenfalls die, daß ſich, trotz des ſeit dem ſpäteren Mittelalter
immer zunehmenden Strebens nach Ausbildung geſchloſſener ſtaatlicher
Territorien und Ausdehnung der Jurisdiktionsbefugniſſe in dem Freigericht
auf dem Buch bei Schönau ein Reſt des alten Centgerichtes erhielt;
106 Familien ſtark waren die „Freien im Allgäu, zur Grafſchaft Eglofs
gehörig", als der Untergang des Reiches auch ihrer Sonderſtellung den
Untergang brachte, worüber ſie noch 20 Jahre ſpäter beim König von
Baiern klagend vorſtellig wurden. Die Erhaltung einer ſo großen Zahl
von Freigütern und freien Familien war indeß nur möglich durch Umgehung
einer andern Allgäuer Eigentümlichkeit, des ſogen. Allgäuer Brauches, wo=
nach „jeder Unterthan, mochte er ziehen wohin er wollte, ſeinen hohen
und niedern Gerichtszwang auf dem Rücken mit ſich trug", ein Gebrauch,
welcher überhaupt der Territorialbildung im Allgäu, namentlich in kleineren
Herrſchaftsgebieten, hindernd im Wege ſtand, da kraft desſelben jeder Unter=
than ſeinem bisherigen Herrn auch nach der Anſiedelung in einem fremden
Gebiete mit der Gerichtsbarkeit unterworfen blieb. Man half ſich jedoch,
indem man den „Allgäuer Brauch" ſchon im Mittelalter da und dort, im
16. und 17. Jahrhundert aber allgemein aufhob oder thatſächlich nicht
mehr beobachtete.

Die Abſchnitte über Ausbreitung des Chriſtentums und über die Kirche
geben dem Vf. wiederholt Gelegenheit, ſein Geſchick in maßvoll kritiſcher
Behandlung legendenhafter Bildungen an den Tag zu legen, ſo in der
Würdigung der Magnuslegende. Bezüglich der handſchriftlichen Ueber=

lieferung derselben wie auch ihres historischen Kernes stimmt B. in den
Hauptpunkten der Beurteilung Steicheles (Bistum Augsburg IV, 363 ff.)
bei, doch nicht ohne dieselbe glücklich zu ergänzen und zu präzisieren, indem
er die Abfassung der ältesten Magnusvita mit der Erhebung der Gebeine
des Heiligen durch Bischof Lanto von Augsburg in Zusammenhang bringt
und um 851 ansetzt, die Ueberarbeitung derselben zu der jetzt noch vorliegenden Form nach St. Gallen und in jene Zeit verlegt, als Bischof
Salomo von Konstanz zu Ehren des hl. Magnus eine Kirche erbaute
(ca. 890), und die Sage von dem „Kolumbanertum des hl. Magnus" und
seiner Gegensätzlichkeit gegen das Benediktinertum aufgibt. Die Darstellung
der Gründungsgeschichte von Ottobeuren (I, 114—17) bietet ein weiteres
Beispiel besonnener Kritik gegenüber sagenhafter Ueberlieferung, auf das
jedoch hier nur hingewiesen werden kann. Bei dieser Gründungsgeschichte
wie bei Feststellung der Abtskataloge für die früheste Zeit verwertet B.
die Ergebnisse seiner nekrologischen Forschungen mit bestem Erfolge. —
Die Reihenfolge der Bischöfe von Augsburg und Konstanz, das Klosterwesen im allgemeinen und die Geschichte der einzelnen Allgäuer Klöster,
unter welchen Kempten, „das Spital des Adels", seit dem späteren Mittelalter die meiste Zeit eine unrühmliche Rolle spielt, die ordentliche Seelsorge und der Weltklerus, Gottesdienst und Armenpflege sind die Gesichtspunkte, unter welche das Wichtigste aus der Allgäuer Kirchengeschichte
eingereiht wird. Die „Reformationsgeschichte des Allgäus" zeichnet sich
durch denkbar größte Objektivität aus.

Mit welcher Hingebung der Vf. an dem Werke arbeitete, zeigen neben
anderm auch die mühsam und sorgfältig hergestellten Beigaben, worunter
an erster Stelle die vorzüglichen alphabetischen Register und Inhalts-
übersichten zu nennen sind, sodann zwei historische Karten des Allgäus.
Die eine, „das Allgäu im 12. Jahrhundert", bringt die politische Einteilung des Allgäus, wie sie sich im 12. Jahrhundert gestaltet hatte, zur
Anschauung mit Andeutung der alten, damals schon zum teil aufgelösten
Gaueinteilung; auf dieser Karte sind alle Orte, welche vor 1200 in den
Geschichtsquellen erwähnt werden, in der ältesten uns erhaltenen Schreibweise und mit Hinzufügung des Jahres ihrer erstmaligen Erwähnung ein-
gezeichnet. Die zweite Karte, „das Allgäu 1802", weist die Grenzen der
einzelnen Herrschaftsgebiete auf und läßt zugleich erkennen, in welchen
innerhalb einer Herrschaft gelegenen Orten Unterthanen einer andern
Herrschaft ansässig waren Die „Allgäuer Geschichtsliteratur" auf 23 eng

gedruckten Seiten ist, wie so vieles andere in diesem Werke, eine lebhafte
Anregung und wesentliche Erleichterung für jene, welche Einzeluntersuchungen auf dem Gebiete der Allgäuer Geschichte anstellen wollen.

Der Verleger Ludwig Huber in Kempten hat es sich viele Mühe und
Opfer kosten lassen, das Werk, zu welchem er zuerst den Plan gefaßt, gut
auszustatten. Der Druck ist sehr schön, deutlich und korrekt, nur äußerst
wenige Druckfehler und Flüchtigkeiten sind stehen geblieben.[1]) Der Wert
dieser „Geschichte des Allgäus" wird noch erhöht durch die sehr zahlreichen,
meist sorgfältig hergestellten Abbildungen, deren Auswahl mit vielem Geschick so getroffen ist, daß aus denselben mannigfache Belehrung gewonnen
werden kann. Städteansichten aus alter Zeit, kolorierte Trachtenbilder,
Wappen, Kirchen, Burgen, diese oft nach alten Zeichnungen wiedergegeben,
Kunstgegenstände, Portraits historisch bedeutender Persönlichkeiten, malerische
Interieurs und Partien aus den ehemaligen Reichsstädten wechseln in
bunter Folge, wie es der Text verlangt, sind aber für den, der vergleichende
Beobachtungen daran machen will, in der jedem Bande beigegebenen systematischen Uebersicht über die Illustrationen bequem zusammengestellt.

So ist hier ein Werk zum Abschlusse gelangt, welches ohne Uebertreibung als Muster einer Provinzialgeschichte bezeichnet werden darf.
Möge es nun auch die verdiente Verbreitung finden. Wir sind überzeugt,
daß die Mehrzahl der Leser gleich uns auch nach genauem Studium des
Buches gern wieder ab und zu nach demselben greifen wird, um aus dem
reichen und gediegenen Inhalte aufs neue Genuß und Belehrung zu
schöpfen.

Augsburg. **Alfred Schröder.**

Johannes Janssen, Geschichte des deutschen Volkes seit dem
Ausgang des Mittelalters.

Bd. 7. Schulen und Universitäten. Wissenschaft und Bildung
bis zum Beginn des dreißigjährigen Krieges. Ergänzt und hrsg.
von **Ludwig Pastor.** 1.—12. Aufl. gr. 8°. XLVII, 660 S.
1893. Preis: M. 6, geb. in Leinw. M. 7,20, in Halbfr. M. 8.

Bd. 8. Volkswirtschaftliche, gesellschaftliche und religös-sittliche
Zustände. Hexenwesen und Hexenverfolgung bis zum Beginn des
dreißigjährigen Krieges. Ergänzt und hrsg. von **Ludwig Pastor.**
1.—12. Aufl. gr. 8°. LVI, 720 S. 1894. M. 7, geb. in Leinw.
M. 8,40, in Halbfr. M. 9.

Die Fortsetzung des monumentalen Janssenschen Geschichtswerkes ist
gesichert. Janssen hat sich in L. Pastor einen Schüler herangebildet,

---

[1]) I, 542 soll statt Dietfurt Dietkirch, II, 95 statt Reichenburg Reisensburg,
I, 245 statt Diethelm Dietegen, III, 604 statt Fruchtmayr Feuchtmayr stehen.

der durch eine Reihe von gelehrten Arbeiten gezeigt, daß er im stande ist, in die Fußtapfen des Lehrers einzutreten und ihn zu ersetzen. Mit gleicher Arbeitslust und Arbeitskraft, die unermüdlich in den Quellen forscht, verbindet er dieselbe Gestaltungsgabe, welche die gewonnenen Resultate kunstvoll zu gruppieren weiß. Im unermüdlichen Sammeln auch ungedruckten Materials dürfte sogar der Meister überflügelt sein.

Janssen selbst hat seinen Lieblingsschüler mit der Fortsetzung seiner Lebensarbeit beauftragt, demselben im mündlichen Verkehr die notwendigen Winke und Anweisungen gegeben, das ganze von ihm angesammelte Material hinterlassen. Wir staunen, wenn wir erfahren, daß nicht nur für die nun vorliegenden zwei neuen Bände die Vorarbeiten fast vollendet und die meisten Partien schon ausgearbeitet waren, sondern, daß in Janssens literarischem Nachlaß für die Fortsetzung des Werkes bis zum Untergang des alten Reiches im Jahre 1806 so zahlreiche Aufzeichnungen sich fanden, daß die Vollendung der „Geschichte des deutschen Volkes" als gesichert betrachtet werden darf, wenn Gott dem Fortsetzer Leben und Gesundheit schenkt. Auf Janssens Bedeutung fällt durch diese Nachrichten neues überraschendes Licht.

Mit dem 6. Band ist Janssen zur Kulturgeschichte zurückgekehrt, welcher der erste Band gewidmet war. Drei volle Bände sind der Aufgabe ge= widmet, uns die Kulturzustände der Reformationszeit zu schildern. Der Rezensent des 6. Bandes in dieser Zeitschrift (Bd. 10 [1889] S. 395 f.) kommt zu dem Resultat, Janssens Grundgedanke, daß seit dem ausgehenden Mittelalter eine immer mehr anwachsende Verschlimmerung eingetreten sei, erhalte eine fortschreitende Bestätigung. Der allgemeine Niedergang komme mehr auf Rechnung der Protestanten, auf die katholische Seite falle mehr Licht als in den „herkömmlichen" Darstellungen.

1. Dieses Urteil wird durch den 7. und 8. Band bestätigt. Der 7. Band ist den wissenschaftlichen Bestrebungen des Jahrhunderts gewidmet und behandelt sie in zwei Teilen: 1. Schulen und Universitäten, 2. Bildung und Wissenschaft, Bücherzensur und Buchhandel. Auf einem Gebiet, nämlich dem der Mathematik und der Naturwissenschaften begegnet uns da ent= schiedener Fortschritt. Nikolaus von Cusa, Peurbach und Regiomontan hatten hier vorgearbeitet. Im 16. Jahrhundert erscheint neben anderen gefeierten Namen das Dreigestirn Kopernikus, Kepler und Clavius, letzterer als Mitarbeiter und Verteidiger der Gregorianischen Kalenderreform. Mineralogie und Botanik stehen in hoher Blüte. In Anlegung botanischer Gärten herrscht edler Wetteifer. Auch in der Erdkunde und besonders in der Kartographie zeichnen sich deutsche Gelehrte aus.

Sonst tritt uns in diesem Band überwiegend Niedergang und Verfall entgegen. Die Religionsneuerer strebten zwar und hofften, gerade durch die Schule die alte Kirche zu bekämpfen und zu vernichten, und wünschten deshalb die eingezogenen Kirchengüter für die Zwecke des Unterrichts zu verwenden. Aber die Fürsten zogen vor, sie für sich zu verschwenden. Neuen Schulstiftungen wurde die Quelle durch die reformatorische Leugnung

der Verdienſtlichkeit der guten Werke abgegraben. Im 1. Bande hatte
Janſſen nachgewieſen, daß ſich auch das Volksſchulweſen beim Ausgange
des Mittelalters in den meiſten Gebieten des Reiches in erfreulichem Auf=
ſchwung befunden hatte. „In den kirchlichen Lehrſchriften wurde der Volks=
unterricht eifrig empfohlen; die Zahl der Schulen auch in kleineren Städten
und Dörfern wuchs mit jedem Jahrzehnt; über unzureichende Beſoldung
liegen von ſeiten der Lehrer keine Klagen vor; aus der Zeit von 1400
bis 1521 laſſen ſich nahezu 100 Schulordnungen und Schulverträge in
deutſcher und niederländiſcher Sprache nachweiſen.“ Durchs ganze 16. Jahr=
hundert vom Bauernaufſtand bis zum dreißigjährigen Kriege begegnen uns
aus allen Ständen der Geſellſchaft, aus allen Kreiſen Deutſchlands Klagen
über allgemeine Vernachläſſigung und den Verfall des Schulweſens. Die
Lehrer ſind kärglich bezahlt. Selbſt in großen Städten muß man ſich in=
folge der dürftigen Beſoldung und beim Mangel an Anſtalten zur Heran=
bildung tüchtiger Lehrer mit Handwerkern in den Volksſchulen begnügen.
Die Jugend iſt verwildert! Grauſam iſt die Härte der Schulſtrafen; Luther
ſelbſt und ſeine Freunde ſtellen die kärgliche Exiſtenz der Schulen dem
blühenden Zuſtand in den katholiſchen Zeiten entgegen. Vergeblich ſind
Luthers energiſche Aufrufe in den Jahren 1524, 1529, 1530, welche freilich
in den evangeliſchen Schulordnungen wiederklingen und viel dazu beigetragen
haben mögen, ihm auch den Ruhm des Begründers deutſchen Volksſchul=
weſens durch lange Zeit zu verſchaffen. Der Verfall zeigt ſich auch darin
als Folge der Neuerung, daß zahlreiche Prädikanten allen wiſſenſchaftlichen
Beſtrebungen den Krieg erklären und daß nach Zeugniſſen der Zeit faſt
niemand mehr die Kinder in die Schulen ſchicken und ſtudieren laſſen will,
weil die Leute aus Luthers Schriften vernommen, daß „die Pfaffen und
Gelehrten das Volk ſo jämmerlich verführt hätten.“ Manche Ergänzungen
bietet bezüglich dieſes Abſchnitts die neueſtens erſchienene „Geſchichte des
Volksſchulweſens in Württemberg“ von Kayſer (Stuttgart, Roth, 1895).
K. ſtellt ſeine Reſultate in den beiden Leitſätzen zuſammen: 1. „Die reli=
giöſen Wirren und leidenſchaftlich geführten theologiſchen Streitigkeiten
waren keineswegs geeignet, Erziehung und Unterricht zu fördern, vielmehr
ſind ſie ein ſchwerer Hemmſchuh für Schulen aller Art geworden, ja übten
einen zerſtörenden Einfluß auf den Entwicklungsgang der Wiſſenſchaften aus
und führten eine förmliche Abneigung gegen das Studium herbei. 2. Die
von den Glaubensneuerern angeſtrebten Schulen waren in erſter Linie
Latein= und keine deutſchen Volksſchulen.“ Die Lateinſchule ſollte ja der
Heranbildung von Predigern und Beamten dienen. Auf dem Lande konnte
man ſich mit Katechismusſchulen begnügen und bei dieſen ſtellten die Rufer
im Streite möglichſt geringe Anforderungen. (Vgl. auch den trefflichen
Artikel: „Wie alt iſt die Schule“ in Nr. 48 ff. der „Katholiſchen Schul=
zeitung“, Donauwörth, Auer 1895.)

Aber auch an den Lateinſchulen herrſchen unerquickliche Zuſtände.
Das Lateinſprechen iſt unter Strafe vorgeſchrieben, die Mutterſprache viel=

sach verpönt, die Methode also verkehrt. Die obscönen Schriftsteller des Altertums werden ohne Anstand gelesen, selbst auf die Schulbühne gebracht. Die Lehrbücher selbst, so z. B. die vielbenützten Colloquien des Erasmus enthalten gar manches Anstößige. In neueren Schuldramen wird die protestantische Jugend gegen das Papsttum aufgehetzt, religiöse Streitigkeiten sind das Krebsübel des protestantischen Schulwesens. Land für Land, Gymnasium für Gymnasium geht Janssen durch. Ueberall dieselben Mißstände. Die katholischen Gebiete machen keine Ausnahme. In den ersten Jahrzehnten nach dem Auftreten Luthers war auf seiten der neugläubigen Stimmführer unverkennbar mehr Eifer für Errichtung neuer Schulen, als auf seiten der Katholiken für die Wiederherstellung und Verbesserung ihrer Anstalten. Es nahm den Anschein, als sollte das protestantische höhere Schulwesen das katholische bei weitem überflügeln, wie denn in dieser Zeit auch die Zahl hervorragender Schulmänner bei den Protestanten ungleich größer ist als bei den Katholiken. Einen großen Umschwung aber bringt hier die Ausbreitung und das Aufblühen der Jesuitenschulen. Der letzteren pädagogische Grundsätze erzielen herrliche Erfolge in Unterricht und Erziehung. Selbst Andersgläubige strömen ihren Anstalten zu. Auch die Jesuiten bedienten sich als Erziehungsmittels der dramatischen Aufführungen. Aber ihre Dramen entbehren jedes polemischen Charakters und sind durchaus sittlich rein. Ihr bedeutendster Dramendichter, Jakob Bidermann aus Ehingen, findet eingehende Würdigung.

Auch von Universität zu Universität führt uns J. Er zeigt, wie diese Anstalten in völlige Abhängigkeit von den Landesobrigkeiten gebracht wurden, wie die Professoren kläglich bezahlt sind und deshalb nach anderen Erwerbsquellen sich umsehen müssen, teilweise „Bier- und Weinschenken" halten. Charakteristisch sind namentlich dieser Zeit eine Anzahl von Professoren, welche das abenteuerlichste Leben führen, von Land zu Land ziehen, die Konfession wechseln, je nachdem es ihnen Vorteil bringt, und auch als Vertreter verschiedener wissenschaftlicher Disziplinen auftreten, dabei aber der Trunksucht und Unsittlichkeit fröhnen. Selbst hochverdiente Lehrer geben schweres Aergernis. Eobanus Hessus trank sich mit vollem Bewußtsein langsam zu Tode. Auch auf dem Katheder wollte er des Trunkes nicht entbehren. Er nahm den Humpen mit und, wenn eine ihm besonders behagliche Stelle kam, pflegte er den Dichter zum Ergötzen seiner Zuhörer hochleben zu lassen. Petrus Pontanus schlug öfters am schwarzen Brett die Initiale P in neunmaliger Wiederholung an und erklärte sie seinen Zuhörern: Petrus Pontanus, Poeseos Professor Publ. Propter Pocula Prohibetur Praelegere. Grenzenlos ist der Bachusdienst, die Sittenlosigkeit und Roheit der akademischen Jugend. Selbst ihre Tracht wird unsittlich. Von besonderer Roheit ist namentlich die sogenannte „Deposition der Füchse" begleitet. Nicht selten sind Mord und Todschlag. Um ein Beispiel herauszugreifen, auf der von Nürnberg gegründeten Universität Altdorf ragt seit dem Herbst 1599 für einige Zeit Freiherr Albrecht von Waldstein hervor,

welcher ſpäter als kaiſerlicher Generaliſſimus über die Geſchicke Deutſch=
lands verfügt. Er läßt ſich „allerlei Schweres" zu Schulden kommen, hat
die Wachen geſchmäht, einen Studenten in den Fuß geſtochen, ſeinen Diener
„ſo unmenſchlich gezeichnet", daß dieſer nach Nürnberg in ärztliche Pflege
geſchickt werden mußte; beim Mord eines Bürgerſohnes durch einen Stu=
denten iſt er mit im Spiele. Auch wird Klage geführt über ſeine und
ſeiner Spießgeſellen „unerhörte Gottloſigkeit". Natürlich intereſſiert uns
da in erſter Linie die Univerſität, an welcher Luther wirkte. Wittenberg
war zwar von faſt allen Nationen Europas ganz überfüllt. In der erſten
Hälfte des Jahrhunderts zählt die Univerſität zuweilen 3000 Studenten;
um das Jahr 1598 wird die Zahl auf über 2000 angegeben. Dieſe große
Frequenz bietet aber für die Aufrechterhaltung von Zucht und Ordnung die
größten Schwierigkeiten. Und ſo ziehen ſich durchs ganze Jahrhundert
bittere Klagen über Zucht= und Sittenloſigkeit, von Melanchthon und
Luther angefangen. Wilde Trinkgelage und Schlägereien kommen faſt
täglich vor und man kann kaum eine Wohnung finden, welche davor
Sicherheit bietet. Die erſte Klage Melanchthons, welche J. anführt, ſtammt
aus dem Jahre 1537. Jetzt kommt ein viel früheres Zeugnis aus der
wieder neu aufgelegten Chronik Oldecops, Stiftsdechants von Hildesheim
(1495—1574) hinzu. (190. Publikation des literariſchen Vereins in Stutt=
gart). Dieſelbe enthält zahlreiche kulturhiſtoriſche Notizen, welche für dieſen
Band nicht mehr verwertet werden konnten, für den 8. Band aber benützt
ſind. Oldecop wurde von ſeinem Vater von Wittenberg abberufen, weil
ein Student erwürgt, zwei andere erſtochen worden waren und er deshalb
„in Schrecken geriet". Er führt das rohe, wilde, aufrühreriſche Benehmen
auf die „lutheriſche Freiheit" zurück, die viel Unglück gebracht habe.[1]
Anders lautet ein Urteil Albert Burers, welcher mehrere Jahre der
Famulus des Beatus Rhenanus geweſen und von ihm unterrichtet worden
war. Er beſuchte die Univerſität Wittenberg im Jahre 1521 und berichtet
an ſeinen früheren Herrn am 30. Juni: Sunt hic studentes supra sesqui-
mille; quos videas propemodum omnes biblia secum circumquaque gestare.
Inermes omnes incedunt, inter omnes convenit. Nulla hic dissidia, quod
tamen mirari quis possit inter tot tamque varias variarum nationum

---

[1] Schon i. J. 1508 ſchrieb Jakob Wimpheling an den Kurfürſten Friedrich
von Sachſen, er möge ſich der Studierenden an der neu begründeten Wittenberger
Hochſchule fürſorgend annehmen, ne teneri adolescentes et dociles scolastici,
qui ad tuam achademiam convolabunt et patrimonium suum illic effundent,
a laycis, ab emulis cleri, a satellitibus tuis contra omne ius inhumaniter in-
vadantur, saucientur, transfodantur, ne pii parentes (cum ipsa substantia)
charos filios non absque lachrymis et gemitu perdant, quos baculum senectutis
sue, lumen oculorum suorum et residue vite ultimum solatium sibi sperabant
affuturos. So in Lupoldus de Bebenburg, de iuribus et translatione imperii,
Straßburg 1508 Fol. II. D. R.

gentes. Sunt hic Saxones, Prussi, Poloni, Bohoemi, Suevi, Elvetii, Franci orientales, Duringi, Missi et e multis aliis regionibus homines: attamen (ut dixi) belle inter omnes convenit. Luther weilte damals auf der Wartburg, Burer konnte seinen Aufenthalt nicht erfahren. Wie bald hörten die friedlichen Zustände auf, als unter Karlstadts Führung jene Bewegung losbrach, welche einen völligen Umsturz herbeizuführen drohte und Luther zum Einschreiten veranlaßte! Burer berichtet auch hierüber, sowie über Luthers Erscheinung und Auftreten. Die betreffenden Briefe dürften noch wenig berücksichtigt sein; daher glaubte Ref. auf dieselben hinweisen zu sollen (vgl. Briefwechsel des Beatus Rhenanus, herausg. von Horawitz und Hartfelder, S. 280, 293, 303. Derselbe enthält auch sonst manigfachen kulturhistorischen Stoff. Auch die katholischen Universitäten werden mit in den Verfall hineingezogen, auch an ihnen herrschen ähnliche traurige Zustände. J. verschweigt das nicht, sondern berichtet auch hier über die einzelnen Universitäten. Aber wie im Mittelschulwesen, so haben auch für die Universitäten in den katholischen Gebieten die Jesuiten einen Umschwung herbeigeführt und unsterbliche Verdienste sich erworben, namentlich wo sie, wie in Graz und Dillingen, nicht mit der Eifersüchtelei der Professoren zu kämpfen hatten, sondern eine völlig freie Stellung einnahmen. Freilich war ihre Anzahl nicht so bedeutend, um überall, wo sie begehrt wurden, tüchtige Lehrkräfte stellen zu können. Nicht nur unterrichtete, sondern mit den lautersten Sitten ausgestattete Männer gingen aus ihren Anstalten hervor. Vielleicht hätte in erziehlicher Beziehung der Einfluß der gegen das Ende des Jahrhunderts von den Jesuiten ins Leben gerufenen Marianischen Kongregationen noch besondere Hervorhebung verdient (vgl. Niederegger, der Studentenbund der Marianischen Sodalitäten, sein Wesen und Wirken an der Schule, Regensburg 1884).

Im zweiten Teil verbreitet sich dann J. über die einzelnen Wissenschaften. Die hervorragendsten Leistungen auf den einzelnen Gebieten werden hier beigezogen und mit Unparteilichkeit gewürdigt, mögen sie von Katholiken oder Protestanten ausgegangen sein. Charakteristisch für die humanistischen Studien ist das Verschwinden der eigentlichen Humanisten. An ihre Stelle treten die Philologen. Die lateinische Dichtung leidet unter dem Dedikationswesen und unter der „Seuche" der Dichterkrönungen. Das Rechtsstudium, obwohl bevorzugt, weil einträglich, hat nur einige hervorragende Vertreter. Verkehrt ist die Methode des Kommentierens, eine Pest für das Recht die populäre juristische Literatur. Die Verdrängung der Volksrechte und des kanonischen Rechts durch das römische führt eine immer im Steigen begriffene Abneigung des Volkes gegen die Juristen herbei. Auch auf die geschichtlichen Studien übt die religiöse Umwälzung einen hemmenden und schädlichen Einfluß aus. Selbst protestantische Forscher geben zu, daß sie „die Veranlassung zu einer auf Parteileidenschaft und Tendenziösität beruhenden Geschichtsdarstellung" wurde und daß sie auch in der Folge „durch den von ihr herbeigeführten und gestützten Absolutismus der Fürsten ...

eine freie, geſunde Geſchichtsauffaſſung" lahmlegte, eine Thatſache, die noch
bis in unſer Jahrhundert in Deutſchland nachgewirkt habe. Die Anſicht
daß ein Jahrtauſend hindurch Lug und Trug für Wahrheit und Recht
verkauft und unabläſſig daran gearbeitet worden ſei, das ganze Chriſtentum
immer tiefer in die Nacht des Irrtums und der Sünde zu verſtricken, war
nicht geeignet, geſchichtlichen Sinn zu entwickeln und die Geiſter zur Freiheit
des Urteils zu erziehen. Namentlich brachte die Spaltung der Nation in
feindliche Heerlager die verderbliche Folge, daß die allgemeine deutſche
Geſchichte nicht mehr einen einzigen hervorragenden Bearbeiter fand und
nur auf dem Gebiete der Landesgeſchichte beachtenswerte Arbeiten gefertigt
wurden. Von einzelnen Werken werden beſonders Aventins „Annales
Boiorum" und Sleidans „Kommentare über den Stand des Religions= und
des Gemeinweſens unter Kaiſer Karl V" berückſichtigt und ihre „Un=
parteilichkeit" ins rechte Licht geſtellt. Die „Centuriatoren" haben ihre
Beurteilung ſchon im 5. Band gefunden. Hier werden die Widerlegungs=
verſuche namhaft gemacht. Einige Ergänzungen zu Janſſens Ausführungen
mögen an dieſer Stelle geſtattet ſein.

Bei ſeinen Studien über Kardinal Sirleto fand Ref. eine Anzahl
von Dokumenten, welche über das Aufſehen unterrichten, welches die Cen=
turien auch in Italien und Spanien verurſachten, ſowie über die Bemühungen,
einen ebenbürtigen, bezw. überlegenen Widerleger zu finden. Wohl Caniſius
iſts geweſen, durch den die erſte Kunde von der Arbeit nach Trient und
Rom gelangte. Am 9. Februar 1562 ſchrieb er von Augsburg: Utinam
prodeat aliquis ex doctiſsimis episcopis et theologis, quorum ingens
isthic (in Trient) est numerus, qui ex profeſso refellat pestilentiſsimum
illud opus Magdeburgensium theologorum de eccl. hist. nuper editum.[1]
Cod. Vatic. 6417 fol. 167 enthält einen Auszug aus einem Brief deſſelben
Caniſius, ebenfalls von Augsburg datiert. Er berichtet darin über die
Depravation der Kirchengeſchichte durch die Sektierer und fordert auf,
einen der Gelehrten, deren Rom viele zähle, zu beauftragen, Lebens=
beſchreibungen der Päpſte zu verfaſſen. Die Sektierer erſännen, was ſie
wollten, während die Katholiken müßig zuſchauten. Judicet, ruft er aus,
R^{ma} D. T. quomodo succurri possit non modo praesenti sed etiam
sequenti ecclesiae.[2] Wohl auf dieſem Wege erhielt der Kardinal Amu=
lius, ein Mitglied der Kommiſſion, welche für die Edition zeitgemäßer
Werke unter Pius IV niedergeſetzt war und die Preſſe des nach Rom be=
rufenen Manutius beſchäftigen ſollte, das Werk in ſeine Hände und er
ſchrieb nun darüber an Hoſius, um ſeine Anſicht zu erfahren. Es heißt

---

[1] Reuſch, der Index der verbotenen Bücher. Bonn 1883. I, S. 329.

[2] Ferner beantragt Caniſius die Abfaſſung von Katechismen und Poſtillen
unter Anpaſſung an die Bedürfniſſe der Zeit, da neue Krankheiten auch neue Heilmittel
erforderten und die Stimmung der Geiſter eine andere ſei als früher.

in dem Brief, daß die Centurien sub ecclesiasticae historiae titulo circum-
feruntur, ut ajunt, gravi cum fidei catholicae damno et jactura. Sentiunt
quidam recte futurum, si quocunque pacto responderemus, alii, si errores
eorum et mendacia ... indicaremus, alii, si argumentis ac demonstra-
tionibus oppositis conscriberemus, quidam vero nihil prorsus pensi
habendum.[1]) Der schlagfertige Onuphrius Panvinius ist dann wohl
der erste, der einen der Hauptangriffspunkte herausgriff und seine libri
tres de primatu Petri et apostolicae sedis potestate contra centurianum
auctores (Veronae 1589) verfaßte.[2]) Weitere Gelehrte wurden von Rom
bei ihren aus eigenem Antrieb unternommenen Studien aufgemuntert und
unterstützt oder zu ihren Arbeiten veranlaßt. Genannt sei zunächst der
Deutsche Wilhelm Eisengrein. Nachdem er den ersten Band seines
Werkes gegen die Centurien vollendet hatte, begab er sich nach Rom, von
seinem Vetter Martin Eisengrein, dem bekannten Rat am bayerischen Hofe,
an Kardinal Sirleto als Verfasser mehrerer Schriften gegen die Häretiker,
besonders einer Centurie gegen die Magdeburger, warm empfohlen.[3]) Papst
Pius V, dem er den ersten Band gewidmet hatte und jetzt überreichte,
nahm ihn freundlich auf und beschenkte ihn reichlich. Nachdem er wieder
zurückgekehrt war, richtete er sofort ein Schreiben an Sirleto. In demselben beklagt er es, des Umgangs mit den römischen Gelehrten entbehren
zu müssen, spricht die Hoffnung aus, daß er bei den Kardinälen einen
günstigen Eindruck gemacht habe, und bittet, daß Sirleto seiner beim Papst
bisweilen Erwähnung thue und ihn namentlich durch Uebersendung von
Autoren unterstütze.[4]) Als ihm kurz darauf seine Gattin Barbara gestorben
war, wandte er sich von Ingolstadt aus am 31. Jan. 1568 an den Papst
selbst und teilte ihm seinen Entschluß mit, sich nicht mehr zu verheiraten
und die hl. Weihen zu nehmen, um ungestörter sein Werk fortsetzen zu
können, bittet aber zugleich um Unterstützung, da ihm die folgenden 14 Centurien große Kosten verursachten und er täglich vier Amanuenses beschäftige.
Die zweite Centurie werde bald vollendet sein.[5]) Auch an Sirleto schrieb
er wieder am 10. März 1568, benachrichtigte ihn von der Vollendung
des 2. Bandes, welche der Tod seiner Gattin um einige Monate verzögert hatte, und unterrichtete auch ihn über seine Entscheidung, Priester
zu werden. Wo möglich, fügte er bei, möchte er sich in Rom niederlassen,
und bittet daher um Berücksichtigung bei Erledigung einer geeigneten
Stelle.[6]) Wirklich führte er diesen Entschluß aus Der tödliche Haß der

---

[1]) C. Vat. 3933 fol. 34.

[2]) Hurter, nomenclator literarius recentioris theol. cath. ed. altera Oeniponte 1892 I, S. 35.

[3]) Brief vom 14. Juli 1567 in Cod. Vatic. 6189 fol. 496.

[4]) Cod. Vatic. 6189 fol. 413.

[5]) Cod. Reg. 2023 fol. 165.

[6]) Cod. Vatic. 6189 fol. 566.

Häretiker, ſo benachrichtigte er Sirleto nach ſeiner Ankunft, habe ihn ge=
zwungen, das Vaterland zu verlaſſen, wo er keinen Protektor ſeiner Studien
finde. Zwei weitere Bände konnte er dem geſchichtskundigen Kardinal vor=
legen. Er wolle Rom nicht verlaſſen, verſpricht er, bis das Werk vollendet
ſei. Freilich müſſe er um Unterſtützung bitten. Auf der Reiſe ſei er in
Trient und Bologna wegen der in Deutſchland graſſierenden Seuchen an=
gehalten worden. Durch Sirletos Vermittlung hoffte er vom Papſt den
Unterhalt für ſich ſelbſt und zwei Amanuenſes zu erlangen, um eifrig
fortzuarbeiten.[1]) Seine Hoffnungen wurden nicht in allem erfüllt. Zwar
beſoldete der Papſt ihn ſelbſt, gewährte ihm aber keinen Sekretär. Durch
angeſtrengtes Arbeiten ſuchte er daher ſeine Arbeit zu fördern. Vom
Frühſtück und Eſſen weg nahm er ſofort wieder die Feder zur Hand. Das
zog ihm ein Nervenleiden und ſchließlich eine ſchwere Krankheit zu. Des
Verkehrs mit Gelehrten, der ihm ſo ſehr am Herzen lag, da er von ihnen
mehr als aus Büchern zu lernen hoffte, mußte er entbehren, ſo daß ihn
oft Melancholie anwandelte. Auch die ihm gewährte Unterſtützung war
eine kärgliche. Wenn er ſelbſt wollte, klagt er, könne er nicht ausgehen,
da er faſt ohne Kleider ſei. Noch ſind zwei weitere Briefe von ihm an
Sirleto, den unicus patronus ſeiner Studien, den princeps virtutis et
doctrinae, erhalten. In einem klagt er, Sirleto bei wiederholten Be=
ſuchen nicht haben ſprechen zu können, weil er ihn beſchäftigt fand und
ſein leidender Zuſtand ein längeres Antichambrieren nicht erlaubte. Er
bittet ihn, ihm die zwei erſten Bände zuzuſtellen, da er ſelbſt kein Exemplar
beſaß und eine Reihe von Korrekturen vornehmen wollte. Zugleich empfiehlt
er einen Konvertiten aus Wien, der den eigenen Vater, einen häretiſchen
Prediger, zur Konverſion beſtimmt habe und Sirleto kennen lernen möchte
ob raram et singularem doctrinam, quam dudum adhuc in haereticorum
locis versatus de T. C praedicari audivit. Im andern erſucht er Sirleto,
daß er aus ſeiner famosissima bibliotheca Werke namentlich von Neueren
nach Hauſe nehmen dürfe, um Exzerpte zu machen; denn in der Vatikana
fehlten die neueren Autoren, deren er doch zur Entſcheidung ſchwieriger
Fragen bedürfe. Und die knappe Zeit von drei oder vier Stunden, wann
ſie geöffnet ſei, genügte nicht. Auch an Hoſius, ſchreibt er, werde er ſich
mit der gleichen Bitte wenden. Zugleich fleht er um reichlichere Unter=
ſtützung und ſpricht die Hoffnung auf Beſſerung ſeiner Lage aus, wenn
Kardinal Madruzzo nach Rom komme. Endlich erſucht er Sirleto, er möge
ſeinen Sekretär Rainaldi beauftragen, daß er ſich um einen Drucker für
einen weiteren Band umſchaue.[2]) Die Briefe ſind leider undatiert. Lange
hat die Not des Gelehrten nicht gedauert. Hurter gibt an, daß er im

----

[1]) Cod. Vatic. 6201 fol. 394.
[2]) Cod. Reg. 2023 fol. 165.

Jahre 1570 gestorben sei.[1]) Was aus seinen weiteren Arbeiten geworden, ist unbekannt.

An zweiter Stelle erwähne ich den Engländer Alanus Copus, nach seiner Flucht aus England Kanoniker bei St. Peter in Rom. Als er ein Werk gegen die Centuriatoren — Hurter nennt von ihm eine Syntaxis historiae evangelicae und die Herausgabe der sex dialogi seines Lands=mannes N. Harpsfield contra ss. pontificatus etc. oppugnatores et pseudo-martyres, in quibus Magdeburgensium etc. mendacia deteguntur[2]) — neu auflegen wollte, wandte auch er sich an Sirleto. Er habe, berichtet er, viel gesammelt de indubitatis decretalium epistolarum auctoribus. Um nun den Nachweis zu liefern, daß die pseudoisidorianischen Dekretalen besonders die aus dem 2. und 3. Jahrhundert echt seien, wünschte er den Zutritt zur Vatikana.[3])

Weiter ist anzuführen ein spanischer Franziskaner, damals im Kloster zu Ara Cöli, Fra Luisi nennt er sich. In einem Memoriale wandte er sich an den Papst mit der Bitte, daß seine Auslagen für Bücher, die er zum Zweck der Widerlegung der Centurien gekauft, ihm ersetzt, für ihn und seinen Gehilfen gesorgt, und der Kardinal Sirleto, sowie der Magister sacri palatii angewiesen werden, daß sie ihm die weiteren Centurien und die einschlägigen Schriften Eisengreins — Guilelmo Exegresi nennt er ihn — aushändigen sollten.[4])

Von dem Gelehrten Caselli aus Rossano bezeugt sodann der Franziskaner Lattantio Arturo in der Leichenrede, die er in Squillace auf Sirleto vor dem Neffen desselben hielt, daß er mit der Widerlegung der Centurien beauftragt war und bei sprachlichen und kritischen Schwierig-keiten gar oft zu Sirleto seine Zuflucht nahm, den er das Archivio delle lettere ecclesiastiche zu nennen pflegte.[5])

Beachtenswert ist auch eine gelegentliche Bemerkung, welche der ge=feierte Geschichtsschreiber Bolognas, Carlo Sigonio, macht. Er war damals mit seiner historia ecclesiastica beschäftigt und hatte drei Bücher derselben Sirleto zur Einsicht und Beurteilung zugesandt, damit sie als Grundlage für die weitere Arbeit dienten. Indem er nun Federico Rai-naldi für mannigfache Förderung durch Mitteilung von Schriftstücken dankt und um weitere Unterstützung bittet, fügt er bei: Man sage ihm immer, er könne nichts Bedeutendes leisten, wenn er die Centuriatoren nicht ge=sehen habe, aber, da sie auf dem Index stehen, wisse er nicht, wie er sie

---

[1]) Nomenclator lit I, S. 10.
[2]) A. a. O. S. 28 und 35.
[3]) Cod. Vatic. 6411 fol. 2.
[4]) Cod. Reg. 2020 fol. 427.
[5]) C. Angel. c. 7. 8. Vgl. die Vita Sirletos in Cod. Barbar. LII, 36.

leſen ſolle. So wolle er lieber auf das Wenige verzichten, was die Hä=
retiker etwa bieten könnten.[1])

Auch ein mir ſonſt unbekannter Jacobus Aemilius teilte Sirleto
mit, daß er gegen die Centurien zu ſchreiben beabſichtige.[2])

Schon aus dem Bisherigen geht hervor, daß man in Rom die Be=
deutung des Werkes und die Wichtigkeit und Notwendigkeit ſeiner Wider=
legung wohl kannte. Papſt Pius V ging noch weiter. In ſeinen ſehr
beachtenswerten Konſiſtorialakten berichtet uns Kardinal Antonio Carafa,
daß der Papſt im geheimen Konſiſtorium vom 3. März 1571 eine Kom=
miſſion von Kardinälen beauftragte, die Confessio Augustana und die
Schriften der Centuriatoren zu prüfen und für ihre Widerlegung zu ſorgen.
Berufen wurden in dieſelbe die Kardinäle Hoſius, Sirleto, Maffei (aufge=
führt als Theatensis), Montalto und Giuſtiniani.[3]) Wir erfahren auch,
daß die Kommiſſion andere Gelehrte beizog und zahlreiche Beratungen hielt,
um Plan und Methode der Widerlegung feſtzuſetzen, daß aber kein Erfolg
erzielt wurde. Ferner wird uns berichtet, daß gleichzeitig auch König
Philipp von Spanien ſich mit dem Gedanken trug, einer Anzahl Ge=
lehrter die gleiche Aufgabe zu ſtellen und ſie bei der Ausführung zu unter=
ſtützen.[4]) Zwei dieſer ſpaniſchen Gelehrten, der Franziskanervater Miquel
de Medina und Fuentiduena wandten ſich kurz nach dem Tode
Pius V an den Kardinal Sirleto. Medina war eben von einer Reiſe nach
Rom zurückgekehrt, als er die Nachricht vom Tode des Papſtes erhielt.
Dieſer hatte durch Kardinal Ruſticucci dem Nuntius am Madrider Hof die
Weiſung erteilen laſſen, daß er mit dem Könige reden, ihm die Verderb=
lichkeit der Centurien vorſtellen und den Pater wegen ſeiner Arbeiten zu

---

[1]) C. Reg. 2023 fol. 328. Vgl. Dejob, l'influence du concil de Trente.
Paris 1884. S. 68.

[2]) C. Vat 6411 fol. 245.

[3]) Cod. Corsin. G. 47 fol. 35.

[4]) Ein ſogleich näher zu behandelnder Traktat aus der Zeit nach dem Tode
Pius V im vatikan. Archiv Var. Polit t. XIII (E. 2404) fol. 808 ſagt darüber:
Hoc autem dum etiam intelligeret sanctissimae memoriae, Pius Quintus,
doctos viros undequaque excitavit ... ut horum vigiliis et laboribus tantae,
pravitati salutaris aliqua disciplina inveniretur tantaque Scripturarum et Patrum adulteratio aliquando tandem detegeretur. Delecti sunt viri graves
qui consilia regerent et de mediis ad eam rem necessariis constituerent. Fre-
quentes congregationes sunt habitae atque in his deliberatum, quo judicio,
quo ordine, quave methodo res ejusmodi sit instituenda. Sed conatus omnis
nescio quibus ex causis tandem in nihilum abiit nec consilia tunc suscepta
unquam ematuruerunt. Persuasus etiam de hujus rei necessitate Sermus rex
Hispaniarum Philippus dicitur in eandem curam etiam incubuisse et de fa-
ciendo eruditorum hominum delectu cogitasse, qui liberalitate suae majestatis
sublevati operam hactenus tantis desideriis expetitam praestarent.

ihrer Widerlegung empfehlen solle. Der Nuntius aber wollte die Ansicht
des neuen Papstes zuerst erfahren. Und so bat Medina den Kardinal, er
möge ihn und seine Arbeit Gregor XIII empfehlen. Er erinnert auch an
sein Werk de indulgentiis und die Verdienste, welche er sich durch dasselbe
um den heil. Stuhl und die Kirche erworben.[1]) Fuentibuena seinerseits
meldete, wie sie nach dem Tode des Papstes nicht wüßten, wie sie es mit
den Centurien halten und ob sie die Arbeit fortsetzen sollten und der neue
Papst ihr dieselbe Gunst zuwende wie Pius V. Auch er bat um die Em=
pfehlung Sirletos, auf welchen auch der Nuntius hingewiesen hatte.[2])

In Rom selbst arbeitete um diese Zeit der Jesuit Franziskus
Turrianus (de Torres) ein Memoriala aus de ratione scribendi adversus
centurias ecclesiasticae historiae.[3]) Er führt aus, daß die Centuriatoren
namentlich auf drei Punkte ihr Augenmerk gelenkt hätten, nämlich auf die
doctrina, die Ceremoniae und die Leitung der Kirche, die ecclesiastica
politia. Zur Widerlegung sei ein bestimmter Plan notwendig. Dabei
komme sehr zu statten, daß die Centuriatoren sehr vieles zusammengetragen
hätten, was zur Bekräftigung der kirchlichen Lehre in obigen drei Punkten
diene. Es sei sehr wertvoll, daß man sich so auf ihr eigenes Zeugnis
berufen könne, da sie, wenn Katholiken dasselbe gesagt hätten, es verdäch=
tigen würden. Es empfehle sich daher, de ratione capiendi utilitatem
ex lectione centuriarum zu schreiben, wie einst Basilius de ratione capiendi utilitatem ex lectione librorum gentilium geschrieben habe. Dabei
seien die falschen Folgerungen derselben aufzudecken. Nachahmung verdiene
dagegen ihr Eifer und Fleiß, Beachtung ihre ratio lectionis et studii et
scriptionis. Manche Katholiken hätten schon zu ihrer Widerlegung geschrieben.
Was sie geleistet, sei zu sammeln und noch besser auszuführen. Torres
hebt dann vor allem die Begründung des Primates Petri hervor und weist
auf Cyprian und die pseudoisidorischen Dekretalen hin. Ihr Zeugnis sei
durch griechische und lateinische Väterstellen zu verstärken, welche aus der
Vatikana und den Bibliotheken der Kardinäle zu sammeln seien. Bekanntlich
hat er auch ein Werk: Pro canonibus apostolorum et epistolis decre-
talibus pontificum apostolicorum adversus Magdeburgenses centuriatores
defensio in 5 ll. digesta ausgearbeitet und 1572 in Florenz drucken
lassen, aber an dem reformierten Theologen Blondel einen überlegenen
Gegner gefunden.

Viel ausführlicher ist ein gleichzeitiger anonymer Entwurf mit dem
Titel: Dogmatica religionis historia veteris et novi testamenti res-
gestas salutarisque doctrinae et errorum origines ad eam rationem ex-

---

[1]) Medina an Sirleto. Madrid, 12. Juli 1572. C. Vat. 6185 fol. 87. Ueber
seine disputationes de indulgentiis vgl. Hurter a. a. O. S. 19.
[2]) Fuentibuena an Sirleto. Madrid, 2. Juli 1572. C. Vat. 6185 fol. 79.
[3]) Es findet sich Archiv. Vat. Conc. Trid. 47 fol. 321.

plicans ut typis veteribus sua ubique veritas sub evangelio respondeat, scripta in usum ecclesiae catholicae adversus mendaciorum et blasphemiarum acervos, quos Magdeburgi Illyricana factio nostris temporibus in Germania collegit.[1] In einer praemonitio christiani lectoris contra **Magdeburgicas centurias** führt der Verfaſſer aus, daß die Centuriatoren große Verſprechungen machen, der Wahrheit gemäß die himmliſche Lehre und die Geſchichte der Kirche darzuſtellen, daß die gefundene Perle aber die Häreſie ſei, daß ſie großſprecheriſch der katholiſchen Kirche und den andern Evangeliſchen den Beſitz der wahren Lehre abſprechen, daß ſie vorgeben, die Auktorität der Väter wieder herzuſtellen, die Lehrauktorität der katholiſchen Kirche anzuerkennen, die Wahrheit der katholiſchen Dogmen aus dem ganzen Altertum zu bekräftigen, daß dieſer Schein aber dazu diene, die Kirche deſto nachdrücklicher zu bekämpfen und ihre Grundlagen zu untergraben, die katholiſche Auslegung der Schriften zu verdächtigen und ſo den Konſens der ganzen Kirche für ihre Irrtümer zu beanſpruchen. So groß ſei die Verdrehung und Entſtellung der Väterſtellen, daß kaum ein Heilmittel möglich ſei. Das Chriſtentum ſelbſt und die Chriſtenwürde werde durch ſie untergraben, ein Zerrbild des Chriſten aus den Schriften des Euſebius entnommen und ihm eine falſche Rechtfertigungslehre unterſchoben. Die Wittenberger Theologen ſelbſt hätten den Centuriatoren die Maske der reineren Lehre, welche ſie für ihre Erfindungen in Anſpruch nehmen, heruntergeriſſen und ihnen wenig ſchmeichelhafte Namen gegeben, ſie bezeichnet als perfidi ecclesiae Christi cives, doctrinae Evangelicae depravatores, veritatis persecutores, anarchiae auctores . . . disciplinae ecclesiasticae eversores . . . idololatriae et abominandarum opinionum instauratores, seductores a fiducia Christi mediatoris, atheismi et epicureae profanitatis magistri. Zuletzt laufe denn auch ihr Gebahren auf eine Verleugnung Chriſti hinaus. Aber gar ſchlau ſeien die Mittel und Lockungen, durch welche ſie ihr Satanswerk den Menſchen mundgerecht machen Ausführlich werden die Beweiſe für dieſe Vorwürfe geführt. Dann kommt der Verfaſſer auf die ſchon erwähnten Maßnahmen Pius V zu ſprechen, ſowie auf die privaten Verſuche der Widerlegung. Aber wenn man die angehäuften Lügen betrachte, was ſei dagegen bis jetzt geleiſtet? Da müßten mehrere zuſammenſtehen und mutig ans Werk gehen, um mit vereinten Kräften zu erzielen, was des einzelnen Leiſtungsfähigkeit überſteige. Maßgebende und hochſtehende Perſönlichkeiten hätten auch ihn ſelbſt aufgefordert, ſeine Kraft zu verſuchen, und er habe denn auch, ſoweit er nicht per illud legationis munus in Anſpruch genommen geweſen ſei,[2] einiges zuſammengetragen, eben das oben angegebene Werk. Insbeſondere glaubt er eine Methode der Widerlegung angeben zu können und er bringt

---

[1] Archiv. Vatic. Var. Polit. tom. XIII (E. 2404) fol. 827 sq.

[2] Vielleicht dürfte dieſe Bemerkung zur Entdeckung des Anonymus führen.

nun eine dreifache Gegenantwort in Vorschlag: 1. soll das ganze Werk
nach dem Gesichtspunkt der 14 im Beginn als Leitpunkte hervorgehobenen
Kapitel durchgearbeitet und im einzelnen gezeigt werden, daß die Verfasser,
weit entfernt ihrem Versprechen gemäß Gottes Weisheit in Leitung der
Kirche und die Gleichmäßigkeit der kirchlichen Lehre durch alle Jahrhunderte
darzustellen, was ja alles Lobes wert wäre, im Gegenteil die Auktorität
der Kirche vernichten und die Einheit des Glaubens durch ihre Irrtümer
gefährden; 2. soll eine systematisch geordnete Dogmatik verfaßt und in
dieser die einzelnen Lehren in ihrer heutigen Fassung als mit der Entwicklung durch die Jahrhunderte herauf übereinstimmend dargelegt werden;
3. soll eine reichhaltige Kirchengeschichte ausgearbeitet und in derselben
sollen die Hauptirrtümer der Centuriatoren aufgedeckt werden. Leider
aber, wird geklagt, fehle den Katholiken die Energie der Protestanten und
herrsche bei ihnen Mißtrauen auf Erfolg und Nachlässigkeit. Würden sie
nur einigermaßen den Eifer, welchen die Häretiker in Verbreitung der
Irrtümer entwickeln, zur Vermittlung des Heiles anwenden, Gottes Hilfe
würde nicht fehlen und in kurzer Zeit könnte großes geleistet werden.
Wie weit es aber durch Entmutigung, Zögern und Schwanken komme,
zeige die Verwüstung und Bedrängnis auf dem ganzen Erdkreis. An gelehrten und frommen Männern fehle es ja nicht an den katholischen Universitäten und Kollegien, aber diejenigen, welche am Steuerruder der Kirche
sitzen, sollten sie durch ihre Auktorität, ihre Ratschläge und die nötigen
Hilfsmittel stützen und fördern. Papst und Kardinäle sollten also das
Ihrige beitragen.

Einige Jahre vergingen, bis wir wieder von Verhandlungen wegen
der Centurien hören. Im Sommer 1575 kam der berühmte Herausgeber
der Antwerpener Polyglotte, Benedikt Arias Montanus, nach Rom,
um das großartige Werk gegen Angriffe zu verteidigen und womöglich
längere Zeit seinen Aufenthalt dort zu nehmen. Am 20. August 1575
schreibt er von Rom an den spanischen König. Da er ihn in der Angelegenheit der Centurien ins Vertrauen gezogen hatte, rät er ihm, mit
Bekanntmachung der Personen, welchen die Aufgabe der Widerlegung zufallen sollte, zuzuwarten, bis er über eine Anzahl von Einzelheiten orientiert
sei, welche reife Erwägung verlangen, um das Werk besser und rascher zu
gestalten. Er wollte darüber aber nicht schriftlich berichten, sondern persönlich mit dem König verhandeln. Am 24. Dezember 1575 kommt Arias
in einem Schreiben an den königlichen Sekretär Zayas auf die Frage zurück. Es handle sich, führt er aus, um eine viel weiter ausschauende und
weniger wirkungsvolle Sache als man denke. Zu Rom urteile man anders
darüber als in Spanien. Er glaube, so lange er lebe, lasse sich ein Ende
nicht absehen, und wenn sein Leben auch länger daure, als er hoffen dürfe.
Und das sei die römische Ansicht überhaupt. Nochmals am 22. März 1576
schreibt der Gelehrte an denselben, wenn man an Zeit und Kosten denke,
werde der in Spanien beabsichtigte Weg nicht zum Ziele führen. Die

Kardinäle seien derselben Meinung. Schon 15 Jahre verhandle man da=
rüber in Rom ohne einen greifbaren Erfolg. Auch der Papst verspreche
sich nicht viel. Er habe dem König geschrieben, daß die Entscheidung ver=
schoben werde, bis er ihn persönlich gehört habe. [1]

Um diese Zeit wohl wählte der hl. Philipp Neri den Mann aus,
der allein leisten sollte, was viele zusammen nicht zu stande gebracht, und
später, als sein Werk schon allgemein gefeiert wurde, auf die Frage, welche
Mitarbeiter er gehabt habe, die Antwort geben konnte: Torcular calcavi
solus. Am 16. Mai 1577 schrieb Cesare Barone, prete del Col. del
oratorio, an Sirleto, mit Gottes Hilfe und der Gunst seiner Heiligkeit
hoffe er die Kirchengeschichte nochmals von Anfang an zu revidieren und
die letzte Hand daran zu legen. [2] Daher bat er, Sirleto möge ihn beim
Großinquisitor, Kardinal von Pisa, die Erlaubnis auswirken, daß er die
Centurien bei sich behalten und lesen dürfe und daß er ihm sein Exemplar
leihe. Ebenso bittet er, wenn Sirleto es für gut finde, die Bibliotheca
sancta, gemeint ist offenbar das Werk des Sixtus von Siena [3] zu lesen
und zu berichtigen. Sirleto war auch später noch der Ratgeber und groß=
herzige Förderer der Studien des berühmten Oratorianers. 1578 berichtet
derselbe seinem Vater, er sei gesund trotz der Geschäftslast der gewohnten
Studien, die auf seinen Schultern liege. Er wäre ihr nicht gewachsen,
wenn die Hilfe des Kardinals Sirleto nicht wäre, der beständig dafür be=
sorgt sei, die alten Manuskripte für ihn aus der Vatikana und seiner
eigenen Bibliothek aufzusuchen und ihm einzuhändigen. Der Schweiß vieler
Jahre werde notwendig sein, aber er hoffe auf Gottes Schutz, daß, qui
coepit opus bonum, in nobis perficiet solidabitque. Einige Lösungen
schwieriger Fragen habe er dem genannten Kardinal vorgelegt und sie
hätten ihm ausnehmend gefallen. Non nobis domine, non nobis, sed
nomini tuo da gloriam. [4]

Kehren wir zur „Geschichte des deutschen Volkes" zurück!

Was die Heilkunde anlangt, so lag sie am Ende des 16. Jahr=
hunderts sehr darnieder. Die abenteuerliche Theorie des Paracelsus von
der „Signatur der Pflanzen" (Aehnlichkeit derselben mit den menschlichen
Organen, für welche sie heilsam sein sollen) beeinflußt weite Kreise. Astro=
logische Wahnideen und medizinischer Aberglaube stehen in Blüte. Auch
der Teufel spielt eine große Rolle. Die Chirurgie ist in den Händen

---

[1] Correspondencia del doctor Arias Montano con Felipe II etc. in
Colleccion de Documentos inéditos para la historia de España. t. 41 (1862).
S. 326, 328, 330.

[2] Desidero con l'ajuto d'Iddio et favore di S. S. incomminciar da capo
à rescrivere l'hist. eccla. e ponervi l'ultima mano. Barone an Sirleto 16. Mai 1577.
C. Vat. 6192 fol. 634.

[3] Vgl. darüber Reusch a. a. O. S. 438, Hurter a. a. O. 29.

[4] Laemmer in den Analecta juris Pontificii Romae. 1861 S. 273 aus
Cod. Vallicell. Q. 46 fol. 47.

der Baber und Barbiere. Nur wenige Professoren, wie der Vater der Anatomie in Deutschland, Vesalius, leisten bedeutendes. In diesem Kapitel wird auch über die zahlreichen ansteckenden Krankheiten und ihre Verheerungen berichtet. In einer handschriftlichen Chronik, deren Auszüge mir vorliegen, werden namentlich die Jahre 1574 und 1575 als Seuchenjahre für Schwaben bezeichnet. Im ersteren Jahr war „in Oberschwaben große Sterblichkeit; in Biberach allein starben gegen 500 Personen". 1575 und im folgenden Jahre wird die Zahl der Gestorbenen in Württemberg auf 30,426 Menschen berechnet. Der Chronist bemerkt dazu, daß die Leute sehr ausgelassen waren, viele in Streithändeln getötet, andere verwundet wurden. Dem Heldenmut der Jesuiten und anderer Ordensleute gegenüber, welche zahlreiche Martyrer der Nächstenliebe zählen, nimmt sich recht kläglich die Todesfurcht und Zaghaftigkeit der Neugläubigen aus, für welche mannigfache Belege angeführt werden. Luthers mannhaftes Beispiel fand keine Nachahmung. Er konnte sich nicht genug darüber wundern, daß man sich so sehr fürchtete „in solchem Lichte des Evangelii, da man sich zuvor im Papsttum nicht so sehr gefürcht" hätte. Vergebens mahnte er von der Kanzel zum Ausharren und zur treuen Pflege der Kranken.

Am ausführlichsten sind natürlich Philosophie und Theologie besprochen. Bekannt sind die Aeußerungen Luthers und anderer Prädikanten über die Philosophie. Sie konnte daher zunächst bei den Protestanten nicht gedeihen. Ihre Theologie war fast durchaus Streittheologie. Nur in den Bekenntnisschriften zeigte sie sich positiv aufbauend. Von „freier Forschung" war gar bald keine Rede mehr. Bei der Philosophie und Theologie der Katholiken werden zwei verschiedene Perioden unterschieden. Vor dem Auftreten der Jesuiten und dem Abschluß des Konzils von Trient gehen auch bei ihnen die wissenschaftlichen Bestrebungen fast ganz in der Polemik und Kontroverse auf. Später blüht im Anschluß an den hl. Thomas die Scholastik aufs neue empor, namentlich in den Jesuitenschulen. In der Polemik sind die Katholiken mit wenigen Ausnahmen viel gemäßigter als die Protestanten. Eingehend werden die Vorkämpfer der katholischen Sache, vor allen Gropper, Faber, Eck, Gregor von Valentia, Petrus Canisius, Hosius, Kramer 2c. gewürdigt. Zur Literatur wären für Gropper und Eck Dittrichs Monographie über Contarini und namentlich seine Monumenta Ratisbonnensia nachzutragen. Für die beabsichtigte Neuausgabe der Briefe des Canisius möchte ich außer dem schon erwähnten in Cod. Vatic. 6417 fol. 167 noch auf die folgenden aufmerksam machen, die nicht bekannt sein dürften. Cod. Reg. 2023 enthält Briefe des Canisius an Hosius vom 23. Mai 1572 und 15. Okt 1573 (fol. 70 u. 71). Cod. Vatic. 6193 fol. 314, Cod. Vatic. 6194 fol. 98, Cod. Vatic. 6195 fol. 413 finden sich Briefe desselben an Sirleto vom 12. Januar 1579, 3. Juli 1581, März 1584. Sie beziehen sich sämmtlich auf sein Opus Marianum, zu welchem ihm Sirleto Väterstellen geliefert hatte. Ein weiterer Brief, gerichtet an den Kanoniker Andreas Fabricius von Utrecht, findet sich Cod.

Vatic. 6416 fol. 107. Endlich iſt Caniſius erwähnt in einem Briefe des
Surius an Sirleto vom 26. März 1576 in Cod. Vatic. 2023 fol. 346.

Ein beſonderes Kapitel bei Janffen iſt der heiligen Schrift geweiht.
In demſelben werden nicht nur die Bibelüberſetzungen vor Luther namhaft
gemacht, ſondern auch ſeine Verdienſte um die deutſche Schriftſprache auf
das rechte Maß zurückgeführt. Luther ſelbſt hat es offen eingeſtanden,
daß die Sprache der kaiſerlichen Kanzlei für ihn ein höchſt wichtiges Vorbild geweſen iſt. Er hat die Einheit unſerer Schriftſprache gefördert —
aber ſie wäre gekommen auch ohne ihn.[1]) Hervorragende philologiſche
Autoritäten werden dafür ins Feld geführt. Auf ein wichtiges hierher
gehöriges Beweismoment haben vor kurzem die „Hiſtoriſch-politiſchen Blätter"
aufmerkſam gemacht (Bd. 113/2 1894 S. 145 ff.). Der Bürgermeiſter von
Görlitz Johann Haß (Haſſe) hat Ratsannalen hinterlaſſen, die ganz „in
Luthers Weiſe und in Luthers Sprache geſchrieben" ſind. Haß war aber
voll Abneigung gegen Luther und ſeine Sache, brauchte von Luther nicht
zu lernen und wollte es nicht. Dieſer fand vielmehr die an ihm gerühmte
Sprache als ein Gemeingut vieler vor. (Publiciert ſind die Annalen in
den Scriptores rerum Lusaticarum Görlitz, 1850—70). Umgekehrt iſt
darauf aufmerkſam zu machen, daß die Vorſchrift des Lateinſprechens an
den Mittelſchulen der Entwicklung der deutſchen Sprache entſchieden nach-
teilig war. Vgl. auch Bd. 8 S. 197 Anm. 1. Bei den Fürſten hatte die
Reiſeſucht die Verachtung der Mutterſprache zur Folge. Natürlich zeigt J.
auch, wie Luther die hl. Schrift ſelbſt behandelt hat.

Sehr inſtruktiv iſt der Bericht über die katholiſche und evangeliſche
Predigtliteratur. Manches neue Material wird hier beigebracht. In
der Bücherzenſur ſind die Proteſtanten ſo unduldſam wie die Katholiken.
Bei Buchdruckerei und Buchhandel ſelbſt geht es ſeit dem dritten Jahrzehnt des 16. Jahrhunderts „mit aller Herrlichkeit zu Ende".

Auch die Lektüre dieſes Bandes muß den Patrioten mit Trauer
erfüllen und an mehr als einer Stelle gibt J. derſelben offenen Ausdruck.
Bei dem ſo überaus umfaſſenden Inhalt der ganzen Bildungs- und Gelehrten-
geſchichte des 16. Jahrhunderts kann von einer ganz erſchöpfenden Darſtellung nicht die Rede ſein, vielmehr dürften mancherlei Ergänzungen und
Berichtigungen für neue Auflagen zu erwarten ſein. Vielleicht dürften
z. B. für dieſen Teil der Kulturgeſchichte die Beziehungen des gelehrten
Deutſchlands zum Ausland, namentlich Frankreich, Italien und Belgien,
die Frequentierung auswärtiger Univerſitäten durch Deutſche, der Einfluß,
den deßhalb auswärtige Gelehrte gewannen, der Wechſelverkehr zwiſchen
deutſchen und auswärtigen Gelehrten noch mehr zu berückſichtigen ſein, als
es im 7. Bande S. 268 ff. thatſächlich geſchehen. Der Vorarbeiten ſind
ja für dieſes Gebiet in den letzten Jahrzehnten gar manche erſchienen.

---

[1]) Vgl. im Liter. Cbl. Nr. 4 (1896), die Beſprechung der Schriften v. A. Berger
[„Die Kulturaufgabe der Reformation" u. „Martin Luther in kulturgeſch. Darſtellg."]
durch K. B(u)rd(a)ch.   D. R.

2. Nach Jahresfrist ist dem 7. Bande der 8. nachgefolgt. Es ist
der Band, der J. wohl die meiste Selbstüberwindung gekostet hat. „Die
furchtbare Verwilderung auf allen Gebieten . . . . . griff ihn im Gemüthe
derart an, daß er oft die Feder weglegte, ganze Tage nicht arbeiten
konnte. Ueberaus peinlich war ihm namentlich das Studium des Hexen=
wesens des 16. und 17. Jahrhunderts." In einem Gedichte, daß uns
Pastor in seiner Biographie (1. Aufl. S. 123) mitteilt, schilderte er in
ergreifender Weise den Gegensatz zwischen dem Frieden des Christfests und
den Greueln des Hexenwesens. Den Inhalt des Bandes bilden in drei
Teilen: 1. die volkswirtschaftlichen, 2. die gesellschaftlichen und 3. die
religiös=sittlichen Zustände, Hexenwesen und Hexenverfolgung.

　Für den deutschen Handel wird vor allem verhängnisvoll, daß infolge
der politisch=kirchlichen Revolution in den Niederlanden der Hauptmarkt des
gesamten Welthandels im nordwestlichen und nordöstlichen Europa, Ant=
werpen, von seiner Blüte herabsank. Die Folge ist, daß der ganze Rhein=
handel seine alte Bedeutung verliert. Die Holländer sperren freien Paß
und Schiffahrt der Deutschen auf Rhein und Schelde. Der Hansabund
hatte gegen Ende des 15. und im Anfange des 16. Jahrhunderts den
Welthandel der nordwestlichen Hälfte Europas beherrscht; dann aber neigte
er sich allmählich dem Verfalle und dem Untergang zu und zwar wesentlich
infolge der zunehmenden politischen Machtlosigkeit des Reiches, welches ihm
in seinen Kämpfen mit den emporstrebenden fremden Nationen nirgends
eine Stütze gewährte, sowie infolge der wachsenden allgemeinen religiösen
Zerrissenheit, welche ein geschlossenes, einheitliches Auftreten des Bundes
verhinderte. Durch Dänemark, Schweden, Norwegen, England werden die
Hanseaten mit unerhörten Zöllen und Abgaben beschwert. Im Laufe des
Jahrhunderts müssen sie ihre Niederlassungen in diesen Ländern aufgeben.
Umgekehrt behaupten sich die englischen Kaufleute trotz aller Reichs=
verfügungen in Deutschland. Zwischen den Städten selbst steigert sich die
gegenseitige Eifersucht fortwährend. In kleinlichem Krämergeist schließen
sich die Bundesglieder gegen einander ab, suchen allen Verkehr unter sich
durch die manigfaltigsten Beschränkungen, durch Monopolienzwang, durch
Stapel= und Niederlagsrechte zu hemmen. Der Zollbesitz des Reiches,
die ergiebigste und sicherste Einnahmsquelle desselben, ist beim Ausgang
des Mittelalters gänzlich zersplittert. Die Zollstätten sind nach und nach
in den Besitz der Landesherren und der Gemeinden übergegangen. Unter
den Reichsständen, von den größten bis zu den kleinsten, herrscht im Zoll=
wesen wie in den Ausfuhrverboten, durch welche die einzelnen Gebiete sich
gegen einander absperren, ein innerer Krieg aller gegen alle. Zahlreiche
ausländische Hausierer beeinträchtigen den inländischen kleinen Kaufmann,
gewähren Borgfrist und lassen sich, um den kleinen Mann auszubeuten, in
Naturalien bezahlen Die Reichsstraßen sind zumeist unsicher. Die vielen
Aufkaufs= und Preissteigerungsgesellschaften verteuern den Preis
der Waren und sogar der Lebensmittel. Nicht selten sind bei denselben

die Zahlungseinstellungen. Sie stürzen Unzählige, welche sich durch Ein=
lagen beteiligt haben, bisweilen ganze Gegenden ins Verderben. Dazu
kam die Ausbeutung durch gewerbsmäßigen Wucher, an welchem sich vor
allem die Juden, aber auch sehr viele Christen beteiligen und gegen den
die Gesetze und Verordnungen vergeblich ankämpfen (vgl. auch Beschreibung
des Oberamts Ehingen 1893 S. 25. Die Stadt erhielt 1559 die Freiheit,
daß kein Jude ein Gut kaufen oder auf dasselbe leihen durfte. Schon
1548 hatte Karl V dem Pfandherrn der Herrschaften Ehingen, Scheiklingen
und Berg, Konrad von Bemmelberg, ein ähnliches Privileg erteilt. Kein
Bürger sollte demnach mit einem Juden handeln, von ihm leihen 2c. dürfen
oder das entlehnte Geld 2c. sollte verwirkt sein [Schelklinger Stadtarchiv]). Auf
das Tiefste ward aller Handel und Wandel sowie die gesamte Volkswirtschaft
geschädigt durch die Verwirrung im Münzwesen. Alle, selbst die un=
bedeutendsten Stände nehmen selbständige Münzbefugnis in Anspruch,
beuten dieselbe als eine ergiebige Einnahmequelle für sich aus und über=
bieten sich schließlich in der Verschlechterung der Münzen, besonders des
Kornes derselben. Neben den unzähligen Münzstätten entstehen noch zahl=
reiche sogenannte Heckenmünzen, in welchen die Falschmünzerei in größerem
Maßstabe betrieben wird. Das gute deutsche Geld kommt ins Ausland,
fremde, geringhaltige Münze wird in großen Massen eingeführt. Eine
Ursache dieses Verfalles des Münzwesens ist auch der Abgang des Berg=
baues. Ein lange Zeit betriebener Raubbau hat die Ergiebigkeit desselben
in Sachsen, Mansfeld, Böhmen, Tirol erschöpft. Die Bergbeamten zeigen
sich untauglich und betrügerisch. Bei kärglichem Lohne haben die Berg=
arbeiter eine Schicht bis zu zwölf Stunden, während sie nach dem alten
deutschen Bergrecht nur acht Stunden dauerte.

Die deutsche Industrie ist infolge der Territorialzölle und des fort=
während stärkeren Verfalls des Handels fast ganz auf den einheimischen
Markt angewiesen, mit andern Worten, auf das platte Land. Je mehr das
Bürgertum von seiner früheren stolzen Höhe herabsinkt, desto engherziger
wird in den einzelnen Städten der Geist des Zunftwesens. Fast jede Stadt
sucht die andere von allem Wettbewerb in den Gewerben auszuschließen.
Unaufhörliche Zunftstreitigkeiten spielen sich innerhalb ihrer Mauern ab.
Die Zahl der Meister wird möglichst beschränkt, den Gesellen die Meister=
schaft durch zu hohe Anforderungen, Schmausereien bei der Aufnahme,
Familien= und Meister=Ringe erschwert. Die Selbständigkeit und Gerichts=
barkeit der Zünfte sieht sich von der staatlichen Obrigkeit immer mehr be=
engt. Technische Fortschritte müssen infolge der Eifersucht der Zunft=
genossen durch obrigkeitlichen Befehl unterdrückt werden. Häufig begegnen
wir Klagen über Vereinbarungen innerhalb einer Zunft zum Zweck der
Steigerung der Preise ihrer Erzeugnisse auf Kosten der Abnehmer. Um
dieser Ausbeutung zu entgehen, werden in manchen Städten die alten
Zunftschranken durchbrochen. Genußsucht und Verschwendung ruinieren den
Handwerkerstand. Die Gesellen, welche früher durch Bruderschaften ver=

bunden den Meistern gegenüber vielfach ein gewichtiges Wort gesprochen haben, werden jetzt mannigfach ausgebeutet. Karg ist gar oft der Lohn, streng die Arbeitsforderung, teilweise bis zu 16 Stunden im Tage. Der Verdienst wird auch von ihnen beklagenswerter Weise der Genußsucht geopfert.

Der Bauernstand sieht sich, seitdem die soziale Revolution im Jahre 1525 im Blute erstickt ist, allgemein gesprochen, recht- und schutzlos der Willkür der Gewalthaber preisgegeben und zwar nicht allein in denjenigen Gebieten, in welchen die Stürme der Revolution gewütet haben, sondern auch, sogar in höherem Grade noch, in denen, welche davon unberührt geblieben sind. Eine machtvolle kaiserliche Zentralgewalt, welche die Bauern gegenüber den Uebergriffen der Fürsten und des Adels geschützt hat, ist nicht mehr vorhanden. Unter den frischen Eindrücken des Bauernaufstands haben manche neugläubigen Theologen, voran Luther, Melanchthon und Spalatin sich für die unumschränkte Gewaltherrschaft der Obrigkeit über die Bauern ausgesprochen. Zahlreiche Juristen, z. B. Johann Friedrich Husanus in einer Schrift „über die Leibeigenen" verfechten die altrömischen Ansichten, der Gutsherr habe das Recht, seine „Straf-Kolonen" zu besteuern und zu züchtigen, Hab und Gut einzuziehen, selbst die Todesstrafe zu verhängen. Solche Grundsätze finden fruchtbaren Boden. Ungescheut betreiben die Grundherren das sogenannte „Legen" der Bauern, d. h. die Einziehung ihrer Höfe zum Rittergut. Solch eingezogenes Gut wird steuerfrei und dafür mehrt sich die Steuerlast der auf ihren Höfen Belassenen. Je größer die Rittergüter werden, desto häufiger sind auch die Frohndienstleistungen. Söhne und Töchter der Bauern müssen unentgeltlich auf den Schlössern als Knechte und Mägde dienen. Die Beamten mehren sich und beuten ihrerseits das Volk aus. Kein Wunder, wenn in Baiern, in Nieder- und Oberösterreich sich gewaltthätige Ausbrüche des Hasses der gequälten Bauern gegen ihre adeligen Unterdrücker ereignen. Besonders drückend wird das Recht der Gutsherrn auf die unbeschränkte Jagd. Der Wildstand und Wildschaden ist überall ein staunenswert großer. Die Bauern dürfen sich desselben unter strenger Strafe nicht durch Umzäunen, Halten von Hunden ꝛc. erwehren. Selbst zur Zeit der dringenden Feldarbeiten werden sie zum Treiberdienst gezwungen. Auf Jagd- und Fischereifreveln stehen die schärfsten Strafen, selbst Ausstechen der Augen und der Tod. Die Willkür hat den weitesten Spielraum, wenn auch gar manche, namentlich die geistlichen Herren und die Klöster eine Ausnahme machen und milde verfahren.

So ist das Gesamtbild der volkswirtschaftlichen Zustände ein recht düsteres. Ist es besser mit den gesellschaftlichen, mit Lebensführung und Lebensgenuß der verschiedenen Stände? Die Hofhaltung der Fürsten, ihr Hofstaat und Gesinde und Beamtentum wird im Laufe des Jahrhunderts immer großartiger und glänzender, das Leben aber immer leichtfertiger und ausgelassener. Die Zeitgenossen sprechen sich dahin aus, daß an den

Höfen, von wenigen abgeſehen, alle Laſter der Zeit, wie in ihren Mittel=
punkten ſich vereinigen und von dort in alle Stände ausgehen. Vor allem
gilt das vom Laſter der Trunkſucht. Es gibt nüchterne Fürſten, wie
Albrecht I von Brandenburg, Wilhelm von Cleve, Wilhelm und Maximilian
von Baiern. Von andern Höfen erhalten wir haarſträubende Schilderungen.
Aehnliche Verſchwendung und Ueppigkeit herrſcht bei den Mahlzeiten, in
Kleiderpracht und Luxus in Kleinodien aller Art bei Ausſteuern ꝛc. Un=
geheuere Summen verſchlingen die Feuerwerke, Maskeraden, Ringrennen,
Ballet=Inventionen bei fürſtlichen Hochzeiten, Taufen und anderen Feſt=
lichkeiten, die zahlreichen Vergnügungsreiſen, bei denen die Fürſten durch
glänzendes Gefolge ſich zu übertreffen ſuchen. Um die Kaſſen wieder zu
füllen, nehmen ſie zu thörichtem Aberglauben ihre Zuflucht. Faſt an allen
Höfen finden wir Alchymiſten und Laboratorien zum Goldmachen, aber
nur die ſchlauen Betrüger bereichern ſich dabei, wenn ſie nicht entlarvt
werden und dann verdienter Strafe anheimfallen. Die Unterthanen aber
haben unter immer drückenderer Steuerlaſt zu ſeufzen.[1])

[1]) Gegenüber den zweifellos nur allzuſehr vertretenen Schatten hätten um ſo
energiſcher die auch vorhandenen Lichtſeiten aus dem trüben Geſamtbilde hervorgehoben
werden ſollen. An dem kurfürſtlich ſächſiſchen, alſo lutheriſchen Hofe, entfaltet die
Kurfürſtin Anna, geborene Prinzeſſin von Dänemark, Gemahlin Auguſts I, in den
Jahren 1548—85 eine ausgebreitete, energiſche Thätigkeit. Ihr Lebensbild hat an
der Hand der Akten und Briefe des ſächſiſchen Archivs K. v. Weber i. J. 1865 ent=
worfen; danach bezeichnet auch der Vf. der Aufſätze in den Hiſtor. polit. Blättern
1886, II. T., S. 333 ff., 450 ff., 512 ff. es als ein überwiegend lichtes, Schwächen fehlen
freilich auch hier nicht. Bei Janſſens Schilderung des deutſchen Adeis und der
deutſchen Bildung im 16./17. Jahrh. vermißt man einen Hinweis auf die literariſchen
Intereſſen eines Johann Jakob v. Fugger, eines Johann Georg v. Werdenſtein,
eines H. J. v. Lamberg und der thüringiſchen Familie von Werther=Beichlingen. Die
auf verſchiedenen Reiſen im Auslande, namentlich in Italien erworbene Wertherſche
Bibliothek „war in allen wiſſenſchaftlichen Fächern gleich ſtark und die kgl. Bibliothek
(in Dresden) verdankt ihr viele ihrer ausgezeichnetſten älteren Schätze, mehrere edi=
tiones principes und einige ſehr wertvolle HSS. klaſſiſcher Schriftſteller und u. a.
namentlich auch einige vorzüglich ſchöne Exemplare altdeutſchen Drucks. Die ganze
Sammlung enthielt 3312 Werke (worunter 32 HSS.) und iſt laut der Taxe, welche
in dem noch vorhandenen Inventarium jedem einzelnen Artikel beigefügt iſt, auf
1638 Gulden 5 Pfg. abgeſchätzt.“ So F. A. Ebert, Geſchichte der Beſchreibung der
kgl. Bibliothek zu Dresden, S. 31. Nach dem am 23. Dezember 1588 erfolgten Tod
Philipps v. Werther wurde die Wertherſche Bibliothek von Kurfürſt Chriſtian I von
Sachſen gekauft. Die Bücherliebe der ſächſiſchen Kurfürſten Auguſt I und Chriſtian I (ſ. Ebert
a. a. O. S. 23 ff.) findet am baieriſchen Herzogshofe ein würdiges Seitenſtück. Die
bibliothekariſchen Schätze eines Fugger, eines Werdenſtein und Lamberg ſind wenigſtens
teilweiſe in die Münchner Hof= und Staatsbibliothek übergegangen. In dankbarem
Gedächtnis wollen wir auch bewahren, daß Herzog Albrecht V von Baiern die reichen
Bücher= und Handſchriftenſammlungen eines Hartmann Schedel für ſeine Bibliothek
erwarb, außerdem noch andere Bücherſammlungen. D. R.

In die Fußstapfen der Fürsten tritt der niedere Adel ein. Er sucht sich die Mittel für seinen übertriebenen Aufwand, seine Trinkgelage und Mahlzeiten, seine Prunk= und Spielsucht nicht bloß durch Ausbeutung seiner Bauern, sondern auch durch Schmälerung der kirchlichen Güter, vielfach auch durch Ausübung von Gewerben und Handel (Brauerei, Bäckerei, Ver= kauf von Früchten ꝛc.) zu verschaffen. Der Verweichlichung in Kleidung und Nahrung entspricht „insbesondere unter den Jungherrn" ein faules, verweichlichtes Leben. Die Völlerei führt zu Nachtschwärmereien, Tumulten auf Straßen und öffentlichen Plätzen, oft mit Verwundungen; zu Unsittlich= keiten aller Art. Großes Aergernis gibt das Schwören, Fluchen und Gotteslästern des Adels. Bei Festlichkeiten wetteifert man mit den Fürsten in allerlei kostspieligen Aufführungen und Vermummungen ꝛc. Die Oehringer „Oberamtsbeschreibung" berichtet uns über eine derartige Maskerade aus dem Jahre 1570, die einen verhängnisvollen Ausgang nahm: Zu Walden= burg verkleideten sich da adelige Damen als Engel, der männliche Adel vermummte sich „mit scheußlichem Habit, wie man die Cacodemones pflegt zu malen." Beim „Mumtanz" aber entzündete sich das Werg, mit welchem sie Arme und Beine dick umwickelt hatten. Zwei Adelige, Graf Eberhard von Hohenlohe=Waldenburg und sein Schwager Graf Georg von Tübingen erlagen ihren Wunden, mehrere andere mußten wochenlang das Bett hüten (nach den Aufzeichnungen des gleichzeitigen Hofpredigers Anton Apin). Auf die Bedeutung dieser württembergischen, vom k. Statistischen Landes= amt herausgegebenen Oberamtsbeschreibungen für die Kulturgeschichte sei überhaupt an dieser Stelle hingewiesen.

Das Beispiel von oben wirkt korrumpierend auf die niederen Stände, Bürger und Bauern. Es scheint fast unglaublich, was wir da über Modesucht und Kleiderpracht, abscheuliche, unnatürliche Trachten (Pluder= hosen und Gänsebauch), die Schönheitsmittel (Schminken und Tinkturen), den Luxus bei den Festlichkeiten, die eitle Nachahmungssucht selbst bei Dienstboten und Handwerksgesellen, Völlerei und mannigfache Ausschweifungen lesen. Große Summen verschlingen die Mahlzeiten und Trinkgelage bei Inventuren und Teilungen, Gerichtssitzungen, Rechnungsabnahmen von Spitälern und frommen Stiftungen, bei der Wahl neuer Ratsverwandten, selbst bei Beerdigungen. Ref. kann ein einschlägiges Beispiel aus seinen lokalgeschichtlichen Studien anführen. Die Stadt Ehingen hat 1398 den Kirchensatz des benachbarten Allmendingen erworben. Die Rechnung dieser sogenannten „Liebfrauenpflege Allmendingen" vom Jahre 1590 enthält nicht weniger als 31 Posten für verschiedene Eß= und Trinkgelegenheiten, z. B. item 7 fl. 48 kr. an der Malzeit verthon, als wir die Rechnung gethan; item 3 fl. 48 kr. wie Ulrich Rieger von Dettingen ꝛc. ihr gült zalt, verthon; item 5 fl. 12 kr. uff dem Rathhauß Wein kauft, als wir des Früemesser korn und habern kaufft; item 3 fl. 56 kr. mit dem Pfarr= herrn, Burgermeister verthon, als er die visch geben; item 4 fl. 36 kr. mit den Bauern zu Dettingen an der Pflegelhenketin verthon; item 1 fl. 40 kr.

verthon, als der Herr von Juſtingen zu Ehingen geweſen ꝛc. Dazu nimmt
der Branntweingenuß überhand. Wein und Bier werden vielfach verfälſcht.
Erfolglos erwieſen ſich die Verordnungen zur Einſchränkung des Aufwands.
Die notwendige Folge aller Ausſchweifungen iſt die Verkürzung der Lebens-
zeit, der „Abgang“ der deutſchen Nation, von welchem viele Zeitgenoſſen
berichten,

Das Kapitel Armenweſen gibt zunächſt eine Verteidigung der Armen-
unterſtützung beim ausgehenden Mittelalter gegenüber der Darſtellung Uhl-
horns und anderer evangeliſchen Forſcher, welche behaupten, daß die mittelalterliche Liebesthätigkeit über die Stufe des zufälligen und ungeordneten
Almoſenweſens nicht hinausgekommen ſei. Es wird der Nachweis geliefert,
daß zahlreiche größere Städte in Nachahmung der Niederlande Armen-
ordnungen erließen und für ihre Einhaltung durch Armenpfleger ſorgten,
welche der Rat ernannte. Namentlich war es der berühmte Geiler von
Kaiſersberg, der ſich um eine geordnete Armenpflege bemühte. Umgekehrt
wird gezeigt, wie die in proteſtantiſchen Ländern und Städten eingerichteten
Armenkaſten keineswegs ihrem Zweck entſprachen, wie die Milbthätigkeit für
die Armen, wie überhaupt für alle guten Zwecke infolge der Lehre von
der Rechtfertigung durch den Glauben allein überall abnahm, wie nicht
bloß die Stiftungen für Pfarr- und Kirchendienſt, ſondern auch die Ver-
mächtniſſe für Hoſpitäler, Schulen und Armenhäuſer ihrem Zweck entzogen
und verſchleudert wurden. Seuchen, Teuerung, Mehrung der Steuerlaſt
bewirken im Bund mit der Stockung in Handel und Gewerbe, der Verſchwendung und Genußſucht, frühzeitiger Verehelichung eine immer größere
Verarmung. Bettler, entlaſſene Landsknechte, Zigeuner ziehen ſchaarenweiſe
umher und laſſen ſich nur allzu oft Erpreſſungen, ja Raub, Mord und
Brandſtiftung zu ſchulden kommen.

Aber der düſtern Zeitbilder ſind noch nicht genug. Der dritte Teil
handelt von der allgemein ſittlich-religiöſen Verwilderung. Da blicken
wir in ein Chaos von Verrohung und Barbarei, von Unbotmäßigkeit und
Zügelloſigkeit der Jugend, von Unglauben, Aberglauben und Gottesläſterung,
von Ehebruch und Unzucht, von Mord und Todſchlag und andern ſchrecklichen Verbrechen. Und es handelt ſich keineswegs um Ausnahmezuſtände.
Alle Zeitgenoſſen berichten einſtimmig dasſelbe. Zunächſt kommen die Reformatoren und ihre Anhänger aus der erſten Hälfte des Jahrhunderts
zum Wort. Zu ihrem Zeugnis geſellen ſich die gleich traurigen Zugeſtänd-
niſſe der angeſehenſten proteſtantiſchen Schulmänner, Juriſten und Staatsmänner, und ihre grauenhaften Schilderungen finden wieder ihre Ergänzung
und Beſtätigung in Urkunden, Chroniken, Geſetzen, Kirchenordnungen und
Viſitationsprotokollen. Freimütig werden dann die ähnlich troſtloſen Zuſtände in der katholiſchen Kirche auf grundlage derſelben Quellen beſchrieben
und ihre Urſachen aufgedeckt. Freilich iſts in erſter Linie die verderbliche
Einwirkung der proteſtantiſchen Lehre und Sitte; aber verhängnisvoller
wird noch die Haltung derjenigen, deren heilige Pflicht es geweſen wäre,

dem Verderben entgegenzutreten. Abgesehen von wenigen rühmlichen Aus=
nahmen spielt der deutsche Episkopat, der fast durchaus zu einer Domäne
der Adeligen und Fürsten geworden ist, in der ersten Periode der Kirchen=
spaltung eine überaus traurige Rolle. Wo noch gute Oberhirten sich finden,
wie z. B. Faber in Wien, wird ihre Thätigkeit durch die zahllosen Ex=
emptionen gehemmt. Ein außerordentlicher Priestermangel war seit den
Tagen der kirchlichen Revolution eingetreten. Vielfach neigt Klerus und
Volk in äußerlich noch katholisch gebliebenen Landesteilen zum Protestan=
tismus hin. Die Zustände in Baiern, Oesterreich und den geistlichen Ge=
bieten sind derart, daß auch für diese Reichsteile der Sieg der neuen Lehre
ungleich wahrscheinlicher erschien, als das Gegenteil (S. 403 ff.; vgl. auch
die einschlägigen Kapitel von Scheffold, Geschichte des Landkapitels Amrichs=
hausen, Heilbronn 1882 und jetzt besonders noch des Kardinals Steinhuber
„Geschichte des Collegium Germanicum Hungaricum in Rom“, Freiburg
1895. Von Diözese zu Diözese, wo später Germaniker wirkten, zeigt uns
St. die trostlosen Zustände. Namentlich wird der Geist, der in den Dom=
kapiteln herrschte, als verhängnisvoll bezeichnet). Nie hat die katholische
Kirche Deutschlands in größerer Gefahr geschwebt. Aber die größte Gefahr
hat sie siegreich bestanden. Viele Momente wirkten hier zusammen: das
Konzil von Trient, die neuen Orden, vor allen Jesuiten und Kapuziner,
die Bemühungen ausgezeichneter Päpste und ihrer Nuntien, die Anstreng=
ungen einiger katholischen Fürsten und tadelloser Bischöfe von der Art
eines Otto Truchseß, Julius Echter von Mespelbrunn, des Abtes v. Fulda,
Balthasar v. Dernbach, — wir fügen hinzu die vom hl. Ignatius vor
allem angeregte Gründung des Collegium Germanicum in Rom als einer
Pflanzschule zahlreicher durch Tugend und Wissenschaft ausgezeichneter Welt=
geistlichen und die Nachahmung dieser Stiftung auf deutschem Gebiet in
andern vielbesuchten Kollegien, von welchen wohl das von Dillingen das
berühmteste geworden ist. Aber aller Bemühungen ungeachtet war die
Besserung der sittlichen und religiösen Zustände auch beim katholischen
Volke keine durchgreifende und allgemeine. Auf protestantischer Seite war
es keineswegs besser. Die verschiedenen Zeugnisse aus der zweiten Hälfte
des Jahrhunderts sind ebenso zahlreich und niederschlagend wie aus der
ersten. Namentlich brachte es die beständige Verunglimpfung und Ver=
fluchung alles dessen, was dem Volke bisher heilig gewesen war, mit sich,
daß Unglaube und Gotteslästerung immer mehr um sich griffen. Die
neueren Anschauungen über den Ehestand führen zur Verachtung desselben,
zu Ehebruch und mannigfacher Unzucht, die Verbrechen nehmen mehr und
mehr einen unmenschlichen, geradezu teuflischen Charakter an. Oft tritt
der Gegensatz gegen die frühere, katholische Zeit in ganz auffallender Weise
zu tage. Dem Zunehmen der rohesten Verbrechen entspricht die Ver=
rohung und Verwilderung der Kriminaljustiz, die in Zeugenverhören,
Gerichtsverhandlungen, Strafurteilen und ihrer grausamen Vollziehung zu
Tage tritt. Dem Ermessen der Gerichte ist in ganz Deutschland der weiteste

Spielraum gelaſſen, und dieſe Willkür in der Strafverhängung ſteigert ſich
mit dem Eindringen des römiſchen Rechts und der Verdrängung des An=
klageprozeſſes durch den im kanoniſchen Recht ausgebildeten Inquiſitions=
prozeß. Der gerichtliche Gebrauch der Folter kommt zwar in Deutſchland
ſchon um die Mitte des 14 Jahrhunderts vor, aber erſt ſeit dem Ausgang
des 16 Jahrhunderts erfolgt die furchtbare Ausbildung dieſes ſchrecklichen
Verfahrens. Vergeblich erweiſt ſich ſeine Bekämpfung durch die Katholiken
Petrus von Ravenna († 1511), Ludwig Vives († 1540) und den ſpäter
lebenden Proteſtanten Meyfart († 1590). Entſetzen verurſacht ſelbſt das
Leſen der unmenſchlichen Qualen, der Schrecken der Gefängniſſe, der grau=
ſamen Kaltblütigkeit der Richter. Zu beherzigen iſt und bleibt übrigens
die Thatſache, auf welche auch Janſſen wiederholt hinweiſt, daß die guten
Erſcheinungen der Zeit, die im Verborgenen geübten Tugenden in den zeit=
genöſſiſchen Berichten meiſt nicht aufgezeichnet ſind. Es iſt eine Ausnahme,
wenn uns der Hildesheimer Chroniſt Oldecop neben dem vielen Traurigen
auch tief ergreifende Züge eines innigen Glaubenslebens, einer aufrichtigen
Begeiſterung für den katholiſchen Glauben erzählt, der in liebevoller
Werkthätigkeit ſich lebendig erweiſt.

Im allgemeinen behält die Anſchauung Recht, welche Janſſen einſt
für ſich niedergeſchrieben hat und Paſtor Bd. VIII, S. 361, Anm. 2, ver=
öffentlicht: „In jedem Zeitalter der Geſchichte ſtehen die erhaltenden und
die zerſtörenden Kräfte neben einander; die Zeitalter unterſcheiden ſich nur
dadurch, welche von beiden Kräften die vorherrſchenden ſind. Wenn die
zerſtörenden Kräfte vorwalten, vernichten ſie auch das Gute, was gleich=
zeitig von Menſchen geſchieht. Im allgemeinen finden wir in der Ge=
ſchichte überwiegend nur das Böſe aufgezeichnet, und das Gute müſſen
wir meiſt nur aus ſeinen die Geſchlechter und Zeitgenoſſen überlebenden
Wirkungen erkennen. Walten nun aber die zerſtörenden Kräfte vor, ſo
unterdrücken ſie zugleich dieſe Wirkungen des Guten, ſo daß die nachfolgenden
Geſchlechter kein Mittel haben, dieſes Gute zu erkennen und zu würdigen.
So war es in Deutſchland ſeit der Kirchenſpaltung und der Revolution.“

Im einzelnen werden freilich bei tieferem Eindringen und unbefangener
Prüfung aus dem für den 7. und 8. Band in betracht kommenden Quellen=
material noch mehr lichte Punkte erkennbar werden, als Janſſen darin
erkannt hat. Bei einer neuen Auflage wird Prof. Paſtor es an der
nötigen, hie und da berichtigenden und ergänzenden Ueberarbeitung gewiß
nicht fehlen laſſen. Das Geſamtbild wird dabei um einige neue hellere
Züge bereichert werden. Aus der bedeutſamen, auch von Janſſen im
6. Bande S. 10 offen anerkannten Thatſache, daß das deutſche Volk die
Stürme des 16. wie die des 17. Jahrhunderts überſtanden hat, ohne der
gänzlichen inneren Auflöſung und ſittlichen Verwilderung anheimzufallen,
daß es vielmehr die Hoffnung auf eine beſſere Zukunft lebendig erhalten
konnte, wird auch der Hiſtoriker ſeine ſicheren Rückſchlüſſe ziehen können.
Freilich iſt durch Janſſens Ausführungen im 7. und 8. Bande die Vor=

stellung von den ausschließlich segensreichen Wirkungen der Reformation, von einer durchgreifenden Besserung auf allen Gebieten des Lebens, namentlich auch in Schule und Bildung, die sie gebracht haben soll, end= gültig beseitigt. Das in solch erdrückender Menge zusammengetragene Material läßt sich nicht ignorieren und alles protestieren von gegnerischer Seite wird das alte zerstörte Bild nicht wieder herstellen.

Den letzten wertvollen Teil des 8. Bandes bilden die Resultate der eingehenden Forschungen Janssens über die traurigste Verirrung der Zeit, den Hexenwahn und seine Greuel. Die betreffenden über 200 Seiten umfassenden Ausführungen stellen ein abgerundetes Ganzes dar, eine Mono= graphie für sich, die alle bisherigen diesbezüglichen Publikationen an Gründ= lichkeit und Vollständigkeit übertrifft. Alle Vorzüge der Janssenschen Ge= schichtsschreibung sehen wir hier auf ein beschränktes Gebiet konzentriert und wir nehmen keinen Anstand, diesen Abschnitt als eine Musterleistung nach Inhalt und Form zu bezeichnen. Die Aufschriften der Kapitel sind: III. Hexenwesen und Hexenverfolgung bis zum Ausbruch der kirchlichen Revolution. IV. Ausbreitung des Hexenglaubens seit dem Ausbruch der Kirchenspaltung. V. Die Reichsstrafgesetzgebung gegen das Hexenwesen und deren Uebertretung im Gerichtsverfahren. Hexenverfolgung seit der Kirchen= spaltung bis ins letzte Drittel des 16. Jahrhunderts. VI. Johann Weyers Auftreten gegen die Hexenverfolgung, seine Mitstreiter und seine Gegner. VII. Die Hexenverfolgung in katholischen und konfessionell gemischten Ge= bieten seit dem letzten Drittel des 16. Jahrhunderts. — Stellung der deutschen Jesuiten im Hexenhandel vor Friedrich von Spee. VIII. Die Hexenverfolgung in protestantischen Gebieten seit dem letzten Drittel des 16. Jahrhunderts. Besonderes Interesse beanspruchen das 3., 6. und 7. Kapitel. Im dritten wird der Zusammenhang des unglückseligen Wahns mit der altgermanischen Mythologie nachgewiesen, und die Hexenbulle Papst Innocenz VIII, sowie der Hexenhammer in ihrer Bedeutung gewürdigt. Offenbar der Abrundung des Bildes wegen kommt J. erst hier im 8. Band auf diese Erscheinungen des 15. Jahrhunderts zu sprechen. Man wird in dieser Anordnung einen Fehler der Komposition erkennen können. Schon im ersten Bande wäre nach unserer unmaßgeblichen Ansicht die Stelle für diese Besprechung gewesen. Das ganze Resultat der Forschung hätte dann immerhin noch in einer separaten Monographie zusammengestellt werden können. Sehr bedauern wir auch, daß die ebenso bündigen als licht= vollen Ausführungen über das Hexenwesen nicht verwertet wurden, welche v. Linsenmann in einer Besprechung von Diefenbachs „Hexenwahn" gibt (Theolog. Quartalschrift, 69. Jahrg., 1887, S. 147 ff.). Es ist hier neben den verschiedenen heidnischen Traditionen und Reminiscenzen der einzelnen Länder und Volksstämme, neben der deutschen Mythologie, der Erinnerung an die verlassenen Kultstätten der heidnischen Vorfahren und an ihre liturgischen Gebräuche und Gebete hingewiesen auf den Einfluß der sogen. Renaissance mit ihrer Wiedererweckung nicht bloß antiker Kunstform und

Wissenschaft, sondern auch antik heidnischer Mythologie, heidnischer Welt=
anschauung und heidnischer Lebensgewohnheit. Dieser Zeit der Renaissance
gehört wesentlich auch der Aufschwung der kabbalistischen, astrologischen
und alchymistischen Studien an, welche mit geheimen Künsten den Schleier
der Natur aufheben und sich der jenseits der Natur wirkenden Mächte
bemächtigen wollten. Daß hieran sich Mißverständnisse, abergläubische Aus=
legungen und dämonistische Praktiken anknüpften, sei begreiflich. Am Willen,
sich dämonische Mächte dienstbar zu machen, habe es manchen gewiß nicht
gefehlt. Und als ganz besonderes Motiv für den Hexenglauben und die
Hexenverfolgung macht v. Linsenmann den der Kirche aufgedrängten Kampf
gegen jene Häresien geltend, welche unter verschiedenen Namen, Paulicianer,
Albigenser usw. den manichäischen Dualismus erneuerten und in ihrer
Theorie und Praxis dem bösen Prinzip eine Bedeutung einräumten, die
man dann später der katholischen Kirche zur Last legte . . . . . Ueber die
dunkeln Geheimnisse ihrer Zusammenkünfte seien die schlimmsten Gerüchte
gegangen: wer weiß mit welchem Recht? Selbst die häßlichste Seite am
Hexenglauben, das abstoßende sexuelle Element und die Geringschätzung
des Weibes, welches immer „tausend Schritt voraus hatte“, wenn es zu
des Bösen Haus ging, und welches das Odium der Hexerei in erster Linie
tragen mußte, stehe mit der manichäisch dualistischen Weltanschauung auf
das nächste im Zusammenhang (vgl. hiezu auch Döllinger, Beiträge zur
Sektengeschichte des Mittelalters. München 1890) Die weitere Frage,
wie es gekommen sei, daß sich die theologische Doktrin wie die Juris=
prudenz vom Hexenwahn so sehr imponieren ließen, daß man gleichzeitig
mit dem berechtigten und notwendigen kirchlichen Kampfe gegen die
Häresie das ganze Gebiet des Aberglaubens und des Dämonismus glaubte
mit weltlichen Machtmitteln bekämpfen und unterdrücken zu müssen,
beantwortet v. Linsenmann mit dem Hinweis auf den Zustand der spät=
scholastischen Theologie, welche Scharfsinn und Spitzfindigkeit auf Probleme
verwendete, für welche die theologischen Quellen keine Aufschlüsse bieten,
wie z. B eben die Engel= und Geisterwelt — und sodann auf den Zustand
des damaligen Naturwissens und der Naturphilosophie (vgl. auch die Re=
censionen desselben Vf. über Rapp, die Hexenprozesse und ihre Gegner in
Tirol, und von Ammann, der Innsbrucker Hexenprozeß von 1485 in ders.
Tübinger theol. Quartalschrift, Jahrg. 73, 1891, S. 666 ff.).

Zum weiteren Kapitel über den ersten Bekämpfer des Hexenwahns
Johannes Weyer hat neuestens N. Paulus im „Katholik“ 1895, März=
heft, S. 278 ff. das Wort ergriffen, um den Beweis zu liefern, daß Weyer
Protestant war. Die für den Katholizismus oder aber für die kirchliche
Mittelstellung Weyers angezogene Stelle aus seiner Schrift De praestigiis
daemonum ist, wie Paulus nachweist, einfach aus Erasmus v. Rotterdam
entlehnt und nicht ohne weiteres für die Beurteilung der Konfession Weyers
zu verwerten. Ueber den Trierer Weihbischof Peter Binsfeld ist nun auch
Kardinal Steinhubers Geschichte des Collegium Germanicum nachzusehen.

7*

Hier spricht der hohe Kirchenfürst auch seine Ansicht über das Hexen=
wesen aus.

Das 7. Kapitel Janssens ist eine Ehrenrettung der Jesuiten gegenüber
der Verleumdung, daß sie zum Zweck der Bereicherung die Hexen verfolgt
oder aber selbst mit ihnen im Bunde gestanden seien.   Nur von einem
Jesuiten, G. Scherer, läßt sich nachweisen, daß er die weltliche Obrigkeit
zur Verfolgung der Hexen aufforderte.   Andere, wie z. B. Canisius, waren
zwar Kinder ihrer Zeit und teilten den verderblichen Wahn, aber gerade
Jesuiten waren es, welche den Unglücklichen geistlichen Beistand leisteten
und sie oft durch ihre Fürbitte oder Einsprache befreiten   Die beiden be=
deutendsten deutschen Jesuitentheologen Laymann und Tanner zeigen sich in
ihren Erörterungen als Vorgänger ihres berühmten Ordensgenossen Friedrich
von Spee, des edelsten Vorkämpfers für Vernunft und Menschlichkeit, christ=
liche Gerechtigkeit und Liebe.   Zum Beweis, wie selbst heilige Personen
sich der Zeitverwirrung nicht entziehen konnten, sei verwiesen auf die Kirchen=
visitation, welche der hl. Karl Borromäus 1569 in der südlichen Schweiz
hielt (s. Sylvain, histoire de Saint Charles Borromée. Lille. 1884.
t. III. S. 171 ff)   Weitere Nachforschungen in den Archiven könnten
das Aktenmaterial für das Vorkommen von Hexenprozessen in katholischen
Landesteilen möglicherweise noch vermehren.

Der achte Band schließt mit dem Hinweis, daß der schreckliche dreißigjährige
Krieg ein unausbleibliches Strafgericht Gottes für all den entsetzlichen Frevel
war, der sich aufgehäuft hatte, und zahlreichen Geständnissen von Zeit=
genossen begegnen wir denn auch in dem Band, welche ein solches Straf=
gericht, ja den Untergang der Welt erwarteten und verkündigten.

Es erübrigt nur noch, den Anteil hervorzuheben, welcher dem Heraus=
geber Pastor an den beiden Bänden zukommt.   Vollständig druckreif hat
Janssen nur die ersten 69 Schreibseiten hinterlassen.   Alles andere mußte
P. einer nochmaligen Durchsicht unterwerfen und dabei eine große Anzahl
Auszüge und Verweisungen, die sich im Nachlaß fanden, berücksichtigen,
sowie weitere Literatur, namentlich die neu erschienene, nachtragen.   Die
Kapitel: „Naturwissenschaften, Heilkunde, Theologie und Philosophie bei
den Katholiken, Uebertragungen der heil. Schrift bei den Katholiken
und Protestanten, allgemein sittlich=religiöse Verwilderung, Zunahme der
Verbrechen, Kriminaljustiz" (im ganzen 376 Druckseiten, ein Drittel des
ganzen) fehlten und sind von P. beigefügt.   Wer aber die Vorrede nicht
liest, wird nicht merken, daß hier ein anderer Schriftsteller thätig war.
So sehr hat sich der Schüler in Geist und Darstellungsweise des Lehrers
hineingearbeitet.

Ringingen bei Blaubeuren.   Joseph Schmid.

Lavisse (E.) et **Rambaud** (A.), histoire générale du IV. siècle
à nos jours. Ouvrage publié sous la direction de —. T. IV.
Renaissance et Réforme, les nouveaux mondes 1495—1559.
999 S. T. V. Les guerres de religion 1559—1648. 982 S.
Paris, Armand Colin 1894—5. Fr. 24. (Vgl. Hift. Jahrb. XIV,
662 f. und XV, 882.)

Weil die Herausgeber dem Werke Duruys keine Konkurrenz machen
wollten, haben sie sich auf die Geschichte seit dem Falle des römischen
Reiches beschränkt. In rascher Folge sind die einzelnen Bände erschienen,
so daß man gegründete Hoffnung hegen kann, das Werk werde bald vollständig vorliegen. Selbstverständlich werden die Perioden, welche in den
einzelnen Bänden behandelt werden, immer kürzer, je mehr wir uns der
Neuzeit nähern. Das Werk unterscheidet sich von der „Geschichte in
Einzeldarstellungen" darin, daß es weit kürzer und präziser ist, daß die
Mitarbeiter an einen einheitlichen Plan gebunden sind. Zitate im Texte,
abgesehen von Verweisungen auf frühere Abschnitte, kommen selten vor,
dagegen bietet die jedem Kapitel hinzugefügte Bibliographie gute Literaturangaben. Die einzelnen Kapitel sind Spezialisten anvertraut und durchgängig gut gearbeitet. Rambaud behandelt Rußland und Polen, Bémont,
dessen Leben Simons von Montfort als tüchtige Leistung bekannt ist, England. Literatur und Kunst, die Theologie und Philosophie, die Naturwissenschaften haben eigene Artikel, die viel Neues bieten. Der Einfluß
des Papsttums wird mehr berücksichtigt als in manchen deutschen Geschichts-
darstellungen; einzelne Urteile über katholische Persönlichkeiten und Institutionen bedürfen der Berichtigung; im großen und ganzen ist der Ton,
den die Mitarbeiter anschlagen, viel gemäßigter als der protestantischer
Geschichtsschreiber, die ihre protestantischen Ideen in das Mittelalter hinein-
tragen und an die leitenden Persönlichkeiten einer früheren Zeit ihren
protestantischen Maßstab anlegen. Der Kritiker pflegt gewöhnlich die Punkte
hervorzuheben, in denen er anderer Meinung ist; er will damit selbstverständlich den Wert eines Werkes nicht leugnen, sondern nach Kräften
zur Verbesserung desselben beitragen. Gerade die Ausstellungen, die der
Referent zu machen hat, zeigen, mit welchem Interesse er das Buch gelesen hat.

1. Die Artikel des vierten Bandes sind sehr ungleich. Die Deutschland
gewidmeten Abschnitte von Denis sind sehr schwach. Denis steht selten
auf eigenen Füßen und hat vielfach seine protestantischen Vorbilder ausgeschrieben. Seine Charakteristik Janssens richtet sich selbst: „Janssens
Werk hat eine leidenschaftliche Polemik hervorgerufen; es ist mit unstreit-
barem Talent abgefaßt, man kann über diese Epoche nicht schreiben, ohne
Janssens Forschungen zu berücksichtigen, aber man muß dasselbe mit großer
Vorsicht benützen, die absolute Rehabilitation der katholischen Kirche ist ihm
nicht geglückt; er reproduziert mit größerer Gelehrsamkeit und weniger
Mäßigung die Tendenzen der bekannten Schrift Döllingers ‚Die Re-

formation und ihre Entwicklung'. Dr. Jörg, er ist der eigentliche Ver=
fasser, wollte nur Skizzen, eine Masse von Zitaten geben, die durch wenige
erläuternde Worte unter einander verbunden sind. Jörg hat nur eine Seite
hervorgehoben; Janssen dagegen hat auf breiter, wissenschaftlicher Grund=
lage eine Sitten= und Kulturgeschichte Deutschlands in der Reformationszeit
geschrieben, wie sie ähnlich keine andere Nation aufweisen kann. Denis
wiederholt manche längst widerlegte Irrtümer. Sein Urteil über die Vor=
trefflichkeit der Lutherbibel, die auf Kosten der früheren Uebersetzungen
gelobt wird, bedarf nach Lagarde der Berichtigung. Wir können es nur
als einen sonderbaren Einfall bezeichnen, wenn den Tischreden Luthers ein
läuternder sittlicher Einfluß auf das Volk zugeschrieben wird. Nach Denis
sollen die Bestimmungen des Trienter Konzils jede wissenschaftliche Er=
örterung des Dogmas unmöglich gemacht haben. Letztere Behauptung
wird schon durch die große Blüte der theologischen Wissenschaft vor und
nach dem Konzil widerlegt. Denis hat hie und da eine gute Bemerkung,
seine Arbeit ist im ganzen schwach. Es gehört doch eine seltsame Ver=
kehrtheit dazu, zu behaupten, die Wiedertäufer hätten den Geist, die pro=
testantischen Fürsten nur die äußere Form bewahrt, sie hätten das Feuer
der Begeisterung, das Luther in der Jugend durchglüht, hinübergerettet
in spätere Zeiten.

.Weit besser ist der Spanien gewidmete Abschnitt von Mariéjol,
der sich indes zu sehr auf den einseitig spanischen Gesichtspunkt moderner
spanischer Geschichtschreiber stellt und den Verhältnissen, unter denen
Karl V lebte, nicht genügend Rechnung trägt. Der Verfasser schließt sich
vielfach Baumgarten an, der bekanntlich alles in düsteres Grau malt und
es Karl V nicht vergeben kann, daß derselbe sich nicht an die Spitze der
protestantischen Bewegung gestellt hat. Die Parallele, welche M. zwischen
Ferdinand, Isabella und zwischen Karl V zieht, ist nicht ganz gerecht:
„Die glorreiche Herrschaft Karls war gleichwohl für Spanien ver=
hängnisvoll. Von dem Zustand der Schwäche, in der Ferdinand und
Isabella das Königtum gefunden, hatten sie es zu einer Machtstellung
erhoben, in der es alles wagen konnte. Sie waren gerade so absolute
Herrscher gewesen als Karl; aber sie regierten mit Einsicht, Mäßigung und
mit Rücksicht auf die Interessen des Landes. Ihr Edelmut oder ihr Genie
setzte der Staatsallmacht Schranken. Wenn auch der Despotismus des
Hauses Habsburg nur eine Entwicklung ihrer Grundsätze war, so thaten sie
doch alles, was in ihrer Macht stand, für die Wohlfahrt der Nation. Ihre
absolute Gewalt diente als Mittel zum Fortschritt und zum Wohlstand.
Das war nicht so bei Karl V. Die große Rolle, die er gespielt, war
kein Ersatz für den inneren Verfall des Landes" (373). War Karl V ver=
pflichtet, seinem außerspanischen Erbe zu entsagen, den Länderhunger seines
eroberungssüchtigen Gegners Franz zu befriedigen, oder war es seine
Pflicht, die ihm zugefallene Erbschaft zu beschützen? Offenbar hätte Karl
durch Preisgebung einiger Teile des Reiches den Krieg mit Frankreich,

das die Herausgabe von Navarra forderte, nicht abwehren können. Im Interesse Spaniens bewarb er sich um die Kaiserwürde und verdrängte somit seinen Rivalen Franz. Spanien wäre ohne die Unterstützung der übrigen Staaten Karls in dem Kriege mit Frankreich, der unvermeidbar war, unterlegen, wie die spätere Geschichte zeigt. Die Weltherrschaft war Karl V aufgedrängt, er mußte sie behaupten, wenn er Frankreich in Schach halten wollte.

Selbstverständlich ist auch in diesem Bande die Geschichte Frankreichs viel eingehender behandelt als die anderer Länder. Ein langes Kapitel von de Crue schildert die Wandlungen in der Politik, der Verwaltung, der Gesellschaft. Das Königtum, das Beamtentum, die Justizverwaltung, die Gerichtshöfe in Paris und den Provinzen werden eingehend geschildert, ebenso die militärische Organisation, die Bewaffnung, die Marine. Der Feudaladel wird zum Hofadel, auch der Klerus gerät in größere Abhängigkeit von der Krone. Bürgerliche erwerben liegende Güter, denn der Adel ist verschuldet; sie werden in den Adel aufgenommen, überhaupt ist der französische Adel nicht so exklusiv wie anderswo. Die ökonomischen Fortschritte, Ackerbau, Industrie, Handel, werden von Levasseur behandelt. Es ist nicht hinlänglich bekannt, wie sehr der Ackerbau in Frankreich gegen das Ende des 15. Jahrhunderts infolge der langwierigen Kriege mit England darniederlag. Ganze Distrikte waren verödet, man wußte nicht mehr, wer der Eigentümer war, die Dörfer waren niedergebrannt, die Landleute völlig ausgeplündert. Karl VII und Ludwig XI thaten, soweit es ihnen ihre Politik erlaubte, etwas für Hebung des Ackerbaus, viel mehr geschah jedoch unter Karl VIII, der den Ehrennamen „Vater des Volkes" erhielt. Auch Ludwig XII und Franz I thaten viel für die Bauern, die, so groß auch die Not war, immer Geld hatten, wenn Grundstücke zu kaufen waren. Es herrschte ein wahrer Heißhunger nach Rittergütern, deren Besitz eine privilegierte Stellung gewährte. Die Arbeiterklasse in den Städten stand sich übrigens viel besser, als die Landbevölkerung. Levasseur läßt die Schattenseiten nicht genug hervortreten. Der Niedergang des Feudalsystems, die Kräftigung des Königtums, die Kriege mit Italien, die Renaissance führten eine Umgestaltung in der Literatur herbei, ein Wiederaufleben der Künste. Die Sprache und Literatur Italiens übte einen dauernden Einfluß aus und drohte eine Zeit lang den Nationalcharakter zu zerstören. Sehr lehrreich sind auch die Kapitel über Malerei, Musik, Naturwissenschaften.

Buisson in dem Kapitel, das den Titel führt: Erstes Stadium der französ. Reformation, glaubt seine Leser vor zwei Grundirrtümern warnen zu müssen, daß die Reformation in Frankreich von Luther ausgegangen, daß Katholiken und Protestanten beim Ausbruch des religiösen Streites sich so schroff entgegengestanden wie 50 Jahre später, nachdem die Heftigkeit der Streiter beide Parteien zu Extremen getrieben habe. Der französische Klerus, sagt B., repräsentierte die gebildetste Klasse

der Nation, war erfahrener in politischen Dingen und toleranter als
irgend eine andere Klasse, und verdiente den von der Inquisition und den
Guise gemachten Vorwurf, daß sie ihre kirchliche Aufgabe, die Zurück=
drängung der Ketzer sich nicht angelegen sein lasse. Buisson macht die richtige
Bemerkung, daß schon vor Luther 400 Ausgaben der Bibel gedruckt worden
seien (S. 477), daß, wenngleich die meisten Ausgaben lateinisch waren,
die Bibel deswegen kein versiegeltes Buch gewesen, da alle Gebildeten des
Lateines mächtig waren. Er schwächt indessen in gedankenloser Weise seine
erste Behauptung ab durch den Satz, daß man erst damals der Person
Christi seine ganze Aufmerksamkeit wieder zugewendet. Diese Behauptung
ist widersinnig, denn schon das hl. Meßopfer, der Mittelpunkt des katho=
lischen Gottesdienstes, die Feste des Kirchenjahres, mußten dem Katholiken
das Leben und Leiden Christi vor die Seele führen, noch mehr die
asketische Literatur, Gebetbücher und geistliche Poesie, in denen Christus
überall im Vordergrund steht. Erst allmählich, wohl angefeuert durch die
revolutionären Schriften Luthers gingen die Reformfreunde zum Angriff
auf die katholische Lehre und die kirchliche Organisation über und nötigten
die Regierung zum Einschreiten (1525—28). Franz I schwankte unentschlossen
hin und her und ließ sich bald von der Sorbonne zur Verfolgung der
Ketzer bestimmen, bald von seiner reformfreundlichen Schwester Margareta
zur Einstellung derselben. Die Anheftung von Plakaten voll der
Schmähungen gegen das hl. Meßopfer öffnete dem König die Augen, die
Kühnheit, mit der man gleichzeitig diese Plakate in verschiedenen Teilen des
Landes bekannt gemacht, ließ ihn eine Revolution fürchten. Man suchte
die Thäter ausfindig zu machen; ein Verräter fand sich bald, und die
Neuerer büßten ihre Verwegenheit auf dem Scheiterhaufen. Die Häupter
der neuen Lehre, unter ihnen viele Deutsche und Schweizer, hatten
ihr Leben in Sicherheit gebracht; arme Handwerker wurden hingerichtet
(1534—35).

Diese Männer, sagt Buisson, sind Christen wie die übrigen, anerkennen
dieselben heiligen Bücher, haben dasselbe Glaubensbekenntnis: sie sterben,
weil sie „gewisse katholische Bräuche für abergläubisch halten, weil die
Sakramente ihnen nur als Symbole gelten, die sie respektieren". Buisson
scheint offenbar die katholische Lehre von den Sakramenten zu den gleich=
giltigen Dingen zu zählen. Er widerspricht sich indes selbst, wenn er,
nachdem er von manchen ihrer Gewaltakte berichtet hat, weiter fortfährt:
„Sie verlangen nichts, sie dringen nicht auf Abstellung der Mißbräuche, sie
wollen einfach nicht gegen ihr Gewissen handeln und an Mißbräuchen teil=
nehmen" (S. 530). Derselbe Irrtum kehrt einige Seiten später wieder.
Der Protestantismus Frankreichs hatte schon vor Calvin eine antikatholische
Lehre und Tendenz, stützte sich wie in Deutschland auf einflußreiche Hof=
leute, besonders auf die Schwester des Königs. Bémont gibt eine
gute Uebersicht über die Regierung Heinrichs VII. von England, dagegen
ist die wichtige Periode von 1509—58 sehr stiefmütterlich bedacht, in der

Bibliographie fehlen viele wichtige Werke, z. B. die State Papers of
Henry VIII, die von den Calendars of letters and papers ganz ver=
schieden sind, die Werke von Pocock, Maitland, Paul Friedmann, Creighton
und Seebohm, die ganz elementaren Zwecken dienen, hätten nicht angeführt
werden sollen. Den Satz, mit dem Langlois das Kapitel endet: „Die
englische Reformation, gereinigt durch die Leiden, soll unter Elisabeth
triumphieren" können wir uns nicht zu eigen machen, denn Elisabeth hat
die von ihr aufgerichtete Staatskirche nicht weniger in Fesseln geschlagen,
als ihr Vater. Nie, sagt Langlois ganz richtig, war England so voll=
ständig niedergeworfen, nie lag es so zu den Füßen des brutalen Götzen,
der mit dem Blute seiner Frauen, seiner Minister und Unterthanen be=
fleckt war, als in den letzten Jahren der Regierung Heinrichs VIII.

Die wichtigen Kapitel, Rußland, das Ottomanische Reich, Indien bis
zum Tode Akbars rühren von Rambaud, einem der Herausgeber her.
Leger behandelt in sehr ansprechender Weise die Geschichte Polens 1495
bis 1572, und Moireau die Entdeckung Amerikas.

2. Der fünfte Band führt den bezeichnenden Titel Les guerres de
religion 1559—1648, der Titel Katholische Gegenreformation wäre für
Deutschland, Oesterreich, selbst für Frankreich vorzuziehen, paßt aber nicht
für andere Länder. Die Geschichte des Konzils von Trient ist ein Wende=
punkt. Gegen ausgang des so oft unterbrochenen Konzils 1563 hat die
protestantische Strömung ihren Höhenpunkt erreicht und wird allmählich
zurückgedrängt. Der Protestantismus dankt es nur dem Schutze der Fürsten
oder Großen, daß er nicht ganz ausgerottet wird. Der Begeisterung, mit
der wenigstens einige die neue Lehre verbreitet hatten, folgt eine Er=
nüchterung und Enttäuschung, die oft nur eines geringen Druckes bedurfte,
um einen Abfall vom Protestantismus herbeizuführen. Das Konzil von
Trient that viel für die Hebung des Klerus, Pflege der theologischen
Wissenschaft, der Frömmigkeit und des Seeleneifers, dadurch, daß es die
Wege wies, dem Klerus ein Ideal vorstellte; die eigentliche Arbeit fiel
aber vorzüglich den neuen von hohem Eifer erfüllten Orden und Kongre=
gationen, an zweiter Stelle indes den alten Orden zu. Chénon hebt unter
ersteren besonders die Leistungen der Jesuiten und Kapuziner hervor.
Das zweite Kapitel „Das Werk Philipps II" ist reich an trefflichen
Bemerkungen. Philipp wird viel günstiger beurteilt, als man es an
Franzosen gewöhnt ist. „Weil Philipp", sagt der Vf., „durch und durch
Spanier war, ist er der populärste und am meisten bewunderte Herrscher
Spaniens geblieben." Was über Don Carlos und Perez gesagt wird, ist
ganz zutreffend. Die Beschränkung der Privilegien Aragoniens durch
Philipp wird gerechtfertigt. Philipp hat auch nicht alle Freiheiten unter=
drückt. Die Einteilung der einzelnen Abschnitte ist sehr übersichtlich:
„1. Einigung der iberischen Halbinsel. 2. Kampf gegen die Ungläubigen
und Häretiker, 3. der König und die Nation." Nach einigen Schriftstellern,
sagt Mariéjol, ist Philipp die Personifikation aller Laster, Irrtümer und

Grausamkeiten, der Dämon des Südens. Er ist indes weder so schwarz noch so groß; man muß der Versuchung, ihn reinwaschen zu wollen, widerstehen. Er war intolerant, grausam . . . Er hat seines Amtes als König treu gewaltet. Wenn er von seinen Pflichten sich eine falsche Vorstellung gebildet, so hat er Zeit und Arbeit, ja sein ganzes Leben der Aufgabe gewidmet, die ihm die richtige schien. Um die Zukunft des Staates sicherzustellen, zauderte er nicht, seinen eigenen Sohn zu opfern; er hatte immer die Größe seiner Nation und Rasse vor Augen. Wenn er sein Volk auszog, so sicherte er ihm doch 50 Jahre lang das politische Uebergewicht und auf noch längere Zeit großen Ruhm. Wie viele Länder haben ganz kurzlebige Größe ebenso teuer erkauft? Und doch war er kein großer König" (S. 106).

Sehr eingehend und im ganzen richtig wird der Niedergang Spaniens unter Philipp III, einem persönlich tugendhaften, aber der Eigenschaften eines Herrschers baren Manne, und unter Philipp IV, einem ebenso ausschweifenden als beschränkten Monarchen, geschildert. Die Günstlinge dieser Könige, Lerma und Olivarez, werden gut charakterisiert. Der Krebsschaden Spaniens waren die Korruption unter den Beamten, die Scheu vor Arbeit, die Sucht nach Abenteuern und die Verschwendung, die am Hofe und bei den Großen herrschte, welche die Armut der niederen Klassen nur noch fühlbarer machte. Handel und Ackerbau lagen darnieder, die Ausfuhr der Produkte des Landes, die Erträgnisse der Bergwerke Südamerikas bestritten kaum die Kosten der Einfuhr. Alle Institutionen, die sich so lange bewährt hatten, ließ man verfallen; je zahlreicher die Beamten waren, desto lauer war man in der Pflichterfüllung. Die Ausgaben des Hofes stiegen von 500,000 Fr. (moderner Währung) auf 1,300,000 Dukaten, im Jahre 1603 auf 1,700,000 Dukaten, 1669 etwa 70,000,000 Fr. Etwa ⅓ der Bevölkerung waren Beamte. Noch am längsten erhielt sich die Armee, leider wurden die Reformen Philipps II. nicht durchgeführt, der eine Landesmiliz organisiert hatte. Ueber die spanische Flotte urteilt Boissonade weit günstiger als Laughton, dessen Buch noch nicht benützt ist. Das ganze Kapitel ist sehr lesenswert.

Ueber den Abfall der Niederlande ist so viel geschrieben worden, daß Frédéricq wenig Neues vorbringen konnte. Derselbe macht geltend, daß die Zustände der Niederlande schon gegen das Ende der Regierung Karls sehr bedenklich waren, infolge der strengen Handhabung der Gesetze gegen die Ketzer und der drückenden Steuern. Während andere Schriftsteller Karl V das Finanztalent absprechen, rühmt Frédéricq die finanziellen Maßnahmen. Ueber die verräterischen Handlungen Egmonts und Wilhelms des Schweigsamen vor der Ankunft Albas geht Vf. hinweg, auch manche wichtige Einzelheiten werden vermißt.

Filon ist weit weniger ein Bewunderer Elisabeths als seine Vorgänger. „Wir sehen kaum," sagt er, „was die Dichter und Höflinge in dem langen knochigen Gesicht, das von roten Haaren umrahmt war, aus

dem zwei kleine neugierige und harte Augen herausschauten, so bewunderns=
wert fanden, es sei denn, daß sie durch die Weiße ihrer Hautfarbe, das
intelligente Auge und die stramme Haltung gewonnen waren. Elisabeth
hatte einige Laster ihrer Mutter, ihre Feinschmeckerei, Eitelkeit, Liebe für
Juwelen, Schmuck, aber mit nichten ihre Anmut. Ihre Gelehrsamkeit ist
oft übertrieben, ihre Stimme war rauh, sie fluchte wie ein Soldat. Wenn
sie ihren Lehrer Ascham nicht belohnte, so hatte sie nicht so unrecht, denn
sie hatte wenig unter ihm gelernt" (205—6). Im grunde war sie eine
Heidin. Die beständigen Schwankungen in der Politik Elisabeths trugen,
wie Filon richtig gesehen, mehr zur Größe Englands bei als die konsequente
Politik, welche Cecil verfolgen wollte. Wie Filon die Kassettenbriefe ver=
werfen und doch Maria Stuart eines verräterischen Einverständnisses
mit Bothwell bezichtigen kann, ist mir unerklärlich. War denn Maria
ganz frei nach dem Tode Darnleys? Kennen wir alle die näheren Um=
stände? Wie schwer war es für sie, die Wahrheit zu entdecken! Die
Geschichte Frankreichs bildet auch in diesem Bande den Schwerpunkt.

D'Avenels Darstellung Richelieus ist brillant, er kann jedoch nicht
leugnen, daß die Politik dieses Mannes durchaus weltlich war und die
katholischen Interessen anderer Länder gewaltig schädigte. Die Kapitel über
Wissenschaft und Kunst bieten wieder viel Gutes. Die Verdienste Bacons
werden auf ein bescheidenes Maß reduziert, seine Auffassung der Natur=
wissenschaft steht auf einem veralteten Standpunkt; er war weder ein
Pionier noch ein Führer — er nennt sich selbst ganz richtig einen buccinator.
Sein Urteil über Aristoteles war ungerecht, seine Methode unpraktisch, es
fehlte Bacon das Erfindungstalent, seine Essays sind gedankenarm, mittelmäßig.

Bei manchen der Mitarbeiter tritt eine katholikenfeindliche Tendenz zu
tage, auch läßt die Bibliographie zu wünschen übrig; die neuesten Bücher
sind nicht immer nachgetragen, aber im großen und ganzen eignet sich das
Werk trefflich zum Studium der Geschichte und zum Nachschlagen und wird
voraussichtlich seine Stelle auf den Pulten der Gelehrten finden. Der Preis
ist sehr niedrig gestellt. Papier und Druck sind ausgezeichnet.

Boston.   A. Zimmermann, S. J.

Zeitschriftenschau.

1] **Deutsche Zeitschrift für Geschichtswissenschaft.**
1894. Bd. 11. H. 2. P. Scheffer-Boichorst, war Gregor VII Mönch? S. 227—41.
Bejaht die Frage. Vgl. die Ausführungen von Martens und Grauert im Hist. Jahrb.
XVI, 247 ff. bezw. 283 ff. — H. Prutz, kritische Bemerkungen zum Prozeß des Tempelordens. Zur Abwehr und zur Verständigung. S. 242—75. Richtet sich gegen
Jul. Gmelin (Schuld oder Unschuld des Tempelordens. Kritischer Versuch zur Lösung
der Frage. Stuttgart 1893). Wichtig sind die Ausführungen über den Wert und
die Verwendbarkeit der im Prospekte gemachten Aussagen, denen P. Glauben schenkt.
Vf. kommt zu dem Schluß, daß Dinge erwiesen sind, welche mit der Behauptung
völliger Unschuld nicht vereinbar seien; höchstens lasse sich noch über den Grad der
Verschuldung streiten. — K. Häbler, die Finanzdekrete Philipps II und die Fugger
S. 276—300. Gestützt auf Materialien des Gräflich Juggerschen Familienarchivs
bringt Vf. über das Dekret von 1575 erschöpfende Nachrichten und untersucht dasselbe
im Zusammenhange mit den verwandten Maßnahmen von 1557, 1596 und 1608. Die
Dekrete charakterisieren die finanziellen Schwierigkeiten, mit denen Philipp II zu
kämpfen hatte. — W. Sickel, die Verträge der Päpste mit den Karolingern und das neue
Kaisertum. S. 301—51. Die Studie zerfällt in folgende Kapitel: 1) Der Papst und
das Oströmische Kaisertum; 2) Die Fränkische Intervention; 3) Die Landherrschaft
des Papstes; 4) Der Schutzvertrag; 5) Das Bündnis; 6) Patricius der Römer.
Vgl. f. S. — **Kleine Mitteilungen.** K. Hampe, die Wiedereinsetzung
des Königs Eardulf von Northumbrien durch Karl den Großen und
Papst Leo III. S. 352—59. König Eardulf, durch die Geistlichkeit gestürzt,
wurde 809 durch zwei Gesandte des Kaisers und den päpstlichen Legaten Aldulf
wieder eingesetzt. Zu dem vorhergegangenen diplomatischen Vorgehen gab Karl die
Anregung und letzte Entscheidung; der Papst besorgte die Ausführung recht selbständig,
was eine Verstimmung des Kaisers erzeugte. — G. Meyer von Knonau, König
Heinrichs IV Bußübung zu Canossa 1077. S. 359—63. Ergänzt Holder=
Eggers Ausführungen im Neuen Archiv. (Vgl. Hist. Jahrb. XV, 617.) Donizos
Worte, sagt M., können Gregors VII „klassisches Zeugnis" nicht abschwächen . . —
J. von Gruner, Müffling und Gruner bei Beschaffung eines Fonds für
die Polizeiverwaltung während der Okkupation von Paris im J. 1815.
S. 364—68.

1894/95. Bd. 12. H. 3. W. Sickel, die Verträge der Päpste mit den Karolingern und das neue Kaisertum. (Schluß.) S. 1—43. 7) Das Kaisertum. Resultat: Das alte Recht hat die durch das Imperium eingetretenen Veränderungen überdauert und diesem seinen wesentlichen Inhalt gegeben. Aus dem Patriziat ging die kaiserliche Landesgewalt, aus dem Schutzvertrage die kaiserliche Schutzpflicht, aus dem Bundesvertrage die päpstliche Unterstützungspflicht hervor. — **F. Rühl, Chronologie der Könige von Israel und Juda.** S. 44—76. — **B. Gebhardi, Wilhelm von Humboldt als Gesandter in Wien, 1810—13.** S. 77—152. Unterscheidet in Humboldts Wiener Thätigkeit zwei Perioden: vom Sept. 1810 bis Juni 1812 und vom Aug. 1812 bis Juni 1813. In der ersten mußte H.s Thätigkeit zurücktreten, da Hardenberg sich anderer Personen bediente; in der zweiten kennt H. die Absichten seines Ministeriums und vertritt sie mit Eifer. Ein völliger Erfolg konnte sein Wirken nicht krönen, da Oesterreich einmal erst Mitte 1813 die nötigen Mittel zum Kriegführen hatte und da sodann die Interessen des Kaiserstaates eine Beteiligung früher kaum erlaubten, ehe er über Rußlands Zuverlässigkeit Sicherheit gewonnen hatte. — **Kleine Mitteilungen.** Ed. Heydenreich, zu den Sagen über Constantins des Großen Jugend. S. 153—54. (Ergänzungen zu seinem Aufsatz, über den Hist. Jahrb. XV, 410 referiert wurde. Der orientalische Ursprung des Eusignius-Martyriums wird bestätigt durch eine von A. Carrière (Nouvelles sources de Moïse de Khoren, Vienne 1893) mitgeteilte armenische Sage. — **K. Maurer, über Recht und Verfassung des alten Gothenburg (1603—12).** S. 155—60. Kritik der Abhandlung von E. Wolff, Studies rörande Göteborgs äldsta författning. Göteborg, 1894. — **A. v. Ruville, Friedrich der Große und Lord Bute.** S. 160—71. Hält gegenüber einer Rezension Michaels (Götting. Gelehrt. Anz. 1894 Nr. 4) die Resultate seiner Dissertation (vgl. Hist. Jahrb. XIII, 908) aufrecht.

2] Westdeutsche Zeitschrift für Geschichte und Kunst.

1895. Jahrg. XIV. H. 1. A. von Domaszewski, die Religion des römischen Heeres. S. 1—121 mit Register und 5 Tafeln. Die Arbeit füllt das ganze Heft. Vf. erschließt aus den Beziehungen der Lagerkulte zu den Institutionen des Heeres das Eigentümliche der Religion der Heere. Da die Organisation der letzteren oft in tiefes Dunkel gehüllt ist, so war es notwendig, häufig Einzelheiten der Heeresorganisation festzustellen. Die Arbeit gliedert sich in die Kapitel: 1. Die dii militares und das Fahnenheiligtum. 2. Die dii peregrini, die Lagertempel der Hauptstadt. 3. Der Genius des Kaisers und die Heiligtümer der principales. 4. Numina castrorum. 5. Das Recht der Heeresreligion. 6. Die Heeresreligion Diocletians. 7. Die Heeresreligion der christlichen Kaiser (sechs Zeilen). 8. Die Heeresgötter der Republik. — **H. 2. C. L. Thomas, die Ringmauern auf dem Goldgruben- und Dalbesberge in der Hohen Mark im Taunus.** S. 125—46. — **L. Jacobi, Grenzmarkierungen am Limes.** Ergebnisse der im Jahre 1894 im Taunus erfolgten Untersuchungen. S. 147—72. — **F. Lau, Beiträge zur Verfassungsgeschichte der Stadt Köln.** S. 172—95. I. Das Schöffenkollegium des Hochgerichts zu Köln bis zum Jahre 1396. In den Jahren 1135—42 enthüllt die Nennung der Schöffen und Schöffenbrüder die Existenz der genossenschaftlichen Organisation derselben, sowie die erfolgte Bildung des Schöffenkollegiums. Die genossenschaftliche Organisation des letzteren und die Voraussetzungen der Schöffenmäßigkeit und die Wahl der Schöffen werden hierauf besprochen. Es folgen Untersuchungen über die Schöffenfamilien, das Schöffenkollegium als Gerichts- und als Schreinsbehörde, sowie als höchste Kommunalbehörde. In den Beilagen werden das

Protokoll über eine Schöffenwahl ca. 1235—37 und kleinere Aktenstücke mitgeteilt. — J. Hansen, römische Nuntiaturberichte als Quellen zur Geschichte des Kölnischen Krieges (1576—84). S. 145—203. Verteidigt die Nuntiaturberichte gegenüber M. Lossen (Vgl. Hist. Jahrb. XVI, 827) als wichtigste, gedruckte Quelle für den Kölner Krieg im besonderen. und im allgemeinen als Quelle ersten Ranges für die Gesch. der Gegenreformation. — H. Detmer, zur Geschichte der Münsterschen Dombibliothek. S. 203—29. Beruht auf Aktenstücken des Münsterschen Staatsarchives. 1527 ging ein großer Teil der Bibliothek in Flammen auf; 1534 vernichteten die Wiedertäufer wiederum einen Teil des Bestandes, sodaß fast nichts erhalten blieb. Vf. zieht dann die erhaltenen Testamente für die Entstehungsgesch. der Bibliothek heran. Als Quelle für die weitere Geschichte wird hierauf eingehend eine HS. des Münsterschen Staatsarchives aus dem J. 1709 besprochen, welche über die Stifter, Wohlthäter und Bücher der Bibliothek berichtet.

3] Mitteilungen des Instituts für österreichische Geschichtsforschung.
1895. Bd. 16. H. 4. A. Schaube, der Wert des Augustalis Kaiser Friedrichs. II, S. 545—65. Kritisiert die Ausführungen Winkelmanns (das Referat über diese f. Hist. Jahrb. XV, 850 f.), bestimmt den Wert der neuen Münze und glaubt, daß Friedrich II die Einführung eines neuen Münzsystems nicht beabsichtigte und auch die Goldwährung des Sizilischen Königreichs nicht in Verwirrung gebracht habe. Mit Winkelmann nimmt S. an, daß für die Art der Gestaltung der neuen Goldmünzen die imperialistischen Tendenzen des Herrschers maßgebend gewesen sind; nur habe sich die Regierung um dieser Tendenzen willen bei der Ausprägung von Augustalen kein finanzielles Opfer auferlegt, vielmehr habe sie die Gelegenheit benützt, um ihren Gewinn bei der Goldausmünzung, wenn auch nicht gerade in erheblicher Weise, noch weiter zu steigern. — H. Forst, der türkische Gesandte in Prag 1620 und der Briefwechsel des Winterkönigs mit Sultan Osman II. S. 566—81. O. Klopp veröffentlichte aus einem Aktenheft des Osnabrücker Staatsarchives einen Brief Friedrichs V, als König von Böhmen (12. Juli 1620) an den Sultan Osman II. (Tilly im 30jähr. Kriege. Stuttgart 1861.) Dasselbe Aktenheft enthält aber noch vier andere auf die Verhandlungen der Pforte mit Friedrich und den böhmischen Ständen bezügliche Schriftstücke, in denen der Sultan dem Böhmenkönige die erbetene Hilfe gegen Ferdinand zusagt. Die Frage nach der Echtheit der Schreiben, welche mitgeteilt werden, ist noch nicht gelöst. — M. Landwehr von Pragenau, Johann Philipp von Mainz und die Marienburger Allianz von 1671—72. S. 582—632. Einleitend wird die Kurmainzische Politik i. d. J. 1668—71 dargestellt. Johann Philipp von Schönborn, Kurfürst von Mainz, war Hauptstütze des Marienburger Bundes, „welcher die Aufgabe hatte, da die allgemeine Reichsverfassung am Regensburger Reichstag nicht vorwärts kam, unterdessen die mächtigsten Reichsfürsten zu einer Teilverfassung zu vereinigen, welche gleichsam ein Bild der allgemeinen sein sollte." Die Unterhandlungen des kaiserlichen Bevollmächtigten, Grana, die Verhandlungen Joh. Philipps und Granas mit Kursachsen, Braunschweig, Münster, Kurköln, Straßburg und mit anderen Reichsständen werden eingehend geschildert. Durch die Allianz des Kaisers mit Brandenburg wurde der schwankende Mainzer Kurfürst auf die Seite geschoben, und der kaum erst von den Einzelnen unterzeichnete Marienburger Vertrag beseitigt. — J. Hucmer, historische Gedichte aus dem 15. Jahrhundert. Nicolaus Petschacher. S. 633—52. Umfassen die Zeit vom Tode Sigmunds (1437) bis zur Schlacht bei Warna (1444), insbesondere die Religionsstreitigkeiten in Böhmen, die Thronstreitigkeiten in Böhmen und Ungarn,

die der Dichter aus unmittelbarer Nähe beobachtete. Der Dichter ſtammt aus Krain. —
Kleine Mitteilungen. A. Žák, zur Biographie des Annaliſten Gerlach.
S. 653—59. Vf. glaubt, G. ſei in Oberzell erzogen worden, beſtreitet, daß jener die
Reiſe ſeines Abtes Gottſchalk (Dez. 1183) als Kaplan mitgemacht habe, die dieſer nach
ſeinen Tochterklöſtern unternahm. — O. Redlich, zur Wahl des römiſchen Königs
Alfons von Caſtilien (1257). S. 659—62. Teilt ein Schreiben aus Cod.
lat. 17193 sacc. XVII) der Pariſer Nationalbibliothek mit, welches Biſchof Eberhard
von Konſtanz am 23. Auguſt 1257 an den Dompropſt Heinrich von Baſel richtete.
Nach dieſem Schreiben habe ein Brief des Papſtes Alexander IV ausdrücklich die
Wahl Alfons' empfohlen. Die Aufzählung der Könige, welche Alfons ihre Hilfe zu=
ſagen, ſtimmt mit der gleichen Angabe Alfons' in einem Briefe an Siena aus dem
folgenden Jahr. Eberhard tritt als Wortführer der Schwaben auf, die Alfons als
König wünſchen. — A. Huber, neue Mitteilungen über die „Sturmpetition"
der proteſtantiſchen Stände Oeſterreichs, 5. Juni 1619. S. 662—64. Er=
gänzt ſeine Mitteilungen (vgl. das Referat über dieſe Hiſt. Jahrb. XVI, 375) über
die „Sturmpetition" durch die Berichte Chriſtoph Puechners, der von den proteſtantiſchen
Ständen Oberöſterreichs nach Wien abgeſandt war. — Literatur. S. 665—704.

4] Archiv für öſterreichiſche Geſchichte.
1894. Bd. 80. 1. Hälfte. Hans Schlitter, die Stellung der öſterreichiſchen Re=
gierung zum Teſtamente Napoleon Bonapartes. S. 1—248. Vom Verbleib des durch
Napoleon am 15. April 1821 unterzeichneten Teſtaments erhielt der Wiener Hof erſt
im Februar 1822 zuverläſſige Kunde, eine wörtliche Abſchrift erſt Anfang November
desſelben Jahres. Die Teſtamentsvollſtrecker Bertrand, Montholon und Marchand
vertraten ihre eigenen Intereſſen als Legatare ungleich energiſcher als die von N.s
Sohn, dem Herzog von Reichſtadt. Im Gegenſatz zu Metternichs Meinung hielt ſich
Kaiſer Franz nicht für berechtigt, im Namen ſeines Enkels die Erbſchaft auszuſchlagen.
Die franzöſiſche Regierung beſtritt die Rechtsgiltigkeit des Teſtaments, ohne die Kon=
ſequenzen aus dieſer Anſicht zu ziehen und die bei dem Bankier Lafitte deponierten
vier Millionen mit beſchlag zu belegen. Erſt nach dem Tode des Herzogs von Reich=
ſtadt — der nicht einmal die im Teſtamente ſeines Vaters ihm zugedachten kleinen
Andenken erhalten hat — verzichtete ſeine Mutter, wie ſie von anfang an gewollt,
auf die ganze Erbſchaft. (Dem mit reichen Quellenbelegen in Fußnoten verſehenen
Aufſatze ſind 114 Seiten Beilagen und ein Namensverzeichnis beigegeben.) —
2. Hälfte. B. Bretholz, die Uebergabe Mährens an Herzog Albrecht V von Oeſter=
reich im Jahre 1423. (Beiträge zur Geſchichte der Huſſitenkriege in Mähren.) S. 249—349.
Die Huſſitengefahr und Geldverlegenheiten haben den König Sigmund zur Ueberlaſſung
Mährens an ſeinen Schwiegerſohn Albrecht veranlaßt; ſie vollzog ſich in drei Stadien.
Im Augenblick der höchſten Gefahr von ſeiten der huſſitiſchen Bewegung ſchloß
Sigmund mit Albrecht von Oeſterreich unter dem 23. Sept. 1421 die Preßburger
Verträge, worin dem letzteren die Hand von Sigmunds Tochter Eliſabeth und eine
Reihe von Rechten auf mähriſche Schlöſſer und Herrſchaften zugeſichert wurden. Trotz
der Erfolge in dem ſofort beginnenden Doppelfeldzuge von 1421 brachen im folgenden
Jahre infolge der Niederlage Sigmunds bei Deutſchbrod die häretiſchen Unruhen in
Mähren neuerdings aus und am 23. März 1422 mußte Sigmund dem Herzog die
Statthalterſchaft über Mähren bis zur völligen Abtragung ſeiner Geldſchuld einräumen.
Zugleich begannen aber auch die Verhandlungen über völlige Abtretung. Der Einfall
Ziskas in Mähren nötigte Sigmund, auf die urſprünglich beabſichtigte Abgliederung

einiger Schlöſſer und Herrſchaften zu verzichten: Vom 1. Okt. 1423 datiert der
eigentliche Schenkungsvertrag, am 4. Okt. wurden Albrecht und Eliſabeth feierlich
mit der Markgrafſchaft belehnt. (Hiezu 41 S. Beilagen.) — Franz von Krones, zur
Geſchichte Ungarus (1671 — 83). Mit beſonderer Rückſicht auf die Thätigkeit und die
Geſchichte des Jeſuitenordens. S. 351—457. Dieſe Studie, welche eine Fortſetzung zu
dem Auffatze desſelben Vf. in Bd. 79 S. 277 ff. iſt, behandelt im erſten Teile den
Gang des Staatslebens: Die unterdrückte Magnatenverſchwörung hatte die Suspen-
dierung der Verfaſſung und eine Kabinetsregierung (unter dem Namen Octroi) zur
folge. Gerichtshöfe traten in Thätigkeit, die das politiſche Verbrechen der Magnatenverſchwörung im Proteſtantismus aufſpürten und verfolgten. Mittlerweile führten
die aufſtändiſchen „Kuruzzen" den Krieg fort. Ihr Führer Graf Emmerich Tötölyi
erkannte den politiſchen und religiöſen Ausgleich, wie er auf dem Oedenburger
Reichstag von 1681 verſucht wurde, nicht an, ſondern erhob im Juli 1682 mit
türkiſcher Hilfe aufs neue die Waffen und drang bis an die March vor, bis die
Niederlage der Türken vor Wien die entſcheidende Wendung einleitete. Ein zweiter
Teil behandelt kurz die katholiſche Gegenreformation in Ungarn im allgemeinen, ein
dritter beſonders ausführlich die örtliche Geſchichte des Kirchenweſens und des
Jeſuitenordens. Der Anhang bietet Auszüge aus den Jahresberichten der öſterreichiſchen Ordensprovinz der Geſellſchaft Jeſu, ſowie einen Brief über den Kuruzzen-
krieg aus Kaſchau v. J. 1675. — Max Dvořák, Briefe Kaiſer Leopold I an Wenzel
Euſeb, Herzog in Schleſien, Fürſten von Lobkowitz 1657 — 74. Nach den Originalen
des fürſtlich von Lobkowitz'ſchen Familienarchives zu Raudnitz an der Elbe in Böhmen
S. 459—514. 91 Briefe aus den Jahren 1657—74, 79 davon ganz eigenhändig,
bisher nicht veröffentlicht; ihr Inhalt iſt häufig von politiſchem Intereſſe, nur ganz
unwichtige Dinge blieben unbedruckt.

1895. Bd. 81. 1. Hälfte. Adolf Beer, Studien zur Geſchichte der öſterreichiſchen
Volkswirtſchaft unter Maria Thereſia. 1. Die öſterreichiſche Induſtriepolitik. S. 1—133.
Die Induſtriepolitik, der Maria Thereſia ein beſonders ſtarkes Intereſſe zuwandte,
bewegte ſich auch in Oeſterreich in merkantiliſtiſchen Bahnen. Man legte ſtaatliche
Fabriken an, gewährte privaten Unternehmern Unterſtützungen und Privilegien zur
ausſchließlichen Erzeugung beſtimmter Waren. Der ſtaatlichen Regelung unterwarf
man die Abſatzgebie — Ungarn ſollte vor allen ein ſolches ſein —, auch die Qualität
der Waren und die Verteilung der Gewerbe über Stadt und Land wurde obrigkeitlich
beſtimmt und kontroliert. Der Zunftzwang wurde gemildert, Schulen für Spinnerei,
Weberei und Muſterzeichnen errichtet. Vor allem aber wurde die Einfuhr von auswärts
ſtark beſchränkt: ein Patent vom 24. März 1764 faßt all' die Waren zuſammen, deren
Einfuhr überhaupt oder für einzelne Länder verboten iſt. Infolge der fortwährenden
Oppoſition des Handelsſtandes geſtattete man 1774 wenigſtens den Import ſolcher
Waren, die trotz allem im Inlande nicht in genügender Menge hergeſtellt werden
konnten. — J. Loſerth, der Kommunismus der Mähriſchen Wiederläufer im 16. und
17. Jahrh. Beiträge zu ihrer Geſchichte, Lehre und Verfaſſung. S. 135—322. Ueber
Quellen uſw. vgl. des Vfs. Aufſatz in Bd. 78 S. 428 ff. (Hiſt. Jahrb. XV, 415).
Auch nach Hubmairs Hinrichtung blieb Mähren, wo die „Taufgeſinnten" von den
Ständen beſchützt wurden, das gelobte Land der Gewiſſensfreiheit. Unter den Führern
der Wiedertäufer überragt der ſtrenggeſinnte Tiroler Jakob Huten alle andern.
Zweimal wurde die Sekte infolge politiſcher Ereigniſſe verfolgt und ausgewieſen:
einmal 1534 nach dem Falle von Münſter, ein zweites Mal nach den Erfolgen der
kaiſerlichen Waffen 1547. Nach der zweiten Verfolgung trat eine 30jährige Periode

der Ruhe ein, während welcher zahlreiche Sendboten in andere Länder zur Aus=
breitung der Sekte ausgeschickt wurden. Seit den 80er Jahren aber wurden durch
katholische Priester erfolgreiche Bekehrungen vorgenommen; die andersgläubigen Hand=
werker bekämpften die Taufgesinnten aus Gründen der Konkurrenz. Hoher Steuer=
druck lastete auf ihnen und nach einer Häufung von Unglücksfällen erging als eine
Folge der Schlacht am weißen Berge unter dem 17. Sept. 1622 das entscheidende
Mandat gegen die Wiedertäufer; mit Anbruch des Winters wurden sie erbarmungslos
ausgetrieben; die Meisten wandten sich nach Ungarn und Siebenbürgen. Im zweiten
Teile behandelt Vf. die wirtschaftlichen Verhältnisse der Wiedertäufer in Mähren,
vor allen ihren Kommunismus und die damit zusammenhängende sozialistische Ordnung
von Wohnung, Kindererziehung und Gewerbebetrieb. — Raimund Friedrich Kaindl,
Studien zu den ungarischen Geschichtsquellen. I. und II. S. 323—45. Ueber das Ver=
hältnis von Hartvici episc. Vita s. Stephani zu der Vita maior und Vita minor
sucht K. nachzuweisen, daß die Hartwichsche Legende, die thatsächlich von Bischof
Hartwich am Anfange des 12. Jahrhs. verfaßt worden ist, die ältere Vita maior
ausschrieb und ursprünglich mit der Vita minor keine Berührung gehabt hat.

5] Forschungen zur brandenburgischen und preußischen Geschichte.

1895· Bd. 8. 1. Hälfte. H. Donalies, der Anteil des Sekretärs Westphalen an
den Feldzügen des Herzogs Ferdinand von Braunschweig. (1758—62). I. Teil, 1758—59.
S. 1—57. Vf. will die geschäftliche und persönliche Stellung W.s zu Herzog Ferdinand
von Braunschweig=Lüneburg, insbesondere den Einfluß des Sekretärs auf die Kriegs=
führung des Oberfeldherrn der alliierten Armee im siebenjährigen Kriege klarlegen.
W. fertigte dem Könige Berichte über die Feldzüge der Jahre 1761 und 62, welche
wörtlich in die Histoire von Friedrich aufgenommen wurden; bedeutsam trat er
während des ganzen Krieges als Ordner des Verpflegungswesens hervor. — O. Merk=
linghaus, die Bedeverfassung der Mark Brandenburg bis zum 14. Jahrh. S. 59—102.
In einem 1. Abschnitt: Die Beden bis 1282 untersucht Vf. den Steuercharakter
der Beden (petitiones — außerordentliche Einnahmen des Markgrafen) und ihren
Uebergang von Altdeutschland nach Brandenburg. Die Bedeveranlagung berechnet
sich nach dem grundherrlichen Hufenzins. Befreiungen von der Bede sind beim
Adel und bei der Geistlichkeit Ausnahmen von der Regel. Die Erhebung geschieht
durch den Vogt mit dem Büttel in seinem Bezirk. Ein 2. Abschnitt bespricht die
fixierte Jahresbede seit 1282, welche die einzige Staatssteuer sein sollte; da dieselbe
aber zum teil veräußert wird, verliert sie den Charakter einer einheitlichen Steuer
und die Fähigkeit der Weiterbildung. Infolge dessen werden die außerordentlichen
Hilfssteuern, die bewilligten Landbeden, die einzige und darum häufig geforderte
Staatssteuer. — O. Hintze, zwei Denkschriften aus dem J. 1800 über die preußische
Seidenindustrie. S. 103—42. — M. Immich, Preußens Vermittelung im Nuntiaturstreit
(1787—89). S. 143—71. Die Arbeit stützt sich auf die von Lehmann (Preußen und
die kathol. Kirche seit 1640, VI u. VII. in Publ. a. d. preuß. Staatsarch. 53 u. 56)
veröffentlichten Aktenstücke; die kirchlichen Streitpunkte werden nur gestreift. Friedr.
Wilh. entsandte den Marquis Lucchesini 1787 nach Rom, welcher beim Papste für
Aufrechterhaltung des Status quo eintreten sollte. Die verwickelten Verhandlungen
entziehen sich einem kurzen Referate. König Friedrich Wilhelms Unparteilichkeit zwischen
Papst und Erzbischöfen, seine Bemühungen, einen Ausgleich herzustellen, die aber ver=
geblich waren, werden hervorgehoben und Graf Hertzberg überaus günstig charakterisiert·
— F. Hirsch, die Briefe der Kurfürstin Louise Henriette von Brandenburg an den Ober=

präsidenten **Otto v. Schwerin.** Mitgeteilt von —. S. 173—206. — **Kleine Mitteilungen.** E. **Friedlaender,** Aktenstücke zur Gesch. der Universität Frankfurt a. Oder. S. 207. I. Vom schwarzen Brett. Anschläge an dasselbe aus dem J. 1506. II. Reform der Universität. Verordnung vom 14. Sept. 1542, welche eine vollständige Reform der Universität nach erfolgter Visitation durch kurfürstliche Delegierte enthält und ein genaues Bild von dem Studiengang und dem Leben der Studenten um die Mitte des 16. Jahrhs. gibt. — H. **Granier,** die kronprinzlichen Schulden Friedrichs des Großen. S. 220—26. Ein Brief des Dichters Gleim an Nicolai vom 19. Nov. 1789 tritt der Behauptung entgegen, Friedrich habe seine Schulden nicht bezahlt. Vf. unterstützt ihn durch Beibringung von Aktenstücken. — A. **Roeschen,** zehn Briefe des Feldmarschalls Blücher an den Oberpräsidenten Grafen Konrad Daniel von Blücher-Altona. S. 227. — O. **Herrmann,** M. Lehmann über Friedrich den Großen und den Ursprung des siebenjährigen Krieges. S. 238. (Gegen Lehmann. — H. **Prutz,** zur Kontroverse über den Ursprung des siebenjährigen Krieges. S. 246. Gleichfalls gegen Lehmann. Siehe hier unter „Nachrichten". — P. **Bailleu,** aus einem Stammbuch der Königin Louise. S. 251—53. Einträge aus den Jahren 1803, 1807 und 1809.

6] Zeitschrift des Vereins für Thüringische Geschichte und Altertumskunde. 1893. N. F. Bd. 8. H. 3. u. 4. C. **Binder,** das ehemalige Amt Lichtenberg vor der Rhön. 1. Geschichte. S. 233—309. Populär gehalten. — C. **Böhme,** die weimarischen Dichter von Gesangbuchliedern und ihre Lieder. Literargeschichtlich dargestellt und bearbeitet. S. 311—90. Es werden u. a. behandelt Johann Friedrich der Großmütige, Caspar Melissander (Bienemann), Martin Rutilius, Neumark, Salomo Franck, Georg Michael Pfefferkorn. — G. **Compter,** eine alte Grabstätte bei Nauendorf in Thüringen. S. 391—416. — L. **Hertel,** der Name des Rennsteigs. S. 417—45. Der Name der Bergstraße, die über den Scheitel des Thüringer Waldes hinführt, der „Rennsteig" wird von „rennen", nicht von dem keltischen „rönn" = Berg hergeleitet. Ein Exkurs tritt auf grund der Ortsnamenforschung dafür ein, daß der Rennsteig befestigt war. — **Miszellen.** C. H. **Neumaerker,** drei Erlasse Herzog Ernst Augusts, das Kirchen- und Schulwesen Apoldas betr., aus dem Superintendanturarchiv zu Apolda. S. 449—53. Aus den Jahren 1734—36. — am Ende, zum 25. Gedenktage an die feierliche Einweihung des Berthold Sigismunds-Denkmals in Rudolstadt. S. 453—57. — C. **Einert,** ein Streitlied aus der Reformationszeit. S. 457—60. Aus dem Ratsarchiv von Arnstadt. Der Autor ist unbekannt. — **Literatur.** S. 461—510. 1893. N. F. Bd. 9. H. 1. Richard Adalbert **Lipsius.** Zwei Gedächtnisreden, gehalten in der Rose zu Jena am 5. Februar 1893. 1. G. **Richter,** Lipsius Lebensbild. S. 3—46. 2. F. **Nipold,** Lipsius historische Methode. S. 47—66. — G. **Richter,** J. E. August Martin. Ein Gedächtniswort von —. S. 67—74. 1894. H. 2. C. **Binder,** das ehemalige Amt Lichtenberg vor der Rhön. 1. Geschichte. (Schluß.) 2. Verwaltung und Rechtspflege. S. 75—294. — B. **Schmidt,** die Zerstörung der Stadt Gera im sächsischen Bruderkriege am 15. Okt. 1450. S. 295—362. Vf. stellt dar, wie Gera im sächsischen Bruderkriege ein Opfer der tschechischen Wildheit wurde und bietet eine Vor- und Nachgeschichte dieser Zerstörung. Namentlich die „Vorgeschichte bis zum Jahre 1450" bringt für den noch ungenügend behandelten Streit der wettinischen Brüder Friedrich und Wilhelm manch wertvolles Material herbei. Die Beilagen bieten eine Reihe einschlägiger Aktenstücke. — **Miszellen.**

W. Lippert, Schützenmeister und Geschützgießer der Wettiner im 14. Jahrhundert. S. 365. Ergänzt seinen Aufsatz in den „Historischen Untersuchungen, Ernst Förstemann gewidmet". (Vgl. Hist. Jahrb. XVI, 178.) — O. Dobenecker, der Sturz des Markgrafen Poppo von der Sorbenmark. S. 370—74. Deutet die von Oesele gefundene Urk. über die Restitution der konfiszierten Güter Poppos dahin, daß dieser durch einen Gewaltakt des Königs, dem er vielleicht zu mächtig wurde, und nicht wegen seines harten Regiments im J. 892 gestürzt wurde.

7] Zeitschrift für Kirchengeschichte. (Th. Brieger und B. Beß.)
1895. Bd. 15. H. 3. Götz, Studien zur Geschichte des Bußsakraments. S. 321—44. Behandeln fünf Ablaßbullen in den Acta Pontif. Roman. Inedita von J. v. Pflugk-Harttung, deren Unechtheit Vf. „aus der Terminologie, aus dem Alter und Gebrauch der theologischen Formeln im Vergleich zur Datierung der Bullen" nachzuweisen sucht. Die Bullen sind datiert: 1) 3. Jan. 1020 (Bened. VIII), 2) 20. Sept. 1155/58 (Hadrian VI), 3) 1. Mai 1094 (Urban II), 4) 27. Dez. 1125/29 (Honorius II), 5) 16. Mai 844 (Sergius II). — F. Jacobi, das liebreiche Religionsgespräch zu Thorn. S. 345—63. Bietet zum Eingang unter „Quellen" kritische Notizen über einschlägiges handschriftliches Material aus der Danziger Stadtbibliothek und dem Thorner Staatsarchive. Einberufer war der Erzbischof von Gnesen zugleich im Namen der andern Bischöfe des Reiches; auch König Wladislaw erließ ein Einladungsschreiben an die polnischen Dissidenten. 26 katholische Theologen waren von dem Erzbischof von Gnesen und der Warschauer Provinzialsynode ausgewählt, unter diesen der Jesuit Schönhof, von reformierter Seite erschienen 28, unter diesen Joh. Bythner. Vertreten u. a. war der Kurfürst von Brandenburg sowie die Städte Danzig, Elbing, Thorn. — Analekten. Weichelt, die πρεσβύτεροι im ersten Clemensbrief. S. 364—66. Πρεσβύτεροι ist nach W. keine Altersbezeichnung, sondern bezeichnet Beamte der Gemeinde. So sebaß, regula monachorum sancti Columbani abbatis. S. 366 —68. Nach kritischer Zusammenstellung der HSS. und Drucke folgt der Text der Regula. — H. V. Sauerland, Kardinal Johann Dominici und Papst Gregor XII und deren neuester Panegyriker P. Augustin Rösler. Eine kritische Studie. S. 387—418. S. sucht seine früher an derselben Stelle (vgl. das Referat über S. Aufsatz in der Zeitschrift für Kirchengeschichte im Hist. Jahrb. IX, 335) niedergelegte ungünstige Charakterisierung des Kardinals und des Papstes gegen Rösler zu verteidigen. Namentlich wird von ihm neuerdings das mißliche kirchenpolitische Wirken Dominicis und der Nepotismus Gregors hervorgehoben. — J. Haußleiter, vier Briefe aus der Reformationszeit. S. 418—27. 1) Urb. Rhegius und Wolfg. Musculus an Luther (18. April 1537 u. 19. April 1537); 2) Ratzeberger an Kaspar Aquila (26. April 1556); 4) Ein Empfehlungsbrief Melanchthons für Johannes Wolf aus Bergzabern (25. Nov. 1558). — Fr. Otto, Berichte über die Visitationen der nassauischen Kirchen des Mainzer Sprengels in den Jahren 1548—50. S. 427—36. Berichte aus dem Würzburger Archiv. — P. Grünberg, der Zweck heiligt die Mittel. S. 436—38. Busenbaum (Medulla theologiae moralis 1645) bietet an zwei Stellen den Satz: »quia cum finis est licitus, etiam media sunt licita.« Vf. schließt hieraus: 1) „Nicht daß der Zweck die Mittel heiligt, sondern nur eventuell erlaubt erscheinen läßt usw."; 2) Busenbaum denkt gar nicht daran, mit den betreffenden Worten ein neues oder überhaupt sittliches Prinzip aufzustellen, sondern behandelt den Satz als eine allgemein zugestandene logische Regel oder selbstverständliche Sache; 3) der Sinn ist nicht

eigentlich, daß der sittlich gute oder erlaubte Zweck an sich schlechte Handlungen gut
macht, sondern, wenn die Vollendung einer Handlung gestattet ist, dann muß auch
der Versuch dazu, gleichsam die Teilhandlung oder der Beginn gestattet sein. —
Nachrichten. H. Haupt, Inquisition, Aberglauben, Ketzer und Sekten des MA.
(einschließlich Wiedertäufer). S. 439—69. — R. Redlich, aus den Veröffentlichungen
historischer Vereine (seit 1893). S. 469—83.

H. 4. F. **Jacobi, das liebreiche Religionsgespräch zu Thorn 1645.** (Fortsetzung
und Schluß.) S. 485—560. (Siehe oben.) Behandelt die erste friedliche Hälfte bis
zum 23. September und die leidenschaftlichere bis zum 21. November. Vf. bietet als
Ergebnis, daß die Jesuiten den Lauf des Gespräches gewaltsam lenkten. Der Anhang
gibt ein Verzeichnis der Teilnehmer. — **Analekten.** F. Hubert, die Jugend=
schrift des Athanasius. S. 561—66. Verteidigt gegen Dräseke die Echtheit der
Erstlingsschrift des Athanasius, der zwei Bücher adversum gentes. — G. Schepß,
aus lat. Bibelhandschriften zu den Büchern Samuelis. S. 566—68. —
R. Röhricht, Briefe des Jacobus de Vitriaco (1216—21). Hrsg. von —.
(Vgl. Hist. Jahrb. XIV, 877.) — **Nachrichten.** F. Arnold, zur Kirchengeschichte.
S. 588—603. — J. Dräseke, griechische bezw. byzantinische Kirchen= und Literatur=
geschichte. S. 603—26.

1895. Bd. 16. H. 1. K. Müller, die Bußinstitutionen und Cyprian. S. 1—44.
Richtet sich teilweise gegen C. Götz. (Die Bußlehre Cyprians. Eine Studie zur Ge=
schichte des Bußsakraments. 1895.) — **J. R. Asmus, eine Encyclika Julians des Ab=
trünnigen und ihre Vorläufer.** S. 45—71. A. versucht den Nachweis, daß der 63. Brief
Julians und das Fragment (ed. Hertlein S. 371 ff.) das erste und letzte Stück eines
363 an Theodoros, den Oberpriester von Asien, gerichteten Erlasses sind, zu denen
vielleicht die Galiläerschrift des Kaisers das Mittelstück lieferte (s. unten). — **Analekten.**
R. Röhricht, Briefe des Jacobus de Vitriaco (1216—21). S. 72—113. Vgl.
oben. Unter diesen: Excerpta de historia David, regis Indeorum, qui presbyter
Johannes a vulgo appellatur. — H. Haupt, zur Geschichte der Waldenser
in Böhmen. S. 115—17. Ein Quellenbericht über Verfolgung von Ketzern aus
Groß=Bernharz (24. Juli 1377) und über eine von dem Prager Erzbischof Johann
von Jenzenstein i. J. 1395 eingeleitete Waldenserverfolgung wird notiert. — Ch.
Meyer, der Wiedertäufer Nikolaus Storch und seine Anhänger in Hof.
Aus Enoch Widmanns handschriftl. Chronik der Stadt Hof. S. 117—24. Text=
abdruck ohne Kommentar. — O. Vogt, über drei neue Bugenhagenbriefe.
S. 124—28. Briefe vom 13. Juni 1523, vom 9. Juli 1524 und ein nicht genau
datiertes Schreiben. — **Nachrichten.** F. Arnold, zur alten Kirchengeschichte. (Fort=
setzung.) S. 129—86.

H. 2. **K. Müller, die Bußinstitution in Carthago unter Cyprian.** S. 187—219.
(Schluß. Vgl. oben.) Behandelt das Thema: „Göttliche Vergebung und kirchlicher
Friede." In den Beilagen wird der Brief des römischen an den karthagischen Klerus,
der Diakonat des Felicissimus und der Uebertritt der römischen Konfessoren vom no=
vatianischen Schisma zu Cornelius u. a. behandelt. — **J. R. Asmus, eine Encyclika
Julians des Abtrünnigen und ihre Vorläufer.** S. 220—52. (Schluß.) Vgl. oben.
Das Schreiben an Arsakios, den Oberpriester von Galatien, und teilweise auch dem
Misopogon nimmt A. neben dem Erlaß an Theodoros als Vorläufer der Encyclika
über das gesamte Religionswesen an. — **Karapet=Ter=Mkrttschian, die Thondrakier in
unseren Tagen.** S. 253—76. Gibt einen Ueberblick über die Sekte der Thondrakier
und führt Stellen aus dem Katechismusbuche der „Neuen Thondrakier" an. —

Analekten. Sachsse, aus der Chronik des Minoriten Salimbene. S. 277 —81. Sucht Salimbenes Darstellungsweise kurz zu schildern. — H. Haupt, eine verschollene kirchenfeindliche Streitschrift des 15. Jahrhs. S. 282—85. Ein Brief des Stadtsyndikus von Lübeck, Simon Batz, vom 1. Januar 1458 erwähnt eine kirchenfeindliche Schrift, die der Erfurter Universität vorlag. — C. Varrentrapp, zwei Briefe Wimpfelings. Hrsg. und erläutert von —. S. 286—93. 1) W. an Hermanni [2. Nov. 1524]; 2) W. an Brant [15. Aug 1512]. — O. Merz, zur Geschichte des Klosterlebens im Anfange der Reformationszeit. S. 293 —304. Schriftstücke aus dem Ernestinischen Gesamtarchive in Weimar über eine Nonne Eva Jodin im Kloster Holzzella bei Eisleben, welche den Propst des Klosters eines Attentates gegen ihre Jungfräulichkeit bezichtigt. — H. Funck, nicht Reuß, sondern Reventlow. S. 304—5. Cajus Reventlow ist der Adressat der von Geßner in J. K. Lavaters nachgelassenen Schriften mitgeteilten, an einen Grafen gerichteten 15 „Briefe über die Schriftlehre von unserer Versöhnung mit Gott durch Christum." Nachrichten. G. Ficker, zur mittelalterlichen Kirchengeschichte (8.—13 Jahrh.). S. 306—84.

H. 3. B. Beß, Johannes Falkenberg O. P. und der preußisch-polnische Streit vor dem Konstanzer Konzil. (Mit archival. Beilagen.) S. 385—464. Die Schrift des in der Neumark geborenen Dominikaners ist verschollen, aber ihren Inhalt kennen wir aus Dugloß' polnischer Geschichte, der eine ›revocatio‹ mitteilt, die sich aber als das Verdammungsurteil der Schrift durch das Konstanzer Konzil darstellt. Polen wird der Götzendienerei bezichtigt und es wird zum Kampfe gegen dieses Land aufgefordert. Die interessante Geschichte des in Konstanz geführten, abgebrochenen und wieder aufgenommenen Prozesses gegen F. wird dargestellt. — Analekten. O. Seebaß, Fragment einer Nonnenregel des 7. Jahrhunderts. S. 465—70. Aus Cod. 231 des Kölner Stadtarchivs wird der Text des Fragmentes nebst Varianten mitgeteilt. — W. Friedensburg, Beiträge zum Briefwechsel der kathol. Gelehrten im Reformationszeitalter. Aus italienischen Archiven und Bibliotheken. S. 470—99. Briefe von Aleander an Ludwig Ber und von letzterem an ersteren, ferner ein Brief Otto Brunfels' an den kaiserlichen Rat Jakob Spiegel, ein Brief des letzteren an Aleander und Briefe Wolfgang Capitos an Aleander werden mitgeteilt. — Nachrichten. C. Mirbt, zum Gregorianischen Kirchenstreit. S. 500 —12. — H. Haupt, Inquisition, Aberglaube, Ketzer und Sekten des Mittelalters. S. 512—36.

8] Zeitschrift der Savigny-Stiftung für Rechtsgeschichte.

1894. Bd. 15. Rom. Abt.: E. Strohal, Gustav Demelius 1831—91. S. 1—26. Nekrolog. — E. J. Bekker, Ueberschau des geschichtlichen Entwicklungsganges der Römischen Aktionen; Aufkommen, Wesen, Abkommen, Nachwirken. S. 145—209. — H. Zimmer, das Mutterrecht der Pikten und seine Bedeutung für die arische Altertumswissenschaft. S. 209—40. Die Pikten bildeten die vorarische (vorkeltische) Urbevölkerung Britanniens und Irlands. Noch als sie längst christianisiert und sprachlich keltisiert waren, regelte das Mutterrecht bei ihnen die Erbfolge. Hingegen bildet bei allen arischen Völkern das Vaterrecht (die Zeugung) die Grundlage der gesellschaftlichen Ordnung. — H. Erman, eine römisch ägyptische Vormundschaftssache a. d. J. 147/8. S. 241—55. — F. P. Bremer, zwei Gutachten von Claudius Cantiuncula. S. 306—26. Von den zwei aus einer Wiener HS. gezogenen Gutachten stammt das eine a. d. J. 1533 und betrifft den Wiederkauf einer seit einem Jahrh. verkauften Mainzischen Veste (Kulsen), das andere, undatierte, bezieht sich auf die sogen. Reverenzpflicht — C. Ferrini, die juristischen Kenntnisse des Arnobius und des Lactantius. S. 343—52.

(Germ. Abt.: K. W. Nitzsch, die niederdeutschen Verkehrseinrichtungen neben der alten Kaufgilde (eine nachgelassene Arbeit). S. 1—53. Es war eine ganz besondere Eigentümlichkeit der königlichen Pfalz- und Burgstadtverwaltung, daß ihr Marktfriede unter die stärkste Kontrolle, dessen Bruch unter die schwersten Bußen gestellt war und daß die Kaufleute der Königsstädte nicht allein Zollfreiheit, sondern die unbedingte Freiheit der Bewegung und des Handelsbetriebs jedenfalls in allen Königsstädten hatten. In Ostdeutschland war diese merkantile Entwicklung nicht ausgebildet. Dort fanden in der Zeit von Otto I bis auf Heinrich IV die meisten Marktrechtsverleihungen statt. Eine Verleihung mit wikbelde (Weichbild) ermöglichte die Zerschlagung der Grundstücke in städtische Baustellen (Wurten), wodurch eine handeltreibende Bevölkerung herbeigezogen ward. Das Recht der ›hansa‹ ist das der Zulassung zum Verkehr und wird von der obrigkeitlichen Gewalt verliehen. Die Gilde ist wahrscheinlich älter als die Marktverfassung. — W. v. Brünneck, zur Geschichte des sogen. magdeburger Lehnrechts. S. 53—122. Das sogen. magdeburger Lehnrecht ist nichts anderes als das sächsische Lehnrecht; die in den Urkf. vorkommenden Institute dieses Rechts werden hier meist an der Hand von Quellen aus dem Bistum Olmütz dargestellt. — F. P. Bremer, Dr. Claudius Cantiunculas Gutachten über das Nürnberger Stadtrecht. S. 123—67. Im Anfange des Jahres 1544 erhielt der auch in nürnbergischen Diensten stehende Kanzler in Ensisheim, Cantiuncula, vom Rat zu Nürnberg den Auftrag, über Besserung der Reformation des Stadtrechtes von 1522 ein Gutachten abzugeben. Dieses, ende 1545 vollendete Gutachten wird von B. an dieser Stelle samt wertvollen Beilagen veröffentlicht. Es ist für die Romanisierung des deutschen Rechts charakteristisch.

9| Zeitschrift für die gesamte Staatswissenschaft.

1894. Jahrg. 50. K. Bücher, die diokletianische Taxordnung v. J. 301. S. 189—219 und 672—98. In dem von Blümner edierten Edictum de pretiis rerum venalium handelt es sich nicht um einen Zolltarif, sondern um einen Preis- und Lohntarif. Veranlaßt war der Erlaß dieses Edikts durch eine Preissteigerung, die ihrerseits wieder auf einer allgemeinen Münzverschlechterung beruhte. Das Edikt eröffnet, wie keine zweite Quelle, überraschenden Einblick in die antike Staatsverwaltung (besonders Steuertechnik) und Volkswirtschaft. Vgl. hiezu: Uebersetzung der diokletianischen Taxordnung. S. 699—717.

10| Zeitschrift für deutsches Altertum und deutsche Literatur.

1894. Bd. 38. H. 1. R. Hildebrand, zu Walther von der Vogelweide. S. 1—14. Interpretation einiger Stellen aus den Gedichten Walthers. — K. Priebsch, Segen aus Londoner HSS. S. 14—21. Wundsegen, Wurmsegen, Segen gegen Zahnweh, Fiebersegen, Augensegen, Segen gegen Feinde und ein Zauber ›de pervinca‹ enthalten in HSS. saec. XIV/XV. — Derf., mittelhochdeutsches aus einer HS. des Merton College in Oxford. S. 21—22. — H. Möller, zu Kap. 28 der Germania. S. 22—27. Schiebt in den viel umstrittenen Satz: ›Igitur inter Hercyniam silvam Rhenumque et Moenum amnes [citeriora] Helvetii, ulteriora Boii, Gallica utraque gens, tenuere‹ das durch Klammern gekennzeichnete Wort ein. — E. Schröder, der Straßburger Gönner Konrads von Würzburg. S. 27—29. Derselbe wird in der Person Bertholds von Tiersberg gefunden, den Kanonikus und — wie Vf. darthut — späteren Dompropstes in Straßburg. Für die Entstehungszeit des „Otte" gewinnt Vf.

aus dieser Untersuchung als Grenzen die J. 1260 und 1275. — R. M. Meyer, germanische Anlautregeln. S. 29—53. — Ders., eine urgermanische Inlautregel. S. 53—54. — Th. Hampe, zwei Gedichte Frauenlobs. S. 55—58. Das erste ist betitelt: ›Ein ander par von den priestern‹, das zweite: ›Ein prysz lyet‹. — K. A. Barack, Bruchstücke aus Ulrichs von Türheim Rennewart. S. 58—65. — E. H. Meyer, Quellenstudien zur mittelhochdeutschen Spielmannsdichtung. S. 65—95. II. Zum Ortnit. Der Kern des Gedichtes von König Ortnit, eine alte deutsche Sage, ist von dem Tyroler Dichter in den dreißiger Jahren des 13. Jahrh. mit Ereignissen aus dem Kreuzzuge des J. 1217 ausgeschmückt und weiter mit Zügen aus der Einleitungsgeschichte des Romans von Apollonius von Tyrus und aus der Gesch. Kaiser Friedrichs II umgeben. III. Zum Wolfdietrich. Auch hier wird der Einfluß des hellenistischen Romans und des spätgriechischen Mythus nachgewiesen. — Ed. Schröder, kritisches und exegetisches zu altdeutschen Dichtern. S. 95—111. Eine Ergänzung zu des Vf. Werk: Zwei altdeutsche Rittermären (Berlin, Weidmann. 1894), welche Moriz von Craon im Peter von Staufenberg behandelt. — E. S. Lückenbüßer. Aus der Nachgeschichte des Wigalois. — Der alte Druck des Pfaffen Amis. S. 111.

H. 2. L. Laistner, der germanische Orendel. S. 113—35. Vf. will den Nachweis führen, daß Heinzel in seiner gehaltvollen Schrift über den König Orendel den alten volksmäßigen Kern der Sage nicht erkannt hat. — A. E. Schönbach, Uebermuot diu alte. S. 136—37. Der so beginnende Spruch aus dem 12. Jahrh. muß, sofern er überhaupt volkstümlich ist, dem Gesichtskreise kirchlicher Bildung zugeschrieben werden. — J. Stosch, kleine Beiträge zur Erläuterung Wolframs. S 138—44. — F. Keinz, altdeutsche Kleinigkeiten. S 145—60. Eine Reihe von Dichtungen aus Münchener HSS. des 15. Jahrh. — F. Burg, die Inschriften des Steins von Tune. Zu Bugges neuer Interpretation. S. 161—86. E. Martin, Muspilli. S. 186—89. Untersuchung des Wortstammes des ersten Teiles des Wortes Muspilli. — Th. v. Grienberger, Dea Garmangabis. S. 189—95. Deutet die so beginnende Inschrift einer zu Lanchester in der Grafschaft Durham gefundenen römischen ara mit ›grata donatrix‹. — O. v. Zingerle und E. Schröder, zur Kudrun. S. 195—201. Textuntersuchungen. — R. M. Meyer, Süßkind von Trimberg. S. 201—4. Stellt die jetzt noch in Trimberg vorhandene Tradition über einen jüdischen Dichter dieses Namens fest. — S. Singer, zu Ulrich Füetrer. S. 205—6. Ein Namensverzeichnis, das dem Buche der Abenteuer F.s angehört. — P. Strauch, zur Predigtliteratur. S. 206—8.

H. 3. A. E. Schönbach, Otfridstudien. S. 209—17. Weist die Benutzung eines ›lectionarium‹ durch O. nach, das mit keiner der bekannten ältesten Quellen völlig übereinstimmt. — A. E. Schönbach, Bruchstücke der Weltchronik Heinrichs von München S. 218—19. Zwei Pergamentblätter aus dem 14. Jahrh. in Admont. — J. Seemüller, Altenburger Bruchstück des Wilhelm von Orlens. S. 219—22. — E. S., die Gothaer Botenrolle. S. 222—24. — J. Franck, Beiträge zur Rhythmik des Alliterationsverses. S. 225—50. — S. Singer, textkritisches zur Krone. S. 250—72. — J. F. D. Bloete, der zweite Teil der Schwanrittersage. Ein Versuch der Erklärung des Schwans. S. 272—88. Stellt die Hypothese auf, daß die Schwanrittersage ein Niederschlag eines germanischen Jahreszeitmythus sei.

H. 4. E. S., ein neues Bruchstück der Nibelungenhandschrift K. S. 289—303. H. Hirt, der altdeutsche Reimvers und sein Verhältnis zur Alliterationspoesie. S. 304—33. R. Meißner, zur isländischen Hektorsage. S. 333—35. Gibt den Inhalt dieser Sage an und bespricht kurz die altfranzösische Hektorsage. — A. E. Schönbach, Otfridstudien.

S. 336—61. (S. oben.) Eine weitere Nachlese von Quellen und Parallelen zu O.s Evangelienbuch. — E. Schaus, das Kloster der Minne. S. 361—68. Vf. nimmt an, daß der Dichter an die Anstalt dachte, die Ludwig der Bayer i. J. 1330 zu Ettal begründete: ein weltliches Ritterstift mit klösterlichen Formen und unbewußt das Urteil darüber fällte, indem er einen mönchisch vermummten Liebeshof zeichnete. — J. Seemüller, das Münchener Bruchstück der österreichischen Reimchronik. S 368—76. Aus Cgm. 5249 saec. XIV enthaltend die Verse 47603—718 und 48536—710. Vf. zählt die Varianten auf und gibt ein neues Schema für die Genesis der HSS.

1895. Bd. 39. H. 1 u. 2 (Doppelh.). R. Hildebrand, Spervogel. S. 1—8. Die vielumstrittene Erwähnung von „süne“ bei Spervogel erklärt H. mit Kunstjünger. Der Name des Dichters — Spervogel ist der angenommene Name — lautet Hergêrê. — A. Wallner, Milstätter Sündenklage 432. S. 8. — E. Martin, die Heimat der altdeutschen Gespräche. S. 9—19. — R. Much, germanische Völkernamen. S. 20—52. Deutungsversuche der Namen Caerosi (Caruces), Sunuces, Eburones, Κάρβωνες, Φρουγουνδίωνες, Helvetii (Helu[i]i, Helvecones), Carvetii, Ἀβαρῖνοι, Σουδιvοί, Βατεινοί, Baioarii, Boii, Scordisci, Γαουῖνοί, Βονδῖνοι, Κόβανδοι, Sidones, Ἐπίδιοι, Eucii, Harudes, Haloygir, Ῥακάται, Ῥακατρίαι, Κάμποι, Χαιτούωροι, Fosei, Semnones, Βριολάγαι, Οὐέλται, Insubres, Χαῖμαι, Chaiv[i]ones, Νείρvι (Nori) Hreidgotar. — F. Holthausen, zur altsächsischen Genesis. S. 52—56 u. S. 151. — M. H. Jellinek, Otfrid. S. 56. — A. E. Schönbach, Otfridstudien (Fortsetzung u. Schluß). S. 57—124. — M. H. Jellinek, zur Lehre von den langen Endsilben. S. 125—151. — W. Uhl, Muskatblüt. S. 152—153. — Th. von Grienberger, Ermanariks Völker. S. 154—184. Bezeichnet die Bemerkungen Müllenhoffs im 2. Bd. der Altertumskunde (S. 74 ff.), sowie im Index zu Mommsens Jordanesausgabe über das Völkerverzeichnis Ermanariks als kaum über die Ergebnisse von Zeuß (Die Deutschen und die Nachbarstämme) hinausgehend und bietet den Versuch eines Kommentars. — A. Wallner, Walther 23, 31. S. 184. — A. Schulte, die Standesverhältnisse der Minnesänger. S. 185—251. Richtet sich scharf gegen Fr. Grimmes Polemik (in den Neuen Heidelberger Jahrbüchern IV, 53 u. 90; vgl. Hist. Jahrb. XVI, 145, wo auch Grimmes Thesen aufgeführt sind) und hält an den eigenen in der Zeitschrift für die Geschichte des Oberrheins (VII, 542—559; vgl. Hist. Jahrb. XIV, 398; dort auch die Thesen Sch.s) aufgestellten Thesen fest. Das Ergebnis des ersten Absatzes der Replik Sch.s ist, daß in der Nordostschweiz die Kluft zwischen Edelfreien und dem niederen Adel sehr groß, jedermann bekannt und für die Rangstufe maßgebend war. Wollte der Liedersammler überhaupt eine Rangordnung in der Minnesängerhandschrift durchführen, so mußte er die haarscharfe Scheidung der Grafen und Freiherren von dem niedern Adel innehalten. Dieses Resultat wird gefestigt, indem Vf. in einem zweiten Abschnitt die analoge Anordnung in der Züricher Wappenrolle, in dem Clipearium Teutonicum, in dem Wappenbuch des Konrad Grünenberg und in dem Wappenbuche des Gallus Oeheim nachweist. Ein dritter Abschnitt thut dar, daß der Sammler der Liederhandschrift C die von Sch. angegebene Einteilung innehielt. HS. C ist nur die erweiterte Ueberarbeitung einer älteren Vorlage, welche auch der Weingartner B, die sich strenger an die Vorlage hielt, zu grunde lag; auch für diese weist Sch. dieselbe Disposition nach. Abschnitt 4 stellt das Ergebnis für die Geschichte der deutschen Literatur fest. In der ersten Periode des Minnesangs bis 1190 war der Anteil des hohen Adels überwiegend; die höchste Entwicklung in der Blütezeit verdankt diese Lyrik dem niederen Adel. Beide Arten des Adels kommen nach und nach in der Literatur zur Geltung, und damit stimmt die politiſche Machtfülle der einzelnen Stände überein. — **E. Sch., aus einer unbekannten Reimbibel.** S. 251—55. 320 Verſe einer Geſchichte Samſons, die ein Doppelblatt, das A. Hittmair in Salzburg aufbewahrt, aus dem 14. Jahrh. enthält, werden mitgeteilt. **H. 3. F. Wrede, die Entſtehung der nhd. Diphthonge.** S. 257—301. — **J. Ries, zur altſächſiſchen Geneſis. 1. Zur Kritik und Erklärung des Textes.** S. 301—304. — **R. M. Meyer, Bligger von Steinach.** S. 305—26. Neue Hypotheſen über die Dichtungen des fränkiſchen Minneſängers. — **B. Schulze, die negativ-ercipierenden Sätze.** S. 327—36. — **A. E. Schönbach, zu Walther von der Vogelweide.** S. 337—55. Studien zumeiſt über die religiöſen Gedichte und Sprüche W.s. — **J. Seemüller, zum Gedicht von der Böhmenſchlacht.** S. 356—59. Beſpricht den (Beiträge von Paul und Braune 19, 486 ff. mitgeteilten) Fund te Winkels, der zu den Maßmannſchen Bruchſtücken über die Schlachten bei Dürnkrut und Göllheim 58 ganz neue Verſe hinzufügt, welche die aus den früheren Bruchſtücken ſchon erkennbare Art der Schilderung der Marchfeldſchlacht beſtätigen: Mangel an thatſächlichen, hiſtoriſchen Angaben, Reichtum an überlieferten Vorſtellungen. — **E. Sch., Kulmer Bruchſtück der Chriſtherre-Chronik.** S. 360.

H. 4. Dreves, profane lateiniſche Lyrik aus kirchlichen HSS. S. 361—68. MS. 1 Asc. 95 der königlichen Handbibliothek in Stuttgart iſt ihrem Inhalte nach eine Tropen- und Sequenzenſammlurg, welche aber auch ein Lied auf das Orgelſpiel, ein Baganten-Bettellied u. a. enthält. — **A. E. Schönbach, Otfried-ſtudien. III.** S. 369—423. Vervollſtändigt die Quellennachweiſe. — **K. Meyer, niederdeutſches Schauſpiel von Jakob und Eſau.** S. 423—26. MS. in Göttingen, Schrift des 14. oder Anfang des 15. Jahrh.; Herkunft unbekannt. — **A. L. Stiefel, Ritter Beringer und ſeine Quelle.** S. 426—29. Die Quelle des von K. Schorbach vor kurzem veröffentlichten Schwankes eines oberdeutſchen Dichters des 14. Jahrhs. iſt ein Fabliau. — **A. Wallner, zu Walther von der Vogelweide.** S. 429—35. Textkritiken.

11] Zeitſchrift für Kulturgeſchichte. Neue (4.) Folge der Zeitſchrift für deutſche Kulturgeſchichte. Hrsg. von Dr. Georg Steinhauſen.

1895. Bd. 2. F. v. Krones, Karl von Zierotin und ſein Tagebuch vom Jahre 1591. S. 1—31. Zierotin (1564—1635), ein Mitglied des mähriſchen „Herrenſtandes", Anhänger der böhmiſchen Brudergemeinde, viermal verheiratet, einmal mit einer Schweſter Wallenſteins, 1608—15 Landeshauptmann von Mähren, reiſte viel, einmal zu Heinrich IV. und hinterließ intereſſante Tagebücher. Das Tagebuch von 1591 mit Einblicken in ſein Familienleben und Aufſchlüſſen über norddeutſche Reiſe- und Herbergsverhältniſſe wird im Auszug mitgeteilt und ſchließt an die Aufenthalte am Hofe Heinrichs IV. — **K. Biedermann, die Fauſtſage nach ihrer kulturgeſchichtlichen Bedeutung.** S. 31—50. Vf. beginnt mit Prometheus, geht zu Robert dem Teufel und zu mittelalterlichen Teufelsbünden über und behauptet, der Proteſtantismus habe den Abfall der Menſchen zum Teufel viel ernſter genommen als der Katholizismus. Daher ſei die Fauſtſage im proteſtantiſchen Sinn bearbeitet worden; Fauſt ſchließe ſeinen Pakt auf der katholiſchen Univerſität zu Ingolſtadt. Endlich wird Marlowes und Leſſings [nicht aber Klingers und Lenzs] Fauſt beſprochen. — **G. Liebe, zur Geſchichte der Uniform in Deutſchland.** S. 51—58. Die Uniform iſt bis zum Anfang des 17. Jahrh. bis zur Ausbildung der abſoluten Monarchien nur gelegentlich als gemeinſame Tracht des Hofgefolges, ſtädtiſcher Kontingente und als Ständerecht (rote Farbe der Ritter) zur Anwendung gekommen. Im Heere Guſtav Adolphs bezeichnete die Fahne die Zuſammengehörigkeit. — **G. Rieder, Totenbretter im bayeriſchen Wald**

mit Berücksichtigung der Totenbretter überhaupt. S. 59—79, 97—134. Auf den Toten=
Leichen=, Ree (rê- == Tod=) brettern werden die unmittelbar vorher Verstorbenen ge=
legt und wurden früher auch darauf begraben (vereinzelt bis in unsere Zeit) oder
zu Grabe getragen, wo man sie dann vom „Brettel" „rutschen" ließ, bis zum Auf=
kommen des Sarges (allgemeiner wurde der Sarg erst im Anfang unseres Jahrh.).
Heute liegen die Toten bis zur Einsegnung auf dem Brett. Diese Totenbretter, welche
um Kirchhofmauern, um Feldkreuze, Kapellen, an Wegen, an Lieblingsorten des Ver=
storbenen, in Gärten und vor Häusern stehen, sind merkwürdig durch ihre Bemalung
und ihre Inschriften. Der Tod erscheint als freundlicher Bote, als Engel Gottes,
oft aber auch als abschreckendes Gerippe. Die Verse feiern das Wiedersehen, das
fromme Gedenken oder geben Ermahnungen und bitten um das Gebet. — **Richard
M. Meyer, die Anfänge der deutschen Volkskunde** (Vortrag) S. 135—65. Charakte=
ristik der Germanen durch römische Schriftsteller, Unterscheidung der Stämme nach
ihren Namen, im Sprichwort, in der Dichtung. Wissenschaftliches Interesse bei den
Byzantinern (Priscus, Procop), während die Geschichtschreibung sich wenig um die
Volkskunde kümmerte. — **F. Bienemann, die Kolonialpolitik des deutschen Ritterordens.**
(Vortrag.) S. 166—82. Die Eroberungspolitik [nicht die innere Kolonisation] des
Ordens, der durch seine Schroffheit das Unglück von Tannenberg (1410) verschuldet. —
**F. W. E. Roth, zur Geschichte der Volksgebräuche und des Volksaberglaubens im Rheingau
während des 17. Jahrh.** S. 183—91. Nach Aufzeichnungen des Pfarrers Noll zu
Rüdesheim und einer HS. im Besitze des Vf. -- **G. Steinhausen, Professoren der Kultur=
geschichte.** S. 192—98. — **K. Müller, über die historischen Volkslieder des 30jährigen
Krieges.** S. 199—216, 281—301 Aus Ditfurths reicher Sammlung werden die=
jenigen Volkslieder besprochen, die sich auf die Hauptpersonen, Clesel, den Winterkönig,
Tilly und Wallenstein beziehen. Ueberwiegend stammen die Lieder von Protestanten,
die sich viel stärker gefährdet fühlten als die Katholiken. Die Lieder der letzteren
zeichnen sich durch einen überlegenen sarkastischen Ton aus. Tilly wird als kastrierter
Mönch verspottet von Madame Magdeburg, Wallensteins Sternenwahn gut charakte=
risiert u. s. f. — **Th. Hutter, die Wünschelruten und Schatzgräber in Böhmen.** S. 217—19.
**H. Simonsfeld, ein venetianischer Reisebericht über Süddeutschland, die Ostschweiz und
Oberitalien a. d. J. 1492.** S. 241—83. Zwei vornehme Venetianer mit zwei Sekre=
türen gingen über den Brenner ans Hoflager des Kaisers bei Linz, kamen über
Wasserburg nach München, Memmingen, Ulm, Stuttgart, Straßburg, Konstanz und
kehrten über Chur und Mailand zurück. Von den meisten Städten erhielten sie —
wohl des Handelsverkehres wegen — ansehnliche Geschenke. Zu ihren Abendmahlen,
deren üppiges Menu einigemal mitgeteilt wird, kamen in der Regel Spielleute. Die
Gesandten hatten viel Sinn für Spiel, Luxus und kostbare Tracht. Bei München,
Feldkirch, Chur wird das Straßenpflaster hervorgehoben, eine in Deutschland damals
seltene Einrichtung. — **J. Silbermann, Berlinisches Gesindewesen im 17. u. 18. Jahrh.**
S. 302—20. Wegen der Entvölkerung des Landes nach dem 30jähr. Kriege er=
schwerte man den Uebergang vom Land zur Stadt: daher großer Gesindemangel bei
großem Gesindebedürfnisse, weil ein großes Gesinde standesgemäß war, und weil
damals viel im Haus gefertigt werden mußte, was heute auf dem Markt zu haben
ist. Und dennoch wurden die Dienstboten sehr schlecht behandelt, es gab keine Ge=
sindeordnung. Jene aber suchten sich durch Stehlen, Betrügen der Herrschaft beim
Einkaufen — Schwänzelpfennige — usw. schadlos zu halten. Der Unterhalt wurde
nicht in natura, sondern in Geld geleistet. Das Gesinde mußte auch Steuern zahlen.
Ueber den Mutwillen, die Ausschweifung und die Kleiderhoffart der Dienstboten wird

viel geklagt. Gesindemakler verleiteten zu häufigem Wechsel, daher wurde die Makelei 1718 fast ganz aufgehoben. Friedrich II schuf ein Gesindeamt zugleich zur Streit=schlichtung. — R. Goette, zur Geschichte deutschen Volksgeistes im MA. bis zur Zeit Heinrichs IV. S. 337—72. Schon in der Urzeit gab es ein einheitliches Bewußtsein der Germanen, aber in der Zersplitterung der Völkerwanderung verloren sie die Widerstandskraft gegen den Romanismus. Auf allen Gebieten zeigen sich römische Ein=flüsse, nur das Recht widerstand bis zum 13. Jahrh. Kräftiger erhob sich das National=gefühl unter den sächsischen Kaisern — zur Zeit der Protorenaissance! — und es kam eine geläuterte Frömmigkeit empor, aber des Aberglaubens gibt es noch genug! Beweis: Die Reliquien= und Wundersucht, der Geister= und Teufelsglaube. Unter den Saliern wird das kirchliche Gewissen immer empfindlicher, die Kaisermacht wird geschwächt und darunter leidet auch die materielle Kultur. — G. Liebe, Sitten und Einrichtungen der Universität Greifswald vom 15. bis 17. Jahrh. S. 373—79. Handelt über Immatrikulation, Professorengehalte, Sitteninspektoren, akademische Grade. — P. Bahlmann, zur Geschichte der Juden im Münsterlande. S. 380—409. Zu anfang des 12. Jahrhs. gab es in Münster noch keinen Juden, 1287 wurden 93 getötet, 1350 wurden sie aufs neue vertrieben und durften fortan nicht mehr in Münster selbst, sondern nur in den umliegenden Ortschaften bleiben. Im 17. Jahrh. wurden viele Geleitspatente und Judenordnungen erlassen (Zinstaxe 10—5 %). Nach der französischen Okkupation bemühten sich die Juden um das Münstersche Bürgerrecht, was ihnen 1810 nach längerem Widerstand des Magistrats gelang. Preußen änderte 1815 daran nichts mehr. — A. Chroust, fünf Briefe des Burggrafen und Freiherren Christoph von Dohna an seine Braut Gräfin Ursula von Solms Braunfels. S. 410—17. Die glatt und korrekt französisch geschriebenen Briefe zeigen den Einfluß der Verwelschung. — C. Einert, die Landstreicherplage in Thüringen nach dem siebenjährigen Kriege. S. 418—26. Der nach mittelalterlicher Art zersplitterte Boden sächsischer Kleinstaaterei war für Marodeurs und Straßenräuber ungemein günstig. Mit viel Mühe gelang es der Schwarzburger Herrschaft, den Bauern so viel Beiträge zu entlocken, daß ein Streif=korps von 4 Husaren aufgestellt werden konnte, aber die Wirkung war sehr gering. Noch 1796 feiern die Landstreicher eine glänzende Hochzeit und erhalten Geschenke. — A. Wünsche, Teufelswetten. S. 427—32. Der „dumme" Teufel läßt sich in Wetten ein — mit Bauern, wer schneller mähe, mit einer Näherin, wer schneller nähe — aber er verliert immer die Wette. — Miszellen, Mitteilungen, Notizen, Besprech=ungen. S. 80—90, 218—39, 321—36, 433—71.

12] Byzantinische Zeitschrift.

1895. Bd. 4. H. 3 u. 4. G. Meyer, die griechischen Verse im Rabābnāma. S. 401 ff. — G. N. Hatzidakis, über den Etymon des Wortes βρέ. S. 412 ff. — J. Laurent, sur la date des Églises St Démétrius et Ste Sophie à Thessalonique. — S. 420 ff. E. W. Brooks, on the chronology of the conquest of Egypt by the Saracens. S 435 ff. Untersucht die bisher in erster Linie berücksichtigten, meist arabischen Quellen, die alle in späterer Zeit als die Ereignisse selbst ihren Ursprung haben. Den größten Wert legt er auf die bisher wenig beachtete Weltchronik des Johannes von Nikiu, dessen Jugend in die Zeit der Eroberung fällt. Durch eine eingehende Kritik von dessen Bericht kommt Vf. zu dem Resultat, daß Amr im Dezember 639 in Egypten einfiel, die Schlacht bei Heliopolis im Juli 640 geschlagen, Alexandria nach einer elfmonatlichen Belagerung im Oktober 641 erobert wurde. — C. de Boor, der Angriff der Rhos auf Byzanz. S. 445 ff.

In einer von Franz Cumont (Rec. d. travaux p. p. la fac. de philosophie et lettr. de Gand, Fasc. 9) herausgegebenen kleinen byzantinischen Chronik ist als Datum der ersten Ankunft der Russen vor Byzanz der 18. Juni 860 angegeben, während man bisher dies Ereignis in das Jahr 865 oder 866 verlegte. Indem de Boor den Beweis antritt, daß das Datum der Chronik unbedingt richtig ist, behandelt er die Chronologie der Patriarchen von Konstantinopel im 9. Jahrh. und kommt zu folgenden Resultaten: 1. April 815 Theodotos, 821 Antonios, 21. (26.?) April 834 Johannes, März 843 Methodios († 14. Juni 847), Juni 847 Ignatios (abges. 23. Nov. 858), 24. Dez. 858 Photios (abges. 25. Sept. 867), 23. Nov. 867 Ignatios. — Der Feldzug ferner, von dem Michael III bei der Ankunft der Russen zurück- kehrte, war nicht die Flottenexpedition gegen die Araber auf Kreta vom Jahre 866, sondern war gegen Omar von Melitene in Kleinasien gerichtet, der erst i. J. 863 völlig geschlagen wurde. — Die Chronik bietet außerdem genauere Nachrichten über die Belagerung. Einen Sturm versuchten die Russen nicht, sie zogen aber auch nicht, wie man bisher geglaubt, freiwillig und unbehelligt ab, sondern wurden durch Waffen- gewalt vernichtet. Der Vf. der Chronik war vielleicht Zeitgenosse der Ereignisse. — K. Uhlirz, über die Herkunft der Theophanu, Gemahlin Kaiser Ottos II. S. 467 ff. Bestreitet Moltmanns Annahme, daß Theophano eine Tochter des Romanos' II und der Theo- phano gewesen sei. Das Schweigen der byz. Schriftsteller über eine Tochter des Romanos namens Theophano hält er nicht für beweiskräftig. In der Urk. vom Hochzeitstage werde Theophano Johannis Cpolitani imperatoris neptis genannt, weil man dem damals regierenden Kaiser ein Kompliment hätte machen und ihre Eltern nicht hätte nennen wollen, um die berüchtigte Theophano nicht nennen zu müssen. Thietmar von Merseburg verdiene keinen Glauben, weil er auch sonst unzuverlässig sei. — G. Wartenberg, Berichtigung einer Angabe des Skylitzes. S. 478 ff. Befreit den Nike- phoros Phokas von dem Vorwurf des Wuchers, den man ihm auf grund einer von Gabius falsch übersetzten Stelle des Skylitzes gemacht hat. — P. Lambros, eine neue Fassung des elften Kapitels des VI. Buches von Sokrates' Kirchengeschichte. S. 481 ff. — Th. Mommsen, lateinische Malalasauszüge. S. 487 f. In der von Angelo Mai im Spi- cilegium Romanum 9 S. 118—40 edierten lateinischen Chronik ist alles Historische einfach aus Malalas übersetzt. Die Lücke des Oxforder Textes war in der Vorlage nicht vorhanden. Malalas beendigte sein Werk im Jahre 573, denn das Kaiser- verzeichnis schließt mit Justinus ann. VIIII. — L. Traube, Chronicon Palatinum. S. 489 ff. — L. Lauchert, zur Textüberlieferung der Chronik des Georgios Monachos. S. 493 ff. — K. Krumbacher, zur handschriftl. Ueberlieferung des Zonaras. S. 513. — Spyr. P. Lambros, ein neuer Codex der Chronik des Glykas. S. 514. — Th. Preger, ‚Chronicum Georgii Codini‘. S. 515 ff. — K. Prächter, das griechische Original der rumänischen Troïka. S. 519 ff. — L. Volk, Bemerkungen zu byzantinischen Monats- listen. S. 547 ff. Veröffentlicht eine bisher unbekannte Liste und knüpft daran Bemerkungen über andere Monatsreihen. — E. Kurtz, das Epigramm auf Johannes Geometres. S. 559 ff. — J. Draeseke, zu Georgios Scholarios. S. 561 ff. — Μανουὴλ Ι. Γεδεών, τυπικὸν τῶν ψήφων παρὰ τοῖς Βυζαντινοῖς. S. 581 f. — G. N. Hatzi- dakis und E. Kurtz, zu den Bruchstücken zweier Typika. S. 583 f. — Spyr. P. Lambros, das Testament des Neilos Damilas. S. 585 ff. Franz Kühl, die Datierung des Uspens- kischen Psalters. S. 588 f. — J. Strzygowski, die Gemäldesammlung des griechischen Patriarchates in Kairo. S. 592 f. — Derselbe, die Zisternen von Alexandria. S. 590 f. — B. Paluka, eine unbekannte byzantinische Zisterne. S. 594 f. — II. Abteilung (Be- sprechungen).

13] Mélanges d'archéologie et d'histoire.

1892. XII. J. Toutain, le sanctuaire de Saturnus Balcaranensis au Djebel Bou-Kourneïn (Tunisie). S. 3—124. — P. de Nolhac, Boccace et Tacite. S. 125—48. Nicht Poggio, sondern Boccaccio ist der Wiederentdecker der Tacitus. Die älteste Erwähnung findet sich in einem Brief B.s von 1371. In den Genealogiae deorum und im Commento sopra la Commedia zitiert er den römischen Schriftsteller ausdrücklich, in einigen wohl später angefügten Kapiteln des Werkes De claris mulieribus finden sich starke wörtliche Anlehnungen. — Fr. Novati et G. Lafaye, le manuscrit de Lyon nr. 100, l'anthologie d'un humaniste italien au 15. siècle. S. 149 - 78. — L. Dorez, Pierre de Montdoré maître de la librairie de Fontainebleau (1552 — 67). S. 179 — 94. Montdoré wurde auf grund einer von ihm besorgten Euklid-Ausgabe zum Bibliothekar berufen und ist, wie Verf. scharfsinnig nachweist, der Autor eines Briefes an Kardinal Sirleto von 1555, worin die Erwerbung von Klassiker-Hss. angebahnt wird. Auch poetisch ist er zeitlebens thätig gewesen. — A. L. Delattre, inscriptions de Carthage (épigraphie païenne) 1890—92. S. 237—73. — E. Courbaud, la navigation d'Hercule. S. 274—88. Archäologisch. — L. Dorez, le cardinal Marcello Cervini et l'imprimerie à Rome (1539—50). S. 289—313. Veröffentlicht und erläutert die im Florentiner Staatsarchiv aufgefundene Korrespondenz zwischen dem Kardinal Cervini und dem Buchdrucker Ant. Blado u. a. m. — R. Rolland, le dernier procès de Louis de Berquin 1527 - 29. S. 314 — 25 Berquin wurde als Häretiker am 17. Apr. 1529 verbrannt, während Franz I, dessen Gnade ihn bei seinen früheren Prozessen vor diesem Schicksal bewahrt hatte, in Spanien weilte. Der Aufsatz beschäftigt sich hauptsächlich mit dem Konflikt zwischen König und Papst wegen der Zusammensetzung der gegen Berquin aufgestellten Untersuchungskommission und bringt die Verurteilung in Zusammenhang mit der 1529 erfolgten Annäherung Frankreichs an Clemens VII. — Archéologie sarde: La collection Gouin. S. 326—28. — J. Toutain, le théâtre romain de Simithu (Schemtou). S. 359—69. — Ch. Diehl, notes sur quelques monuments byzantins de l'Italie méridionale. Fortf. S 379 - 405. Behandelt eine unterirdische Kapelle in Otranto und im Anschluß an deren Gemäldeschmuck aus dem 14. Jahrh. noch jüngere Malereien, in denen sich der byzantinische Stil ebenfalls erhalten hat. — Et. Michon, groupes de la triple Hécate au musée du Louvre. S. 407—24. — St. Gsell, note au sujet de l'incinération en Etrurie. S. 425—31. — L. Auvray et G. Goyau, correspondance inédite entre Gaetano Marini et Isidoro Bianchi. S. 433—71. Die außerordentlich reiche Korrespondenz (aus einem Codex der Pariser Nationalbibliothek) ist archäologischen Inhalts und entstammt den Jahren 1760—65. — Chronique S. 195—209; 354—57; Bibliographie S. 210—36; 329—53; 473—511.

1893. XIII. P. Fabre, notes sur les archives du château Saint-Ange. S. 3—19. Diese Abteilung des Vatikanischen Archivs trägt ihren Namen davon, daß sie bis 1798 in der Engelsburg verwahrt gewesen ist. Um die Inventarisierung hat sich J. B. Confalonieri besonders verdient gemacht; die Vorreden zu seinen beiden Repertorien (1629) werden hier wörtlich abgedruckt. Die Signaturen haben mehrmals gewechselt, wie an den HSS. des Liber censuum dargethan wird. — L. Auvray et G. Goyau, correspondance inédite entre Gaetano

Marino et Isidoro Bianchi. S. 61—151 und 225—45. Fortsetzung und
Schluß zu Mél. 1892 S. 433 ff. — **L. Guérard, un fragment de calendriér
romain au moyen-âge.** S. 154—75. Vf. publiziert nach einer Abschrift aus
dem Anfang des 17. Jahrh. einen Kalender, der ehedem im Kreuzgang des Klosters
S. Maria del Priorato an die Mauer gemalt war, und reiht ihn mittels Vergleichung
mit Bedas Martyrologium und dem Liber pontificalis beim Anfang des 12. Jahrh.
unter die bekannten liturgischen Dokumente, die er aufzählt, ein. — **P. Fabre, une
charte pour Fonte Avellana en 1192.** S. 247—49. Aus einer HS. des
Liber censuum; Inhalt: Schenkung. — **L. Dorez, Antoine Eparque; recherche sur le commerce des mss. grecs en Italie au 16e siècle.**
S. 281—364. Anton Eparch war ein Verwandter des Lascaris, dessen systematische
Ueberführung griechischer Manuskripte nach Italien er fortsetzte. Geboren 1492 auf
Corfu, lebte er seit 1537 in Venedig und trat hier durch Vermittlung des Bischofs
von Montpellier Pélicier in Beziehungen zu Franz I von Frankreich, in dessen Auf-
trag er eine Reise unternahm. Später kehrte er nach Corfu zurück. D. veröffentlicht
hier seine aus 52 Briefen bestehende Korrespondenz von 1541—69, einen Brief seines
Sohnes von 1582, ein von ihm stammendes Verzeichnis griechischer HSS. und einige
andere Dokumente. — **W. Helbig, 2 Portraits de Pyrrhus, roi d'Epire.**
S. 377—90. — **P. Fabre, une ville de Paul Diacre.** S. 391—95. Vf. weist
einen von Paulus Diaconus erwähnten Ort „Verona" im obern Tiberthale nach. —
Ch. Bourel de la Roncière, une escadre franco-papale (1318—20).
S. 397—418. Eine HS. des vatikanischen Archivs enthält Angaben über die Kosten
einer in den Jahren 1319/20 unterhaltenen Flotte. Dies steht in ursprünglichem Zusammenhang mit den von 1316—35 betriebenen Plane eines Kreuzzuges. Philipp V
zahlte zur Erbauung der Flotte 38,000 Gulden, die übrigen Kosten übernahm
Johann XXII. Fünf Galeeren wurden in Capelas bei Narbonne neu gebaut, fünf
andere in Marseille gekauft. Der Papst kam mit diesen Schiffen dem König Robert
von Sizilien zu Hilfe gegen die vereinigten Ghibellinen und Aragonier, von welchen
diese gegen die Ungläubigen bestimmt gewesene Flotte erbeutet worden ist. — **J. Toutain, inscriptions de Tunisie.** S. 419—59. — **S. Gsell et H. Graillot,
exploration archéologique dans le département de Constantine
(Algérie): Ruines romaines au nord de l'Aurès.** S. 461—541. —
Chronique. S. 177—96. — **Bibliographie.** S. 197—224; 365—75;
543—54.

1894. XIV. H. 1—4. E. Le Blant, les premiers chrétiens et
les Dieux. S. 1—16. — S. Gsell et H. Graillot, exploration archéolo-
gique dans le département de Constantine (Algérie). Ruines romaines au nord de l'Aurès. S. 17—86. — **H. Hauvette, notes sur des
manuscrits autographes de Boccace à la bibliothèque Laurentienne.**
S. 87—145. Zibaldone- und Terenzhandschriften. — **P. Fournier, le premier
Manuel canonique de la réforme du XI. siècle.** S. 147—223. Gemeint
sind die Diversorum Sententiae Patrum in 74 Titeln. Nach der Ansicht des Vf.
sind sie entstanden wahrscheinlich unter Leo IX, fast ausschließlich aus wahren und
falschen Dekretalen der Pseudo-Isidorischen Sammlung und Briefen Gregors; sie
atmen den Geist der reformatorischen Richtung Leos IX und Gregors VII und wurden
besonders unter des letztgenannten Pontifikat in und außer Italien publizistisch verwertet, wie sie auch im 11. und 12. Jahrh. vielen kanonistischen Sammlungen dienlich
gewesen sind. — **P. Fabre, les offrandes dans la Basilique Vaticane.**

S. 225—40. Aus dem I. Vol. der Serie Introitus et Exitus des Vat. Arch. teilt Vf. für den Zeitraum Juni 1285 — Juni 1286 ein Verzeichnis mit »Hic continentur ministeriorum et altaris in ecclesia B. Petri divisiones«. — **Ch. Grandjean, la date de la mort de Benoît XI.** S. 241—44. · 1304 Juli 7. — **P. Fournier, le premier Manuel canonique de la réforme du XI. siècle.** S. 275—91. Textkritische Nachträge zu dem Aufsatz oben. — **St. Gsell, Tipasa, ville de Mauretanie Césarienne.** S. 291—450. — **E. Jordan, un diplôme inédit de Conradin.** S. 451—57. Aus dem Vat. Archiv, eine Schenkung an Guido von Montefeltro d. d. Augsburg 1267 im August. — **G. Goyau, le vieux Bordeaux à la Bibl. Imp. de Vienne.** S. 459—85. Nach einem karto-graphischen Sammelband betitelt Atlas Maior sive Cosmographia Blaviana [hrsg. 1662 durch J. Blaeu]. — **A. Geffroy, J. B. de Rossi.** S. 497—500. Nachruf.

14] Revue historique.

1894 November-Dezember. T. 56. **H. Sée, étude sur les classes serviles en Champagne du XIe au XVIe siècle. I.** S. 225—52. Eingehende Schilderung der Verhältnisse der Hörigen in der Champagne vom 11.—14. Jahrh. — **Mélanges et documents. Fr. Funck-Brentano, l'homme au masque de velours noir dit „le Masque de fer."** S. 253—303. Ueber den Mann mit der eisernen Maske sind seit dem Anfang des 18. Jahrhs. zahllose Schriften veröffentlicht worden: um die geheimnisvolle Erscheinung zu erklären, hat man die verschiedenartigsten Hypothesen aufgestellt. Mehrere ältere und neuere Forscher sind der Ansicht, der maskierte Gefangene sei niemand anderer gewesen, als Graf Mattioli, der Staatssekretär des Herzogs Karl IV von Mantua. Daß diese An-nahme die richtige sei, wird hier auf grund der zuverlässigsten Quellen überzeugend nachgewiesen. Mattioli, der Ludwig XIV hintergangen hatte, wurde am 2. Mai 1679 in einen Hinterhalt gelockt und allem Völkerrechte zum Hohne einem französischen Soldaten als Gefangener nach Pignerol geschleppt. Um die öffentliche Meinung irre zu führen, ließ man das Gerücht verbreiten, M. sei auf einer Reise verunglückt. Von Pignerol wurde M. 1694 auf die Insel St. Margaretha gebracht und von da 1696 in die Bastille, wo er 1703 gestorben ist. Außerhalb seiner Zelle trug der Gefangene, der übrigens mit einer gewissen Auszeichnung behandelt wurde, stets eine Maske von schwarzem Sammt. Dies gab Anlaß zur Legende von dem Manne mit der eisernen Maske. — **Ch. Pfister, les „Économies royales" de Sully et le grand dessein de Henri IV.** (Suite et fin.) S. 304—39. Schluß der Studie über Sullys Memoiren (s. oben S. 390 f.). Der große Plan Heinrichs IV zum ewigen Frieden, wovon in diesen Memoiren ausführlich die Rede ist, muß unbedingt als eine Erdichtung Sullys angesehen werden, wie schon eine eingehende Prüfung der verschiedenen Redaktionen der Memoiren beweist. Für Heinrichs IV äußere Politik können die Économies royales wegen der vielen Aktenfälschungen, die sie enthalten, als Geschichtsquellen kaum noch in betracht kommen. (Vgl. Hist. Jahrb. XIV, 190.)

1895 Januar-Februar. T. 57. **H. Sée, étude sur les classes serviles en Champagne du XIe au XIVe siècle.** S. 1—21. Schluß (s. oben) mit dem Ergebnisse, daß bereits gegen Ende des 13. Jahrh. die Hörigen in der Champagne fast allgemein die Freiheit erlangt hatten. — **A Taphanel, Saint-Cyr et La Beaumelle d'après des documents inédits.** S. 22—56. La Beaumelle, ein französischer Schriftsteller des 18. Jahrh.; ist besonders als Hrsgb. der Memoiren und Briefe der Madame von Maintenon bekannt. Er ist oft als Fälscher gebrand-

markt worden. Man kann zwar nicht leugnen, daß er sich besonders in der Um=
arbeitung der Briefe manche Freiheiten gestattet; andererseits sind viele seiner Angaben,
die man bisher fast allgemein als Erfindungen angesehen hat, thatsächlich wahr, wie
aus B.s Briefwechsel mit den Damen von St. Cyr hervorgeht. — **Mélanges
et documents. H. Pirenne, l'origine des constitutions urbaines
au moyen âge.** S. 57—98. Fortsetzung (s. Hist. Jahrb. XV, 873).

**1895 März=April. A. Bouché-Leclercq, les lois démographiques
d'Auguste.** S. 241—92. Bespricht die Maßregeln, wodurch Kaiser Augustus die
Abnahme der Bevölkerung zu verhindern suchte. — **Mélanges et documents.
H. Pirenne, l'origine des constitutions urbaines au moyen âge.**
S. 293—327. Schluß (s. oben). — **E. Welvert, questions révolutionnaires:
Mlle de Labarrère et les conventionnels Pinet et Cavaignac.**
S. 328—36. Die zwei Mitglieder des Konvents Cavaignac und Pinet sind be=
schuldigt worden, die Tochter eines Gefangenen verführt zu haben, unter der Vor=
spiegelung, daß um diesen Preis der Vater freigelassen würde; trotzdem sei der
Unglückliche guillotiniert worden. Sehr wahrscheinlich handelt es sich um eine grund=
lose Anschuldigung.

**1895 Mai=Juni. T. 58. R Waddington, le renversement des
alliances en 1756.** S. 1—43. Behandelt die diplomatische Vorgeschichte des
siebenjährigen Krieges, insbesondere den Abschluß des Vertrags von Westminster
(16. Januar 1756) zwischen England und Preußen, der zur Folge hatte, daß die
Stellung der europäischen Mächte zu einander eine ganz andere wurde. — **Mélanges
et documents. J. Guiraud, Jean-Baptiste de Rossi; sa personne
et son oeuvre.** S. 44—69. lieber das Leben und Wirken des berühmten Archäo=
logen. — **P. Hunfalvy, observations sur l'origine des Daco-Roumains.**
S. 69—86. — **A.-D. Xénopol, observations sur l'origine des Daco-
Roumains** S. 84—86. Kontroverse über die Herkunft der Rumänen. — **E. Daudet,
récits de la Chouannerie: l'agence anglaise de Bordeaux.** S. 86—100.
Von England angestiftet, suchten i. J. 1804 mehrere Chouans einen neuen Aufstand
ins Werk zu setzen. Die Polizei erhielt jedoch frühzeitig Kenntnis von der Ver=
schwörung; einige der Mitschuldigen konnten entfliehen, die andern wurden mehr oder
weniger streng bestraft.

**1895 Juli=August. R. Waddington, le renversement des alliances
en 1756.** S. 241—75. Schluß (s. oben). Nachdem Preußen und England ein
Bündnis geschlossen, verzichtete Frankreich auf die Freundschaft Friedrichs II, um
sich mit Oesterreich, dem alten Gegner, zu verbinden Der Vertrag von Versailles
(1. Mai 1756), der für Oesterreich sehr vorteilhaft war, sollte für Frankreich die ver=
hängnisvollsten Folgen haben. — **Mélanges et documents. A. Waddington, une intrigue secrète sous Louis XIII: Visées de Richelieu
sur la principauté d'Orange.** S. 276—91. Das kleine Fürstentum Oranien
im mittäglichen Frankreich gehörte seit 1530 den Fürsten von Nassau. Kaum war
Richelieu 1624 Minister geworden, als er mit dem Gedanken umging, die Enklave
mit Frankreich zu vereinigen. Der nassauische Gouverneur Falkenburg verpflichtete
sich 1627, gegen eine gute Belohnung Stadt und Land den Franzosen auszuliefern.
Richelieu zögerte jedoch, den entscheidenden Schritt zu thun, da er gerade zu jener
Zeit mit der holländischen Republik, deren Statthalter Friedrich Heinrich von Nassau=
Oranien war, ein Bündnis eingehen wollte. Inzwischen erhielt Friedrich Kenntnis
von den Umtrieben seines Gouverneurs. Er sandte einen Kommissar nach Oranien;

als dieser Falkenburg verhaften lassen wollte, entspann sich ein Kampf, in welchem
der untreue Diener von einer Kugel getroffen wurde. Von einer Vereinigung Oraniens
mit Frankreich war vorläufig keine Rede mehr. — **G. Depping, Madame, mère
du Régent, et sa tante l'électrice Sophie de Hanovre. Nouvelles
lettres de la princesse palatine.** S. 292—307. Fortsetzung (s. oben S. 391).
— **R. de Kerallain, les Français au Canada: la jeunesse de Bougainville et la guerre de sept ans (1729—63).** S. 308—33. Einleitung zu einer
ausführlichen Studie über Bougainville. Der Vf. kündigt an, daß er manche irrige
Behauptungen des kanadischen Geschichtsschreibers Casgrain, eines parteiischen Gegners
Bougainvilles, richtigstellen werde.

15| **Sitzungsberichte der kgl. preuß. Akademie der Wiss. zu Berlin.**
1894. Bd. 1 u. 2. A. Dillmann, über die geschichtlichen Ergebnisse der Th
Bent'schen Reisen in Ostafrika. S. 3—21. Behandelt die Ruinen von Zimbabye
zwischen dem Zambesi- und dem Sabifluß, wahrscheinlich herrührend von den Sabäern
und einige Inschriften, welche sich auf die älteste Geschichte des axumitischen Reiches
beziehen. — Gerh. Ficker, der heidnische Charakter der Abercius-Inschrift. S. 87—112.
— A. Tobler, Briefwechsel zwischen Moriz Haupt und Friedr. Diez. S. 139—56. Zwölf
Briefe a. d. J. 1840—72. — A. Harnack, über die jüngst entdeckte lateinische Ueber-
setzung des 1. Clemensbriefs. S. 261 73. Betrifft die von Morin aus einem Namurer
Codex ed. latein. Uebersetzung. H. weist darin tendenziöse Korrekturen nach, läßt aber die
Frage offen, ob dieselben pseudoisidorisch oder gregorianisch sind. Vgl. Hist. Jahrb.
XV, 457. — O. Hirschfeld, Timagenes und die gallische Wandersage. S 331—47. Livius
erzählt im 5. Buche von einer Einwanderung der Gallier nach Italien zur Zeit der
Gründung Massalias — eine Sage, die er wohl ohne weitere Vermittlung direkt aus
einem auch dem Plinius bekannten geographischen Werke des Cornelius Nepos ge-
schöpft hat. — H. Diels, über den Genfer Iliaspapyrus Nr. VI. S. 349—57. —
W. Wattenbach, Magister Onulf von Speyer. S. 361—86. W. publiziert hier eine
Schrift des Onulf von Speyer aus der Mitte des 11. Jahrhs.; es ist eine Bearbeitung des Auctor ad Herennium über die Redefiguren, bestehend aus einem
prosaischen Teile und einem Teile in Hexametern. Ueber deren Herkunft wie über die
Person des Autors ist so gut wie nichts bekannt. — U. Köhler, über eine neue Quelle
zur Geschichte des dritten syrischen Krieges. S. 445—60. — A. Brückner, ein Gesetz
der Iltenser gegen Tyrannis und Oligarchie. S. 461—78. — A. Brinkmann, die
Streitschrift des Serapion von Thmuis gegen die Manichäer. S. 479—91. —
Th. Mommsen, der Prozeß des Christen Apollonius unter Commodus. S. 497—503.
Behandelt die staatsrechtliche Seite des aus Eusebius und einem neuerdings aufgefundenen Protokoll (siehe Sitzungsbericht 1893, I, S. 721 ff.) bekannten Prozesses. — H. Brunner, die fränkisch-romanische dos. S. 545—74. — A. Harnack,
neue Studien zur jüngst entdeckten lateinischen Uebersetzung des 1. Clemensbriefs. S. 601
—21. H. konstatiert zunächst, daß es ehedem mindestens zwei lateinische HSS. des
Clemensbriefes in belgischen Klöstern gegeben hat, und hält an seiner Annahme, daß
die Uebersetzung dem 2. Jahrh angehört, fest. — K. Weinhold, Mitteilungen über
K. Lachmann. S. 651—87. Briefe Lachmanns an den Juristen Clemens Klenze,
ferner an Niebuhr und Simrock. — Albr. Weber, vedische Beiträge. S. 775—812.
1. Zur cyenastuti des Vâmadeva; 2. die beiden Stuten des Vâmadeva; 3. der
13. Vers des Sûryâsûktam. — H. Fitting, Bernardus Cremonensis und die lateinische
Uebersetzung des Griechischen in den Digesten. S. 813—20. Um 1155 entstanden, in

einem Leidener Codex erhalten, ſcheinen dieſe Ueberſetzungen Vorarbeiten zu einer
kritiſchen Digeſtenausgabe des »iudex« Bernardus aus Cremona darzuſtellen. —
A. Harnack, die Quelle der Berichte über das Regenwunder im Feldzuge Marc Aurels
gegen die Quaden. S. 835—82. H. unterſucht die Quellen und nimmt gegenüber
Peterſen die chriſtliche Ueberlieferung als glaubwürdig in Schutz. — C. Fabricius,
archäologiſche Unterſuchungen im weſtlichen Kleinaſien. S. 899—920 (Ergebniſſe einer
i. J. 1888 ausgeführten Forſchungsreiſe. — C. Curtius, Studien zur Geſchichte von
Olympia. S. 1095—1114. — J. Vahlen, über das Stadtgründungsangurium bei Ennius.
S. 1143—61. — H. Brunner, zu Lex Salica tit. 44: De reipus. S. 1289—97.
Es handelt ſich in tit. 44 der Lex Salica um eine Zahlung an die Verwandten
des verſtorbenen Ehemanns, zu der derjenige verpflichtet war, welcher die Witwe
heiratete. Quelle für dieſe Beſtimmung, die ſich nicht lange erhalten hat, war vielleicht eine bei der römiſchen Bevölkerung Galliens herrſchende consuetudo. —
Eb. Schrader, das „Weſtland“ und das Land Amurri nach den babyloniſchen und aſſy-
riſchen Inſchriften. S. 1299—1308. Weſtland = Syrien mit Paläſtina; Amurri
= Gebiet der Amoriter.

16] **Abhandlungen der k. Geſellſchaft der Wiſſenſchaften zu Göttingen. Hiſtor.-
philol. Klaſſe.**

1893. Bd. 39. R. Piſchel, die Hofdichter des Lakſmaṇaſena. S. 1—39. —
F. Frensdorff, Briefe König Friedrich Wilhelms I von Preußen an Hermann Reinhold
Pauli. S. 1—58. Der Ururgroßvater des Hiſtorikers Reinh. Pauli war reformierter
Prediger in Braunſchweig, Frankenthal und ſeit 1727 in Halle; er ſtarb am 5. Februar 1750. F. gibt hier 14 Briefe Friedrich Wilhelms an ihn heraus und begleitet
ſie mit eingehenden Nachrichten über die aus Danzig ſtammende bis ins Reformationszeitalter nachweisbare Familie Pauli.

17] **Berichte über die Verhandlungen der kgl. ſächſ. Geſ. der Wiſſ. zu Leipzig.
Philol.-hiſtor. Klaſſe.**

1892. Bd. 44. Overbeck, kunſtgeſchichtliche Miszellen. I: Zur archaiſchen Kunſt.
S. 1—41. 1. Die neueren Verſuche zur Wiederherſtellung der Kypſeloslade; 2. Kleins
Verſuch der Wiederherſtellung des Thrones von Amyklae; 3. zur Chronologie des
Agelaidas; 4. die Lekythos Scaramanga in Wien und die Gruppe der Tyrannen-
mörder; 5. zur Anordnung der Figuren in der öſtlichen Aegineten gruppe. — Schreiber,
die Fundberichte des Pier Leone Ghezzi. S. 105—56. Der Maler Ghezzi (1674—1755)
hat an der Aufdeckung antiker Baureſte und Bildwerke, ſowie an dem Handel mit
Antiken lebhaften Anteil genommen, eine große Anzahl von zum teil jetzt verlorenen
Kunſtwerken gezeichnet und ſeine Zeichnungen mit erläuternden Unterſchriften verſehen.
Dieſe Erläuterungen werden hier nach der HS. im Vatikan aufs neue ediert, wiewohl
ſchon R. Lanciani den größeren Teil hievon, allerdings nicht fehlerfrei, heraus-
gegeben. — Windiſch, über vassus, vassallus und einige andere celtiſche Wörter
S. 157—87. — Böthlingk, einige Bemerkungen zu den Aṅçanaſābbhutāni. S. 188—94.
— Derſelbe, indiſche Minutien. S. 195—98.

1893. Bd. 45. Overbeck, kunſtgeſchichtliche Miszellen. II: Zur Kunſt der Blütezeit. S. 24—61. 1 Die ſogen. Nike vom Parthenon; 2. der Herakopf vom Heraeon
bei Argos; 3. der Apollon von Belvedere ein Werk des Leochares? 4. das Zeitalter
des Praxiteles; 5. iſt der olympiſche Hermes ein Jugendwerk des Praxiteles? 6. über
den Marmordiſkus mit Niobidendarſtellungen im Britiſchen Muſeum. — A. Schneider,

Beiträge zur Entwickelungsgeſchichte der früheſten attiſchen Keramik. S. 62—87. —
Joh. Baunack, zwei archaiſche Inſchriften aus Mantinea. S. 93—128. — Delitzſch,
aſſyriologiſche Miszellen. I—III. S. 183—96. — Wülker, über die Entſtehung der
chriſtlichen Dichtung bei den Angelſachſen. S. 197—209. Der angelſächſiſche Dichter
Caedmon lebte im Kloſter Streanaeshalh und ſtarb um 681. Er dichtete geiſtliche
Lieder in angelſächſiſcher Sprache; dieſe ſind von den Kelten angeregt. Dem Dichter
wurde der Inhalt lateiniſcher Hymnen vorerzählt und er behandelte das Gehörte
ganz frei in echt angelſächſiſcher Art. — Moritz Voigt, das ſogen. ſyriſch-römiſche
Rechtsbuch. S. 210—27. Das Rechtsbuch war urſprünglich in griechiſcher Sprache
abgefaßt; erhalten ſind jüngere ſyriſche Redaktionen; es iſt eine Privatarbeit, entſtanden
im letzten Viertel des 5. Jahrhs. — Büttner-Wobſt, der codex Peirescianus. Ein
Beitrag zur Kenntnis der Exzerpte des Konſtantinos Porphyrogennetos. S. 261—352.
Der in Tours verwahrte codex Peirescianus iſt eine HS. aus dem 11. Jahrh. und
enthält Exzerpte aus den verſchiedenſten griechiſchen Schriftſtellern; dieſe Exzerpte und
ihre Reihenfolge ſind für die Edition der betreffenden Autoren, beſonders des Dio
Caſſius von höchſtem Werte.

* * *

Außerdem verzeichnen wir aus andern Zeitſchriften folgende Artikel:

Annales du midi. Publ. par A. Thomas. 7e' année (1895) Nr. 28.
Calmette, la question du Roussillon sous Louis XI. — A. Thomas, les
Juifs et la rue Joutx-Aigues, à Toulouse. — Un prétendu régent perigourdin,
à Toulouse.

Antologia, nuova. Anno XXX (1895). 3. serie. Vol. 55. Facs. 2.
R. de Cesare, un programma di politica ecclesiastica. — Fasc. 7. J. Del
Lungo, Torquato Tasso — Vol. 57. Fasc. 10. B. Zumbini, l'ascensione
del Petrarca sul Ventoux. — L. Palma, il tentativo costituzionale del 1820
a Napoli. — Vol. 58. Fasc. 15. G. Sforza, Carlo II di Borbone e la rivoluzione di Parma del 1848. — Vol. 59. Fasc. 17. R. Bonfadini, Roma e le
monarchia italiana. — Fasc. 19. J. Del Lungo, mecenate e cliente medicei.
Episodi della vita giovanile del poliziano. — L. Pinchia, duchi di Savoia e
Re di Sardergna. — Vol. 60. Fasc. 23. A. Graf, il romanticismo del Manzoni I—V. — A. di Santo Stefano, le relazioni franco-russe da Caterina II
ad oggi.

Anzeiger der Akademie der Wiſſenſchaften in Krakau. 1895. Februar. E. J. Heck,
Beiträge zur Biographie von Johann Bartholomäus Zimorowicz. — J. Czubek,
neue Beiträge zur Biographie von Venceslaus Potocki. — März. V. Czermak,
die Kriegspläne gegen die Türken König Ladislaus IV. — April. A. Prochaska,
über die Authenticität der Briefe Gedimins. — Derſ., Podolien, Lehen der poln.
Krone 1352—1420. — Mai. W. Abraham, der Inveſtiturſtreit in Polen. — Juli.
A. Miodoński, eine römiſche Tradition über den germaniſchen Hercules.

Anzeiger für ſchweizer. Geſchichte. 26. Jahrg. (1895). Nr. 4. P. C. v. Planta
und R. Maag, zu A. Schultes Abhandlung üb. „Gilg Tſchudi, Glarus und Säckingen".
— H. Zeller-Werdmüller, ein letztes Wort über den erſten Graf Rudolf von
Rapperswil. — Ed. Wymann, Verzeichnis der Alumnen und Konviktoren des
Collegium Helveticum in Mailand im Schuljahre 1786/87. — E. Dunant, Talley-
rand et l'intervention française en Suisse 1797—98. — R. Hoppeler, ein
Schreiben von Franz Vincenz Schmidt.

Archiv für Geschichte der Philosophie. N. F. 1. Bd. (1895). 2. H. J. Uebinger, der Begriff docta ignorantia in seiner geschichtlichen Entwickelung. — P. Barth, zu Hegels und Marxs Geschichtsphilosophie.

Archiv des historischen Vereins des Kantons Bern. 14. Bd. 3. H. Bern, Stämpfli 1895. 245—503. Ad. Mühlsmann, Studien zur Geschichte der Landschaft Hasli behandelt in Abschnitt 9 auch die Reformation im Haslithal, aber lediglich nach Stettler und protestantischen zeitgenössischen Quellen. — Emil Welti, die vier ältesten bernischen Stadtrechnungen, publiziert den Wortlaut einer solchen von 1375, 1376, 1377 mit einleitenden Bemerkungen über bernische Münzwerte jener Zeit.

Archivio Giuridico. Vol. LIV. (1895). Fasc. 2. Tamassia, le ʽPOITAI in occidente, note per la storia del diritto romana nel medio evo. — Besta, per la sigla del glossatore Omobono da Cremona.

Beilage zur Allgem. Zeitung. (1895). Nr. 92. G. Nordmeyer, Pontius Pilatus in der Sage.

Beilage, wissenschaftliche, der Leipziger Zeitung. (1895). Nr. 130. E. Schreiber, die Entstehung der böhmischen Brüdergemeinde.

Beiträge zur Geschichte von Stadt und Stift Essen. 15. H. (1895). F. Arens, die Verfassung des Stiftes Essen. — G. Humann, die ehemaligen Abteigebäude zu Essen.

Beiträge zur bayerischen Kirchengeschichte. (Kolde.) 1. Bd. (1895). Kolde, Andr. Althamer, der Humanist u. Reformator. (Vgl. unten „Novitätenschau".) — F. Stieve, z Gesch. der Concordienformel. — Sperl, Aktenstücke z. oberpfälz. Kirchengeschichte. — Rieder, kirchengeschichtliches in den Zeitschriften der histor. Vereine in Bayern. — R. Herold, das gottesdienstliche Leben im Kapitel Uffenheim vor 150 Jahren. — Kramer, kirchliche Zustände im früheren schwedischen Gouvernement Zweibrücken. — Gümbel, die Berührungen zwischen den evangelischen Engländern und Pfälzern im Zeitalter der Reformation. — Hans, die ältesten evang. Agenden Augsburgs. — Miedel, zur Memminger Reformationsgeschichte. — O. Erhard, der Bauernkrieg in Bamberg. — Geyer, Graf Ladislaus von Frauenberg und die Einführung der Reformation in seiner Grafschaft Haag. — Enders, Casp. Löners Briefbuch. — Jung, Quellen der pfalz-zweibrückischen Kirchengeschichte. — Kolde, zur Geschichte Eberlins von Günzburg. — Zucker, Dürers Stellung zur Reformation.

Berichte des freien deutschen Hochstifts zu Frankfurt a. M. Bd. XI. (1895.) H. 3/4. R. Schwemer, die Frage über den Ursprung des siebenjährigen Krieges. ● Bd. XII. (1896). H. 1. M. Speyer, menschliche Charakterzüge Grillparzers.

Blätter, biographische. 1. Jahrg. (1895). H. 2. Fournier, Stadion über Gentz.

Blätter aus der Walliser Geschichte. 5. Jahrg. (1895). Schluß des 1. Bandes. J. Schmid, zur Bundeserneuerung des Wallis mit den 7 kathol. Orten der Eidgenossenschaft i. J. 1578. — J. M. Schmid, Brigerbad. — R. H., über den Ausgang B. Landrichs v. Sitten. († 1237. Sein Heldentod ist Fabel.) — R. Poppeler, die deutsch-romanische Sprachgrenze im 13. u. 14. Jahrh. — R. H., eine mittelalterliche Wahlart (per viam compromissi). — F. S., „Verding des gebuws St. Jodren Kilchen in der Statt Sitten." 1514. — Verzeichnis von Priestern aus dem deutschen Wallis. (Fortsetzung.)

Bulletin critique. XVI. (1895). Nr. 28. P. Fournier, la France et l'Empire au Moyen-Age, à propos de publications récentes. Namentlich die einschlägigen Schriften Leroux', Lots, Bryces werden besprochen.

Geschichtsblätter, hansische. Jahrg. 1894. J. Fabricius, über das schwerinische Recht in Pommern. — K. Häbler, der hansisch=spanische Konflikt von 1419 und die älteren spanischen Bestände. — K. Koppmann, die Landwehr zwischen dem Ratze=burger und dem Moellner See. — F. Frensdorff, zur Erinnerung an Ludwig Weiland. — K. Kunze, Hansen und Hansegrafen in Groningen. — H. Mack, zum Hamburger Handel im 16. Jahrh. — K. Kunze, zur Geschichte des Goslarer Kupfer=handels. — K. Koppmann, die Lübische Last.

Geschichtsfreund, der. Mitteilungen des histor. Vereins der fünf Orte Luzern, Uri, Schwyz, Unterwalden u. Zug. 50. Bd. 1895. Mit 6 Lichtdruck= u. Heliotypie=bildern und 10 Karten. Stans, von Matt. XIX, 324 S. Enthält eine sorgfältige, auf allem erreichbaren Quellenmaterial aufgebaute und mit höchst schätzbaren karto=graphischen Beilagen versehene militärische Studie von Rud. v. Reding=Biberegg. Der Zug Suwaroffs durch die Schweiz, 24. Herbst= bis 10. Weinmonat 1799, samt hier zum erstenmal veröffentlichten Akten aus den Archiven des Kriegsministeriums in Paris.

Hermes. 30. Bd. (1895). 3. H. Th. Mommsen, die armenischen Hand=schriften der Chronik des Eusebius. — W. Strootman, der Sieg über die Ala=mannen i. J. 268. — J. Vahlen, über eine Stelle im Octavius des Minucius Felix.

Jahrbuch der Gesellschaft für lothringische Geschichte und Altertumskunde. VI. Jahrg. (1894). K. Weinmann, Bischof Georg von Baden und der Metzer Kapitelstreit. S. 1—94. Der um 1436 geborne vierte Sohn des Markgrafen Leonhard von Baden wurde 1457 Koadjutor, 1459 Administrator des Metzer Bistums, trotzdem eine starke Partei in dem Kapitel sich gegen ihn erklärte. In der Mainzer Stiftsfehde hielt er sich auf seiten des päpstlichen Kandidaten. Die Stadt Metz hielt sich trotz Aufforderung Pius II. neutral und verlangte Billigung ihrer Stellung vom Domkapitel, das aber ablehnte. So brach der mehrere Jahre dauernde Kapitelstreit aus: Die Domherren wanderten aus, die Stadt wurde gebannt. Der Verlauf des Streites, die Verhand=lungen mit Rom dieserhalb, die Stellung des Bischofs werden ausführlich geschildert. — J. Graf, deutsch=lothringische Volkslieder, Reime und Sprüche aus Forbach und Umgegend. S. 95—110. — E. Paulus, l'enceinte préhistorique de Tincry S. 111—18. — H. V. Sauerland, Geschichte des Metzer Bistums während des vier=zehnten Jahrhs. S. 119—76. Sauerland, der schon eine Reihe wertvoller Arbeiten zur Geschichte der alten Kirchenprovinz Trier veröffentlicht hat, plante zunächst eine Geschichte des Metzer Bistums für die Geschichte der großen Kirchenspaltung. Als er nun, von der Görresgesellschaft unterstützt, in den römischen Archiven und Biblio=theken seine Sammlungen für die Geschichte der Kirchenspaltung ergänzte, fand er manches auf Metz Bezügliche, das ihn zur Aenderung seines Planes veranlaßte. Wir begrüßen diese Erweiterung mit Freuden. Er gibt (unter Beifügung von 30 Regesten) zunächst die Darstellung des Pontifikates Rainalds von Bao (1302—6). Licht und Schatten wechseln darin sehr stark. Erscheinungen an der Kurie, die wir sonst viel später zu datieren geneigt sind, begegnen uns schon jetzt. Auch das Verhalten Clemens V findet scharfe Kritik. Andererseits sehen wir neue Triebe eifrigen kirchlichen Lebens auftauchen. Die Kämpfe zwischen Stadtregierung und Klerus werden aus=führlich geschildert. Dabei fallen wichtige Bemerkungen für die Geschichte der Stadt=verfassung ab. — G. Wolfram und F. Bonnardot, les voeux de l'Épervier. S. 177—280. Fällt schon vorige Arbeit wegen ihres Schöpfens aus dem Vollen aus dem Rahmen der Territorialgeschichte etwas heraus, so bietet dieser Aufsatz geradezu eine wertvolle Bereicherung unserer Reichsgeschichte. Es ist ein bisher unbeachte gebliebenes Gedicht in französischer Sprache über den Römerzug Heinrichs VII. Es schildert ganz ausführlich in vier Hauptszenen die Vorgänge bis zum tragischen Tode des Kaisers. Aus einer Reihe von Einzelheiten, die die Glaubwürdigkeit und eingehendste Sachkenntnis des Autors bekunden, zieht Wolfram, der das Historische der Arbeit geliefert hat, den Schluß, daß der Autor an den Ereignissen wohl nicht als Augenzeuge teilgenommen, aber den Bericht eines Teilnehmers benutzt hat; besonders auffällig ist die Hervorhebung des Barenser Bischof Theobald von Lüttich. Vielleicht ist der Vf. Simon von Marville. Bonnardot liefert dann eine mustergiltige Edition des für Sprachgeschichte und als poetisches Erzeugnis gleich interessanten Gedichtes nebst grammatikalischen Untersuchungen und einem Glossar. — Aus den Kleinere Mitteilungen und Fundberichte heben wir hervor: H. V. Sauerland, Nachtrag zur Geschichte der Annexion des Fürstbistums Metz. S. 281—83. — H. Breßlau, über das Todesjahr des Bischofs Albero II von Metz. S. 283—86. (Im J. 1005.) — Freiherr H. v. Hammerstein, Bruchstück eines Weistums aus Lüttingen. S. 287. (Vom J. 1574.) — H. V. Sauerland, das Testament der lothringischen Gräfin Erkenfrida. S. 288—96. Erläuterung dieser wichtigen Privaturkunde aus der späteren Karolingerzeit, kurz nach 853.

Jahrbuch der Gesellschaft für Geschichte des Protestantismus in Oesterreich. 15. Jahrg. (1894). 2.—4. H. Loesche, die evang. Kirchenordnungen Oesterreichs. — E. Schatzmayr, Beiträge zur Geschichte des Protestantismus in Istrien und Triest. — W. Weigel, die Durchführung der Gegenreformation in Fugan im J. 1896. — Th. Elze, die slavonischen protestantischen Ritual-, Streit-, Lehr- und Bekenntnisschriften des 16. Jahrs. — Th. Unger, über eine Wiedertäufer-Liederhandschrift des 17. Jahrs. — F. Schleichl, Bilder a. d. Zeit d. Gegenreformation in Oesterreich. ● 16. Jahrg. (1895.) 1. H. R. Fronius, Luthers Beziehungen zu Böhmen. — G. Buchwald, die Deutung des „Wittenberger Ordiniertenbuches 1537—60" für die Reformations-Geschichtsforschung. — 2. H. J. Loserth, aus der protestantischen Zeit der Steiermark. Stammbuchblätter aus den J. 1582—1616. — Scheichl, Bilder aus der Zeit der Gegenreformation — Scheuffler, österr. Exulanten, die Ahnen des deutschen Kaiserhauses.

Jahrbuch der Kunstsammlungen des Allerhöchsten Kaiserhauses. 16. Bd. (1895). Uhlirz, Urkunden und Regesten aus dem Archive der Reichshaupt- und Residenzstadt Wien. Umfassen die Jahre 1289—1439 und berücksichtigen die Kunstgewerbe.

Jahrbücher, württembergische, für Statistik und Landeskunde. Jahrg. 1894. Hartmann, Regierung und Stände im Königreich Württemberg 1806—94. — J. Wagner, das Gelehrtenschulwesen des Herzogtums Württemberg i. d. J. 1500—34.

Jahrbücher, neue, für deutsche Theologie. 4. Bd. (1895). 1. u. 2. H. F. Lezius, der Vf. des pseudocyprianischen Traktates de duplici martyrio. Ein Beitrag zur Charakteristik des Erasmus.

Magazin, neues Lausitzisches. 71. Bd. (1895). 1. H. E. Schulze, Diarium des Görlitzer Konsul Paul Schneider. — J. Helbig, Friedländer Geschichtsquellen. — H. Knothe, die Oberlausitzer auf Universitäten während des MA. und bis zum J. 1550. — 2. H. Baumgärtel, Geschichte der „Maria-Marthenkirche" zu Bautzen. — Cl. König, wann war der Dichter Johann Christian Günther geboren? — Brückner, Nachrichten über die Besitzer des Rittergutes Gersdorf bei Reichenbach, Oberlausitz. — P. Kühnel, die slavischen Orts- und Flurnamen der Oberlausitz.

Magazine, new Monthly (Harper). 1895 Juli. P. Bigelow, the german struggle for liberty. Darstellung der deutschen Kämpfe gegen Napoleon.

Mundarten, Bayerns. 3. Bd. 1895. 2. H. A. Hartmann, zu den Regensburger Faſtnachtſpielen. — O. Brenner, ein altes ital.-deutſches Sprachbuch.

Nord und Süd. 19. Jahrg. 1895. R. Zimmermann, die Inſeln der Seligen.
Geſchichte einer Idee von den Griechen bis auf die Gegenwart. — G. Steinhauſen,
„das gelehrte Frauenzimmer.“ Ein Eſſai über das Frauenſtudium in Deutſchland zur
Rococo= und Zopfzeit. — A. Ruhemann, die Sage vom Ewigen Juden in Italien.
— K. G. Bodenheimer, das Briefgeheimnis während der franzöſiſchen Revolution.

Preſſe, die. 6. März 1895 (Nr. 64). Th. v. Stefanović=Bilovskij, eine
Philoſophentochter auf dem byzantiniſchen Kaiſerthrone. Behandelt wird das Leben
der Kaiſerin Eudoſia, der Gemahlin Theodoſius' II.

Quartalblätter des hiſtor. Vereins für das Großherzogtum Heſſen. N. F. 1. Bd.
Nr. 17. G. Wolff, die Bevölkerung des rechtsrheiniſchen Germaniens nach dem
Untergang der Römerherrſchaft. — F. Beck, zur Geſchichte der heſſiſchen Fahnen
und Standarten. — Anthes, Heſſen=Darmſtadt nach dem Bericht eines Italieners
von 1668.

Revue critique. 28ème année (1894). No. 52. Nicole, un édit de
Léon le Sage. — 29ème année (1895). No. 17. Kohn, les Sabbathaires en
Transylvanie. — No. 48. Penco, Pétrarque. — Altenkrueger, la jeunesse
de Nicolai. — Wolff, lettres du cercle de Werther.

Rundſchau, ſchweizeriſche. 5. Jahrg. (1895). Nr. 8 K. Frey, Sandro Botticelli.
Ein Künſtlerleben aus der Renaiſſance.

Verhandlungen des hiſtor. Vereins von Oberpfalz und Regensburg. Bd. 47. (1895).
C. Witt, die Einnahme von Stadt=Kemnath am 12. März 1634. — W. v. Bibra,
Jutta, Landgräfin von Leuchtenberg. — J. Weiß, ein nächtlicher Straßenmord in
Regensburg am 9. März 1668. — Göß, die Dietfurter Beneſizien bis zur Gründung
der Pfarrei. — Will, archivaliſche Beiträge zur Geſchichte der Erſtürmung von Regens=
burg am 22. April 1808 und deren Folgen.

Vierteljahresſchrift für Staats- und Volkswirtſchaft. 4. Bd. 1895. H. 1. A. Oncken,
zur Biographie des Stifters der Phyſiokratie, François Quesnay. — H. 2. G. Mac=
chioro, Ceſare Beccarias nationalöfonomiſche Schriften. — A. Oncken (Fortſetzg.).
— H. 3. K. v. Rohrſcheidt, der erſte Ausbau des Syſtems der Gewerbefreiheit in
Preußen. Nach urkundlichem Material dargeſtellt.

Warande, dietsche. 4. Jaarg. (1891). W. van Heteren, Kunstenaars en
Kunstwerken in de Belgische Benedictijner-Kloosters van de 10e tot het
midden der 13e eeuw: Abdij S. Jacobus. — G. Gietmann, onderzoek over
Faust. — J. A. Alberdingk Thijm', het geslacht van Reede van Outshorn.
— L. de Backer, prédécesseurs des princes de Nassau dans la principauté
d'Orange. — Th. Ign. van Welvaarts, Rumoldus Colibrant, eerste abt van
Postel. ● 5. Jaarg. (1892). P. Alberdingk-Thijm, Peter Benoit. — C. Looten,
Vondeliana. — P. Alberdingk-Thijm, verschillende schrijvers over den
Heliand. — H. J. Biegelaar, de Boekdrukkunst te Avignon. — W. Bäumker,
Bijbelvertaling der 15e eeuw. (Berlijnsch handschrift). — V. Becker, S. J.,
Thomas van Kempen, jongste ontdekkingen. — C. Buter, de handel, vooral
in de Nederlanden, tijdens Karel den Grooten. — A. Kaufmann, over de
behandeling der zinneloozen in de middeleeuwen. — G. van den Elsen, de
aloude Bedevaart van Handel. ● 6. Jaarg. (1893). F. Jostes, het neder-
duitsch proza, omtrent 1500. Nieuwe bijzonderheden over de ›Navolging‹. —

E. van E w e n, een latijnsch schoolboek met vlaamsche voorbeelden van 1483.
— Graaf M. N a h u y s, Gedenkpenningen van Nederlandsche Kunstenaars uit
de XVIᵉ eeuw. — M. K e u f f e r, eene nederduitsche Kolonie bij Trier. Die
van Tongeren strijden om het ›licham van sente Maternus‹. — J. M i c h e e l s,
aard en zede van Willem van Oranje omtrent de Pacificatie van Gent. ●
7.;Jaarg. (1894). J. F. K i e c k e n s, Jan van Ruysbroeck, bouwmeester. —
H. G. van E l v e n, de Tooverkunst in de middeleuwen. — Ed. G e u d e n s,
Ordonnancie of reglement van het St. Sebastjaansgilde van Putte (Mechelen)
Anno 1563. — Ch. V e r r e y t, de Boekdrukkerij van Laurens Haeyen en van
de ›Broeders van het Gemeene Leven‹ te 's Hertogenbosch, in't begin der
16ᵉ eeuw. — E. van E v e n, Adriaan Florisz van Utrecht, aan de hoogeschool
te Leuven. (1476—1515). — A. G ì t t é e, waalsche invloed in Limburg. ●
8. Jaarg. (1895). — P. A l b e r d i n g k - T h i j m, christelijke Kunst, Jozef Janssen s.
— A. F a v é, de Vlaamsche Beeldhouwkunst in Neder-Bretanje. — G. S e g e r s,
eenige Karaktertrekken van Vondel. — J. G o o s s e n s, Fragment van de Rijm-
bijbel van Jacob van Maerlant. — C. V. V e r r e i j t, nogiets over de boekdrukkerij van Laurens Haeyen en van de ›Broeders van het Gemeene Leven‹
te 's Hertogenbosch. — E. van Even, Hadewych, de vlaamsche dichteres
uit de 13ᵉ eeuw. — J. F. K i e c k e n s, S. J., twee Kluchtspelen voor éen of
de ›Jans Potages‹ op de Meir te Antwerpen in 1660. — E. G e u d e n s,
Privilegie der Meerseniers van Antwerpen, van den jare 1422 (Bijdragen tot
de geschiedenis der voormalige vakvereenigen). — A. G o o v a e r t s, het Beleg
van Leuven in 1635 door een oggetuige.

Zeitſchrift des Aachener Geſchichtsvereins. 14. Bd. (1892). J. K l i n t e n b e r g,
Granus und Sirona. — J. S c h n e i d e r, Römerſtraßen im Regierungsbezirk Aachen III.
— A. B e l l e s h e i m, über einige Beziehungen Irlands zur Reichsſtadt Aachen und
Diözeſe Lüttich. — J. H a m p e l, die Metallwerke der ungariſchen Kapelle im Aachener
Münſterſchaße. — L. K o r t h, Volkstümliches aus dem Kreiſe Jülich. — Th. L i n d n e r,
die Fabel von der Beſtattung Karls des Großen. Die Arbeit zerfällt in die Abſchnitte:
Die Berichte über die Gruftſeßung Karls; die Berichte über die Beerdigung Karls
aus der Karolingiſchen Zeit; die Eröffnung des Grabes durch Otto III, Thietmar
von Merſeburg; die Kanoniſation Karls 1165; die ſpäteren Anſichten über Karls
Grab bis zur Neuzeit; das Verhalten der friſchen Leiche (von H. W e l c k e r); die
Einbalſamirung; der Gebrauch bei Beerdigungen im früheren Mittelalter; das Grab
der Galla Placidia in Ravenna; die Beiſeßung des Biſchofs Sigmund I von Halber=
ſtadt; der Proſerpinaſarkophag; Grab und Grabmal; der Urſprung der Fabel;
(Beilage) der Chronographus bei Vincentius von Beauvais. (Vgl. Hiſt. Jahrb. XIV,
302—19.) — J. H a n ſ e n, Aachener Urkk. aus dem vatik. Archive. — H. K e l l e t e r,
eine neue Quelle des 13. Jahrh. z. Geſch. der Aachener Reliquienſchreine und der darin
bewahrten Reliquien. — E. F r o m m, Beitr. z. Lebensgeſchichte des Wilhelm Textoris von
Aachen. — Kleinere Mitteilungen. Darunter: H. K e l l e t e r, ein Brief des
Aachener Stadtſyndikus Dr. Gerlach Radermecher vom 21. Sept. 1576. ● 15. Bd.
(1893). E. v. O i d t m a n n, die Burg zu Stollberg und ihre Beſißer, insbeſondere
die Edelherren von Stollberg=Frenz=Setterich. — A. C a r t e l l i e r i, Graf Philipp von
Flandern als angeblicher Pathe König Philipps II Auguſt von Frankreich. —
H. K e u ſ ſ e n, der Kölner Prozeß gegen Gerhard Ellerborn und ſeine Aachener Vor=
geſchichte. 1590—94. — H. L o e r ſ c h und M. R o ſ e n b e r g, die Aachener Gold=
ſchmiede, ihre Arbeiten und ihre Merkzeichen bis zum 18. Jahrh. — E. P a u l s, Pei=

träge zur Geschichte der Buchdruckereien, des Buchhandels, der Censur und der
Zeitungspresse in Aachen bis zum Jahre 1816. — Th. Oppenhoff, die Aachener
Sternzunft. Nach HSS. dargestellt. — **Kleinere Mitteilungen.** — H. Loersch,
die in Basel von 1462 91 studierenden Aachener. — H. Keussen, Urkk. des 15. Jahrh.
zur Aachener Lokalgeschichte. — Ders., zur Gesch. d. Frankenberger Fehde 1441. ●
16. Bd. (1894). G. v. Below, die Streitigkeiten zwischen Aachen und Jülich im
Jahre 1558. — E. Zais, Frankenthaler Porzellan in Aachen. — E. v. Oidtmann,
Arnoldus Parvus, der Stammvater des Geschlechts von Palant. — E. Pauls, zur
Bestattung Karls des Großen. — K. Rhoen, zur Geschichte der älteren Baudenk-
male von Kornelimünster. — F. Oppenhoff, die Beziehungen Friedrich Heinrich
Jacobis und seiner Familie zu Aachen. — **Kleinere Mitteilungen.** — E. Pauls,
Auszüge aus der Chronik des Aachener Notars Johann Adam Weinandts. — G. v.
Below, hat Johann von Selbach bei der Belagerung von Heinsberg i. J. 1543
Verrat geübt? — A. Bellesheim, Dompropst Hermann Claudius Klöcker aus
Aachen. — J. Hansen, Breven des Papstes Alexander VII aus Anlaß des Aachener
Brandes von 1656 — E. Fromm, die materiellen Wirkungen des Aachener Stadt-
brandes v. J. 1656. — Ders., eine Aachener Schulprämie aus der Franzosenzeit.

Zeitschrift der Gesellschaft für Erdkunde zu Berlin. 30. Bd. (1895). Nr 4.
K. Haebler, die „Newwe Zeitung aus Presilg-Land" im Fürstlich Fuggerschen Archiv.

Zeitschrift für vergleichende Literaturgeschichte. 7. Bd. (1894). 2. u. 3. H.
A. F. Graf v. Schack, Graf Juan Valera. — A. Richter, zur Kritik humanistischer
Briefschreibung. — 5. u. 6. H. G. Steinhausen, die Anfänge des französischen
Literatur- und Kultureinflusses in Deutschland in neuerer Zeit. — K. Drescher,
Hans Sachs und Boccaccio — R. Bechstein, Hans Sachs-Literatur im letzten
Lustrum. — J. Bolte, Märchen- und Schwankstoffe im deutschen Meisterliede. ●
8. Bd. (1895). 1. u. 2. H. L. Chr. Stern, die ossianischen Heldenlieder. — 3 H.
E. Sulger-Gebing, Dante in der deutschen Literatur bis zum Erscheinen der
ersten vollständigen Uebersetzung der Divina Comedia (1767/69) (Vgl. Hist. Jahrb.
XVI, 925). 4 und 5. H. A. Farinelli, Deutschlands und Spaniens literarische
Beziehungen. — Th. Distel, die erste Verdeutschung des 12. Lukianischen Todten-
gesprächs (nach einer urtextlichen HS.) von Johann Reuchlin (1495) und Verwandtes
aus der Folgezeit. — A. Zipper, das Manuskript von Krazewskis Dante-Uebersetzung.

Zeitschrift des deutschen Palästina-Vereins. 18. Bd 1895. 2. H. H. Gelzer,
noch einmal das palästinensische Städteverzeichnis bei Georgios Kyprios.

Zeitschrift für ungarisches öffentliches und Privatrecht 1. Jahrg. (1895) H. 5.
S. Becsics, der Dualismus, seine Geschichte, staatsrechtliche Bedeutung und unsere
nationalen Bestrebungen. (Forts. H. 7.) — W. Vázsonyi, das Placetum regium
nach ungarischem Staatsrecht.

Zeitschrift für Sozial- und Wirthschaftsgeschichte. 3. Bd. (1895.) 2. H. Cunning-
ham, die Einwanderung von Ausländern nach England im 12. Jahrh. — K. v.
Rohrscheidt, die Aufnahme der Gewerbefreiheit in Preußen. — J. Redlich,
Leibeigenschaft und Bauernbefreiung in Oesterreich. — 3. u. 4. H. Ab. Schulten,
die römischen Grundherrschaften. — M. Kovalewski, die wirtschaftlichen Folgen des
schwarzen Todes in Italien (Uebersetzg. von J. Redlich). — F Eulenburg, zur
Bevölkerungs- und Vermögensstatistik des 15 Jahrhs. — G. von Below, Maßnahmen der Theuerungspolitik i. J. 1557 am Niederrhein. — J. Hartung, Akten
zur deutschen Wirtschaftsgeschichte im 16., 17. u. 18. Jahrh. 1. — A. Kern, noch

einiges zur Geschichte der Weber in Schlesien. ● 4. Bd. (1896) H. 1. G. von Below, die Schädigung der Rheinfischerei durch die Niederländer in der zweiten Hälfte des 16. Jahrhs. — A. Stern, Denkschrift des Grafen Strassoldo, gerichtet an den Fürsten Metternich, über Zustände und Stimmung in der Lombardei 1820.

Zeitschrift für wissenschaftliche Theologie. 37. Jahrg. (1894) (N. F. 2. Jahrg.) 2. H. J. Dräseke, zur Ueberlieferung der Apostelgeschichte. 4. H. F. Görres, demütige Titulaturen abendländischer Bischöfe des Vormittelalters. — C. Siegfried, Thomas von Aquino als Ausleger des Alten Testaments. ● 38. Jahrg. (1895) 1. H. J. R. Asmus, ist die pseudojustinische Cohortatio ad Graecos eine Streitschrift gegen Julian? — 4. H. J. Dräseke, Anastasios pseudepigraphos. — E. Wabstein, die eschatologische Ideengruppe: Antichrist — Weltsabbat — Weltende und Weltgericht.

Zeitschrift für den deutschen Unterricht. 9. Jahrg. 8. H. S. Feist, die Sage vom Binger Mäusethurm in ihren geschichtlichen, literarhistorischen und mythischen Beziehungen. — K. Haack, zur Namenforschung.

Zeitschrift des historischen Vereins für Schwaben und Neuburg. 21. Jahrg. (1895). J. Müller, Richtpunkte und Ziele der äußeren Politik Deutschlands zur Zeit des Augsburger Reichstages vom Jahre 1582. — E. Fink, Mitteilungen über Beziehungen der Fugger zum Humanismus. — K. Haebler, Welser und Ehinger in Venezuela. — M. Radlkofer, die Schützengesellschaften und Schützenfeste Augsburgs im 15. und 16. Jahrh. — A. Schroeder, mittelalterliche Wandgemälde bei St. Peter am Perlach. — W. Vogt, die Augsburger Chronik des Clemens Sender. — M. Radlkofer, Nachtrag zu den im 20. Jahrg. der Zeitschrift enthaltenen Schriftenverzeichnis des Präzeptors Bernhard Heupold Augsburg. — J. Schuster, Beschreibung der Römerstraße von Augsburg nach Türkheim und Wörishofen. —

Uovitätenſchau.*)

Bearbeitet von Dr. Joſ. Weiß und Dr. Franz Kampers, Aſſiſtent a. d. k. Hof= u. Staatsbibliothek zu München.

Philoſophie der Geſchichte; Methodik.

Lacombe (P.), de l'histoire considérée comme science. Paris, Hachette. 1894. XIV, 415 S.

Strada (J.), philosophie de l'impersonnalisme méthodique. La loi de l'histoire. Constitution scientifique de l'histoire. Paris, Alcan. 1894. VIII, 246 S. fr. 5.

Biegler (J.), die Civitas Dei des hl. Auguſtinus. In ihren Grund= gedanken dargelegt. Paderborn, Junfermann. 74 S.

Schwarcz (Jul.), Elemente der Politik. Verſuch einer Staatslehre auf Grundlage der vergleichenden Staatswiſſenſchaft und Kulturgeſchichte. Berlin, Roſenbaum & Hart. Lexikon=8°. VII, 150 S. [Sonder= abdruck a. d. Weſtöſtl. Rundſchau.]

Bormans (S.), la commission royale d'histoire et son détracteur. Liège, Poncelet. 31 S.
> Polemik gegen den Löwener Profeſſor Reuſens.

Weltgeſchichte; Allgemein Kulturgeſchichtliches; Sammelwerke verſchiedenen Inhalts.

Boissevain (U. Ph.), Cassii Dionis Cocceiani historiarum Romanarum quae supersunt. Vol. I. Berlin, Weidmann. CXXVI S. 1 Bl. 540 S.
> Im Gegenſatze zu der Melberſchen Reviſion der Teubnerausgabe (vgl. Hiſt. Jahrb. XV, 475) baſiert Boiſſevains Ausgabe auf umfaſſenden Kollationen. Der vorliegende erſte Band enthält Buch 1—40 d. h. die Fragmente von 1—35 und Buch 36—40 und ausführliche Prolegomena, in denen über die HSS. und Aus= gaben berichtet wird und zum Schluſſe die Plutarchfragmente der konſtantiniſchen Exzerptenſammlung und die dem Dio beigelegten Teile der Planudeiſchen Ex= zerpte (Planudes 1260—1310) zum Abdruck gebracht werden. C. W.

---

*) Von den mit einem Sternchen bezeichneten Schriften ſind der Redaktion Rezenſionsexemplare zugegangen.

Wo keine Jahreszahl angegeben, iſt 1895, wo kein Format beigefügt wird, iſt 8° oder gr. 8° zu verſtehen.

Duruy (V.), Tiberius in Wort und Bild. Mit 57 Illustr. u. Tafeln.
Aus dem Französ. frei übertragen v. G. Hertzberg. Leipzig, Schmidt
& Günther. Lexikon=8°. 106 S. _M_ 1,50. [Aus: Duruy, Ge=
schichte des röm. Kaiserreichs.]

Sarwey (O. v.) u. Hettner (F.), der obergermanisch=rätische Limes des
Römerreiches. Im Auftrage der Reichslimeskommission hrsg. von —.
1. u. 2. Lf. Heidelberg, Petters. gr. 4°. 44 S. mit Abbildgn. und
7 Taf. In Mappe _M_. 5 u. 4.

Harnack (A.), das Edikt des Antoninus Pius. Leipzig, Hinrichs. 1 Bl.
64 S. [Texte u. Unt. XIII, 4a.]

Nach H.s Ansicht verwickelt die Annahme der völligen Unechtheit des christen=
freundlichen Ediktes des Antoninus Pius an das κοινόν (Landtag; vgl. das
Epimetrum S. 60 ff.) τῆς Ἀσίας (bei Euseb. hist. eccl. IV, 13 und in starker
Verfälschung im cod. Par. gr. 450) in noch größere Schwierigkeiten als der
Versuch, in der eusebianischen Rezension des Schriftstückes echte Bestandteile und
Interpolationen zu scheiden.   C. W.

Basiljev (A.), die Frage über die slavische Herkunft des Justinian. [Aus:
Vizantijskij Vremennik I (1894) 469—92.]

Vgl. die Notiz in der Byzantinischen Zeitschrift, 4. Bd. (1895) S. 390.

Himly (A.), histoire de la formation territoriale des états de l'Europe
centrale. 2 vols. 2de édition. Paris, Hachette & Cie. VIII, 528
u. 602 S. fr. 30.

*Lapôtre (A. S. J.), l'Europe et le Saint-Siège à l'époque carolin-
gienne. Première partie. Le pape Jean VIII (872–82). Paris,
Picard. XI, 371 S. fr. 7,50.

Der Inhalt des Buches entspricht dem Titel nicht vollständig; eine Geschichte
des Papsttums unter den Karolingern müßte nicht erst mit 872, sondern um
ein Jahrh. früher beginnen. Auch von Papst Johann VIII erhalten wir keine
eigentliche Biographie; sein tragischer Tod z. B. wird mit keiner Silbe erwähnt.
Es sind vielmehr einzelne Studien zur Geschichte seines Pontifikats, entsprechend
der Entstehung des Buches, das teilweise in den Études des französischen Jesuiten
zuerst an das Licht getreten ist. Der Vf. ist für eine sichere Grundlage bemüht
und hat daher die Quellen vor allem kritisch geprüft, zunächst das Register
Johanns VIII, das er demnächst neu herausgeben wird. Er macht sehr wahr=
scheinlich, daß die Partei des Formosus das Original gewaltsam verstümmelt
habe. Der Libellus de imperatoria potestate wird gegen Hirsch, Jung u. a.
um das Jahr 807 angesetzt. Rasch werden wir dann mit der Persönlichkeit des
Papstes bekannt gemacht, dieser scheinbar so veränderlichen und verwickelten, in
Wirklichkeit aber sehr einfachen und verständigen, immerhin etwas rätselhaften
Natur. Seine ganze Leidenschaft galt den Pflichten seiner hohen Würde. Seinem
Ziele strebt er unentwegt zu und betrachtet die Menschen als Werkzeuge, die er
je nachdem braucht oder verwirft. Als geschickter Haushalter weiß er trotz eines
großen Tributs an die Sarazenen den päpstlichen Schatz stets gefüllt
zu erhalten, nicht aus Geiz, sondern als Mittel zu seinen Zwecken. Alles in
allem war er der Papst, den jene „Zeit der großen Ruinen" brauchte. In der
Umgebung des Papstes ist der Bibliothekar Anastasius eine der bemerkens=
wertesten Persönlichkeiten. Der zweite und dritte Abschnitt behandelt die Be=
ziehungen des heil. Stuhles zu den Bulgaren und Mähren, wobei namentlich
Photius und Methodius in neuer Beleuchtung erscheinen. Weitaus der größte
Abschnitt ist dem karolingischen Reiche gewidmet, den Beziehungen des Papstes
zum Kaisertum, namentlich zu Karl dem Kahlen. Von letzterem hat die deutsche
Geschichtsschreibung seit einem Jahrtausend wenig Rühmliches berichtet. Zwar
versichert der Vf., keine Ehrenrettung unternehmen zu wollen, aber die Zeugnisse

der Päpste und der westfränkischen Zeitgenossen (mit Ausnahme Hinkmars) lauten für Karl äußerst günstig. Im Kriege zeigt er sich listig, tapfer und mutig; selbst seine oft verspottete Vorliebe für römisches Gewand wird entschuldigt. So erhielt er denn auch von Johann VIII den Vorzug, nicht wegen seiner Schwäche, sondern wegen seiner Stärke. Diese Auffassung ist sehr geschickt dargelegt und wenn sie auch den Widerspruch der deutschen Forscher hervorrufen wird, sie verdient jedenfalls Berücksichtigung. Dagegen können wir weniger zustimmen zu den folgenden Ausführungen des Vf. über das „heil. römische Reich deutscher Nation". Nach seiner Ansicht wäre in Karl dem Kahlen der letzte würdige Nachfolger Karls d. Gr. vom Throne gestiegen und für die darauffolgenden Kaiser war die Krone nur noch ein Kinderspielzeug. Es mag begründet sein, daß die Römerzüge der deutschen Kaiser oft oder meist ein unglückliches Ende nahmen und die kleinen Vorteile, die die Nation dadurch gewann, die großen Schäden nicht aufwogen. Aber die Kaiserkrone hörte nicht auf, für die Könige von Frankreich begehrenswert zu sein, was der Vf. übrigens selbst zugesteht, wenn auch nur für einige Ehrgeizige in späteren Zeiten. Da zu Erörterungen hier kein Platz ist und der Vf. selbst gegen Janssen und Pastor polemisiert, hingegen sich auf Montesquieu beruft, so sei hier auf einen Aufsatz in den Laacher Stimmen (10, 198) über die Kaiseridee des Mittelalters" verwiesen. Am Schlusse folgt ein Anhang über die Päpstin Johanna, worin gegen Baronius u. a. bewiesen wird, daß Johannes VIII Regierung keineswegs weibisch war und also auch nicht Veranlassung zu der bekannten Fabel gegeben hat. — Gründliches Quellenstudium, kritische Sichtung, anziehende Darstellung, fehlerloser Druck sind die Vorzüge des Werkes, wogegen einzelne Versehen nicht viel bedeuten; so sollte z. B. S. 322 in der Note Graf Bernard v. Auvergne nicht genannt werden, da er bereits 872 gestorben war. Auch entferntere und erst neuerdings aufgefundene Quellen sind fleißig verwertet, wie denn der Vf. öfter ausländische als französische Schriftsteller anführt. Für den nächsten Band scheint die Geschichte des Papstes Formosus in aussicht genommen zu sein; der erneuten Behandlung der so schwierigen damit verbundenen Fragen darf man mit Spannung entgegensehen.   P. G. M.

Smith (L. T.), expeditions to Prussia and the holyland made by Henry, earl of Derby, in the years 1390 — 91 and 1392 — 93. Camben Society, 1894. CXIV, 360 S.

*Legrelle (A.), notes et documents sur la paix de Ryswick. Lille, Desclée et de Brouwer. 1894. 136 S.
    Besprechung folgt.

Wilczek (E.), das Mittelmeer, seine Stellung in der Weltgeschichte und seine historische Rolle im Seewesen. Wien, Konegen. VIII, 288 S. M. 4.

Martens (W.), Weltgeschichte. Ein Handbuch für das deutsche Volk. In 16 Lfgn. Bd. 1. Hannover, Manz & Lange. S. 1—48. M. 0,50.

*Widmann (S.), J. Bumüllers Lehrbuch der Weltgeschichte. I. Teil: Geschichte des Altertums. 7. Aufl., in gänzlich neuer Bearbeitung. Freiburg i. B., Herder. 468 S. M. 4.
    Ein feines Buch, das jeden Kenner erfreuen wird. Es schlägt mehr den wissenschaftlichen Ton an und gewährt in vornehmer, knapper Form einen sicheren Ueberblick über die Geschichte aller Kulturvölker der Welt. So auch über die der Chinesen, Japaner. Gerne hätte man einen ähnlichen Abschnitt über das große Kulturvolk der Inder eingeschaltet gesehen. Als den schönsten Teil des Buches möchte ich den kulturgeschichtlichen Ueberblick über die „Inneren Verhältnisse des römischen Weltreiches" S. 392—411 bezeichnen. Die Ausstattung ist vorzüglich.   F. Franzib.

*Enck (A.) und Huyskens (B.), Annegarns Weltgeschichte in acht Bdn. Neu bearb. und bis zur Gegenwart ergänzt v. —. Bd. 1—4. 7. Aufl. Münster i. W., Theissing. 1895. 1353 S.

Die Hrsgb. haben der gerechten Forderung, die vielfach veralteten Anschauungen Annegarns mit den Resultaten der neueren Geschichtsforschung in Einklang zu bringen, Rechnung zu tragen gesucht und ebenso der formellen Seite möglichste Sorgfalt zugewandt. Die vier Bände umfassen die gesamte Weltgeschichte von Adam bis auf die Zeit der Hohenstaufen, ca. 7000 Jahre vor Chr. bis 1125 nach Chr., also über 8000 Jahre. Wenn auch bei der Ueberfülle des Stoffes eine völlige Korrektheit des Inhalts und der Form nicht ohne Schwierigkeiten zu erreichen ist, so muß dieselbe doch stets als Endziel festgehalten werden. In diesem Sinne möchten für die nächste Auflage ein paar Bemerkungen Fingerzeige zu Verbesserungen geben. Störend wirkt die inkonsequente Orthographie im Gebrauche des C und K. Z. B. Bd. 1, 273: Kastor, Polydeukes Philoktet richtig, dagegen Teucer (297), Samothrace (281), Cimon (2, 124), Alcibiades (173), Cyzikus (172), Cyrus (182), Antalcidas (184), Cineas (3, 71) usw. unrichtig. Noch dringender bedürfen viele sachliche Darstellungen einer gründlichen Umgestaltung. So über die Phalanx des Epaminondas (2, 243) und deren Umbildung und Aufstellung durch König Philipp II von Macedonien (249), über Julian Apostata (3, 343 ff.), die Eroberung Rätiens durch die Römer (4, 16), den Zug des Varus durch den Teutoburgerwald (20). Von den Bayern wird bis auf den Streit des Herzogs Thassilo III mit Karl dem Großen keine Silbe erwähnt. Die neueren Forschungen über diesen Punkt sind nicht berücksichtigt (137). Mohameds Leben (70—79) ist viel zu sagenhaft behandelt. Die Kaiser Otto II, Otto III und Heinrich II der Heilige hat schon Giesebrecht als ganz andere Fürsten und Helden gefeiert. Daß der gewaltige Kaiser Heinrich III an jedem Festtage vor der Beichte sich bis aufs Blut gegeißelt habe (245), ist nicht richtig. Adalbert von Bremen ist im Bilde stark verzerrt (246). Die hohe Kulturthätigkeit der bayerisch-österreichischen Klöster: Kremsmünster, Ober-, Niederaltaich, Tegernsee, Ottobeuern, St. Emmeran usw. ist ganz übergangen (277). Die Kunst des südwestlichen Deutschland: Regensburg, Freising, Augsburg usw. ist nicht berührt (286), die Bedeutung des deutschen Ritterordens viel zu wenig hervorgehoben (305) usw. Die Chronologie ist sorgfältig behandelt. Die Verlagshandlung hat das Werk in Papier und Druck schön ausgestattet.   J. Franziß.

Büchler (A.), der Priester und der Kultus im letzten Jahrzehnt des jerusalemischen Tempels. Wien, Hölder. 207 S.

Krauß (H. A. K.), im Kerker vor und nach Christus. Schatten u. Licht aus dem profanen und kirchlichen Kultur- u. Rechtsleben vergangener Zeiten. Freiburg i. Br., Mohr. Lexikon-8°. XX, 380 S. ℳ 6.

Steinhausen (G.), der Wandel deutschen Gefühlslebens seit dem MA. Eine Jenaer Rosenvorlesung. Hamburg, Verlagsanstalt u. Druckerei. 43 S. ℳ 0,80. [Sammlung gemeinverständl. wissensch. Vorträge. H. 225. u. 226.]

Kluge (Fr.), deutsche Studentensprache. Straßburg, Teubner. X, 136. ℳ 2,50.
Vf. hatte in Nr. 297 der Beilage der Münchener Allg. Zeitung 1892 und im Jahresbericht des Deutschen Sprachvereins in Weimar, Dezember 1892, einen Vortrag über deutsche Studentensprache veröffentlicht, den John Meier in einer Schrift über hallische Studentensprache ohne Quellenangabe ausbeutete. K., dadurch zur Wiederaufnahme seiner Untersuchungen veranlaßt, stellt fest, daß von wenig Einzelheiten abgesehen, John Meier überhaupt nichts spezifisch Hallisches erwiesen habe. Das Buch K.s zerfällt in zwei Teile: Darstellung und Wörterbuch. Der darstellende Teil verbreitet sich über „Studenten und Philister", „Trunkenlitanei", „antike Elemente", „burschikose Zoologie", „biblisch theologische Nachklänge", „im Bann des Rotwelsch", „französische Einflüsse", „geometrische Eigenart", „Ursprung und Verbreitung".   A. M.

Geiger (L.), Geschichte des geist. Lebens der preuß. Hauptstadt. I. Bd. 2. Hälfte u. II. (Schluß-) Bd. 1786—1840. Berlin, Gebr. Paetel.

1893 u. 95. XIII—XVIII u. S. 295—709 u. XVI, 651. ℳ 9 u. 15.
Vgl. Hist. Jahrb. XIV, 211.

Pflug, aus der polit., gesellschaftl. u. wirtschaftl. Entwicklung unseres
Vaterlandes von 1640 an bis zur Jetztzeit. Progr. des Gymn. zu
Waldenburg i. Schl. 32 S.

Weber (L.), Geschichte der sittlich-religiösen und sozialen Entwicklung
Deutschlands in den letzten 35 Jahren. Zusammenhängende Einzel-
bilder v. verschied. Verfassern. Gütersloh, Bertelsmann. VII, 487 S.
ℳ 4,80.

Saubert (B.), germanische Welt- u. Gottanschauung in Märchen, Sagen,
Festgebräuchen u. Liedern, eine zum Verständnis der Märchen usw.
gebotene Erläuterung. Hannover, Helwing. 285 S. ℳ 3.

Nover (J.), deutsche Sagen in ihrer Entstehung, Fortbildung u. poetischen
Gestaltung. 1. Bd.: Faust. Till Eulenspiegel. Der ewige Jude. Wilhelm
Tell. 2. Bd.: Deutsche Sagen des MA. Niebelungen. Gralsage und
Parcival. Lohengrin. Gießen, Roth. 1896. IX, 146; 63, 88 u. 79 S.
mit 4 Taf. bezw. X, 238; 102 u. 54 S. mit 3 Bild. Kart. à ℳ 2,50.

Jostes (F.), der Rattenfänger von Hameln. Ein Beitrag z. Sagenkunde.
Nebst Mitteilungen über einen gefälschten Rattenfängerroman. Bonn,
Hanstein. 1896. 52 S. mit Abbildgn. ℳ 1.

Steffen (H.), die Anfänge der Sage von der Ciudad encantada de los
Césares. Santiago, 1892. (Berlin, Friedländer in Komm.) 14 S.

Meringer (Rud.), Studien zur germanischen Volkskunde. III. Der
Hausrat des oberdeutschen Hauses. Wien, Hölder. gr. 4⁰. 14 S.
mit 41 Abbildungen. ℳ 1,60. [Aus: Mitteilungen der anthropol.
Gesellschaft in Wien.]
Vgl. Hist. Jahrb. XIII, 657.

*Padberg (A. v.), Haussprüche u. Inschriften in Deutschland, in Oester-
reich und in der Schweiz. Gesammelt von —. Paderborn, Schöningh.
VIII, 55 S.
Das Büchlein bietet weiteren Kreisen in geschickter Zusammenstellung reine Volks-
poesie in oft vollendeter epigrammatischer Kürze. Hoffentlich ist das Bestreben
des Vf., seine Sammlungen zu ergänzen, von Erfolg gekrönt. Sein Schriftchen
würde durch eine — wenn auch nur annähernde — Datierung der Sprüche aus
dem Alter des jeweiligen Hauses und durch eine einschlägige literär-historische
Einleitung an Anschaulichkeit gewinnen. Auf S. 9 und 10 findet sich derselbe
Vers; S. 22 stößt der triviale Vers vom Kastengeist; S. 31 und 37 passen sich
einige Verse dem Charakter des Schriftchens und seinem Zwecke nicht an.
F. K.

*Hoffmann (J. J.), Volkstümliches aus Schapbach in Baden. Bonn,
Hanstein. 1 Taf. 50 S. [Aus: Alemannia XXXIII, 1.]
Nach dem Fragebogen zur badischen Volkskunde bearbeitet, berichtet Vf. über
die Namen von Schapbach und seiner Bewohner, über Hausbau, Hausmarken,
Volkstracht, Kinderreime, Ortsneckereien, Sagen, Sitte und Bräuche. Sind diese
Mitteilungen auch dankenswert, so drängt sich doch die Frage auf, ob diese Be-
antwortungen der Fragebogen alle veröffentlicht werden können. Referent be-
fürchtet wohl mit Recht, daß alle diese Veröffentlichungen nur in wenigen Punkten
auseinandergehen werden. Das Verschiedene sollte die Zentralstelle ausscheiden
und kritisch gesichtet bearbeiten. F. K.

Hanncke (R.), pommersche Kulturbilder. Studien zur pomm. Geschichte. Stettin, Saunier. VII, 63 S. ℳ 1,50.

Forschungen zur deutschen Landes= u. Volkskunde im Auftrage der Zentral= kommission für wissenschaftl. Landeskunde hrsg. v. Dr. A. Kirchhoff. Stuttgart, Engelhorn. Bd. 9, H. 2. S. 62—194. ℳ 6,50.

Inhalt: O. Wittstock, Volkstümliches der Siebenbürger Sachsen. — A. Scheiner, die Mundart der Siebenbürger Sachsen.

Schultheiß (Fr. G.), das Deutschtum im Donaureiche. Berlin, Priber. VII, 118 S. ℳ 1.

Das Deutschtum in Elsaß=Lothringen 1870—95. Rückblicke u. Betrachtungen von einem Deutschnationalen. Leipzig, Grunow. VII, 299 S. ℳ 3,50.

Montelius (O.), la civilisation primitive en Italie depuis l'introduction des métaux. Stockholm, Asher & Co. in Komm. gr. 4°. XI, VI S. u. 548 Sp. m. Abbildgn. u. 113 Taf. in Karton. ℳ 150.

Scaife (W. B.), Florentine Life during the Renaissance. Baltimore. 1893. 248 S.

Eine Kulturgeschichte der einzigen Arnostadt während der Zeit ihres größten Glanzes in der goldenen Epoche der Renaissance ist gewiß ein äußerst lohnendes, aber auch ein sehr schwieriges Unternehmen. Alfred von Reumont wäre zu einer solchen Arbeit in seltenem Maße befähigt gewesen, und er hat in seinem Lorenzo de Medici eine wichtige Vorarbeit geliefert. Der Vf. des vorliegenden Buches ist seiner Aufgabe nicht gewachsen. Die zehn Abschnitte seines Werkes (1. Florence and the Florentines. 2. The Governement. 3. Public Life. 4. Private Life. 5. Education and intellectual Life. 6. Religion and Superstition. 7. Commerce and Industry. 8. Charity, public Works and Taxation. 9. Amusements. 10. Citizenship) enthalten zwar einzelne brauch= bare Angaben, genügen jedoch in keiner Hinsicht. Die reiche Literatur ist nur sehr unvollständig herangezogen, sehr häufig ungenau zitiert (nur Autornamen ohne Angabe des Werkes oder ohne Seitenzahl), von einer Durchdringung des Stoffes ist wenig zu bemerken, große und kleine Irrtümer fehlen nicht.

L. Pastor.

Deledda (G.), tradizioni popolari di Nuoro in Sardegna. Torino, Clausen. 113 S. 1. 3.

Finländska bidrag till Svensk sprak- och folklifsforskning, utgifna af Svenska landsmalsföreningen i Helsingfors. Helsingsfors 1894. 317 S. Fink. 5.

Jacob (G.), das Leben der vorislämischen Beduinen, nach den Quellen geschildert. Berlin, Mayer & Müller. XI, 179 S. ℳ 5. [Studien in arabischen Dichtern. Hft. 3.]

Bose (P. N.), a history of Hindu civilisation during British rule. Vol. I. Religions condition. Vol. II. Socio-religions condition, social con- dition, industrial condition. In 4 vols. Calcutta, Newman & Co. (Leipzig, Harrassowitz.) kl. 8°. 15, XCV, 176 S. u. 13, 322 S. Zusammen ℳ 20.

Vgl. die Rezension im Liter. Zentralblatt 1896, Sp. 44.

Ehrenpreis (M.), kabbalistische Studien I. Die Entwickelung der

Emanationslehre in der Kabbala des XIII. Jahrhs. Frankfurt a. M.,
Kauffmann. 1896. XI, 48 S. ℳ 1,50.

d'Elvert (Ch. Ritter), zur Geschichte d. Juden in Mähren u. Oesterr.-Schlesien
mit Rücksicht auf Oesterreich-Ungarn überhaupt u. die Nachbarländer.
Der Verlauf der Rebellion u. des 30jähr. Krieges in Mähren. Die
Gegenreformation in Mähren u. Oesterr.-Schlesien. Die Umgestaltung
der staatl. Verhältnisse Mährens, der Klerus u. Unterricht, der Adel,
das Städte- u. Bürgertum u. die Leibeigenschaft in Mähren u.
Oesterr.-Schlesien. (Beiträge zur österr. Rechtsgeschichte, 4. Tl) Brünn,
Winiker in Komm. 1896. V, 269 S. ℳ 4. [Schriften der histor.-
statistischen Sektion der k. k. mährischen Gesellsch. zur Beförderung des
Ackerbaues, der Natur- u. Landeskunde, red. v. Ch. Ritter d'Elvert.
Bd. 30.]

Vgl. Hist. Jahrb. XVI, 905.

*Hantzsch (V.), deutsche Reisende des 16. Jahrhs. Leipzig, Duncker
& Humblot. 1895. ℳ 3,20. [Leipziger Studien aus dem Gebiete der
Geschichte von Lamprecht und Marcks. Bd. 1, H. 4].

Abgesehen von dem S. 8—9 erwähnten mißglückten Versuch der Fugger, eine
direkte Handelsverbindung mit den Molukken ins Werk zu setzen, wird das Interesse des Historikers besonders erregen die eingehende Schilderung der über-
seeischen Unternehmungen der Welser, die 1531—1555 Venezuela im Besitz
hatten und so als die ersten Deutschen den Versuch machten, Kolonialbesitz zu
erringen. Neben den beiden Ulmern Federmann und Ambrosius Ehinger,
später Dalfinger genannt, beteiligte sich auch ein Verwandter Ulrichs von Hutten,
Philipp von Hutten, an den entbehrungsvollen Entdeckungszügen in Venezuela,
wurde aber mit Barthol. Welser 1546 von einem spanischen Abenteuer ermordet
(S. 44). Wenn Karl V den Welsern die Bewilligung erteilt, nach Indien zu
segeln, „wann und so oft sie wollten, als wären sie Spanier", und trotz der
Forderung des Indienrats, nur spanische Beamte in Venezuela einzusetzen, einen
deutschen Statthalter (Hohermut) ernennt, so sind das merkwürdige Belege für
die Abhängigkeit des Kaisers vom Welthaus der Welser. Nachdem in den
nächsten Abschnitten die deutschen Soldaten in Afrika und die Kaufleute in den
Mittelmeerländern behandelt worden, bespricht der Vf. mit besonderer Ausführlichkeit S. 86—125 die deutschen Vergnügungsreisenden, so Sam. Kiechel aus
Ulm, der fast ganz Europa bereist, und Bernh. von Miltitz, der alte und
neue Welt gesehen Daß schon das 16 Jahrh. treffliche Reisehandbücher aufzuweisen hat, z. B. das Werk Paul Hentzners über Frankreich, Italien, Schweiz
usw., dürfte für den Historiker von großem Interesse sein. Mit den Berichten
über die deutschen Glaubensboten und Forschungsreisenden endet die gründliche
Darstellung. Mit hervorragendem Fleiß sind nicht nur deutsche Quellen und
Literatur, sondern auch die fremden, insbesondere spanischen und niederländischen
Drucke wie Handschriften ausgiebig benützt. In den wertvollen Anmerkungen
gibt der Vf. eine möglichst vollständige Zusammenstellung der einschlägigen
Quellen und der Literatur, sowie auch der einzelnen Ausgaben der betreffenden
Werke. Die ziemlich häufigen Auszüge namentlich aus seltenen Quellen werden
jedem Leser höchst willkommen sein. Weniger befriedigen dürfte die Einteilung,
da Hauptabschnitten von nur 4 und 5 Seiten solche von 40 und 50 Seiten
gegenüberstehen Während jetzt der Reisezweck den Anhaltspunkt für die
Einteilung bietet, möchten sich die einzelnen Reiseziele bezw. die Kontinente
für die Haupteinteilung besser eignen, da sich dann die kleinen Abschnitte II, III,
IV zwanglos einreihen ließen. Auch die genetische Entwicklung, also besonders
die Erklärung des damals so verbreiteten Reisetriebes könnte ihm und stärker
zu tage treten, so wäre namentlich bei den „deutschen Vergnügungsreisenden"
ein deutlicher Hinweis auf die Wanderlust der deutschen Humanisten sehr wohl

am Platze und sollte als Repräsentant derselben Cour. Celtis, der noch ins
16. Jahrh. hineinreicht und seine Reisen in vielfach origineller Weise dargestellt
hat, kurze Erwähnung finden. T. G.

Pistor (J.), Hans Staden v. Homberg u. sein Reisebuch. Kassel, Fisher
& Co. 4⁰. 18 S. ℳ 1. [Aus: Festschrift der XXVI. Jahresversammlung der deutschen anthropolog. Gesellschaft.]

*Nikel (J.), allgem. Kulturgeschichte. Im Grundriß dargestellt von —.
Paderborn, Schöningh. 1895. XVI, 505 S. ℳ 5. (Wissenschaftl.
Handbibliothek. III. Reihe. Lehr und Handbücher verschiedener
Wissenschaften II.)

Das obige Werk ist als einer der besten Grundrisse der allgemeinen Kulturgeschichte zu beurteilen, auch wenn man die nichtkatholische Literatur in betracht
zieht. Die Darstellung ist klar und übersichtlich, reich an interessanten Einzelheiten, manchmal nicht ohne originelle Schilderungen. Die mitgeteilten Thatsachen
sind im allgemeinen alle zuverlässig. Der Vf. hat bei jedem Volke und jeder
Periode streng geschieden zwischen der materiellen, sittlich rechtlichen und geistigen
Kultur, er hat aber diese Abschnitte etwas äußerlich neben einandergestellt.
Dadurch war es unmöglich, von einem einzigen Gesichtspunkt aus Völker und
Zeiten zu charakterisieren und den Stoff um zentrale Ideen zu gruppieren. Doch
wollen wir diesen Fehler nicht besonders hoch anschlagen, da die Verfolgung
jenes Zieles ungemein schwierig ist und, wie man schon zu bemerken glaubte,
zu philosophischen Konstruktionen verleitet. Schwerer wiegend ist aber der
andere Fehler, den das sonst übersichtliche Verfahren des Vf. verursachte,
nämlich der Mangel chronologischer Entwicklung; ein Mangel, der sich besonders
bei der Neuzeit, aber auch bei dem Mittelalter fühlbar macht. Die Neuzeit
kommt überhaupt zu kurz weg gegenüber dem Urgeschichte und dem Altertum. Die
urgeschichtlich = anthropologische Partie, die man in allen Apologien finden
kann, ist sicher etwas zu lang ausgefallen, diese Länge ist allerdings dadurch
erklärlich, daß es allen Ernstes Kulturhistoriker gibt, die die Kulturgeschichte so
ziemlich auf die Urzeit beschränken wollen: dann wäre sie nichts anderes, als was
man seither unter Anthropologie verstand, warum denn nicht lieber Soziologien?
Auf die wirtschaftliche Kultur hat der Vf mit Recht ein Hauptgewicht gelegt,
aber es fehlen auch hier die einzelnen Entwicklungsmomente oder sind nicht
scharf genug herausgestellt; so fehlt ganz Bildung und Zerfall der Grundherrschaften, ihr Versuch, sich durch Einziehung der Gemeinheiten (Wald, Weide u. a.)
schadlos zu halten, die Fortbildung der Grundherrschaften zu Landherrschaften Die allmähliche Lösung der Hofhörigkeit des Stadthandwerkes ist im allgemeinen
richtig und eingehend behandelt, aber es gehen doch einzelne wichtige Momente
ab Die S 336 angeführte Stelle aus dem Speyrer Privileg beweist nicht
den Wegfall der grundherrlichen Vogtei. Auch teilt der Verfasser den häufigen
Fehler vieler Schriftsteller, Janssens Schilderung der spätmittelalterlichen Volkswirtschaft fürs ganze Mittelalter gelten zu lassen. — Hinsichtlich der Armenpflege S 382 ist nach einander zu unterscheiden die Gemeinde-, die grundherrliche,
die Ordens- und die städtische Armenpflege, in welch letzterer die Gemeindearmenpflege wieder auflebt —— Die Universitäten S. 388 waren ursprünglich
nach Denifle Scholaren-, nicht Doktorenuniversitäten. Es ist nicht richtig,
wie es S. 417 heißt, daß neben dem Kupferstich und Holzschnitt die Glasgemälde und Miniaturen zur Renaissancezeit die Kunst populär gemacht haben.
Das Glasgemälde und die Miniatur war viel zu aristokratisch, sie wurden im
Gegenteil durch jene demokratischen Künste verdrängt, wie im Anfang unseres
Jahrhunderts der farbige Kupferstich der Chromolithographie wich. Die
Renaissancebauten duldeten keine dämmerigen Farbenfenster, nur in Patrizierhäusern, zumal in der Schweiz, erhielt sich das Glasgemälde in kleinem Umfang.
— S 426 wird die Frage berührt, warum die weltfreudige Renaissancestimmung
wohl in den germanischen, nicht aber in den romanischen Ländern zur Häresie
führte, aber statt mit einem Grunde, antwortet N. mit einfacher Konstatierung
der Thatsache. Ebenso wird S. 433 zwar ausgeführt, daß die Duldung und
Religionsfreiheit nicht der Reformation zu verdanken sei, aber wie sie wirklich

entstand, nicht genügend dargelegt. — Zu S. 458 wäre zu bemerken, daß nach Lamprecht (Deutsche Geschichte V, 65) schon am Schluß des Mittelalters jene kapitalistische Scheidung zwischen Meistern und Gesellen beginnt, die ihren höchsten Gipfel im Manufaktur- und Fabrikwesen zwischen Direktor und Arbeiter enthält. — Die Krankheitserscheinungen am Gesellschaftskörper am Ende des 19. Jahrh. S. 481 wären leicht zu vermehren: eine solche Erscheinung ist vor allem die verderbliche Zentralisation, die unsere Großstädte, diese „Wasserköpfe der modernen Zivilisation" (Riehl), geschaffen hat; statt mit „Antisemismus" hätte der Vf. besser in seinem eigenen Sinn den betreffenden Abschnitt über-schrieben: „Kapitalistische Auswucherung". Der leitende Grundzug des herr-schenden Zeitgeistes ist bei aller Humanitätsschwärmerei und Gefühlsreligion der Materialismus (s. Hist.-pol. Blätter 111, 359). Die aufgeführten Mängel sind jedoch Unvollkommenheiten, wie sie zuletzt jedem Werke mehr oder weniger anhaften, sie mindern keineswegs den Wert des schönen Buches, das zur Ein-führung in die Kulturgeschichte sich vorzüglich eignet.   G. Grupp.

Piper (O.), Burgenkunde. Forschungen üb. gesamtes Bauwesen u. Geschichte der Burgen innerhalb des deutschen Sprachgebietes. München, Acker-mann. Lex.-8°. XV, 830 S. mit Abbildgn. M. 28.

Langl (J.), die Habsburg und die denkwürdigen Stätten ihrer Umgebung. 2. Aufl. Wien, Hölzel. V, 84 S. mit 40 Illustr. u. 1 Heliograv. M. 3,50.

Vgl. Hist. Jahrb. XVI, 869.

Lehner (M. J.), Mittelfrankens Burgen und Herrensitze. Nürnberg, Büchings Sort in Komm. IV, 322 S. M. 3.

Weiß (J.), München, seine geschichtl., örtl. u. monumentale Entwicklung unter den Wittelsbachern, nebst einem Führer durch die Stadt. Hrsg. auf Veranlassg. des Lokalkomités für die 42. Generalversammlg. der Katholiken Deutschlands. München, Bruckmann. 168 S. Mit Stadtplan. M. 1,50.

Walderdorff (H. Graf v.), Regensburg in seiner Vergangenheit u. Gegen-wart. 4. Aufl. Mit Abb. u. Stadtplan. Regensburg, Pustet. 1896. XII, 696 S. geb. M. 5.

Ein in unserer Zeit hocherfreulicher Erfolg ist es, daß das Werk innerhalb eines Vierteljahrh. viermal aufgelegt werden konnte. Die 1. Aufl. war eine Gelegen-heitschrift und hatte den bescheidenen Umfang von 170 S. (mit 22 Holzschn.), die vorliegende 4. zählt ca 700 S. und 193 Illustrationen und ist eine ungeheuer reiche Fundgrube von zuverlässigen, kritisch gesichteten Detailangaben geworden. Die Disposition, bei deren Eigenart leider vielfache Wiederholungen nicht zu vermeiden waren, ist seit der 1. Aufl. dieselbe geblieben, nur ist ein großer Ab-schnitt über die Umgebung der Stadt neu hinzugekommen. Davon abgesehen, erklärt sich das Anwachsen des Umfangs dadurch, daß der Vf. unaufhörlich an seinem Werke weiterschaffend fast jeden Abschnitt im Laufe der Jahre umgearbeitet und erweitert hat. Die Ergebnisse der neueren Forschung und zwar nicht nur die der lokalhistorischen sind mit größtem Eifer und anerkennenswerter Voll-ständigkeit nachgetragen. Vielleicht hätte die Berücksichtigung von Loserths Studien über die Wiedertäufer in Mähren zu einer gerechteren Würdigung Balthasar Hubmairs geführt, von dem der Leser auf S. 39 ein nicht ganz zu-treffendes Bild erhält. Auf S. 229 vermisse ich die Erwähnung von Meyers Künstlerlexikon und Friedländers Buch über Albr Altdorfer, woselbst das in R. verwahrte Bild „Bathseba im Bade" übereinstimmend Altdorfer abgesprochen wird. Zu ganz entschiedenem Widerspruche fordert die übrigens aus früheren Auflagen übernommene Bemerkung (S. 30) heraus, daß es in Deutschland niemals eine eigene Klasse von Freistädten im Gegensatz zu den Reichsstädten gegeben habe und somit auch Regensburg keine Freistadt gewesen sei. Richtig ist an den

10*

diesbezüglichen Ausführungen allerdings, daß man die Entstehung der Freistädte
nicht auf die römische Stadtverfassung zurückführen kann. Allein daß das mittel=
alterliche Staatsrecht Freistädte kannte, dieser Name keine bloße juristische Fiktion,
sondern mit Vorrechten verbunden gewesen ist, das dürfte seit dem Erscheinen
von Arnolds Verfassungsgeschichte der deutschen Freistädte (1854) unzweifelhaft
feststehen. Dafür, daß Regensburg bis zum Ende des 15. Jahrh. sich nicht nur
selbst eine Freistadt nannte, sondern auch die Rechte einer solchen genoß, gibt
es Quellenbelege genug; i J. 1492 verliert es diese Vorrechte und bald darauf
heißt es dann (bei Ladislaus Suntheim 1503): Regensburg ist „etwann ein
Freistadt gewesen, und jetznd ein Reichsstadt". — W. ist im allgemeinen von
dem Fehler der Lokalhistoriker frei, die ihren Gegenstand zu überschätzen pflegen,
allein am Eingang versteigt er sich doch zu dem Satze: „Nur wenige Städte
haben eine so reiche, denkwürdige und wechselvolle Geschichte wie Regensburg."
Das ist nicht richtig. Man könnte vielmehr betonen, daß bei R. (anders als
bei den rheinischen Städten, bei Nürnberg und Augsburg, ja selbst bei mancher
kleinen schwäbischen oder fränkischen Reichsstadt) wirklich erhebende Momente
fast ganz fehlen. Dies erklärt sich aus der isolierten Lage inmitten fürstlicher
Gebiete und aus der Ungunst der Zeiten nicht genügend; man wird die Be=
völkerung und die Leitung der Stadt, die von der Natur durch ihre Lage am
Donauknie so sehr begünstigt ist, von einer Mitschuld daran, daß sie nur vor
der Erreichung der Reichsfreiheit eine ihrer würdige Rolle gespielt hat, nicht
freisprechen dürfen. In religiöser und politischer Beziehung tritt die katholische
Auffassung des Autors deutlich hervor. In kunsthistorischer Hinsicht ist mir eine
gewisse Unterschätzung der Barock= und Rokokobauten aufgefallen, eine Meinung,
die freilich in der klassischen Stadt der romanischen und gothischen Baukunst be=
greiflich ist. Aber es kann nicht schaden, wenn darauf aufmerksam gemacht wird,
daß Regensburg auch aus nachgothischer Zeit noch wertvolle Kunstwerke und
z. B. aus der Rokokozeit ein Schatzkästlein wie die Heiligkreuzkirche birgt. Unter=
schreiben wird jeder Kunstfreund die kernigen Worte, die W. an den verschiedensten
Stellen über den Vandalismus der Neuzeit, das Niederreißen des Alten zu
gunsten geschmackloser, ja ärmlicher Neubauten, die schlechte Erhaltung von Alter=
tümern, endlich über die Thorheit vieler „Restaurirungen" sagt. Hierher gehört
übrigens auch die beliebte Umänderung historischer Straßennamen in neuzeitliche
Benennungen (wie „Moltkeplatz" statt „alter Kornmarkt"), worüber W. seine
Mißbilligung bloß durch beredte Ausrufungszeichen kundgibt. — Nach welchem
Prinzip die Illustrationen ausgewählt sind, ist nicht ganz klar; hier hat wohl
der Zufall stark mitgespielt. So dankenswert die vielen Details sind, so würde
ich doch daneben mehr Gesamtsichten wünschen, die den meisten Lesern in
den zum Ersatz zitierten größeren Werken doch nicht zugänglich sind. — Der
Preis des Buches ist angesichts seines Umfangs und seiner Ausstattung sehr
mäßig. W.s Werk ist ein Volksbuch in des Wortes bester Bedeutung.

J. Striedinger.

Campanini (N.), Canossa. Guida storica illustrata. Reggio nell'
Emilia, Bassi. 1894. kl. 8⁰. 146 S. fr. 1,50.

*Pöhlmann (R.), aus Altertum u. Gegenwart. Gesammelte Abhandlgn.
München, Beck. V, 406 S. ℳ 7.

Im ganzen 12 Aufsätze, welche der Vf. in den J. 1894—95 in der Beil. z.
Allg. Ztg., in der Sybelschen histor. und a. und O. veröffentlicht hat. Die
Mehrzahl beschäftigt sich mit dem klassischen Altertum und dessen exemplarischer
Bedeutung für die wirtschaftl. Verhältnisse der Gegenwart. Auf S. 344—57
kritisiert P. eingehend und nicht durchaus zustimmend Mommsens Darstellung
d. röm. Kaiserzeit. Beachtung verdient auch die Beurteilung von Rankes Welt=
geschichte (358—90) und der modernen sozialist. Geschichtsschreibung (391—406).

Hartmann (J.), aus den Lehr= u. Wandertagen unserer Väter. Nach
Gedrucktem u. Ungedrucktem von —. Stuttgart, Gundert. 12⁰. 96 S.
m. 6 Bildn. ℳ 1. [Württemberg. Neujahrsblätter. Neue Folge. Bl. 1.]

Struve (H. v.), ein Lebensbild. Erinnerungen a. d. Leben eines Zwei=

unbachtzigjährigen in der alten und neuen Welt. Leipzig, Ungleich. V, 145 S. _M_ 1,75.

Endelmann (G.), aus vergangenen Tagen. Mitteilungen aus einem Vierländer Pfarrarchiv. Mit dem Portrait einer Vierländerin in Nationaltracht. Hamburg, Verlagsanstalt u. Druckerei. 1896. 12⁰. 143 S. _M_ 1,50.

Nikitenko (Alex. Iwanow.), Jugenderinnerungen. Aus d. Russ. übers. v. R. Türstig. Stuttgart, Cotta Nachf. X, 188 S. _M_ 3.

Dahn (F.), Erinnerungen. Buch 3 u. 4. Abt. 1 u. 2. Leipzig, Breitkopf & Härtel. 1892—95. 571 S. u. 612 S. mit 1 Karte u. 766 S. m. 3 Abbildgn. in Lichtbr. _M_ 10, 10 u. 12.

> Vgl. Hist. Jahrb. XIII, 393. Das dritte Buch behandelt die letzten Münchener Jahre 1854—73 und das vierte schildert D's Aufenthalt in Würzburg, Sedan und Königsberg in zwei Abteilungen von 1863—70 und von 1871—88.

Festschrift zur 300jährigen Jubelfeier des Ratsgymnasiums zu Osnabrück, dargebracht vom Lehrerkollegium. Progr. d. Ratsgymn. zu Osnabrück. 412 S.

> Aus dem Inhalt heben wir hervor: F. Knoke, die römischen Moorbrücken in Deutschland (136 S.). — A. Heuermann, Erinnerungen B. R. Abekens (64 S.) — F. Runge, Geschichte des Ratsgymnasiums zu Osnabrück (144 S.).

Ruppert (Ph.), Konstanzer geschichtliche Beiträge. (Das 1. Heft unter dem Titel: Konstanzer Beiträge zur badischen Geschichte. Altes und Neues.) Konstanz, Selbstverlag 1888—95. Heft 1. IV, 156 S. _M_ 3. Heft 2. IV, 104 S. _M_ 3. — Heft 3. IV, 252 S. _M_ 3. — Heft 4. IV, 130 S. _M_ 3.

> Heft I. Ein badischer Hexenrichter S. 1—21. — Die Konstanzer Gesellschaft zur Katze S. 21—29. Eine übersichtliche Darstellung der Geschichte der Konstanzer Patrizierzunft zur Katze. Ihre Blütezeit fällt in die erste Hälfte des 15. Jahrh. Besprechung der Wappenrolle dieser Gesellschaft. — Altbadischer Besitz in der Mortenau S. 29—69. (Stollhofen, Döllingen, Hügelsheim, Amt Großweier, Ebersteinsche Besitzungen, Erwerbungen der Grafen von Freiburg und den Herren von Geroldseck, Urkundenbeilagen.) — Limburg und Sasbach S. 69—87. — Aus dem Tagebuch eines Konstanzers 1848 und 1849 S. 38—95. Aufzeichnungen über die Ereignisse der Revolutionsjahre. Für die Geschichte der badischen Freiheitsbewegung beachtenswert. — Ein Ueberlinger Chronist des fünfzehnten Jahrhunderts S. 98—132. Teilabdruck aus den berühmten Reutlingerschen Kollectaneen der Leopold=Sophienbibliothek Ueberlingen. Die hier zum Abdruck gelangenden Aufzeichnungen sind niedergeschrieben von dem Ueberlinger Bürgermeister Lienhard Winterfulger (1455—80) und fortgesetzt von dem Stadtschreiber Conrad Zedtler von da (1480—98). Sie gehen über den Wert einer bloßen Lokalchronik hinaus, enthalten Mitteilungen über Ereignisse in der Eidgenossenschaft, enthalten auch das Ueberlinger Aufgebot zum kaiserlichen Feldzug gegen Herzog Karl von Burgund (1475). — Ein wichtiges Aktenstück S. 133—150. Abdruck einer im Stadtarchiv Konstanz befindlichen, aus der zweiten Hälfte des 14. Jahrh. stammenden Abschrift der Antwort des Rates von Konstanz auf die Klage des Konstanzer Bischofs Heinrich von Brandis (1357—83), sowie die Appellationsschrift des Dompropstes Felix Stuci von da (ermordet in Zürich 1363) an die Rota gegen eine willkürliche Entscheidung B. Heinrichs. Beide Schriftstücke werfen überaus betrübende Streiflichter auf die Art und Weise, wie Bischof Heinrich auf den Konstanzer Stuhl kam und wie er mit dem Gute des bischöflichen Tisches und des Kapitels schaltete und waltete. Auch die Ermordung Bischofs Johann Windlocks von

Konstanz (1356) erscheint danach in anderem Lichte, als bisher, besonders von
Schubiger, Freiburger Diözesanarchiv 10, 1 ff., angenommen worden war.
Der Reichenauer Abt Eberhard von Brandis, Bruder des Konstanzer Bischofs,
ist danach von einer Mitschuld nicht mehr reinzuwaschen Das sittliche Leben des
Bischofs Heinrich von Brandis wird als ein überaus schlimmes dargestellt. Die
Schriftstücke sind auch für die Konstanzer Verfassungskämpfe von Wert, da sie
die Anschauungen des Konstanzer Rates über die Forderungen des Bischofes,
sowie den Umfang der bischöflichen Rechte, die ihm der Rat zugesteht, ausführen.
— Ulrich Richental S. 151—56. Beiträge zur Biographie des Konzils=
chronisten. — Heft II. Konstanz 1890. Aus dem Inhalte des zweiten Hefts
ist als weiterer Beachtung wert hervorzuheben: Die Glasmalerei in
Konstanz S. 1—8. Konstanzer Maler S. 13—31 und S. 102. Biographische
Nachrichten über Konstanzer Glasmaler und Maler (Spengler, Heinrich Griffen=
berg 1440, Philipp Memberger † 1584, Christoph Storer † 1671, Tobias Bood,
Fertiger des Hochaltargemäldes im Stephansdom zu Wien 1640—47; Ludwig
Hermann † 1791, Johann Jakob Biedermann † 1836, Nikolaus Hug † 1852,
Wendelin Moosbrugger † 1849, Robert Eberle † 1859). — Ulrich Gerung
S. 33 f. Biographisches über diesen, gewöhnlich fälschlich Gering geschriebenen,
ersten Pariser Buchdrucker, einen geborenen Konstanzer. 1470 erschien das erste
Werk aus seiner Pariser Offizin, die Briefe des Gasparino di Bergamo. —
Ritter Konrad Grünenberg S. 34—37 und S. 101. Biographisches über
den Künstler des berühmten nach ihm benannten Wappenbuches (1880 ver=
öffentlicht von Graf Stillfried) lebte 1430—90. — Konstanzer Kupfer=
stecher und Lithographen S. 83 f. Thoma Bos (aus Brandenburg) 1571,
Johann Andreas Pecht (seit 1812). — Historische Lieder aus Konstanz
S. 85—100. „Ein Klaglied des Haspels, eins Fischers von Costenz, von Bischof
Heinriche von Brandis, gedicht im jar 1536" (siehe oben, ein wichtiges Aktenstück,
in Heft I). Aus der Reformationszeit das vielfach dem Konstanzer Domherrn
Johann von Botzheim zugeschriebene Spottgedicht auf die Reformation: „Kon=
stanz, o weh, am Bodensee" und das als Entgegnung hierauf 1528 vom Kon=
stanzer Reformator Ambrosius Blarer gedichtete; „Costanz, du bist wol dran
mit Christ". Endlich der ebenfalls der Reformationszeit angehörige, nach
Ruppert aus den Reihen der in Ueberlingen während der Reformation in
Konstanz weilenden Geistlichkeit stammende, vor 1528 entstandene Spruch: „Ich
grüß euch herren alle samt" mit der Ueberschrift: „Ain schöner spruch, darinnen
dero von Costanz seltsame renct und abentüer, damit sie umbgon begriffen sein?
(450 Zeilen). — Heft III. 1892. Früher besprochen. Siehe Hist. Jahrb.
XIV, 438. — Heft IV. 1895. Konstanzer Handel im Mittelalter S. 11—23
(mit Beilagen). Eine sehr ansprechende Schilderung des Konstanzer Handels
im Mittelalter, der Ursachen seines Auf= und Niedergangs, der Bedeutung des
Konzils für denselben, des schädigenden Einflusses der Konstanzer Zunftrevolution
von 1429/1430, seiner hauptsächlichen Zweige (Leinwand, Baumwolle, Barchet).
Auch das städtische amtliche Mäklerpersonal (Unterkäufer), sowie die städtischen
Aufsichtsdienste (Leinwandschauer usw.) finden ihre Besprechung. Der Aufsatz ist,
als erster seiner Art für die Geschichte des Konstanzer Handels, zum Zwecke
einer Orientierung sehr zu empfehlen. Gründlichere Belege zur Konstanzer
und überhaupt oberrheinischen Handelsgeschichte werden freilich die demnächst
erscheinenden Urkk. u. Aktenstücke zur Geschichte des Handelsverkehrs der oberital.
Städte mit den Städten des Oberrheins im MA. (hrsg. v. d. bad. hist. Kommiss.,
bearbeitet von Prof. Schulte) bieten. — Die erste städtische Volksschule
in Konstanz S. 23—46. Beachtenswerte Beilage ist die sehr detaillierte
städtische Schulordnung von 1540. Bis zur Reformation gab es in Konstanz
nur bischöfliche Schulen. — Konstanzer Biographien. Dr. Ulrich Molitoris
S. 47—52. Geboren um die Mitte des 15. Jahrh., studierte zu Freiburg,
erlangte in Pavia den kanon. Doktorgrad. Im J. 1474, von Konstanz zurück=
gekehrt, trat er als Rat in den Dienst Bischof Ottos von Sonnenberg (1474—91),
der im harten Streit mit der Stadt lag, und später auf die Seite der
Stadt über. Starb 1508, nachdem er seit 1498 Prokurator und Redner am
Kammergericht war. Erscheint auch als Rat Erzherzog Sigismunds von Oester=
reich, dem er seine bekannteste Arbeit, den gewöhnlich im Anhang zum „Malleus

maleficarum' (1487) gedruckten Traktat ‚De lamiis et phytonicis mulieribus‘, worin in neun Kapiteln die landläufigen Beschuldigungen gegen die Hexen abgehandelt werden, gewidmet hat. — Konstanz vor hundert Jahren S. 53—72. — Konstanzer Kulturskizzen S. 73—82. — Ritter Sebastian Schärtlin von Burtenbach S. 83—94. Darstellung der Beziehungen des schwäbischen Haudegens zur Stadt Konstanz. Abdruck von bisher unbekannten Briefen Schärtlins aus dem Konstanzer Archiv. Die Beziehungen Schärtlins zu Konstanz fallen in die Jahre 1523—48. Die Frau Sch.s ist die Tochter des Konstanzer Bürgers aus der Metzgerzunft, Ulrich Tormann, genannt Senn. — Nachträge zur Konstanzer Glasmalerei und Malerei S. 95—103. — Konstanzer Baumeister und Bildhauer S. 104—12. I. Die Steinmetze. — Ein Brief aus schlimmer Zeit S. 113—16. 1689 Sept. 30. Bürgermeister und Rat der reichsfreien Stadt Worms bitten den Rat der Stadt Konstanz um Hülfe und Beisteuer. — Nachtrag zu den Konstanzer Chroniken S. 117—22. Aufzeichnungen eines Zunftmeisters der Wollweber aus den Jahren 1428—38 in einem Zunftbuch des Stadtarchivs Konstanz. Die Zeit des vierten Konstanzer Zunftaufstandes in sich enthaltend. — Frustula S. 123—28. K. Beyerle.

Politische Geschichte.

Deutsches Reich und Oesterreich.

Kurze (F.), annales regni Francorum inde ab a. 741 usque ad a. 829 qui dicuntur annales Laurissenses maiores et Einhardi. Post editionem G. H. Pertzii recognovit —. Hannover, Hahn. XX, 204 S. ℳ 2,40. [SS. rer. germ. in usum scholarum ex Mon. Germ. hist. separat. editi.]

Kraus (K.), der Trierer Silvester. — Roediger (M.), das Annolied. Hannover, Hahn. 1896. gr. 4°. VI, 145 S. ℳ 5. [Mon. Germ. hist. Script. qui vernac. lingua u. s. t. I, p. II. 1, 2. Deutsche Chroniken und andere Geschichtsbücher. Bd. 1, Abt. 2.]

Grandaur (G.), die Fortsetzungen des Cosmas von Prag. Nach der Ausgabe der Mon. Germ. übers. v. —. Leipzig, Dyk. XVI, 238 S. ℳ 3,20. [Geschichtschreiber der deutschen Vorzeit. 2. Gesamtausg. Bd. 66.]

—, die Jahrbücher von Vincenz v. Gerlach übers. v. —. Leipzig, Dyk. XI, 170 S. ℳ 2,40. [Geschichtschreiber der deutschen Vorzeit. 2. Gesamtausg. Bd. 67.]

—, eine alte Genealogie der Welfen u. des Mönchs v. Weingarten Geschichte der Welfen mit den Fortsetzungen u. ein. Anh. aus Berthold v. Zwiefalten, übers. von —. Leipzig, Dyk. IX, 80 S. ℳ 1,20. [Geschichtschreiber der deutschen Vorzeit. 2. Gesamtausg. Bd. 68.]

Wilser (L.), Stammbaum und Ausbreitung der Germanen. Bonn, Hanstein. 59 S. ℳ 1,80.
Das Büchlein setzt sich zusammen aus zwei Aufsätzen desselben Vf. in den Rheinischen Geschichtsblättern I, 4 und in der Alemannia XXIII, 1, worin die Stämme der Franken, Hessen, Schwaben, Alemannen, Thüringer, Bayern und Sachsen behandelt waren, denen nun im Abschnitte über die Cimbern, Teutonen, Dänen, Frisen, Burgunden, Vandalen und Goten neu hinzugefügt wurden. Leider hat unter dieser Entstehung der Text durch Ungleichheit, Wiederholung etwas gelitten, auch ist die Auseinandersetzung vielfach so ungelenk, daß man den Eindruck erhält, als fehle die letzte bessernde Hand daran. Vf. gehört zu den Vertretern der in dem letzten Jahrzehnt zu immer größerer Bedeutung ge-

kommenen Ansicht von der skandinavischen Urheimat der Arier. Hier fügt er
nun die Stellen alter Schriftsteller und die Sagen zusammen, welche die skan=
dinavische Herkunft der gesamten oben genannten germanischen Stämme erwähnen
oder darauf hindeuten. Sodann verfolgt er die einzelnen Wandlungen dieser
Stämme, ihre Wanderungen, Abzweigungen und Vermischungen. Was er über
Schwaben=Alemannen sagt, besonders seine Polemik gegen Baumann, entbehrt
der Klarheit und ist nicht überzeugend. Beachtenswerter sind seine Beobachtungen
über den Frankenstamm; er findet ihn wieder in dem früheren Stamme der
Istävonen oder Marser, zu welchem alle die Völker gehörten, die den H-Laut
wie ch sprechen und später schrieben, wie Chaucier, Chatten, Cherusker, Cha=
maven, bei denen es Namen wie Charietto, Charibart, Chaenobandus u. a. gibt,
die mit demselben ch-Laute im Frankenstamme wiederkehren, wie Chlotachar,
Chlotovech, Chilperich, Charibert ꝛc. Ribuaren leitet Vf. übrigens nicht von
ripa' sondern einer Wurzel wie in ribalt = Freibeuter, risr = freigebig, so daß
Ribuare dasselbe wie Franke, der Freie, bedeute. Die neuern Stämme sollen
also die alten Stämme sein, der Zusammenhang ist nicht durchbrochen, in der=
selben Reihenfolge wie früher Marser, Semnonen, Sueben und Lygier wohnten,
findet man später Franken, Alemannen, Schwaben und Bayern und dabei blieb
auch eine gewisse Verbindung mit dem Norden, ihrem gemeinsamen Ausgangs=
punkte gewahrt.   A. M.

Dahn (F.), die Könige der Germanen. Das Wesen des ältesten Königtums
    der german. Stämme u. seine Geschichte bis zur Auflösung des Karo=
    linger Reiches. Nach den Quellen dargestellt. Bd. 7. Die Franken
    unter den Merowingern. Abt. 2 u. 3. Leipzig, Breitkopf & Härtel.
    1894 u. 1895. IV, 273 u. VI, 581 S. mit 1 Stammtafel. ℳ 8
    und ℳ 15.
    Vgl. Hist. Jahrb. XV, 891.

Seelmann (E.), Wiederauffindung der von Karl d. Gr. deportierten
    Sachsen. 13 S. [Separatabdruck aus der Köln. Zeitung.]
    Man hat die Wallonen für Kelten gehalten, welche von den andrängenden Ger=
    manen in die Ardennen zurückgeworfen seien, oder man hielt sie für gallo=
    romanischen Ursprungs und schrieb ihnen mehr oder minder romanischen Typus und
    Charaktereigenschaften zu. Vf. hat bei einem persönlichen Aufenthalte in den Ardennen
    die überraschende Entdeckung gemacht, daß die dortigen Wallonen nichts weniger
    als Gebirgskelten oder eine Mischrasse sein können, sondern, daß ihr rein nieder=
    deutscher Typus auf germanische Abstammung deutet. Auf dem ganzen Hoch=
    plateau der Ardennen ließ sich dieselbe physiognomische Beobachtung anstellen.
    Vf., von Haus aus Romanist, untersuchte nun den dortigen Sprachcharakter
    und fand, daß das dortige Lautsystem niedersächsisch sei, spricht man doch dort
    beispielsweise enfant wie angfang. Es fragte sich nun, wann können Sachsen
    bis hierher gelangt sein, denn die Geschichte kennt von Ardennenzügen derselben
    nichts. Vf. kommt zu dem Schlusse, daß wir es hier mit einem Teile der
    Sachsen zu thun haben, die Karl d. Gr. nach Unterwerfung der Sachsen zer=
    streut im Reiche ansiedelte. Eine Bayardstrappe in Wallonenlande führte auf
    die Idee, daß sich darin das alte Wodanswahrzeichen im Harze die „Roßtrappe"
    wiederfinde, das von den deportierten heidnischen Sachsen auf die neuen Wohn=
    sitze übertragen wurde. Namen wie Sassor, Sasserotte, Senson, Sensenruth,
    wie Harz, Harzy, Hasy, Harcy, Hazaumont u. a. erinnern an die Heimat,
    an Sachsen und den Harz. Vf. wird demnächst seine Resultate in sechs Einzel=
    forschungen erhärten, welche diese Sachsendeportation vom Standpunkte der
    Volkskunde, der Geschichtsüberlieferung, der geographischen Namenskunde, der
    Mythologie und Sagenkunde, der altfranzösischen Literaturgeschichte und im
    Lichte der Sprachwissenschaft behandeln und erklären sollen.   A. M.

*Jaekel (H.), die Grafen von Mittelfriesland aus dem Geschlechte König
    Ratbods. Gotha, Perthes. VIII, 135 S. ℳ 2.
    Vf. stellt die mittelfriesischen Grafen des 8., 9. und 10. Jahrhs. und ihre Reihen=
    folge fest. Ferner weist er ihre Abkunft vom Könige Ratbod und ihre Verwandt=

schaft mit den Karolingern nach). Das Büchlein enthält außerdem noch manche
interessante Einzelheit. In einer Beilage handelt Vf. über die geographischen
Namen Natala und Bunninga. Die Beweisführung ist meist überzeugend.
M. J.

Jaksch (A. v.), die Gurker Geschichtsquellen 864—1232. Im Auftrage
der Direktion des Geschichtsvereins für Kärnten zum 100. Geburtstage
Gottliebs Frhrn. v. Ankershofen und zum 50 jähr. Jubelfeste des
Vereins, hrsg. von dessen Archivar —. Im Anh. 20 Siegelbilder.
Klagenfurt, Kleinmayr in Komm. Lexikon=8°. XXIII, 432 S. *M.* 20,40.
[Monumenta historica ducatus Carinthiae. Geschichtliche Denkmäler
des Herzogt. Kärnten. Bd. 1.]

Hasenöhrl (V.), Deutschlands südöstliche Marken im 10., 11. u. 12. Jahrh.
Wien, Tempsky in Komm. Lex.=8°. 144 S. m. 6 Kart. *M.* 4,40.
[Aus: Archiv für österr. Geschichte.]

Giesebrecht (W.), Geschichte der deutschen Kaiserzeit. 6. (Schluß=)Bd.
Die letzten Zeiten Kaiser Friedrichs des Rothbarts. Nebst Anmerkgn.
u Register zu Bd. V u. VI. Hrsg. u. fortgesetzt von B. v. Simson.
Leipzig, Duncker & Humblot. XIII, 814 S. *M.* 16,40 u. 18,40.
Diesen letzten, bald nach dem Tode G.s noch versprochenen Band verdanken wir
der Freundschaft und Verehrung, die Prof. Simson für den Verstorbenen hegte.
Aus der Feder Giesebrechts stammt noch das 1. Kapitel des 12. Buches: „Die
letzten Zeiten Friedrichs I 1182—90" (S. 1—37) und ein Teil der Anmerkungen
S. 324—594. Der größte Teil des 12 Buches (S. 37—287) und die Anmerk=
ungen von S. 594—726 sind von dem Hrsgb. verfaßt, der auch eine Uebersicht
der Quellen und Hilfsmittel und die Register zum 5 und 6. Bande beigefügt hat.

—, die Zeit Kaiser Friedrichs des Rotbarts. 2 Bde. Ebd. 1880, 88
u. 95. VII, 979 u. XIII, 814 S. *M.* 36 u. 40. [Sonderausg.
der Geschichte der deutschen Kaiserzeit. Bd. 5, 2 Abtlgn. u. Bd. 6.]
Vgl. Hist. Jahrb. IX, 574.

Vogler (F.), die Dynastengeschlechter Hohenzollern u. Wettin, ihre Ab=
stammung u. ihre Stellung in der deutschen Geschichte bis zum Ende
des 13. Jahrhs Altenburg, Bonde. V, 178 S. *M.* 1,50.

* Grupp (G.), oettingische Regesten 1. Heft: 1140—1279. Nördlingen,
Reischle. 1896. IV, 52 S.
177 Regesten, die mit dem Jahre 1139 beginnen und bis 1279 reichen, voran
gehen Regesten der Riesgrafen (seit 1007) und der Edlen von Wallerstein;
letztere würden vielleicht besser in selbständiger Reihe behandelt Grupp wendet
auf das Geschlecht der Oettinger die Lorenz'sche Generationenlehre an und teilt
demgemäß ein; praktischer wäre meines Erachtens die schlichte chronologische
Anordnung. Uebersichtlichkeit ist bei derartigen Sammlungen ein Haupterfordernis;
zu diesem Zwecke sollte auch das Datum in der nun einmal rezipierten Weise
(Jahr, Monat, Tag, Ort) ausgestellt und durch den Druck besser hervorgehoben
sein; auch verschlägt es nichts, außer dem aufgelösten auch das ursprüngliche
beizugeben; doch möchte ich hiemit kein Mißtrauen gegen den Vf. ausgesprochen
haben. Daß er in genealogischen Dingen mit strenger Kritik vorgeht, zeigt gerade
diese Arbeit. Für die Identität der Riesgrafen mit den Oettingern hat sich
jüngst auch H. Witte (Die Hohenzollern und ihre Beziehungen zum Elsaß,
Straßburg 1895) ausgesprochen. **Schl.**

Mitzschke (P.), Urkundenbuch von Stadt und Kloster Bürgel. I. Teil.
1133—1454 bearbeitet von —. Gotha, Perthes. XXXVI, 568 S.
[Thüringisch=sächsische Geschichtsbibliothek. Bd. III.]

Bf. gedenkt ſein Werk bis etwa in die Mitte des 16. Jahrh. fortzuführen; im Jahre 1526 wurde das Kloſter Bürgel aufgehoben und das dadurch ſelbſtändig gewordene Benediktinerkloſter zu Remſe im Albertiniſchen Sachſen hielt ſich noch bis 1533. Auch in der Stadtentwicklung Bürgels findet ſich 1567 ein Abſchluß durch Errichtung der älteſten Stadtordnung (Nachtrag 1568) und der Kirchen= matrikel von 1569. Der vorliegende Band, der ungefähr ein Dritttel des ganzen Stoffes enthält, reicht bis 1454 und bringt die Urkk. des Kloſters und der Stadt, ohne äußerliche Trennung. Ein gutes Regiſter, ein Verzeichnis der Aebte von Bürgel und der Pröpſte und Priorinnen von Remſe erleichtern die Be= nutzung. A. M.

*Korner (H.), Chronica novella. Im Auftrage der Wedekindſchen Preis= ſtiftung für deutſche Geſchichte hrsg. v. Jak. Schwalm. Göttingen, Bandenhoeck & Ruprecht. XXXVI, 650 S.
Beſprechung folgt.

Chroniken, die, der deutſchen Städte vom 14. bis ins 16. Jahrh. Hrsg. durch die hiſt. Komm. bei der k. b. Akademie der Wiſſenſchaft. Bd. 24. Die Chroniken der weſtphäliſchen und niederrheiniſchen Städte. 3. Bd.: Soeſt und Duisburg. Leipzig, Hirzel. CLXXIV, 283 S. *M.* 12.
Vgl. Hiſt. Jahrb. XVI, 715.

Dürr (Fr.), Heilbronner Chronik. [In ca. 8 Lfgn.] Lfg. 1. Heilbronn, Salzer. VII u. S. 1—48 mit Abbildgn., 1 farbigen u. 1 ſchwarzen Tafel. *M.* 0,50.

Obſtfelder (C. v.), Chronik der Stadt Croſſen. Von den älteſten Zeiten bis zum Jahre 1845 im Auszuge, von 1845—93 ſelbſtändig bearb. Mit 2 Anſichten der Stadt, 1 Anſicht des Schloſſes nebſt Grundriß, dem Bilde des neuen Marienkirchturms nebſt Eiſenkonſtruktion, ſowie 2 Stadtplänen. Croſſen a. O., Zeidler. VIII, 343 S. *M.* 4,50.

*Schwerdfeger (J.), Papſt Johann XXIII und die Wahl Sigismunds zum römiſchen König, 1410. Ein Beitrag zur Vorgeſchichte des Konſtanzer Konzils. Wien, in Kommiſſ. bei Karl Konegen. 59 S. [Separatabdr. a. d. Jahresber. d. akadem. Ver. deutſcher Hiſtoriker, V. Vereinsjahr.]
Aus dem Arbeiten des Wiener hiſt. Seminars hervorgegangen und bereits 1892 als Doktordiſſertation benützt, will dieſe Schrift zeigen, wie die Wahl Sigis= munds (1410) mit den kirchlichen Verhältniſſen, mit der Papſtfrage zuſammen= hing, und den Einfluß Johanns XXIII auf dieſe Wahl darlegen. Bf. unter= nimmt dieſen Verſuch mit vielem Geſchick, aber nicht in zuſammenhängender, erzählender Darſtellung, ſondern er gibt in der Hauptſache nur eine Kritik der verſchiedenen urkundlichen Angaben und der ſonſtigen Momente, die für einen Einfluß Johanns XXIII bei der Wahl ſprechen, ſowie endlich daraus die Kon= ſequenzen. Die bemerkenswerteſten Reſultate, zu denen S. gelangt, ſind: Sigis= mund hat bereits Alexander V Obödienz geleiſtet; hierzu veranlaßten ihn einerſeits die italieniſchen Verhältniſſe, nämlich die Erfolge Ludwigs von Anjou und des Piſaner Papſtes gegen Ladislaus von Neapel, andrerſeits der Wunſch, die Kirchenverhältniſſe in Ungarn zu gunſten der Staatsgewalt geordnet zu ſehen. Johann XXIII, der Nachfolger Alexanders, kam nicht nur dem Könige auf dieſem Gebiete entgegen, ſondern er betrieb auch ſofort nach dem Tode Ruprechts ſeine Wahl zum deutſchen König, ehe noch Sigismund ſelbſt an eine Kandidatur dachte. Daß Sigismund von ſeinen kirchenpolitiſchen Gegnern, den Anhängern des Papſtes Gregor XII, gewählt wurde, während die Kurfürſten der Obödienz Johanns ihre Stimmen Joſt von Mähren gaben, erklärt Bf. mit großer Wahr= ſcheinlichkeit durch die Zwangslage, in der ſich Pfalz und Trier gegenüber Köln

und Mainz befanden: Durch die plötzlich vorgenommene Wahl wollten die
ersteren verhindern, daß sie zur Anerkennung Johanns XXIII. genötigt würden.
Nach dem Tode Josts im Januar 1411 ist es dann wiederum Johann, der
auch Köln und Mainz zur Wahl Sigismunds bestimmt. — Ohne auf Einzel=
heiten näher einzugehen, möchte Ref. doch hervorheben, daß nach seiner Meinung
Vf. die Berichterstattung im MA. sich viel zu langsam vorstellt. Denn daß
Briefe von Ofen bis Bologna mindestens einen vollen Monat zur Beförderung
beanspruchten (S. 18), ist ebenso unwahrscheinlich, als es sicher ist, daß am
31. Mai 1410 der Tod Ruprechts in Bologna schon bekannt war (S. 42). Eine
Zusammenstellung von urkundlichen Zeugnissen über die Schnelligkeit der Nach=
richtenübermittelung im MA., eine freilich mühsame, aber auch dankbare Aufgabe,
würde wohl die Richtigkeit der Ansicht des Ref. darthun. Eine bessere Korrektur,
vor allem auch größere Genauigkeit in den Zitaten, wäre der im übrigen sehr
verdienstlichen und in ihren Ergebnissen ansprechenden Schrift zu wünschen
gewesen.   L. S.

* **Fester** (R.), Regesten der Markgrafen von Baden und Hachberg. Hrsg.
von der bad. hist. Kommission, bearb. von —. Lfg. 6—8. Inns=
bruck, Wagner. 4°. 345—529, h. 57, 120. *M.* 12.

Der im Hist. Jahrb. Bd. XVI, S. 412 f. angezeigten Doppellieferung dieser
Regesten ist binnen Jahresfrist eine weitere dreifache gefolgt, welche die Re=
gierungszeit des großen Bernhard (1391—1431) abschließt und die Hachberger
Linie bis zum Tode Rudolfs III (1428) fortführt. Es sind mit den Nachträgen
insgesamt 1248 — h 597 Stücke nebst einer größeren Anzahl von Zusätzen und
Verbesserungen zu den Nr. 4—3790, bezw. h 23—847. Der Gang der Ereignisse
zeigt uns die Entwicklung der badischen Markgrafschaft auf grund eines überaus
reichhaltigen und vom Vf. in lichtvoller Sichtung und Anordnung zusammen=
gestellten Materiales in seltener Prägnanz und Klarheit. In den hier zum ersten
Mal völlig erschlossenen Jahren kommt der Gegensatz der Interessen Bernhards
und der auf seine wachsende Macht eifersüchtigen, von Straßburg angeführten
Städte zum offenen Ausbruch und nicht mehr zur Ruhe, so lange jener am
Leben war. Durch die Erhebung der markgräflichen Orte Emmendingen und
Eichstetten zu Märkten nicht wenig beschleunigt, begann im Sommer 1424 der
Krieg. Das Bewußtsein ihrer überlegenen Stärke und das Vertrauen auf ihre
Bundesgenossen wie namentlich auf den Kurfürsten Ludwig von der Pfalz, dem
Bernhard einst vor dem Konstanzer Konzil Erbe streitig gemacht hatte,
machte die Städte diesmal wie noch öfters in der folge taub gegen alle Ver=
mittlungsversuche, auch von seiten König Sigismunds. Bernhard ward besiegt,
aber die von ihm geschaffene Existenz Badens als Fürstentum gerettet. Es ist
Fester trefflich gelungen, alle die Punkte wirkungsvoll hervorzuheben und zu
gruppieren, welche, das politische Ziel Bernhards bezeichnend, sich wie ein roter
Faden durch das Gewirre der Einzelheiten hindurchziehen. Zum ersten Male
sehen wir hier genau und deutlich, wie Bernhard, „der schlichte Amtmann Gottes
am Fürstentume" seine Aufgabe aufgefaßt und, unentwegt durch Enttäuschungen
und Niederlagen, bis zu Ende durchgeführt hat; wie er die Selbständigkeit und
das Wachstum seines Staates gleichsam Schritt für Schritt erkämpft; wie er mit
Krieg und Fehde nicht allein, wie er vor allem mit Umsicht und Thatkraft, mit
kluger Benützung der Verhältnisse und seiner meist vorzüglichen Beziehungen zu
Kaiser und Reich seine Stammlande nicht nur bedeutend erweitert, sondern auch
durch eine wohlgeordnete Verwaltung und eine von des Königs Gunst und
eigener weiser Sparsamkeit getragene Finanzwirtschaft zu einem wohlgefügten
Staatswesen umgeschaffen und der neu begründeten Markgrafschaft auch im Reichs=
verbande eine angesehene Stellung errungen hat. Wie durch Festers Forschungen
nicht bloß selbst die neueren Darstellungen der badischen Landesgeschichte völlig
antiquiert werden, sondern auch die Reichsgeschichte in manchem Bezug und
vornehmlich die Person und Politik K. Siegmunds in eine von der bisherigen
ganz verschiedene Beleuchtung gerückt werden —, darüber soll hier ein ander
Mal berichtet werden.   P. A.

Laurent (Ch.), recueil des ordonnances de Charles Quint. · Tome I. Bruxelles, Gomaere. 2⁰. 762 S. Enthält 500 Dokumente a. b. J. 1506—19.

Ridder (Alf. de), les règlements de la cour de Charles-Quint. Gand, E. van der Haeghen. 80 S. [Aus: Messager des sciences historiques.]

Joachim (E), die Politik des letzten Hochmeiſters in Preußen, Albrecht von Brandenburg. 3. (Schluß) Teil. 1521—25. Leipzig, Hirzel. V, 456 S. .ℳ 14. [Publikationen aus den k. preuß. Staatsarchiven. Bd. 61.] Vgl. Hiſt. Jahrb. XV, 893.

*Kannengießer (P.), Karl V und Maximilian Egmont, Graf von Büren. Ein Beitrag zur Geſchichte des ſchmalkaldiſchen Krieges. Freiburg, Mohr. XV, 224. ℳ 4,80.
Bei Beginn des ſchmalkaldiſchen Krieges befand ſich Karl V in einer höchſt ſchwierigen Lage. Noch bevor er genügend gerüſtet war und ehe er überhaupt den Krieg erklärt hatte, ſah er ſich ſchon ernſtlich vom Feinde bedroht. Bei größerer Einigkeit und Entſchloſſenheit hätten die proteſtantiſchen Bundesgenoſſen leicht den Sieg davon tragen können. Erſt die Ankunft der von Büren ge- führten niederländiſchen Truppen in Ingolſtadt befreite den Kaiſer aus der großen Gefahr und ermöglichte ihm den Uebergang zum Angriffe. Der Marſch des Grafen von Büren vom Niederrhein zur Donau war demnach von der größten Bedeutung, und man kann K. nur loben, daß er es unternommen, dieſen merkwürdigen Zug eingehend zu ſchildern. Ein einleitendes Kapitel bringt näheres über Familie, Lebensgang und Charakter des Grafen Maximilian Egmont von Büren; dann wird berichtet, wie Büren im Auftrage des Kaiſers in den Niederlanden Truppen geworben, wie er dieſe Truppen unter großen Schwierigkeiten über den Rhein geſetzt, um ſie endlich, dem proteſtantiſchen Heere zum Hohne, dem Kaiſer, der im Lager bei Ingol- ſtadt ſehnſüchtig darauf wartete, zuzuführen. Hierbei fallen auch grelle Streif- lichter ſowohl auf die große Not, in welcher ſich der Kaiſer befand, als auf die Uneinigkeit und Unentſchloſſenheit der Gegner. Die ſorgfältig gearbeitete Schrift, die dem Andenken des verſtorbenen Hiſtorikers H. Baumgarten gewidmet iſt, bietet einen wichtigen Beitrag zur Geſchichte der erſten Periode des ſchmalkaldiſchen Krieges. K. hat nicht bloß zahlreiche gedruckte Quellen verwertet, er hat auch aus verſchiedenen Archiven viel neues Material an den Tag gefördert, ſo be- ſonders 22 Briefe, die zwiſchen Karl V und Büren gewechſelt worden und die in einem Anhange vollſtändig mitgeteilt werden. N. P.

Turba (Guſt.), zur Verhaftung des Landgrafen Philipp v. Heſſen 1547. Progr. der Oberrealſchule im 2. Bezirk zu Wien. 32 S.

Köcher (Ad.), Geſchichte von Hannover und Braunſchweig. 1648—1714. 2. Tl. (1668—74.) Leipzig, Hirzel. 1896. VIII, 675 S. .ℳ 20. [Publikationen aus den k. preuß. Staatsarchiven. Bd. 63.]

Paulig (F. R.), Familiengeſchichte des Hohenzollernſchen Kaiſerhauſes. Bd. 4: Friedrich Wilhelm II, König v. Preußen [1744—97]. Sein Privatleben u. ſeine Regierung im Lichte neuerer Forſchungen. Frank- furt a. O., Paulig. VIII, 366 S. ℳ 3. Vgl. Hiſt. Jahrb. XIII, 636.

Schmitz (M.), die Grafen u. Fürſten v. Hohenzollern. Von den älteſten Zeiten bis auf die Gegenwart. Sigmaringen, Liehner. VI, 110 S. ℳ 1,60.

Thimme (Friedr.), die inneren Zuſtände des Kurfürſtentums Hannover

unter der französisch-westfälischen Herrschaft 1806—13. Bd. 2. Hannover, Hahn. VI, 667 S. *M.* 15.

Vgl. Hist. Jahrb. XIV, 916. Der erste Band behandelte die Okkupation
Hannovers durch die Franzosen (1803‑5), die preußische Okkupation (1806)
und die zweite Okkupation durch die Franzosen (1806—10). Vorliegender zweiter
Band beschäftigt sich mit dem Königreich Westfalen und mit einer eingehenden
Darstellung der inneren Zustände des Königreiches.

Ditfurth (v.), aus sturmbewegter Zeit. Briefe aus dem Nachlasse 1810
bis 1815. Hrsg. von H. v. D. Berlin, A. Hofmann & Co. 1896.
XI, 264 S. m. 2 Bildern. *M.* 3.

Friedemann (E.), Friedrich Wilhelm IV. Zu seinem 100jähr. Geburtstag, 15. Oktober 1895. Eine geschichtliche Betrachtung. Berlin,
Dümmlers Verlag. 48 S. *M.* 1.

Bernhardi (Th. v.), die ersten Regierungsjahre König Wilhelms I.
Tagebuchblätter a. d. J. 1860—63. Mit einem Bildnis Bernhardis.
Leipzig, Hirzel. IX, 340 S. *M.* 7.

Sybel (H. v.), die Begründung des Deutschen Reiches durch Wilhelm I.
Bd. 6 u. 7. 5. Aufl. München, Oldenbourg. XII, 450 u. XI,
416 S. à *M.* 7,50, 9,50.

Vgl. Hist. Jahrb. XVI, 878.

Blum (H.), Fürst Bismarck und seine Zeit. Eine Biographie für das
deutsche Volk. 9.—12. Halbd. (Schluß) München, Beck. Bd. 5 u. 6.
XV, 430 u. XIII, 521 S. à *M.* 2,50.

Vgl. Hist. Jahrb. XVI, 662.

Wustmann (G.), Quellen zur Geschichte Leipzigs. Veröffentlichungen aus
dem Archiv und der Bibliothek der Stadt Leipzig. Bd. 2. Leipzig,
Duncker & Humblot. Lexikon‑8°. VII, 548 S. m. 7 Abbildgn. *M.* 10.

Meyer (Chr.), Quellen zur Geschichte der Stadt Kulmbach u. der Plassen-
burg. Mit einer Ansicht: Kulmbach im 17. Jahrh. München, Selbstverlag. III, 314 S. *M.* 5.

Wendler (O.), Geschichte Rügens von der ältesten Zeit bis auf die Gegenwart. Bergen a. R., Becker. 159 S. *M.* 1,50.

Behr (E.), des Deutschritterordens Ballei Sachsen u. Kommende Burow.
Progr. des Gymn. zu Zerbst. 4°. 14 S.

Schönneshöfer (B.), Geschichte des Bergischen Landes. Elberfeld,
Baedeker. 1896. VIII, 543 S. m. Titelbild. *M.* 4,50.

Riemann (F. W.), kleine Aufsätze zur Geschichte Jeverlands. H. 1.
18. Jahrh. Jever, Mettcker & Söhne. 60 S. *M.* 0,50.

Hahn (L.), Geschichte des preußischen Vaterlandes. 24. Aufl. Fortgeführt
bis zur Gegenwart. Berlin, Besser. XVIII, 798 S. Mit Tab.
und Stammtafeln. *M.* 6 u. 7,20.

Leger (L.), histoire de l'Autriche-Hongrie depuis les origines jusqu' à
l'année 1894. 4e édition revue et complétée. Paris, Hachette.
16°. VI, 687 S. 6 Karten.

Meyer (J.), Bilder aus der Geschichte des deutschen Volkes. Für Schule

und Haus nach den Meisterwerken deutscher Geschichtschreibg. bearb.
Bd. 2. Deutsche Fürsten= u. Ländergeschichte.
Vgl. Hist. Jahrb. XVI, 659.

Schweiz.

Gisler (A.), die Tellfrage. Versuch ihrer Geschichte und Lösung. Zur
Enthüllung des Telldenkmals in Altdorf am 28. August 1895 verfaßt
im Auftrage der Regierung des Kantons Uri. Bern, Wyß. 1895.
XIV, 237 S. fr. 5, geb. fr. 7.

Zuerst gibt Vf. einen historischen Ueberblick über die Tellfrage bis auf die
jüngsten Behandlungen, bei den ersten Kontroversen ausführlicher verweilend.
Im zweiten und dritten Teil sucht er mehr in indirekter Argumentation die
Ueberlieferung der österreichischen Vögte und ihrer Frevelthaten als glaub=
würdig zu erweisen und damit für Tell und Geßler als historische Gestalten
platz zu gewinnen. Neues Material vermag er nicht beizubringen, unterwirft
aber die Berichte des 15. Jahrh.: Justinger, Hemmerlin, das Tellenlied, das
Weiße Buch von Sarnen und die Chronik von Melchior Ruß einer nochmaligen
Durchsicht und eingehenden Kritik, die ihn auch zu einigen neuen Annahmen
führen. Als Schlußergebnis werden folgende Sätze aufgestellt: 1. Die strenge
Geschichte läßt Raum für ein Vogtregiment in Albrechts letzten Jahren; ebenso
für die That des Tell kurz vor oder nach Albrechts Tod. 2. Verschiedene Um=
stände machen dies Vogtregiment wahrscheinlich. 3. Weder Tell noch Geßler,
soweit sie in den Quellen des 15. Jahrh und namentlich im Weißen Buch er=
scheinen, sind in der Hauptsache eine historische Unmöglichkeit. 4. Die Pro=
zessionen Bürglen—Steinen und zur Kapelle am See sind ohne Tell ein Rätsel.
5. Die Telltradition erscheint vor der ersten Hälfte des 15. Jahrh bereits schrift=
lich fixiert, sie hat zudem solche innere Merkmale, daß sie nicht erst damals ent=
standen sein kann, sondern nur in den ersten Zeiten des Schweizerbundes. 6. Da
also nichts entscheidend gegen Tell spricht, mehreres aber mit Wahrscheinlichkeit
für ihn, so halten wir mit Recht die Hauptsache der Erzählung im Weißen
Buche fest, die so lange Jahrhunderte im nationalen Bewußtsein unseres Volkes
gelebt. — Ich halte den ersten und zweiten Satz für nicht bewiesen, ein öster=
reichisches Vogtregiment für ausgeschlossen, indem wir keine positiven Beweise
dafür haben, aber solche, die dagegen sprechen. Kann Vf. einen einzigen fremden
österreichischen Vogt während der Regierung Albrechts namhaft machen für die
Länder, wenn er auch nicht Geßler heißt? Damit fällt auch die Basis für die
dritte Behauptung. Ferner scheint mir der Stiftungsbrief der Kapelle zu Bürglen
vom Jahre 1582 weiter nichts zu beweisen, als daß man das Haus, das auf
jenem Platze stand, damals für Tells Geburtshaus gehalten und daß seit diesem
Jahre zur Tellskapelle gewallfahrt wurde Ueber das, was vorher war, gibt
auch G. keinerlei Beweis. Und könnte übrigens nicht auch eine alte Wallfahrt
im Laufe der Zeit ihren Charakter geändert haben, zur Tellwallfahrt geworden
sein, weil der ursprüngliche Zweck nicht mehr durchsichtig und verständlich genug
war? Der fünfte Satz beruht auf der Annahme einer vertrocknen Chronik, also auf
einer sehr unsicheren Grundlage. Hätte diese Fründsche Schwyzerchronik wirklich
die Befreiungssage enthalten, so müßten wir auch in Vonstettens Beschreibung
der Schweiz, der dieselbe nach Bernoullis Analyse für die Legende von Switerus
benutzte, Spuren davon finden, das ist aber nicht der Fall, und sein Schweigen
spricht bedeutsam dagegen, da er sonst nichts den Schwizern schmeichelhaftes
übergeht. Sonst bleibt das Tellenlied vom Jahre 1474 das älteste Zeugnis.
Damit soll nicht gesagt sein, daß in der Ueberlieferung des Weißen Buches usw
nicht irgend ein historischer Kern steckt, und wir halten den Versuch Bernoullis
im Anzeiger für schweizerische Geschichte (1891) für sehr ansprechend. Da aber
uns keinerlei sichere chronologische Anhaltspunkte durch die Ueberlieferung ge=
boten sind, so wird es gut besser sein, sich von Tschudi ganz zu emanzipieren und
ins voraufgehende Jahrhundert hinaufzusteigen.   A. B.

Gremaud (J.), documents relatifs à l'histoire du Valais: 1402—31. Tom. VII: Lausanne, Bridel: VII; 647 S. [Mémoires et documents publiés par la Société d'histoire de la Suisse romande.] Vgl. Hist. Jahrb. XIV, 689.

Häne (J.), der Klosterbruch in Rorschach und der St. Galler Krieg 1489—90. St. Gallen, Huber. 272 S. [Mitteilungen zur vaterl. Geschichte, hrsg. v. histor. Verein in St. Gallen. XXVI; Halbbd. 1.]

Zu den Ursachen des von den Schweizern so genannten „Schwabenkrieges" von 1499 gehören die feindselige Haltung der Eidgenossen gegenüber dem Schwäbischen Bunde und Anstände mit dem Reichskammergericht; beide waren eine Folge des kurzen und unblutigen Krieges, der sich an die gewaltsame Zerstörung eines klösterlichen Neubaus zu Rorschach am Bodensee durch die vereinigten Gegner des gewandten und energischen Abtes Ulrich VIII von St. Gallen anschloß. Mit der durch Rivalität gegen den gefährlichen Nachbar zur Gewaltthat ermutigten und von dem energischen Bürgermeister Varnbueler hineingetriebenen Stadt St. Gallen hatten sich die von jeher der äbtischen Herrschaft feindseligen Appenzeller verbunden und zu den beiden sich ein Teil der über ökonomischen Druck klagenden Gotteshausleute gesellt. Zunächst beteiligt waren die vier Schirmorte des Gotteshauses: Zürich, Luzern, Schwiz und Glarus, denen auch die übrigen Orte auf ergangene Mahnung Hilfe schickten. Die Empörung der Gotteshausleute wurde unterdrückt. Die Appenzeller mit dem Verlust des Rheinthales und der Herrschaft Sax gestraft, die Stadt gezwungen mit Gotteshausleute aus dem Burgrechte zu entlassen und namhafte Geldentschädigung an den Abt und die Schirmorte zu leisten. Vf. bietet hier zum ersten Mal eine streng wissenschaftlich gehaltene selbständige Darstellung dieser Ereignisse: im Gegensatze zu Ullmann legt er auf das Anerbieten des Schwäbischen Bundes im J. 1490, dem Kaiser zur Wiedergewinnung der 1460 an die Eidgenossen verlorenen österreichischen Landschaften behilflich zu sein, größeren Nachdruck. Der Moment war damals ungleich günstiger als neun Jahre später, wegen der inneren Verhältnisse in der Eidgenossenschaft und des fünfmal größeren Truppenaufgebotes. Als Beilagen werden 33 wichtige Aktenstücke abgedruckt. Die Arbeit ist eine höchst verdienstliche Leistung. A. B.

Erb (A.), das Kloster Rheinau und die helvetische Revolution (1798—1803 resp. 1809). Beilagen 2 Illustrationen u. 1 Situationsplan. Zürich, Keller & Müller. 248 S.

Rheinau ist ein Benediktinerkloster des 8. Jahrhs. auf einer Rheininsel unterhalb Schaffhausen. Vf behandelt einen kleinen Abschnitt aus der mehr als 1000jährigen Geschichte des Stiftes, die auf grund des reichen Materials einer Neubearbeitung wert wäre, eine allerdings schicksalsschwere Zeit, in der jedoch das Stift mehr eine passive als aktive Rolle spielt. Ausgedehnte Quellenkenntnis und Verfügung über reiches, bisher nicht verwertetes Material verleiten dem Vf. zu einer vielfach unverhältnismäßigen Breite der Darstellung. Die Vorgeschichte wird in einem einleitenden Kapitel abgethan, dann werden die Lage des Stiftes bei Ausbruch der Umwälzung, seine Aufhebung 1799, die Leiden und Anstrengung unter helvetischer Verwaltung, wo es um die Wette von französischem, russischem und österreichischem Militär besetzt und zum teil ausgesogen wurde, vorgeführt. Noch einmal feierte das Kloster seine Auferstehung 1803, und es wurde, nachdem es bisher als freies Reichsstift unter dem Schutze der Eidgenossen gestanden, dem Kanton Zürich einverleibt, der es dann ca. 60 Jahre später säkularisierte. Manche interessante Streiflichter fallen auf die helvetische Verwaltung, so daß wir darin einen beachtenswerten Beitrag zur Geschichte der Helvetik sehen können i wichtige Aktenstücke sind als Anhang abgedruckt, doch gehören 1—4 nicht streng in den Zusammenhang. A. B.

*Fischer (A. K.), die Hunnen im Schweiz. Eifischthäle u. ihre Nachkommen bis auf die heutige Zeit. Zürich, Orell Füßli. fr. 9.

Besprechung folgt.

Niederlande und Belgien.

Piot (Ch.), correspondance du cardinal de Granvelle. Tom. XI. Bruxelles, Hayez. LXXII, 772 S.
Vgl. Hist. Jahrb. XV, 454.

Franz (A.), Ostfriesland u. die Niederlande zur Zeit der Regentschaft Albas 1567—73. Emden, Schwalbe. 294 S. mit 1 Karte. ℳ 4. [Aus: Jahrb. der Gesellsch. für bildende Kunst u. vaterländ. Altertümer zu Emden.]

Waddington (A.), la république des Provinces-unies, la France et les Pays-Bas espagnoles de 1630 à 1650. Tome I. 1630—42. Paris, Masson. fr. 7,50.

Chestret de Haneffe (J. de), études historiques sur l'ancien pays de Liège. Liège, de Thier. 1893/94.

Italien.

Sewell (E. M.), outline history of Italy, from the fall of the Western Empire. With preface by Lucy H. M. Soulsby. London, Longmans. 292 S. 2 sh. 6d.

Hodgkin, Italy and her invaders. Vol. V. The Lombard Invasion 553—600. Vol. VI. The Lombard Kingdom 600—744. Oxford, Clarendon Press. XVIII, 484 u. XX, 636 S. 1 Tafel.
Vgl. Hist. Jahrb. VII, 723. Mit diesem Bande ist das breit angelegte Werk seinem Abschluß bedeutend näher geführt; nur ein Schlußband, der bald erscheinen soll, steht noch aus. Wie die früheren Bände enthalten die vorliegenden eingehende Quellenanalysen. Unter Berücksichtigung der Kulturgeschichte bringen diese Bände folgende Kapitel: V. Bd.: 1 Der Alamanneneinfall in Italien. 2. Die Regierung des Narses. 3. Die Vorgeschichte der Longobarden 4. Alboin in Italien. 5. Das Interregnum. 6. Flavius Authari. 7. Gregor der Große. 8. Gregor und die Longobarden. 9. Der päpstliche Friede. 10. Die letzten Jahre Gregors. 11. Das Schisma in Istrien. VI Bd.: 1. Zustände in Europa im 7. Jahrh. 2. Die vier großen Herzogtümer: Trient, Friaul, Benevent, Spoleto. 3. Leben und Wirken des hl. Columban. 4. Theudelinda und ihre Kinder. 5. Rotharis Gesetzgebung. 6. Grimwald und Kaiser Konstans. 7. Herrschaft der bayerischen Linie (653—712). 8 Fortsetzung der Geschichte der vier Herzogtümer. 9 Päpste und Kaiser namentlich unter Justinian II. 10. Liutprands Gesetze. 11. Der Bildersturm 12 Liutprands politische Thätigkeit. 13 Staatliche Verhältnisse des Italiens der Kaiserzeit. 14. Verfassung des Langobardenreichs.

Astegiani (L.), codex diplomaticus Cremonae, 715—1334. [R. deputazione sopra gli studî di storia patria delle antiche provincie e della Lombardia.] Augustae Taurinorum, fratres Bocca. 399 S

Pinton (P.), codice diplomatico saccense: raccolta di statuti, catasti, diplomi ed altri atti e regesti di Giove di Sacco, con prefazione, registro, fonti, note, carte etc. a cura di —. Roma, tip. delle Terme Divileziane di Balbi. XVI, 324 S. con tav. 4 fig. L. 25.

Sforza (L. C.), Ezelino da Romano e il Principato di Trento. Trento, Marietti. 1893.

Caro (G.), Genua und die Mächte am Mittelmeer 1257—1311. Ein Beitrag zur Geschichte des 13. Jahrhs. Bd. 1. Halle, Niemeyer. XIII, 414 S. ℳ 10.

Ravanelli (C.), contributi alla storia del Dominio Veneto nel Trentino. Trento, Marietti. 1893. [Aus: Arch. Trent. XV, 211.]

Bruni (L.), Cosimo I de' Medici e il processo d'eresia del Carnesecchi. Turino, Rocca. 1892. 12⁰. 61 S.

Gallier (A. de), César Borgia et documents inédits sur son séjour en France. Paris, Picard. 169 S.

Dem Vf. vorliegender Abhandlung wurden durch Hrn. William Poidebard un= gedruckte Dokumente über Cesare Borgia mitgeteilt, welche letzterer bei einem Altertumshändler in Lyon angekauft hatte. Diese hier mitgeteilten Briefe be= ziehen sich sämtlich auf Cesares Aufenthalt in Frankreich, der noch vielfach der Aufhellung bedarf. Man kann daher dem Vf. für die Publikation Dank wissen, wenn er auch seine Akten überschätzt. Die der Abhandlung vorausgeschickten allgemeinen Abschnitte (1. D'Ezzelino da Romano à César Borgia. Moeurs italiennes. 2. Le Paganisme dans la Renaissance. 3. Alexander VI et César Borgia) sind geistreich geschrieben, aber nicht frei von Irrtümern; sehr wenig zutreffend sind namentlich S. 79 f. die Bemerkungen über Girolamo Savonarola. Wohlthuend berührt der Freimut, mit welchem Gallier die traurige Zeit der Borgia behandelt: er schließt sich hier mit recht unbedingt den Urteilen von L'Epinois an.   L. Pastor.

Mazzatinti (G.), Bernardi Andrea (Novacula). Cronache forlivesi dal 1476 al 1517, pubblicate ora per la prima volta di su l'autografo, a cura di —. Vol. I, parte I. Forli, tip. Bordandini. XL, 350 S.

Villari (P.), Nicolo Machiavelli e suoi tempi. Illustrati con nuovi documenti. 2ª Edizione rivedutta e corretta dall' Autore. Vol. II. Milano, Hoepli. 638 S. Prezzo dell' opera completa in 3 volumi. 1. 15.

Vgl. Hist. Jahrb. XV, 899. Vorliegender Band beschäftigt sich mit den ›Discorsi‹, den ›Storie‹ und dem ›Principe‹ M.s.

Rosi (M.), della signoria di Francesco Sforza nella marca secondo le memorie dell' archivio recanatese. Recanati, tip. Simboli. 367 S.

Del Cerro (E.), un amore di Guiseppe Mazzini (1833—34): rive-lazioni storiche con una lettera di A. de Gubernatis. Milano, Kantorowitz. 96 S. 1. 2.

Bossi (U.), cronologia della r. casa di Savoia da Beroldo fino ai nostri giorni: cenni storici del risorgimento italiano. Roma, stab. tip. dell' Opinione. 171 S. 1. 3.

Franceschini (L.), documenti inediti sulla storia della reggenza di Maria Cristina duchessa di Savoia. Roma, Tip. dell Unione Co-operative Editria. 97 S. 1. 5.

Bersezio (V.), il regno di Vittorio Emanuele II: trent' anni di vita italiana Libro VIII. Torino, Roux, Frasatti e C. 630 S. 1. 5. Vgl. Hist. Jahrb. XV, 202.

Falchi (J.), della città vecchia e della nuova dei vetuloniesi. Firenze, stab. tip. Fiorentino. 54 S.

Frankreich.

Petit-Dutaillis, étude sur la vie et le règne de Louis VIII, roi de France. Thèse. [Bibliothèque de l'École des hautes-études No. 101].

Berger (Élie), Blanche de Castille, reine de France. Thèse. [Bibliothèque des Écoles de Rome et d'Athènes.]

Maccari (Latino), istoria del Re Giannino di Francia, a cura di —. Siena, tip. Carlo Nava. 1893. LX, 200 S.

Veröffentlicht nach Cod. Barberini XLV, 52 einen von ihm nicht als glaubwürdig charakterifierten Bericht über das abenteuerliche Leben des nachgebornen Sohnes Ludwigs X, welcher angeblich mit dem Kinde eines G Baglioni aus Siena vertauſcht wurde, in letzterer Stadt aufwuchs und später „entdeckt" wurde und in der Provence um Anerkennung gestritten haben ſoll. Vgl. dazu die Artikel von M. le comte de **Puymaigre**, un prétendant au trône de France. — Giannino Baglioni (Revue des quest. histor. LVII, 519).

Mougenot (L.), Jeanne d'Arc, le Duc de Lorraine et le Sire de Baudricourts. Contribution à l'histoire de la Pucelle et de la région lotharingique. Nancy, imper. Berger Levrault et Cie. 165 S.

Gierth (W.), die Vermittlungsverſuche Kaiſer Siegmunds zwiſchen Frankreich und England im Jahre 1416. Hallenſer Diſſ. 46 S.

Esquerrier (A.) et **Miégeville**, chroniques romanes des comtes de Foix, composées au XVe siècle, et publiées pour la première fois par Felix **Pasquiers** et Henri **Courteault**. Paris, Picard et fils. XXVII, 196 S. et facsimilé d'une charte. fr. 4.

Bardon (A.), ce que coûta l'entrée de François Ier à Nimes 1553. Nimes 1894. 53 S.

Moeller (Ch.), Éléonore d'Autriche et de Bourgogne, reine de France. Un épisode de l'histoire des Cours au XVIe siècle. Paris, Fontemoing. 1896. fr. 10.

Roucante (J.), documents pour servir à l'histoire du pays de Gévandau au temps de la ligue (1585—95), publiés avec introduction et notes. Paris, Picard. 1894. VII, 269 S fr. 5.

Quesnel (G.), histoire maritime de la France depuis Colbert, ouvrage rédigé conformément aux programmes des examens (décret du 18 septembre 1893). Paris, Challamel. 274 S.

Bodemann (E.), Briefe der Herzogin Eliſabeth Charlotte von Orleans an ihre frühere Hofmeiſterin A. K. v. Harling, geb. v. Uffeln und deren Gemahl, Geh. Rat Fr. v. Harling zu Hannover. Hannover und Leipzig, Hahn. XXXII, 234 S.

Der Briefwechſel mit letzterem gewinnt dadurch allgemeineres Intereſſe, daß die Herzogin dem Freunde politiſche Informationen aus der Zeit der Regentſchaft ihres Sohnes zukommen läßt.

Couret (E.), le Pavillon des Princes. Histoire complète de la prison politique de Sainte-Pélagie depuis sa fondation jusqu' à nos jours. Avec quelques mots en forme de préface d'Achille **Ballière**. Paris, Flammarion. 18°. 360 S. fr. 3.50.

König (B. E.), die Geſchichte des Cabinet noir Frankreichs. Leipzig, Weber. 57 S. M. 1.50.

Lacroix (S.), actes de la Commune de Paris pendant la Révolution, publiés et annotés par —. T. 2: 2e assemblée des représentants

de la Commune; conseil de ville; bureau de ville. (19 septembre
— 19 novembre 1789). Paris, Quantin. XXII, 709 ©.
Vgl. Hiſt. Jahrb. XVI, 665.

Croze (P. de), le Chevalier de Boufflers et la comtesse de Sabran.
1788—92, Paris, Calman Lévy. 1894. 18⁰. 335 ©.
Das Leben beider Perſonen wird behandelt vom Jahre 1788 bis zur Ankunft
B.s beim Prinzen Heinrich von Preußen in Rheinsberg, am 6. Januar 1792.

Denis (A.), le club des Jacobins de Toul (1793—95). Préface de
Ch. Pfister. Paris, Berger-Levrault et Cie. 131 ©.

Chantelauze (R.), Louis XVII, son enfance, sa prison et sa mort au
temple, d'après des documents inédits des Archives nationales.
Paris, Firmin-Didot et Cie. 18⁰. XIX, 378 ©. und Porträt.

Larue, histoire du 18 fructidor. — La déportation des députés à la
Guyane, leur évasion et leur retour en France. Paris, Plon.
X, 174 ©.

Sciout (L.), le Directoire. 1ʳᵉ partie: Les thermidoriens; constitution
de l'an III; 18 fructidor. 2 vol. Paris, Firmin-Didot et Cie. 18⁰.
XLVIII, 728, 682 ©. fr. 16.

Silvagni (U.), Napoleone Bonaparte e i'suoi tempi, con documenti
e lettere inedite dell' imperatore, ritratti, numerosi schizzi ed indice alfabetico dei nomi proprî. Parte I: La rivoluzione (da
Luigi XIV al 18 brumajo), vol. I—II. Roma, tip. Forzani e C.
XXVIII, 837, 1111 ©. l. 15.

Whately, historic doubts relative to Napoleon Buonaparte. London,
Putnams. 90 ©. sh. 3.

Lejeune, de Valmy à Wagram, près de Napoléon. Paris, Firmin-
Didot et Cie. 16⁰. XI, 418 ©.

Daudet (E.), la police et les Chouans sous le Consulat et l'Empire.
Paris, Plon Nourrit et Cie. 12⁰. 360 ©.

Brotonne (L. de), les sénateurs du Consulat et de l'Empire. Tableau
historique des pairs de France [1789; 1814—48]; les sénateurs
du second Empire. Seule édition complète. Paris, Champion.
XI, 327 ©.

Bocher (A.), les premiers rapports de la France avec le Japón. Aventures d'un missionaire français aux îles Liou-Tcheon (Japon) 1844
—46. Paris, impr. Richard. 18⁰. 24 ©. fr. 0,50.

Chesnelong (Ch.), la campagne monarchique d'octobre 1873. Un
témoignage sur un point d'histoire. Paris, Plon Nourrit et Cie. fr. 7,50.

Vogel (R.), am Schluß eines Jahrhunderts. Allgem. Rundſchau der europäiſchen Völker- und Staatenkunde mit Hinblick auf die Hauptfragen
der Gegenwart. I. Reihenfolge: Die Großmächte. Bd. 1: Die dritte
franzöſiſche Republik bis 1895. Mit Bildnis des Präſidenten Felix
Faure. Stuttgart, Deutſche Verlagsanſt. XVI, 644 ©. ℳ 7,50.
Vf., Kabinetsrat a. D., eröffnet mit dieſem ſtarken Oktav-Bde. ein großartig angelegtes hiſtoriſch-politiſches Sammelwerk: Am Schluß eines Jahrhunderts.
Allgemeine Rundſchau der europäiſchen Völker- und-Staatenkunde

mit Hinblid auf die Hauptfragen der Gegenwart. Sein Standpunkt iſt
ein gemäßigt konſervativer, der dem Kulturkampf oder, wie man ihn in Frank=
reich nennt, dem Antiklerikalismus keine Sympathien entgegenbringt, ſich aber
auch hütet, in Verdacht „mittelalterlichen Katholizismus‘ zu geraten. Ueber
Perſonen und Dinge zeigt er ſich wohl unterrichtet, aufmerkſam verfolgt er die
Strömungen und Erſcheinungen des geiſtigen Lebens, und zahlreiches ſtatiſtiſches
Material macht das Buch auch für Nachſchlagezwecke brauchbar.   Schl.

Zevort (E.), la France sous le régime du suffrage universel. Paris,
May et Motteroz. 270 S.

Großbritannien und Irland.

Wylie (Jam. Hamilton. M. A.), history of England under Henry the
Fourth. Vol. II. London, Longman. 1894. Green & Co. LIV,
490 S. M 16.

Vgl. Hiſt. Jahrb. XV, 656.

Stawenow (L.), den stora engelska revolutionen i det sjuttonde
arhundradets midh. Göteborg, Wettergren & Kerber. 188 S.
kr. 1,75. [Föreläsinger, populärt vetenskapliga, vid Göteborgs
högskola 2.]

*Ruville (A. v.), William Pitt (Chatham) u. Graf Bute. Ein Beitrag
zur inneren Geſchichte Englands unter Georg II. Berlin, Guttentag.
III, 119 S. M 1.

Beſprechung folgt.

Tuckerman (F.), upon the Royal Prerogative in England especially
since the accession of the house of Brunswick. Heidelberg, Diſſ.
Heidelberg, Univ.=Buchdruckerei. 1894. 108 S.

Zerfällt in die Kapitel: 1. Anglo-Saxon period, 2. Anglo-Norman supremacy
slose of the Middle Ages, 3. the Tudor absolutism, 4. the Jure Divino
monarchy, 5. the accession of the house of Brunswick to the extinction
of Personal Rule and establishment of Popolar Government.

Seeley (J. R.), the growth of British policy. An historical essay.
2 vols. Cambridge, University press. sh. 12.

Dänemark, Schweden, Norwegen.

Holberg (L.), konge og Danehof i det 13. og 14. aarhundrede.
Første bind: Kong Erik Glippings Haandfaestning og Rigslove.
Kopenhagen, Gad. 350 S. kr. 5.

Christensen (W.), unionskongerne og Hansestaederne 1439 — 66.
Kopenhagen, Gad. 451 S.

Laursen (L.), kancellists brevbøger vedrørende Danmarks indre forhold 1561—65 i uddrag udgivne af rigsarkivet. Anden halvdel.
Kopenhagen, Reitzel in Comm. kr. 7.

Malmström (C. G.), sveriges politiska historia fran konung Karl XII
död til statshvälfningen 1772. 2. uppl., delvis omarbetad. 2. delen.
Stockholm, Norstedt & Söner, VIII, 455 S. kr. 5.

Bobé (L.), efterladte papirer fra den Reventlowske Familiekreds i tids
krummet 1770—1827. Første bind. Kopenhagen, Lehmann & Stage.
XVI, 291 S.

Bain (R. N.), Gustavus IV and his contemporaries, 1746—92. 2 vols.
London, Paul. 21 S.

Nielsen (Y.), aktitykker redkommende konventionen i Moss 14de Aug.
1814. Christiania, Dypwad in Comm. 1894. 216 S. [Christ.
Vidensk. Selsk. Skrifter. II. Histor.-filos. Cl. 1894.No. 4.]
Vgl. Hiſt. Jahrb. XVI, 885.

Lindström (G.), anteckninger om Gotlands medeltid. I., II. Mit
29 Abb. Stockholm, Norſtedt & Söhne. 112 u. VIII, 531 S.

Scavenius (J. F.), Danmark og det danske folks fremtid. Kopenhagen, Reitzel. 1894. 141 S. M. 1,75.

Bille, Ættens Historie. Første del af W. Mollerup. Kopenhagen
Gyldendal. XXIII, 790 S.

Spanien.

Morel-Fatio (A.), études sur l'Espagne. 1re Série. 2^{éme} Édition.
Paris, Bouillon. XI, 404 S.

Behandelt werden die geiſtigen Beziehungen zwiſchen Spanien und Frankreich,
V. Hugos Ruy Blas, der Verfaſſer des Lazarillo de Tormes, das Leben des
Diego de Mendoza, des Don Quixote, als ſpezielles Sittenbild des 17. Jahrh.,
die geiſtigen Beziehungen zwiſchen Belgien und Spanien. Letzterer Artikel iſt
bedeutſam durch ſein gerechtes Urteil über Karl V und Philipp II. (Vgl. Hiſt.
Jahrb. XII, 671.)

Ungarn, Balkanſtaaten.

Jahrbuch der hiſtor.-philolog. Geſellſch. bei der kaiſerl. neuruſſiſchen Univerſität [zu Odeſſa] IV. Byzant. Abteilung II. Odeſſa. 1894. 316 u.
128 S. (In ruſſiſcher Sprache.)

Aus der eingehenden Inhaltsangabe in der byzant. Zeitſchr. [IV. Bd. (1895)
S. 614 ff.] notieren wir: Th. Uſpenskij, eine unedierte kirchl. Rede über die
bulgaro-byzantiniſchen Beziehungen in der erſten Hälfte des 10. Jahrh. (S. 48
bis 123); A. Dimitriu, zur Frage über die Historia arcana (S. 258—301).
Dahn ſchrieb dieſelbe dem Prokopius zu, Ranke ſprach ſie ihm ab. D. ſchließt
ſich letzterem an. — N. Krasnoſelicev, eine Bemerkung zur Frage über die
Lage der Kirche von Chalkopratnia in Konſtantinopel (S. 309—16).

Coquelle (P.), histoire du Monténégro et de la Bosnie depuis les
origines. Paris, Leroux. V, 494 S. u. Karte. fr. 7,50.

A few facts about Turkey under the reign of Abdul Hamid II. By
an American observer. New-York, Press of J. J. Little & Cie. 67 S.

Rußland, Polen.

Lewicki (A.), codex epistularis saec. XV. Tom. III. Collectus cura —.
Krakau, poln. Verlagsgeſellſch. in Komm. 1894. Lexikon-8°. LXXX,
665 S. M. 10. [Monum. medii aevi histor. res gestas Poloniae
illustrantia. Tom. XIV.]
Vgl. Hiſt. Jahrb. XII, 672.

Seraphim (E.), Geſchichte Liv-, Eſt- und Kurlands von der „Auf-
ſegelung" des Landes bis zur Einverleibung in das ruſſiſche Reich.

Eine populäre Darſtellg. Mit 7 Bildern, e. Karte u. c. Perſonen-
u. Sachregiſter. Bd. 2. 2 Abtlgn. in 1 Bbc. 1. Die Provinzial-
geſchichte bis zur Unterwerfung unter Rußland. Von E. Seraphim.
2. Kurland unter den Herzögen. Von Dr. A. Seraphim. Reval,
Kluge. VI, 715 S. M 8.
Vgl. Hiſt. Jahrb. XVI, 419.

Wood (E.), the Crimea in 1854 and 1894. With plans and illustrations
from sketsches taken on the spot by W. J. Colville. London,
Chapman. 412 S. sh. 16.

Aſien.

Lane-Poole (S.), the Mohammadan dynasties. Chronological and
geological tables with historical introductions. Westminster, Constable. 1894. XXVIII, 361 S. sh. 12.

Lanesan (J. L. de), la colonisation française en Indo-Chine. Paris,
Alcan. 16⁰. VIII, 360 S.

Brakel (D.), de oorlog in Nederlandsch-Indië. Met een voorwoord
door F. de Bas. Arnhem, Kroesl & van der Zande. fl. 2,25.

Louw (P. J. F.), de Java-oorlog van 1825—30. Uitgegeven door het
Bataviansch genootschap van kunsten en wetenschappen met mede-
werking van de Nederlandsch-Indische regeering. 1. deel. Batavia,
Landsdrukkery. Haag, Nijhoff. 1894. Lexikon = 8. XXXIX.
10 Karten in Mappe.

Amerika.

Mandonnet, les Domicains à la découverte de l'Amérique. Paris,
Lethielleux. 1893. 18⁰. 225 S. m. 1 Porträt.

Das intereſſante Buch M.s legt in ſeinem erſten Teile die koſmographiſchen
Ideen Alberts des Gr. und des hl. Thomas dar, welche in den Dominikaner-
ſchulen des MA. bis zur Zeit des Kolumbus gelehrt wurden. Die beiden großen
Gelehrten des Dominikanerordens traten entſchieden für die Kugelgeſtalt der Erde
ein und ſomit für die Möglichkeit, daß man durch eine Meerfahrt nach Weſten
auf Land ſtoßen müſſe. Daraus erklärt M., daß Kolumbus, welcher durch eben
dieſe Ueberzeugung zu ſeinem Unternehmen veranlaßt wurde, von anfang an
bei den ſpaniſchen Dominikanern ſo warme Unterſtützung fand, insbeſondere bei
Diego de Deza, von dem Kolumbus ſelbſt in einem Briefe an die ſpaniſchen
Majeſtäten ſagte: „Diego de Deza iſt die Urſache geweſen, daß Euere Hoheiten
Indien beſitzen, und daß ich in Kaſtilien geblieben bin, als ich ſchon unterwegs
war, um mich an das Ausland zu wenden.“ In welcher Weiſe Diego de Deza
den Entdecker im einzelnen unterſtützte, weiſt M. im 2. Teile nach, wobei er
wiederholt Gelegenheit findet, gegen Harriſſe glücklich zu polemiſieren.

Moore (J. W.), the American congress: a history of national legis-
lation and political events, 1774—1895. New-York. sh. 14.

Howells (W. C.), recollections of life in Ohio from 1813 to 1840.
With an introduction by his son W. D. Howells. With portrait.
Cincinnati. sh. 9.

Withers (A. S.), chronicles of Border Warfare: or, a history of the
settlement by the whites of North-Western Virginia, and of the

Indian wars and massacres in that section of the state; with
reflections, anecdotes etc. A new edition, edited and annotated
by Reuben Gold T h w a i t e s. With a memoir and notes by the
late Lyman C. D r a p e r, With index and portrait. Cincinnati.
10 sh., 6 d,

K i r k l a n d (J.), the story of Chicago bringing the history up to de-
cember 1894. Illustr. 2 vols. Chicago. 12⁰. 36 S.

S e w a r d (F. W.), the life of William Henry Seward. 3 vols. With
illustrations. New York. 48 S.

G a n n e t t (H.), the building of a nation; the growth, present condition
and resources of the United States, with a forecast of the future.
With illustr. and coloured plates. New-York. sh. 12.

F e r g u s o n (H.), essays in American history. New-York. 12⁰. sh. 5,6 d.

M a s t e r (J. B. Mc.), a history of the people of the United States by —.
New-York, Appleton. T. IV, XIV, 630 S. 2¹/₂ d.

Die drei früheren Bände, welche die Geschichte Amerikas vom Ausgange des
Bürgerkrieges bis zum Jahre 1812 schildern, sind günstig aufgenommen worden;
in der That hat der Bf. sehr wichtiges Quellenmaterial zusammengetragen und
durch die erschöpfende Darstellung mancher Einzelheiten ein anschauliches Bild
von den amerikanischen Zuständen geliefert. So trefflich sich Bf. auf Klein=
malerei versteht, so sehr mangelt ihm die Gabe, die Hauptmomente heraus=
zugreifen und einheitlich zu gruppieren. Die Schilderung des Seekrieges mit
England im 25. Kapitel, das den bezeichneten Titel „Schiffsduelle und Kaper=
schiffe" führt, hätte sehr gewonnen, wenn Bf. die leidigen Wiederholungen ver=
mieden und nur das Charakteristische eines jeden dieser Schiffsduelle hervor=
gehoben hätte. Europäische Leser werden die letzten Kapitel des Werkes mit
besonderem Interesse studieren, weil sie daselbst eine auf den Quellen fußende
Darstellung der Kulturzustände Amerikas finden. Ums Jahr 1820 wohnten in
Neuengland 1'600,000, in den Mittelstaaten 2'700,000, in den Südstaaten
2'900,000, in dem Westen hinaus über die Alleganh Berge 2'250,000 Einwohner.
Die Staaten an der Ostküste hatten außer New=York fast alle an Bevölkerung
abgenommen. New=York war der Hauptlandungsplatz, manche Emigranten,
besonders aus Irland, blieben in New=York, und so vermehrte sich die Be=
völkerung auf erschreckende Weise. Die Bevölkerung in den übrigen Städten an
der Ostküste nahm sehr langsam zu, gleichwohl wuchs die Zahl der Armen, die
auf Almosen angewiesen waren. Ein Hauptgrund war Stockung von Handel
und Gewerbe infolge des Krieges und die in dem Gefolge des Krieges er=
scheinende Demoralisation des Volkes. Uebertretung des Sabbatgesetzes, Un=
mäßigkeit, Pauperismus schienen ein Einschreiten des Staates zu fordern. Da
die Staaten keine Anstalten behufs Unterdrückung der Wirtshäuser trafen, bildeten
sich Gesellschaften, welche sich zum Zwecke setzten, den Verkauf berauschender
Getränke zu verhindern (1813). Der Erfolg dieser Gesellschaften war gering,
der Pauperismus im Wachsen. In Pensylvanien bildete sich eine Gesellschaft
behufs Beförderung öffentlicher Sparsamkeit (1817), die sich in verschiedene Ab=
teilungen abzweigte. Man wollte Ersparnisse machen, die Wirtshäuser schließen,
Schulen für die Armen errichten. Das Gesetz, den Kindern der Armen unent=
geltlichen Unterricht zu erteilen, hatte nun freilich seit 1809 bestanden, war aber
infolge eines Protestes der Steuerzahler sistiert worden. Erst 1817 beschloß
man, Schulen zu gründen, in denen die Schüler zugleich als Lehrer fungieren
sollten. Fast gleichzeitig mit Philadelphia begann man in New=York eine Ge=
sellschaft behufs Unterdrückung des Pauperismus zu gründen, der viele angesehene
Bürger beitraten. ¹/₇ der Bevölkerung, das ist 15,000, lebten von Almosen,
¹/₁₆ bestand aus würdigen Armen, ein anderes ¹/₁₆ war aus verschiedenen Gründen
in Armut geraten, bei ⁷/₈ war Unmäßigkeit die Quelle der Armut. Schon 1809

hatten 1800 Schenken bestanden, in denen meistens für die niederen Klassen Schnaps ausgeschenkt wurde. Außerdem gab es noch 1600 Materialgeschäfte, die gleichfalls geistige Getränke verkaufen durften. Es charakterisiert die Amerikaner, daß sie berechneten, wie viele Kirchen und Schulen man mit dem Gelde, das die Armen auf geistige Getränke verwandten, hätte bauen können. Die Lotterien waren nicht weniger verderblich. Die von der Stadt mit der Untersuchung der Ursache des Pauperismus betraute Kommission beantragte eine Schließung der meisten Schenken, die Eröffnung von Arbeiterhäusern, den Bau von Kirchen und Schulen, die Anlegung von Sparkassen, ein Verbot des Straßenbettels. Gerade die Bettler waren die besten Kunden der 1900 autorisierten und der 600 nicht autorisierten Schnapsschenken New-Yorks. Das schreckliche Los der Schuldner Englands ist den Lesern von Dickens hinlänglich bekannt. In Amerika waren die Zustände kaum besser. Im Jahre 1794 wurde ein öffentlicher Inspektor angestellt, der die Befugnis hatte, Brennmaterial, Decken für die Schuldgefangenen anzuschaffen, ebenso 7 Cents (28 Pfennige) für Kost auszugeben. Wenn der Gläubiger diese Auslagen des Regierungsinspektors nicht bezahlte, wurde der Schuldner nach 10 Tagen in Freiheit gesetzt. Im Jahre 1814 ging die Brobakte durch. Der Gläubiger mußte täglich 80 Pf für den Unterhalt des Schuldners zahlen, wenn er nicht bezahlte, konnte der Schuldner ihn gerichtlich belangen und seine Freiheit erhalten. Leider ward niemand zum Anwalt des Schuldners bestellt, leider war das Honorar von 6 Mk., das der Richter erhielt, für manchen Schuldner unerschwinglich: und so blieb mancher Jahr und Tag im Gefängnis, nachdem der Gläubiger ihm den Unterhalt verweigert hatte. Im Jahre 1816 saßen in New-York 1984 Schuldner im Gefängnis; die Schulden von 1029 betrugen nicht mehr als je 200 Mk., die der übrigen weniger als je 100 Mk. Nur allmählich wurden die Gesetze gemildert. Die Armen und ihre zahlreiche Nachkommenschaft wurden mehr und mehr eine Landplage. Die Wohlthätigkeitsanstalten und philantropischen Vereine waren besonders im Jahre 1820—21 außer stand, den zahlreichen Anforderungen zu genügen. Die jungen Bettler bildeten Vereine, die sich gegenseitig verpflichteten, die ihnen widerfahrene Kränkung zu rächen und übten einen sicherheitsgefährlichen Terrorismus aus. Besserungsanstalten gab es damals noch nicht, die ersten wurden um diese Zeit von wohlthätigen Frauen gegründet. Die Kinder, welche von der Polizei auf frischer That ertappt wurden, mußten in die Gefängnisse wandern. Die Vermischung der Alten mit den Jungen machte eine Reform unmöglich. Die Verbrecher verließen das Gefängnis viel schlechter, als sie es betreten, wie ein Bericht an den Senat vom Jahre 1821 sagt, die Gefängnisse waren keine Besserungsanstalten, sondern Brutstätten des Lasters. Manche schrieben die Zunahme der Verbrechen der milderen Behandlung seitens der Obrigkeit zu und verlangten die Wiederherstellung des alten, grausamen Systems, Transportation, öffentliches Peitschen. Um diese Zeit wurde die Tretmühle eingeführt, Gesellschaften behufs Besserung junger Verbrecher wurden gegründet. Nirgends geschah weniger, als in Kolumbia. Man gab Hunderttausende von Thalern aus für den Druck und die Verbreitung von Bibeln, hatte aber in vielen Gefängnissen keinen Geistlichen. In New-Jersey, Pensylvanien, Maryland wurde auch nicht ein Pfennig ausgegeben, um den Gefangenen Sonntagsgottesdienst zu verschaffen, sie zu trösten oder in ihrem Glauben zu unterrichten.   Z.

Afrika.

Fagnan (E.), chronique des Almohades et des Hafçides. Atribuée à Zerkecchi. Traduction française d'après l'édition de Tunis et trois manuscripts. Constantine, impr. Braham. 298 S.

Clarin de la Rive (A.), histoire générale de la Tunisie depuis l'an 1590 avant Jésus-Christ jusqu' en 1883. Avec une introduction par P. Mignard. Paris, Challamel. 12°. LX, 414 S. fr. 5.

Kirchengeschichte.

Wetzer u. Welte, Kirchenlexikon. 2 Aufl., begonnen von J. Hergen=
röther, fortgef. v. F. Kaulen. Bd. X. H. 100 u. 101. Frei=
burg i. Br., Herder. 1895 u. 1896. S. 1—383.

Von den Artikeln aus den beiden ersten Heften des 10. Bandes notieren wir
Willib. Pirkheimer (Weber); Pisa, Synode von (Brück); Pistoja, Synode von
(Brück); Pius I—IX (v. Funk); St. Pölten [Fr. Werner (Neher)]; Pommern
(Weber); Portugal (Neher); Portugiesische Literatur (Macke); Prämonstratenser=
orden (Wurm); Prag (Luksch.); Pragmatische Sanktion (v. Funk); Predigt
(Keppler); Presbyterat (Dür); Presbyterianer (A. Zimmermann S. J.); Preußen
(ohne Schluß).

*Bardenhewer (O.), der Name Maria. Geschichte der Deutung desselben.
Mit Approbation des hochw. H. Erzb. v. Freiburg. Freiburg i Br.,
Herder. 1895. X, 160 S. M. 2. [Bibl. Studien, hrsg v. Prof.
Dr. O. Bardenhewer in München. Bd. 1, H. 1.]

Vorliegende Schrift verfolgt in einer Kette von durch musterhafte Methode aus=
gezeichneten Einzeluntersuchungen die Geschichte der Deutung des Namens Maria
v. Philo bis herab auf die neueste Zeit. Nach den Versuchen der rabbinischen
Literatur und der alten griechischen Onomastika, gewinnen die von Hieronymus
gegebenen Deutungen für das ganze MA. die Alleinherrschaft. Darunter wird
eine Erklärung besonders einflußreich: stilla maris, verwandelt in stella maris.
(Hier gibt der Vf. interessante Untersuchungen über das Alter des Hymnus
Ave maris stella.) Erst mit dem 16. Jahrh. beginnen wieder neue selbständige
Deutungsversuche, aber erst Hiller (Onomast. sacr. Tub 1706) durchschaute
richtig den grammatischen Bau des Wortes, und erst Schegg wies auf die richtige
Wurzel hin, ohne allgemeinen Beifall zu finden. Schließlich entscheidet sich V.
für die Deutung „wohlbeleibt", d. i. nach orientalischen Begriffen „schön".

Ebner.

*Wegener (P. Th. a. V. O. S. Aug.), wo ist das Grab der hl. Jung=
frau Maria? Eine alte Frage, neu untersucht zu Ehren der hehren
Gottesmutter. Mit Erlaubnis der Ordensobern. Alle Rechte vor=
behalten. Würzburg, Andreas Göbels Verlagsbuchhandlung. 57 S.
M. 0,50.

Das Schriftchen, welches von den Visionen der gottseligen Anna Kath. Emmerich
ausgehend den Nachweis zu erbringen sucht, daß die seligste Jungfrau in Ephesus
und nicht in Jerusalem gestorben und begraben sei, leidet an dem Mangel
historischer Methode, speziell an der Verquickung rein historischer und erbaulicher
Momente. Wir sind mit dem Vf. gleicher Ansicht betreffs der Würdigung von
Privatoffenbarungen im allgemeinen, halten es jedoch nicht für zulässig, dieselben
a priori als Geschichtsquellen zu benützen. Der erste Teil des Schriftchens ist
hauptsächlich negativer Natur und sucht die für Jerusalem und gegen die
Glaubwürdigkeit der genannten Visionen eintretenden Ausführungen Nirschls
(Katholit 1894, Nov. Hist. Jahrb. XVI, 382) zu entkräften. Das Ergebnis
ist, daß wir weder für Jerusalem noch für Ephesus eine hoch ins Altertum
hinaufreichende beglaubigte Tradition besitzen. Der zweite positive Abschnitt
gibt zwei Berichte über die Ausgrabungen, welche in Ephesus im Jahre 1891
auf Grund der von Visionen veranstaltet wurden, und welche interessante, nach
Aussage der Protokolle mit den Angaben A. K. Emmerichs merkwürdig überein=
stimmende Ergebnisse erzielten. Freilich wurde, wenn anders der beigegebene
Plan richtig ist, nicht ein Wohnhaus aufgedeckt, sondern vielmehr eine kleine,
anscheinend einschiffige Basilika mit Querarmen und Apsiden, die der Anlage
nach in ziemlich frühe Zeit zurückreichen könnte. Daß aber das aufgefundene
skulptierte Kreuz (leider nicht abgebildet) und die hebräischen(?) Inschriften auch
schon den von A. K. Emmerich erwähnten „Kreuzweg der seligten Jungfrau"
erweisen sollen, wird durch die Worte „Zweifeln wir nicht!" noch keineswegs

festgestellt. Unsere Ansicht geht dahin, daß die Funde interessant genug sind, um eine sachkundige, archäologische Untersuchung, die bisher gänzlich fehlt, zu verdienen. Auf deren Ergebnisse hin kann sodann die gewiß jeden Katholiken lebhaft interessierende Frage nach dem Sterbe- und Begräbnisorte der Mutter-gottes weiter erörtert werden.

Ebner.

Berger (S.), un ancien texte latin des Actes des Apôtres retrouvé dans un manuscrit provenant de Perpignan. Paris, Klincksieck. 4⁰. 44 S. [Aus: Notices et Extraits de la bibliothèque nationale et autres bibliothèques tome XXXV, 1ʳᵉ partie.]

B. veröffentlicht aus dem aus Perpignan stammenden codex lat. 321 s. XIII der Pariser Nationalbibliothek einen vorhieronymianischen Text von Act. ap. I, 1—XIII, 6 und XXVIII, 16—31, dessen Altertümlichkeit schon daraus hervor-geht, daß er XXVIII, 16 in der sog. B-Recension bietet, welche Blaß (vgl. Hist. Jahrb. XVI, 193. Bull. crit. 1895, 677) auf das Konzept des hl. Lukas zurückführt, und für welche wir an dieser Stelle bislang keinen lateinischen Text-zeugen hatten, als den gleichfalls dem 13. Jahrh. angehörenden Stockholmer gigas librorum. Da die Stelle auch ein hohes sachliches Interesse hat (vgl. Harnack und Mommsen in den Berliner Sitzungsber. 1895, 491 ff.), so teile ich den Wortlaut des Parisinus mit: »cum venissemus autem rome centurio tradidit vinctos prefecto („στρατοπεδάρχη‘ B. gr. ‚principi pere-grinorum‘ Gigas), permissum est autem paulo manere foris extra castra cum custode sibi milite.« Mit der nämlichen HS. hat sich B. schon in seinem Beitrage zu den Mélanges Havet beschäftigt. Vgl. Hist. Jahrb. XVI, 401.

C. W.

Harnack (A.), die Apostellehre und die beiden Jüdischen Wege. 2. verb. u. verm. Aufl. der klein. Ausg. Leipzig, Hinrichs. 1896. 2 Bl. 65 S.

Im J. 1886 ließ Harnack, da er sich zu einer zweiten Bearbeitung seiner großen Ausgabe der Didache (L. 1884) nicht entschließen konnte, einen erweiterten Ab-druck seines Artikels „Apostellehre" aus der Herzogschen Realencyklopädie nebst Text erscheinen. Von solcher auf solche Weise entstandenen kleineren Ausgabe hat er nun eine Neubearbeitung veröffentlicht, in welcher die in jüngster Zeit erschlossenen Quellen (z. B. die arabische Version der zwei Wege (vgl. Theol. Litztg. 1896, 18 f.) und die neueste Literatur ausgiebig verwertet sind.

C. W.

Berendts (A.), Studien über Zacharias-Apokryphen und Zacharias-Legenden. Leipzig, Deicherts Nachf. (Böhme). 1 Bl. 108 S.

Die scharfsinnige, gelehrte und trotz des spröden Stoffes anziehend geschriebene Arbeit zerfällt in zwei Teile. Im ersten untersucht B. die verschiedenen Tra-ditionen über das Ende des Zacharias. Er stellt fest, daß sie sämtlich auf die heidenchristliche Auslegung von Math. 23, 35 und Luc. 11, 51 zurückgehen und daß drei Ueberlieferungen zu scheiden sind, 1. eine gnostische Legende (γέννα Μαρίας), schon sehr früh in Syrien entstanden, die sich mit der heidnischen Sage vom Eselskult der Juden und Christen verquickte, 2. eine Tradition, welche sich „im engsten Zusammenhang mit den Wandlungen der Jerusalemer Lokal-tradition im 3. Jahrh." bildet, rabbinischen Sagen ihr Gepräge gibt und die Mehr-zahl ihrer Einzelzüge bei dannen hat, in der heutigen literarischen Gestaltung aber, in der sie uns gegenwärtig im sogenannten Protevangelium vorliegt, nicht vor dem 4.—5. Jahrh. nachzuweisen ist. 3. Eine Legende, die sich schon sehr früh aus dem größeren Ganzen von Zacharias- und Johanneslegenden, zu dem ursprünglich auch Nr. 2 gehört hat, losgelöst hat, uns in der Mitte des 3. Jahrh. mit dem Anspruch, Teil einer apokryphen Schrift zu sein, in Cäsarea als besondere Tradition von der Veranlassung der Ermordung Zachariä" (weil er der seligsten Jungfrau, auch nachdem sie geboren hatte, im Tempel einen Platz bei den Jungfrauen angewiesen) entgegentritt und später besonders auf die Autorität des Origenes und anderer griechischer Väter hin in kirchlichen Kreisen Anerkennung gefunden hat. Im 2. Teile macht uns B. mit einem bisher nicht beachteten slavischen apokryphen Stücke, einer „Erzählung von der Geburt

Johannes des Vorläufers und von der Tötung seines Vaters Zacharias" bekannt, welche in dem „Kapitalwerke der russischen hagiographischen Literatur, den sogenannten Tschetnji-Mineï des Metropoliten Makarius von Moskau" (1482—1563) enthalten ist. Er legt sie S. 71—80 in deutscher Uebersetzung unter Verzeichnung der Parallelen aus dem Protevangelium, den kanonischen Evangelien usw. vor und macht es S. 81 ff. höchst wahrscheinlich, daß das russische Stück und die betr. Teile des Protevangeliums auf eine gemeinsame Quelle zurückgehen, als welche wir vielleicht die in der Stichometrie im Anhang der Chronik des Patriarchen Nikephoros unter der Bezeichnung ‚Ζαχαρίου πατρὸς Ἰωάννου στίχ. ϥ‘ erwähnte Schrift — wahrscheinlich in Palästina im 3. oder 4. Jahrh. verfaßt — betrachten dürfen. Die Stoffanordnung des slavischen Stückes bezw. seiner griechischen Vorlage erklärt sich am besten, wenn wir dasselbe als Ausschnitt einer Chronik auffassen, deren Vf. sich seine Quelle nach chronologischen Gesichtspunkten zurechtgelegt, d. h. gestissentlich alle Zeitangaben darin hervorgesucht und die Ereignisse nach denselben gruppiert hat.   C. W.

Speranskij (M. N.), die apokryphen Akten des Apostels Andreas in b. altrussischen Texten. Moskau. 2⁰. 1894. 44 S. (In russ. Spr.) [Sep.-Abdr. aus d. Drevnosti der Moskauer archäol. Ges. Bd. 1.]

—, die slavischen apokryphen Evangelien. Allgem. Uebers. Moskau. 2⁰. VIII, 137 S. (In russ. Spr.)

Vgl. Byz. Ztschr. V (1896), 221.

*Naber (S. A.), Flavii Josephi opera omnia post Immanuelem Bekkerum recogn. — Vol. V. Lipsiae, Teubner. LX, 392 S.

Die Neubearbeitung des Bekkerschen Josephus ist den Händen des bewährten holländischen Philologen Naber anvertraut worden, welcher in der Vorrede des eben erschienenen 5. Bandes (enthält Bell. Jud. I—IV) erklärt, daß er in der Beurteilung der HSS. mit Niese fast vollständig übereinstimme, aber z. B. den von Niese verdächtigten codex Vossianus höher werten gelernt habe. An neuen Textquellen konnte Naber eine ihm von Baron Lintelo de Geer zur Verfügung gestellte (allerdings junge) HS. verwerten, die sich im bellum Judaicum besonders mit dem Urbinas (Vat.) 84 s. XI berührt und eine Anzahl beachtenswerter Lesarten aufweist. Die ‚adnotatio critica‘ läse man lieber unter als vor dem Texte. (Bd. I—IV, erschienen 1888—93, enthalten die antiquitates und contra Apionem.)   C. W.

Niese (B.), Flavii Josephii opera recognovit —. Vol VI: De bello Judaico libri VII et index. Editio minor. Berolini, Weidmann. VI, 576 S.

Mit diesem Bande ist auch die editio minor von Nieses Josephus — der Schlußband der größeren Ausgabe ist schon vor einigen Monaten erschienen; vgl. Schürer, Theol. Litztg. 1895, 485 — glücklich beendet. Sie hat gleich der Teubnerschen Claudianusausgabe (vgl. Hist. Jahrb. XV, 224 f.) den Zweck, den kritischen Ertrag der editio maior weiteren gelehrten Kreisen zu vermitteln und ist gewiß für die Mehrzahl der Forscher, die zu Josephus zu greifen in die Lage kommen, völlig ausreichend. Der Index ist aus der größeren Ausgabe herübergenommen. Hoffentlich erhalten wir in absehbarer Zeit auch eine verlässige Ausgabe der lateinischen, dem Rufinus zugeschriebenen Uebersetzung der Geschichte des jüdischen Krieges. Für die Konstituierung des griechischen Textes ist sie gleich der freien Bearbeitung des sogen. Hegesippus bereits gebührend verwertet worden. (Bd. V, erschienen 1889, enthält die Streitschrift gegen Apion.)   C. W.

Hort (F. J. A.), Judaistic christianity. A course of lectures. Cambridge and London, Macmillan & Co. 1894. XII, 222 S.

Zwölf Cambridger Vorlesungen (1. Einleitung. 2. Christus und das Gesetz. 3. Die alte Kirche in Jerusalem. 4. Die Kirche von Antiochia. 5. Die unabhängige Thätigkeit des hl. Paulus. 6. St. Paulus in Jerusalem und die Briefe aus der römischen Gefangenschaft. 7. Die Pastoralbriefe. 8. Jakobus-, 1. Petrus- und Hebräerbrief, Apokalypse. 9. Die Kirche in Jerusalem von Titus bis Hadrian. 10. Die Judaisten (Judaizers) in den ignatianischen Briefen. 11. Cerinthus, „Barnabas", Justinus Martyr. 12. Paläftinische Ebioniten), nach dem Tode des um die neutestamentliche Textkritik hochverdienten Forschers mit einem einige längere Quellen- und Literaturzitate im Wortlaute bezw. in englischer Uebersetzung enthaltenden Anhang (S. 203 ff.) und einem Stellenverzeichnisse hrsg. von J. C. F. Murray. Horts ‚ultimate verdict, as these lectures sbew, was entirely in favour of the genuineness and the historical accuracy of all the leading Christian documents'. C. W.

Zahn (Th.), der Stoifer Epiftet und sein Verhältnis zum Christentum. Erlanger Univ.-Rede. 4⁰. 27 S.

Ramsay (W. M.), the' church in the roman Empire before A. D. 170. With maps and illustrations. Fourth Edition. London, Hodder and Stoughton. XXX, 508 S. sh. 12.

Vgl. die Notiz zur erften bis dritten Auflage Hift. Jahrb. XV, 456.

Orsi (P.), esplorazioni nelle catacombe di S. Giovanni ed in quelle della vigna cassia presso Siracusa. Roma, tipogr. della R. Accademia dei Lincei. 1893. 4⁰. 41 S. [Separatabdruck aus den Notizie delle Scavi del mese di Luglio 1893.]

Berg (R.), der hl. Mauritius und die thebäische Legion. Kirchengeschichtl. Studie. Halle, Mühlmann. 2 Bl. 59 S.

Der Vf. nimmt eine Mittelstellung ein zwischen unkritisch gläubiger Hinnahme der ganzen Legende und vollständiger Verwerfung derselben und versucht, „den gegenwärtigen Stand der Untersuchung darzulegen, Wind und Sonne noch einmal zu teilen und so viel als möglich den historischen Kern der Legende zu ermitteln". Als das Jahr des Martyriums betrachtet er 302. C. W.

Bedjan (P.), Acta Martyrum et Sanctorum, cong. miss. Edidit —. Tomus quintus. Paris (Leipzig, Harrassowitz). XII, 706 S.
Vgl. Hift. Jahrb. XV, 664.

Desroches (J. P.), le Labarum. Étude critique et archéologique. Paris, Champion. 1894. XXVII, 520 S.

O'Brien (G.) ed Even, storia della messa e delle sue cerimonie nella chiesa occidentale ed orientale. Roma, Colangeli e Fabbri. 16⁰. 357 S. l. 3.

Vacant (J. M. A.), histoire de la conception du sacrifice de la messe dans l'église latine. Lyon-Paris, Delhomme & Briguet. 1894. fr. 1,50. [Extrait de l'Université Catholique.]

*Grützmacher, Pachomius und das älteste Klosterleben. Ein Beitrag zur Mönchsgeschichte. Freiburg i. B. u. Leipzig, Mohr. 2 Bl. 141 S. ℳ 2,80.

Inhalt: 1. Die Quellen zur Geschichte des Pachomius und seiner Klöster und ihr Wert (Hauptquelle die von Amélineau edierten und ins französische über- setzten koptischen und arabischen Rezensionen der vitae des P. und seines Schülers Theodoros). 2. Die Chronologie des P. und seiner Nachfolger (P. 285—345, Theodoros 313—368). 3. Die Jugendgeschichte des P. bis zu seinem Uebertritt zum Christentum (das frühere Serapismönchtum des P. hat auf seine Klosterorganisation nur einen äußerlichen, formalen Einfluß geübt, inhaltlich ist das pachomianische Klosterwesen durch christliche Motive bestimmt worden. Dies gegen die bekannte Hypothese Weingartens). 4. Die Stellung des P. und seiner Nachfolger zum Anachoretentum (P. sah das Eremitentum als eine minderwertige Form des Mönchsideals an). 5. Die Stellung des P. und seiner Nachfolger zum Klerus. 6. Die Wunder und Visionen des P. und Theodoros (das enthusiastisch=visionäre Element im Mönchtum des P. war dem Klerus unsympathisch, weshalb es Theodoros zurückdrängte und damit gute Beziehungen zum Episkopate herstellte. Weder Pachomius noch Theodoros haben ihren Ehrgeiz durch Wunder zu befriedigen gesucht oder die Wundersucht bei ihren Mönchen gepflegt). 7. Die dogmatischen Anschauungen in den Kreisen des pachomianischen Mönchtums (strenge Orthodoxie, daher gute Beziehungen zu Athanasius, lebhaftes Interesse an den eschatologischen Fragen „Trotzdem P. vielfach seine Farben, mit denen er seine Hölle und sein Paradies ausmalt, der ägyptischen Religion entlehnt hat, trotzdem seine Vorstellungswelt außer=ordentlich naiv und sinnlich ist, so ist es doch der ernste, strenge, sittliche Geist der christlichen Religion, der diese Bilder beherrscht"). 8. Die Klosterstiftung des P. a) Die äußere Geschichte des pachomianischen Instituts, seine Entstehung und Verbreitung (die Regel des P., deren Fassung in der arabischen Vita G. für die ursprüngliche hält, — vgl. Bardenhewer, Patrol S. 245 — hat ihren Weg aus der südlichen Thebais bis in die fernen Klöster des Franken=reichs genommen). b) Die innere Organisation der pachomianischen Klöster (mit genialem Blicke hat es P. verstanden, den ganzen Klosterverband zu einer großen Produktivgenossenschaft zusammenzufassen, so daß seine Stiftung auch ein national=ökonomisches Interesse hat. Die Disziplin war eine strenge). Schluß. P. gehört zu den bedeutendsten und interessantesten Persönlichkeiten der älteren Mönchs=geschichte. Von dem durch ihn begründeten Klosterleben sind Wirkungen aus=gegangen, die nicht nur für Kirche und Staat im höchsten Grade bedeutungsvoll, sondern auch segensreich waren. — Der S. 91 citierte Gelehrte heißt „Dieterich", nicht „Dietrich".

C. W.

Corpus scriptorum ecclesiasticorum latinorum editum con=silio et impensis academiae litterarum Caesareae Vindobonensis. Vol. XXVIII, Sect. III, Pars 3. Vindobonae, Tempsky 1895. XXVI, 668 S. ℳ 17,60.

Enthält Augustins Quaestionum in heptateuchum libri VII und Adnota=tionum in Iob liber unus in der Bearbeitung J. Zychas mit einem Stellen=register zu diesem und dem vorhergehenden Bande.

C. W.

*Kunze (J.), Markus Eremita, ein neuer Zeuge für das altkirchliche Tauf=bekenntnis. Eine Monographie zur Geschichte des Apostolikums mit einer kürzlich entdeckten Schrift des Markus. Leipzig, Dörffling & Franke. VII, 211 S.

Es ist auch im Hist. Jahrb. (XIII, 808) davon die Rede gewesen, daß Papadopulos=Kerameus im Jahre 1891 eine bis dahin unbekannte Schrift des Asketikers Markus Eremita gegen die Nestorianer herausgab. In dieser Schrift fand K. mehrere Zitate aus einem Taufbekenntnisse, Zitate von solchem Umfang, daß sich der Versuch einer Rekonstruktion des ganzen Bekenntnisses nahe legte. Eine entsprechende Verwertung des neu gewonnenen Bekenntnisses für die Ge=schichte des Taufsymbols forderte jedoch als unerläßliche Vorbedingung eine möglichst genaue Bestimmung der Zeit und des Ortes der Abfassung der Schrift gegen die Nestorianer. Und diese Aufgabe war um so mühsamer, als Markus Eremita zu denjenigen Autoren des kirchlichen Altertums zählt, welche bisher sehr wenig Beachtung gefunden haben (in der Sprache des Vf. lautet dies: „Die Sonne römischer Gunst hat unserem Autor nie in ungetrübtem Glanze geleuchtet; und in patristischer Gelehrsamkeit pflegen wir auf den Schultern der Römischen zu stehen." S. 31). Die wichtigsten Ergebnisse der Bemühungen K.s sind folgende. Markus Eremita, ein Schüler des hl. Chrysostomus, war in der ersten Hälfte des fünften Jahrhunderts Abt eines Klosters in oder bei Ancyra in Galatien und zog sich später, schon in höherem Alter stehend, in die Wüste, wahrscheinlich die Wüste Juda, zurück. Die Schrift gegen die Nestorianer (S. 6—30 in verbessertem Abdruck nach Papadopulos=Kerameus vollständig wiedergegeben) ist wirklich von Markus verfaßt, und zwar allem Anscheine nach im Jahre 430, als Markus noch Abt zu Ancyra war. Das in dieser Schrift wiederholt angezogene Taufbekenntnis ist wahrscheinlich das Symbol der Gemeinde von Ancyra. Jedenfalls aber bietet dieses Bekenntnis einen höchst willkommenen festen Punkt in der noch sehr unsicheren und schwankenden Geschichte des Taufsymbols im Morgenlande. Nach dem Gesagten stellt K.s Schrift ebensowohl eine Monographie zur Geschichte des Apostolikums als auch eine Monographie über Markus Eremita dar. Nach der ersteren Seite hin will die Schrift laut dem Vorworte vor allem beurteilt sein, und nach dieser Seite hin erweist sie sich in der That als die reife Frucht angestrengter Arbeit. Sehr beachtenswert ist der durch die ganze Ausführung K.s sich hindurchziehende Widerspruch gegen die These Kattenbuschs (Das apostolische Symbol. Bd. I. Leipzig 1894. Hist. Jahrb. XV, 660), die Grundlage und der Archetypus der morgenländischen Taufbekenntnisse sei das römische Symbol. Als Monographie über Markus Eremita kann K.s Schrift weniger befriedigen. Insbesondere läßt die Zusammenstellung und Würdigung der Zeugnisse des Altertums über Markus und seine Schriften an Sorgfalt und Umsicht manches zu wünschen übrig. Die interessanten Mitteilungen Baethgens über die großen Schriften des Eremiten in einem syrischen Manustripte der k. Bibliothek zu Berlin (Zeitschr. f. Kirchengesch. XI, 443 ff.) sind ganz unbeachtet geblieben.   Bardenhewer.

Arnold (C. F.), Caesarius von Arelate u. die gallische Kirche seiner Zeit. Leipzig, Hinrichs. 1894. XII, 608 S. ℳ 16.

Ein gründliches und reichhaltiges, ja zu reichhaltiges Buch! Der Vf. behandelt im ersten Teile (Leben und Wirken des Cäsarius) die Jugendzeit seines Helden im Burgunderland, sein Walten im Kloster auf Lérins und in Arles bis zur Bischofswahl, sein Verhältnis zu Pomerius (vgl. jetzt den Artikel von Bardenhewer im Kirchenlexikon) und Augustinus, sein Wirken als Metropolit, seine Verbannung und Restitution, das Konzil zu Agd., des Cäsarius Schicksale und Bestrebungen während des großen südgallischen Krieges 507—510, die Stellung zu Theoderich und dem römischen Stuhle, seinen Katholizismus, seine Beendigung der semipelagianischen Lehrstreitigkeiten durch Cäsarius, endlich die pastorale Thätigkeit, Testament und Tod des eifrigen, von wahrhaft apostolischem Geiste erfüllten Bischofs. Im zweiten Teile legt er zunächst eine äußerst dankenswerte Sammlung der initia Caesariensia vor, durch welche die auf Cäsarius entfallenden Angaben der Wiener initia wesentlich berichtigt und ergänzt werden, beschreibt sodann die ihm bekannt gewordenen Cäsarius-HSS. und ediert die epistula de humilitate ad monachos mit reichem Apparate, Bezeichnung des prosaischen Rhythmus (des sogen. cursus) und Angabe der Parallelen aus den übrigen Schriften des Cäsarius. Daran reihen sich noch eine kritische liebersicht der Quellen unserer Ueberlieferung von dem Leben und Wirken des Cäsarius, Untersuchungen über seine Nonnenregel (hiebei gelangt auch sein Verhältnis zu Benedikt zur Besprechung), über die Lerinenser Regel, über die liturgische Thätigkeit des Cäsarius und über das zweite Konzil zu Orange (1. die Canones; 2. die Polemik und Apologetik der Canones; 3. die Canones von Orange und das Tridentinum) und ein sorgfältiges Register. Das Buch zeugt auf jeder Seite (die Anmerkungen des ersten Teiles belaufen sich auf 1437!) von der mühevollen Arbeit des gelehrten Vf.s, und es ist nur zu bedauern, daß er in dem an sich gewiß lobenswerten Bestreben, Persönlichkeit und Milieu des Cäsarius möglichst anschaulich zu schildern, zu viel fremdartiges Material zur Vergleichung herangezogen und der Versuchung zu störenden Seitenblicken auf Erscheinungen im kirchlichen Leben des 19. Jahrhs. nicht energischen Widerstand geleistet hat. Eine willkommene Ergänzung zu Arnolds Werk bildet das folgende im nämlichen Jahre erschienene Buch eines katholischen Gelehrten, des Abbé A. Malnory.   C. W.

Malnory (A.), saint Césaire, évêque d'Arles 503 - 543. Paris, Bouillon. 1894. XXVI S. 1 Bl. 316 S. [Bibliothèque de l'école des hautes études publiée sous les auspices du ministère de l'instruction publique. Sciences philologiques et historiques, CIII. fascicule.]

Malnory, der sich schon vor einigen Jahren als Kenner der christlich-gallischen Literatur legitimiert hat (in seiner Besprechung von Engelbrechts Faustusausgabe, Bull. crit. 1892, 1. Mai, zum teil wiederholt in dem vorliegenden Buche S 199—201) beginnt mit einer Einleitung über die sources personnelles (Vita, Canonensammlungen, Schriften des Cäsarius), auf welche eine Bibliographie folgt, und bespricht hierauf in zehn Kapiteln 1. Commencements de Césaire. Son stage à Lérins (470/71—c. 496); 2. Césaire à Arles. Commencements de son épiscopat (503); 3. Métropole et primatie d'Arles. Les statuts de C. Daß die statuta ecclesiae antiqua, „un résumé des collections primitives conservées dans les archives d'Arles, rédigé au point de vue de la discipline, avec prédominance de l'élément arlésien', die Hand des Cäsarius zeigen, dürfte M. erwiesen haben. Sehr unwahrscheinlich ist die von Peters im Compte rendu du troisième congrès scientif. internat. des cathol. fasc. 2 p. 221 ff. vorgetragene Ansicht, daß die Sammlung spanischer Provenienz sei). Persécution d'Alaric; 4. Le concile d'Agde (11. Sept 506); 5. Théodoric-Le-Grand en Provence. C. comparaît devant ce prince en Italie (508—513); 6. Premières relations de C. avec le Saint-Siège. Différend avec Saint Avit. Privilège primatial (513—514); 7. Réunion des églises de la province d'Arles sous le sceptre de Théodoric. Conciles provinciaux de C. (523—533); 8. Réunion d'Arles au royaume de Childebert (536—538). Conciles Francs; 9. Prédication de C Homélies sur l'Ancien Testament. Admonitions; 10. Règles monastiques de C. Hieran schließen sich ein kurzer Epilog, aus welchem ich den Satz hervorhebe ‚Notre populaire Césaire trouverait peutêtre que le prêtre d'aujourd'hui exagère un peu trop sa séparation d'avec le peuple, et il l'encouragerait à entrer un peu moins timidement dans les sentiments, les travaux et les souffrances de ces frères' (p. 284 f.) und drei Anhänge, von denen uns der zweite und wichtigste mit einer bisher unbekannten Admonitio des Cäsarius an seine Bischöfe über die Verkündigung des Wortes Gottes (nach der im cod. lat. 12116 der Pariser Nationalbibliothek vorliegenden Abschrift Ruinarts aus einem verlorenen Codex der Abtei Longpont; inc. „si negligentiarum mearum' — expl. ‚suggestio ista processit') beschenkt. M. hat die an Arnolds Buch gerügten Fehler vermieden und ist begreiflicher Weise den spezifisch katholischen Elementen im Wesen des Cäsarius gerechter geworden als jener, dagegen läßt seine philologische und bibliographische Akribie etwas zu wünschen übrig. Möge er sich in dieser Hinsicht bei seinen künftigen Publikationen — und deren werden es hoffentlich noch viele sein — seinen Landsmann Paul Lejay zum Muster nehmen, der in der Revue du clergé français IV S. 97 ff. und 487 ff. ein an selbständigen Bemerkungen reiches Referat über Malnorys Buch (in Aufsatzform) und in der Revue biblique IV 593 ff. eine instruktive Abhandlung über Cäsarius' Sprache und Bibeltext veröffentlicht. Durch den nämlichen Lejay (Revue crit. 1895 II S. 153) habe ich erfahren, daß Malnory in seiner thèse latine die Frage ‚quid Luxovienses (Luxeuil) monachi, discipuli s. Columbani, ad regulam monasteriorum atque ad communem profectum contulerint' zu beantworten gesucht hat. C. W.

Kleinermanns (J), die Heiligen auf dem bischöfl. bezw. erzbischöfl. Stuhle von Köln, nach den Quellen dargestellt von —. Teil 1: Die Heiligen im ersten Jahrtausend. Köln, Bachem. 184 S.
Lebensbilder der Kölner Oberhirten Maternus, Severinus, Evergislus, Kunibertus, Agilolphus und Bruno.

*Spicilegium Casinense complectens Analecta sacra et profana. Tomus IV, pars 1. Philologica. Typis archicoenobii Montis Casini. 4°. IV Bl. 167 S. 2 Tafeln.
Die fleißigen Mönche von Monte Cassino veröffentlichen in diesem Faszikel ihres Spicilegium drei in der lingua volgare abgefaßte Texte, 1. eine Uebersetzung der Regel des hl. Benediktus aus cod. Casanat. (B. IV. 9), 2. eine Erklärung der Regel von Fr. Daniele de Monte Rubianu, verfaßt 1334 und gewidmet ‚a la nobele donna et honesta religiosa madonna

soru Resergayta Piscizella, dignissima archiabbatissa de lo venerabile monasterio de sancto Gaudiusu ne la citade de Napoli' aus einem codex Beneventanus, 3. ein ‚declaratorium vetus regulae S. P. Benedicti ab anonymo Casinensi in vulgare eloquium translatum' aus cod Casin. DCXXIX plut. M. s. XIV. (bricht in cap. 63 ab). Von den drei benützten HSS. sind Facsimilia beigegeben, aber ein Wort der Orientierung über die ab= gedruckten Texte, die vielleicht für Romanisten von hohem Interesse sind, sucht man vergeblich.   C. W.

Wölfflin (E.), Benedikt von Nursia und seine Mönchsregel. [Sitzungsb. d. bayer. Akad. phil=hist. Cl. 1895. S. 429—54.]

W. bespricht in dieser Abhandlung Benedikts Verhältnis zu Cassian, Rufin (vitae patrum), Hieronymus, Augustin, Basilius und zur Bibel, seine auf eine Sallustphrase sich beschränkenden Reminiscenzen aus der heidnischen Literatur, seine (jedenfalls sehr geringe) Kenntnis des Griechischen, seine vulgäre Latinität (darüber Näheres im Archiv f. Lexikogr. IX, H. 4) und die von Edm. Schmidt überschätzte Disposition der Regula. Eine ausführlichere Anzeige wird an anderer Stelle erscheinen.   C. W.

Gregorii I papae registrum epistolarum tomi II, pars 2. Libri X—XIV cum appendicibus. Post Pauli Ewaldi obitum ed. M. Hartmann. Berlin, Weidmann. gr. 4⁰. S. 233—464. M 8. [Mon. Germ. hist. Epistolarum t. 2, S. 2.]

Vgl. Hist. Jahrb. XIV, 903.

Sokolov (J.), das byzantinische Mönchtum im 9.—12. Jahrh. [Pra-voslavnyj sobes`dnik. 1894, Juni. S. 205—75.]

Joannicius, acta Sancti J— i monachi in Bithynia ed. J. van der Gheyn, S. J., hagiographus Bolland. Brüssel, Polleunis & Ceu-terick. 1894. [Acta S.S. Nov. tom. II. S. 311—435.]

Für die Geschichte und Geographie des 8. u. 9. Jahrh. von Bedeutung.

Pomjalovskij (J.), Leben des ehrwürdigen Athanasios vom Athos. Petersburg, Druckerei der k. Akademie d. Wiss. II, 137 S. (In russ. Sprache.)

Aus der HS. des Cod. Mosq. Synod 398 saec. XI wird die Vita dieses Heiligen, der zu Nikephoros Phokas (963—69) in Beziehung stand, mitgeteilt. [Nach Byz. Zeitschr. V (1896) S. 230.]

Vacandart (E.), vie de saint Bernard, abbé de Clairvaux. 2 vol. Paris, Lecoffre. LIV, 511 u. 2,592 S.

Uslar=Gleichen (Edm. Freih. v.), Udo, Graf v. Reinhausen, Bischof v. Hildesheim. 1079—1114. Nach den Quellen bearb. Hannover, Cruse. 31 S. M 0,50.

Mayer (R.), über die Gütererwerbungen des Klosters Oberaltaich bis zum J. 1247. Progr. des Gymn. zu Straubing. 4⁰. 38 S.

Pätzold (W.), Geschichte des Klosters Remse. Nach urkundl Quell. bearb. Glauchau, Peschke. 1896. gr. 8⁰. 40 S. M 0,80. [Aus: Schön= burg. Geschichtsblätter.]

Sello (G.), das Cisterzienserkloster Hude bei Oldenburg. Oldenburg, Schulze. XI, 134 S. m. 9 Abbildgn. M 1,60.

Biginelli (L.), i benedettini e gli studî eucaristici nel medio evo: ricerche storico-bibliografiche. Torino, tip. Celanza & C. XV, 119 S.

Molinier (Ch.), l'hérésie et la persécution au XIᵉ siècle. Leçon

5 d'ouverture du cours de l'année 1893—94. Faculté des lettres
de Toulouse. [Extrait de la Revue des Pyrénées. T. V, fasc. 5
et 6, 1893, S. 26—38.]

B e a u d o u i n (Éd.), Saint François d'Assise. [Aus: Annales de l'enseignement supérieur à Grenoble t. VI, n. 3.]
Behandelt die Schrift Paul Sabatiers.

T a n o n (L.), histoire des tribunaux de l'inquisition en France. Paris,
Larose & Forcel. 1893. VI, 567 S. fr. 12.

B a l m e, Jean Bréhal, grand inquisiteur de France, et la réhabilitation
de Jeanne d'Arc. Paris, Lethielleux. 1893. 4°. fr. 15.

B l i s s (W. H.), Calendar of entries in the Papal registers relating to
Great Britain and Ireland. Papal letters. Vol. II. 1305—42.
VI u. 675 S.

Es hat etwas lange gedauert, ehe die engliſche Forſchung mit Publikationen
aus dem vatikaniſchen Archive hervortrat, woran allerdings der Hrsgb. des vorliegenden Bandes nicht die Schuld trägt. Immerhin aber ſoll das Verſäumte
jetzt ſchnell und kräftig nachgeholt werden; denn nachdem Bliß i. J. 1893 mit
den Papal letters von 1198—1305 den Anfang gemacht, läßt er jetzt bereits
den zweiten ſtarken Band in dem bekannten opulenten Format der engliſchen
Calendars and State papers folgen. Auch Einrichtung und Anordnung waren
dem Hrsgb. im ganzen vorgeſchrieben, wie auch Druck und Herausgabe unter
Leitung des Master of the rolls ſtehen. Der Band umfaßt die Pontifikate
Clemens' V, Johanns XXII und Benedikts XII und enthält 5—6000 Nummern,
bei denen ſich übrigens eine fortlaufende Zählung, wenigſtens von einem Regiſter-
bande zum andern, empfohlen hätte. Der Hrsgb. gibt nämlich die Regeſten ganz in
der Aufeinanderfolge der vatikaniſchen Regiſtrum, ohne Rückſicht auf die zeitliche Folge, ein Syſtem, deſſen Nachteile glücklicherweiſe durch ein möglichſt
ſorgfältiges und ausgedehntes Perſonen- und Ortsregiſter, ſowie durch ein
kleineres aber gleichfalls ſehr brauchbares Sachregiſter beſeitigt werden. Den
Schwerpunkt des Bandes bildet der lange Pontifikat Johanns XXII, auf
welchen doppelt ſo viel Raum entfällt, als auf den Vorgänger und Nachfolger
zuſammen; jeder, der mit der Zeit der avignoneſiſchen Päpſte vertraut iſt, weiß
eben, daß Johann XXII das Annaten- und Abgabenweſen auf ſeinen freilich
nicht ſehr rühmlichen Höhepunkt gebracht hat. So iſt erklärlich, daß in dem
ganzen Bande die Benefizial- und Gnadenſachen, Finanz- und Steuerfragen bei
weitem überwiegen. Aber auch für die politiſche Geſchichte bietet der Band eine
ganze Fülle wertvollen Stoffes, namentlich ſeit dem Beginne des 100jährigen
Krieges zwiſchen England und Frankreich, ebenſo für die Kämpfe zwiſchen
England und Schottland, indem die Päpſte ſich hier und dort ernſtlich um den
Frieden bemühten. Ueberhaupt enthält der Band die zahlreichſten Belege zur
Beurteilung von König und Volk, Klerus, Adel und Bürgerſchaft, ſo reichhaltig
und authentiſch, wie alle übrigen gleichzeitigen Quellen ſie nicht bieten können.
Dieſe Stücke von allgemeinerem Intereſſe ſind für die Pontifikate Johanns XXII
und Benedikts XII in einer eigenen Reihe der vatikaniſchen Regeſten zuſammengeſtellt, die für erſteren die Bezeichnung Secreta, für dieſen Regiſtrum
litterarum, quae per cameram transiverunt führen. Hier kann man nur
anerkennen, daß der Hrsgb. dieſen Modus beibehalten hat (S. 414—515 und
558—91). Eine ganz beſondere Schwierigkeit war bei den Orts- und Perſonennamen zu überwinden, weil die engliſche Rechtſchreibung und Ausſprache den
italieniſchen Skriptoren ſehr ſchlecht zu Mund und Feder ſtand; aber die Sorgfalt
und Gewiſſenhaftigkeit des Hrsgb. haben dieſe Schwierigkeit in hohem Grade
überwunden.   Ehſes.

H u r a u t (A.), étude sur Marsile de Padoue. [Thèse de la fac. de
théol. protest. de Paris.] Paris, Impr. H. Jouve. 1892. 57 S.

Jourdan (L.), étude sur Marsile de Padoue. [Thèse de la fac. de
théol. protest. de Montauban.] Montauban. 1892. 82 S.

Birk (E.), Joannis de Segovia, presbyteri cardinalis tit.
Sancti Calixti, historia gestorum generalis synodi Basileensis. Editionem ab —
inchoatam apparatu critico adiecto continnavit Rud. Beer. Vol. II.
Lib. XVII. Wien, Tempsky. Imp. 4⁰. S. 539—946. .ℳ 20.
[Monumenta conciliorum generalium seculi XV, edd. caesareae
academiae scientiarum socii delegati. Concilium Basileense. Scriptor.
tom. III, pars III.]
Vgl. Hist. Jahrb. XV, 464.

Forgeot (H.), Jean Balue, Cardinal d'Angers 1421(?)—91. Paris,
E. Bouillon. XXVIII, 259 S.

Zu den am häufigsten genannten und doch am wenigsten gekannten Karbinälen
des 15. Jahrhs. gehört ohne Zweifel Jean Balue. Sieht man von der gänzlich
mißglückten Apologie des Baron Bourgnon de Layre (Le cardinal La Balue.
Poitiers 1837) ab, so sind fast alle Schriftsteller einstimmig in ihrer Beurteilung
dieses Kirchenfürsten, welchen Garimberti als ein wildes Tier (Balue veramente
belua) bezeichnete. Unter diesen Umständen war es ein glücklicher Gedanke des
am Pariser Archiv angestellten Historikers H. Forgeot, die Geschichte des genannten Kardinals einer Revision zu unterziehen. Es geschieht dies in dem vorliegenden Werke mit einer Umsicht und Gründlichkeit, welche nichts zu wünschen
übrig lassen. Um über Balue in's Klare zu kommen, genügte keineswegs eine
Sammlung des in den gedruckten Quellen zerstreuten Materials; auch eine Benützung der in französischen Bibliotheken häufig vorkommenden handschriftlichen
Lebensbeschreibungen konnte nicht zum Ziele führen; umfassendere Studien in
den Archiven waren geboten. Diese hat F. mit einem Fleiße angestellt, welcher
die größte Anerkennung verdient. Die Archives nationales zu Paris boten
ihm wichtige Dokumente über die geistliche Laufbahn und einige politische Briefe
des Kardinals. Weniger Ausbeute gewährten die Archives départementales,
von welchen eigentlich nur das Archiv zu Angers in betracht kommt. Aus dem
päpstlichen Geheimarchiv und der Marcusbibliothek erhielt F. von befreundeter
Seite wichtige Auszüge. Eine besonders reiche Quelle aber eröffnete sich ihm in
der Pariser Nationalbibliothek. Ein glücklicher Zufall fügte es, daß er hier eine
Anzahl von Akten aus dem gegen Balue angestrengten Prozeße fand, welche
von grundlegender Bedeutung sind. Der Bf. berichtet über diese seine ungedruckten
sowie über die gedruckten Quellen in der Einleitung S. IX—XIX und gibt
außerdem S. XXI—XXVI ein Verzeichnis sämtlicher Werke, welche er für
seine Arbeit heranzog. Dasselbe ist von größter Vollständigkeit, keine nennens-
werte Arbeit ist übersehen. Den reichen Stoff gliedert F. sehr glücklich in neun
Abschnitte: 1. Jeunesse de Balue. Origines de sa faveur. 1421(?)—64.
2. Jean Balue dignitaire de l'Église. Son rôle dans les affaires religieuses. 1464—69. 3. Jean Balue ambassadeur. Son rôle dans les
affaires politiques. 1465—69. 4. La trahison du cardinal d'Angers. 1469.
5. Captivité du cardinal Balue. 1469—80. 6. Délivrance de Jean Balue.
Sa nouvelle faveur en Italie. 1480—83. 7. Légation du cardinal d'Angers
en France. 1483—85. 8. Balue, ambassadeur de Charles VIII et pro-
tecteur des affaires de France en cour de Rome. Son rôle en Italie et
sa mort. 1485—91. 9. L'homme privé. Les biens de Balue. Schon diese
Uebersicht zeigt, von welcher Bedeutung die vorliegende Monographie nicht bloß
für die Geschichte Frankreichs, sondern auch für diejenige der Päpste des 15. Jahrhs.
ist. Die wichtigsten und reichhaltigsten Abschnitte, fast ganz auf ungedruckten Akten
beruhend, sind 2, 3, 4 u. 5. In letzterem Abschnitt zerstört F. die bisher von fast
allen Historikern festgehaltene Erzählung von dem eisernen Käfig, in welchem
Balue gefangen gehalten worden sein soll und zeigt, daß wir es hier mit einer
Geschichtsfabel zu thun haben. Kein einziger zeitgenössischer Schriftsteller weiß
etwas von dem eisernen Käfig, den ein Maler unserer Zeit bildlich dargestellt

hat. J. Piccolomini sagt ausdrücklich, dem Kardinal sei wegen seiner hohen Würde ein carcer liberior angewiesen worden. Andere Zeugnisse zeigen, daß der gefangene Kardinal bis zu 10 Stunden täglich studieren konnte. Die Erzählung von dem Käfig begegnet zuerst bei Cortesius und Garimberti, seit dem Ende des 17. Jahrhs. ward sie allgemein geglaubt. Auch die sehr verbreitete Ansicht, Balue sei der Erfinder eines engen Käfigs für Gefangene gewesen, erweist sich bei näherem Zusehen als unhaltbar (vgl. S. 95). Und ebenso erweist sich die Ansicht derjenigen, welche Balue alle besseren Eigenschaften absprechen, als unhaltbar. À côté de ses défauts, sagt F. S. 151, produits de son ambition malsaine, Balue possédait des qualités de coeur et d'esprit. Daß B. zu den verweltlichten Kardinälen seiner Zeit gehörte, welche über der Politik und der Anhäufung von Reichtümern ihren eigentlichen Beruf vergaßen, ist freilich eine Thatsache, welche auch F. (vgl. S. 125 ff., 151 ff.) nicht leugnet. Trotz aller Wechselfälle seines bewegten Lebens hinterließ dieser Prälat bei seinem Tode im J. 1491 ein Vermögen von 100,000 Dukaten. Als Anhang seiner musterhaften Arbeit gibt F. eine Auswahl der wichtigsten ungedruckten Aktenstücke. Ich hebe daraus hervor ein geheimes Memoire Balues für Karl den Kühnen vom April 1469 (S. 175 ff.), Stücke aus seinem Prozeß vom J. 1469 (S. 178 ff., 182 ff., 185 ff., 188 ff., 192 ff., 195 ff., 197 ff., 206 ff., 209 ff., 214 ff.), die Instruktion Ludwigs XI für seine römischen Gesandten 1471 (S. 230 ff), die Instruktion Sixtus IV für Kardinal Giuliano della Rovere, Legat in Frankreich) (S. 232 ff.) im J. 1480 und für Balue im J. 1483 (S. 235 ff.), sowie einige Briefe des Kardinals aus den Jahren 1482, 1486 und 1488 (S. 233 ff., 237 ff., 238 ff.). Daß die vorliegende vortreffliche Monographie auch mit einem genauen Personen- und Ortsregister versehen ist, verdient noch besonders hervorgehoben zu werden. L. Pastor.

* Schlecht (J.), Andrea Zamometić. Münchener Dissertation. Paderborn, Schöningh. 1894. 48 S.

Vorliegende Dissertation enthält die zwei ersten Kapitel einer für die „Quellen und Forschungen" der Görres-Gesellschaft in Aussicht gestellten größeren Arbeit über den merkwürdigen Dominikaner, der gegen Ende des 15. Jahrhs. gegen Sixtus IV ein Konzil in Basel versammeln wollte. Schon aus diesem Bruchstück erfieht man, daß aus Prof. Schl. aus den italienischen Archiven ganz neue Ergebnisse an den Tag fördern wird. So wird hier zum ersten Male der Familienname des Andrea festgestellt; Schl. ist es auch gelungen, Andreas erzbischöflichen Sitz, der bisher die Forscher so sehr in Verlegenheit gesetzt, endgiltig zu bestimmen. B. war Erzbischof von Granea (heute Krania), einer alten venetianischen Kolonie an der Küste unterhalb Salonichi gelegen. Auf die Fortsetzung der mustergiltigen Arbeit darf man gespannt sein. N. P.

Weinmann (K.), Bischof Georg von Baden und der Metzer Kapitelstreit. Diff. Straßburg, Druck der Lothring. Ztg. 1894. II, 94 S.

Separatabdruck aus Jahrb. d. Gesellsch. f. lothr. Gesch. u. Altertumskunde. 1894 6, 1—94. — In der Bistumsfehde zwischen Diether von Isenburg und Adolf von Nassau suchte auch Metz neutral zu bleiben, wurde aber doch in den Streit hineingezogen, unterlag und mußte am 18 April 1467 dem Domkapitel Zugeständnisse machen. Die Persönlichkeit des Bischofs, Markgraf Georg von Baden, ist eingehend geschildert.

* Pastor (L.), Geschichte der Päpste seit dem Ausgang des MA. Mit Benutzung des päpstl. Geheimarchivs und vieler anderer Archive bearb. 3. Bd.: Geschichte der Päpste im Zeitalter der Renaissance von der Wahl Innocenz' VIII bis zum Tode Julius' III. 1. u. 2. Aufl. Freiburg i. Br., Herder. 1896. LXVII, 888 S. M. 11; geb. M. 13. Besprechung folgt.

* Mayer (J. G.), die Disputation zu Zürich am 29. Januar 1523. Luzern, Räber. 29 S. [Separatabdruck a. d. katholischen Schweizerblättern Jahrg. 1895.]

Ueber die sogen. Disputation, die zu Zürich am 29. Januar 1523 stattfand, wurde einige Wochen später von einem gewissen Hegenwald ein ausführlicher Bericht veröffentlicht. Gegen diesen Bericht, der viele Irrtümer enthält, richtete sich Johann Faber, der im Auftrage des Konstanzer Bischofs nach Zürich gereist war, in einer Schrift vom 10. März 1523. Ohne den Verlauf der Verhand= lungen zu schildern, begnügte er sich, die irrigen Behauptungen des Gegners richtig zu stellen. Einen eigentlichen Bericht über das Gespräch hatte Faber am 6. Februar an die Regierung zu Innsbruck geschickt. Dies Aktenstück, das in deutscher Sprache abgefaßt ist, fand M. zufälligerweise im Innsbrucker Statthalterarchiv und teilt er hier vollständig mit. In der beigegebenen Ein= leitung bemerkt der Hrsgb. mit vollem Rechte, daß von einem Siege Zwinglis schon deshalb keine Rede sein könne, weil kein eigentlicher Kampf stattfand. Man kam nicht über die Vorverhandlungen hinaus. Bei dieser Gelegenheit kann Ref. nicht umhin, den Wunsch auszudrücken, daß J. Faber, einer der hervorragendsten katholischen Vorkämpfer, doch einmal einen katholischen Bio= graphen finden möge. (Vgl. oben S. 38—60.)   N. P.

Knodt (E.), D. Johann Westermann, der Reformator Lippstadts, und sein sogen. Katechismus, das älteste literarische Denkmal der evangelischen Kirche Westfalens. Gotha, Schloeßmann. 170 S.

Ueber den Augustinermönch Westermann, der in Lippstadt die lutherische Neuerung eingeführt hat, bringt diese Schrift einige spärliche Angaben, die bereits alle bekannt und hier nicht einmal gehörig verarbeitet sind. Der Kölner Inquisitor, der 1526 nach Lippstadt gesandt wurde, heißt Host, nicht Hoß (S. 62). Vgl. über ihn meinen Aufsatz im Katholik 1895 II, 481 ff. Nach Ulenberg, erhebliche Ursachen usw. Köln 1589, S. 172, hätten Westermann und dessen Gesinnungsgenosse Koiten dem Inquisitor gegenüber sich für gehorsame Söhne der hl. römischen Kirche bekannt". Die Behauptung Knodts, daß die Neuße= rungen Ulenbergs "sich durch sich selbst widerlegen", leuchtet dem Leser nicht ein, um so weniger, als U. sich auf die schriftliche Erklärung der Neuerer beruft: "wie ihre Protestation im Buchstaben lautet". Merkwürdigerweise fehlt dieser wichtige Satz in der aus Ulenbergs Schrift angeführten Stelle. Wester= manns Werk aus dem J. 1524, das K. in einem Anhange (S. 97—170) voll= ständig mitteilt, wird sehr mit Unrecht als Katechismus bezeichnet; es ist bloß eine ausführliche Erklärung des Dekalogs. Um die hohe Bedeutung dieser Schrift nach Kräften hervorzuheben, berichtet K., wie dieselbe "von der römischen Seite gefürchtet wurde" und wie der Inquisitor Host sie "mit aller Macht zu unterdrücken unternahm" (S. 2). K. wäre wohl sehr verlegen, wenn man ihn ersuchen würde, zu beweisen, daß Host das Schriftchen, in welchem übrigens noch gelehrt wird, daß "die guten Werke von Gott belohnt werden" (S. 111) und daß "ein Christ die Fürbitte der lieben Heiligen nicht verachten soll" (S. 113), auch nur gekannt habe. Das Streben, die "Segnungen der Reformation" in recht hellem Lichte erscheinen zu lassen, hat K. hie und da zu sonderbaren Be= hauptungen verleitet; so schreibt er S. 10: "Daß die Reformation wieder den Dekalog, und zwar in christocentrischem Sinne, in die ihm gebührende Stelle des Katechismus einsetzte, ist eine hochwichtige Thatsache von großer Tragweite." Luther selber sagt allerdings, daß schon vor seinem Auftreten der Dekalog ein Hauptstück der religiösen Unterweisung gewesen; allein Luther sei in diesem Falle zu "berichtigen", meint K. Er hätte beifügen können, daß noch verschiedene Neuerer ebenfalls zu berichtigen seien, z. B. Mathesius, der ausdrücklich erklärt: "Wie der Sohn Gottes seine Getauften wunderbarlich unterm Papsttum erhielt, also bewahrte er ihnen auch etliche Stücklein des Katechismi in Häusern und Schulen; denn Eltern und Schulmeister lehrten ihre Kinder die zehn Gebote, Glauben und Vater Unser, wie ich diese Stücke in meiner Kindheit in Schulen gelernt und nach andern Weise andern Kindern oft fürgesprochen." Historien vom Luthers Leben. Nürnberg 1568. Bl. 59 b. Bahlmanns treffliche Schrift über die katholischen Katechismen (Hist. Jahrb. XV, 911), die doch in Münster erschienen ist, scheint der Münsterer Pfarrer nicht zu kennen. N. P.

*Kolde (Th.). Andreas Althamer der Humanist u. Reformator in Branden=
burg=Ansbach. Erlangen, Fr. Junge. VI, 138 S.

Althamer, Bauernsohn aus Brenz bei Gundelfingen, besuchte 1516 die Hochschule
zu Leipzig, 1518 jene zu Tübingen, das folgende Jahr abermals Leipzig.
Im J. 1524 verfocht er als Hilfspriester in Schwäbisch=Gmünd die religiöse
Neuerung Luthers und nahm sich ein Weib, mußte aber nach Niederwerfung
des Bauernaufstandes flüchten und kam nach kürzerem Aufenthalte in Witten=
berg, Nürnberg, Eltersdorf, wo Pfarrer Wolfgang Vogel wegen seiner Hin=
neigung zu den Wiedertäufern vom Rate in Nürnberg zum Tode verurteilt
worden war; 26. März 1527, im Mai 1528 als Stadtpfarrer nach Ansbach, wo
er im Verein mit Rurer und Vogler die Einführung des Luthertums durchzusetzen
suchte. Zu diesem Behufe wurde eine Kirchenvisitation veranstaltet, Super=
intendenten aufgestellt, ein Katechismus ausgearbeitet. Der mit Schulden über=
häufte „fromme" Markgraf Georg wollte es jedoch auch mit dem Papste nicht
ganz verderben, sodaß Althamer stets über das darniederliegende Kirchenwesen
zu klagen hatte, besonders tobte er gegen die „abgöttische teuflische Messe". An
allem Unheil gegen Luthers Werk war ihm der Teufel schuld, wie er denn auch
1532 eine Predigt veröffentlichte: „Ein Predig von dem Teuffel, das er alles
unglück in der Welt anrichte." Vgl. dagegen Kolde, die kirchlichen Bruderschaften
und das religiöse Leben im modernen Katholizismus S. 47: „Ueberall sieht sich
der Katholik vom Teufel und seinen Gesellen bedroht." Althamer schrieb zu
gunsten der neuen Lehre: „Von dem hochwürdigen Sakrament des leibs und
blut unsers Herrn Jesu Christi" gegen Zwingli, verteidigte gegen die „gottlosen
Maler" in Nürnberg die Gottheit Jesu Christi, gegen die Schweizer die Not=
wendigkeit und Erlaubtheit der Kindertaufe: „Von der Erbsund, daß sie die
Christenkinder gleichwohl verdamme, als die Heiden. Und vom dem heiligen
Tauf, ob er die Erbsund hinwegnehm." Auch als Exeget der biblischen Bücher
und Scholiast zur Germania des Tacitus war er thätig. Gegen 1539 scheint
Althamer gestorben zu sein. S. 65 Samstag nach Conversionis Pauli (2. Jan.)
ist wohl ein Uebersehen für 29. Jan. S. 69 Anm. 2 erfordert den Zusammen=
hang: „Interessant ist übrigens die Abneigung gegen die deutschen Gesänge
seitens eines so reformatorisch gesinnten Mannes wie Ab. Weiß" statt „latein=
ischen", wie es bei K. heißt. Zu S. 50 ff. Visitation der Geistlichkeit betreffend
hätte angezogen werden sollen der Bericht des Rebdorfer Annalisten Kilian Leib
bei Aretin, Beiträge zur Geschichte und Literatur Bd. IX, 1012. Ueber den
allmächtigen Minister des Markgrafen Georg von Ansbach, Georg Vogler, hatte
der zeitgenössische Prior von Rebdorf eine andere Auffassung als K. (Schlecht,
die kleinen Annalen des Kilian Leib in Sammelbl. des hist. Vereins Eichstätt.
II. Jahrg. 1887 S. 50—60). Auch die Sittenschilderung über das neugläubige
Nürnberg aus Althamers Feder (Döllinger, die Reformation II, 93) hat K.
nicht berücksichtigt. Katholische Autoren werden, wie es scheint, absichtlich ignoriert.
                                                                    A. H.

Serrano y Sanz (M.), san Ignacio de Loyola en Alcalá de Henares.
Madrid, Iglesia. 46 S. pes. 2.

Gothein war es versagt, für sein Werk „Ignatius von Loyola und die
Gegenreformation" (vgl. Hist. Jahrb. XVI, 680) die spanischen Archive und
Bibliotheken zu benützen. Gerade die Schilderung der Anfänge des hl. Ignatius
bietet daher wenig neues. Der Aufenthalt des Heiligen in Alcalá ist sehr kurz
behandelt, obwohl in diese Zeit seine ersten Versuche praktischer Wirksamkeit
fallen. Sehr interessante Aufschlüsse hierüber giebt nun S. auf grund mehrerer
Protokolle von Verhören, welche sich in einer HS. der Biblioteca Nacional zu
Madrid befinden und die S. 29 ff. dem Wortlaut nach wiedergegeben werden.
Es handelt sich um Verhöre, die der Generalvikar des Erzbischofs von Toledo
Juan Rodriguez de Figueroa im November 1526 und März und Mai 1527 in
Alcalá vornahm, um über das Thun des hl. Ignatius und seiner Genossen
Arteaga, Calisto, Caceres und Juan Aufschluß zu erhalten. Die Verhörten sind
meist Frauen und Mädchen, darunter einige offenbar hysterische. Ihre Aussagen
veranlaßten den Generalvikar, dem hl. Ignatius auf drei Jahre jede Lehr=

thätigkeit zu unterjagen. — Der einleitende Text erläutert, die Protokolle und berichtigt einige Fehler in der Chronologie des Ordensstifters. — Die von S. für unediert gehaltene und nach dem Original der Bibl. Nac. S. 7 abgedruckte Stiftungsurkunde der Universität Alcalá von Sancho IV findet sich schon bei Navarrete ,Coleccion de documentos inéditos para la historia de Espa\a Tom. XX, S. 75 f. nach einer in der Orthographie modernisierten Abschrift des Universitätsarchivs von Alcalá. Diese gibt als Datum 1294. Serrano aber, dem auch noch eine von dem apostolischen Notar Pedro de Lorança 11. September 1524 gefertigte Kopie vorlag, gibt 1288, wonach Denifle ,Die Universitäten' S. 646 zu berichtigen ist. K—st.

*Schnorr v. Carolsfeld (F.), Erasmus Alberus. Ein biographischer Beitrag zur Geschichte der Reformationszeit. Dresden, Ehlermann. 1893. VIII, 232 S. *M.* 6.

Daß diese Arbeit des kundigen Oberbibliothekars an der k. Bibliothek zu Dresden und langjährigen Hrsgs. des „Archiv für Literaturgeschichte" durch große Gründlichkeit sich auszeichnet, braucht wohl nicht eigens hervorgehoben zu werden. Auf grund gedruckter und ungedruckter Quellen wird hier (S. 1—158) das Leben und Wirken des lutherischen Dichters und Streittheologen Erasmus Alberus († 1553) sehr eingehend geschildert. In einem Anhange (159—222) werden viele bisher ungedruckte Briefe Alberus' vollständig mitgeteilt; eine weitere Beilage (222—28) bringt Nachträge und Berichtigungen zu den Angaben über Alberus' Schriften in Goedekes Grundriß II², 440—47. Der Vf. hat nicht wenige Irrtümer, die über Alber verbreitet worden, richtig gestellt. Erwähnt sei besonders die zuerst bei Döllinger, Reformation II², 68 vorkommende und von Hergenröther, Kirchengeschichte III³, 124; Kirchenlexikon I², 407 wiederholte irrige Behauptung, daß Alber ein sittenloser Mensch gewesen. In dem Briefe des Erasmus von Rotterdam, auf welchen Döllinger sich stützt, ist von Hermann Buschius, nicht von Alber, die Rede. Die etwas schwerfällige Darstellung ist, wie es einer wissenschaftlichen Arbeit geziemt, ruhig und objektiv gehalten. Nur dürfte der Biograph seinen Helden hier und da allzu wohlwollend beurteilt haben. Der polnische Neuerer Johann von Lasko erklärt einmal, er habe wegen Albers maßloser Schmähsucht sich stets geflissentlich enthalten, etwas von ihm zu lesen; »nimirum nota iampridem est per totam Germaniam eius in maledicendo impotentia propter quam tandem nusquam diu consistere . . . cogebatur.« (158.) Vielleicht wäre es, um das Charakterbild des „Zeugen der Wahrheit" zu vervollständigen, nicht unnütz gewesen, einige Proben dieser Schmähsucht mitzuteilen. Die Schrift, z. B., „Widder die verfluchte lere der Carlstader und alle fürnemste Heubter der Sacramentirer usw." hätte hierzu überreichen Stoff geboten. Allerdings gesteht der Vf., daß man beim Lesen dieses Werkes sich „abgestoßen" fühlt (156); allein eine andere Streitschrift (vom Unterschied der Evangelischen und Papistischen Meß. Item vom großen Abgott Canon), von welcher der Vf. bemerkt, sie sei „in maßvollem, ernst belehrendem Tone gehalten" (37), enthält ebenfalls nicht wenige maßlose Schmähungen. Auffallend ist auch, was S. 132 von Albers „männlicher Tugend des Gehorsams" gegenüber der unfehlbaren Autorität Luthers gesagt wird. Daß die oft genannte Schrift des Franziskaners Bartholomäus von Pisa: Liber Conformitatum „wiederholt mit kirchlicher Genehmigung, nämlich 1510 und 1513, gedruckt worden" (56), ist unrichtig. In den beiden Mailänder Ausgaben von 1510 und 1513 findet sich keine Spur von einer „kirchlichen Genehmigung". Wahr ist nur, daß der italienische Generalvikar der Franziskanerobservanten Franziskus Zeno das Werk 1518 mit einem empfehlenden Vorworte herausgab. Daß aber die Schrift selbst bei den Franziskanern, wenigstens in Deutschland, in geringem Ansehen stand, bezeugt der bayerische Minorit Kaspar Schatzgeyer in seiner Abhandlung „Von dem wahren Christlichen Leben. München 1524. Blatt Z 3 a: „Dies Büchlein ist je und je bei dem Orden geachtet gewesen als zweifelhaftig und nicht in den Libereien öffentlich gebraucht." Hieraus kann man ersehen, mit welchem Rechte Luther 1542 geschrieben hat: „Das Buch ist bei den Barfüßern für das Evangelium gehalten worden." (56.) Die auf S. 204 ausgesprochene Vermutung bezüglich einer deutschen Schrift Beyers ist unzutreffend; es handelt sich um eine lateinische Schrift Beyers gegen Helding, wie Ref. im Katholik 1894 II, 423 bemerkt hat.　　　　　　　　　　　　　N. P.

Buchwald (G.), Wittenberger Ordiniertenbuch. 2. Bd.: 1560—72. Mit Berichtiggen u. Ergänzgen f. die J 1558—68, aus P. Ebers Aufzeichnungen. Veröffentlicht von —. Leipzig, Wigand. Lexikon-8°. 218 S. ℳ 18.

Vgl. Hist. Jahrb. XVI, 207.

Meyer (J.), deutsche Reformationsgesch. Gera, Hofmann. 564 S. ℳ 4,50.

Wirz (C.), Akten über die diplomatischen Beziehungen der röm. Curie zu der Schweiz 1512—52. Hrsg. v. —. Basel. LI, 536 S.

Besprechung folgt.

Baum, (G.), Cunitz (E.), Reuß (E.), J. Calvini opera quae supersunt omnia. Ed. Vol 53. Braunschweig, Schwetschke & Sohn. VII u. 658 Sp. gr. 4°. ℳ 12. [Corpus Reformatorum. Vol. 81.]

Vgl. Hist. Jahrb. XVI, 899.

Wipper (R.), Kirche und Staat von Genf im 16. Jahrh. in der Epoche des Calvinismus. Moskau. 1894. (In russ. Sprache.)

Dubarat (V.), le Protestantisme en Béarn et au pays basque. Pau, Dufau. IX, 481 S. fr. 6.

Dieses Werk behandelt die Einführung und die weiteren Schicksale des Protestantismus in Bearn; mit besonderer Ausführlichkeit werden die Anfänge der neuen Lehre geschildert. Daß die Neuerung in der Grafschaft Bearn, die im 16. Jahrh. zum Königreich Navarra gehörte, eingang fand, ist hauptsächlich den Bemühungen der Königin Johanna von Albret (1555—72), der Mutter Heinrichs IV, einer eifrigen Hugenottin, zuzuschreiben. Von einigen neueren protestantischen Schriftstellern ist diese Fürstin als ein Muster der Toleranz gepriesen worden; man hat auch behauptet, daß der Protestantismus in Bearn ohne jedwelchen Zwang eingeführt worden sei; das Volk hätte mit großer Freude die neue Lehre angenommen. Nichts ist unrichtiger. Die große Mehrheit der Bevölkerung stand dem Calvinismus feindlich gegenüber. Von oben herab mußte die neue Lehre dem Lande aufgenötigt werden. Selbst Merlin, der theologische Beirat der Königin, gesteht dies ein. Am 23. Juli 1563 schrieb er an Calvin: ›Il faut que la réformation se fasse se seule puissance absolue de la reine, voire avec danger.‹ Demselben Merlin, der fort und fort die völlige Ausrottung der papistischen Abgötterei forderte, bemerkte Johanna, wie er Ende 1563 an Calvin schreibt, ›que ce peuple est non seulement rude, mais adversaire de l'Evangile, et que si on leur ôte toute la papauté, on les laissera sans religion, encore qu'on leur fasse prêcher l'Evangile, à cause qu'ils ne le voudront pas écouter ni recevoir.‹ Durch Zwangsmaßregeln hoffte man indes den starren Sinn des katholischen Volkes brechen zu können. Im Jahre 1563 wurden unter Todesstrafe die öffentlichen Prozessionen verboten; in den wichtigsten Städten wurde der katholische Gottesdienst gänzlich unterdrückt: Ueberall ward den katholischen Geistlichen das Predigen untersagt, während die Leute gezwungen wurden, protestantische Predigten anzuhören. Schließlich (1570) wurde im ganzen Lande der katholische Gottesdienst abgeschafft; alle Geistlichen, die nicht abfallen wollten, mußten auswandern. Dreißig Jahre lang durfte kein Priester mehr öffentlich sich sehen lassen. Trotzdem blieb das Volk dem alten Glauben treu. Als i. J. 1599 Heinrich IV, der inzwischen den Protestantismus abgeschworen hatte, seinem Erblande die religiöse Freiheit gewährte, stellte es sich bald heraus, daß die große Mehrheit der Bevölkerung noch katholisch war. Dies alles wird von D. hauptsächlich mit archivalischen Belegen gründlich bewiesen. Mag man auch mit dem allzuvielen Polemisieren und mit einigen Behauptungen des Vfs. nicht einverstanden sein, so wird man

doch anerkennen müssen, daß er aus verschiedenen Archiven ein sehr reichliches
und hochinteressantes Material an den Tag gefördert. Gerade in diesen bisher
ungedruckten Mitteilungen liegt der Hauptwert des originellen Werkes. Für die
Geschichte des Protestantismus in Bearn ist die neue Schrift von grundlegender
Bedeutung. N. P.

Vergers (P.), de Hugenoten, hun lijden en strijden. Met platen naar
teekeningen van Wilm Steelink. 2. dln. Amsterdam - Kaapstad,
Dusseau & Co. 406 S. fl. 4,30.

Kromsigt (P. J.), John Knox als Kerkhervormer. Utrecht, ten Bokkel
Huining. 12⁰. 360 S. fl. 2,50.

Wierzbowskiego, Jakób Uchański arcybiskup gnieznieński (1502
—1581). Warschau, Kowalewskiego.

*Ferdinand (P.), der hl. Fidelis von Sigmaringen. Ein Lebens- und
Zeitbild a. d. 16. u. 17. Jahrh. Mainz, Kirchheim. Mit 20 Abbldgn.
XVI, 311 S. ℳ 3.

Dem hl. Fidelis (Markus Roy) sind schon viele Biographien gewidmet worden;
doch darf man kühn behaupten, daß die vorliegende alle andern an Gründlichkeit
bei weitem übertrifft. Mit großem Fleiße hat P. Ferdinand in verschiedenen
Archiven reichlich Materialien gesammelt, die er zu einem schönen Lebensbilde
ausarbeitete. Einen besondern Wert erhält diese Arbeit durch die ausgiebige
Benützung der beeidigten Zeugenaussagen, die der Selig- und Heiligsprechung
des Erstlingsmartyrers des Kapuzinerordens vorhergingen und nicht weniger als
sieben Folianten mit 5522 Seiten anfüllen. Von dem ganz richtigen Grundsatze
ausgehend, daß die Heiligen und deren Leben der Kirchengeschichte angehören,
war der Bf. eifrigst bemüht, von seinem Helden ein genaues und quellenmäßiges
Bild zu entwerfen; daher auch die so zahlreichen Belege. Ein etwas nüchterner
Leser wird allerdings finden, daß der Hagiograph, trotz seines Strebens nach
historischer Treue, hier und da allzusehr in den panegyrischen Ton verfällt. Allein
wer mag es einem Kapuziner verargen, daß er für einen hl. Ordensgenossen mit
warmer Begeisterung erfüllt ist? S. 7 wird 1577 als Geburtsjahr des hl. Fidelis
angegeben; aus den auf S. 8 angeführten Zeugnissen geht jedoch hervor, daß
er erst 1578 geboren worden. Wie alle früheren Biographen, so hat auch
P. Ferdinand eine wichtige Quelle übersehen: die Freiburger Universitätsmatrikel.
Vgl. H. Schreiber, Geschichte der Universität Freiburg. Bd. II. Freiburg 1859.
S. 115 Fidelis (Marcus Roy Simmaringensis) wurde in Freiburg immatrikuliert am 1. Dez. 1598; den 17. Dez. 1602 wurde er Baccalaureus, den
10. Juni 1603 Magister oder Doktor der Philosophie; also nicht schon 1601, wie
S. 13 irrig behauptet wird. Da nach dem Zeugnis der Universität (S. 22) Roy
nach der Promotion noch ungefähr drei Jahre dem Rechtsstudium sich widmete,
so hat er seine große Reise erst 1606, nicht 1604 (S. 18), angetreten. Bei einer
neuen Auflage, die das reich illustrierte Buch ohne Zweifel erleben wird, würden,
abgesehen von einigen kleineren Unrichtigkeiten, verschiedene Provinzialismen zu
beseitigen sein. N. P.

*Sickel (Th. R.), römische Berichte. Sitzungsberichte d. Kais. Akademie
d. Wissensch. in Wien. Wien, Tempsky. 141 S.

Zu dieser ersten Abteilung römischer Berichte gibt Sickel ausführliche Mitteilungen
über die Vorarbeiten zu den Nuntiaturberichten aus Deutschland in der Zeit von
1560—72, deren Herausgabe das österreichische Institut unter seiner Leitung
übernommen hat. Die Lückenhaftigkeit und Zerstreuung des Nuntiaturmaterials
in der angegebenen Zeit brachte es jedoch mit sich, daß für die ersten Jahre des
Zeitraumes die Konzilskorrespondenz in weitem Umfange zum Ersatze herangezogen werden mußte, und so handelt der vorliegende erste Faszikel der
römischen Berichte in der Hauptsache von den 151 Bänden des vatikanischen
Archivs, welche gegenwärtig die Serie de Concilio bilden. Der Hinblick auf
die diplomatische Korrespondenz und deren Zusammenhang mit der Nuntiatur

am Kaiserhofe ist immer festgehalten; doch hat sich die Arbeit unter der Hand des gewiegten Diplomatikers gewissermaßen zu einem Cornu copiae über das gesamte Konzilsmaterial, namentlich zu einem sehr eingehenden Nachweis über die Anfänge, Erweiterung und jetzige Zusammensetzung der ganzen Konzilsserie ausgedehnt. Nach einer allgemeineren Darlegung über das Archivwesen der Kurie in der zweiten Hälfte des 16. Jahrhs. geht der zweite Abschnitt auf die Acta Tridentina im besondern ein und gibt über den Konzilssekretär Angelo Massarelli, über Entstehung und verschiedene Arten der Konzilsakten und -Korrespondenzen, über deren Verbleib und Ueberführung nach Rom sehr dankenswerte Nachrichten. Der dritte Abschnitt hat die Geschäftsführung, die im Verkehr zwischen Rom, Trient und den Nuntien beobachtet wurde, sowie die Persönlichkeiten zum Gegenstande, die bei Verfassung der amtlichen wie der mehr privaten Korrespondenzen hauptsächlich thätig waren. Die beiden letzten Abschnitte geben dann, wie bereits angedeutet, die diplomatische Geschichte dieser sämtlichen Materialien bis zu dem Bestande, den gegenwärtig das vatikanische Archiv aufweist. Außer diesem wurden jedoch auch zahlreiche Codices der vatikanischen und anderen römischen Bibliotheken, namentlich der Vallicellana und Corsini herangezogen. Einige Exkurse sind den Persönlichkeiten des Giovanni Carga, Camillo Olivo und den ältesten Archivinventaren über das Konzil von Trient gewidmet. Endlich folgt ein Anhang von 17 Dokumenten, die den vorangegangenen Forschungen zur Erläuterung dienen. Die Arbeit war eine äußerst ausgedehnte und daher überaus schwierige, weil die fast erdrückende Fülle des Materials eine einheitliche Uebersicht kaum möglich erscheinen läßt. Sie kann daher auch keine abschließende und erschöpfende sein, was der Vf. selbst an verschiedenen Stellen freimütig ausspricht. Das Gebotene ist aber im höchsten Grade willkommen, eine Frucht ganz hervorragender Meisterschaft in Behandlung archivalischer Schätze, deren baldmöglichste Fortsetzung durch eine zweite Gabe römischer Berichte dringend zu wünschen ist. Daß es nicht an einigen irrigen und ungenauen Daten fehlt, war bei der Reichhaltigkeit und Neuheit des Stoffes unvermeidlich; indessen soll hier dem Vf. nicht vorgegriffen werden, der bei der rastlosen Förderung seiner Arbeiten nicht verfehlen wird, Versehen richtig zu stellen, die sich da und dort eingedrängt haben. Nur zu S. 27 Anm. 2 sei bemerkt, daß die Tagebücher und Diarien allerdings in das Unternehmen der Görres-Gesellschaft einbegriffen sind und demnächst die Publikationen über das Konzil eröffnen werden. Ehs.

*Ehses (St.) und **Meister** (A.), Nuntiaturberichte aus Deutschland nebst ergänzenden Aktenstücken 1585(84)—90. Erste Abteilung. Die Kölner Nuntiatur. Erste Hälfte: Bonomi in Köln, Santonio in der Schweiz, die Straßburger Wirren. Hrsg. u. bearb. von —. Paderborn, Schöningh. LXXXV, 402 S. M. 15. [Quellen u. Forschgn. aus dem Gebiete der Geschichte. In Verbindung mit ihrem Histor. Institut in Rom hrsg. von der Görres-Gesellschaft. Bd. IV.]

Gemäß einem mit dem kgl. preuß. Histor. Institut getroffenen Uebereinkommen bearbeitet das römische Institut der Görresgesellschaft bei der Herausgabe der Nuntiaturberichte aus Deutschland den Zeitraum 1585—1605, beginnend mit Papst Sixtus V und schließend mit Clemens VIII. Der nunmehr vorliegende erste Band enthält zunächst die weniger für die politischen Vorgänge als für die Kirchenreform wichtigen Berichte Bonomis, des ersten ordentlichen Nuntius in Köln vom Herbst 1584 bis November 1585 nebst den Schreiben des Kardinalstaatssekretärs an den Nuntius und anderen ergänzenden Aktenstücken. Die weiteren Berichte bis zum Tode des Nuntius (25. Febr. 1587) sind trotz ausgedehnter Nachforschungen bis jetzt leider noch nicht aufgefunden; einige Stücke ausgenommen, welche nebst Depeschen des kaiserlichen Nuntius Sega über Angelegenheiten hauptsächlich des Kölner Nuntiaturbezirks aus dem Jahre 1586 hier mitgeteilt werden. Beigegeben sind ein Gutachten Minuccis vom 25 November 1585 über die Aussichten auf eine Konversion des Kurfürsten August von Sachsen und Mitteilungen aus den Akten und Aufzeichnungen des Trierer Kanzlers Johann Wimpheling, betr. den Erzbischof Wolfgang von Mainz, den Straßburger Kapitelstreit, den Kurfürstenkonvent in Koblenz 1585 und die durch den Superintendenten Georg Mylius in Augsburg erregten Unruhen (1584). Die bisher genannten Dokumente hat Dr. Ehses bearbeitet, sowie auch, unter Mitwirkung von Dr. Schmitz in Rheydt. die Berichte des Schweizer Nuntius Santonio, soweit sie deutsche Verhältnisse betreffen. während Dr. Meister die auf den Straßburger Kapitelstreit bezügliche Korrespondenz des Bischofs Johann von Manderscheid von 1585—89 und in einem Anhange dazu die von 1584—91 ergangenen Interzessionsschreiben protestantischer Reichsfürsten beim Kaiser zu gunsten der Straßburger protestantischen Kapitulare besorgt hat. Den Dokumenten ist eine ungefähr 80 Seiten umfassende Einleitung vorausgeschickt, an welcher beide Herausgeber beteiligt sind. Hier berichtet zuerst Dr. E. über die für die Sammlung der Nuntiaturberichte und sonstigen Aktenstücke in frage kommenden Quellen; es sind natürlich hauptsächlich die Nunziatura di Germania und di Colonia und für Santonio die Nunz. di Suizzera im Vatik. Archiv. Benutzt wurden auch die Bibliotheken Chigi und Barberini, das Staatsarchiv zu Düsseldorf, die Staatsarchive von Köln und Koblenz, hier auch die Gymnasialbibliothek, und im römischen Staatsarchiv die Rechnungsbücher über Einkünfte und Ausgaben der apostolischen Kammer, welche genaue Mitteilungen über die Gehälter der Nuntien und die Unterstützung der päpstlichen Seminare in Deutschland unter dem Pontifikate Sixtus' V ermöglichten. Den größten Teil der Einleitung, nämlich 49 Seiten. füllt eine mit wohlthuender Wärme geschriebene Lebensskizze des hochverdienten Nuntius Joh. Franz Bonomi. welche unter Benutzung aller biographischen Versuche und Nachrichten über Bonomi, wenn auch nur in den Hauptzügen durchgeführt, das erste vollständige Lebensbild des ausgezeichneten Mannes aus deutscher Feder ist. Es folgt eine Besprechung der nur ein Jahr lang, von August 1586 bis August 1587, dauernden aber keineswegs der Erfolge entbehrenden Reformthätigkeit des ersten ständigen Nuntius in der Schweiz, Joh. Bapt. Santonio, und eine kurze Darlegung der Konversionshoffnungen welche in Rom eine Zeit lang in bezug auf den Kurfürsten August von Sachsen gehegt wurden, endlich von Dr. M. eine Erörterung der Beziehungen des hl. Stuhles zu den Straßburger Wirren in den Jahren 1583 92, woraus hervorgeht, daß nach den bis jetzt bekannten Akten nicht der Papst (Gregor XIII) den Bischof Johann zum Einschreiten gegen die abgefallenen Kapitulare veranlaßt hat, sondern daß der Widerstand vom Bischof selber ausging, der beim Papst Sixtus V, trotz seiner wiederholten inständigen Bitten die durch die Umstände gebotene wirksame Hilfe nicht fand, namentlich aber vom kaiserlichen Hofe ganz im stiche gelassen wurde. Die Dokumente sind mit recht zum weitaus größten Teile ihrem Wortlaute nach mitgeteilt. Ihre Gesamtzahl beläuft sich einschließlich einiger nur inhaltlich wiedergegebenen Briefe von untergeordneter Bedeutung auf 267. Ein gutes Personen= und Sach= register fehlt nicht.

K. U.

Andreae Tiarae Annotationes. Aanteckeningen betreffende de roomschkatholieke kerk in Friesland sedert de hervorming tot het jaar 1696. Uitgegeven door G. H. van Borssum. Waalkes Leeuwarden, Meijer en Schaafsma. ℳ 3,20.

Duker (A. C.), Gisbertus Voetius. 1. deel, 2. helft. A. Predikantsleven van 1611—18. Leiden, Brill. S. 125—260 u. LIII—C. Vgl. Hist. Jahrb. XVI, 228.

Delarc, l'église de Paris pendant la Révolution française (1789—1801). Desclée, de Brouwer et Cie.

Erscheint in monatlichen Lieferungen à 4 Bogen. Das ganze Werk soll 3 Bände à 500 S. stark werden.

Mangenot (E.), les ecclésiastiques de la Meurthe martyrs et confesseurs de la fois pendant la Révolution française. Nancy, Pierron et Hozé. XI, 523 S. u. Portraits. fr. 2.

Gianveo (C.), memorie storico-religiose della Valsassina. Milano, casa tip. edit. arciv. ditta G. Agnelli. 190 S. l. 2.

*Maaßen (G. H. Chr.), Dekanat Bonn. 1. Teil: Stadt Bonn. Köln,
Bachem 1894. 422 S. M. 5,25. [Geschichte der Pfarreien der
Erzdiözese Köln V.]

Schon zum drittenmale beschenkt uns der emsige Pfarrer von Hemmerich mit
einer Dekanatsgeschichte, auf Hersel und Königswinter folgt die wichtige und
wechselvolle Kirchengeschichte Bonns. Nach seiner Meinung hat zuerst der hl.
Crescentius, ein Schüler des hl. Paulus, um das Jahr 50 in Bonn das Evan=
gelium gepredigt; ihm seien bald darauf Aegistus und Martian und um das
Jahr 88 der hl. Maternus, ein Schüler des hl. Apostels Petrus und erster
Bischof von Köln, gefolgt. Daß es bereits in den ältesten Zeiten am Rheine
Christen gegeben hat, ist nicht zu bezweifeln; denn wohin römische, christliche
Soldaten und Kaufleute kamen, brachten sie auch die Kunde von Jesus und
seiner Lehre mit und suchten neue Anhänger zu gewinnen. Noch mehr: es
haben schon sehr früh förmlich organisierte Gemeinden bestanden, wie der hl.
Irenäus (adv. haer. I, 10) bezeugt. Jedoch genügt die verhältnismäßig
späte Tradition nicht, um mit Sicherheit bestimmte Personen als Gründer
und Förderer der jungen Gemeinden namhaft machen zu können; es wäre
anderseits aber auch verfehlt, jene Legenden ohne weiteres deshalb zu verwerfen,
weil man sie nicht aktenmäßig beweisen kann. Aehnlichen Schwierigkeiten be=
gegnet man bei der Frage nach dem Martyrium der hl. Kassius und Florentius
und nach der angeblich durch die Kaiserin Helena vollzogenen Stiftung des ihnen
geweihten Gotteshauses und Klosters. Dieses ward um 883 unter Erzbischof
Willibert in ein Kollegiatstift umgewandelt. Der Probst wurde später Archi=
diakon und erhielt 1139 die Jurisdiktion über die vier Christianitäten Ahr,
Eifel, Zülpich und Siegburg. Die Stiftsgeistlichkeit bestand aus dem Propste,
Dechanten, Scholastikus, 40 Kanonikern und 28 (seit dem truchsessischen Kriege 21)
Vikaren oder Altaristen. Neben dem Stifte gab es 4 Pfarreien und eine Anzahl
von Klöstern und wohlthätigen Anstalten. Von hervorragendem Interesse sind
die Geschichte der Pröpste Gerhard von Are, Johann und Kaspar Gropper und
Ferdinand von Baiern, sowie die Abhandlungen über die kirchlichen und sittlichen
Zustände zur Zeit der Fremdherrschaft, über den Josephinismus bei den Franzis=
kanern und die Errichtung der kurfürstlichen und der Friedrich=Wilhelms=
Universität. Hoffentlich kommt das Namensverzeichnis im zweiten Teil.
J. Gr.

*Becker (J.), Dekanat Blankenheim. Köln, Bachem. 1893. 656 S.
M. 6. [Geschichte der Pfarreien der Erzdiözese Köln IV.]

Das Buch zerfällt in zwei Teile. Im ersten behandelt der Vf. die Geschichte
der Eifel im allgemeinen, im zweiten die Geschichte der einzelnen Pfarreien. Es
ist eine fleißige und flott geschriebene Arbeit, der eingehende archivalische Studien
zu grunde liegen. Weil der Vf. nicht bloß für die Gelehrten, sondern auch für
das Volk schreiben wollte, ist die Geschichte jeder Pfarrei in besonderm Abdrucke
erschienen; mit Rücksicht darauf verzeiht man ihm gerne einzelne Weitschweifig=
keiten und Wiederholungen, jedoch ist seine Sparsamkeit in Angabe der Quellen
sehr zu bedauern; dies und der Mangel eines Namenverzeichnisses ist für alle,
die sich mit Forschungen über die Geschichte der Eifel befassen, recht unangenehm.
Die Geschichte der Reformation ist, wie Vf. selbst im Vorworte bekennt, „defensiv=
polemisch“ und stellenweise mit einer sehr scharfen Feder geschrieben. Hoffentlich
erhalten wir von ihm demnächst eine Geschichte seines jetzigen Dekanates Geilen=
kirchen. J. Gr.

Wachter (Fr.), Pottenstein. Geschichte des ehem. Pflegamtes u. der Pfarrei
Pottenstein, sowie der Filiale Kirchenbirkig u. des Herrschaftssitzes
Kühlenfels. Bamberg, Schmidt. 183 S. M. 150.

Zschokke (H.). Geschichte des Metropolitan=Kapitels zum hl. Stephan in
Wien. (Nach Archivalien.) Wien, Konegen. XII, 428 S. M. 9.

Der verdiente Vf. hat mit fleißiger Verwertung des bisher so gut wie unbe=
nutzten Archivs des Metropolitankapitels von St. Stephan eine Geschichte dieses

Kapitels verfaßt, welche besonders wegen der vielen darin wörtlich abgedruckten Urkk. Anspruch auf Dank erheben kann. Kleinere Ausstellungen, die gemacht werden können und gemacht worden sind (vgl. Hauthaler in der Literar. Rundschau 1895 S. 171), thun dem wesentlichen Wert des Buches keinen Eintrag. Die Geschichte unserer kirchlichen Institute, Kapitel, Ordensgenossenschaften, Stiftungen usw. liegt ja bekanntlich noch sehr im argen, und deshalb ist jeder neue Beitrag freudig zu begrüßen. Wie vielfacher Gewinn bei solchen Arbeiten für die Kulturgeschichte abfällt, zeigt auch die vorliegende Schrift. Erwähnt seien nur die interessanten Einzelheiten zur Geschichte der „todten Hand" und der Rangstreitigkeiten.   D.

Firnhaber (C. G.), die evangelisch-kirchliche Union in Nassau, ihre Entstehung u. ihr Wesen, nach den Akten dargest. Nach dem hinterlassenen Manuskripte im Auftrag der Erben hrsg. v. A. Schröder. Wiesbaden, Limbarth. XX, 294 S. ℳ 5.

Studien, Greifswalder. Theologische Abhandlungen, Hermann Cremer zum 25jähr. Professoren-Jubiläum dargebracht. Gütersloh, Bertelsmann. ℳ 7.

Daraus notieren wir: V. Schultze, Rolle und Codex. — D. M. v. Nathusius, zur Geschichte des Toleranzbegriffes.

Michel, l'Orient et Rome. Étude sur l'Union. 2e édition revue et augmentée. Paris, Lecoffre. 12⁰. XLIII, 378 S.

Rechtsgeschichte.

Staatslexikon. Hrsg. i. A. d. Görres-Gesellsch. durch A. Bruder. Bd. 4, H. 31—38. Freiburg i. B., Herder. Lexikon-8⁰. IV S. u. 1288 Sp. ℳ 12.

Reicht von Oesterreich-Ungarn — Schweiz. An größeren Artikeln heben wir hervor: Oester.-Ung. (G. E. Haas); Oldenburg (v. Sickenberger); Orden, religiöse (Lehmkuhl); Papst (A. Bellesheim); Papsttum und Kaisertum im MA. (Grenelin); Paraguay (Grenelin); Parteien, politische (J. Bachem, Ebenhoch, G. E. Haas); Persien (H. Sickenberger); Peru (Pietschka); Politik (v. Hertling); Politik, koloniale (J. P. Schneider); Portugal (Glasschröder); Preußen (Hudert); Pufendorf (Gramich); Recht, deutsches (Bruder); Recht, historisches (G. J. Haas); Recht, römisches (Bruder); Religion (Lingens); Religionsgesellschaften (Vering u. Kneller); Revolution (Haas); Rumänien (H. Sickenberger); Rußland (Grenelin); Sachsen (H. Sickenberger); Schweden-Norwegen (Middendorf); Schweiz (Grenelin).

Hübner (R.), Jakob Grimm u. das deutsche Recht. Mit e. Anhang ungedr. Briefe an Jakob Grimm. Göttingen, Dieterich. VIII, 187. ℳ 3.

Zeerleder (A.) u. Opet (O.), ausgewählte Rechtsquellen, zum akadem. Gebrauch gesammelt u. hrsg. Bern, Göpper & Lehmann. 1896. IV, 92 S. ℳ 1,80.

Ritter (Chr.), Karl der Große und die Sachsen. 2. Abt.: die Gesetze für Sachsen. Dessau, Kahle. 114 S. ℳ 1,50.

Vgl. Hist. Jahrb. XV, 891.

Maurer (G. L. v), Einleitung zur Geschichte der Mark-, Hof-, Dorf- und Stadtverfassung und der öffentlichen Gewalt. 2. Aufl. Vermehrt durch ein einleitendes Vorwort von H. Cunow. Wien, Volksbuchhdlg. [J. Brand]. XLVI, 338 S. ℳ 5.

Rietsch (K. F.), das Stadtbuch von Falkenau (1483—1528). Ein Beitrag zur Gesch. des deutschen Stadtrechts in Böhmen. Prag, Dominicus in Comm. 66 S.

Miedema (A. S.), Sneek en het Sneeker Stadtrecht. Sneek, van Druten. VIII, 203 S.

Schulin (Ph. Fr.), die Frankfurter Landgemeinden. Hrsg. auf Veranl. u. aus den Mitteln der Böhmerschen Nachlaß-Administr. von R. Jung. Mit 1 Siegeltafel. Frankfurt a. M., Völcker. XXV, 321 S. *M* 4.

Langwerth v. Simmern (E.), die Kreisverfassung Maximilians I u. der schwäb. Reichskreis in ihrer rechtsgesch. Entwicklung bis z. J. 1648. Heidelberg, Winter. 1896. XIV, 456 S. *M* 14.

*Below (G. v.), Landtagsakten von Jülich-Berg. 1400—1610. Bd. 1. 1400—1562. Düsseldorf, Voß. XVI, 824 S. *M* 15. [Publikationen der Gesellschaft für Rheinische Geschichtskunde XI.]
Die Gesellschaft für Rheinische Geschichtskunde und der Hrsgb. haben sich mit diesem Werke ein großes Verdienst um die Rechts- und Provinzialgeschichte erworben. Es gilt, den Ursprung und die Entwickelung der Landstände von Jülich-Berg zu erläutern und dadurch überhaupt eine gründlichere Erforschung der Verfassung und Wirksamkeit der Landstände in den deutschen Fürstentümern und ihres Verhältnisses zu der landesherrlichen Verwaltung einzuleiten. Die Landtagsakten von Kleve-Mark sind wegen der dort anders gearteten Stellung der Stände nicht mit diesen vereinigt, sondern sollen später eigens herausgegeben werden, und dann werden beide Werke sich gegenseitig ergänzen. — In der Einleitung (S. 1—235) giebt der Vf. zunächst eine ausführliche Darstellung der Landtagsverfassung in den beiden Herzogtümern Jülich und Berg von 1400 bis 1538; er bespricht die Organisation des Landtags, seine Stellung im allgemeinen und seine Kompetenzen betr. die Angelegenheiten der herzoglichen Familie und des Territoriums, die auswärtige Politik und das Kriegswesen, Recht und Gericht, die Organisation der Verwaltung, die Polizei und das Finanzwesen. Daran schließen sich Regesten der landständischen Privilegien bis zum J. 1542, urkundliche Beilagen, die hauptsächlich ein Beispiel des diplomatischen Verkehrs der Stände eines Landes mit fremden Landesherren geben sollen, und Beiträge zur Geschichte der geistlichen und landständischen Gerichtsbarkeit. Als die Privilegien seltener wurden, kamen die Landtagsabschiede auf; in ihrer wirklichen Bedeutung ist wenig Unterschied. Als „Stände" gelten nur die Ritterschaft und die Städte (seit Anfang des 16. Jahrh. je 4 Hauptstädte in Jülich und Berg); jede Kurie berät und beschließt gesondert, beide Stände unterstützen, kontrollieren und beschränken die Regierung ihres Landesherren nicht im eigenen Namen, sondern im Namen aller Unterthanen des ganzen Landes und erscheinen somit juristisch als Landesrepräsentanten. Der Ort der Landtage war für Berg zeitweilig Opladen, für Jülich im 15. Jahrh. fast immer die gleichnamige Stadt, Düren oder Birkesdorf; seit dem Ausgang des 16. Jahrh. hielten Jülich und Berg gemeinsame Landtäge ab, jedoch hatten sie getrennte Beratung. Die Geistlichen und Eigenherren bildeten keinen Stand, und es wurde mit ihnen nur in besonderen Versammlungen (z. B. über Steuerfragen) verhandelt; dennoch hat Vf. auch die Akten über die Verhandlungen mit diesen aufgenommen und zwar mit vollem Rechte, weil sie eine wichtige Ergänzung der landständischen Akten bilden. Ferner sind zur Erläuterung dieser auch die Reichstagsakten von Jülich-Berg, namentlich die Instruktionen der herzoglichen Gesandten und eine größere Zahl von Aktenstücken über die auswärtige Politik herangezogen, dagegen sind die Akten der landesherrlichen Verwaltung weniger benützt worden, als es ursprünglich beabsichtigt war. Die Aktenstücke sind nach Inhalt und Zeit zu 9 Gruppen vereinigt, denen jedesmal erläuternde Vorbemerkungen vorausgeschickt sind. In diesen Abteilungen werden behandelt die Entstehung des geldrischen Erbfolgestreits; die Huldigung beim Regierungsantritt Herzog Wilhelms, die definitive Entfremdung des Herzogs vom Kaiserhofe und die Anknüpfung von

Beziehungen zu anderen Mächten, die Türkenhilfe von 1542 und der Einfall Rossems in die Niederlande, der offene Kampf des Herzogs Wilhelm mit der Regentin der Niederlande und dem Kaiser und der Friede von Venlo, die neuen Beziehungen zum Hause Habsburg, Landes- und Reichssteuern, ständische Beschwerden, der Streit um die geistliche Jurisdiktion und der Heidelberger Verein, die Polizei- und Rechtsordnung, der Festungsbau in Berg. Ein genaues Personen- und Ortsregister, von L. Korth angefertigt, und ein ausführliches Inhaltsverzeichnis ermöglichen es, sich schnell und sicher in dem umfangreichen Werke zurechtzufinden; wegen Raummangels ist das Sachregister für den nächsten Band aufgespart worden. In bezug auf die äußere Einrichtung der Edition sind mit wenigen Abweichungen die Grundsätze angewendet worden, die in den von der Münchener historischen Kommission herausgegebenen „Briefen und Akten zur Geschichte des 30jährigen Krieges" befolgt worden sind.   J. Gr.

Alexandre (P.), le Conseil privé aux anciens Pays-Bas. Bruxelles, Hayez. 420 S.

*__Bonvalot (E.)__, histoire du droit et des institutions de la Lorraine et des trois evêchés (843—1789). I. Du traité de Verdun à la mort de Charles II. Paris, F. Pichon. 1895. VII, 386. S.

Der uns vorliegende erste Bd. zeugt von sorgfältiger Benutzung des in betracht kommenden Quellenmaterials. Indes ist zu wünschen, daß der Vf. sich bei ähnlichen Arbeiten mehr mit den neueren deutschen Forschungen und Editionen befannt macht. So hätte z. B. S. 32 auf die Arbeit Seeliger's, die Kapitularien der Karolinger, S. 239 auf Fickers Untersuchung vom Reichsfürstenstande, Rücksicht genommen werden können; Widukind von Corvey durfte nicht mehr in der Ausgabe Meiboms von 1688 citiert werden. In Angaben aus der deutschen und der Papstgeschichte vermißt man sehr oft die Genauigkeit. Jener bekannte Zweikampf zu Steele, durch welchen das Repräsentationsrecht der Enkel festgestellt wurde, fand nicht 952 unter Otto II (S. 28) oder 973 unter Otto I (S. 57) statt, sondern 938 unter Otto I. (Vgl. Waiß, Widukindi rer. gest. Sax. 3. Aufl. 1882. S. 44.) Das Haus Sachsen regierte 1183 in Deutschland nicht mehr (S. 84). Wird Heinrich Raspe in Frankreich Bapst de Thuringe genannt (S. 180)? Gregor IX konnte seine Dekretalensammlung nicht 1298 an die Universitäten schicken (S. 189), 1484 konnte kein Innocenz III die Kanzleiregeln festlegen (S. 189). Konrad III war nicht Kaiser (S. 203). Konrad II erließ das bekannte Lehnsgesetz nicht 1039 (S. 231) sondern 1037. Die Deduktion auf S. 245—47. Lothringen sei kein Reichslehn gewesen, ist meines Erachtens mißlungen, wie ich an anderer Stelle weiter ausführen werde. In einer Rechtsgeschichte Lothringens vermutet man wohl näheres über das vom Vf. nur flüchtig erwähnte Geleits- und Burgbaurecht (S. 238 und 321). Alle diese und andere Ausstellungen, die wir noch an dem Werke machen könnten, sollen uns indes nicht hindern, das Verdienst des Vf. anzuerkennen, zum ersten Male zusammenhängend die Rechtsgeschichte Lothringens und der drei Bistümer Metz, Toul und Verdun behandelt zu haben.   M. Jansen.

Buys (J. P.), studien over staatkunde en staatsrecht. Uitgeg. onder toezicht van W. H. de Beaufort en A. K. Arntzenius. 2 dln., m. 1 portr. fl. 15

Barlovac (C. R.), das serbische Parlament (Skupschtina). Heidelberger Diff. Heidelberg, Univ.-Buchdruckerei. 63 S.

Bietet einen Ueberblick über die Verfassungskämpfe in Serbien.

Reischle (M.), Sohms Kirchenrecht und der Streit über das Verhältnis von Recht und Kirche. Gießen, Ricker. 56 S. M 1. [Vorträge der theol. Konferenz zu Gießen, geh. am 13. Juni 1895. 8. Folge.]

*__Stutz (U.)__, die Eigenkirche als Element des mittelalterlich-germanischen Kirchenrechts. Antrittsvorlesung. Berlin, Müller. 45 S. M. 0,80.

Unter „Eigenkirche" versteht der Vf.: eine solche, über die ein Grundherr unter der Form des Eigentums eine sowohl vermögensrechtliche als auch publizistisch-spirituelle Herrschaft ausübte. Diese gemeingermanische Institution war vielleicht die vorteilhafteste Kapitalanlage des früheren MA. Die Bischöfe waren dagegen, das Königtum. aber suchte auch die bischöflichen Kirchen zu Eigenkirchen zu machen. So ist die alte Kirchherrschaft wirklich nichts anders gewesen als das germanische Grundeigentum in seiner Anwendung auf Kirchen. Diese kurze Skizze soll weiter ausgeführt und bewiesen werden in dem hier folgenden Haupt-werke.

P. G. M.

* **S t u t z** (H.), Geschichte des kirchlichen Benefizialwesens von seinen Anfängen bis auf die Zeit Alexanders III. Bd. 1, 1. Hälfte. Berlin, Müller. 371 S. *M* 12.

Das ganze Werk wird zwei Bände umfassen und ist in drei Bücher geteilt. Das erste Buch (Bd. I) behandelt die Grundlagen des kirchlichen Benefizialwesens, das zweite dessen Stellung und Rechte, das dritte dessen Zerfall und Umwandlung in den Kirchenpatronat durch Alexander III. (Wir werden nach Abschluß des Werkes auf dasselbe zurückkommen. D. R.)

C h r i s t l (F.), die rechtliche Natur der Dotationen der Bischöfe und Dom-kapitel nach bayerischem Recht. Erlanger Diss. 40 S.

N i c k l a s (N.), die Geltendmachung des Placet gegenüber der Kirche. Nach bayerischem Verfassungsrecht. Erlanger Diss. 38 S.

Wirtschaftsgeschichte.

S c h ü t z (R.), die inneren politischen und Wirtschaftsverhältnisse der West-germanen, insbes. der Westsueben. Progr. des Gymnas. zu Donau-eschingen. 4°. 20 S.

B u c k (W.), der deutsche Handel in Nowgorod bis zur Mitte des 14. Jahrh. Progr. St. Petersburg, Hönniger. 90 S. *M* 3.

***E h r e n b e r g** (R.), Hamburg und England im Zeitalter der Königin Elisabeth. Jena, Fischer. 1896. VIII, 362 S. *M* 7,50.

Besprechung folgt.

M a r k g r a f (R.), zur Geschichte der Juden auf den Messen in Leipzig von 1664—1839. Ein Beitrag zur Geschichte Leipzigs. Rostocker Diss. Bischofswerda, Druck von Fr. May. 1894. 93 S.

Die Studie stützt sich auf die Akten des Ratsarchivs in Leipzig, die erst von der Mitte des 17 Jahrh. an Material liefern. Das Resultat dieser durch viele Tabellen illustrierten Arbeit ist kurz folgendes: Durch die Größe und Mannig-faltigkeit ihrer Einkäufe wirkten die jüdischen Fieranten fördernd auf den Besuch und auf die Produktion der Waren. Ihr Anteil an der Blüte der Messe wäre noch größer, wenn sich nicht verschiedene jüdische Kaufleute wiederholt des Wuchers und der Uebertretung der Verordnungen der Behörden schuldig ge-macht hätten. Im Jahre 1839 erhielt der erste Jude in Leipzig das Bürger-recht, wodurch die Geschichte der jüdischen Meßfieranten in Leipzig einen ge-wissen Abschluß erlangte.

F i n o t (J.), étude historique sur les relations commerciales entre la France et la Flandre au moyen-âge. Paris, Picard. XII, 392 S. fr. 6.

S e r e g n i (Giov.), la popolazione agricola della Lombardia nell' età Barbarica. Mailand, tip. Frat. Rivara. 77 p.

H e l d m a n n (C.), Beiträge zur Gesch. der ländlichen Rechtsverhältnisse in

· ben Deutschordenskommenden Marburg und Schiffenberg. Marburg. Diff. 82 S.

Seelig (W.), die innere Kolonisation in Schleswig-Holstein vor hundert Jahren. Kieler Rektoratsrede. Kiel, Univ.-Buchhdlg. 39 S.
Beleuchtet die innere Kolonisation des Landes im letzten Drittel des vor. Jahrh. Nicht nur alle Domänengüter, deren Hoffelder etwa 3½ Quadratmeilen Landes umfaßten, wurden dort in kleine freie Bauerstellen umgewandelt, sondern auch beträchtliche Flächen der im Privatbesitz befindlichen Großgüter wurden der gleichen Veränderung unterzogen. Das war ein Teil des Programmes, das Hartwig Ernst von Bernstorf, der große Minister König Friedrichs V bei dem Regierungsantritte Christian VII (1766) entworfen hatte. Vf. beleuchtet die Dringlichkeit dieses Reformprogrammes und gibt dessen Vorgeschichte. In einem Anhang bietet Vf. noch einige Bemerkungen über die Männer, welche bei dem Reformwerke bedeutsam hervortraten: Joh. Hartwig Ernst Graf von Bernstorf, Carl. Andreas Graf von Bernstorf, Graf Adam Gottl. von Moltke, Georg Christian Oeder.

Bochenski (A.), Beitrag zur Gesch. der gutsherrlich-bäuerlichen Verhält- nisse in Polen auf grund archivalischer Quellen der Herrschaft Kock. Göttinger Diff. 250 S.

Guéry, mouvement et diminution de la population agricole en France (Histoire et démographie). Paris, Rousseau. 226 S.

Neumann (F. J.), Beiträge z. Geschichte der Bevölkerung in Deutsch- land seit dem Anfange dieses Jahrhs. Bd. V. Mit 14 Tab. Tübingen, Laupp. VI, 167 S.
Vgl. Hist. Jahrb. XIV, 461.

Brants, les théories économiques aux XIIIe et XIVe siècles. Louvain, Peeters. 280 p.

Brooks (N.), Abraham Lincoln and the downfall of American slavery. London 470 S. M. 6.

Robertson (J. M.), Buckle and his critics. A study in sociology. London, Swan Sonnenschein et Co. sh. 10.

Ingram (J. K.), Gesch. der Sklaverei u. der Hörigkeit. Rechtmäßige deutsche Bearbeitung v. L. Katscher. Dresden, Reißner. VIII, 200 S. M 4.

Zenker (E. V.), der Anarchismus. Kritische Geschichte der anarch. Theorie. Jena, Fischer. XIII, 258 S. M 5.

Kovalevski (M), der Ursprung der modernen Demokratie. Bd. I. (In russischer Sprache.) Moskau.

Stegmann (C.) u. Hugo (C.), Geschichte der sozialistischen Bewegung in Polen. 1. Russisch-Polen. 2. Oesterreichisch-Polen. 3. Preußisch- Polen. Zürich, Verlagsmagazin. 31 S. M 0,50. [Aus: St. u. H., Handbuch des Sozialismus.]

Nathusius (M. v.), die Mitarbeit der Kirche an der sozialen Frage. I. Die soziale Frage. II. Die Aufgabe der Kirche. Leipzig, Hinrichs. 1893 u. 1895. VIII, 310 u. VIII, 470 S. M 5 u. 7;50.
Die Schrift ist nach der historischen Seite nicht ohne Bedeutung. Der erste Teil bietet u. a. eine geschichtliche Entwicklung der Volkswirtschaftslehre und charakt

terisiert die hervorstechendsten Probleme derselben, und der zweite Teil trägt der Entwicklungsgeschichte der christlichen Soziologie Rechnung.

Ricca-Salerno (G.), storia delle dottrine finanziare in Italia. 2. edizione. Palermo, Reber. 1. 10.

* **Kirsch** (J. P.), die Finanzverwaltung des Kardinalkollegiums im 13. u. 14. Jahrh. Münster i. W., Schöningh. 1895. VI, 138 S. .*M* 3. [Kirchgesch. Studien hrsg. von **Knöpfler, Schrörs, Sdralek,** Bd. 2. H. 4.]

In der ersten Reihe der Forscher auf dem Gebiete der päpstlichen Finanzen im im MA steht K., der Vf. der päpstlichen Kollektorien in Deutschland im 14. Jahrh. Aufs engste aber sind mit den päpstlichen Finanzen verknüpft die der Kardinäle. Sie nun stellt K. im angegebenen Zeitraum auf grund von reichem, hier erstmals publiziertem, archivalischem Material dar, nämlich im 1. Kapitel die verschiedenen Arten der Einnahmen der Kardinäle im einzelnen — die Servitien, die Visitationsgelder, die Census und die außergewöhnlichen Einnahmen —, im 2. Kapitel die Verwaltungsorgane des Kardinalkollegiums — das Kardinalkolleg, der Kardinalkämmerer, der Prokurator des Kollegiums, die Kleriker des Kollegiums — und im 3. Kapitel die Verwaltung der Einkünfte des Kardinalkollegiums — die Erhebung der Gelder, die Verteilung der Einkünfte und die Buchführung —, alles das unter Berücksichtigung des kleinsten Details. Es ist nur schade, daß der Vf. sich auf die Zeit beschränkt hat, von wo an die Teilung bestimmter Einkünfte zwischen der apostolischen Kammer und dem Kardinalkolleg eine feststehende Thatsache geworden war, im wesentlichen also auf die Zeit nach der Bulle Nikolaus' IV »Caelestis altitudo« vom 18. Juli 1289 (nicht 1298, S. 25 [2]), welche hierin grundlegend war. Gewiß hätte Gottlob, von dem ein Aufsatz über die frühesten Einkünfte der Kardinäle in Aussicht steht (S. VI), es dem Kollegen nicht verübelt, wenn K., wie er anfänglich gewollt, in der Einleitung mehr Aufschluß auch über frühere Zeiten gegeben hätte. Wo nun aber nicht, so hätte er doch nicht zu karg sein sollen in der Begriffsbestimmung, der Vorgeschichte einzelner Einkünfte, wie der Servitien, der Visitationsgelder, zum mindesten nicht in der Angabe der bezüglichen Litteratur. So dürfte, wenn auch über die Geschichte der visitatio liminum, die sehr im argen liegt (Mitth. d. Inst. f. öst. Geschfg. XV, 150 f.), nichts zu verwerten war, S. 29 [1] nicht fehlen der Verweis auf Weiß, die kirchl. Exemptionen der Klöster von ihrer Entstehung bis zur gregor.-cluniacens. Zeit (Hist. Jahrb. XV, 666) Aber auch sonst vermißt man bisweilen die Angabe der einschlägigen Litteratur. So sollte für S. 37 f. nicht vergessen sein: Ehrle, der Nachlaß Klemens' V, Arch. f. Lit- und Kirchgesch. d. MA. V, 1 ff. (Hist. Jahrb. XI, 565). Man schreibt eben die Bücher nicht bloß für sich, oder vielmehr nur für andere. Diese aber leiden nicht immer am gleichen embarras de richesse wie der Verfasser, welche sich daher Zeit und Mühe sorgfältiger Litteraturangabe und auch fleißigen und genauen Hin- und Herverweisens nicht reuen lassen dürfen. Auch in letzterem Punkte fehlt es etwas. So sucht man z. B. für S. 23 [1] mit Mühe die einschlägige Nr. 60 in Beilage XV. Doch das sind Adiaphora. In allen Hauptfragen gibt die Arbeit prompteste Antwort, namentlich in der, wie groß denn eigentlich die Einkünfte eines Kardinals um die Wende des 13. Jahrh. waren. Darnach traf es in der Zeit vom 15. August 1295 bis zum Februar 1298 auf den einzelnen Kardinal ca. 42,000 Mark nach der damaligen Kaufkraft des Geldes, die etwa viermal größer war als heutzutage (S. 56 f.). Dazu kamen dann noch Einkünfte aus Titel, Benefizien und Kommenden. Schöne Einnahmen also trotz der sehr unregelmäßigen Einläufe der fälligen Summen und der weitgehendsten Rücksichtnahme des hl. Stuhles auf die Verhältnisse der Schuldner (S. 11 f.). Zum Schluß weist K. in trefflichem Weitblick auf die Thatsache hin, daß die sich steigernden Einnahmen der Kardinäle, mit welchen der Papst seine Einkünfte teilen mußte, die Päpste für sich allein zur Besteuerung der kirchlichen Pfründen veranlassen, was so viel Unwillen bei Klerus und Volk hervorrief.

Sägmüller.

Philips (M.), a history of banks, bankers, and banking in Northumberland, Durham and North Yorkshire, illustrating the commercial
development of the North of England from 1785 to 1894. With
numerous portraits, facsimiles of notes, signatures, documents etc.
London, Wilson. 4⁰. 486 S. sh. 31 d. 6.

Bahrfeldt (E.). das Münzwesen der Mark Brandenburg. Bd. 2: Unter
den Hohenzollern bis zum großen Kurfürsten, 1415—1640. Mit
25 Münztaf. u. zahlreichen Abbildgn. im Texte. Berlin, Kühl. 1896.
VII, 570 S. M. 36.

Waltzing (J. P.), étude historique sur les corporations profession-
nelles chez les Romains. Bruxelles, Hayez. 528 S.

Huyer (Rh.), Geschichte des Bräuwesens in Budweis. Eine Festschrift
zum 100jähr. Bestande des bürgerl. Bräuhauses. Mit 6 Abbildgn.
u. 2. Plänen. Budweis, Hansen. gr. 4⁰. VIII, 370 S. M. 16.

Stieda (W.), der Befähigungsnachweis. Leipzig, Duncker & Humblot.
104 S. M. 2.

Kunstgeschichte.

Dehio (G.), ein Proportionsgesetz der antiken Baukunst und sein Nach=
leben im Mittelalter und in der Renaissance. Straßburg, Trübner.
Lexikon=8⁰. 36 S. m. 60 Taf. M. 10.

Kraus (Fr. X.), Geschichte der christl. Kunst. Bd. I. Die hellenistisch=
römische Kunst der alten Christen. Die byzantinische Kunst. Anfänge
der Kunst bei den Völkern des Nordens. Abteilung I. Mit Titelbild
in Farbendruck und 253 Abbildungen im Texte. Freiburg i. Br.,
Herder. 1895. 4⁰. S. I—VIII u. 1—320. M 8.

Unter obigem Titel erhalten wir soeben die ersten 20 Bögen einer auf zwei Bde.
von doppelter Stärke berechneten, reich illustrierten Geschichte der christlichen Kunst
aus berufenster Feder. Die vorliegende erste Abteilung behandelt nach einer
lehrreichen Einleitung über die Entwicklung des kunstgeschichtlichen und archäo=
logischen Studiums in vier Büchern „die Katakomben als Wiege der altchristl.
Kunst", die altchristl. Malerei, Skulptur und Baukunst (letzterer Abschnitt noch
unvollendet). Der Vf. will mehr als das bisher geschah „den Inhalt der Kunst=
vorstellungen" betonen, vor allem „das Verhältnis der christl. Religion zur
Kunst erforschen und die Existenzberechtigung einer christl. Kunst, ja deren volle
Ebenbürtigkeit mit der Antike historisch entwickeln und feststellen, das Auf= und
Niedersteigen des künstlerischen Schaffensgeistes in seinem Zusammenhange mit
dem Auf= und Niedersteigen des religiösen Volksgeistes aufweisen" (Vorwort).
Als besonders wertvoll heben wir aus dem vorliegenden ersten Teile die Ab=
schnitte über die Symbolik und den Bilderkreis der altchristl. Kunst und über
den Ursprung der altchristl. Basilika hervor. Der Vf. befindet sich hier auf
seinem eigensten Gebiete und weiß in seinen mit reichen Literaturverweisen ver=
sehenen und mit gut gewählten Abbildungen geschmückten Ausführungen die
rechte Mitte zwischen den extremen Anschauungen mancher Archäologen mit
Sicherheit zu finden.   Ebner.

Schlumberger (A.), mélanges d'archéologie byzantine. 1re Série,
accompagnée de nombreuses vignettes et de 16 planches. Paris,
Leroux. 1895. 350 S.

Lethaby (W. R.) and Swainson (H) the church of Sancta Sophia

Constantinople. A study of Byzantine building. London & New-
York, Macmillan and Co. 1894. VIII, 307 S. sh. 21.

Vgl. die Besprechung von F. v. Reber in der Byzant. Zeitschr. IV. Bd. (1895)
S. 607 ff.

Diehl (Ch.), l'art byzantin dans l'Italie méridionale. Paris, Librairie
de l'art. 1894. 267 S.

Engels (M.), die Darstellung der Gestalten Gottes des Vaters, der ge=
treuen u. der gefallenen Engel in der Malerei. Mit 112 Abbildgn auf
65 Taf. Luxemburg, Buck. 1894. VII, 118 S. M. 10.

Cochi (Arn.), notizie istoriche intorno antiche immagini di Nostra
Donna che hanno culto in Firenze. 16⁰. Firenze, Pellas. IX, 187 S. 1. 2.

Stettiner (R.), die illustrierten Prudentius-HSS. Berlin, Preuß. 400 S.

Eine Straßburger Dissertation aus der Schule Janitscheks, in welcher der Nach=
weis versucht wird, daß die Malereien zur Psychomachie des Prudentius, dem
einzigen seiner Werke, welches illustriert wurde, auf einen Grundtypus aus dem
Anfang des 5. Jahrhs. (also noch aus der letzten Zeit des Dichters selbst!)
zurückgehen. Da die ältesten illustrierten HSS. aus dem 9. Jahrh. stammen,
so dürfte die Skepsis eines Kenners wie S(amuel) B(erger), Bull. crit. 1895,
541 berechtigt sein. C. W.

Hartel (W. Ritter v.) u. Wickhoff (Fr.), die Wiener Genesis. Mit 52
Lichtdrucktaf. 2c., 6 Hilfstaf. u. 20 Textillustr. in Photochromotypie 2c.
Beilage zum 15. u. 16. Bd. des Jahrbuches der kunsthist. Samm=
lungen des A. H. Kaiserhauses. Wien, Prag u. Leipzig, Tempsky
u. Freitag. 2⁰. 2 Bl. 171 S. [Auch als Separatausgabe in
200 Exemplaren im Handel. Preis 40 fl.]

Vgl. das eingehende Referat in der Byzant. Zeitschrift IV. Bd. (1895) 639 ff.

Beissel (St.), der hl. Bernward v. Hildesheim als Künstler und Förderer
der deutschen Kunst. Mit 11 Lichtdr.-Taf. u. 57 Textillustr. Hildes=
heim, Lax. gr. 4⁰. VIII, 74 S. M. 10.

Müntz (E.), l'età aurea dell' arte italiana. Seguito all' Arte italiana
nel quattrovento. Milano, tip. dell Corriere della Sera. 622 S.
con venti tavole, 8 fig.

Vgl. hierzu die im Hist. Jahrb. XV, 689 angezeigte Schrift desselben Vf.

Beißel (St.), Fra Giovanni Angelico da Fiesole. Sein Leben u. seine
Werke. Mit 4 Taf. u. 40 Abbild. im Texte. Freiburg i. Br., Herder.
1895. 4⁰. X, 96 S. M. 6.

Eine warme, verständnisvolle Würdigung der Werke des Fr. A. an der Hand
einer Schilderung seines Lebens. Vf. sucht den Maler und seine Werke aus
seiner Zeit und Umgebung heraus zu begreifen. Darin liegt ein besonderer
Vorzug seiner Darstellung, welche Fr. A. von der Zeit der Vorbildung und
ersten, für Cortona und Perugia geschaffenen Werke nach Fiesole, Florenz,
Orvieto und Rom begleitet. Besondere Abschnitte sind den herrlichen Marien=
bildern Fiesoles und seinen Weltgerichtsbildern gewidmet. Bezüglich letzterer
wird der gewöhnlich angenommene Einfluß Dantes abgewiesen. Die durch zahl=
reiche treffliche Abbildungen erläuterte Arbeit kommt einem Bedürfnis entgegen,
da wir seit Försters manche mißverständliche Urteile enthaltender Schrift (Regens=
burg 1859) keine deutsche Monographie über Fra Aug. erhielten. Ebner.

Yriarte (Ch.), autour des Borgia. Études d'histoire et d'art. Paris,
Rothschild. 1891. gr. 4⁰. 220 S.

13*

Seinen bekannten Prachtwerken über Venedig, Florenz und Rimini fügt P. mit dem vorliegenden Buche ein neues hinzu, daß sich mit dem unseligen Geschlechte der Borgia beschäftigt. Eine Geschichte der Borgia zu geben, lag nicht in der Absicht des Vf., welcher Cesare Borgia in einer zweibändigen Monographie behandelt hat. Das Streben P.s ging vielmehr dahin, die Monumente der Borgia zu sammeln und durch geschichtliche Notizen zu erläutern. Das dem Herzog von Sermoneta gewidmete Werk beginnt mit einer kurzen Umschau über die Spuren der Borgia in der Romagna, in Navarra und Kastilien. Der erste Teil beschäftigt sich mit den berühmten Appartamenti Borgia, welche lange Zeit Bibliothekszwecken dienten und deren Herstellung Se. Heiligkeit P. Leo XIII in Angriff genommen hat, um in denselben ein mittelalterliches Museum einzurichten. Diese Gemächer enthalten in den herrlichen Fresken Pinturicchios, des Hofmalers der Borgia, Kunstschätze ersten Ranges und P. hat sich durch genaue Beschreibung dieser Gemälde, welche durch zahlreiche Abbildungen erläutert wird, ein großes und unzweifelhaftes Verdienst erworben. Durch diese genaue Beschreibung wird eine neue Fabel über die Borgia zerstört. Es zeigt sich, daß die Erzählungen von den Pikanterien dieser Säle gänzlich grundlos sind, daß Vasari Pinturicchio und die Borgia verläumdet hat mit seiner noch von Gregorovius wiederholten Behauptung, ein Fresko stelle Alexander VI in vollem päpstlichen Ornat vor, wie er die Jungfrau Maria verehre, welche die Züge der berüchtigten Julia Farnese (La Bella) trage. P. zeigt, daß allerdings ein Fresko Alexander VI in vollem päpstlichen Ornat knieend darstellt, aber derselbe verehrt nicht die Jungfrau Maria, sondern den dem Grab entsteigenden Heiland. P. gibt eine farbige Nachbildung dieses interessanten Porträts des Borgia-Papstes. Die Vermutung von Plattner, Alexander VI sei ursprünglich auf einem anderen, die Madonna mit dem göttlichen Kinde darstellenden Fresko in den App. Borgia dargestellt gewesen, man habe aber dann das Papstbild vertilgt, ist als durchaus unzutreffend nachgewiesen in dem dritten Bande meiner Geschichte der Päpste S. 498 A. 3. Wertvoll ist auch die fleißige Zusammenstellung der Nachrichten über die Baugeschichte der Borgia-Säle und ihre späteren Schicksale. An diesen Abschnitt, welcher den eigentlichen Kern des Werkes bildet, reiht sich ein zweiter über die Porträte von Alexander, Lucretia und Cesare Borgia. Befremdend ist hier vor allem der Umstand, daß von diesen weltberühmten Persönlichkeiten ganz sichere zeitgenössische Porträte (abgesehen von dem eben erwähnten Fresko des Pinturicchio) nicht existieren. P. geht hier sehr in das Detail ein und erweist zum teil Porträten die Ehre einer eingehenden Beschreibung und Abbildung, welche auf den ersten Blick ihre Unechtheit verraten. Mit der gleichen minutiösen Ausführlichkeit und Umständlichkeit behandelt P. in dem dritten Teile seines Prachtwerkes den berühmten Degen des Cesare Borgia, la reine des épées, wie er sagt. Dieses herrliche Werk mit den berühmten Inschriften: Cum numine Cesaris omen — Jacta est alea — befindet sich jetzt in dem Besitze des Herzogs von Sermoneta zu Rom. Die Scheide des Degens ist in das South Kensington-Museum zu London gekommen. Der Verfertiger der Gravierungen des Degens nennt sich durch eine Inschrift „Herkules“ (opus Herculi). Durch sehr ausgedehnte Forschungen in den verschiedensten Kunstsammlungen und Archiven kommt P. zu dem Resultat, daß dieser Meister identisch ist mit Hercules de Fideli; dieser Künstler ward 1465 von jüdischen Eltern geboren und hieß ursprünglich Salomon da Sesso. Er trat später zum Christentum über und arbeitete für den Herzog von Ferrara und für Cesare Borgia. Ob dieser Nachweis P. gelungen ist, muß freilich dem Urteil Berufener anheimgestellt werden. Nicht unerwähnt soll endlich bleiben, daß P. auch mancherlei interessante Notizen über die im Dienste der Borgia stehenden Literaten gibt — ein Gegenstand, der übrigens noch weiterer Behandlung bedürftig ist. Die Ausstattung des Werkes von P. ist eine überaus glänzende: 18 Bildtafeln und 156 Illustrationen im Texte ermöglichen auch denjenigen ein Urteil, welche die in betracht kommenden Kunstwerke nicht durch eigene Anschauung kennen.   L. Pastor.

Oppermann (T.), kunst og liv i det gamle Florens fra Franciscus af Assisi og Giotto til Savanarola og Michelangelo. Kopenhagen, Bang. 112 S.

Schönbrunner (J.) u. Meder (J.), Handzeichnungen alter Meister aus der Albertina u. anderen Sammlungen. Hrsg. v. —. Bd. 1. Lfg. 1. Wien, Gerlach & Schenk. Imp =8°. 10 Taf. in Licht= u Buchdr. ℳ 3.

Studien und Entwürfe älterer Meister im städt. Museum zu Leipzig. 35 Bl. in farb. Nachbildg. der Originale. Mit Text v J. Vogel. Mit 2 Zierleisten v. M. Klinger u. O. Greiner. Leipzig, Hierse= mann. 1896. gr. Fol. III, 8 S ℳ 130.

Göbel (F.), die Münsterkirche zu Essen und ihre Kunstschätze. Ein Führer f. die Besucher der Münsterkirche. Essen, Boß. 12°. 58 S. m. 1 Abbildg. ℳ 0,60.

Ludorff (A.), die Bau= u. Kunstdenkmäler v. Westfalen Hrsg. v. Prov.= Verbande der Prov. Westfalen. VI.: Der Kreis Hörde. Mit geschichtl. Einleitng. v. E. Röse. Münster, Paderborn, Schöningh in Komm. gr. 4°. II, 59 u. 3 S. m. 2 Karten u. 172 Abbildgn. auf 32 Lichtdr.= u. 9 Clichétaf., sowie im Text. ℳ 3.

Büttner Pfänner zu Thal, Anhalts Bau= u. Kunstdenkmäler, nebst Wüstungen. Mit Illustr. in Lichtdr., Heliogr. u. Phototyp. H XI. Dessau, Kahle. gr. 4°. S. 465—552 m. 9 Taf. ℳ 2,50.

Baur (Ch.), die Brixner Malerschule des 15. Jahrhs. Studie. Bozen, Auer & Co. Lexikon=8°. 13 S. m. 1 Abbildung. ℳ 0,50. [Aus: Kunstfreund.]

Jungnitz (J.), die Grabstätten der Breslauer Bischöfe. Namens d. Ver. f. Gesch. und Altertum Schlesiens bearb. v. —. Mit 18 Lichtdruck= tafeln. Breslau, Max & Co. 4°. 44 S. 18 Taf.

Riehl (B.), Studien zur Gesch. der bayer. Malerei des 15. Jahrhs. München, Franz. 160 S. [Sonderabdr. a. d. 49. Bde. d. Oberbayer. Archivs.]

Der Vf. behandelt in drei Abschnitten die bayerische Miniaturmalerei in der ersten Hälfte des 15. Jahrhs., die Wand= und Tafelmalerei in Oberbayern im gleichen Zeitraume und die bayerische Miniaturmalerei der zweiten Hälfte des 15. Jahrhs. Der Abschluß der Studien, Wand= und Tafelmalerei in Bayern in dem letztgenannten Zeitraum umfassend, steht noch aus. — Die Studien eröffnen der Kunstforschung ein bisher wenig betretenes Gebiet. Sie verfolgen die Entwicklung der monumentalen Malerei bis zurück in die Bücherillustration. Ihr wichtigstes Ergebnis lautet: die bayerische Malerei entstammt dem heimischen Boden. Nur vom Süden her (Tyrol, Norditalen) lassen sich Spuren einer An= regung bis nach Bayern hinein verfolgen, aber unbegründet ist es, von einem niederländischen Einflusse zu reden. „Dieser Einfluß erscheint bei sachgemäßer Prüfung höchst fraglich und der wahre Grund des Durchbruchs des Naturalismus, der sich schrittweise verfolgen läßt, ist die Folge der gesamten Entwicklung unserer mittelalterlichen Kunst." Endres.

Lippmann (F.), Lucas Cranach. Sammlung v. Nachbildgn seiner vor= züglichsten Holzschnitte u. seiner Stiche, hergestellt i. d. Reichsdruckerei. in Berlin u. hrsg. v. —. Berlin, Grote. gr. Fol 23 S. m. Abbildgn, Bildnis in Heliograv. u. 64 Bild. auf 55 Taf. ℳ 100.

Stiaßny (R.), Wappenzeichnungen Hans Baldung Griens in Coburg. Ein Beitrag zur Biographie des oberrh. Meisters. Mit 16 Taf. in Autotypie. Wien, Gerolds & Sohn. 64 S.

Stearns (F. P.), Tintoretto: the life and genius of Jacopo Robusti, called Tintoretto. With heliotype illustrations, New-York. 12⁰. sh. 10 d. 6.

Sach (A.), Hans Brüggemann u. seine Werke. Ein Beitrag zur Kunst= geschichte Schleswig=Holsteins. 2. Aufl. Schleswig. Bergas. VII, 133 S. *M.* 2,40.

Ilg (A.), Leben u. Werke Joh. Bernh. Fischers von Erlach, des Vaters. Wien, Konegen. XIV, 823 S. *M.* 20.

*Lochner v. Hüttenbach (O.), die Jesuitenkirche zu Dillingen, ihre Geschichte und Beschreibung mit bes. Berücksichtigung des Meisters ihrer Fresken Christoph Thomas Scheffler (1700—1756). Münchener Dissertation. Stuttgart. 30 S.
Von den drei Kapiteln, welche das Inhaltsverzeichnis ankündigt: Geschichte der Kirche, Beschreibung derselben, Ch. Th. Scheffler, ist nur das erste abgedruckt. Es schildert an der Hand von zum teil urkundlichen Quellen die Stiftung der Jesuitenuniversität Dillingen durch Kardinal Otto Truchseß von Waldburg, die ersten Bauten für Lehranstalt und Kollegium und die Errichtung der noch jetzt von den dortigen Studienanstalten zum Gottesdienst verwendeten ehemaligen Universitätskirche (seit 1607) durch den Augsburger Bischof Heinrich von Knö= ringen. Die mit großem Pomp 1617 gefeierte Einweihung, die allmähliche Aus= stattung der Innenräume, besonders aber die im vorigen Jahr vorgenommene Restauration, welche der Kirche ihren reichen Schmuck an Stuck und Fresko= bildern verlieh, werden mit Sachkenntnis berichtet. Mit den nötigen Plänen, Abbildungen ꝛc. versehen, ist die vollständige Schrift inzwischen im Verlag von P. Neff in Stuttgart erschienen.   Schl.

Guggenheim (M.), il palazzo dei rettori di Belluno. Venezia, tip. Emiliana. 2⁰. 16 S. u. 7 Taf. 1. 20.

Babeau (A.), le louvre et son histoire. Avec 140 gravures sur bois et des estampes de l'époque. Paris, Firmin Didot et Cie. 4⁰. 355 S.

Franke (W.), das radierte Werk des Jean=Pierre Norblin de la Gour= daine. Beschreibendes Verzeichnis e. Sammlung sämtl. Blätter dieses Maler=Radierers m. vielen unbekannten Plattenzuständen u. einigen Orig.=Zeichngn. Leipzig, Hiersemann. 55 S. *M.* 4.

Champeaux et Gauchery, les travaux d'art exécutés pour Jean de France, duc de Berry, avec une étude biographique sur les artistes employés par ce prince. Paris, Champion. 1894. 231 S. 44 Pl.

Gerland (O.), Paul, Charles u. Simon Louis du Ry. Eine Künstler= familie der Barockzeit. Stuttgart, Neff. XII, 184 S. m. 48 Ab= bildungen. *M.* 6.

Singer (H. W.), Geschichte des Kupferstichs. Magdeburg, W. Niemann. (1895). 286 S. *M.* 5.
Bildet einen weiteren Bd. der „Illustrierten Bibliothek der Kunst= und Kultur= geschichte" und ist zur ersten Orientierung über den Gegenstand wohl geeignet, wenn man sich entschließen kann, des Vf. rückhaltslose Begeisterung für Nietzsche, Ibsen, Klinger und sonstige Moderne mit in Kauf zu nehmen. Die Wiedergabe der Stahlstiche durch Zinkclichés ist allerdings eine ziemlich unvollkommene.
                                                                                     Schl.

Meisterwerke der kirchlichen Glasmalerei. Hrsg. unter der artist. Leitung v. R. Geyling u. A. Löw. Text v. K. Lind. In 10 Lfgn. Lfg. 1—4 à 5 farb. Taf. à 84,5 × 55 cm. Wien, Czeiger. à *M.* 40.

Ewald (E.), farbige Dekorationen d. 15.—19 Jahrhs. 18. Lfg. Berlin, Wasmuth. 1896 gr. Fol. 8 farb. Taf. ℳ 20.

Röper (A.), geschmiedete Gitter des 16.—18. Jahrhs. aus Süddeutschl. Ausgewählt u hrsg v. —, m. einem Vorwort verf. v. H. Bösch, 50 Taf. Photogr. und Lichtdr. von J. Albert. München, Albert. Fol. 3 S. Text. ℳ 30.

Knackfuß (H.), Künstlermonographien. Bd. 1—5. Bielefeld, Velhagen & Klasing. Lexikon=8⁰. 112, 128, 160, 92 u. 136 S. à ℳ 3.
Inhalt: Bd. 1. Raffael. Mit 10 Abbildg. von Gemälden u. Handzeichnungen. — Bd. 2. Rubens. Mit 156 Abbildg ꝛc. — Bd. 3. Rembrandt. Mit 156 Abbildg. ꝛc. (2. Aufl.) — Bd. 4. Michelangelo. Mit 78 Abbildg. ꝛc. — Bd. 5, Dürrer. Mit 127 Abbildg. ꝛc. (2. Aufl.)

Allgeyer (J.), Anselm Feuerbach. Sein Leben u. seine Kunst. Mit einem in Kupfer getriebenen Selbstbildnis des Künstlers u. 38 Text= illustr. in Autotypie. Bamberg, Buchner 1894. XIV, 432 S. ℳ 8.

Müller (H. A.), allgemeines Künstlerlexikon. Leben und Werke der be= rühmtesten bild. Künstler. 3. Aufl. Vorbereitet v. —. Hrsg. v. H. W. Singer. 1. u. 2 Halbbd. Frankfurt, Liter. Anst. 1894/95. 288 u. IV, S. 289—491. ℳ 6,30 u. 4,50.

Gevaert (T. A.), la mélopée antique dans le chant de l'Église latine. Suite et complément de l'histoire et théorie de la musique de l'antiquité. Gent, Hoste. ℳ 20.

*Haberl (F. X.), Giovanni Pierluigi da Palestrina und das Graduale Romanum der editio Medicaea von 1614. Ein Beitrag zur Geschichte der Liturgie nach dem Trienter Konzil. Regensburg, Druck u. Verlag von Fr. Pustet. 1894. 42 S. ℳ 0,50.
Diese meist auf vom Vf. neu entdeckten archivalischen Quellen fußende Schrift bietet einen wichtigen Beitrag zur Geschichte des Graduale Romanum. Vf. weist nach, daß kein geringerer als Palestrina von Gregor XIII den Auftrag zur Neubearbeitung des Gr. R. erhalten habe. Die schwierige Arbeit war bei seinem Tode (2. Febr. 1594) nahezu vollendet. Aber trotzdem sie bald darauf von der Ritenkongregation approbiert und am 1611 durch Fel. Anerio und Fr. Suriano druckfertig gemacht worden war, zog sich die Veröffentlichung bis 1614 hin. In diesem und dem folgenden Jahre erschienen endlich die beiden Bände des offiziellen Graduale Romanum ›ex typographia Medicaea‹. Dieselben bilden bekanntlich die Grundlage auch der neuen authentischen Ausgabe. Ebner.

Skalla (F.), Karl Maria v. Weber. Prag, Haerpfer in Komm. 16 S. ℳ 0,30. [Sammlg. gemeinnütziger Vorträge. Hrsg. vom deutschen Verein zur Verbreitung gemeinnütziger Kenntnisse in Prag. Nr. 202 u. 203.]

Böhme (F. M.), volkstümliche Lieder der Deutschen im 18. u. 19. Jahrh. Nach Wort u. Weise aus alten Drucken u. HSS., sowie aus Volks= mund zusammengebracht, mit histor.=kritischen Anmerkgn. versehen u. hrsg. Leipzig, Breitkopf & Härtel. Lexikon=8. XXII, 628 S. ℳ 12.

Wagner (R.), nachgelassene Schriften u. Dichtungen. Leipzig, Breitkopf & Härtel. III, 216 S. ℳ 4,80.

Bülow (H. v.), Briefe. 1841—55. 2 Bde. Mit 2 Bildn. u. einer Brief=
nachbildung. Leipzig, Breitkopf & Härtel. XV, 510; VIII, 392 S.
M. 10.

Streatfeild (R. A.), masters of italian music. With illustrations.
London, Osgood. 282 S. sh. 5.

> Inhalt: Biographical sketches of Verdi, Arrigo Boito, Pietro Mascagni,
> Giacomo Puccini, Ruggiero Leoncavallo and some other ital. composers.

Bolte (J.), das Danziger Theater im 16. u. 17. Jahrh. Theatergeschichtl.
Forschungen. Hamburg, Voß. XXIII, 296 S. *M.* 7.

Waneck (A.), die Bühnenreform unter Kaiser Josef II, ihre Vorgeschichte
u. Bedeutung. Progr. der Landes=Oberrealsch. in Mähr.=Ostrau. 70 S.

Grossmann (Edw. B.), Edwin Booth: recollections by his daughter
and letters to her and to his friends. London, Orgood. 298 S. sh. 16.

Literärgeschichte.

Wendland (P.), Philo und die kynisch=stoische Diatribe. Berlin, Reimer.
[Beiträge zur Geschichte der griechischen Philosophie und Religion von
P. W. und Otto Kern. S. 1—75.]

> Der treffliche Kenner und künftige Hrsg. der Werke Philos zeigt, daß der
> alexandrische Jude ein wichtiger Zeuge für das Fortleben der Diatriben (unter
> dieser Bezeichnung ist „die in zwanglosem, leichten Gesprächston gehaltene, ab=
> gegrenzte Behandlung eines einzelnen philosophischen, meist ethischen Satzes" zu
> verstehen, wie sie besonders Bion der Borysthenite, das Hauptvorbild des Sa=
> tirendichters Horatius, ausgebildet hat) in der Zeit vor ihrer zweiten Blüte
> (unter Dio Chrysostomus und Musonius) ist. In seinen Schriften finden sich
> zahlreiche Stücke, welche Lieblingsthemata der späteren Diatriben behandeln, und
> sich oft schon dadurch, daß sie den Zusammenhang stören und sich stilistisch von
> ihrer Umgebung abheben, als Einlagen verraten. Die auffallenden Uebercin=
> stimmungen mit Musonius weisen bestimmt auf eine ältere Quelle hin. „Alle
> Gebiete des Lebens, Speise und Trank, Kleidung und Wohnung, das Verhältnis
> von Mann und Weib, die Formen des öffentlichen Lebens, die Neigungen und
> Thätigkeiten der Menschen werden hier mit stoisch=kynischem Maßstabe gemessen."
> Besonders ergiebig ist die Schrift vom beschaulichen Leben, für deren Echtheit
> damit ein neues Moment gewonnen ist. S. 56 ff. wird bei Philo de Abrah. 44
> eine consolatio aufgezeigt, in welcher der metriopathische d. h. die Mitte zwischen
> dem übermäßigen Schmerze und der Gefühllosigkeit einhaltende Standpunkt des
> Stoikers Krantor (von Cicero und Plutarch benützt) vertreten wird, S. 68 ff.
> modifiziert W. seine früheren Aufstellungen über das Verhältnis des Alexandriners
> Clemens zu Musonius (Quaest. Muson. Berol. 1886) dahin, daß er den
> Clemens nicht eine Schrift des Musonius, sondern (gleich den übrigen von
> diesem abhängigen Schriftstellern) dessen von einem Schüler überlieferte Vorträge
> benützen läßt. C. W.

Douais, une ancienne version latine de l'Ecclésiastique, fragment
publié pour la première fois accompagné du facsimilé du manuscrit visigoth. Paris, Picard. 4°. 36 S.

Gercke (A.), Seneca=Studien. Leipzig, Teubner. 334 S. [Besonderer
Abdr. a. d. XXII. Supplementbb. d. Jahrbb. f. klass. Philologie.]

> Das inhaltreiche und verdienstliche Buch zerfällt in zwei scharf gesonderte Haupt=
> teile. Im ersten werden die Vorarbeiten für eine kritische Ausgabe der Naturales
> quaestiones vorgelegt, d. h. die HSS. in vier Gruppen bezw. zwei Klassen ge=
> teilt und auf einen Archetypus zurückgeführt, als welchen wir vielleicht einen
> um 850 in Konstanz nachweisbaren Codex betrachten dürfen, woran sich Unter=

suchungen über die Benützung des Werkes im Altertum, über seine allmähliche
Entstehung, seine (nach dem Tode des Vf. erfolgte) Herausgabe, über die Be=
urteilung von Senecas Stil bei Quintilian, Gellius und Fronto und schließlich
über Senecas Interpunktion reihen. Der zweite Hauptteil „Historisch=biographische
Untersuchungen über Seneca und seine Zeit" ist für die Leser des Hist. Jahrb.
von ungleich größerem Interesse. (G. handelt hier anregend über den Einfluß,
welchen das leider verlorene Geschichtswerk des Naturforschers Plinius auf Dio
Cassius, Sueton, Juvenal und besonders auf Tacitus geübt hat, über das
Verhältnis des Plinius zu dem gleichfalls von Tacitus benützten (dem Nero
günstiger gesinnten) Cluvius Rufus, über Fabius Rusticus als Gewährsmann
des Tacitus für die glorifizierende Schilderung von Senecas Tod, über die
Dotierung von Senecas Bruch mit Nero (62, nicht 64; das letztere Jahr hat
irrtümlich Plinius und nach ihm Tac. ann. XV, 45 angenommen; das richtige
bei Seneca selbst und Tac. ann. XV, 56, wo er dem Cluvius Rufus folgt)
und über die Chronologie von Senecas Schriften. Die Kirchenhistoriker dürfen
sich diesen zweiten Teil von G s Buch nicht entgehen lassen. Vgl. S. 201 ff. die
Analyse der Berichte über den großen Stadtbrand unter Nero.   C. W.

Friedländer (L.), D. Junii Juvenalis saturarum libri V. Mit erklärenden
Anmerkungen v. —. 2 Bde. Leipzig, Hirzel. 2 Bl. 364 S., 1 Bl.
364—612 S. u. 108* S. ℳ 15.

Seinen schönen Bearbeitungen des Martial und der cena Trimalchionis des
Petron hat der hochverdiente Königsberger Philologe nun auch eine erklärende
Ausgabe des Juvenal folgen lassen und damit auch dem dritten seiner Haupt=
gewährsmänner für die unvergleichlichen „Darstellungen aus der Sittengeschichte
Roms" gewissermaßen den schuldigen Dank abgestattet. Die umfangreiche Ein=
leitung handelt 1. über Juvenals Leben, 2. über Juvenal als Satirendichter, 3. über
seinen Versbau, 4. über seine Wertschätzung im späten Altertum und Mittelalter,
5. über die Ausgaben, und enthält außerdem noch drei Anhänge, 1. über die
Personennamen bei Juvenal, 2. über Juvenalglossen, 3. zur Geschichte der Ueber=
lieferung. Zwischen dem kritischen Apparate und dem trefflichen Kommentare
sind die Vorbilder und Imitationen, sowie die seit sehr zahlreichen Bezeugungen
einzelner Verse durch Grammatiker und andere Schriftsteller vermerkt, hinter
dem Texte (Bd. II 602 ff.) folgen Berichtigungen und Nachträge und eine Reihe
wertvoller Bemerkungen aus der Feder von Elimar Klebs, endlich ein eigens
paginiertes Register, welches 1. ein mehrfach gegliedertes Namensverzeichnis,
2. ein vollständiges Wörterverzeichnis, 3. ein Verzeichnis der in der Einleitung
und im Kommentare behandelten Materien umfaßt.   C. W.

Hirzel (R.), der Dialog. Ein literarhistorischer Versuch. Leipzig, Hirzel.
2 Bde. XIII, 566; 1 Bl., 474 S. ℳ 18.

Unter den literarhistorischen Arbeiten, welche sich mit der geschichtlichen Darstellung
einer literarischen Form beschäftigen — solche Arbeiten sind in den letzten Jahren
besonders aus der Schule des Leipziger Philologen C. Ribbeck hervor=
gegangen — nimmt Hirzels Buch eine hervorragende Stellung ein. Der Vf.
ist klassischer Philologe und hat als solcher das Hauptgewicht auf die Behandlung
des Dialoges d. h. der Erörterung in Gesprächsform im griechisch=römischen
Altertum gelegt, aber wie er zu anfang seiner Untersuchung genötigt war, einen
Blick auf den Orient zu werfen, dessen Literatur Wieland mit Unrecht den
Dialog, ja das Gespräch überhaupt aberkannt hat, so konnte er, wenn er nicht
einen Torso liefern wollte, auch nicht mit den „Ausläufen des antiken Dialoges"
abschließen, sondern mußte das Fortleben der Dialogform in MA. und Neuzeit
wenigstens in den Hauptzügen schildern. Kein billiger Beurteiler wird es dem
Vf. verargen, daß er diesen ihm ferner liegenden Zeiten nur eine „dürftige
Skizze" gewidmet hat, und jeder Benützer des Buches wird ihm Dank wissen,
daß er das schwarzen Gedanken, das für dieselbe bereits gesammelte Material
wieder zur seite zu schieben, nicht in die That umgesetzt hat. „Ein zusammen=
fassendes Kompendium des Dialogs oder gar ein Repertorium seiner Literatur
zum Nachschlagen" zu schreiben, lag nie in seiner Absicht, weshalb es Ref. —
zumal im Rahmen einer kurzen Notiz — auch nicht für angezeigt hält, nach

„übersehenem" zu spähen, sondern es vorzieht, durch Angabe der Disposition den Lesern des Hist. Jahrb. eine Vorstellung von dem überreichen Inhalte des Werkes zu verschaffen. I. Teil: 1. Wesen und Ursprung des Dialoges („In dem Augenblicke, da die Dialektik die Philosophie ergriff, schlug die Geburts= stunde des Dialogs"). 2. Die Blüte (Sokrates und die Sokratiker; Plato wird im Hinblick auf die vorhandene massenhafte Literatur verhältnismäßig knapp behandelt). 3. Der Verfall (Aristoteles und Zeitgenossen). 4. Ueberreste bei den Alexandrinern (Diatriben der Kyniker usw.) 5. Wiederbelebung des Dialogs (Griechischer Einfluß auf Rom; Varro als Dichter der Menippeischen Satiren und als Vf. der Schrift über die Landwirtschaft; Cicero). II. Teil: 6. Der Dialog in der Kaiserzeit (Horaz, Seneca, Tacitus, Dio Chrysostomos, Plutarch, Musonius, Epiktet, Marc Aurel, Lucian, Dialoge bei den Historikern, die Me= nippeische Satire bei Julian, Martianus Capella, Boethius, metrische Dialoge, Tischgespräche des Athenäus und Macrobius, Katechismen und Schulgespräche). 7. Der Dialog in der altchristlichen Literatur (schon aus dem äußeren Umstande, daß dieser Abschnitt nur 14 Seiten umfaßt, geht hervor, daß hier auch nach Hirzel noch zu arbeiten bleibt) 8. Der Dialog im MA. und den neueren Zeiten (MA., Renaissance, Reformation und deren Nachzügler, das 18. Jahrh. mit Berkeley, Diderot, Lessing). 9. Rückblick (Dialog in der Gegenwart, nationale Unterschiede, Charakter der Zeiten. „Massenhaft ist der Dialog wohl nur drei= mal erschienen, alle dreimal in revolutionären Perioden der Weltgeschichte als ein Zeichen und Mittel ihrer geistigen Kämpfe. Das erstemal war seine Jugend, die das sophistische Zeitalter und die nächsten Jahrzehnte umfaßt; dann kam er wieder und beherrschte die Literatur, als die Renaissance und die Reformation hereinbrachen, und endlich ist er noch einmal, bis jetzt das letztemal, in ganzen Schaaren aufgeflogen, da er mithalf an der Aufklärung Friedrichs des Großen, dem Sturm und Drang und der Romantik unserer Literatur, so wie an der englischen und französischen Revolution.") — Da die Frage nach der Zeit und Tendenz des Philopatris im Hist. Jahrb. XII, 464—91, 703—20 eine aus= führliche und im wesentlichen zutreffende Behandlung gefunden hat, so will ich nicht unerwähnt lassen, daß Hirzel II, 337, 2 der Hypothese von Crampe (Hist. Jahrb. XV, 476) rückhaltslos zustimmt. Vielleicht belehrt ihn der Auf= satz E. Rohdes, der den 5. Bd. der Byz. Zeitschr. eröffnet, eines besseren. Einen wichtigen Beitrag zur näheren Kenntnis der im 4. Kapitel des I. Teiles besprochenen Literaturgattung, über deren große Bedeutung für das Verständnis gewisser patristischer Schriften bei Sachkennern längst kein Zweifel mehr besteht, hat soeben Wendland (s. oben S. 200) geliefert   C. W.

*Förster (R), Breslauer philologische Abhandlungen, hrsg. von —. Bd. VII (1894—95). Heft 1, 2, 5. Breslau, Koebner. 3 Bl. 76 S. 1 Bl. — 2 Bl. 60 S. — 3 Bl. 70 S. 1 Bl. *M* 3,20, 2,50, 2,80.

In der ersten Abhandlung beschäftigt sich Willy Kroll mit den oracula chaldaica. Er macht zuerst die Quellen namhaft, aus welchen dieses von Lobeck seines früheren Nimbus entkleidete Gedicht rekonstruiert werden kann (Schriften der Neuplatoniker, Proklus ἐκ τῆς χαλδαικῆς φιλοσοφίας, drei Abhandlungen des Psellos, der 17. Brief des Michael Italikos), behandelt dann eingehend die Fragmente des Werkes und stellt zum Schlusse fest, daß die alten Bestandteile desselben um das Ende des 2. oder den Anfang des 3. Jahrh. im Orient entstanden sind. Als Epimetrum ist S. 74 ff. nach einem Laurentianus und einem Urbinas des Psellos, ὑποτύπωσις [adumbratio] κεφαλαιώδης τῶν παρα χαλδαίοις ἀρχαίων δογμάτων (unediert) abgedruckt. Die Theologen dürfen die scharfsinnige und gelehrte Untersuchung, von der Vf. selbst im Rhein. Mus. L, 636 ff. einen kurzen Auszug in deutscher Sprache gegeben hat, schon deshalb nicht unbeachtet lassen, weil die sogen. chaldäischen Orakel so nahe mit den gnostischen Systemen verwandt sind ,ut gnosin ethnicam eas contineri dicas'. — Von der zweiten Arbeit (Curtius Kirsten, Quaestiones Choricianae) wurde der als Dissertation erschienene, pars 1. und 2. umfassende Teil bereits Hist. Jahrb. XVI, 672 notiert, so daß wir hier nur noch auf den 3. und 4. Abschnitt aufmerksam zu machen brauchen, in welchen der Vf. zeigt, daß

Choritios das Meyersche Gesetz über den rhythmischen Bau des Satzschlusses nicht als solches respektiert, und daß die von A. Mai edierten und dem Choritios zugeteilten Deklamationen (Monodie, Auf die Rose, Lieber den Frühling usw.) trotz W. Meyers „rhythmischer" Einwendungen nicht den Schüler des Protopios zum Vf. haben. Vgl. die ausführliche Besprechung der Schrift von K. Prächter in der Byz. Zeitschr. IV, 623 ff. — Die 3. Abhandlung (Aug. Grosspietsch, De τετραπλῶν vocabulorum genere quodam) ist rein philologisch-grammatischen Inhalts. Da aber die vom Vf. besprochene Gattung „vierfacher" Wörter, näm-lich die Komposita mit drei Präpositionen, (z. B. προσεπανίσταμαι) besonders in der späteren Literatur überhand nimmt, so sei die alphabetische Liste dieser Bildungen, welche W. S. 9—44 vorlegt, auch an dieser Stelle der Beachtung empfohlen! C. W.

Brandes (W.), Beiträge zu Ausonius. Progr. des Gymn. zu Wolfen-büttel. 4°. 31 S.

*Beckh (H.), geoponica sive Cassiani Bassi scholastici de re rustica eclogae. Recens. — Lipsiae, Teubner. XXXVIII, 641 S. ℳ 10.

Unter den Geoponica versteht man die 20 Bücher umfassende, hauptsächlich auf den Arbeiten des Anatolios und Didymos (4. od. 5. Jahrh.) fußende Sammlung landwirtschaftlicher Regeln und Vorschriften, welche Kassianos Bassos im Auf-trage des Kaisers Konstantinos Porphyrogennetos veranstaltete. Herr B. hat bereits 1886 im 4. Bde. der Acta seminarii philologi Erlangensis eine Ab-handlung über die handschriftliche Ueberlieferung der Geoponika veröffentlicht und sich damit als berufener Hrsgb. der besonders wegen ihrer Quellen in hohem Grade wichtigen Kompilation legitimiert. Die Grundlage für die Texteskonstitution bilden der codex Florentinus (Laur.) LIX, 32, der Marcianus 524 und der Laurentianus XXVIII, 23 (Excerpte) und die von De Lagarde edierte syrische Uebersetzung. Der Berolinensis 150 (Philipps 1564) s. XVI, auf den B. erst während des Druckes der praefatio aufmerksam wurde, ist eine unzuverlässige Textquelle. Die Sorgfalt und Energie des Hrsgbs., der zu dem umfangreichen Texte einen index verborum angefertigt und nur um der Geoponika willen das Syrische erlernt hat, sind aller Anerkennung wert. Die neuere Literatur über die landwirtschaftliche Encyklopädie verzeichnen Krumbacher, Gesch. d. byz. Lit. S. 67¹ und Beckh S. XXXVII. C. W.

Johannis Damasceni canones iambici cum commentario et indice verborum ex scholiis Augusti Nauck editi. Mélanges Gréco-Ro-mains tirés du Bulletin de l'académie impériale des sciences de St. Pétersbourg, tom. VI (1894) S. 199—223.

Kritische Ausgabe der ᾀσματικοὶ κανόνες des Johannes von Damaskus auf Weihnachten, Epiphanie und Pfingsten mit besonderer Berücksichtigung der zahl-reichen, bisweilen verhängnisvoll verkannten, Zitate bei den byzantinischen Lexiko-graphen. Die Arbeit ist aus Naucks Nachlaß von P. Nikitin herausgegeben worden. C. W.

Ermoni (V.), de Leontio Byzantino et de eius doctrina christologica. Parisiis, typogr. Firmin Didot et soc. 2 Bl. IV, 223 S.

In den beiden ersten Teilen seiner Arbeit ‚de persona Leontii' und ‚de scriptis Leontii' steht der Vf. so gut wie vollständig auf den Schultern von Loofs, dessen berühmtes Buch er nicht nur „excerpiert", sondern stellenweise geradezu ins Lateinische übersetzt hat. Dagegen ruht der dritte und umfang-reichste Teil ‚de christologia Leontii' auf eigenen Studien und enthält u. a. den interessanten Nachweis, ‚a philosophia peripatetica Leontium mutuatum esse omnes notiones quibus suam componit christologiam' (S. 133). Die Schrift Rügamers über Leontios (Würzburg 1894) scheint dem Vf. (einem Schüler des Institut catholique zu Paris) noch nicht bekannt geworden zu sein. C. W.

Zacharias Rhetor. Das Leben des Severus von Antiochien, in syrischer

Ueberſ. hrsg. v. J. Spanuth Göttingen, Dieterich. 1893. 4°. III, 315 S. M 4.

Gellert (B. F.), Caeſarius von Arelate II. Seine Schriften. Jahresb. d. ſtädt. Realgymn. in Leipzig f. Oſtern 1893. Progr.-Nr. 554. 4°. 30 S.

Es iſt nicht meine Schuld, daß ich den zweiten Teil dieſer Studie (über den erſten Hiſt. Jahrb. XIV, 426) ſo ſpät zur Anzeige bringe. G. handelt in demſelben von den Predigten des Cäſarius, aber ohne die Echtheitsfrage ſelbſtändig in Angriff zu nehmen, über die beiden Kloſterregeln, von denen er die Mönchs= regel vollſtändig überſetzt und mit der Regula Benedicti vergleicht (Cäſarius betont mehr das ideale, Benedikt das praktiſche Moment) und über das Teſtament des Heiligen. Die wenigen erhaltenen Briefe ſind bereits im erſten Teile beſprochen worden. Daß die beiden beſcheidenen Programme jetzt durch die umfangreichen Werke von Arnold und Malnory (ſ. oben S. 174) im weſentlichen überholt ſind, iſt nicht zu verwundern. C. W.

Meyer (M. P.), notice de deux manuscrits de la vie de Saint Remi en vers français ayant appartenu à Charles V. Paris, Klincksieck. 4°. 18 S.

Margalits (Ed.), florilegium proverbiorum universae latinitatis. Proverbia; proverbiales sententiae gnomaeque classicae mediae et infimae latinitatis collegit et in novum ordinem redegit. Budapest, Kókai. M 5.

Gallée (J. H.), altſächſiſche Sprachdenkmäler, hrsg v. —, Nebſt Fakſ.= Sammlg. Leiden, Brill. gr. 2°. 29 Lichtbr.=Taf. m. 1 Bl. Text. M 45.

Willems (L.), étude sur l'Ysengrinus. Gand, Engelcke. 176 S.

Marchot (P.), les Gloses de Cassel, le plus ancien texte rétoroman. Freiburg i. d. Schweiz, Univerſitätsbuchhandlung. gr. 4°. 67 S. M 3. [Collectanea Friburgensia. Commentationes academicae universitatis Friburgensis Helvetiorum. Fasc. III.]

Marchot (Paul), les Gloses de Vienne. Vocabulaire réto-roman du XIᵐᵉ siècle, publié d'après le manuscrit avec une introdution, un commentaire et une restitution critique du texte. Freiburg i. d. Schw., Univerſitätsbuchhandlung. 48 S.

Dreves (G. M.), analecta hymnica medii aevi. Hrsg. von —. XXII. Hymni inediti. Liturgiſche Hymnen d. MM. aus HSS. u. Wiegen= drucken. 5. Folge. Leipzig, Reisland. 1896. 300 S. M 9. Vgl. Hiſt. Jahrb. XVI, 895.

Wahlund (C.) et Feititzen (H.), les Enfances Vivien, chansons de geste. Publiée pour la première fois d'après les manuscrits de Paris, de Boulogne-sur-mer, de Londres et de Milan par —. Édit. précédée par A. Nordfelt. Upsala, libr. d'Université. [Paris, Bouillon]. gr. 4°. LI, 298 S.

Wilhelmi (H.), Studien über die Chanson de Lion de Bourges. Mar= burger Diſſ. 64 S.

Tobler (A.), li proverbe au vilain. Die Sprichwörter des gemeinen Mannes. Altfranzöſ. Dichtungen, nach den bisher bekannten HSS. hrsg. Leipzig, Hirzel. XXXIII, 188 S. M 5.

Muffafia (A.) u. Gartner (Th.), altfranz. Profalegenden aus der HS. der Parifer Nationalbibliothek. Fr. 318. 1. Tl. Wien, Braumüller. IV, 232 u. XXVI S. ℳ 7.

Langlois (E.), le jeu de Robin et Marion par Adam le Bossu, trouvère artésien du XIIIᵉ siècle. Paris, Fontemoing. 12⁰. fr. 5.

Groth (P.), det Arnamagnaënske haandskrift 310 quarto. Saga Olafs konungs Tryggvasonar er ritadi Oddr muncr. En gammel norsk bearbeidelse af Odd Snorresøns paa latinskrere saga om kong Olaf Trygvasson. Christiania Grøndahl & Søns bogtryk. Kr. 2,40.

Elton (O.), Saxo Grammaticus. The first nine books of the danish history of S. G. translated by —. With some considerations on Saxos sources, historical methods, and Folklore, by F. Y. Powell. London, Nutt. 1894. CXVVIII, 436 S. sh. 15.

Holz (G.), die Gedichte vom Rofengarten zu Worms. Mit Unterftüßung der k. fächf. Gefellfch. d. Wiff. hrsg. v. —. Halle a S., Niemeyer. CXIV, 274 S. ℳ 10.

Schönbach (E.), Walther von der Vogelweide. Ein Dichterleben. 2. Aufl. Berlin, Hofmann & Co. VIII, 216 S. m Bildnis. ℳ 2,40. [Geisteshelden (Führende Geister). Eine Sammlung von Biographien. Hrsg. v. A. Bettelheim. Bd 1. Samml. 1.]

Zingarelli (Nicola), Dante e Roma. Roma, Loescher. tl. 4⁰. 68 S.

Biagi (G.) e Passerini (G. L.), codice diplomatico dantesco. I documenti della vita di Dante Alighieri riprodotti in fac-simile, trascritti e illustrati con note critiche, monumenti d'arte e figure. Roma, tip. dell' Unione Cooperativa Editrice. 2⁰. 6 S. u 2 Taf. l. 10.

Monti (L.), l'interpretazione del verso dantesco Pape Satan ... e la perizia di Dante nella lingua greca. Torino, ditta Paravia e Co. 16⁰. 62 S. l. 0,75.

Canepa (A.), nuove ricerche sulla Beatrice di Dante. Torino, Clausen. 16⁰. 100 S. l. 2.

Giannini (A.), una versione latina inedita della canzone del Petrarca. Chiare fresche e dolci acque. Alba, Vertamy. 3 S.

Mézières (A.), Pétrarque. Etude d'apres de nouveaux documents. Ouvrage couronné par l'académie française. Nouv. édition. Paris, Hachette et Cie. fr. 3,50.

Kittredge (G. L), observations on the language of Chaucers Troilus. Boston. sh. 18.

Studî su Matteo Maria Boiardo. Bologna, ditta Nicola Zanichell di Cesare et Giacomo Zanichelli. VII, 479 S. con rittratto e facs. l. 10.

Boiardo (Matt. Mar.), le poesie volgari e latine riscontrate sui codici e sulle prime stampe da Angelo Solerti. Bologna, Romagnoli-Dall' Acqua edit. XLI, 484 S. l. 12.

Multineddu (S.), le fronti della Gerusalemme Liberata: ricerche e studî. Torino, Clausen. XIV, 218 S. l. 3.

Tasso (Torquato), la Gerusalemme Liberata. Riveduta nel testo e
  commentata, dal prof. Pio Spagnotti. Mailand, Hoepli. XXXIX,
  486 S. l. 2.

Croce (B.), versi spagnuoli in lode di Lucrezia Borgia, duchessa di
  Ferrara e delle sue damigelle. Napoli. 1894. XV, 13 S.
  Die hier veröffentlichten Gedichte sind einer Handschrift der an Schätzen so sehr
reichen Nationalbibliothek zu Neapel entnommen: ihr historischer Wert ist indes
gering. Die eigentliche Bedeutung der Gedichte besteht darin, daß sie einen
neuen Beweis für die engen Beziehungen der Borgia zu ihren spanischen Landsleuten liefern. Der Vf. spricht hierüber wie über das durch die Borgia geförderte Eindringen spanischer Sitten in der Einleitung S. V ff. und verspricht
noch nähere Aufschlüsse in zwei Schriften über den spanischen Hof des Alfonso
d'Aragona und über die Spanier in Neapel zu Ende des 15. Jahrhs. zu geben.
                                                                    L. Pastor.

Uzielli (G.), la vita e i tempi di Paolo dal Pozzo Toscanelli. Roma,
  Ministero della pubblica istruzione. 1894. Folio. 745 S.
  Der durch seine wertvollen Arbeiten über Lionardo da Vinci bekannte Professor U. be-
handelt in diesem gewaltigen Bande mit größter Ausführlichkeit und vielfach
auf grund bisher unbekannter Quellen einen der ausgezeichnetsten und gelehrtesten
Männer des Zeitalters der Renaissance: den berühmten Naturforscher und Arzt
Paolo Toscanelli. In eingehendster Weise wird nicht nur das Leben dieses
Gelehrten, der wie ein heiliger Asket lebte, geschildert, sondern auch die Zeit
und Zeitgenossen T.s; namentlich verbreitet sich der gelehrte Vf. über den Zustand der geographischen, kosmographischen und astronomischen Studien in Florenz
um die Mitte des 15. Jahrhs. und zeigt den tiefgreifenden Einfluß T.s auf die
genannten Gebiete des Wissens und beleuchtet namentlich seinen Anteil an der
Entdeckung von Amerika. Von besonderer Bedeutung ist in dieser Hinsicht die
neue Beleuchtung des Briefwechsels zwischen T. und Kolumbus. Für die Kulturgeschichte des Zeitalters der Renaissance enthält das vorliegende Werk eine reiche
Fülle von interessanten und teilweise neuen Nachrichten: nicht minder eingehend
werden alle Persönlichkeiten behandelt, welche direkt oder indirekt mit T. in
Verbindung gestanden haben. In dieser Hinsicht sei namentlich verwiesen auf
das 2., 3. und 4. Kapitel, welche den ganzen glänzenden Kreis der damaligen
Florentiner Gelehrtenwelt mit der größten Ausführlichkeit behandeln; hervor-
gehoben seien namentlich die Ausführungen über Ambrogio Traversari, Leon
Battista Alberti, Cristoforo Landino, Vespasiano da Bisticci, Giovanni und
Giovan Francesco Pico della Mirandola, Agnoli Ambrogini Poliziano. Letzterer
erscheint in einem sehr ungünstigen Lichte: nach den Ausführungen von U.
(S. 232 ff.) kann man kaum mehr zweifeln, daß das Haupt der Poeten und
Humanisten am Hofe des Lorenzo de Medici dem griechischen Nationallaster
ergeben war. Ungemein geistvoll werden im 5. Kapitel (S 236 ff.) die Beziehungen zwischen Europa und dem Orient geschildert. Sowohl über Pius II
als auch über Nikolaus von Kusa und Regiomontanus finden sich hier zum
teil sehr treffende Bemerkungen. Das 6. Kapitel (S. 308 ff.) behandelt die astronomischen Arbeiten T.s, namentlich seine Bemerkungen über die Kometen von
1457 und 1472. Der nächste Abschnitt (S. 386 ff.) ist T. als Geograph und
Kartograph gewidmet. In dem Schlußkapitel (S. 474 ff.) wird vorzüglich der
moralische und wissenschaftliche Zustand von Florenz zur Zeit des Lorenzo de
Medici geschildert. lieber letzteren urteilt U. ungemein scharf; er meint: L'azione
officiale esercitata dal Magnifico sulla cultura fu quindi interamente
deleteria, perchè ispirata non a ragione d'arte, ma ragione di stato (S. 475).
Diese Ansicht wird unzweifelhaft vielfachem Widerspruch begegnen: unseres Erachtens ist jedenfalls die von Reumont vertretene günstige Auffassung Lorenzos
kaum mehr in allen Punkten haltbar. Ein sorgfältiges Register erschließt den
großen Reichtum des vorliegendes Werkes, das viele Nachrichten enthält, die
man nach dem Titel hier nicht suchen würde. Die Ausstattung ist eine überaus
schöne, allein das Format leider sehr unhandlich.   L. Pastor.

Joachimsohn. (P.), die humanistische Geschichtsschreibung in Deutschland. Heft I: Die Anfänge; Sigmund Meisterlin. Bonn, Hanstein. VIII, 333 S. ℳ 10.

Von seiner Ausgabe der Schedelbriefe (Hist. Jahrb. XV, 674 f.) hatte Vf. die Korrespondenz mit Meisterlin ausgeschlossen, um sie als notwendigen Ballast für ein zweites Werk zu gebrauchen: beides, Korrespondenz und Abhandlung, haben wir nun vorliegen und letztere ist noch bedeutender als erstere. Der Nachweis, daß der Mönch von St. Ulrich und Afra in Augsburg den Ausgangspunkt für die humanistische Behandlung der Geschichte in Deutschland bildet, ist nicht nur glänzend erbracht, sondern auch das Verhältnis der größeren Werke Meisterlins, wovon zwei der Augsburger, zwei der Nürnberger Geschichte gewidmet sind, zu ihren Quellen scharf ins Auge gefaßt und ihr Zusammenhang mit der antiken und mittelalterlichen Literatur bis zu den feinsten Verbindungsfäden klargelegt. Dabei wurden, soweit es nötig und möglich, die persönlichen Lebensschicksale des rastlosen Mannes erforscht, die in ihrer bunten Wirrnis bezeichnend sind für das klerikale und Kloster-Leben im 15. Jahrh.; und manch neues Licht fällt auf die Zeitgenossen und Freunde, die Gossembrot, Schaumberg, Schedel, Vollstatter ꝛc. Leider ist es J. nicht gelungen, Zeit und Ort des Todes M.s festzustellen; geboren um die Mitte des Jahrh. in Augsburg, erscheint Meisterlin zum letzten Male 1489 als Pfarrer in Feucht bei Nürnberg. Um so mehr sehen wir den Einfluß, den seine schriftstellerische Thätigkeit auf die Mitlebenden und auf Spätere ausübte, klargelegt, dabei fällt auf manche Dinge, z. B. auf die Geschichte von Murbach und Ruffach (im Elsaß) und auf die Arbeiten Witwers, Zinks und die deutsche Nürnberger Chronik (Städtechroniken III, 32 ff.) ganz neues Licht. Den Schluß bildet eine sehr ansprechende Erörterung über die deutsche Schreibart Meisterlins. Unter den Beilagen findet sich seine Legende des hl. Sebald zum ersten Male abgedruckt. Das Urteil J.s ist durchweg sachlich und treffend, seine Nachweise sind mit peinlicher Genauigkeit geführt. Nur Metzgers Abhandlung „Über die Sage von einer Sueven- und Römerschlacht bei Augsburg“ (Jahresbericht des Hist. Ver. im Oberdonaukreise III, 35 ff.) scheint ihm entgangen zu sein. In einem andern Falle (S. 144) wäre es näher gelegen, statt an Paulis Schimpf und Ernst an die Waldburgalegende (AA. S.S. Febr. V, 568) zu erinnern, womit freilich eine Ableitung noch nicht konstatiert ist; wahrscheinlich hat Philipp von Rathsamhausen die Vorlage Meisterlins (die alte Sebaldlegende) benützt. Der S. 161 genannte Jobretsch ist Kaspar Tobratsch, 1498—1502 Weihbischof in Eichstätt (Vat. Arch.). Eine HSS. saec. XV. von der deutschen Bearbeitung der Augsburger Chronik besitzt die kgl. Universitätsbibliothek zu Würzburg M. ch. f. 97, in Verbindung mit einem chronicon Campidonensis coenobii vom J. 1485, welch letzteres einer näheren Untersuchung wert wäre. Der Dominikaner Peter von Kadan (S. 120) ist Peter Georg Schwarz (Niger), vgl. Morgott in Wetzer und Welte, Kirchenlexikon IX², 388 ff. Was S. 186 als „Kappe des hl. Martin“ bezeichnet wird, ist wohl dessen berühmter Mantel (Du Cange s. v cappa). Schi.

Wyß (G. v.), Geschichte der Historiographie in der Schweiz. Hrsg. durch die allgem. geschichtforschende Gesellschaft der Schweiz. Zürich, Fäsi & Beer. 338 S. ℳ 5,60.

Dieses schon früher angekündigte Werk (s. Hist Jahrb. XVI, 223) liegt nun vollendet vor und ist herabgeführt bis in unsere Zeit mit Ausschluß der noch lebenden Historiker. Kommt die deutsche Schweiz darin mehr zur Geltung als die französische, die protestantischen Autoren der Reformationszeit mehr als die katholischen, so ist der Grund dafür nicht in einer Voreingenommenheit des Vf. oder Hrsgb. nach der einen oder andern Richtung zu suchen, sondern liegt in der Menge und Beschaffenheit des verwertbaren Materials. Im allgemeinen wird die Literatur, auch die neueste, gewissenhaft herangezogen und benützt. Daß trotzdem manches übersehen wurde, kann den Berichten nicht zum Vorwurf gereichen. Die Chronik des Johs. Gruyere ist in Bd. II, nicht VI, des Archives herausgegeben. Beachtenswerte Nachträge gibt Theodor von Liebenau in den katholischen Schweizerblättern, 1895, S 351 ff, der auch a. gl. Orte S. 479 ff.

nachweist, daß die Chronik der Chorherren von Neuenburg, neu herausgegeben durch die Société d'histoire de Neuchâtel, 1884, eine Fälschung S. de Purrys ist welche 1745—51 angelegt worden sein dürfte. Das Buch ist sehr brauchbar und leistet jedem, der sich in den Quellenschriftstellern zur Schweizergeschichte umsehen will, die schätzbarsten Dienste. A. B.

Zeuthen (H. G.), Geschichte der Mathematik im Altertum und Mittelalter. Vorlesungen von —. Kopenhagen, A. T. Höst & Söhne. 1896. VII, 344 S. M. 6.

Das MA. ist in diesem seinen Grundcharakter nach didaktischem Werke nur stiefmütterlich behandelt. Die Mathematik des MA. fand ihre Hauptpflege bei den Arabern, deren Arithmetik, Algebra und Trigonometrie Vf. behandelt. Ein kurzes Kapitel: „Erstes Wiedererwachen der Mathematik in Europa“ schließt sich daran an; es befaßt sich mit dem größten Mathematiker des MA., Leonardo von Pisa (ca. 1200), den Franzosen Nicole Oresme (a. d. 14. Jahrh.) und Chuquet (15. Jahrh.), dem Italiener Luca Paciulo (15. Jahrh.), Johannes Müller (Regiomontanus, geb. 1436).

Poznański (S.), Mose b. Samuel Hakkohen Ibn Chiquitilla nebst den Fragmenten seiner Schriften. Ein Beitrag zur Geschichte der Bibelexegese und der hebräischen Sprachwissenschaft im MA. Leipzig, Hinrichs. M. 7.

Ulrich (J.), flore di virtú. Saggi della versione tosco-veneta secondo la lezione dei manoscritti di Londra, Vicenza, Siena, Modena, Firenze e Venezia. Leipzig, Renger. IV, 55 S. M. 4.

Morsolin (B.), un latinista del cinquecento imitatore di Dante. Venezia, Ferrari. 1894.

Eine der merkwürdigsten, wenn auch nicht gerade eine der anziehendsten Persönlichkeiten des beginnenden 16. Jahrhs. ist der Vicentiner Zaccaria Ferreri. Für seine Zeit verfügte dieser Mann über ein bedeutendes Wissen, allein Unruhe und Unbeständigkeit machten sein Leben keineswegs zu einem glücklichen. Zuerst in den Orden der Benediktiner getreten, verließ er denselben wieder, um sich in denjenigen der Karthäuser zu begeben. Verhängnisvoll wurde es für den begabten Mann, daß er bald ein Gebiet betrat, auf welchem er nichts zu suchen hatte: das Gebiet der Politik. Hier trat F. vor allem als Gegner der Venetianer und Freund der Franzosen auf. So kam F. in Verbindung mit dem französischen General Trivulzio und wurde in die antipäpstlichen Pläne Ludwigs XII eingeweiht. Für diese, namentlich für das Pisaner Conciliabulum hat F. eine Thätigkeit entfaltet, welche einer besseren Sache würdig gewesen wäre. M. hatte schon 1877 diesem merkwürdigen Literaten eine Monographie gewidmet, welche indessen in Deutschland fast gar nicht bekannt wurde. Dasselbe Schicksal hatte die besonders wegen des Akten-Anhangs wichtige Arbeit M.s: L'Abbate di Monte Subasio e il concilio di Pisa. Venezia 1893. An diese Publikationen reiht sich die oben angeführte, in welcher F.s Somnium behandelt wird. Dieses mehr als 1000 Hexameter umfaßende Gedicht gehört dem J. 1513 an; es ist großenteils nach dem Muster von Dantes Paradies verfaßt. M. bespricht eingehend den Inhalt, die Nachahmung Dantes und den politischen Sinn des seltsamen Werkes. Eine weitere Arbeit F.s wird von M. eingehend behandelt in der kürzlich erschienen Schrift: L'Apologia del popolo Vicentino di F. Z. Venezia 1895. L. Pastor.

More (Th.), the Utopia of —, in latin from edition of March 1518, and in english from the first edition of Ralph Robynsons translation in 1551 with additional translations, introduction and notes by J. H. Lupton. Oxford, Clarendon press. sh. 10 d. 6.

Wolff (H.), Johannes Lebel. Ein siebenbürgisch = deutscher Humanist. Progr. des Gymn. zu Schäßburg. 4°. 28 S. u Anhang.

Rück (K.), Wilibald Pirckheimers Schweizerkrieg. Nach Pirckheimers Autographum im Britischen Museum hrsgg. v. —. Beigegeben ist die
bisher unedierte Autobiographie Pirckheimers, die im Arundel-Manu-
skript 175 des Britischen Museums erhalten ist. München, Verlag
der Akademie. VI, 160 S.

Pirkheimers bellum Suitense oder Elveticum, die letzte und bedeutendste
Leistung des Nürnberger Humanisten, repräsentiert eine hochwichtige Geschichtsquelle und verdient die liebevolle Sorgfalt, welche ihm der neueste Hrsgb. zugewendet hat, in vollem Maße. R. handelt in den Vorbemerkungen über das
Londoner Autograph, über die Abfassungszeit des Werkes (es war bei Pirckheimers Tod, am 22. Dez. 1530, noch nicht endgiltig abgeschlossen) über die
bisherigen (ungenügenden) Ausgaben und über Pirckheimers Sprache und läßt
hierauf den Text des bellum und der Autobiographie folgen, in dessen Konstituierung bezw. Wiedergabe er in wohlthuendem Gegensatze zu Mittershausen
(in der Goldastschen Ausgabe der opera P.s, Frankfurt a. M. 1610) äußerst
behutsam zu werke gegangen ist. Zu S. 31, 16 ist Verg. Aen. I, 282, zu
S. 81, 10 Aen. II, 329 zu vergleichen.   C. W.

Evers (Alb.), das Verhältnis Luthers zu den Humanisten. Rostocker
Diss. Rostock, Druck der Univ.-Buchdruckerei. 128 S.

Luthers Stellung zu den Humanisten vor dem Ablaßstreite faßt Vf. dahin zusammen, daß L. für sie nur das Interesse zeigte, wo sie theolog. Fragen berührten,
daß aber eine innige Berührung zwischen beiden nicht stattfand. Luthers Ablaß-
streit sodann blieb zunächst in den humanistischen Kreisen unbeachtet, erst die
Leipziger Disputation stellte gewisse Beziehungen zu einzelnen Humanisten her.
Nach einem Vergleich von L.s Schrift: „An den christlichen Adel deutscher
Nation usw. mit Huttens Schriften beantwortet E. die Frage, welchen Einfluß
letzterer auf ersteren ausübte dahin, daß derselbe keineswegs bedeutsam war.
Das Thema der Arbeit ist nicht eng genug gefaßt, da das Verhältnis L.s zum
gesamten Humanismus hinter diese Spezialfrage allzusehr zurücktreten muß

Köhler (W. E.), Luthers Schrift an den christlichen Adel deutscher Nation
im Spiegel der Kultur- u. Zeitgesch. Ein Beitrag zum Verständnis
dieser Schrift Luthers. Halle, Niemeyer. VII, 334 S. ℳ 6.

Tatarinoff (E.), die Briefe Glareans an Johannes Aal. Urkundl.
Beiträge zur vaterländ. Geschichte vornehmlich aus der nordwestlichen
Schweiz. Hrsg. vom Histor. Verein des Kantons Solothurn. Bd. II.
Heft 3. Solothurn, Zepfel. 60 S. ℳ 1,50.

Zum ersten Mal werden hier neun Briefe des bekannten Humanisten Heinrich
Loriti — über ihn verfaßte Fritzsche eine Biographie, vgl. Jahrb. XI, 623 —
an den Solothurner Stiftspropst Joh. Aal nach einem Sammelband der Solothurner Stadtbibliothek abgedruckt. Sie erstrecken sich über die Jahre 1538—50,
erweitern unsere Kenntnis vom Familienleben und den häuslichen Sorgen des
Freiburger Professors; vor allem enthalten sie eine Entstehungsgeschichte des
„Dodekachords“, einer für die Musikgeschichte so bedeutsamen Schrift. Auch seine
politischen und religiösen Anschauungen, seine Sympathien für den Kaiser und
die katholische Sache spiegeln sich darin wieder. Der Hrsgb. läßt dem Texte
jedes Schreibens eine eingehende und mit literarischen Angaben gut versehene
Erläuterung ihres Inhaltes folgen in Form einer fortlaufenden Darstellung,
was die Benutzung sehr erleichtert, so daß man den Mangel von Regesten und
Registern nicht fühlt. Diese kurze Ausgabe ist recht verdienstlich.   A. B.

Oechsly (W.), Gilg Tschudi. Zürich. 21 S. [Separatabdr. aus: Schweiz.
pädagogische Zeitschrift.]

Rosenbauer (A.), die poetischen Theorien der Plejade nach Ronsard u.
Dubellay. Leipzig, Deichert Nachf. XIV, 161 S. ℳ 3,50. [München.
Beiträge zur romanischen u. englischen Philologie X.]

Benincasa (M. A.), Giovanni Guidiccioni, scrittore e diplomatico italiano del secolo XVI. [La vita, i tempi, le opere.] Roma, tip. Elzeviriana di Adelaide ved. Pateras. 162 S. 1. 2,50.

Menasci (G.), i poeti bohèmes del secolo decimosesto: Ruggero di Collery. Napoli, Bideri. 16⁰. 30 S. 1. 1.

Meyer (W.), Nürnberger Faustgeschichten. München, Franz' Verl. in Komm. gr. 4⁰. 80 S. M. 2,50. [Aus: „Abhandlgn. d. k. b. Akademie der Wissensch."]
Vgl. Beilage zur Allgem. Ztg. v. 13. Jan. 1896.

Mettetal (L.), Hans Sachs et la Réformation. [Thèse.] Paris, impr. Delbergé. 379, XXV S. fr. 4.

Eberlin von Günzburg (J.), ausgewählte Schriften. Halle, Niemeyer. 1896. VII, 228 S. M. 0,60. [Neudrucke deutsch. Literaturwerke des 16. u. 17. Jahrhs. Nr. 139—141. Flugschriften aus der Reformationszeit XI]

Ellmer (W.), Rabelais Gargantua und Fischarts Geschichtsklitterung. Progr. d. Realgymn. zu Weimar. 4⁰. 18 S.

Dijk (J. van), Blaise Pascal, Girolamo Savonarola, Jeanne d'Arc. Histor. Schetsen door —. Arnhem, Swaan. 1891. 173 S.

Bernardin (N. M.), un précurseur de Racine. Tristan l'Hérémite, Sieur du Solier (1601—55), sa famille, sa vie, ses ouvres. Paris, Picard. fr. 7,50.

Wurth (L.), das Wortspiel bei Shakspere. Wien, Braumüller. XIV, 255 u. XXIV, 404 S. M. 6 u. 12. [In: Wiener Beiträge zur englischen Philologie. Bd. 1.]

Bormann (E.), neue Shakespeare-Enthüllungen. Hft. 1. Leipzig, Bormanns Selbstverl. 12⁰. 71 S. M. 1.

Koeppel (E.), Quellen u. Studien zu den Dramen Ben Jonsons, John Marstons, Beaumonts u. Fletchers. Leipzig, Deichert Nachf. VIII, 159 S. M. 3,60. [Münch. Beiträge zur roman. u. englischen Philologie XI.]

Windscheid (K.), die englische Hirtendichtung von 1579—1625. Ein Beitrag zur Geschichte der engl. Hirtendichtg. Halle, Niemeyer. VII, 114 S. M. 2,80.

Ebner (Th.), vom deutsch. Handwerk u. seiner Poesie. Hamburg, Verlagsanstalt u. Druckerei. 51 S. M. 1. [Samml. gemeinverständl. wissenschaftl. Vorträge. H. 227.]

Koellner (R.), Heinrich Tolle, ein Göttinger Dramatiker des 17. Jahrhs. Göttinger Diss. 78 S.

Meyer (P.), Samuel Pufendorf. Ein Beitrag zur Geschichte seines Lebens. Progr. der Fürsten- und Landesschule zu Grimma. 4⁰. 31 S.

Lessing (G. E.), sämtliche Schriften. Hrsg. v. K. Lachmann. 3. Aufl., besorgt durch F. Muncker. Bd. 11. Stuttgart = Leipzig, Göschen. 1896. VIII, 498 S. M. 4,50.

Schultze (E.), Lavoisier, der Begründer der Chemie. Hamburg, Verlags=

anſtalt. 37 S. ℳ 0,50. [Sammlg. gemeinverſtändl. wiſſenſch.
Vorträge. H. 212.]

Lamb (C.), life, letters and writings. Edited by Percy Fitzgerald.
With portraits. Temple edit. 6 vols. London, Gibbings. sh. 15.

Derenbourg (H.), Silvestre de Sacy (1758—1838). Paris, Leroux.
63 S.

Weißenfels (R.), Goethe im Sturm und Drang. In 2 Bdn. I. Bd.
Halle, Niemeyer. XV, 519 S. ℳ 10.

Fiſcher (R.), Goethe-Schriften. 4. Goethes Sonettenkranz. Heidelberg,
Winter. 2. Bd. S. 1—112. ℳ 2.

Mézières (A.), W. Goethe. Les oeuvres expliquées par la vie
1749—1832. 2 Vols. Paris, Hachette & Cie. fr. 7.

Volbehr (Th.), Goethe und die bildende Kunſt. Leipzig, Seemann. V,
344 S. ℳ 3,60.

Heinemann (K.), Goethe. Mit vielen Abbildgn. in u. außer dem Text
3—4 Halbbb. Leipzig, Seemaan. 448 S. ℳ 6.
¶ Hiermit iſt das ſchon im Hiſt. Jahrb. XVI, 922 notierte Werk abgeſchloſſen.

Conrad (H.), Schillers Realismus. Hamburg, Verlagsanſt. u. Druckerei.
1896. 44 S. ℳ 1. [Sammlung gemeinverſtändlicher wiſſenſchaftl.
Vorträge. H. 233 u. 234.]

Redlich (C.), Göttinger Muſenalmanach auf 1771, hrsg v. —. Stuttgart, Göſchen. IV, 100 S. ℳ 0,60. [Deutſche Literaturdenkmale
des 18. u. 19. Jahrhs., hrsg. v. A. Sauer. Nr. 52 u. 53. N. F.:
Nr. 2 u. 3.]

Chamiſſo (A. v.), Fortunati Glückſeckel und Wunſchhütlein. Ein Spiel
v. —. (1806.) Aus der HS. z. erſten Male hrsg. v. C. F. Koß-
mann. Stuttgart, Göſchen. XXXVII, 68 S. ℳ 0,80. [Deutſche
Literaturdenkmale des 18. u. 19. Jahrhs., hrsg. von A. Sauer.
Nr. 54 u. 55. N. F.: Nr. 4 u. 5.]

Cardauns (H.), die Märchen Clemens Brentanos. Köln, Bachem. 116 S.
(III. Vereinsſchrift d. Görresgeſellſch. f. 1895.)
Beſprechung folgt.

Kaufmann (D.), aus Heinrich Heines Ahnenſaal. Breslau, Schleſ. Buchdruckerei. 1896. XII, 312 S. ℳ 4.

*Traeger (P.), die politiſche Dichtung in Deutſchland. Ein Beitrag zu
ihrer Geſchichte während der erſten Hälfte unſeres Jahrhs. Münchener
Inauguraldiſſertation. Berlin, Schapke. 44 S.
Bildet die Einleitung zu einer Biographie des Dichters F. v. Sallet und
behandelt in zwei Kapiteln jene Dichter, welche angeſichts der Entwicklung des
politiſchen Lebens in Deutſchland nach dem Wiener Kongreſſe das Ideal der
bürgerlichen Freiheit prieſen (Uhland, Rückert, Moſen ꝛc.), dann für die Befreiung Polens ſchwärmten (Lenau, Platen), bis zu Beginn der dreißiger Jahre
die eigentliche politiſche Tendenzlyrik begann und ſich bis zur Verherrlichung
der nüchternſten und proſaiſcheſten Dinge (Preßfreiheit, Konſtitutionalismus)
verſtieg. Anaſtaſius Grün, Herwegh, Gaudy, K. Beck u. a. leiten den Vf. zum
Gegenſtande über, womit die Diſſertation abbricht. Schl.

14*

Lenient (Ch.), la poésie patriotique en France dans le temps moderne. T. 2. XVIIIᵉ et XIXᵉ siècles. Paris, Hachette & Cie. 16⁰. 468 S. fr. 3.
Vgl. Hiſt. Jahrb. XV, 896.

Hazlitt (W. C.), Early popular poetry of Scotland and the Northern Border. Edited by D. Laing in 1822 and 1826. Re-arranged and revised, with additions by —. 2 vols. London, Reeves & T. 12⁰. Large-paper edit. 2 vols. sh. 21.

Levi (E.), fiorita di canti tradizionali del popolo italiano, scelti nei varî dialetti e annotati da —. Firenze, Bemporad e F. 16⁰. 408 S. l. 4,50.

Bahlmann (P.), Münſteriſche Lieder und Sprichwörter in plattdeutſcher Sprache. Mit einer Einleitung über Münſters niederdeutſche Literatur. Münſter, Regensberg. 1896 LX, 160 S. ℳ 2,40.

Kruse (J.), Hedvig Charlotta Nordenflycht. Ett Skaldinne-Porträtt från Sveriges Rococo-Tid. Lund, Gleerup. VIII, 415 S. ſamt 3 pl. Kr. 5.

Sirven (P.), pages choisies des grands écrivains: Theophile Gautier. Paris, Colin & Cie. fr. 3,50.

Bourdeau (J.), les grands écrivains français. — La Rochefoucauld. Paris, Hachette. 12⁰. 204 S.

Lindenberg (P.), Kaiſer Friedrich als Student. Berlin, Dümmler. 1896. Lexifon=8⁰. 96 S.
Die Bonner Studentenjahre des Kaiſers Friedrich ſind gewiß für die Beurteilung ſeiner hohen und edlen Geiſtesanlagen von ganz beſonderer Wichtigkeit. Hier finden ſie zum erſtenmale eine literariſche Behandlung. Die Leitung des kgl. Hohenzollern-Muſeums hat das Schriftchen veranlaßt, das ſich daher auch in erſter Linie auf archivaliſches Material dieſes Muſeums, daneben aber auch auf perſönliche Mitteilungen ſtützt. Wir lernen die Leute kennen, die den Prinzen umgaben und die Profeſſoren, die auf ihn einwirkten, wir ſehen ihn ſelbſt mit Ernſt und Pflichteifer den Bonner Aufenthalt als eine Zeit des Lernens aus=nutzen. Der Abdruck mehrerer intereſſanter Schriftſtücke erhöht den Wert der anziehend geſchriebenen Arbeit.   A. M.

Goblet d'Alviella, Émile de Laveleye, sa vie et son oeuvre. Bruxelles, Hayez. [Aus: Annuaire de l'Acad. royale de Belgique. 1895.]

Scherer (W.), Karl Müllenhoff. Ein Lebensbild. Mit dem Bilde M.s. Berlin, Weidmann VII, 173 S. ℳ 4.

Schulz (H.), Rede am Sarge des Prof. Dr. Weiland, gehalten am 8. Febr. 1895. Göttingen, Univerſitäts=Buchdruckerei. 6 S.

Owen (Rich.), the life of Richard Owen. By his grandson. With the scientific portions revised by C. Davies Sherborn; also an essay on Owen's position in anatomical science, by Right Hon. T. H. Huxley. Portraits and illustrations. 2 vols. London, Murray. 792 S. sh. 24.

Prem (S. M.), Martin Greif. Verſuch zu einer Geſch ſeines Lebens u. Dichtens m. beſond. Rückſicht auf ſeine Dramen. Leipzig, Renger. 219 S. m. Bildnis u. 2 Abbildungen ℳ 3..

Kloß (J. E.), Max Kretzer. Eine Studie zur neueren Literatur. Dresden, Pierson. 66 S. m. Bildn. .ℳ 1.

Flaischlen (C.), Otto Erich Hartleben. Beitrag zu c. Gesch. d. modernen Dichtung. Berlin, Fischer. 48 S. m. Bildnis. ℳ 0,50.

Webbigen (O.), Geschichte der deutschen Volksdichtung seit dem Ausgange des MA. bis auf die Gegenwart. In ihren Grundzügen dargestellt. 2. Aufl. Wiesbaden, Lützenkirchen. X, 248 S. .ℳ 5.

Brink (Jan ten), geschiedenis der nederlandsche letterkunde. Geïllustreerd onder toezicht van J. H. W. Unger. Met gekleurde en ongekleurde afbeeldingen, facsimiles, tekstfiguren en portretten, naar manuscripten en andere oorspronkelijke documenten. Afl. 1. Amsterdam, Uitgevers-Maatschappij „Elsevire". [Compl. in 20 afl. à fl. 0,50] Bl. 1—48, m. afb. en 4 pltn.

Loise (F.), histoire de la poésie. Mise en rapport avec la civilisation italienne depuis les origines jusqu' à nos jours. Paris, Fontemoing. fr. 5.

Swallow (J. A.), methodism in the light of the english literature of the last century Leipzig, Deichert Nachf. IX, 160 S. .ℳ 3. [München. Beiträge zur roman. und englischen Philologie IX.]

Wells (B. W.), modern german literature. Boston. 16⁰. sh. 6, 6 d.

Schultze (S.), der Zeitgeist der modernen Literatur Europas. Einige Kapitel zur vergleich. Literaturgeschichte. Halle, Kämmerer & Co. VII, 91 S. .ℳ 1,20.

Norrenberg (P.), allgemeine Literaturgeschichte. 2. Aufl., neu bearb. von K. Macke. (In 3 Bdn) Bd. 1. Münster, Russell. 1896. XV, 459 u. LXVIII S. .ℳ 5.

Jahresberichte für die neuere deutsche Literaturgeschichte mit besonderer Unterstützung v. E. Schmidt hrsg. v J. Elias u. M. Osborn. Bd. 3. Abtlg. 1. u. 2 [J. 1892]. Bd. 4 [J. 1893] in 4 Abtlgn. Abtlg. 1. Lexikon=8⁰. Stuttgart, Göschen. 1894/95. 104 S.; X, 55 S ; 144 S. .ℳ 7, 16,80 u. 6. .

Wulf (M. de), histoire de la philosophie scolastique dans les Pays-Bas et la principauté de Liège jusqu' à la Révolution française. Bruxelles, Hayez. VIII, 404 S. [Mém. cour. de l'Acad. royale de Belgique.]

Felici (G. S.), le dottrine filosofico-religiose di Tommaso Campanella, con particolare riguardo alla filosofia della rinascenza italiana. Roma, Loescher & C. 317 S. l. 5.

Bäck (L.), Spinozas erste Einwirkungen auf Deutschland. Berlin, Mayer & Müller. 91 S. ℳ 2,40.

Thon (O.), die Grundprinzipien der Kantischen Moralphilosophie in ihrer Entwickelung. Berlin, Mayer & Müller. 76 S. .ℳ 2.

Kühnemann (E.), Kants u. Schillers Begründung der Aesthetik. I. Grundlagen der Aesthetik Kants. Marburger Habilitationsschrift. 39 S.

Watson (J.), Comte, Mill, and Spencer. Glasgow, Maclehose. 308 S. sh. 6,

Preyer (W.), Darwin. Sein Leben und Wirken. Mit Bildnis. 1. bis 3. Tauf. Berlin, Hofmann & Co. VII, 208 S. mit 1 Fakſimile. [Geiſteshelden. (Führende Geiſter.) Eine Sammlg. v Biographieen. Hrsg. v. A. Bettelheim. 19. Bd. (Der IV. Sammlg. 1. Bd.)]. M 2,40. Bei Subſkription auf 6 aufeinander folgende Bde. ermäßigt ſich der Ladenpreis auf M 2.

Kretzer (E.), Friedrich Nietzſche. Nach perſönl. Erinnerungen und aus ſeinen Schriften. Frankfurt, Keſſelring. 38 S. M 1,20.

Lange (F. A.), Geſchichte des Materialismus u. Kritik ſeiner Bedeutung in der Gegenwart 5. Aufl. Mit dem Portr. des Vf. Biograph. Vorwort und Einleitung mit krit. Nachtrag von H. Cohen. (In 16—17 Hftn) Heft 1. Leipzig, Baedeker. Bd. 1. S. 1—64. M 0,60.

Rashdall (H.), the universities of Europe in the middle ages. 2 Bde. Oxford, Clarendon Press. XXVI, 562 u. XIV, 832 S. sh. 45.

Vgl. die Beſprechung im Literar. Centralbl. 1895. Sp. 1749 ff.

Jachino (G.), del pedagogista Pier Paolo Vergerio. Firenze. 1894.

Vorliegende Studie iſt dem älteren P. P. V. gewidmet, welchen der Vf. als Vorläufer des als Pädagogen mit recht hochberühmten, edlen und frommen Vittorino da Feltre betrachtet. Die in betracht kommenden Schriften V.s (De ingenius moribus und die Komödie Paulus) wie deſſen Briefe werden eingehend beſprochen und ſeine Grundſätze über die Erziehung dargelegt. Unbekannt geblieben ſind dem Vf. leider zwei treffliche deutſche Arbeiten: Kopps Monographie über V und Rösler, Kardinal Johannes Dominicis Erziehungslehre und die übrigen pädagogiſchen Leiſtungen Italiens im 15. Jahrh. (Bibliothek kathol. Pädagogik VII. Freiburg 1894); in letzter Arbeit iſt S. 73—101 die Erziehungslehre des P. P. Vergerio ſehr eingehend und gut behandelt.
L. Paſtor.

Baran (A.), Geſchichte der alten lateiniſchen Stadtſchule und des Gymnaſiums in Krems. Beitrag zur Jubelfeier des 900 jährigen Beſtandes der Stadt Krems. Progr. des Gymn. zu Krems. 4⁰. VII, 226 S.

Delbrel (J.), les Jésuites et la pédagogie au XIVᵉ siècle. — Juan Bonifacio. Paris, Picard. 1894. XI, 89 S.

Allain (E.), contribution à l'histoire de l'instruction primaire dans la Gironde avant la Révolution. Bordéaux, Fèret; Paris, Picard. LXXIX, 277 S.

Heinemann (F.), Geſchichte des Schul= u. Bildungslebens im alten Freiburg bis zum 17. Jahrh. Mit dem Bildnis Peter Schneuwlys. Freiburg i. d. Schw., Veith. 175 S. 3 Frs.

Vorliegende Arbeit iſt eine der Univerſität Freiburg eingereichte Inauguraldiſſertation, abgedruckt im Jahrg. II der Freiburger Geſchichtsblätter und hier noch mit einigen Beilagen und einem Regiſter verſehen. Der Inhalt entſpricht dem Titel inſofern nicht ganz als zwar die Schulgeſchichte eine ſehr eingehende und umfaſſende Behandlung erfahren hat, für eine ebenſo einläßliche und erſchöpfende Darſtellung des Bildungslebens aber noch vieles fehlt Und doch müſſen wir es dem Vf. zum Verdienſt anrechnen, daß er die für das geiſtige Leben bereits vorhandene Literatur zuſammengefaßt und durch manche Züge bereichert hat. Vf. deckt die erſten Spuren auf, welche auf das Vorhanденſein einer Schule in Freiburg deuten, verfolgt die erſten Winkel= und Nebenſchulen, die Anfänge einer Stadtschule (1181), gibt uns ganz neue und schätzbare Aufschlüsse über Lehrperfonal, Befoldung und Unterricht, und verweilt dann mit befonderer Aus= führlichkeit bei den Einflüssen der Germanifation auf die Schule und der Ein= führung des Buchdruckes, weift die Einführung einer Mädchenfchule (1514) nach und schließt mit einer Würdigung der Verdienfte des Probftes Peter Schneuwly (von 1578--87) um die Reform des Schulwefens von Freiburg. Die Arbeit verdient umfomehr Beachtung, als fie auf foliden archivalifchen Studien und umfaffender Heranziehung der einfchlägigen Literatur beruht. Die Beilagen be= handeln das Freiburgifche Landfchulwefen bis zum 17. Jahrh., die Stipendiaten, Schulhäufer und Kantorei und die Sängerfchule.. — Der Verfuch H.s, die Ein= führung der Druckerei in Freiburg auf 1543 hinaufzurücken, ift fchon von anderer Seite mit guten Gründen widerlegt worden. Bei der Erwähnung der Thätigkeit der Franziskaner als Abfchreiber (58) ift die von dem Barfüßer Bruder Gerhard von Franken angefertigte und mit prächtigen Miniaturen verfehene HS. des Schwabenfpiegels auf dem Freiburger Archive nicht erwähnt, vgl. Rockinger in den Wiener Sitz.=Berichten, phil.=hiftor. Abtlg. CXVIII, Abhdlg. X, 20. Säckel= meifterrechnungen und Manuale des Freiburger Archives enthalten auch bezüglich der Schule noch manche wichtige Nachricht, die H. entgangen ift; eine Zufammen= ftellung aller rachweisbaren Lehrer mit Angabe des Jahres, wo fie wirkten, wäre erwünfcht gewefen. Ift das Bild auch nicht ganz erfchöpfend, fo ift es doch nur fo dankenswerter, als das meifte durchaus neu und zuverläffig ift, und die Grundlinien richtig gezogen find, denen fich fpäter noch manches an= fchließen wird, um das Bild zu vervollftändigen. A. B.

Muggenthaler (L.), der Schülorden der Salefianerinnen in Bayern von 1667—1831. Ein Beitrag zur Gefchichte des höheren weiblichen Unterrichts und Erziehungswefens. Bamberg, Buchner. III, 166 S. [Sonderabdruck aus d. Jahrb. f. Münch. Gefch. 1894.]

Kayfer (W.), Joh. Heinr. Peftalozzi. Nach feinem Leben, Wirken und feiner Bedeutung dargeft. Zürich, Schultheß. M. 4.

Courson (R. de) vie du cardinal Robert de Courson, chancelier de l'Université de Paris en 1207. Vannes, impr. Lafolye. [Revue historique de l'Ouest].

Friedländer (E), ältere Univerfitätsmatrikeln. II. Univerfität Greifs= wald. 2. Bd. (1646—1700) nebft Perfonen=, Orts= u. Wortregifter. Leipzig, Hirzel. 1894. VIII, 535 S. m. 1 Taf. M. 18. [Publi= kationen aus den k. preuß. Staatsarchiven. Bd. 57.]
Vgl. Hift. Jahrb. XIV, 721.

Hofmeifter (A.), die Matrikel der Univerfität Roftock. III, 2. Mich. 1652—Mich 1694. Hrsg. v. —. Roftock, Stiller in Komm. 1896. gr. 4°. XX u. S. 169—320. M. 10.
Vgl. Hift. Jahrb. XV, 681.

Album academiae Vitebergensis ab a. Ch. MDII usque ad MDCII. Vol. II. Halle, Niemeyer. 4°. XIX, 498 S. M. 24.
Der 1. Bd. erfchien i. J. 1842.

Glatzer (K.), aus der Gefchichte der Univerfität Halle. Die Gründung der Friedrichsuniverfität und ihre Gefchichte bis zur Vereinigung mit der Univerfität Wittenberg, nebft einer Darftellung des ftudentifchen Lebens in Halle bis zu den deutfchen Freiheitskriegen. Leipzig=Reudnitz, Hoffmann. III, 92 S. M. 1.

Prutz (H.), die kgl. Albertus=Univerfität zu Königsberg in Preußen im 19. Jahrh. Königsberg, Hartung. 325 S.

Vf. beginnt die Darstellung über die Entwicklung der 1544 begründeten Stiftung Herzog Albrechts mit dem Momente, wo sie aus dem engen provinziellen Dasein heraustritt und mit Immanuel Kant die Führung einer großen geistigen Bewegung übernimmt. Hand in Hand damit geht in den nächsten Jahrzehnten eine Neugestaltung, gewissermaßen eine zweite Gründung der Hochschule, stets vom Vf. geschildert im Hinblicke auf die politischen Fragen Preußens. Bezeichnend für die Zeit der Erniedrigung ist die jurist. Ehrenpromotion des bekannten Grafen Bruno Darü (18. Juli 1812). Darauf folgt die Zeit der Karlsbader Beschlüsse und der burschenschaftlichen Bewegung. Auch die Anteilnahme der Universität an der Entwicklung von 1848 und der Folgezeit verdient Aufmerksamkeit. Von hervorragenden Historikern an der Hochschule erwähnen wir Karl Wilhelm Nitzsch und Giesebrecht. Das Buch ist eine Festschrift zur Feier des 350jährigen Bestehens der Albertina. **A. M.**

Festschrift zur Feier der Schlußsteinlegung des neuen Hauptgebäudes der Grazer Universität am 4. Juni 1895. Graz, Verlag der k. Carl-Franzens-Universität. X, 180 S. m. 5 Taf.

Inhalt: F. Krones, die Grazer Universität 1886—95. Ihre Entwicklung und ihr gegenwärtiger Bestand. — M. Ritter v. Karajan, Gesch. der räumlichen Entwicklung der Universität Graz.

Militärgeschichte.

Spitz (A.), die Schweden in Elsaß. Rixheim, Sutter. 12° 44 S.

Eine kurze, volkstümliche Schilderung der wichtigsten Ereignisse des Schwedenkrieges im Elsasse! Es ist kaum eine andere Gegend Deutschlands im 30jähr. Kriege so schrecklich heimgesucht worden wie diese Grenzprovinz. Als die Schweden abzogen, lagen mehr als 300 Dörfer und Flecken in Schutt und Trümmern; viele sind nicht mehr hergestellt worden; hatte doch das Elsaß 75 Prozent seiner Einwohner verloren! Um das annektierte Land wieder zu bevölkern, mußte die französische Regierung durch außerordentliche Begünstigungen Ausländer herlocken. **N. P.**

*Fischer-Treuenfeld (Ph. Frhr. v.), die Rückeroberung Freiburgs durch die kurbayer. Reichsarmee im Sommer 1644. Erinnerungsblatt an eine schwere Leidenszeit der Stadt. Ihrer Bürgerschaft gewidmet. Mit 1 Plan. Freiburg i. Br., C. A. Wagner. 1895. 238 S.

Zur näheren Kenntnis der bayerischen Kriegsgeschichte bildet die vorliegende Monographie einen wertvollen Beitrag, obgleich sie den Anforderungen in bezug auf die historische Methodik nicht voll zu entsprechen vermag. Der Verfasser hat nämlich die von ihm benützten Quellen und Bearbeitungen einer eingehenden Kritik und Analyse nicht unterzogen, wodurch die im wesentlichen in eine Einleitung und zwei Hauptteile gegliederte Abhandlung an kriegsgeschichtlichem Wert Einbuße erleidet, zumal der Autor auch auf die Angabe der urkundlichen Belege nicht die nötige Sorgfalt verwandte. Er befand sich im Vergleich zu früheren Bearbeitungen derselben Episode des dreißigjährigen Krieges in der glücklichen Lage, Werke wie Aumale, histoire des princes de Condé zu rat ziehen zu können. Auch standen dem Vf., von den in erster Linie zu nennenden Handschriften des k. B. Allgemeinen Reichsarchivs abgesehen, die staatlichen, bezw. städtischen Archive zu Karlsruhe, Innsbruck und Freiburg zur Verfügung, was jedoch aus der gewählten breiten Art des Aufbaues nicht genügend hervortritt. Im besondern ist der Verlauf der für die bayerischen Waffen denkwürdigen Schlacht bei Freiburg (dritten bis fünften August 1644) — von der schon Clausewitz (Hinterlass. W IX, 155) sagt, daß sie ein Kampf im neuesten Styl zu nennen sei, — aufs klarste geschildert. Die hohe politische Bedeutung dieses blutigen Kampfes ist entsprechend gewürdigt. Ein Plan mit Truppeneinzeichnungen erleichtert das Studium der Bewegungen. Ein Sach- und Personenregister hätte den Wert der Darstellung von Fischers erhöht. Trotz dieser Mängel mag das Werk seines reichhaltigen Stoffes wegen allen aufs beste empfohlen werden, welche sich über jenen Abschnitt des dreißigjährigen Krieges belehren lassen wollen. v. R.

Bretholz (B.), Urkunden, Briefe u. Aktenstücke zur Gesch. d. Belagerung der Stadt Brünn durch die Schweden in den J. 1643 u. 1645. Hrsg. v. der histor.-statist. Sektion der k. k. mähr. Gesellsch. z. Beförderung der Landwirtschaft, der Natur- u. Landeskunde anläßlich ihrer 25jähr. Erinnerungsfeier. Brünn, Winiker. XVII, 143 S. ℳ 2.

Rockstroh (K. C.), et dansk Korps' Historie 1701—9. Italien 1701—3, i Ungarn 1704—9. Kopenhagen, Gyldendal. 224 S. Kr. 3,50.

Schnitler (Didr.), blade af Norges Krigshistorie. Skildringer af —. Med Forfatterens Portraet og 6 Karter. Samme Forlag. XVI S., 2 Bl. 478 S. Kr. 7,50.

*Weber (O.), die Okkupation Prags durch die Franzosen und Bayern 1741—43. Mit 1 Situationsplan. Prag, J. G. Calvesche Hof- u. Univers.-Buchh. (J. Koch). 1896. 112 S. Bei der Dürftigkeit, welche noch in bezug auf die Kriegsliteratur über den österreichischen Erbfolgestreit 1740—48 herrscht, ist es um so freudiger zu begrüßen, wenn eine berufene Feder es unternahm, die kriegerischen Vorgänge, welche sich während dieser Epoche in der böhmischen Hauptstadt sowohl, als im Vorlande derselben abspielten, eingehend zu erörtern. Daß die vorliegende Darstellung eine möglichst erschöpfende ist, dafür bürgt uns schon die außergewöhnliche Sorgfalt, mit welcher der Vf. nicht allein die Klosterarchive von Prag, sondern auch jene staatlichen Archive, jene den Stadt Prag und der fürstlichen Familien Kinsky und Lobkowitz durchforscht hat. Die anregende Einzelschrift ist in fünf Abschnitte gegliedert. Im ersten wird der auf Andrängen des Grafen Rutowsky mit Erfolg unternommene gewaltsame Angriff der Verbündeten auf Prag geschildert. Am Sturme nahm auch das Schwesterregiment Royal-Bavière des kurbayerischen Regiments Minucci einen hervorragenden Anteil. (Vgl. hiezu Hoffmann C. v., das k. b. 4. Inft.-Regt. "König Karl von Württemberg 1706—1806". München 1881. S. 24—70, 71 u. 224.) Der zweite Abschnitt befaßt sich mit der sieben Monate dauernden französisch-bayerischen Herrschaft bis zum Beginne der Belagerung durch die Kaiserlichen. Dieses wechselvolle und lehrreiche Unternehmen, welches den Zeitraum vom 27. Juni bis 12. Sept. 1742 in anspruch nahm, bildet den Gegenstand des dritten Abschnittes. Zur Besatzung von Prag gehörten auch die Bataillone des kurbayerischen Leibregiments (ietzt 10. Inft.-Reg. "Prinz Ludwig"). In kulturhistorischer Richtung bietet der vierte Abschnitt, welcher die Zustände in Prag während der Belagerung durch die Oesterreicher quellenmäßig behandelt, manches Bemerkenswerte. Webers verdienstvolle Monographie schließt mit dem fünften Abschnitt, in welchem das Ende des Feldzugsjahres 1742 beleuchtet ist. Ein Anhang enthält zunächst die 14 Artikel der Uebergabe Prags an die Kaiserlichen vom 26. Dez. 1742, in welche bekanntlich auch die Gemahlin des bisherigen Gouverneurs, Gräfin Maria Josepha von Bayern, mit ihrem neugebornen Sohne aufgenommen wurde. Außerdem gibt der beigefügte Anhang eine Zusammenstellung der Lebensmittelpreise in der Zeit der Belagerung Das Fakfimile eines Situationsplanes (aus der Epoche des österreichischen Erbfolgekrieges stammend) stellt uns die Kriegslage von Prag in den Ereignissen des Jahres 1742 dar. Das Studium der Einnahme und Wiedereroberung Prags ist überdies durch Beigabe eines Personen- und Ortsnamenregisters wesentlich erleichtert. Sollte der Autor eine Erweiterung der Prager Ereignisse beabsichtigen, so würden ihm die in der Privatbibliothek Seiner Majestät des Königs von Bayern befindlichen wertvollen "Töpferschen Materialien für die bayerische Geschichte der ersten Hälfte des 18. Jahrh." zu empfehlen sein, von denen das k. Kriegsarchiv Auszüge aus der Hand v. d. Marks verwahrt. v. R.

Die Kriege Friedrichs des Großen. Hrsg. vom Großen Generalstabe,
Abt. f. Kriegsgesch. 2. Tl.: der 2. schles. Krieg, 1744—45. Bd. 3. :
Soor u. Kesselsdorf. Berlin, Mittler & Sohn Lexikon=8°. IX,
266 u. 51 S. m. 8 Tab. u. 10 Plänen u. Skizzen. *M* 12.
Vgl. Hist. Jahrb. XVI, 928.

Krebs (L.) et Moris (H.), campagnes dans les Alpes pendant la
Révolution d'après les archives des états-majors français et austro-
sarde. Paris, Plon. 402 S. m. 2 Karten u. 7 Croquis.

Maretich v. Riv=Alpon (G. Freih. v.), die zweite und dritte Berg
Isel-Schlacht. (Gefechte in der Umgebung von Innsbruck am 25. u.
29. Mai 1809.) Mit einer Karte der Umgebung von Innsbruck u.
1 Plan des Stiftes Wilten. Innsbruck, Wagner. 216 S. *M* 2,40.

Fantin des Odoards, général, Journal. Étapes d'un officier de la
Grande-Armée 1800—30. Paris, Plon, Nourrit & Cie. 23, 514 S.
fr. 7,50.

Heimhalt (H.), die Blockade der Festung Wesel vom Nov. 1813 bis
10. Mai 1814. Ein Beitrag zur Gesch. Wesels aus dem Anfang
unseres Jahrhs. Progr. des Gymn. zu Wesel. 32 S.

Maag (A.), Geschichte der Schweizertruppen in französischen Diensten vom
Rückzug aus Rußland bis zum zweiten Pariser Frieden (1813—15).
Mit 5 chromolithograph. Tafeln, 3 Porträts, 3 Uebersichtskarten und
einem Namensregister. Biel, Kuhn. 568 S. 12 Frs.

Vf. ist kein Neuling mehr auf diesem Gebiete; wir besitzen von ihm bereits eine
„Geschichte der Schweizertruppen im Kriege Napoleons I in Spanien und
Portugal 1807—14" (2 Bde. Biel 1892/93), ferner „Die Schicksale der Schweizer
Regimenter in Napoleons I Feldzug nach Rußland 1812" (Biel 1889), durchaus
gediegene und zuverlässige, auf reichem Quellenmateriale aufgebaute Werke. Diese
Vorzüge teilt auch das vorliegende Buch, das sich mit der Formation der
Schweizer Regimenter, der Verteidigung von Bremen, ihrer Verwendung im
Festungskriege in den Niederlanden, der Thätigkeit unter Ludwig XVIII, wo
sie besonders Gelegenheit hatten, mitten im allgemeinen Abfall ein Beispiel von
rühmlicher Treue zu geben, und ihrer Verwendung bei der Schweizer Grenz=
besetzung befaßt. Im Anhange folgen Namensverzeichnisse, Dienstetat und
wichtige Korrespondenzen und Aktenstücke. Es ist zugleich auch ein wichtiger
Beitrag zur Geschichte der Befreiungskriege, in dem mancher Vorgang eine neue
Beleuchtung erhellt, manche Lücke der großen Darstellungen ergänzt, die ungerecht=
fertigten Anklagen der französischen Schriftsteller, besonders der Victoires et
conquêtes (Paris 1820) und Thiers' zurückgewiesen, Irrtümer der deutschen
Darsteller berichtigt werden. S. 29 soll es vermutlich heißen „Höhentannen",
statt „Hohentengen", das im Thurgau und überhaupt in der Schweiz nirgends
vorkommt, wohl gibt es aber ein Dorf Hohentengen im Großherzogtum Baden
gegenüber von Kaiserstuhl. Höpli (S. 43) stammt nicht aus „Dietwyl", sondern
„Tuttwil".   A B.

Fitzgibbon (M. A.), a veteran of 1812: the life of James Fitzgibbon. London, Bentley. 350 S. sh. 7 d. 6.

Riddle (A. G.), recollections of war times 1861—65. New-York
sh. 10 d. 6.

Davies (H. E.), life of general Philipp Sheridan. With portraits and
maps. New-York. 12°. sh. 6 d. 6.

Natzmer (G. E. v.), von dem Heldenleben eines Reiterführers und den
8. Dragonern bei Nachod. Gotha, Perthes. 86 S. ℳ 1,50.

Scheibert (J.), unser Volk in Waffen. Der deutsch-franzöf. Krieg 1870/71.
Auf grund des großen Generalstabswerkes bearb. 2 Bde. Gegen
400 Abbildgn im Text, 43 Porträts auf Kupferdr., 40 Photographie-
drucke der Schlachtengemälde v. Adam, Birkmeyer, Braun ꝛc. Berlin,
Paulis Nachf. — E. Finting in Komm. VIII, 696 u. VI, 656 S.
ℳ 25.

Regierungs-Depeschen u. Nachrichten, franzöf., während d. Krieges 1870/71,
im Zusammenhang dargestellt. Zum 25jähr. Jubiläum in Erinnerung
dargebracht. Leipzig, Milde. 40 S. ℳ 0,50.

Cardinal von Widdern (G.). deutsch-franz. Krieg 1870/71. Der
Krieg an den rückwärt. Verbindungen d. deutschen Heere und der
Etappendienst, nach den Feldakten u. Privatberichten bearb. I., II.
u. III. Tl. Bd. 1 u. 2. Berlin, Eisenschmidt. 1893—95. XI, 224;
IV, 212; XII, 287 und 251 S., alle mit Karten und Skizzen.
ℳ 5, 5, 6 u. 4,80.
Inhalt: I. Hinter der Front der Maasarmee. II. Die Bekämpfung des Volks-
frieges im Generalgouvernement Reims ꝛc. III, 1. Im Rückengebiet der 2. u. 3.
Armee während des Loirefeldzuges mit besonderer Berücksichtigung d. Eisenbahn-
schutzes und der Unternehmungen gegen denselben. III, 2. Die Eisenbahn-
wiederherstellung, der Eisenbahnschutz und die Unternehmungen gegen denselben
im Rückengebiet der 2. Armee während des Loirefeldzuges.

Wackernagel (R.), die Unterstützung der Stadt Straßburg im Kriegs-
jahre 1870 von —. In: Denkschrift zur Feier der Enthüllung des
Straßburger Denkmals in Basel, hrsg. v. Regierungsrat des Kanton
Basel-Stadt. Basel, Schwabe. X, 114 S. ℳ 4.

Kunz, Einzeldarstellungen von Schlachten aus dem Kriege Deutschlands
gegen die französische Republik vom Sept. 1870 bis Febr. 1871.
5. H.: Die Schlacht von Orléans am 3 u. 4. Dez. 1870. 6. H.:
Die Entscheidungskämpfe des Generals v. Werder i. J. 1871. 1. Tl.
Berlin, Mittler & Sohn. XII, 247 S. mit 1 Karte u. 2 lithogr.
Plänen u. VI, 216 S. mit 3 Plänen à ℳ 5.
Vgl. Hist. Jahrb. XV, 243.

Deines, die Thätigkeit der Belagerungsartillerie vor Paris im Kriege
1870/71. 2. Aufl Mit 1 Plan von Paris und Umgebung. In:
Einzelschriften, kriegsgeschichtliche. Hrsg. vom Großen Generalstabe,
Abteil. f. Kriegsgeschichte. 4. H. Berlin, Mittler & Sohn., IV,
155 S. ℳ 3.

Quade (G), Mecklenburgs Anteil am Kriege 1870/71. In 8 Liefgn.
1. u. 2. Lfg. Wismar, Hinstorffs Verl. XVI u. 1—96 S. mit
10 Bildertafeln. à ℳ 0,50.

Jahn (H), aus Deutschlands großen Tagen. Erlebnisse eines 24 ers im
deutsch-franz. Kriege. Eine Jubelgabe. 1. Bd.: Bis zum Falle von
Metz. Braunschweig, Limbach. v, 382 S. ℳ 4.

Zernin (G.), das Leben des k. preuß. Generals der Infanterie v. Göben.

1. Bd. Mit 1 Bildnis. Berlin, Mittler & Sohn. VIII, 395 S. M. 7,50.

Bartolomäus, der General der Infanterie v. Hinderſin. Ein Bild seines Lebens u. Wirkens. Berlin, Mittler & Sohn. 44 S. M. 0,60.

Grandin, le dernier maréchal de France, Canrobert. Paris, Tolra. XVI, 344 S.

Jnouye (J.), der japaniſch-chineſiſche Krieg in kurzgefaßter Darſtellung. Deutſch von E. Birndt. Dresden, Reißner. IV, 132 S. m. Ab=bildungen u. Karten. M. 2.

Romocki (S. J.), Geſch. der Sprengſtoffchemie, der Sprengtechnik u. des Torpedoweſens zum Beginn der neueſten Zeit. Mit einer Einführung von M. Jähns. Mit vielen Reproduktionen 2c. Berlin, Oppenheim. VI, 394 S. M. 12.

Dechend, die kriegeriſche Rückſichtsloſigkeit. Studium aus d. Kriegsgeſch. Berlin, Mittler & Sohn. M. 2,75.

Hiſtoriſche Hilfswiſſenſchaften und Bibliographiſches.

Reinach (S.), antiquités nationales. Description raisonnée du musée de Saint-Germain-en-Laye. Bronzes figurés de la gaule romaine. Paris, Firmin-Didot & Cie. XV, 385 S.

Victor (W.), Beiträge zur Textkritik der northumbriſchen Runenſteine Marburg. Rektoratsrede. 4°. 16 S. u. 4 Tafeln.

Nogara (B.), il nomine personale nella Lombardia durante la dominazione romana. Milano, Hoepli. XV, 272 S.

Reeb (W.), germaniſche Namen auf rheiniſchen Inſchriften. Progr. des Gymn. zu Mainz. 4°. 48 S.

Klinkenborg (M.), Geſchichte der ten Brols. Norden, Braams. 59 u. 66 S. M. 2.
Vgl. Hiſt. Jahrb. XVI, 871.

Hauſen (El. Frhr. v.), auszugsweiſe Beiträge zur Familiengeſchichte der Freiherren v. Hauſen. Dresden, Baenſch. 62 S. m. 2 Taf. M. 1,50.

Ranninger (F.), über die Alliteration bei den Gallolateinern des 4., 5. u. 6. Jahrhs. Progr. d. Gymn. zu Landau. 55 S.

Weiſe (O.), unſere Mutterſprache, ihr Werden und ihr Weſen. Leipzig, Teubner. IX, 252 S. M. 2,40.

Brenner (O.), Beiträge zur Geographie der deutſchen Mundarten in Form einer Kritik v. Wenkers Sprachatlas d. deutſchen Reichs. Mit 11 Karten im Text. Leipzig, Breitkopf & Härtel XV, 266 S. M. 5 [Sammlung kurzer Grammatiken deutſcher Mundarten, hrsg. v. —. Bd. 3.]

Morris (R.), historical outlines of English accidence comprising chapters on the history and development of the language, and on world-formation. Revised by L. Kellner and H. Bradley. sh. 6.

Ahlenius (K.), Olaus Magnus och hans framställning af Nordens geografi. Studier i geografiens historia. Akad. afhandl. Upsala, Lundequist i Komm. X, 434 S. ſamt 2 Plänen. Kr. 5.

Prix (F.), Katalog der Theresianischen Münzensammlung. [Römische Münzen. I. u. II.] Progr. Wien. Leipzig, Fock. 1896. VIII, IV, 1249. ℳ 3.

****Wissowa** (G.), Paulys Real=Encyklopädie der klassischen Altertumswissen= schaft. Neue Bearb. unter Mitwirkung zahlreicher Fachgenossen hrsg. v. —. Dritter Halbband. Apollon - Artemis. Stuttgart, Metzler. 1440' Sp. ℳ 15.

Der fromme Wunsch, mit dem wir die Anzeige des ersten Bandes der neuen Realencyklopädie beschlossen haben (Hist. Jahrb. XVI, 409), ist rasch in Er= füllung gegangen. Redakteur und Verleger haben keine Anstrengung gescheut, um die Pause zwischen dem 2. und 3. Halbbb. möglichst zu verkürzen, und sie hätten es sich selbst zuzuschreiben, wenn das Publikum verwöhnt würde und zu murren anfinge, wenn später einmal eine kleine Störung, wie sie bei einem so kolossalen Unternehmen fast unvermeidlich ist, eintreten sollte. Wir heben aus den Artikeln des 3., von den Namen eines Geschwisterpaares traulich umrahmten Halbbandes hier hervor: ‚Appellatio‘ von Kipp, ‚Appianus‘ von Schwartz, ‚Aristoteles‘ von Gercke, ‚Arithmetica‘ von Hultsch, ‚Arrianus‘ von Schwartz. Im Artikel ‚Appuleius‘ (Schwabe) hätte auch die Hist. Jahrb. XV, 475 notierte Arbeit des Ref. erwähnt werden können, durch welche die Sp. 255 zitierten Schriften von Engelbrecht und Van der Vliet einige Modifikationen erfahren haben. Der Apologet Aristides und der Dichter Arator (Jülicher) hätten eine etwas ausführlichere Behandlung verdient, neben dem Prokonsul Apringius war der gleichnamige Bischof von Baie und Erklärer der Apokalypse (vgl. jetzt W. Bousset in den Göttinger Nachr. 1895, 187 ff.) zu nennen. Eine ausführliche Anzeige dieses Halbbandes hat der greise Philologe Martin Hertz, der bis zu seinem letzten Athemzuge den Fortschritt seiner Wissenschaft verständnisvoll verfolgte, für die Berliner philologische Wochenschr. geschrieben. Ihr Erscheinen (1895 Nr 52) sollte er leider nicht mehr erleben.   C. W.

Stornaiolo (C.), bibliothecae apostol. Vaticanae codices manuscripti recensiti iubente Leone XIII. Pont. Max. Codices Urbinates graecos edidit —. Romae ex typographia Vaticana. Lexikon-8⁰. CCII, 354 S. 1. 25.

Die Vorrede ist separat erschienen unter dem Titel: »De Bibliotheca Graeca Urbino-Vaticana, commentatus est Cosimus Stornaiolo, Bibliothecae Vaticanae Scriptor.«

Amélineau (E.), notice des manuscrits coptes de la Bibliothèque nationale renfermant des textes bilingues du Nouveau Testament. Paris Klincksieck. 69 S.

Inventario cronologico-sistematico dei registri angioini conservati nell' Archivio di stato di Napoli, con prefazione di B. Capasso. Napoli, tip. di Rinaldi e Sellitto. LXXXI, 542 S. 1, 25.

Beer (R.), Handschriftenschätze Spaniens. Lexikon=8⁰. Wien, Tempsky. 755 S. ℳ 12.

Leitschuh (Fr.), Katalog der HSS. der k. Bibliothek zu Bamberg. 1. Bd. 2. Abt. II. Lfg.: Klassiker=HSS. Bamberg, Buchner. VI, 116 S. ℳ 4. Vgl. Hist. Jahrb. XVI, 704.

Handschriften, die, der großh. bad. Landesbibl. in Karlsruhe. Bd. I (gr. 4⁰), Beilage I (gr. 4⁰); Bd. II (gr. 4⁰), Beilage II (Lexikon 8⁰); Bd. III (Lexikon=8⁰). Karlsruhe, Groos. 1891, 1892, 1894, 1895. 25 S. V, 44 S.; X, 62 S. (IV, VI, 49 S. m. 3 Lichtbr., XIII, 117 u. XX S.) u. III, 206 S. ℳ 1, 1,50, 1,50, 4, 4.

Inhalt: Bd. 1. W. Brambach, Geschichte und Bestand der Sammlung. — Beil. I. J. Lamey, Herm. von der Hardt in seinen Briefen und seinen Be= ziehungen zum Braunschw. Hofe, zu Spener, Francke und dem Pietismus. — Bd. 2. W. Brambach, oriental. HSS. — Beil. 2. J. Lamey, roman. HSS. Th. Längin, deutsche HSS. — Bd. 3: A. Holder, die Durlacher u. Rastatter HSS., beschrieben von —.

Neuer deutscher Bücherschatz. Verzeichnis einer an Seltenheiten ersten Ranges reichen Sammlung von Werken der deutschen Literatur des 15.—16. Jahrhs. Mit bibliogr. Bemerkungen. Berlin, Imberg & Lefson. VIII, 264 S. M. 4.

Bodemann (E.), die Leibniz=HSS. d. k. öffentl. Bibliothek z. Hannover. Hannover, Hahn. V, 339 S. M. 7.

Kampffmeyer (G.), zur Geschichte der Bibliothek in Celle. Berlin, Kampffmeyer. 1896. 32 S. M. 0,50.

Heitz (P.), die Züricher Büchermarken bis zum Anfang d. 17. Jahrhs. Mit 19 Abbildgn. Zürich, Fäsi & Beer. Fol. 48 S. M. 7.

Silvestri (G.), Isidoro Carini e la sua missione archivistica nella Spagna. Palermo, Virzi. 184 S.

Martini (E.), catalogo di manoscritti greci esistenti nelli biblioteche italiane, opera premiata dalla R. Accademia di archeologia lettere e belle arti di Napoli. 1. Bd. 1. u. 2. Tl. Mailand, Hoepli. 1893 u. 1896. XI, 218 u. S. 225—430. à l. 8,50.

Behandelt sind im 1. Teile die Bibliotheken von Mailand, Palermo, Pavia u. Parma, im 2. Teile die Bibliotheken von Brescia, Como, Cremona, Genua. Ferrara, Mantua, Neapel, Mailand [Teil im 1. Teile.]

Meyer (M, P.), notice sur le manuscrit fr. 24,862 de la bibliothèque nationale contenant divers ouvrages composés ou écrits en Angle- terre. Paris, Klincksieck. 4°. 42 S. [Tiré des notices et ex- trais des manuscrits de la Bibliothèque nationale et autres biblio- thèques. T. XXXV, 1. parte.]

Mely (F. de) et Bishop (E.), bibliographie générale des inventaires imprimés. Tables. Paris, Leroux. fr. 10.

Biblioteche dello stato, delle provincie, dei comuni ed altri enti morali aggiuntevi alcune biblioteche private accessibili agli studiosi, fra le più importanti per numero di volumi o per rarità di collezioni. 2 vol. (4.) l. 5. [Statistica delle biblioteche. I.]

Bowes (R.), a catalogue of books printed at, or relating to the uni- versity, town, and country of Cambridge 1521 to 1893. Index. London, Macmillan. sh. 7 d. 6.

Hartmann (A.), repertorium op de literatur betreffende de neder- landsche Koloniën, voor zoover zij verspreid is in tijdschriften en mengelwerken. I. Oost-Indië, 1866—93. II. West-Indië, 1840—93. Met een alphabetisch zaak- en plaatsregister. s'Hage, Nijhoff. 18°. 455 bl. fl. 7,50.

Knuttel (W. P. C.), catalogus van de Pamfletten - Verzameling be- rustende in de koninklijke Bibliotheek etc. 2. deel. 2. stuck.

1668 — 88. s'Gravenhage, Allgemeene Landsdrukkerij. Kl. 4⁰. 477 S.

Vgl. Hift. Jahrb. XV, 246.

Sciences, belles-lettres et arts dans les Pays-Bas surtout au 19ᵉ siècle. Bibliographie systématique. Tome I. Linguistique. Histoire littéraire. Belles-lettres. Avec une table alphabétique. Haag, Nijhoff. VIII, 301 S. ℳ 5,50.

Gracklauers (D.) deutscher Journalkatalog f. 1896. Zusammenstellung v. üb. 3000 Titeln deutsch. Zeitschriften, system. in 41 Rubr. geordn. 32. Jahrg. Leipzig, Gracklauer. 84 S. ℳ 1.

Brümmer (F.), Lexikon der deutschen Dichter u. Prosaisten des 19. Jahrhs. 4. Ausg. (In 20 Lfgn.) 1. Bd. Leipzig, Reclam jun. 1896. Lfg. 1. S. 1—96. ℳ 0,20

Hurter (H.), nomenclator literarius recentioris theologiae catholicae, theologos exhibens, qui inde a concilio Tridentino floruerunt, aetate, natione, disciplinis distinctos. Tom. II. Theologiae catholicae seculum secundum post celebratum concilium Tridentinum. Ab à. 1664—1763 et Tom. III. Theologiae catholicae seculum tertium post celebratum concilium Tridentinum. Ab a. 1764—1894. Ed. II. VII S., 1846 Sp. u. LIII S. beziv. VII S., 1746 Sp. u. LXII. à ℳ 18.

Vgl. Hift. Jahrb. XIV, 179.

Gareis (C.), die Literatur des Privat- und Handelsrechts 1884—95. Leipzig, Hinrichs. 1896. 44 S. ℳ 1,20.

Copinger (W. A.), supplement to Hain's Repertorium Bibliographicum or collections towards a new edition of that work. In 2 parts. The 1. contain. nearly 7000 corrections of and addit. to the collations of works describ or mention. by Hain; the 2., a list with numerous collations and bibliographic. particulars of nearly 6000 vol. printed in the 15. cent. not refer. to by Hain. Part 1. London, Sotheran. 510 S.

Nachrichten.

Bericht über die Arbeiten des Römischen Institutes der
Görres-Gesellschaft im Arbeitsjahre 1894/95.

Das Institut hatte zunächst die Arbeiten früherer Jahre fortzusetzen,
bezw. die gewonnenen Quellenmaterialien zum Drucke zu befördern. Von
den Nuntiaturberichten aus Deutschland während der Regierungszeit Sixtus V
(1585—90) erschien als 4. Band der „Quellen und Forschungen" die
erste Hälfte der „Kölner Nuntiatur", die Jahre 1585 (1584)—87
umfassend, zugleich mit der Schweizer Nuntiatur von 1586/7, soweit
dieselbe deutsche Verhältnisse betrifft. Diese beiden Nuntiaturen sind von
Dr. Ehses bearbeitet; einen dritten Bestandteil des Bandes, welcher die
Straßburger Wirren und die Interzessionen protestantischer Fürsten behandelt, hat Dr. Meister in Bonn redigiert. An der Fortsetzung der
Kölner Nuntiatur, vom Antritte Ottavio Mirto Frangipanis bis zum
Tode Sixtus V, arbeitet Dr. Ehses weiter und hofft den starken Band,
zu welchem die Materialien im wesentlichen abgeschlossen vorliegen, bis zu
Ostern nächsten Jahres in Druck geben zu können. Die weitere Fort-
setzung über das Jahr 1590 hinaus hat Dr. L. Schmitz in Rheydt, die
Bearbeitung der kaiserlichen Nuntiatur von 1585—90 Prof. Dr. Schlecht
in Dillingen übernommen.

Mit Herbst 1894 trat dann eine neue, ebenso wichtige als umfassende
Arbeit an das Institut heran, nämlich die möglichst vollständige und genaue
Herausgabe der Akten des Konzils von Trient, zu welcher sich
der Vorstand der Görres-Gesellschaft am 17. Mai 1891 entschlossen und
wozu der erhabene Förderer historischer Studien, Papst Leo XIII, huld-
vollst die Ermächtigung erteilt hat. (S. Jahresbericht für 1894 S. 4 u. 5.)
Nach eingehenden Voruntersuchungen durch Prof. Dr. Finke nahm das
Institut am 1. Oktober 1894 den riesigen Stoff in Angriff, bis zum
Ende des genannten Jahres unter Leitung von Msgr. Prof. Dr. Kirsch
in Freiburg (Schweiz), sodann von Dr. Ehses, der mit Beginn 1895
die definitive Leitung des Instituts antrat.

Es galt nun vor allem, einen sachgemäßen Plan für die Bearbeitung zu entwerfen, und da ergab sich als erste und notwendigste Aufgabe, den äußeren Verlauf der Konzilsberatungen, die Daten, die Reihenfolge, den Zusammenhang der Konzilsvorkommnisse während der ganzen Dauer desselben festzustellen, weil damit für die Akten und Beratungen selbst eine unerläßliche Vorarbeit gegeben sein wird. Daher werden die Veröffentlichungen mit den verschiedenen Tagebüchern und Diarien beginnen, die größtenteils noch gar nicht, andernteils sehr ungenügend und lückenhaft ediert sind. Diesen Teil der Arbeit hat Dr. Merkle, früher Repetent in Tübingen, übernommen, der bereits im Sommer 1894 am vatik. Archive thätig war und bis jetzt mit diesen Diarien von Massarelli, Severoli, Servantius u. a. sowie mit deren Kommentierung soweit vorangeschritten ist, daß jeden Augenblick mit dem Drucke eines ersten starken Quartbandes begonnen werden kann. Die Forschungen ergeben hier zugleich überraschende Resultate über die Priorität und die Verfasser dieser Tagebücher, sowie über die Ursprünglichkeit der Nachrichten, die in denselben geboten werden. Neben diesen Diarien bearbeitet Dr. Merkle die Akten der Bologneser Konzilsperiode, die von Theiner in den Acta genuina concilii Tridentini übergangen wurden und durch deren Veröffentlichung eine sehr empfindliche Lücke ausgefüllt wird.

Läßt sich dieser Zweig der Arbeiten leichter überschauen, so erscheint das Gebiet der eigentlichen Konzilsberatungen und Congregationsverhandlungen, Voten, Gutachten, Vorschläge und Entwürfe, theologisch-dogmatischen wie reformatorischen Inhaltes, fast unabsehbar, selbst abgesehen von dem politisch-diplomatischen Schriftenwechsel, welcher mehr in den Bereich der von dem Preußischen Institute (bis zum Jahre 1559) zu bearbeitenden Nuntiaturberichte fällt, soweit Deutschland in betracht kommt. Für jene eigentlichen Konzilsgegenstände sind zunächst die bereits erwähnten Acta genuina von Theiner in einem sehr umfassenden Maßstabe zu ergänzen und zu berichtigen, weil durch Theiner, bezw. durch die Herausgeber nach seinem Tode, bei einer Unmenge von Sitzungen die Protokolle mit ganz planloser Willkür gekürzt, verstümmelt oder nur höchst summarisch skizziert worden sind. Erst wenn diese Arbeit gethan ist, kann den zahllosen Originalvoten, dogmatischen Abhandlungen, Reformvorschlägen und Gutachten jeglicher Art, die teils von den Konzilsvätern herrühren, aber von den Sekretären und Notaren nur protokollarisch aufgezeichnet wurden, teils von außerhalb stehenden Prälaten und Theologen, aber mit unmittelbarer Beziehung auf die Konzilsarbeiten verfaßt und den Vätern unterbreitet worden sind, ihre richtige Stelle angewiesen werden. Diese doppelte Arbeit hat Dr. Ehses übernommen und zwar zunächst unter Beschränkung auf die Reformarbeiten des Konzils, weil diese bei Theiner noch weit mehr als die dogmatischen Gegenstände zusammengedrängt sind, und weil überhaupt bisher diesen so äußerst wichtigen Beratungen und Beschlüssen nicht entfernt die genügende Aufmerksamkeit geschenkt worden ist. Nachdem bereits Prof. Kirsch diesen Weg eingeschlagen, konnte Dr. Ehses für das Reformgebiet eine Fülle des wertvollsten Materials ansammeln, wozu die von der Görres-Gesellschaft ausgeworfenen Beträge für Kopisten ebenso notwendig als förderlich waren. Der Veröffentlichung dieser Materialien wird allerdings zunächst der Abschluß der oben besprochenen Kölner Nuntiatur wie namentlich der Druck der Diarien und Tagebücher vorangehen müssen.

Bei einem mehrwöchentlichen Aufenthalte zu Neapel, Juli bis August dieses Jahres, haben Dr. Ehses und Dr. Merkle ihre römischen Sammlungen aus der literarischen Hinterlassenschaft des Kardinals und Konzilslegaten Seripando, die sich in der Nationalbibliothek daselbst befindet, sowie aus den überreichen Schätzen des Farnesianischen Archives in sehr ergiebiger Weise bereichern können. Die Durchforschung anderer Bestände, vor allem der Carte Cerviniane zu Florenz, ist in nächste Aussicht genommen. Auf der Rückreise nach Freiburg hat Prof. Kirsch die Archive und Bibliotheken in Venedig, Modena, Mailand besucht und die auf das Konzil bezüglichen Stücke aufgezeichnet.

Herr Dr. v. Domarus setzte seine Arbeiten zur Geschichte Hadrians VI fort. Von den noch vorhandenen 42 Supplikenbänden sind 22 erledigt, ebenso die 24 Vatikanregisterbände und von den Lateranregistern 10. Auch das übrige im Vatikan wie im römischen Staatsarchiv ruhende Material wurde hervorgezogen und ergab teilweise reiche Ausbeute. Dabei konnte auch die Korrespondenz Hadrians in einer großen Anzahl wichtiger Originalstücke ans Tageslicht gezogen und kopiert werden. Aus der von den Kardinälen von Hadrians Wahl bis zu seiner Ankunft in Rom geführten Korrespondenz und anderen einschlägigen Briefschaften wurden zahlreiche Regesten angefertigt. Selbstverständlich wurden auch die Handschriften der vatikanischen Bibliothek und der Bibliotheken Barberini und Chigi durchforscht. Auch hier fanden sich nicht wenige auf Hadrians päpstliche Wirksamkeit bezügliche Stücke. Ebenso in Neapel, Siena und auf schweizerischem Boden.

Die zu erwartende Publikation, zu deren Vorbereitung allerdings noch weitere Nachforschungen nötig sind, wird einen schätzbaren Beitrag zur Geschichte des Papsttums im 16. Jahrh., wie auch zur Kirchengeschichte Deutschlands liefern.

Bei dem Festakt der Berliner Universität zur Feier des 25. Jahrestages der Wiedererrichtung des deutschen Reiches hielt Geh. Rat Prof. Karl Weinhold die Rede über die Einheitsbestrebungen der Deutschen im Laufe ihrer Ge= schichte. — Die Rede in der Festsitzung der Berliner Akademie der Wissen= schaften am 23. Jan. hielt der an Mommsens Stelle erwählte Sekretär der philol.= histor. Kl., Prof. Diels, auf Friedrich den Großen. Prof. Schmoller be= richtete alsdann über die Publikation der „Polit. Korrespondenz" Fr. d. Gr., von der Bd. XXII (1762 VII — 1763 III) erschienen ist, der letzte Band der nicht rein politischen Korrespondenz, hauptsächlich die Weisungen an Hertzberg betreffs der Friedensunterhandlungen enthaltend. Krauske hat den 1. Bd. der Acta Borussica (bis 1714 reichend) fertiggestellt; ebenso Parey die Geschichte der Getreide= handelspolitik Englands, Frankreichs, Preußens, Italiens vom 13. bis 18. Jahrh. und v. Schrötter die Vorarbeiten zu einer Geld= und Münz= geschichte Preußens im 18. Jahrh.; Nabe beschäftigt sich mit der Geschichte des Bergwerksbetriebes und der Salinen in Preußen im 18. Jahrh.; Krauske wird noch heuer den Briefwechsel Wilhelms I mit Leopold von Dessau veröffentlichen. — Bei der Feier des Geburtstages Kaiser Wilhelms II in der Aula der Berliner Universität am 27. Jan. d. Js. hielt G. Schmoller die (in der Beil. z. Allg. Ztg. 1896 Nr. 29 abgedr.) Festrede und sprach über „das politische Testament Friedrich Wilhelms I von 1722". Das Dokument wird demnächst in den Acta Borussica veröffentlicht werden. Es ist von Fr. W. in der Zeit vom 22. Jan. bis 17. Febr. 1722 ganz allein und selbst ausgearbeitet und niedergeschrieben — 80 Folioseiten in Abschrift — als Instruktion für den Thronfolger. Redner hob mehrere auf Preußens Verfassung, Verwaltung, Armee, Finanzwesen, Industrie und Volkswirtschaft bezügliche Abschnitte hervor, um daran eine sympathische Schilderung der Persönlichkeit des Königs zu knüpfen.

Die Historische Zeitschrift wird seit Oktober 1895 herausgegeben von Heinrich v. Treitschke und Friedrich Meinecke.

Die Göttingischen Gelehrten=Anzeigen sind am 1. Jan. ds. Js. in den Verlag von Weidmann in Berlin übergegangen. Sie haben jetzt ihren 158. Jahrg. erreicht. Der Preis für den in 12 Heften erscheinenden Jahrg. von 65 Druckbogen beträgt 24 Mark.

Vom 1. April 1896 ab wird die Deutsche Zeitschrift für Ge= schichtswissenschaft unter der Redaktion von G. Buchholz, K. Lam= precht, E. Marcks und G. Seeliger in Leipzig erscheinen. Künftig werden neben den Vierteljahresheften noch Monatsblätter ausgegeben. Die Vierteljahreshefte, je 8 Bogen stark, werden wie bisher die Abhandlungen und eine Bibliographie zur deutschen Geschichte, die Monatsblätter, im Umfange von je 2 Bogen, außer kurzen Nachrichten einen kritischen Teil enthalten. Das Abonnement beträgt für den Jahrgang 20, für die Monats= blätter allein 8, für die Vierteljahreshefte allein 16 Mk. Die Besorgung der Redaktionsgeschäfte hat Herr Prof. Dr. G. Seeliger (Leipzig, König= Johannstraße 8/III) im Vereine mit Herrn Privatdocenten Dr. Salomon übernommen.

15*

Die Leitung der Rivista storica italiana hat beschlossen, die Publikation von Aufsätzen aufzugeben, das Feld der Forschungen zu verringern, und nur politisch-historische Studien zu besprechen, endlich werden die Lieferungen der Rivista nicht mehr vierteljährlich, sondern zweimonatlich erscheinen. Jede Lieferung (in der Stärke von 5 Druckbogen) wird aus fünf Teilen bestehen und zwar: 1. Ausführliche, faßliche, bündige Rezensionen der bedeutenderen politisch-historischen Werke; 2. Kurzgefaßte Besprechungen der minder wichtigen Werke; 3. Verzeichnis der neuerschienenen Publikationen über die politische Geschichte Italiens; 4. Umschau in den in- und ausländischen Zeitschriften und Erwähnung der darin enthaltenen Aufsätze, welche die politische Geschichte Italiens angehen; 5. Nachrichten in bezug auf das Programm der Rivista. Die Leitung der Rivista bleibt dem Prof. Costanzo Rinaudo anvertraut, der die Rivista seit ihrer Gründung dirigiert hat. Von 1896 an beträgt das Jahresabonnement nicht mehr 20 Lire, sondern 12 Lire in Italien, 14 Lire in den Ländern des Weltpostvereines. Einsendungen, welche den Inhalt der Rivista betreffen, werden erbeten an die Adresse: Prof. Costanzo Rinaudo, Via Robilant, 3, Torino. Abonnementsaufträge sind zu richten an die: casa Editrice Fratelli Bocca, Via Carlo Alberto, 3, Torino.

Seit 1. Jan. l. Js. erscheint monatlich die „Cosmopolis", internationale Revue, und zwar in 3 Sprachen: Deutsch, Englisch, Französisch; jeder Schriftsteller der drei Nationalitäten wird in der eigenen Sprache schreiben. Uebersetzungen sind ausgeschlossen. Sie wird Aufsätze über Politik, Literatur, Kunst und Wissenschaft enthalten und an demselben Tage in Berlin, London, Paris, New-York, St. Petersburg und Wien zur Ausgabe gelangen, monatlich im Umfange von 18 Bogen gr. 8° (288 S.) zum Preise von 7,50 Mark pro Quartal (3 Hefte). Abonnements bei Rosenbaum & Hart, Berlin W Wilhelmstr. 47.

Unter dem Titel „The Catholic University Bulletin" erscheint vom Jahre 1895 an in Washington eine Zeitschrift als Organ der neuen katholischen Universität in Washington in vierteljährlichen Lieferungen (ca. 10 Bogen), jährlich 2 Doll. Der I. Band liegt abgeschlossen vor.

Bei Voß, Hamburg, wird in zwanglosen Heften eine neue philosoph. Zeitschrift erscheinen, herausg. von H. Vaihinger: „Kantstudien." Sie soll die Kant-Ausgabe der Berliner Akademie vorbereiten.

Bei Korn, Breslau, gibt G. Buschan eine kritische Vierteljahrsschrift über die gesamte einschlägige europäische und amerikanische Literatur heraus: „Centralblatt für Anthropologie, Ethnologie und Urgeschichte."

Im September 1895 wurde zu Dresden mit dem Sitze daselbst ein „Verein für historische Waffenkunde" gegründet. Publikationen sind in Aussicht genommen.

Die Verlagshandlung O. Harrassowitz in Leipzig bereitet als Er=gänzung zu Chevaliers Repertorium hymnologicum die Herausgabe eines Repertorium latinae poeseos (Catholica Hymnologica excepta) von H. Baganay in Leyden vor.

Von A. Ebner wird in Freiburg bei Herder erscheinen: „Quellen und Forschungen zur Geschichte und Kunstgeschichte des Missale Romanum im M.=A."

M. Heimbucher wird in der Ferd. Schöningh'schen „Wissenschaftlichen Handbibliothek" ein 2 Bände umfassendes Werk veröffentlichen über: „Die Orden und Kongregationen der katholischen Kirche."

Für das heuer stattfindende 500jähr. Jubiläum der Certosa b. Pavia bereiten verschiedene Gelehrte, u. a. Prof. Unger (Berlin), ein Werk über die historischen Denkmäler des Klosters vor.

Bei Regensberg in Münster erscheint: „Acta Concilii Constan-ciensis" herausg. von H. Finke. Bd. I (ca. 27 Bg. Lex. 8°, 16 Mark). Der Band behandelt die Vorgeschichte des Konzils. Der II. (Schluß=)Band wird u. a. folg. Abschnitte enthalten: Tagebücher, die Päpste Johann XXIII, Gregor XII und Benedikt XIII und das Konzil, kirchliche Reformakten, Reden, Verhandlungen zur Reichsreform usw., und (ca. 60 Bogen stark) binnen Jahresfrist erscheinen.

Eine bedeutsame Publikation ist erschienen bei Firmin=Didot in Paris: „La France chrétienne dans l'histoire." Ouvrage publié, à l'occasion du 14e centenaire du baptême de Clovis, sous le haut patronage de S. Ém. e cardinal Langénieux et sous la direction du R. P. Baudrillart, prêtre de l'Oratoire. Introduction par S. Ém. le Cardinal Langénieux, Archevêque de Reims. 4°. XXXIII, 84 S., mit ca. 100 Gravüren. fr. 15. (Bgl. Revue de quest. hist. [1896, Jan. 1], liv. 117 S. 201 — 18.) — Liv. I. Les origines chrétiennes de la France. 1. Duchesne, la Gaule chré-tienne sous l'empire romain. 2. G. Kurth, le baptême de Clovis; ses con-séquences pour les Francs et pour l'Église. 3. de Smedt, la vie monastique en Gaule au 6. siècle. — Liv. II. Les services rendus par les Francs à l'Église et par l'Église aux Francs jusqu'à Charlemagne. 1. J. de la Tour, les Francs et la défaite de l'islamisme. 2. P. Fabre, les Carolingiens et le Saint-Siège jusqu'au rétablissement de l'empire en Occident. 3. J. Roy, Charlemagne. — Liv. III. L'Église et la formation de la France. Reims et Saint-Denis. 1. P. Four-nier, Hincmar. 2. M. Sepet, Adalbéron; l'Église de Reims et l'avénement de la dynastie capétienne. 3. U. Chevalier, Gerbert, le premier pape français.

4. Lecoy de la Marche, Suger. — Liv. IV. *La France au service de l'Église à l'époque féodale.* 1. L. Gautier, la chevalerie. 2. Chénon, l'ordre de Cluny et la réforme de l'Église. 3. Vacandard, Saint Bernard 4. de Vogüé les croisades. — Liv. V. *La France et la civilisation chrétienne du moyen-age* 1. Klein, les chansons de gestes. 2. Petit de Julleville, les Mystères. 3. Fr. Delaborde, l'Église et les sources de notre histoire. 4. Ed. Jordan, les Universités. 5. A. Pératé, l'art chrétien au moyen-age. — Liv. VI. *L'Église et la patrie française du 13. au 15. siècle.* 1. Wallon, saint Louis; grandeur de la France au 13. siècle. 2. N. Valois, le Roi Très Chrétien. 3. de Beaucourt, Jeanne d'Arc. — Liv. VII. *La France et la Renaissance catholique dans les temps modernes.* 1. Baudrillart, la France catholique en face du protestantisme au 16. siècle; la papauté et la conversion d'Henri IV. 2. Largent, les congrégations séculières et la réforme du clergé français au 17. siècle; le cardinal de Bérulle, Saint Vincent de Paul, J.-J. Olier 3. Pisani, la France et les missions catholiques sous l'Ancien Régime. — Liv. VIII. *La Culture chrétienne et française du 17. siècle.* 1. R. Doumic, l'idée chrétienne dans l'oeuvre philosophique et littéraire du 17 siècle. 2. A. Rébelliau, la chaire chrétienne au 17. siècle. 3. Prince Emmanuel de Broglie, les Bénédictins français et les services qui'ls ont rendus à la science historique. — Liv. IX. *L'Église et la France au temps de la Révolution.* 1. Sicard, l'Église de France pendant la Révolution. 2. Boulay de la Meurthe, le Concordat de 1801. — Liv. X. *Les service srendus par la France à l'Église et par l'Église à la France à l'époque contemporaine.* 1. Ollé-Laprune, la vie intellectuelle du catholicisme en France au 19. siècle; la défense de la foi. 2. Beurlier, les oeuvres catholiques en France au 19. siècle. 3. G. Goyau, le protectorat de la France sur les chrétiens de l'empire ottoman. 4. Perraud, le cardinal Lavigerie; son oeuvre chrétienne et française en Afrique. 5. d'Hulst, la vie surnaturelle en France au 19. siècle. 6. E. Lamy, le Saint-Siège et la France; Pie IX et Léon XIII.

Das k. preuß. Hausarchiv verwahrt zwei politische Testamente Friedrichs des Großen, eines v. J. 1752 und eines v. J. 1768, welch letzteres eine Umarbeitung des ersteren darstellt. Als Friedrich Wilhelm IV die Herausgabe der Werke Friedrichs II anordnete, kamen auch jene Testamente in frage, und der König forderte über die Zulässigkeit der Veröffentlichung von den Ministern Eichhorn, v. Savigny und Frhrn. v. Bülow am 25. April 1842 ein Gutachten, welches verneinend ausfiel; A. v. Humboldt und Ranke, welche noch zugezogen wurden, sprachen sich ebenfalls für Geheimhaltung aus. Allein in der Folgezeit wurde vielen Gelehrten, wie Droysen, Duncker, Koser, Ranke, Schmoller, Sybel, Taysen, Trendelenburg, die Einsichtnahme und teilweise Benützung der Testamente gestattet; zuletzt konnte M. Lehmann einen Abschnitt des Testamentes von 1752 bruchstückweise verwerten für seine Schrift: „Friedrich der Große und der Ursprung des 7=jährigen Krieges" (1894. Vgl. Hist. Jahrb. XVI, 183). Diese Schrift L.s hat bekanntlich einen lebhaften, bis zur Stunde unausgefochtenen Streit*) wachgerufen, zugleich aber auch die Frage nach der authentischen Veröffentlichung jener Fridericianischen Dokumente zu einer brennenden gemacht. Das letzte (2.) Heft des 76. Bandes der Historischen Zeitschrift fordert nun in einer energischen „Erklärung" der Redaktion (H. v. Treitschke und F. Meinecke) die Herausgabe des Testamentes v. J. 1752 und die Beil. z. Allg. Ztg. 1896 Nr. 45 schließt sich dem an.**)

Die Comeniusgesellschaft hat für das Jahr 1896 als Preis= aufgabe gestellt: „Darstellung der projektierten Universal=Uni= versität des Kurfürsten Friedrich Wilhelm und der Zusam= menhang dieser Pläne mit den Ideen des Comenius und der Akademien der Naturphilosophen des 17. Jahrhunderts." Preisrichter: Prof. Kleinert (Berlin), Prof. Erdmannsdörffer (Heidelberg), Prof. Varrentrapp (Straßburg) u. Archivrat Keller (Berlin). Ablieferung: 31. Dez. 1896 an die Geschäftsstelle der Comeniusgesellschaft. Berlin, Charlottenburg, Berliner Str. 22.

Für die Lamey=Preisstiftung hat die Universität Straßburg folgende Preisaufgabe gestellt: „Die deutsche Bildhauerkunst des 13. Jahrhs., ihre Geschichte und Charakteristik, unter Berücksichtigung des Verhältnisses zur französ. Kunst." Preis: 2400 Mark. Termin: vor dem 1. Januar 1897. Geschäftsstelle: Universitätssekretariat.

Am 20. Januar begannen zu Berlin im Auswärtigen Amte die Be= ratungen zur Vorbereitung der in der zweiten Hälfte des April in Paris tagenden internationalen Urheberrechts=Konferenz. Es handelt sich um Abänderung verschiedener Artikel der Berner Konvention, u. a.: Art. 5 (Gleichstellung des Uebersetzungsrechtes mit dem Ur= heberrecht an Originalwerken); Art. 7 (Ausdehnung des Urheber= rechtsschutzes auf die in periodisch. Zeitschriften veröffent= lichten literar., wissenschaftl. und kritischen Artikel . . . unter Wegfall des Erfordernisses der Nachdrucksverbotsklausel); Schlußprotokoll; Nr. 4 (Ausdehnung der Schutzbestimmungen auf posthume Werke).

Für den auf die Zeit vom 11.—14. Sept. l. Js. nach Innsbruck anberaumten Deutschen Historikertag hat sich ein Ortsausschuß von 13 Herren gebildet, worunter auch die Professoren Hirn, Kaltenbrunner, v. Ottenthal, Pastor, v. Scala u. a. sich befinden.

---

*) Das Historische Jahrbuch wird im nächsten Hefte dazu Stellung nehmen.
J. Weiß.
**) Auch das Historische Jahrbuch kann die Veröffentlichung nur lebhaft befürworten.
H. Grauert.

232

Nekrologische Notizen.

Am 1. Nov. 1895 starb in seiner Heimat Hirschau in der Oberpfalz
Dr. Ferdinand Janner, geb. 4. Febr. 1836, 1867 zum Prof. der
Kirchengeschichte, christl. Archäologie und Kunstgeschichte am k. Lyzeum in
Regensburg ernannt, seit 1888 in Pension. Sein Hauptwerk auf historischem
Gebiete (von den liturgischen, polemischen und sonstigen Arbeiten sehen wir
hier ab) bildet die dreibändige Geschichte der Bischöfe von Regensburg
(Regensburg 1883—87). Leider blieb sie unvollendet und bricht mit dem
J. 1507 ab. Die noch vom Vf. bearbeitete Fortsetzung (Mspt. im Besitze
des Unterzeichneten) umfaßt nur wenige Jahre. Interesse verdient auch
J.s Manuskript zu seinen Vorlesungen über christl. Archäologie, welches
aus einer Zeit stammt, da noch an wenigen Hochschulen von diesem Fache
die Rede war.   Ebner.

In Eichstätt starb am 15. Nov. 1895 Dr. Albert Stöckl. Geboren
zu Möhren am 15. März 1823, erhielt St. den Lehrstuhl der Philosophie
am bischöflichen Lyzeum zu Eichstätt am 18. Okt. 1850, den er 1862 mit
jenem an der Akademie in Münster vertauschte; 1870 kehrte er wiederum
zurück und nahm 1872 seine Lehrthätigkeit wieder auf, die er bis Oktober
1895 fortführte. Von seinen historischen Schriften sind zu nennen: Ge=
schichte der Philosophie des Mittelalters. 3 Bde. 1864—66. Lehrbuch
der Geschichte der Philosophie. 3. Aufl. (Wurde von dem Jesuiten Finlay
ins Englische übersetzt.) Lehrbuch der Pädagogik. 1876. Geschichte der
neueren Philosophie von Bacon und Cartesius bis zur Gegenwart. 2 Bde.
1882. (Dagegen schrieb Th. Weber eine 50 Seiten starke Broschüre als
„Ein Beitrag zur Beurtheilung des Ultramontanismus." Gotha, Fr. And.
Perthes. 1886.) Außerdem schrieb St. verschiedene historische Artikel im
Herderschen Kirchenlexikon und im Staatslexikon der Görresgesellschaft, bis
zum J. 1894 aufgeführt von Romstöck, Personalstatistik und Bibliographie
des bischöflichen Lyzeums in Eichstätt S. 161—62.   A. Hirschmann.

Es starben: in Paris am 24. November 1895 der Staatsmann und Gelehrte
Barthélemy Saint=Hilaire, 90 J. a.; in Padua am 29. Nov. der Historiker
Giuseppe de Leva; in Dorpat am 20. Dez. der Prof. d. allgem. Gesch. R. Rathlef;
in Hamburg am 26. Dezember der Historiker L. O. Bröcker; zu Würzburg am
1. Jan. 1896 der Prof. der Theologie J. Grimm, 68 J. a.; in Jena am 21. Jan.
der Orientalist J. G. Stickel, 91 J. a.; zu Bordeaux am 24. Jan. der Philologe und
Bibliograph P. G. Brunet, 89 J. a.; in Brünn am 28. Jan. der Historiker, Hofrat
Chr. Ritter d'Elvert; in München am 2. Febr. der Historiker, Oberkonsistorialrat
J. W. Preger; in Heidelberg am 10. Febr. der Prof. d. Gesch. an der Universität,
Geh. Hofrat E. Winkelmann, 57 J. a.

Anfrage.

In einem Manuskript saec. XIV. fanden sich einige auf die Ver=
kündigung Mariä bezügliche Stellen in ungarischer Sprache. Die ungarische
Akademie in Budapest gibt davon die nachfolgende wortgetreue lateinische
Uebersetzung und wendet sich an alle Kenner der patristischen Literatur
um freundliche Auskunft, ob und wo sich etwa in Homilien oder Sermonen
Aehnlichkeiten und Anklänge an diese Abschnitte finden, die zur Feststellung
der Quelle oder des Autors der letzteren führen könnten. Für sicheren
Nachweis gewährt die genannte Akademie ein entsprechendes Ehrengeschenk.

a)

incontemptibilem suscipiant. Dominus Deus ita locutus est: quis foret
meus dilectus fidelisque servus, qui legatione mea fungi posset, choros
angelorum cito praeteriret, coelos dirumperet, civitatem Nazareth invenire
posset; ibi est habitaculum virginis intactae, ortus ejus ex progenie regali,
egressus de virga gloriosa Aaron. Vade Gabriel et fungere legatione mea,
a rege regum ad matrem deitatis, ad dominam angelorum; honorem
praestiti: accipe legationem meam, dirumpe coelos, nec habeas servum
aliquem: ad virginem . . . . . in abscondito, ad sponsam Joseph his
verbis: Ave mater Dei, gratia plena etc.

b)

regis regum sancta aurea ara, beata mater Virgo Maria; et ut recte ea
nomineris in terra et in coelis, prodigium tuum quale erat in oraculo,
sanctae Sibyllae talis apparebas, quae oraculis insistens, oculis ad coelos
levatis, teque decoram videns, propter deitatis nomen de te tali modo
loquebatur: . . . . video novum oraculum, virgo filium peperit, in quo
miraculum ostendit et mater gestat in gremio, quae . . . gloriam, sicut
ego scio, ab illaque conceptum fuisse cognosco: hic sanctus est, non
est aliquis puer, verum Deus . . . . .

c)

ita loquebantur: a saeculo non est factum tale, ut virgo filium pariat,
speculum virginitatis purum maneat et nos hujus rei inscii simus. Scimus,
videmus illam virginem quae in gremio gestat filium admirabilem; balneat,
lavat, nutrit, lactat sicut mater natum suum, sed quid sit pater ejus, id
scire non possumus. Hic est Deus ut illum noscimus, quem macula
tangere non potest, nam si ille Deus non esset, peccatum in illo invenire
possemus. Amen.

J. A.

St. Ehses.

Rom.

Durch Beschluß der letztjährigen Generalversammlung der Görres-
gesellschaft zu Fulda ist vom 1. Januar 1896 ab die verantwortliche
Herausgabe des Historischen Jahrbuches dem Unterzeichneten
übertragen worden.

Dieser Redaktionswechsel ändert nichts an dem grundsätzlichen
Charakter der Zeitschrift. Sie wird die alte bleiben und hofft, bei
Mitarbeitern und Lesern weiterhin die alte Teilnahme zu finden.

München im März 1896.

Dr. Joseph Weiß,
Sekretär am k. Geheimen Staatsarchive.

Die Entwickelung der Grenzlinie aus dem Grenzsaume im alten Deutschland. *)

Von Hans F. Helmolt.

> „Im Wesen der Staatenbildungen
> der Naturvölker liegt Unbestimmtheit der
> Grenze.“
>
> Ratzel, Völkerkunde (2. Aufl.) I, 128.

Deutschland war damals, als es Germanen zu besiedeln begannen, mit Ausnahme einiger Striche im großen und ganzen von Wald bedeckt. Das Gefühl für die Schönheit des Waldes hat sich erst spät entwickelt. Noch im 5. nachchristlichen Jahrhundert schreibt Salvianus, de gubernatione Dei VI, 2: „Adeuntur loca abdita, lustrantur invii saltus, peragrantur silvae inexplicabiles, conscenduntur nubiferae Alpes, penetrantur inferae valles, et ut devorari possint a feris viscera hominum, non licet naturam rerum aliquid habere secretum, sed haec, inquis, non semper fiunt. certum est.“ Darum lauten die Urteile der Römer über Deutschland absprechend. Aber gerade darum läßt sich auch ohne große Schwierigkeit aus Senecas früher Schilderung (Dialogorum I, 4, 14 ff.); die sich dem Taciteischen „aut silvis horrida aut paludibus foeda“ (Germ. 5) würdig an die Seite stellt, und aus vereinzelten Worten des älteren Plinius manches Beachtenswerte herausschälen. Abt Eigil ringt förmlich nach Worten, um so recht eindringlich den überwältigenden Eindruck jener Wälder hervorzuheben,

---

*) Ein Versuch, die anthropogeographische Theorie Friedr. Ratzels von der Entwickelung der Grenzlinie aus dem Grenzsaum an den Nachrichten über Grenzöden und Grenzstreifen des alten Germaniens praktisch zu prüfen. ›Nec ad hoc opus temeritas impulsat, sed praeceptoris mei venerabilis adduxit persuasio.‹ (Hemolt.) — Die Neuen Heidelb. Jahrb. von 1895 u. a. sind hierbei noch nicht berücksichtigt. [Das Manuskript wurde i. J. 1894 bei der Redaktion eingereicht. D. R.]

die Sturmi als Presbyter auf Bonifazens Geheiß durchwanderte (Vita
S. Sturmi cc. 4. 8). Noch jetzt ist ein Viertel alles deutschen Grund
und Bodens Wald. Andererseits darf man sich freilich auch nicht zu
einer Ueberschätzung verleiten lassen. Julius Cäsar berichtet von
gewaltigen Massen feindlicher Germanen: wie hätten diese bei ihrer
weitmaschigen Besiedelungsart Unterhalt finden können, wenn nur Wald
den Boden bestanden hätte?

Allerdings ist Wald noch keine Oede. Formelhafte, oft noch durch
Superlative verstärkte Ausdrücke wie „vasta solitudo", „eremum"
könnten diese Gleichung nahelegen. Aber ebensowenig wie man nach der
Auffindung einer römischen Inschrift aus der Kaiserzeit durch Hahn
bei Ochrida Strabons Nachricht, daß seit der Vernichtung der illyrischen
Dasaretier durch die Skordisker auf Tagereisen hin unwegsame Wälder
entstanden wären (Geogr. VII, 5, 12), unbedingten Glauben schenken
darf, ebensowenig Gewicht ist den stereotypen Redensarten beizulegen,
die uns in den älteren Nachrichten über die Besiedelung unseres Vaterlandes begegnen. Besonders einleuchtend ist die Unhaltbarkeit der Behauptung einer Menschenleere, wenn es sich um den Gegensatz zwischen
Heiden und Christen, zwischen angesessenen Slawen und kolonisierenden
Germanen handelt: Der slawische Bauer ist schwerer körperlicher Arbeit
abgeneigt und unterwarf nur ungern und nicht nachhaltig genug den
Gebirgswald der Rodung und dem Pfluge. Für den überlegnen christlichen Germanen existierte der heidnische Slawe überhaupt nicht.

Darf man also nicht ohne weiteres Wald als Oede auffassen, so
dürfen doch die Fälle nicht übersehen werden, wo weite öde Streifen
das alte Germanien umsäumten. Hier muß man aber wiederum prinzipiell scheiden zwischen planvoll angelegten Grenzöden und zufällig
wüsten Grenzländern. Als eine der zweiten Art ist das Dekumatenland
im 5. Jahrh. zu betrachten: man lese Eugipps eindringliche Schilderung
der Verwüstungen des Ufer-Norikum; dagegen gehörte es zu der weisen
Politik Karls des Großen, weite Landstriche zu verwüsten. Das „Uecht-
land", wie die nach den unaufhörlichen Alamanneneinfällen und Hunnen-
zügen der Ebene der westlichen Schweiz zuströmenden Burgunden Freiburg, Bern und Solothurn tauften, ist von vornherein auf eine andere
Stufe zu stellen als die Gegenden, von deren Behandlung durch Karls
Feldherren es in den Annalen von Lorsch, Metz und Moissac auf
Schritt und Tritt heißt: „et vastaverunt regiones illas". Anlegung
von Oeden und Burgenbau dahinter kennzeichnen die Ausdehnung des
karolingischen Frankenreiches. Die Markenverfassung dieser Periode
trägt den aktiven Charakter einer bewußten Anlage; die Erscheinung

der unbewohnten Striche im Innern und der von räuberischen Ueber=
fällen her noch wüstliegenden Länder zeigt einen passiven Zug. So
enden auch beide nicht gleichmäßig: das Institut der Grenzöde fällt
mit dem System, von den hereinflutenden Nachbarn wird sie bald in
Besitz genommen. Dagegen erholt sich lange brach liegendes Land nur
schwer von seinen Wunden; wenn sich auch in besonders geschützten Ge=
genden durch thatkräftiges Eingreifen der späteren Herren viel geändert
hat: die Dotationen der agilolfingischen Baiernherzoge an Kirchen um=
faßten allein im Salzburgischen 324 Gehöfte ehemals römischer Pro=
vinzialen!

„Weitmaschig" habe ich oben (S. 236) die früheste Besiedelungsart
der Germanen, von der wir Kunde haben, genannt. Der Vorgang
war ungefähr folgender. Alles Land, das der Gau als Unterabteilung
der Völkerschaft in Besitz nahm, gliederte sich in Feldmark, Allmende
und Grenzwald. Feldmark ist die unter dem Pfluge liegende Flur,
Allmende der diese einschließende Wald= und Weide=Gürtel, worin
jeder Markgenosse gleiches Anrecht auf Jagd, Fischerei, Holzung, Weide
und Rodung hatte. Grenzwald war das ganze Grenzgebiet mit seinen
Wäldern und Felsen, Seen und Sümpfen. Er war dazu da, abzu=
schließen und zu trennen; er gehörte niemand. Mit der Bevölkerung
wuchs aber das Bedürfnis, diesen Wald zum öffentlichen Eigentume zu
machen und damit in den Dienst der Allgemeinheit zu stellen. Bei der
Bildung größerer Staaten ging er dann naturgemäß in den Besitz des
Königs über, er wurde fiskalisch.

Die deutsche Dorfgemeinde besaß also außer dem bedauten Land
ein umfangreiches Gebiet; das nur in geringem Maße in den Wirt=
schaftsbetrieb hineingezogen wurde. Man vergleiche damit die Formeln
der Urkunden für die sogenannten Pertinenzen, besonders den überall
wiederkehrenden Ausdruck „terrae cultae et incultae". Ebenso nun
lagen um den Reichskörper herum eine Anzahl von Marken, die mit
ihm nur in lockerer Verbindung standen. Diese Gliederung liegt im
innersten Wesen der deutschen Siedelung. Höfe oder Dörfer eines Gaues
hatten strenggenommen eine starre Absonderung nicht nötig. Und doch
ist gerade das Sondereigen schon in frühester Zeit abgegrenzt gewesen.
Der Hof des einzelnen wurde durch Gatter und Graben abgeschlossen,
das Thor vermittelte den Verkehr nach außen. Der Acker dehnte sich
bis zum Walde hin aus; hier gab es keine genauen Grenzen, oft hat
sich der Wald Terrain zurückerobert. Geschah die Siedelung dorfweise,
so mußte mit Hilfe des Seiles eine kunstmäßige Aufteilung der einzelnen
Lose erfolgen. Wo zwei nahe bei einander hausen, ist genaue Abgrenzung

16*

Postulat. Doch eben nur für verhältnismäßig kleine Strecken. Deshalb
müssen wir die Grenzen, die den Beruf hatten, einzelne von Markgenossen
bebaute Räume gegenseitig zu scheiden, von den Gau= und Völkergrenzen
trennen, die weite Gebiete umfassen.[1]) Es liegt in der Natur der Sache,
daß kleine Gebiete, weil leicht zu übersehen und bald bis in den fernsten
Winkel ausgenutzt, durch genaue Abgrenzung vom Nachbarhofe, vom
Nachbardorfe geschieden wurden. Eine kleine Grenze war schon früh
eine Linie, eine Gerade. Der Acker, die Hufe wurde, zwar nicht mit der
Genauigkeit, ja Künstelei, wozu es die Römer gebracht hatten — die
bereits ein Jahrtausend vor den Deutschen sogar ihre „prata" im Aus=
land genau abgrenzten (vgl. CJL. II, 2916) — aber doch durch
eine reinliche Scheidung von den benachbarten Grundstücken gesondert.
Und wenn es durch die vom Acker aufgelesnen, auf den Feldrain ge=
worfnen Steine geschehen wäre. Somit kommt die innere Grenzlegung
für unsere weitere Untersuchung in Wegfall.

Ein zweiter Punkt muß ebenfalls hier unberücksichtigt bleiben: ich
meine die Art und Weise, wie germanische Völkerschaften bereits besetztes
Land mit den Unterworfenen geteilt haben. Von vornherein ist klar, daß
hierbei ganz andere Verhältnisse zu grunde liegen. Rasch bequemte sich
der Germane den römischen Einrichtungen in Thrakien, Gallien, Italien,
Spanien und Afrika an. Nachdem er eine gewisse Uebergangszeit hin=
durch bei dem Römling in Einquartierung gelegen hatte, begnügte er
sich zum Seßhaftwerden mit zwei Dritteilen. Dafür genügt es, auf
Gaupps „Germanische Ansiedlungen und Landteilungen in den Pro=
vinzen des römischen Westreichs" (1844) hinzuweisen. Hier werden wir es
nur in beschränktem Maße mit den Römern zu thun haben; im übrigen
dienen uns reine, von höherer Kultur noch nicht mächtig beeinflußte
Siedelungen der Germanen als Grundlage.

Jede deutsche Siedelung also hat ihre Mark. Was bedeutet „Mark"?
Jakob Grimm nimmt in seinen „Deutschen Grenzaltertümern" als Ur=
bedeutung hierfür „Wald" an; John Mitchell Kemble (Die Sachsen
in England, übers. v. Brandes) möchte ihm darin folgen.[2]) Wie dem

---

[1]) A. Schiffner macht sogar noch einen Unterschied zwischen den Grenzen der
Gaue und denen ihrer Unterabteilungen: „Zu Grenzen der Burgwarde nahm man
bald fließende und stehende Wässer, bald Anhöhen und Wasserscheiden, bald Straßen
und geringere Wege, während dagegen Gebirge und große Haiden als Grenzgegenstände
vom 1. Range ganze Gauen von einander trennten." (Neues Lausitzisches Magazin XII,
[1834], 44 f.)

[2]) Vgl. auch W. Crecelius in der Zeitschr. des Bergischen Geschichtsvereins
XXVII, 282.

auch sei, für das frühe Mittelalter muß man sich die doppelte Bedeutung vergegenwärtigen: Grenze oder Grenzgebiet und genossenschaftlicher Besitz. Sie scharf auseinanderzuhalten, ist oft gar nicht möglich. Aehnlich bedeutet „confinium" bald Gebiet überhaupt, bald Grenzgebiet;[1]) dieses besonders dann, wenn es durch den Zusatz zweier Länder fixiert wird: „in confinio Germaniae Raetiaeque" (Tac. Germ. 3), „in Francorum Saxonumque confinio (Ex vita S. Lebuini, MG. SS. II, 361).

Für die Gemeinde wird die Grenzmark durch die Allmende vertreten, für den Staat oder den Gau durch den Grenzwald, die Mark.

Der Ursprung, die Notwendigkeit der Grenzmark liegt im Schutzbedürfnis. Abschluß gegen Feinde oder mißgünstige Nachbarn ist das prius; in der Zeit, wo man noch aus dem Vollen wirtschaftete, war der Gebrauch üblich, die an den Erbhof anschließenden Markgründe des Hofes „Frieden" („Frede") zu nennen. Verkehr, der die Schranken mehr oder weniger lockert und aufhebt, folgt später. Ebenso wie sich der Richter seinen Bezirk,[2]) der Bischof seinen Sprengel[3]) gegen nachbarliche Uebergriffe zu sichern wußte, ebenso hatte die noch unkultivierte Genossenschaft das Bedürfnis, ihr Gebiet zu schützen. Der Grundgedanke war damals: Trau, schau, wem! Wie aber wurde dieser praktisch durchgeführt? Wurden künstliche Vorkehrungen getroffen, die eine Trennung bewirkten? Nein. Die Natur bietet sich selbst dazu in reichlichem Maße dar. Die bewaldeten Bergrücken, die unwegsamen Sümpfe, die Seen und — für die erste Hälfte des Mittelalters noch — die Ströme und Flüsse haben des Sondernden so viel, daß nach weiterem nicht gesucht zu werden brauchte. Das ist der „große Grenzenzug", — wie sich Jak. Grimm ausdrückt — „der Bergen, Wäldern und Gewässern nachfolgt und gleich der Natur selbst gerade Linie meidet." Deutschland nun ist durch seine mannigfaltige vertikale Gliederung zum Schauplatze zahlreicher politischer Sonderungen geradezu prädestiniert. An und für sich ist das kein Schade — im Gegenteil: der Mangel an natürlichen Grenzen schadet nur. Sallust erzählt uns ausführlich (Bell. Jugurth. 79), wie sich aus Anlaß eines Grenzstreites zwei Karthager heroisch für ihr Vaterland opferten, und nennt als Ursache: „Ager in medio

---

[1]) Interessant ist die Metapher, die Lessing einmal („Der nötigen Antwort auf eine sehr unnötige Frage des Herrn Hauptpastor Goeze in Hamburg erste Folge," Kap. 1) gebraucht, indem er die orthodoxen Lutheraner tadelt, daß sie „durchaus keinen Menschen . . auf den aus feiger Klugheit verwüsteten und öde gelassenen Confiniis beider Kirchen dulden wollen".

[2]) Gesetz Chlothars II vom 18. Oktober 614, cc. 12. 19.

[3]) Lex Alamannorum, tit. 23, 4.

(zwischen dem Gebiete der Karthager und Kyrenäer) harenosus, una specie, neque flumen neque mons erat, qui fines eorum discerneret; quae res eos in magno diuturnoque bello inter se habuit." Denselben Grund hatten nach Einhards Ansicht die fortwährenden Grenzkriege zwischen Sachsen und Franken: „Termini videlicet nostri et illorum paene ubique in plano contigui" (Vita Karoli, c. 7).

Die örtliche Gliederung beherrscht bis zu einem gewissen Grade den Gang der Geschichte. Bis zu einem gewissen Grade; denn Ritters Teleologie, die Erde sei ein absichtsvoll angeordneter Schauplatz zur Erziehung des Menschengeschlechts, wird durchlöchert, wenn man die geistigen Impulse recht würdigt, die doch nicht minder der Geschichte ihre Bahnen gewiesen haben. Darum hat Kapp die Aufgabe der Erd= kunde richtiger erfaßt, wenn er ihr die Pflicht zuerteilt, stets die Phasen der politischen Physiognomie der Länder aufzuzeigen. Aber die Macht der Oberflächengestalt wird erst durch die fortschreitende Gesittung über= wunden. Die erste Besiedelung ist vom Bodenrelief abhängig. Diesen Satz muß man sich immer vor Augen halten, wenn man die ältesten Sitze der Völker und ihre Ausdehnung kennen lernen will. Nichts ist thörichter als ohne Berücksichtigung der orographischen Gliederung alte Geographie treiben zu wollen. Und doch trifft man selten auf Versuche, aus der Natur des Landes heraus die Geschichte eines Volkes zu erklären. Besonders für die Rekonstruktion der alten Völkergrenzen gilt das Dichter= wort: In der Beschränkung zeigt sich erst der Meister. Treffend sagt Desjardins (in seiner Géographie historique et administrative de la Gaule Romaine II, 1878, 430): „Il serait téméraire de délimiter le territoire de chacun des peuples de la Gaule à l'époque de César. et chimérique de prétendre en adapter l'étendue et les limites à la carte des diocèses du IVᵉ siècle; il faudrait pour cela imaginer des frontières qui n'existaient probablement pas — du moins avec un tel degré de précision — pour les Gaulois eux-mêmes . . . Nous nous bornerons donc . . à indiquer exactement le centre de ces peuples et plus vaguement la superficie qu'ils occupaient, à l'aide de nos anciennes désignations de pays, en nous gardant bien d'en tracer, même approximativement, les contours." Daraus folgt aber auch, daß diese Aufgabe in dem Grade erleichtert wird als das Boden= relief scharfe Konturen aufweist.

Eine weitere Schlußfolgerung ergibt, daß das alte Germanien keine schmalen Grenzlinien, sondern nur breite Grenzsäume gekannt habe. Das Netz der Siedelungen war aus weiten Maschen gewebt. Grund und Boden zum aufteilen war genügend vorhanden: „facilitatem par-

tiendi camporum spatia praestant" (Tac. Germ. 26). Der Wald schien
unerschöpflich zu sein. Erst mit dem Wachstum der Bevölkerung wurden
die Allmenden und schließlich oft auch der Grenzwald zerkleinert, jetzt
erwachte das Bedürfnis nach genauer Abgrenzung. Nichts ist natürlicher
als dieser Vorgang. Man stelle sich zwei Siedelungen vor, die eine
zu diesem, die andere zu jenem Gau gehörig; zwischen beiden der große
Grenzwald. Noch ist Land reichlich vorhanden. Mählich wächst die Zahl
der Markgenossen, sie nehmen immer mehr Flur unter den Pflug. Man
beginnt, die Allmende aufzuteilen. Den übrigen Gemeinden der beiden
Nachbargaue gehts genau so. Man einigt sich, um Erlaubnis zur
Rodung in der terra salica, dem Grenzwalde, einzukommen. Nun
wird die Weide weiter in diese hineinverlegt; bevölkerte doch im
ersten Jahrtausend nach Christus die deutschen Wälder hauptsächlich das
Schwein. Auf einmal stoßen die Tag und Nacht im Walde wohnenden[1])
Hirten auf die des Nachbargaues, Streitigkeiten entspinnen sich. Diese
erledigen sich erst durch die genaue Festlegung des beiderseitigen Gebietes. So entsteht aus dem Saume die Linie.

Die Grenzlinie ist das Resultat einer höheren Kultur, ihr Super-
lativ ist die Gerade. Wo sich aber Zivilisation noch nicht entwickelt hat,
wo die Besiedelung noch weite Intervalle aufweist, da wird stets der
Streifen den Staat umgürten. Diese aus dem Schutzgefühl entspringende
Erscheinung läßt sich im kleinen schon in den Solonischen Gesetzen[2])
und in einem alten Verbote der Benutzung τῆς γῆς τῆς ἱερᾶς καὶ τῆς
ἀορίστου, das Athen gegen Megara aufrechterhalten wollte,[3]) deutlich
im großen erkennen. Auch die kriegerischen Römer sahen es, besonders
in der Kaiserzeit gern, wenn zwischen ihnen und den Barbaren ein
herrenloser Landstrich lag; auf den römischen „Pfahlgraben" werden
wir weiter unten ausführlicher zu sprechen kommen. Und als die Kraft
Roms erlahmte, kam es, daß nunmehr Barbaren den Römern verboten

---

[1]) Vgl. damit die Bestimmung über die »bubulcos atque porcarios vel
alios pastores« in dem Konzilsbeschlusse von 650: Reginonis abb. Prum. de syno-
dalibus causis II, c. 240.

[2]) Plutarch, Solon 23: ὥριυε δὲ καὶ φυτειῶν μέτρα μάλ᾽ ἐμπείρως . . .
βόθρους δὲ καὶ τάφρους τὸν βουλόμενον ἐκέλευσεν ὀρύσσειν, ὅσον ἐμβάλοι βάθος,
ἀφιστάμενον μῆκος τἀλλοτρίου.

[3]) Thukydides I, 139. Einen kurzen Ueberblick über ähnliche Institute in
China, Medien, Aegypten, Pannonien, Dakien und Britannien gibt Hübner in den
Jahrbb. d. Vereins v. Altertumsfreunden i. Rheinl. LXIII, 1878, 17 ff.; vgl. auch:
von Cohausen, der röm. Grenzwall in Deutschl., 1884, 308 ff., und Jung, Römer
und Romanen i. d. Donauländern, 1877, 40 ff. 118 ff.

ſich anzuſiedeln: Attila ſperrte auf dieſe Weiſe ein Gebiet von mindeſtens 1000 Quadratmeilen. Verwandte Beſtimmungen finden ſich in der Lex Visigothorum (IX, 1, 6; XII, 3, 20); nichts anderes war es, wenn die Spanier gegen die Franken zeitweilig eine Grenzſperre einrichteten (Gregor. Juron. IX, 1). Viermal endlich begegnet uns in Kapitularien Karls des Großen das Verbot der Ausfuhr von Kontrebande („ut arma et brunias non ducant ad venundandum“): in den Jahren 779, 781 (?), 803 und 805. Sobald ſich jedoch das Reich gefeſtigt hat, ver= ſchwinden dieſe Beſtimmungen. Die Entwickelung der Grenzlinie aus dem Grenzſaume iſt daher nicht allein durch das Wachstum der Be= völkerung, ſondern ebenſo auch durch eine mit höherer Kultur gepaarte Konſolidation des Staates bedingt. Eins ohne das andere iſt nicht denkbar. In der That wird ſich zeigen, daß in unſerem Deutſchland die Grenzlinie in einer Periode zu erſcheinen beginnt, die durch die Feſtigung des Reichsgedankens beſonders gekennzeichnet wird.

* * *

Auf induktivem Wege ſind wir zu dem Reſultate gekommen, daß im alten Germanien die Grenze des Gaues, des Herzogtumes, des Reiches nur ein dreiter Saum, unter Umſtänden ein öder Saum ſein konnte. Jetzt wollen wir empiriſch die Probe darauf machen. Aus einzelnen Angaben muß ſich für Deutſchland eine Periode feſtſtellen laſſen, wo ſich der Vorgang der Geburt der Linie aus dem Streifen abgeſpielt hat. Darum müſſen wir die Zeiten von dem erſten geſchicht= lichen Auftreten der deutſchen Siedelung wie es uns durch Cäſar und Tacitus überliefert worden iſt, bis dahin verfolgen, wo das herrenloſe Land, ein ſchier unverſiegbarer Schatz der Könige, freigebig ausgeteilt wurde. Dann kommt eine Zeit, wo man fühlte, daß auch dieſer dahin= ſchwand. Das Ende war ſchließlich ein Saekulum, wo jede Fußbreite Landes von hohem Werte war und mit einer ſich proportional ſteigernden Zähigkeit gehalten oder erſchwindelt wurde.

Von vornherein iſt es klar, daß die Entwickelung der Grenzlinie nicht überall in deutſchen Gauen gleiches Tempo eingehalten haben kann. Das weſtliche Germanien iſt viel früher einer intenſiven Bewirtſchaftung unterworfen geweſen als das öſtliche, und von den öſtlichen Strichen wiederum wurden die ſüdlichen eher bedaut als die nördlichen. Daraus ergibt ſich a limine, daß wir die Längen= und auch die Breitenlage mit in Anſchlag bringen müſſen. Und auch ſonſt ergeben ſich natürliche Unterſchiede, die an der einen Stelle den Fortſchritt hemmten, an der anderen beförderten. Doch ſind ſie alle nicht ſo gewaltig, daß ſie den großen Zug ſtören könnten, der durch die ganze Entwickelung geht.

Ehe wir aber zu den Thatsachen selbst übergehen können, müssen wir uns erst darüber klar werden, was alles von den natürlichen Grenzen als Saum gelten darf.

Da ist vor allen Dingen Wald eine Scheide, über deren Charakter als Streifen kein Zweifel herrscht. Dasselbe gilt vom Gebirge, be= sonders vom Waldgebirge: oft läßt sich ja gar nicht genau entscheiden, ob mehr der Wald, ob mehr das Gebirge die Grenze bildete. (Vgl. unten S. 261.) Man denke nur an solche Namen wie Thüringer Wald, Franken=Wald, Wasgen=Wald, Ardenner=Wald usw. Jetzt noch sind die meisten deutschen Höhenzüge bewaldet. Und dennoch ist schon hier eine Unterscheidung zu konstatieren. In früher Zeit war das ganze vom Walde bedeckte Gebirge die natürlichste Völkerscheide: „vel silvae maiores, vel montium juga interiecta utrorumque agros certo limite disterminant" (Einhard, Vita Karoli c. 7). Nun habe ich schon oben darauf hingewiesen, wie falsch es wäre, Wald mit unbewohnter Oede zu identifizieren. Wenn uns in den Urkunden oft Ausdrücke be= gegnen wie „silva nondum culta", so folgt daraus, daß mindestens ebenso oft silva culta existierte. Waren doch am Ausgange des Mittel= alters manche Wälder durch planlose Abholzung dermassen verwüstet, daß man anfing, Waldordnungen zu verfassen; so that dies für Salz= burg der Erzbischof und Kardinal Matthias Lang in der ersten Hälfte des 16. Jahrhunderts. Es wurde also mit der Zeit die Besiedelung auch in das Waldgebirge vorgetrieben;[1]) doch blieb immer noch Raum genug übrig, daß an die Linie nicht zu denken ist: man half sich mit der Wasserscheide. Sie kommt unter den mannigfachsten Ausdrücken in den Urkunden vor: als Schneeleuse, descensus pluvialis aquae, Schneeschmelze, Schneeschleife, Wasserseige, Bachschleife, in den Salz= burgischen Taidingen als Kuglmarch, Kuglwaid. Und schließlich gelangte man dazu, im Kamme des Gebirges die Grenze zu finden; dann reichte das Gebiet „ad (in, per) summitatem montis", „per summam costam", „usque verticem montis". Hiermit hat das Gebirge aufgehört, ein Grenzsaum zu sein. Das ist wohl zu beachten. Rein vom theoretischen Standpunkt aus betrachtet ist es allerdings falsch, nach der Kammlinie zu teilen. Hahn sagt darüber in seiner Abhandlung zur Geschichte der Grenze zwischen Europa und Asien (Mitt. d. Vereins für Erdkunde zu

---

[1]) Ein besonders charakteristisches Beispiel für die Bewohntheit großer Wälder ist enthalten in dem Briefe des Bischofs Arnold von Halberstadt an Heinrich I von Würzburg aus dem Jahre 1007, wo es von der Bamberger Gegend heißt: »totam illam terram pene silvam esse; Sclavos ibi habitare« (Jaffé, biblioth. V, 477).

Leipzig XXI, 1881, 101) folgendes: „Wollen wir eine Naturgrenze
ohne Rücksicht auf die Kulturverhältnisse und die politische Zugehörigkeit
der betreffenden Landschaften ermitteln, so haben wir eine Teilung großer
orographischer Provinzen, insbesondere also eine Teilung von Gebirgen
sorgfältig zu vermeiden. Die neueren Forschungen über den inneren
Bau und die Entstehung der Gebirge, so wenig abgeschlossen sie auch
in manchen Beziehungen noch sein mögen, haben uns doch wenigstens
die wertvolle Erkenntnis verschafft, daß jedes Gebirge nur in seiner
Gesamtheit richtig aufgefaßt und geschildert werden kann ... Ist dem
aber so, dürfen wir auch nicht mehr die Kammlinie eines Gebirges zur
Abgrenzung von Abteilungen benutzen, sondern nur den Fuß des Gebirges." Dazu gehört aber auch die Anmerkung: „Es versteht sich von
selbst, daß die Kammlinie eines Gebirges für meteorologische, pflanzen-
und tiergeographische Gebiete" [warum nicht auch für anthropogeographische?] „eine Grenzscheibe von äußerster Wichtigkeit sein kann."

Beim Flusse haben wir ganz die analoge Entwickelung. A priori
hat der Fluß, sobald er trennen soll, als Band, als Saum zu gelten.
Die Grenze erstreckt sich dann bis an seine beiden Ufer: „Rhenus ex
una ripa Galliae, ex altera Germaniae limes" (Otto Frising., gesta
Friderici II, 28); der Wasserlauf selbst ist res nullius. Deshalb wurden
Verträge gern auf diesem neutralen Streifen d. h. auf der Brücke, die
über den Fluß gespannt war, oder auf der Insel im Flusse vereinbart:
noch im Jahre 1659 wurde bekanntlich der sogenannte Pyrenäische Friede
in einem Pavillon abgeschlossen, der in der Mitte der durch zwei Brücken
erreichbaren Fasaneninsel des spanisch-französischen Grenzflusses Bidassoa
errichtet war und aus ganz ähnlichen Beweggründen gingen die Bedingungen der Zusammenkunft mitten im Niemen hervor, die Napoleon I
mit Alexander I für den 25. Juni 1807 vereinbart hatte. Ich wenigstens
möchte es auf die trennende Eigenschaft des Flusses zurückführen, wenn
man die Brücke oder die Insel als einen niemand gehörigen, geheiligten
Ort zum Abschlusse heiliger Handlungen wählte. Jakob Grimm gibt
zwar als Grund dafür an, daß damit jedwedem Teil „die volle Freiheit
des Entschlusses und die Möglichkeit des Rückschritts gesichert sein"sollte.
Doch meine Erklärung halte ich für die plausiblere. Ja, ich glaube
auch, daß auch der Wald schon deshalb, weil er res nullius war, die
Heiligkeit der Unantastbarkeit besaß, nicht blos deshalb, weil ihn sein
geheimnisvolles Düster zum Wohnsitze der Götter machte; vgl. dazu
Tac. Germ. 9: „Lucos ac nemora consecrant", und die Belege hierfür
in der Ausgabe Ernesti-Oberlin (Leipzig 1801). Treffend sagt Kemble:
„Die Mark stand ohne Zweifel unter dem Schutze der Götter; und es

ist wahrscheinlich, daß innerhalb ihrer Waldungen diejenigen heiligen Schattenplätze lagen, die vorzugsweise zum Wohnort und Dienste der Gottheit geweiht waren." Da aber alles neutrale Gebiet sakrosankt ist, kann der Fluß den Wald oft als Grenzmark vertreten. So lange ist der Fluß Grenzsaum. Bald aber verlegte man die Grenze in ihn hinein, entweder in den alveus, den Thalweg, der in der Neuzeit wieder bevorzugt zu werden pflegt,[1] oder in die geometrische Mitte. Es läßt sich geradezu die Gleichung aufstellen: Das Grenzgebirge verhält sich zur Wasserscheide und zur Kammlinie genau so, wie der Grenzfluß zum Thalweg und zur Mittellinie. Die Grenzlinie in der Mitte des Flusses wird gewissermaßen verkörpert in der Grundruhr, wonach der Landesherr und die anliegenden Bewohner, die das Eigentumsrecht von beiden Ufern her bis in die Mitte des Flusses beanspruchten, die auf Schiffen und Flössen verunglückten Waren mit Beschlag belegen durften. Doch machte sich allmählich ebenso stark das Gefühl geltend, daß dies „Recht" Unrecht sei. Seine Aufhebung für das ganze Reich, die am 6. Febr. 1255 König Wilhelm verordnete, hatte leider keinen rechten Erfolg; die Landesherren mußten sich einzeln der Sache annehmen, so König Ludwig IV am 19. Febr. 1316 für Baiern, so Herzog Ernst von Braunschweig am 10. April 1367 für Göttingen.

Im allgemeinen wird man nicht fehlgehen, wenn man die bei Grenzbeschreibungen aufgezählten Gebirge und Flüsse so lange als Grenzsäume auffaßt, als nicht ein entsprechender Vermerk die Annahme einer Linie fordert. Denn es wäre doch eine kaum erklärbare Erscheinung, wenn präzisierende Zusätze nur so ganz zufällig in den späteren Urkunden stünden, nur so ganz zufällig den früheren fehlten. Und außerdem ist zu beachten, daß der Fluß oder Strom im früheren Mittelalter nicht nur überhaupt als Grenze, sondern allgemein als sichere Grenze gegolten hat. Dies konnte er nur, wenn er in seiner ganzen Breite die Länder von einander schied. Wie weit verbreitet dieser Glaube an die Sicherheit des Grenzflusses gewesen ist, lehrt uns besonders das Beispiel von Polen, von dem Adam von Bremen (II, 18) sagt: „firmis undique saltuum vel terminis fluminum clauditur."[2]

---

[1] Friede von Lunéville v. 9. Febr. 1801, art. 3: ›le Thalweg de l'Adige‹ . . ., und art. 6 die berühmte Stelle: ›le Thalweg du Rhin soit désormais la limite entre la République françoise et l'Empire germanique‹; ebenso in den Friedensinstrumenten von Tilsit, Wien und Paris.

[2] Der Deutschordensmeister Ludolf König bestimmte noch am 8. November 1343 außer dem Walde von Raduca lauter Flüsse und Bäche zu Grenzen des Deutschordensgebietes und Polens (Windecke, ed. Altmann, 45). Vgl. auch noch Tac. Germ. 40: ›Reudigni fluminibus aut silvis muniuntur‹; ›certo rivorum limite‹: Mon. Boica XXIXᵃ, 184 Nr. 418 u. ö.

Und Polen ist gerade durch seine „Grenzlosigkeit" zu grunde gegangen!
Jetzt gibt man nicht mehr viel auf Flußgrenzen. Vom Rhein, der,
„difficile à franchir pour les peuples barbares, était une barrière
qui les [Gaulois] séparait des Germains", sagt Oberst Stoffel mit
recht, daß er eine schlechte Grenze sei. Nun, er wurde es erst Ende 1794
und ist es ja glücklicherweise nicht mehr. Allen militärischen Wert ver=
liert darum der Fluß noch nicht. Wieviel Schlachten sind an Flüssen
und Bächen geschlagen worden! Und woher stammen die Klagen der
Franzosen über den schlechten Zugang à Berlin?

Es gibt ein paar deutsche Flüsse, die in hervorragender Weise von
jeher den Beruf als Grenzwächter erfüllt haben. Außer dem Rheine
vor allen die Eider (ob die Norder-Eider oder die Eider im jetzigen
Sinne, das bleibe hier unerörtert.) Schon ihr Name soll Scheidung,
Grenze, Mark bedeuten. Am Fifeldor kämpfte hier der Angelnkönig
Offa gegen Sachsen und Dänen im angehenden 6. Jahrhundert; wo
der Fluß nicht genügend schützte, da baute er jenen berühmten Wall,
das Danewerk. Ebensowenig ist die Bedeutung zu unterschätzen, die
die Maas seit 870 als Grenzfluß zwischen Ostfranken und Westfranken,
also Deutschen und Franzosen, oder die der Main als Scheide zwischen
Norddeutschen und Süddeutschen in politischer Beziehung bis 1866 ge=
habt hat. Dies alles, wie auch ferner die Thatsache, daß der Main
von Miltenberg bis Großkotzenburg ohne weiteres — wenigstens nach
den Untersuchungen von Cohausen — als nasse Grenze den Erdwall
des Limes transrhenanus vertreten hat, wäre nicht zu erklären, wenn
man nicht den Fluß in seiner gesamten Breitenausdehnung als sicheren
Grenzsaum gelten ließe.

Von weiteren natürlichen Grenzsäumen haben wir noch die Seen
und die Sümpfe. An und für sich gleicht der See in seiner Eigen=
schaft als Scheide dem Flusse, der Sumpf mehr dem Walde, da er
nutzbar gemacht oder trocken gelegt werden kann. Demzufolge finden
wir hier analoge Erscheinungen: erst bildet das Ganze, dann die mitten
durchgezogene Linie die Grenze.

Eins hätten wir noch zu erwähnen, das ist die Straße. Sie ist
eben auch ein Streifen Land; und dazu kam noch, daß sie erstens in
früheren Zeiten gern die Höhe aufsuchte, und dann, daß es abgesehen
von den durch Römer erbauten keine Kunststraßen im alten Deutschland
gegeben hat bis in späte Jahrhunderte hinein. Breite Gürtel waren
es von Fuß= und Räderspuren, und Löcher und Lachen werden nicht
gerade zur Annehmlichkeit der Reisenden beigetragen haben. Allzu schmal
darf man sie sich nicht vorstellen. Trotzdem leuchtet ein, daß die Straße

und der Weg als große Gau= und Völkergrenze erst im späteren Mittel=
alter verwendet worden sein kann. Der trennenden Eigenschaften hat
die Straße eben zu wenig; vor dem Pfluge schützte sie nach der Lex
Visigothorum (VIII, 4, 24) nur das Gebot, zu ihren beiden Seiten
die „aripennis" freizuhalten und das anstoßende Bauland abzusperren.
Allenfalls hätten in den unruhigen Zeiten der früheren Jahrhunderte
die namentlich im Rheinlande zahlreichen Ueberreste der römischen Wall=
straßen oder Straßenwälle[1]) zur Scheidung dienen können, zumal da
diese Reichsgrenzstraßen in einer Entfernung von einigen Kilometern
neben dem Flusse einherliefen. In der That sind sie auch dazu vielfach
benutzt worden.

*

Diese theoretischen Erörterungen waren zum besseren Verständnis
der nun folgenden Anführungen von Thatsachen notwendigerweise voraus=
zuschicken. Da es sich hier um eine Entwicklungsgeschichte handelt, ist
die chronologische Anordnung die beste.

Schon die beiden hier in betracht kommenden Stellen Cäsars sind
außerordentlich charakteristisch. „Publice maximam putant esse laudem
quam latissime a suis finibus vacare agros: hac re significari magnum
numerum civitatum suam vim sustinere non posse" (B. G. IV, 3):
eine feine, durchaus zutreffende Beobachtung; nur die Grenzmark einer
reichen Völkerschaft konnte diese ungeheuren Maße haben wie die der
Sueben. Daß das Schutzbedürfnis die eigentliche Ursache davon sei,
verrät uns die andere klassische Stelle: „Civitatibus maxima laus est
quam latissime circum se vastatis finibus solitudines habere. Hoc
proprium virtutis existimant expulsos agris finitimos cedere neque
quemquam prope audere consistere; simul hoc se fore tutius ar-
bitrantur repentinae incursionis timore sublato" (B. G. VI, 23).
Tacitus meint auch nichts anderes, wenn er sagt (Germ. 1): „Germania omnis a Sarmatis Dacisque mutuo metu aut montibus separatur".

Zeitlich schließt sich hier eine Entwickelung an, die gewissermaßen
nur in passivem Sinn als germanischer Grenzsaum gerechtfertigt werden
kann; ich meine den Limes. Ist er doch ein römisches, gegen die an-
dringenden Deutschen gerichtetes Institut. An und für sich schon be=
deuten der Limes raeticus nördlich von der Donau von Kelheim bis
Lorch und der Limes transrhenanus von Lorch bis Rheinbrohl einen

---

[1]) Vgl. die Beschreibung einer Römerstraße in Schneiders Neuen Beiträgen
zur alten Gesch. u. Geogr. d. Rheinlande V (Düsseldorf 1874), 17; XIII (1880), 11.

Grenzsaum: sowohl Mauer als Erdwall hatten eine gehörige Breite.
Jedoch ist der Pfahlgraben oder die Teufelsmauer, wie die vulgären
Bezeichnungen lauten, nicht schlechthin als Verteidigungswerk aufzufassen.
Schon v. Cohausen sprach von einer „Wachtlinie", die lediglich des
Zolles wegen gegründet worden sei. Zeigt doch besonders der rheinische
Limes Eigentümlichkeiten, die sich aus militärischen Gründen nicht er=
klären lassen. An verschiedenen Punkten hätte bei den hohen technischen
Fertigkeiten der Römer die Anlage anders ausfallen müssen, wenn sie
lediglich als Bollwerk hätte dienen sollen; z. B. überraschen die faktisch
ungünstige Lage des Kastells Oberburken und die schnurgerade Teilstrecke
vom Hagbofe bei Lorch bis zu einem 3 km südlich von Walldüren
gelegenen Punkte. Allerdings ist gerade diese militärisch schwache
württembergische Linie durch eine zweite, die Neckar=Mümling=Linie, gut
gedeckt, die in einem Abstand von 20 km der ersten parallel läuft.[1]
Andere Rätsel, die uns der Pfahlgraben an manchen Stellen aufgibt,
versuchte Cohausen damit zu lösen, daß er annahm, die Römer hätten
die germanischen Gemarkungsgrenzen respektiert; es seien „Anpassungen",
sagten andere: was mir nicht recht plausibel erscheinen wollte. Dazu
kamen die famosen „Gräbchen" Jacobis und Soldans. Mit diesen
im Taunus etwa 6 m, anderwärts noch weiter von der Steinmauer
entfernt einherlaufenden Grabmulden will man die „eigentliche" römische
Grenze entdeckt haben. Annehmbarer erschien mir die Hypothese, die
daraufhin Carl Sittl in dem Programm zum dritten Jahresbericht
des kunstgeschichtlichen Museums der Universität Würzburg aufstellte.[2]
Auf grund einer noch untersuchungsbedürftigen Analyse der beiden Arten
der römischen Limitation und ihrer zeitlichen Verhältnisse kommt er zu
dem Schlusse, daß die Ueberreste unseres Limes von einem anderen als
dem bisher üblichen Gesichtspunkt aus beurteilt werden müßten:
diese römischen Grabmulden stünden in keinem Verhältnis zu den ger=
manischen Nachbarn, sondern seien nur zivilrechtliche Grenzbezeich=
nungen am Rande des durch militärpflichtige Kolonisten bebauten
Grenzgebietes. Daß diese Annahme verfehlt sei, davon hat mich
auch die persönliche Begehung eines Stückes unter Jacobis Führung
(nach dem 95er Historikertag in Frankfurt a. M.) nicht völlig über=
zeugen können. Jedenfalls liegt die Bedeutung der beiden Limites

---

[1] Vgl. übrigens dazu die Wiedergabe einer Aeußerung eines französischen
Offiziers über eine ganz ähnliche Parallelmauer, den sogenannten Trajans=Wall in
der Dobrudscha: Petermanns Mitteilungen v. J. 1857, 130 Anmerkung.

[2] Vgl. dazu besonders: Hist. Jahrb. XV, 953.

weniger in der Steinmauer, dem Erdwalle und ihren Beigaben als
darin, daß damit ein breiter Streifen jenseits der Donau und jen=
seits des Rheines als Vorland dem römischen Reichskörper vor=
gebaut war. Ich stehe deshalb auf der Seite derer, die den beiden
Germanien, Germania superior und Germania inferior, die Eigenschaft
selbständiger Gerichts= und Verwaltungskreise absprechen müssen. Sie
bildeten nur geographisch durch den Limes abgegrenzte Bezirke und
hatten ihre eigene Militärverwaltung; da sie aber rechtlich dem Legatus
Belgicae unterstanden, so trifft der Begriff der Provinz, also eines
räumlich begrenzten, einem ständigen Oberbeamten untergebenen, steuer=
pflichtigen Verwaltungsbezirkes des römischen Reiches, nur teilweise zu.
Nichts kennzeichnet ihre ganze Stellung besser als das Wort des Tacitus
(Germ. 29): „decumates agri — dubiae possessionis solum." Von
der Richtigkeit dieser Ansicht, die von Fechter und Mommsen[1]) gegen
Roulez, Zumpt, Desjardins und Marquardt vertreten worden ist, bin
ich besonders durch die von Hirschfeld herangezogene (und jetzt auch
von Sittl wenigstens für die spätere Zeit gebilligte) durchschlagende
Analogie der österreichischen Militärgrenze überzeugt worden. In
diesem Sinn möge hier die treffende Charakteristik Platz finden, die Lam=
precht von dieser „Römerthat" entworfen hat (Deutsche Geschichte 1²,
1894, 220 f.): „Es ersteht im Westen und Süden Deutschlands, in den
Rhein= wie den Donaugegenden allmälig, vornehmlich im Laufe des
1. Jahrhunderts, eine Militärgrenze, wie sie alternde Kulturen gegen
die andringende Urkraft jugendlicher Völker zu errichten pflegen. Ein
Landesstrich wird von dem friedlichen Kern des Imperiums abgetrennt
und als besondere mehr militärische Provinz eingerichtet; seine äußeren
Grenzen werden mit den Mitteln der Natur und Kunst befestigt; und
vor ihm zieht sich im Sinne eines ungeheuren Glacis ein Vorland hin
als Ringplatz feindlichen Anpralls und eigner Abwehr."

Der Sprachgebrauch hat sich schließlich den Thatsachen anbequemt:
vom Wall übertrug man die Bedeutung des Wortes „limes" auf das
ganze Grenzgebiet (vgl. unten S. 255). So ging es hier, so hieß das
dem Walja eingeräumte Gallien mit seinen späteren Erweiterungen
„limes gothicae sortis", so wurden auch die Grenzmarken Karls des
Großen „limites" (Danicus, Sorabicus, Saxonicus usw.) genannt. Nic=

---

[1]) der im übrigen in seiner Definition des „Begriffs des Limes" (Westdeutsche
Zeitschrift für Geschichte u. Kunst XIII, 1894, 134 ff.; (vgl. Hist. Jahrb. XV,
854) dabei beharrt, in den Jacobischen Gräbchen als der äußersten Grenze des Limes
die äußerste Grenze des Römerreiches zu finden.

mals darf man dabei an eine Grenzlinie denken: immer war es ein
breiter Grenzsaum, der zwischen den feindlichen Nachbarn das stabile
Element bilden sollte. Nun liegt es aber in der Natur der Sache, daß
solch ein Grenzgebiet den wechselvollsten Schicksalen unterworfen war.
„Τά τε Ἰλλυρικοῦ ὅρια μέχρι Ἴστρου ποταμοῦ προήγαγον — protulique
fines Illyrici ad ripam fluminis Danui", so rühmt Augustus sein
kraftvolles Vortragen der Grenzen; bald aber waren die Römer nur
auf einen schmalen Streifen unbestrittenen Eigentums im Norden an=
gewiesen, ja im vierten Jahrhundert wohl nur auf Gallien links vom
Rhein. Und dennoch hat der römische Limes eine Bedeutung für unsere
Kultur gehabt, die gar nicht genug hervorgehoben werden kann. Man
darf behaupten, daß er die halbnomadischen Grenzstämme zum Stehen
gebracht und durch mehrere Jahrhunderte hindurch zu Niederlassungen
gezwungen hat. Das mußte auf die rückwärtigen deutschen Völkerschaften
festigend wirken. Jedenfalls wurde, wenn sich auch volle Seßhaftigkeit
noch nicht einstellen konnte, doch der Widerwille gegen sie überwunden.
Die einzelnen Gebiete wechselten zwar immer noch unter den Völker=
schaften. Als aber durch die kräftige Entwickelung des fränkischen Reiches
die Verhältnisse fixiert wurden, trat mehr und mehr Ruhe und Seß=
haftigkeit ein. Jetzt fing der Staat an, seine Territorien abzugrenzen,
freilich noch innerhalb ganz vager Termini.[1]) Doch hatte man sich
nunmehr mit dem Kleben an der Scholle ausgesöhnt; man begann sich
auf dem reichlich zur Verfügung stehenden Grund und Boden einzu=
richten. Nicht mit einem Male trat dieser Umschwung ein. Die Zeit,
wo infolge der Erschlaffung des weströmischen Reiches der Limes anfing,
seinen Beruf nicht mehr zu erfüllen, hebt an mit der Abberufung der
Legionen durch Stilicho im Beginn des 5. Jahrhunderts. Das rätische
Vorland fristete ein kümmerliches, von immerwährenden Kriegs= und
Raubzügen der Germanen beunruhigtes Dasein bis gegen Ende des=
selben Jahrhunderts, wo durch die Maßregeln Odovakers der Limes
raeticus unterging. Schon vorher waren die Positionen durch Nicht=
einhaltung der Zufuhr und der Soldzahlungen stark erschüttert; Eugipp
hat uns im Leben Severins von den traurigen Verhältnissen der beiden
Norika ein solch anschauliches Bild entworfen, daß es uns fast greifbar
vor der Seele steht. Das Resultat lautet: „Militares turmae sunt
deletae cum limite" (Vita S. Severini 21). Der Limes transrhenanus

---

[1]) Vgl. die Ratzelsche Abfertigung der Morganschen Ansicht, daß der Grenz=
saum ein Merkmal der Gentilverfassung allein sei: Beilage zur [Münchener] Allgem.
Zeitung vom 31. Juli 1894, 3.

bestand allenfalls — als alamannische Grenzmark — bis zum Jahre 506, wo sich Chlodowech alles Land nördlich von der Murgmündung bis nach Marbach und von da aus östlich bis nach Ehingen und an die Iller hinauf abtreten ließ. Dadurch kam der wichtige Saum in fränkische Hände. Während sich die Rheinlande und Hessen zeitig konsolidierten, folgten der Norden und der Osten langsamer im Laufe des 8. Jahrhunderts, etwa gleichzeitig mit ihrer Unterwerfung unter das Frankenszepter und mit ihrer Bekehrung zum Christentume.

Die Christianisierung Deutschlands ist ein Moment, das in seiner Besiedelungsgeschichte nicht außer Acht gelassen werden darf. Die Klöster waren große Rodeanstalten: das ist die materielle, darum wohl nicht die schwächste Seite ihres Berufes. Karl der Große ging besonders scharf im Süden entlang der Donau vor. 769 wurde Innichen im Lande der Karantanen gegründet, 777 Kremsmünster im Ennsgebiete. Salzburg, Passau, Regensburg, Freising erhielten ungeheure Komplexe — selbstverständlich ohne irgendwie genaue Grenzen — von waldigen Distrikten zur Rodung; der Salzburger Rupertus hatte ja nicht Leute genug, alles geschenkte Land urbar zu machen. Die wirkliche Besitznahme vom Boden und seine Ausnutzung vollzog sich erst nach und nach. Vorderhand merkte man absolut noch nichts von dem Mangel, der in vagen Grenzbeschreibungen liegt. Als aber die Kirche nicht mehr alleinige Besitzerin in den einsamen Gegenden war, da machte es sich fühlbar. Wie sich helfen? Hergeben durfte man auf keinen Fall nur einen Fuß breit. Nun wurden eben ganz einfach Grenzbeschreibungen aufgesetzt, eingeflickt und angeschubt.

Ebenso unbestimmt waren die Gaugrenzen im Innern des Landes. Noch zur Karolingerzeit gab es weite Gebiete einzelner Gemarkungen, deren Grenzen nur ganz ungefähr bestimmt waren.[1]) Auf ihre Rekonstruktion ist viel Zeit und Mühe verwendet worden. Vergeblich war das, wo nicht als Grundlage die Ortsgemarkungen gedient haben; auf ihre Bedeutung besonders bei Herstellung historischer Karten hat Thudichum mit beredten Worten hingewiesen (Beil. z. Allgemeinen Zeitung vom 13. Januar 1884, 186). Wir wissen, daß die Gemeinde ihre Mark besaß, der Gau seinen Grenzwald; nichts ist deshalb thörichter, als genaue Linien ziehen zu wollen. Beinahe hätte Ledebur das richtige getroffen, als er folgende Regel aufstellte: „Wir werden zu einer Vorsicht gezwungen, die uns gebietet, ohne Beweis die Grenzen eines Volkes nicht weiter auszudehnen, als über den Gau, in dem wir

---

[1]) Inama-Sternegg im 1. Bande von Schmollers Forschungen, 1878, 46.

dasselbe mit Gewißheit antreffen, so daß wir, nur um Lücken auszu=
füllen, die Grenzen zweier uns genannten Völkerschaften nicht sogleich
an einander rücken dürfen," — wenn er nicht hinzugesetzt hätte: „da
vielleicht eine große Anzahl uns verschwiegener Völkernamen dazwischen
einzutragen gewesen wäre" (Kritische Beleuchtung einiger Punkte, 1829, 178).
Nein! So lange man nicht von dem Grundsatz ausgeht, daß eine Her=
stellung von genauen Grenzen dieser alten Genossenschaften einfach des=
halb unmöglich ist, weil keine existiert haben, so lange man sich also
nicht begnügt, ungefähr den Umfang eines Gaues, wie er sich um einen
oder mehrere Kernpunkte krystallisiert hatte, festzustellen, so lange wird
man Sisyphusarbeit thun. Eine starre Linie läßt sich für jene Perioden
nicht ziehen; allerhöchstens dürfen wir einen Streifen fixieren, innerhalb
dessen die Machtsphäre der beiden Nachbarn oszillierend hin und her
schwankte. Methodisch verfährt man also nur dann, wenn man die
Gemeinden bestimmt, die zu einem Gau gehört haben, und dann um
diese herum unter Zuhilfenahme der natürlichen Grenzen ein ungefähres
Bild des Gaues entwirft. Diese Ungenauigkeit ist um so berechtigter,
als sich die alte Gauverfassung — besonders seit der Vereinheitlichung
des Rechtes, das durch seine Mannigfaltigkeit in früheren Zeiten förmlich
Scheidewände zwischen den Nationen aufgeführt hatte — unter den
Ottonen schon (bis auf geringe Ueberreste, die sich teilweise bis ins
11. Jahrhundert erhalten haben) aufgelöst hatte und deshalb keine
wahrnehmbaren Spuren hinterlassen konnte. Einen Ersatz hierfür bieten
dann die Grenzen der Grafschaften oder Gerichte, der Diözesen, wie die
der Dialekte. In ihrer Entstehungsgeschichte liegt es begründet, daß die
Dialektgrenzen oft mit den Hochgerichts= und den Sprengelgrenzen zu=
sammenfallen: eine gute Hilfe zur Aufklärung zweifelhafter Stellen. So
ergibt sich aus Birlingers Untersuchungen über die Bistumsgrenzen
von Chur, Augsburg und Konstanz, von Würzburg und Speier (Kirch=
hoffs Forschungen IV, 4, 307 ff.), daß sich der Konstanzer Sprengel
streng nach den alten Festsetzungen Chlodowechs von 506 eingeteilt hat;
ja, daß sich seine Grenzen noch heute am Dialekt und an der Eigenart
des schwäbischen Völkchens erkennen lassen. Mit den kirchlichen Grenzen
gehen die der Gaue, nicht minder auch die Bären: jedenfalls alte, nach
Personen benannte Gerichtsbezirke. Die Bistumsgrenzen waren also
zugleich Völkerscheiden. Andererseits ist leicht einzusehen, warum sich
Sprachgrenzen häufig mit Gebirgen decken. So scheidet die Eifel das
Ripuarische vom Moselfränkischen, der Thüringer Wald das Thüringische
vom Ostfränkischen. Auffällig ist dabei nicht, wenn sich im Laufe der
Jahrhunderte kleine Veränderungen, Uebergriffe, Mischungen heraus=

gebildet haben. Noch jetzt wird die wichtige Sprach= und Charakter=
scheide zwischen Ost= und Westfranken durch die Linie Ruprechtshütte—
Partenstein—Rechtenbach—Stadtprozelten a./M. gebildet, die den Mainzer
Spessart vom Würzburger trennt: der Hochspessart selbst ist also von
einem Mischvölkchen bewohnt. Soviel steht aber fest: im allgemeinen
fehlt zunächst eine genaue Grenzlegung. Geteilt wird diese Ansicht
auch von Eduard Richter, wenn er schreibt („Ausland" 1882, 189):
„Nichts ist so charakteristisch für die ungeheure Ausdehnung und relative
Wertlosigkeit der großen Forstgebiete, als die oberflächlichen und vagen
Grenzbestimmungen, welche in den Schenkungen dieser Zeit angewendet
werden, und welche dann in späteren Jahrhunderten, als der Wert des
Bodens gestiegen war, zu so vielen Prozessen und Grenzstreitigkeiten
[und Urkundenfälschungen] Anlaß gegeben haben. So z. B. zu dem
Streite zwischen Berchtesgaden und Salzburg, welcher trotz aller Urteile
von Papst und Kaiser, Reichshofrat und Kammergericht immer wieder
von neuem aus dem Staube der Archive sich erhob, und vom 12. Jahr=
hundert an bis zur Auflösung des deutschen Reiches nicht zu Ende ge=
kommen ist; ja, als eine kleine, ganz kleine Unklarheit über einige
Hektaren Karrenfelder am Steinernen Meer noch heute fortlebt, wie sich
jedermann durch aufmerksame Vergleichung der österreichischen mit der
baierischen Generalstabskarte überzeugen kann."

Haben wir demnach im Innern des Reiches die Grenzscheiden der
einzelnen Gaue zur Karolingerzeit als Säume aufzufassen, so erst recht
am Rande. Da bietet nun ein geradezu typisches Beispiel für Ver=
kennung des wahren Sachverhaltes die bis in die letzten Jahre hinein
zu verfolgende Ansicht von dem karolingischen Limes Saxoniae. Als
ich während der Vorarbeiten zu dieser Abhandlung das Prinzip erkannt
hatte, daß — präzis gesagt — im 8. und 9. Jahrhundert, besonders
in kulturlosen Gegenden, an eine Grenzlinie nicht gedacht werden dürfe,
machte mir dieser Limes viel zu schaffen. Ueber ihn existiert eine aus=
gebreitete Literatur.[1] Von den vielen Gelehrten, die sich deshalb schwer

---

[1] Vgl. Beyer, der Limes Saxoniae Karls d. Großen (1877), 6; zu ergänzen
durch: Bahr, Studien zur nordalbing. Gesch. im 12. Jahrh. (1885), 3 — obwohl
dieser merkwürdigerweise gerade Beyers Abhandlung übersehen hat. Bei beiden
nicht zu finden sind: Ledebur, kritische Beleuchtung (1829), 123. 180; Dönniger,
das deutsche Staatsrecht (1842), 102; Giesebrecht, wendische Geschichten I (1843),
107 f.; Blochwitz, die Verhältnisse a. d. deutschen Ostgrenze (1872), 35; Jansen,
Paleographie d. cimbr. Halbinsel, 514 und seine Bemerkungen zum „Limes Saxoniae
Karls d. Großen" (Zeitschr. d. Gesellsch. für schlesw.-holst. Gesch. XVI, 1886); Handel=
mann im Archiv d. Vereins f. Gesch. d. Herzogtums Lauenburg II u. III (1889).

abgemüht haben, hält es die Mehrzahl für ausgemacht, daß dieser
Limes eine ganz genau zu bestimmende Linie sei, die von Karl dem
Großen als Sachsengrenze gegeben worden wäre; leider bestimmt sie
fast jeder anders als der Vorhergehende.   Lappenberg geht sogar so
weit, die Stelle aus Adam von Bremen (Gesta Hammab. eccles.
pontt. II, c. 15ᵇ) als Fragment einer karolingischen Urkunde aufzufassen, und bringt sie als im Beginn des 9. Jahrhunderts verfaßt
unter Nr. 5 in dem 1 Bande seines Hamburgischen Urkundenbuches:
eine Annahme, die noch von Beyer geteilt wird.   Man hat — und
das ist der Schlüssel zu diesem Irrtum — einfach den Limes Saxoniae
Karls, also das Grenzgebiet, mit der zur Zeit Adams von Bremen
davon noch übrigen Grenzlinie des 11. Jahrhunderts vermischt.   Man
verfällt eben zu gern in den Fehler, spätere Verhältnisse auf frühere
Zeiten anzuwenden, ohne die dazwischenliegende Entwickelung zu berücksichtigen.   Besonders leicht geschieht dies natürlich auf einem Gebiete,
wo man Lücken auszufüllen bestrebt ist, deren innere Berechtigung man
übersieht.   Thatsächlich gliederte sich aber nach Osten zu das nördliche
Deutschland damals so: Sachsen, geschützt im Norden gegen die Dänen
durch die bis an die Eider reichende Dänische Mark, den Limes Danicus;
dann der Limes Saxoniae, d. h. die breite Grenzmark Sachsens gegen
Osten hin; schließlich das Wagrierland.   Selbstverständlich gehörte der
Saum zum Reiche.   Das widerspricht durchaus nicht meiner oben (S. 244)
gemachten Aufstellung, den Grenzwald und den Grenzfluß im Innern
des Reiches für neutral zu erklären.   Der König besaß das Ober-
eigentum.   Demnach waren die „herrenlosen" Striche immerhin Reichsland.   Ebenso ist die karolingische Mark ursprüngliches Reichsland, das
aber der den Deutschen eigentümlichen Rechtsanschauung zufolge zum
Grenz- oder Schutzgebiete bestimmt wurde.[1])   Die Mark gehörte also
unbedingt und notwendig zum ganzen Gefüge; nur war ihre Verbindung
mit dem Reichskern lockerer.   Neutralität beruht auf gütlicher Vereinbarung, die schwerlich zwischen Karl dem Großen und den Slawen
vorausgesetzt werden darf.   Also war der Limes Saxoniae ein inte-
grierender Teil des um den Reichskörper gespannten Schutzgürtels   Feste
Grenzen hatte er auf keinen Fall.   Er war Vorland, ein Boden ungewissen Besitzes.   Dadurch nun, daß uns durch Adam seine kärglichen
Ueberbleibsel, seine östliche Grenzlinie, überliefert worden ist, können wir
ein selten scharfes Beispiel für die Entwickelung der Linie aus dem
Saume konstatieren.

---

[1]) Ich weiß, daß ich mich hierin mit Waitz (Jahrbücher des Reiches unter
Heinrich I, 267) im Widerspruch befinde.

Hier ist der Platz, etwas näher auf den späteren Sprachgebrauch des Wortes „limes" einzugehen. Arnold behauptet (in seiner Deutschen Geschichte I, 85), daß „limes" damals eine künstliche, durch Mauern oder Erdwerke befestigte Grenze im Gegensatz zu den natürlichen Grenzen bedeutet habe, wie sie Meeresküsten, Gebirgskämme oder große Ströme darbieten. Darnach müßte allerdings das alte Germanien sehr merkwürdig ausgesehen haben. Besonders merkwürdig, wenn man es sich nach der Abhandlung von Ludwig Giesebrecht über die pommerschen Landwehren (Baltische Studien XI, 1, 1845, 152. 156) im Geiste ausmalt. Dieser leitet zunächst alle Landwehren in Deutschland aus „dem System der Landwehren nach römischer Art im Frankenreiche" her; sie wären nach dem Vorbilde der älteren gegründet worden. Sodann versteht er unter jedem „limes", der uns in den gleichzeitigen Nachrichten begegnet, eine zum teil aus fortlaufenden Erdwällen, zum teil aus Schanzen, hölzernen Türmen, Pfahlwerk oder Festen bestehende Grenzbefestigungsanlage. Gewiß haben feste Punkte, Verhaue und ähnliche Verteidigungsmittel besonders in Kriegszeiten nicht gefehlt; verfehlt aber wäre es entschieden, als Grenzscheiden des ganzen Ostens Erdwälle hinzustellen. Auch Giesebrecht hat schließlich einen gelinden Zweifel nicht unterdrücken können, ob Verwallungen von einer Feste zur andern geführt haben. Nein! „limes" bedeutet immer noch einfach „Grenze"; so „currente limite" bei der Reichsteilung von 806 (MG. Legum sectio II, 127), so „limite discurrente" in der Urkunde vom 27. Juni 1062 (Lappenbergs U.-B. 1, 86), so — ins Deutsche übersetzt — „als der strich get" im bairischen Hausvertrag vom 4. August 1329 (Altmann & Bernheim, 253). Im übertragenen Sinne, besonders am Rande des Reiches, heißt „limes" dann soviel wie Grenzgebiet: eine Bedeutungswandlung, wie sie auch „marca" durchgemacht hat (vgl. oben S 238 u. S. 249). Aus diesem allem ergibt sich, daß wir es mit zwei verschiedenen Dingen zu thun hatten: erstens mit dem Limes Karls des Großen, dem Grenzsaume Sachsens gegen die Slawen, und zweitens mit dem „limes Saxoniae" Adams, der seiner ganzen minutiösen Beschreibung nach aus späterer Zeit stammen muß, da eine so präzis von Punkt zu Punkt geführte Linie für die Zeiten des großen Karl ein Unding ist.

Ganz ähnlich liegen die Verhältnisse bei den anderen karolingischen Marken; schade, daß wir über ihre Wandlungen, Erweiterungen, Einschrumpfungen und über ihr schließliches Ende nur unsichere Nachrichten haben. Es gibt kaum einen schwankenderen Begriff, als den der deutschen Ostgrenze: bald Elbe, bald Oder, bald Weichsel. Hin und her fluteten

und gegenfluteten Expansionen der Germanen und der Slawen: noch im
Beginne des 11. Jahrhunderts errang Boleslaw Chrobry enorme Er=
folge bis nach Meissen hin. Und ist diese Ostgrenze jetzt etwa schon
erstarrt? — Könnten wir für die einzelne Mark einen Zeitpunkt fest=
stellen, wo sie aus der Literatur verschwindet, so ergäbe sich für den
Landesteil, daß er entweder zum Reiche geschlagen — wodurch sofort
eine neue Mark notwendig wurde — oder daß daraus eine Linie ge=
worden war; doch liegt auf der Hand, daß dies Zurliniewerden erst
dann eintreten konnte, nachdem seit längerer Zeit mit dem Markensystem
gebrochen war. Oder man half sich, indem man einfach den Begriff des
Grenzgebietes entsprechend erweiterte. So erging es dem Nordgau.
„In demselben Maße, in welchem die Eroberung nach dem böhmischen
Waldgebirge hin fortschritt, erweiterte sich der Begriff des Nordgaues,
indem der Name des Reichsgaues und Mutterlandes auf das von da
aus gewonnene Markgebiet mit überging," sagt Blochwitz[1] sehr richtig
und fährt an einer etwas späteren Stelle (S. 56) fort: „Alles,
was südlich vom Gebirge zur alten thüringisch=ostfränkischen Mark ge=
hört hatte, wurde der böhmisch=baierischen Mark des Arnulf einverleibt,
zu Baierns Marken geschlagen. Seitdem ging der Name des Nord=
gaues, der bis dahin wiederholt für die böhmische Mark gebraucht wird,
auch auf dieses neu hinzugekommene Gebiet über, also daß er sich nun
von der Donau bis zum thüringischen Waldgebirge erstreckte. So erhielt
der Name Nordgau im anfang des 10. Jahrhunderts seine späteste und
weiteste Bedeutung." Wenn aber solche Begriffsverschiebungen und =Er=
weiterungen, wie nachgewiesen ist, möglich waren, so ist auch die For=
derung berechtigt, historische Karten möglichst auf ein bestimmtes Jahr
zu fixieren. Andererseits sehen wir z B. am Verschwinden der süd=
thüringischen Mark im Jahre 981, daß sich das Reich dermaßen aus=
gedehnt hatte, daß dieses Territorium seinen Beruf als Grenzmark nicht
mehr erfüllen konnte. Und auch im Innern des Reiches sind mehrere
Grenzgebiete, vor allem die der Stammesherzogtümer der mählich sich
geltend machenden Konsolidation, wie sie sich im Gefühle der Zusammen=
gehörigkeit unter den Staufern entwickelt hat, zum Opfer gefallen. Das
ist ein Zeichen höherer Kultur und durchaus nicht zu bedauern.

Fest und groß stand nun das Reich nach außen da. Jetzt regte
sich im Innern energisch der den Deutschen als Germanen eingeborene
Drang nach Selbständigkeit. Es entstanden unzählige Territorien, die
Hohenstaufenzeit ist so recht eigentlich die Periode der Teilungen. Mit

---

[1] Die Verhältnisse a. d. deutschen Ostgrenze, 55.

Riesenschritten ging die Zerstückelung vorwärts. Die Goldene Bulle vom Jahre 1356 rettete in ihrem § 7 wenigstens die Unteilbarkeit der vier weltlichen Kurfürstentümer. Hatten die Merowinger und Karolinger für die Konstituierung der amtsbezirklichen Grasschaften die volkstümliche Grundlage der natürlichen Grenzen beibehalten, so geschah dies nunmehr rein zufällig; das einzige stabile Element ist eigentlich nur die Meeres=küste — und auch hier wandern die Dünen! Im Reichsinnern aber fand je nach politischem Aufbau oder Zerfall ein steter Wechsel der Ab=grenzungen statt. Begünstigt wurde dieser durch die seit der Herrschaft der salischen Kaiser übliche Erblichkeit der Lehen. Die kleinen Vasallen wurden den großen gegenüber unabhängig. Die Grasschaften wurden erblich, die Gaueinteilung verfiel. Bei dieser Werdelust der Stauferzeit genügte die bestimmende Bodenform für natürliche Abgrenzungen nicht mehr; man griff zur künstlichen: es entstand die Grenzlinie.

Diese Erscheinung fiel aber mit dem starken Wachstum der Be=völkerung zeitlich zusammen. Man darf also fragen: Wie hätte das Bedürfnis nach der Grenzlinie im 12. Jahrhundert **nicht** eintreten sollen?

*

Die Untersuchung über die Entwickelung der Grenzlinie hat ein Ergebnis geliefert, das ihr gewissermaßen ungesucht in den Schoß ge=fallen ist: das Kriterium der Ungenauigkeit einer Grenzbeschreibung des 8. oder 9. Jahrhunderts. Eine Urkunde aus dieser Zeit darf genaue, durch künstliche, gerade Linien ausgezeichnete Grenzangaben nicht ent=halten. Jede Urkunde, die dieser Forderung widerspricht, ist als unecht zu verwerfen, sobald nicht aus andern Gründen die Genauigkeit in jedem einzelnen Falle gerechtfertigt oder eine Interpolation der ganzen Beschreibung angenommen werden kann. Diese Behauptung ist kühn, doch hat sie ihr Gutes. Wenn das sicherste Präjudiz für die Echtheit einer Urkunde die Konzinnität des Inhalts ist, so haben wir damit eine neue feste Handhabe für die Diplomatik gewonnen. Der Text muß dem Datum entsprechen. Julius Ficker drückt sich darüber in seinen Beiträgen zur Urkundenlehre (II, 1878, 438) folgendermaßen aus: „So wenig auch in echten Urkunden ein Zufrüh des Textes auffallen kann, so bedenklich werden auf den ersten Blick alle Fälle erscheinen müssen, bei denen sich ein Zuspät im Text ergibt. Wir pflegen es als sicherstes Kennzeichen der Unechtheit zu betrachten, wenn der Text Angaben ent=hält, welche erst in einer späteren Zeit zutreffen oder wenigstens Kennt=nisse späterer Zustände verraten." Wenn ich nun behaupte, ein an

genauen Grenzangaben reicher Text paſſe nicht zu Traditionen der
Karolingerzeit, ſo dürfte dieſer, Umſtand beſonders ſchwer dort ins Ge=
wicht fallen, wo ſchon andere Verdachtsgründe vorliegen.

Da aber Genauigkeit und Ungenauigkeit ſehr ſchwankende, relative,
ſubjektive Begriffe ſind, iſt es nötig, aus der Maſſe der Urkunden ein
paar typiſche Beiſpiele für das, was ich darunter verſtanden wiſſen
will, auf gut Glück herauszugreifen. Man muß ſich dabei ſelbſtverſtänd=
lich immer vor Augen halten, daß örtliche Beſonderheiten hier einen
genauen Zuſatz bringend erheiſchten, wo dieſer in anderer Lage voll=
kommen entbehrlich war. Alles kommt eben auf den Geſamteindruck an;
vielſeitige Erfahrung und ein gewiſſes Taktgefühl ſind unerläßliche
Bedingungen zur richtigen Erkenntnis einer nicht in ſtarre Formeln zu
zwängenden Erſcheinung.

834 Grenzen des Erzbistums Hamburg: „... certo limite cir-
cumscriptum esse volumus, videlicet ab Albia flumine deorsum usque
ad mare Oceanum et sursum per omnem Slavorum provinciam usque
ad mare quod Orientale vocant, et per omnes praedictas nationes
septentrionis, omnes quoque paludes infra sive iuxta Albiam posi-
tas, cultas et incultas, infra terminos eiusdem parochiae ponimus,
ut Transalbiani se et sua ab incursu paganorum, qui saepe timendus
est, securius in his locis occultare queant“ (Hamburgiſches Urkunden=
buch I, 13 mit Lindenbruchs Variante). Hierin iſt der Ausdruck „certus
limes“ für eine ſolch ungenaue Grenzbeſchreibung beſonders charakteriſtiſch:
man hatte eben damals abſolut kein Bedürfnis nach genaueren Angaben.
Auch die innerhalb der Grenzmark liegenden, Schutz gewährenden
Sümpfe ſind bemerkenswert.

946 Grenzen des Bistums Havelberg: „... Practerea determi-
navimus praenominatae sedis parochiae decimas istarum provinciarum infra suos limites consistentium: Zemzizi, Liezizi, Nielitizi,
Desseri, Linagga, Murizzi, Tholenz, Ploth, Mizerez, Brotwin, Wanzlo
Wosze. Terminum vero eidem parochiae constituimus ab ortu fluvii
qui dicitur Pene ad orientem, ubi idem fluvius intrat mare, ab ortu
vero fluminis quod dicitur Eldia ad occidentem, ubi idem flumen
influit in Albiam, ab aquilone mare Rugianorum, a meridie Strumma
fluvius et finis praedictarum provinciarum“ (M. G. Die Urkunden der
deutſchen Könige und Kaiſer I, 1879/84, 156.)

Das ſind zwei Beiſpiele für Grenzbeſchreibungen, die nach meinen
Auseinanderſetzungen „ungenau“ zu nennen wären. Sieht man Ur=
kundenbücher, wie die von Lappenberg, Dronke oder Lamey, auch
nur oberflächlich daraufhin durch, ſo fallen einem ſofort die Unterſchiede

der karolingischen Schenkungen mit ihren vagen Grenzangaben von denen der Stauferzeit mit ihrer teilweise geradezu minutiösen Punktation auf. Dann ist man von der Thatsache überzeugt, daß man vor dem 12. Jahrhundert eine genaue Linienziehung nur ganz selten nötig hatte. Allgemein zeigt sich dies Bedürfnis erst im 13. Jahrhundert. Die Wirtschaft wurde immer individueller. Fortgeschrittene Gegenden beginnen in der zweiten Hälfte des 13. Jahrhunderts die alten Allmenden aufzuteilen. Ueberall erheben sich zwischen den Gemeinden und den Markgenossen Streitigkeiten über Recht und Besitz des kostbaren Gutes. Jetzt erst zeigte sich deutlich die Beschränktheit der geographischen Grundlage des nationalen Lebens. Es galt, sich auf begrenztem Boden einzurichten. Das ist die Zeit der Weistümer und Taidinge.

Hierfür möchte ich als charakteristisches Beispiel hinstellen die Abteilung und Absteinung des Waldes von Gransdorf bei Trier im Jahre 1261. [Beide Teile] „conveniunt ad locum; et de die in diem continuo ibunt per devia invia et anfractus ipsius silvae et divident prout melius poterunt bona fide per se et homines ad hoc eligendos ipsam silvam; et metis positis . . .“ (Lamprecht, deutsches Wirtschaftsleben im Mittelalter III, 1885, Nr. 10). Dazu gehört die Vollmacht „ad limites faciendos sive metas eiusdem silvae“ vom 27. Juni 1261 (Nr. 11), dann die Beurkundung der Teilung in zehn Parzellen vom 8. Juli 1261 (Nr. 12) und schließlich die Verlosung der Parzellen am folgenden Tage (Nr. 13). Die trierische Gegend aber ist früh angebaut worden; darum ist es nicht wunderbar, daß hier in der Mitte des 13. Jahrhunderts auch der Wald dem Verlangen nach Aufteilung hat weichen müssen. Andererseits überrascht es ebensowenig, wenn in Strichen, die erst spät dem Pflug unterworfen worden sind, auch damals und später noch eine genaue Grenzlegung nicht nötig erschien. Man muß sich vergegenwärtigen, daß erst 1071 die böhmischen Grenzwaldungen von Thüringen aus durch königliche Hufen in Görlitz erreicht worden sind, daß sich die älteste Spur von Einwanderung deutscher Kolonisten nach Schlesien in der aus dem Jahre 1175 stammenden Stiftungsurkunde von Leubus findet, und daß man die vier Diözesen des Bistums Samland erst 1243 abgegrenzt hat. So stellen sich die scheinbar störenden Ausnahmen, von denen wir ein Paar bringen wollen, als harmlose Nachzügler dar, von denen jeder große Zug begleitet zu sein pflegt.

1241 . . . „inde in rivum Quiz“ [Queis]. „ibi distinctio est suspensa propter distinctionem inter Zagost et Poloniam nondum facta“ (Schiffner, im Neuen Lausitzischen Magazin XII, 1834, 59; vgl. Schönwälder, ebenda LVII, 1882, 394).

1333 ... [Die regulierenden Ordensbrüder] „dixerunt ulterius
non debere procedere, quia in illis finibus instaret Neria curonica
[kurische Nehrung] inter fratres et ecclesiam adhuc dividenda"
(Gebauer, in den Neuen preuß. Provinzialbl. XI, 1851, 362 ff.).
Zu 1373 ein Beispiel: Leipz. Zeitung vom 10. Jan. 1996 S. 92.

Ich habe gefordert, jede Urkunde für unecht zu erklären, die eine
genauere Grenzbeschreibung enthält als nach Zeit und Ort zu recht=
fertigen wäre. Ganze Reihen von Diplomen aber aus der Zahl der
echten zu streichen, das erscheint vielleicht etwas bedenklich. Die Gefahr
ist jedoch nicht allzu groß, da man aus anderen Gründen den Anfang
damit bereits gemacht hat (z. B. bei Fulda und Reinhardsbrunn).

Ich hätte leichtes Spiel, Mengen von Auffälligkeiten, Ungereimt=
heiten, besonders aber von allzu frühen Genauigkeiten in Grenzbeschrei=
bungen aus unechten Urkunden vorzuführen. Nur einen Fall möchte ich
herausgreifen, weil er einer der frühesten ist. Müllenhoff und Scherer
bringen in ihren „Denkmälern deutscher Poesie und Prosa" (2. Aufl. 1873)
unter Nr. 63 die Hamelburger Markbeschreibung von 777. Nach der
ganzen Anlage schon möchte ich zweifeln, ob dieser frühe Zeitpunkt zu
halten ist. Außerdem aber begegnen uns darin deutsche Sprachformen
aus viel jüngerer Zeit. Die Herausgeber versuchen es nun, diese mit
folgender Argumentation zu retten: „Es geht daraus hervor, daß die
Sprache des gewöhnlichen Lebens" — was doch strenggenommen hiefür
nicht einmal zutrifft — „im Gebrauche jüngerer Formen viel weiter
fortgeschritten war, als uns die Mehrzahl der literarischen Denkmäler
ahnen läßt, daß also in diesen eine künstliche Konservierung des Alten
muß stattgefunden haben"! Das überzeugt mich nicht.

So kommen wir zu dem Schlusse, daß gegen die Beweisführung,
die Grenzlinie habe sich erst im 12. und 13. Jahrhundert aus dem
Grenzsaum entwickelt, ein Gegenbeweis aus Urkunden, der das
ganze Gebäude zum Falle brächte,[1] nicht geführt werden kann.

*   *   *

Es erübrigt nun noch, für die oben (S. 243) theoretisch durch=
gesprochenen natürlichen Grenzen, die als Grenzsäume aufzufassen sind,
einige drastische Beispiele zu liefern.

Zunächst für den Wald. Daß ein Wald als besonderer Jagd=
grund etwa bestimmt worden wäre, ist, obgleich die Deutschen von jeher
Jagdliebhaber gewesen sind, nicht nachweisbar. Aussparung eines großen

---

[1] Vgl. auch unten S. 262, Anmerkung 1.

Reviers war nicht Hauptzweck, wenn ein Wald durch den König der allgemeinen Benutzung vorenthalten wurde. Des Waldes Beruf war, zu trennen. Jagdgrund war es nur so nebenbei mit.[1] Allerdings wurde gerade dieser Zweck nach und nach in den Vordergrund gedrängt, seitdem eine scharfe Trennung im Innern des Reiches nicht mehr von nöten war. Unter diesem Gesichtspunkte wird die Geschichte so manches Grenz=waldes verständlich und lehrreich. Besonders an der Westgrenze des Reiches hat sich da mancherlei zugetragen. Ueber einen ernsthaften Grenzzwischenfall im Gebiete von Verdun, der, entstanden aus Un=sicherheit der Grenzziehung in den Jahren 1387—89, viel böses Blut gemacht hat, möge man die Erörterungen Moranvillés (in der Biblio-thèque de l'école des chartes LIV, 1893, 344 ff., vgl. Hist. Jahrb. XVI, 157) nachlesen. Die Mehrzahl der Reichswaldungen, deren wechsel=volle Schicksale uns Schwappach in seinem Handbuch der Forst= und Jagdgeschichte Deutschlands (I, 1886, 111 ff.) in kurzer, aber vortreff=licher Uebersicht mitteilt, liegt an der deutsch=französischen Völkergrenze oder im Innern da, wo sich alle deutschen Stämme schieden. Die Grenz=wälder im Osten dagegen bewahrten sich viel länger ihre ursprüngliche Bestimmung, zu sondern. So hat der pommerisch=polnische Grenzwald bis ins 12. Jahrhundert nachweisbar seinen Beruf treulich erfüllt, und die slavische „Preseka", der schlesische Bannwald, war noch im drei=zehnten erhalten. An dem böhmischen haben wir ein Beispiel für die schwierige Unterscheidung zwischen Wald und Gebirge. Gerade Böhmens rautenförmige Gebirgsränder mußten von allen politischen Umgestalt=ungen so gut wie unberührt bleiben. So wurde das durch seine natür=lichen Grenzwälle fest geschlossene Land zu einem Kern, woran sich benachbarte Gebiete, die Lausitzen, Schlesien und Mähren gegen Ende des Mittelalters gliedern konnten. Wer aber möchte bestimmt entscheiden, ob Böhmen — auch heute noch — von seinen Nachbarn mehr durch den Wald, ob mehr durch das Gebirge geschieden wird?

Wird der Wald durch Linien genau abgegrenzt, dann hört er auf, Saum zu sein. Außer der oben (S. 259) erwähnten Aufteilung des

---

[1] Daneben war es nicht zu vermeiden, daß allerlei Individuen, die Grund hatten, das Tageslicht zu scheuen, das Düster der Grenzwälder aufsuchten und unsicher machten; so schon bei Tacitus (Germ. 46) die Veneter in den Grenzwäldern der Peuciner und Fennen. Noch im Anfang des 12. Jahrhunderts trieb sich räuberisches Gesindel im Wald Isarnho zwischen Schlei und Eider herum; ja, einer von diesen Vagabunden wollte nach einer — auch sonst verbürgten — Anekdote Helmolds königlich dänischen Blutes sein (Chron. Slavorum I, 49).

Gransdorfer Waldes möge hierfür als Beispiel die genaue Abgrenzung eines geschenkten Waldes „pertinentis ad Gravingadem" aus der ersten Hälfte des 12. Jahrhunderts (veröffentlicht von Muffat in den Quellen und Erörterungen z. bayer. u. deutschen Gesch. I, 1856, 240 f.). Beim Gebirge finden wir die Kammlinie vereinzelt schon im 11. Jahrhundert als Grenze, öfter dann im 12;[1] die Wasserscheide taucht besonders häufig in deutschen und österreichischen Weistümern des ausgehenden Mittelalters auf. Kaum die ältesten dieser Dokumente gehen über das 14. Jahrhundert zurück, bieten aber gerade deswegen für die spätere Entwickelungsperiode, wo sich infolge der Verengerung der wirtschaftlichen Verhältnisse die Linie überall einbürgerte, sehr viel des Interessanten. Dahin gehört z. B. — aufs Geratewohl herausgegriffen — das Weistum von Gernsheim (zwischen Worms und Oppenheim) aus dem Anfange des 15. Jahrhunderts; auch aus der „Divisio marcarum Lettermarke et Merveldermarke", die uns Kindlinger in seinen Münsterischen Beiträgen (I, 1787, Urkundenbuch 20 f.) aufbewahrt hat, lernen wir, auf welch peinliche Weise man die Grenzziehung später handhaben konnte.

Beim Flusse zeigt sich ein analoger Fortschritt: in früheren Jahrhunderten gern als Saum verwendet, in späteren auf Thalweg oder Mittellinie beschränkt. Freilich stoßen wir schon 933 auf ein „per eiusdem fluminis alveum" (MG. Urkunden I, 70) — allein, gerade die Grenzbeschreibung ist eingeschaltet.[2] Aus dem „usque ad alveum fluminis (apud Aenninge", 1275), wird ein halbes Jahrhundert später „mitten in den (Moyn", 1338), wie dies unzählige Beispiele in Grimms „Weistümern" belegen könnten. Ebenso verhält sich's mit dem Sumpfe: da haben wir erst das „usque ad stagnum" (1137 noch: Hamburg. Urkundenbuch I, 139), dann das „in mediam paludem" (1241 u. ö.). Besonders in weiten Niederungen war der Sumpf vermöge einer

---

[1] Stoßen wir schon vorher auf eine minutiös genaue Grenzbeschreibung, wie auf die des Forstes, den im Jahre 1048 Heinrich III dem Salzburger Erzbischof Baldwin schenkte, so muß das sofort zu Zweifeln an der vollkommnen Echtheit des Stückes Anlaß geben. Und in der That stimmt in der zitierten Urkunde (Mon. Boica XXIXa, 90) das Ordinationsjahr nicht mit den übrigen Daten überein. Ebensowenig wunderbar ist es, in einer unechten Urkunde Ottos I für Eftival aus dem Jahr 962 eine Wendung zu finden, wie »usque verticem montis qui dicitur Strailes« (MG. Urkunden I, 600). Vgl. oben S. 260.

[2] Wenn Sickel daran seinen Anstoß nehmen möchte, weil „hier alles zeit- und kanzleigemäß" sei, so muß ich hier ein πρῶτον ψεῦδος festnageln; denn eine Grenzbeschreibung mit einem Thalwege paßt einfach nicht in den Anfang des 10. Jahrhunderts, ist also nicht „zeitgemäß".

trennenden Eigenschaften als Grenze beliebt; davon zeugen die in west=
fälischen Grenzbeschreibungen vorkommenden Wörter auf —môre, zeugen
die von Würzburg bis nach Holstein hinauf uns begegnenden Oerter
auf —sol. Bei Minden gab es einen Sumpf, der einfach Grenzbruch
(„snederebroch") hieß. Aehnlich beim See.

Nach dem, was ich oben (S. 246) über die S t r a ß e gesagt habe,
erklärt es sich leicht, warum ich kaum ein Beispiel beibringen kann für
ihre Verwendung als Gau= oder Völkerscheide im großen Stile.¹) Und
auch für kleinere Strecken treten die Renn=, Volk=, Diet= und Riet=Wege
erst in späteren Jahrhunderten zahlreich auf. Auch der R e n n s t e i g
d e s T h ü r i n g e r W a l d e s macht nach den Untersuchungen Regels
keine Ausnahme mehr davon, wie es wohl allen denen scheinen dürfte,
die nur Z i e g l e r s Werkchen zu rate ziehen. Denn nach Regel hat nur
eine kleine Wegstrecke auf der Gebirgshöhe von Ruhla bis Tambach
(später bis in die Gegend der Schmücke) den Namen „Rennsteig" oder
„Rennweg" geführt; für einen ununterbrochenen Pfad auf dem Kamm
ist er nicht vor Mitte des 17. Jahrhunderts nachzuweisen. Also ist
die frühere Annahme, daß sich hier eine ursprüngliche Wald= und Jagd=
grenze mit einer Länder=, Völker- und Rechtsscheide decke, hinfällig ge=
worden. Nur im großen Ganzen kann der Rennsteig als Stammesgrenze
zwischen vorwiegend thüringischem und vorwiegend fränkischem Volks=
schlage gelten; vielfach haben Neueinmischungen stattgefunden. Bekannt
ist, daß auch anderwärts in Thüringen, im Rheinland, in Oesterreich
„Renn= oder Reinwege" die Funktion einer Grenze gehabt haben. Schon
1179 bildete die ganze „montana strata" (Bergstraße) einen Teil der
Grenze des rheinfränkischen Gebiets, innerhalb dessen Friedrich Barbarossa
einen Provinziallandfrieden errichtete (A l t m a n n u. B e r n h e i m, 155).

*   *
*

Der Wandel, den die allgemeine, völkerrechtliche Anschauung dem
Laufe der Dinge getreulich folgend mitgemacht hat, läßt sich kaum deut=
licher vor Augen führen als dadurch, daß ich den Angaben der Perti=
nenzen des im ersten Viertel des 10. Jahrhunderts von Heinrich I dem
Kloster Fulda geschenkten Gutes Großentaft, die so recht die vage
Grenzziehung des 10. Jahrhunderts aufweisen, die entsprechende Stelle
aus einer Urkunde aus dem 14. Jahrhundert gegenübersetze.

---

¹) H a r s t e r zitiert in seiner Programmabhandlung über Weißenburgs Güter=
besitz (1893, 99) eine zuerst von Z e u ß gedruckte Urkunde von 713, worin die »Bas-
soniaca via« als Grenze eines zu Hambach im Saargau gehörigen Waldes denselben
Rang wie der Wasigenstein einnimmt.

922 ... „infra terminum Soresdorf ... cum curtilibus aedi-
ficiis familiis et mancipiis terris cultis et incultis agris pratis campis
pascuis silvis aquis aquarumve decursibus molinis piscationibus viis
et inviis exitibus et reditibus quesitis et inquirendis omnibusque
rebus magnis ac parvis ad eundem locum rite pertinentibus" (MG.
Urkunden 1, 42).

1309 ... „dat Land to Danczk mit der scheide de von aldere[1])
dar to gehoret heft, und Dersowe, mit der scheide de von aldere
dar to gehoret heft, und Swetz mit der scheide, de dar to ghehoret
heft von aldere" ...: Verkauf der Distrikte von Danzig, Derschou,
und Schwetz durch den Brandenburger Markgrafen Woldemar an den
Deutschorden (Gercken, codex diplom. Brandenb. VII, 1782, 121).

Aus dem mehr oder weniger breiten, unbestimmten Saume, der in
früheren Zeiten unfehlbar jede deutsche Siedelung umgürtet hat, war
nunmehr die schmale „Scheide", die Linie, entstanden.

Den Höhepunkt der Entwickelung der Linie darf man in der Einteilung des Deutschen Reiches in zehn Kreise, wie sie im Jahre 1512
verfügt worden ist, erblicken. Diese Nichtberücksichtigung der alten Gebilde
war zu willkürlich;[2]) solch eine Zerreißung von Zusammengehörigem,
solch eine Zusammenfassung fremdartiger Teile konnte sich unmöglich
einbürgern. Seit dem Dreißigjährigen Kriege hat diese Kreiseinteilung,
gewissermaßen das Nonplusultra einer Linienziehung in einem Kultur-
staate wie Deutschland, nur noch auf dem Papiere gestanden.

---

[1]) Durch diese typische Phrase „von Alters her", die uns in den meisten Weistümern wieder begegnet, wird sich niemand irre machen lassen; sie dient nur dazu,
die Festsetzungen in einem höheren Alter, als ihnen gebührt, und deshalb recht ehr-
würdig und unverletzlich hinzustellen.

[2]) Dagegen war die sogenannte Demarkationslinie Alexanders VI, die am
3. Mai 1893 ihren 400jährigen Geburtstag gefeiert hat, in vielen Beziehungen berechtigt; deshalb hat sie auch mehrere Jahrhunderte überdauert. (Vgl. Wissenschaftl.
Beilage der Leipziger Zeitung vom 2. Mai 1893; interessante Skizzen aus dem
Jahre 1502 u. 1527 in Winsors Narrat. and crit. hist. of America II, 109. 43.)

Passauer Annalen.

Forschungen zur Passauer Geschichtsschreibung im Mittelalter
von Alois Lang.*)

I.

Während die einzelnen Bischofsstädte und Klöster des deutschen
Mittelalters fast durchgehends historische Aufzeichnungen der Nachwelt
hinterließen, ja einzelne dieser Orte wenigstens für eine bestimmte Zeit
geradezu als Mittelpunkte geschichtlicher Arbeiten bezeichnet werden können,
hat sich vom Hochstifte Passau und den in dieser Stadt gelegenen
klösterlichen Niederlassungen fast nichts von dieser Art erhalten; nicht
einmal bestimmte Nachricht über historische Thätigkeit überhaupt ist für
die Zeit vor dem 14. Jahrhundert auf uns gelangt. Nennen wir die
immerhin schätzenswerten Bruchstücke des sogenannten Passauer Anonymus (oder Pseudorainer), die uns über das Treiben der Waldenser in dem Passauer Kirchensprengel im 13. Jahrhunderte Aufschluß
geben,[1] die kaum erwähnenswerten Annalen des Nikolausklosters,[2]
nekrologische Fragmente und einige Bischofsreihen, deren Entstehungsort
noch unbestimmt ist, so haben wir die Zahl der Arbeiten, die in historischer Richtung in Passau verfaßt wurden und uns erhalten geblieben
sind, erschöpft. Diese Wahrnehmung ist umso auffallender, da gerade

---

*) Durch den Abdruck dieser kritischen Untersuchung hofft die Redaktion zu
einer erneuten Prüfung der in betracht kommenden, interessanten Fragen anzuregen,
bei welcher auch das in München beruhende handschriftliche Material zu rate zu
ziehen wäre. D. R.

[1] Teilweise gedruckt bei: Gretser, opera tom. XII. Bibl. max. Lugd.
XXV S. 262; Flaccius Illyr., catal. test. verit. 1166. S. 641 ff. Vgl. H. Haupt,
Waldensertum und Inquisition im südöstl. Deutschland. Freiburg (Mohr) 1890.
Preger, Beiträge. S. 187 ff.

[2] Monumenta Germaniae SS. XXIV, 60.

das Paffauer Bistum in fernere Vergangenheit hinaufreicht als viele
andere, ja seine durch Jahrhunderte festgehaltenen Ansprüche auf eine
erweiterte kirchliche Wirksamkeit einen festeren Zusammenhang mit der
Geschichte hervorzubringen geeignet scheinen sollten. Bücherverzeichnisse
aus dem Mittelalter haben uns zwar hie und da über das Vorhanden=
sein historischer Arbeiten unterrichtet, aber über ihren Inhalt, zumal
über die in dieselben eingetragenen Notizen und Zusätze, die ja meist
unser Interesse für die mittelalterlichen Geschichtswerke allein hervor=
rufen, erhalten wir fast keine Nachrichten. Besser steht es, wenn wir
aus späteren Benutzungen mittelalterlicher Geschichtswerke auf diese selbst
zurückschließen können, obwohl auch da das Interesse des Benützers mit
unserem nicht immer zusammenfallen wird. Es liegt also die Gefahr
nahe, daß wir den Inhalt solcher durch spätere Ausbeutung uns be=
kannter Geschichtswerke unterschätzen.

Aus solchen späteren Geschichtsbearbeitungen glaubte man nun auch
zur sicheren Erkenntnis gelangt zu sein, daß in Paffau historische Auf=
zeichnungen in der Form von Annalen wirklich existierten Wiguleus
Hundt von Sulzenmos besonders wurde als eifrigster Benützer
der „Annales Patavienses" betrachtet, und seine[1] oftmalige Berufung
auf diese Geschichtsquelle, der er scheinbar nicht unwichtige Nachrichten
entnahm, führte zur unbedingten Annahme der Existenz eines An=
nalenwerkes, das nicht bloß den Namen der Stadt Paffau trug,
sondern vermöge der Natur des Inhaltes auch an diesem Orte ent=
standen sein mußte. So suchte schon Hieronymus Pez[2] in den
Bibliotheken Oesterreichs und Baierns nach Handschriften dieser annales
Patavienses, konnte aber keine Spur entdecken. Dümmler, Ratzinger
und Schirrmacher beschäftigen sich mit ihnen, ihre Existenz gilt Riezler,
Wattenbach und Lorenz als unzweifelhaft.[3] Man schreibt dieser uns
verlorenen Quelle außer der älteren Geschichte des Paffauer Bistums
besonders eine eingehende Darstellung der Wirren zu, die sich um die
Mitte des 13. Jahrhunderts an die Person Albert des Böhmen knüpften;

---

[1] Zu seinem Werke: Metropolis Salisburgensis (editio 1719 cum notis
Gewoldi. Tom. I. S. 190 ff.)

[2] Scriptores rer. austr. I. S. 3 V.

[3] Dümmler, Piligrim v. Paffau, S. 73 u. 152. Ratzinger, Histor.=polit.
Blätter, Bd. 60, 61, 64, 84, 85. Schirrmacher, Albert v. Possemünster, genannt
der Böhme. Weimar 1871. S. 171—86. Riezler, Aventins Werke, Bd. III
(Annales Bojorum Bd. II) S. 585 u. 86. Wattenbach, Deutschlands Geschichts=
quellen, 6. Aufl., Bd. II, S. 304. Lorenz, Deutschlands Geschichtsquellen, 3. Aufl.
Bd. I, S. 193/4.

und sie gilt für uns umso wertvoller, als die Anlage dieser Annalen in die Zeit des Bischofs Otto von Lonsdorf (1254—65) versetzt wird. Pez, Dümmler und Lorenz halten an dieser Abfassungszeit fest. Ratzinger[1] bestritt diese Annahme und erklärte die fragliche Quelle für eine spätere Kompilation. Diese Auffassung hält Ratzinger auch fest, als er die früher als Hauptargument angeführte Nachricht über Bischof Konrad II, von anderer Seite über ihre Richtigkeit belehrt, im wesentlichen anerkannte.[2] Gegen ihn polemisierte Schirrmacher an vielen Stellen seiner Monographie über Albert den Böhmen, und fand oft Gelegenheit, die „Glaubwürdigkeit der von den unverwerflichen Passauer Annalen gebrachten Aufzeichnungen"[3] nachzuweisen. Im Anhang verbreitet sich derselbe Verfasser noch in zusammenhängender Darstellung über „die Echtheit der Passauer Annalen (annales Patavienses)".[4] Sie seien enthalten bei Schreitwein, Brusch und Hundt. Des letzteren Text sei aber ohnehin mit geringer Ausnahme nichts anderes als der wörtliche Text von Bruschius' Werk. Auch Aventin habe sie benutzt. Sowohl die historische Erzählung als auch die Lamentation bei Schreitwein und Brusch stamme wahrscheinlich von demselben Verfasser, der unter Bischof Otto von Lonsdorf lebte. An eine Zergliederung des von Brusch und Schreitwein gebrachten Stoffes dachte Schirrmacher nicht, obwohl ihm bei den verschiedenen Berichten beider doch klar sein mußte, daß nicht in jeder der beiden Darstellungen die annales Patavienses ausgeschrieben sein konnten. Wie Dümmler glaubte auch Schirrmacher, daß Hundt das Werk von Brusch ausgeschrieben und nur um einige Zitate aus der Passauer Originalquelle vermehrt habe, die seine gedruckte Vorlage nicht enthielt.[5] Die ersten Berichte über Alberts Wirksamkeit, die Schreitwein nicht enthalte, seien von Brusch und Hundt irrtümlich aufgenommen worden. Winkelmann fand Schirrmachers Darstellung so gründlich, daß er bei der Rezension derselben behauptete: Der Beweis der Glaubwürdigkeit der Annalen ist vollständig gelungen.[6]

Gegen Schirrmacher veröffentlichte Ratzinger neuerdings eine Reihe von Aufsätzen über Albert den Böhmen, in denen er in jeder Weise seinen früheren Standpunkt aufrecht erhält. Riezler anerkennt ihre

---

[1] Histor.-polit. Blätter, Bd. 60, S. 924—43 (bef. S. 939).
[2] Ebenda, Bd. 61, S. 535—41.
[3] Albert v. Possemünster, S. 100.
[4] Ebenda S. 171—86.
[5] Dümmler, Piligrim von Passau, S. 97.
[6] Sybels historische Zeitschrift, Bd. 27, S. 159.

Gründlichkeit, während sich Lorenz im allgemeinen ablehnend verhält.
In betreff der annales Patavienses kommt Ratzinger in dieser Studie
zu folgenden Resultaten: Für die Zeit des Albert Bohemus sind die
bei Schreitwein, Bruschius und Hundt vorkommenden Angaben keineswegs sämtlich aus den Passauer Annalen geschöpft. Bei Schreitwein
lassen sich deutlich drei verschiedene Quellen unterscheiden. Bruschius
lag jener Teil der Quellen Schreitweins, dessen Verfasser Albert gleichzeitig gewesen sei, nicht in ursprünglicher Form vor, sondern in einer
Ueberarbeitung und in einem nur mangelhaften Auszuge. Schirrmachers
Annahme, alle Angaben, welche bei Schreitwein, Bruschius und Hundt
vorkommen, seien Nachrichten der Passauer Annalen, welche in gleicher
Weise allen drei Autoren vorgelegen hätten, ist durchaus unhaltbar.
Schreitweins Nachrichten sind nicht eine annalistische Darstellung, sondern
eine historische Rechtfertigungsschrift, deren Mittelpunkt Albert Bohemus
bildet.[1] Es ist auch sehr fraglich, ob Bruschius seine Angaben über
Albert aus den Passauer Annalen schöpfte. Allenfalls könnte die Gelegenheitsschrift, die bei Schreitwein vorliegt, später bei Abfassung der
Passauer Annalen mitbenutzt worden sein. Es ist möglich, vielleicht
wahrscheinlich, aber keineswegs erwiesen, daß Bruschius dieses Material
in den von Hundt beschriebenen Annalen vorfand. Hundt hat vielleicht,
wie ihm schon Gewold vorgeworfen, die Passauer Annalen gar nicht
eingesehen und hat den Annalen, welche er bei Aventin vorfand, wieder
ebenso willkürlich, wie bei Bruschius, die Passauer Annalen substituiert.
Vielleicht sind die Hundtschen Annalen identisch mit dem vetus liber
Formbacensis, den Bruschius im Kloster Formbach benutzte.[2] Mit
dem vorausgehenden Teil der Passauer Annalen, namentlich was ihr
Verhältnis zu den (sogenannten) Lorcher Fälschungen betrifft, versprach
Ratzinger an anderer Stelle sich eingehend zu befassen.[3]

Das ist der heutige Stand der Forschung über die Passauer Annalen.
Zu einer entgiltigen Entscheidung dieser Frage haben Ratzingers Untersuchungen also nicht geführt,[4] sie lassen schließlich alles im ungewissen.
Doch muß dankbar anerkannt werden, daß seine übrigen Forschungen,
die sich auf die Hauptperson seiner Abhandlungen beziehen, einer end-

---

[1] Hist.-pol. Bl. Bd. 84, S. 837, 841, 843.
[2] Hist.-pol. Bl. Bd. 85, S. 105, 107, 112, 113.
[3] Ebenda, Bd. 84, S. 837. Der Formbacher Herkunft dieses Codex schließt
sich Ratzinger auch in seiner neuesten Arbeit an: Lorch u. Passau, im Katholik 1896,
Aprilheft, S. 361, 365. Dieselbe enthält aber über die Passauer Annalen nichts
Neues, der Vf. verweist auf seine früheren Untersuchungen.
[4] Vgl. Riezler, Gesch. Baierns II, 245, Note 4.

lichen Löſung dieſes Problems ſehr wichtige Dienſte geleiſtet haben.
Und dieſe ſoll hier durchgeführt werden. Möglichſte Klarheit über die
verlornen annales Patavienses iſt umſo wünſchenswerter, als deren
Darſtellung der Wirkſamkeit Albert des Böhmen — die einzige, die
wir über dieſen Mann beſitzen — für die Beurteilung des ſtreitbaren
Paſſauer Archidiakons und für die politiſchen und religiöſen Verhältniſſe
Baierns und Oeſterreichs in jener Zeit harter Kämpfe von erheblicher
Wichtigkeit zu ſein ſcheint. Iſt aber die Exiſtenz eines ſolchen Paſſauer
Annalenwerkes aus den erſten Jahren der zweiten Hälfte des 13. Jahr-
hunderts geſichert — woran gegenwärtig kein Literarhiſtoriker zweifelt
— dann mag Riezler immerhin jene Nachrichten, die er bei Aventin
fand und in anderen Quellen nicht nachzuweiſen vermochte, auf dieſe
Annalen zurückführen.[1])

*

Schreitwein, Bruſch und Hundt werden als Benützer der nunmehr verlornen Paſſauer Annalen genannt. Es iſt alſo notwendig, um
die geſtellte Aufgabe zu löſen, in die Werke dieſer drei Männer Einſicht
zu nehmen und ihrer Art, Geſchichte zu ſchreiben, etwas nachzuforſchen.
Schreitweins hiſtoriſche Thätigkeit wird ins 15. Jahrhundert verlegt.
Rauch druckte ſein Werk ab in den Scriptores rerum austriacarum II,
431 ff. nach einer Handſchrift des 16. Jahrhunderts (Codex Vindobonensis 9529) und gab ihm den Titel: Cathalogus Archiepiscoporum
et Episcoporum Laureacensis et Pataviensis Ecclesiarum per N. Schreitwein collectus ad Fridericum Imperatorem. Ueber den Verfaſſer haben
wir keine nähere Kenntnis, nur hielt man ihn nach den Worten der
Einleitung auch für den Autor mehrerer verlorner Abhandlungen: de
gestis, ortu et occasu Romanorum regum (auf Befehl Kaiſer Friedrich
des Dritten) und Austriae cronica, die er aus dem Deutſchen ins
Latein überſetzt habe; zur Ausfüllung eines Bandes habe er noch dieſen
Katalog anfügen wollen, ſoweit er ihn aus verſchiedenen Geſchichts-
werken zuſammenbringen konnte. Nach Auffindung der Ebendorferſchen
Geſchichte der Paſſauer Kirche ſtellt ſich aber die ganze Einleitung des
nicht weiter bekannten Schreitwein (N. Schreitwein) als eine wörtliche
Entlehnung aus dem Werke Ebendorfers heraus, dem auch die beiden
anderen genannten Werke mit vollem Rechte zugeſchrieben werden. Ottokar

---

[1]) Vgl. Riezler, Aventins geſamte Werke III, 241, 265, 267, 268 in den
Anmerkungen.

Lorenz hält Schreitwein demnach für einen Plagiator großen Stils.[1]
Zu einem anderen Urteile aber kommt man, wenn man alle in betracht
kommenden Umstände näher erwägt. So weit aus Rockingers dürftigen
Exzerpten[2] Ebendorfers Text bekannt ist, stimmt nicht nur die Einleitung wörtlich mit der Schreitweins überein, sondern auch die ganze
Anlage des Werkes, ja sogar offenkundige Irrtümer finden sich bei
beiden gemeinsam. So wird der Name des Papstes, der Rudiger von
Passau abgesetzt habe, von Schreitwein wie von Ebendorfer Gregorius
genannt (Rauch), SS. II, 503), obwohl unmittelbar vorher schon Innocentius IV als regierender Papst erwähnt worden war. Bei beiden
werden ferner unverkennbare Anspielungen auf Wien gemacht: so wird
bei Schreitwein eine Handschrift der Wiener Hofbibliothek erwähnt, der
hl. Severin patronus noster genannt, Klosterneuburger Aufzeichnungen
werden zitiert.[3] Die Erzählung über Albert des Böhmen Wirksamkeit,
die uns Rockinger aus Ebendorfer wiederum in größerer Ausführlichkeit
mitgeteilt, ist fast Wort für Wort gleichlautend mit der Schreitweins.
Letztere enthält nur ein paar kurze Zwischensätze mehr, nämlich. Alberts
ersten halbjährigen Aufenthalt in Wasserburg, die Eroberung dieser
Grafschaft durch Herzog Ludwig von Baiern, die Schenkung von vier
Pferden und von Einrichtungsstücken Alberts an Bischof Konrad. Zu
den Unterschieden, die zwischen diesen beiden Schriften bestehen, gehören
Lese- und Schreibfehler, wie: Cierberg statt Tirbergk, prestin statt
Pernstein, Wolferstein statt Wescherstein und das Fehlen einiger
Notizen über Ebendorfers biographische Einschaltungen: dessen Taufe
in Hollabrunn, pfarramtliche Thätigkeit in Berchtoldsdorf bei Wien u. a.
Wie Ebendorfers Katalog eine Urkundensammlung beigegeben ist, so
setzt auch das Werk des sogenannten Schreitwein eine solche voraus,
denn der Schreiber desselben beruft sich geradezu auf dieselbe: ut infra

---

[1] O. Lorenz, Deutschlands Geschichtsquellen, 3. Aufl., I. Bd., S. 347,
Nachtrag zu S. 194.

[2] Mitgeteilt i. d. Abhandlungen d. k. b. Akademie d. Wiss. XV, 1, S. 273 ff.
und 293 ff. (1880). Der Verfasser dieses Kataloges, der in der Handschrift nicht genannt ist, wird von Rockinger in überzeugender Weise als Thomas Ebendorfer
von Haselbach erwiesen. Als weiteres Argument für Ebendorfer wäre noch der
Vergleich der Nachricht über Herzog Friedrich des Zweiten (von Oesterreich) Lebensende (1246) in dieser Handschrift mit der Erzählung desselben Verfassers bei Rauch,
Script. II, 724, 726 zu nennen. Eine irrtümliche Notiz, die Rockinger aus Lorenz,
Geschichtsquellen, 2. Aufl. entnimmt (Zeißberg habe Ebendorfers Kataloge noch gesehen), ist in der 3. Auflage desselben Werkes ohnehin schon verbessert.

[3] Ebendorfers Anspielungen auf Wien hat Rockinger a. a. O. hervorgehoben.

in epistola ad Bonifacium continetur, und doch enthält unſere Hand=
ſchrift (Cod. Vindob. 9529) keine ſeparate Urkundenſammlung. Andere
Urkunden ſind freilich in den Text regeſtenartig aufgenommen, die bei
Ebendorfer nur in der Sammlung enthalten ſein dürften, wie z. B.
nach der Geſchichte des Biſchofs Rudiger. Faſſen wir dieſe Momente
zuſammen, ſo ergibt ſich wohl mit Sicherheit, daß wir im ſogenannten
Katalog Schreitweins nur eine ſehr wenig veränderte Abſchrift des
Ebendorferſchen Textes vor uns haben. An dieſer Thatſache würde
auch eine vollſtändige Veröffentlichung des letzteren kaum viel ändern.
Ein gewiſſes, aber beſcheidenes Maß ſelbſtändiger Bearbeitung erlaubte
ſich der Abſchreiber, ſo in der Benützung der Urkunden, wie eben bemerkt
wurde. Aventins deutſche Chronik lag ihm gewiß auch vor, denn auf ſie
beruft er ſich: Has literas vernacula lingua versas invenies in Epitome
Aventini circa finem (eadem manu, Rauch II, 490). Eine Anzahl kleinerer
Verſchiedenheiten werden wir auch auf die ſehr ſpäten Abſchriften der beiden
Werke zurückführen müſſen, denn jede der beiden gehört dem 16. Jahrhundert
an und iſt reich an Schreib= und Leſefehlern. Der Ebendorferſche Text
trägt keinen Autornamen, der ſogenannte Schreitweinſche aber führt dieſen
Namen an der Spitze; der unbekannte Vorname wird durch N. aus=
gedrückt. Der Abſchreiber wußte alſo ſelbſt nichts Näheres über den
vermeintlichen Autor, deſſen Werk er ſeit der Mitte des 15. Jahr=
hunderts — wo auch Ebendorfer ſchließt — bis ins 16. Jahrhundert
fortſetzte. Vermutlich hatte ihn die Lektüre der Werke Aventins zu
dieſer Meinung gebracht, der ſeinen rätſelhaften Schreitwein, den antiquissimus historiographus — zu Gerbold koenig in Baiern zeiten —
unter den bergamenen puechern im tomstift zu Passau gefunden habe
und ihm eine Nachricht über Albert den Böhmen zuweiſt.[1]) Schon daraus
erhellt die Wertloſigkeit der Aventinſchen Angabe; „König“ Gerbold
(Garibald) exiſtierte im 13. Jahrhundert oder ſpäter nicht. Von einer
geſchichtſchreibenden Perſönlichkeit mit Namen Schreitwein wird man
alſo abſehen, ſeinen Namen aus der Literaturgeſchichte ſtreichen und ſich
mit der Bezeichnung begnügen müſſen, die ſchon der ſcharfſinnige Jeſuit
Hanſiz dieſer Handſchrift zuteilte: vulgo Schreitwein appellatus.[2])

Der Ebendorfer=Schreitweinſche Text enthält nun eine einzige Stelle,
aus der man auf die Benützung von Paſſauer Annalen ſchließen könnte.
Zur Geſchichte des Biſchofs Reginbert finden ſich nämlich die Worte:
Huius episcopi antiquus Cathalogus non meminit . . . in annalibus

---

[1]) Riezler, Aventins Werke III, 561/3.
[2]) Germania sacra, tom. I, Quellenverzeichnis.

invenitur, quod anno Domini 1139 Innocentius papa Romae Synodum 700 Episcoporum collegit et A. D. 1140 Reginarius obiit et eidem Reginbertus succedit. Die Nachricht vom römischen Konzil findet sich in mehreren Annalenwerken, aber die Zahl der Bischöfe stimmt nur mit den Salzburger Jahrbüchern überein (Mon. Germ. SS. IX, 774). Der Passauer Bischofswechsel ist dort nicht angemerkt. Soviel sei vorläufig gesagt. Ein zweites Zitat aus den Annalen findet sich in diesem Werke nicht. Für die Darstellung der Wirksamkeit Alberts ist keine Quelle angedeutet; doch ist im sogenannten Schreitweinschen Text Albert schon zum Jahre 1212 genannt, in welchem er zum Domherrn in Passau erhoben worden sei. Näher auf den Inhalt dieses Werkes einzugehen, ist hier nicht nötig; es sei nur bemerkt, daß die Lorcher Legendenbildung im weitesten Umfange eingeschaltet wurde, daß sich der Grundstock derselben und die Passauer Bischofsgeschichte, wie ihn Sigmar von Kremsmünster zuerst in ausführlicher Weise fixierte, überall nachweisen läßt. Die Zahlenangaben befinden sich vielfach in arger Verwirrung, die Chronologie machte dem Verfasser überhaupt große Schwierigkeiten (siehe bes. Rauch a. a. O. S. 462). Den Wert der benützten Nekrologien hat Dümmler gewürdigt (Pilgrim von Passau S. 128). Wir können uns, um nach annales Patavienses zu forschen, nunmehr zu Brusch wenden.

*

Kaspar Brusch vollendete in Passau, von der hohen Geistlichkeit auf das freundlichste aufgenommen, in den ersten Monaten des Jahres 1553[1] sein Werk, das ungefähr denselben Gegenstand behandelte, den schon Ebendorfer bearbeitet hatte und dem er bei der Drucklegung in Basel (1553) den Titel gab: De Laureaco veteri admodumque celebri olim in Norico civitate et de Patavio Germanico: ac utriusque loci Archiepiscopis et Episcopis omnibus. Libri duo. In diesem Buche erscheint der Ausdruck: Passauer Annalen zum ersten Male. Weil nun Hundts Darstellung, welche in deutlicher Weise über ein bestimmtes Exemplar berichtet, das den Titel: annales Patavienses geführt habe, großenteils auf Brusch fußt, ja ihn geradezu ausgeschrieben und nur um einige Zitate aus den Passauer Quellen vermehrt haben soll, die Brusch ausgelassen habe,[2] müssen wir auf die Art der Benutzung der Quellen durch Brusch näher eingehen. Der Verfasser spricht

---

[1] Horawitz, Caspar Bruschius, Prag und Wien, 1874. S. 160 ff.
[2] Dümmler, Piligrim von Passau, S. 97 u. 195. Anm. 38.

felbft darüber in der Einleitung: Er habe in den Paffauer Archiven
viele Denkmäler der alten Helden ihrer Kirche gefunden über innere
und äußere Kriege. Kirchen und Klöfter, ja ein Bild der ganzen Zeit
von der Geburt Chrifti bis zur Gegenwart könne man dort wie in
einem Spiegel fchauen. Auch ungünftiges über die Pontifices La=
tiums und unehrerbietiges über die Bifchöfe der Stadt könne man
dort finden. Auch in fein Buch habe er nicht wenig eingefchoben, mit
dem vielleicht ihre Annalen in Widerfpruch ftünden. Denn vieles fei
von den römifchen Päpften gefchrieben, was ein guter Menfch nicht
loben könne, ohne das Licht in Finfternis, die Dunkelheit in Licht zu
verkehren (S. 5). Soviel Irrtümer und Lügen feien in ihren Annalen
enthalten, daß er fich wundere, wie fich in fo vielen Jahren nicht jemand
gefunden habe, der fie mit kühnem Wagnis ausgemerzt habe. Aus vielen
Exemplaren habe er einen Auszug gemacht, der von der Wahrheit nicht
fehr abweicht und mit anderen Schriften zufammenftimmt (S. 6 und 7).
Die einzelnen Bifchöfe will Brufch der Reihe nach behandeln, wie er
fie aus verfchiedenen Codices in Ordnung gebracht habe. Brufch gibt
fich fomit den Anfchein einer höchft gründlichen, vollftändig unabhängigen
Forfchung. Damit fteht freilich in direktem Gegenfatz, was ihm Lazius
vorwirft: Brufch habe ihm feine Abhandlung über Lorch entwendet und
mit einigen nichtsfagenden Zufätzen (nugae), die er von anderen ent=
lehnt und mit der Ableitung des Namens vermehrt habe, unter eigenem
Namen herausgegeben.[1] Horawitz konnte zwar bei „forgfältiger Ver=
gleichung beider über Lorchs Gefchichte nicht zur Ueberzeugung gelangen,
daß Lazius recht habe," aber unzuverläffig ift Brufch jedenfalls, indem
er immer nur in allgemeinen Ausdrücken zitiert, feine Quellen nach
Aventins Vorbild mit Vorliebe als uralt bezeichnet und keine einzige
neuere Bearbeitung des Stoffes anführt, obwohl Hundt beifpielsweife
mehrfach wörtlich mit Brufch gleichlautende Stellen bringt, die er auf
Aventin zurückführt (f. S. 280 f., 285). Die von Brufch namentlich zitierten
Quellen hat Horawitz zufammengeftellt (a. a. O. S. 164). Allgemeine
Bezeichnungen find: liber vetus, vetustissimum chronicon, pervetus
(S. 46, 78, 128), vetera diaria (S. 166), aliqui scribunt (S. 165),
in literis relatum est (S. 145), alibi legam (S. 129), momus quidam
(S. 196), legimus (S. 32), inveniam und invenimus (S. 29, 197).
Aus diefen Angaben läßt fich, wie Dümmler bemerkt, allerdings keine
Kontrolle vornehmen. Paffauer Quellen führt Brufch nur an wenigen

[1] Siehe Dümmler, Piligrim v. Paffau S. 195. Anm. 36. Vgl. Hanfiz, G. S. I, 29.

Stellen eigens an und zwar als: Patavienses Catalogi (S. 79, 217), annales Pataviensium (S. 152) oder Patavienses (S. 199), summi templi Paviensis chronicon (S. 166). Was wir unter diesen Passauer Quellen zu verstehen haben, ist damit nicht im entferntesten klar; denn Brusch gebraucht diese Bezeichnungen ohne bestimmte Einschränkung; er nennt auch sein eigenes Werk gelegentlich catalogus (S. 55) oder annales (S. 32) und spricht sogar von annales Urolphi (S. 84) und Gebhardi annales (S. 182), ohne damit etwas anderes, als die von ihm selbst gebrachte Geschichte dieser beiden Bischöfe zu bezeichnen. Zitate aus den annales Patavienses wären nur: Regimarus ... appellatur in Pataviensium annalibus ecclesiae desertor (S. 152), und: Nec aliud ... in Pataviensibus annalibus invenimus (S. 199). Näheres wird noch bei der Besprechung des Hundtschen Werkes folgen.

Es läßt sich also auch aus Brusch, weder aus seiner Einleitung, noch aus dem Werke selbst, ein sicherer Schluß ziehen auf das Vorhandensein wirklicher Annalen in Passau, umsoweniger auf deren Abfassungszeit oder Inhalt. Anders scheint es sich bei Hundt zu verhalten.

*

Bald nach der Einleitung zum Episcoporum Laureacensium Pataviensiumque catalogus, der den dritten Abschnitt des ersten Bandes der Metropolis Salisburgensis (Editio 1719 S. 190 ff.) bildet, sagt Hundt: Paviae extat vetustus liber in membranis scriptus, continens annales Patavienses deductos usque ad annum Domini 1255 una quoque catalogum succinctum Laureac. ac Paviens. Archiepiscoporum et Episcoporum cum copiis diplomatum, tam summorum Pontificum quam Rom. Imperatorum, quem mihi Reverendissimus Urbanus Episcopus Patavensis legendum communicavit. In hoc opere per me saepissime citato (illi enim propter antiquitatem meo judicio non modica fides habenda) huius Laurentii neque in annalibus neque in catalogo fit mentio sicut neque sequentis Floriani. In der weiteren Darstellung werden noch sehr häufig annales Patavienses zitiert. Hundt hatte also einen Pergamentcodex in der Hand, der annales Patavienses nebst einem Bischofskatalog, in den Papst- und Kaiserurkunden eingetragen waren, enthielt.

Daß Hundts Darstellung der Passauer Kirchengeschichte auf dem Werke ruht, das Brusch zwei Jahrzehnte vorher in Druck gegeben hatte, ist von den Literarhistorikern längst detont worden. Schon Hansiz sprach davon (Germ. Sacra 1, 27), durch Blumberger und Dümmler (s. oben S. 272) wurden diese Annahmen in die neueren literarhistorischen

Werke gebracht und Hundt nur der traurige Ruhm dürftiger Nachlese aus den annales Patavienses zuerkannt. Demnach hätte Brusch aller- dings diese verlorne Quelle ausgeschrieben, und wir dürften annehmen, daß ein beträchtlicher Teil seiner Darstellung — den wir bei der ganz mangelhaften Zitierungsweise des Verfassers nicht näher bestimmen können — auf dieselbe zurückzuführen sei. Nun wird uns aber eine eingehende Zergliederung des Hundtschen Textes lehren, daß jene Nach- richten dieses Autors, die sich zweifellos auf die annales Patavienses zurückführen lassen, geradezu im Gegensatz zu Brusch angeführt werden, daß auch ihre Chronologie eine abweichende ist. Nochmals muß betont werden, daß Bezeichnungen, wie annales, chronicon schon von Brusch für historische Darstellungen überhaupt angewendet wurden, ohne Rück- sicht auf deren Anlage; dieselbe Sitte tritt uns bei Hundt entgegen, ja sie findet sich noch bei Hansiz, der gleichfalls chronicon Pataviense (S. 390), annales Patavienses (S. 186) ohne Unterschied als Werke der „annalistae Patavienses" (S. 22) anführt. Und zu diesen letzteren rechnet er auch Brusch und Hundt. Die Art und Weise, wie Hundt sein Werk verfaßte, ist bedeutend durchsichtiger und dasselbe demgemäß leichter in die einzelnen Quellenberichte zu zerlegen als bei Brusch, indem ersterer seine Fundorte viel genauer anführt, sogar die Unter- abteilungen der benützten Werke mitteilt und eine Anzahl neuerer Be- arbeiter desselben Stoffes als Gewährsmänner zitiert, wie: Aventin (Annales, Rapsodia, Adversaria), Wolfgang Lazius (de republica Romana), Cuspinian (libri consiliorum). Brusch nennt er selten, meist nur, um gegen ihn zu polemisieren. Doch wird sich im Laufe der folgenden Untersuchung des Hundtschen Textes zeigen, daß Brusch die Grundlage des größten Teiles des Hundtschen Werkes bildet, indem dasselbe damals ja die bequemste und zugleich neueste Darstellung der Paffauer Kirchengeschichte war. Wir unterziehen vorerst den erzählenden Text einer genauen Prüfung, um die eingestreuten Urkunden und Re- gesten später im Zusammenhange zu würdigen.

Die Einleitung der Hundtschen Geschichte der Paffauer Kirche (Editio 1719, S. 190) enthält eine Erklärung des Namens Laureacum, worauf eine kurze Skizze der Thätigkeit des hl. Laurentius und des hl. Florian folgt. Diese Nachrichten waren in seinem alten Exemplar der annales Patavienses, das ihm Bischof Urban zur Benützung gab, nach Hundts eigenen Worten nicht enthalten: huius Laurentii neque in annalibus neque in catalogo fit mentio sicut neque sequentis Floriani (f. S. 274). Trotzdem behauptet Hundt: Annales autem Pata- vienses civitatem (Laureacum) putant appellatam a beato Laurentio,

christianismi illic primo Doctore praedicatoreque. Es tritt uns also
der erste Fall entgegen, in welchem wir unter annales Patavienses, die
Hundt zitiert, nicht jenes alte Exemplar verstehen dürfen; wir müssen
dabei an die Bearbeitungen der Passauer Kirchengeschichte überhaupt
denken, die Hundt zur Benützung vorlagen. In ähnlicher Weise müssen
wir die späteren Zitate aus annales Patavienses scharf ins Auge fassen,
um über die verschiedene Bedeutung dieses Ausdruckes ins klare zu
kommen. Der Mangel jeder kritischen Sonderung dieser mehrfachen Be=
deutungen bewirkte die Unklarheit, welche heute noch über die annales
Patavienses herrscht, obwohl schon Hansiz (G. S. I, 28) auf diesen
Umstand aufmerksam gemacht hat. Bei der Erzählung über den Bischof
Jerardus bemerkt Hundt: Hunc annales non habent. Sed Catalogus
his verbis: His temporibus S. Jerardus Laureacens. Archiepiscopus
creditur praefuisse etc. Dieses Zitat ist zweifellos seinem alten Codex
(Catalogus) entnommen Die Erzählung selbst wie das Vorausgehende
ist Wort für Wort mit dem Texte Bruschs gleichlautend (S. 23—28),
nur hie und da etwas gekürzt und mit den hier herausgehobenen Notizen
vermehrt. Dasselbe gilt für die nächsten Teile seiner Bischofsgeschichte.
Doch fügt Hundt ab und zu ein legimus ein oder ändert ein inveniam,
legimus, womit Brusch selbstbewußt die eigene Forschung ausdrücken
wollte, in reperiatur und legitur, um das Verdienst demjenigen zu
lassen, dem es gebührt. Unter Bischof Eutherius verbessert Hundt sogar
den Text Bruschs, indem er mit Hinweisung auf die historia ecclesiastica
und die libri conciliorum Papst Julius I nennt, unter dem das Konzil
von Sardica gefeiert worden sei und nicht unter Stephan, ut quidam
per errorem tradunt; zu diesen gehört nämlich auch Brusch.[1])

Diesen Namen (Eutherius) fand nun Hundt auch in seinem Codex
verzeichnet mit dem Beisatze: praesedit anno Christi 268 (secundum
annales et catalogum). Die Schwierigkeit, die diese Zahlenangabe mit
der anderen überlieferten Nachricht birgt, daß dieser Bischof auf dem
Konzil von Sardica gegenwärtig gewesen sei, entgeht Hundt keineswegs;
doch hält er fest an der Jahreszahl, die ihm seine geschätzte alte Quelle
dictet. Brusch dagegen nennt als Jahr seiner Regierung 250. Er hält
sich also nicht an das Hundtsche Exemplar der annales Patavienses.
Die ausführliche Legende des hl. Quirin erzählt Hundt wieder mit den

---

[1]) Die Vorwürfe, die neuere Literarhistoriker gegen die kritiklose Nachschreiberei
Hundts erhoben haben, sind sehr einzuschränken, wenn man die Werke der beiden
Männer, Brusch und Hundt, eingehend vergleicht.

Worten, die wir bei Brusch finden, nur in etwas verkürzter Weise[1]) und mit den oben berührten Aenderungen (reperiatur statt inveniam, legitur statt legimus). Seine Annalen bringen ihm nur die Jahreszahl des Martyriums: Quirini Episcopi, quod anno 308 passus sit, meminere annales Patavines. sed de eo, quod Archiepiscopus Laureacens. fuerit, nihil, sicut neque catalogus.[2]) Mit diesem Zitat tritt Hundt ebenfalls der breiten Erzählung Bruschs entgegen, der die ganze Legende vom Erbischof Quirin zu Lorch, dem Sohne des Kaisers Philipp, in seine Darstellung aufgenommen hatte. Unmittelbar an dieses Zitat aus den alten annales Patavienses fügt Hundt die Bemerkung: In praedictis annalibus ad marginem eadem manu, juxta annum 312 † asscriptum reperio, propter persecutiones huius temporis, et clades Ecclesiarum Archiepiscoporum et Episcoporum per Laureacens provinciam, Catalogus non habetur usque ad tempora Erckenfridi, Episcopi Patavines. quoniam, quasi omnes sunt martyrio coronati, praeter illos tandummodo, qui suis reliquiis, pecuniis, libris et privilegiis raptis Neapolim secesserunt.

Diese Angabe Hundts ermöglicht uns, die Zeit der Abfassung seines alten Kataloges ziemlich genau zu fixieren. Sie fällt in die Mitte des 13. Jahrhunderts, also ungefähr in dieselben Jahre, bis zu welchen die annales geführt worden waren (1255). Den näheren Nachweis werden wir an anderer Stelle bringen, wo wir über die allmähliche Erweiterung des Paffauer Bischofskatalogs handeln werden. In jenem alten Codex war also die ganze Reihe der Lorcher Bischöfe: Maximilianus, Constantius, Theodorus, die von Brusch in aller Ausführlichkeit behandelt werden, nicht enthalten. Hundt gibt des letzteren Darstellungen mit Verkürzungen wieder und nimmt sogar die Anmerkung neuerdings in seinen Text auf, die er oben schon mit ähnlichen Worten aus seinem Codex entlehnt hatte: Post Maximilianum martyrem . . . qui Ecclesiae Laureacens. Rectores fuerint, plane ignoratur; nimirum etc. . . . quod etiam supra annotatum est. Nochmal bemerkt Hundt, daß seine Annalen den Namen des hl. Maximilian nicht bringen. Brusch hatte also gewiß wiederum eine spätere Bearbeitung der Paffauer Geschichte

---

[1]) Sogar Bruschs unsinnige Behauptung über die Herkunft des Ausdruckes Romanorum carcer vom Martyrium der 40 Genossen des hl. Quirin (!), von der die Vita Severini (!) erzähle, nahm Hundt herüber. Ebendorfer (und Schreitwein) führen ihn aber ganz richtig auf die Genossen des hl. Florian zurück.

[2]) Sie enthielten also dieselbe Notiz, die auch die Salzburger (u. a.) Annalen bringen. Mon. Germ. SS. IX, 764.

vor sich, der er diese Notiz entnahm, eine Bearbeitung, in der der hl. Maximilian schon unter den Erzbischöfen Lorchs seine Stelle hatte. Daß diese Einreihung bald nach der Mitte des 13. Jahrhunderts statt= fand, wird an anderer Stelle gezeigt werden. (Vgl. unten S. 290)

Vor der Erzählung über den Bischof Erchenfried konnte Hundt also seinen Annalen nichts mehr entnommen haben. Seine Darstellung ist vielmehr gleichlautend mit dem Werke Bruschs (S. 44—51) mit ähnlichen Aenderungen, die früher schon hervorgehoben wurden, und vermehrt um einige Verweisungen auf Aventin. Und doch begegnen uns auch in diesem Teile zweimal Berufungen Hundts auf Passauer Annalen, jedesmal in engem Anschlusse an die Worte Bruschs. So lesen wir bei letzterem über den Bischof Constantius: Legi in vetustissimo chronico obiisse cum anno Christi 487 etc. Hundt ändert diese Stelle in folgender Weise: Legitur in annalibus Pataviensibus, cuius Cata-logus non meminit, decessisse eum anno Christi 487 etc. Das vetustissimum chronicon, das Brusch zitiert, kann nach dem oben Be= merkten Hundts alter Codex nicht sein; und wenn letzterer dafür doch den Ausdruck annales Pavienses gebraucht, so ist damit ein neuer Beweis geliefert, daß Hundt unter dieser Bezeichnung einfach Dar= stellungen der Passauer Geschichte überhaupt versteht.

Zu Bischof Theodor bringt Brusch einen Abdruck der angeblichen Bulle des Papstes Symmachus und gibt als Jahreszahl ihrer Aus= stellung 499 an: . . . Amen. Datum anno 499. Hundt läßt diese Worte weg und bemerkt: Liber annalium Paviens. non habet annum. Er hat also wieder seinen alten Codex aufgeschlagen. Dort war zu dieser Urkunde noch keine Jahreszahl gefügt; die Abschrift aber befand sich im Urkundenapparate, der ja nach Hundts Angabe seinen annales beigegeben war.[1] Hundt zitiert hier auch nicht annales Pavienses, sondern allgemein den liber annalium.

Wenn Hundt fortfährt: Ac Theodorus secundum praedictos annales obiit anno Christi 524 quod etiam in veteri Formbacensi libro scriptum reperitur, so hat er ebenfalls nicht seinen Codex, sondern andere annales (in seinem Sinne) im Auge und zwar die Bruschs, wo es heißt: Obiit anno Christi 524 ut in veteri Formbacensi libro reperi. Die Un= genauigkeit haben Hundt auch Gewold und Hansiz (S. 28) zum Vor= wurfe gemacht, indem sie behaupteten, Hundt zitiere nur im Glauben

---

[1] Selbstverständlich war in dem alten Codex Bischof Theodor I auch nicht als Empfänger dieses päpstlichen Schreibens genannt. Wir werden an anderer Stelle zeigen, daß man den Theodor dieser Bulle lange Zeit in Theodor II suchte.

an andere, ohne seine Annalen selbst eingesehen zu haben. Hundt wollte aber durch diese Benennungen, wie bemerkt wurde, gar nicht seinen Codex ausschließlich bezeichnen.

Erchenfridus war in der Passauer Handschrift also wieder genannt. Seine Thätigkeit erzählt Hundt aber ganz mit Bruschs Worten, nur das Todesjahr ändert er in 623, während das Jahr 624, das Brusch anführt, nur nebenbei bemerkt wird: alias 624. Hundt bevorzugt also die Zahl 623, er fand sie wohl in seiner Handschrift, deren Jahres-angaben, wie im folgenden sich zeigen wird, meist um eine Einheit von denen, die Brusch bringt, sich unterscheiden. Zur Geschichte des Bischofs Philo führt Hundt wieder das Jahr 624 als Todesjahr Erchenfrids an: secundum annales ibi, dem Othocarius in Passan gefolgt sei, während Philo selbst in Laureacum seinen Sitz gehabt habe. In dieser von Hundt selbst eingeschobenen Parenthese dürfte er wohl wiederum nur die späteren Bearbeitungen, also vor allem Bruschs Darstellung im Auge gehabt haben. Unmittelbar darauf fährt er denn auch mit Bruschs Worten fort: aliud enim de eo in fastos relatum non est. Bei Hundt hat dieses enim gar keinen Sinn. Der Regierungsantritt Brunos erfolgte nach Hundt 638, nach Brusch 634, dessen Geschichte ist dieselbe, die Brusch und schon Ebendorfer brachten, das Todesjahr auch: Obiit 698 nonagenarius secundum annales. Möglicherweise sah Hundt seine Quelle auch über diese Angabe ein; es könnte aber unter diesen annales auch wieder nur Brusch gemeint sein. Der Fall ist übrigens ganz belanglos. Die Nachrichten über Theodor II sind bei Hundt und Brusch wieder gleichlautend: das Todesjahr, das letzterer bringt, 722, nimmt Hundt zwar auf in seine Darstellung, fügt aber bei: at secundum annales 721. Die Angabe seiner alten Handschrift unterscheidet sich also wiederum um eine Einheit von der Bruschs. Vivilos Thätigkeit wird, wie gewöhnlich, mit Bruschs Worten geschildert, auch die Zahl 722 als Antrittsjahr bringt Hundt diesmal, ohne auf seine obige Bemerkung Rücksicht zu nehmen. Doch prüft er gerne die Nachrichten seiner Vorlagen, und so fühlt er sich auch jetzt veranlaßt, gegen Bruschs Darstellung Einsprache zu erheben: ita quidem Bruschius de Laureaco veteri, at ego … non reperio etc. Hier wird zugleich Brusch zum erstenmale genannt, aber in einer Weise, die anzeigt, daß dessen Darstellung die Grundlage der Hundtschen Erzählung bildet. Das Folgende unterscheidet sich mehrfach von der gewöhnlichen Vorlage, Hundt benützt eben Urkunden, diplomata Arnulphi tomi conciliorum, decretalia Gregorii selbständig. Des Bischofs Sidonius Regierungszeit: decem vel undecim annis, obiit 755 vel 756 secundum annales l'a-

tavienses zeigt neuerdings die Abweichungen Hundts nach seinem Codex
von Brusch's Angaben, der 12 Jahre als Zeit der Wirksamkeit und 757
als Todesjahr nennt. Wiederum also eine Differenz von einem Jahre.
Den mit Brusch völlig gleichlautenden Schluß führt Hundt auf Joh.
Aventin, lib. 3. annalium circa finem zurück. Die verschiedenen
Namensformen, die Brusch für Anthelmus und Wisericus anführt, nimmt
Hundt ohne Aenderung herüber, nur bemerkt er, welche Bezeichnung
diese beiden Bischöfe in seiner Handschrift führen: Antelinus, Viscarius
scundum annales. Brusch's Zahlenangaben: 766, 775 ändert Hundt
in 765 und 774 scundum annales; das übrige ist stark gekürzt; schließ=
lich wird auf Aventin verwiesen und nicht auf Brusch, der die Beschlüsse
der Dingolfinger Synode auch bringt.

Der folgende Abschnitt ist bei beiden in Rede stehenden Autoren
wörtlich gleichlautend: ... Tassilo ambitiosus ac regnandi cupidissimus
Bojorum dux, Carinthiam armis sibi subjicit, cuius filius Theodo ab
Hadriano Papa baptizatur Romae. Circa eadem tempora Carolus
Magnus contra Langobardorum Regem Desiderium in Italia gras-
santem foeliciter dimicat et Romae triumphans, Ecclesiae non pacem
tantum restituit, sed eandem Spoletano et Beneventano Ducatibus
etiam munificentissime donat: Unde Patritii Romanorum titulo ho-
noratus est, anno Domini 776 (Brusch, Hundt aber 773 secundum
annales Patavienses). Dieses Zitat könnte nun doch den Schein er=
wecken, als ob Brusch und Hundt hier eine Quelle ausgeschrieben hätten,
die, wie andere Annalen, die verschiedensten Nachrichten nach Jahren ge=
ordnet, enthielt. Aber diese angeführten Nachrichten standen in dieser
Form gewiß überhaupt nicht in mittelalterlichen Jahrbüchern; sie tragen
zu sehr das Gepräge der späteren (humanistischen) Zeit, in der sie aus
verschiedenen Quellen in einen Zusammenhang gebracht wurden. Daß
sie in Hundts annales Patavienses standen, die demnach Brusch doch
benutzt haben mußte, läßt sich daher nicht festhalten. Hundts Berufung
auf dieselben bezieht sich auch nur auf die Jahreszahl. Ob Brusch die
angeführten Nachrichten selbst in diese Form gebracht und Hundt sie
ihm nachgeschrieben habe, oder ob sie dem ersteren schon in dieser Ge=
stalt vorlagen, kann augenblicklich nicht entschieden werden. Zweifellos
aber hatte letzterer in seiner geschätzten Quelle diese Angelegenheit so=
weit erwähnt gefunden, daß er auf grund derselben Brusch's Jahreszahl
verbessern zu können meinte. Von den beiden wichtigsten Annalen=
gruppen, die in Passau verwendet worden sein dürften, den Melker und
den Salzburger Annalenwerken, kommen in diesem Falle nur die letzteren
in betracht; in denselben stand zum Jahre 772: Adrianus Papa sedit,

Tassilo Carinthiam subiicit et filius eius Romae baptizatus est, 773: Karolus Lonbardiam subiicit et Romae triumphavit (Mon. Germ. SS. IX, 769). Dieſe kurzen Notizen konnten Hundt immerhin genügen, die Jahreszahl nach ihnen abzuändern.

Es ergibt ſich alſo bei der Betrachtung des Hundtſchen Werkes immerfort die Wahrnehmung, daß die alte Paſſauer Handſchrift nicht ausgeſchrieben, von Hundt etwa nur ergänzt wurde, ſondern daß ihre Angaben, meiſt nur in bezug auf Zahlen, lediglich als Korrekturen nicht als Vervollſtändigung des Bruſchſchen Textes, hie und da, durchaus nicht überall eingeſehen und angeführt werden.

Dies zeigen auch die folgenden Partien der Metropolis Salisburgensis. Während nach ſeiner Handſchrift Biſchof Wiſuricus 774 ſtarb (ſ. oben), nimmt er für Walderichs' biſchöfliche Erhebung doch wieder die Zahlen auf, die ihm Bruſch bot, mit der Bemerkung: secundum annales Pataviensos. Wir haben unter dieſer Bezeichnung wie ſo häufig wohl wiederum nicht an ſeinen alten Codex zu denken. Selbſtändiger iſt Hundt in der Verarbeitung des urkundlichen Materiales, quorum copiae descriptae ... in supra citato veteri libro annalium Pataviensium (S. 195), das von nun an in reicher Menge eingeſchaltet iſt. Ueber Walderichs Todesjahr ſah Hundt mehrere Darſtellungen ein: an zweiter Stelle erwähnt er Bruſchs Angabe (807), an dritter die Aventins (767 oder 798) und ſchließlich die ſeiner geſchätzten Handſchrift: 804. Salzburgs Erhebung zum Erzbistum berichtet Hundt mit Bruſchs Worten, zitiert aber als Quelle Aventin, wie auch an anderen Stellen. Seinen Annalen aber entnimmt er vom Jahre 796 die Worte: Leo Papa sedit, hic Arnonem Iuvavensem Pallio sublimavit. Aventins Anſehen bewegt ihn diesmal, deſſen (und Bruſchs) Jahreszahl 798 für die wahrſcheinlichere zu halten. Das Zitat aus ſeinen Paſſauer Annalen ſtimmt aber wörtlich mit den Salzburger Annalen zu demſelben Jahre 796 überein (Mon. Germ. SS. IX, S. 769). Die Nachricht vom Ausbruch eines langen Streites zwiſchen Salzburg und Paſſau gibt Hundt mit Bruſchs Worten wieder, jedoch mit Unterlaſſung der draſtiſchen Schilderung: ... per bufas et trufas .... (germanice durch betrug und büberey am Rande).

Der Widerſpruch, den die Chronologie der nächſten drei Biſchöfe in der Paſſauer Ueberlieferung mit der für echt gehaltenen Bulle des Papſtes Eugen hervorrief, bewog Bruſch, von den Angaben der „mendossissimi annales Patavienses" abzugehen und in freier Weiſe — wie er ja am Eingange ſeines Werkes ankündigte — ihre Reihenfolge ſich zurechtzulegen. Aventin ſchien aber Hundts Annalen recht zu geben,

somit hält sich dieser an seine alte Quelle und hält ihre Anordnung
aufrecht: quibus in hac re ob vetustatem plus fidei tribuo, quam
Bruschio; sequor etiam auctoritatem Joannis Aventini, diligentissimi
viri (S. 196). Die Darstellung dieser Bischöfe: Urolphus, Hatto und
Reginarius wird denn auch von Hundt zumeist auf das vierte Buch
der Annalen Aventins zurückgeführt. Die Kombination der verschiedenen
widersprechenden Nachrichten ist seine eigene Arbeit.

Eine charakteristische Stelle über Hundts Auffassung des Begriffes
annales soll hier ausgehoben werden, die er in diesem Zusammenhange
bringt. Sie lautet (S. 196): . . . discrepant annalium scriptores tam
in ordine successorum, quam etiam in tempore; annales Patavienses
ponunt . . . Aventinus idem . . . Bruschius . . . invertit ordinem . . .
Also auch Bruschs Werk nennt Hundt annales.

Wie in dem bisher betrachteten Teile seiner Darstellung folgt
Hundt auch im übrigen zumeist dem Werke Bruschs und Aventins, den
er reichlich zu rate zieht, nur einzelne Zahlenangaben und Namens=
formen entlehnt er seiner alten Handschrift der annales Patavienses.
Wir werden uns darauf beschränken, diese letzteren Angaben hervor=
zuheben. Urolphus' Todesjahr wird nicht erwähnt: neque in annalibus,
neque in Catalogo dicitur Urolphum obiisse. Sein Antrittsjahr 805
kann nur den annales entlehnt sein (s. o.). Der beigegebene Katalog
berichtete: Anno 805. Urolphus Archiepiscopus Laureacci et Pataviae
sedit uno anno et menses tres. Post hunc Urolphum Archiepiscopum
Anno (!) Iuvavensis Episcopos (!) a Leone Papa caecato pallium impetravit etc. 807 sei Hatto gefolgt. Annales Patavienses ponunt
hunc Hattonem sedisse sine Pallio annis 11. Obiit anno 817. Re=
ginarius (diese den beigegebenen Urkunden entnommene Namensform
bringt Brusch nicht) sei 818 zum Bischof erwählt und 822 geweiht
worden: secundum annales. Hundts Katalog erwähnt Reginars zehn=
jährigen Kampf mit Arno von Salzburg um das Pallium, der für ihn
siegreich geendet habe, während die annales von seiner Erhebung zum
Erzbischofe nichts wissen: Annales . . . Reinharium Episcopum Pataviensem tantum et non Archiepiscopum vocant. Ein ähnlicher Wider=
spruch zwischen den Angaben der annales und des Katalogs besteht
über Reginars Nachfolger, Hardovicus: Sedit Patavii annis 26. Obiit
III. Id. Maij anno 866. Annales Patavienses et catalogus in numero
annorum non conveniunt. Die Geschichte dieses Bischofs stimmt im
übrigen mit Brusch überein, dessen schärferen Tadel: ecclesiam super-
bientem Salisburgensem humiliavit Hundt in die mildere Form übersetzt:
. . . suam Ecclesiam, quantum potuit, exaltavit. Selbstverständlich

unterbrückt Hundt auch andere wegwerfende Ausdrücke seiner Vorlage,
wie Brusch's Charakteristiken einzelner Bischöfe: homo Sybariticus, bos
in stabulo, bos in quadra argentea (S. 92, 239).

Hermenricus, Engelmarus, Winechindus werden nach Brusch dar=
gestellt, nur fügt Hundt zu der Regierungszeit Engelmars 875 bis 886
auch die Angaben seiner Annalen bei: 874 bis 897. Diesmal folgt er
seiner geschätzten Quelle also nicht unbedingt, indem ihre Nachrichten
(noch mehr allerdings die Brusch's) in Widerspruch mit einer Urkunde
Arnulfs für diesen Bischof vom Jahre 898 zu stehen scheinen.

Aus einer Notiz zu Bischof Richarius ergibt sich, daß in Hundts
annales der Tod des Königs Arnulf ins Jahr 900 versetzt wurde. Die
Salzburger Annalen bringen dieselbe Jahreszahl. Hundt selbst aber
bevorzugt das Jahr 899 (S. 198). Aehnlich gleichgiltig verhält er sich
zu anderen Angaben seiner sonst so geschätzten Quelle: so erwähnt
Hundt, daß uns Wichings und Richars Todesjahr völlig unbekannt
seien, obwohl er unmittelbar darauf zum Jahre der Erhebung Burchards
zur bischöflichen Würde 903 bemerkt: quo Richarius secundum annales
obiit. Die Wertschätzung seiner Quelle scheint vielfach auf deren Urkunden=
apparat gerichtet zu sein, dem er auch zu Burchard die Schenkungsurkunde
Madalwins (903) entnimmt: Haec ex libro annalium Pataviensium.
Zu Burchards Todesjahr 915, das auch Brusch anführt, bemerkt Hundt:
secundum annales 914. Die Angaben unterscheiden sich also wieder
um je ein Jahr. Zu Bischof Gumpoldus, Gerhardus und Adalbertus
bringen Brusch und Hundt verschiedene Zahlen, letzterer um je eine
Einheit niedriger als Brusch, er hatte sie also wohl durchwegs seinen
Annalen entlehnt. Die Bulle des Papstes Agapit II reiht Hundt im
Unterschiede von Brusch unter dem Adressaten ein . . . copiam vidi in
saepe citato libro annalium Pataviensium.

Ob unter den von Hundt zu Adalbert zitierten annales Patavienses
die alte Handschrift oder, wie oben mehrfach konstatiert wurde, spätere
Bearbeitungen der Passauer Geschichte zu verstehen sind, läßt sich schwer
entscheiden. Wahrscheinlicher scheint das letztere der Fall zu sein, da
eine ausführlichere Geschichte der einzelnen Bischöfe, die diese Ver=
weisung voraussetzt, uns in den bisher betrachteten Zitaten aus den
alten annales Patavienses noch nicht entgegengetreten ist.

Die Darstellung der Thätigkeit des Bischofs „Pilegrinus" ist mit
Ausnahme der urkundlichen Beigaben bei Brusch und Hundt wieder
übereinstimmend. Eine Benützung der annales läßt sich nicht nach=
weisen. Am Schlusse dieser Skizze bemerkt Hundt: De quo (Pilegrinus)
in quadam chronica Salisburgensi legi: Anno 1171 (soll heißen 1181)

Vitalis, Vergilius, Hartwicus Salisburgenses et Pilegrinus Pataviensis Episcopi claruerunt miraculis. Daraus darf man schließen, daß es in Hundts Passauer Annalen nicht so gestanden habe. Es möge bemerkt werden, daß die ältere Handschrift der Salzburger Annalen diese Nachricht thatsächlich, ohne Pilgrim zu erwähnen, enthielt. Hermann von Altaich benützte noch dieses ältere Exemplar (Mon. Germ. IX, 777 z. J. 1181).

Auch zu den Bischöfen Christannus, Berengerus und Engelbertus schlägt Hundt seine Annalen nur auf, um hie und da einige Notizen einzufügen, die mit den aus Brusch genommenen Angaben nicht übereinstimmen. So bringt er zwar des letzteren Zahlen in erster Linie, bemerkt aber zum Todesjahr des ersten und dritten dieser Bischöfe (1013 und 1065) secundum annales 1012 resp. 1064 (S. 202 u. 203).

Soviel wir also bisher den Inhalt der Hundtschen annales Patavienses mit den Angaben Bruschs vergleichen konnten, ergab sich der Schluß, daß letzterer dieselben seiner Darstellung nicht zugrunde legte, daß Hundt sie auch nicht bloß dazu verwendete, einige Nachrichten, die Brusch gelegentlich ausgelassen hatte, aus ihnen zu ergänzen und so nur eine Nachlese zu halten. Die Angaben widersprechen sich vielmehr fast immer. Auf grund dieser Beobachtung wird man Hundts Anmerkung zu Bischof Berengerus erklären müssen. Nach der mit Bruschs Worten berichteten Beraubung der Passauer Kirche durch Kaiser Heinrich II bemerkt nämlich Hundt: Haec Bruschius, unde habeat nescio. Annales Patavienses non ponunt. Nach unseren bisherigen Erfahrungen ist es nicht gestattet, aus dieser Notiz zu schließen — so nahe ein solcher Schluß zu liegen scheint —, daß die Darstellung Bruschs in den übrigen Nachrichten ganz wohl auf den alten annales Patavienses fuße. Hundt suchte eine Bestätigung der Nachricht, die er aus Brusch anführt, wohl nur in dem urkundlichen Teile seines Codex und nicht in den Annalen schlechtweg, außer, was durchaus nicht ausgeschlossen ist, es fanden sich in diesem historischen Teile kurze Verweisungen auf die im Zusammenhange beigebrachten Urkunden.

Gewold notiert hier einen Beweis, daß Hundt die annales Patavienses doch nicht gesehen habe, da in denselben diese Stelle ganz wohl vorkomme. Wir werden an einem anderen Orte über die verschiedenen Redaktionen der Passauer Geschichte handeln, und bemerken hier nur, daß Gewold in seiner pergamentnen Handschrift der annales Patavienses ebenso wie Hansiz und, nach der bisherigen Untersuchung zu schließen, auch Brusch eine spätere Bearbeitung dieses Stoffes vor sich hatte. Hansiz nennt ihren Verfasser Burkhard Krebs (S. 237).

Die Geschichte Altmanns beruht wieder ganz auf Bruschs aus=
führlicher Darstellung. Außer einigen Kürzungen unterscheidet sich
Hundts Bericht nur durch andere Zahlen: 1065, 27 und 1092 (Pilger=
fahrt ins heil. Land, Regierungsdauer und Tod) erscheinen bei ihm um
eine Einheit geringer: 1064 (vel 1063), 26 und 1091 secundum annales,
alias 1092. Die übrigen Unterschiede sind ohne Bedeutung. Altmann
wird im allgemeinen im Geiste seines Biographen, also im günstigen
Sinne dargestellt, wenn auch der protestantisch gesinnte Brusch einzelne
Bemerkungen als Zugaben nicht unterdrücken kann, die Hundt natürlich
wegläßt. Bischof Udalricus und Regimarus (secundum annales Rei-
marus) werden ganz mit Bruschs Worten geschildert. Aus dessen
Werk (S. 152) nahm Hundt auch die Notiz: Appellatur is (Regimarus)
in Pataviensium annalibus Ecclesiae desertor, sed quae occasio etc.
(S. 205). Hundt hat hiebei seinen Codex wohl nicht eingesehen, sondern
Bruschs Worte auch mit der ungewöhnlichen Genetivform Pataviensium
ohne weiteres herübergenommen. Andererseits ergänzt Hundt die Dar=
stellung Bruschs, indem er als Vertreter der Ansicht, Ulrich stamme von
den Grafen von Tirol, gegen welche Brusch polemisiert (sed non ut
aliqui annotarunt S. 150) Cuspinian nennt, wie er auch vorher an
Bruschs Bericht über die Abstammung Altmanns von den Grafen von
Pütten (die auch bei Schreitwein erwähnt wird) Kritik übte.

Regimarus sei 1141 gestorben, berichten Brusch und Hundt, doch
fügt letzterer bei: secundum annales 1140. Auch diese Jahreszahl,
sicher aus den alten Passauer Annalen genommen, stand, wie oben zu
Schreitwein erwähnt wurde, in den Salzburger Jahrbüchern. Die Ge=
schichte der Bischöfe Reginbertus, Conradus (Rupertus, Albo, Henricus)
Theobaldus bringt Hundt wieder ganz nach Brusch mit gelegentlicher
Benützung Aventins, dem er besonders die Abstammung derselben ent=
lehnte, auch wenn sie bei Brusch ebenso berichtet wurde z. B. (Theobaldus,
S. 207). So referiert Hundt auch über den Tod Theobalds ganz mit
den Worten Bruschs: Alii (et veriores Brusch) ad terram sanctam
una cum Taganone Decano suo peregrinatum esse (verius Hundt)
scribunt, et in itinere, cum redire in Germaniam vellet, peste cor-
reptum apud Arcam (soll wohl accam heißen wie bei Brusch) Pelopo-
nesi (!) civitatem obiisse et terrae mandatum affirmant, cui sententiae
summi Templi Pataviensis Chronicon et vetera omnia diaria suffragantur. Wir haben also auch hier nicht an Hundts alten Codex, sondern
an Passauer Geschichtswerke überhaupt im Sinne Bruschs zu denken.

Die Regierungszeit des Bischofs Wolfgerus, die Brusch bringt:
15, ergänzt Hundt wiederum: secundum annales 14, ebenso die Zeit

der Verwüstung des Passauer Gebietes zum Jahre 1193 (Brusch) durch
secundum annales 1199. Es sei bemerkt, daß auch diese Zahl der
alten Passauer Annalen mit der Angabe der Salzburger Jahrbücher
übereinstimmt, welche das erzählte Ereignis erst zum Jahre 1199 be=
richten (Mon. Germ. SS. IX, 778): Episcopus Wolfkerus Pataviensis
cum duobus comitibus de Ortenberch Rapotone et Heinrico, qui
ecclesiam Pataviensem vastaverant, contendens etc. Das Plusquam=
perfektum hat Hundt wohl übersehen.

Wie Hundt außer dem erzählenden Teile hie und da auch Auszüge
aus Urkunden in gleichen Worten wie Brusch erzählt, ergibt sich aus
der Vergleichung des von beiden mitgeteilten Textes aus einer Urkunde
von 1218 unter Bischof Ubalricus II. Doch erscheint dessen Regierungs=
zeit bei Brusch mit 7 Jahren, bei Hundt mit 8 Jahren und 7 Monaten
bestimmt. Der erzählende Teil stimmt fast durchwegs wörtlich überein.
In dieser Hinsicht möge nun die Erzählung beider über die Wirren in
Passau, die sich an die Person Albert des Böhmen knüpfen, näher er=
örtert werden, um auch über ihre Zugehörigkeit oder Nichtzugehörigkeit
zu den annales Patavienses Hundts ein sicheres Urteil zu gewinnen.

Nach dem Abschluß der Geschichte Gebhards (Praefuit etc.) schildern
nämlich Brusch und Hundt die Vorgänge in Passau in den beiden
letzten Dezennien der ersten Hälfte des 13. Jahrhunderts von Erat
hoc tempore gravissimum schisma (Hundt S. 209, Brusch S. 181)
angefangen. Diese Darstellung bildet das eigentliche Streitobjekt in der
Frage über die annales Patavienses, indem Brusch, wie man meint
(s. oben), diese alte Quelle ausgeschrieben und Hundt ihn kopiert habe.
Obwohl eine Benützung dieser alten Quelle durch Brusch schon nach
der bisherigen Untersuchung nicht wahrscheinlich ist, müssen wir, wegen
der Wichtigkeit dieses Abschnittes, doch eine genaue Untersuchung über
die Herkunft dieser für den Archidiakon Albert, den päpstlichen Legaten,
so ungünstigen Darstellung anstellen.

Das Verhältnis des Hundtschen Textes, der über Albert den Böhmen
handelt, zum Werke Bruschs ist dasselbe, das uns schon in dem bis=
herigen Teile der beiden Arbeiten entgegengetreten ist. Hundt folgt
Brusch als seinem Gewährsmanne Wort für Wort, gebraucht dieselben
Wendungen; dieselbe Anordnung des Stoffes und eine Albert abgeneigte
Tendenz kennzeichnet beide Darstellungen. Brusch bildete also wieder
die grundlegende Vorlage für Hundt, die nur mit demselben Maße der
Freiheit von letzterem wiedergegeben wurde, die er sich, wie gezeigt
wurde, auch für den vorausgehenden Teil erlaubt hatte: Auslassung
einzelner Abschweifungen, der schärfsten Ausdrücke über kirchliche Per=

ſonen, Biſchöfe und Kanoniker, Milderung und Abſchwächung anderer.
Gelegentlich bleiben einzelne bedeutungsloſe Worte und Nebenſätze weg
oder werden durch einen kürzeren Ausdruck erſetzt. Von einer näheren
Zuſammenſtellung beider Berichte können wir hier abſehen. Unter den
Zuſätzen, die Hundt zum Texte des Bruſch bringt, ſind mehrere Namens-
variationen (Johansdorf und Lenstorf), einige Zitate aus Aventin und
beſonders zwei kurze Notizen bemerkenswert, welchen Lorenz und Schirrmacher als Nachrichten der annales Patavienses eine große Wichtigkeit
beimaßen.[1]) Die eine teilt mit, daß Albert im Kriege mit Friedrich
von Oeſterreich gefangen und erſt nach Abſchluß eines Vertrages ent-
laſſen worden ſei. Nun iſt aber in dieſen Verwicklungen Albert der
Freund Friedrichs, überdies wurde von Hundt (und Bruſch) derſelbe
Zwiſchenfall mit ganz denſelben Worten von Biſchof Rudiger erzählt,
vor deſſen Namen unmittelbar auch unſere Notiz eingefügt iſt: wir
dürfen alſo ſicherlich annehmen, daß dieſe Parentheſe auf Rudiger bezogen werden muß und nur durch einen Irrtum Hundts grammatiſch
auf Albert bezogen wurde. Die zweite Notiz lautet (Hundt, 211):
Albertus iste tandem a Pataviensibus captus et excoriatus est secundum annales Patavienses. Dieſes Zitat aus den Paſſauer Annalen
ſcheint Lorenz beſonders wertvoll: „Man meint nämlich gewöhnlich,
daß Albert in den letzten Jahren „„allem Anſchein nach hoch geehrt““
in Paſſau lebte, während doch Hundt auf grund ſeiner Paſſauer Annalen das Gegenteil andeuten konnte" (S. 193). Auf grund unſerer
bisherigen Erfahrungen bleibt es nun aber zweifelhaft, ob Hundt diesmal wirklich ſeine alte Quelle oder wiederum ſpätere Bearbeitungen der
Paſſauer Geſchichte bezeichnen will, wie er es mit dieſen Ausdrücken
oftmals beabſichtigt. Für jeden Fall iſt, wenn man die Reſultate unſerer
bisherigen Forſchung zu rate zieht, die Gewißheit, mit der Lorenz hier
die alten Paſſauer Annalen als Quelle betrachtet, etwas unſicher. Für
unſere Stelle kommt aber noch ein Umſtand in betracht, der ein un-
mittelbares Schöpfen Hundts aus ſeinem alten Codex ſehr unwahrſcheinlich macht. Nachdem nämlich der Bericht Bruſchs bis zu Ende
abgeſchrieben wurde, fügt Hundt ein Zitat aus Aventin an, und unmittelbar darauf folgt dieſes Zitat. Nun findet ſich aber in Aventins
Annalen — deren Angaben, wie gezeigt wurde, Hundt oftmals ein-
ſtreut — dieſelbe Nachricht mit einer ganz ähnlichen Quellenbezeichnung:
Albertus compraehensus . . . condemnatur, vivo cutis detrahitur, ita

---

[1]) Lorenz, Deutſchlands Geſchichtsquellen im MA. I, 193 und Schirrmacher, Albert v. P., S. 14, 15, Anmerk. u. S. 169.

quidam in annales retulere (Aventins Werke III, 299). Sowohl
diese annales, die Aventin zitiert, als auch Aventins Werk selbst, konnte
Hundt hier als annales Patavienses bezeichnen. Ueberdies läßt sich eine
Benützung der Angaben jener alten Passauer Annalen bei Brusch nicht
nachweisen, Hundt bringt über Albert aber im wesentlichen nur Nach=
richten aus Brusch, also wird auch diese vereinzelte Nachricht über
Alberts angeblich tragisches Ende nicht einzig und allein, also gar
nicht in seinem alten Codex gestanden haben. Der Ausdruck excoriatus
war Hundt übrigens aus der Erzählung Bruschs über Eberhard von
Jahenstorfs Ende geläufig; die Nachricht über Alberts martervolles
Ende aber, die Aventin und Hundt bringen, beruht, wie wir an einer
anderen Stelle zeigen werden, auf einer irrigen Auffassung einer Albert
durchaus günstigen Schilderung seiner Leiden, die bei Ebendorfer
(Schreitwein) und Brusch in größerer Ausführlichkeit mitgeteilt ist.

Aus Hundts Darstellung geht ferner nicht hervor, ob Bischof
Konrad II, um dessen Persönlichkeit sich die Kontroverse Ratzinger=
Schirrmacher hauptsächlich dreht, in dem Hundtschen Exemplar der
Passauer Annalen überhaupt erwähnt wurde; und doch beruhte diese
wissenschaftliche Fehde auf der Voraussetzung dieser Thatsache. Man liest
nämlich nach Abschluß der Skizze dieses Bischofs bei Hundt (S. 211):
Nec quicquam aliud in Pataviensibus annalibus de eo scriptum
invenitur. Die vorangehende Darstellung stand also zweifellos in
den alten Passauer Annalen, so lautete bisher der Schluß. Nun ist
aber diese Bemerkung bei Hundt, wie die Geschichte Konrads über=
haupt, wieder ganz aus Brusch geschöpft. Bei diesem findet sich außer
der Erwähnung verschiedener Geschichtsbearbeitungen: sic enim annales
omnes habent (Abstammung Konrads) am Schlusse ebenfalls dieselbe
Notiz, aber in jener schon früher konstatierten selbstbewußten Form der
eigenen literarischen Thätigkeit: nec nos . . . invenimus. Hundt
schrieb sie nach, ohne sich den Anschein eigener Arbeit geben zu wollen,
und gebrauchte daher diese bescheidene Form in seiner Ausdrucksweise,
die wir schon früher in ähnlichen Fällen getroffen haben; er will also
gar nicht einmal andeuten, daß er hier irgend etwas anderes eingesehen
habe als seine gewöhnliche Quelle, nämlich Brusch.

Die ganze Darstellung Hundts über die Thätigkeit Albert des
Böhmen geht also auf Brusch zurück. Soweit dieselbe zu Bischof
Berthold erzählt wird, gilt das gleiche. Ob Brusch diese Albert sehr
abträgliche Schilderung erst zusammengestellt oder bereits vorgefunden
und abgeschrieben habe, geht aus seinem Werke freilich nicht hervor,
doch werden wir an einer anderen Stelle zeigen, daß der Grundstock

feiner Mitteilungen, jedoch in einem für Albert vollständig günstigen
Sinne, bereits vorhanden war, die Brusch nur nach seiner Tendenz um=
arbeitete, wie er ja am Eingange seines Werkes verheißen hatte (f. S. 273).
Bei der Erzählung der Thatsachen kam es ihm auf die Verschiedenheit
der Quellen nicht an und so berichtet er Ereignisse gelegentlich auch
doppelt, ohne die verschiedenen Quellen auch nur zu erwähnen. Welche
Verwirrung er hiedurch in die Biographie Alberts brachte, werden wir
später ausführen, hier sei nur noch hingewiesen auf die Schlußerzählung
zu Bischof Berthold, die mit den Worten beginnt: Erat Canonicis admodum infensus etc. und die Ermordung Eberhards von Jahenstorf
in einer anderen Version erzählt. Schreitwein (Ebendorfer) hatte dieser
Nachricht wenigstens die Bemerkung vorausgeschickt: Alii vero referunt etc.
(Rauch, R.-A. SS. II, 508, 509). Brusch unterläßt eine derartige Quellen=
angabe und erweckt dadurch den Anschein einer neuen, bisher noch nicht
berührten Episode aus der Geschichte jener Tage. Hundt folgt ihm
wörtlich. Aus dem Vergleiche dieser Stelle mit der entsprechenden bei
Schreitwein ist also ein neuer Beleg — wenn überhaupt noch einer
notwendig wäre — dafür gewonnen, daß Hundt, bezw. Brusch keines=
wegs eine Quelle, etwa die alten annales Patavienses ausschrieben,
sondern verschiedene Darstellungen zur Grundlage hatten. Doch ist
sicher, daß Hundt das Werk Schreitweins (Ebendorfers) nicht einsah;
denn dort hätte er eine für die kirchlichen Persönlichkeiten der Paffauer
Geschichte (bef. zur Zeit Alberts) weniger abträgliche Schilderung ge=
funden und er hätte nicht nötig gehabt, die scharfen, tendenziösen Aus=
drücke Bruschs erst mit Mühe zu mäßigen, was ihm ohnedies nicht
durchwegs gelang. Hundt nennt Ebendorfer=Schreitwein auch gar nicht
unter den annales, die er benützte (S. 196) und bemerkt überdies zur
Geschichte des Bischofs Richarius nach einem Zitat aus dem catalogus:
quod alibi non reperio. Schreitwein hätte ihm aber dasselbe berichtet
(Rauch, SS. r. A. II, 468). Nach Hundt (S. 190) reichten die alten
annales Patavienses, die ihm zur Verfügung standen, bis zum Jahre
1255. Die Erhebung Ottos von Lonsdorf zum Bischofe von Paffau (1254)
mußte also noch behandelt werden. Und in der That bemerkt Hundt,
nachdem er die Abstammung, Wahl, Regierungsdauer und den Charakter
Ottos mitgeteilt hat, daß mit ihm seine alte Quelle schließe: Hactenus
annales Patavienses (S. 217). War schon die Dauer der Regierung
Ottos in den Annalen, die ja mit seiner Erhebung schließen sollen, gewiß
nicht angegeben, so ist es auch unwahrscheinlich, daß von diesem
Bischofe etwas anderes in denselben enthalten war als Name und
Jahreszahl des Antrittes, also ähnlich wie die Angaben über die anderen

Bischöfe. Der erzählende Text stimmt auch hier wie im folgenden Teile des Hundtschen Werkes mit Brusch zumeist überein.

Wenn wir vom urkundlichen Materiale absehen — wie es in der bisherigen Untersuchung geschah —, so sind diejenigen Nachrichten, welche mit einiger Sicherheit auf Hundts alten Codex der annales Patavienses zurückgeführt werden können, sehr dürftig: sie enthalten fast nur Bischofsnamen und Zahlen. Die wenigen anderen, annalenartigen Notizen, die zu den Jahren 308, 773, 796, 900, 1140, 1181 und 1199 eingestreut sind, kommen sämtlich in den älteren Salzburger Jahrbüchern vor, wie im Verlaufe unserer Untersuchung gezeigt wurde (S. 272, 277, 280 f., 283 ff.). Die ausführliche Darstellung der Passauer Geschichte in den letzten Jahren des für uns in betracht kommenden Zeitraumes standen in den Salzburger Annalen nicht, aber sie fanden sich wohl auch in den Hundtschen Passauer Annalen nicht, wie gezeigt wurde. Aus unserer Untersuchung geht also hervor, daß dieser alte Codex der sogenannten annales Patavienses nachweisbar nichts enthielt, was nicht in den Salzburger Jahrbüchern stand, außer der Reihe der Lorch-Passauer Bischöfe mit den auf sie bezüglichen Zahlenangaben. Und zwar wurde in den annales selbst von den ältesten Bischofsnamen nur Eutherius zum Jahre 268 genannt, das Martyrium des hl. Quirinus zum Jahre 308 erwähnt, ohne daß sein Name mit der Lorcher Kirche in Verbindung gebracht wurde; die Liste der Bischöfe wird dann erst von Erchenfridus an wieder fortgesetzt bis Otto von Lonsdorf.

Diese im Vergleiche zu den späteren Darstellungen der Passauer Geschichte nach vorne so kurze Bischofsreihe konnte aber nicht viel nach der Mitte des 13. Jahrhunderts in Passau niedergeschrieben worden sein, denn schon die vita Maximiliani, die noch vor Schluß desselben Jahrhunderts abgefaßt wurde, weist eine Erweiterung der Bischofsreihe durch die Namen Quirinus und Maximilianus auf. Es ist also ganz gut möglich, daß unter Otto von Lonsdorf die Salzburger Annalen in Passau abgeschrieben und aus Interesse für die eigene Kirche mit den Namen und Zahlen der damals für richtig gehaltenen Bischofskataloge vermehrt wurden. Auch die Aehnlichkeit mit dem Exemplar, das der gleichzeitige Hermann von Altaich benützte (s. oben S. 284), weist auf diese Zeit der Abschrift hin.

Der Katalog, der den annales nach Hundts Darstellung beigegeben war, zeigt allerdings, außer chronologischen Verschiedenheiten auch eine

nach vorne erweiterte Biſchofsreihe. Wir haben uns mit ſeinen An=
gaben, die ja auch Hundt nur ſehr vereinzelt bringt, nicht näher be=
ſchäftiget. Doch möge hier bemerkt werden, daß in demſelben Jerardus
ſchon als Lorcher Erzbiſchof genannt (creditur praefuisse), Quirinus
aber nicht als ſolcher bezeichnet wird. In Wirklichkeit ſind dieſe beiden
Namen wohl identiſch und der erſtere „germaniſche"[1] Jerardus oder
Gerardus nur eine Ueberſetzung des lateiniſchen Quirinus. Auch Maximilian wird im Kataloge ſchon genannt, Conſtantius aber nicht. Der
Katalog wurde offenbar in ſpäteren Jahren erſt zu den annales hinzu=
gefügt, obwohl die Zeit zwiſchen der Niederſchreibung beider nicht groß
angenommen zu werden braucht. Die Ausbildung des Lorch-Paſſauer
Biſchofskataloges fällt ja in die zweite Hälfte des 13. Jahrhunderts,
und die hiſtoriſche Thätigkeit dieſer Zeit dürfte denn auch in der Er=
werbung der damals angeſehenſten Annalen, der Salzburger Jahrbücher,
ihre erſte Grundlage gewonnen haben, die uns in den annales Patavienses Hundts entgegentritt.

Nach Dümmler (Pil. v. P. 132. 1.) war die Chronik der Lorcher
und Paſſauer Biſchöfe von Urkundenauszügen unterbrochen. Hundt
ſelbſt gibt aber deutlich eine Dreiteilung des liber vetustus an: annales
Patavienses — una quoque catalogus — cum copiis diplomatum
(S. 190). Eher würde man die copiae diplomatum zum catalogus
beziehen können als zu den annales. Aber die Art und Weiſe, wie
Hundt ſeine Urkunden zitiert, nämlich zumeiſt mit Berufung auf den
liber annalium, bewog Dümmler von Urkundenauszügen zu ſchreiben,
die er ſich offenbar ganz in der Art der Hundtſchen Darſtellung vor=
ſtellte. Aber Hundt zitiert nie eine Urkunde aus den Annalen ſchlecht=
weg, ſondern nur aus dem liber annalium, falls er ſich nicht allgemeiner
Ausdrücke bedient wie: extat ibi (diploma), iuxta diploma ibi u. a.;
auch weiſen alle ſeine Ausdrücke nur auf vollſtändige Abſchriften hin
und nicht auf Urkundenauszüge (copia diplomatum oder einfach diploma).
In der Urkundenſammlung ſeines Codex waren alſo Kopien und bildeten
einen eigenen Teil desſelben. Dieſe Thatſache geſtattet uns auch wie
für den catalogus eine ſpätere Zeit der Niederſchrift, wenigſtens der
letzten Eintragungen anzunehmen, indem ganz ähnlich lautende Beruf=

---

[1] Ueber einen „germaniſchen" Biſchof in dieſer Zeit ſpottet ſchon Hanſiz,
Germ. sacr. I, 29

ungen Hundts auf die Urkundensammlung bis zum Jahre 1290 in seiner Darstellung vorkommen.

Wichtiger scheint die Frage zu sein, ob diese Urkundensammlung mit dem von Bischof Otto von Lonsdorf angelegten codex Lonsdorfensis etwas gemein habe. Die Prüfung, die ich in dieser Hinsicht anstellte, ergab immerhin eine ziemliche Anzahl von Urkunden (73), die im Inhaltsverzeichnisse des codex Lonsdorfensis (Monumenta Boica 28 b., S. 534—45) und in den Regesten der Hundtschen Darstellung vorkommen. Doch ist das Inhaltsverzeichnis durchaus nicht immer klar genug, um die Urkunde mit Sicherheit daraus zu erkennen; es ist ferner ohne stoffliche und chronologische Ordnung und nicht vor der zweiten Hälfte des 14. Jahrhunderts[1]) angelegt, wie aus der Erwähnung von Urkunden avignonesischer Päpste und Karl IV hervorgeht. Identisch sind diese beiden Sammlungen gewiß nicht; denn der Lonsdorfsche Codex enthält nur die erste der sogenannten Lorcher Bullen, während Hundt auch andere, zumal die Bulle Leo VII aus dem „oft zitierten liber annalium" genommen zu haben erklärt. Eine genaue Scheidung jener Urkunden, die Hundt seiner Sammlung entlehnte, von den übrigen, die er anderswoher nahm, ist nicht möglich; daher ist auch die Bestimmung dieser Urkundensammlung schwer zu begreifen, wenn man darin nicht etwa einen Behelf für weitere historische Studien und eine Illustration zum Texte erblicken will. Der Urkundenapparat, der Ebendorfers Werk beigegeben ist, scheint auch nur diesen Zweck gehabt zu haben. So nahe ein Vergleich dieses liber annalium mit dem liber vitae in Kremsmünsterer Geschichtsquellen liegt, der auch liber annalium genannt wird, so lassen sich zwischen beiden doch keine überzeugenden Berührungspunkte auffinden, indem der Kremsmünsterer liber annalium vornehmlich zur Feststellung der jährlichen Einkünfte oder der Jahrtagsmessen für einzelne Wohlthäter gedient zu haben scheint,[2]) während eine ähnliche Bestimmung des Passauer liber annalium (falls dieser Titel nicht etwa erst von Hundt gewählt wurde zur Unterscheidung vom ersten Teile desselben Codex, den annales selbst) sich nicht erkennen läßt.

Wenn wir Dümmlers Annahme, die Passauer Annalen seien von Urkundenauszügen unterbrochen gewesen, zurückwiesen, so dürfte seiner

---

[1]) Der Herausgeber des Inhaltsverzeichnisses verlegte die Abfassung irrtümlicherweise noch ins 13. Jahrh.

[2]) Siehe die Studie J. Loserths, der mich freundlichst auf diese Aehnlichkeit aufmerksam machte: Sigmar und Bernhard von Kremsmünster im Archiv für österr. Gesch., Bd. 81, 2. Hälfte, bes. Anhang, S. 440 ff.

Anficht doch so weit beigepflichtet werden, daß man kurze Verweisungen auf das separat gegebene Urkundenmaterial in den Annalen annehmen kann; Urkundenauszüge können sie allerdings nicht sein. Diese für Annalen ungewöhnliche Form steht aber nicht ganz vereinzelt da: sie findet sich ja auch in den Schriften, die von Sigmar von Kremsmünster stammen, sowohl in dessen Konzeptbuch, codex Vindobonensis 610, als auch in der Reinschrift, cod. Cremifanensis 401, und im auctarium, cod. Vindob. 375. Sigmar dürfte diese Sitte gerade nach dem Paffauer Vorbilde angenommen haben.[1] In Passau selbst aber enthielten sogar die Nekrologien ähnliche Zusätze (Dümmler, Pil. v. P., S. 101). Die Paffauer Annalen scheinen also nur eine nothwendige chronologische Grundlage zur allmählichen Ordnung des reichen Urkundenschatzes gebildet zu haben. Dazu eignete sich ja eine einfache Abschrift der Salzburger Jahrbücher ganz gut; ein Streben, diese historischen Notizen fortzusetzen mit Nachrichten, die auf die Paffauer Kirche bezug hatten, dürfte also gar nicht vorhanden gewesen sein. Diese mit der Lorch=Paffauer Bischofsreihe vermehrte Abschrift der Salzburger Annalen schloß im erzählenden Texte (die Bischofsnamen gingen ja bis 1255) wohl schon mit dem Jahre 1234; denn Hermann von Altaich, der, wie es scheint (f. o.), den gleichen Codex wie der Paffauer Abschreiber benützte, schließt seine zusammenhängende Erzählung, die er der Salzburger Quelle entlehnte, mit eben diesem Jahre.[2] Vielleicht bezogen die Paffauer ihre Abschrift sogar aus dem benachbarten Nieder=Altaich, woher sie in der Zeit des Abtes Hermann auch Urkundenabschriften erhielten.[3]

Zum vollständigen Abschlusse dieser Untersuchung über die sogenannten annales Patavienses gehört jedenfalls noch eine Feststellung des Verhältnisses zwischen den Berichten, die uns über Albert den Böhmen in den einzelnen Darstellungen der Paffauer Geschichtswerke entgegentreten, und eine übersichtliche Entwicklung der Paffauer Historiographie überhaupt, soweit dieselbe einerseits der Niederschrift der annales voranging, andererseits sich an sie anschloß bis zu den Zeiten Bruschs hinauf, dessen Werk die erste gedruckte Darstellung dieses Stoffes bildet, und das wohl deshalb den beherrschenden Einfluß ausübte, der

---

[1] Ueber Sigmars Autorschaft bezüglich dieser Schriften f. J. Loserth im Arch. f. öfter. Gesch. 81, 2: Sigmar und Bernhard von Kremsmünster. Ueber seine Beziehungen zu Passau werden wir an einem andern Orte handeln.

[2] Lorenz, Deutschlands Geschichtsquellen I, 178 ff.; Neues Archiv f. ä. d. G. I, 378 u. Kehr, Herm. v. A. Diss. 1883, S. 48.

[3] Mon. Boica 29 b, 5. Mon. Germ. SS. XVII, 352.

ihm bis zum Erscheinen von Hansiz umfangreicher quellenmäßiger Arbeit
zugeschrieben werden muß. Diese beiden Aufgaben werden in den zwei
folgenden Abschnitten gelöst werden. Sie bilden zugleich mit dieser
kritischen Untersuchung über die annales ein Ganzes und werden über
einzelne Punkte des ersten Teiles dieser Arbeit erst die nötige Klarheit
bringen, die durch Verweisungen auf die folgenden Abschnitte hie und
da einigen Abbruch erlitten haben dürfte.

II.

Das angeblich bedeutungsvollste Stück der annales Patavienses
haben wir in der vorliegenden Untersuchung dieser alten Quelle gar
nicht zugesprochen. In den späteren umfangreichen Bearbeitungen der
Passauer Kirchengeschichte, über die wir noch im Zusammenhange einiges
berichten werden, erscheint die Geschichte der Vorgänge, die sich in Passau
zur Zeit der Wirksamkeit Alberts des Böhmen zutrugen, in ziemlich
gleichem Umfange und vielfach mit ganz denselben Worten aber in ver=
schiedener Tendenz aufgenommen: so bei Ebendorfer und Schreit=
wein für Albert günstig, bei Brusch und Hundt für denselben un=
günstig. [1] Nach den obigen Untersuchungen können wir nunmehr
Ebendorfer und Brusch allein in betracht ziehen. Die gemeinsame Grund=
lage dieser beiden, fast durch ein Jahrhundert getrennten Schriftsteller
ergibt sich aus folgendem Vergleiche ihrer Darstellung der Thätigkeit
Alberts des Böhmen. Vor Bischof Rudigers Auftreten gegen Albert
berichtet Ebendorfer (Schreitwein) nur Gebhards Absetzung infolge der
Anklage durch Albert, während Brusch (Hundt) über des letzteren
Thätigkeit schon vorher verschiedenes zu berichten weiß.

Von Alberts Aufenthalt in Pernstein angefangen, stimmen aber
beide in ihren Tendenzen so entgegengesetzten Darstellungen in der
Aufführung der Ereignisse, oft auch in den Worten, ja selbst in den
Fehlern fast ganz überein: als Albert Kenntnis davon erhält, daß er
von seinem Verwandten Wilhem um 1000 Mark verraten sei, flieht
er nach Cierberg, wo er ein und ein halbes Jahr verbleibt. Hier
merkt er wieder, daß er von den Erzbischöfen und Bischöfen belagert
wird, begibt sich also nach Wasserburg, wo er ein halbes Jahr weilt;

---

[1] Ebendorfer, Abhandlungen der k. b. Akad. d. Wiss. XV, 1, S. 293—96.
Schreitwein: Rauch, rer. Austr. Scrpt. II, S. 399—507, 508—9. Brusch, de
Laureaco veteri etc. 1553. S. 181—205. Hundt, metropolis Salisburgensis.
Ed. 1719. S. 209 - 212.

geht dann nach Böhmen, wird durch den König dieses Landes mit
Siegfried von Mainz, den er früher abgesetzt hatte, versöhnt, reist mit
ihm nach Lyon, wo ihn der Papst zum Priester weihen läßt durch den
Bischof von S. Sabina (Sabinensem, Brusch irrig: Sabionensem) und
seine Erhebung zum Dekan von Passau und Pfarrer von Weitten
bestätigt. Nach den Versuchen Rudigers, sich mit dem Papste zu ver-
söhnen, kehrt Albert zurück, wird aber von Rudiger gehindert, in die
Stadt einzutreten, geht also zum Grafen Konrad von Wasserburg, wird
wieder belagert, flieht nach Lyon; die Grafschaft wird erobert. Albert
bewirkt Rudigers Absetzung durch den päpstlichen Gesandten Capoccio,
der in Aachen war, infolge eines besonderen päpstlichen Mandates 1249.
Alle seine Anordnungen sollen ungiltig sein. An der gleichen Stelle
fügen beide Darstellungen (Hundt läßt es, als nicht zur Sache gehörig,
weg) jenen Klageruf über Passaus Unglück ein, Brusch als Worte eines
„momus Rudigero parum propitius“ (S. 196): Quid agis (agit) misera
Patavia? ... Sic te derisit improbus Rudigerus, quem tibi in tutorem
erexeras ... Hic in exemplum ducito Albertum decanum, qui pro
pace civitatis 46 (47) annis in multis periculis desudavit, quem
venientem Rudigerus iste incarceravit ... alia atrociora ommitto
hoc loco (Brusch).[1]

Wenn wir von der chronologischen Anordnung absehen, stimmen
beide Berichte weiterhin überein in der Erzählung des Zuges Bertholds
gegen Wilhart, wo er 1500 Haustiere erbeutete (in contemptum Ottonis
ducis, Schreitwein) und seines unglücklichen Ausganges. Ebenso
werden die Schenkungen Konrads an Albert in beiden Darstellungen
gleich aufgezählt, die Schwierigkeiten, welche sich Bertholds Wahl ent-
gegenstellten, Alberts Anteil an derselben und ihre ordnungsmäßige
Durchführung am 15. Juni 1251[2]), Bertholds Belehnung mit den
Regalien durch König Wilhelm in Langobardia (Lampardia)[3], dessen
Rückkehr über Böhmen, da Otto von Bayern mit den Passauern verbündet, ihm den Rückweg abgesperrt hatte, die Besetzung Neuburgs mit
böhmischer Hilfe, der Einzug in Passau am Feste der hl. Prothus und
Hyacinthus, die Hilfeleistung durch Albert von Regensburg (Bertholds

---

[1]) Der zweite Teil von Hic in exemplum an wird bei Schreitwein erst
unter Bischof Berthold mitgeteilt.

[2]) Richtiger 1250. Die genaue Angabe des Ortes und der Zeit der Weihe
Bertholds findet sich in der Continuatio Cosmae, Mon. Germ. IX, 172.

[3]) Schon Hansiz verbesserte diesen Namen in Lewardia (Friesland) S. 390;
richtig ist Boppardia, S. Riezler, Aventins annales II, 298.

Bruder) und der Enderfolg, sowie manche untergeordnete Thatsachen, die wir hier nicht ausgehoben haben, werden in beiden Berichten mit großer Uebereinstimmung dargestellt. Auf die wichtigsten Unterschiede dieser beiden Darstellungen werden wir zurückkommen. Kleinere Differenzen zeigen einzelne Namensformen und kurze Notizen, welche beweisen, daß beiden Darstellungen eine um weniges reichhaltigere Erzählung zu grunde gelegen hatte.

Trotz der Uebereinstimmung der Thatsachen mit Brusch's Erzählung durchzieht aber Ebendorfer-Schreitweins Darstellung eine Tendenz, die warm für Albert Partei ergreift: Weil dieser die römische Kirche verteidigte, wird er seiner Pfründen beraubt ... Rudiger betrog ihn (wird zweimal betont) und brach sein Versprechen. So kommt das Unglück über Paſſau, das, wie jemand schildert, Rudiger allein verschuldete, der doch die Stadt hätte schützen sollen. Aber Alberts Macht war groß. Er allein bewirkte Rudigers Absetzung und Konrads Erhebung zum Bischofe. Aus benignitas und liberalitas übertrug dieser viele Schenkungen an Albert. Rudiger benützt die ihm vom Papste aufs neue eingeräumte Untersuchung in Lyon nicht, wird also wieder abgesetzt und Berthold wird Bischof. Beides war Alberts Werk. Fast göttliche Hilfe bringt den neuen Bischof in den Besitz der Paſſauer Schlöſſer: St. Georg und Orth. Wie ein Löwe eilt dieser seinem durch Verrat in die höchste Bedrängnis gebrachten Freunde Albert zu Hilfe und befreit ihn. Mit Thränen in den Augen dankt dieser Gott für die glückliche Errettung vom Kreuzigungstode, den seine Gegner schon bestimmt haben. O misera civitas Patavorum, quae suos nunquam dilexit sed potius alienos! Albert kämpfte so viele Jahre für die Paſſauer Kirche, die Freiheit der Stadt und das Vaterland, und doch wird er bei seiner Rückkehr in Feſſeln geschlagen! Nicht damit zufrieden, streben sie nach seiner Haut. Ecce qui diligebatur ab exteris omni parte, a suis in odium pelle propria spoliatur et si nequam fuisset a nequam hominibus defensatus fuisset.

Wie ganz anders erscheint die Perſönlichkeit Alberts bei Brusch: Albert ist der seminator der capitalis dissensio zwischen Gebhard und seinen Domherren, die zur Ermordung Eberhards von Jahenstorf führen. Obwohl der Papst von Gebhards Unschuld überzeugt war, brachten Albert und die Kanonifer doch dessen Vertreibung zu stande. Sogar mit seinem Günstling, dem neuen Bischof Rudiger, zerfällt Albert, weil er im Kriege gegen Friedrich von Oesterreich allzu hartnäckig die päpstliche Partei vertrat und seine Künste und Machenschaften entfaltete.

Einstimmig werfen ihn jetzt Bischof und Domherren aus der Stadt hinaus. Mit den größten Vollmachten versehen, kommt Albert wieder, wird aber aus ganz Bayern geächtet, übergibt alle Kirchengüter seinen Anhängern zur Plünderung, reizt Friedrich von Oesterreich zum Kriege gegen seinen abtrünnigen Freund, Otto von Bayern. In der Hoffnung, selbst Bischof zu werden, nimmt Albert eifrig teil an den Versöhnungs= versuchen der deutschen Bischöfe in Lyon, wird aber von Rudiger in Passau nicht eingelassen. Auf Alberts Betreiben wird dieser abgesetzt und Berthold für ihn eingesetzt, der zur Waffengewalt greift und mit Adeligen, quibus dulce erat ex raptu vivere, unschuldigen Landleuten das Vieh wegnimmt. Rudiger muß aber doch weichen, da Albert gegen ihn Himmel und Erde in Bewegung setzt. Obwohl nun Berthold das Bistum für sich forderte, wird ihm von Albert doch Konrad vor= gezogen, der ihm Versprechungen gemacht hatte und jetzt für die Be= förderung reiche Schenkungen gab. (Nochmals folgt: Durch reiche Gaben hatte er sich den Bischofssitz verschafft.) Schließlich wird, als eine andere Gefahr drohte, doch Berthold wieder auf Alberts Drängen einstimmig gewählt, der durch Bestechungen sich in den Besitz Passaus setzte.

Nach Bruschs Darstellung ist Albert der Böhme allerdings jener „fanatische Papist", wie er heute noch in einzelnen Geschichtsbüchern erscheint. Es fragt sich nun, welche Tendenz hatte die Grundlage, auf der beide so übereinstimmenden und doch so verschiedenen Erzählungen beruhen?

Hinsichtlich des Alters der beiden besprochenen Darstellungen hat Ebendorfer (und Schreitwein) beinahe ein Jahrhundert vor Brusch voraus. Eine durchgehende, tendenziöse Umarbeitung ist ihm nicht zu= zutrauen, da er an anderen Stellen oft genug seine Unbeholfenheit widersprechenden Angaben gegenüber an den Tag legt (s. das oben Bemerkte über Schreitweins chronologische Schwankungen).

Dazu kommt noch, daß das einzige Fragment, welches einen Teil der hier in Rede stehenden Vorgänge in anderem Zusammenhange schildert und die älteste uns bekannte Fassung aufweist, nicht mit der Darstellung Bruschs, wohl aber mit der Ebendorfers Wort für Wort übereinstimmt. Es ist die Erzählung des Zuges Bertholds gegen Wilhart und seines mißglückten Ausganges, die in die annales Matti= censes aufgenommen, aus der Mitte des 14. Jahrhunderts stammt und in den Monumenta Germ. SS. IX, 791 ausgehoben ist. Nur die Namen der gefangenen Adeligen sind hier nicht vollständig. Man

hat also wahrscheinlich in Mattsee das Original nicht vollständig abgeschrieben.[1]

Brusch erlaubte sich in der Benützung seiner Vorlage eine viel
größere Freiheit (worauf ja auch seine Vorrede nicht undeutlich hinweist,
f. o.) als Ebendorfer (Schreitwein), die ihren Angaben mit möglichster
Genauigkeit folgen. Diese Thatsache erhält zum teile noch eine Bestätigung durch die Betrachtung der Nachrichten, welche wir bei Brusch und
Hundt vor jenen Ereignissen, in deren Aufführung beide mit Ebendorfer
(Schreitwein) übereinstimmen, antreffen: sie sind fehlerhaft und entstammen offenbar einer irrtümlichen Kombination Bruschs, während sich
bei Ebendorfer nichts Unrichtiges nachweisen läßt.[2] Letzterer berichtet
nur von einer einzigen ausgedehnten Vollmacht Alberts von seiten des
päpstlichen Stuhles, welche ihm nach dem Zerwürfnisse mit Rudiger
und seinen Domherren auf vier Jahre übertragen worden war mit der
Befugnis, als Legat für ganz Deutschland Erzbischöfe und Bischöfe abzusetzen. Gegen dieses ihnen von Rom auferlegte Joch suchten der
Salzburger Erzbischof mit den übrigen Bischöfen Otto von Bayern zu
gewinnen, den aber die Exkommunikation des Kaisers noch abhielt, mit
dessen Anhängern sich zu verbünden. Die folgende Darstellung stimmt
in der Aufzählung der Ereignisse mit Brusch überein.

Nach Brusch hat Albert zweimal vom Papste so ausgedehnte Vollmachten erhalten, das zweitemal unter den Umständen, die wir soeben
aus Ebendorfer angeführt haben (im Jahre 1239), das erstemal aber
schon unter Bischof Gebhard, worauf die Wirren in Passau, die mit
der Ermordung des Domherrn Eberhard und der Vertreibung des
Bischofes (1232) endigten, gefolgt seien. Die Angabe der Vollmachten
bei Brusch für diese erste Sendung Alberts stimmen fast wörtlich mit

---

[1] Man könnte versucht sein, jenes bis auf eine ziemliche Anzahl von Schreib-
und Lesefehlern mit Brusch wörtlich übereinstimmende Fragment, das Höfler unmittelbar an die Schriften Albert des Böhmen angereiht und herausgegeben hat (Bibl.
d. lit. Ver. v. Stuttgart, XVI, 2, S. 153—58), ohne dessen Alter und Herkunft
anzugeben, als eine zeitlich mit dem Vorausgehenden zusammenfallende Abfassung und
demnach als Vorlage für Bruschs Darstellung zu betrachten. Aber Riezler (Aventins
Werke III, 271, Note zu Z. 2) bemerkt ausdrücklich, daß Höflers Vorlage eine Abschrift
aus dem Werke Bruschs gewesen sei, die erst im 18. Jahrh. verfertigt worden war.
[2] Eine Ausnahme bildet das Wort Lampardia. Von den Jahreszahlen sehen
wir hier ab. Diese werden von Hundt angefangen bis Ebendorfer zurück immer seltener;
sie sind wohl die Ergebnisse späterer Berechnung. Den Namen des Kandidaten der
Passauer Domherren 1250 berichten beide falsch; er hieß Wernhard Morsbach. Vgl.
Hist.-pol. Bl. Bd. 84, S. 750.

der Ebendorfers (also für die einzige, nach Brusch aber zweite Sendung) überein.

Eine Anteilnahme Alberts an der Absetzung Gebhards berichtet auch Ebendorfer, aber daß diese eine Folge der päpstlichen Vollmacht sei, Bischöfe und Erzbischöfe abzusetzen, die er mehr für Freunde des Kaisers als des Papstes erkenne, kombinierte erst Brusch und zwar wohl mit Rücksicht auf eine irrige Einschaltung jener großen Vollmacht Alberts, die Brusch wahrscheinlich aus dem Annalenwerk Hermanns von Altaich entnahm. In diesem waren nämlich irrtümlich die in das Jahr 1239 gehörigen päpstlichen Bullen zum Jahre 1227 verzeichnet worden, s. Mon. Germ. SS. XVII, 388 ff. Bei Hermann schloß sich an die Abschrift dieser Bullen die Erwähnung der Ermordung des Domherren Eberhard (1232); Brusch folgt ihm wiederum, setzt aber dann seine Erzählung fort: De quo (Eberhard) annotatum reperitur, quod pro Ecclesiae suae libertate martyrio affectus, non nisi quarto post occisionem anno sepulturae traditus sit et ab aliquibus beatorum martyrum numero ob id adscribitur etc. Diesen Worten entspricht Schreitweins Darstellung: Eberhardus ... pro suae ecclesiae libertate occiditur (1231). (Rudigeri) anno secundo Eberhardus ... quem quidam beatum appellant, sepelitur. ... quattuor annis revolutis .... Hier liegt also wiederum beiden dieselbe Quelle zu grunde, die Brusch in freier Bearbeitung, Schreitwein aber in einfacher erzählender Form (wohl wenig von der Vorlage abweichend) wiedergibt.

Außer in dieser doppelten Verwertung einer und derselben Thatsache ist Bruschs Darstellung auch falsch in der Darstellung der Folgen, welche die zweite Bevollmächtigung Alberts nach sich gezogen habe. Ebendorfers Erzählung dieser Ereignisse wurde oben angegeben. Brusch (Hundt) aber berichtet, Otto von Bayern habe sich in Regensburg wirklich vollständig gewinnen lassen und habe Albert aus ganz Bayern geächtet. Diese Handlungsweise habe er auch in Eger (1243) vor den Gesandten des Kaisers zu seiner Rechtfertigung vorgebracht; deren Sache er, nachdem ihn die Bischöfe über den Sachverhalt aufgeklärt hätten, mit größter Entschiedenheit (acerrime) verteidigt habe. Ratzinger hat aber in seinen Untersuchungen gezeigt, daß auch in dieser Angelegenheit nicht Bruschs, sondern Ebendorfers Darstellung das Richtige enthalte, der zufolge sich Otto in Rücksicht auf die Exkommunikation des Kaisers nicht sofort von den Albert feindlichen Bischöfen gewinnen ließ (Hist.-pol. Bl. Bd. 84, S. 647—50). Im Oktober jenes Jahres, in welchem die Verbannung Alberts stattgefunden habe (1241), bittet der Erzbischof von Mainz Albert, er möge ihm ein Bündnis mit Herzog

Otto erwirken, bei dem er sehr einflußreich sei. Albert nimmt ferner
teil an der Hochzeit eines Verwandten in Nieder-Altaich, zu der er
und Herzog Otto eine Beisteuer geben. Noch 1246 fragt Herzog Otto
Albert um Rat bezüglich seiner Verschwägerung mit den Staufern, den
dieser auch warnend erteilt (Schirrmacher, a. a. O. S. 143 ff.).
Albert bleibt in Bayern, geht nach Nieder-Altaich, nach Pernstein, verkehrt noch weiter mit Otto, freilich nicht mehr persönlich, bis ihn die
Angriffe der Bischöfe zur Flucht nötigten. Diese Thatsachen sind unvereinbar mit einem so entschiedenen Auftreten Ottos, wie Brusch berichtet
(statim ex omni sua provincia proscripsit — publico edicto ex tota
Bavaria proscribit). Wohl aber entzog Herzog Otto auf das Drängen
der antipäpstlichen Partei dem bisherigen Freunde seinen Schutz und
den Aufenthalt auf den herzoglichen Schlössern und in den Städten,
wodurch eine Bekämpfung Alberts durch dieselbe erst möglich wurde.
Nichts mehr als diese Handlungsweise Ottos ergibt sich auch aus den
Belegstellen, die Schirrmacher (a. a. O. S. 101) zu gunsten Bruschs
anführt.

Wie kam Brusch zu dieser übertreibenden Darstellung? Schon in
der vorausgehenden Untersuchung wurde wiederholt auf die Erscheinung
hingewiesen, daß Hundt wörtlich mit Brusch übereinstimmende Nachrichten auf Aventin zurückführt. Brusch benützte also auch diesen als
Gewährsmann. In Aventins Annalen (Ausg. v. Riezler, II, 270—299)
werden nun diese Ereignisse in Bayern auch behandelt und nicht blos
die Charakteristik Alberts, „des Feindes der christlichen Republik, des
Friedensstörers, schlechtesten Heuchlers und falschen Propheten, ver-
worfensten Zweifußes und Verderbers Bayerns" (S. 281), sondern
auch die einfache Erzählung der Thatsachen überhaupt wird in un-
gehöriger Weise übertrieben[1]. In dieser Quelle fand Brusch erstlich
eine stark auftragende Erzählung von der Ausschließung Alberts aus
den herzoglichen Burgen und Städten, zweitens auch angebliche Verhandlungen in Eger erwähnt, wobei der Vorgang schon als „Verbannung aus ganz Bayern" charakterisiert wird (S. 296). Diesen
Ausdruck übertrug nun Brusch auf die Darstellung der Ereignisse überhaupt. Welchen Wert aber Aventins Erzählung über die Egerer Ver-

---

[1] Diese Beschaffenheit des aventinischen Geschichtswerkes ist bekannt. Hier
möge noch auf die historische Treue desselben Autors hingewiesen werden, die im Zusammenhang der hier erwähnten Darstellung merkwürdig beleuchtet wird (S. 292).
Vom Regensburger Landtag, auf welchem die Aechtung Alberts erfolgt sei, bringt
Aventin eine Rede des Erzbischofs von Salzburg, die er geschrieben vorgefunden zu
haben erklärt (reperi). Sie ist aber gewiß erst von ihm selbst verfaßt worden.
Riezler a. a. O.

handlungen überhaupt befitzt, braucht hier nicht erörtert zu werden. Einige Belege über die Unzuverläffigkeit dieses fruchtbaren, aber un= genauen Schriftftellers werden noch weiter unten folgen.

Brufch hat alfo in jene Darftellung, die ihm und Ebendorfer gemeinfam vorlag, noch andere Berichte verarbeitet, aber vielfach nicht zu gunften der Wahrheit. Ein ähnliches Mißgefchick verfolgte ihn auch bei feiner Verarbeitung der Quellen über die Erhebung Konrads zum Bifchofe.

Die annaliftifchen Aufzeichnungen in den bayerifch=öfterreichifchen Gebieten (die von Salzburg, Nieder=Altaich, Garften u. a. fiehe Hift.= pol. Bl. Bd. 60, S. 928) laffen auf Rudiger unmittelbar Berthold als Bifchof von Paffau folgen. Brufch nimmt diefe Nachricht herüber in feine Darftellung, erzählt dann den Kampf, den Berthold führen mußte, greift hernach aber doch die Gefchichte des vor Berthold zum Bifchofe erhobenen Konrad auf und bringt fie im allgemeinen nach der ihm mit Ebendorfer gemeinfamen Grundlage zur Darftellung; dabei konnte in feinen Augen Konrad natürlich nicht anders als durch einen fchmählichen Handel mit Albert erhoben worden fein (f. o.). Schirr= macher macht fich die Sache leicht und geht über diefen Bericht der „Paffauer Annalen" ftillfchweigend hinweg, er findet Paffauer Annalen ja auch bei Schreitwein (S. 152 ff., 153, Anm. 1), auf eine Sonderung der verfchiedenen Berichte läßt er fich nicht ein. Aus dem Gefagten erhellt aber, daß Ebendorfer (Schreitwein) die einfachfte und ältefte Erzählung enthält, während Brufch (Hundt) fie durch anderswoher geholte Exzerpte vermehrt und verfchlechtert in feine Darftellung auf= genommen hat. Der fcharffinnige Jefuit Hanfiz hat diefe Anficht fchon ausgefprochen, wenn er fchreibt: ... plus credendum Schritovino (als Brufch) ... habuit familiarius Pataviense chronicon (Germ. Sacra I, 390). Leider hat derfelbe diefen Ausfpruch nicht näher bewiefen. Unfere Unterfuchung beftätigt ihn aber.

Ob diefes Pataviense chronicon Hanfiz felbft vorlag, bleibt fehr fraglich. Es wird zwar in feiner umfangreichen Gefchichte der Paffauer Kirche einigemale ein Decanus Burkhardus Krebs als Verfaffer einer Gefchichte Paffaus genannt (näheres darüber an anderer Stelle), aber Hanfiz bringt zu wenig Zitate aus diefem Werke als daß man annehmen könnte, es habe ihm auch thätfächlich zur Benützung vor= gelegen. Hundt fah deffen Schriften gewiß nicht ein; in feinen alten annales Patavienses war diefer ganze Abfchnitt, wie vorher fchon bemerkt wurde, wohl nicht enthalten, weshalb er fich ganz an Bruschs verunglückte Darftellung hielt. Die Gefchichte Alberts des Böhmen

20*

kommt also erst in den späteren Verarbeitungen der Passauer Kirchen=
geschichte, in den annales Pataviensis im weiteren Sinne vor, doch
reicht ihre Abfassung sicherlich in die früheste Zeit zurück. Die warme
Anteilnahme für Alberts Leiden, die Betonung seiner Verdienste und
des großen Undankes, der ihm widerfuhr, schließen die Abfassung zu
einer Zeit, wo Alberts Thätigkeit schon in Vergessenheit überging, un=
bedingt aus. Es kommen in ihr ferner so viele Einzelheiten vor, daß
die Grundlagen des ganzen Schriftstückes wohl schon zu Alberts Leb=
zeiten schriftlich niedergelegt worden sein müssen. Ueberdies reicht keine
der in diesem Zusammenhange vorkommenden, also aus derselben Quelle
geschöpften Nachrichten über die ersten Jahre Bertholds hinaus, während
Albert noch bis in die Mitte der Regierung des Bischofs Otto lebte
und vielleicht noch manchmal infolge der Festigkeit seiner Grundsätze
in Konflikte geriet (Schirrmacher a. a. O. S. 172—76, 191 ff.).
Vielleicht entstand diese Schrift in Nieder=Altaich, dessen Abt Hermann
Alberts Freund war und wo auch Verwandte Alberts sich befanden.
Erhält doch dieses Kloster testamentarisch auch einen Teil von Alberts
hinterlassenen Schriften (Hist.=pol. Bl. Bd. 85, S. 195 ff.). Möglicher=
weise war hier sogar eine Art Biographie des infolge der einschneidenden
Maßregeln während der erbitterten Kämpfe viel gehaßten Mannes mit
der Tendenz, seine guten Absichten zu betonen, also eine Verteidigungs=
schrift, hergestellt worden, die eben nachträglich in die kompilatorischen
Werke der sogenannten annalistae Pataviensis aufgenommen worden
war. Schreitwein erwähnt beispielsweise schon die Erhebung Alberts
zum Domherrn 1212. Stammt die Notiz aus derselben Quelle, so ging
das Bild, das diese von Albert entwarf, doch zweifellos über die Er=
eignisse des fünften Jahrzehntes hinaus, es umfaßte wohl so ziemlich
dessen gesamtes Leben, und Riezlers Bedenken gegen eine Biographie
eines so „unheiligen Mannes" (Annales Boiorum II, 586) müßten
aufgegeben werden. Uebrigens erscheint Albert erst bei Aventin und
Brusch in so „fanatischem" Lichte, wie man dessen Persönlichkeit in
völliger Verkennung der einzigen echten Schilderung bei Ebendorfer
(Schreitwein) zu charakterisieren pflegt, die ihn in so warmer Weise
gegen die Angriffe und Vorwürfe verteidigt, denen der Mann mit der
schwierigen aber bedeutungsvollen Wirksamkeit zweifellos in hohem
Grade ausgesetzt war. Ein hochgebildeter Mann war Albert in jedem
Falle;[1] mag aber auch nicht seine Größe Veranlassung zu dieser Schrift

---

[1] Das Nähere s. Hist.=pol. Bl. Bd. 85, S. 199, A. 3. Höfler: Bibl. d.
lit. Ver. v. Stuttgart XVI, 2, XXII. Ueber Alberts Bibliothek: Mon. Boica,
29, 6, S. 481, 484. Höfler a. a. O. 148.

gegeben haben, so war es doch treue Freundschaft und Liebe, welche seinem Verteidiger die Feder in die Hand drückte. In keinem Falle darf Aventin oder Brusch als Grundlage zur Beurteilung Alberts dienen, deren Schriften jenes abstoßende Bild entworfen haben und zwar nicht auf gegnerische Schilderungen (was ja verzeihlich wäre), sondern auf die einzige, Albert wohlwollende Darstellung gestützt.

Ueber Aventins Verarbeitung dieser Quelle, die durch Brusch und Hundt eine noch größere Verbreitung gewonnen hat, mögen hier noch einige Beobachtungen mitgeteilt werden. Dieser fleißige Sammler, aber wenig gewissenhafte Geschichtschreiber benützte zur Geschichte Alberts die „Commentaria autographa in membranis scripta Alberti Boemi" (Annales II, Edit. Riezler, 238) und die „bergamenen püecher im tomstift zu Passau" (a. a. O. S. 562), also wohl auch die öfter genannte umfangreiche Chronik von Passau. Aus Alberts Briefen, die aber nach Höfler nicht auf Pergament geschrieben waren, berichtet Aventin die oben erwähnte übertreibende Darstellung der Trennung des Herzogs Otto von Albert, die bei Brusch schon nach Aventins Vorgang als Verbannung bezeichnet wird. Nach der Darstellung von Alberts Thätig= keit, die auch Ebendorfer benützte, erzählt Aventin den Verkauf einiger Schlösser durch Bischof Konrad an Albert, welchen jener in der Absicht vornahm, um mit hinreichender Geldmenge versehen in die Heimat zu= rückkehren zu können (S. 298). Bei Brusch erscheint jede Besitzabtretung Konrads schon als Abschlagszahlung für die Erhebung zum Bischofe. Im übrigen ist die Anordnung der Ereignisse, zumal der Wechsel der Bischöfe, der Kämpfe Bertholds richtig. Den Namen der Burg Orth, an den bei Schreitwein verschiedene Begebenheiten geknüpft werden, bringt Aventin, wahrscheinlich nach einem flüchtigen Exzerpt (O. statt Orth), als Obernburg, erzählt aber sonst die Belagerung und den Ver= rat Alberts in diesem Orte ganz entsprechend. Darauf wird irrtümlich eine neue Belagerung Alberts in Wasserburg erzählt, die schon früher stattgefunden hatte. Rudigers und Herzog Ottos Erfolg gegen Orth wird als Eroberung der Stadt Passau wiedergegeben, worauf Albert gefangen, verurteilt und geschunden worden sei, ita quidam in annales retulere (S. 299). Schreitwein, Aventin und Brusch bringen also Alberts Unglück mit den Erfolgen Rudigers und des Herzogs Otto in Zusammenhang. Während aber Schreitwein die bildlichen Ausdrücke: pellem suae carnis ambiunt ... pelle popria spoliatur ohne Bemerkung zitiert, Brusch ihren Inhalt als bedeutungslos übergeht: alia atrociora omitto hoc loco, faßt sie Aventin wörtlich: vivo cutis detrahitur, ita quidam in annales retulere. Hundt schrieb es ihm nach, wie oben erwähnt

wurde. Auf keinen Fall darf also diese Fabel von der Schindung
Alberts auf die Zeit der Regierung Ottos von Lonsdorf bezogen
werden, in der Alberts Tod anzusetzen ist, wie Lorenz versuchen
möchte (Deutschlands Geschichtsquellen I, S. 193). Aventins Analogien
zu dieser Todesart Alberts werden von Ratzinger überzeugend zurückgewiesen (Hist.-pol. Bl. Bd. 85, S. 114 ff.).

Hiemit ist über die Darstellungen der Wirksamkeit Alberts bei diesen
Passauern Geschichtsschreibern hinlängliche Klarheit verbreitet.

III.

In der vorliegenden Untersuchung wurde mehrmals auf historische
Arbeiten hingewiesen, denen der Name „annales Patavienses“ bei
Brusch, Hundt, Gewold und Hansiz beigelegt wird. Zum Unterschiede
von den annales Patavienses, die in wirkliche Annalenform gekleidet
Hundt vorzugsweise benützt hat, nannten wir sie Passauer Annalen
im weiteren Sinne. An dieser Stelle soll eine zusammenfassende
Darlegung der Nachrichten geboten werden, welche über diese geschicht-
lichen Arbeiten und über ihre Anfänge in älteren Schriften von mir bei
Gelegenheit der vorliegenden Studie gesammelt wurden.

Die ältesten Kataloge der Passauer Bischöfe, die uns erhalten
blieben, sind der Versus de ordine comprovincialium pontificum (aus
dem Anfange des 9. Jahrhs.) und der Heiligenkreuzer Katalog, der auf
grund einer älteren Bischofsreihe, die bis 1148 reichte, noch im 12. Jahrhundert angelegt wurde; ebenso reichen die Vorlagen des Niederaltaicher
und Göttweiher Kataloges, die allerdings erst im 13. Jahrhundert
niedergeschrieben wurden, in eine frühere Zeit zurück.[1]) Alle diese Bischofsreihen beginnen mit Vivilo, der überdies in den drei zuletztgenannten
Katalogen als Erzbischof und zwar als der einzige erscheint. Diese
Annahme stützte sich wohl auf einen Brief Papst Gregors II vom
Jahre 716 an den hl. Bonifaz,[2]) in welchem derselbe aufgefordert wird,
in Bayern einen Erzbischof einzusetzen. Aus anderen Briefen ersah
man, daß damals Vivilo der einzige Bischof in Bayern war, der überdies diese Auszeichnung auch dadurch verdienen mochte, daß er seine
Weihe vom Papste selbst empfangen hatte (Jaffé a. a. O. Nr. 2251).

---

[1]) Mon. Germ. SS. XIII, 352 u. 361. Pez, Script. rer. Austr. I, 10.
[2]) Jaffé, Regesta Pontificum, edd. Löwenfeld, Kaltenbrunner und
Ewald. Nr. 2153.

Andere Nachrichten über die Paffauer Kirchengeschichte finden sich in diesen Katalogen nicht. Wohl aber enthält das einzige Fragment eines Paffauer Totenkalenders aus dem 12. Jahrhundert eine Aufzählung der wichtigsten Schenkungen an die Paffauer Kirche mit Bemerkungen, die bis ins 9. Jahrhundert zurückreichen.[1] Die Namen der Bischöfe, die in demselben genannt werden, tragen nur den Titel: episcopus. Dieser Todtenkalender diente zweifellos außer religiösen und wirtschaft= lichen auch schon historischen Interessen. Doch läßt sich eine erweiterte Ausführung desselben, etwa eine Umarbeitung des Inhaltes in Annalen= form vorderhand nicht nachweisen.

Auch die zahlreichen annalistischen Geschichtsbearbeitungen, die in Klöstern innerhalb des Paffauer Bistums entstanden, nehmen keine Notiz von der Geschichte dieses Kirchensprengels für die Zeit vor der Mitte des 11. Jahrhunderts. Erst die für die österreichischen Klöster so be= deutungsvolle Wirksamkeit des Bischofs Altmann von Paffau (1065—91) gab Anlaß, für die nachfolgende Zeit auch der Bischofsreihe dieser Stadt ein Augenmerk zuzuwenden. Für die zweite Hälfte des 12. und für das 13. Jahrhundert sind einige dieser österreichischen Annalen geradezu eine wichtige Fundgrube für Paffaus Geschichte.[2] Die älteste Form der Reichersberger annalistischen Aufzeichnungen, die bis zum Jahre 1167 reichen, schließen sich in bezug auf Paffauer Nachrichten vollständig den übrigen österreichischen Annalen an. Erst der Priester Magnus (gest. 1195) erweiterte diese Annalen zu einer umfangreichen Chronik und verarbeitete in derselben seine Lesefrüchte aus Schriften verschiedenen Wertes.[3] Sie weist nun auch die ersten Erscheinungen der in der Folgezeit so eifrig betriebenen Studien über eine eingehendere Geschichte des Paffauer Bistums auf. Fünf Bischöfe tragen nach Magnus schon den Titel archiepiscopus, und zwar außer Vivolo (Vivilo) noch ein Theodor, Urolf, Gerhard und Pilgrim.[4] Es war ein erster Versuch, diese Namen in die Geschichte der Paffauer Kirche einzuführen, der später noch oftmals gemacht wurde und wechselnde Zahlenangaben ver= anlaßte.[5] Die Quelle, aus der Magnus diese Nachrichten schöpfte, ist

---

[1] Dümmler, Pilgrim von Paffau, S. 101, 102.
[2] Für diese Untersuchung wurden alle österreich. Annalen genau durchgesehen, soweit sie mir im Drucke zugänglich waren: Mon. Germ. SS. IX, 484—507, 586 ff., 594 ff., 601—3, 608—13, 614—43, 728, 760—92 und Rauch, SS. r. A. I, 161—93.
[3] Wattenbach, Deutschlands Geschichtsquellen des MA. II⁶. S. 314.
[4] Mon. Germ. SS. XVII, 440, Note 5.
[5] S. Dümmler, Pilgrim von Paffau, S. 72, 103—5.

uns nunmehr vollständig bekannt. Sie ist die Reichersberger Hand=
schrift jener Briefsammlung, die etwa ein Menschenalter vorher, gegen
die Mitte des 12. Jahrhunderts, in Passau niedergeschrieben worden
war und außer einigen echten Urkunden auch die seit Dümmler unter
dem Namen der gefälschten Lorcher Bullen bekannten Schriftstücke enthält.[1)]
Magnus verwertete die in denselben enthaltenen Namen Passauer Bi=
schöfe, unterließ es aber, nach den in ihnen genannten Päpsten die Zeit
dieser angeblichen Bischöfe, zumal des ersten, Theodor, zu bestimmen
und gab dadurch Anlaß, daß dieser Name von nun an in allen folgenden
Katalogen unmittelbar vor Vivilo gesetzt wurde. „Die höchst bedeutungs=
volle Urkunde König Arnulfs vom Jahre 898“ war in der Reichers=
berger Sammlung nicht enthalten; daraus erklärt sich auch ihr Fehlen
in den Geschichtswerken des Priesters Magnus, was Dümmler, der
diese Briefsammlung nicht beachtet hatte, so befremdete.[2)] Eine zusammen=
hängende Bischofsreihe beginnt auch bei Magnus erst mit Eigilberts
Tode 1065,[3)] auf den Altmann unmittelbar folgte.

In der folgenden Zeit begann man die Kirchengeschichte Passaus,
die soeben durch Magnus einige Erweiterungen erhalten hatte, systematisch
nach vorne auszubauen und das Dunkel, das über den ältesten Zeiten
schwebte, durch Nachrichten zu beleuchten, die man nach dem Vorbilde
des Reichersberger Priesters aus alten Schriften zu gewinnen suchte.
Die Identität des Lorcher und Passauer Bistums war ja eine uralte
Tradition — schon Bischof Adalbert (gest. 970), der Vorgänger Pil=
grims, nannte sich bald Bazsoensis, bald Lawriacensis[4)] — und so
fügte man in erster Linie Nachrichten über die Lorcher Kirche zur Ge=
schichte der Passauer: der in der vielgelesenen vita Severini als Bischof
von Laureacum genannte Constantius wird Vorgänger eines Vivilo,
eines Theodor. Der Glanz, der die alte Kirche in der Ueberlieferung
umgab (mindestens seit dem 10. Jahrhundert), führte dazu, diesen Con=
stantius ebenfalls als archiepiscopus den anderen seit Magnus in dieser
Eigenschaft genannten Bischöfen anzureihen. Dieses Stadium der Passauer
Geschichtsforschung zeigt uns ein Heiligenkreuzer Katalog,[5)] dessen Ent=

[1)] S. die Ueberlieferung der gefälschten Passauer Bullen und Briefe von P. W.
Hauthaler in den Mitteilg. d. Inst. f. österr. Geschichtsfsch. VIII, 604 ff.

[2)] Dümmler, Pilgrim von Passau, S. 72.

[3)] Mon. Germ. SS. XVII, 433 ff. und 481 ff.

[4)] Dümmler, Otto der Gr., S. 494, Anm. 1.

[5)] Loserth, die Geschichtsquellen von Kremsmünster, S. 110. Doch scheint
diese Entdeckung, die man vielleicht in Heiligenkreuz gemacht hatte, noch lange nicht
allgemein angenommen worden zu sein.

ſtehen mithin in die erſten Jahrzehnte des 13. Jahrhunderts anzuſetzen
ſein dürfte.

Ratzinger macht für die erſten Jahre des 13. Jahrhunderts auf
die Beziehungen der Paſſauer Kirche zu der von Aquileja aufmerkſam,
wodurch auch eine Uebernahme des reichen Legendenſchatzes der letzteren
Kirche durch die erſtere erfolgt ſei.[1] Die Wirkungen dieſes Verkehres
zeigen ſich in Paſſau in zweifacher Hinſicht: erſtens bemüht man ſich,
nachdem die Wirren, welche die Paſſauer Kirche um die Mitte des
13. Jahrhunderts durchgemacht hatte, vorüber waren, ſich ebenfalls in
den Beſitz ausführlicher Legenden zu ſetzen, und zweitens werden einzelne
Züge aus den Legenden der Patriarchalkirche in die der Paſſauer Kirche
übernommen. Die in Paſſau zwiſchen 1265 und 1291 abgefaßte vita
Maximiliani, des Patrones dieſer Kirche, zeigt beide Einflüſſe vereinigt:
die Erzählung wird möglichſt ausgedehnt durch Einſchaltung verſchiedener,
kaum in irgend einem Zuſammenhang mit dem Heiligen und ſeiner Verehrung
ſtehenden Nachrichten, zu deren Kenntnis man durch anderweitige Studien
gelangt war: „Durch viele Jahre war in zahlreichen Geſchichtsbüchern
und unzählbaren Privilegien der Kirche geforſcht worden“ (Kap. 23);
andererſeits beruft ſich der Verfaſſer der Vita geradezu auf die Legende
des hl. Hermagoras (Kap. 1 u. 21), der in Aquileja eine große Verehrung genoß.[2] Uns intereſſiert hier die Angabe, daß fleißige Studien

---

[1] Katholik, 1872, S. 599. 1896, S. 360.

[2] Die Vita iſt abgedruckt in Pez, SS. r. A. I, 22—34. Die Abfaſſungszeit
dürfte kurz vor der feierlichen Uebertragung der Reliquien dieſes Heiligen i. J. 1291
(ſ. Hanſiz, Germ. sacra I, 35) anzuſetzen ſein, da dieſes Ereignis und die zahlreichen darauffolgenden Wunder, von denen der Zeitgenoſſe Sigmar von Kremsmünſter
berichtet (Loſerth, Geſchichtsqu. von Kremsm., S. 34 und Note 7) nicht erwähnt
werden, obwohl der Verfaſſer der Vita ausdrücklich betont (c. 15), daß er die Wunder
mitteile nicht wegen der Zeitgenoſſen, die ja alles ſelbſt geſehen hätten, ſondern damit
die Nachwelt aus ihnen Vertrauen zur Fürbitte der Heiligen ſchöpfe. Das Jahr 1265
muß aber doch ſchon geraume Zeit vorübergegangen ſein, da nach der Erzählung
eines Ereigniſſes aus dieſem Jahre (c. 16) ein anderes mit den Worten: ‚moderno
quoque tempore‘ eingeleitet wird (c. 17). Auf den hiſtoriſchen Wert dieſer Vita
kann hier nicht näher eingegangen werden, da ſie zu den geſchichtl. Werken Paſſaus
in unſerem Sinne doch nicht gerechnet wird. Bekanntlich glaubte Dümmler (Pilgrim
von Paſſau, S. 187, Anm. 10) den Beweis erbracht zu haben, daß dem Verf. der
Vita ſeine ſchriftliche Aufzeichnung über das Leben des Heiligen vorlag, die Erzählung
ſei vielmehr „eine trügeriſche Uebertragung der vita S. Pelagii auf den Namen
Maximilian“ (Dümmler, P. v. P. S. 79, Rettberg, Kirchengeſch. Deutſchlands
II, 561, W. Glück, die Bistümer Noritums, Sitzungsbericht d. k. k. Akad. d.
Wiſſ. zu Wien XVII. Sitzg. v. 20. Juni 1856, Wattenbach, Geſchqu. II⁶, 490).
Aber eine Aehnlichkeit zwiſchen dieſen beiden Legenden beſteht nur in einigen Angaben

der Abfassung dieser Vita vorangegangen waren. Diese Thatsache ist uns für Passau auch anderweitig bestätigt.

Nach dem Ableben des Herzogs Friedrich II von Oesterreich (1246) war wohl die Notwendigkeit öfters an die Passauer Bischöfe herangetreten, ihr Besitzrecht in jener unruhigen Zeit zu verteidigen. Als in Passau selbst wieder Ordnung eingekehrt war, machten sich denn auch die Bischöfe sofort daran, Urkunden zu sammeln, zu kopieren, um die Einkünfte und Dienstbarkeiten, die sie für ihre Kirche zu beanspruchen hatten, nachzuweisen. Ein solches Verzeichnis entstand unter Bischof Berthold (1251—54) für das Spital zum hl. Aegidius und für die Erhaltung der Passauer Brücke.[1]) Sein Nachfolger Otto von Lonsdorf legte schließlich eine umfangreiche Sammlung von Urkundenkopien an,

---

über das Leben des hl. Maximilian. Dessen ausführliche Passio könnte man eher mit der des hl. Quirin, des Bischofs von Siscia, vergleichen. Eine kritische Zerlegung dieser Legende in die einzelnen Teile, welche etwa aus anderen Legenden genommen wurden, ist meineswissens noch nicht veröffentlicht. Gut bemerkt übrigens Ratzinger, daß diese Lebensbeschreibung des Heiligen nie liturgisch gebraucht wurde (Katholik, 1896, S. 360, 364). Die der abträglichen Charakteristik dieser Legende zugrunde liegende Behauptung Dümmlers, der Verfasser selbst gestehe, seine schriftliche Vorlage für die Lebensbeschreibung gehabt zu haben, ist aber ein Irrtum, dem Dümmler nur dadurch verfiel, daß er die betreffende Angabe (ea) zu merita, nicht aber zu innumerabilia miraculorum insignia, welche die Nachlässigkeit der Vorfahren nicht aufgezeichnet habe (c. 21), bezog. Diese Beziehung Dümmlers ist aber bei genauer Prüfung des Textes ausgeschlossen. Die Erzählungen der Wunderthaten des Heiligen sind auch durchgehends nur solche, wozu der Verfasser keine schriftlichen Aufzeichnungen benötigte; es werden nur Ereignisse der jüngsten Vergangenheit berichtet: moderno tempore (c. 17), novimus nomen et personam (c. 18), vidimus eum (c. 20), vidimus (c. 21); den Beginn bildet sogar eine bestimmte Zeitangabe: 1265 IV Cal. Nov. (c. 16). Ohne Zweifel dürfen wir auch die Erzählung des c. 19, verissime testabatur, auf jene Jahre beziehen. Unbegreiflich sind die Schwierigkeiten, die D. in der Bezeichnung des hl. Maximilian als confessor findet, die erst im 13. Jahrh. in martyr umgewandelt worden sei. Ein Blick in Du Cange (Neue Ausg. II, 496) hätte ihn aus zahlreichen Belegstellen überzeugen müssen, daß die ursprüngliche und häufigste Bedeutung des Wortes confessor die eines Bekenners durch Tod oder Leiden ist, die erst allmählich auf das Bekenntnis des Glaubens durch ein frommes Leben und einen seligen Tod eingeschränkt wurde. Uebrigens zieht D. nur die Kalendarien des 11. u. 12. Jahrh. zurate, während gerade in einem Freisinger Kalender aus dem 10. Jahrh. Maximilian als martyr aufgeführt wird (A. Lechner, mittelalterliche Kirchenfeste und Kalendarien, 1891, 10; Wetzer u. Welte, Kirchenlexikon, 2. Aufl., VIII, 1090). Vgl. noch die durch zahlreiche Literaturangaben schätzenswerte Behandlung dieses Themas in A. Hubers Gesch. der Einführung des Christentums in Südostdeutschland I, 77—132; über das Vorkommen des Namens Maximilian auf Römersteinen des 4. Jahrh. ebendort S. 98.

[1]) Monum. Boica, c. 29, 381—403.

die unter dem Namen des Londsdorfſchen Codex[1]) bekannt iſt (ſ. oben).
Wir wiſſen, daß Otto von allen Seiten her die nötigen Abſchriften
ſammelte und für deren Vollſtändigkeit beſorgt war,[2]) daß ſich ferner
dieſe Thätigkeit auf alle kirchlichen Genoſſenſchaften ſeiner ausgedehnten
Diözeſe erſtreckte und dadurch manche wertvolle Urkunde im Original
oder in Abſchrift vor der gänzlichen Zerſtörung rettete.[3]) Zum Ver=
ſtändniſſe der Urkunden und deren Ordnung war nun eine ſichere Chrono=
logie der einzelnen Biſchöfe und der gleichzeitigen Ereigniſſe unbedingt
notwendig. Dieſem Bedürfniſſe entſprach wohl die Abſchrift der Salz=
burger Annalen, die wir, mit den bis dahin bekannt gewordenen Biſchofs=
namen und den Regierungszahlen vermehrt, als jene annales Patavienſes
gekennzeichnet haben, welche bis zum Jahre 1255, bis zum erſten Jahre
des Biſchofs Otto reichten und von Hundt benützt wurden (ſ. oben).
Eine Erweiterung des Biſchofskataloges aus der Maſſe von Urkunden
war damit ermöglicht worden, die in den nächſten Jahrzehnten auch
thatſächlich durchgeführt wurde. Als Abt Hermann von Altaich zur Feder
griff, waren noch die oben charakteriſierten Biſchofskataloge in voller
Geltung;[4]) aber der Verfaſſer der vita Maximiliani kennt ſchon einen
ſehr erweiterten Katalog, der erſt nach vielen Studien und endloſen
Forſchungen aus Geſchichtsdarſtellungen und Privilegien zuſtande ge=
kommen ſei (ſ. oben); er nennt ihn Catalogus Archiepiscoporum Lau-
reacenſium (Kap. 22). Eutherius, Quirinus und Maximilianus, die in
Hundts annales Patavienſes noch nicht genannt werden, kennt er ſchon
als Erzbiſchöfe, aber die ſpätere Zeit wies noch große Lücken auf. Dieſe
erklärt der Verfaſſer durch die Bedrängniſſe, in denen die Lorcher Kirche
Jahrhunderte lang ſich befunden habe: durch die Auswanderung der
Römer aus dieſen Gegenden, die vielen Chriſtenverfolgungen, Zerſtörung
vieler Kirchen und Städte durch die Angriffe der Barbaren, der Gothen,
Gepiden, Hunnen und Alanen, der Vandalen und Heruler, der Marko=
mannen, Quaden, Sarmaten, Avaren, Rugier, Winuler und ſchließlich
der ſchrecklichſten von allen, der Ungarn, die ſein Vaterland, ja ganz
Europa kläglich zerſtampft hätten (Kap. 23). Das ſei die Urſache,
warum ſo wenig Namen der Erzbiſchöfe von Lorch und ihrer Suffragane

---

[1]) Teilweiſe abgedruckt in Mon. Boica, c. 28, 193 ff. und in anderen Bänden
zerſtreut. Ueber das Inhaltsverzeichnis ſ. v.

[2]) Hermann von Altaichs Schreiben an Otto: Mon. Boica, c. 29, 5 und
Mon. Germ. SS. XXII, 352.

[3]) Mon Boica, c. 29, 5 und Note.

[4]) Der in Mon. Germ. SS. XIII, 361, II a angeführte Katalog ſtammt aus
den Schriften Hermanns.

erhalten feien. Wie man fieht, machte die Vorstellung von der Aus=
dehnung der alten Lorcher Metropolitankirche schon einen bedeutenden
Schritt nach vorwärts. Zweiundzwanzig Städte werden aufgezählt
(Kap. 24) als Erbe der Lorcher Kirche von den erften chriftlichen Kaifern
Philippus sen. und jun.,[1] das Gebiet erftreckte fich vom Lech bis zur
Theiß, von der Eger und Oder bis Liburnia (Tiburnia) an der Drau
und zum Mittelmeere, alfo über ganz Pannonia und Moefia.

Wie aus Kap. 22 hervorgeht, hatte der Verfaffer der Vita auch
schon einen Katalog der bayerischen „Herzöge oder Könige" vor fich,
deffen Unvollftändigkeit durch die lange Abwesenheit der „Norifer und
Baiern" von den ihnen von altersher gehörigen Landschaften erklärt
wird, die fie erft unter Theodo durch den Sieg bei Oetting über die
Römer wiedergewonnen hätten 508.[2] Eine Herzogsliste war ja wie
ein Bischofskatalog in Paffau notwendig geworden. Außer diefen
Katalogen sind in die vita Maximiliani noch einige andere Schriftftücke
verarbeitet, die fich durch die lofe Art, in der fie mit den übrigen Teilen
der Legende zusammenhängen, leicht herausschälen laffen. Die Partikel,
welche fie einleiten, sind geradezu finnlos aus der Vorlage herüber=
genommen worden, fo z. B.: Igitur cum Eutherius etc. (Kap. 6) und
Tunc igitur sancta Laureacensis Ecclesia etc. (Kap. 21, 2. Hälfte u. ff.).
Den Inhalt kann man ungefähr als Urgeschichte der Lorch=Paffauer
Kirche bezeichnen. Die nähere Schilderung diefer Abschnitte können wir
uns erfparen, fie sind, wie wir gleich sehen werden, famt den Katalogen
von Paffau nach Kremsmünfter durch Sigmar gebracht worden und in
deffen Schriften heute noch erhalten.

Eine ähnliche Arbeit wie Bischof Otto von Lonsdorf in Paffau
führte der verdienftvolle Abt Friedrich von Aich wenige Jahrzehnte
nachher in Kremsmünfter durch. Auch hier galt es zunächst, die Wirt=
schaftsverhältniffe zu regeln, durch Sammlung der Urkunden und Privi=
legien den Rechtsverhältniffen eine fefte Grundlage zu geben und im
Archiv Ordnung zu schaffen. Die uralten, innigen, wenn auch nicht
immer freundlichften Beziehungen diefer Agilolfingerftiftung zu den

---

[1] Ueber die Legende, die fich an diefen Kaifer († 249) knüpft, vgl. Maßmann,
Kaiferchronik, 376, in der Bibl. der gef. deutschen Nationalliteratur, 4. Bd., 3. Abt.,
S. 764—66; teilweise auch Riezler, Aventins Werke, II, 237, Note. Vgl.
Ratzinger: Katholik, 1896, S. 360.

[2] So fteht es im Formbacher Codex. Andere Hff. haben 500, 608. Vgl. über
diefe Jahreszahlen Loferth, die Herrschaft der Longobarden ufw. Mitteilg. d.
Inftit. f. öfterr. Geschichtsf. II, 3.

Biſchöfen von Paſſau wieſen beſonders auf dieſen Ort hin, wenn man den eigenen Urkundenſchatz ergänzen wollte. Die Ausführung dieſer Arbeiten ließ der Abt durch den Großkellermeiſter Sigmar vollbringen, der denn auch um die Wende des Jahrhunderts (1290 und 1308) von ſeiten der Paſſauer Archivverwaltung die freundlichſte Unterſtützung erfuhr.[1]) Die Früchte ſeines Fleißes hat Sigmar in ſeinen Schriften hinterlaſſen, von denen für uns zwei von beſonderem Intereſſe ſind, nämlich der codex Vindobonensis 619 und der codex Cremifanensis 401.[2])

Die Wiener Handſchrift enthält einen catalogus Archiepiscoporum et Episcoporum Laureacensium et Pataviensium mit Jahren nach Chriſti Geburt und den Regierungsjahren, fortgeſetzt bis auf die Zeit des Schreibers: ferner einen Katalog der bairiſchen Landesfürſten von 508 bis 1231, jene Stücke der vita S. Maximiliani, die wir oben als Urgeſchichte der Paſſauer Kirche bezeichnet haben (Kap. 21, 2. Hälfte, Kap. 22, 23, 24) und endlich eine kurze Biſchofsreihe von Urolph bis Altmann ohne Zahlen aber mit charakteriſierenden Zuſätzen. Der Rand dieſer Handſchrift iſt angefüllt von Notizen in kleinerer und kleinſter Schrift, die ſämtlich ebenfalls von Sigmar ſtammen.

, Der Biſchofskatalog beginnt ſchon mit den Namen, die durch die Spekulation des 13. Jahrhunderts aus alten Schriften als Lorcher Erzbiſchöfe erkannt, auch in der vita S. Max. als ſolche genannt werden: Eutherius, Maximilian. Constantius wird übergangen.[3]) Von Erchenfridus an zählt der Katalog ſchon alle Namen, die auch in den Biſchofsgeſchichten des 15. und 16. Jahrhunderts vorkommen. Theodor, den Magnus von Reichersberg in die Geſchichte eingeführt hatte, fungiert noch als einziger dieſes Namens unmittelbar vor Vivilo. Eutherius hatte man in den Akten des Konzils von Sardika entdeckt, in denen

---

[1]) Loſerth, Geſchqu. von Kremsmünſter, XV, XVI, 26, Note d, 102, 103.

[2]) Der erſtere iſt gedruckt in Loſerth, Geſchqu. v. Kr., (I—IV) 1—17 und Mon. Germ. SS. XXV, 617—28; letzterer: Loſerth a a. O. 32—82 (83—109) und Mon. Germ SS. XXV, 651--78 (633—51). Ueber die Abfaſſung beider durch Sigmar (nicht durch Bernhardus Noricus) ſ. Loſerth, Sigmar und Bernard von Kremsmünſter, Archiv f. öſterr. Geſch. LXXXI. Bd., 2. Hälfte, S. 348 ff. Hier iſt auch die geſamte einſchlägige Literatur bemerkt.

[3]) Dies iſt auffallend; enthält doch ein Heiligenkreuzer Katalog, dem Eutherius und Maximilian noch unbekannt ſind, ſchon dieſen Namen unter den Lorch=Paſſauer Biſchöfen (ſ. o. S. 306). Quirinus fehlt auch; Dümmler ergänzt aus e. Hſ. d. 15. Jahrh.: Gerhardus sedisse creditur. Wenn etwas zu ergänzen iſt, ſo dürfte damals wohl Quirinus und nicht die ſpätere Ueberſetzung Gerardus zu ergänzen ſein. In der vita Max. wird Quirinus bekanntlich ſchon als Erzbiſchof vorausgeſetzt.

ein Eutherius a Pannoniis genannt wird.[1]) Die hohe Vorstellung, welche
man sich im Laufe des 13. Jahrhunderts von der einstigen kirchlichen
Bedeutung Lorchs gemacht hatte, konnte ihn nur als Bischof dieser
Stadt erscheinen lassen. Maximilian war als Patron der Passauer
Kirche, dessen Martyrium überdies sogar in den Annalen berichtet
wurde, selbstverständlich mit dieser Kirche in Verbindung gebracht. In
Passauer Urkunden wurden Erchenfridus und Ottachar als Bischöfe
genannt.[2]) Woher Bilo (Philo) und Bruno genommen wurden, weiß
ich nicht anzugeben; aber das Streben, die Bischofsgeschichte der ältesten
Zeit zu vervollständigen, mußte mächtig angeregt werden, wenn man
beim Studium der in reicher Menge vorhandenen Urkunden Berufungen
auf Bischöfe vorfand, deren Leben den ältesten Zeiten angehörte: so
erwähnt der Priester Sigirinus in einer Schenkungsurkunde sogar Vorgänger Erchenfrids, zu deren Zeiten er schon die Kirche des hl. Stephan
in Passau bedacht habe.[3]) Zwischen Bivilo und Anthelmus, die in
den Katalogen des 12. und 13. Jahrhunderts unmittelbar aufeinander-
gefolgt waren, erscheint jetzt Sidonius, den schon der oben erwähnte
Ordo comprovincialium pontificum enthielt. Päpstliche Briefe an den
hl. Bonifatius[4]) und vielleicht auch die annales Altahenses[5]) enthielten
ja auch seinen Namen. Durch ähnliche Erforschung der Urkunden dürfte
auch der Regensburger Bischof Baturicus in die Reihe der Passauer
— freilich irrtümlich — gekommen sein. Beatus, der im Ordo compr.
pont. vor Sidonius genannt wird, kam in keiner Urkunde vor, erscheint
darum auch nirgends als Bischof aufgeführt, auch nicht bei den Historikern
des 16. Jahrhunderts.

Die Namen des Kataloges wurden bis Piligrim mit den Titeln
archiepiscopus oder episcopus versehen: je nachdem man in den benützten Quellen — und dazu gehören selbstverständlich auch die seit
Magnus in die Geschichtschreibung eingeführten Lorcher Bullen —
eine Bestätigung der erzbischöflichen Würde zu finden meinte oder nicht.
Von diesem Standpunkte aus beurteilt auch der Verfasser des kürzeren
Kataloges in Sigmars erster Schrift die einzelnen Bischöfe: je nachdem

---

[1]) Hansiz I, 45. Mansi III, 46. Dümmler, Piligrim von Passau, 76.

[2]) Mon. Boica, 28, b 35, 39, 63.

[3]) Mon. Boica 28, b, 40.

[4]) Jaffé, R. P. nr. 2276. Der Briefwechsel des hl. Bonifaz muß überhaupt
stark verbreitet gewesen sein, wie aus Angaben Sigmars und später Ebendorfers
Schreibvein) hervorgeht.

[5]) Mon. Germ. SS. XX, 787. Falls diese Stelle nicht von Aventin interpoliert worden ist.

sie das Pallium besaßen, für dasselbe gekämpft oder dessen Erlangung vernachläßigt haben, erhalten sie lobende oder tadelnde Attribute. Daß Perngerus und Engelbertus noch glimpflich davonkommen, obwohl sich keiner um das Pallium bemüht hatte, verdanken sie ihrer eifrigen Sorge um das Kirchengut.[1]) Ein spezifisch paffauischer Standpunkt beherrscht also beide Kataloge. Dies zeigt sich auch in der Beurteilung Altmanns in deutlicher Weise: Der vollständigere Katalog nennt ihn Pataviensis ecclesiae destructor, der kürzere vollends: Pataviensis ecclesiae et eius capituli saevus destructor. In Paffau, dessen Kirche und Kapitel durch die Klostergründungen Altmanns immerhin zeitlichen Besitz verloren hatten, wo überdies der eifrige Bischof wenig Anhang fand, kann diese Beschuldigung ganz gut entstanden sein; sie hätte aber keinen Sinn, wollte man die Abfassung dieser Kataloge in eines der Klöster verlegen, die zumeist von Altmann die Gründung oder Wiederherstellung, wenn auch bisweilen „mira severitate“, erlangt hatten. Ihr Urteil über diese bedeutende Persönlichkeit war jederzeit ein anerkennendes. Der Abfassung der Kataloge stand endlich auch nur in Paffau jenes Urkundenmaterial zugebote, dessen Benützung wir teilweise schon bemerkt haben. Die Wiener Handschrift Sigmars enthält also im zusammenhängenden Texte nur Paffauer, nicht Kremsmünsterer Arbeit.

Im Vorausgehenden wurde bemerkt, daß außer Konstantin auch Quirinus in diesem Kataloge nicht vorkommt. Der Verfasser der vita Maximiliani kannte aber letzteren sicher schon als Lorcher Erzbischof; also können wir schließen, daß dieser Katalog Sigmars älter ist als derjenige, den der Legendenschreiber im Auge hatte. Es scheint, daß uns in jenem eine der ersten Redaktionen vorliegt, die unter Berthold oder Otto in Paffau angefertigt nach Kremsmünster gebracht wurde. Dieser Katalog scheint über Bertholds Regierung nicht hinausgegangen zu sein[2]) Zeitlich dürfte also die Abfassung desselben von der Niederschrift des Kataloges in Hundts annales Patavienses nicht allzu ferne sein, doch halte ich letzteren für noch älter; denn, obwohl die Zahlenangaben in den Bischofsreihen noch lange sehr

[1]) Loserth, Geschqu. v. Kr., IV, 15—17.
[2]) Die nach Berthold folgenden Bischöfe hat Sigmar später eingetragen. Der erste Herausgeber dieser Schrift, Rauch, (Rer. austr. script. II, 343) bemerkt hier: Recentior manus. Es ist aber alles von Sigmar selbst geschrieben, s. v. S. 311 Dümmler (P. v. P. S. [73—75] 132—34) und W. Glück (Sitzungsberichte der Wiener Akad. XVII, 97) halten diesen Katalog mit etwas zu großer Sicherheit für denjenigen, der in der vita S. Maximiliani vorausgesetzt wird.

schwankten, sind doch von Sigmars kürzerem Katalog ziemlich viele
Jahreszahlen in die späteren Darstellungen übergegangen, während von
denjenigen Angaben der annales, die mit Sicherheit auf den Hundtschen
Codex zurückgeführt werden können, in den späteren Geschichtswerken
fast keine mehr erscheint.

Das ist gewiß, daß man sich in der zweiten Hälfte des 13. Jahr=
hunderts in Passau viel Mühe kosten ließ, die ältere Geschichte des
heimischen Bistums zu erforschen, daß die Sicherheit, mit welcher der
Verfasser der Lebensbeschreibung des hl. Maximilian von den bis dahin
gewonnenen Resultaten spricht, von seinem Standpunkte aus vollständig
begreiflich ist[1]) Die Rechnungen mit den Zahlen waren freilich noch
manchem Wechsel unterworfen, aber die Geschichte der „Erzbischöfe und
Bischöfe von Lorch = Passau" blieb in der Gestalt, die man ihr damals
in Passau gegeben hatte, jahrhundertelang maßgebend für die Geschichts=
schreiber dieses Bistums. Diese beherrschende Stellung hat sie aber der
erweiterten Darstellung zu verdanken, die ihr Sigmar von Krems=
münster auf grund der Passauer Forschungen in seinem, bald weithin
verbreiteten Geschichtswerke gab. Seine Thätigkeit auf diesem Gbiete
werde noch kurz skizziert.

Aus den vielen Randbemerkungen, die sich Sigmar in sein, wie
gezeigt wurde, wahrscheinlich aus Kremsmünster mitgenommenes Exemplar
gemacht hatte und aus anderen, späteren Studien und Excerpten ver=
faßte dann der thätige Mann eine möglichst zusammenhängende Dar=
stellung der Lorch = Passauer Kirche, die uns in seiner Reinschrift, dem
codex Cremifanensis 401, heute noch vorliegt.[2]) Wie viel Sigmar
von dieser Geschichte schon in Passau fertig vorgefunden hatte und
welches sein eigener Anteil sei, läßt sich nicht feststellen, immerhin ist
in diesem Werke eine Literatur von ganz ansehnlichem Umfange ver=
arbeitet.[3]) Die legendenhafte Ursprungsgeschichte dieser Kirche, der man
die künstliche Verwertung verschiedener Legendenkreise, z. B. vom hl.
Quirinus, den beiden ersten christlichen Kaisern Philipp sen. und jun.,
vom hl. Hermagoras und Fortunatus u. a. sofort ankennt, füllt schon
einen bedeutenden Raum aus. Eutherius, Laurentius, Quirinus und

---

[1]) „Wenn jemals etwas anderes an den Tag kommen sollte, so können wir
jagen, daß es eine apokryphe und lügnerische Schrift sei." Vita S. Max. C. 23.
Dümmler (Pilgr. v. Passau 73, 74, 186 Anm. 15) kritisiert den Autor scharf.

[2]) Loferth, Geschqu. v. Kr. 32-82 und Mon. Germ. SS. XXV, 651—78.

[3]) Siehe das Quellenverzeichnis von Waitz, Mon. Germ. SS. XXV, 614—15.

Maximilianus ſind ſchon als Erzbiſchöfe der einſt wie man glaubte
ſo berühmten Lorcher Kirche angeführt. Auch Conſtantius wird als
Erzbiſchof genannt, der „um das Jahr 400, wenig früher oder ſpäter
regiert“ habe. Beim Namen Symmachus, der aus einem Papſtkatalog
neben anderen Päpſten in die Darſtellung eingefügt worden war, denkt Sig=
mar noch nicht daran, hier den ſeit Magnus unter den Lorcher Erzbiſchöfen
fungierenden Theodor anzureihen. Dies that erſt eine Handſchrift des
16. Jahrhunderts,[1]) welche damit eine anderwärts gemachte Entdeckung
verwertete (ſ. unten), nach welcher man ſich genötigt ſah, zwei Biſchöfe
gleichen Namens, Theodor I und Theodor II anzunehmen. Die Ge=
ſchichte des Einzuges der Baiern in ihre heutigen Landſchaften (508),
der Paſſauer und Lorcher Kirche[2]) und des um die Wende des 8. und
9. Jahrhunderts beginnenden Pallienſtreites mit Salzburg wird nach
der in Paſſau ſchon verfertigten Skizze von Sigmar ausgeführt. Seine
Geſchichte reicht bis zu ſeiner Zeit und enthält auch manches, was
Sigmars eigene Forſchung an den Paſſauer Aufſchreibungen zu ver=
beſſern, vieles, was er zu vermehren wußte. Hier ſeien nur einige
beſonders bemerkenswerte Proben geboten.

Altmann von Paſſau wird in dieſem, Sigmar eigentümlichen Werke
nicht mehr destructor ecclesiae, ſondern vir bonus et religiosus ge=
nannt. Die Paſſauer Bezeichnung war dem Verfaſſer unverſtändlich,
er ehrt in Altmann den Wiederherſteller der kirchlichen Zucht und
Ordnung. Andererſeits wahrt er den klöſterlichen Standpunkt in der
Charakteriſierung des Biſchofs Reginmar, der in den Paſſauer Schriften
nicht näher bezeichnet worden war, indem er denſelben ſowohl in ſeinem
Konzeptbuch (cod. Vind. 610) als auch in ſeiner Reinſchrift (cod.
Crem. 401) einen destructor ecclesiae nennt.[3]) Veranlaſſung zu dieſer
Charakteriſierung bot ihm zweifellos eine Notiz in den Melker Annalen,
die ja Sigmar auch eifrig benützte, wo es heißt: 1136 Reginmarus
Episcopus Ecclesiae Dei molestus et amarus, libertatem monasterii

---

[1]) Codex Vindob. 3399. Loſerth, Geſchqu. v. Kr. 36.

[2]) Die ſpäter feſtſtehende Anſicht von der Uebertragung der Lorcher Metro=
politankirche nach Paſſau in der erſten Hälfte des 8. Jahch. ſpricht Sigmar noch nicht
aus. Wohl aber erwähnt er in den Zuſätzen, die er zu den Kremsmünſter Annalen
verfaßte, die Uebertragung der Reliquien Vivilos vom gefährdeten Lorch in das größere
Sicherheit bietende Paſſau (Auctuarium Cremifanense, Mon. Germ. SS. IX, 550).

[3]) Hic etiam fuit destructor ecclesiarum, Loſerth, Geſchq. S. 3, Note 20
und Hic dicitur fuisse destructor ecclesiae, Loſerth S. 44.

nostri molitus est infringere et decimationes ecclesiarum nostrarum
auferre etc.[1]).

Das (später hinzugekommene) Kap. 36 der vita Altmanni bestärkte
Sigmar noch in seinem Urteile über Reginmar.

Zu den merkwürdigen Stellen, die in den späteren Werken über
Passauer Geschichte durch ihre Konfusion hervorragen und ebenfalls wie
die ganze Anlage der Darstellung selbst auf Sigmar zurückgehen, gehört
auch die irrtümliche Eintragung der Notiz, die zur Ermordung Eberhards von Sahenstorf gehört, in den betreffenden Werken aber auch mit
ganz ähnlichen Worten zur Geschichte Bertholds erzählt wird. Sigmar
hat hier vielleicht seine Quelle etwas zu flüchtig angesehen und dadurch
diesen bis ins 16. Jahrhundert hinein nachweisbaren Irrtum verschuldet.

Diese Arbeit des Kremsmünsterer Mönches über die Passauer
Kirchengeschichte erlangte bald große Verbreitung und ihr Ansehen bewirkte es, daß alle späteren Arbeiten, die wir noch nennen werden,
soweit sie uns bis ins 16. Jahrhundert hinein bekannt sind, auf derselben unmittelbar aufbauten. Schon der Liber traditionum seu registrum ecclesiae Matticensis, der um die Mitte des 14. Jahrhunderts
entstand, fügte der Chronik, die in denselben aufgenommen wurde, einen
Lorch-Passauer Bischofskatalog ein mit der einleitenden Darstellung der
Lorcher Urgeschichte, die wir schon bei Sigmar kennen gelernt haben.[2])
Auch das breve chronicon, das noch im 14. Jahrhundert in Zwettl
angefertigt wurde, enthält einen Auszug aus Sigmars Bistumsgeschichte;
hier wird zugleich, soweit wir sehen, zum erstenmale ein Bischof Theodor
als Zeitgenosse des Papstes Symmachus genannt. Von jetzt an haben
wir also zwei Bischöfe dieses Namens.[3])

Im 15. Jahrhundert sind Abschriften einzelner Teile der Sigmar-
schen Arbeiten schon häufig zu finden und vielfach heute noch erhalten.[4])

In diese Zeit, in der überhaupt eine rege Thätigkeit sich auf allen
Gebieten zu entwickeln begann, fällt auch eine neue Epoche der Lorch-
Passauer Geschichtschreibung, die zwar durchaus auf der Grundlage
weiterbaut, die Sigmar geschaffen hatte, aber durch noch eingehendere

---

[1]) Annales Mellicenses, Mon. Germ. SS. IX, 502. Die eifrige Benützung
dieser Jahrbücher und der vita Altmanni durch Sigmar geht auch aus der Ausgabe
seiner Werke in den Mon. Germ. SS. IX und XXV hervor.

[2]) Loserth, Geschq. v. Kr. S. X. Archiv f. ä. d. Gt. III, 107 ff., X, 629.
Mon. Germ. SS. IX, 823. Dümmler 133, 3.

[3]) Pez, Script. rer. Austr. I, 5—8.

[4]) Vgl. Hssverzeichnis zur Ausgabe der Werke Sigmars in Mon. Germ. SS.
XXV, 610 ff.

Ausnutzung des reichen Urkundenschatzes den Umfang dieser Geschichte zu erweitern strebte. Von Werken dieser Art haben sich allerdings längst nicht alle bis zur Gegenwart vor Zerstörung und Verlust gerettet, doch erfahren wir von einzelnen, heute verschwundenen derartigen Geschichts= werken durch spätere Benützer.

So bemerkt Aventin, daß ein **Philipp Tantzer** „de rebus Bathaviensibus ex fide diplomatum" geschrieben habe, dessen Urkunden= auszüge der baierische Geschichtschreiber noch ausnützte.[1]) Sonst wissen wir nichts über Tantzers Werk. In der ersten Hälfte des 15. Jahr= hunderts beschäftigte sich auch ein Passauer Dekan **Burkhard Krebs**[2]) mit der Geschichte seiner Heimatkirche. Soviel wir über seine Schriften erfahren, müssen dieselben schon recht eingehend gewesen sein; er schaltet Raisonnements über die nachlässigen Kirchenfürsten ein, welche, anstatt von rechtswegen ihre alten Güter zu fordern, sich dieselben erst nach und nach im Gnadenwege von Kaisern und Königen übertragen ließen.[3]) Von Bischof Gumpold und Christian weiß Krebs mancherlei zu be= richten, was sich auf die Güterverluste durch Herzog Arnulf und deren spätere Rückgabe bezieht.[4]) Hansiz benützte diese Nachrichten mehrfach in seinem Werke über die Passauer Kirchengeschichte; es ist aber sehr zweifelhaft, ob diese Zitate der Urschrift entnommen sind, oder ob sie Hansiz nicht vielmehr einer späteren Bearbeitung dieses Geschichtsstoffes entlehnte.

Auch **Gewold** (Anfang des 17. Jahrhunderts) erhielt vom Passauer Domherrn Dr. Georg Leuther ein pergamentenes Exemplar eines chro= nicon archiepiscoporum et episcoporum Laureacensium et Pata= viensium zur freien Verfügung, das anscheinend sehr alt war; Gewold möchte es gerne mit dem Hundtschen Exemplare der annales Patavienses identifizieren (s. d. Ausgabe des Hundtschen Werkes mit den Noten von Gewold). Dieses Werk enthält,[5]) nach Gewolds Zitaten zu schließen,

---

1) Oefele, Script. rer. Boic. I, 700.
2) Nach Gewold habe er ca. 1438 gelebt. Hansiz berichtet; obiit a. 1462, Germ Sacra, I, 188 und Corollaria VIII.
3) Hansiz, I, 26.
4) Hansiz, I, 188, 237.
5) S. Gewolds Noten zu Hundii Metropolis Salisburgensis (ed. 1719), I, 202, 203, 223, 225, 226, 231, 242, 249, 250 u. 254. — Zu Hundts Metr. Sal. I, 245, 246 teilt Gewold ein Fragment der vita Altmanni »ex alio Catalogo« mit. Leider erfahren wir nichts über dessen Alter. Der erste Teil dieses Bruchstückes stimmt vollständig mit Brusch überein. Plötzlich aber geht die Erzählung in eine Darstellung der Regierung des Bischofs Urolph über, die ebenfalls mit Brusch übereinstimmt;

ebenfalls die Nachrichten, die wir ſoeben aus Burkhard Krebs angeführt
haben; es war, wie es ſcheint, ziemlich weitläufig abgefaßt, erwähnt
ſchon einen Gerardus als Lorcher Biſchof, verarbeitet Legenden (z. B.
die des hl. Maximilian) in ſeine Darſtellung und ſcheint an Umfang
den Paſſauer Geſchichten von Ebendorfer und Bruſch nicht nachgeſtanden
zu haben. Sowohl die Darſtellung des Dekans Krebs als Gewolds
chronicon (von ihm auch abwechslungsweiſe annales oder catalogus
genannt) beſchäftigen ſich eingehend mit den Beſitzungen der Paſſauer
Kirche, deren Wachstum und Abnahme. Doch ſcheint eine Identifizierung
beider Werke ausgeſchloſſen zu ſein, da Gewolds Chronik die Güter-
verluſte der Kirche unter Biſchof Berngerus aufführt, die Hanſiz nach
ſeiner Quelle unter Chriſtian erwähnt.

Derſelbe Geſchichtsſtoff, der bisher ſchon ſo viele Bearbeitungen
gefunden hatte, erweckte auch in der folgenden Zeit noch mehrfach das
Intereſſe verſchiedener Geſchichtsfreunde. Es iſt ſchon dargeſtellt worden,
wie Ebendorfer, dem ſich der ſogenannte Schreitwein anſchließt,
und Bruſch, dem Hundt folgte, dieſes Gebiet aufs neue bearbeiteten.
Bekannt iſt auch, daß Lazius denſelben Stoff ergriff (ſ oben) und
Aventin ihn für ſein Geſchichtswerk ausführlich benützte. Da aber
die älteren ausführlichen Bearbeitungen eines Tantzer, Krebs und
vielleicht mehrerer anderer insgeſamt verloren ſind, iſt es unmöglich,
den Anteil feſtzuſtellen, der Ebendorfers oder Bruſchs eigener Arbeit
gebührt. Wir werden aber gutthun, ihn nicht allzuhoch anzuſetzen,
nachdem es an umfangreichen Vorarbeiten und bequemen Urkundenauszügen keineswegs fehlte, wie dieſe Zuſammenſtellung gezeigt hat.
Immerhin iſt nunmehr klar, wie Bruſchs und Hanſiz' Bezeichnung
„annalistae Patavienses" auf verſchiedene Bearbeiter desſelben Stoffes
bezogen werden kann und der Ausdruck „annales Patavienses im
weiteren Sinne", den wir oben zur Unterſcheidung von Hundts annales eingeführt haben, ſeine volle Berechtigung findet.

ſogar die Bulle Eugens II ſchließt mit demſelben Worte: obtemperantis etc. Vielleicht
iſt dieſes Bruchſtück aber jüngeren Datums als Bruſchs Darſtellung, da in demſelben
Altmann als 37., nicht wie bei Br. als 35. Biſchof gezählt wird. Letzterer hätte es
gewiß nicht verabſäumt, ſeinem Werke noch einige Biſchöfe einzureihen, wenn er von
ihnen gewußt hätte, da er doch jeden Namen in die Biſchofsliſte einſchob, der irgendwie
einmal vor ihm unter den Lorch-Paſſauer Biſchöfen genannt worden war.

Zur Kenntnis des venetianischen Chiffrenwesens.

Von Aloys Meister.

Das Chiffrenwesen ist ein Gebiet, dessen Erforschung zu den Auf=
gaben der historischen Hilfswissenschaften gehört. Es ist jedoch, abgesehen
davon, daß wir eine neuere, brauchbare systematische Behandlung des
gesamten Chiffrenwesens[1] überhaupt nicht besitzen, nur wenig die
herrschende Dunkelheit aufgehellt worden.

Verhältnismäßig am meisten wissen wir bisher von dem venetianischen
Chiffrenwesen, und diese Kenntnis verdanken wir zum teil einem be=
merkenswerten Umstande. Paul Friedmann hat in den fünfziger
Jahren dieses Jahrhunderts den Versuch gemacht, die chiffrierten De=
peschen des venetianischen Gesandten Don Michiel, der um die Mitte
des 16. Jahrhunderts am englischen Höfe weilte, zu entziffern. Er
brachte in der That eine Uebersetzung der Chiffren zu stande und ver=
öffentlichte sie im Jahre 1869 zugleich mit einer Darlegung seiner bei
der Entzifferung gemachten Beobachtungen.[2] Dies gab den Anstoß zu
weiterem Eindringen in diesen Gegenstand und das verblüffende Re=
sultat davon war, daß der venetianische Archivar Luigi Pasini bald
in die Lage kam, einen großen Teil der Friedmannschen Auflösungen
für unrichtig zu erklären[3] Das Studium der Geheimschriften war

---

[1] Klüber, Kryptographik, 1809, war für seine Zeit ein vortreffliches Werk,
kann aber den heutigen Ansprüchen nicht mehr genügen. Die neuere Literatur siehe
bei Wagner, Studien zu einer Lehre von der Geheimschrift in der Archival.
Zeitschr. XIII, S. 34 ff.

[2] P. Friedmann, les dépêches de Giovanni Michiel, ambassadeur
de Venise. Venise 1869.

[3] Pasini, i dispacci di Giovanni Michiel ambasciatore veneto in Inghil-
terra (1554—57), decifrati da Paolo Friedmann rettifizationi ed aggiunte,
Venezia 1869.

nicht nur in Fluß gekommen durch dieſe Kontroverſe, es war vielmehr gleichzeitig in der Perſon Paſinis der bis auf den heutigen Tag bedeutendſte neuere Dechiffreur[1]) an die Oeffentlichkeit getreten.

Leider iſt Paſini, trotzdem er ſpäter wiederholt in ſeinen Arbeiten ſich mit den Chiffren beſchäftigt, nicht zu einem eingehenden und abſchließenden Werke darüber gekommen; es war daher vorauszuſehen, daß das Generalarchiv in Venedig noch unverarbeitetes Material beſitzen werde, welches geeignet wäre, das Bild von dem venetianiſchen Chiffrenweſen über den aus Paſinis Arbeiten ſich ergebenden Grundriß hinaus zu erweitern. Meine Erwartungen wurden nun aber durch die Fülle der einſchlägigen handſchriftlichen Beſtände in einer Weiſe übertroffen, daß die mir zu gebote ſtehende Zeit zur Ausbeutung bei weitem nicht ausreichte, und ſich daher mir die Ueberzeugung aufdrängte, daß ich verpflichtet ſei, auf dieſe wertvollen Archivalien und ihre vorausſichtliche Bedeutung für das Chiffrenweſen im allgemeinen und das venetianiſche im beſonderen hinzuweiſen.

Von allen Geheimſchriften kann man die von Venedig am weiteſten rückwärts verfolgen. Paſini hat im Jahre 1873 in ſeinem Aufſatze: Delle scritture in cifra[2]) als älteſte Spur auf ein Stück[3]) vom 13. März 1226 hingewieſen, in welchem die Vokale durch liegende Kreuze ausgedrückt ſind.[4]) Er war damit nicht weiter als ſein Vor-

---

[1]) Er hat allein mehr als 800 chiffrierte Depeſchen entziffert. In dem von der R. Sovrintendenza agli Archivi Veneti herausgegebenen: Archivio di Stato in Venezia 1876—80, Venezia, Naratovich 1881 bringt der Anhang V S. 202—4 einen: Elenco delle decifrazioni dei dispacci degli ambasciatori veneti, eseguite dal signor Luigi Pasini dal 1869 al 1880. Es ſind daſelbſt 797 von ihm in dieſem Zeitraume entzifferte Depeſchen von venetianiſchen Geſandten aus Frankreich, Deutſchland, England und Spanien aus den Jahren 1554—65 angeführt. Nach 1880 beſchäftigte ſich Paſini hauptſächlich mit den ſchwierigen Chiffren aus Konſtantinopel.

[2]) Il R. Archivio di Venezia. Venedig 1873. S. 291 ff.

[3]) Im Generalarchiv zu Venedig, liber Pleg. com. S. 44.

[4]) Er überträgt die liegenden Kreuze durch die Majuskel X nach dem Vorgange von Cecchetti, der dieſes Stück ſchon im Jahre 1868 entdeckt und bekannt geben hatte. Dieſe Majuskel in der Schrift des 13. Jahrh. hat indes nicht die Bedeutung der Majuskel, ſondern die des liegenden Kreuzes. In dem von Paſini und Cecchetti mitgeteilten Beiſpiele (Pasini, delle scriture in cifra S. 292 Anm. 1) muß ein Fehler unterlaufen ſein, denn: prXXXXsbXXXXtXXXXrXXXXXm Xac XXXX bXXXXX m. plXXXXbXnXXXXXXm sXnctXXX JXXXanXXXs dXXXXcXXXXllXtXXX ergibt nicht ganz die beigefügte Ueberſetzung: presbyterum ac bo(ne) m(emorie) plebanum sancti Joannis decollati.

gänger Cecchetti[1]) gekommen: Es würde sich darnach als ältestes System der venetianischen Geheimschrift ergeben haben, das Vokalsystem:

a	e	i	o	u
X	XXXX	XXX	XXXX	XXXXX

(vielleicht wechselnd
mit XXXXX)

War dies eine Entdeckung, welche alle bisher gekannten ersten Ansätze zu einer geheimen Korrespondenz an den Orten der späteren Hauptzentren der diplomatischen Geheimschrift an Alter weit hinter sich zurückließ, so wurde in dieser Richtung meine Nachforschung im venetianischen Archive noch weiterhin reichlich belohnt, indem ich dort auf Zettel von der Hand Pasinis stieß, welche ergaben, daß er nach der Veröffentlichung des obengenannten Aufsatzes noch weitere Ermittlungen über die ältesten Chiffren angestellt hatte, ohne damit vor seinem Tode zu einem Abschlusse gelangt und vor das Forum der Oeffentlichkeit getreten zu sein.

Nach diesen Aufzeichnungen[2]) dürften wir jetzt die ersten Anklänge an eine Geheimschrift in einem Dokumente vom Jahre 1145[3]) erblicken: Pace seguita tra i Veneti e la città di Pola. Ich drücke mich absichtlich so vorsichtig aus und spreche von Anklängen an eine geheime Schreibweise, weil daselbst nur das c durch zwei vertikale Punkte : ersetzt ist und dies ein derartig primitives Verfahren ist, daß ich kaum mit Sicherheit daraus schließen darf, daß dadurch das Lesen der Schrift habe erschwert werden sollen. Es könnten vielleicht auch herkömmliche Zeichen sein, um einen Buchstaben in gewohnter Weise auszudrücken.[4])

Aber neben diesem Stücke fand ich noch drei Beispiele[5]) aus dem 13. Jahrhundert und das Bemerkenswerteste dabei ist, daß ihre Geheimschrift aus einer Mischung von einer durch Punkte und einer durch

---

[1]) B. Cecchetti, le scritture occulte nella diplomazia veneziana in den: Atti del Real Istituto Veneto di scienze, lettere ed arti. ser. III tom. 14 1868/69, S. 1192.

[2]) Der Nachlaß Pasinis befindet sich im Staatsarchiv in Venedig in einer Kiste mit der Aufschrift: Cifre e studii del cav. L. Pasini; wir zitieren sie der Kürze halber in der bei den Archivbeamten gebräuchlicheren Form: Busta Pasini . .

[3]) Das Dokument selbst konnte ich nicht mehr einsehen, als Lagerort desselben gibt Pasini an: Busta ducale Nr. 5. 1130—70. concil. secr.

[4]) Zu vergleichen darüber: B. Cecchetti, le scritture occulte nella diplomazia veneziana in den: Atti del R. Istituto Veneto di scienza etc. Ser. III, tom. 14 1868/69 S. 1191.

[5]) Venedig, Staatsarchiv: busta Pasini.

liegende Kreuze ausgedrückten Vokalreihe beſteht. Jede Miſchung aber iſt ſchon ein kompliziertes Stadium, die Exiſtenz der ungemiſchten ein= zelnen Teile dürfte die Priorität beanſpruchen können, und ſo können wir aus dieſem Zuſammentreffen, zumal da die einfache Kreuzreihe nach= gewieſen iſt, auch auf die vorhergehende Exiſtenz einer primitiven Punkt= reihe einen berechtigten Schluß ziehen, ſelbſt wenn das obige Beiſpiel, worin e durch : ausgedrückt wurde, noch keine Bürgſchaft dafür gab.

Zwei neuen Nachweiſen aus den Jahren 1226 lag nun folgendes Syſtem zu grunde:

$$
\begin{array}{ccccc}
a & e & i & o & u \\
\cdot & : & : & \cdot\cdot & \cdot\cdot \\[2pt]
X & XX & XXX & XXXX & XXXXX
\end{array}
$$

Das vorgefundene Wort Dominicus[1]) erhält dadurch die Geſtalt: D::mXXXn:eXXXXXs und aus einem Text vom November 1226[2]) ſtammend der Name Bartoloméus = BXrt::lXXXXm:XXXXXs

Ein etwas verändertes Syſtem liegt dem dritten Beiſpiel zu grunde. Ein chiffriertes Datum nämlich (12 März 1227): Die d::od:e:XXXX[3]) XXXXXntr·nt MXrc:XXXX indic qXXXXXt·[4]) dXXXXc:mX = Die duodecima intrant(e) Marcio indic(tione) quintadecima[5]) ſtützt ſich auf die Miſchreihe:

$$
\begin{array}{ccccc}
a & e & i & o & u \\
\cdot & : & : & \cdot\cdot & \cdot\cdot \\[2pt]
X & XXXX & XXXXX & XXXX &
\end{array}
$$

Unſer bisheriges Ergebnis, das mindeſtens bis in den Anfang des 13. Jahrhunderts führt, wäre alſo:

1. Vokale erſetzt durch Punkte, oder
2. Vokale erſetzt durch liegende Kreuze,
3. gleichzeitige Anwendung von Vokalreihen mit Punkten und Kreuzen untermiſcht.

Neue Bahnen betritt ſodann das Ende des 13. Jahrhunderts. Man nahm jetzt griechiſche und hebräiſche Buchſtaben zu hilfe, wenn man in einem lateiniſchen Texte einen Namen oder eine wichtige Stelle verhüllen wollte, bezeichnend genug für die geringe Kenntnis beider

---

[1]) Venedig, Staats=Archiv Lib. pleg. Com. c. 81 Nr. 559.
[2]) Ebenda Nr. 260.
[3]) Dieſe vier Kreuze ſind vielleicht ein Verſehen für m.
[4]) Dies iſt offenbar die Abkürzung qita unaufgelöſt chiffriert.
[5]) Ebenda, Lib. pleg. Com. c. 105 Nr. 705.

Sprachen, die man damals den interessierten Kreisen bei etwaigem Ab=
fangen der Briefe zutrauen zu können glaubte. Die Beispiele, die uns
aus den venetianischen Depeschen darüber erhalten sind, stammen aus
den Jahren 1290 und 1291.[1])

Das 14. Jahrhundert ist merkwürdig arm an kryptographischen
Resten. Das was in Venedig bis jetzt in dieser Beziehung zu tage ge=
fördert ist, sind Nomenklatoren, bei welchen entweder ein einzelner
Buchstabe,[2]) ein einzelnes Zeichen oder auch ein irreführendes Wort[3])
für einen Namen oder für ein bedeutsames Wort eingesetzt wurde. Es
drängt sich die Vermutung auf, daß im 14. Jahrhundert neben der
eigentlichen Chiffrenschrift man sich öfter als früher damit begnügte, in
den Depeschen nur die Namen und Titel und allenfalls noch eine
wichtige Bezeichnung durch verabredete Zeichen oder Buchstaben wieder=
zugeben. Noch häufiger war es der Fall, daß die Depesche in eine
ganz andere Form mit scheinbar anderem Sinne gekleidet wurde, wobei
jedoch in Wirklichkeit bestimmte Worte vermittelst Nomenklator eine andere
Bedeutung hatten. Es war dies wohl nichts neues. Man nahm den
falschen Wortlaut von naheliegendem Gebiete, für eine Handelsstadt
etwa vom Handelsverkehr, und gab dann den Namen und Worten
etwa Bezeichnungen und Ausdrücke des Warenhandels. Sprach man
beispielsweise von Oliven und Zitronen, so konnte Fußvolk und Reiterei
damit gemeint und unter der baldigen Absendung einer Schiffsladung
der baldige Abschluß des Friedens zu verstehen sein.

Daneben aber hat auch die eigentliche Chiffrenschrift in Venedig
weitere Ausbildung erfahren. Haben wir davon auch bis jetzt keine
Ueberreste vorgefunden, so nötigt doch der Zustand der späteren Chiffren=
schrift zu zwingenden Rückschlüssen. Darnach zu urteilen, blieben zu=
nächst griechische und hebräische Buchstaben weiter in Verwendung,
dann aber wurden noch willkürliche Zeichen zur Aushilfe herbei=
gezogen. Schließlich mischte man einzelne Ziffern darunter, ver=
änderte auch wohl eine Ziffer oder einen Buchstaben durch Quer=
striche — und so war man dann zuletzt zu so komplizierten Systemen
gekommen, daß zu anfang des 15. Jahrhunderts, als man alle diese
neuen Motive in ein Alphabet zusammenthat, eine damit chiffrierte
Depesche ein Bild des buntesten Durcheinander darbot.

Die älteste, im eigentlichen Sinne chiffrierte Depesche des General=

---

[1]) Il R. Archivio di Venezia 1873 S. 292.
[2]) Vgl. den Nomenklator vom 27. Sept. 1350. Ebenda S. 292.
[3]) Vgl. die beiden Nomenklatoren vom 10. u. 12. Dez. 1358. Ebenda S. 293.

archiv zu Venedig datiert vom 28. Juni 1411[1]) und zeigt uns diese mannigfaltige Reichhaltigkeit: lateinische Buchstaben, arabische Ziffern, kleine Striche, Punkte und willkürliche Figuren nebeneinander.

Und das 15. Jahrhundert blieb bei dieser Vielgestaltigkeit. Die einzelnen Buchstaben des Alphabetes wurden nicht nur durch ein, sondern mit einander abwechselnd durch zwei und drei Zeichen, Buchstaben oder Ziffern ersetzt. Die griechischen und hebräischen Buchstaben dagegen verschwinden jetzt wieder, die Zeit der Renaissance hätte die Kenntnis dieser Sprachen gehoben und verbreitet. Dafür aber waren andere Zeichen in die Nomenklatoren eingeführt worden und dies nicht allein, die Nomenklatoren an sich waren bedeutend erweitert worden; es waren besondere Zeichen für Doppellauter, ja auch schon einzelne Trugzeichen (non-valeurs) dem Nomenklator beigegeben, die ohne etwas zu bedeuten, allein um irrezuführen eingeschoben wurden.

Diese abwechslungsreiche Gestaltung, welche die venetianische Geheimschrift im 15. Jahrhundert angenommen hat, daß man ihr beinahe Ueberladung und Schwerfälligkeit zum Vorwurf machen möchte, hat ihren Grund in den politischen Zuständen Italiens in diesem Jahrhundert. Die Rivalität der italienischen Großmächte war aufs äußerste angespannt, Eifersüchteleien, Intriguen, argwöhnische Beobachtung kennzeichnen die diplomatischen Verhandlungen dieser Periode, und das allgemeine Mißtrauen mußte naturgemäß zur folge haben, daß die schriftliche Korrespondenz möglichst komplizierte Verstecktheit annahm. damit beim Ergreifen eines Briefboten auch Geübtere eine Depesche nicht zu entziffern im stande wären.

Dazu kam nun ferner noch die Einführung der ständigen Gesandtschaften an fremden Höfen, welche durch die damit verbundene regelmäßige Berichterstattung der Geheimschrift ein weites Feld eröffneten. Erst mit dem Beginne der ständigen Gesandtschaften tritt die Notwendigkeit eines häufigen geheimen Notenverkehrs zu tage, und so ist es eine Folge der ständigen Gesandtschaften, daß die Chiffrensysteme komplizierter und die Auflösung erschwert wurde.

Leider wird aus der Zeit der ersten ständigen Gesandtschaften und auch für die erste Hälfte des 16. Jahrhunderts unsre Kenntnis der venetianischen Chiffren immer lückenhaft bleiben müssen, denn die Depeschen der auswärtigen Gesandten und Residenten Venedigs an den

---

[1]) Ein Stück dieser Depesche ist lithographiert auf tavola I als Beilage von Pasinis Aufsatz im R. Archivio di Venezia 1873.

Rat der X sind in Bränden des Dogenpalastes untergegangen; und die Serie der Depeschen an den Senat ist erst vom Jahre 1554 an vollständig erhalten.

Man baute indes offenbar das vielgestaltige Gebäude der Geheim=schrift des 15. Jahrhunderts nur noch mehr aus. An Vereinfachung dachte man nicht; man sann vielmehr auf immer neue Belastung des Schlüssels und des Nomenklators. Oft entsprachen jetzt 3 bis 6 ver=schiedene Bezeichnungen einem einzigen Buchstaben des Alphabetes, die einzelnen Silben — zu diesem Zwecke alphabetisch geordnet, wie ba, be, bi, bo, bu, ca, ce, ci etc. — erhalten besondere Chiffren und eine immer größere Anzahl ganzer Worte werden in den Nomenklator auf=genommen. Der Reichtum wurde so groß, daß man ein langes alpha=betisches Verzeichnis mit den besonders wiederzugebenden Silben und Worten füllen konnte, wie uns ein solches noch aus der Mitte des 16. Jahrhunderts erhalten ist.[1])

Mit der Vermehrung der Anzahl der Silben und Worte, die je eine eigene Chiffre hatten, ging nun aber eine Vereinfachung zum Zwecke der leichteren Uebersicht hand in hand. Während man allerdings noch vereinzelt, wie besonders mit dem venetianischen Vertreter in Kon=stantinopel mittels willkürlicher Zeichen chiffrierte, so beschränkte man sich sonst jetzt immer mehr auf Buchstaben mit Ziffern untermischt und zwar besonders in der Weise, daß die Ziffern die Exponenten der Buchstaben bildeten, z. B.:

$$e \qquad po \qquad ra \qquad sco \qquad to$$
$$1^{10} \qquad 1^{41} \qquad 1^{44} \qquad 1^{45} \qquad 1^{57}$$

Im 16. Jahrhundert und noch in der Folgezeit scheint man sich ganz vorwiegend dieser Verbindung lateinischer Buchstaben mit Ziffern=exponenten bedient zu haben; erst seit dem 17. Jahrhundert sind mir hier reine Ziffernmethoden meist dreistelliger Zahlen begegnet. Und dies ist für das venetianische Chiffrenwesen charakteristisch, denn andere Höfe sind, nachdem sie überhaupt einmal zu Ziffern gekommen waren, gleich oder viel rascher zu den reinen und einfachen Zahlenchiffren über=gegangen. Die Anwendung dreistelliger Zahlen wurde noch dazu anderswo als ungeeignet empfunden, wie beispielsweise die päpstlichen Chiffreure schon seit der Mitte des 16. Jahrhunderts mit einstelligen und zwei=stelligen Zahlensystemen arbeiteten.[2])

---

[1]) R. Archivio di Venezia 1873, S. 310/11.
[2]) Ueber die Entwicklung des päpstlichen Chiffrenwesens habe ich eine aus=führliche Arbeit unter Händen.

Wir haben hiermit die innere Entwicklung der venetianischen Chiffren bis zum 17. Jahrhundert kennen gelernt, werfen wir noch einen Blick auf die äußere Handhabung und Verwaltung derselben. Vor allem springt dabei in die Augen, daß das Chiffrenwesen in Venedig schon im 16. Jahrhundert auf das beste geordnet ist. Bis zum Jahre 1542 war nur ein Sekretär angestellt, der die chiffrierten Depeschen anzufertigen und die einlaufenden zu entziffern hatte. Seit 1505 war es Giovanni Soro, der im Laufe der Zeit sich eine erstaunliche Kenntnis der Chiffrierkunst erworben hatte, so daß er mit Leichtigkeit fremde Chiffren ohne Kenntnis des Schlüssels entzifferte. Sein Ruf war in ganz Italien verbreitet und er hob indirekt das Ansehen des venetianischen Chiffrenwesens, denn fremde Höfe, sogar der Papst selbst wandten sich damals an die Republik Venedig, wenn sie eine chiffrierte Depesche nicht entziffern konnten. Soro war dabei erfinderisch; zahlreiche neue Chiffrenalphabete verdanken ihm ihre Entstehung.

Auf seinen Vorarbeiten haben die nächsten Nachfolger Soros alle gefußt; deshalb ging ja die venetianische Geheimschrift solange verhältnismäßig unverändert dieselben Wege. Noch zu seinen Lebzeiten, da ihn das Alter zum Rücktritte vom Amte veranlaßte, erhielt er als Nachfolger einen gewissen de Ludovicis. Ein Jahr vor seinem Tode ist Soro, am 14. März 1541, noch einmal in Sachen des Chiffrenwesens an die Oeffentlichkeit getreten durch ein Gutachten, auf grund dessen — ein Zeichen für das Ansehen seines Wortes — am Tage darauf im Rate der X beschlossen wurde, daß der bisherige Sekretär für die Chiffren entlastet werden solle. Es wurden ihm fortan zwei Gehilfen zur seite gegeben und zwar zunächst in der Person des Borghi und des Bonrizzo.

Seitdem gab es in Venedig drei Sekretäre, die für die Chiffren ausgebildet waren; ob dabei die neuen Hilfssekretäre bloß für das Chiffrenwesen verwandt wurden, oder ob sie noch anderweitige Funktionen nebenher hatten, muß dahingestellt bleiben. Ihr Arbeitszimmer lag im Dogenpalaste über der Sala di Segreti und sie arbeiteten dort unter verriegelten Thüren. Wenn chiffrierte Depeschen fremder Mächte in die Hände der Venetianer gefallen waren, so wurde sofort die Ueberseßung angeordnet. Die Chiffreure durften dabei durch niemanden gestört werden und sie durften, auch wenn die Nacht darüber hinging, ihr Amtszimmer nicht eher wieder verlassen, als bis sie die Auflösung vollendet hatten. Darauf mußte die Entzifferung sofort, ohne Unterbrechung, der Signorie vorgelegt werden. Im Interesse der Wahrung des Geheimnisses sah man es gerne, wenn die Chiffrierkunst in einer Familie sich vererbte, wenn die Chiffreure ihre Söhne oder Neffen darin unterrichteten.[1]) Wurden die Söhne Nachfolger der Väter im Chiffrendienste, so wurde das Staatsgeheimnis gleichzeitig Familiengeheimnis. Der Bruch des Geheimnisses wurde mit dem Tode bestraft.

. Dagegen wurden neue Erfindungen von Privatpersonen belohnt und dadurch der Erfindungseifer angespornt. So erhielt ein Marco Raphael im Jahre 1525 für eine unsichtbare Schrift 100 Dukaten. Wenn die Chiffrensekretäre selbst neue Erfindungen machten, so wurden sie öffentlich belobt und im Gehalte erhöht. Dies Gehalt der Chiffreure betrug gewöhnlich 10 später 12 Dukaten monatlich, die in halbjährigen Raten ausbezahlt wurden.

Die approbierten Erfindungen und eine Anzahl fertiger Chiffren= alphabete wurden immer in Bereitschaft gehalten, damit im gegebenen Falle ohne Verzögerung der geheime Schriftwechsel mit einem Gesandten geändert werden konnte. Wenn nicht Verrat oder Gefahr die Ver= änderung früher notwendig machte, so blieb man jedoch ziemlich lange bei demselben Systeme, gewöhnlich pflegte man es nach 7, 10, 20 oder 25 Jahren zu wechseln.

Unter Soros Amtsthätigkeit war es auch, wo man zum erstenmale für alle auswärtigen Vertreter Venedigs eine gemeinsame Chiffre zum gegenseitigen Gebrauche bei Korrespondenz untereinander einführte. Viel= leicht ist Soro der Urheber dieser Neuerung und auch der Vater dieses Gedankens an und für sich, denn an andern Höfen wurde eine derartige Generalchiffre, soviel ich es übersehen kann, später erst übernommen. Daneben behielt natürlich, wie früher, jeder Gesandte seine besondere Chiffre, in welcher er mit der Republik korrespondierte. Die erste Generalchiffre wurde am 31. August 1547 durch eine neue ersetzt.

. Der hohen Bedeutung, welche man in Venedig dem Chiffrenwesen beilegte, entsprach es vollkommen, daß man sich daselbst auch wiederholt theoretisch mit der Chiffrierkunst beschäftigte. Dabei ist nicht zu ver= kennen — und hierin zeigt sich der echte Venetianer — daß alle der= artige venetianische Traktate einen praktischen Zweck vor Augen haben. Die Verfasser waren ja Praktiker, Chiffreure von Beruf, in ihren Ar= beiten verleugnet sich daher nicht der praktische Sinn des Sohnes einer Handelsstadt.

---

[1]) Im 17. Jahrhundert wurden die Chiffreure von Staatswegen mit dem Unterricht im Chiffrenwesen beauftragt; es bildete sich dadurch eine Art Chiffrier= schule. Gewöhnlich im September wurde eine Prüfung im Chiffrieren und De= chiffrieren vorgenommen. Vgl. Il R. Archivio de Venezia, in Pasinis obengenanntem Aufsatze S. 309.

Der erste schriftstellernde Chiffreur Venedigs ist der wiederholt ge=
nannte Giovanni Soro[1]) gewesen. Vor seiner Zeit hat es keinerlei
Handbuch zur Anleitung für die Anfertigung oder Entzifferung von
Chiffren im venetianischen Sekretariate gegeben. Die Kunstfertigkeit ver=
erbte sich bis dahin von dem einen auf den andern nur durch mündliche
Unterweisung. Erst Soro hat in einer Eingabe an den Rat der X
vom 17. Juli 1511 den Plan ausgesprochen, ein Buch auszuarbeiten,
in welchem er seine Erfahrungen für das Verständnis und die Inter=
pretation lateinischer, italienischer, spanischer und französischer Chiffren
niederlegen wollte. Er hatte damals schon, wie aus dem Schreiben
hervorgeht, mit der Abfassung begonnen. Sein Antrag ging dahin, daß
dieses Buch vom Rate der X verwahrt und so geheimgehalten werde,
daß nur der Chiffrensekretär Einblick erhalte. Am 29. März 1539 hat
Soro in der That dem Rate der X einen von ihm verfaßten Chiffren=
traktat übergeben. Es wird wohl kaum anzunehmen sein, daß er 28 Jahre
daran gearbeitet und ihn erst 1539 vollendet habe, er hat ihn nur
damals, als er hochbetagt sein Amt als Chiffreur niederlegte, zum
Nutzen seiner Nachfolger[2]) beim Rate deponiert.

Leider konnte das Werk Giovanni Soros trotz meiner besonderen
Nachforschungen in den venetianischen Archivbeständen nicht auf=
gefunden werden. Die Kenntnis desselben wäre nicht nur für die
Beurteilung der venetianischen Chiffren von höchster Bedeutung, weil
es das Fundament wurde, auf welchem die weitere Entwicklung auf=
baute, sondern sie wäre auch von einem allgemeinen Interesse für die
Geschichte der Geheimschriften, weil wir darin einen älteren Traktat mehr
besäßen.

Auch der Nachfolger Soros, Johann Baptista de Ludovicis,
hat sich Aufzeichnungen über seine Erfahrungen und Beobachtungen ge=
macht, es sind uns jedoch nur Fragmente davon erhalten, die nach
seinem Tode Paul de Ludovicis im Mai 1569 gesammelt hat. Diese
Fragmente enthalten Regeln zur Anleitung im Chiffrieren und alpha=
betische Tabellen, die zu seiner Zeit in Gebrauch waren. Sie befinden
sich im venetianischen Generalarchiv[3]) und sind wie auch die folgenden

---

[1]) Vgl. über das folgende auch Wagner, Studien zu einer Lehre der Geheimschrift in der Archivalischen Zeitschrift XII, 10.

[2]) Der Chiffreur Borghi sagt in einer Suplik an den Rat der X vom
Januar 1543: Ho studiato il suo libro de zifre presentato da lui all' illustris-
simo consiglio di X et non manco ogni giorno da simile rarissimo exercitio.
Vgl. Il R. archivio di Venezia S. 303.

[3]) Venedig, Staatsarchiv: Cifre, busta VI in 4⁰ Nr. 3 und 4.

archivalischen Traktate von der Forschung noch unberücksichtigt und un=
ausgebeutet.

Von B o r g h i und B o n r i z z o, die am 15. Mai 1542 als
Chiffreure angestellt worden waren, scheinen keinerlei Aufzeichnungen über
das damalige Chiffrenwesen niedergeschrieben zu sein. Von Girolamo
F r a n c e s c h i , der vom 31. August 1547 bis 1560 als Chiffrensekretär
in Dienst war, sind uns dagegen einige Schriftstücke erhalten.[1]

An Giovanni Francesco M a r i n s Ausscheiden aus dem Chiffren=
sekretariate im Jahre 1578 erinnert noch ein handschriftlich erhaltenes
inventario di libri e scritture di cifre trovate nella casetta che era
dell' illmo ser francesco Marin, segretario cifrista ed altre scriture.[2]
Auch er hat einen bemerkenswerten Traktat zum Entziffern der chiffrierten
Depeschen geschrieben, der wieder aufgefunden werden konnte.[3]

Außerdem bewahrt das Archiv zu Venedig noch drei Abhandlungen
über Chiffren aus dem 16. Jahrhundert, deren genaue Datierung und
Verfasser ich in der Kürze meines dortigen Aufenthaltes nicht feststellen
konnte; es sind dies in der Kiste busta VI, und zwar in der Abteilung:
trattati in cifra etc. in 4⁰ die Nummern 5,[4] 6[5] und 7. Die letztere,
Nummer 7 ist ein Fragment von einem Traktate, der sieben Abschnitte
haben sollte, und könnte, nach dieser Einteilung zu schließen, verwandt
sein mit dem gleich zu erwähnenden Traktate von Agostino A r m a d i.

Nicht weniger schmerzlich als der Verlust des Traktates von Soro
muß das Fehlen dieses Chiffrentraktates von Agostino A r m a d i
empfunden werden.[6] Kurz vor seinem anfangs 1588 erfolgten Tode

---

[1] Ebenda busta VI, decrete etc. in f⁰ Nr. 3.

[2] Ebenda: busta VI, in f⁰. Nr. 2.

[3] Ebenda: busta VI, in 4⁰ Nr. 2. Es sind 69 Blätter in klein 4⁰, von
denen nur 60 beschrieben sind, mit Pergamentumschlag. Ueberschrift: del modo di
extrazar le cifre.

[4] Nr. 5 gibt Anweisungen zur Entzifferung auch fremdsprachlicher Chiffren
wie lateinischer, deutscher und spanischer. Die Systeme bestehen aus Buchstaben und
Zeichenalphabeten, was gegen das Ende und mehr für das zweite Drittel des
16. Jahrh. als Abfassungszeit spricht.

[5] Nr. 6 in kl. 8⁰. Das Archiv hat in neuerer Zeit denselben Traktat noch
einmal käuflich erworben in einem Fragmentcodex in Fol. Der Tratakt beginnt: Ho
scritto questa operetta, nella quale io dechiaro l'arte di levare le cifre perche
in vero le lettere dezifrate sono molto utile.

[6] W a g n e r s Darstellung in seinen Studien zu einer Lehre von der Geheim=
schrift (Archivalische Zeitschrift XII, 10) erweckt die irreführende Ansicht als ob dieser
Traktat im venetianischen Archive zugängig sei. Ich suchte vergebens darnach. Das
Fehlen desselben ist auch schon von C i c o g n a vol. VI, S. 382 seiner Iscrizioni
Venetiani ausgesprochen worden.

hatte er seine Arbeit, die 8 Unterabteilungen enthielt, dem Rate der X
übergeben. Nach Cicogna[1]) hat Rossi den Traktat noch gesehen und
gab an, daß er aus dem Jahre 1588 stamme, Quartformat habe und
in Marochin gebunden sei. Auch läßt sich feststellen, daß ein Exemplar
des Manuskripts auf Pergament, vielleicht das Original selbst, zeitweise
sich in der Bibliothek der Brera in Mailand befunden habe, dann mit
anderen Archivalien nach Wien gekommen war, und 1868 dem Archiv
von Venedig wieder restituiert worden ist.[2]) Armand Baschet[3]) hat
den Traktat dort unmittelbar nach seiner Rückgabe gesehen und be=
schrieben. Darnach war er tiefer angelegt als die früheren Traktate,
das erste Kapitel scheint die Geschichte der Chiffrierkunst behandelt zu
haben, das zweite verbreitete sich über das Chiffrenwesen im allgemeinen,
das dritte hatte die Ueberschrift Polistenographia und weist in diesem
Namen auf eine Beeinflußung durch Tritheim hin, das vierte hieß
Apogriptographia, das fünfte beschäftigte sich mit der unsichtbaren
Chiffrenschrift, das sechste bringt die Chiffrensysteme, die der Verfasser
selbst erfunden hat und das siebente und achte Kapitel soll Schlüssel
und Anleitungen zum Dechiffrieren enthalten haben. Der Rat der X
hielt den Traktat und die Verordnung Armadis für so bedeutend, daß
er aus Dankbarkeit zwei Söhne Armadis in die Kanzlei aufnahm und
ihnen lebenslänglich 10 Dukaten monatlich zuerkannte.

Solange die beiden Traktate von Soro und Armadi nicht wieder
aufgefunden sind, würde für unsere Kenntnis des Chiffrierwesens auch
die Veröffentlichung der oben namhaft gemachten kleineren Traktate
schon von großem Werte sein; möchten diese Zeilen dazu einige An=
regung gegeben haben.

---

[1]) Vgl. Pasini, delle scritture in cifra im R. archivio di Venezia 1873.
S. 323.

[2]) Pasini a. a. O.

[3]) A. Baschet, les archives de Venise. Paris, Plon. 1870.

Kleine Beiträge.

Die Zeit des codex Rossanensis.

Von F. X. v. Funk.

Im Frühjahre 1879 hatten die Herren O. v. Gebhardt und
A. Harnack das Glück, zu Rossano in Calabrien eine bisher nicht bekannte Evangelienhandschrift zu finden. Im folgenden Jahre wurde der
Fund der wissenschaftlichen Welt näher bekannt gemacht. Die Publikation
führt den Titel: Evangeliorum codex graecus purpureus Rossanensis
litteris argenteis sexto ut videtur saeculo scriptus picturisque ornatus
1880. Der Codex ist hienach eine mit Silber beschriebene griechische
Purpurhandschrift und bietet in dem gegenwärtigen Bestand die beiden ersten
Evangelien. Schon nach dieser Seite hin höchst bemerkenswert, da wohl
lateinische Purpurhandschriften öfters anzutreffen, griechische aber eine große
Seltenheit sind, nimmt er unser Interesse auch durch seinen Bilderschmuck
in hohem Grade in anspruch. Außer vierzig Prophetengestalten und zwei
Titelminiaturen bietet er achtzehn Darstellungen aus dem Neuen Testamente:
die Auferweckung des Lazarus, den Einzug in Jerusalem, die Austreibung
der Verkäufer aus dem Tempel, die klugen und thörichten Jungfrauen,
das letzte Mahl Jesu, die Fußwaschung, die Austeilung des heil. Brotes,
die Spendung des Kelches, Jesus in Gethsemane, die Blindenheilung in
zwei Bildern, die Geschichte vom barmherzigen Samariter (ebenfalls in zwei
Darstellungen), Jesus vor Pilatus, Reue und Tod des Judas, Pilatus
und die Juden, Jesus und Barabbas. Die Bilder wurden von den Auf-
findern mit Bleistift durchgezeichnet und sind, von den Propheten wenigstens
vier, in der erwähnten Publikation reproduziert. Ihre Erörterung wurde
von Harnack übernommen, während Gebhardt den Text der Handschrift in
Untersuchung zog.

Bei der Bestimmung des Alters des Codex ergaben sich Gebhardt als
die äußersten Grenzpunkte das Ende des 5. und der Anfang des 7. Jahr-

hunderts. Eine nähere Prüfung der in betracht kommenden paläographischen Merkmale führte weiter zu dem Resultat, daß die Entstehung der Hand= schrift eher in der ersten als in der zweiten Hälfte des 6. Jahrhunderts zu suchen sei (S. 11). Harnack gelangte bei Untersuchung der Bilder zu dem gleichen Ergebnis. Nur glaubt er wahrzunehmen, daß durch deren Charakter auch das Ende des 5. Jahrhunderts nicht ausgeschlossen werde (S. 26). Und er fühlte sich in dieser Annahme so sicher, daß er am Schluß seiner Darlegungen bemerkt: es werde nach den gegebenen Ausführungen, so kurz sie seien, eines Nachweises nicht mehr bedürfen, daß die Bilder der Handschrift dem Ausgange des 5. oder der ersten Hälfte des 6. Jahr= hunderts angehören; hierüber sei ein Streit nicht möglich (S. 47).

Das Urteil fand, so weit ich sehe, im ganzen allenthalben Beifall. Meines Erachtens ist aber mit dem ersten Versuch die Angelegenheit noch nicht erledigt. Auf dem paläographischen oder kunstkritischen Wege allein ist es äußerst schwer, zu einer engeren Zeitgrenze zu gelangen, vielfach ge= radezu unmöglich. Wem dieses an sich nicht bekannt wäre, den müßten die vielen Fehltritte belehren, die auf den beiden Gebieten gemacht worden sind. Erst die jüngste Zeit hat wieder mehrere Proben geliefert. Der codex Amiatinus und der codex Ingolstadiensis wurden bezüglich des Alters um anderthalb bis zwei Jahrhundert herabgerückt.[1]) Die berühmte Hippolytstatue, die nach historischen Gründen sicher dem 3. Jahrhundert angehört, wurde durch die Kunstkritiker mehrfach dem 5. Jahrhundert zu= gewiesen.[2]) Dasselbe oder das folgende Jahrhundert nahm man bisher für die Statue des Apostels Petrus in der Peterskirche an. Jetzt will man in ihr ein Werk des 13. Jahrhunderts finden.[3]) Selbst der in rede stehende Fall zeigt einigermaßen, wie schwankend der Boden ist, auf dem man sich hier bewegt. Gebhardt nimmt für die Entstehung der Handschrift in der ersten Hälfte des 6. Jahrhunderts nur größere Wahrscheinlichkeit in anspruch; er läßt also für dieselbe auch noch die zweite Hälfte des Jahrhunderts offen, obwohl er den späteren Ursprung weniger wahr= scheinlich findet. Harnack dagegen lehnt diese Zeit entschieden ab. Die Verschiedenheit des Urteils gründet sich allerdings auf verschiedene Gesichts= punkte. Für Gebhardt ist die Paläographie, für Harnack die Kunstkritik maßgebend. Gewährt uns aber letztere festere Anhaltspunkte? In vielen, vielleicht den meisten Fällen schwerlich. Unsere Handschrift mußte das be= reits auch selbst einigermaßen erfahren. Während Harnack den Ursprung der Bilder in der zweiten Hälfte des 6. Jahrhunderts unbedingt aus= geschlossen findet, bemerkt V. Schultze,[4]) daß der Vergleich mit den

[1]) Vgl. Theolog. Quartalschrift 1888 S. 656; 1895 S. 522.
[2]) Ebd. 1884 S. 104—6.
[3]) Vgl. Schultze, Archäologie der altchristl. Kunst 1895 S. 287.
[4]) Zeitschrift für Kirchengeschichte 1882 S. 446.

spätesten Sarkophagreliefs, · den Mosaiken und vor allem den Goldgläsern vielmehr auf jene Zeit hinweise.

Gebhardt konnte nicht umhin, auf einige Bestandteile in der Hand=
schrift aufmerksam zu machen, welche gegen seine Altersbestimmung Bedenken
erregen, indem sie eine spätere Zeit zu verraten scheinen und besonders an
die Schrift des Züricher Purpurpsalters erinnern, der durch Tischendorf
dem 7. Jahrhundert zugewiesen wurde: die Beigaben zum Texte der Evan=
gelien, näherhin die Epistula Eusebii ad Carpianum, die Verzeichnisse der
κεφάλαια und die Inhaltsangaben über dem Texte, die Schriftstellen
unterhalb der Prophetenbilder, die Unterschrift des Matthäusevangeliums
und einige nachträglich an den Rand geschriebene Wörter (S. 14); und da
er die Annahme ausgeschlossen findet, daß wir es hier mit späteren Zu=
thaten zu thun haben, so drängte sich ihm die Frage auf, ob um jenes
scheinbar jüngeren Schriftcharakters willen, durch welchen sich die Beigaben
vom Texte unterscheiden, die ganze Handschrift weiter herabgerückt werden
müsse. Die Frage wird mit Rücksicht auf den codex Zacynthius oder das
Palimpsest von Zanthe und den codex Guelferbytanus, die eine ähnliche
Erscheinung darbieten bezw. das Urteil von Tregelles und Tischendorf
verneint und zur Begründung beigefügt, die Annahme habe gewiß einen
hohen Grad von Wahrscheinlichkeit, daß eine Schriftgattung, die im 7. Jahr=
hundert in allgemeinen Gebrauch überging, vorher schon durch eine Reihe
von Jahrzehnten bekannt und in Uebung war, nur daß sie zunächst nicht
sowohl für den eigentlichen Text der Bücher, als vielmehr für allerhand
Beigaben zu demselben, wie Indices, Catenen, Unterschriften, Rand=
bemerkungen und dergleichen verwandt wurde. Sofort wird aber auch
beigefügt, daß sich strenge Beweise dafür nicht beibringen lassen, da datierte
Handschriften aus jener Zeit überhaupt nicht erhalten seien, geschweige denn
eine hinreichende Anzahl solcher, deren Text von einer Catene oder von
Scholien begleitet wäre (S. 16).

Gebhardt kommt also selbst für das 6. Jahrhundert nicht über den
Bereich der Wahrscheinlichkeit hinaus. Und die Wahrscheinlichkeit ist nicht
einmal so groß wie man nach seiner Darstellung meinen könnte. Seine
Ausführung beruht, da im anderen Falle die angeführte Frage gar nicht
gestellt werden konnte, auf der stillschweigenden Voraussetzung, daß auch
der Text unserer Handschrift dem 7. Jahrhundert angehören kann. Und
wenn es so ist, wenn die Handschrift ferner Stücke enthält, welche un=
bedingt ins 7. Jahrhundert weisen, dann hat man mehr Grund, mit ihr
überhaupt in diese Zeit herabzugehen, als sie in einer früheren Periode
festzuhalten. Das erfordert die einfache Logik, und so lange nicht Gründe
vorliegen, die uns vollständig berechtigen oder zwingen, ein anderes Ver=
fahren einzuschlagen und eine Ausnahme von der Regel anzunehmen, haben
wir deren Gesetzen zu folgen. Der Vorgang von Tregelles und Tischen=
dorf mit den erwähnten Handschriften bietet uns, so hoch man auch ihr
Urteil auf diesem Gebiet anschlagen mag, schwerlich einen solchen Grund.

Die Paläographie führt uns somit, wenn wir nur den vollen Schluß aus den Prämissen Gebhardts ziehen, bereits ins 7. Jahrh. herab. Sie hindert sogar nicht, noch weiter zu gehen. Jene Zeit ist nur der früheste Termin, zu dem wir gelangen. Man räumt ein, daß die Schrift der Beigaben nicht vor dem 7. Jahrhundert nachweisbar sei. Die Schrift ist aber nicht sofort nach ihrem Aufkommen wieder verschwunden. Sie hatte ihre Zeit, und es läßt sich schwerlich mit Grund behaupten, daß sie nicht auch noch im 8. Jahr=hundert angewandt werden konnte und angewandt wurde. Ebensowenig ist diese Möglichkeit für die Schrift des Textes zu bestreiten. Prachtexemplare fügen sich nicht so in die Entwicklung der Schrift ein wie die gewöhnlichen Bücher. Bei ihnen erhält und bewahrt sich die alte Weise länger. Ich muß zwar bekennen, daß ich mich hier auf einem Gebiete bewege, auf dem Gebhardt eine viel ausgedehntere und eingehendere Kenntnis besitzt als ich. Es fällt mir umso schwerer, von seinem Urteil abzugehen, als ich von der Handschrift nur die zwei Blätter eigentlich kenne, die in Faksimile ver=öffentlicht wurden, während er das Ganze vor Augen hatte, und ich auch nicht über den ganzen Reichtum von literarischen Hilfsmitteln verfüge, der ihm zu gebote stand. Gleichwohl glaube ich eine andere Auffassung wagen zu dürfen. Es liegt disher kein zwingender Grund vor, bei der ange=nommenen Zeit für die Handschrift stehen zu bleiben.

Erhebt aber gegen das jüngere Alter nicht die Kunstgeschichte Ein=sprache? Wenn man das erwähnte Schlußwort Harnacks ansieht, sollte man das meinen. Ueber die Zeit der Bilder soll ja gar nicht weiter zu streiten sein. Für das Urteil wird überdies völlige Selbständigkeit und Unabhängigkeit in anspruch genommen. Es wird mit Nachdruck erklärt: „Wären sie (die Bilder) uns abgetrennt vom Codex allein überliefert, so würde eine eingehende kunsthistorische Prüfung derselben unter Vergleichung der übrigen uns erhaltenen Miniaturen und der ältesten Mosaiken not=wendig zu dem sicheren Schlusse gelangen, daß diese Bilder dem Ausgange des 5 oder dem 6. Jahrhundert angehören. Namentlich die Vergleichung mit den Darstellungen in der Wiener Genesis ist entscheidend" (S. 26). Steht aber die Sache wirklich so? Ich glaube nicht, und man darf wohl annehmen, Harnack werde inzwischen selbst, nachdem die anfängliche Be=geisterung über den schönen Fund einer ruhigeren Ueberlegung Platz ge=macht, wenigstens einigermaßen von jener Auffassung zurückgekommen sein. Eine so enge Zeitgrenze ist bei Bildern auf dem kunstkritischen Wege allein im allgemeinen an sich kaum zu gewinnen, und in unserem Fall ist ein Zweifel an der Richtigkeit der Bestimmung umsomehr gestattet, als das Urteil nicht etwa von einem Sachverständigen ausgeht, von dem eine volle Würdigung sich erwarten ließe, sondern von einem Mann, der selbst be=kennt, kein Kunstkritiker vom Fach zu sein, der bei der Kürze der Zeit, die ihm für seine Arbeit zu gebote stand, auch gar nicht in der Lage war, auf dem ihm fremden und schwierigen Gebiete die eingehenden Studien anzustellen, die zu einer so sicheren Entscheidung erforderlich wären. Das

Urteil wurde auch bereits, wie wir gesehen, von zuständiger Seite etwas modifiziert. Schultze setzt die Bilder um ein halbes Jahrhundert später an.[1]) Indessen ist auch damit der Sache noch nicht genüge gethan. Wir müssen noch weiter in der Zeit herabgehen.

Indem ich den Beweis dafür antrete, bin ich in betreff der Kunstkritik in einer schwierigen Lage. Dabei mag davon ganz abgesehen werden, daß die Kunstgeschichte nicht mein eigentliches Arbeitsfeld ist, da dasselbe auch bei Harnack zutrifft. Wichtiger ist ein anderer Punkt. Die Miniaturen der Wiener Genesis-Handschrift, deren Vergleichung in unserer Frage entscheidend sein soll, sind mir, abgesehen von den zwei Stücken, welche V. Schultze in seiner Archäologie der altchristlichen Kunst 1895 S. 189 und 373 bietet, nur in den Abbildungen bekannt, welche in dem Katalog der kaiserlichen Hofbibliothek in Wien von Lambeck-Kollar Bd. III (1176) S. 3—31 und in der Storia della arte cristiana von Garrucci (1873 ff.) Taf. 112—23 sich finden. Dagegen ist mir die Ausgabe in Lichtdrucken, welche Hartel und Wickhoff in der Beilage zu Bd. XV und XVI des Jahrbuches der kunsthistorischen Sammlungen des Allerhöchsten Kaiserhauses (1894/95) veranstalteten, unzugänglich. Und wenn man darüber insofern hinwegsehen darf, als Harnack von diesen Bildern eine noch ungenügendere Kenntnis hatte, da sie ihm nur in dem Katalog der Wiener Hofbibliothek von Lambeck (1670) vorlagen, so fällt ein anderes bedeutender ins gewicht. Für die Bilder von Rossano, die Harnack aus eigener Anschauung kennt, bin ich lediglich auf die vermittelst Durchzeichnung hergestellte Reproduktion in der Ausgabe von Gebhardt und Harnack angewiesen; und von dieser bemerkt Schultze a. a. O. S. 193 Anm. 1 auf grund der Einsicht, die er von der Handschrift nahm, daß sie kaum ein annäherndes Bild von den vortrefflich erhaltenen Miniaturen gebe. Unter diesen Umständen ist es streng genommen vorerst gar nicht möglich, diese Bilder kunstkritisch näher zu bestimmen, und wenn ich gleichwohl mit einem Urteil hervortrete, thue ich es nur mit allem Vorbehalt. Es stehen mir nur die angeführten Publikationen zur Verfügung. Soweit aber auf grund derselben eine Würdigung möglich ist, führt mich die Prüfung der beiden Bilderzyklen nicht auf die gleiche, sondern auf eine verschiedene Zeit. Die Genesisminiaturen stehen meines Erachtens erheblich höher als die Bilder von Rossano, und wie in künstlerischer Beziehung, so liegt zwischen beiden, soweit in dieser Richtung ein Schluß gestattet ist, auch in zeitlicher Hinsicht ein nicht unbeträchtlicher Abstand. Schon die auch von Schultze (S. 189) mitgeteilte Darstellung der Begegnung von Rebekka und Elieser sucht in

---

[1]) Indem Kraus, Geschichte der christlichen Kunst 1896 I, 465 f. mit bezug auf den Christus des codex Rossanensis bemerkt: „Es geschieht also hier ein namhafter Schritt weiter, selbst über die Zabulashandschrift hinaus," verrät er eine ähnliche Ansicht. Doch spricht er sich nicht näher und bestimmter aus.

der Handschrift von Rossano vergeblich ihres gleichen, und das Bild nimmt in der Wiener Handschrift nicht einmal den ersten Rang ein.

Das Urteil mag als gewagt erscheinen, zumal auch Schultze von der Zeitbestimmung Harnacks sich nur wenig entfernt, und bei der ungenügenden Kenntnis, die wir bis jetzt von den Bildern von Rossano besitzen, hätte ich es einstweilen noch zurückbehalten, wenn uns nicht noch ein anderer Weg offen stünde, um den Bildern näher zu kommen. Die Miniaturen sind nicht bloß Kunstprodukte; sie geben auch ein Stück aus dem kirchlichen Kultus wieder, und damit verbreiten sie Licht über ihr Alter. Der Punkt wurde bisher gar nicht ins Auge gefaßt. Er ist indessen von höchster Bedeutung. Für die Lösung der obschwebenden Frage trägt er mehr bei als die Richtlinien, welche die Kunstgeschichte darbietet.

Unter den Bildern stellen drei das letzte Abendmahl dar. Auf dem ersten sind Jesus und die Apostel gemeinsam um eine Tafel gelagert, und Judas taucht eben in die Schüssel. Das zweite Bild zeigt die Spendung des Brotes, das dritte die Darreichung des Kelches, und diese beiden Bilder kommen hier hauptsächlich in betracht. Harnack bemerkt über sie: „Diese beiden Darstellungen sind archäologisch die interessantesten des ganzen Cyklus. Sie haben, soviel bekannt, überhaupt nicht ihres Gleichen. Wir lernen hier, auf welche Weise im 6. Jahrhundert die Eucharistie gespendet wurde". Auf eine eingehendere Besprechung wird verzichtet. Nur wird noch kurz auf die mannigfaltige Behandlung des Gewandes und die Reihenfolge der Apostel bei der Kommunion hingewiesen (S. 39).

Das bedeutsame ist hier die Art und Weise in der Spendung des Abendmahles. Soweit man nach der Abbildung urteilen kann, reicht der Herr den Aposteln das Brot in den Mund. Die spendende Hand ist wenigstens dem eben empfangenden Apostel ganz an den Mund gerückt, und dieser hält seine eigenen Hände unter, offenbar, um zu verhindern, daß etwa einiges auf den Boden falle. Aehnlich hat der Herr auf dem andern Bild den Kelch in der Hand, und ein Apostel bückt sich vor ihm mit untergehaltenen Händen und trinkt aus dem Kelche. Der Ritus hat insofern auf beiden Bildern etwas Gemeinsames, als nach der einen Darstellung wie nach der andern die Eucharistie dem Empfänger in den Mund gereicht wird. Doch fällt das zweite Bild für unsere Aufgabe weniger ins gewicht. So wie auf ihm konnte die Kelchspendung allenfalls schon nach dem Berichte der Apostolischen Konstitutionen VIII, 13 oder nach der altchristlichen Praxis dargestellt werden. Um so bedeutungsvoller dagegen ist das Bild mit der Brotspendung Dabei besteht allerdings die Voraussetzung, daß das Brot wirklich in den Mund gelegt wird. Allein diese Auffassung drängt sich mit Entschiedenheit auf. Ich habe das Bild stets so angesehen, und denselben Eindruck werden wohl alle empfangen haben, die es näher betrachteten. Auch darf man annehmen, daß, wenn etwa das Original eine andere Auffassung nahe legte, Harnack nicht unterlassen hätte, das Abbild mit einer entsprechenden Bemerkung zu begleiten. Ist aber dieser Ritus für das 6. Jahrhundert wahrscheinlich? Was sagen darüber die zeitlich bestimmten Denkmäler?

Im christlichen Altertum wurde bei der Kommunion das Brot den Gläubigen in die Hand gegeben. Die Praxis ist für das 3. und 4. Jahrhundert so vielfältig bezeugt, daß sie als alleinige und durchgängig herrschende anzusehen ist.[1]) Und daß sie noch mehrere Jahrhunderte länger bestand, zeigt für den Orient vor allem ein zweites Abendmahlbild, das aus alter Zeit auf uns gekommen ist. Es findet sich in der syrischen Evangelienhandschrift des Mönches Rabulas von Edessa vom Jahre 586, die jetzt im Besitze der Laurentiana in Florenz ist, und wurde in dem Kataloge dieser Bibliothek von Bandini-Assemani auf Tafel 20 und in der Storia dell' arte cristiana von Garrucci auf Tafel 137² veröffentlicht. Christus reicht hier das Brot dar, und der empfangende Apostel streckt die Hand aus. Das Brot wird demgemäß dem Empfänger in die Hand gegeben, nicht in den Mund. Der alte Ritus war hienach in Syrien noch in der zweiten Hälfte des 6. Jahrhunderts in Uebung.

Ein anderes Zeugnis führt uns noch weiter herab, und dasselbe gilt nicht bloß für Syrien, sondern für den Orient im allgemeinen und für den Bereich der griechischen Kirche insbesondere. Die trullanische Synode vom Jahre 692 verordnet im Kanon 101: „Leib und Tempel Christi nennt der göttliche Apostel mit lauter Stimme den nach dem Bilde Gottes geschaffenen Menschen. Da also die gesamte sinnenfällige Natur überragt, wer durch das heilsame Leiden die himmlische Würde erlangt hat, so wird er, Christus trinkend oder essend, durchaus dem himmlischen Leben angepaßt und hat an Seele und Leib geheiligt teil an der göttlichen Gnade. Wer daher bei der Liturgie an dem unbefleckten Leib teilhaben und zur Kommunion sich begeben will, der lege seine Hände in Kreuzform, trete so herzu und empfange die Gemeinschaft der Gnade; denn diejenigen, welche statt der Hand aus Gold oder anderem Stoff Gefäße zur Aufnahme der göttlichen Gabe bilden und durch sie die unbefleckte Kommunion empfangen, lassen wir in keiner Weise zu, da sie den unbelebten und niedrigen Stoff dem Bilde Gottes vorziehen. Wenn aber jemand die unbefleckte Kommunion denjenigen spendet, die solche Gefäße bringen, so werde er gebannt und wer dieselben bringt." Die Synode kennt also eine Abweichung von der alten Sitte. Es gab Leute, welche, ohne Zweifel aus heiliger Scheu, das Sakrament nicht mit der bloßen Hand empfangen wollten und deswegen ein goldenes oder sonst kostbares Gefäß zu Hilfe nahmen. Die Neuerung wird aber strengstens verboten. Sie steht zudem der alten Praxis viel näher als derjenigen, welche uns auf unserer Handschrift entgegentritt; denn

---

[1]) Die Zeugnisse sind zusammengestellt von Bingham, origines XV, 5, 6, und Bona, rer. liturg. lib. II, 17, 3.

immerhin nehmen auch nach ihr die Kommunikanten die Eucharistie noch
mit ihrer Hand auf, wenn auch nicht mit der bloßen Hand, während das
Charakteristische der andern Praxis darin besteht, daß der Empfänger seine
Hand zur Kommunion in keiner Weise mehr braucht, da ihm die Eucharistie
bereits durch den Spender in den Mund gelegt wird. Und wenn die
Synode jener Neuerung einfach die alte Sitte gegenüberstellt, so müssen
wir schließen, daß ihr der Kommunionritus der Handschrift von Rossano
noch unbekannt war. Sonst hätte sie schwerlich unterlassen, ihn zu berück=
sichtigen. Er wäre ein einfaches Mittel gewesen, um einerseits die zarte
Scheu zu schonen, die in der Neuerung enthalten war, und andererseits
das Unangemessene zu vermeiden, gegen das sie glaubte einschreiten zu
sollen. Der Fall zeigt endlich, daß die alte Praxis bereits anfing ihrem
Ende entgegenzugehen. Die Gründe, die schließlich seine Auflösung herbei=
führten, machten sich damals wenigstens schon in einigen Kreisen bemerklich.

Doch erhielt sich der alte Ritus im Orient auch nach dem Trullanum
noch eine geraume Zeit. Die Art und Weise, wie Johannes von
Damaskus De fide orthodoxa IV, c. 13 von dem Empfang der Kom=
munion redet, setzt ihn allem nach noch voraus. Er läßt sich also bis
etwa zur Mitte des 8. Jahrhunderts nachweisen, und da er schwerlich
sofort nach seiner letzten Erwähnung verschwand, so dürfen wir seinen
Fortbestand auch noch in der nächsten Zeit annehmen. Lange aber dürfte
er nach allem, was wir wissen, sich nicht mehr behauptet haben. Wie es
sich aber damit verhalten mag, immerhin wird er noch bis ans Ende des
8. Jahrhunderts in Uebung gewesen sein. Daneben mag da und dort
bereits auch der neue Ritus sich Eingang verschafft haben. Derartige Ver=
änderungen treten in der Regel zunächst in kleineren Kreisen hervor und
kommen erst nach einiger Zeit zu allgemeiner Geltung. Im großen und
ganzen aber wird man bei jener Zeitgrenze stehen bleiben dürfen, und dies
um so mehr, als um dieselbe Zeit der Wechsel im Ritus im Abendland
eintritt.

Da es sich um eine griechische Handschrift handelt, könnte es als über=
flüssig erscheinen, auf die lateinische Kirche einzugehen. Indessen dürfen
wir dieselbe doch nicht unberücksichtigt lassen. Beide Kirchen stehen in der
Zeit, die hier in betracht kommt, in Gemeinschaft; ihr Ritus ist im großen
und ganzen derselbe, und bei der Dürftigkeit der Nachrichten, die wir über
den in rede stehenden Punkt aus dem Orient haben, kann uns die Er=
gänzung, die uns das Abendland bietet, nur willkommen sein.

Was nun zunächst die Fortdauer des alten Ritus im Abendland an=
langt, so mag in erster Linie auf eine Predigt verwiesen werden, die früher
Augustin zugeschrieben und als Sermo de tempore 252 gedruckt, von den
Benediktinern aber als Rede' des Cäsarius von Arles († 542) erkannt
und der Appendix operum S. Augustini als Sermo 229 zugeteilt wurde.
Der Redner sagt hier Kap. 5: Omnes viri, quando ad altare accessuri

sunt. lavant manus suas, et omnes mulieres exhibent linteamina, ubi
corpus Christi accipiant. Er spricht vom Händewaschen, weil, wie schon
aus dem Angeführten und noch deutlicher aus den folgenden Worten erhellt,
die Männer das eucharistische Brot in die bloße Hand erhielten, während
die Frauen nach damaliger Sitte, wie sie uns diese Stelle und die sofort
zu erwähnende Synode für Gallien, der hl. Ephräm[1]) auch für Syrien
bezeugt, ihre Hand mit einem Linnentuch zu bedecken hatten. Das Zeugnis
gilt für die erste Hälfte des 6. Jahrhunderts. Für die zweite Hälfte des
Jahrhunderts tritt die Synode von Auxerre 585 (578) mit der Verordnung
ein, daß die Frauen die Eucharistie nicht mit unbedeckter Hand empfangen
(Kap. 36), bei der Kommunion vielmehr eines dominicalis sich bedienen
sollen (Kap. 42).[2]) Ein weiteres Zeugnis dictet uns Beda Venerabilis.
Der Klosterbruder, dessen Tod er H. E. IV, Kap. 24 erzählt, empfing die
Eucharistie in die Hand. Der in betracht kommende Tod fällt an das Ende
des 7. Jahrhunderts. Das Zeugnis gilt aber auch noch für den Anfang
des 8. Jahrhunderts, da Beda († 735), wenn inzwischen der Kommunion=
ritus sich geändert hätte, die ältere Weise nicht leicht ohne eine entsprechende
Bemerkung erwähnen konnte. Noch später kennen den alten Ritus die
Statuta quaedam S. Bonifatii, indem sie c. 32 verordnen, daß den
Sterbenden die Eucharistie in den Mund gelegt werden solle.[3]) Die
Weisung setzt voraus, daß den Gesunden das Brot noch in die Hand ge=
geben wurde. Die Zeit der Statuten ist nicht unbestritten. Aber sicher
ist, daß dieselben nicht älter sind als Bonifatius († 754).

Während so die alte Weise bis in die zweite Hälfte des 8. Jahr=
hunderts nachweisbar ist, findet sich eine Spur von der neuen bereits im
6. Jahrhundert. Gregor I erzählt Dialog. III c. 3 von Papst Agapet
(533—36), man habe zu ihm auf seiner Reise nach Konstantinopel in
Griechenland einen Menschen, der stumm und lahm war, zur Heilung ge=
bracht, und er habe, nachdem er das hl. Opfer gefeiert, den Kranken durch
Darreichung der Hand zuerst auf seine Beine gestellt, dann auch, cum ei
dominicum corpus in os mitteret, seine Zunge gelöst. Der Fall ist aber
von so außerordentlicher Art, daß man offenbar fehlgehen würde, wollte
man ihm für die gewöhnliche Praxis etwas entnehmen. Es handelt sich
um einen Menschen, der in hohem Grade gebrechlich ist, und es begreift
sich schon unter diesem Gesichtspunkt, daß demselben die Eucharistie nicht in
die Hand gegeben wurde. Die Kommunion sollte ferner sichtlich als Mittel
dienen, dem Stummen die Zunge zu lösen, und insofern empfahl es sich
noch besonders, ihm das hl. Brot auf die Zunge zu legen. Zudem wissen

---

[1]) Adv. scrut. serm. 10. Opp. syr. ed. Assemani III, 27. Vgl. Probst,
Liturgie des vierten Jahrhunderts, 1893, S. 316.
[2]) Harduin, acta conciliorum III, 446.
[3]) Harduin a. a. O. III, 1945.

wir aus anderen Zeugnissen zur genüge, welches der herrschende Kommunionritus der damaligen Zeit war. Die Erzählung beweist nur, daß die Art
und Weise, wie nach den sogen. Statuten des hl. Bonifatius die Kommunion
den Kranken gespendet wurde, allenfalls schon einige Jahrhunderte früher
üblich war.

Aehnlich verhält es sich mit dem Kanon 11 der Synode von Toledo
675. Die Synode knüpft an den Kanon 11 der Synode von Toledo 400
an: Si quis acceptam a sacerdote eucharistiam non sumpserit, velut
sacrilegus propellatur, und mildert ihn, indem sie bemerkt: Solet humanae
naturae infirmitas in ipso mortis exitu praegravata tanto siccitatis
pondere deprimi, ut nullus ciborum illationibus refici, sed vix tantumdem
illati delectetur poculi gratia sustentari, verordnet sie einerseits: Quicunque ergo fidelis inevitabili qualibet infirmitate coactus eucharistiam
perceptam reiecerit, in nullo ecclesiasticae damnationi subiaceat; und
andererseits: Iam vero quicunque aut de fidelium aut infidelium numero
corpus Domini absque inevitabili (ut dictum est) infirmitate proiecerit,
si fidelis est, perpetua communione privetur; si infidelis, et verberibus
subdatur et perpetuo exilio relegetur.[1] Hefele[2] übersetzt die erste
Hälfte des zweiten Satzes: „Wer aber, gesund, den Leib des Herrn wieder
aus dem Munde nimmt, soll auf immer exkommuniziert werden;" und da
die Worte: „den Leib des Herrn wieder aus dem Munde nehmen", voraussetzen, daß derselbe den Kommunikanten in den Mund gelegt wurde, so
schloß jüngst Probst,[3] daß der Kanon insofern das erste sichere Zeugnis
der neuen Praxis wäre. Die Sache erregte ihm zwar Bedenken, da Hefele,
wie der vorstehende lateinische Text zeigt, die Verordnung der Synode nicht
so fast übersetzte als frei nach deren Inhalt wiedergab. Doch hält er die
Auffassung im wesentlichen fest, indem er bemerkt: die Worte reicere und
proicere, in Verbindung mit dem Satze: non possunt eucharistiam deglu-
tire, lassen kaum eine andere Annahme zu als daß der Kranke die Eucharistie
aus dem Munde nahm, in welchen sie ihm gelegt wurde. Der Schluß ist
aber jedenfalls, wie die Worte Probsts selbst anzeigen, nicht notwendig.
Das eucharistische Brot konnte den Kommunikanten sehr wohl in die Hand
gegeben, und von diesen dann, wenn der Genuß auf Schwierigkeiten stieß,
aus dem Munde genommen werden. Indessen will ich darauf nicht bestehen. Jene Deutung mag hingenommen werden, soweit es sich um die
Kommunion der Kranken handelt, und auf diese wird sie, wie wir gesehen,
von Probst selbst eingeschränkt. Damit ist es aber für unsere Frage nicht
gethan. Es kommt hier weniger auf die Art und Weise, wie die Eucharistie
den Kranken, als darauf an, wie sie den Gesunden gespendet wurde, und

---

[1] Harduin, acta conciliorum III, 1028.
[2] Konziliengeschichte III, 116.
[3] Die abendländische Messe vom 5. bis zum 8. Jahrh. 1896 S. 476.

daß die Synode von Toledo in letzterer Beziehung schon den neuen Modus kannte, ist ihrer Verordnung nicht zu entnehmen. Hefele spricht in seiner Uebersetzung allerdings von Gesunden. Der lateinische Text rechtfertigt aber diese Auffassung nicht. Wer in der Weise absque inevitabili infirmitate ist, daß er Brot genießen kann, braucht nicht schon gesund zu sein. Es gibt auch Kranke, denen der Genuß des eucharistischen Brotes nicht unmöglich ist, und solche Personen scheint die Synode nach der ganzen Haltung des Kanons hauptsächlich vor Augen zu haben Die angedrohte Strafe gilt freilich, weil überhaupt allen, denen nicht die inevitabilis infirmitas zur Entschuldigung dient, auch den Gesunden, wenn sie die gerügte Handlung begehen. Daß aber etwa auch diesen bereits das eucharistische Brot in den Mund gelegt worden wäre, geht aus dem Kanon in keiner Weise hervor, und eine Folgerung ist in dieser Richtung umsoweniger angezeigt, als zur Zeit der Synode noch alles für das Gegenteil spricht.

Als frühester Zeuge des neuen Ritus ist mir die Synode von Cordova 839[1]) bekannt, indem sie von den Casianern, einer damaligen spanischen Sekte, bemerkt, sie wollen die Eucharistie nur in die eigene Hand nehmen und gehen daher nicht anderwärts zur Kommunion, weil dort das hl. Brot in den Mund gelegt werde. Die Bemerkung dürfte zugleich zeigen, daß die Neuerung sich erst jüngst vollzogen hatte, da die Casianer im andern Fall sie nicht wohl abgelehnt hätten. Weiter bezeugen dieselbe die Canones einer fränkischen Generalsynode in Rouen unter König Hlodoveus. Die Synode wurde zwar mehrfach der Zeit Chlodwigs II oder der Mitte des 7. Jahrhunderts zugewiesen. Aber allem nach mit Unrecht. Hefele[2]) bemerkt, daß einige Canones auf eine spätere Zeit hinweisen, c. 16 insbesondere auf die bischöflichen Sendgerichte in der Zeit der Karolinger. Außer den von ihm angeführten Canones gehört auch die strenge Verordnung über den Zehnten (c. 3) hieher, und ebenso das Dekret über den Empfang der Eucharistie (c. 2) Die Synode ist daher mit Grund in die Regierung Ludwigs des Stammlers (†879) zu setzen. Sie will, daß der Priester den Diakon und Subdiakon als Diener des Altares propria manu communicet, nulli autem laico aut feminae eucharistiam in manibus ponat, sed tantum in os eius.[3]) Die Verordnung läßt den neuen Ritus ebenfalls noch als einen jungen erscheinen, und zwar unter einem doppelten Gesichtspunkt. Der Diakon und der Subdiakon kommunizieren noch nach alter Weise, während später die neue Praxis auch auf sie sich ausdehnte. Selbst Laien wird die Eucharistie noch nach altem Brauch gespendet. Dies wird zwar durch die Synode sofort verboten, und es mag auch schon einige Zeit als unzulässig gegolten haben. Lange aber

---

[1]) Hefele, Konziliengeschichte IV², 99.
[2]) Konziliengeschichte III², 96 f.
[3]) Harduin, acta concil. VI, 205.

hat das Verbot schwerlich bestanden, da es sonst nicht wohl hätte ein=
geschärft werden müssen.

Das Material, das uns in dieser Angelegenheit zu gebot steht, ist
nicht gar reichlich. Immerhin aber ist es durchaus hinreichend zur Lösung
der Frage, die uns hier beschäftigt. Der für ihre Entscheidung in betracht
kommende Wechsel im Kommunionritus begann nicht vor dem 8. Jahr=
hundert. Nach den zuletzt angeführten Zeugnissen reicht die alte Weise
im Abendland mehr oder weniger noch in das 9. Jahrhundert herein.
Selbst im Orient erhielt sich der alte Ritus im allgemeinen wahrscheinlich
noch während des ganzen 8. Jahrhunderts. Bei diesem Sachverhalt kann
die Handschrift von Rossano nicht über das 8. Jahrhundert zurückgehen.
Unter Umständen fällt sie noch etwas in das 9. Jahrhundert hinein.
Sicher entstanden die Bilder nicht früher. Und wenn dieselben in ihrem
Ursprung von dem Texte nicht zu trennen sind, wie Harnack erklärt (S. 26),
dann verhält es sich mit diesem ebenso. Der Anhaltspunkt, den uns die
Geschichte des Kommunionritus zur Bestimmung der Zeit der Handschrift
bietet, ist weniger trügerisch als die Form der Buchstaben, die Linien=
führung in einer Zeichnung und was in dieser Beziehung noch sonst ins
gewicht fallen mag.

Die Paläographie bereitet dem Schluß, wie wir bereits gesehen haben,
kein ernstliches Hindernis. Die Schrift hat ja Bestandteile, welche ge=
bieterisch mindestens in das 7. Jahrhundert weisen. Es liegt auch kein
Grund vor, gerade bei dieser Zeit stehen zu bleiben. Die Paläographie
gestattet, ins 8. Jahrhundert und allenfalls auch noch in den Anfang des
9. Jahrhunderts herabzugehen, und da die Bilder nicht früher anzusetzen
sind, so werden wir diesen Schritt vollziehen müssen. Der Konsequenz
wäre nur auszuweichen, wenn etwa Text und Bild in der Handschrift zu
trennen sein sollten. Vielleicht ist dies möglich. Einer der Gründe, die
von Harnack für die Zusammengehörigkeit der beiden Bestandteile angeführt
werden, ist sicher hinfällig, und zwar derjenige, auf den das meiste Gewicht
gelegt wird. Die Bilder sollen selbst besser als alles andere ihr hohes
Alter bezeugen (S. 26). Der Satz, schon kunstkritisch sehr fraglich, scheitert
unbedingt an der Geschichte des Inhaltes der Bilder oder der Entwicklung
des Kommunionritus. Gleichwohl dürfte vorerst von dem Fall abzusehen
sein. Da, wie wir durch Harnack weiter erfahren, die Schrift, in der die
Sprüche auf Blatt 1—4 und Blatt 7 geschrieben sind, mit der des Codex
gleichzeitig, das Pergament genau das gleiche ist, wie namentlich an Blatt 121
erkannt werde u. s. w. (S. 26), so liegen einstweilen genügend Gründe
vor, um die Einheit der Handschrift festzuhalten. Für den gleichzeitigen
Ursprung der Teile spricht überdies auch an sich die Wahrscheinlichkeit.
Nur eine erneute Untersuchung könnte allenfalls zu einer anderen Auf=
fassung führen. Und wenn Text und Bild in der Zeit je auseinander=
zuhalten sind, dann mag die Schrift etwa dem 7. Jahrhundert zugewiesen

werden, obwohl, wie mir ſcheint, kein durchſchlagender Grund vorhanden iſt, vom 8. Jahrhundert abzugehen. Die Bilder aber ſind ſicher einer ſpäteren Zeit zuzuſchreiben. Dafür liefert die Brotſpendung bei der Ein=ſetzung des Abendmahles einen Beweis, gegen den die Gründe weit zurück=ſtehen, die etwa der formalen Kunſtkritik zu entnehmen ſind.

Zur Geſchichte der öffentlichen Bücherſammlungen Deutſchlands im 15. Jahrhundert.

Von F. Falk.

Das Hiſtoriſche Jahrbuch I, 297 brachte eine Zuſammenſtellung der deutſchen Orte mit öffentlichen Bibliotheken. Als Ergänzung hierzu diene folgender Nachtrag.

1. Einbeck, berühmt und reich geworden durch ſein in ganz Deutſch=land und darüber hinaus verſchicktes Bier, beſaß drei Bücherſammlungen, die eine am St Alexandriſtift, welche beträchtlich war und immer vermehrt wurde, indem ein Teil der Statutengelder für neue Bücher beſtimmt war, die andere am St. Marienſtift, über welche Nachrichten fehlen; die dritte im Kloſter der Auguſtiner.

Ein berühmter Einbecker war Joſ. Alberti; er bekleidete von 1497 bis 1499 die Würde eines Rektors der Hochſchule zu Erfurt und beſchloß, den Abend ſeines Lebens in der Heimat zuzubringen. Er zog deshalb mit allen ſeinen Habſeligkeiten nach Einbeck. Seine große Bücherſammlung, welche er mit bedeutenden Koſten in Erfurt geſammelt hatte und welche ſich auf alle Fächer des Wiſſens erſtreckte, verehrte er ſeiner Vaterſtadt unter der Bedingung, daß dieſelbe zum öffentlichen Gebrauche an einem paſſenden Orte aufgeſtellt werden ſolle. Er verordnete in ſeinem Teſtamente: Insuper pro usu publico et pro tota communitate oppidi nativi Eymbicensis lego et dono omnes libros meos in quibuscunque facultatibus, magnos et parvos, quos comparavi magnis expensis et sumtibus, ut ipsi (con- sules) cogitent una cum dominis meis testamentariis de loco apto et congruo ubi reponantur, sic quod pateant doctis et pro usu publico vel causa studii vel alias ad eos volentibus, sictamen quod cathenentur cum cathenis, ita quod non possint deportari prout cathenae pro parte jam factae. Ein großer Stadtbrand 1540 zerſtörte meiſtens die Bücher=ſammlungen. Auf der Göttinger Bibliothek ſollen noch Reſte der Albertſchen Stiftung ſein.[1]

2. Im Jahre 1495 verfügte der aus Hameln gebürtige Ratsherr Gerwin zu Braunſchweig, alle ſeine Bücher, 336 zuſammen, ſollen an St. Andreas, wo ſie aufgeſtellt ſind, bleiben und zur Benutzung freiſtehen (ſo oft ſie es begehren) allen gelehrten Perſonen innerhalb Braunſchweig,

---

[1] Harland, Geſchichte von Einbeck 1854, I, 256.

geistlich und weltlich, sonderlich des Rats Doktoren, Lizentiaten, Sindici,
Protonotarii und Secretarii. Einen Teil der Bücher dieser Gerwinschen
Stiftung besitzt die Stadtbibliothek zu Braunschweig.[1]

Das in gemischtem Plattdeutsch geschriebene Testament sagt: „alle
myne boeke, de ik op myner Liberey to sunte Andreas gelecht habe, und
da alle liggen an Keden (Ketten) und uppe Pulpiten, disse boeke schullen
dar alle uppe bliven.“

Die Bücher dieser Stiftung haben auf dem unteren Rande des ersten
Blattes des Stifters Wappen mit der Beischrift: „Orate pro Gherwino
de Hameln datore.

Joh. Bugenhagen empfahl 1528 in der Kirchenordnung für Braun=
schweig die Erhaltung der Bücher in einem eigenen Artikel: Van der
librye. De librye by sunte Andreas schal me nicht vervallen laten usw.

3. Zu Windsheim hatte man eine „Deutsche Bibliothek“, d. h. eine
solche, in welcher die deutschen Bücher aufgestellt den Laien zugängig ge=
macht wurden. Der Konventuale Heinr. Mande schrieb seine eigenen Bücher
schön und stellte sie zu jedermanns Gebrauch in der „Bibliothek der deutschen
Bücher“ auf. Dieselbe muß reich gewesen sein, da sie ihren eigenen
Bibliothekar, nämlich Joh. Seuthen, neben dem der Klosterbibliothek hatte.[2]

Die Kirchen= und Ratsbibliotheken[3] aufzuzählen, dürfte zu viel
Mühe verursachen. Doch sei jener zu Biberach gedacht, über welche ein
nach der ersten Reformationsperiode lebender Berichterstatter sagt: „Die
Kirch hat auch gehabt eine Liberei, ist auch hübsch gewolbt gesin, uff der
Britt Thür ist man ein Schnecken (stieg) darinnen uff gangen . . . Uff
der Liberei seind viel hübsche lat. Predigerbücher, auch andere Bücher ge=
legen, druck und geschriebene. Dazu haben die Helfer (Pfarrvikare, Vitare)
Schlüssel gehabt und der Meßner. Die Liberei hat hübsche gemalte Gläßer
(Glasmalereien) gehabt mit Heiligen des alten Werks (Bundes.)[4]

---

[1] Naumanns Serapeum VI, 35. Die Wiegendrucke in der Stadtbibliothek
zu Braunschweig, bearb. von Nentwig 1891.

[2] Grube, die literarische Thätigkeit der Windesh. Kongregation in: Katholit
1881, I, 56.

[3] Im J. 1440 verfügte Propst Konrad zu Lüna über seine Bücher zu Han=
nover mit der Berechtigung für den Rat, über die Aufstellung anders zu bestimmen.
Kanonikus Volkmar von Anderten vermehrte sie 1479 durch ein ähnliches Vermächtnis.
Serapeum VI, 24, 25.

[4] Freiburger Diözejanarchiv XIX, 19, 45.

Rezensionen und Referate.

Mirbt (Karl), Dr., o. Professor der Kirchengeschichte an der Universität Marburg, Quellen zur Geschichte des Papsttums. Freiburg i. B. und Leipzig, Akademische Verlagsbuchhandlung von J. C. B. Mohr (Paul Siebeck). 1895. XII, 288 S. ℳ 4.

Die vorliegende Quellensammlung soll in der Auswahl des Stoffes die verschiedenen Seiten des Papsttums charakterisieren (s. das Vorwort). Neben Stücken, die zur Erläuterung der Verfassungsgeschichte der katholischen Kirche dienen, begegnen wir anderen, in denen die Kämpfe zwischen Sacerdotium und Imperium sich wiederspiegeln, und solchen, die auf die Lehrentwickelung der Kirche sich beziehen. Der letzteren Art von Quellen ist durch die Aufnahme der Dekrete des Tridentinums (S. 124—87) und des Vatikanums (S. 255—68) soviel Raum gewährt, daß die dogmatischen Stücke der Sammlung, unter denen noch die Bulle Unigenitus und der Syllabus an Umfang hervorragen, ungefähr den dritten Teil der Sammlung ausmachen.

Wohl geben die ersten Seiten des Buches Zeugnis für die Objektivität des Vf.s; eine Reihe von Belegen für die Gründung der römischen Kirche durch Petrus und das Ansehen dieser Gemeinde in den ältesten Zeiten ist hier gesammelt. Andere Stücke rechtfertigen leider das Urteil, daß „über der Wahl der 155 Nummern sichtlich der Stern der Polemik gegen die katholische Kirche gewaltet.'[1] Da die Sammlung zunächst für protestantische Theologen berechnet ist, erklärt sich leicht dieser Thatbestand; doch auch vom Standpunkt der Polemik aus erscheint die Aufnahme einer so plumpen Fälschung, wie wir sie in dem ungarischen Fluchformular (Nr. 134, S. 206 f.) vor uns haben, als ungerechtfertigt.

Eine Sammlung, die seminaristischen Zwecken dienen soll, muß von vornherein auf Vollständigkeit verzichten; sie entspricht in ihrem Umfang

---

[1] Schrörs in der Lit. Rundschau, 1896, Nr. 2, Sp. 42.

jeder billigen Anforderung, wenn für die beschränkte Zahl von Gegen=
ständen, die der Herausgeber behandeln kann, die wichtigsten Stücke in ihr
gesammelt sind. Da M. die bekannte Stelle aus dem Briefe des Pf. Clemens
an Jakobus über die Einsetzung des Clemens zum Bischof von Rom durch
Petrus bringt (Nr. 16, S. 9) und auch die Bestimmungen Nikolaus II,
Alexanders III und Gregors X über die Papstwahl mitteilt (s. die Nr. 65,
86, 97, S. 45, 72, 86), ebenso wie die diesbezüglichen Formeln des Liber
diurnus (s. Nr. 58, S. 32 f.), so fällt es auf, daß die nicht umfang=
reichen Aktenstücke über die Designationen fehlen, die die Päpste Felix IV
und Bonifaz II vorgenommen haben, s. Holder, die Designation der
Nachfolger durch die Päpste, Freiburg (Schweiz), 1892, S. 29 f. — Mit
vollem Recht läßt M. auf den Bericht der vita Hadriani über die Schenk=
ungen Pippins und Karls des Großen an die römische Kirche (Nr. 59,
S. 36 die wichtigsten Stellen aus dem Konstitutum Konstantins (S. 37)
folgen; leider fehlt aber später das Privilegium Ottos I für die römische
Kirche vom Jahre 962, das durch Th. v. Sickel eine so lehrreiche Be=
handlung erfahren hat (Innsbruck 1883). — Der Vf. hat eine Anzahl
von Stellen aus Bernhards Schrift de consideratione aufgenommen
(Nr. 84, S. 65 f.); doch fehlt unter ihnen gerade jene Stelle, die später
in der Bulle Unam sanctam benützt wurde (lib. 4. c. 3, § 7, Migne,
182, 776). — Die zwei Zitate, die M. (Nr. 89, S. 79) zur Cha=
rakterisierung der kirchenpolitischen Anschauungen Innocenz III bringt,
genügen durchaus nicht; die deutlichen Dokumente für die diesbezüglichen
Ansichten des Papstes die Dekretalen Per Venerabilem[1]) und Novit[2])
werden gar nicht erwähnt. — Gegenüber den radikalen Anschauungen eines
Marsilius von Padua (Nr. 100, S. 91) war wohl auch einem Vertreter
gemäßigter Ansichten, wie Dante in seiner Monarchia sie äußert, das
Wort zu erteilen; s. Cipolla (Carlo), il trattato ‚De Monarchia di
Dante Alighieri e l'opuscolo‘ De Potestate regia et papali di Giovanni
da Parigi (Memorie della R. Accademia delle scienze di Torino, Serie
sec. XLII, Classe di scienze morali [1892] S. 325 ff.). — Die vier
Artikel der Deklaration vom Jahre 1682 (Nr. 135, S. 209) sind allerdings
der offizielle Ausdruck der kirchenpolitischen Anschauungen des damaligen
Frankreich; weit klarer aber als die wohlgefeilten Sätze Bossuets lassen

---

[1]) c. 13. **X.** Qui filii sint legitimi 4, 17: Rationibus igitur his inducti
regi gratiam fecimus requisiti, causam tam ex Veteri quam ex Novo Testa-
mento tenentes, quod non solum in Ecclesiae patrimonio, super quo plenam
in temporalibus gerimus potestatem, verum etiam in aliis regionibus certis
causis inspectis temporalem iurisdictionem casualiter exercemus.

[2]) c. 13. de iudiciis 2, 1: Nullus, qui sit sanae mentis, ignorat,
quin ad officium nostrum spectet, de quocumque mortali peccato corripere
quemlibet Christianum, et si correctionem contempserit, ipsum per distric-
tionem ecclesiasticam coercere.

die Artikel Pierre Pithous das System des Gallikanismus erkennen; so
war eine kleine Auswahl aus denselben in unserer Sammlung wohl am
Platze.[1])

Die Texte sind im allgemeinen nach den besten Ausgaben gegeben.
Wie die Verweise bei den Nrn. 65 (S. 45), 83 (S. 64), 85 (S. 68)
deutlich zeigen, ist der 1. Band der Constitutiones et acta publica imperat.
et reg. (Hannover 1893) M. ganz unbekannt geblieben; dasselbe ist wohl
der Fall mit dem 1. Band der Epistolae Merowingici et Karolini aevi
(Berlin 1892), da für Nr. 57 (S. 31) noch die Ausgabe Jaffés benützt
ist. — Die Verdienste Mabillons um den Text der Werke des hl. Bernhard
sind so bekannt, daß es befremdet, wenn am Kopf der Nr. 84 (S. 65)
noch die Ausgabe von Merlo=Horstius zitiert wird. — Nachdem in den
Specimina palaeographica ex Rom. Pontif. registris, Romae 1888,
tab. 46 ein vollständiges Faksimile der Bulle Unam Sanctam veröffentlicht
worden ist, war zunächst dieses für den Abdruck des berühmten Erlasses
Bonifaz' VIII zu verwerten; jedenfalls ist es unpassend, wenn M. Nr. 98
(S. 88) auf das Annalenwerk des A. Bzovius wegen einer Urkunde
verweist, die jedermann leicht im Corpus iuris canonici finden kann (c. 1.
Xvag. comm. de maioritate et obedientia 1, 8). Friedberg hat überdies
in seiner Ausgabe des Corpus iuris canonici (Leipzig 1881) neben der
Vulgatrezension des Textes in den Noten die Lesarten des Originals nach
Raynaldus verzeichnet. — Auch für andere Nummern der Sammlung war
ein Hinweis auf das kanonische Rechtsbuch am Platz, so vgl. zu Nr. 86
(S. 86) c. 6 X. de electione et electi potestate 1, 6 und zu Nr. 97
(S. 86) c. 3 in VI. h. t. 1, 6.

Die Literaturangaben am Kopfe der einzelnen Nummern befriedigen
wenig; bald sind nur Werke von Protestanten zitiert, so bei Nr. 115
(S. 124), bald fehlt jede Angabe wie bei Nr. 139 (S. 212). So lassen sich

---

[1]) S. von den Artikeln Pithous (Nr. 3): Les particularitez de ces Libertez
pourront sembler infinies, et néanmoins etant bien considerées, se trouveront
dépendre de deux maximes fort connexes, que la France a toûjours tenuës
pour certaines. (Nr. 4). La première est, Que les papes ne peuvent rien
commander ny ordonner, soit en general ou en particulier, de ce qui con-
cerne les choses temporelles ès pays et terres de l'obéissance et souveraïneté
du Roy très-chrétien; et s'ils y commandent ou statuent quelque chose, les
sujets du Roy, encore qu'ils fussent clercs, ne sont tenus leur obéir pour
ce régard. (Nr. 5.) La seconde, Qu'encore que le Pape soit reconnu pour
suzerain ès choses spirituelles, toutefois en France la puissance absolue et
infinie n'a point de lieu, mais est bornée par les Canons et regles des
anciens concils de l'Église reçus en ce Royaume ... (Nr. 6.) De ces deux
maximes dépendent, ou conjointement ou séparement plusieurs autres parti-
culieres ... Preuves des Libertez de l'Église gallicane 3. edit. (Paris
1731) I, 15—16.

zahlreiche Nachträge in dieser Beziehung machen; z. B. war zu Nr. 29 (S. 15) Sohm, Kirchenrecht I (Leipzig 1892) S. 372 f. zu zitieren, zu Nr. 47 (S. 26) Duchesne, Fastes episcopaux de l'ancienne Gaule I (Paris 1894) S. 110—117, wo Duchesne den Versuch macht, das Benehmen des Hilarius aus dessen Charakter zu erklären, zu Nr. 130 (S. 194) Hausmann M., Geschichte der päpstlichen Reservatfälle, Regensburg 1868, zu Nr. 135 (S. 209) Mention Léon, Documents relatifs aux rapports du clergé avec la royauté de 1682 à 1705 (Paris 1893) S. 25 f., zu Nr. 139 (S. 212) Schill A., die Konstitution Unigenitus, ihre Veranlassung und ihre Folgen, Freiburg 1876. — Das Verständnis der Sätze des Syllabus (Nr. 149 S. 248) wird wesentlich erleichtert durch die 1865 in Regens- burg erschienene Ausgabe desselben, in der die Aktenstücke, denen die Thesen des Syllabus entnommen sind, vollständig mitgeteilt werden (SS. D. N. Pii PP. IX epistola encyclica data die VIII. Decembris MDCCCLXIV ... unacum Syllabo ... et Actis Pontificiis ex quibus excerptus est Syllabus).

Eine Sammlung von Texten verlangt von dem Herausgeber nicht bloß Takt und Literaturkenntnis bei der Entscheidung über die Stücke, die Auf- nahme finden sollen; auch die Bearbeitung des ausgewählten Stoffes erheischt noch entsagungsvolle Arbeit. Die Wiedergabe der Stücke soll, wenn nötig, bis in das Einzelne getreu sein, eine passende Interpunktion das rasche Erfassen des Textes fördern, genaue Durchsicht das Buch mög- lichst frei von Druckfehlern machen. Leider offenbart die vorliegende Arbeit in all diesen Beziehungen nicht unbedeutende Mängel.

Als Datum der Bulle Exurge Domine (bei M. steht irrig Domini) gegen Luther ist der 16. Mai (f. Nr. 111, S. 114) statt des 15. Juni 1520 angegeben, f. Kolde Th., Martin Luther I (1884), 280, 387. und v. Druffel A., über die Aufnahme der Bulle Exurge Domine, Sitz.-Ver. der bayer. Akad. phil.-hist. Kl. 1880, S. 572 Anm — Der Protest Innocenz X gegen den westphälischen Frieden, f. Nr. 131 (S. 202) hat nicht die Form einer Bulle, sondern eines Breve, wie die Datumszeile klar zeigt;[1] dagegen ist der Erlaß Pius VII Sollicitudo omnium ecclesiarum, durch den der Jesuitenorden für alle Länder wieder- hergestellt wird, eine Bulle,[2] und nicht ein Breve, wie M. bei Nr. 145 (S. 240) angibt. — Für die organischen Artikel zum französischen Kon- kordate, f. Nr. 144 (S. 237) war das Datum (18. germinal an X =

---

[1] Datum Romae apud S. Mariam Majorem, sub annulo Piscatoris, die XX. novembris MDCXLVIII, pontificatus nostri anno V. (Bullarium Taurinense XV, 606.)

[2] Datum Romae apud S. Mariam Majorem anno incarnationis Dominicae millesimo octingentesimo quarto decimo septimo idus Augusti, pontificatus Nostri anno quinto decimo. (Bullarii Romani Continuatio XIII, 325.)

8. April 1802) genau zu verzeichnen. — Die erste Konstitution des vatikanischen Konzils wird nicht selten nach ihren Anfangsworten zitiert; so durfte die Arenga dieser Urkunde beim Abdruck nicht übergangen werden, s. Nr. 150 (S. 255). Während bei den Sitzungen des Tridentinums das Datum im Werke stets angegeben wird, fehlt eine solche Notiz beim Abdruck der zwei Konstitutionen des Vatikanums vom 24. April und 18. Juli 1870.

Kein Mangel des Buches tritt beim Gebrauch deutlicher zutage als die nachlässige Interpunktion der einzelnen Stücke der Sammlung; vergleicht man die von M. benützten Vorlagen mit den dargebotenen Texten, so erkennt man, daß die Fehler zum teil aus der Quelle herübergenommen wurden. — Beim Abdruck der Abendmahlsbulle Urbans VIII, s. Nr. 130 (S. 194) waren in § 2 (S. 195) die Worte: Universitates — interdicimus in Klammern zu setzen, s. Bullarium Taurinense XIII, 531; in § 7 (drittletzte Zeile S. 196) ist das sinnstörende Komma nach privilegiis zu tilgen; in § 25 (S. 202, Z. 1) ist de verbo zu tilgen.

Auf S. XI und XII steht ein ziemlich umfangreiches Verzeichnis von Druckfehlern, nichtsdestoweniger läßt sich dasselbe noch sehr vermehren. In Nr. 47 (S. 26, Z. 10) ist auctoritati statt auctoritate zu lesen; in Nr. 57 (S. 31, Z. 2) beato statt beatae; S. 88, Z. 3 v. u. sorte statt forte; S. 112, Z. 1 ist minimae, wie Bratke a. a. O. richtig liest, zu setzen statt minime; S. 121, Z. 3 v. u. nos statt non; S. 123 § 13 Z. 3 potuimus statt notuimus; S. 124 § 15 Z. 1 generalis statt generales; Nr. 131 § 1 Z. 3 (S. 202) Monasterii statt monasterii.

Durch den reichen dogmatischen Stoff, der, wie im Eingang erwähnt wurde, ungefähr den dritten Teil des Buches ausmacht, berührt sich die Arbeit M.s vielfach mit Denzingers Enchiridion, dagegen finden sich nur wenige Stücke derselben in den ‚Ausgewählten Urkunden zur Erläuterung der Verfassungsgeschichte Deutschlands im Mittelalter von W. Altmann und E. Bernheim 2. Aufl. Berlin 1895' (vgl. Hist. Jahrb. XVI, 904) wieder.

München. A. Gietl.

Zallinger (Otto von), das Verfahren gegen die landschädlichen Leute in Süddeutschland. Ein Beitrag zur mittelalterlich-deutschen Strafrechtsgeschichte. Innsbruck, Wagnersche Universitätsbuchhandlung. 1895. 8°. IX, 261 S. M 6.

Der gelehrte Verfasser liefert uns hier einen tüchtigen Baustein zur Geschichte des deutschen Strafrechts, die erste der von demselben anläßlich der Veröffentlichung seines Vortrags: „Der Kampf um den Landfrieden in Deutschland während des Mittelalters“ angekündigten Untersuchungen. Mit großem Scharfsinn und Fleiß werden hier diejenigen Entwickelungsgebilde des partikulär so verschiedenen deutschen Strafrechts im späteren Mittelalter, welche die Bekämpfung des Gewohnheitsverbrechertums zum Gegenstande

23*

haben, gesammelt und kritisch untersucht. Manche der besprochenen Quellen waren seit Eichhorn schon den Rechtshistorikern bekannt, aber nicht in ihrer Eigenart einer speziellen Seite des Strafrechts erkannt worden. Erst Rich. Löning hat in seinem Werk: „Der Reinigungseid bei Ungerichts= klagen" die Bahn beschritten, auf der Zallinger nun kühn und durchweg überzeugend weitergewandelt ist.

Der Ausdruck „schädlicher Mann", „schädliche Leute" findet sich in mittel= alterlichen Quellen häufig, oft in der Bedeutung von Verbrecher schlechthin, öfter noch in der Bedeutung einer habituellen Eigenschaft. Schädliche Leute nannte man insbesondere die gewerbsmäßigen, berufsmäßigen, die Gewohnheitsverbrecher. Dieser Gewohnheitsverbrecher sind zwei Typen zu unterscheiden: Das professionelle Gaunertum, das seine verbrecherische Wirk= samkeit hauptsächlich in den größeren Städten entfaltete, einerseits, und als weit gefürchtetere und gefährlichere Gruppe andererseits die Raubritter. Dieser Unterschied machte sich vornehmlich geltend in der Verschiedenheit der Mittel und Formen der Bekämpfung der einen oder andern Gattung. Der städtischen Gauner und Vaganten suchte man sich zwar durch summa= rische aber immerhin nur polizeiliche und gelinde Maßregeln (b. Gallen= leute in Augsburg) zu erwehren, dagegen waren die Waffen, welche gegen die durch gewohnheitsmäßige Begehung schwerer Gewaltthaten schädlichen Leute in Anwendung kamen, viel schärferer Art. Die Bekämpfung dieser letzteren Klasse der schädlichen Leute bildete während des ganzen späteren Mittelalters eine Hauptangelegenheit der Reichs= und Territorialjustiz= verwaltung. Es wurde ein außerordentliches Rechtsverfahren immer mehr ausgebildet, in welchem die wesentlichsten Prinzipien des ordentlichen Rechts= ganges, hauptsächlich die günstige Stellung des Angeklagten im Beweis= recht, außer kraft gesetzt waren. Die Strafe war prinzipiell stets der Tod.

Verf. geht hierauf auf die einzelnen dieser Tendenz entsprungenen Rechtsbildungen und ihre Entwickelung ein. Er behandelt zunächst (Kap. II) die Bekämpfungsmaßregeln der älteren Zeit, insbesondere die prozeßrecht= lichen Reformen in den Landfrieden des 12. Jahrhunderts. Es werden die Bemühungen der deutschen Könige um Beseitigung des Raubritter= unwesens beleuchtet. Seit der zweiten Hälfte des 12. Jahrhunderts be= ginnen in der Landfriedensgesetzgebung die Reformen auf dem Gebiete des Rechtsganges, speziell des prozeßualen Beweisrechts. Es galt hier Be= schränkung des Rechts des Beklagten zum Reinigungseid und Beseitigung des Prinzips der Ebenbürtigkeit im Beweisverfahren. Ferner charakterisiert sich das Verfahren vorzüglich als Offizialverfahren. Es werden zunächst in der Treuga Heinrici (Weiland, sächs. Landfrieden aus d. Zt. Friedrichs II, Zeitschr. f. Rechtsgesch. germ. Abtlg. 8, 116 ff.) sogen. „Denominati" erwähnt, gerichtsseitig bestellte Personen, aus welchen allein der Beklagte in gewissen Kriminalfällen für seinen Reinigungseid die ihm nötige Zahl von Helfern suchen durfte. Ebenso läßt dies Gesetz eine Modifikation des

ordentlichen Verfahrens eintreten auf grund eines bestimmten Verdachts=
moments, des Leumundes d. h. des üblen Rufes des Beklagten. Verfasser
deutet hier im Gegensatz zur bisherigen Auffassung den Leumundsbegriff
generell, nicht als Bescholtenheit, der Urheber einer bestimmten That zu
sein, sondern als den Ruf eines schädlichen Mannes.

Die älteste direkte Nachricht von einem besondern Verfahren gegen die
landschädlichen Leute enthält Art. 15 des berühmten Mainzer Landfriedens
Friedrichs II vom Jahre 1235. Vf. bezeichnet das hier vorgezeichnete Ver=
fahren „denunciare aliquem tamquam nocivum terre" als Schädlich=
kündigung (Kap. III). Es handelt sich hier nach Zallinger nicht um eine
Denunziation an das Gericht, sondern von seite des Gerichts, mithin um
ein Verfahren ex officio. Es liegt in dieser Schädlichkündigung ein Analogon
zur Achterklärung. Durch die richterliche Verkündigung wurde ein Verbrecher
jener Personenklasse zugeteilt, welche durch gewohnheitsmäßige Verbrechens=
übung gemeinschädlich war. In den Städten setzte man Strafen auf die
Häufung eines gemeinschädlichen Mannes. Gegenüber der Schwierigkeit
der Rechtsverfolgung gegen die schädlichen Leute im ordentlichen Verfahren
„galt es die Notorietät der verbrecherischen Lebensweise des Beklagten d. h.
die Thatsache eines entsprechenden Leumunds zu irgend welcher beweis=
rechtlicher Relevanz zu erheben, an die Feststellung derselben eine Ver=
schiebung der prozeßualen Situation der Parteien bezw. überhaupt prozeß=
oder strafrechtliche Wirkungen zu Ungunsten des Beklagten zu knüpfen."
Das Verfahren ist weiter zu charakterisieren als Verfahren gegen einen
abwesenden Beklagten, ja als Verfahren ohne Beklagten. Die Schädlich=
kündigung war nicht sowohl ein Kontumazialverfahren als ein Präjudizial=
verfahren, ein Leumundsverfahren. Die Leumundsangabe hatte hier prin=
zipiell einen generellen Charakter, wenn auch im Einzelfall eine gewisse
Spezialisierung möglich war Die Rechtswirkungen der Schädlichkündigung
sind relativ im falle des Erscheinens des Angeklagten eine Erschwerung des
Unschuldsbeweises, absolut im falle der Abwesenheit des Angeklagten eine
definitive und unwiderrufliche Verurteilung in der Sache (unlösbare Acht).
Die gerichtliche Konstatierung des Rufes eines Menschen als schädlicher
Mann hatte somit eine Beschränkung der Rechtsfähigkeit speziell des
Reinigungsrechts zur folge. Der Schädlichkündigung eines einzelnen Mannes
entsprach die Konstatierung der notorischen Schädlichkeit einer Burg, der
Leumund eines Hauses; auch dieser wurde prozeßual in der angegebenen
Richtung verwertet.

Eine weitere Gruppe von Quellen, die Verfasser im IV. Kap.: „Die
Landfrage" zusammenfaßt, dient zum Beweise, daß ein dem Grund=
gedanken nach gleichartiges Verfahren neben der Schädlichkündigung grund=
sätzlich auch von amtswegen stattfand, eingeleitet durch das Mittel der
richterlichen Inquisition und der allgemeinen Rügepflicht. Die wichtigsten
dieser Zeugnisse finden sich in österreichischen Quellen des 13.—15. Jahr=

hunderts. Bisher hat man diese Quellen als Zeugnisse für das normale Rügeverfahren gehalten, ohne ihre spezialrechtliche Bedeutung zu erkennen. Verfasser gibt die Rügegerichte als Wurzel des vorliegenden Verfahrens zu, behauptet aber eine eigenartige selbständige Weiterentwickelung desselben zum Zwecke der Bekämpfung des Gewohnheitsverbrechertums. Die Landfrage gehörte nicht, wie die Abhaltung des gewöhnlichen Rügegerichts, zu den Angelegenheiten der ordentlichen engeren Lokalgerichtsverwaltung, sie war vorbehaltene Angelegenheit der oberen Landrichter. Besonders in der Entwickelung als „stille Frage" (hauptsächlich in Baiern im 13. Jahrhundert) zeigt sich die vom Rügeverfahren abweichende Gestaltung, ihre Bedeutung als außerordentliche direkt vom Landesherrn ausgehende Maßregel. Der Beweis bei der Landfrage ist im Gegensatz zum rügegerichtlichen Verfahren ein Notorietätsbeweis d. h. ein Zeugenbeweis zur Konstatierung der Offenkundigkeit. Der Prozeß der Landfrage begann allerdings wie im Rügegericht mit dem Aufruf des Richters an alle Anwesenden zu Erstattung von Anzeigen. Aber nach der persönlichen und sachlichen Seite bestanden Beschränkungen. Sachlich waren nur Gegenstand dieses Verfahrens die Uebelthaten, denen das Moment der Heimlichkeit anhaftet, die unehrlichen Sachen. Persönlich bestand die Beschränkung darin, daß die Beschuldigung prinzipiell die Behauptung umfassen mußte, daß der Beschuldigte ein schädlicher Mann sei. Die Landfrage stellt sich nach alledem im Gegensatz zum normalen Rügeverfahren dar nicht als Ersatz der privaten Rechtsverfolgung, sondern zufolge seiner summarischen Gestaltung als ein Mittel zu durchgreifender Strafverfolgung gegenüber der auf dem Wege des ordentlichen Prozesses nicht erreichbaren verbrecherischen Thätigkeit.

Der Beweis bei der Landfrage war seit dem Ende des 13. Jahrhunderts ein „Uebersagen mit Sieben" technisch als „Uebersagen" bezeichnet. Durch das Zeugnis von sieben Männern wird die Notorietät des Rufes als schädlicher Mann bewiesen, der Beweis war hier nicht mehr bloß Verdachtsbeweis, sondern wirklicher Schuldbeweis. Insbesondere in dem Recht der Reichsstädte entwickelte sich in der Gestalt des Uebersagens mit Sieben während des 14. Jahrhunderts eine jüngere Phase des Leumundsprozesses gegen schädliche Leute speziell für den Fall, daß der Beklagte gefangen vor Gericht gebracht wurde. (V. Kap. Das Uebersiebnen nach Gefangennahme.) Die herkömmliche Ansicht erblickte in diesen Quellen ein Verfahren, das in genetischem Zusammenhang stehe mit dem Prozeß auf handhafter That. Verfasser sieht auch in dieser Entwickelung eine spezialrechtliche Institution zur Bekämpfung des Gewohnheitsverbrechertums. Der prinzipielle Gegensatz zum ordentlichen Prozeß tritt auch hier im Beweisthema hervor. Dasselbe beschränkt sich auf die allgemeine Behauptung, daß der Angeklagte ein schädlicher Mensch sei, ein Gewohnheitsverbrecher, wie schon Löning richtig erkannt hatte. Die strafrechtsgeschichtliche Bedeutung der hier einschlägigen Satzungen und Privilegien beruht

nicht ausschließlich in der Zulassung des Uebersiebnens, sondern darin, daß
sie die prinzipielle Erlaubnis enthalten, solche gemeinschädliche Leute behufs
Einleitung des Uebersiebnungsverfahrens jederzeit ohne weitere rechtliche
Voraussetzung festzunehmen und vor Gericht zu führen. Darin liegt die
durchaus eigenartige Entwickelung dieses Instituts. Bisher durfte der Ver=
letzte den Thäter nur im Fall der handhaften That gefangen nehmen und
auch der Richter mußte dem Ladungsverfahren zunächst seinen Lauf lassen,
ehe er die Gefangennahme verfügen konnte oder Acht aussprach.

Seit der zweiten Hälfte des 14. Jahrhunderts zeigte sich immer
allgemeiner die Tendenz nach einer Erleichterung der Strafverfolgung
gegen landschädliche Leute. Es entwickelten sich zwei neue Formen des
Verfahrens gegen gefangene landschädliche Leute, das Verfahren mit
Folterung, das einen Ersatz des Richtens auf Schädlichkeitsbeweis d. h.
Leumundsbeweis bildete und mit durchgreifender Anwendung der Tortur
das alte Uebersiebnungsverfahren immer mehr in den Hintergrund drängte,
und anderseits das Richten nach Leumundsbrief, wesentlich eine Fort=
bildung des Uebersiebnungsverfahrens (VI. Kap.). Beide Entwickelungs=
zweige knüpfen sich an das Aufkommen eines vorläufigen inquisitorischen
Verfahrens gegen die in Haft gebrachten Inkulpaten. Das im Vorverfahren
abgelegte Geständnis sollte in jedem Fall Grundlage der Verurteilung
bilden. Beim Verfahren mit Folterung hielt man zwar noch an der Ab=
haltung des akkusatorischen Rechtstages fest, gestattete aber eventuell den
Ersatz des gerichtlichen Geständnisses bezw. der Uebersiebnung durch die
Bezeugung der außergerichtlichen „Urgicht“ seitens jener Amtspersonen
(Ratsmitglieder in den Städten) in deren Gegenwart während der Tortur
dieselbe abgelegt worden war. Das Richten nach Leumundsbrief war die
letzte Gestaltung des auf den Leumundsbeweis gegründeten Verfahrens
gegen die landschädlichen Leute. Den außerordentlichen spezialrechtlichen
Charakter dieses Verfahrens erweist die Thatsache, daß die entsprechende
Gerichtsbarkeit bezw. Gerichtsgewalt und ihre Erteilung bestimmt von der
hohen Strafgerichtsbarkeit als solcher bezw. dem Blutbann unterschieden
und getrennt wurde. Der Unterschied gegenüber dem alten Uebersiebnungs=
verfahren bestand in der eingetretenen Umbildung der Form des Beweis=
verfahrens. An stelle des einseitigen rechtsförmlichen trat ein inquisi=
torischer formloser Schädlichkeitsbeweis, indem die Leumundszeugen im
Vorverfahren vom Rat vernommen wurden und das Ergebnis durch amt=
lichen Spruch, der die Grundlage des Urteils bildete, festgestellt wurde.
Der Unterschied vom Verfahren mit Folterung aber bestand darin, daß,
während dort die konkrete Schuld des Beklagten, hier die Bezeugung des
im Vorverfahren erzielten Schädlichkeitsbeweises Gegenstand des klägerischen
Beweises auf dem Rechtstag war.

Das Uebersiebnungsverfahren wurde im Art. 273 der bambergischen
Halsgerichtsordnung aufgehoben. Das Verfahren auf Leumundsbrief über=
dauerte die reichsgesetzliche Einführung der Karolina nicht.

In einem letzten (VII.) Kapitel „Die spätere Anwendung des Schäd=
lichkeitsbeweises gegen abwesende Beklagte bei den ordentlichen und den
Landfriedensgerichten" behandelt Verfasser noch die neben den zuletzt ge=
nannten Verfahrensarten gegen den anwesenden Angeklagten parallel her=
gehende Rechtsverfolgung gegen nicht gefangene d. h. abwesende Personen.
Hauptsächlich kommt hier in betracht die Anwendung eines Leumunds=
verfahrens gegen schädliche Leute auf gewöhnliche Privatanklage und in
contumaciam bei den Landfriedensgerichten d. h. auf den Gerichtstagen,
welche die in den zahlreichen Landfriedensbündnissen des 14. und 15. Jahr=
hunderts zur Handhabung der Landfriedensjurisdiktion eingesetzten Ge=
schworenenkommissionen abhielten.

Zum Schlusse dieser Besprechung füge ich eine noch ungedruckte Stelle
aus dem ältesten Konstanzer Ratsbuche bei. Ich teile dieselbe mit Reser=
vation mit, erblicke aber in ihr ein Beispiel des Leumundsverfahrens in
den Reichsstädten in dem Sinne, wie Zallinger S. 62 f. eine Stelle
aus dem Augsburger Achtbuch mitteilt. Ein Achtbuch wurde in Konstanz
nicht geführt, ist jedenfalls nicht mehr vorhanden, die Zeugnisse für die
praktische Anwendung eines Verfahrens gegen landschädliche Leute sind in
den Ratsprotokollen enthalten.

Das älteste Konstanzer Ratsbuch (Stadtarchiv Konstanz) enthält auf
Seite 73 zum Jahre 1381 folgenden Eintrag:

‚Dis sint die belumdet sint von des mordes wegen in Niderland:

Item. Cuntz Kerris von Höngg.

Hans Niemervol.

Haintz Trubach.

Nienergalt.

Cuntz Bock.

Der Kanderer.

Sin sun.

Gebürli von Rotwil, ain swartzer
kurzer kneht.

Frik von Tuwingen, der het ain hur
hus ze -Wintertur.

Der Muloht Frank, der wandelt ze
obern Baden und da obenenen.

Hertzog Bekler, der wandelt och ze
Baden.

Ulrich Presse.

Der klain Mayger.

Ulrich Kaibe.

Der Wilde, ain bube.

Der Swab, ain bub.

Hans der Switzer von Switze.

Hödi von Tuwingen.

Wernsperg von Blaburren, ain kurtzer
kneht mit ainem swartzen bart.

Rebli von Ehingen.

Hug Mutschler mit ainem röten bart,
ain langer kneht.

Aberli von Bremgarten, ain schuch=
mach, ain junger langer kneht.

Cuntz Snider von Mollingen, ain
swartzer langer kneht

Cuntz Müller, der da sitzet bi An=
dolfingen an der Thur uff der muli
und ist ain großer kneht mit ainem
roten bart.

Aberli Börer ⎫ die sint von Pfortzhain
Sin bruder ⎬ burtig und wonent ze
⎭ Kanstat.

Ruff Bösche uff der Albe bi Berloch
bi Mötelstätten.

Der Dryer von Coſtenß.   Cuntzli Grint, der wônet ze Ken=
Peter Bikker der wonet ze Rapreswile   ßingen.
und nimt ſich Frieſen Werkes.
                    Und iſt iro wortzaichen: ſtrowüſch.

Weitere Beiträge werden die von mir im Auftrage der badiſchen
hiſtoriſchen Kommiſſion zu bearbeitenden Konſtanzer Stadtrechtsquellen
liefern.

Konſtanz.   K. Beyerle.

Chartularium Universitatis Parisiensis sub auspiciis consilii
    generalis Facultatum Parisiensium ex diversis bibliothecis tabu-
    lariisque collegit et cum authenticis chartis contulit H **Denifle**
    O. P., in archivo Apost Sed. Rom. vicar., ... auxiliante
    Aemilio **Chatelain**, Bibl. Univ. in Sorbona conservatore adjuncto.
    Tomus III ab anno MCCCL usque ad annum MCCCLXXXXIV.
    Parisiis ex typis Fratrum Delalain. 1894. 4⁰. XL u. 777 S.
    fr. 30.

Auctarium Chartularii Universitatis Parisiensis sub auspiciis
    consilii generalis Facultatum Parisiensium ediderunt H **Denifle**
    O. P. et Aemilius **Chatelain** . . . . Tomus I. Liber Pro-
    curatorum Nationis Anglicanae (Alemanniae) ab anno
    MCCCIII usque ad annum MCCCCVI. Parisiis. 1894. 4⁰. LXXX
    u. 992 S   fr. 30.

In unſerem ausführlichen Berichte über den zweiten Band des Char=
tulariums (Hiſt. Jahrb. XVI, 359—72) haben wir bereits das Erſcheinen
der beiden obenverzeichneten Bände kurz ankündigen können; wenn jetzt
noch einmal etwas des näheren darauf zurückgekommen wird, ſo geſchieht
es zunächſt in Anſehung der beſonderen Bedeutung des Zeitraumes, welchen
dieſelben zum Gegenſtande der Darſtellung machen; zumal aus dem Char=
tularium erhellet deutlich, welch hervorragende, ja ausſchlaggebende Stellung
die Pariſer Hochſchule in dem welthiſtoriſchen Konflikte des großen Schismas
im ausgehenden 14. und beginnenden 15. Jahrh. eingenommen hat.[1]

---

[1] Welch reiche Fundgrube hiſtoriſchen Materials für die Geſchichte des
occidentaliſchen Schismas gerade dieſer 3. Bd. des Chart. und des Auctar. bilden,
kann man ermeſſen, wenn man die neueſte Darſtellung deſſelben durchgeht, welche
Noel Valois in ſeinem vor kurzem erſchienenen zweibändigen Werke: La France
et le Grand Schisme d'Occident (Paris 1896) uns geboten hat. Es darf an
dieſer Stelle wohl auch an die ſehr beachtenswerten Abhandlungen des gleichen
Vfs. »Le Grand Schisme en Allemagne« (1370—80) aus dem Jahre 1893 erinnert
werden. V. hat auch D.s Chart. III einer überaus günſtigen Beſprechung unterzogen
(Annuaire Bullet. de la Soc. de l'hist. de France 1894).

Die gelehrte Welt wird es den Herausgebern aufs wärmste danken, daß sie sich noch vor der ursprünglich zuerst beabsichtigten Herausgabe des Bandes über die „Collegia saecularia" der Pariser Hochschule, welcher den Schluß des zweiten Bandes des Gesamtwerkes bilden soll, an die Fortsetzung der Dokumentenausgabe, die sich auf die Geschichte der Gesamt- universität bezieht, gemacht haben und uns damit ein reiches, hoch- bedeutsames Material zur genaueren Kenntnis eines Zeitraumes bieten, dessen Erforschung sich gerade unsere Zeit mit besonderem Eifer und Erfolge widmet; doppelt erfreulich ist es, daß uns auch der diese Epoche abschließende 4. Bd. des Chartulariums (bis zum Jahre 1420 reichend) schon für eine nahe Zukunft in Aussicht gestellt wird, wahrhaft ein ge- waltiges Werk, von dem die Herausgeber zu Eingang der introductio mit vollstem Rechte schreiben können „cui plurimum laboris, perscrutationis, studii impendendum fuit".

Wer an der Hand der früheren Bände, freilich nicht bei flüchtiger Durchsicht, sondern in angestrengtem Studium einen Einblick in das endlose weitverzweigte und zum guten Teile noch wenig durchforschte, oder wenigstens nicht durchweg in einer den Anforderungen unserer Zeit entsprechenden Weise in Angriff genommene Material zu gewinnen Gelegenheit hatte, der vermag die Wichtigkeit und Verdienstlichkeit dieser ebenso umfassenden als gründlichen Arbeiten wenigstens annähernd zu würdigen; sie reicht weit über den Rahmen der Pariser Universitätsgeschichte, ja der Universitäts- geschichte überhaupt hinaus; darum gebührt ihrer Würdigung auch in dieser Zeitschrift eine angemessene Stelle.

Mitten in die Verhältnisse der Universität an der Wende des 14. und 15. Jahrh., ihre Stellung und Wirksamkeit im vielfachen Widerstreite der Geister in jener denkwürdigen Epoche, die mit zu den glänzendsten Zeug- nissen von der Unüberwindlichkeit der Kirche Christi gehört, führt uns die sehr eingehende und lehrreiche introductio zum Chartularium, in muster- giltigem Latein von P. Denifle verfaßt. Der Papst und die Universität Paris galten als „duo oculi mundi", und doch würde man irren, wenn man annehmen würde, daß der letzteren innere Blüte und Kraft jenem hohen Maße äußeren Einflusses voll entsprochen habe, über welches sich zeitgenössische Schriftsteller und hervorragende Kirchenfürsten mit über- schwänglich erscheinenden Lobeserhebungen äußern; selbst des Königs Autorität mußte sich vor ihr beugen,[1] aber daneben zerklüftete häufig innerer

---

[1] Ueber die Beziehungen der Universität zum Parlament vergleiche man jetzt das neue, sehr schätzenswerte Werk von Fel. Aubert: Histoire du Parlement de Paris de l'origine à Francois Ier [2 Voll. Paris 1894. (Vgl. Hist. Jahrb. XVI 819—22)] bes. im 1. Bd. S. 311 ff. Gerade aus Denifles neuestem Bande ließen sich noch manche Beiträge zu diesem Kapitel der Geschichte des Parlaments zu- sammenstellen.

Zwist den Lehrkörper und in mehr als einer Fakultät war trotz einzelner
zu beachtender Namen, um nur an Pierre d'Ailly, Albert von Sachsen,
Heinrich von Langenstein und vor allem an das glänzendste Gestirn zu er=
innern, das der Universität aufging, an Gerson, doch der innere Rückgang
in mannigfacher Richtung nicht zu verkennen. Wie der unselige, durch
die politische Einmengung der Nationen in die kirchlichen Angelegenheiten
vor allem veranlaßte Schismastreit in alle Verhältnisse Verwirrung und
Verwilderung brachte, so berührte er auch den Glanz der Pariser Hoch=
schule in ihrem innersten Wesen störend und spaltend, wenn auch nach
außen hin ihre Macht zu wachsen schien, je mehr das Königtum und das
Papsttum in Avignon an Macht und Ansehen abnahm; das alles ist von
D. in klaren Zügen in der Einleitung dargelegt. Wichtiger noch ist es,
daß in dem Chartularium viele neue Thatsachen und eine große Reihe
neuer Dokumente zur Geschichte jenes halben Jahrhunderts geboten und
viele andere in einer im Vergleiche zu den Editionen Du Boulais und
C. Jourdains wesentlich richtigeren und vollständigeren Form vorgeführt
werden; dies gilt auch, um das sogleich hier zu bemerken, vom Auctarium,
das überhaupt im engsten Zusammenhange mit dem 3. und 4. Bd. des
Chartulariums gewürdigt werden muß. Die 520 Dokumente, die ausführlich
wiedergegeben oder in kurzem Resumé mitgeteilt sind, vom 12. Sept. 1350
bis zum Tode des Papstes Klemens VII (16. Nov. 1394), werden im
allgemeinen in chronologischer Folge vorgeführt; doch wird diese in der
Weise unterbrochen, daß alle auf die gleiche Materie bezüglichen Akten=
stücke in fortlaufendem Zusammenhange gegeben werden, wodurch uns die
Möglichkeit geboten ist, alles Einschlägige an der gleichen Stelle des
umfangreichen Bandes vereinigt vor uns zu haben; die streng chronologische
Aufeinanderfolge aller Dokumente führt uns ohnehin am Schlusse der
Konspekt (Tabula) derselben mit Angabe der Abfassungszeit, des Inhalts
usw. vor Augen. Es ergeben sich darnach vor allem drei große Gruppen:
erstens der Streit der Universität gegen den von Klemens VII ernannten
Universitätskanzler Johannes Blanchart, zweitens die große Kontroverse
gegen den Dominikanermönch Johannes de Montesono (Montson) „de
immaculata conceptione B. M. V." und endlich der große Schismastreit.
An manchen Stellen möchte man freilich die Mitteilung des vollen Inhalts
der Dokumente wünschen, wir erinnern an Nr. 1460, 1636, 1653, 1664
u. a.; anderseits bieten die in diesem Bande besonders zahlreichen und oft
sehr eingehenden Inhaltsangaben und Anmerkungen einen sehr dankens=
werten Ersatz; enthalten doch gerade sie einen ungewöhnlichen Reichtum
an Mitteilungen über die in den Dokumenten genannten Oertlichkeiten,
Persönlichkeiten usw. über deren Lebensstellung, spätere schriftstellerische
und sonstige Thätigkeit über aller Herren Länder hin und dazu noch
oft in bedeutsamen Punkten Ergänzungen und Richtigstellungen ander=
weitiger Mitteilungen; statt vieler von Denifle an die einzelnen Dokumente
angeknüpfter Exkurse verweisen wir nur auf die scharfsinnige chronologische

Erörterung zu dem wichtigen „Rotulus Univers. Paris. ad Clementem VII
miss." (S. 242 ff. und S. 250). Freilich macht sich bei der großen
Menge dieser Noten der etwas zu kleine Druck des Textes unangenehm
fühlbar.

Inbezug auf den überreichen Inhalt der Dokumente müssen wir
uns hier mit wenigen Andeutungen begnügen. Nicht ohne Interesse ist
ein aus dem Spätjahre 1375 stammendes Aktenstück: „Inquisitio Facultatis
theolog. Paris., quisnam librum Marsilii de Padua et Johannis de
Janduno in linguam Gallicam traduxerit", diese auf Veranlassung des
Papstes Gregor XI auf verschiedene Persönlichkeiten ausgedehnte Unter=
suchung ergab ein durchaus negatives Resultat; wir erfahren hiebei ge=
legentlich, daß dem berühmten Sachwalter Ludwigs des Bayern, Johannes
de Janduno (Genduno), der Titel eines „magister in theologia" (ebenso
wie das Bistum Ferrara) von seinem Gönner L. d. B. verliehen worden
sei; wenn sodann aus jenem Dokumente entnommen werden kann, daß
gerade damals die Marsilianischen Doktrinen wieder lebhafter verbreitet
wurden, so wird man hiebei unwillkürlich an die Thatsache erinnert, daß
in jenen Jahren auch das „Somnium Viridarii" [1]) entstanden ist, dessen
Vf., Philippus de Maseriis (de Maiziéres), in dem 3. Bd. zum erstenmal
zum Nov. 1378 angemerkt ist (S. 664), wonach Papst Urban VI ihm in
einem Schreiben seine Angelegenheit und seine Boten empfiehlt. Der
große Rotulus von 1387 (S. 445—63) verrät bereits deutlich den Rück=
gang der Frequenz seitens deutscher Hörer; nur 4 Deutsche erscheinen noch
dort; wegen des unseligen Schismas war schon einige Jahre zuvor eine
größere Auswanderung an deutsche Hochschulen erfolgt. Dem oben er=
wähnten Streite der Universität gegen Blanchart gilt eine längere Reihe
von Aktenstücken, noch ausführlicher ist diejenige Partie, welche den in der
Dogmengeschichte berühmten Streit der Universität gegen die Dominikaner,
besonders gegen Johannes de Montesone umfaßt, der eigentlich schon mit
dem Jahre 1362 seinen Anfang nimmt, aber unter dem genannten
Lizentiaten der Theologie seinen Höhepunkt erreicht[2]) (1387—91, 27 Akten=

---

[1]) Vgl. die sehr eingehende Abhandlung von K. Müller in der Zeitschrift
f. Kirchenrecht 14. Bd. (1879) S. 134 ff. über das Somnium Viridarii, wogegen
unseres Erachtens ganz zutreffend Hollweck (Der apost. Stuhl in Rom, S. 31)
mit dem Bemerken auftritt, daß unter Bezugnahme auf eine ganz bestimmte Hin=
weisung auf das bereits eingetretene Schisma (Cap. 363) die Abfassungszeit des=
selben nicht vor dem Herbste 1378 (nicht 1376!) zu setzen sein dürfte. Vgl. jetzt auch
N. Valois a. a. O. I, 374 und K. Wenck in der Hist. Ztschr. hier unten S. 366.

[2]) Es ist bekannt, wie dieses Thema zu den eingehendsten Erörterungen zumal
bei den Theologen der verschiedenen Orden jener Jahrzehnte den Stoff geboten hat.
Wir möchten an dieser Stelle nur an einen im Eichstätter cod. 114 enthaltenen
»Tractatus magistri Mathie de Cracovia ordinis Chartusiani domus Erfordensis
de conceptione beatae Virginis« (ungefähr aus dem J. 1454 stammend) erinnern;

ftücke, S. 486—533). Die Dominikaner werden infolgedeſſen für einige
Zeit von der Hochſchule ausgeſchloſſen, was Gerſon dann ſo ſehr beklagt.
Die Univerſität Paris feierte das Feſt der unbefleckten Empfängnis am
8. Dezember ſchon längere Zeit, wie man unter anderem auch aus einem
aus dem Jahre 1366 ſtammenden „Kalendarium Nationis Anglicanae"
entnehmen kann (vgl. Auctarium I, S. 11). Die umfaſſendſte Gruppe
bilden aber die Dokumente zum großen Schisma (Nr. 1605—95,
S. 552—639), denen eine gedrängte Ueberſicht über die Stellung der
Univerſität zu dieſer großen Zeitfrage von den Herausgebern vorausgeſchickt
wird, aus der die ganz merkwürdige Entwicklung dieſer bedeutſamen Periode
der Geſchichte erſichtlich iſt. Im Anhang (Addenda) ſind noch weitere
dankenswerte Beiträge zum gleichen Abſchnitte gegeben (S. 663 ff.). Von
jener denkwürdigen Urkunde an, in welcher der berühmte Marſilius von
Jnghen von Tivoli aus (21. Juli) ſich von der Univerſität Paris Ver=
haltungsmaßregeln gegenüber der bereits ausgebrochenen Zwietracht inbezug
auf Urban VI erbittet und dem Schreiben der „cardinales dissidentes
Anagniae degentes" an die gleiche Hochſchule vom 21. Auguſt 1378, in
welchem der genannte Papſt bereits als „invasor" bezeichnet wird, bis
herunter zum Todestag des unglücklichen Oberhaupts der Kirche, Klemens VII
(16. Sept. 1394), werden wir über alle Stadien unterrichtet, welche die
Univerſität bei dieſem Frankreich, ſeine Regierung und ſeine erſte Hochſchule
vor allem berührenden Konflikte durchlaufen hat. Speziell die Haltung
der „natio constantissima", der natio Anglicana erregt dabei unſer
beſonderes Jntereſſe, doch iſt hier nicht der Ort für einen derartigen hiſtor=

Finke zitiert ihn nicht ganz richtig (Liter. Handw. 1889. S. 285); er findet ſich
in 2 Partien verteilt auf fol. 158—60 und 195—97. Nirgends vermochten wir
übrigens, auch nicht bei Petrejus, Motſchmann u. a., irgend eine Notiz über dieſen
Erfurter Mönch anzutreffen, noch weniger Anhaltspunkte dafür, ob er wie Finke
an genannter Stelle vermutet, der Bf. der bekannten Schmähſchrift ›de squaloribus
curiae Romanae‹ ſei, die auch bei Scheuffgen dem vielgenannten Matthäus de
Cracovia, dem ſpäteren Wormſer Biſchofe zugeſchrieben wird. Was dieſen ſelbſt
anlangt, ſo wird er in zahlreichen Schriften als ›doctor Parisiensis‹ angeführt,
vgl. A. Voigt (Verf. einer Geſch. d. Univ. Prag) und einige bezeichnen ihn ſogar
als ehemaligen rector universitatis Parisiensis (ſo ſchon Balbinus, Bohemia
docta, ed. Ungar. II, S. 284), was aber Millauer (Krit. Beiträge zu A.-B.s
Verſ. e. G. d. U. Prag, S. 16) widerſpricht, der zugleich anmerkt, daß er ſich zum
Jahre 1372 in Prag, wie er meint, wohl infolge eines Schreibfehlers, als Matthias
de Cracovia vorgetragen finde. Auffällig bleibt es, daß er weder im Chartularium III
noch im Auctarium erwähnt wird (auch Budinſky führt ihn als Pariſer Magiſter auf,
S. 151). Da auch Bulaeus IV, S. 975 ſeinen Namen, wenn auch ohne Jahreszahl
mit dem Vermerk aufführt ›primum Pragae, deinde Parisiis Theologicae scholae
Praesidens (Decanus)‹ — als ſein Todesjahr iſt an jener Stelle durch Verſehen
1309 angegeben — ſo muß angenommen werden, daß ſeine Aufenthaltszeit in jene
Jahre fällt, über die leider das Auctarium die angemerkten Lücken hat.

iſchen Exkurs, obſchon ſich manche neue Geſichtspunkte und manche Be=
richtigung früherer Darſtellungen in dieſem oder jenem Punkte dabei
ergeben würden; die Beſtrebungen, dem unheilvollen Schisma ein Ende zu
machen, werden gerade von der Pariſer Univerſität ſchon frühzeitig und
dann durch viele Jahre hindurch mannhaft verfolgt und der Hinweis auf
die Berufung eines allgemeinen Konzils zum gleichen Zwecke, wie ihn
Konrad von Gelnhauſen in ſeiner Epistola concordiae dem Könige Karl VI
gegenüber macht, wird durch viele Jahre hindurch auch von der Univerſität
als der beachtenswerteſte Weg erklärt (ſ. S. 582, d. d. 20. Mai 1381
u. viele ſ. Dokumente ſ. unten S. 366). Ein ſchwerer Konflikt mit Ludwig von
Anjou hat eine vorübergehende Einſtellung der Univerſitätsvorleſungen
und was noch wichtiger wurde, den Weggang hervorragender Lehrer von
Paris zur Folge — Ende Juni 1381 oder Anfangs 1382 — ſo des
Konrad von Gelnhauſen, Heinrich von Oyta; vermutlich iſt auch Heinrich
von Heſſen (Langenſtein) ſchon damals und nicht erſt 1383 von Paris
weggezogen (ſ. S. 583 ff.). Aus einem intereſſanten Schreiben des Prager
Erzbiſchofs und königlichen Kanzlers Johannes von Jenzenſtein erſehen
wir ſogar, daß im Herbſte 1381 ernſtlich an eine Verlegung der Pariſer
Univerſität nach Prag gedacht wurde, was der damals in Frankfurt weilende
Prälat mit dem Wunſche begleitet: O, Utinam spoliata Francia ditaretur
Boemia et veniret nobis dies consimilis, que spoliavit Egiptios et ditavit
Hebreos! (S. 584 ff.) Mit Urbans Tod[1]) beginnen neue ernſte Be=
ſtrebungen um die Beilegung des unheilvollen Schismas, was D.=Ch.
S. 594 näher nachweiſen. Die Pariſer Univerſität vertritt auch dem
Könige gegenüber mit Nachdruck dieſen Unionsgedanken; freilich trat bald
eine Wendung ein; König Karl VI verbot, daß von der „unheilvollen
Sache" überhaupt noch weiter geredet werde; vermutlich bald darauf er=
ſcheint jener merkwürdige Traktat, der den Beweis dafür erbringen will,
daß die Erreichung der Einigung der Kirche das ſtete, nie außer acht zu
laſſende Ziel der Hochſchule bleiben müſſe. Im Juli 1593 verweilt der
damals ſchon ſehr einflußreiche und gewandte Kardinal Petrus de Luna
als Geſandter Klemens VII in Paris, und an ihn wandte ſich die Uni=
verſität durch einen geſchickten Delegierten (S. 599), ihm ihre Sache zu
empfehlen, worauf unterm 4. Auguſt des gleichen Jahres Guillelmus Barrant
dazu beſtimmt wurde, vor Petrus d. L. die Propoſitionen bezüglich der

---

[1]) Inbezug auf den auch von Paſtor Johannes von Lignano zugeſchriebenen
›Tractatus de electione . . . et coronatione Urbani VI‹ bemerkt D. (S. 557,
Note zu 1611), daß dies ein Irrtum ſei; meine Durchſicht des betr. Codex Eich-
stadiensis, Nr. 269) (aus d. Mitte des 15. Jahrhs.) ergibt, daß zwiſchen S. 223
und 225 anderthalb Seiten leergeblieben ſind, das iſt an jener Stelle, an welcher die
zwiſchen der Krönung Urbans VI und der Huldigung der Kardinäle und andererſeits
der Entfernung der Kardinäle nach Anagni vorgefallenen Ereigniſſe zu erwähnen
geweſen wären.

Einigung der Kirche zu vertreten, die man bereits dem Könige vorgelegt hatte (vgl. auch Auct. I, 681), gleichzeitig wirkte von Wien aus Heinrich von Langenstein im steten Kontakte mit der Pariser Hochschule im gleichen Sinne (S. 598 ff.). Der großen, 10,000 Angehörige der Universität um= fassenden Abstimmung über die Wege zur Einigung der Kirche folgen mehrere Versammlungen, über die zum teile bisher unbekannte Dokumente beigebracht werden (Note 1675, S. 604 — 11), und dann das bedeutsame Schreiben der Universität über die drei möglichen Wege zur Beseitigung des Schismas, inbezug auf welches festgestellt wird, daß seine eigentlichen Verfasser Petrus de Ailliaco und Egidius de Campis (Gilles des Champs) seien, während Nicolaus de Clamengis (de Clamanges), der Meister „tulli= anischer Beredsamkeit", für den gediegenen Inhalt die elegante Form zu bieten hatte, ein herrliches Schriftstück voll warmen Verständnisses für das, was der Kirche not thut, und voll erhabener Begeisterung für die Mittel zur Abhilfe und in edelster Form der Darstellung (S. 617 ff.) [1] — leider blieb verschiedener Hindernisse wegen fast jeder Erfolg aus. Ein neues Schreiben soll an Klemens VII abgehen, als ihn der Tod ereilt, worauf sofort an den König seitens der Universität eine Vorstellung abgeht im Sinne ener= gischer Bemühung für die endliche Beseitigung der Kirchenspaltung; hierauf erfolgt ein warmes Glückwunschschreiben Heinrichs von Langenstein aus Wien an den hochberühmten Kanzler Petrus de Ailliaco (S. 637 ff.), womit die Reihe der im 3. Bande mitgeteilten Dokumente abgeschlossen ist.

Wollten wir neben diesem summarischen Hinweise auf den Gang der Dinge an der Pariser Hochschule, wie es dem reichen Materiale gerade dieses Bandes entnommen werden kann, auch noch die große Reihe illustrer Persönlichkeiten, die uns in diesen viereinhalb Jahrzehnten begegnen, an dieser Stelle vorführen, so würden wir unsere Besprechung ungehörig weit ausdehnen; auf die hervorragendsten derselben, soweit sie der „natio Angli- cana (Alemanniae)" angehören, werden wir weiter unten im Anschlusse an unsere Bemerkungen zum Auctarium hinweisen; von den Franzosen haben wir den „indefessus a veritate aberrantium malleus", Pierre d'Ailly, Nicolaus de Clamengis und den Mann, der mit seinem Namen bald die Welt erfüllen sollte, Pierre d'Aillys größten Schüler, Johannes Gerson, bereits mehrmals erwähnt; letzterer kommt zum erstenmale in dem großen Rotulus facultatis artium (natio Gallicana, provincia Remensis) vom

---

[1] Damit ist zu vergleichen die herrliche Predigt Gersons am Osterfeste (19. April) vor den kgl. Prinzen. Für Nicolaus de Clamengis wird von D.=Ch. der Familien= beiname Poillevillain festgestellt (S. 452. 454). Das Schreiben der Universität ist vom 6. Juni datiert und nicht vom 8., wie bei Hefele=Knöpfler (Konz.=Gesch. VI², S. 824), bei Schwab (Gerson, S. 130) und sonst angegeben wird. Daß Nic. de Cl. ein Karthäuser gewesen sei, finde ich als Vermutung angeführt von Petrejus, Bi- bliotheca Cartusiana, S. 348 ff.

31. Juli 1387 neben „Nicolaus de Clamengis" vor als „Johannes Árnaudi de Gersonio, cler. Remens. dioc. mag. in art. stud. in theol. in septimo auditionis sue anno (S. 452 u. 454), wo D. darauf hinweist, daß gerade nach dieser Stelle feststehe, Gerson sei schon 1381, nicht erst 1382, wie auch Schwab (Gerson S. 84) annimmt, zur Theologie übergegangen. Seine Haupttätigkeit fällt übrigens in die Zeit, mit welcher sich der 4. Band des Chartul. beschäftigen wird. Nikolaus v. Oresme erscheint zum letztenmale zum Jahre 1375 (S. 225 ff.) — Von berühmten Rechtslehrern jener Zeit erwähnen wir nur: Johannes Tonsor (Jean Barbier), Amelius de Brolio (Dubreuil), Jakobus Divitis (Le Riche), zum erstenmale zum Sept. 1355, zum letztenmale zum Jahre 1379 genannt. Zur Geschichte und den Gebräuchen der Juristenfakultät enthält gerade dieser Band manches neue Material, ähnlich verhält es sich mit mehreren anderen, in diesem Bande zum erstenmale veröffentlichten Statuten für die Theologen und Mediziner. Auch die Ordensgeschichte empfängt daraus manche recht schätzenswerte Bereicherung.[1]) Die beste Uebersicht über all dieses bietet der auch dem 3. Bande wieder beigegebene sehr ausführliche und verlässige „Index rerum" (S 756 — 77), dem ein nicht minder genauer, viele tausende von Namen und Nachweisungen enthaltender „Index personarum per nomina et praenomina" vorangeschickt sind.

Das Auctarium über dessen Inhalt und Bedeutung wir durch die vorausgeschickte Introductio, die Denifle zum Verfasser hat, genauer unterrichtet werden, soll jene bis zum Ende des 15. Jahrhunderts reichenden Quellen zur Pariser Hochschulgeschichte umfassen, die in sich abgeschlossen und zu umfangreich sind, um dem Chartul. einverleibt zu werden. Drei Bände werden sich mit den „libri procuratorum der natio Anglicana" — seit 1367 mehrfach natio Alemanniae genannt — reichend bis zum Jahre 1492, befassen, während der letzte Band das entsprechende weniger bedeutsame und mangelhaft überlieferte Material der natio Gallicana und der natio Picardorum enthalten wird, und das der vierten Nation, der natio Normannorum, weil erst in späterer Zeit beginnend, unbehandelt bleiben soll. Auch ist nur die Facultas artium in dem Auctarium als die wichtigste und größte berücksichtigt. Leider haben die Prokuratoren nicht zu allen Zeiten mit der gleichen Genauigkeit und Verlässigkeit ihres Amtes in der Aufzeichnung für ihre nur kurz dauernde Funktion gewaltet, und manches ist unbeachtet geblieben, was des Aufzeichnens und der Ueberlieferung

---

[1]) Man vergleiche jetzt auch den 3. Bd. von Abbé Ferets: La Faculté de Théologie de Paris et ses docteurs les plus célèbres. Moyen-âge. (Paris, Picard et Fils. 1896), der gerade das 14. Jahrh. umfaßt und die den verschiedenen Orden angehörigen Pariser Scholaren und Magister eingehender behandelt, freilich nicht in einer immer befriedigenden Weise. Wir hoffen an anderer Stelle auf dieses Werk zurückkommen zu können.

an die Nachwelt würdig gewesen wäre; einzelne Jahre, so 1359—62,
weisen größere Lücken auf, und die Zeit von 1365—68 und 1383—92,
also gerade ein sehr wichtiger Abschnitt, fehlt gänzlich; es bedurfte keiner
geringen Mühe, die oft recht fehlerhaften Niederschriften der Originale in
berichtigter und verständlicher Form wiederzugeben; das meiste davon wird
uns hier zum erstenmale geboten, ein überaus reiches und wichtiges Quellen=
material für die Kenntnis der Universitätsgeschichte und ihrer Zustände,
um so bedeutsamer als die entsprechenden Prokuratorenbücher der anderen
Nationen aus dem 14. und 15 Jahrhundert verloren gegangen sind. Wie
wichtig wäre es, wenn uns auch von anderen mittelalterlichen französischen
Universitäten, so vor allem von Orleans ähnliches altes Material erhalten
wäre! Denifle hat bereits im 5. Bande des „Archivs" das „Registrum
der Prokuratoren der Englischen Nation aus den Jahren 1333, 1338—48"
mitgeteilt (S. 226—348), worüber wir uns in einem früheren Bande
dieser Zeitschrift näher geäußert haben (Hist. Jahrb. XI, 89 ff.). Im
1. Bande des Auctariums ist die Edition bis zum Jahre 1406 ausgedehnt;
die im „Archiv" in Aussicht gestellte Fortsetzung der Publikation ist ohnehin
nicht erschienen. Es werden 1700 Graduierte für die Zeit von 1333—406
aufgeführt, wobei zu bemerken ist, daß die libri procuratorum keineswegs
eine vollständige Matrikel aller Neuaufgenommenen darstellen, sondern zu=
nächst nur ein Verzeichnis der determinantes (baccalarei), licentiati und
incipientes (S. XXVIII). Wir erfahren aus der introductio, daß die
Engländer ursprünglich die Mehrheit der natio Anglicana bildeten und
ihr daher auch den Namen gaben, während später das Verhältnis sich
änderte; es wurden die Deutschen — mit all ihren Nebengruppen — die
Mehrheit, die selbst wieder in mehrere Provinzen geteilt war; den Rinenses
und Saxones begegnen wir mehrfach als Unterabteilungen der „Alemannia
inferior", daneben auch der „Alemannia superior"; in der natio waren
dann auch die Provinciae Scotiae, Sueciae et Daciae.[1] Inbezug auf das
Alter der Aufgenommenen wird uns mitgeteilt, daß die jüngsten 14 Jahre
zählten in der facultas artium; einige hielten sich sehr lange an der
Hochschule auf; als senior der Eintretenden erscheint Reynerus Creyt,
der, als er von Paris nach Köln abging, 60 oder gar 70 Jahre zählte
(S. XXI), nicht weniger als 24 Namen werden aus der oben bezeichneten
Zeit aufgeführt, deren Träger später einen Bischofsitz innehatten, darunter
die Hälfte aus Schottland. Was uns D. in der Einleitung über die
finanzielle Lage der natio Alem. mitteilt, ist recht interessant, wenn auch
keineswegs immer erfreulich, und aus den zahlreichen Angaben des Auc=
tariums selbst ergibt sich manche Einzelheit, welche auf das Thun und
Treiben der cives academici nicht eben das Licht hellster Idealität wirft:
mehr als 4000 „tabernae" befanden sich zur Zeit Karls II zu Paris

---

[1] Ueber die irischen Prokuratoren vgl. Bellesheim, Gesch. d. kathol. Kirche
in Irland II, 735—42.

und die natio Anglic. gehörte nicht zu deren seltensten Frequentanten, Trinkgelage zu jeder Tageszeit, an denen sich neben den scholares auch die magistri eifrigst beteiligen und bei denen nicht selten der letzte Rest der Barschaft aufgezehrt wird, finden wir an mehr als einer Stelle des Auct. erwähnt. Zwist und Streitigkeiten, auch blutige Händel treten wiederholt auf, all das übrigens nicht in schlimmerem Grade, als wir das von Bologna und anderen Universitäten wissen. Ueber die Stellung der natio Anglicana zum großen Schisma handelt ein sehr beachtenswerter Abschnitt der introductio (S. LXV—LXXVII), worin alle Phasen dieses wichtigen Zeitabschnitts übersichtlich zusammengestellt erscheinen An die „introductio" reiht sich das „Kalendarium ad usum nationis Anglicanae" aus der Zeit von 1366—70; von S. 14 bis 944 (die Zahl bezieht sich auf die Spalten, deren jede Seite zwei umfaßt) ist dann der „liber procuratorum" mit einer sehr großen Anzahl literarischer und biographischer Fußnoten enthalten; dazwischen ist eine „tabula de finibus inter Anglicanam et Picardicam nationem controversis 1357. Der S. 945—61 vorgeführte Elenchus procurat. nat. Anglic. (1333—406) läßt uns ersehen, daß eine Reihe von Namen dieser Vertrauensmänner der natio häufiger wiederkehren. Aus dem „Index Personarum", dem im letzten Bande des Auct. ein ausführliches Sach= und Ortsregister folgen wird, entnehmen wir, daß Süddeutschland in jener Epoche an der Frequenz der Hochschule nicht eben sehr zahlreich beteiligt war; Orte wie Augsburg, Eßlingen, Freiburg i. Br., Frankfurt a. M., Mainz, Memmingen, Nörd= lingen, Speier u. a. kommen vereinzelt vor; am häufigsten begegnen uns die niederdeutschen, speziell die niederrheinischen und die benachbarten Diözesen.

Wir müssen an dieser Stelle darauf verzichten, auch nur die hervor= ragendsten Namen deutscher Hörer und Lehrer aus dem Auctarium vor= zuführen. Es sei nur erwähnt, daß die später so berühmt gewordene Persönlichkeit des Marsilius von Inghen (Ingham) zum ersten Male zum September 1362 unter dem Prokurator Johannes de Riemestorp (de Saxonia) mit dem Vermerk vorgetragen ist: Item incepit dominus Marcelius de Inghen, cujus bursa 8 sol.", zum letzten Male erscheint er im Februar 1379 (S. 570) vorgetragen, wo jedoch aus dem Zusammen= hange vermutet werden kann, daß er damals Paris bereits verlassen hatte, darnach wären die bezüglichen Angaben über ihn zu berichtigen (vgl. Allg. d. Biogr. unt.: Marf. v. J.). Gerardus Grote de Daventria, dem wir im Chartul. an zwei Stellen (November 1362 und Juni 1365) begegnen, wird im Auctarium zweimal erwähnt, und zwar zum Febr. 1357 (S. 207): „Gerhardus de Daventria determinavit sub magistro Johanne de Lovanio", sodann zum Mai 1358: „item magister Gherardus Groet de Daventria ibidem solvit scutum de hoc, quod primo intravit congregaciones magistrorum nationis predicte"; leider haben es die Pro= kuratoren jener Monate unterlassen, uns weitere Mitteilungen über diesen

hervorragenden Scholaren zu machen.[1] — Der reiche Inhalt auch dieses
Bandes bietet für geschichtliche Forschungen im weitesten Umfange des
Wortes reiches Material; welche Bedeutung dasselbe für die Geschichte der
mittelalterlichen Universitäten im besonderen zu beanspruchen habe und wie
die vorliegenden Publikationen Denifle-Chatelains bahnbrechend auf diesem
Gebiete wirken, mag man unter anderem aus dem neuesten umfassenden
Werke Hast. Rashballs: The Universities of Europe in the Middle Age
(2 Voll. Oxford 1895) ersehen, der leider das „magnificent Chartularium"
und das Auctarium nicht mehr in seiner ganzen Ausdehnung zu benützen
in der Lage war. — Daß die äußere Ausstattung der ganzen Publikation
über alles Lob erhaben sei, haben wir bei unseren früheren Berichten über
dieselbe bereits erwähnt. —

Es erübrigt uns zum Schlusse unseres Berichts nichts, als den wärmsten
Wunsch auszusprechen, es möge D.s Absicht, die er in der introductio
zum Chartul. III (S. VI) ausspricht, zur vollen Ausführung kommen und
das ganze Werk bis zum 700jährigen Jubelfest der Pariser Hochschule als
die kostbarste Festgabe der Universität vorliegen, welche von dem unsterb-
lichen Meister Gerson rühmend genannt wird „fons scientiae in quatuor
fac latum flumina condivisus, irrigans universam superficiem terrae"
(Opp. II, 51). —

Eichstätt.   Georg Orterer.

---

[1] Das Wenige, was über G. in seiner Thomas von Kempis zugeschriebenen
Biographie (vgl. Th. a K. op. omn. ed. Sommalius ed. III. 891) und von
seinem neuesten Biographen Grube (S. 9) aus seiner Universitätszeit mitgeteilt
wird   hält durch D.s Angaben eine kleine Ergänzung.

Zeitschriftenschau.

1) **Historische Zeitschrift** (begr. v. H. v. Sybel, hrsg. v. Treitschke u. F. Meinecke. S. oben S. 227).

1895. Bd. 76 (N. F. Bd. 40), H. 1. „Vorbemerkung" von H. v. Treitschke. S. 1—5. Zur Einführung des neuen Herausgebers (der mittlerweile gestorben ist; s. hier unter d. Nekrologen. — **K. Wenck, Konrad von Gelnhausen und die Quellen der konziliaren Theorie.** S. 6—61. Im ersten Teile ein Abriß von Konrads Lebensgeschichte mit manch neuem Moment; der 2. Teil handelt vom Ursprung des Schismas, den Verhältnissen, welche K.s Epistola concordiae hervorriefen, und dem Inhalt der Epistola; der 3. Teil enthält die Würdigung dieses Traktates im Rahmen der kirchenpolitischen Literatur. Von einer eingehenden Berücksichtigung der die Lehre von der Superiorität des Generalkonzils bekämpfenden Traktate sieht Verf. ab. Er sucht nur zu zeigen, aus welchen Bausteinen K. seinen Satz von der Möglichkeit und Notwendigkeit eines papstlosen Konzils aufbaute und welche Tragweite seiner Konzilstheorie innewohnte. K. scheint nach der W.schen interessanten Untersuchung wenig selbständig an Thomas von Aquin formell sich anlehnend bez. der Lehre von der Epikie, in den entscheidenden Sätzen aber vom Gedankenkreise Occams beeinflußt. In der Hauptfrage, d. i. Möglichkeit und Notwendigkeit eines papstlosen, zur Förderung des Gemeinwohls zusammentretenden Generalkonzils ist H. v. Langenstein ganz den Gedanken und Worten K.s gefolgt. (S. oben S. 360.) — **M. Ritter, der Ursprung des Restitutionsediktes.** S. 62—102. Die Untersuchung bezweckt eine schärfere Fassung der von R. in Bd. 2 seiner Deutschen Geschichte ausgeführten Grundgedanken, die er besonders gegen Stieves Angriffe verteidigt. Restitutionsforderung im allgemeinen und Restitutionsunternehmungen im einzelnen griffen nach R. in einander. Mit dem J. 1622, als die Machtverhältnisse sich für die katholische Partei günstig wendeten, begann die Restitutionspolitik der Katholiken eine ernsthafte zu werden; die Einflüsse des Nuntius Caraffa und des Beichtvaters Lamormain drängten den Kaiser zum Voranschreiten, sie brachten die Frage der Rückgewinnung der Bistümer in Fluß im Verein mit den katholischen Kurfürsten. — Literaturbericht. Notizen und Nachrichten. S. 157—92.

Heft 2. B. Niese, der jüdische Historiker Josephus. S. 193—237. Vf., der die opp. Fl. Josephi herausgibt (s. oben S. 171), entwirft zuerst ein Lebensbild des jüdischen Historikers und tritt dann in eine ausführliche Würdigung des Bell Jud. ein. Das Werk scheint ihm tendenziös nach den Mustern und Regeln der rhetorischen Ge

schichtschreibung eingerichtet mit der überladenen Fülle asianischer Beredsamkeit; An=
leitung mag J. in Rom, wo er mindestens 25 Jahre gelebt und die Gesch. d. jüd.
Krieges zwischen 75 u. 79 n. Chr. geschrieben hat, durch kundige Griechen empfangen
haben; als Vorlage diente ihm wohl ein allgemeines griech. Geschichtswerk (vielleicht
Nikolaos v. Damaskus?) und, abgesehen von eigenen Erlebnissen, dasselbe Material
wie dem Tacitus und dessen Gewährsleuten. In der „Archäologie", auf die Vf. dann
zu sprechen kommt, zeigt J. Abhängigkeit vom griech. Texte der bibl. Schriften; in
der Regel ist die Darstellung aus d. „Jüd. Kriege" der Grundstock für die „Archäologie",
welch letztere er 93/94 n. Chr. gleichzeitig mit seiner Vita herausgab. Die zwei ge=
nannten Werke und die Bücher gegen Apion (§ 4) sind allein dem J. unbestrittenes
Eigentum. — H. v. Treitschke, das Gefecht von Eckernförde 1849. S. 238—65. Aus
den Papieren seines Vaters, der als Generalstabsoffizier des Herzogs von Koburg im
Gefechte befehligt hat, gibt T. eine an interessanten neuen Einzelnheiten reiche lebendige
Schilderung des Ereignisses, freilich ohne an dessen historischem Gesamtbilde etwas zu
ändern, nur die Kopf= und Ratlosigkeit des alten Bundesheerwesens erhält eine neue
Illustration. — Literaturbericht. Notizen und Nachrichten. S. 266—383. — Erklärung
der Redaktion bez. des Testamentes Friedrichs II (s. oben S. 230 f.) S. 383—84

2] **Zeitschrift für die Geschichte des Oberrheins.**
1895. N. F. Bd. 10. H. 1. **G. Erler, das Gutachten des Pfalzgrafen Ruprecht
von der Pfalz über die zwischen König Wenzel von Böhmen und König Karl VI von
Frankreich geplante Zusammenkunft in Rheims (1398).** S. 1—28. Nach E. stimmt das
Gutachten mit einem von Zantfliet in seiner Chronik zum Jahre 1398 mitgeteilten
Gutachten des Bischofs überein und bezüglich der Frage, ob ein Bischof oder ein
Kurfürst der Autor sein könne, ergibt sich aus der Gegenüberstellung der beiden Texte,
daß das pfalzgräfliche Gutachten nur eine Ueberarbeitung des bischöflichen ist. „Die
in dem Gutachten vorgetragenen Ansichten, ferner die ganze Art der Behandlung der
Frage und zuletzt auch die gebrauchten Formeln des diplomatischen Verkehrs" sind
mit dem, was wir von einer schriftlichen Erklärung des Pfalzgrafen gegenüber dem
römischen König zu erwarten haben, nicht in Einklang zu bringen. Einer der beiden
Pfalzgrafen könne daher nicht der Verfasser sein. E. sucht den Autor in dem Lager
der römischen Kurie; der erste Entwurf sei zu wenig befriedigend gewesen und deshalb
sei er umgearbeitet worden, habe schärfere Ausdrücke erhalten und sei, um größere
Wichtigkeit zu erlangen, einem Pfalzgrafen zugeschrieben worden. — **A. Chroust, ein
Beitrag zur Geschichte der kurpfälzischen Finanzen am Anfang des 17. Jahrhunderts.**
S. 29—41. Abdruck einer Uebersicht der Einnahmen und Ausgaben der pfälzischen
Kammer in den Jahren 1602—4 aus der Feder des kurpfälzischen Kammermeisters
Reinhard Bachofen sowie einer Denkschrift desselben vom 11. Februar 1614. —
**A. Holländer, Hubertus Languetus in Straßburg, ein Beitrag zur Geschichte der Bartholo=
mäusnacht.** S. 42—56. Auszüge aus den unter dem Namen arcana saeculi XVI
gedruckten Schreiben dieses hervorragenden politischen Schriftstellers, der als kur=
sächsischer Berichterstatter in Straßburg weilte vom Oktober 1567 bis Februar 1568
und von Juni 1569 bis Mai 1570, wo er besonders über den Einfall des Herzogs
von Aumale ins Elsaß zu berichten hatte, dann meist in Paris lebte und nach der
Bartholomäusnacht nach Straßburg zurückkehrte. Seine Unterredung mit einem Be=
vollmächtigten des Rates über die Bartholomäusnacht, welche interessante Einzelnheiten
bietet, ist abgedruckt. — **G. Kunzer, oratio de rebus gestis Gaeorgii a Freunts-
perg, equitis Germani in illius funere habita Mindelhumii. Autore**

Jo. Gaza. S. 57—77. Aus einer HS. der großherzogl. Gymnasialbibliothek zu Konstanz druckt der Hrsg. hier eine Rede ab, die nach seiner Ansicht nie gehalten ist, sondern eine Stilübung eines sonst nicht bekannten Humanisten Joh. Gaza darstellt, ohne historischen Wert. — H. **Witte**, zur Geschichte der Burgunderkriege. **Das Kriegs-jahr 1475. Die Verwicklungen in Lothringen, im Waadtland und Wallis. Verhandlungen und Rüstungen der Niederen Vereinigung.** S. 78—112. Im Neußer Abkommen hatte der Kaiser den Herzog von Lothringen der Rache des Burgunders preisgegeben. Die Niedere Vereinigung war auf die Bitte Lothringens zur Hilfeleistung bereit, zumal da auch der König von Frankreich Entrüstung gegen den Kaiser zeigte und Lothringen Beistand versprach. Aber Ludwig von Frankreich trieb ein doppeltes Spiel, wiegte die Niedere Vereinigung und den Herzog von Lothringen durch Truppenzusicherungen in Sicherheit und schloß mit Karl von Burgund den Vertrag von Soleuvre, „ein Meisterwerk der macchiavellistischen Staatskunst seiner Zeit". Bis zur Vollziehung des Vertrags konnte Ludwig dem Herzog von Lothringen zu hilfe kommen, im ent-scheidenden Augenblicke aber traten die Franzosen vom Kriege zurück. Ueber den Inhalt des ränkevollen Vertrags wurden Herzog René und seine Verbündeten voll-ständig getäuscht. Der Zug Karls nach Lothringen war ein rascher Siegeszug, René verließ sein Land und stimmte übereilt dem Frieden bei, den Burgund und Frank-reich verkünden ließen, denn Karl war nun nicht mehr gesonnen ihm den Beitritt zu gestatten; das Heer der Niedern Vereinigung aber war auf die Friedensnachricht umgekehrt. Nancy unternahm es jetzt, dem Burgunder Widerstand zu leisten und Straßburg verpflichtete sich zum Entsatze. — Auch Bern, von Karl bedroht, blieb gegen ihn auf seiner Hut, schloß ein Bündnis mit Wallis und verlegte der Herzogin von Savoyen die Pässe für Durchzüge nach Burgund. Als Karl Bern Friedens-vorschläge machte, aus Furcht vor eidgenössischen Plünderungszügen und um der Herzogin von Savoyen „Luft zu machen", da scheitern diese Verhandlungen an der Forderung Berns, daß auch die Niedere Vereinigung in den Frieden eingeschlossen würde. Gleichzeitig sucht Bern jetzt die Einigkeit innerhalb der Eidgenossenschaft wiederherzustellen. (Schluß folgt.) — K. **Schröder**, Uebersicht über das gedruckte und handschriftliche Material für die Herausgabe der badischen und elsäßischen Stadtrechte. I. Das nördliche Baden und die benachbarten Gebiete. S. 113—29. — K. **Obser**, Gustav Adolf von Schweden am Oberrhein im Jahre 1620. S. 130—7. Gustav Adolf hat im Mai 1620 in strengem Infognito eine Reise durch Mitteldeutschland nach dem Ober-rhein gemacht, um vielleicht, da damals das von dem Markgrafen Georg Friedrich von Baden-Durlach eifrig betriebene Projekt einer Allianz zwischen Schweden und der Union erörtert wurde, diesen Fürsten und andere Häupter der Union persönlich kennen zu lernen, sich von der Lage im Südwesten des Reichs persönlich zu überzeugen und imfalle, daß sein Brandenburger Heiratsprojekt scheitere, an den Höfen in Heidelberg und Durlach Brautschau zu halten. O. gibt Auszüge aus dem Tagebuch eines Begleiters des schwedischen Königs, Johann Hand in Ueberseßung nach der schwedischen Vorlage (gedruckt in Bd. 8 der Historiska Handlingar 1879 Nr. 3). — **Miszellen.** K. **Hauck**, ungedruckte Papsturkk. S. 138—41. Eine Urk. Alexanders III für den Propst Albert und den Konvent des St. Paulinusstiftes in Trier [zwischen 1177 und 1181], ferner eine Urk. von Innocenz III, 1203 April 5. für das Simeons-stift in Trier. — K. **Obser**, Lebküchellag. S. 141. (Grotefend Zeitrechnung 2c. I. S. 111.) „Dienstag nach dem Lebkücheltag" bei einer Maulbronner Urk. von 1416 bedeutet nach einer Stelle in Seb. Francks „Weltbuch" den Tag der unschuldigen Kindlein. — A. **Holländer**, noch einmal die Straßburger Legende vom J. 1552. S. 141—2. Gegen

Egelhaaf behauptet H., Heinrich II habe nicht in Straßburg gastliche Aufnahme gefunden, auch hätten die Straßburger nicht auf Gesandte geschossen, die mit 200
als Diener verkleideten Soldaten Einlaß begehrten, sondern es sei ein französischer
Intendanturbeamter beraubt und einer seiner Diener getötet, und „einigen neugierigen
Franzosen im Gefolge fremdländischer Gesandter" der Zutritt in Straßburg verweigert
worden. (Vgl. Hist. Jahrb. XVI, 139, 619.) — **G. Funk, ein merkwürdiges Urteil
J. G. Schlossers über Karl Friedrich von Baden.** S. 142—3. Abdruck eines Briefes
von Schlosser an Lavater über die Widmung an Karl Friedrich, die Lavater seinem
Werke: „Physiognomische Fragmente 2c." vordruckte. — **Winckelmann, Baumeister Hans
Böringer zu Freiburg.** S. 143—4. Böringer, der Erbauer des Lettner am Freiburger
Münster, hat sich 1583 um die Werkmeisterstelle in Straßburg beworben. Wie sich aus
den Ratsprotokollen ergibt, wurde indessen Jörg Schmitt von Schaffhausen angestellt.
— **A. Cartellieri, zu Jakob Locher Philomusus.** S. 144—6. Abdruck einer in dem
Lebensbild dieses schwäbischen Humanisten von Gehle nicht benützten Urk. — **Literatur-
notizen.** S. 146—60. Mitteilungen der badischen hist. Kommission m. 1—16.
— Verzeichnis der Pfleger der bad. hist. Kommission m. 17—18. — Archivalien aus Orten des Amtsbezirks Karlsruhe, Meßkirch und Ettenheim
m. 19—32.

H. 2. **J. Weiß, Briefe aus dem Feldzuge gegen Frankreich 1688/89.** S. 161—201.
W. veröffentlicht aus dem f. Archive zu Wallerstein 39 Briefe des schwäbischen General-
Feldwachtmeisters Notger Wilhelm, Grafen zu Oettingen-Baldern, an seinen Vetter
den Reichshofrats-Präsidenten Wolfgang, Grafen zu Oettingen-Wallerstein, die als
Angaben eines Augenzeugen von hohem Interesse sind und die ganze Misère des
Reichskriegswesens, Uneinigkeit der Feldherrn, Interessenpolitik der einzelnen be-
waffneten Stände, Konflikte zwischen „Kreiskorporierten" und „Armierten" offenbaren.
Als beispielsweise die Kreistruppen die Franzosen von Stuttgart verjagten, hinderte
sie die Herzogin selbst an der Verfolgung, damit nicht ihr Land dabei verheert werde.
Es gab nur ein nutzloses Hin- und Herziehen, gelegentliche Besetzung Heidelbergs
durch Notger Wilhelm am 7. Aug. 1689 und sonst nur unausgeführte Pläne. —
H. Witte, zur Geschichte der Burgunderkriege. (Schluß.) S. 202—66. Maßregeln des
Grafen von Romont und seiner Anhänger gegen deutsche Kaufleute gaben Bern Ver-
anlassung, die Eidgenossenschaft zur Vertreibung des Grafen und zur Eroberung
eines Besitzes, des Waadtlandes, aufzufordern. Die Eidgenossenschaft war bereit,
Freiburg jedoch nur unter der Bedingung, daß die unmittelbaren Besitzungen des
Hauses Savoyen geschont würden. Der Feldzug war ein ununterbrochener Siegeszug.
Genf kaufte sich los, zahlte aber später seine Verpflichtungen nicht vollständig, auch
Lausanne, obgleich Reichsstadt, mußte bluten. Damit war der Feldzug zu Ende und
die Eidgenossen kehrten heim; aber ein Friede mit Burgund war nun nicht mehr
möglich, denn der Graf von Romont war Waffenbruder des Herzogs. — Die Niedere
Vereinigung war auf Hilfe bedacht und schickte Bittgesuche ins Reich und an die Eidgenossen, Straßburg begann mit Verteidigungsmaßregeln und der Landvogt sorgte
im Sundgau für den Verteidigungszustand. Herzog Sigismund erklärte sich un-
aufgefordert bereit. Aber die benachbarten Fürsten und Herrn fürchteten den Burgunder und der Kaiser schloß gerade mit ihm Frieden; Lothringen, die Niedere Vereinigung und die Eidgenossen sind darin nicht erwähnt, also von ihm dem Burgunder
preisgegeben. Karl ließ nun mit den Schweizern Friedensverhandlungen führen, um
sie von der Niederen Vereinigung zu trennen; sie wurden indes hingezogen, bis Nancy
in Karls Gewalt gefallen, dann marschierte dieser gegen die Schweizer. Auf den

Hilferuf der Eidgenossen war die Niedere Vereinigung sofort zum Beistand bereit. Privat fortgesetzte friedliche Versuche, die in letzter Linie die Eidgenossen von der Niederen Vereinigung trennen sollten, sowie Bemühungen des Kaisers, den Herzog Sigmund und die Niedere Vereinigung von den Eidgenossen zu trennen, waren damit gescheitert. — **Th. Ludwig, einige unbekannte Konstanzer Chroniken und Bischofsreihen des General-Landesarchivs zu Karlsruhe.** S. 267—78. Als Nachtrag zu dem historiographischen Abschnitte der Dissertation des Vf.s über „die Konstanzer Geschichtsschreibung bis zum 18. Jahrh." eine Beschreibung einer Anzahl einschlägiger Handschriften. — **Fr. v. Weech, Fürbitten für die lebenden und verstorbenen Wohlthäter des Klosters Salem.** S. 279—86. Abdruck eines zwischen 1494 und 1508 entstandenen Rodels mit den Fürbitten, welche wöchentlich einmal im Refektorium des Klosters Salem verlesen wurden; man erkennt daraus die weitreichenden Beziehungen des Klosters in ganz Oberschwaben, deshalb ist der Rodel besonders eine Fundgrube für die oberschwäbische Adels- und Familiengeschichte. — **Miszellen.** Al. Cartellieri, **päpstliche Steuern im Bistum Konstanz.** S. 287—89. Anknüpfend an Kirsch, die päpstlichen Kollektorien in Deutschland während des 14. Jahrhs., druckt er eine Quittung vom 11. September 1322 ab. — **G. Funck, zwei Empfehlungsbriefe für Graf Galler.** S. 289—90. Empfehlungen der Straßburger Gelehrten Blessig und Koch vom 1. Juli 1784 an den geh. Hofrat Ring in Karlsruhe, betreffend die kameralistische Studienreise des österreichischen Grafen Niklas Galler durch das badische Oberland. — **Literaturnotizen.** S. 290—301. — H. Isenbart, **badische Geschichtsliteratur d. J. 1894.** S. 302—20. — Archivalien aus Orten des Amtsbezirts Ueberlingen, Stockach, Neustadt, Offenburg, m. 33 bis m. 48.

3] Römische Quartalschrift.

1895. Jahrg. 9. H. 1. Archäologie. J A. Endres, die neuentdeckte Confessio des hl. Emmeran zu Regensburg. S. 1—55. Einleitend wird ein geschichtlicher und örtlicher Ueberblick über die Kirche des hl. Emeran geboten. Die Geschichte derselben reicht bis in das 8. Jahrh. zurück. Vf. schildert die Entdeckung der Confessio des hl. Emeran am Johannesaltar und kommt zu dem Ergebnis, daß dieses Grab seit ungefähr zwölfhundert Jahren die Gebeine des Heiligen birgt. — **P. Batiffol, un historiographe anonyme arien du IVᵉ siècle.** S. 57—97. Fragmente davon in gekürzter Redaktion enthält das Chronicon paschale, einen ausführlicheren Text benützte Philostorgius. Sozomenes und Sokrates kannten ihn nicht. — **Kleinere Mitteilungen.** S. 99—117. Archäologische Bücherschau. S. 119—24. — Zeitschriftenschau S. 125—35. — **Geschichte.** A. Rother, **Johannes Teutonicus (von Wildeshausen).** Vierter General des Dominikanerordens. S. 139—70. Joh. Teut. wurde ca. 1180 geboren, trat vielleicht zu anfang der zwanziger Jahre des 13. Jahrh. in den Orden ein, wurde Provinzial in Ungarn, Bischof von Bosnien und i. J. 1239 Provinzial der Lombardei und Ordensgeneral; er starb i. J. 1253 im Straßburger Konvente. — H. Finke, **das Pariser Nationalkonzil v. J. 1290.** Ein Beitrag zur Geschichte Bonifaz VIII und der Pariser Universität. S. 171—82. Veröffentlicht und kommentiert das der Sammlung Jakobs von Soest angehörige Schriftstück »De privilegio Martini«. Das „Privilegium" Martins IV vom 13. Dez. 1281 gestattete den Bettelorden, vorzüglich also den Franziskanern und Dominikanern, frei d. h. ohne besondere Genehmigung zu predigen und Beichte zu hören, und diese Privilegienfrage beschwor in den achtziger Jahren vor allem an der Pariser Universität einen Kampf herauf Es kam zu dem Nationalkonzil im November 1290. Davon handelt das vorliegende Schriftstück; darin werden als kämpfende Persönlichkeiten gegenübergestellt: Benediktus Gaëtani, der nachmal. Bonifaz VIII und auf der anderen Seite die französischen Bischöfe, später aber die Pariser Universität. — P. M. Baumgarten, zum Register Alexanders II. S. 183—4. Bringt eine Quelle dafür bei, daß die Register Alexanders II sich auf dem Sorakte befanden. — L. Schmitz, ein Brief Konrads von Gelnhausen a. d. J. 1379. S. 185. Das mitgeteilte Schreiben aus einer HS. der vatikanischen Bibliothek enthält eine in den wärmsten Ausdrücken abgefaßte Danksagung an Philipp de Maizières — dessen »Somnium viridarii«, wie neuerdings behauptet wird, Konrad bei der Abfassung seiner »Epistola Concordiae« beeinflußt haben soll — dafür, daß er sich im Interesse von nicht näher bezeichneten Mönchen oder Klerikern, wie es scheint, beim französischen Könige verwandt hat, mit der Bitte, diesen auch weiterhin seine kräftige Unterstützung zu gewähren. — H. V. Sauerland, Notizen zur Lebensgeschichte des Kardinals Nikolaus von Cues. S. 189—93. Nikolaus studierte·(vgl. Hist. Jahrb. XIII, 863) auch in Prag. Vf. bringt noch weitere sechs Notizen zu seiner Vita herbei. ● H. 2 u. 3. **Archäologie.** C. Truhelka, die christlichen Denkmäler Bosniens und der Herzegowina. S. 197—235. — H. Grisar, S. J., die alte Peterskirche zu Rom und ihre frühesten Ansichten. S. 237—98. — P. Orsi, insigne epigrafe del cimitero di S. Giovanni in Siracusa. S. 299—308. — **Kleinere Mitteilungen.** S. 309 —21. — Archäologische Bücherschau. S. 323—28. — Zeitschriftenschau. S. 329—34. — **Geschichte.** G. Mercati, il catalogo Leonense dei re Longobardi e Franchi. S. 337—49. Verweist auf eine von Muratori und Waitz nicht benützte HS. der Biblioteca Antoniana in Padua I, 25. — L. Schmitz, zur Geschichte des Konzils von Pisa 1409. S. 351—75. Behandelt zunächst auf grund des Protokolles des Konzils das in mehreren HSS. der vatikanischen Bibliothek vorliegt, die Organisation und Geschäftsordnung desselben, seine Beamten, sein Präsidium und die Kommissionen für die Zeugenvernehmung, für die Vorbereitung mit den Kardinälen, für die Reform der Kirche. Im zweiten Teile wird ein undatierter Brief aus einem Formelbuch des 15. Jahrhs. aus der pfälzischen Kanzlei abgedruckt, der genaue Bekanntschaft mit den Vorgängen in Pisa verrät. — St. Ehses, das polnische Interregnum 1587. S. 377—94. Teilt ein Schriftstück mit, das für die Geschichte des polnischen Wahlreichstages, der am 30. Juni 1587 zu Warschau zusammentrat, von Bedeutung ist. Der Vf. vertritt die Kandidatur des Erzherzogs Maximilian, dessen Aussichten er aber in einem zu rosigen Lichte darstellt. — **Kleinere Mitteilungen.** K. Eubel, zu den Streitigkeiten bezüglich des jus parochiale im MA. S. 395—405. Veröffentlicht eine Urk. vom J. 1231, Erlasse des Würzburger Bischofs a. d. J. 1401 und 1455, welche den Streit zwischen Episkopat und Orden bezüglich des jus parochiale illustrieren. — Ehses, zum Reichstag von Augsburg 1530. S. 406—8. Teilt eine Stelle aus dem Schreiben Campeggios an Jacobo Salviati (Innsbruck, 20. Mai 1530) mit, welches sich auf C.s Denkschrift bezieht, die Maurenbrecher unter dem Titel: „Campeggios Memoria über die in Deutschland zu befolgende Politik Mai 1530" veröffentlichte. ● H. 4. **Archäologie.** H. Grisar, die römische Sebastianuskirche und ihre Apostelgruft im MA. Verzeichnis der Heiligtümer und Ablässe der Basilika von 1521. S. 409—61. — P. Orsi, la catacomba di Führer nel predio adorno-avolio in Siracusa. S. 463 —488. — S. Merkle, die Sabbatruhe in der Hölle. Ein Beitrag zur Prudentius-Erklärung und zur Geschichte der Apokryphen. S. 489—506. — de Waal, eine Anrufung auf christlichen Monumenten. S. 507—12. — Wilpert, aus Aquileja. S. 512—19. Behandelt altchristliche Inschriften. — de Waal, Siciliana. S. 519—20. — Archäologische Bücherschau. S. 521—30. — Zeitschriftenschau. S. 531—35.

4] Zeitschrift für deutsche Philologie.
1894. Bd. 26. J. v. Zingerle, Worterklärungen. S. 1—2. — O. L. Jiriczek, zur mittelisländischen Volkskunde. S. 2—25. Mitteilungen aus ungedruckten Arna-magnäanischen Handschriften zu Kopenhagen über die isländische Literatur des 15. und 16. Jahrhs., die aber als älteste Märchenüberlieferung des skandinavischen (isländischen) Volkes auch für die Volkskunde von höchstem Interesse sind. Bruchstücke werden mit-geteilt. — H. Gering, zur Lieder-Edda. S. 25—30. Textbesserungen und Exegesen. — D. Kläiber, Lutherana. S. 30—58. Erklärung und Erläuterung einer Anzahl von Stellen, Ausdrücken und Redensarten von Luther, welche der Aufhellung be-dürfen. — F. W. E. Roth, Mitteilungen aus HSS. und älteren Druckwerken. S. 58—70. Mitteilungen kleinerer poetischer und prosaischer Texte aus HSS., die zumeist im Besitze des Vfs. sich befinden. — J. Bolte, eine protestantische Moralität von Alexander Seitz. S. 71—77. Seitz 1470 in Wien geboren, studierte in Italien Medizin; als Arzt und Volksredner nimmt er in Deutschland an den religiösen Fragen der Zeit teil. — M. Spanier u. K. Hofmann, zu Joh. Chr. Günthers Gedichten. S. 77—81. — H. Düntzer, Goethes Epilog zu Schillers Glocke. S. 81—105. Ein Kommentar — K. Röhricht, Bemerkungen zu Schillerschen Balladen. S. 105—7. Quellennachweise der Tauchersage, der Rhodischen Drachensage und für den "Gang nach dem Eisenhammer". — H. Gering, der zweite Merseburger Spruch. S. 145—9. Verteidigt Müllenhoffs Erklärung dieses Spruches. — R. M. Meyer, alliterierende Doppelkonsonanz im Heliand. S. 149—67. — R. Sprenger, textkritisches zu mittelniederdeutschen Ge-dichten. S. 167—80. — A. Zeiteles, das neuhochdeutsche Pronomen. S. 180—201. — M. Spanier, Tanz und Lied bei Thomas Murner. S. 201—24. Ein kleiner Beitrag zur mittelalterlichen Volkskunde. Die bei Murner erwähnten Tänze werden zusammengestellt und Murners Bedeutung für das Volkslied hervorgehoben. Namentlich findet sein hochinteressantes Lied: "Ayn new lied von dem undergang des Christlichen glaubens" eingehende Würdigung. — K. Hofmann, neues zum Leben und Dichten Joh. Christ. Günthers. S. 225—29. Günthers Schweidnitzer Leonore ist Magdalena Eleonora Jachmann Einige Gedichte werden genauer datiert. — A. Schöne, zu Lessings Emilia Galotti. S. 229—35. Behandelt den Widerspruch in der Darstellung der Szene zwischen Emilia und dem Prinzen in der Kirche. — A. Birlinger, lexikalisches. S. 235—55. — H. Gering, Drauma-Jóns Saga. S. 289—309. Kritische Herstellung ihres Textes. — H. Jäkel, der Name Germanen. S. 309—342. Prüft zunächst die Methode der Erklärungsversuche und sucht dann darzuthun, daß der Name weder römischer noch keltischer Herkunft sein kann. Nach J. sind die Germanen [Garm-ans] — "Abkömmlinge des Zeurigen". "Die von Tacitus überlieferte Ansicht einiger römischer Altertumsforscher, daß die ethnographische Gesamtbenennung Germanen deutscher Herkunft sei und sich beim ersten Zusammenstoß zwischen Kelten und Germanen aus dem Namen der westlichen germanischen Gruppe entwickelt habe, wird nicht nur durch die ganz analoge Entstehung anderer Volksnamen, wie Walchen, Graeci, und durch Caesars Bericht über die zu seiner Zeit zwischen Maas, Mosel und Rhein sitzende Völkergruppe gestützt, sondern wird auch dadurch als richtig erwiesen, daß sich der Name Germanen aus dem Germanischen in einer sachlich und sprachlich befriedigenden Weise deuten läßt." — R. Sprenger, zu Konrad von Fußes-

brunnen Kindheit Jesu. S. 342—70. Textkritisches. — M. Spanier, ein Brief Thomas Murners. S. 370—5. Ein Bürger Hans Mey, dessen Frau M. von der Kanzel herab getadelt hatte, verklagt M. bei seiner Ordensbehörde, worauf Murner sich in dem hier mitgeteilten Briefe verteidigt. — A. Schmidt, die Briefe von Goethes Mutter an ihren Sohn als Quelle zu seinen Werken. S. 375—99. Das Verhältnis zwischen den Briefen und der gleichzeitigen Dichtung Hermann und Dorothea wird untersucht. — E. Kettner, die Plusstrophen der Nibelungenhandschrift. S. 433—48. Die Unter= suchung des Inhalts und des Textes dieser Plusstrophen kommt zu dem Ergebnis, daß dieselben entbehrlich, sachlich und formal sehr mäßig, ja zum teil entschieden schlecht sind — aber dennoch kann man mit dieser Behauptung ihre Zugehörigkeit zu der ältesten uns vorliegenden Ueberlieferung nicht verneinen. — Ders., zum Orendel. S. 449—51. — H. Giske, zu Walther 8, 8, 1—8. S. 451—3. — F. Kaufmann u. H. Gering, noch einmal der zweite Merseburger Spruch. S. 454—62. Replik und Duplik. Vgl. oben. — F. W. E. Roth, zur Literatur deutscher Drucke des 15. und 16. Jahrhs. S. 467—80. Ein Nachtrag zu den Repertorien von Hain und Weller. — G. Binz, Johann Rasers Spiel von der Kinderzucht. S. 480—93. Das Stück ist gefunden als Einbanddeckel eines Buches der Basler Universitätsbibliothek. Der Inhalt desselben, aus der zweiten Hälfte des 16. Jahrhs. stammend, wird mitgeteilt. B. Hoenig, Nachträge und Zusätze zu den bisherigen Erklärungen Bürgerscher Gedichte. S. 493—540. — F. Branky, Vulgärnamen der Eule. S. 540—7.

1895. Bd. 27 M. Roediger, der große Waldesgott der Germanen. S. 1—15. Richtet sich gegen Kauffmanns Mythologie. — W. Golther, Baudouin de Sebourg in altniederländischer Bearbeitung. S. 14—27. Text einer mittelniederländischen Bearbeitung des altfranzösischen Romanes »Baudouin de Sebourc« aus einem Pergamentblatt des 14. Jahrhs. der Münchener Universitätsbibliothek. — F. Bech, sprachliche Be= merkungen zu der von Joseph Seemüller herausgegebenen österreichischen Reimchronik Ottokars. S. 27—51. — E. Martin, über das altdeutsche Badewesen. S. 52—55. — G. Erismann u. J. Meier, zu Klaibers „Lutherana". S. 55—63. Vgl. oben. — H. Düntzer, Goethes Gedichte „Auf Miedings Tod" und „Ilmenau". S. 64—109. Kommentar. — R. Schlösser, Kestner, Lotte und Gotter. S. 109—111. — R. Maurer, Johann Fritzner. Nekrolog. S. 111—4. — F. Vogt, zur Kaiserchronik. S. 145—8. Erklärung der Verse 9391 ff. — Ph. Strauch, altdeutsche Predigten. S. 148—209. Texte mit reichen Anmerkungen. — H. Gering, zum Heliand. S. 210—11. — R. Sprenger, zu Max von Schenkendorfs Gedichten. S. 211—15. — F. W. E. Roth, von dem Reichtumb Priester Johanns. S. 216—48. Neue Edition des schon von Zarncke mitgeteilten Gedichtes. — R. Sprenger, zu Dietrichs Flucht. S. 248—9. — Ders., zum Till Eulenspiegel. S. 249—50. — R. Reichel, kleine Nachträge zum Deutschen Wörterbuch. S. 251—63. Die Nachträge sind einem Buche des Herrn de Royaumont, Catholischer Geschichts-Spiegel, entnommen, das 1732 in deutscher Uebersetzung des W. R. Sulzbach in Nürnberg erschien. — E. Bachmann, Dresdener Bruchstück der Christherre-Chronik. S. 289—300. Text. — R. Sprenger, zum Redentiner Osterspiel. S. 301—8. Textkritisches. — A. Hauffen, die Quellen von Fischarts Ehezuchtbüchlein. S. 308—350. Quellen sind die Anthologie des Stobaios in der Uebersetzung Fröhlichs, Konrad Gesners Naturgeschichten, Egenolffs Sprichwörtersammlung und das Emblemen= werk Alciatis. Die Untersuchung zeigt, wie F. dem Gedanken, daß Familientugenden lehrbar seien, die fremden Quellen unterordnete. — A. Kopp, Gedichte von Günther und Sperontes im Volksgesang. S. 351—64. — J. Pawel, Boies ungedruckter Brief= wechsel mit Gleim. S. 364—84. Die mitgeteilten Briefe decken Berührungen und

Beziehungen auf, die für die Kenntnis und Charakterisierung vieler Dichter und Schriftsteller jener Zeit nicht ohne Bedeutung sind. — **Th. von Grienberger, die Merseburger Zaubersprüche.** S. 433—62. Textkritisches. — **P. Hagen, zum Erec.** S. 463—74. — **K. Schenk, der Verfasser der dem Kaiser Heinrich VI zugeschriebenen Lieder.** S. 474—505. Heinrich, Sohn Kaiser Friedrichs II, ist der Verfasser der beiden bisher dem Kaiser Heinrich VI zugeschriebenen Minnelieder, die gefeierte Geliebte ist Agnes, Ottokars I von Böhmen Tochter. Heinrich von Morungen und Walther von der Vogelweide haben diesem Staufer in Versmaß und Inhalt den Weg zu seinem ersten dithyrambischen Liede gezeigt, während in dem zweiten Liede nur geringe Anklänge an den Thüringer Minnedichter zu spüren sind. — **E. Damköhler u. W. Creizenach, zu den „Lutherana".** S. 505—6. Vgl. oben. — **J. Pawel, Boies ungedruckter Briefwechsel mit Gleim.** S. 507—533. Fortsetzung. Vgl. oben. — **O. Mensing, niederdeutsches Dede = hochd. Thät im Bedingssatze.** S. 533—4. — **Miszellen. R. Sprenger, zu Heinzelin von Konstanz, zu Reinke de Vos.** S. 114—16. — **F. Vogt, Bibelinum.** S. 116. — **F. Kluge, Bufferon.** S. 116. — **M. Roediger, zum Reichtumb Priester Johanns.** S 385—6. — **O. Brenner, Erdisen.** S. 386—9. — **R. Sprenger, zu Friedrich Hebbels Trauerspiel Agnes Bernauer.** S. 389. — **R. Sprenger, zum Redentiner Osterspiel.** S. 561—3. — **O. Behagel, alliterierende Doppelkonsonanz im Heliand.** S. 563. — **O. Brenner, schwebende Betonung.** S. 563—4. — **A. Leitzmann, zu Boies Briefen im vorigen Hefte.** S. 564. — **Literatur.**

5) Revue des questions historiques.

1894. Bd. 55. (April—Oktober.) **F. de Moor, la fin du nouvel empire Chaldéen.** S. 337—86. — **A. Spont, la marine française sous le règne de Charles VIII.** S. 387—454. Behandelt das Eingreifen der jungen Flotte in die Kämpfe um die Eroberung der Bretagne und der Provence. — **J. Gendry, les débuts du Joséphinisme démêlés entre Pie VI et Joseph II.** S. 455—509. Bietet eine auf archivalische Forschung sich gründende Geschichte des Josephinismus. G. nennt die Reise Pius VI nach Wien einen Triumph des Papsttums und hält sie nicht für erfolglos. — **C. Geoffroy de Grandmaison, les cardinaux noirs (1810—14).** S. 510—84. (Vgl. hiezu das im Hist. Jahrb. XVI, 208 angezeigte Werk von Ricard.) Schildert die Vorgänge vor der Weigerung der bekannten Kardinäle, der religiösen Zeremonie der Eheschließung Napoleons mit Marie-Luise am 2. April 1810 beizuwohnen, die zur Weigerung führenden Beratungen, Napoleons brüstes Vorgehen gegen sie, ihr Exil, die keimende katholische Bewegung, das Nationalkonzil von Paris, die Befreiung der Kardinäle. **Mélanges. L. de Mas-Latrie, les seign. d'Arsur en Terre Sainte.** S. 585—97. — **T. L., une question de chronologie biblique.** S. 597—603. — **L. G. Pélissier, la politique de Trivulce au début du règne de Louis XII.** S. 5—47. Sucht die Ansicht zu widerlegen, daß Jean Jacques Trivulce nur aus reiner Loyalität allzeit zu Ludwig XII stand; P. führt sein Verhalten auf rein egoistische Motive zurück. — **A. de Boislisle, le veuvage de François d'Auvigné.** S. 48—110. Schließt sich an die im Hist. Jahrb. XV, 871 notierten Artikel desselben Vf. an. — **V. Fournel, les comédiens dans les armées sous la république française.** S. 111—68. Behandelt werden: Charles-Philippe Ronsin, Antoine Grammond und Sohn, Camille Dufresse, Jabrefond, Robert, Muller. — **L. Sciout, le directoire et la république cisalpine.**

S. 169—216. — **Mélanges.** Fl. de Moor, Gubaru et Darius le Mède. Nouvelles preuves de la valeur historique du livre de Daniel. S. 217—23. — L. Levêque, de l'origine du Liber responsalis de l'église romaine. S. 223—38. Richtet sich gege das im Hist. Jahrb. XIV, 429 angezeigte Werk Batiffols. Nach ihm ist die Glaubwürdigkeit der Tradition, daß der Liber responsalis und der Liber gradualis vom hl. Gregorius verfaßt sind, nicht erschüttert. — Th. de Puymaigre, un recueil d'inscriptions en l'honneur de Jeanne d'Arc. S. 238—47. Behandelt ein seltenes 1628 zu Paris erschienenes Buch. — L. de Lanzac de Laborie, un préfet indépendant sous Napoléon. Voyer d'Argenson à Anvers. S. 248—72. — M. de la Rocheterie, les mémoires du chancelier Pasquiers. S. 272—85. Vgl. das Hist. Jahrb. XV, 451 und 897 angezeigte Memoirenwerk. — **P. Allard, le paganisme au milieu du IVᵉ siècle.** Situation légale et matérielle. S. 353—403. Vgl. die in der Novitätenschau unter den Comptes rendus des Brüsseler Katholikentages (Sciences historiques) gegebene Inhaltsangabe. — **H. de la Ferrière, Cathérine de Medicis et les politiques.** S. 404 —39. Glaubt, daß de Crue (Le parti des politiques au lendemain de la Saint-Barthélemy) die Montmorency überschätzt habe zu Ungunsten Katharinas. — **O. Vigier, une invasion en France sous Louis XIII.** S. 440—92. — **E. Allain, un grand diocèse d'autrefois.** Organisation administrative et financière. S. 493—534. Vgl. wie oben die unten angezeigten Comptes rendus des Brüsseler Katholikentages. — **Mélanges.** G. Baguenault de Puchesse, le P. Joseph et Richelieu. S. 534—40. Behandelt das im Hist. Jahrb. XVI, 881 angezeigte Buch von Fagniez. — Pierling, un manuscrit du Vatican sur le Tsar Dimitri de Moscou. S. 540—48. Das Manuscript enthält die Briefe der Curie an die Nuntiatur in Polen vom 4. Juni 1605 bis 25. Juli 1609. — E. Welvert, un prêtre régicide. Le conventionnel Chasles. S. 548—54.

6] Archivio storico Italiano.

1893. Ser. 5. Bd. 12. H. 4. **Francesco Nitti di Vito, di una iscrizione reliquiaria anteriore al 1000** (mit einem Faksimile). S. 257—74. Behandelt eine jetzt im Staatsarchiv zu Florenz befindliche Bleitafel von 0,13 zu 0,07 m Größe nach der paläographischen, historischen, linguistischen und geographischen Seite und stellt fest, daß es sich um eine Inschrift über die Translation der Gebeine der hl Erminia in der Cathedrale von Martireno (Calabrien) handelt. In der Abhandlung fehlt jeder Hinweis auf die Glaubwürdigkeit der Bleitafeln im allgemeinen. (Vgl. Wattenbach, Schriftwesen.) — **Cornelio de Fabriczy, il codice dell' Anonimo Gaddiano** (Cod. Magliabechiano XVII, 17) **nella biblioteca Nazionale di Firenze.** S. 275—334. Weitere Textpublikationen über die 1544 gemachten Aufzeichnungen des Anonymus über die in Rom sichtbaren hauptsächlichsten Kunstwerke aus der Zeit des rinascimento und eine Bemerkung über einige Gemälde in der Certosa di Val d'Ema. Ferner von anderer Hand ein Aufsatz über die Kunst- und Andachtsbilder in Perugia, Assisi und Rom, an Ort und Stelle verfaßt im März 1544. — **Augusto Bazzoni, il cardinale Francesco Barberini legato in Francia ed in Ispagna nel 1625—26.** S. 335—60. Als Frankreich 1624 und 1625 Velltin von den venetianischen und päpstlichen Truppen gesäubert hatte, faßte Urban VIII den Plan, seinen Neffen Francesco Barberini als legatus a latere

nach Frankreich zu senden, um den König zu veranlassen, daß der Veltlin dem
hl. Stuhle übergeben werde sowohl aus politischen wie religiösen Beweggründen.
Am 18. März 1625 reiste der Legat über Civitavecchia, Genua, Toulon, Avignon
und Lyon nach Paris, wo er am 21. Mai anlangte und alsbald erfuhr, daß der
Frieden mit den Hugenotten bevorstehe; nach vergeblichen Unterhandlungen mit
Richelieu verlangte er Audienz beim König in Fontainebleau, ohne jedoch auch bei
diesem etwas durchzusetzen bezüglich einer Verweigerung des Friedens gegenüber
den Rebellen. Große Thätigkeit entfaltete der Legat, um die Niederlegung der
Waffen im Veltlin zu erreichen, damit man dann über die künftigen Schicksale desselben mit den betheiligten Mächten verhandeln könne. Jedoch Spanien und Frankreich waren der Niederlegung der Waffen abgeneigt, darum schlug der Legat vor,
man solle provisorisch die Festungen dem Papste übergeben, die Religion schützen
gegen die Häretiker und dann über den definitiven Besitz des Veltlin verhandeln.
Dieses wurde abgelehnt und man griff immer wieder darauf zurück, den Grau-
bündtnern den Veltlin zu lassen, um die Religion gegen diese Häretiker zu schützen.
Der Legat mußte sehen, wie sowohl der Frieden mit den Hugenotten als auch der
Ausschluß des Pontifex vom Veltlin von Richelieu gewollt war, und aus diesem
Grunde ging der Legat, ohne etwas erreicht zu haben, Ende August nach Rom zurück,
wo er Mitte Dezember eintraf. Im Februar 1626 ging Barberini in gleicher
Eigenschaft nach Spanien, um den Frieden zwischen Spanien und Frankreich herzustellen. Aber während er auf der Reise war, hatten beide Staaten am 5. März 1626
zu Monzone einen Vertrag geschlossen, in dem die Angelegenheiten des Veltlin in
der bekannten Weise behandelt worden waren. Olivares versicherte dem Legaten,
daß die katholische Religion im Veltlin in allerwünschenswerter Weise geschützt
würde, es handle sich nur noch um die Zustimmung des Königs von Frankreich
zum Vertrage. Bei den folgenden Verhandlungen sah der Legat, daß seine Anwesenheit dem Frieden mehr schade, wie nütze und darum verließ er Spanien und
kehrte am 13. Oktober 1626 nach Rom zurück — **Pippi Averardo, la società
Colombaria di Firenze nell' anno accademico 1892—93.** S. 361—65.
— **Ireneo Sanesi, di un incarico dato alla Repubblica Fiorentina
a Giovanni Villani.** S. 366—69. Schlichtung eines Grenzstreites. - **Dante
Catellacci, una invasione di lupi nelle vicinanze di Firenze nel 1553.**
S. 370—74. — **Corrispondenze. -- Rassegna bibliografica. — Notizie.**
S. 375—477.

**1894. Ser. 5. Bd. 13. H. 1—2. N. Festa, le lettere greche di Fede-
rigo II.** S. 1—34. Neuer Abdruck der 4 Briefe, da die Ausgabe von Gustav
Wolff (Berlin 1855) vielfach fehlerhaft sei. — **G. E. Saltini, di Celio Males-
pini ultimo novelliere italiano in prosa del secolo XVI.** S. 35—80.
— **G. Sforza, Enrico vescovo di Luni e il codice Pelavicino dell'
archivio capitolare di Sarzana.** S. 81—88. Es ist das »Liber jurium«
von Luni, das im J. 1287 ff. vom Bischof Heinrich von Fisceto angelegt wurde.
Hier Notizen zur Vita des Bischofs. — **A. Giorgetti, pergamene Gherardi
depositate nell' archivio di stato di Firenze.** S. 89—90. 250 Privat-
urkk. 1307—1782, betreffend die Familien Morelli, Cambi, Rondinelli, Borromei,
Malaspina usw., darunter auch eine Bulle Gregors XII an Heinrich IV von
England, Ermahnungen, den Frieden der Kirche zu fördern. — **U. Marchesini,
tre pergamene autografe di Ser Lapo Gianni.** S. 91—94. — **Fr. Savini,
sulla vera patria del cardinale Pietro Capocci.** S. 95—98. Der Berater

Innocenz' IV war von Geburt Römer, nicht aus Atri. — E Loevinson, intorno alla sottomissione di Spoleto a Perugia nel 1324. S. 98—104. Text der Unterwerfungsurkunde. — L G. Pélissier, note italiane sulla storia di Francia. S. 104—13, 349—57. Ein Brief des Louis von Montpensier, eines Teilnehmers an dem Mailänder Feldzug Louis' XII († 1501), ferner Dokumente, betreffend die Verbindung Karls VIII mit Ludovico Sforza (1497); endlich politische Nachrichten von Italienern aus Lyon und das J. 1498. — C. de Stefani, frammento inedito degli statuti di Lucca del 1224 e del 1232. S. 249—56. — A. Messeri, Matteo Palmieri cittadino di Firenze del secolo XV. S. 257—340. Authentische Darstellung seines Lebensganges als „Bürger von Florenz", vorläufig absehend von seinen Schriften. Im Anhange Dokumente und Briefe. — A. Mori, un geografo del rinascimento, Francesco di Niccolò Berlinghieri. S. 341—48. Biographische Notizen über den 1500 gestorbenen Vf. der ›Geographia in terza rima‹. Ueber diese Schrift selbst und die damit gewöhnlich verbundenen Karten soll eine Untersuchung in der ›Rivista geografica italiana‹ ed. Marinelli erscheinen. — F. Carabellese, un nuovo libro di mercanti italiani alle fiere di Sciampagna. S. 357—63. Aus den Fragmenten eines kaufmännischen Kontobuches im Florentiner Staatsarchiv werden die „lesbaren" Notizen mitgeteilt. Leider sind dieselben sehr fragmentarisch und bestätigen nur, was wir von den „Messen der Champagne" schon wissen. — Corrispondenze. — Rassegna bibliografica. — Notizie.

1894. Serie 5. Bd. 14. H. 3—4. Alessandro Bardi, Filippo Strozzi (da nuovi documenti) S. 3—78. An der Hand des bekannten Materials eine kurze Lebensbeschreibung von Filippo Strozzi und Veröffentlichung 22 unbekannter Briefe desselben zum teil aus dem Florentiner Staatsarchiv, zum teil aus Privatbesitz. — Michele de Palo, due novatori del XII secolo. S. 79—114. Untersuchung ob der ›schismaticus insignis‹, Arnaldo de Brescia, Schüler des Pierre Abälard gewesen sei. Otto von Freising, der zunächst und allein von einem Studienaufenthalte Arnaldos in Frankreich spricht, hat sich geirrt. Anschauungen, Gedanken, Bildung usw. der Beiden waren zu verschieden, ja geradezu entgegengesetzt, so daß ein Verständnis auch nur über wenige Punkte nicht möglich gewesen ist. Nach den Vorgängen des Jahres 1140 zu Sens geht Abälard nach Clugny, Arnaldo nach Paris, ersterer um Frieden mit Gott und Kirche zu machen, letzterer um alle zum Klassenkampf aufzurufen, um Volk und Klerus zu verhetzen. Ein weiterer Grund, um ein Schülerverhältnis Arnaldos zu Abälard auszuschließen, ist das Schweigen aller anderen zeitgenössischen Quellen, einschließlich Abälards selbst. Schließlich leitet Vf. aus dem hl. Bernhard und Johannes von Salisbury die Nachricht ab, daß zwischen Abälard und Arnaldo vor 1140 überhaupt keine Beziehungen vorhanden gewesen sind und daß ihr Zusammentreffen klar zeigte, wie weit Arnaldo davon entfernt war, etwas von Abälard zu lernen, so daß beide gänzlich unabhängig von einander waren und geblieben sind. — Archivi e Biblioteche. S. 115—48. — Giovanni Sforza, l'archivio Notarile di Carrara. — Demetrio Marzi, notizie su alcuni archivi della Valdinievole e del Valdarno Inferiore. — G. Papaleoni, maestri di grammatica Toscani dei sec. XIII e XIV. S. 149—51. — Léon G. Pélissier, note italiane sulla storia di Francia. S. 152—60. — G. O. Corazzini, diario Fiorentino di Bartolommeo di Michele del Corazza. S. 233—98. Das veröffentlichte Tagebuch bezieht sich auf die Jahre

1405—38. — **F.Novati, miscellanea diplomatica cremonese** (Sec. X – XII). S. 299 – 318. Wiederabdruck einiger wichtiger Schenkungsurkunden, die sich auf Cremoneser Verhältnisse beziehen. 990 – 1148. — **Gaetano Salvemini, a proposito dell' anno della nascita di Cangrande della Scala.** S. 319—22. Tritt für 1291 als Geburtsjahr ein. — **A. Giorgetti, nuovi documenti su Giovanni da Empoli.** S. 322—29. — **Guiseppe Sanesi, Alessandro Tesauro e due sonetti in lode di Carlo Emanuele I.** S. 329—42. — Corrispondenze. — Rassegna bibliografica. — Notizie. S. 160—227. 343 - 456.

1895. Serie 5. Bd. 15. H. 1—4. **Carlo Errera, la spedizione di Sebastiano Caboto al Rio della Plata.** S. 1—62. Handelt 1. über die Quellen; 2. über die Vorbereitungen zur Expedition; 3. über die Reise von Sanlúcar nach Pernambuco, Sverno nach Pernambuco; 4. Santa Caterina; 5. über die Erforschung des Plata und Parana; 6. über das Verhältnis von Sebastian Caboto zu Diego Garcia; 7. über die Rückreise. Ein achter Abschnitt beschließt die an Resultaten reiche Arbeit. — **Luigi Staffetti, un episodio della vita di Piero Strozzi.** S. 63—77. Schilderung des sehr kühnen Handstreiches des Piero Strozzi auf Piemont i. J. 1544. — **S. Bongi, due libri d'amore sconosciuti.** S. 78—85. Die Bücher tragen folgende Titel: Le lagrime d'Amore di Sebastiano Re da Chioggia. Venedig 1552 und Tempio d'Amore del Capanio Napoletano. — **Archivi e Biblioteche.** Bericht über die Neuerwerbungen des Staatsarchivs von Lucca i. J. 1894. S. 86 - 92. — **U. Marchesini, dell' età in cui poteva cominciarsi l'esercizio del Notariato in Firenze nei secoli XIV—XVI.** S. 92—96. Im 14. Jahrh. konnte man mit 18 bezw. 20 Jahren, im 15. Jahrh. mit 22 bezw. 25 Jahren Notar werden. — **L. G. Pélissier, note italiane sulla storia di Francia.** S. 99—108. — **Gaetano Salvemini, l'abolizione dell' ordine dei Templari** (a proposito di una recente pubblicazione) S. 225—264. Im Anschluß an das Buch von Gmelin, Schuld oder Unschuld des Templerordens, bespricht Vf. die bedeutendsten Veröffentlichungen über die Templer aus den letzten 20 Jahren; er nimmt die Erklärungen Gmelins als »accettabili in tutti i suoi particolari« an, nicht ohne anderweitige Ausstellungen zu machen. — **Girolamo Rossi, la morte di Onorato Lascaris, conte di Tenda.** S. 265—75. — **Giovanni Sforza, il falsario Alfonso Ciccarelli e Alberico Cybo Malaspina, Principe di Massa.** S. 276—87. Eingehender Bericht über die Beziehungen des Fälschers Ciccarelli zum Fürsten von Massa, mit neuen Dokumenten. — **Archivi e Biblioteche. Demetrio Marzi, Notizie su altri archivi della Romagna Toscana.** S. 288—305 (Portico, Rocca S. Casciano, Castrocaro, Terra del Sole). — **C. Paoli, mercato, scritta e denaro di Dio.** S. 306—15. Ueber die Entstehung gewisser Notariatsgebräuche. — **C. de Fabriczy, fonditori Fiorentini ai servigi della repubblica di Ragusa.** S. 316—18. — **A. Rossi, una lettera inedita di Francesco Guicciardini.** S. 319 —22. Aus dem J. 1529; über seine Stellung zu Klemens VII. — **Guiseppe Biadego, Felice Griffini.** S. 323—29. Biographische und bibliographische Nachrichten über Felice Griffini, geb. 4. Sept. 1805, † 1887, Vf. verschiedener historischer Werke. — Corrispondenze. — Rassegna bibliografica. — Notizie. S. 109—224. 330—465.

1895. Serie 5. Bd. 16. H. 1—2. **P. Santini, studi sull' antica costituzione de Comune di Firenze.** S. 3—59. Befaßt sich nicht mit der städtischen Verfassung im allgemeinen und mit ihrer Entstehung, sondern hebt nur Einzelheiten heraus. 1. Die Anfänge der freien Regierung. 2. Die ersten politischen Thaten — Stadt und Bistum. 3. Die ältesten Gerichtshöfe der Consuln. — **Francesco Labruzzi, un figlio di Umberto Biancamano.** S. 60—83. Der zweite von den vier Söhnen des Grafen Umberto Biancamano, mit Namen Burkhard, ist bisher in seinen Lebensschicksalen unbekannt geblieben. Vf. trägt alle Notizen über ihn zusammen. Derselbe war 1022—25 Bischof von Aosta und wurde dann Erzbischof von Lyon. — **Cesare Paoli, un diploma di Carlo VIII alla Signoria di Firenze.** S. 84—190. (Aus dem Bande: Mélanges v. Julien Havet. Vgl. Hist. Jahrb. XVI, 700.) — **Isidoro del Lungo, una casa polizianesca in Firenze.** S. 90—98. Aktenstücke über ein Haus der Familie Poliziano. — **G. E. Saltini, di una cospirazione contro la vita di Carlo V, ordita dai Farnesi nel 1543.** S. 98—104. Brief des Leonidas Malatesta an den Kaiser über die Verschwörung des Mathias Varano. — **Ettore Parri, Antonio Ronquillo luogotenente e capitan generale nel regno di Sicilia.** S. 104—19. Neue Dokumente über den spanischen Vicekönig von Neapel Antonio Ronquillo.

1895. **Serie** 5. **Bd.** 16. **H.** 3—4. **Francesco Carabellese, una bolla inedita e sconosciuta di Celestino V.** S. 161—76. Früher ein Buchumschlag, jetzt losgelöst, ist die Bulle Cälestin V, die Vf. untersucht, wohl inedita, nicht aber sconosciuta. Eine Anzahl Zeilen sind zum teil unleserlich geworden und gerade der Name des Klosters, dem das Privilegium erteilt wurde, ist verschwunden. Zwei Tage vor seiner Abdankung erlassen, wird, wie Vf. ausführt, der Orden der Murroneser durch eine Wiederholung der früher erteilten Privilegien vor künftigen Schäden und Gefahren zu schützen. Es soll die letzte von Cälestin V erlassene Bulle sein. — **Michele Rosi, la congiura di Gerolamo Gentile** S. 177—205. Eine ausführliche Darlegung der Stadt Genua unter dem unklugen Regimente Galeazzo Sforzas zeigt, wie der Boden für eine Volkserhebung vorbereitet war. Dieselbe brach aus um die Mitte des J. 1476 unter dem jungen und reichen Kaufmanne Girolamo di Andrea Gentile und unter Beihilfe einer Anzahl Patrizier. Irgend einen Erfolg hat der Aufstand nicht gehabt wegen der Kopflosigkeit der Anführer. — **Agostino Zanelli, di alcune leggi suntuarie pistoiese dal XIV al XVI secolo.** S. 206—24. Behandelt in sehr lehrreicher Weise die Gesetze gegen den Luxus in seinen verschiedenen Formen in Pistoia während des 14. bis 16. Jahrh. — **Antonio Gianandrea, nuovi documenti sforzeschi Fabrianesi.** S. 225—43. — Fortsetzung der Arbeit in Archivio stor. Ital. Serie 5. Bd. 2 u. 3. 1888/89 über die Herrschaft der Sforza in den Marken Dokumente neu aufgefunden im Archiv zu Fabriano. — **Augusto Alfani, la società Colombaria di Firenze nell' anno accademico 1894—95.** S. 244—56. — **Eugenio Casanova, bandi piemontesi acquistati dalla Biblioteca nazionale centrale di Firenze.** S. 257—66. Beiträge zur piemontesischen Lokalgeschichte. — **Francesco Carabellese, la compagnia di Orsanmichele e il mercato dei libri in Firenze nel secolo XV.** S. 267—73. Aufschlüsse über den Florentiner Buchhandel im 15. Jahrh. — **Umberto Marchesini, Filippo Villani pubblico lettore della Divina Commedia in Firenze.** S. 273—79. Hatte die Dante Cattedra von 1391—405. — **Abele Morena, giudizi sulla revoluzione francese nella Corte del Granduca Ferdinando III.** S. 280—92. — Mitteilungen

aus den noch unedirten Memoiren des Lorenzo Pignotti, die sich in Perugia befinden.
— **Léon G. Pélissier, note italiane sulla storia di Francia** S. 293—98.
— **Corrispondenze. — Rassegna bibliografica. — Notizie.** S. 120—59.
S. 299—440

7] **Sitzungsberichte der philosophisch-historischen Klasse der kaiserl. (Wiener) Akademie der Wissenschaften.**

1894. **Bd. 130. R. Heinzel, über Wolframs von Eschenbach Parzival.** 114 S. Wolfram sagt, daß er seinen Parzival nach dem Werke eines provenzalischen Lyrikers Kiot gedichtet habe. Was das Verhältnis dieses Kiot zu Crestians Gralroman anlangt, so ist es wahrscheinlich, daß beide parallele Ableitungen aus einer verlorenen Quelle sind. H. stellt diese gemeinsame Quelle durch Vergleichung mit ihren Ableitungen her, und verfährt hierauf ebenso mit Kiot. — **W. Tomaschek, die alten Thraker, eine ethnologische Untersuchung.** II: Die Sprachreste. 70 S. — **J. Müller, kritische Studien zu den Naturales Quaestiones Senecas.** 34 S. — **G. Meyer, neugriechische Studien.** I: Versuch einer Bibliographie der neugriechischen Mundartenforschung. II: Die slavischen, albanischen und rumänischen Lehnworte im Neugriechischen. 104 u. 104 S. — **H. Siegel, der Handschlag und Eid nebst den verwandten Sicherheiten für ein Versprechen im deutschen Rechtsleben.** 122 S. Aus den Quellenstellen ergibt sich, daß mit dem Darreichen der Hand einer seine Treue gegeben oder zu Pfand gesetzt hat. Wer aber seine Treue für ein Versprechen einsetzte, verpfändete seine Verläßlichkeit oder Gewissenhaftigkeit in der Erfüllung einer übernommenen Verbindlichkeit. Der Einsatz der Treue war zugleich ein Einsatz der Ehre. Wie der Gebrauch des Handschlags ohne Worte hervorgegangen ist aus dem Handgelübde, so verflüchtigte sich dasselbe andererseits und zwar zunächst bei verbrieften Verträgen in eine Versicherung der Treue mit bloßen Worten, in eine fidelis sponsio oder das nachmals so genannte Ehrenwort. Zu gleichem Zwecke kam seit den christlichen Zeiten auch ein Eidschwur zur Verwendung. Die meistverbreitete Schwurhandlung war die Aufrichtung der Finger; nach ihr dürfte die Berührung von Heiligen am häufigsten vorgekommen sein. Zur Bekräftigung von Erklärungen, welche einer Obrigkeit abgegeben wurden, diente in einigen Gegenden auch die Berührung des Stabes, der das Zeichen der obrigkeitlichen Gewalt war. Nicht selten kam zu einem Handschlag noch ein Eid oder umgekehrt. Die Rechtsregel, daß der deutsche König nicht in Person einen förmlichen Eid ablegte, ist nicht immer gehalten worden. Bei wechselseitig gegebenen Versprechen schloß der Handschlag den einseitigen Rücktritt von dem Geschäfte aus. Wer seine Treue besonders eingesetzt hatte und seinem Versprechen trotzdem nicht nachkam, beging einen strafbaren Treubruch. Strafe des Treubruchs war die Ehr- und Rechtlosigkeit. Auch die Strafe des Meineidigen war bis anfang des 16. Jahrhs. keine andere und auch nach Rezeption des römischen Rechts wurde das „Treugeben" noch dem Schwure gleichgeachtet.

1894. **Bd. 131. W. Tomaschek, die alten Thraker, eine ethnologische Untersuchung.** (2. Fortsetzung.) 103 S. — **A. Zingerle, zur vierten Dekade des Livius.** II. 22 S. — **H. v. Zeißberg, Belgien unter der Generalstatthalterschaft Erzherzog Karls (1793/94).** III. Teil. 188 S. Am 2. April 1794 reiste Franz II nach den Niederlanden ab; Trauttmannsdorff und der Kabinetsminister Colloredo befanden sich in seinem unmittelbaren Gefolge; Thugut kam nach. Am 9. April fand der Einzug in Brüssel statt, woselbst eine Reihe loyaler Kundgebungen erfolgte, und am 14. ging

der Kaiser nach Valenciennes in das Hauptquartier ab, wo er der siegreichen Schlacht
von Landrecies beiwohnte. Der Kaiser griff persönlich in die Verwaltung Belgiens
ein und übernahm das Oberkommando der Armee selbst. Unter dem Namen eines
Grafen Montgaillard erschien in Valenciennes ein politischer Abenteurer, dessen wirklicher Name Jacques Roques war; mit ihm wurde die Möglichkeit eines Friedens-
schlusses mit Robespierre erörtert. Die aus der Niederlage bei Tourcoing hergeleiteten
Beschuldigungen gegen Thugut sind nicht begründet. Ende Mai mehrten sich die
Stimmen, welche den Friedensschluß wegen der Unruhen in Polen befürworteten.
Man war nicht willens, die Niederlande freiwillig zu räumen, aber machte sich mit
der Eventualität eines Verlustes derselben vertraut. Zur Besserung der Finanzen
wurden Assignaten ausgegeben und eine Anleihe in England aufgenommen. Ferner
ergaben die Verhandlungen mit den Ständen der einzelnen Provinzen die Bewilligung
von über 3 Millionen Gulden »Dons gratuits«. Am 13. Juni verließ Franz II
die Niederlande. Die Schlacht von Fleurus (26. Juni) entschied über das Schicksal
des Landes. Mit dem Rückzug der Engländer ins Holländische hörte jede Verbindung
der Alliirten auf und Koburg zog sich Mitte Juli haftig hinter die Maas zurück.
Diese Räumung Belgiens hatte nicht in geheimen Abmachungen mit dem Feinde,
sondern in der Mangelhaftigkeit der militärischen Leitung ihren Grund und ist jedenfalls auf ein geheimes Einverständnis zwischen Thugut und Waldeck zurückzuführen.
Am 9. Juli rückten die Franzosen in Brüssel ein. Das Gouvernement der Niederlande wurde durch den Kaiser im August aufgelöst und die Zivilverwaltung an Clerfayt
übertragen. Mit den Truppen verließen zahlreiche Belgier ihr Vaterland, von denen
manche an Oesterreich ein Adoptivvaterland gefunden haben. — **Rud. Beer, Handschriftenschätze Spaniens.** 80—81 S. Bringt die Indices. — **Th. v. Grienberger,
Vindobona, Vienne, eine etymologische Untersuchung.** 30 S. „Wien" kommt nicht von
dem keltischen „Vindobona", sondern von dem Namen der dort mündenden Flüßchen.
G. deutet den kelt. Ortsnamen als „Lichtenschlag, Lichtenfeld, Lichtenau". Der Name
„Wien" stammt von den Slaven und bedeutet „eine Anhäufung von Wasser", also
als Ortsappellativum soviel wie „am Wasser", „auf der Au". — **E. Steffenhagen, der
Einfluß der Buchschen Glosse auf die späteren Denkmäler. II: Das Berliner Stadtbuch.**
25 S. Im Schöffenrecht des Berliner Stadtrechts (aus dem Ende des 14. Jahrh.)
ist weder die Lehnrechtsglosse noch die Stendaler Glosse benützt. Im übrigen jedoch
wird im Schöffenrecht die Glosse von zwei verschiedenen Seiten zu grunde gelegt, so
daß die Nichtbeachtung derselben durch die Hrsg. zu Mißverständnissen geführt hat.
— **H. Schenkl, bibliotheca patrum latinorum Britannica.** VI. 79 S. Behandelt Salisbury, Exeter, Canterbury, Bangor, Norwich, Wells, Chichester, Winchester, die Westminster Abtei, Rochester, York, Lincoln.

**8] Abhandlungen der philol.-histor. Klasse der k. sächsischen Gesellschaft der
Wissenschaften (Leipzig).**

1894. Bd. 14. **Joh. Ilberg, das Hippokrates-Glossar des Erotianus und seine
ursprüngliche Gestalt.** S. 101—47. Ein mittelalterlicher Epitomator hat die ursprünglich
an den Rand eines Hippokrates-Exemplars geschriebenen Glossen durch den Versuch
einer alphabetischen Ordnung durcheinander gebracht. J. stellt auf grund seiner Untersuchung die Folge des Urglossars wieder her. — **Fr. Delitzsch, Beiträge zur Entzifferung
und Erklärung der kappadokischen Keilschrifttafeln.** S. 205—70. — **Th. Schreiber, die**

alexandriniſche Toreutik; Unterſuchungen über die griechiſche Goldſchmiedekunſt im Ptolemäerreiche. Teil I. S. 271—479 mit 5 Tafeln. — Max Heinze, Vorleſungen Kants über Metaphyſik aus drei Semeſtern. S. 481—728. — F. H. Weißbach, neue Beiträge zur Kunde der ſuſiſchen Inſchriften. S. 729—77 mit 5 Tafeln.

5] Abhandlungen der hiſtoriſchen Klaſſe der k. bayer. Akademie der Wiſſenſchaften zu München.

1895. Bd. 21. Abt. 1. W. Preger, Beiträge zur Geſchichte der religiöſen Bewegung in den Niederlanden in der 2. Hälfte des 14. Jahrhs. S. 1—64. Aus HSS.
in Haag und in Brüſſel ediert P.: 1. 16 Briefe Gerhard Grootes, deren überaus
ſchwierige Datierung er verſucht, 2. ein Fragment aus Gerhard Zerbolts von Zütphen
Schutzſchrift für die Brüder und Schweſtern vom gemeinſamen Leben und 3. Sätze
aus einer Schrift der Brüder des freien Geiſtes. Dieſen Quellen geht eine inſtruktive
Einleitung voraus. — S. Riezler, zur Würdigung Herzog Albrechts V von Bayern
und ſeiner inneren Regierung. S. 65—132. Die Abhandlung knüpft an eine Denkſchrift der „über den Staat verordneten Räte" vom Sommer 1557 an, die auch im Anhang wörtlich abgedruckt erſcheint. Es handelt ſich um den anerkennenswerten Verſuch
der höchſten Beamten, ihren Fürſten zu warnen und zum Einlenken zu beſtimmen.
Der Denkſchrift iſt 1555 eine andere, welche Vorſchläge zur Mehrung des Einkommens
enthält, vorausgegangen. Von bedeutend größerer Wichtigkeit iſt die von 1557, als
deren Autor Wiguleius Hundt zu vermuten ſein dürfte. In dieſem Gutachten, mit
welchem dem Herzoge von der Kommiſſion gleichzeitig ein verbeſſerter Etat vorgelegt
wurde, beſitzen wir, was bisher vermißt wurde, ein Zeugnis erſten Ranges über
ſein Naturell, ſeine Neigungen, Lebensweiſe und religiöſe Haltung. Die guten Einflüſſe ſeiner ſorgfältigen Erziehung wurden ſogleich zerſtört, als er 22jährig in den
Vollbeſitz der Macht gelangte. Die proteſtantiſchen Neigungen, die man ihm zu-
ſchreiben will, ſind in ſeinem Stadium ſeines Lebens zu erkennen. Albrecht war,
wenigſtens bis zur Berufung der Jeſuiten, nur ſehr lau in kirchlichen Dingen. Der
Freimut ſeiner Räte hatte wenig Erfolg. Einen raſch vorübergehenden kleinen Rück-
ſchlag abgerechnet, wurde im herzoglichen Hofhalt fortgewirtſchaftet wie bisher. Aber
auch die meiſten Fortſchritte, welche im bayeriſchen Staatsleben der nächſten Jahre
zutage treten, können auf Anregungen der Denkſchrift von 1557 zurückgeführt werden.
— Derſ., die bayeriſche Politik im ſchmalkaldiſchen Kriege. S. 133—224. Bayern trug
gegenüber den Schmalkaldern die Maske der Neutralität, war aber durch den geheimen
Regensburger Vertrag vom 7. Juni 1546 mit dem Kaiſer verbündet und hat der
Sache des Kaiſers hohen Nutzen gebracht. Die Politik des Kanzlers Bernhard Eck
war doppelzüngig, weil ſie von zwei verſchiedenen Zielen beherrſcht war: Bekämpfung
des Proteſtantismus und Bekämpfung der habsburgiſchen Uebermacht. Die Anerkennung von Ferdinands Wahl (11. Sept. 1534) beendete die offene, nicht die
latente Feindſeligkeit gegen die Habsburger. Seit Dezember 1539 ſuchte Philipp von
Heſſen die Annäherung an Bayern ohne Rückſicht auf das religiöſe Bekenntnis.
Heſſiſcher Unterhändler war der argloſe Dr. Gereon Sailer. Das Streben Wilhelms IV,
die pfälziſche Kurwürde zu erwerben und die pfalzneuburgiſchen Länder an Bayern
zurückzubringen, erwies ſich der Einigung mit den Schmalkaldnern hinderlich. Vigilius
van Zwichem ſondierte im Sommer 1545 in kaiſerlichem Auftrag am Münchener Hofe
die Ausſichten eines Bündniſſes gegen die Proteſtanten. Kardinal Otto Truchſeß
von Augsburg führte im Oktober 1545 die Unterhandlung weiter fort. Am 5. und

10. Mai unterhandelte Eck mit dem Kaiser in Regensburg; aber schon vorher war man über die Hauptsache einig: Bund gegen die Schmalkaldener und als Entgelt Heirat des bayerischen Erbprinzen Albrecht mit Ferdinands Tochter Anna. Eine förmliche Ausfertigung des Bündnisvertrags hat nie existiert. Die Geheimhaltung des Bündnisses war politisch wie strategisch gleich klug. Der hessische Agent ließ sich vollständig irre führen. Beim Ausbruch des Kriegs entschuldigte der Herzog diesem gegenüber seine Rüstungen mit der Notwendigkeit, sein eigenes Land zu schützen. An der zögernden Kriegsführung der Schmalkaldner, dem Grund ihrer späteren Niederlage war zum großen Teil die bayerische Diplomatie schuld, welche jene in Sicherheit wiegte und verhinderte, daß der in Bayern weilende Kaiser vor dem Eintreffen der Spanier angegriffen wurde. Erst am 10. Aug. wurden die Feindseligkeiten gegen die bayerische Stadt Rain eröffnet. Am 31. Aug. begannen die Verbündeten Ingolstadt zu beschießen, aber einen weiteren Angriff wagten sie nicht. Im September verzog sich das Kriegsgetümmel aus Bayern. Herzog Wilhelm hat seine Bündnispflichten getreulich erfüllt, aber den erwarteten Lohn, sei es die pfälzische Kur oder das neuburgische Gebiet, hat er nicht erhalten.

26] **Věstník král. české společnosti nauk.** Sitzungsberichte der kgl. böhmischen Gesellschaft der Wissenschaften. Klasse für Philologie, Geschichte und Philosophie. Prag, 1894.

V. **Gabler, die Erörterungen über die große französische Revolution.** 8 S. Gegen die vielen Lobpreiser Napoleons und der französischen Revolution. Vf. meint, daß man i. J. 1789 auf friedlichem Wege zur Reform hätte gelangen können, und daß dieser Weg weit vorteilhafter gewesen wäre als jener der Revolution, sich aber nicht eröffnet habe infolge der alten Rivalität der Häuser Orleans und Bourbon und des Strebens Ludwig Philipps nach dem Thron. Der Erfolg der Revolution entspricht nicht den Erwartungen der orleansischen Partei, besonders als sich Ludwig Philipp nicht genug energisch und tapfer erwies. — S. **Günther, Adam von Bremen, der erste deutsche Geograph.** — 168 S. Adams von Bremen geographische Arbeit entstammt nicht der bloßen Notwendigkeit von Erläuterungen zu seinem historischen Werke oder dem enzyklopädischen Sinne der mittelalterlichen Mönche, sondern einzig seiner Liebe zur Geographie. Die geographischen Bemerkungen seiner Historia sind ganze geographische Exkurse und seine Descriptio insularum Aquilonis ist eine rein geographische Arbeit. Adam interessierte sich auch für die mathematisch-physikalische Geographie. — J. **Emler, die Denkschriften von Rakonitz 1425—1639.** 58 S. Die Ausgabe ist nach zwei Hss. veranstaltet, die einen Ursprung haben, sich einander ergänzen und korrigieren. Die Denkschriften sind ums Jahr 1560 verfaßt worden und von da an gleichzeitig oder fast gleichzeitig mit den Begebenheiten geschrieben. Von der Hälfte des 16. Jahrh. bis zum J 1597 werden sie inhaltsreich. Sie beziehen sich hauptsächlich auf die Stadt Rakonitz. — C. **Zibrt, die Darstellung der Dreifaltigkeit durch eine Gruppe von drei Köpfen im MA. und in der jetzigen volkstümlichen Kunst.** 14 S. Solche Bilder findet man bis jetzt in manchen Wohnungen in der Slovakei, in Mähren und Böhmen. Auch in den Kunstdenkmälern des MA. und der Neuzeit begegnen uns solche Darstellungen und zwar bei den Franzosen, Italienern, Spaniern und Slaven. Papst Urban VIII befahl am 11. August 1628 durch eine Bulle, alle solche Darstellungen als der hl. Dreifaltigkeit unwürdige zu vernichten, aber noch 1745 ſchickte Papſt Benediktus XIV in dieſer Sache ein Breve dem Biſchof von Augsburg. Den Urſprung der Darſtellung ſuchten manche in den künſtleriſchen griechiſch-römiſchen Traditionen (Hermes trikephalos, Hekate, Diana) oder in der keltiſchen und ſlaviſchen (triglav) Mythologie. Vf. meint, man braucht nicht ſo weit zur Erklärung auszuholen; der Künſtler im MA., der er die hl. Dreifaltigkeit abbilden wollte, konnte ganz ſelbſtändig durch einen Gedankengang (ein Gott, drei Perſonen) zu dieſer Darſtellung kommen, ebenſo wie die alten Griechen, Römer, Indier. — **Derſelbe, der Aberglaube von der Körperlänge Chriſti.** 6 S. Die Länge Chriſti wurde im MA. zu den Abzeichen der Paſſion gezählt, wie man es auch auf den Abbildungen des Paſſionals der Tochter Premyſls II Kunigunde ſehen kann. Das Volk verzeichnete bald als Zauber gegen Krankheit und Unglück die Länge Chriſti auf einem Amulet, einem Papierſtreifen 200—208 cm lang mit Gebeten nach dem Muſter der Verwünſchungen. — **Derſelbe, böhmiſche Lieder von den Schickſalen der Herren Harant und Waldſtein aus der Mitte des 17. Jahrh.** 15 S. Verf. berichtet über zwei gedruckte böhmiſche Lieder von den Schickſalen Waldſteins (Mikovecs Lumír, Prag 1851, S. 975—78 und 1861, S. 227) und druckt drei Lieder von Waldſtein und eines von Harant ab. Die Volksdichter äußern da das Erſtaunen über Waldſteins Ermordung und Sympathien für Waldſtein und geben die Stimmung des Volkes wieder, welche die große Begebenheit in Eger nicht begreifen konnte.

Novitätenschau.*)

Bearbeitet von Dr. Jos. Weiß und Dr. Franz Kampers, Assistent a. d. k. Hof= u. Staatsbibliothek zu München.

Philosophie der Geschichte; Methodik.

Denis (J.), Bossuet. Discours sur l'histoire universelle. Caen, Delesques. 75 S.

Constant (R. P.), l'école historique et l'école traditionelle, ou du rôle de l'écriture et de la tradition dans l'histoire. Paris, imp. Ronchail. 16⁰. 129 S. fr. 0,60.

Lamprecht (K.), alte und neue Richtungen in der Geschichtswissenschaft. Ueber geschichtliche Auffassung und geschichtliche Methode. 2: Rankes Ideenlehre u. die Jungrankianer. Berlin, Gärtner. VI, 79 S. ℳ 1,50.

Acton, a lecture on the study of modern history. London, Macmillan. 142 S.

Weltgeschichte; Allgemein Kulturgeschichtliches; Sammelwerke verschiedenen Inhalts.

*Schanz (P.), das Alter des Menschengeschlechtes nach der heil. Schrift, der Profangesch. u. Vorgesch. Freiburg, Herder. ℳ 1,60. [Bibl. Studien unter Mitwirkg. v. a. hrsg. v. O. Bardenhewer. I, 2.] Besprechung folgt.

Christian (W.), allgemeine Weltgeschichte. Mit 121 Illustr. in feinstem Farbendruck. In 24 Lfgn. Lfg. 1. Fürth, Löwensohn. 1895. Lexikon=8⁰. 72 Sp. mit 1 Taf. ℳ 0,50.

Weiß (J. B.), Weltgeschichte. 4. Aufl. Bd. 1. Geschichte des Orients. Graz, Styria. LXXXVIII, 731 S. mit Bildnis. ℳ 7,30.

---

*) Von den mit einem Sternchen bezeichneten Schriften sind der Redaktion Rezensionsexemplare zugegangen.

Wo keine Jahreszahl angegeben, ist 1896, wo kein Format beigefügt wird, ist 8⁰ oder gr. 8⁰ zu verstehen.

Hettner (J.), Bericht über die vom Deutschen Reiche unternommene Erforschung des obergermanisch=rätischen Limes. Vortrag. Trier, Linß.
36 S. .ℳ 1.

Mourlot (F.), essai sur l'histoire de l'Augustalité dans l'empire romain.
Paris, Bouillon. 1895. 8, 129 S. 2 Kart. fr. 5.

Reusche (J.), wahnsinnige Caesaren. Eine Studie. Leipzig, Dieckmann.
12⁰. 36 S. ℳ 0,50.

Nottola (H.), in Cornelii Taciti librum qui inscribitur de vita et
moribus Julii Agricolae, nonnulla animadvertit et disseruit —.
Augustae Praetoriae Salassorum, typ. Mensii. 16⁰. 21 S.

Callegari (E.), delle fonti per la storia di Alessandro Severo, dal —.
Padova, R. Stabilimento Prosperini. 1895. 12⁰. 152 S.

Ribier (G. de), répertoire des traités de paix, de commerce, d'alliance
etc., conventions et autres actes conclus entre toutes les puissances
du globe depuis 1867 jusqu' à nos jours (faisant suite au Répertoire
de Tétot) par —. Partie chronologique (1867—94). Paris, Pedone.
1895. VIII,· 345 S. fr. 15.

Im Jahre 1866 hat der verstorbene Tétot ein gleiches Repertorium in zwei
Bänden herausgegeben, welches alle Verträge ꝛc. von 1493—1866 enthält. Der
vorliegende erste Band der Fortsetzung des Werkes Tétots gibt alle Aktenstücke
chronologisch, der zweite wird sie nach Materien sichten.

Hellwald (F. v.), Kulturgesch. in ihrer natürlichen Entwicklung bis zur
Gegenwart. 4. Aufl. Neu bearb. v. M. v. Brandt, L. Büchner,
A. Conrady ꝛc. In 30 Lfgn. Lfg. 1. Leipzig, Friesenhahn. 1895.
Lex.=8⁰. 80 S. m. Abbildgn. u. 7 Taf. ℳ 1.

*Grupp (G.), Kulturgeschichte des Mittelalters. Bd. 1 u. 2. Stuttgart, Roth.
1894/95. VIII, 356; VI, 466 ℳ 13.

Der prodromus galeatus und der epilogus hastatus entheben den Berichterstatter der Notwendigkeit, über den Zweck und die Berechtigung dieses Werkes
zu sprechen. Es soll einem „größeren Kreise von Gebildeten" dienen, und dies
wird es erreichen, „einmal durch Aufnahme nur desjenigen, was sitten= und
kulturhistorisch wirklich interessant ist, und dann durch leichte Sprache und
möglichste Vermeidung des gelehrten Ballastes". Dieses Ziel hat G. erreicht,
und vielleicht noch etwas mehr. Er kann auch Fachmännern und Spezialforschern
manche gute Dienste bieten, da er ihnen ganz wohl zur Einleitung und vorläufigen allgemeinen Orientierung über die unbekannteste Periode der Geschichte,
oder zur Wiederholung, zur Zusammenfassung und zur Auffrischung des durch=
gearbeiteten Stoffes dienen kann. Der erste Band greift wohl doch zu weit
aus, indem er bis auf die Anfänge des Christentums zurückgeht. Die Folge
davon ist, daß die Geschichte der ersten Jahrtausende vielfach zu kurz und zu
bruchstückweise behandelt werden muß. Der zweite Band befriedigt viel mehr,
da er nur drei Jahrhunderte umfaßt und sich zudem fast ganz auf Deutschland
beschränkt. Das größere Publikum wird diese Darstellung mit vielem Nutzen
lesen, denn sie enthält vieles, was ihm sonst kaum zugänglich ist. Dahin rechnen
wir besonders die Schilderungen des Rechtes, der sozialen und wirtschaftlichen
Verhältnisse, zumal die der Landwirtschaft, des Bauernlebens und Städtewesens
im MA. Von dem Streben, die Zeit zu idealisieren oder ihre Fehler zu be=
schönigen, hat sich der Vf. ferngehalten; er hat mit Darlegung der dunkeln
Seiten nicht gegeizt, aber doch die Gefahr zu vermeiden gewußt, seine Objektivität durch sauertöpfische Kritik und durch Schwarzmalerei zu erweisen. Er
stellt einen dritten Band in Aussicht, der uns sehr willkommen sein soll,
wenn er sich hauptsächlich wie der zweite auf Deutschland beschränken wird.

Die Arbeitsfähigkeit des Vf gibt uns aber den Wunsch ein, zuvor eine aus=
führliche und gelehrte Arbeit über dieses ganze, so wenig gründlich durchforschte
Gebiet von seiner Hand zu erhalten; dann, dessen sind wir überzeugt, würde
eine nochmalige Durcharbeitung des behandelten Stoffes und eine Fortführung
bis zur Neuzeit dem Werke einen noch viel bedeutenderen Erfolg in den weitesten
Kreisen der gebildeten Leserwelt sichern.   P. A. W.

Golther (W.), Handbuch der germanischen Mythologie. Leipzig, Hirzel.
   1895. XI, 668 S. *M* 12.

Maas (A.), allerlei provenzalischer Volksglaube nach F. Mistrals „Mirèrio"
   zusammengestellt. Berlin, Vogt. 64 S. *M* 1,60. [Berliner Beitr. z.
   german. u. roman. Philologie. Nr. 5.]

*Meyer (El. H.), bad. Volkskunde. Bonn, Hanstein. 23 S. *M* 0,50.
   [Aus: Alemannia.]
       Die im Hist. Jahrb. XVI, 176 angezeigte Abhandlung entwickelt das Programm
   einer Gelehrtenvereinigung für die Sammlung der Volksüberlieferungen im
   Großh. Baden. Die Freiburger Professoren Elard Hugo Meyer und Kluge
   sowie der dortige Universitätsbibliothekar Dr. Pfaff sind die Leiter, Hugo Meyer
   die eigentliche Seele des dankenswerten Unternehmens. Während man anfangs
   glauben mochte, die Zeit für eine ersprießliche Sammlung der Volkstraditionen
   sei schon vorüber, hat über alles Erwarten der ausgegebene Fragebogen aus
   allen Teilen des badischen Landes reiches Material zusammengebracht. Aus 700
   Gemeinden liegen Einsendungen vor. Das große zu tage geförderte Material
   wird es ermöglichen, von Phantasiegebilden durch Vergleich den wirklich histor.
   Kern zu trennen, und darf man dem Erscheinen der auf mehrere Bände berech=
   neten „Badischen Volkskunde" mit Interesse entgegensehen. Schreiber dieses hat
   es übernommen, in einem Kapitel des Werkes die noch im Volke lebenden Ge=
   bräuche und Traditionen aus früheren Perioden des Rechtslebens zu bearbeiten.
                                                                           K. B.

Mariani (F.), chi ha inventato la polvere? Roma, E. Voghera. 1895.
   [Riv. d'artiglieria e genio vol. II, 1895.]

Proksch (J. K.), die Geschichte der venerischen Krankheiten. Eine Studie.
   Teil 2: Neuzeit. Bonn, Hanstein. 1895. III, 892 S. *M* 24.
       Teil 1 s. Hist. Jahrb. XVI, 867. P. weist die Annahme von dem plötz=
   lichen epidemischen Auftreten der Lues vener. um die Wende des 15./16.
   Jahrhs. als Irrtum nach. Vgl. Besprechung im Lit. Centralbl. 1896 Nr. 15.

Buret (F.), le „gros mal" du moyen âge et la syphilis actuelle. Paris,
   Société d'éditions scientifiques. 16⁰. 319 S. illustr. fr. 4.

Legué (G.), médecins et empoisonneurs au XVII⁰ siècle. Paris,
   Bibliothèque Charpentier. VI, 280 S.

Sambari, aus Joseph Sambaris Chronik. Frankfurt a. M., Kauff=
   mann. 1895 12⁰. XI, 84 S. *M* 1,50. [Quellenschriften z. jüdischen
   Geschichte u. Literatur, hrsg. v A. Berliner, I.]

Weiß (E. Th.), Geschichte u. rechtliche Stellung der Juden im Fürstbistum
   Straßburg, besonders in dem jetzt badischen Teile, nach Akten dargest.
   Bonn, Hanstein. 1895. XVI, 216 S. m. 2 Lichtdr.=Taf. *M* 3.

Erber (O.), Burgen u. Schlösser in der Umgebung v. Bozen. M. Illustr.
   von W. Humer. Innsbruck, Wagner. XX, 193 S. *M* 2.

Göbl (E.), Würzburg. Ein kulturhistor. Städtebild. Mit 80 Abbildgn.
   nach der Natur aufgenommen. Würzburg, Univ.=Buchdr. v. Stürtz.
   VIII, 128 S. *M* 1.50.

*Pick (R.), aus Aachens Vergangenheit. Aachen, Creutzer. 1895. VI, 632 S. M. 15.

Es fehlt noch immer an einer den heutigen Anforderungen entsprechenden Geschichte der altehrwürdigen Kaiserstadt Aachen. Seit dem Erscheinen des zweibändigen Werkes von Hagen ist keine zusammenfassende Darstellung mehr erschienen. Während einer Reihe von Jahren sind sogar zwei Vereine in der Stadt bestrebt, die ruhmvolle Vergangenheit Aachens zu erforschen, und sie haben bereits viel geleistet, aber leider hat man bis jetzt vergeblich auf die Herausgabe des so wichtigen und notwendigen Urkundenbuches und eine verbesserte Ausgabe der Laurentschen Stadtrechnungen gewartet. Solange nicht sichere Fundamente gelegt sind, läßt sich kein kritisch-gesicherter Bau aufführen, und muß man sich einstweilen auf die Untersuchung von Einzelheiten beschränken und die Bausteine behauen, welche dereinst zu einem würdigen Denkmal alter Größe und Herrlichkeit verwendet werden sollen. Mehr hat auch P., der die Stelle eines Stadtarchivars bekleidet, nicht gewollt. Die 33 Aufsätze haben zum teil mehr als lokale Bedeutung; ich verweise auf die Artikel: die kirchlichen Zustände Aachens in vorkarolingischer Zeit, die angebliche Stiftung der Adalbertskirche durch Kaiser Otto III, Aachens Befestigung im MA., der hasinus an den Stadtthoren, das Grashaus (die sog. curia Richards von Cornwallis, „das merkwürdigste Gebäude Aachens", 1267 erbaut, jetzt restauriert und als Stadtarchiv benutzt), das Rathaus, die Besuche Peters d. Gr., Friedrichs IV von Dänemark und Kaiser Josephs II. Fünf hübsche Abbildungen zieren den sauber ausgestatteten Band. J. Gr.

Mäder (G.), aus Alt-Dresden. Skizzen. Dresden, Hönsch & Tiesler. 1895. 95 S. M. 1,50.

Molmenti (P.), la vie privée à Venise depuis l'origine jusqu' à la chute de la république. I. Venise, Ferd. Ongania. 16⁰. IV, 154 S. mit Bild.

Geiger (A.), Jakob Fugger (1459 — 1525.) Kulturhistorische Skizze. Regensburg, Nationale Verlagsanst. 1895. VII, 80. S. M. 1,50.

Wedel (L. v.), Beschreibung seiner Reisen und Kriegserlebnisse 1561 bis 1606. Nach der Urhandschrift hrsg. u. bearb. v. Max Bär. Stettin, Saunier in Komm. 1895. VII, 609 S. M. 9. [Aus: Balt. Studien.]

Charmasse (A. de) et La Grange (G. de), voyages de Courtépée dans la province de Bourgogne en 1776. Autun, imp. Dejussieu. 227 S.

Riehl (W. H.), Kulturstudien aus drei Jahrhunderten. 5. Aufl. Stuttgart, Cotta Nachf. 1895. X, 470 S. M. 5.

Lans (J. R. van der), Heldengestalten. Thomas Morus. Cristophorus Columbus, Jeanne d'Arc, Kardinaal Lavigerie. Amsterdam, van Langenhuysen. 202 S.

Börckel (A.), Hessens Fürstenfrauen von der hl. Elisabeth bis zur Gegenwart, in ihrem Leben u Wirken dargest. Mit 16 Portraits. Gießen, Roth. 1895. XI, 151 S. m. Zierstücken. M. 3.

Gautier (L.), portraits du XVIIᵉ siècle, suivis d'études sur les deux derniers siècles. Lille, Taffin-Lefort. 352 S. mit Portr. fr. 4,50.

Gautier (L.), portraits du XIXᵉ siècle. Nos adversaires et nos amis. Lille, Taffin-Lefort. 352 S. fr. 4,50.

Allgemeine Deutsche Biographie. Bd. 40: Vinstingen = Walram. Leipzig, Duncker & Humblot. 794 S.

Vgl. Hist. Jahrb. XVI, 872. Von den Artikeln notieren wir: Virgil, Abt-Bischof von Salzburg (v. Krones); Vischer, Rotgießerfamilie in Nürnberg (Paul Johannes Rée); Vischer, Friedrich Theodor (Richard Weltrich); Vogel, Eduard Ernst Friedrich Hannibal V. v. Falckenstein (B. Poten); Voigt, Johannes (K. Lohmeyer); Voigts-Rhetz, Bernard v. (B. Poten); Volmar, Isaak, Freiherr von Rieden (Egloffstein); Vondel, Joost van den (E. Martin); Voß, Johann Heinrich (Franz Muncker); Voß, Otto Karl Friedrich v (H. v Petersdorff); Voß, Sophie Maria Gräfin v. (derf.); Vossius, Isaak (Koldewey); Vulpius, Johanna Christiana (Max Mendheim); Varnbüler, Ulrich (J. Dierauer); Wackernagel, Wilhelm (E. Schröder); Wagner, Richard (Franz Muncker); Waitz, Georg (J. Frensdorff); Walahfried, mit dem Beinamen Strabo (Wattenbach); Walburg, die hl. (Riezler); Waldburg, Georg III, Truchseß v. (Vochezer); Waldeck, Benedikt Franz Leo (Alfred Stern); Waldemar, Markgraf von Brandenburg (W. v. Sommerfeld); Walderdorff, Graf Karl Wilberich v. (W. Sauer); Wallerstein, Ludwig Fürst von Oettingen-Wallerstein (Heigel).

Ingold (A.), miscellanea alsatica. Deuxième série. Paris, Picard; Colmar, Huffel. 1895. 12⁰. 172 S.

Ueber die erste Serie dieser Elsässer Miscellen vgl. Hist. Jahrb. XVI, 872. Unter den Beiträgen, die in der vorliegenden Serie von allgemeinerem Interesse sind, erwähne ich besonders den ersten: Schoepflin et Gerbert: 13 lettres inédites de l'auteur de l'Alsatia illustrata. Aus dem hier veröffentlichten Briefwechsel ersieht man, wie freundschaftlich die Beziehungen waren, die zwischen dem protestantischen Geschichtschreiber des Elsasses und dem großen Abt von St. Blasien bestanden. Bemerkenswert ist das Urteil, das der Elsässer Forscher über Fugger, den Verfasser des "Oesterreichischen Ehrenspiegels", fällt. "Fuggers Ansehen ist nicht groß", schreibt Schöpflin am 9. Januar 1770 an Gerbert (S. 13). N. P.

Meyer (R.), hundert Jahre konservativer Politik u. Literatur. I. Literatur. Wien, Verlagsanst. "Austria". XIX, 336 S. ℳ 5,30.

Berg (L.), zwischen zwei Jahrhunderten. Gesammelte Essays. Frankfurt a. M., literar. Anstalt. 1895. X, 484 S. ℳ 9.

Studi italiani di filologia classica. Volume terzo. Firenze-Roma, Bencini. 1895. 548 S.

Wir notieren den von Olivieri bearbeiteten Katalog der griechischen Hss. von Bologna (S. 385—495), zwei von Puntoni hervorgezogene Inedita, Physiologusfragmente (S. 169—91) und stichometrische Angaben zum Neuen Testamente (S. 495), beide in Bologneser Hss. erhalten, und die von Vitelli aus cod. Paris. 3026 edierten Exzerpte aus Johannes von Antiochia. (Nach dem Referate in der Berl. philol. Wochenschr. 1896 Nr. 13) C. W.

Serta Harteliana. Wien, Tempsky. 2 Bl., 314 S.

Von den 52 Abhandlgn., die in diesem »Guilelmo de Hartel almae matris Vindobonensis per sex lustra doctori« von seinen dankbaren Schülern dargebrachten und mit einem Porträt des Gefeierten geschmückten Bande vereinigt sind, fallen folgende in den Interessenkreis d. Hist. Jahrb.: A. v. Domaszewski, der Völkerbund des Markomanenkrieges S. 8—13 (Besprechung von Plinius nat. hist. 4, 80, Tacitus Germ. 42, Ptolemaeus II, 11, 10 u. Vita Marci 22, 1). J. Huemer, unverstandene Stellen in Freculfs Chronicon S. 39—43 (ein "Beitrag zur Kritik des Freculf und zur Kenntnis [bezw. Unkenntnis] des Griechischen im MA."). J. Jung, zur Geschichte der Appenninenpässe S. 109—12. S. Reiter, eine unedierte Schrift des Pelagius S. 134—36 (eine Verteidigung der drei Kapitel, unvollständig erhalten im Codex 70 von Orléans, in dem sie auch Duchesne entdeckt hatte. Wir werden Reiter für die editio princeps sehr verbunden sein, aber seinen Klagen über die durch einen "fecken Handschriftenmarder" aus der Hs. entfernte ,doctrina Hosii episcopi de observatione disciplinae dominicae' müssen wir die Berechtigung absprechen. Er schlage Pitras Analecta sacra et classica 1888 S. 117 auf und seine Thränen

werden versiegen! Ueber die ebenfalls aus der Hf. entschwundenen sententiae
Evagrii monachi hätte er sich etwas bestimmter äußern können, wenn ihm die
Arbeiten Elters bekannt gewesen wären). P. Knöll, zu den Confessiones
des Augustinus S. 137—41 (textkritisch; S. 139 ff. sucht Vf. die Schreibung
,Manicheus‘ (nicht ,Manichaeus‘) als die bei Augustinus einzig richtige zu
erweisen). L. M. Hartmann, Abercius und Cyriacus S. 142—44 (die Abercius-
legende, wie sie beim Metaphrasten steht, und die unter die acta Marcelli papae
geratene Erzählung vom hl. Cyriacus sind jedenfalls nicht von einander unabhängig. Wahrscheinlich ist die Cyriacuslegende die ältere). F. Klein, textkritische Beiträge zu ,St. Augustini collatio cum Maximino, Arianorum
episcopo S. 160—62 (man muß auf die ältesten Hff. zurückgehen, um die
Eigentümlichkeiten der Latinität des Maximinus in ihrem Unterschiede von der
seines Gegners feststellen zu können). J. Zycha, Standpunkt der Textkritik bei
Augustinus S. 163—66 (Augustinus erzielte bei Bibelzitaten möglichst engen
Anschluß an den griechischen Text, selbst wenn dabei ein Solöcismus unterlief,
für seine eigene Person aber folgte er den Regeln der klassischen Latinität). F.
Weihrich, Balanus. Ein Beitrag zur Kritik Augustinischer Bibelzitate S. 166—71
(kritische Herstellung des Zitates aus Esaias 2, 13 bei Aug. de cons. evang.
1, 28). H. Sedlmayer, das 2. Buch von Hilarius de trinitate im Wiener
Papyrus S. 187—80 (die Fassung des Textes in dem altehrwürdigen, dem 5.
oder gar noch dem 4. Jahrh. angehörenden Papyrus weicht stark von der Re-
censio vulgata ab; auch enthält der Papyrus ein, wie es scheint, anderweitig
nicht bekanntes Fragment ,contra Arianos‘). A. Baran, Aristides in dramatischer Bearbeitung S. 236—40 (über ein 1691 aufgeführtes Schuldrama des
Kremser Jesuitengymnasiums). F. Zöchbauer, eine dunkle Stelle in der Germania des Tacitus S. 241—46 (liest Kap. 30 ,ultra hos Chatti initium sedis
ab Hercynio saltu incohant .:. durantisque, dum colles paulatim rares-
cunt‘). E. Hauler, Frontonianum S. 263—69 (Probe seiner im Auftrage
der Berl. Akademie unternommenen Neuvergleichung des berühmten Mailänder
Frontopalimpsestes). R. Beer, eine Handschriftenschenkung aus d. J. 1443
[Johannes de Ragusio's Bibliothek] S. 270—74 (der durch seine Teilnahme am
Basler Konzil bekannte Kardinal Johannes Stojković, nach seinem Geburtsorte
Johannes de Ragusio genannt, hat seine Hfsammlung (jetzt in der Basler Bi-
bliothek) kurz vor seinem Tode dem Predigerkonvente in Basel vermacht. Beer
veröffentlicht die Schenkungsurkunde und zeigt, daß für das mangelnde Inventar
Aufzeichnungen über den Bestand der Dominikanerbibliothek zu Basel zu beginn
des 16. Jahrh. (Basel, Klosterarchiv, Predigerakten Nr. 6) bis zu einem gewissen
Grade Ersatz leisten). Th. Gottlieb, ein unbekannter Brief Lochers an Celtis
S. 275—78 (der Brief ist im Wiener codex 15021 [Suppl. 1706] erhalten und
bezeugt die große Verehrung Lochers [Philomusus] für Celtis und die Feindschaft der Ingolstädter [Aripolis] Theologen gegen beide. S. 278 teilt G. „ein
sehr frühes Dokument zur Wiener Theatergeschichte — den ältesten Theaterzettel",
d. h. das Personenverzeichnis einer 1504 aufgeführten „Rhapsodie" des Celtis
mit). — Die Serta Harteliana sollten ursprünglich nur eine Gratulationsschrift
sein, sie sind nun auch eine Geleitsschrift, ein Propempticon geworden. Denn
der treffliche Leiter des Kirchenväter-Corpus ist aus dem Kreise der Wiener Uni-
versitätslehrer ausgeschieden, um als Sektionschef im Unterrichtsministerium das
Referat über die Universitäten und Gymnasien zu übernehmen. So sehr ich es
einerseits beklage, daß damit v. Hartel der eigenen wissenschaftlichen Thätigkeit
entzogen worden ist, so freudig muß ich es andrerseits begrüßen, wenn ein solcher
Mann zur Wahrung der wissenschaftlichen und humanistischen Interessen in die
Staatsregierung berufen wird. O felix Austria!   C. W.

Compte rendu du 3e congrès scientifique international des Catholiques·
    tenu à Bruxelles du 3 au 8 sept. 1894. Bruxelles, Scheppens.
    9 vols. 2500 S. fr. 20. (S. hier unten S. 469.)

Bd. 1: Introduction. Enthält die Geschichte der Versammlung. Bd. 2:
Sciences religieuses. Inhalt: Carra de Vaux, fragments d'eschatologie musulmane. S. 5—34. — L. C. Casartelli, la religion des
rois Achéménides d'après leurs inscriptions. S. 35—45. — Busson,

l'origine égyptienne de la Kabbale. S. 46—85. — F. de Moor, la date de l'Exode. S. 86—123. — J. van Kasteren S. J., la frontière septentrionale de la terre promise. S. 124—36. — de Broglie, les prophéties et les prophètes d'après les travaux du Dr. Kuenen. S. 137—78. — Kihn, les découvertes récentes dans la patristique des deux premiers siècles. S. 179—98. — F. X. von Funk, trente chapitres des Constitutions Apostoliques. S. 199—209. Neue Ausgabe der zuerst von Kard. Pitra (Juris eccles. Graecorum historia et monumenta. T. I. Romae. 1864. S. 96—101) veröffentlichten 'Ek τῶν Διατάξεων κεφάλαια, eines Exzerptes aus den apostolischen Konstitutionen, nebst gelehrtem Kommentar. — A. Delattre, les citations bibliques dans l'épigraphie africaine. S. 210—12. — J. B. Chabot, le commentaire de Théodore de Mopsueste sur l'évangile de s. Jean. S. 213—19. Ankündigung einer Ausgabe der alten syrischen Uebersetzung des Kommentars Theodors von Mopsuestia über das Johannesevangelium nach einer Pariser und einer Berliner Hs. — Peters, les prétendus 104 canons du 4e concile de Carthage de l'an 398. S. 220—31. Versuch eines Nachweises, daß diese 103 Canones, gewöhnlich Statuta ecclesiae antiqua genannt (s. Hefele, Konziliengesch. Bd. II, 2. Aufl., S. 68—76), um die Mitte des 5. Jahrh. in Spanien entstanden seien. (Anders A. Malnory; siehe hier oben Seite 175.) — Pisani, le catholicisme en Arménie. S. 232—49. — T. J. Lamy, le concile tenu à Séleucie-Ctésiphon en 410. S. 250—76. Vf. entdeckte den syrischen Bericht über dieses Konzil in der Pariser Nationalbibliothek, den er 1868 in Löwen veröffentlichte. Denselben Text mit den Namen der teilnehmenden Bischöfe entdeckte Guidi in einem Manuskript des Museums Borgias. L. verbreitet sich über das Jahr des Konzils (410), über die Bischöfe (40), welche ihm beiwohnten, und über die Authentizität seiner Canones. Das Symbolum des Konzils sagt: der hl. Geist geht aus vom Vater. — P. Batiffol, les prêtres pénitentiers romains au Ve siècle. S. 277—90. Die geistliche Gerichtsbarkeit in Rom im 5. Jahrh. war eine doppelte: eine öffentliche der Bischöfe über Abfall vom Glauben, Mord und Unzucht, und eine geheime der Pönitentiare über die leichten Sünden. — Kirsch, les collectories de la chambre apostolique vers le milieu du XIVe siècle. S. 291—96. Gibt die Namen der Kollektoren und bezeichnet die denselben zugewiesenen Gebiete. — Auger, une doctrine spéciale des mystiques du XIVe siècle en Belgique. Ruysbroeck et »la vie commune«. S. 297—304. — Vacandard, s. Bernard et la réforme cistercienne du chant grégorien. S. 305—9. Der hl. Bernard hat die Schrift »de cantu« nicht abgefaßt. — de Waal, le chant liturgique dans les inscriptions romaines du IVe au IXe siècle. S. 310—17. — Wagner, la formation des mélodies grégoriennes. S. 318—35. — **Bd. 3: Sciences philosophiques.** Daraus seien notiert: J. Halleux, le positivisme et la philosophie scolastique. S. 32—45. — B. La Vecchia Guarnerii, de origine auctoritatis socialis. S. 176—82. — Forget, dans quelle mesure les philosophes arabes, continuateurs des philosophes grecs, ont-ils contribués au progrès de la philosophie scolastique. S. 233—68. Aristoteles Metaphysik und Physik wurden erst zwischen 1220—30 im Abendlande durch arabisch-lateinische und griechisch-lateinische Uebersetzungen bekannt. — Ch. Huit, le platonisme à Byzance et en Italie à la fin du moyen âge. S. 293—309. — **Bd. 4: Sciences juridiques et économiques.** A. Allard, la crise sociale, son origine, le remède. S. 5—34. — L. Cordonnier, l'industrie de Roubaix. S. 35—48. — A. Castelein, la méthode des sciences sociales. S. 49—80. — O. Pyfferoen, les fédérations de communes en Angleterre, en Prusse et en France. S. 81—89. — R. Rodriguez de Cepeda, la révélation chrétienne et le droit naturel. S. 90—99. Die Wissenschaft des Naturrechts findet ihre kräftigste Stütze und ihr Korrektiv am Inhalt der göttlichen Offenbarung. — O. Orban, le régime administratif des paroisses rurales en Angleterre. S. 100—17. — J. Leclercq, l'organisation du travail des noirs dans les mines de diamants de Kimberley. S. 118—24. — J. Lacointa, de la prétention de se faire justice à soi-même. S. 125—32. — J. Cauvière, le lien

conjugal et le divorce (2e partie). S. 133—46. C. bespricht hier im zweiten
Teil seiner Arbeit, deren erste Hälfte 1890 unter dem Titel: Le lien conjugal
et le divorce. Moeurs israélites et moeurs païennes erschienen ist, im
allgemeinen den Einfluß des Christentums auf die Gesetzgebung der späteren
römischen Kaiser. Der Vf. kennt wohl Löning, Geschichte des deutschen Kirchen=
rechts, doch sind ihm, wie die Anm. 2 auf S. 135 zeigt, Schultes Arbeit über
die Constitutio ad Ablavium und die Rektoratsrede L. Seufferts, Constantins
Gesetze und das Christentum, ganz unbekannt geblieben. Die Schrift Geffckens,
zur Geschichte der Ehescheidung vor Gratian (Leipzig 1894) konnte C. überhaupt
noch nicht benutzen. Die Studie handelt dann von der Unauflöslichkeit der Ehe
und den Fällen, in denen auch das Band der christlichen Ehe gelöst werden
kann. C. bespricht ferner kurz das sog. privilegium Paulinum; zum Schlusse
verneint er die Frage, ob nicht der Ehebruch der Frau die vollzogene Ehe lösen
könnte. Der Schluß der Arbeit soll an anderer Stelle erscheinen. Auch die folgende
Abhandlung von Ch. Lescoeur, les sacra privata chez les Romains,
S. 147—77, ist für den Kanonisten nicht ohne Interesse. — Ch. Lagasse
de Locht et A. Julin, de la méthode scientifique en économie politique.
S. 178—211, — Bd 5: Sciences historiques. H. Francotte, les formes
mixtes du gouvernement (aristocratie et politeia) d'après Aristote. S. 5—50.
— J. Semeria, essai sur les sources de la partie historique de l'Ἀθηναίων
Πολιτεία d'Aristote. S. 51—66. — Duchesne, les anciens recueils de légendes apostoliques. S. 67—79. Viele Einzelzüge über das Leben der Apostel sind
durch die kirchliche Autorität nicht verbürgt und können vor der wissenschaftlichen
Kritik nicht bestehen. — A. et G. Doutrepont, la légende de César en
Belgique. S. 80—108. Stellen aus mittelalterlichen Chroniken sagenhafte No=
tizen über Cäsar zusammen. — P. Allard, la situation légale et matérielle
du paganisme au milieu du IVe siècle. S. 109—50. Der römische Adel
war im 4. Jahrh. eine Stütze des Heidentums in Italien und Afrika. In
Gallien, Belgien und im römischen Germanien ist durchweg die Stadtbevölkerung
christlich, die Landbevölkerung aber heidnisch. Britannien zählte nur wenig
Christen, dagegen war der römische Orient zumeist mit Ausnahme Syriens
christlich. — J. Viteau, la fin perdue des martyrs de Palestine d'Eusèbe
de Césarée. S. 151—64. — J. P. Waltzing, les corporations de l'ancienne Rome et la charité. S 165—90. Die Ansichten Schillers und Momm=
sens, daß die Handwerkerkorporationen im heidnischen Rom Wohlthätigkeits=
vereine gewesen seien, wird zurückgewiesen. — H. Delehaye, les Stylites.
S. 191—232. Schildert ihre Lebensweise an einigen hervorragenden Beispielen. —
Ch. de Smedt S. J., les origines du duel judiciaire. S. 233—51. Der
nur bei Germanen übliche gerichtliche Zweikampf, den die Kirche einzuschränken
suchte, ist zunächst eine Art von Selbstrache und dann erst ein Gottesurteil. —
E. Beurlier, le Chartophylax de la grande église de Constantinople.
S. 252—66. Anfänglich nur Archivar der Bibliothek des Patriarchen erhielt
der Ch. bald Einfluß bei Wahlen von Bischöfen, Priesterweihen ꝛc. — A. Poncelet S. J., la plus ancienne vie de s. Géraud d'Aurillac († 909). S. 267
—85. Der Vf. der Lebensbeschreibung ist Odo von Clugny. — P. Fournier,
de l'étude des collections canoniques du IXe au XIIe siècle. S. 286—91.
Die kanonistischen Sammlungen, die zwischen dem Erscheinen der Pseudoisidorischen
Sammlung und dem Dekrete Gratians liegen, sind bisher nicht in einer zusammen=
fassenden Darstellung behandelt worden. Trotz einiger verdienstlichen Publikationen und Studien sind unsere Kenntnisse derselben gering. F. zeigt das an
einigen Beispielen. Da ein einzelner der Arbeit, diese Sammlungen zu durch=
forschen, nicht gewachsen ist, so fordert F. zu gemeinsamer Arbeit auf und gibt
Regeln, nach denen die kanonistischen Sammlungen zu beschreiben sind. —
E. Jordan, le Saint-Siège et les banquiers italiens. S 292—303. Ver=
breitet sich über die italienischen Bankiers, deren sich Klemens IV bediente. —
C. Douais, une bulle inédite d'Innocent III en faveur de l'abbaye de
Saint-Sernin de Toulouse. S. 303—17. — J. Parisot, note sur une
inscription arménienne. S 318—19. — V. Dubarat, la tolérance de
Jeanne d'Albret. S. 320—32. Die Genannte (1528—72) verfolgte die Kirche
in Bearn. — J. Toniolo, l'histoire de la charité en Italie. S. 333—48

— A. Favé, Espagnols et Anglais pendant la ligue en Bretagne. S. 349
—55. Die Engländer wurden von den Royaliſten, die Spanier von den Li=
guiſten herbeigerufen. Dieſer Appell an das Ausland beſchleunigte den Ausbruch
der Kämpfe zwiſchen beiden Parteien — Allain, organisation administrative
et financière d'un grand diocèse français sous l'ancien régime. S. 356
—90. Auf grund eingehender archivaliſcher Studien ſchildert Vf. den Zuſtand
und die Verwaltung des Erzbistums Vordeaux vornehmlich während des 17.
und 18. Jahrhs. — L. Jelic, l'évangélisation de l'Amérique avant
Christophe Colomb. S. 391—97. Ergänzt ſeinen Bericht auf dem Kongreß
von 1891 (sciences hist. 5e section, S. 170—84). Die Liſte beginnt mit
dem Jahr 1112 und endet mit dem 1518 genannten Vincentius Kampe. —
A Cauchie, le maréchal Antoniotto de Botta-Adorno et ses papiers
d'État. S. 398—423. Die Dokumente des 1690 zu Paris geborenen Marſchalls
aus der Ambroſiana in Mailand bilden die Grundlage der gebotenen Lebens=
beſchreibung. — Sicard, les évêques français pendant l'émigration. S. 424
—47. — Gendry, recherches héraldiques et généalogiques sur la famille Braschi. S. 448—56. — E. Matthieu, l'enseignement primaire
en Belgique. S. 457—87. Intereſſant iſt die Thatſache, daß in Belgien vor
dem Jahre 1794 von 2603 Gemeinden ſchon 1481 eine Elementarſchule beſaßen.
Eine tabellariſche Zuſammenſtellung über die Schulverhältniſſe Belgiens vor
1794 iſt beigefügt. — Bd. 6: Philologie. — Bd. 8 Anthropologie. Daraus notieren
wir: E. Cosquin, les contes populaires et leur origine. Dernier état
de la question. S. 248—69. Ihre Heimat iſt Indien. — F.-X. Simonet,
l'influence de l'élément indigène dans la civilisation des Maures de
Grenade. S. 270—92. Die chriſtliche Bevölkerung führte den literariſchen
und künſtleriſchen Aufſchwung in dem alten Königreich Granada und in dem
Khalifat von Kordoba herbei. Schon W. Lübke leitete die in Spanien hervor=
tretende höhere Kultur der Muſelmänner aus ihren engen Beziehungen zu den
dortigen Chriſten ab. — Bd. 9: Art chrétien. J. Helbig, les origines
de la peinture de paysage dans l'art moderne. S. 5—12. — Comte de
Mary, du mouvement des études sur l'architecture religieuse du moyen
âge en France (1891—94). S. 13—32. — L. Cloquet, esthétique archi-
tecturale. Classification et appréciation des formes. S. 33—72. —
Pavé, les sculptures flamandes en Basse-Bretagne; à propos du retable
de Kerdevot. S. 73—81.

Politiſche Geſchichte.

Deutſches Reich und Oeſterreich.

Bornhak (F.), unſer Vaterland. Geſchichte des deutſchen Volkes von den
   älteſten Zeiten bis z. Gegenwart. (Mit Illuſtr. v. Pet. Geh.) Berlin,
   Bruner & Co. 1895. III, IX, 762 S. m. 6 Karten. ℳ 12.

Strakoſch-Graßmann (G.), Geſchichte der Deutſchen in Oeſterreich=
   Ungarn. I. (Von den älteſten Zeiten bis zum Jahre 955.) Wien,
   Konegen. V, 551 S.

Marina (Gius.), Romania e Germania. Studio storico-etnografico sul
   mondo germanico secondo le relazioni di Tacito e nei suoi veri
   caratteri, rapporti ed azione sul mondo romano. 3. ed. Triest,
   Schimpff. 1895. XIII, 280 S. ℳ 6.

*Mühlbacher (E), deutſche Geſchichte unter den Karolingern. Stuttgart,
   Cotta Nachf. 1895. Lexikon=8°. VI, 672 S. mit 1 Stammtafel u.
   1 Karte. ℳ 8. [Bibliothek deutſcher Geſchichte.]
   Beſprechung folgt.

Dieterich (J.), die Polenkriege Konrads II und der Friede von Merse=
burg. Gießen. 46 S. [Habilitationsschrift.]

*Eigenbrodt (A.), Lampert v. Hersfeld u. die neuere Quellenforschung.
Eine kritische Studie. Cassel, Hühn. *M.* 3.
Besprechung folgt.

Loewe (H.), Richard von San Germano und die älteste Redaktion seiner
Chronik Halle, Niemeyer. 100 S.

*Jansen (M.), die Herzogsgewalt der Erzbischöfe von Köln in Westfalen
seit dem Jahre 1180 bis zum Ausgang des 14. Jahrhs. Eine ver=
fassungsgeschichtliche Studie. München, Lüneburg. 1895. Lex.=8°.
139 S. *M.* 4,60. [Hist. Abhandlungen, hrsg. von Th. Heigel und
H. Grauert. H. 7.]
Hermann Grauert hat in seiner Schrift über „die Herzogsgewalt in Westfalen"
(Paderborn 1877) wohl endgiltig die Frage über die Teilung des Herzogtums
Sachsen i. J. 1180 entschieden und dann eingehend über das Herzogtum der
Anhaltiner im nördlichen Westf. gehandelt, „während das kölnische Westf. und
das Bistum Paderborn einer späteren Bearbeitung vorbehalten bleiben sollten".
(Gr. hat die Arbeit einem seiner Schüler überlassen, der sich derselben in gleich
glücklicher Weise entledigt hat. J. will „die Bedeutung und die Geschichte der
einzelnen herzoglichen Rechte, welche in ihrer Gesamtheit die Herzogsgewalt aus=
machen, bis zum angegebenen Zeitpunkte klarzulegen suchen" Aus seiner ein=
gehenden, mit sorgfältiger und umsichtiger Benützung des vorhandenen, auch einigen
ungedruckten Materials gearbeiteten Darstellung ergibt sich, daß die Kölner
Kirchenfürsten allerdings versucht haben, die Herzogsgewalt im südlichen Westf.
in vollem Umfange auszuüben und zur Geltung zu bringen. Doch hing der
Erfolg meist von der größeren oder geringeren Macht und Kraft des jeweiligen
Erzbischofs selbst ab, die Großen haben sich beharrlich gewehrt. J. behandelt
der Reihe nach die einzelnen Rechte und Pflichten: Landtage, militärische Gewalt,
Gerichtsbarkeit, Schutzgewalt und Friedensthätigkeit, Burgbaurecht, Geleitsrecht;
überall zeigt sich ein Niedergang, der durch die Schlacht bei Worringen (1288)
besiegelt wird. Die Aufzählung der jura ducis Westphaliae (ca. 1300) ent=
spricht keineswegs den thatsächlichen Verhältnissen. In der Gerichtsbarkeit, für
deren Ausübung durch die Erzbischof=Herzoge nur geringes Material vorliegt,
findet sich in einem Punkte ein Rechtszug von dem Gericht der Immunität an
das herzogliche (S. 40 f.) „Hinsichtlich des Burgbaurechts konkurrierte die
Herzogsgewalt mit der Königsgewalt, letztere vertreten durch die Großen" (S 87).
Diese Einschränkung der Herzogsgewalt ist nicht vollauf bewiesen, überall, wo
von einer solchen die Rede zu sein scheint, handelt es sich nur um Vermutungen
und auch der Fall von 1184 läßt ebenso ungezwungen eine andere Deutung zu
als J. gibt (S. 83, 86). Seit dem Ausgang des 13. Jahrh. gelingt es den
Erzbischof=Herzogen durch ihre Stellung zu den Landfriedensbünden, deren Statt=
halterschaft sie für ganz Westf. in die Hand zu bekommen wissen, neuen Einfluß
zu gewinnen und zwar über die Grenzen ihres eigentlichen Herzogtums hinaus.
Und aus dieser Stellung entwickelt sich ein „großkölnisches", d. h. ganz Westfalen
umfassendes Herzogtum", das freilich „neuer Art" ist. Um die Wende des 13.
Jahrh. wird der Grund dazu gelegt, und im Laufe der fünfziger Jahre des
14. Jahrh ist es in der Anschauung der Reichsgewalt zur Thatsache geworden,
eben weil Schutz des Landfriedens so recht als Ausfluß herzoglicher Gewalt an=
gesehen wurde. Aus der Statthalterschaft dieses Landfriedens entwickelt sich
auch die Verbindung der Erzbischöfe von Köln mit der Veme. J. führt hier
die Untersuchung Grauerts weiter. Der letzte Abschnitt stellt das über Stellung,
Rechte und Pflichten des herzogl. Marschalls Ueberlieferte zusammen. Wurm.

Sommerfeld (W. v.), Geschichte der Germanisierung des Herzogtums
Pommern oder Slavien bis zum Ablauf des 13. Jahrhs. Leipzig,
Duncker & Humblot III, VIII, 234 S. *M.* 5,20. [Forschungen,

staats= u. sozialwissenschaftl., hrsg. v. G. Schmoller. Bd. 13, H. 5.
Der ganzen Reihe 59. H.]

*Fester (R.), Markgraf Bernhard I u. die Anfänge des bad. Territorial=
staates. Karlsruhe, Braun. IV, 138 S. ℳ 1. [Bad. Neujahrs=
blätter, hrsg. v. d. bad. histor. Kommiss. 6. Bl. 1896.]

Aus dem Rohmateriale der von ihm bearbeiteten Regesten der Markgrafen von
Baden bietet hier F. in populär-wissenschaftlicher Form die Resultate langjähriger
Forschung und Sammelthätigkeit in einem an geistiger Durchdringung und pla=
stischer Gestaltung des spröden Stoffes gleich ausgezeichneten Charakter= und
Zeitbild aus der Wiegenperiode des badischen Territorialstaates. In großen
Zügen schildert Verf. zuerst den Verlauf der inneren Entwicklung der Markgraf=
schaft von ihrem Eintreten in die Geschichte unter den Zähringern bis zu deren
größtem, Bernhard I (1379—1431), dem Schöpfer des badischen Staates. Mit
Liebe und Scharffinn geht er all den verschlungenen Pfaden der ausgedehnten
bernhardinischen Kriegs= u. Friedenspolitik nach, um „den fürstlichen Organisator
bei der Arbeit zu belauschen", wie er in einer über 59 Jahre sich erstreckenden
Regierung mit fast sämtlichen zahlreichen Nachbarn der Reihe nach feindlich zu=
sammenstoßend endlich, in stets richtiger Beurteilung und Benützung der Lage
aus all dem wilden Kriegsgetümmel ein festgefügtes, wohlgeordnetes Staatswesen
herausgebildet hat. Ueberall bemüht, aus den inneren Bedürfnissen der mit
einander ringenden Gewalten die allgemeine Richtung ihrer Motive klarzulegen,
gelingt es F., nicht bloß das Wesen und Wirken Bernhards, der, durch
schwere innere Kämpfe und harte Erfahrungen hindurchgedrungen, die einzig
richtige Erfüllung seines Herrscherberufes in der Hingabe an die Sache der ganzen
Nation erblickend, allen seinen Zeitgenossen im Fürstenstand ein leuchtendes Bei=
spiel der Opferwilligkeit gab, — von dem Wesen und Wirken dieses Fürsten das erste
wahrheitsgetreue Bild zu geben und eine gesicherte Grundlage für die Geschichte
des badischen Landes im MA. zu schaffen, sondern auch verschiedene Partien
der Reichsgeschichte von neuen Gesichtspunkten zu beleuchten und namentlich der
Person König Sigismunds zum ersten Male vollständig gerecht zu werden. Ab=
gesehen von einer stellenweise schwerfälligen, dem populären Zweck des Buches
nachteiligen Geistreichigkeit ist F.s Monographie als ein Kabinettstück historischer
Darstellung zu bezeichnen.   P. At.

Privilegia regalium civitatum provincialium annorum 1225 — 1419.
Prag, Řivnáč. 1895. XXXII, 1297 S. ℳ 20. [Codex juris
municipalis regni Bohemiae. Ed. J. Celakowsky. Tom. II.]

Palacky (F.), dějiny národu Ceského v Cechách a v Mórovê. (Ge=
schichte von Böhmen und Mähren.) III. (1403—39). Prag, Bursik
& Kohout. X, 660 S.

*Schwalm (J.), die Chronica Novella des Hermann Korner. Im Auf=
trage der Wedekindschen Preisstiftung für deutsche Geschichte hrsg.
Göttingen, Vandenhoeck & Ruprecht. 1895. 4⁰. XXXVI, 650 S. ℳ 24.

In dem vorliegenden stattlichen Bande ruht eine gewaltige Summe deutschen
Gelehrtenfleißes. Hrsgbr. stellt in der Einleitung alles zusammen, was sich über
das Leben des Dominikaners Korner (geb. um 1365, † etwa 1438) erhalten hat,
sodann gibt er eine Uebersicht über die lateinischen und deutschen Handschriften
der chronica novella. Es sind 4 latein. Hss. vorhanden, welche von Korner
selbst (bezüglich einer ist es nicht ganz sicher) herrühren; außerdem gibt es noch
einige Abschriften. Die deutsche Bearbeitung ist in zwei Abschriften erhalten.
K.s Arbeitsweise ist sehr bemerkenswert; bei Anfertigung eines jeden neuen
Exemplars seiner Chronik schreibt er nämlich diese niemals einfach ab, sondern
bringt sie stets in eine neue, meist stark abweichende Gestalt. Hinsichtlich des
Wertes der Chronik bemerkt Hrsgbr., daß die Art und Weise, wie K. die Ge=
schichte behandelt, sehr nachlässig sei. In den Angaben der Chronik, namentlich
der letzten Fassungen, findet sich sehr oft die größte Ungenauigkeit, ja geradezu

Verwirrung. Wo K. indes Ereignisse der Gegenwart behandelt, weiß er manchmal
schätzenswerte Einzelheiten zu berichten. Im weiteren läßt sich Hrsgbr. noch
über die von K. benutzten Quellen aus. Hiernach ergibt sich, daß K. sehr häufig
die Quellen für seine Nachrichten fingiert. Genauestes Nachprüfen der von K.
gemachten Quellenangaben ist daher in jedem einzelnen Falle notwendig. Die
schwierige Edition der in so verschiedener Gestalt erhaltenen Chronik ist in der
Weise bewerkstelligt, daß von den vier lateinischen Fassungen je zwei zusammen-
genommen wurden mit Auslassung der vor 1200 fallenden Begebenheiten. Im
Anhang I ist sodann die deutsche Fassung der Chronik abgedruckt und in
Anhang II ein Auszug aus den latein. Fassungen vor 1200. Ein ausführliches Register und ein Glossar beschließen das Ganze.   Max Jansen.

Baumann (F. L.), Quellen zur Geschichte des f. Hauses Fürstenberg und
    seines ehedem reichsunmittelbaren Gebietes. 1510—59. Bearb. v.
    unter Beihilfe v. G. Tumbült. Tübingen, Laupp in Komm. 1895.
    Lex-8. XIV, 656 S. ℳ 12. [Mitteilgn. aus d. f. Fürstenberg.
    Archive, hrsg. v. d. fürstl. Archivverwaltung in Donaueschingen. Bd. 1.]

—, die zwölf Artikel der oberschwäbischen Bauern 1525. Kempten, Kösel.
    IV, 169 S.

Eine alles erreichbare Quellenmaterial verwertende Darstellung der Bewegung
in Oberschwaben, wie sie sich bis zur kriegerischen Aktion des schwäbischen Bundes
(Anfangs April) entwickelt hat, gruppiert um den gegen Stern und Lehnert
überzeugend geführten Nachweis, daß die zwölf Artikel als das von der Memminger Eingabe beeinflußte, im Schoße der „christlichen Vereinigung" entstandene,
von Lotzer unter Schappelers Beihilfe redigierte und von der zweiten Memminger Tagsatzung des Bauernausschusses am 14. März endgiltig angenommene
Programm der vereinigten Allgäuer, Seebauern und Baltringer anzusehen sind.
Diese Untersuchung erweist sich gegenüber der vor 25 Jahren erschienenen Dissertation B.s „Die oberschwäbischen Bauern im März 1525 und die zwölf Artikel"
nicht nur als eine durch Heranziehung der inzwischen veröffentlichten einschlägigen
Quellen und Forschungen wesentlich vertiefte und erweiterte Bearbeitung des
Themas, sondern führt auch in den meisten, jedenfalls in allen wichtigen Fragen
zu einem abschließenden Ergebnis, welches auch da, wo die Quellen versagen
oder mangelhafte oder widersprechende Berichte bieten, in der Einfachheit und
Natürlichkeit der Kombination die Gewähr der Richtigkeit in sich trägt.
                                                         A. Schröder.

Friedrich (S.), die Erwerbung des Herzogtums Preußen und deren Kon-
    sequenzen. Historische Studie. Berlin, Duncker. gr. 4⁰. 92 S. mit
    1 farb. Karte u. 2 Stammtaf. ℳ 8.

Ehrenberg (H.), italienische Beiträge zur Geschichte der Provinz Ost-
    preußen. Im Auftrage des Prov.-Ausschusses der Prov. Ostpreußen
    in italien. HSS.-Sammlgn., vornehmlich d. vatikan. Archive gesammelt
    u. hrsg. v. —. Königsberg, Beyer. XXXIX, 212 S. ℳ 4.

Zintgraf (H.), Urkunden des städtischen Archives zu Landsberg a. Lech.
    Auszüglich mitgeteilt v. —. Regesten ungedr. Urkk. zur bayer. Orts-,
    Familien- u. Landesgeschichte. 26. Reihe. München, Franz in Komm.
    26 S. ℳ 0,40. [Aus: Oberbayer. Archiv für vaterländ. Geschichte.]

Reicke (E.), Geschichte der Reichsstadt Nürnberg. Nürnberg, Raw. Mit
    210 Illustrat., 3 Vollbild., 1 Karte u. 1 Plane. 1078 S. ℳ 10.

Rösel (L.), unter dem Krummstab. Zwei Jahrhunderte Bamberger Ge-
    schichte (1430—1630). Ein Beitrag zur Geschichte Frankens. Bam-
    berg, Handelsdruckerei. IV, 196 S. geb. ℳ 3.

Witte (H.) und Wolfram (G.), Urkk. und Akten der Stadt Straßburg.

Abtlg. 1: Urkk.-Buch der Stadt Straßburg. Bd. 5, 1. Hälfte: Polit. Urkk. von 1332—65. Straßburg, Trübner. 4⁰. 520 S. *ℳ* 26.

Letz (K.), Geschichte der Stadt Ingweiler, nach Quellen bearb. von —, Zabern, Fuchs. 1895. III, 79 S. m. 1 Ansicht. *ℳ* 1,60. [Bausteine zur Elsaß-Lothringischen Geschichts- u. Landeskunde. Heft 1.]

Höhe (J.), das Kochersbergerland. Eine histor. Studie. Straßburg, Noiriel. 1895. 135 S. m. 15 Bild. u. 1 Karte. *ℳ* 1,60.

Dornseiffer (J.), geschichtliches über Eslohe. Paderborn, Schöningh. V, 259 S. *ℳ* 3.

Dümling, geschichtliche Nachrichten über das Kloster und die Gemeinde Hedersleben (Kreis Aschersleben), gesammelt von —. Hedersleben, Osterwieck, Zickfeldt. 1895. VIII, 15 S. m. Abbildg. des Klosters. *ℳ* 2,25.

Gloy (A.), Geschichte und Topographie des Kirchspiels Hademarschen. Mit 3 Karten und 2 Vollbildern. Kiel, Lipsius & Tischer in Komm. VII, 192 S. *ℳ* 2,50.

Eysenblätter (H.), Geschichte der Stadt Heiligenbeil Königsberg, Gräfe & Unzer. 1895. III, 107 S. mit 1 Taf. *ℳ* 1,50.

Bertel (P.), Geschichte der Stadt Lauban, für Schule und Haus zusammengestellt. Mit 1 Bilde Laubans um d. J. 1750 u. dem genauen Wappen der Stadt. Lauban, Reipprich. VIII, 152 S. *ℳ* 1,50.

Quellen zur Geschichte der Stadt Wien. Hrsg. vom Altertumsvereine zu Wien. Red. von Anton Mayer. Abt. 1. Regesten aus in- und ausländ. Archiven mit Ausnahme d. Archives d. Stadt Wien. Bd. 2. Wien, Konegen in Komm. 1895. gr. 4⁰. VIII, 338 S. *ℳ* 20. Vgl. Hist. Jahrb. XVI, 649.

Trautenberger (G.), die Chronik der Landeshauptstadt Brünn. Im Verein m. mehreren Geschichtsfreunden zusammengestellt. Bd. 3. Von Karl V bis Ende des 17. Jahrhs. Brünn, Verein „Deutsches Haus". 1895. 243 S. *ℳ* 8.

Landtagsverhandlungen, die böhmischen, und Landtagsbeschlüsse v. J. 1526 bis auf die Neuzeit. Hrsg vom k. böhm. Landesarchive. VIII. (1592—94.) Prag, Rivnác. 1895. IV, 909 S. *ℳ* 16. Band VII erschien im Jahre 1893.

Lange (W. Ch.), Gerd v. Falkenberg u. die Niederwerfung Dillinghausens im Jahre 1530. Ein Beitrag zur Geschichte Herzog Heinrichs des Jüngeren von Braunschweig. Kassel, Brunnemann. 1895. II, 31 S. [Aus: Hessenland.]

*Moritz (H.), die Wahl Rudolfs II, der Reichstag zu Regensburg (1576) und die Freistellungsbewegung. Marburg, Elwerts Verl. 1895. XXIV, 466 S. *ℳ* 12. Besprechung folgt. Vgl. die Hist. Jahrb. XVI, 876 notierte Arbeit desselben Vf.

*Klopp (O.), der 30jährige Krieg bis zum Tode Gustav Adolfs 1632. 2. Ausg. des Werkes: Tilly im 30jähr. Kriege v. —. Bd. III, Tl. 2:

Die Jahre 1631—32. Paderborn, Schöningh. XXXIII, 875 S.
mit Plänen von Magdeburg.
Besprechung folgt.

Wittich (K.), Dietrich von Falkenbergs Ende. Entgegnung auf die Schrift
Jürgen Ackermann, Kapitän beim Regiment Alt=Pappenheim 1631.
Leipzig, Veit & Co. Lex.=8°. 22 S. ℳ 0,60.
Verfasser der Schrift über Jürgen Ackermann ist Volkholz, dessen frühere
Arbeit über die Zerstörung Magdeburgs W. abfällig in der Hist. Zeitschr. und
in seiner Schrift „Pappenheim und Falkenberg" kritisiert hatte. Es handelt sich
darum, daß Volkholz in Falkenberg nur einen Haudegen sieht, während Falken=
berg für Wittich eine Vertrauensperson Gustav Adolfs ist, der als einer seiner
„Pioniere" des schwedischen Königs Unternehmen in Deutschland vorbereiten sollte,
dessen schwierigste und wichtigste Mission in der Behauptung Magdeburgs bestand,
und der als ein „Märtyrer" für sein evangelisches Bekenntnis mit unzureich=
enden Kräften auf dem verlorenen Posten ausharrte und als ein Mann von
„wahrhaft antiker Größe und Kraft" gefallen ist.   A. M.

*Ritter (Mor.), deutsche Geschichte im Zeitalter der Gegenreformation
und des 30jährigen Krieges 1555,—1648. II. (1586—1618). Stutt=
gart, Cotta. X, 482 S. ℳ 6. [Bibliothek deutscher Geschichte.]
Vgl. Hist. Jahrb. XI, 175. Besprechung folgt.

*Lamprecht (K.), deutsche Geschichte. Bd. V. 1. u. 2. Hälfte. 1. u.
2. Aufl. Berlin, Gärtner. 1895. XIII, 768 S. ℳ 6.
Vgl. Hist. Jahrb. XVI, 179. Besprechung folgt.

*Huber (A.), Geschichte Oesterreichs. Bd. 5. 1609—48. Gotha, Perthes.
XX, 618 S. ℳ 12. [Geschichte der europäischen Staaten. Hrsg.
v. A. H. L. Heeren, F. A. Ukert, W. v. Giesebrecht und
K. Lamprecht. Lfg. 56. Abtl. 2.]
Besprechung folgt.

*Wagner (F.), Friedrichs des Großen Beziehungen zu Frankreich und
der Beginn des 7jähr. Krieges. Hamburg, Seitz Nachf. XI, 157 S. ℳ 3.
S. hier unter Nachrichten. Besprechung folgt.

Naudé (A.), Beiträge zur Entstehungsgeschichte des 7jähr. Krieges. 1. Tl.
Leipzig, Duncker & Humblot. 1895. 96 S. ℳ 2. [Aus: Forschungen
zur brandenburg. u. preußischen Geschichte VIII, 2.]
S. hier unter Nachrichten. Besprechung folgt.

Volz (G. B.), Kriegführung und Politik König Friedrichs des Großen
in den ersten Jahren des 7jähr. Krieges. Berlin, Cronbach. III,
218 S. ℳ 3.
S. hier unter Nachrichten. Besprechung folgt.

Du Moulin Eckart (Rich.), Bayern unter dem Ministerium Montgelas
(1799—1817). I. München, C. H. Beck. XVI, 439 S.

Bernstorff, Gräfin Elise von, geb. Gräfin v. Dernath. Ein Bild aus
der Zeit von 1789 bis 1835. Aus ihren Aufzeichnungen. 2 Bde.
Berlin, Mittler & Sohn. 1895. VIII, 340 u. V, 270 S. mit
3 Bildnissen und 1 Stammtafel. ℳ 10.

Baur (W.), das Leben des Frhrn. von Stein. 4. Aufl. Mit dem Bildnis
Steins. Berlin, Reuther & Reichard. 1895. VI, 327 S. ℳ 2,70.

Gebhardt (B.), Wilhelm von Humboldt als Staatsmann. Bd. 1: Bis zum Ausgang des Prager Kongresses. Stuttgart, Cotta. ℳ 10.

Münnich (Gr. E. v.), Memoiren. Nach der deutsch. Original-HS. hrsg., sowie mit einer Einleitg. u. einer Biographie des Vf. versehen von Arved Jürgensohn. Mit 1 Bild. d. Grafen M. u. 1 Faksim. der HS. Stuttgart Cotta Nachf. 1895. XIII, 242 S. ℳ 5.

David (E.), Georg Büchners Leben und polit. Wirken. München, 1895. [Sammlung gesellschaftswissensch. Aufsätze. H. 10.]

Bernhardi (Th. v.), aus dem Leben Th. v. Bernhardis. Teil 3—5. Leipzig, Hirzel. 1894 u. 95. XVII, 349; IX, 330 S. m. 1 Bildn. X, 412 S. ℳ 7, 7 u. 8.
Vgl. Hist. Jahrb. XV, 231. Inhalt. Teil 3: Die Anfänge der neuen Aera. Tagebuchblätter aus der Zeit der Stellvertretung und Regentschaft des Prinzen von Preußen. Teil 4 auch unter dem oben S. 157 notierten Titel im Handel. Teil 5: der Streit um die Elbherzogtümer. Tagebuchblätter a. d. J. 1863—64.

Biedermann (K.), dreißig Jahre deutscher Geschichte, 1840—70. Mit einem Rückblick auf die Zeit von 1815—40 u. einer Uebersicht der ersten 25 Jahre des neuen Deutschen Reiches. 4. (Volks-)Ausgabe. 2 Bde. Bd. 1. Breslau, Schles. Buchdr. ꝛc. VI, 502 S. ℳ 6.

Petersdorff (H. v.), wie das Deutsche Reich geworden ist. 1848—71. Ein Gedenkbuch, dem deutschen Volke dargebr. zur 25jähr. Wiederkehr der Gründg. d. Reiches. Bearb. nach d. neuest. Darstellng., insbes. Heinr. v. Sybels Werkes: „Die Gründg. d. Deutschen Reiches durch Wilhelm I". Berlin, Paulis Nachf. 1895. Mit 70 Bildn. und Ansichten. 248 S. ℳ 1.

Töche-Mittler (Th.), die Kaiserproklamation in Versailles am 18. Jan. 1871. Mit einem Verzeichn. d. Festteilnehmer u. einem Grundriß d. Festräume. 1. u 2. Aufl. Berlin, Mittler & Sohn. Lex.-8⁰. 113 S. ℳ 2. [Aus: Beihefte zum Militär-Wochenblatt.]

Böthlingk (A.), die Begründung des Reiches. Eine akadem. Festrede. Karlsruhe, Thiergarten. 8 S. ℳ 0,20.

Hirzel (R.), Rede zur Feier der Wiederaufrichtung des Deutschen Reichs. Leipzig, Hirzel. 29 S. ℳ 0,50.

Ritter (M.), die deutsche Nation u. das deutsche Kaiserreich. Rede, zur Feier des 18. Januar 1871 gehalten. Bonn, Röhrscheid & Ebbecke. 30 S. ℳ 1.

Wilding (Gr. A.), Metternich und Bismarck. Eine Studie nebst einer Charakteristik des österr. Staatskanzlers. Ziegenrück, Thamm. 1895. 46 S. ℳ 1.

Poschinger (H. Ritter v.), Fürst Bismarck u. die Parlamentarier. Bd. 3. 1879—90. Breslau, Trewendt. 1895. VI, 332 S. ℳ 7,50.
Vgl. Hist. Jahrb. XVI, 414.

Blum (H.), das erste Vierteljahrhundert des Deutschen Reiches, 1871—95. Braunschweig, Limbach. 1895. XII, 222 S. ℳ 1,80.

Das Deutsche Reich, 1871—95. Ein historischer Rückblick auf die ersten 25 Jahre. Berlin, Decker. 1895. CIII, 562 S. ℳ 5,50.

Wippermann (K.), deutscher Geschichtskalender für 1895. Sachlich ge=
ordnete Zusammenstellung der politisch wichtigsten Vorgänge im In=
und Ausland. Bd. 1. Leipzig, Grunow. XV,·389 S. geb. ℳ 6.
Vgl. Hist. Jahrb. XVI, 415.

Schweiz.

Zeerleeder (A.), Mitteilungen über die Thuner Handfeste. Nach einem
Vortrage von —. Bern, Wyß. 4⁰. 18 S. m. 1 Taf. ℳ 1,50.
[Neujahrsblatt, hrsg. v. histor. Verein des Kantons Bern für 1896.]

Hosang (G.), die Kämpfe um den Anschluß von Graubünden an die
Schweiz von 1797 — 1800. Vortrag. Chur, Hitz. 1895. 23 S.
[Aus: 24. Jahresbericht der histor.=antiqu. Gesellsch. v. Graubünden.]

Meyenburg = Rausch (F. A. v.), Lebenserinnerungen des Bürgermeisters
Franz Anselm v. Meyenburg=Rausch (1785—1859.) 1. Hälfte. Schaff=
hausen, Schoch in Komm. 4⁰. II, 31 S. m. Bildnis. ℳ 2,40.
[Neujahrsblatt des hist.=antiqu. Vereins u. d. Kunstvereins in Schaff=
hausen f. 1896.]

Aktensammlung aus der Zeit der Helvetischen Republik 1798—1803. Be=
arbeitet von J. Strickler. Bd. 5.: Okt. 1799 bis 8. Aug. 1800.
Hrsg auf Anordnung der Bundesbehörden. Bern, 1895. 4⁰. 1548 S.
· Der vorliegende Band enthält 561 Aktenstücke, meist Beschlüsse des Helvetischen
Direktoriums. P. G. M.

Sutermeister (W.), Metternich und die Schweiz 1840 — 48. Bern,
Schmid, Francke & Co. 1895. 94 S. ℳ 1.

Niederlande und Belgien.

*Annales Gandenses, nouvelle édition publiée par Frantz Funck-
Brentano. Paris, Picard. XLVIII, 132 S. [Collection de
textes pour servir à l'étude de l'histoire, No. 18].
Besprechung folgt.

Putnam (R.), William the Silent, prince of Orange, the moderate
man of the sixteenth century; the story of his life, as told from
his own letters, from those of his friends and enemies and from
official documents. London, Putnam. 902 S.

Waddington (A.), la République des Provinces Unies. La France
et les Pays - Bas Espagnols de 1630 à 1650. Tom. I: 1630--42.
Paris, Masson. XII, 446 S. [Annales de l'Université de Lyon n. 21.]

Bussemaker (C. H. Th.), de Afscheiding der waalsche Gewesten van
de Generale Unie. 1. Deel. Haarlem, De Erven F. Bohn. 1895.
451 S. [Verhandelingen, uitgegeven d. Teylers tweede Genootschap. Nieuwe Reeks. 5. Deel. 1ᵉ Stuk.]

Delplace (L.), la Belgique et la Révolution française. 260 S. Louvain, Istas. 260 S. fr. 3,50.

Großbritannien und Irland.

Ransome (C.), an advanced history of England from the earliest
times to the present day. London, Rivington. sh 7¹/₂.

Selbſt die beſten der vorhandenen Lehrbücher ſind nicht ganz frei von Irrtümern und Vorurteilen; ein Lehrbuch, das die geſicherten Reſultate der neuen Forſchung zuſammenfaßt, war daher ein längſt gefühltes Bedürfnis. R. hat ſich wohl in ſeinen Urteilen der Objektivität befliſſen und von manchen Einſeitigkeiten ſeiner Vorgänger freigehalten, ſeine Darſtellung aber durch viele Fehler und Ungenauig= keiten entſtellt, die erſt korrigiert werden müſſen, bevor das Buch Studenten empfohlen werden kann. Der Rezenſent in der American Historical Review Jan. 1896 hat eine ziemliche Zahl von Fehlern, die ſich noch leicht vermehren ließen, nachgewieſen. Manche Sätze in dem Buche ſind gehaltlos, andere ganz ſinnlos. Die Verbindung der Sätze unter einander, der Abſchnitte und Kapitel eine lockere. R. hat offenbar den Stoff nicht beherrſcht und nach keinem einheit= lichen Plan gearbeitet.   Z.

Lübeck (B. v.), Handbuch der engliſchen Geſchichte von den Uranfängen bis zur Gegenwart. Wien, Hartleben. XXIII, 256 S. *M.* 3,60.

Bates (C. J.), the history of Northumberland. London, Stock. 308 S.

Napier (A. S.) and Stevenson (W. H.), the Crawford Collection of early charters and documents now in the Bodleian Library, ed. by —. Oxford, Clarendon Press. 1894. 4⁰. XI, 167 S. [Anec-dota Oxoniensia. Mediaeval and modern series. Vol. I. Part. 7.] 19 mit eingehendem Kommentar und Regiſter verſehene Urkk. aus den Jahren 739—1150.

Hutton (W. H.), king and baronage (A. D. 1135—1327). London, Blackie. 118 S.

Abrahams (B. L.), the expulsion of the jews from England in 1290. Oxford, Blackwell. 84 S.

Opitz (H.), Heinrich VIII u. Thomas Morus. Eine kirchenpolit. Skizze. Frankfurt a. M., Foeſſer Nachf. 39 S. *M.* 0,50. [Frankfurter zeitgemäße Broſchüren. Neue Folge. Bd. 16. H. 9.]

Fearenside (C. S.), the intermediate textbook of English history III (being a longer history of England 1603—1714). London, Clive. 396 S.

Mackinnon (J.), the union of England and Scotland. A study of international history. London, Longmans. sh. 16.

Nippold (W. K. A.), die Regierung der Königin Mary Stuart von England, Gemahlin Wilhelms III, 1689—95. Hamburg, Gräfe & Sillem. Mit Bildnis. 1895. 101 S. *M.* 1,60. Der 200j. Todestag Mary Stuarts gibt dem Vf. Veranlaſſung, das Bild dieſer Fürſtin, über welche die hiſtoriſche Literatur faſt mit Stillſchweigen hinweg= gegangen iſt, — im Gegenſatz zu jener anderen vielgenannten Mary Stuart — der Vergeſſenheit zu entreißen. Sie war die älteſte Tochter des Herzogs Jakob von York, des ſpäteren Königs Jakob II; Wilhelm III, ihr Gemahl, war nicht nur Prinzgemahl, ſondern durch ausdrückliche Uebertragung ihrer Rechte auf ihn Mitkönig. Verf. erkennt in dieſer Handlung Marys ihre eigentliche hiſtoriſche Bedeutung. Die richtige Würdigung der ruhigen und beſonnenen politiſchen Haltung, ſowie die warme Zeichnung der lieblichen Erſcheinung Marys hätten nicht gelitten, wenn Verf. mehr Mäßigung in der Beurteilung der Stuarts be= wieſen hätte.   A. M.

Traill (H. D.), social England. A record of the progress of the people. V. IV: from the accession of James I to the death of Anne. London, Cassell. sh. 15. Der 4. Band dieſes Sammelwerkes enthält wie die früheren (vgl. Hiſt. Jahrb.

XVI, 403, 651 f.) äußerst wertvolle Artikel über Ackerbau, Handel, die sozialen Verhältnisse, die nur den einen Fehler haben, daß sie zu kurz sind. Der Band ist eine Ergänzung zu dem klassischen Werke Gardiners, das vornehmlich die politische Geschichte Englands behandelt. Die Methode, einem Anglikaner (Hutton) und einem Neukonformisten (Brown) den Abschnitt ‚Religiöses Leben‘ zu übertragen, ist verfehlt, denn beide haben die Ereignisse und die leitenden Persönlichkeiten von ihrem Parteistandpunkte aus beurteilt und sich nicht einmal die Mühe genommen, unparteiisch zu sein. Die Abschnitte über die Flotte von Clowes sind ausgezeichnet. Creigthon, Bateson und Hewins verdienen gleichfalls großes Lob. Z.

Mitchell (D. G.), English lands, letters and kings. Vol. III. Queen Anne and the Georges. New-York, Scribners Sons. VI, 354 S.

Reid (St. J.), Lord John Russell. New-York, Harper. XVI, 381 S.

Seeley (J. R.), the growth of the British policy. An historical essay. Cambridge, University Press. XXIV, 436, 403 sh. 12.

Politische Geschichte im Zusammenhang der europäischen Ereignisse ist ein Feld, das die englischen Geschichtschreiber wenig angebaut haben, sie sind eigentlich erst durch Rankes englische Geschichte belehrt worden, daß die richtige Beurteilung englischer Verhältnisse eine genaue Kenntniß der auswärtigen Verhältniß Englands voraussetzt. An einem nachgelassenen Werke, das so viele hohen Vorzüge besitzt, strenge Kritik zu üben, scheint eine Verletzung der Pietät. Die schwächste Partie ist wohl die Darstellung Cromwells, wie auch Gardiner in der English Historical Review Jan. 1896 hervorgehoben hat. Die politische Begabung Karls II wird unterschätzt, die spezifisch englische Politik auf Kosten eines gefährlichen Nebenbuhlers ist von Karl II viel konsequenter durchgeführt, als S. annimmt. Karl hat wohl kaum vorausgesehen, daß Frankreich sich die Entwicklung seiner Seemacht selbst verkümmern werde, aber daß er das Richtige getroffen, weil er Holland für den gefährlicheren Nebenbuhler hielt, läßt sich nicht bestreiten. Z.

Burrows (M.), the history of the foreign policy of Great Britain. Edinburgh, Blackwood. sh. 12.

Die Geschichte der englischen auswärtigen Politik von der normannischen Eroberung bis auf Königin Anna wird in 52 Seiten abgethan. Nicht bloß dieser erste Teil wimmelt von Fehlern und Ungenauigkeiten, sondern auch der zweite. B. fand es nicht für nötig, sich mit seinem Vorgänger Seeley auseinanderzusetzen, oder seine Angaben über die Stuarts durch Gardiners Werk zu kontrollieren; er hat sich nicht einmal die Mühe genommen, die Widersprüche der eigenen Darstellung zu tilgen. Am widerwärtigsten berührt der Mangel an ethischen Prinzipien; was scheinbar vorteilhaft für England ist, das ist deshalb recht und billig. Die Engländer können überhaupt kein Unrecht begehen. B. entschuldigt sich, daß er manche Sätze aus seinen ›Commentaries on the Histories of England‹ wiederholt habe. B. hätte jedenfalls besser für seinen Ruf gesorgt, wenn er beide Werke im Pult gelassen. Beweise werden selten gegeben für die Behauptungen, die sich in dem Buche finden. Z.

Sanders (L. G.), life of Viscount Palmerston. London, Allen. 250 S.

O'Flanagan (J.), annals, anecdotes, traits, and traditions of the Irish Parliaments, 1172—800. New edit. Dublin, Gill. 228 S. u

Dänemark, Schweden, Norwegen.

Meddelelser om rigsarkivet for 1892—94. Kopenhagen. 1895. kr. 0,50.

Secher (A.), recesser og andre kongelige Breve (Danmarks Lovgivning vedkommende Forordninger 1558—660). Kjøbenhavn, Gad. 160 S. [Corpus constitutionum Daniae IV, 1.]

Rubin (M.), Frederik VIˢ tid fra Kielerfreden til kongens dod. Okono-
miske og histor. studier of —. Kjöbenhavn, Philipsen. 640 S.

Ahlefeldt (D. v.), Geheimrat A.s Memoiren aus den J. 1617—59.
Nach der Originalhandſchrift im Haſelborfer Archiv hrsg. von Louis
Bodé. Kopenhagen, Höſt & Sön. XIX, 181 S.

> Die Memoiren verdienen Beachtung; ein ganzes Menſchenalter hindurch, während
> dreier Kriege gingen faſt alle Verhandlungen Dänemarks mit den norddeutſchen
> Staaten, beſonders jene mit Brandenburg, durch A.s Hände. Die Zeitgeſchichte iſt
> Hintergrund und Leitmotiv dieſer Schrift.

Bloch (J.), stiftsamtmaend og amtmaend i kongeriget Danmark og
Island 1660—1848. Kopenhagen, Reitzel. 1895· kr. 2,25.

Bain (R. N.), Charles XII and the collaps of the Swedish empire.
London, Putnams Sons. 1895. sh. 5.

Nerman (G.), Göta kanals historia fran äldsta tider till vara dagar.
Stockholm, Samson och Wallin. 128. S.

Unger (C. R.) et Huitfeldt-Kaas (H. J.), diplomatarium nor-
vegicum. Fjortende Samling, anden Halvdel. Christiania, Malling.
S. 417—928.

Italien.

Vanlaer (M.), la fin d'un peuple. La dépopulation de l'Italie au
temps d'Auguste. Paris, Thorin. 1895. 328 S. l. 7,50.

Gregorovius (F.), Geſchichte der Stadt Rom im MA. Vom 5. bis
16. Jahrh. 4. Aufl. Bd. 7 u. 8. Stuttgart, Cotta Nachf. 1893
u. 1895. X, 752 u. VIII, 800 S. ℳ 12 u. 13,50.

> Vgl. Hiſt. Jahrb. XIV, 692.

*Spangenberg (H.), Cangrande I della Scala. Teil 1: 1291—1320;
Teil 2: 1321 — 29. Berlin, Gärtner. 1892. 219 S.; u. 1895,
168 S.

> Beſprechung folgt.

Meomartini (A.), la battaglia di Benevento fra Manfredi e Carlo
d'Angio. Benevento, tip. De Martini. 29 S. l. 1.

Gabotto (F.), un comune piemontese nel secolo XIII (Moncalieri).
Venezia, tip. M. Fontana. 47 S.

Santi (Gio.), Federigo di Montefeltro, duca di Urbino. Cronaca. Nach
dem cod. Vat. Ottob. 1305 zum erſten Male hrsg. von Heinrich
Holzinger. Stuttgart, Kohlhammer. IV, 232 S.

Fabriczi (C. de), Andrea del Verrocchio ai servizi de' Medici. Roma,
tip. dell' Unione cooperativa editrice. 4⁰. 14 S.

Wenck (K.), eine mailändiſch-thüringiſche Heiratsgeſchichte aus der Zeit
König Wenzels. Dresden, Baenſch. 1895. 42 S. ℳ 1.

> Eine kleine, aber gehaltreiche Abhandlung, die einen wertvollen Beitrag zur Er-
> kenntnis der verwickelten italieniſch-deutſchen Beziehungen um die Wende des
> 14. und 15. Jahrh. liefert. Die Heldin iſt Lucia, die Tochter des von ſeinem
> gewaltigen Neffen Giangaleazzo ermordeten Bernabò de' Visconti. Gewaltig
> war der Mann, der mitten in Intriguen der verſchiedenſten Art den Drang

hatte, Werke zu unternehmen wie die schöne Certosa di Pavia, deren Gründungsgeschichte bis zum 9. Dezember 1393 hinaufreicht (nachgewiesen von Romano
in seinem, von W. nicht benützten »Regesto degli atti notarili di C. Cristiani«,
— Arch. st. lomb III, 2 (1894) S. 53, Nr 141; vgl. dazu die Urk. v. 3. I. 1398:
S. 285 ff., Nr. 373). Dieser Johannesgaleaz also ist es, der seine Base u. Schwägerin
Lucia (geb. unter den 35 Kindern Bernabòs als sechstes, um 1380 herum) an
einen thüringischen Landgrafen verheiraten will, weil er ein Interesse daran
hat, sich mit der deutschen Partei zu verbinden, die zu seinem Gönner Wenzel
hält. Am 28. Juni 1399 wurde die mailändische Prinzessin zwar gegen ihren
Willen, aber jedenfalls rechtsgiltig per procurationem — als Prokurator
fungierte Friedrich von Witzleben — mit dem bereits zweimal entlobten Friedrich
dem Friedfertigen, dem Sohne des Landgrafen Balthasar von Thüringen, ver=
ehelicht. Trotzdem hat Lucia Visconti keinen Platz im Stammbaume der
Wettiner — freilich haben sich die Gatten auch nie zu sehen bekommen. Das
„Holen über Berg" und die thatsächliche Vermählung unterblieben — einfach
deshalb, weil inzwischen die Politik andere Wege gegangen war: die Verbindung
hatte keinen Zweck mehr, weder für den Wettiner, noch für den Mailänder, der
sich den König Ruprecht ja ohnedies vom Leibe gehalten hatte. Anderseits
war es englischen Chronisten bisher nicht bekannt, daß dieselbe Lucia beinahe
die Gemahlin Heinrichs IV von England geworden wäre, hätte man ihres
Herzens leidenschaftliches Sehnen erfüllt und ihr den von wildromantischen
Schicksalen verfolgten Grafen Derby angetraut. Also gewiß eine interessante
Dame, diese Lucia! Hatte man sie doch schon in frühester Jugend mit Karl,
dem zweiten Sohne Ludwigs I von Anjou, verloben wollen (N. Balois in seinem,
W. nicht zugänglichen Aufsatz: Expédition et mort de Louis I d'Anjou, in
Revue des questions historiques LV [N. S. XI; 1894], S. 105, Anm. 2)
und sie dann dem erstgebornen Ludwig II im Juli 1382 versprochen — was
am 2. VIII. 1384 in die That, d. h. in die übliche Heirat durch Prokuration
umgesetzt worden war (Balois a. a. O., S. 137). Ueber das Fehlschlagen so
mancher heißer Hoffnung hat sich dann Lucia Visconti dadurch getröstet, daß
sie am 24. Februar 1403 feierlich erklärte, nicht verheiratet zu sein, und am
24. Januar 1406 ihre Hand dem tapferen Grafen Edmund von Kent reichte.
Kaum aber waren 3 Jahre verflossen, da ging ihr Gatte mit Tod ab. Wahrscheinlich
kinderlos, hat die Tochter Bernabòs über 15 Jahre als Witwe in England
vertrauert, bis sie am 4. April 1424 der Tod von ihrem freudelosen Dasein
erlöste. Helmolt.

Bongi (S.), annali di Gabriel Giolito de' Ferrari da Trino di Mon-
ferrato, stampatore di Venezia. II. facs. 1. Lucca, tip. Giusti.
160 S.

Vgl. Hist. Jahrb. XII, 206.

Vicchi (L.), del matrimonio Spinola-Borghese, contratto a 'Genova
l'anno 1691; brevi appunti. Jmola, tip. Galeati. 23 S.

Kaufmann (D), Dr. Israel Conegliano und seine Verdienste um die
Republik Venedig bis nach dem Frieden von Carlowitz. Wien,
Konegen. 1895. VI, 103 u. CXXXI S. M 5.

Cian (V.), Italia e Spagna nel secolo XVIII. Giovambattista Conti e
relazioni letterarie fra l'Italia e la Spagna nella seconda metà
del Settecento. Torino, Lattes & Co. VIII, 360 S.

Der erste Teil behandelt: »La vita, le relazioni letterarie, le poesie ori-
ginali di G. B. Conti« ; der zweite: »Relazioni letterarie italo-ispane
specialmente nella seconda metà del sec. XVIII. Jl Conti spagnolista«.

Senizza (G.), storia di Trieste abbinata a quella dell' Istria. Venezia,
tipogr. Draghi. 214 S. l. 3,30.

Bassi (U.), Reggio nell' Emilia alla fine del secolo XVIII (1796—99).

Reggio nell' Emilia, stab. tip. lit. degli Artigianelli. 16°. IX, 531 S. l. 3.

Kovalevski (M.), i dispacci degli ambasciatori veneti alla corte di Francia durante la rivoluzione. I. Turin, Bocca. 516 S. l. 7.

Marmottan (P.), le royaume d'Étrurie (1801—7). Paris, Ollendorff. 379 S. 1 Taf. l. 7,50.

Carducci (G.), letture del risorgimento italiano scelte ed annotate da — (1749—1830). Bologna, ditta Nicola Zanichelli. 1895.

Gotti (A.), quadri e ritratti del risorgimento italiano. Roma, società editrice Dante Alighieri. 1895.

Dito (O.), la rivoluzione calabrese del' 48. Catanzaro, Caliò. 1895.

Cavour (C. di), nuove lettere inedite del conte —, con prefazione di Edm. Mayor Torino-Roma, Roux e C. 1895. XXIII, 634 S. l. 8.

Barbarich (E.), Cesare de Laugier e le armi toscane nella prima guerra d'indipendenza italiana. Roma, Voghera. 1895.

Pesci (U.), come siamo entrati in Roma. Ricordi di — con prefazione di G. Carducci. Milano, Fratelli Treves. XXIII, 348 S. [Per il XXV anniversario di Roma capitale 20 settembre 1895.]

Magini (L.), Roma capitale al primo parlamento Italiano. Discussione et voto (25, 26, 27 marzo 1861) con prefazione di —. Firenze, success. Le Monnier. XIV, 190 S.

Gatti (C.), Roma per il suo XXV° anniversario di vita libera. Firenze, fratelli Bocca. 1895. 98 S.

Frankreich.

Schiber (A.), die fränkischen und alemannischen Siedlungen in Gallien, besonders in Elsaß-Lothringen. Ein Beitrag zur Urgeschichte der Deutschen u. d. französ. Volkstums. Straßburg, Trübner. IX, 109 S.

Kurth (G.), Clovis. Tours, Alfr. Mame et Fils. 4°. XXIV, 630 S., 8 Tafeln.

Bladé (J. F.), géographie politique du sudouest de la Gaule franque au temps des rois d'Aquitaine. Agen, impr. Lamy. 52 S.

Valois (N.), la France et le grand schisme d'occident. Tome I. II. Paris, Picard et fils. XXX, 407; 516 S. (f. oben S. 355.)

Guibert (H.), Louviers pendant la guerre de Cent ans. Paris, Ernest Dumont. 122 S. [Bulletin de la Société d'études diverses de l'arrondissement de Louviers.]

Bouthors (L.), la vénérable Jeanne d'Arc. Abbeville, Paillart. 237 S. illustriert.

Canet (V.), Jeanne d'Arc et sa mission nationale. Lille et Paris, Desclée et de Brouwer. XVI, 480 S. illustr. fr. 10.

Bandel (E.), Jeanne d'Arc est Lorraine. Nancy, imp. Crépin-Lebland. 32 S. fr. 1.

L' Hote (E.), Jeanne d'Arc la bonne Lorraine, ou réponse à Jeanne d'Arc Champenoise. Saint-Dié, imp. Humbert. 115 S.

Misset (E.), Jeanne d'Arc Champenoise. Deuxième réponse à M. l'abbé L'Hote. Paris, Champion. 29 S.

Lefèvre-Pontalis (G.), la fausse Jeanne d'Arc. Orléans, Herluisons. 35 S.

Schefer (C.), le discours du voyage d'oultremer au très victorieux roi Charles VII, prononcé en 1452 par Jean Germain, évêque de Chalon, publié d'après le ms. français n° 5737 de la Bibliothèque nationale. Paris, Leroux. 40 S.

Clement-Simon (G.), un capitaine de routiers sous Charles VII: Jean de la Roche. Besançon, imp. Jacquin. 27 S.

Caix de Saint-Aymour (vicomte de), notes et documents pour servir à l'histoire d'une famille picarde au moyen âge: la maison de Caix. Paris, Champion. VIII, 340 u CCXXXVIII S. illustr. fr. 20.

Lorned (W. C.), churches and castles of mediaeval France. New-York, C. Scribners Sons. VIII, 236 S. mit Bild.

Roye (Jean de), journal de — connu sous le nom de chronique scandaleuse 1460—83, publié pour la société de l'histoire de France par Bernard de Mandrot. Tome 1. Paris, Renouard 1894. XXIX, 366 S.

> Diese für die Geschichte Ludwigs XI so wichtige Chronik wird hier mit einem umfangreichen kritischen Apparat neuerdings herausgegeben. Als ihr Verfasser wird der Pariser Notar Jean de Roye eruiert.

Pasquier (F.), lettres de Louis XI relatives à sa politique en Catalogne 1461—73. Foix, impr. Pomiès. 39 S.

Fillet (L.), Louis Adhémar, premier comte de Grignan, 1475—1558. Valence, Vercelin. 224 S.

Spont (A.), les galères royales dans la Méditerranée de 1496—1518. Besançon, imp. Jacquin. 41 S.

Ducéré (E.), histoire maritime de Bayonne: Les corsaires sous l'ancien régime. Bayonne, Hourquet. fr. 12.

Vayssière (A.), le siège des huguenots devant Molins (en 1562), mémoires inédits du temps. Moulins, Durond. VIII, 50 S.

Quirielle (R. de), lettres inédites de Charles IX, de Catherine de Médicis et du duc d'Anjou, accompagnées de quelques éclaircissements sur les gentilshommes bourbonnais à qui elles étaient adressées. Moulins, Durond. 40 S.

Catherine de Medicis, lettres. Publ. par le comte Hector de La Ferrière. T. 5. (1574—77). Paris, Hachette et Cie. 4°. LXXVII, 389 S. fr. 12.

La Fleur de Kermaingant (P.), l'ambassade de France en Angleterre sous Henri IV. Mission de Cristophe de Harlay, comte de Beaumont (1602—5). Paris, Firmin-Didot. LXXVI, 334 und 355 S. fr. 15.

Aumale (duc d'), histoire des princes de Condé pendant les XVIe et XVIIe siècles. VII. Paris, Lévy. 792 S. fr. 7,50.

Mourin (E.), récits lorrains: histoire des ducs de Lorraine et de Bar. Nancy, Berger-Levrault. 16°. 406 S. fr. 3,50.

Vissac (R. de), chronique vivaroise, Anthoine du Roure et la révolte de 1670. Paris, Lechevalier. 85 S.

Gourville, mémoires de — publiés pour la société de l'histoire de France par L. Lecestre. Tome 1: 1646—69 et 2: 1670—702. Paris, Renouard. 1894 u. 1895. CXVI, 264 S. u. 332 S.
Die Einleitung bietet eine Lebensgeschichte Gourvilles; besonders hervorgehoben wird sein Aufenthalt im Hause Condés. Es folgt ein Exkurs über Hff. und Drucke der Memoiren und darauf der Text mit vielen orientierenden Fußnoten.

Gagnol (abbé), histoire de l'Europe et particuliërement de la France de 1610 à 1789. Classe de rhétorique. Paris, Poussielgue. 18°. XXII, 692 S. mit Bild und Plänen. fr. 4,75.

*Waddington (R.), Louis XV et le renversement des alliances. Préliminaires de la guerre de Sept Ans, 1754—56. Paris, Firmin-Didot. VIII, 533 S.
S. hier unter Nachrichten. Besprechung folgt.

Tourneux (M.), Marie-Antoinette devant l'histoire. Essai bibliographique. Paris, Leclerc et Cornuau. VII, 93 S. fr. 3,50.

Chantelauze (R.), Louis XVII: son enfance, sa prison, et sa mort au Temple, d'après des documents inédits des Archives nationales. Paris, Didot. 18°. 378 S. fr. 3,50.

Ginisty (P.) et Samson (C.), Louis XVII (énigme historique). Paris, Charpentier et Fasquelle. 99 S. illustr. fr. 4.

Cornillon (J.), le Bourbonnais sous la Révolution française. Riom, imp. Girerd. XI, 461 S.

Héricault (C. d'), Rudemare. Journal d'un prêtre parisien, 1788—92, avec préface et notes. Paris, Gaume.

Charmasse (A. de) et Montarlot (P.), cahiers des paroisses et communautés du bailliage d'Autun pour les états généraux de 1789. Autun, impr. Dejussieu. 95, 407 S.

Larrieü (D.), cahiers des griefs rédigés par les communautés de Soule en 1789. Pau. (Paris, Lechevalier.) 298 S. fr. 5.

*Pingaud (L.), l'invasion austro-prussienne (1792—94). Documents publ. p. la soc. d'hist. contempor. p. —. Paris, Picard. 1895. XVI, 312 S. mit 1 Bilde und 1 Karte.
Besprechung folgt.

Aulard (F. A.), la société des Jacobins. Recueil de documents pour l'histoire du club des Jacobins de Paris. V (janvier 1793 à mars 1794). Paris, Quantin. 718 S. fr. 7,50.

Ducos (A.), les trois Girondines (Mme Roland, Charlotte de Corday, Mme Bouquey) et les Girondins. Bordeaux, imp. Cassignol. CVII, 188 S. illustr.

Raux (G.), la République et le concordat de 1801. Paris, May et Motteroz. 18⁰. XII, 363 S. fr. 3,50.

Torreilles (Ph.), un Bourgeois de province' après la Révolution, 1800—9. Paris, bureau de la Revue. 23 S. [Extrait de la Revue des questions historiques d'avril 1895.]

André (G.), Nizza 1792—1814. Nizza, tip. Malvano-Mignon. 1894.

Napoléon, lettres à Joséphine pendant la première campagne d'Italie, le consulat, et l'empire; et lettres de Joséphine à Napoléon et à sa fille. Paris, Garnier. 12⁰. fr. 3,50.

Turquau (J.), die Generalin Bonaparte. Uebertr. u. bearb. v. Oskar Marſchall v. Bieberſtein. Leipzig, Schmidt & Günther. VII, 318 S. m. Abbildgn. ℳ 4,60.

Le Normand (Mᶫᶫᵉ M. A.), the historic and secret memoirs of the Empress Josephine. (Marie Rose Tascher de la Pagerie). London, Nichols. 784 S.

Secret history of the Court and Cabinet of St. Cloud: in a series of letters from a gentleman in Paris to a nobleman in London. Written during the months of August, Septembre and October 1805. London, Nichols. 624 S.

Ussher, Napoleons last voyages: being the diaries of admiral Sir Thomas Ussher and John R. Glover. With explanatory notes. London, Unwin. sh. 10,6.

Riols (J. de), Napoléon peint par lui-même. Anecdotes, souvenirs, caractère, appréciations. Paris, Bornemann. 18⁰. 142 S. illuſtr.

Peyster (J. Watts de), the real Napoleon Bonaparte. New-York, J. Watts de Peyster. 28 S.

Meyniel (L.), Napoléon Iᵉʳ, sa vie, son oeuvre, d'après les travaux historiques les plus récents. Nouv. édition. Paris, Delagrave. VIII, 295 S. illuſtr. fr. 2,90.

Lejeune, général, mémoires publiés par G. Bapst. I: 1792—1809. II: 1809—14. Paris, Didot. 12⁰. fr. 3,50. - Bgl. hierzu die oben S. 163 angezeigte Schrift.

Thiébault, mémoires du général baron Thiébault, publiés sous les auspices de sa fille, Mᶫᵉ Cl. Thiébaut par F. Calmettes. Tome V (1813—20). Avec une héliograv. Paris, Plon et Nourrit. 526 S. fr. 7,50.

Broglie (Duchesse de), lettres de la Duchesse de —, 1814—38, publiées par son fils le Duc de Broglie. Paris, Calman Lévy 1896. 18⁰. 1 Portr. 338 S.

Castellane, journal du maréchal de — (1804—62). Tome II: (1823—31), avec une héliograv. Paris, Plon et Nourrit. 1895. 514 S. fr. 7,50. Bgl. Hiſt. Jahrb. XVI, 666.

Barante (baron de), souvenirs du —, 1782—1866. T. IV et T. V. Paris, Calman-Lévy. 2 vol. 18⁰. Bgl. Hiſt Jahrb. XV, 197.

Ollivier (E.), l'Empire libéral. Études, récits. souvenirs. Tome I.
Paris, Garnier. 18⁰. 507 S. fr. 3,50.

Benedetti, essais diplomatiques. Paris, Plon. fr. 7,50.

Jullian (C.), histoire de Bordeaux depuis les origines jusqu'. en 1895.
Bordeaux, Feret. 804 S. 32 Tafeln. 4⁰. fr. 25.

Le Pasquier, contribution à l'histoire. de Rouen. Rouen, Cagniard.
58 S.

Clercq (J. de), recueil des traités de la France publié sous les
auspices du ministère des affaires étrangères. XIX (1891—93).
Paris. Pedone. XXXVI, 702 S. fr. 25.

Spanien.

Soler y Guardiola (P.), apuntes de historia politica y de los tratados (1490 — 1815). Madrid, Snárez. 4⁰. 743 S.

Rossi (G.), Maria Luigia Gabriella di Savoia, sposa di Filippo V, re
di Spagna, in Nizza, nel settembre 1701; memoria e documenti.
Torino, Paravia. 44 S.

Correspondencia de los Principes de Alemania con Felipe II, y de los
embajadores de éste en la corte de Viena (1556 — 98). V (Desde
5 de Septiembre de 1572 á 28 de Diciembre de 1574) Madrid,
Murillo. 4⁰. III, 520 S. [Colección de documentos inéditos
para la historia de España. CXI.]

Danvila y Collado (M.), reinado de Carlos III. Madrid, Murillo.
4⁰. 694 S. illustr. [Historia general de España. Tome IX.]

Colección de documentos históricos del Archivo municipal de la M. N.
y M. L. ciudad de San Sebastián. (Años 1200 — 1813.) San
Sebastián, tip. „La Union Vascongrada". 4⁰. 328 S.

Olivart (marqués de), colección de los tratados, convenios, y documentos internacionales celebrados por nuestros gobiernos con los
estados extranjeros desde el reinado de Doña Isabel II hasta
nuestros dias. Gobiernos constituidos (1868—74). Madrid, Fé.
4⁰. 381 S.

Salvá (A.), Burgos en las communidades de Castilla. Burgos, imp.
Rodriguez. 191 S.

Ungarn, Balkanstaaten.

Hazslinszky (K.), die Quellen der Jagello=Epoche. Ungar. Neusohl.
1895. 33 S.
Nach der in der Századok 1895 S. 966 erschienenen Kritik ist das kleine Werk
sehr lückenhaft.

Pór (A.) u. Schönherr (J.), Gesch. der ungarischen Nation. Bd. III.
Ungar. Budapest, Athenäum. 1895. 667 S. M. 18.
Bd. III dieses großen und reich illustrierten Unternehmens enthält die Geschichte
der Anjou von Pór, dem besten Kenner diese Epoche; ferner die Geschichte der
Königin Maria, jene Karls und endlich jene Sigismunds von Schönherr.
Auch dieser Teil verdient volles Lob.

Fraknói (W.), die Briefe des Königs Mathias Corvinus. Bd. II. Budapest, Verlag der ungar. Akademie. 1895. LXX u. 406 S. ℳ 8.
Bd. II enthält die Korrespondenz des Königs aus den Jahren 1480—90.

Sváby (Fr.), Geschichte der an Polen verpfändeten 13 Zipser Städte.
Ungar. Im „Millennium-Jahrbuch" der histor. Gesellsch. der Zips.
Bd. II. Lentschau. 1895. Mit Abbildungen.

Villermont (comte de), Marie Thérèse 1717 — 80. Paris, Desclée,
de Brouwer et Cie. 2 Bde. 1895. 432 u. 446 S.

Radimský (W.), die römische Ansiedelung von Majdan bei Varcar Vakuf.
Wien, Gerolds Sohn in Komm. 1895. Lex.-8. 10 S. m. 10 Abbildungen. ℳ 0,60. [Aus: Wissenschaftl. Mitteilungen aus Bosnien und der Herzegowina, Bd. 3.]

Rubaracz (H.), zwei bosnische Königinnen. Wien, Gerolds Sohn in
Komm. 1895. Lex.-8⁰. 17 S. ℳ 0,60. [Aus: Wissenschaftl.
Mitteilungen aus Bosnien und der Herzegowina, Bd. 3.]

Faber (M.), zur Entstehung von Farlatis „Illyricum sacrum". Wien,
Gerolds Sohn in Komm. Lex.-8⁰. 9 S. ℳ 0,40. [Aus: Wissenschaftliche Mitteilungen aus Bosnien und der Herzegowina, Bd. 3.]

Thallóczy (L. v.), Bruchstücke aus d Geschichte der nordwestlichen Balkan-
länder. Wien, Gerolds Sohn in Komm. Lex.-8⁰. 75 S. m. 8 Abbildungen u. 1 Taf. ℳ 2,40. [Aus: Wissenschaftl. Mitteilungen
aus Bosnien und der Herzegowina, Bd. 3].

Polek (J.), die Bukowina zu Anfang des Jahres 1783. Czernowitz,
Pardini. 84 S.

Golowine (A. F.), Fürst Alexander I von Bulgarien (1879—86). Wien,
Fromme. VIII, 520 S. m. 5 Lichtdr. ℳ 12.

Rußland, Polen.

Créhance (G.), histoire de la Russie depuis la mort de Paul I jusqu'
à l'avènement de Nicolas II (1801—94). Paris, Alcan. 1895.

Popow (E. J.), Leben und Tod von Jewdokim Nikititsch Droschin 1866
—94. Mit einem Vorwort von L. N. Tolstoi. Aus dem Russ.
von L. A. Hauff. Berlin, Janke. 1895. 156 S. ℳ 1.

Prochaska (A.), akta grodzkie i ziemskie czasów Rzeczypopolitej
polskiej y archivum t. zw. bernardyńskiego we Lwowie (Stadt- u.
Landakten der polnischen Republik aus dem sogen. Bernardinerarchiv
in Lemberg). Tome XVI. Lemberg, Seyfarth & Czakowski. 4⁰.
XVIII, 581 S.

Wydawnictwo materyałów do historyi powstania 1863/64 (Publikationen
der Materialien zur Geschichte des Aufstandes im J. 1863/64). IV.
Lemberg, Gubrynowicz. 224 u. 167 S.

Asien.

Çahun (L.), introduction à l'histoire de l'Asie; Turcs et Mongols des
origines à 1405. Paris, Colin et Cie fr. 10.

Deveria (G.), origine de l'islamisme en Chine; deux légendes musulmanes chinoises; pélerinages de Ma Fou-Tch'ou. Paris, Imp. nationale. 4⁰. 55 S. illuſtr.

Röhricht (R.), le pélerinage du moine Augustin Jacques de Vérone (1335) publié d'après le ms. de Cheltenham nr. 6650. Paris, Leroux. 1895. 148 S. fr. 5. [Extrait de la Revue de l'Orient latin t. III. 1895. nr. 2.]

Jorga (N.), Philippe de Mézières 1327—1405 et la Croisade au XIVᵉ siècle. Paris, Bouillon. XXXV, 557 S. [Bibliothèque de l'école des hautes études Nr. 110.]

Voß (W.), Pilgerreiſen des Herzogs Balthaſar von Mecklenburg nach dem heil. Lande. [Aus: Jahrbuch des Vereins für mecklenburg. Geſchichte. LX. S. 136—68.]

Während noch Röhricht in ſeinem bekannten Werke „Deutſche Pilgerreiſen" (1889) drei Fahrten Balthaſars ins heil. Land annimmt (1470, 79 und 92), läßt ſich nach des B.s Unterſuchungen nur die Reiſe v. J. 1479 mit voller Sicherheit beweiſen, da das „Reiſebuch der Familie Rieter" ausdrücklich Herzog Balthaſar als Begleiter der beiden Nürnberger Sebald Rieter jun. und Hans Tucher aufführt. Bezüglich der Reiſe i. J. 1492 iſt keine unbedingte Gewißheit zu erlangen, vielmehr iſt nur die Abſicht des Herzogs, eine ſolche zu unternehmen, durch einen Brief deſſelben hiſtoriſch beglaubigt. Völlig unhaltbar endlich erſcheint nach B.s kritiſchen Unterſuchungen die ziemlich verbreitete Annahme, Balthaſar habe ſich auch an der Paläſtinafahrt des Herzogs Ulrich II von Mecklenburg-Stargard 1470 beteiligt. Die älteren und zuverläſſigen Quellen wiſſen von einer ſolchen Beteiligung nichts, die nur durch eine Notiz des hier nicht ganz verläſſigen Latomus in die Literatur teilweiſe Eingang gefunden hat. Eine genaue Vergleichung des Originaltextes und zahlreicher Kopien von Chemnitz „Genealogia" liefert das Ergebnis, daß auch letztgenannter Autor nicht als Zeuge einer Reiſe i. J. 1470 angerufen werden kann. Es wäre wohl einem weiteren Leſerkreiſe erwünſcht geweſen, wenn Vf. nur mit einigen Strichen das Leben und die Verwandtſchaftsverhältniſſe Herzog Balthaſars angedeutet hätte, zumal leicht zugängliche Werke hievon faſt nichts enthalten. T. G.

Gribble (J. D. B.), a history of the Deccan. In two volumes. With portraits, maps, plates and illustrations. Vol. 1. London, Luzac & Co. IV, 406 S.

Holden (E. S.), the Mogul emperors of Hindustan 1398—1707. London, Constable. 380 S. sh. 10,6.

Lyall (A.), the rise and expansion of the British Dominion in India. Third and cheaper edit. London, Murray. 362 S.

Afrika.

Toutain (J.), les cités romaines de la Tunisie. Essai sur l'histoire de la colonisation romaine dans l'Afrique du Nord. Paris, Thorin. 412 S. 2 Taf. [Bibliothèques des écoles franç. d'Athènes et de Rome. Fasc. 72.]

Schefer (C.), des voyages à la côte occidentale d'Afrique d'Alvise de la da Mosto (1455—57). Paris, Leroux. fr. 7,50.

Abraham (F.), die ſüdafrikaniſche Republik. Eine hiſtor. Skizze. Berlin, Voll. 58 S. M. 2. [Aus: Goldminen-Revue.]

Amerika.

Columbus, the authentic letters of —. By William Eleroy Curtis. Chicago 1895. S. 92—200 mit 19 Fassim. [Publications of the Field Columb. Mus. Nr. 2.]

Cortes (Fernand), lettres de — à Charles-Quint sur la découverte et la conquête du Mexique traduites par Désiré Charnay avec préface d. E. T. Hamy. Paris, Hachette et Cie. X, 386 S.

Sarmiento de Gamboa (Pedro), narratives of the voyages of — to the Straits of Magellan. Translated by C. R. Markham. London, Hakluyt Society 1895. XXX, 401 S. [Works issued by the Hakluyt Society. Vol. 91.]

Harisse (H.), John Cabot, the discoverer of North America, and Sebastian his son, 1496—1557. London, Stevens XI, 503 S.

Wie alles, was H. schreibt, ist auch dieses Buch ausgezeichnet durch strenge Sichtung des Materials und scharffinnige Beweisführung. H. berichtigt manche Fehler seiner Vorgänger, z. B. daß Philipp Sebastian Cabot habe nach Spanien locken und bestrafen wollen. Die Urkunden, womit man diese Behauptung stützen wollte, beweisen das Gegenteil. Seb. Cabot war übrigens ein Lügner sowohl als auch ein Verräter und suchte die spanischen Geheimnisse an England und Venedig zu verkaufen. Namentlich in England ward Seb. Cabot über Verdienst gepriesen. Die von ihm entworfenen Karten sind weit unvollkommener als die seiner Vorgänger, auch die Entdeckung der Abweichung der Magnetnadel gebührt ihm nicht.   Z.

Winsor (Justin), the Mississippi basin; the struggle in America between England and France 1697—1763. London, Low. 496 S. m. Pl.

Kingsford (W.), the history of Canada. VII (1779—1807). Toronto, Rowsell. XXIV, 526 S.

Brooks (Noah), Washington in Lincolns time. New-York, the Century Co. 12⁰. VI, 328 S.

Kirchengeschichte.

Dupuis (J. B.), abrégé de l'origine de tous les cultes. Snivi du Christianisme, par B. Constant. Avec une notice et des notes critiques par B. Saint-Marc. Paris, Garnier. 18⁰. IV, 416 S.

Müller (G. A.), Christus bei Josephus Flavius. Eine krit. Untersuchg. als Beitrag zur Lösung der berühmten Frage und zur Erforschung d. Urgeschichte d. Christentums. Zweite, durch einen Nachtrag verm. Aufl. Innsbruck, Wagner. IV, 60 S. M 1,60.

Watterich (J.), der Konsekrationsmoment im heil. Abendmahl und seine Geschichte. Heidelberg, Winter. 1895. VIII, 330 S. M 9.

Lesêtre (H.), la sainte Église au siècle des Apôtres. Paris, Lethielleux. XII, 670 S. fr. 7,50.

*Holzhey (K.), der neuentdeckte codex Syrus Sinaiticus untersucht v. — Mit einem vollständ. Verzeichnis der Varianten des cod. Sinaiticus und cod. Curetonianus. München, Lentner (Stahl). 59 u. 89 S. M 5.

Seiner Schrift über „die Inspiration der hl. Schrift in der Anschauung des MA."

(Hist. Jahrb. XVI, 894) läßt H. eine Untersuchung des 1894 herausgegebenen cod. Syrus Sinaiticus (Hist. Jahrb. XVI, 422) folgen, welche um so lebhafteres Interesse weckt, als sie die erste Monographie über die schnell berühmt gewordene Hf. darstellt. H. gelangt zu dem Ergebnis, daß cod. Syr. Sinait. einen älteren Text biete als der 1858 ans Licht gezogene cod. Syr. Curetonianus, und letzterer eine Ueberarbeitung dieses Textes nach den griechischen Originale enthalte. Der Beweis wird dem Verhältnisse der beiden Textesrezensionen zu einander, ihren Beziehungen zu dem Evangelientexte der Peschittho und ihrer Stellung zu den besonderen Gruppen der griechischen Textüberlieferung entnommen. Die Bedeutung der neuentdeckten Hf. im allgemeinen oder ihre Stellung in der Geschichte des syrischen Evangelientextes dürfte mit diesen Ausführungen H.s endgiltig bestimmt sein. In mehr oder weniger nebensächlichen Punkten wird Verf. Widerspruch zu gewärtigen haben. Der Versuch, die berüchtigte Lesart Joseph... genuit Jesum Matth. 1, 16 (Hist. Jahrb. XVI, 422) durch die Annahme zu erklären, die Verse Matth. 1, 1—17 seien aus einem „abionitischen Evangelium" übersetzt, kann jedenfalls nicht befriedigen.

Bardenhewer.

Cabantous (J.), Philon et l'épître aux Hébreux, ou essai sur les rapports de la christologie de l'épître aux Hébreux avec la philosophie judéo-alexandrine. (Thèse). Montauban, imp. Granié. 79 S.

*Wendland (P.), die Therapeuten und die philonische Schrift vom beschaulichen Leben. Ein Beitrag zur Geschichte des hellenistischen Judentums. Leipzig, Teubner. [22. Supplementbd. d. Jahrbb. für klass. Philologie. S. 693—772.]

Abermals bietet uns W. einen wertvollen Beitrag zur Philoforschung (vgl. zuletzt Hist. Jahrb. XVII, 200), den er zum teil schon vor mehreren Jahren niedergeschrieben hatte, aber nach dem Erscheinen von Conybeares Ausgabe (Hist. Jahrb. XVI, 918) umgearbeitet und ergänzt hat. Die Abhandlung zerfällt in 6 Kapitel. Im 1. zeigt W., daß sich die direkte Ueberlieferung der Schrift περὶ βίου θεωρητικοῦ bis Origenes zurückverfolgen läßt, und daß z. B. Clemens Alexandrinus dieselbe kennt. Im 2. wird die Zusammengehörigkeit der Schrift mit der Apologie (wahrscheinlich identisch mit den ῾Υποθετικά) Philos, wobei der ganze Charakter der apologetischen Litteratur des hellenistischen Judentums, die auch auf die altchristliche Apologetik eingewirkt hat, eingehend behandelt wird, und ihre Beeinflussung durch die kynisch-stoische Diatribe (vgl. die oben S. 200 notierte Arbeit Wendlands) nachgewiesen. Im 3. werden die für den philonischen Ursprung der Schrift zeugenden sprachlichen und stilistischen Argumente vorgeführt. Im 4. wird die philonische Schilderung der Therapeuten einer scharfen Kritik unterzogen, und gezeigt, daß Philo den Therapeuten gegenüber ebenso verfuhr, wie spätere christliche Schriftsteller dem Mönchstum gegenüber, d. h. daß er systematisierte und idealisierte. Festzuhalten ist: „Die Therapeuten sind ein nicht bedeutender Verein von Juden, die unter Verzicht auf irdischen Besitz sich zu gemeinsamer Gottesverehrung zusammengethan haben." Im 5. wird der Ursprung der Therapeuten in den Kreisen der Schriftgelehrten gesucht und gefunden („in diesen Kreisen finden wir in der That Stimmungen und Grundsätze, aus denen sich die Bildung eines solchen Vereins genügend erklärte") und die Möglichkeit offen gelassen, daß für ihre Organisation auch die ägyptischen Priester, deren Leben uns der Stoiker Chairemon (bei Porphyrios de abstinentia IV, 6. 7) anschaulich malt, bis zu einem gewissen Grade vorbildlich gewesen seien. Eine Reihe von nahen Berührungen aber zwischen der Schilderung des Philo von seinen Therapeuten und der des Chairemon von seinen φιλόσοφοι (so nennt er seine Priester) erklären sich nicht aus wirklichem sachlichen Zusammentreffen, sondern aus bewußter Bezugnahme Philos auf Chairemon und dem Bestreben, seine Schilderung durch ein jüdisches Gegenstück zu übertrumpfen. Im 6. werden die Ansichten von Eusebius, der in den Therapeuten die von Marcus gegründete ägyptische Christengemeinde erblickte, aber an Philos Autorschaft von de vita contemplativa nicht zweifelte, und von Lucius, der die Therapeuten für christliche Mönche und die Schrift

27*

de vita contemplativa für eine etwa am Ende des 3. Jahrhs. unter dem
Namen Philos zu gunsten der christlichen Askese abgefaßte Apologie hielt, als
unhaltbar zurückgewiesen. Ein an die künftigen Kritiker gerichtetes „Schluß=
wort", einige Nachträge und ein Sachregister bilden den Schluß dieser gleich
den anderen Arbeiten W.s durch Materialbeherrschung, Sicherheit der Methode
und Klarheit der Darstellung ausgezeichneten Abhandlung, durch welche nach
der Ansicht des Ref. der philonische Ursprung der Schrift vom beschaulichen
Leben und der jüdische Charakter der Therapeuten endgiltig gesichert sind.
C. W.

Lehmann (J.), die Katechetenschule zu Alexandria. Kritisch beleuchtet.
Leipzig, Lorentz. 115 S. ℳ 2.

Spitta (Fr.), zur Geschichte und Literatur des Urchristentums. II. Der
Brief des Jakobus; Studien zum Hirten des Hermas. Göttingen,
Vandenhoeck & Ruprecht. VI S. 1 Bl. 437 S.
Der Vf. betrachtet den Jakobusbrief als das Werk eines Juden, ebenso die
Grundschrift des Hirten, dessen christliche Bearbeitung in der Zeit entstanden
sein mag, in welche der muratorische Kanon das Buch setzt. Es genüge, diese
Resultate zu buchen. C. W.

Bonwetsch (N.), die altslavische Uebersetzung der Schrift Hippolyts
„Vom Antichristen". Göttingen, Dieterichs Verlag. gr. 4⁰. 43 S.
ℳ 4,80. [Aus: Abhandlgn. d. k. Gesellsch d. Wiss. zu Göttingen.]

Brooke (A. E.), the commentary of Origen on S. Johns gospel. The
text revised with a critical introduction and indices by —. Cambridge, University Press. 2 voll. XXVIII, 328; 4 Bl., 346 S.
Als B. seine Sammlung der Fragmente des Gnostikers Herakleon (Texts and
Studies, I. 4) veranstaltete, sah er sich auf den Johannescommentar des Origenes als Hauptfundgrube angewiesen und in die Notwendigkeit versetzt, dessen
handschriftliche Ueberlieferung zu studieren. Als zweite willkommene Frucht
dieser Studien liegt nun die prächtig gedruckte, mit kurzer Einleitung (Resumé
des in den Texts and Studies ausgeführten), knappen kritischen Noten und
einem Index der Bibelstellen und der bemerkenswerteren Wörter ausgestattete
Ausgabe des Kommentars vor. C. W.

Carvajal (Dav. Gonz.), institutiones Patrologiae. Oviedo, Garzia
Suarez. XX, 551 S.

Marucchi (Orazio), descrizione delle catacombe di s. Sebastiano. Roma,
tip. della Vera Roma. 16⁰. 87 S. m. Tfln.

Acta martyrum et sanctorum, (syriace) edidit P. Bedjan, Cong.
Miss. Tom. VI. Parisiis, Leipzig, Harrassowitz in Komm. XII,
691 S. ℳ 24.
Vgl. oben S. 172.

Faulhaber (M.), die griechischen Apologeten der klassischen Väterzeit.
Eine mit dem Preis gekrönte Studie. 1. Buch: Eusebius v. Cäsarea.
Würzburg, Göbel. XI, 134 S.
Im Gegensatze zu dem andern Würzburger Preisträger (vgl. Hist. Jahrb.
XVI, 676) behandelt F. die in betracht kommenden Apologeten getrennt. Nach
einer kurzen Einleitung über die Bekämpfung und Verteidigung des Christentums
im 4. u. 5. Jahrh. wendet er sich zum Vater der Kirchengeschichte und bespricht
dessen apologetische Erörterungen 1) über die hellenische Philosophie, 2) über
das hellenische Religionswesen, 3) gegen die Juden, 4) über Jesus und Apollonius
von Thana, 5) über den Beweis der Göttlichkeit des Christentums aus der
Weltgeschichte. C. W.

Bensly, the fourth book of Ezra, by the late prof — and M. R.

James. XC, 107 S. **Robinson** (J. A.), **Euthaliana.** VII, 120 S.
Cambridge 1895. [Texts and Studies III Nr. 2 and 3.]

1) Gildemeister entdeckte i. J. 1865, daß alle (damals bekannten) HSS. des
apokryphen lateinischen Esdrasbuches auf den cod. lat. 11504 s. IX der Pariser
Nationalbibliothek zurückgehen, in welchem ein Blatt ausgeschnitten ist. Daher
überall die große Lücke in Kap. 7. Aber 10 Jahre später meldete B., daß er
in Amiens eine HS. ohne diese Lücke gefunden habe, und allmählich tauchten
auch noch andere vollständige Codices auf. Zur Fertigstellung seiner lange
vorbereiteten Ausgabe sollte aber der verdiente englische Gelehrte leider nicht
mehr kommen. Er starb, ohne eine Zeile Einleitung geschrieben zu haben, und
nur der opferwilligen Pietät seines sachkundigen Freundes James ist es zu ver=
danken, daß sein verwaistes Kind in würdiger Ausstattung vor die Augen der
der Oeffentlichkeit treten konnte. Vgl. Clemen, Theol. Litztg. 1896, 177;
S. Berger, Bulletin critique 1896, 141; Wellhausen, Göttinger
Gel. Anz. 1896, 10. — 2) Robinson, der verdiente Hrsgb. der ›Texts
and Studies‹ bringt unter gewissenhafter Verwertung der Forschungen von
Ehrhard, v. Dobschütz u f. w. das verwickelte Euthaliosproblem der Lösung
nahe. Nach seinen Untersuchungen darf man als Eigentum des um 330 — 50
anzusetzenden Euthalios (Diakon von Alexandria, später Bischof von Sulke)
betrachten: 1) die Prologe, 2) die (vollständigere) Sammlung der μαρτυρίαι
d. h. der alttestamentlichen Zitate, 3) die Kapitulationen zur Apostelgeschichte,
zu den Paulinen und den kathol. Briefen. Der Urmarbeiter des echten Euthalios
und Verf. des martyrium Pauli mag Euagrios Pontikos gewesen sein, welchen
Ehrhard überhaupt an die Stelle des Euthalios setzen wollte. Durch die Bei=
gabe von 16 Seiten des im Euthalios=Euagriosprobleme eine hochwichtige Rolle
spielenden Codex H der Paulusbriefe und einer Kollation der pseudoathanasia=
nischen Synopsis nach einer Hs. von Eton wird der Wert von Robinsons Pu=
blikation noch wesentlich erhöht; vgl. Th. Zahn im Theol. Literaturbl. 1895
Nr. 50 u. 51. Ueber Texts and Studies III, 1 (Tyconius) vgl. Hist. Jahrb.
XVI, 195. C. W.

Tougard (A.), saint Victrice. Son livre de Laude Sanctorum d'après
les variantes tirées des mss de S.-Gal par le chanoine **Sauvage**,
publié et annoté par l'abbé —. Paris, Picard. 1895. 40 S.

Die Rede oder Schrift des Victricius, Bischof von Rouen (gest. vor 409), de
laude sanctorum, abgefaßt anläßlich der Uebertragung zahlreicher Reliquien
nach Rouen, repräsentiert ›le premier ouvrage écrit à Rouen, puisqu'il fut
composé avant l'année 400‹. Es lag daher besonders für Priester der Diözese
Rouen nahe, sich mit dem im allgemeinen wenig bekannten Schriftchen zu be=
schäftigen. In der That hat der Kanonikus Sauvage mehr als 20 Jahre an einer
kritischen Ausgabe gearbeitet, aber erst nach seinem Tode konnte dieselbe das
Licht der Welt erblicken. Sie ist keine philologische Musterleistung, aber sie unter=
richtet uns doch über die wirkliche Ueberlieferung (Haupths. Sangall. 98 s. IX,
aus dem nach Rolfe der Sangall 102 kopiert ist) und überredet uns der Mühe,
beim Lesen des Migneschen Textes (Patrol. **XX**) die hßlichen Lesarten zu kon=
jizieren! Einige text= und quellenkritische Beiträge enthalten meine „kritisch=
sprachlichen Analekten" V. (Zeitschr. f. d öst. Gymn. 47). C. W.

*Marci diaconi Vita Porphyrii episcopi Gazensis ediderunt societatis
philologae Bonnensis sodales. Lipsiae, Teubner. 1895. XVI, 137 S.

Der als Forscher und Lehrer gleich ausgezeichnete Philologe Franz von
Bücheler ist anläßlich der Feier seiner 25jährigen Lehrthätigkeit an der Uni=
versität zu Bonn von seinen Studenten mit zwei hagiographischen Publikationen
begrüßt worden, vom philologischen Seminar mit der Vita Hypatii des Kallinikos
(vgl. Hist. Jahrb. XVI, 891), von der philologischen Gesellschaft mit dem
oben verzeichneten Texte. Die Biographie des Bischofs Porphyrios von Gaza
(ca. 346—419; Bischof seit ca. 394), aufgezeichnet von seinem Diakon und Ver=
ehrer Markos, enthält eine anschauliche Schilderung des Kampfes zwischen
Christen= und Heidentum in Gaza und des Falles des letzten heidnischen Voll=

werkes, des Marnastempels, ist in einfacher und schlichter Sprache abgefaßt und war einer neuen Bearbeitung um so würdiger, als die editio princeps des griechischen Originals von M. Haupt (1874; bis dahin war die Schrift nur in einer lateinischen Uebersetzung bekannt) in den Abhandlungen der Berliner Akademie wenn auch nicht vergraben, so doch versteckt war. Die Bonner Hrsgb. konnten über eine sehr gute, ihrem Vorgänger unbekannte Textquelle, den codex Baroccianus (Oxford) gr. 238 s. XI und zwei Auszüge aus der vita (im cod. Paris. 1452 s. X und im cod. Mosquensis 184 [376] s. XI; abgedruckt S. 83 ff.) verfügen und haben für reichhaltige indices nominum et verborum und einen indiculus grammaticus Sorge getragen. C. W.

Schmid (R.), Marius Victorinus Rhetor und seine Beziehungen zu Augustin. Inaug.-Diss Kiel, Eckhardt in Komm. 1895. 82 S. 1 Bl.

Den Hauptteil dieser Arbeit bildet eine ausführliche Darstellung der theologischen Anschauungen des Victorinus (II, 17—67), aus welcher hervorgeht, daß Victorinus „einer der am meisten griechischen Theologen des Abendlandes" war, energisch für das Nicänum eintrat, aber doch zu sehr Neuplatoniker war und blieb, um zu einer geschlossenen und einheitlichen Weltanschauung zu gelangen. Diesem Hauptabschnitte geht ein Kapitel über Victorins Leben und Schriften voraus, in welchem der Vf. dessen Uebertritt zum Christentum vor d. J. 357 setzt, weil nach seiner Ansicht Vikt. in einer Schrift gegen Arius die ganz bestimmte Situation dieses Jahres mit dem Konzil von Sirmium im Auge hat, mit Koffmane und Gore sich geneigt zeigt, die Schrift ,adversus Justinum manichaeum' als echtes Werk des Vikt. gelten zu lassen, und die von Augustinus de civ. dei X, 29 erzählte Anekdote auf Vikt. beziehen zu dürfen glaubt. Der zweite Teil des Titels kömmt erst im dritten und letzten Abschnitte zu seinem Rechte, in dem der Vf. zeigt, daß die Annahme, Vikt. habe einen entscheidenden Einfluß auf Augustinus ausgeübt, der Begründung entbehrt. C. W.

Augustini (Aureli), Sancti — (opera Sect. III, pars 3) quaestionum in Heptateuchum libri VII, adnotationum in Ioh. liber. Rec. Ios. Zycha. Prag u. Wien, Tempsky; Leipzig, Freytag. 1895. XXVI, 667 S. ℳ 17,60. [Corpus script. eccles. latin. edit. consil. et impens. academ. litter. caesar. Vindobon. XXVIII, 3.]

—, confessionum libri tredecim recensuit et commentario critico instruxit P. Knöll. Vindobonae, Tempsky. XXXVI, 396 S. [Corpus script. eccles. lat. vol. XXXIII.]

Der Hrsgb. hat seiner Rezension den cod. Sessorianus s. VII—VIII (jetzt in der kgl. Bibliothek zu Rom Nr. 2099) zu grunde gelegt und hat dessen Lesarten bisweilen auch an solchen Stellen in den Text gesetzt, an welchen schwerwiegende Gründe gegen ihre Richtigkeit sprechen. Vgl. meine Anzeige im Lit. Centralbl. 1896. C. W.

Epistulae imperatorum, pontificum, aliorum inde ab a. CCCLXVII usque a. DLIII datae. Avellana quae dicitur collectio Recensuit, commentario critico instruxit, indices adiecit O. Guenther. Pars I. Prolegomena. Epistulae I—CIV. Wien u. Prag, Tempsky; Leipzig, Freytag. 1895. XCIV, 493 S. ℳ 14,80. [Corpus script. eccl. latin., edit. consil. et impens. academ. litter. caesar. Vindobon. XXXV, 1.]

Mémoires publiés par les membres de la mission archéologique française au Caire. tom. IV, fasc. 2. Monuments pour servir à l'histoire de l'Égypte chrétienne au IVe, Ve, VIe et VIIe siècles. texte copte publié et traduit par E. Amélineau. Paris, Leroux. 1895. 4°. S. 483—840.

Inhalt: 1) Fragments des vies de Pakhôme, de Theodore et des prémiers
cénobites (von Grützmacher in seiner im Hist. Jahrb. XVII, 172 notierten
Monographie über Pachomios nicht mehr benützt). 2) Récit sur Pakhôme
(ein dem hl Athanasios in den Mund gelegter Visionsbericht). 3) Sermons
de Pakhôme. 4) Sermons de Théodore (gegen die Echtheit liegt kein gra-
vierendes Moment vor). 5) Lettres de Horsiisi (gleichfalls nicht zu verdächtigen). 6) Récits sur la vie de Martyrios et les cénobites (Martyrios war
Archimandrit von Phebôu unter Kaiser Leo I). 7) Vies de Schenoudi (vgl.
Hist. Jahrb. XVI, 674). 8) Vies de Jean de Lycopolis (des von Palladius,
Sulpicius Severus u. a. gepriesenen Asketen). 9) Vie de Manassé (von seinem
Neffen Ephraem). 10) Vie de Moyse (des Zerstörers der Tempel von Abydos).
11) Vie de Matthieu le pauvre (6. Jahrh.). 12) Vie de Pamin (wahrscheinlich
Nachfolger des vorigen). 13) Vie d'Abraham (von Fargout oder Farschout;
von seinem Neffen geschrieben). 14) Vie d'un contemporain d'Abraham.
15) [bei A. irrtümlich 14] Vie de Paul de Tamoueh (eine romanhafte, einem
Schüler des Hl., Ezechiel, zugeschriebene Erzählung). 16) Vie de Samuel de
Qalamoun (aus der Zeit der arabischen Invasion). 17) Panégyrique de Macaire
de Tekôou. Der Anhang enthält neue Fragmente der Biographien des Pachomios
und anderer, Mönche, das Postscriptum eine Ergänzung zu Nr. 15. — Der
erste Faszikel des Bandes ist bereits 1888 erschienen. Von den mémoires der
mission archéologique überhaupt war zuletzt im Hist. Jahrb. XIV, 898
die Rede.   C. W.

Études de critique et d'histoire. Deuxième série publiée par les membres de la section des sciences religieuses à l'occasion de son
dixième anniversaire. Paris, Leroux. XIV, 400 S [Bibliothèque
de l'école des hautes études. Sciences religieuses. Volume 7.]

Gleich dem im Hist. Jahrb. XII, 404 notierten enthält auch der vorliegende
von der section des sciences religieuses herausgeb. Sammelband mehrere
auf das Gebiet dieser Zeitschrift entfallende Aufsätze. A. Sabatier, note sur
un vers de Virgile (S. 139—68) beschäftigt sich mit dem berühmten Verse der
4. Ekloge 'ultima Cumaei venit iam carminis aetas' und führt die Berührungen zwischen diesem vielbesprochenen Gedichte und dem 11. Kap. des Jesaias
auf die Benützung des durch letzteren inspirierten alexandrinischen Sibyllen-
gedichtes seitens des römischen Dichters zurück. Die 4. Ekloge ist 'une petite
apocalypse surgie en terre paienne d'une semence hébraique, que le
vent d'Orient, un siècle avant notre ère, avait apportée d'Égypte sur les
côtes de la Campanie'. — E. de Faye, de l'influence du Timée de
Platon sur la théologie de Justin martyr (S. 169—87). Resultat: 'Pour
le fond positif de sa conception de Dieu, Justin est en pleine harmonie
de pensée et de sentiment avec les chrétiens les plus authentiques de
son temps. Pour la forme, qu'elle revêt dans son esprit, il est plato-
nicien'. — Alb. Réville, la christologie de Paul de Samosate (S. 189—208)
Paul war ein scharfsinniger Denker, verlor aber vollständig den Boden kirchlicher Lehrüberlieferung unter den Füßen, indem er zur Ansicht gelangte, Jesus
sei ein gewöhnlicher Mensch gewesen, der erst infolge seiner moralischen Vollendung in eine unauflösliche Verbindung mit Gott getreten sei. — F. Picavet.
Abélard et Alexandre de Hales créateurs de la méthode scolastique
(S. 209—30). Si Abélard mettant à profit les recherches de ses prédécesseurs, a créé la méthode dont se sont servis les auteurs des Sen-
tences et des Sommes du 12. siècle, Alexandre d'Hales, s'inspirant
d'Aristote, comme des théologiens et des philosophes antérieurs, a été
le véritable créateur de la méthode employée par saint Thomas et ses
successeurs jusqu' au 19. siècle utilisée en partie encore par des philosophes contemporains, qui ne se réclament pas de thomisme. — A. Esmein,
le serment des inculpés en droit canonique (S. 231—48). -- J. Réville,
l'instruction religieuse dans les premières communautés chrétiennes
(S. 249—75). In der Zeit von Jesus bis zur zweiten Hälfte des 2. Jahrh.
(in dieser fand nach) R. 'la naissance de l'église catholique primitive' statt)

bestand die Unterweisung derjenigen, welche die Taufe empfangen wollten, nur in einer christlichen Auslegung der heiligen Geschichte und in der Mitteilung der Vorschriften und Lebensregeln des Evangeliums. — J. Deramey, étude d'eschatologie. Vision de Gorgorios, un texte éthiopien inédit (S. 315 — 37). Aller Wahrscheinlichkeit nach das Werk eines Falacha d. h. eines nach Abessynien ausgewanderten Juden aus dem 13. Jahrh. C. W.

Probst (F.), die abendländische Messe vom 5. bis zum 8. Jahrh. Münster i. W., Aschendorff. ℳ 9,50.

Knecht (A.), die Religionspolitik Kaiser Justinians I. Eine kirchengesch Studie. Würzburg, Göbel. VI, 148 S.

Spreitzenhofer (E.), die historischen Voraussetzungen der Regel des hl. Benedict von Nursia. (Nach den Quellen.) Wien. 1895. 93 S. [Jahresbericht des k. k. Obergymnasiums zu den Schotten.]
Eine nützliche und fleißige Arbeit, in welcher der Inhalt der regula Benedicti nach dem dreifachen Gesichtspunkte des geistlichen Lebens im Kloster,-des klöster-lichen Hauswesens und Personalstandes mit den früheren Mönchsregeln ver-glichen wird. C. W.

Montalembert, the monks of the West from St. Benedict to St. Bernard. With intr. by F. A. Gasquet. 6 vol. London, Nimmo. sh. 42.

Eckenstein (L.), woman under monasticism. Chapters on Saint-Lore and convent life between A. D. 500 and 1500. Cambridge, Univ. press. sh. 15.

Mathias, Saint Siméon, septième évêque de Metz, deuxième patron de l'ancien monastère de Senones: sa place dans l'histoire, son culte, ses reliques. Saint-Dié, imp. Horn. 125 S.

Plaine (J.), saint Salomon, roi de Bretagne et martyr (25 jouin 874). Vannes, Lafolye. 69 S.

Lindner (Th.), die sogenannten Schenkungen Pippins, Karls d. Großen u. Ottos I an die Päpste. Stuttgart, Cottas Nachf. 99 S. ℳ 2. Besprechung folgt.

Hauck (A.), Kirchengeschichte Deutschlands. Tl. 3. 2. Hälfte. Das Ueber-gewicht des Königtums in der Kirche und der Bruch desselben durch Rom. Leipzig, Hinrichs. VII u. S. 389--1041. ℳ 10,50.

Hase (K. v.), Kirchengeschichte auf der Grundlage akademischer Vor-lesungen. Tl. 2. Hrsg. v. G. Krüger. 2. Aufl. Leipzig, Breit-kopf & Härtel. 1895. X, 582 S. ℳ 12.

Breuils (A.), saint Augustine, archevêque d'Auch et la Gascogne au XIe siècle. Paris, Fontemonig. fr. 10.

Crégut (G. R.), le concile de Clermont en 1095 et la première croisade. Clermont-Ferrand, Bellet. 280 S.

Sparrow-Simpson (W. J.), lectures ou St. Bernard of Clairvaux. London, Masters. 257 S. sh 5.

Mignon (A.), les origines de la scolastique et Hugues de Saint-Victor. II. Paris, Lethielleux. 400 S. fr. 12.

Vie de saint Hugues d'Avallon, chartreux, évêque de Lincoln (1140

—1200). Currière, imp. de l'école des sourds‑muets. VIII, 125 S. m. Bildn.

Bazin (G.), sainte Hedwige, sa vie et ses oeuvres. Paris, Bloud et Barral. XXVII, 337 S. m. Bildn. fr. 4.

Cotelle (T.), saint François d'Assise (étude médicale). Paris, Poussielgue. 18⁰. 199 S. fr. 1,50.

Antonii Patavini sermones dominicales et in solemnitatibus, quos ex mss. saeculi XIII codicibus edidit A. M. Locatelli. Vol. I. Padua, Tipogr. Antoniana. 4⁰. XXIV, 71 S. mit 1 Farbendr. M 4.

Heim (N.), der heilige Antonius von Padua, sein Leben und seine Verehrung ausführlich und nach authentischen Quellen und Urkk. geschrieben. Kempten, Kösel. 533 S. M 6,60.

Loth (G.), vie, gloires et merveilles de saint Antoine de Padoue. Paris, Bloud et Barral. 18⁰. XIX, 233 S. illustr. fr. 1,50.

Demkó (G.), das Leben der seligen Margaretha, Prinzessin aus dem Hause Arpád. Ungarisch. Budapest, Franklin. 1895. 280 S.

Auvray (L.), les registres de Grégoire IX. Recueil des bulles de ce pape, publ. ou analys. d'après les manuscrits originaux du Vatican. 3ᵉ et 4ᵉ fasc. Paris, Fontemoing. 4⁰. 529—1008. 9 et 8. fr. 40. Vgl. Hist. Jahrb. XII, 411.

Dupasquier (S.), Summa theologiae scotisticae. Bd. I—III. Caen, imp. Pagny. 1895. VI, 758; 428; 754 S.

Inhalt: I. De Deo uno. II. und III. Dogmatica ac Moralis ad mentem doctoris nostri subtilis Johanni Duns Scoti.

Calisse (C.), Santa Caterina da Siena. Conferenza, Siena, Lazzeri. 1895.

Hausrath (A.), Weltverbesserer im Mittelalter. I—III. I. Peter Abälard. Neue (Titel‑)Ausg. 1893. IV, 313 S. M 6. — II. Arnold v. Brescia. Neue (Titel‑)Ausg. 1891. IV, 184 S. M 3. — III. Die Arnoldisten. V, 438 S. M 8. Leipzig, Breitkopf & Härtel. 1895.

Stein (A.), Johannes Hus, ein Zeit‑ und Charakterbild a. d. 15. Jahrh. Halle, Waisenhaus. 232 S. M 2,40.

Le Mans, cartulaire de Saint Victeur au Mans, prieuré de l'abbaye du Mont Saint‑Michel (994—1400), publ. par B. de Broussillon. Paris, Picard. fr. 7,50.

Grillnberger (D.), die ältesten Todtenbücher des Cistercienser‑Stiftes Wilhering in Oesterreich ob der Enns. Graz, Styria. VIII, 282 S. [Quellen u. Forschungen z. Gesch., Literatur u. Sprache Oesterreichs u. s. Kronländer. Durch d. Leo‑Gesellschaft hrsg. v. J. Hirn u. E. Wackernell.]

Als die Quelle der Netrologien hatte Zappert die seit dem 8. Jahrh. zunehmenden Jahrtagsstiftungen betrachtet, eine Behauptung, die wie schon Ebner so auch Gr. zurückweist. Ebenso wendet sich Gr. gegen Herzberg‑Fränkel, der die Totenbücher aus der im Anfang des 9. Jahrh. schon allgemein verbreiteten Uebung ableitet, das Martyrologium im Kapitel zu verlesen, wobei man sich allmählich gewöhnt habe, auf die Märtyrer des Tages die Namen der verstorbenen Brüder folgen zu lassen. Er seinerseits ist geneigt, die Entstehung der Nekrologien auf das Bestreben zurückzuführen, „wenn auch nicht die Thaten, so doch die Namen der Verstorbenen in die Erinnerung der Lebenden zu bringen", eine Auszeichnung, die nicht bloß den heimgegangenen Mitbrüdern, sondern auch anderen, mit dem Kloster verbrüderten, um dasselbe hervorragend verdienten Personen zu teil wurde, und zwar nicht bloß Vornehmen und Reichen sondern auch Niedrigen und Armen, wie denn die Wilheringer Nekrologien z. B. einen Vitus famulus in porta, einen Johannes famulus porcorum erwähnen. Diese pietätvolle Uebung wurde im Stifte Wilhering wohl schon bald nach seiner Gründung (ca. 1146) gepflegt; das erste Totenbuch, von dem einiges auf uns gekommen ist, gehört den J. 1343/4 an und wird vom Vf. genau beschrieben (A). Desgleichen das zweitälteste, verfaßt von Joh. Longus 1462, mit Nachträgen von späterer Hand (B u. B'). Das jüngste (C) stammt aus der Feder des P. Simon Daz 1654, dessen Eintragungen jedoch als sehr unzuverlässig nachgewiesen werden. Von den Wilheringern Nekrologien war bisher nur der Auszug bekannt, den Jodok Stülz in seiner Geschichte von Wilhering aus S. Daz veröffentlicht hat, während die beiden älteren diesem Forscher entgangen sind. In vorliegender Ausgabe ist A vollständig mitgeteilt, B u. B' sind jedoch nur insoweit berücksichtigt, als die Angaben der vorreformatorischen Zeit angehören; daß C ganz unbeachtet blieb, ist nach Gesagtem begreiflich. Die Edition wurde von Gr. mit minutiöser Akribie veranstaltet, die Orthographie der Eintragungen in allgemeinen beibehalten und die jetzt gebräuchlichen Grundsätze nur inbezug auf den Gebrauch der großen und kleinen Anfangsbuchstaben, die Schreibung der S-Laute, Anwendung von u und v, i und j und auf die Interpunktion befolgt. In den Anmerkungen, in welchen Vf. eine innige Vertrautheit mit der Geschichte seines Stiftes und seines Heimatslandes bekundet, will derselbe einerseits die bedeutenderen Namen soweit möglich näher bestimmen, anderseits das Verhältnis ihrer Träger zu Wilhering klarlegen. Sie beschränken sich im ganzen auf das Notwendigste und werden ausführlicher nur dann, wenn er neues zu bieten vermag. Dafür, daß er hiebei von den reichen, großenteils noch unbekannten Schätzen des Stiftsarchivs den ausgedehntesten Gebrauch gemacht hat, werden wir ihm nur dankbar sein. Ein umfangreiches, gleichfalls sehr sorgfältig gearbeitetes Personen- u. Ortsregister erhöht den Wert der verdienstvollen Arbeit.   J. Sch.

Gerardi de Fracheto, vitae fratrum Ordin. Praed. necnon cronica ordinis ab anno MCCIII usque ad MCCLIV. Ad fidem codicum mss. accurate recognovit, notis breviter illustravit fr. B. M. Reichert. Accedit praefatio R. P. Berthier et specimen codicis Gandavensis in tabula phototypica. Lovanii, Charpentier et Schoonjans. Im Selbstverlag des Dominikanerordens (Rom, via s. Sebastianello 10). Lex.-8°. XXIV, 362 S. fr. 6. [Monumenta Ordinis Praedicatorum historica. Bd. I.]

Wie aus dem Generaltitel, der dem vorgenannten Werke vorausgesetzt ist, erhellt, haben wir die Veröffentlichung einer Reihe »Monumenta Ordinis Praedicatorum historica« zu erwarten, was wir freudig zu begrüßen ist, da bisher ein recht fühlbarer Mangel an solchen Schriften existierte. Den Reigen eröffnen mit Recht die ganz besonders selten gewordenen Vitae (in alter Form: Vitas) fratrum Ord. Praed.; denn sie zählen zu den ältesten Quellen zur Geschichte des Prediger- oder Dominikanerordens. Ihr Verfasser, Gerhardus de Fracheto, ist ein hervorragendes Mitglied desselben gewesen: er war nicht nur Prior mehrerer bedeutender Konvente in Aquitanien und der Provence, sondern auch Provinzial der betreffenden Provinz. Seine Vitae verdanken ihr Entstehen einer Anregung des Generalkapitels des Dominikanerordens vom J. 1256; der damalige Ordensgeneral griff dieselbe eifrig auf und übertrug die Ausführung unserem Gerhard, dem er zu diesem Zwecke alle gelegenen Notizen über das Leben und den erbaulichen Wandel der ersten Brüder zur Verfügung stellte. Naturgemäß sind also die Vitae fratrum Ord. Praed. des Gerhard eine Kompilation, deren Glaubwürdigkeit entsprechend der Bildungsstufe der Einsender alle denkbaren Nüancen besitzt. Es wäre im höchsten Grade wünschenswert, daß durch eingehende Arbeiten das historische Material von dem legendarischen ausgeschieden und entsprechend gewürdigt werde. Erfreulicher Weise wird von dem verdienten Herausgeber selbst in der Einleitung (S. XX) ein dahin gehendes Versprechen gemacht. Das erste Buch, welches, wie alle früheren und mehr oder weniger gleichzeitigen Orden für sich ebenfalls gethan, den Beweis liefern soll, daß der Predigerorden in der hl. Schrift vorausverkündet, von frommen Personen vorhergesehen worden sei udgl. mehr, erweist sich am wenigsten originell; dagegen enthält das dritte Buch eine höchst wertvolle Biographie des sel. Jordanus von Sachsen, welcher als unmittelbarer Nachfolger des hl. Dominikus in der Leitung des Ordens diesem erst seine endgiltige Form gegeben und als zweiter Begründer desselben gelten kann. Auch Buch II (Nachträge zur legenda b. Dominici), Buch IV (Anekdoten aus dem Leben der fratres primitivi) und Buch V (Mitteilungen über erbauliche Todesfälle guter Dominikaner und über unerbauliche solcher Brüder, die den Orden verlassen) bieten viele schätzenswerte und bisher unbeachtete Streiflichter zur Kulturgeschichte des MA. Nicht minder sind diese Vitae auch eine reiche Quelle für die Geschichte der anderen Orden: die Indices über Benediktiner, Cistercienser, Kartäuser, Prämonstratenser und Franziskaner weisen auf die betr. Belege hin. Interessant ist in dieser Hinsicht namentlich die Mitteilung über die angebliche Begegnung zwischen dem hl. Dominikus und dem hl. Franziskus (S. 9 § 4); aber weil sie nur auf die Erzählung, welche »frater quidam Minor, religiosus et fide dignus, qui socius beati Francisci multo tempore fuit« einem Mitgliede des Predigerordens machte, sich stützt, so wird dadurch die Grenze zwischen Legende und Geschichte zu gunsten der letzteren nicht sonderlich verrückt. — Was die Art der Neuherausgabe dieser Vitae betrifft, so kann sie nur als die tüchtige Arbeit eines geschulten jungen deutschen Dominikaners bezeichnet werden. Mögen sie denn auch die allseitige Beachtung finden, welche sie so reichlich verdienen. Ob aber der beliebte Selbstverlag das beste Mittel zu deren so wünschenswerten Verbreitung ist, dürfte wohl zu bezweifeln sein.   W. E.

*Acta concilii Constantiensis. Bd. 1: Akten zur Vorgesch. des Konstanzer Konzils 1410—14. Hrsg. v. H. Finke. Münster, Regensberg. M. 12.
Besprechung folgt.

*Fromme (B.), die spanische Nation und das Konstanzer Konzil. Ein Beitrag z. Gesch. des großen abendländ. Schismas. Münster, Regensberg. M. 3.
Besprechung folgt.

*Concilium Basiliense. Studien u. Quellen zur Geschichte des Konzils von Basel. Hrsg. mit Unterstützung der histor. u. antiquar. Gesellsch. v. Basel. In 4 Bdn. Bd. 1: Studien und Dokumente der Jahre 1431—37. Hrsg. v. J. Haller. Basel, Reich. 1895. Lex.-8⁰. XI, 480 S. M. 16.
Besprechung folgt.

Guiraud (J.), l'état pontifical après le grand schisme. Étude de géographie politique. Paris, Fontemoing. fr. 14.

Allain (E.), l'église de Bordeaux au dernier siècle du moyen âge. 1350—450. Besançon, imp. Jacquin. 64 S.

Omont (H.), journal autobiographique du cardinal Jérôme Aléandre 1480—530. Paris, Klincksieck. 4⁰. 120 S. m. Pl.

Hauthaler (W.), Kardinal Mathäus Lang und die religiös-soziale Bewegung seiner Zeit 1517—40. Teil I: Bis zum Religionsmandat vom 22. Juli 1523. Salzburg, Oellacher. 1895. 53 S. [Separatabdruck a. d. Mitteilung. d. Gesellsch. f. Salzburg. Landeskunde. Bd. XXXV. 1895.]

Der Wunsch, der voriges Jahr (Hist. Jahrb. XVI, 431) ausgesprochen worden, ist rasch in Erfüllung gegangen. Ueber die Stellung des Kardinals Lang zur lutherischen Neuerung erhalten wir jetzt zumeist nach Salzburger Archivalien die zuverlässigsten Mitteilungen. Wie so manche andere Männer jener Zeit nahm auch Lang zuerst eine vermittelnde Stellung ein; von 1522 an trat er aber energisch gegen die Neuerung auf, wie er auch bestrebt war, verschiedene kirchliche Mißbräuche abzustellen. Noch sei bemerkt, daß die gehaltvolle Studie, deren zweiter Teil noch in diesem Jahre erscheinen wird, einige neue Angaben bringt über Johann Staupitz sowie über die zwei lutherischen Prediger Paul Speratus und Stephan Agricola. N. P.

*Kalkoff (P.), Pirkheimers und Spenglers Lösung vom Banne 1521. Ein Beitrag zur Reformationsgeschichte Nürnbergs. Schulprogramm. Breslau, Genossenschafts-Buchdruckerei. 1896. 4⁰. 16 S.

In der Bannbulle gegen Luther, die Eck 1520 publizierte, waren Luther unter anderen auch Pirkheimer und Spengler beigesellt worden. Diese beiden Nürnberger wandten sich an Eck mit der Bitte um Absolution. Inzwischen war aber am 3. Jan. 1521 eine neue Bulle erschienen, in welcher Pirkheimer und Spengler ausdrücklich erwähnt waren mit dem Bemerken, daß sie nur vom Papste selbst absolviert werden könnten. Nun wandten sie sich an den Nuntius Aleander, der denn auch anfangs August 1521 die Vollmacht erhielt, ihnen die Absolution zu erteilen. Hauptsächlich auf grund der in neuester Zeit veröffentlichten Aleanderdepeschen wird diese Angelegenheit von B. gründlich erörtert. Die weitere Frage aber, ob Aleander die Nürnberger wirklich absolviert habe, hat B. nicht mit voller Sicherheit lösen können; die Beweise, die er für die Erteilung der Absolution vorbringt, können höchstens eine mehr oder weniger große Wahrscheinlichkeit beanspruchen. Vf., der seinen protestantischen Standpunkt hie und da allzu einseitig hervortreten läßt, feiert wiederholt Spengler als „tapfern" Mann. Nun hat aber der Nürnberger Ratschreiber, um vom Banne gelöst zu werden, anfangs 1521 trotz seiner lutherischen Gesinnung, den Eid geleistet »de parendo sanctae matris ecclesiae et papae mandatis« (11). S. 10 wird behauptet, Kaiser Karl habe das Edikt gegen Luther am 25. Mai 1521 „beim Schluß des Reichstags in der bekannten unehrlichen Weise von dem Rumpfe des Reichstags annehmen" lassen. Allein der Kaiser hat das Edikt erst nach dem Schlusse des Reichstags in seiner Wohnung einigen Fürsten vorgelegt. Eine Annahme seitens des Reichstags war nicht erforderlich, da am 30 April die Reichsstände erklärt hatten, dem, was der Kaiser über Luther beschließen werde, völlig beizustimmen. N. P.

Ströle, Matthäus Alber, der Reformator von Reutlingen. Ein Lebensbild für Schule und Haus zur Feier seines 400jähr. Geburtstags. Reutlingen, Kocher. 1895. 47 S. m. Bildnis. M. 0,25.

Obst (E.), Muldenstein bei Bitterfeld und das ehemalige Kloster Stein-Lausigk. Ein Stück Kultur- und Reformationsgeschichte. Als Festschrift zur prov.-sächs. Haupt-Versammlg. des Evangel. Bundes am 10. u. 11. Sept. 1895 in Bitterfeld hrsg. Bitterfeld, Selbstverlag. 1895. 39 S. M. 0,75.

Veke (A.), die siebenbürgischen Kirchensprengel auf grund der päpstlichen Zehntensammler dargestellt. Gran. 1894. 225 S. [Sonderabdr. aus dem Magyar Sion. Jahrg. 1895.]
Erstreckt sich auf die J. 1332—37.

Földváry (L.), Biographie des Reformators Stefan Kis. Ungarisch. Budapest, Hornyánszky. 1894. 223 S. M 4.

Bándorfy (J), Geschichte der Kirchengemeinde der Stadt Jász-Apáthi. Ungarisch. Erlau. 1895. 180 S. M. 2.

Zahn (A.), die beiden letzten Lebensjahre von Johannes Calvin. Leipzig, Ungleich 1895. VIII, 205 S. ℳ 3,25.

Calvini (Joa.) opera quae supersunt omnia. Edd. Baum (G.), Cunitz (E.) et Reuss (E.) Vol. 54. Braunschweig, Schwetzschke & Sohn. VII S. u. 596 Sp. ℳ 12. [Corp. Reformat. Vol. 82.] Vgl. oben S. 183.

Hörschelmann (F.), Andreas Knopken, der Reformator Rigas. Ein Beitrag zur Kirchengeschichte Livlands. Leipzig, Deichert. XII, 257 S. ℳ 4.

Schellhaß (K.), die süddeutsche Nuntiatur des Grafen Bartholomäus von Portia (erstes Jahr 1573/74). Berlin, Bath. XC, 472 S. [Nuntiatur-berichte aus Deutschland. Abteil. III. Bd. 3.]

Bang (A. Chr.), den norske kirkes historie i det 16. aarhundrede (reformationsaarhundredet). Fasc. I—VII. Christiania, Bigler. 336 S.

Boselli (J.), la réforme en Allemagne et en France d'après l'analyse des meilleurs auteurs allemands avec une lettre autographe de Mgr. Janssen. Paris, A. Picard et fils. 1895.

Horstmann (C.), Yorkshire Writers. Richard Rolle of Hampole, an english father of the Church and his followers. Edited by —. London, 1895. Swan, Sonnenschein & Co. XIV, 442 S. [Library of early english writers I.]

Mankower (F.), the constitutional history and constitution of the Church of England from the German. London, Swan and Sonnen-schein. 1895. X, 545 S. sh. 12½.

Die Uebersetzung dieses Buches, dem England nichts Aehnliches an die Seite setzen kann, enthält manche Verbesserungen des Verf., die er zum teil den Vor-schlägen Liebermanns verdankt. Der reiche Stoff ist sehr geschickt gruppiert und in folgende Kapitel zusammengefaßt: 1. Verfassungsgeschichte der Kirche. 2. Quellen des Kirchenrechtes. 3. Verhältnis der englischen Kirche zu anderen christlichen Kirchen. 4. Der Klerus und seine Weihen. 5. Die verschiedenen Aemter in der Kirche. Im Anhang 465—504 sind wichtige Dokumente abgedruckt. Darauf folgt eine gute Uebersicht der einschlägigen Literatur. Die Hochkirchler werden M.s Auffassung von der Lostrennung der englischen Kirche ungerne sehen. Verf. erblickt in der Lostrennung einen Rechtsbruch, einen revolutionären Akt. Die Untersuchung, ob die englische Kirche katholisch oder protestantisch zu nennen sei, ist gleichfalls höchst interessant. Selbstverständlich tritt M. den eng-lischen Historikern Freeman und Stubbs in manchen Punkten entgegen. Z.

Forbes (J. S. I.), la Révolution religieuse en Angleterre à l'avènement d'Elizabeth et la résistance du clergé catholique. Besançon, imp. Jacquin. 64 S.

Brown (P. H.), John Knox. London, Black. 728 S.

Carr (J.), the life and times of James Ussher, archbishop of Armagh. London, Gardner. 424 S.

Gregory (J.), Puritanism in the old world and in the new, from its inception in the reign of Elizabeth to the establishment of the puritan theocracy in New-England. London, Clarke. 416 S.

Slee (J. C. van), de Rijnsburger Collegianten. Geschiedkundig onderzoek. Haarlem, F. Bohn. 1895. 455 S. [Verhandel. rak. d naturl. en geopenbaard. Godsdienst uitgeg. d. Teylers godge. Genootschap. Niemve Serie. 15. Deel.]

Nieuwenhoff (W. van), vie dn bienheureux Edmond Campion. Trad. du néerlandais. Bruxelles, Desclée et de Brouwer. 320 S. illuftr. fr. 5.

Schrevel (A. C. de), troubles religieux du XVIᵉ siècle au quartier de Bruges (1566—68) Bruges, imp. de Plancke. VII, 515 S. fr. 5.

Garnier (S.), Barbe Buvée, en religion soeur Sainte-Colombe, et la prétendue possession des Ursulines d'Auxonne (1658—63). Étude historique et médicale. Paris, Alcan. XIX, 93 S. mit Bild. fr. 3,50.

Ingold (A.), les Bénédictins de Munster en Alsace et la question de l'auteur du livre de l'Imitation de Jésus-Christ. Paris, Picard. 21 S. [Extrait de la Revue Bénédictine.]

In der berühmten Kontroverse, die im 17. Jahrh. zwischen den regulierten Chorherren und den Maurinern bezüglich des Verfassers der Nachfolge Christi stattfand, beriefen sich letztere auf verschiedene Hst., die sie sich aus deutschen Klöstern nach Paris hatten kommen lassen. Die Herbeischaffung dieser Hst. besorgten die Benediktiner von Münster, einer Abtei im Oberelsaß. Der Prior von Münster, Anton de l'Escale, begab sich persönlich in mehrere deutsche Klöster und stand nicht an, sämtliche Güter seiner Abtei zu verpfänden, um zu erlangen, daß man ihm die Hst., die sich für Gerson aussprachen, für einige Zeit überlasse. Mehrere intereffante Briefe, die in dieser Angelegenheit zwischen Münster und den Maurinern gewechselt wurden, werden hier aus dem Kolmarer Bezirksarchiv in ihrem Wortlaute mitgeteilt. N. P.

Normand (Ch.), le cardinal de Retz. Paris, Lecène et Oudin. 240 S. fr. 1,50.

Journal d'une élève de Port-Royal. Charlotte de Pomponne à Madeleine de Louvois (octobre 1678 — mai 1679). Paris, Ollendorff. 18⁰. 322 S. fr. 3,50.

*Doublet (G.), un prélat janséniste. F. de Caulet, réformateur des chapitres de Foix et de Pamiers, d'après des documents inédits. Avec portrait, pièces justificatives et facsimile. Paris, Picard; Foix, Gadrat. 1895. 222 S.

Caulet, 1644—80 Bischof von Pamiers, hat sich im Regalienstreit durch den Mut, mit dem er den Anmaßungen Ludwigs XIV widerstand, einen verdienten Ruhm erworben. In vorliegender Schrift wird jedoch dieser Streit nur ganz kurz berührt. Vf. hat sich bloß die Aufgabe gestellt, genau darzulegen, wie der reformeifrige Oberhirt die zwei Chorherrenstifte von Foix und Pamiers zur regulären Observanz zurückgeführt hat. Als lokalgeschichtliche Studie verdient die sehr gründliche Arbeit volle Anerkennung. Von allgemeinerem Interesse ist das Schlußkapitel, worin der Charakter und die Lebensweise des sittenstrengen Bischofs geschildert werden. Caulets Verhalten in den jansenistischen Streitigkeiten sowie dessen rigoristische Tendenzen bezüglich der Moral und Disziplin können allerdings nicht gebilligt werden; in vielen Stücken aber war dieser jansenistische Bischof, der sich übrigens die häretischen Lehren der Jansenisten nie angeeignet hat, ein musterhafter Oberhirt, von dem die damaligen Hofprälaten manches hätten lernen können. N. P.

Miguélez (P. M. F.), jansenismo y regalismo en España. Valladolid, L. N. de Gavira.

*Loë (fr. P. M. de, O. P.), die Dominikaner zu Wesel. Nach handschriftl. u. gedruckten Quellen geschildert v. —. Köln, Klöckner & Mausberg. VI, 48 S. [Bausteine z. Gesch. des Predigerordens in Deutschld. 1.] Besprechung folgt.

Marzellino da Civezza (P.), storia universale delle missioni francescane. Vol. VIII—XI. Firenze, tip. Ariani. 656 S.

Samuele da Chiaramonte, memorie storiche dei frati minori capuccini della provincia monastica di Siracusa. Fasc. I. Modica, tip. Archimede. S. 1—127.

Thompson (E. M.), a history of the Somerset Carthusians. With illustrations by L. Beatrice Thompson. London, Hodges. 384 S.

Innocentii papae XI epistolae ad principes annis VI—XIII (24. Sept. 1681 bis 6. August 1689) ed. F. J. J. Berthier. T. II. Rom, Spithoever. Fol. 514 S.

Read (C.), Lafayette, Washington, et les protestants de France (1785—87). Paris, société de l'histoire du protestantisme français. 58 S.

André (E.), histoire de l'abbaye du Bricot en Brie (XIIe siècle — 1792). Paris, Picard. XIV, 363 S.

Hollard (H.), Henri Grégoire, son rôle dans l'histoire religieuse de la Révolution. Alençon, imp. Guy. 115 S.

Duerm (Ch. van), un peu plus de lumière sur le conclave de Venise et sur les commencements du pontificat de Pie VII 1799—1800. Documents inédits extraits des archives de Vienne. Louvain, Peeters; Paris, Lecoffre. X, 700 S. fr. 7,50.

Vorliegende Quellenpublikation, die dem Konklave von Venedig und den ersten Tagen des Pontifikates Pius' VII gewidmet ist, enthält die diplomatische Korrespondenz zwischen Thugut, dem damaligen Leiter der österreichischen Politik, und den kaiserlichen Gesandten Kardinal Herzan und Marquis Ghisilieri. Die französisch geschriebenen Aktenstücke sind im Original mitgeteilt; die deutschen und italienischen dagegen in französischer Uebersetzung. Hier und da hat Hrsgb. kurze Erläuterungen beigefügt, namentlich aus den Memoiren des Kardinals Consalvi und aus der vor kurzem veröffentlichten Korrespondenz des Kardinals Maury mit Ludwig XVIII. Ueber die Vorgänge im Konklave verbreiten die Berichte des Kardinals Herzan ein neues Licht. Herzan hatte von seiner Regierung den Auftrag erhalten, die Wahl des Kardinals Mattei durchzusetzen. Allein trotz aller Intriguen und Einschüchterungsversuche konnte er nicht zum gewünschten Ziele gelangen. Am 14. März 1800, nachdem das Konklave bereits über drei Monate gedauert, wurde der Benediktiner Chiaramonti gewählt. In neuester Zeit ist vielfach behauptet worden, z. B. von Ranke, Weiß, Funk u. a., daß Maury die Wahl Chiaramontis veranlaßt habe. P. Duerm weist jedoch überzeugend nach (S. 244 ff.), daß diese Ansicht falsch ist. Mehrere Indizien scheinen auf den Kardinal Dugnani als auf den eigentlichen Papstmacher hinzudeuten. Nicht bloß über das Konklave, auch über den Regierungsantritt und die ersten Tage des Pontifikats Pius' VII bringt die neue Schrift verschiedene höchst interessante Aufschlüsse. N. P.

Helfert (Frhr. v.), Gregor XVI und Pius IX. Ausgang und Anfang ihrer Regierung, Okt. 1845 bis Nov. 1846. Mit Benutzung von Metternichschen Schriften u. k. k. Botschaftsberichten aus Rom. Prag, Bursik & Kohout. Lex.-8°. IV, 189 S. ℳ 3,20.

Sagès (M.), S. S. Pie IX, sa vie, ses écrits, sa doctrine.   Paris, Delhomme et Briguet.

Rocfer (P.), souvenirs d'un prélat romain sur Rome et la cour pontificale au temps de Pie IX.   Paris, Revue britannique. 182 S.

Purcell (Edm. Sher.), life of Cardinal Manning, archbishop of Westminster. 2 vol. London, Macmillan and Cie. sh. 30.

Pasquier (H.), Leben der ehrw. Mutter v. der hl. Euphrasia Pelletier,
Stifterin d. Kongreg. U. L. v. d. Liebe des guten Hirten in Angers.
Einzig autoris. Ausg. 2 Tle. Regensburg, Pustet. 404 u. 535 S.
m. 2 Stahlst. M. 8.

Haller (A.), das theologische Alumneum in Basel (1844—94). Basel,
Theolog. Alumneum. 120 S. illustr. fr. 3,20.

Herzog (Ed.), Beiträge zur Vorgeschichte der christkathol. Kirche der
Schweiz. Bern, Wyß. 107 S. M. 1,20.

Krabbe (J.), Helene v. Bülow. Ein Lebensbild der Begründerin und
ersten Oberin d. Diakonissenhauses Bethlehem in Ludwigslust. Schwerin,
Bahn. 1895. XII, 230 S. m. Bildnis. M. 3,20.

Huschens (J.), Geschichte des Vereins vom hl. Vincentius v. Paul in
der Diözese Trier. Hrsg. v. dem Diözesanrate des St. Vincenzvereins
u. in dessen Auftrag zusammengest. Trier, Löwenberg. 12°. VIII,
293 S. M. 1,50.

Strauß (D. F.), ausgewählte Briefe. Hrsg. u. erläut. v. Ed. Zeller.
Mit 1 Portr. in Lichtdr. Bonn, Strauß. 1895. XIII, 586 S. M. 8.

*Weber (H.), das Bistum und Erzbistum Bamberg, seine Einteilung in
alter u. neuer Zeit und seine Patronatsverhältnisse. Nebst 1 Beilage
über die Vikarien u. Benefizien am Domstift. Quellenmäßig dargest.
v. —. Bamberg, Reindl. 1895. VII, 310 S. M. 2. [Separat-
abdruck a. d. Veröffentlichungen des histor. Vereins zu Bambg. 1894.]
Besprechung folgt.

Nippold (F.), Geschichte des Protestantismus seit dem deutschen Befreiungskriege. 2. Buch. Interkonfessionelle Zeitfragen u. Zukunfts-
aufgaben. Hamburg, L. Gräfe & Sillem. VIII, 246 S. M. 6.
[Handbuch der neuesten Kirchengeschichte. 3. Aufl. Bd. 3. Abt. 2.]
Vgl. Hist. Jahrb. XI, 800. Diese 2. Abt. des 3. Bd. erscheint, nachdem der
4. Bd. bereits 1892 in Berlin bei Wiegandt & Schott (XI, 272 S. M. 6,40)
ausgegeben worden ist.

Colonna de Cesari-Rocca, évêques de la Corse inconnus d'Ughelli
et ne figurant pas aux series episcoporum.   Paris, Leroux. 8 S.

Hautcoeur, documents liturgiques et nécrologiques de l'église collégiale
Saint-Pierre de Lille.   Paris, Picard. XX, 481 S.
Vgl. hiezu das im Hist. Jahrb. XVI, 205 notierte Werk desselben Verfassers.

Ceriani (A.), notitia liturgiae ambrosianae ante saeculum XI medium
et ejus concordia cum doctrina et canonibus oecumenici tridentini
de ss. eucharistiae sacramento et de sacrificio missae.   Mediolani,
tip. Giovanola. VIII, 112 S.

Magistretti (M.), cenni sul rito ambrosiano, pubblicati in occasione del XIII congresso eucaristico. Milano, tip. Cogliati. 70 S.

Soullié (P.), les hymnes et proses de l'Église. Paris, Retaux. IV, 214 S. fr. 3.

Greifswalder Studien. Theolog. Abhandlungen, Hermann Cremer zum 25jähr. Professorenjubiläum dargebr. Gütersloh, Bertelsmann. 1895.

Wir notieren die Beiträge: 1) von B. Schultze, Rolle und Codex. Ein archäologischer Beitrag zur Geschichte des Neuen Testaments, S. 147—58, welcher an der Hand der Bildwerke zeigt, wie in der vorkonstantinischen Zeit die Rolle herrscht, im 4. Jahrh. Rolle und Codex neben einander hergehen, im 5. Jahrh. der Codex in den Vordergrund tritt, aber ohne die Rolle ganz zu verdrängen, und darauf hinweist, daß hinsichtlich der Reihenfolge der Evangelien in den Codices die Bildwerke dieselbe Unsicherheit zeigen, wie die Literatur; 2) von O. Zöckler, die Apostelgeschichte als Gegenstand höherer und niederer Kritik, S. 107—45, der im wesentlichen der Hypothese von Blaß (vgl. Hist. Jahrb. XVI, 193 und über den Hist. Jahrb. XVII, 170 notierten lateinischen Text der Apostelgeschichte die interessanten Ausführungen von J. Haußleiter im Theol. Literaturbl. 1896, Nr. 9, der Spuren der sog. B-Rezension bis in die deutsche Bibel verfolgt und von Blaß in den Theolog. Stud. und Krit. 1896, 436 ff.) zustimmt; 3) von M. v. Nathusius, zur Geschichte des Toleranzbegriffes, S. 327—56.   C. W.

Köstlin (H. A.), die Lehre von der Seelsorge nach evangelischen Grundsätzen. Berlin, Reuther u. Reichard. XI, 407 S. ℳ 7.

Die geschichtliche Entwickelung des Begriffes der Seelsorge wird dargestellt.

Bosse (F.), Prolegomena zu einer Geschichte des Begriffes „Nachfolge Christi". Berlin, Reimer. 1895. VIII, 131 S. ℳ 2.

Sabatier, l'église et le travail manuel. Paris, Lethielleux. 12⁰. XII, 290 S. fr. 3,50.

Brin et Laveille, la civilisation chrétienne. Études sur les bienfaits de l'Église. Paris, Bloud et Barral. XXXVII, 354 u 469 S. fr. 10.

Kaftan (J.), das Christentum u. die Philosophie. Ein Vortrag. Leipzig, Hinrichs' Verl. 1895. 26 S. ℳ 0,50.

Falke (R.), Buddha, Mohammed, Christus, ein Vergleich der drei Persönlichkeiten und ihrer Religionen. Erster darstell. Tl.: Vergleich der drei Persönlichkeiten. Gütersloh, Bertelsmann. VII, 211 S. ℳ 3.

Popowicz (E.), das Schlußkapitel der Kirchengeschichte. Rede gehalten am 4. Okt. 1895. Czernowitz. 1895. S. 11—26. [Inauguration des Rektors der Universität Czernowitz für 1895/96.]

Goyau (G.), Pératé (A.) et Fabre (P.), le Vatican, les papes et la civilisation, le gouvernement central de l'Église. Paris, Firmin-Didot et Co. 1895. 4⁰. XI, 797 S. illustr. fr. 30.

Vgl. Besprechung durch G. v. Hertling in Lit. Rundschau 1895 S. 105 ff.

Rechtsgeschichte.

Arbois de Jubainville (H. d'), études sur le droit celtique par —, avec la collabor. de P. Collinet. Paris, Fontemoing. 1895. 2 vol. XX, 388 et 448 S. à fr. 8.

Trombetti (U.), l'edito di Teodorico. Verona. 85 S.

Corpus iuris civilis. Vol. I. Institutiones, recognovit P. Krueger.
Digesta, recognovit T. Mommsen. Ed. ster. VII. — Vol. II:
Codex Iustinianus, recognovit P. Krueger. Berlin, Weidmann.
1895. Lexikon=8⁰. Vol. I: XVI, 56; XXXII, 882 S. ℳ 10.
Vol. II: XXX, 513 S. ℳ 6.

Landucci (L.), storia del diritto romano dalle origini fino alla
morte di Giustiniano. Seconda edizione. I, parte I (Introduzione,
storia delle fonti). Padova, tip. Sacchetto. 359 S. I. 4.

Brandileone (F.) e Puntoni (V.), prochiron legum, pubblicato
secondo il Codice Vaticano greco 845 a cura di —. Roma, Istituto storico 1895. XVIII, 348 S. [Fonti per la storia italiana,
pubbl. dall' Istit. stor. ital. No. 30.]

Schultze (A.), die langobardische Treuhand und ihre Umbildung zur
Testamentvollstreckung. Breslau, Köbner. 1895. XII, 233 S.
ℳ 7.50. [Untersuchung. z. deutsch. Staats= u. Rechtsgesch. hrsg. v.
O. Gierke. H. 49.]

Lehmann (K.), das langobardische Lehnrecht. (HSS., Textentwicklung,
ältester Text und Vulgatatext, nebst den capitula extraordinaria.)
Göttingen, Dieterichs Verlag. XI, 220 S. ℳ 8.

Sjögren (W.), über die röm. Konventionalstrafe und die Strafklauseln
der fränkischen Urkunden. Berlin, Heymann. ℳ 3.

Ficker (J.), Untersuchungen zur Rechtsgeschichte. Bd. 2. 2. Hälfte. A. u.
d. T.: Untersuchungen zur Erbenfolge der ostgerman. Rechte. Bd. 2.
2. Hälfte. Innsbruck, Wagner. XV, S. 401—665. m. Taf. ℳ 8.
Vgl. Hist. Jahrb. XIV, 931.

*Below (G. v.), das Duell und der germanische Ehrbegriff. Kassel,
Brunnemann. 47 S.
Besprechung folgt.

Waitz (G.), gesammelte Abhandlungen. Bd. 1. Abhandlgn. zur deutschen
Verfassungs= u. Rechtsgeschichte. Hrsg. v. K. Zeumer. Göttingen,
Dieterichs Verlag. XIII, 601 S. ℳ 12.

Sieveking (H.), die rheinischen Gemeinden Erpel und Unkel und ihre
Entwicklung im 14. und 15. Jahrh. Leipzig, Duncker & Humblot.
V, 70 S. ℳ 1,80. [Leipziger Studien aus dem Gebiet d. Gesch.
Hrsg. v. G. Buchholz, K. Lamprecht, E. Marcks, K. See=
liger. Bd. 2. H. 2.]

Mallinckrodt (G.), die Dortmunder Ratslinie seit dem Jahre 1500.
Dortmund, Köppen. XXIV, 147 S. ℳ 2. [Beiträge zur Geschichte
Dortmunds und der Grafsch. Mark. Hrsg. v. d. histor. Vereine für
Dortmund u. die Grafschaft Mark. VI.]

*Reinecke (W.), Geschichte der Stadt Cambrai bis zur Erteilung der
Lex Godefridi (1227). Marburg, Elwert. IX, 276 S. ℳ 7.
Besprechung folgt.

*Heinemann (L. v.), zur Entstehung der Stadtverfassung in Italien.
Eine histor. Untersuchung. Leipzig, Pfeffer. III, 75 S. ℳ 2.
Besprechung folgt.

Claar (M.), die Entwicklung der venetianischen Verfassung von der Einsetzung bis zur Schließung des großen Rates 1172—1297. München,
Lüneburg. 1895. 147 S. M. 5. [Historische Abhandlungen. Hrsg.
von Th. Heigel und H. Grauert. H. 9.]

Pirenne (H.), l'origine des constitutions urbaines an moyen âge.
Nogent-le-Rotrou, Daupely-Gouverneur. 77 S.

Beaumont (C.), les officiers municipaux de Neufchâtel-en-Bray pendant
les vingt-cinq années qui ont précédé la Révolution. Rouen, imp.
Brière. 125 S.

*Prümers (R.), das Jahr 1793. Urk. u. Aktenstücke z. Geschichte der
Organisation Südpreußens, Posen, Verl. d. Hist. Gesellsch. 1895.
X, 840 S. m. 4 Portr. [Sonderveröffentlichgn. Hrsg. unt. d. Redakt.
v. d. Hist. Ges. f d. Prov. Posen. III.]
Besprechung folgt.

Couder (R. de), pandectes françaises. Pandectes chronologiques, ou
Collection nouvelle résumant la jurisprudence de 1789 à 1886. II.
Paris, Plon et Nourrit. 4⁰. 756 S. fr. 15.

Groot (H. de), inleiding tot de hollandsche rechtsgeleerdheid. Med
aanteekeningen van S. J. Fockema Andreae. 2 deelen. Arnheim, Gouda Quint. XXXII, 212 u. VIII, 191 S. fl. 2,5.

Calisse (C.), storia del diritto penale italiano dal secolo VI al XIX.
Firenze, Barbèra. 1895. 16⁰. 350 S. l. 2.

Kohler (J.), Studien aus dem Strafrecht. II u. III. Das Strafrecht
in den italienischen Statuten vom 12.—16. Jahrh. Allgemeiner Teil,
1. u. 2. Hälfte. Mannheim, Bensheimer. 179 S. u. VII u. S. 181
—317. M. 5 u. M. 4.

Günther (L.), die Idee der Wiedervergeltung in der Geschichte und
Philosophie des Strafrechts. Ein Beitrag zur universal-historischen
Entwicklung desselben. 3. Abtl., erste Hälfte: Die Strafgesetzgebung
Deutschlands seit der Mitte des 18. Jahrhs. bis zur Gegenwart mit
vergleich. Berücksichtigung der Gesetzgebung der übrigen europäischen
u. einiger außereuropäischer Staaten. Erlangen, Bläsing. XXXVIII,
648 S. M. 18.
Vgl. Hist. Jahrb. XIII, 374.

Kretschmar (P.), der Vergleich im Prozesse. Eine historisch-dogmat.
Untersuchung. Leipzig, Veit & Co. 102 S. M. 3. [Ausgewählte
Doktordissertationen der Leipziger Juristenfakultät.]

Engelmann (A.), der Civilprozeß: Geschichte und System. Bd. 2: Geschichte des Civilprozesses. H. 3: Der romanisch-kanonische Prozeß und
die Entwicklung des Prozeßrechtes in Deutschland bis zum Erlaß der
deutschen Civilprozeßordnung. Breslau, Köbner. VI, 217 S. M. 3,20.

Morales y Alonso (J. P.), instituciones de derecho canónico. Madrid,
J. Góngora Alvarez. 4⁰. 808 u. 839 S.

Phillimore (R.), the ecclesiastical Law of the Church of England.
By the late —. 2ᵈ Ed. by his son W. G. F. Phillimore.

• In 2 vols. London, Sweet and Maxwell. 1895. LXXXVI, 826
u. VIII, S. 887—1883.

Schneider (P.), fontes iuris ecclesiastici novissimi. Decreta et canones
sacrosancti oecumenici concilii Vaticani, una cum selectis consti-
tutionibus pontificiis aliisque documentis ecclesiasticis. Ratisbon.,
Pustet. 1895. VI, 136 S. ℳ 1,60.

Freudenthal (B.), die Wahlbeſtechung. Abſchn. 1. Die Geſchichte der
Wahlbeſtechung. Breslauer Diſſ. 39 S.

Eichthal (E. d'), souveraineté du peuple et gouvernement. Paris, Alcan.
1895. XI, 264 S. fr. 3,50.

Gneist (R. v.), history of the English Parliament, its growth and
development through a thousand years (800 to 1887). London,
Clowes. 492 S.

Luſchin v. Ebengreuth (A.), öſterreichiſche Reichsgeſchichte. Geſchichte
der Staatsbildung, der Rechtsquellen u. des öffentlichen Rechts. Ein
Lehrbuch. Teil I. Die Zeit vor 1526. 2. Hälfte. Bamberg, Buchner.
1895. IV u. S. 161—324. ℳ 3,20.
Vgl. Hiſt. Jahrb. XVI, 661.

Gumplowicz (L.), Compendium der öſterr. Reichsgeſchichte. 2. Ausgabe
der Einleitg. in das Staatsrecht. Berlin, Heymann. VII, 250 S. ℳ 5.

Laband, die Wandlungen der deutſch. Reichsverfaſſung. Dresden, Zahn
& Jorenſch. 1895. 38 S. [Staatsw. Vorträge der Gehe=Stiftg.
zu Dresden.]

Nys (E.), les origines du droit international. Paris, Fontemoing. fr. 10.

Recueil, nouveau, général de traités et autres actes relatifs aux
rapports de droit international. Continuation du grand recueil de
G. Fr. de Martens par Fel. Stoerk. 2. série. Tom. XX.
1. et 2. livr. Göttingen, Dieterichs Verl. 1895. ℳ 27,40.

Dahn (F.), über den Begriff des Rechts. Rektoratsrede. Lex.=8°. Leipzig,
Breitkopf. 18 S. ℳ 0,75.

Gierke (O.), Rudolf v. Gneiſt. Gedächtnißrede. Berlin, Heymann.
42 S. mit Bildnis. ℳ 1.

Literaturbericht, juriſt. 1884—94. Ergänzungsband zum Centralbl. für
Rechtswiſſenſchaft, hrsg. v. A. v. Kirchenheim. H. 4: Privat= u.
Handelsrecht v. C. Gareis. Leipzig, Hinrichs. S. 135—78. ℳ 1,20.

Wirtſchaftsgeſchichte.

Farini (L.), sunto storico della scienza economica. Forli, Bordandini.
73 S. I. 1,50.

Felix (L.), Entwicklungsgeſchichte des Eigentums unter kulturgeſchichtl. u.
wirtſchaftl. Geſichtspunkte. Tl. IV. 1. Hälfte. Leipzig, Duncker &
Humblot. X, 504 S. ℳ 9,60.
Vgl. Hiſt. Jahrb. X, 680.

Martens (O.), ein ſozialiſtiſcher Großſtaat vor 400 Jahren. Die ge=
ſchichtliche, ſoziale u. politiſche Grundlage des Reiches Tahuantinſuyu,

des Staatswesens der Incas auf dem südamerikanischen Hochlande.
2. Aufl. Berlin, Streisand. 84 S. *M* 1,50.

Cunow (H.), die soziale Verfassung des Inkareichs. Eine Untersuchung
des altperuanischen Agrarkommunismus. Stuttgart, Dietz. X, 118 S.

Ashley (W. J.), englische Wirtschaftsgeschichte. Eine Einleitung in die
Entwickelung von Wirtschaftsleben und Wirtschaftslehre von —. Aus
dem Englischen von R. Oppenheim. I. Das Mittelalter. Leipzig,
Duncker & Humblot. XIV, 242 S. *M* 4,80. [Sammlung älterer
u. neuerer staatswissenschaftl. Schriften des In= u. Auslandes. Hrsg.
v. L. Brentano u. E. Leser. Nr. 17.]

Lippert (J.), Sozialgeschichte Böhmens in vorhussitischer Zeit. Aus=
schließlich aus Quellen. Bd. 1: Die slavische Zeit u. ihre gesellschaftl.
Schöpfungen. Prag und Wien, Tempsky; Leipzig, Freytag. 1895.
VIII, 487 S. m. 1 Karte. *M* 14.

Heins (M.), les étapes de l'histoire sociale de la Belgique (Bruxelles,
Anvers, Gand, Liège). Bruxelles, Weissenbruch. 257 S. fr. 5.

Longnon (A.), polyptyque de l'abbaye de Saint-Germain des Prés,
rédigé au temps de l'abbé Irminon. Introduction. Paris, Champion.
412 S. fr. 12.

Guibert (L.), nouveau recueil de registres domestiques limousins et
marchois. I. Limoges. Paris, Picard. 554 S. fr. 7.

Beaucousin (A.), registre des fiefs et arrière-fiefs du bailliage de
Caux en 1503. Rouen, Lestringant. XXII, 326 S. fr. 12.

Frain de la Gaulayrie (E.), un rural de la baronnie de Vitré.
Son journal domestique de 1634 à 1671. Vannes, Lafolye. 29 S.

Linden (H. van der), les gildes marchandes dans les Paysbas au
moyen âge. Gent, Clemm. 126 S. [Université de Gand. Recueil
de trav.publ. p. la faculté de philosoph. et lettres. 15ᵉ fasc.]

Flemming (M.), die Dresdener Innungen von ihrer Entstehung bis zum
Ausgang des 17. Jahrhs. 1. Tl. Dresden, Baensch. XI, 308 S.
[Mitt. d. Vereins für die Geschichte Dresdens. H. 12—14.]

Arnold (Ph.), das Münchener Bäckergewerbe. Eine technische, wirtschaft=
liche und soziale Studie. Stuttgart, Cotta. VIII, 100 S. *M* 2,40.

Bettgenhäuser (R.), die Mainz=Frankfurter Marktschiffahrt im MA.
Leipzig, Duncker & Humblot. VII, 105 S. *M* 2,60. [Leipziger
Studien aus dem Gebiet der Geschichte. Hrsg. v. G. Buchholz,
K. Lamprecht, E. Marcks, G. Seeliger. Bd. 2.]

*Metzen (J.), die ordentlichen direkten Staatssteuern des MA. im Fürst=
bistum Münster. Dissertation. Münster, Regensberg. 1895. 96 S.
[Sonderabdruck aus Band 53 der Zeitschrift des Vereins für Ge=
schichte und Altertumskunde Westfalens.]

Verfasser beabsichtigt mit seiner fleißig und aufmerksam gearbeiteten Schrift
„eine Ehrenrettung des vielgeschmähten Mittelalters" durch den Nachweis,
daß der Schatz im Bistum Münster eine ordentliche direkte Staatssteuer,
nicht eine grundherrliche, privatrechtliche Abgabe gewesen sei. Seine Aus=
führungen verraten durchaus die Anschauungen seines Lehrers Below;

schon der Titel weist darauf hin. Ob die These Belows falsch ist, steht
noch dahin; daß sie richtig ist, hat jedenfalls M. nicht bewiesen. Er benutzt
zur Darlegung eines Zustandes, der im hohen MA herrschte, Akten des 16. u.
17. Jahrh. als gleichwertig den Urkunden des 12. u. 13. Statt einige Ordnung
in die bereits im 13 Jahrh. mehr und mehr durcheinander geworfenen Begriffe
exaccio, precaria und petitio zu bringen, verwirrt er sie erst recht. Nach M.
gibt es in Münster während des ganzen MA. nur eine Schatzart; sie heißt in
einer vorurkundlichen Zeit petitio, vom 12. Jahrh. ab alles Mögliche und wird
spätestens im 13. Jahrh. eine regelmäßige Abgabe. In den früheren Jahren
wird sie kraft gerichtsherrlicher Gewalt erbeten (!), in späteren kraft landes-
herrlicher Gewalt erhoben, und ist von Anfang an eine ordentliche direkte Staatssteuer. Wo ist der Beweis dafür, daß nicht die exaccio das Ursprüngliche ist, daß
die exaccio nicht eine grundherrliche Abgabe ist, und daß die petitio nicht erst
gegen Ende des 12. Jahrh. infolge Ausbildung der landesherrlichen Gewalt
aufkommt und zwar als Staatssteuer?   —a—

Grunzel (J.), der internationale Wirtschaftsverkehr und seine Bilanz.
Leipzig, Duncker & Humblot. 1895. VI, 224 S. ℳ 4,80.

Im 1. Kapitel wird eine knappe Geschichte der Handels= und Zahlungsbilanz
gegeben.

*__Ehrenberg__ (R.), das Zeitalter der Fugger. Geldkapital u. Kreditverkehr
im 16. Jahrh. Bd. 1: Die Geldmächte des 16. Jahrhs. Jena,
Fischer. ℳ 8.

Besprechung folgt.

*__Wiebe__ (G.), zur Geschichte der Preisrevolution des XVI. u. XVII. Jahrhs.
Leipzig, Duncker & Humblot. 1895. X, 420 S. ℳ 9. [Staats= und
sozialwissenschaftl. Beiträge, hrsg. v. Miaskowski. Bd. 2. H. 1.]

Das Buch erörtert in 3 Abschn. die Quellen zur Geschichte der Preise des 16. u.
17. Jahrh., die Preise und Löhne in Mittel= u. Westeuropa während des 16. u
17. Jahrh. und die Ursachen der Preisrevolution. Eine große Anzahl Preis=
tabellen macht den Beschluß. Der schwächste Teil des Werkes ist der dritte. Auch
ihn ziert allerdings der außerordentliche Fleiß, mit dem das ganze Werk gearbeitet
ist; kaum eine der möglichen Ursachen der Preisrevolution ist übersehen worden,
aber der Fleiß allein thut es in diesem Teile doch nicht. Verf. kommt zu dem
alten Ergebnis, daß die Bedeutung aller anderen Ursachen schlechthin verschwindet
vor der der gesteigerten Edelmetallproduktion. Die Rechnung, die er zu dem
Zweck auf S. 282 aufstellt, ist trügerisch. Aber selbst angenommen, sie wäre
es nicht, nicht einmal mit ihr stimmen die Thatsachen überein; die Preissteigerung
von 1601—60 ist nicht so stark als die von 1500—45, und müßte es doch nach
W.s Rechnung sein. Die Bedeutung der Verschiebungen in Industrie und Handel,
des Klassenkampfes, der Bevölkerungszunahme wird von W. keineswegs genügend
gewürdigt. In dieser Hinsicht ist dem Bonns Schrift über Spaniens
Niedergang, die im übrigen an Tüchtigkeit weit hinter ihm zurücksteht, überlegen.
Im ersten Teil entwickelt W., indem er das von ihm vorgefundene und von ihm
neu hinzugefügte Material zur Preisgeschichte kritisiert, die Grundsätze, welche er
bei seiner Arbeit befolgt hat. Mit ihrer Hilfe bringt er dann im zweiten Teile und
in den Tabellen ein durchaus brauchbares, sehr sorgfältig geprüftes Material
herbei, welches das Mißlingen des dritten Teiles der Untersuchungen verschmerzen
läßt. Bedauerlich ist nur, daß er seine Archivstudien über die Preise des Bis=
tums Münster bereits mit dem J 1560 abschließen mußte. Das ungeheure,
noch verborgen liegende Material zur Preisgeschichte des 16. und 17. Jahrh.
kann keinesfalls in fleißigere und liebevollere Hände geraten als in die dieses
selbstlosen Forschers. Darum ist die Aussicht, daß er dem Gegenstande seiner
Erstlingsschrift treu bleiben wird, sehr erfreulich.   —a—

Naudé (W.), die Getreidehandelspolitik der europäischen Staaten vom
13. bis zum 18. Jahrh., als Einleitung in die preußische Getreide=

handelspolitik. Darstellung v. —. Berlin, Parey. XVI, 443 S.
M. 11. [Acta borussica. Denkmäler der preußischen Staatsverwaltung
im 18. Jahrh. Hrsg. von der k. Akademie der Wissenschaften. Die
einzelnen Gebiete der Verwaltung. Getreidehandelspolitik. Bd. 1.]

*Breysig (K.), Geschichte der brandenburgischen Finanzen in der Zeit von
1640—97. Bd. 1. Leipzig, Duncker & Humblot 1895. XXXIV,
934 S. *M.* 24. [Die Centralstellen der Kammerverwaltung. Die
Amtskammer, das Kassenwesen u. die Domänen der Kurmark.]

Der Geschichte der brandenb. Finanzen ist ein eingehender Bericht der Kommission
für die Urkunden und Aktenstücke des Kurfürsten Friedrich Wilhelm über ihre
Thätigkeit 1861—95 und ihre Pläne für die Zukunft vorangestellt Droysen
hat 1861 die Berufung der Kommission veranlaßt; er selbst, Mörner und Duncker
gehörten ihr an. Sie sollte die Herausgabe aller Akten bewirken, die sich auf
die auswärtige Politik, die Verwaltung, das Kirchen=, Heer= und Finanzwesen
des brandenb. Staates z. Z. des Gr. Kurfürsten beziehen. In den ersten Jahren
gedieh die Arbeit aufs beste; einige Bände der politischen Verhandlungen, der
auswärtigen Aktenstücke, auch der erste der ständischen Verhandlungen erschienen,
aber die Geldmittel gingen aus; und da Wilhelm I 1875 nur noch 30000 M.
für das Unternehmen bewilligte, sah man sich zu einer Beschränkung des Arbeits=
planes gezwungen; Heer= und Finanzwesen sollten außer acht gelassen werden.
1886 starb das letzte der ursprünglichen Mitglieder, Max Duncker Die
30,000 Mark waren nahezu aufgebraucht. Lehmanns, Meyers, Schücks und
Meinardus Werke nahmen der Kommission einen Teil ihrer Aufgabe aus der
Hand. Dennoch beschloß die Kommission, die sich jetzt aus Holtze, Schmoller
und Koser zusammensetzt, 1892 den alten Plan von 1861 wieder aufzunehmen.
Wilhelm II gewährte ihr zu dem Zwecke noch einmal 40,000 Mark. Nunmehr
übernahm Breysig den ersten Band der Finanzgeschichte; die weiteren wird
G. Künzel bearbeiten. Für eine Darstellung des Heerwesens scheint es
an Material zu fehlen. Ein Hrsgb der Akten, welche die evangelische Kirchen=
verwaltung betreffen, wird noch gesucht. Die Bände, welche die innere Geschichte
zum Gegenstande haben, sollen eine selbständige Serie unter dem Titel „Urkunden
und Aktenstücke z Gesch d. inneren Politik des Kurfürsten Friedrich Wilhelm
von Brandenburg" bilden. War die bisher bestehende Serie, die natürlich fort=
gesetzt wird, fast ausschließlich Aktenpublikation, so soll die neue Serie vor=
wiegend Darstellungen bieten, denen Aktenstücke im Wortlaut nur als Belege
beigegeben werden. — Die Arbeit B.s beginnt die Darstellung der Kammer=
verwaltung. Da der Tod des Großen Kurfürsten in ihrer Geschichte keine Epoche
bildet, so hat Vf. die Darstellung über den Tod des Kurfürsten hinaus bis zum
Sturze des Hofkammerpräsidenten Knyphausen 1697 geführt. Er behandelt
zunächst die Zentralbehörden (Kap. I: die geheime Hofkammer und ihre Vorläufer;
Kap. II: Zentralkassen und Generaletats), darauf die Kurmark (Kap. I: die
Organisation der Verwaltung; die Amtskammer zu Kölln a. d. Spree und das
kurmärkische Kassenwesen; Kap. II: die Domänen). In den 387 Seiten der
Darstellung ist eine Unsumme von Arbeit zusammengefaßt zu einer fließenden
und anregenden Schilderung, die in der zum Vergleich benutzbaren Literatur
ihresgleichen selten finden dürfte. Allerdings hätte sie durch eine stärkere Zer=
gliederung des Stoffes in kleine Abschnitte an Klarheit und Uebersichtlichkeit noch
gewinnen können. Auch sind hie und da stilistische Unebenheiten der bessernden
Hand entgangen. Anlaß zu berechtigten Aussetzungen gibt, wenn man von dem
Uebermaß der Fremdwörter absieht, nur die Zahl der Druckfehler. Druckfehler
haben sich sogar in das Inhaltsverzeichnis, in die Berichtigungen und in die
Seitenköpfe eingeschlichen. Die Seiten 291—351 sind durchweg mit der Jahres=
zahl 1674 statt 1684 versehen. Die Sätze S. 114, Z. 13—17, S. 254, Z. 9—5
v. u. und S. 357, Z. 10—11, sowie die Ausführungen S. 303, Abschnitt 2
„Zunächst geschah" und S. 349, Abschnitt 1, scheinen mir keinen oder einen
falschen Sinn zu geben. Die Berichtigung zu S. 299, Z. 20 v. o., gehört zu
Z. 18, u. s. w. S. 300 wird ein Hauptmann von Wittstock 1653 erwähnt;
Wittstock ward erst 1658 eingelöst. S. 373 sind Anm. 2 und 4 wohl zu ver=

tauschen? Aus dem Inhalt des Buches sei nur einiges hervorgehoben. Der dreißigjährige Krieg hatte die Finanzen aufs schwerste geschädigt, die Verwaltung war völlig ungenügend. Die Beschlüsse von 1651 und 1652 schienen berufen, den Zustand zu ändern, Joachim Schulzes Vorschläge und die Pläne Waldecks und Schwerins waren dazu geeignet. Doch die gemeinschaftlichen Sitzungen der Staatskammerräte führten noch nicht zur Bildung einer Zentralstelle, die Aufnahme von Generalrechnungen nicht zu einer Generalkasse; der Uebergang vom Administrations= zum Arrendesystem, von der Natural= zur Geldwirtschaft ward nicht durchgeführt; die Kontrolle der unteren Instanzen auch nur durch die Oberinstanz des einzelnen Territoriums blieb mangelhaft. 1659 übernahm Canstein die Leitung; die 15 Jahre seiner Verwaltung erscheinen B. durchaus als Jahre des Rückschritts. Für eine Zeit langsamen Fortschritts gilt ihm namentlich die Periode, da Gladebeck, in etwa auch die, da Meinders an der Spitze stand. Die Naturalwirtschaft wurde beseitigt, die Hofstaatskasse, desgleichen die Schatullverwaltung organisiert, die Aufstellung und Ordnung des Personaletats in Angriff genommen. Endlich i. J. 1684 kam der Retter in der Person Knyphausens. Knyphausen schuf eine wirkliche Zentralstelle, ordnete die Amtskammern ihr endgiltig unter, regelte das Rechnungswesen, ohne jedoch eine Generalkasse zu begründen, machte dem Unfug des Assignationswesens nahezu ein Ende, organisierte auch in der Kurmark die Amtskammer und die Kontrolle besser, ging entschieden zum Pachtsystem über und brachte die Einnahmen nach ihrem völligen Verfall unter Canstein wieder auf eine erträgliche Höhe. Die Gesamteinnahmen der Kammerverwaltung steigerte er von 1689—97 um 84%, die aus den kurmärkischen Aemtern gegen 1674 um 260%. Kurz und gut, Br. nimmt im Gegensatze zu Isaacsohn an, daß Canstein alles verdorben und Knyphausen alles gutgemacht hat. Im großen und ganzen dürfte er recht haben; nur hätte er seinen Ausführungen keine so scharfe Spitze gegen Cansteins Persönlichkeit und Fähigkeit zu geben brauchen. Knyphausen hat allerdings eine weit größere Willenskraft und ein bedeutenderes Organisationstalent besessen, aber auch in einer weit günstigeren Zeit gearbeitet und die Organisation der Kommissariatsverwaltung vor Augen gehabt. Canstein hat es sicherlich weder an gutem Willen noch an guten Gedanken gefehlt, ebensowenig wie den Staatskammerräten des J. 1652. Br. wirft Canstein insbesondere vor, daß er sich weder für noch gegen das Pachtsystem entschieden hat; er lobt Gladebeck, weil er seine Entscheidung sofort, wenn auch falsch getroffen hat; er berücksichtigt nicht, daß die in Wirtschaftsangelegenheiten sehr klar blickende Louise Henriette 1663 in dem Pachtsystem den Verderb Brandenburgs sah, daß Gladebeck sich schon sehr bald wieder zu Cansteins Grundsätzen bekannt hat. Die Milde der Pachtbedingungen wird bei Knyphausen gerühmt, bei seinen Vorgängern mit zweifelndem Auge betrachtet. Dafür, daß ein Ueberfluß an Pachtliebhabern zu Cansteins Zeit geherrscht hätte, ist kein Beweis erbracht. Ebenso ungünstig wird Canstein in andern Dingen behandelt. Seine Verdienste etwa um die Errichtung der Hofstaatskasse, um die Ordnung der Beziehungen der Kassen zum Geh. Rate, um die Statistik, den Wirtschaftsbetrieb, das Fuhrwesen werden nicht gewürdigt. Knyphausen hat es „nicht verhindern können", daß Aemter von der Krone verschenkt wurden, Canstein aber hat „die Pflicht gehabt, auch in diesem Punkte eine Aenderung des Systems herbeizuführen". Knyphausen wird als der erste brandenb. Staatsmann gepriesen, hat ein Herz für die Bauern gehabt, und doch hat sich Canstein auch nach dem, was B. mitteilt, mindestens mit demselben Eifer der Bauern angenommen wie er. Die Voreingenommenheit gegen Canstein ist allerdings erklärlich bei B.s Bestreben, die Auffassung seines Vorgängers gründlich zu widerlegen, thut aber dem Werte des Ganzen immerhin einigen Abbruch. Glücklicherweise ist das Ganze so ausgezeichnet, daß es diesen Abbruch vertragen kann. — a —

*Bergér (H.), Friedrich der Große als Kolonisator. Gießen, Ricker. VIII, 111 S. mit 3 Taf. ℳ 4. [Gießener Studien auf dem Gebiete der Geschichte. Hrsg. v. W. Oncken. H. VIII.] Besprechung folgt.

Ringnalda (W.), hoofdtrekken van de geschiedenis van het Neder-

landsch postwezen, inzonderheid sedert de eerste wettelijke rege-
ling van den postdienst. s-Hage, Martín Nijhoff. XX, 228 S.

Delmar (A.), history of monetary systems; a record of actual ex-
periments in money made by various states of the ancient and
modern world, as drawn from their statutes, customs, treaties,
mining regulations, jurisprudence, history, archaeology, coins, num-
mulary systems, and other sources of information. London, Wilson.
546 S.

Hamon (G.), histoire générale de l'assurance en France et à l'étranger.
Fasc. I à III. Paris, Giard et Brière. 120 S. fr. 6.

Webb (Sidney) u. Webb (Beatrice), die Geschichte des drit. Trade Unio-
nismus. Deutsch v. R. Bernstein. Mit Noten u. ein. Nachwort versehen v. E. Bernstein. Stuttgart, Dietz. 1895. XII, 460 S. ℳ 5.

Morus (Th.), Utopia. Hrsg. v. V. Michels u. Th. Ziegler. Berlin,
Weidmann. 1895. LXX, 115 S. ℳ 3,60. [Lat. Literaturdenkmäler
des 15. und 16. Jahrh. 11.]

* Koch (G.), Beiträge zur Geschichte der politischen Ideen und der Re-
gierungspraxis. Teil 2. Demokratie und Konstitution. (1750—91.)
Berlin, Gärtner. VIII, 242 S. ℳ 6.
Vgl. Hist. Jahrb. XIII, 891. Besprechung folgt.

Michel (H.), l'idée de l'État. Essai critique sur l'histoire des théories
sociales et politiques en France depuis la Révolution. Paris,
Hachette. IX, 659 S.
Eine sehr ernste historisch-kritische Studie, deren Verf. sich die Aufgabe gestellt
die zahlreichen sozial-politischen Systeme, die im Laufe dieses Jahrhunderts in
Frankreich vertreten worden sind, auf ihren wahren Wert zu prüfen. M. hat
die Ansichten der französischen Sozialpolitiker aus deren eigenen Schriften in
systematischer Ordnung klar und anziehend dargestellt. Was jedoch die kritischen
Bemerkungen und das Schlußurteil betrifft, so hätte Ref. manches daran aus-
zusetzen. Vgl. die Besprechung des neuen Werkes in den Hist.-pol. Blättern
Bd. 117 (1896), 625 ff.   N. P.

Rousseau (J. J.), du Contrat social, édition annotée par Dreyfus-
Brisac. Paris, Alcan. XXXVI, 426 S. fr. 12.

Lichtenberger (A.), le Socialisme au XVIIIe siècle. Paris, Alcan.
1895. VIII, 472 S. fr. 7,50.

Schüller (R.), les économistes classiques et leurs adversaires. Traduit de l'allemand. Paris, Guillaumin. 12⁰. XII, 170 S. fr. 2,50.

Malthus (R.), kleine Schriften. Uebers. u. hrsg. v. E. Leser. I. Drei
Schriften über Getreidezölle a. d. J. 1814 u. 1815. Leipzig, Duncker
& Humblot. XXIV, 129 S. ℳ 2,60. [Sammlg. ält. u. neu.
staatswiss. Schrift. d. In- u. Auslandes. Hrsg. v. L. Brentano u.
E. Leser.]

Sombart (W.), Friedrich Engels (1820—95). Ein Blatt zur Entwicklungsgeschichte des Sozialismus. Berlin, Häring. 1895. 35 S.
ℳ 0,50. [Aus: Die Zukunft.]

Brasch (M.), Wilhelm Roscher u. die sozialwissenschaftl. Strömungen der
Gegenwart. Leizig, Fock. 1895. 70 S. ℳ 0,70. [Aus: B.,
Leipziger Philosophen.]

Stammler (R.), Wirtschaft und Recht nach der materialistischen Geschichts=
auffassung Eine sozialphilosoph. Untersuchung. Leipzig, Veit & Co.
1895. VIII, 668 S. *M.* 14.

* Schenk (K.), Belehrungen über wirtschaftl. u. gesellschaftl. Fragen auf
geschichtl. Grundlage. Leipzig, Teubner. *M.* 5.
Besprechung folgt.

* —, Hilfsbuch zu den Belehrungen über wirtschaftl. u. gesellschaftl. Fragen
auf geschichtl. Grundlage. Leipzig, Teubner. *M.* 2.
Besprechung folgt.

Kunstgeschichte.

Springer (A.), Handbuch der Kunstgeschichte. 4. Aufl. der Grundzüge
der Kunstgesch. Illustr. Ausg. II. Das Mittelalter. Leipzig, Seemann.
1895. Lex.=8⁰. IV, 279 S. m. 363 Abbildgn. u. 3 farb. Taf. *M.* 4,50.

Pollaroli (S.), l'arte in Oriente ed Occidente: brevi sunti, ad uso
delle scuole industriali ed istituti di belle arti. Saló, tip. Devoti.
165 S.

Melani (A.), manuale dell' ornatista. Raccolta d'iniziali miniate e
incise, d'inquadrature di pagina, di fregi e finalini, esistenti in
opere antiche di biblioteche, musei e collezioni private. 24 tavole
in colori per miniatori, calligrafi ecc. ecc. I Serie. Milano, Hoepli.
10 Bl. 24 Taf.

Stückelberg (E. A.), longobardische Plastik. Zürich, Leemann. 114 S.
Fr. 6.
Die Denkmäler der monumentalen Plastik vom 6. bis 8. Jahrh. haben in den
kunsthistorischen Werken nur geringe Beachtung gefunden oder wurden größtenteils
chronologisch falsch datiert und stilistisch falsch erklärt; soviel Schriftsteller, soviel
verschiedene Bezeichnungen. Verf. gibt eine Charakteristik der longobardischen
Skulpturen, zerlegt sie in ihre nationalen Elemente, zeigt die Spuren longobard.
Meister im Norden bis nach Regensburg, Schaffhausen, Zürich und Bordeaux.
Die erhaltenen Denkmäler haben fast ausschließlich kirchlichen Charakter und
kommen meist als architektonisches Beiwerk zur Verwendung. In 64 hübschen
Illustrationen sind die hauptsächlichsten Typen davon veranschaulicht und machen
das Büchlein zu einem wertvollen Wegweiser durch ein wenig bekanntes Kunst=
gebiet.   P. G. M.

Kataloge des bayerischen Nationalmuseums in München. Bd. 3: Katalog
der Abbildungen u. Handzeichnungen zur allgemein. Kultur= u. Kunst=
geschichte. Von J. A. Mayer. — Bd. 6: Allgemeine kulturgesch.
Sammlungen. Das Mittelalter. II. Gothische Altertümer der Baukunst.
u. Bildnerei. Von H. Graf unter Mitwirkg. v. G. Hager u. J.
A. Mayer. Mit 349 Abbildgn. in Lichtdr. auf 29 Taf. 4⁰. München,
Rieger. 1895. VII, 86 S. *M.* 0,60. VII, 98 S. *M.* 8.
Vgl. Hist. Jahrb. XIII, 943.

Scheidler (L.) u. Aldenhoven (C.), Geschichte der Kölner Maler=
schule. 100 Lichtdrucktaf. m. erklärendem Text, hrsg. v. —. Lübeck,
Nöhring. 33 Taf. *M.* 40. [Publikationen der Gesellschaft f. rheinische
Geschichtskunde. XIII. 2. Lfg.]

Clemen (P.), die Kunstdenkmäler der Rheinprovinz. Bd. 3. Hft. 3. Der

Kreis Neuß. Düsseldorf, Schwann. Lexikon=8. S. 309—435 mit 67 Abbildgn. u. 7 Taf. ℳ 4,50.

Zingeler (K. T.) u. Laur (W. F.), die Bau= u. Kunstdenkmäler in den Hohenzollernschen Landen. Im Auftrage des Hohenzollernschen Landesausschusses bearb. Mit 22 Lichtdr., 168 Abbildgn. im Text u. ein. archäolog. Uebersichtskarte von Hohenzollern. Stuttgart, Neff. 1895. XII, 304 S. ℳ 15.

Wolff (R.) u. Jung (R.), die Baudenkmäler in Frankfurt a. M. Hrsg. von dem Architekten= u. Ingenieurverein u. dem Verein f. Geschichte u. Altertumskunde. Lfg. 1. Frankfurt a. M., Völcker in Komm. 1895. Lexikon=8. XII, 150 S. m. 142 Abbildgn. u. 21 Taf. ℳ 6.

Lehfeldt (P.), Bau= u. Kunstdenkmäler Thüringens. Bearb. v. —. Hft. 21. Herzogtum Sachsen=Altenburg. Amtsger.=Bez. Altenburg. Jena, Fischer. 1895. Lexikon=8. VIII, 307 S. m. 73 Abbildgn. u. 8 Lichtdruckbildern. ℳ 7,50.

Boetticher (A.), die Bau= und Kunstdenkmäler der Provinz Ostpreußen. Im Auftrage des ostpreuß. Prov.=Landtages bearb. H. 5. Litauen. Königsberg, Teichert in Komm. Lex.=8. VII, 158 S. mit Abbildgn. u. 7 Taf. ℳ 3.

Neuwirth (J.), mittelalterliche Wandgemälde u. Tafelbilder der Burg Karlstein in Böhmen. Prag, Calve. 1895. V, 113 S. mit 50 Lichtdr.=Taf. u. 16 Abbildgn. im Texte. ℳ 60. [Forschungen zur Kunstgeschichte Böhmens. Veröffentlicht v. d. Gesellsch. z. Förderung deutscher Wissenschaft, Kunst und Literatur in Böhmen.]

Truhelka (Ciro), die bosnischen Grabdenkmäler des Mittelalters. Wien, Gerolds Sohn in Komm. 1895. Lex=8°. 71 S. mit 108 Abbildgn. u. 1 Taf. ℳ 4. [Aus: Wissenschaftl. Mitteilungen aus Bosnien und der Herzegowina, Bd. 3.]

Gulete (R.), Alt=Livland. Mittelalterliche Baudenkmäler Liv=, Est=, Kurlands und Oesels. Abt. 1. 4 Liefgn. 4°. à 40 Lichtdr.=Taf. Leipzig, Köhler in Komm. ℳ 53.

Händcke (B.) u. Müller (A.), das Münster in Bern. Bern, Schmid, Franke & Co. Fol. X, 179 S. illustr. fr. 30.

Thormann (F.) u. Mülinen (W. F. v.), die Glasgemälde der bernischen Kirchen. Hrsg. von der bernischen Künstlergesellsch. u. d. bernischen Kantonal-Kunstverein. Mit Zeichnungen v. Rud. Münger. Bern, Wyß. 4°. 98 S. mit 21 Taf. ℳ 8.

Walchegger (J. Ev.), der Kreuzgang am Dom zu Brixen. Brixen, Buchh. des kath.=polit. Preßvereins. 127 S. mit 12 feinen Lichtdruckbildern auf 9 Taf. u. 10 Illustrat. im Text. ℳ 3.

Bournand (Fr.), la Sainte Vierge dans les arts. Paris, Tolra. 342 S. fr. 10.

Enlart (C.), monuments religieuses de l'architecture romane et de transition dans la région picarde. Anciens diocèses d'Amiens et de Boulogne. Paris, Picard. 4°. VII, 256 S. u. 18 Tfl fr. 25.

Kaiser (W.), der Humanismus in der Kunst. Frauenfeld, Hubers Verlag. 64 S. ℳ 1,20.

Böge (W.), Raffael und Donatello. Ein Beitrag zur Entwicklungsgeschichte der italien. Kunst. Mit 21 Abbildgn. im Text u. 6 Lichtdruck=Taf. Straßburg, Heitz. 1895. X, 38 S. ℳ 6.

Grimm (H.), das Leben Raphaels. 3. Aufl. Neue Bearbeitung. Berlin, Besser. III, 293 S. ℳ 5.

Cotroneo (R.), memorie di storia e d'arte: studi monografici. I. (La Madonna del Leandro presso Motta S. Giovanni.) Siena, tip. San Bernardino. 16⁰. 34 S.

Acqua (C. dell'), di alcune opere dell' insigne pittore pavese Bernardino Gatti, detto il Sojaro. Pavia, tip. Fusi. 12 S. m. Tfl.

Castellani (C.), early Venetian printing illustrated. Venice, Ongania. 4⁰. 37 S. m. Tfl.

Engelhard (R.), Hans Raphon, ein niedersächsischer Maler um 1500. Leipzig, Seemann. 1895. Fol· XVI S. u. 6 Lichtdr. ℳ 4.

Leymarie (L. de), l'oeuvre de Gilles Demarteau l'aîné, graveur du roi Catalogue descriptif, précédé d'une notice biographique. Paris, Rapilly. 155 S. m. Grav. fr. 10.

Guerlin (R.), notes sur la vie et les oeuvres de Jean-Baptiste-Miche-Dupuis, sculpteur amiénois, et de Pierre Joseph Christophle, architecte, son gendre. Paris, Plon et Nourrit. 48 S. illustr.

Keller (Ph. J.), Balthasar Neumann, Artillerie= u. Ingenieurobrist, fürstl. bambergischer u. Würzburger Oberarchitekt u. Baudirektor. Eine Studie zur Kunstgeschichte des 18. Jahrhs. Würzburg, Bauer. XII, 203 S. m. 72 Abbildgn. u. Bildnis. ℳ 6.

*Buchkremer (J.), die Architekten Johann Joseph Couven u. Jakob Couven. Aachen, Cremersche Buchhdlg. 118 S. ℳ 4. [Sonderabdruck aus Bd. XVII der Zeitschrift des Aachener Geschichtsvereins.]

Den Arbeiten über Pöppelmann und Krubsacius, Cuvillié, Asam, Balthasar Neumann u. a. reiht sich jetzt eine solche an über die Architekten Johann Joseph und Jakob Couven. Unbekannte Namen die letzteren! Denn in den gebräuchlichsten Kunstgeschichten, auch den neuesten, würde man sie vergebens suchen. Man schätzte eben bisher die Zeit gering, in der sie wirkten und daher auch die Meister selbst. Und doch sind der Werke, die Zeugnis für die großartige Befähigung und Thätigkeit der Genannten ablegen, eine unglaublich große Zahl. Verf. nennt über 200 mehr oder minder bedeutende Arbeiten beider Meister in Aachen und 26 anderen Orten. Die Zuteilung aller dieser Werke geschieht nicht, wie sonst gerne, auf bloße Stilkritik hin, sondern alle Resultate sind an Ort und Stelle selbst geprüft, urkundlich beglaubigt und nach den noch vorhandenen Originalplänen bestimmt. Die beiden Couven arbeiteten während ihres langen Lebens in allen den verschiedenen Stilarten, die im 18. Jahrh. so rasch sich ablösten, von den Ausläufern des Barocks bis zum Klassizismus. Alle diese verschiedenen Epochen im Wirken der beiden Meister klar auseinandergehalten und instruktiv vor Augen gestellt zu haben, ist ein nicht geringes Verdienst des Vfs. Die Ausstattung des Buches ist eine vorzügliche; 8 Lichtdrucktafeln und 92 Abbildungen erläutern den Text. Ph. J. K.

Halm (Ph.), die Künstlerfamilie der Asam. Ein Beitrag zur Kunstgeschichte Süddeutschlands im 17. u. 18. Jahrh. Mit 7 Illustr. u. ein. Orig.=

Radierung v. Prof. Pet. Halm. München, Lentner. 1895. IX, 72 S. ℳ 4.

Münsterberg (O.), ostasiatisches Kunstgewerbe in seinen Beziehungen zu Europa, Bayern und Asien im 16., 17 und 18. Jahrh. Leipzig, Hiersemann. 4⁰. 31 S. u. 30 Fig. ℳ 3. [Aus: Zeitschr. des München. Altertumsvereins. 1895]

Sarre (Frdr.), die Berliner Goldschmiedezunft von ihrem Entstehen bis z. J. 1800. Berlin, Stargardt. 1895. VIII, 213 S mit Taf. ℳ 20.

Seidel (P.), der Silber= u. Goldschatz der Hohenzollern im k. Schlosse zu Berlin. Mit 2 allegor. Darstellgn., entworfen von E. Doepler d. J., nebst 1 Heliograv. u. 41 Lichtdr. Berlin, Cosmos. gr. 4⁰. VII, 65 S. ℳ 50.

Havard (H.), histoire de l'orfèvrerie française. Paris, May et Motteroz. 4⁰. 478 S. Illustr. de 40 pl. hors texte, dont 10 en couleurs, or et argent, et de prés de 400 vign. fr. 40.

Ilg (A.), Bildhauer=Arbeiten in Oesterreich=Ungarn. Von der Barocke bis zum Empire. Lichtdrucke nach Naturaufnahmen figuraler Plastik. Mit kunsthistor. Angaben v. —. In 5 Lfgn. Wien, Schroll & Co. Lfg. 1. gr. Fol. 12 Taf. ℳ 12.

Euvrard (F.), histoire de l'École nationale d'arts et métiers de Châlons-sur-Marne, depuis sa fondation jusqu' à nos jours (1789 —1895). Châlons-sur-Marne, lib. de l'Union républicaine. VI, 258 S. illustr.

Lafenestre (G.) et Richtenberger (E.), la peinture en Europe. Bd. II. Belgique. Paris, May et Motteroz. 16⁰. XV, 401 S. illustr. fr. 10.
Vgl. Hist. Jahrb. XVI, 436.

Oettingen (W. v.), Daniel Chodowiecki. Ein Berliner Künstlerleben im 18. Jahrh. Mit Tafeln u. Illustr. im Text nach Originalen des Meisters. Berlin, Grote. 1895. IX, 314 S. ℳ 15.

Estignard (A.), Jean Gigoux, sa vie, ses oeuvres, ses collections. Illustré de 22 phototypies. Paris, Fischbacher. 1895. 142 S. fr. 16.
Eine Biographie des 1806 zu Besançon geborenen Malers, welcher ein Katalog von dessen Werken beigegeben ist.

Jonin (H.), Jean Gigoux (Artistes et gens de lettres de l'époque romantique). Paris, bureaux de l'Artiste. 134 S. illustr.

Neumann (W.), Karl August Senff. Mit d. Bildn. Senffs u. 6 Reprod. nach seinen Werken in Lichtdr. Reval, Kluge. 1895. VI, 48 S. ℳ 2,50.

Meyer (Jul.), zur Geschichte u. Kritik der modernen deutschen Kunst. Gesammelte Aufsätze. Hrsg. von C. Fiedler. Leipzig, Grunow. 1895. XXXII, 274 S. ℳ 5.

Weilbach (P.), nyt dansk Kunstner-Lexikon. I Kjobenhavn, Gyldendal. 196 S.

Lavignac (A.), la musique et les musiciens. Paris, Delagrave. 18⁰. X, 592 S. m. 94 Fig. fr. 5.

Bäumker (W), ein deutsches geistliches Liederbuch mit Melodien a. d. 15. Jahrh. nach einer HS. des Stiftes Hohenfurt hrsg. von —. Leipzig, Breitkopf & Härtel. 1895. XVIII, 98 S. *M* 3.

Dr. B., der verdienstvolle Hrsgb. des Monumentalwerkes „Das kathol. deutsche Kirchenlied in seinen Singweisen", vermittelt uns in vorliegender Schrift zahlreiche bisher ungedruckte geistliche Lieder aus dem MA. Die Sprache der alten Liedersammlung ist der bayerisch-österreichische Dialekt in der zweiten Hälfte des 15. Jahrh. B. fand die Lieder in einer Hf. des Cisterzienserstiftes Hohenfurt in Böhmen. Das Werk besteht aus zwei Teilen. Der erste enthält Wallfahrtsgesänge über die Kindheit und das bittere Leiden Christi: im zweiten Teil wird hauptsächlich die Bekehrung eines „großen Sünders" geschildert: dazu kommen noch mehrere Weihnachts- und Osterlieder. Die neue Publikation ist von mehrfachem Interesse. Vor allem liefert sie einen wertvollen Beitrag zur Musikgeschichte; es wird nämlich dadurch der alte Melodienschatz durch eine schöne Reihe unbekannter Nummern vermehrt. Auch der Philologe dürfte dem Hrsgb. zu danke verpflichtet sein. Endlich kann die mit einem umfassenden kritischen Apparat edierte Liedersammlung allen jenen, die sich für die religiöse Literatur des ausgehenden MA. interessieren, bestens empfohlen werden. N. P.

Schlösser (R.), vom Hamburger Nationaltheater zur Gothaer Hofbühne 1767—79. 13 Jahre aus der Entwickelg. eines deutschen Theaterplans. Hamburg, Voß. 1895. VII, 108 S. *M* 2,80. [Theatergeschichtl. Forschgn. Hrsg. v. B. Litzmann. XII.]
Vgl. Hist. Jahrb. XVI, 918.

Teuber (O.), Geschichte des Hofburgtheaters. H. 1 u. 2. Wien, Gesellsch. für vervielfältig. Kunst. Fol. S. 1—48 mit Abbildgn. u. 8 Taf. à *M* 6. [Die Theater Wiens. H. 6 u 7.]

Khevenhüller-Metsch (Fürst Jos.), zur Geschichte des Theaters am Wiener Hofe. Aus den Tagebüchern mitgeteilt v. L. Böck. Wien, Perles. 42 S. *M* 0,80.

Rabany (Ch.), Carlo Goldoni. Le théâtre et la vie en Italie au XVIIIe siècle. Paris, Berger-Levrault & Co. fr. 10.

Rolland (R.), histoire de l'opéra en Europe avant Lully et Scarlatti Paris, Thorin. 1895. 316 S. u. 15 S. Notenbeilagen. [Bibliothèque des écoles françaises d'Athènes et de Rome. Fasc. 71.]

Schmidt (L.), zur Geschichte der Märchenoper. Diff Halle, Hendel. 93 S. *M* 3.

Briefe hervorragender Zeitgenossen an Franz Liszt. Nach den HSS. des Weimarer Liszt-Museums m. Unterstützung v. Hille hrsg. v. La Mara. 2 Bde. 1. 1824—54. 2 1855—81. Leipzig, Breitkopf & Härtel. 1895. XII, 367 u. VIII, 377 S. *M* 12.

Kufferath (M.), le théâtre de R. Wagner de Tannhaeuser à Parsifal. Lohengrin, 4e édition. Bruxelles, Schott 12⁰. fr. 3,50.

Hébert (M.), das religiöse Gefühl im Werke Richard Wagners. Mit einer Einleitung von H. P. Frhr. v. Wolzogen Uebersetzt von A. Brunnemann. München, Schupp. 1895. 165 S. *M* 2.

Chamberlain (H. St.), Richard Wagner. Mit zahlreichen Porträts, Faksimiles, Illustr. u. Beilagen. München, Verlagsanstalt f. Kunst u. Wissenschaft. 1895. gr. 4⁰. XI, 368 S. *M* 24.

Prüfer (A.), die gegenwärtigen Aufgaben der Musikgeschichte. Vortrag. Leipzig, Fock. 20 S. *M* 0,30 [Aus: Musikal. Wochenbl.]

Literärgeschichte.

Scherr (J.), illustr. Geschichte der Weltliteratur. Ein Handbuch in zwei Bbn. 9. Aufl. v. O. Haggenmacher. Stuttgart, Franckh. 1895. X, 452 u. VI, 506 S. ℳ 16.

> Das Werk, dessen 1. Lfg. im Hist. Jahrb. XVI, 693 notiert wurde, ist hiemit abgeschlossen.

Mommsen (Th.), C. Julii Solini collectanea rerum memorabilium. Iterum recensuit —. Berolini, Weidmann. 1895. CVI S., 1 Bl., 276 S.

> Die Kompilation des aller Wahrscheinlichkeit nach um die Zeit des Valerianus und Gallienus schreibenden Solinus ist im wesentlichen ein geographisch geordneter und mit Zusätzen versehener Auszug aus der Naturgeschichte des Plinius und gewährt dem Historiker eine geringe Ausbeute. M.s Ausgabe war schon in der ersten, 1861 erschienenen Bearbeitung ein methodisches Meisterwerk, und der zweiten gegenüber drängt sich nur das eine Bedauern auf, daß die Unterschiede zwischen der früheren und späteren Fassung der grundlegenden Prolegomena nur durch fortlaufende Kollation der beiden Auflagen konstatiert werden können. In der Beurteilung der Quellen Solins weicht M. Schanz (in dem dritten, im Druck befindlichen Bande seiner Geschichte der römischen Literatur) von M.s Anschauung ab. Vgl. Wochenschr. f klass. Philol. 1896 Nr. 15.
> C. W.

Höfer (O.), de Prudentii poetae Psychomachia et carminum chronologia. Marburg, 1895. 60 S. 1 Bl. [Inaugural=Dissertation.]

> Der jugendliche Vf., ein Schüler Th. Birts, sucht nachzuweisen, daß sich Prudentius in allen seinen Dichtungen, besonders aber in der Psychomachie, von seinem Zeitgenossen Claudianus beeinflußt zeige und Cathemerinon, Peristephanon, contra Symmachum und Apotheosis (nur diese Gedichte sind nach H. in der 405 gedichteten Präfatio erwähnt) zwischen 401 und 405, Hamartigenia und Psychomachia bald nach 405 verfaßt habe. Die Benützung Claudians hat jedenfalls nicht in dem von H. angenommenen Grade stattgefunden (die Liste der Berührungen S. 24 ff. bedarf starker Reduktion), die Abfassung von Hamartigenie und Psychomachie nach der »praefatio« scheint mir völlig unannehmbar.
> C. W.

Holder (A.), Beowulf. IIb. Wortschatz mit sämtl. Stellennachweisen. Freiburg i. B., Mohr. 1895. 94 S. ℳ 2. [Aus: Germanischer Bücherschatz. 12 b.]

Courthope (W. J.), a history of English poetry. Vol. I. London, Macmillan. 463 S.

Wülker (R.), die Arthursage in der englischen Literatur. Progr. Leipzig, Edelmann. 4⁰. 39 S. ℳ 1.

Paludan (J.), Danmarks Literatur i middelaldern. Med henblik til det øvrige Nordens. Kopenhagen, Prior. IV, 272 S.

Gebert (W.), précis historique de la littérature française. Stuttgart, Hobbing & Büchle. ℳ 9.

Hofstetten (A.), Maria in der deutschen Dichtung des MA. Literarhist. Studie von —. Frankfurt, Fösser. 1895. 35 S. ℳ 0,50. [Frankfurter zeitgem. Broschüren. Bd. 16. H. 6.]

Becker (Ph. A.), die altfranzösische Wilhelmsage und ihre Beziehungen zu Wilhelm dem Heiligen. Studien über das Epos vom Moniage Guillaume. Halle, Niemeyer. 1895. V, 175 S. ℳ 4,40.

Meyer (P.), l'histoire de Guillaume le Maréchal, Comte de Striguil et de Pembroke, Régent d'Angleterre 1216—19. Poème Français publié pour la société de l'histoire de France par —. Bd. 1 u. 2. Paris, Renouard. 1891 u. 94. II, 366 S. u. 1 Taf. 390 S.
Das Werk ist auf 3 Bände berechnet; der letzte soll den kritischen Apparat ent= halten und namentlich sich auch mit der historischen Seite des Gedichtes befassen.

Mandalari (M.), anecdoti di storia bibliografia e critica. Catania, Galati. 1895. VIII, 217 S.
Hervorgehoben seien die Kapitel: Un altra fonte di storia medio-evale calabro sicula (dal Cod. greco 2072 della Bibl. vat. di Roma); La ›Commedia‹ in latino; Carlo Martello nella Divina Commedia; Il concetto dell' unità politica in Dante Allighieri; Dante e la Calabria, a proposito d'una re- cente pubblicazione.

Dominicis (A.), amori di Dante Alighieri con Beatrice Portinari; racconto storico. Firenze, tip. Saláni. 16⁰. 124 S.

Gatta (R.), il Paradiso dantesco, sue relazioni col pensiero cristiano e colla vita contemporanea. Torino, Paravia. 1894.

Carneri (B.), sechs Gesänge aus Dantes göttlicher Komödie, deutsch u. eingeleitet mit einem Versuch über die Anwendung der Alliteration bei Dante. Wien, Konegen. 59 S. M 1,20.

Noce (G. del), lo stige dantesco e i predicatori dell' antilimbo; canti III, VII e VIII dell' Inferno. Città di Castello, S. Lapi. 16⁰. 132 S. l. 0,80.

Reforgiato (V.), il sentimento della gloria in Dante Alighieri. Catania, Galati. 1895.

Lubin (A.), Dante e gli astronomi italiani. Dante e la Donna Gentile. Trieste, Tipogr. Balestra. 1895. 159 S.

Papini (L.), Dante Alighieri e la musica. Venezia Olschki. 4⁰. 25 S.

Scartazzini (J. A.), Dante. Berlin, Hofmann & Co. VII, 236 S. mit Bildniß. M 2,40. [Aus: Geisteshelden. (Führende Geister.) Eine Sammlg. v. Biographien. Hrsg. v. A. Bettelheim. Bd. 21. (Der IV. Sammlg. 3. Bd.)]

Lisio (G.), studio su la forma metrica della canzone italiana nel secolo XIII. Imola, Galeati. 48 S.

Petrarca (F.), il canzonniere, cronologicamente riordinato da L. Mas- cetta, con illustr. storiche e un comento novissimo, per cura del medesimo. Vol. I. Lanciano, Carabba. 16⁰. LXXV, 526 S. l. 6.

Penco (E.), storia della letteratura italiana. Vol. III. Francesco Petrarca. Siena, tip. Bernardino. 1895.
Der 2. Band erschien bereits 1893 und behandelte Dante (a. a. O. 549 S. 4 fr.).

Boccacio de claris mulieribus. Deutsch übersetzt von Steinhöwel. Hrsg. v. K. Drescher. Tübingen, liter. Verein. 1895. LXXVI, 341 S. [Biblioth. des literar. Ver. in Stuttgart. 205. Publikation.]
Die umfangreiche Einleitung verbreitet sich über die Hss. und Drucke.

Dalla Santa (G.), una lettera di Giovanni Lorenzi al celebre uma- nista Demetrio Calcondila. Venezia, tip. già Cordella, 1895.

Bolte (J.), die schöne Magelone, aus dem Französischen übersetzt von Veit Warbeck 1527. Nach der Orig.-HS. hrsg. v. —. Weimar, Felber. 1894. LXVII, 87 S. ℳ 3. [Bibl. älterer deutscher Uebersetzungen. (Sauer) 1.]

Bachmann (A.), die Haimonskinder in deutscher Uebersetzung des 16. Jahrhunderts. Hrsg. von —. Tübingen, Liter. Verein. 1895. XXIII, 310 S. [Biblioth. des literar. Ver. in Stuttgart. 206. Publikation]

Der hier abgedruckte Prosaroman bildet den zweiten Teil der Aarauer Hs. Bibl. Zurl. 41. Die Einleitung weist die Vorlage d. Uebersetzers nach. Näheres bietet die Einleitung zum ersten Teil der Aarauer Hs. „Morgant der riese" [189te Publikation des literar. Vereins].

Zenker (R.), das Epos von Isembard und Gormund. Sein Inhalt und seine historischen Grundlagen. Nebst einer metrischen Uebersetzung des Brüsseler Fragments. Halle a. S., Niemeyer. ℳ 5,50. [Romanische Bibliothek, hrsg. v. W. Förster, Nr. 13.]

—, Gedichte des Folquet v. Romans. Halle a. S., Niemeyer. VIII, 91 S. ℳ 2,40. [Roman. Bibl., Nr. 12.]

Blois (R. v.), sämtliche Werke. Zum erstenmale hrsg. von J. Ulrich. Berlin, Mayer & Müller. 1889—95. 3 Bde. XIX, 136; I, 150; XXXIII, 129 S. à ℳ 3.

Keidel (G. C.), the „Evangile aux femmes" an old-french satire on women edited with introduction and notes by —. June 1895. Baltimore, the Friendenwald Company. 1895. 95 S.

Lammens (Henry S. J.), le chantre des Omiades. Notes biographiques et littéraires sur le poète arabe chrétien Ahtal. Paris, Impr. nationale. 1895. 208 S. [Extrait du Journal asiatique.]

Inhalt: 1) La tribu et le pays de Taglib. 2) Naissance et jeunesse d'Ahtal. 3) Religion d'A. 4) Mariage d'A. 5) A. et les Omiades. 6) A. et la poésie arabe. 7) A. et Garîr. 8) A. et Farazdaq. 9) La question religieuse sous les Omiades. 10) Guerre de Qais et de Taglib. 11) A. et Sa'bî. 12) A. en Mésopotamie. 13) La corporation des ›Râwia‹. 14) Mort d'A. 15) La tribu de Taglib après A.

Varnhagen (H.), Lautrecho, eine italienische Dichtung des Francesco Mantovano aus den J. 1521—23. Nebst einer Gesch. des französ. Feldzuges gegen Mailand i. J. 1522. Erlangen, Junge. gr. 4⁰. IV, CVIII, 40 S. ℳ 5.

Vgl. hierzu die Notiz zu des Vfs. Schrift im Hist. Jahrb. XVI, 926.

Romizi (A.), le fonti latine dell' Orlando Furioso. Torino, Paravia. 16⁰. 181 S. I. 3.

Arrigoni (O.), Torquato Tasso non dimoro nel monastero dei padri olivetani di s. Benedetto Novello in Padova. Padova, tip. Prosperini. 12 S.

Nobili (Fl.), il trattato dell' amore humano, con le postille autografe di Torquato Tasso pulbicato da P. D. Pasolini in occasione del terzo centenario della morte del poeta. Roma, Loescher. CXX, carte 115 S. con tav. e 5 facs.

Ott (K.), über Murners Verhältnis zu Geiler. Bonn, Hanstein. 103 S. ℳ 1,50. [Aus: Alemannia.]

Steinhausen (G.), Briefwechsel Balthasar Paumgartners des Jüngeren mit seiner Gattin Magdalena, geb. Behaim (1582—98). Tübingen, Literar. Verein. 1895. IX, 304 S. [Bibl. des literar. Vereins in Stuttgart, 204. Publikation.]

Dixon (Th. S. E.), Francis Bacon and his Shakespeare. Chicago, Sargent Pub. Co. 461 S.

Tetzlaff (A.), die Shakespeare-Baconfrage. In ihrer histor. Entwicklung bis zum heutigen Stande populär = wissenschaftlich dargestellt. Hrsg. vom Stud. Shakespeareverein zu Halle a. S. ℳ 1.

Sievers (E. W.), Shakespeares zweiter mittelalterlicher Dramencyclus. Mit einer Einleitung von W. Wetz. Berlin, Reuther & Reichard: XXV, 256 S. ℳ 5.

Watts (H. E.), Miguel de Cervantes: his life and works. London, Black. 306 S.

Michels (B.), Studien über die ältesten deutschen Fastnachtsspiele. Straß-burg, Trübner, Berl. XI, 248 S. ℳ 6,50. [Quellen u. Forschungen zur Sprach- und Kulturgesch. der germanischen Völker. Hrsg. von A. Brandl, E. Martin, E. Schmidt. H. 77.]

Kostić (L.), südslavische Volksschauspiele primitivster Art. Wien, Gerolds Sohn in Komm. 1895. Lex.=8⁰. 6 S. ℳ 0,30. [Aus: Wissen-schaftliche Mitteilungen aus Bosnien und der Herzegowina, Bd. 3.]

Lucianovic (M.), letteratura popolare dei croati-serbi. Trieste, tip. Pastori. 16⁰. 82 S. l. l.

Schwering (J.), zur Geschichte des niederländischen und spanischen Dramas in Deutschland. Neue Forschungen. Münster i. W., Coppenrath. 1895. 100 S. ℳ 2.

Bahlmann (P.), Jesuitendramen der niederrheinischen Ordensprovinz. Leipzig, Harrassowitz. 1895. IV, 351 S. ℳ 15. [Centralblatt f. Bibliothekswesen. Hrsg. v. O. Hartwig. Beihefte XV.)

Silesius (A.), cherubinischer Wandersmann. (Geistreiche Sinn= und Schlußreime.). Abdruck der 1. Ausgabe von 1657. Mit Hinzufügung des 6. Buches nach der 2. Ausgabe von 1675. Hrsg. v. G. Ellinger. Halle a. S., Niemeyer. 1895. LXXIX, 174 S. ℳ 2,40.

Hémon (F.), études littéraires et morales. 1ʳᵉ série. Paris, Dela-grave. 415 S.

Aus dem Inhalt seien notiert die Kapitel: Die ersten Schauspiele Corneilles; die antiken modernen und individuellen Elemente in der Pädagogik Montaignes; Louis IX und Joinville; Ferdinand Brunetière und Bossuet.

Betz (L. P.), Pierre Bayle und die „Nouvelles de la République des Lettres" (erste populärwissenschaftliche Zeitschrift) 1684—87. Mit einem Faksimile des Titelblattes der Zeitschrift. Zürich, Müller. XVI, 132 S. ℳ 4.

Sorel (A.), Montesquieu. Deutsch v. A. Kreßner. Berlin, Hofmann & Co. V, 156 S. m. 1 Taf. ℳ 2,40. [Geisteshelden. (Führende Geister.) Eine Sammlung von Biographien. Hrsg. von A. Bettel-heim. Bd. 20. (Der 4. Sammlung 2. Bd.)]

Barnstorff (J.), Youngs Nachtgedanken und ihr Einfluß auf die deutsche Literatur. Mit einem Vorwort von F. Muncker. Bamberg, Buchner Verlag. 1895. VII, 87 S. M. 0,80.

Cardo (Giulio), Vincenzo Benino, medico, filosofo, poeta, letterato e stampatore del secolo XVIII. Venezia, tip. fra Compositori tipografi. 16⁰. 54 S.

Roger-Milès (L.), lettres galantes d'une femme de qualité. 1760—70. Paris, Testard. 16⁰. XXVI, 208 S. illustr. fr. 4.

Tronchin (H.), le conseiller François Tronchin et ses amis Voltaire, Diderot, Grimm, etc. Paris, Plon et Nourrit. 403 S. fr. 7,50.

Texte (J.), Jean-Jacques Rousseau et les origines du cosmopolitisme littéraire. Paris, Hachette. 16⁰. XXIV, 466 S. fr. 3,50.

Stoppani (Ant.), i primi anni di Alessandro Manzoni; spigolature, con aggiunta di alcune poesie inedite o poco note' delle stesso A. Manzoni. Milano, L. F. Cogliati. 16⁰. 256 S. 1. 2.50.

Schüddekopf (K.), Briefwechsel zwischen Gleim und Heinse. 2. Hälfte. Weimar, E. Felber. VIII, 307 S. M 5. [Quellenschriften zur neueren deutschen Literatur- u. Geistesgesch. Hrsg. v. A. Leitzmann. IV.]

Grucker (É.), Lessing. Nancy, Berger-Levrault fr. 8.

Heinemann (K.), Goethes Mutter. Ein Lebensbild nach den Quellen. 5. Aufl. Mit vielen Abbildungen in und außer dem Text u. 4 Heliogravuren. Leipzig, Seemann. 1895. XII, 358 S. M. 6,50.

Dechent (H.), Goethes Schöne Seele Susanna Katharina v. Klettenberg. Ein Lebensbild, im Anschlusse an eine Sonderausg. der Bekenntnisse e. schönen Seele entworfen. Gotha, Perthes. 1895. VII, 231 S. M. 3,60.

Conrad (H.), Heinrich v. Kleist als Mensch u. Dichter. Vortrag. Berlin, Walther. 40 S. M. 0,80.

Bottermann (W.), die Beziehungen des Dramatikers Achim v. Arnim zur altdeutschen Literatur. Diff. Göttingen, Peppmüller. 87 S. M. 1,20.

Foà (A.), studi di letteratura tedesca. Firenze, successori Le Monnier. 1895. IV, 467 S.

    Inhalt: Enriko di Veldeke e la sua Eneide. — L'ideale estetico di Federigo Schiller. — Libertà e sorte secondo Federigo Schiller. — Dalla ›Primavera d'amore‹ di Federigo Rückert.

Kern (R.), Beiträge zu einer Charakteristik des Dichters Tiedge. Berlin, Speyer & Peters 1895. 81 S. M. 1,80.

Naffen, (J.), Heinrich Heines Familienleben. 1. Tl.: Heines Beziehungen zu Mutter, Schwester und Gattin. Zum erstenmale nach sämtlichen vom Dichter selbst vorliegenden Nachrichten und mit Berücksichtigung aller dem Vf. über diesen Gegenstand bekannt gewordenen Schriften kritisch dargestellt. Fulda, Fuldaer Aktiendruckerei in Komm. 1895. IV, 168 S. M. 2,30.

Wilbrandt (A.), Hölderlin. Reuter. 2. Aufl. Berlin, Hofmann & Co. 155 S. m. 4 Bildnissen. M. 2,40. [Geisteshelden (Führende Geister.)

Eine Sammlung von Biographien. Hrsg. von A. Bettelheim.
Bd. 2 u. 3. 1. Sammlung.]

Gaedertz (K. Th.), aus Fritz Reuters jungen und alten Tagen	Neues
über des Dichters Leben u. Werden, an der Hand ungedruckter Briefe
und kleiner Dichtungen mitgeteilt. Mit Reuters Selbstporträt aus
seiner Haft in der Berliner Hausvogtei, sowie zahlreichen Bildnissen
und Ansichten, zum teil nach Orig.-Zeichngn. v. L. Pietsch u. Fr. Reuter.
Wismar, Hinstorffs Verl. XIV, 154 S.	M. 3.

Reuter (Fr.), Briefe an seinen Vater aus der Schüler-, Studenten und
Festungszeit (1827—41) Hrsg. v. Fr. Engel. 2 Bde. Mit 12 Faff.
Braunschweig, Westermann 1895. VIII, 232 u. VIII, 267 S.

Römer (A.), Fritz Reuter in seinem Leben und Schaffen. Mit Erinnerungen persönlicher Freunde des Dichters u. anderen Ueberliefergn.
Zeichngn. v. F. Reuter. Illustr. v. F. Greve. Berlin, Mayer & Müller.
III, 249 S.	M. 4.

Rabenlechner (M.), Hamerling. Sein Leben u. seine Werke. Mit Benutzung ungedr. Materials. Bd. 1: Hamerlings Jugend. Nach den
nächsten Quellen u. unter Mitteilung von zahlr. bisher unveröffentl.
Dichtgn., Tagebuchbl. u. Briefen R. Hamerlings. Mit d. Abbildg.
v. Hamerlings Geburtshaus u. 1 Faff. Hamburg, Verlagsanst. u.
Druck. XIV, 432 S. 1895. M. 5.

Herwegh (M.), Briefe von u. an Georg Herwegh. Ferd. Lassalles
Briefe an Gg. Herwegh. Nebst Brief. d. Gräf. Sophie Hatzfeldt an
Frau Emma Herwegh. Hrsg. v. —. Mit 1 Bild u. Brief Lassalles.
Zürich, Müller. VII, 163 S.	M. 3.

Werner (M.), kleine Beiträge zur Würdigung Alfred de Muffets (poésies
nouvelles). Berlin, Vogt. 1895. 161 S. m. Abbildgn ℳ 3,60.
[Beiträge, Berliner, zur german. u. roman. Philologie, veröffentl. v.
E. Ebering. Roman. Abtl. Nr. 4.]

Gilbert (E.), le roman en France pendant le XIXe siècle. Paris,
Plon et Nourrit. 18⁰. 463 S. fr. 3,50.

Rousse (J.), la poésie bretonne au XIXe siècle. Ouvrage orné de
23 portraits. Paris, Lethielleux. 12⁰. 300 S. fr. 3,50.

Bujeaud (J.), chants et Chansons populaires des provinces de l'Onest
(Poitou, Saintonge, Aunis et Angoumois), avec les airs originaux,
recueillis et annotés par —. 2. vol. Niort, Clouzot. 340, 375 S.

Loise (F.), histoire de la poésie mise en rapport avec la civilisation
en Italie depuis les origines jusqu' à nos jours. Paris, Fontemoing. fr. 5.

Vaß (B.), das Leben Stefan Horvát's. (Ungar.) Budapest, Verl. d.
Ungar. Akademie. 1895. VIII und 514 S. fl. 3.

Beöthy (J.), Geschichte der ungar. Literatur. (Ungar.) In 2 Bdn.
Budapest, Athenäum. M. 16.
Bd. 1 reicht bis zum Auftreten Bessenyeis, Bd. II bis zum Ausgleich 1867.
Das reich illustr. Werk enthält eine Reihe von Spezialarbeiten hervorragender
Literaturhistoriker.

Berdrow (O.), Frauenbilder aus der neueren deutschen Literaturgeschichte. Mit 10 Porträts in Lichtdr. Stuttgart, Greiner & Pfeiffer. 1895. VIII, 280 S. *M.* 6.

Zimmermann (G.), fürstliche Schriftsteller des 19. Jahrhs. Berlin, Peck. 1895. Fol. 152 u. IV S. mit 9 Kpfrst. Geb. in Leinw. Subskr.-Pr. *M.* 20; Ladenpr. *M.* 30.

Brandes (G.), die Hauptströmungen der Literatur des 19. Jahrhs. Vorlesungen gehalten an der Kopenhagener Universität. Uebersetzt und eingeleitet v A. Strodtmann. Bd. 3—6. 4. Aufl. Leipzig, Barsdorf. 1893—96. VIII, 242; VII, 380; V, 348 u. Generalreg. XV S.; IV, 222 S. *M.* 3,50; 4,50; 5,50; 6.

> Die im Hist. Jahrb. XIV, 942 angezeigten Lfgn. 1—6 dieses Werkes bilden Bd. 1 u. 2. Das nunmehr abgeschlossene Werk behandelt: Bd. 3. Die Reaktion in Frankreich. Bd. 4. Der Naturalismus in England. Die Seeschule. Byron und seine Gruppe. Bd. 5. Die romantische Schule in Frankreich. Uebers. von W. Rudow. Bd. 6. Das junge Deutschland. Uebers. von A. v. d. Linden.

Holder (A.), Geschichte der schwäb. Dialektdichtung, mit vielen Bildnissen mundartlicher Dichter u. Forscher. Offenbarungen unseres stammheitl. Volks- und Sprachgeistes aus drei Jahrh., kulturgeschichtlich beleuchtet. Heilbronn, Kielmann. XVI, 245 S. *M.* 4.

Scherer (F. J.), die Kaiseridee des deutschen Volkes in Liedern seiner Dichter seit d. J. 1806. Arnsberg, Becker. 32 S. mit 1 Bild. *M.* 0,60.

> Abdruck seines Arnsberger Gymnasialprogramms vom J. 1876, das in seinem bescheidenen Umfange dem Thema natürlich nicht gerecht werden konnte. An sich ist die Gruppierung nicht ungeschickt und das Schriftchen zur Verbreitung in weiteren Kreisen, namentlich an höheren Schulen wohl geeignet.   F. K.

Jähns (M.), der Vaterlandsgedanke und die deutsche Dichtung. Ein Rückblick bei der Feier des viertelhundertjährigen Bestehens des neuen deutschen Reiches. Berlin, Gebr. Paetel. 199 S. *M.* 3.

> Eine ziemlich reiche Auswahl von deutschen vaterländischen Dichtungen stellt J. hier zusammen. In edler Sprache und mit warmem Gefühl schildert er, wie sich der Vaterlandsgedanke in demselben im Laufe der Zeit ausdrückte. Das populär gehaltene Büchlein konnte und sollte auch wohl nicht das überaus ansprechende Thema erschöpfend behandeln; dazu hätte vor allem gehört, daß Vf. auf einer knappen und klaren Entwicklungsgeschichte des deutschen Nationalgefühles, zu der K. G. Schultheiß schon reiches Material unlängst zusammentrug, seine Darstellung aufgebaut hätte. Ueberhaupt hätte eine Kapiteleinteilung der Schrift mehr Uebersicht und Anschaulichkeit gegeben. Ferner hätte Vf., wenn er sein Thema allseitig behandeln wollte, sich nicht damit begnügen dürfen, nur die deutsch-patriotischen Dichterstimmen zu sammeln; er hätte auch darstellen müssen, wie die Dichtung von dem Gefühle der Gleichgiltigkeit oder gar Unkenntnis in allen Fragen nationaler Natur allmählich dazu übergeht, den erwachenden Nationalitätsgedanken einzukleiden. Der Versuch einer solchen genetischen Entwicklungsgeschichte des Vfs. ist nicht gerade glücklich und auch nicht konsequent durchgeführt. Namentlich hätte schon der Form halber der maßlose Ausfall gegen den „neurömischen Geist der katholischen Hierarchie im Investiturstreite" fortbleiben dürfen. Für die Zeit der Minnesänger hätte K. Menge, Kaisertum und Kaiser bei den Minnesängern (Progr des Marcellengymn. in Köln 1879/80) noch Material geboten; für die neuere Zeit hätten die Studien von E. Koch (1886) und P. Lemcke (1882) zur deutschen Kaisersage verwendet werden können, ebenso Scherers obengenannte Schrift. Das Gedicht S. 38 auf Karl V ist nur eine Uebersetzung aus einem lateinischen Texte des Barthol. Cotton aus dem 13. Jahrh.   F. K.

Dove (A.), Ranke u. Sybel in ihrem Verhältnis zu König Max. Festrede. München, Franz' Verl. in Komm. gr. 4⁰. 27 S. ℳ 0,80.

*Ritter (M.), Leopold von Ranke. Seine Geistesentwicklung und seine Geschichtschreibung. Stuttgart, Cotta. Lexikon=8⁰. 32 S. ℳ 1. [Rektoratsrede am 18. Oktober 1895.]

Ranke schwankte zwischen dem Studium der Theologie und der Philologie; er begann mit ersterem und endigte mit letzterem. Aber als Gymnasiallehrer in Frankfurt a. O. begnügte er sich schon nicht, den fertig überlieferten Lehrstoff nach Handbüchern vorzutragen, sondern ging auf die Quellen zurück, ließ die alten Autoren, die Geschichtschreiber des MA. und der Neuzeit interpretieren, und wurde so, ohne es ursprünglich beabsichtigt zu haben, zum Geschichtsforscher. Seine religiösen Anschauungen · wurden durch Fichte beeinflußt. Fichtesche Ge= danken waren es auch, welche ihn zur Erkenntnis von der Bedeutung und dem Werte der geeinten Nation und des Staates führten. Daneben erkannte er wohl, daß die christlichen Völker gemeinsame Lebensziele verfolgen, und daß deshalb die christliche Religion die Nationalitäten in höheren Zielen vereinigte. Die Kirche, die „Pflegerin des höchsten menschlichen Gemeingutes", mußte daher mit dem Staate, da beide auf Selbständigkeit eifersüchtig waren, rivalisieren. Der Wechsel zwischen Streit und Ausgleich, meint Ranke, ist ihr natürliches Ver= hältnis. Das philosophische und religiöse Interesse, schrieb er i. J. 1830, ist es „ganz allein, was mich zur Historie getrieben hat". Deshalb auch hat er vor allem dem Studium der Reformation sein Interesse zugewandt, und es war wieder ein Gedanke, den auch Fichte vertreten hatte, wenn er das Papsttum und die „römische Hierarchie" als eine einseitige Ausprägung des Christentums auf= faßte, die die Reformation, aus „den tiefsten und eigensten geistigen Trieben der deutschen Nation" hervorgegangen, durch den Geist der deutschen Nation geläutert habe. R. erläutert darauf, was Ranke unter den Begriffen „Kultur, Nation und Fortschritt" versteht, und gibt damit den Schlüssel zu Rankes Geschichts= auffassung. Ranke schied strenge zwischen originalen und abgeleiteten Quellen und wandte sich daher vor allem der archivalischen Forschung zu, wo das Durch= denken des durch das Aktensammeln gewonnenen Stoffes und die Gestaltung desselben sein Hauptbestreben blieb. R. bezeichnet ihn daher als den größten kombinatorischen Geschichtschreiber. Solche Kombinationen werden natürlich mit der wechselnden Fülle des Aktenmaterials gar mancher Umgestaltungen und Er= gänzungen bedürfen. Zum Schlusse seiner Rede weist R. auf die Rastlosigkeit und den universalen Zug in Rankes Forschung hin, der als 81jähr. Greis noch die Abfassung einer Weltgeschichte begann und sie in den nächsten 9 Jahren auf sieben Bände brachte.   A. M.

Meister (F.), Erinnerungen an Johannes Janssen. 3. Aufl. Frank= furt a. M., Foessers Nachf. XV, 211 S. mit 1 Bildnis. ℳ 2,25.

Meyer v. Knonau (G.), Lebensbild des Prof. Georg von Wyß (geb. 1816, gest. 1893). Zürich, Fäsi u. Beer. 4⁰. 84, 123 S. mit 2 Porträts. ℳ 6. [Separatausgabe der Neujahrsblätter LVIII u. LIX (1895 u. 1896) zum Besten des Waisenhauses in Zürich]

Sehr interessant durch die Auszüge aus dem reichhaltigen Briefwechsel G. v. W.s mit seinen Verwandten und Freunden, Wenck, Baucher, Wartmann, von Giesebrecht, von Weech, Fiala u. a. Eingehend wird neben der politischen Wirksamkeit und Anschauung des Verstorbenen seine Thätigkeit auf dem Gebiete der Wissenschaft vorgeführt, als Professor, Mitglied der Münch. histor. Komm., Präsident der schweiz. geschichtsforsch. Gesellschaft, seine Mitarbeit an der Allgem. deutschen Biographie, am schweizer. Idiotikon, den Urkundenbüchern von St. Gallen und Zürich usw. In religiöser Hinsicht stand er mit Ueberzeugung zu Zwingli, was ihn nicht hinderte, mit katholischen Geistlichen in freundschaftlichem Verkehr zu stehen.   P. G. M.

Casati (C.), Cesare Cantù, secondo i giudizî di alcuni contemporanei:

Giunio Bazzoni, A. Bianchi-Giovini, A. Brofferio, F. De Sanctis, A. Monti, G. B. Niccolini, A. Roux, G. Rovani, G. Uberti. Milano, Levino Robecchi. 16⁰. 126 S. l. 1,50.

S t e p h e n s , the life and letters of E. A. F r e e m a n. 2 vol. Paris, Macmillan et Co.

Kachnik (J.), historia philosophiae. Olmütz, Promberger. III, 113 S. M. 2.

Willmann (O.), Geschichte des Idealismus. (In 3 Bdn.) Bd. 2. Der Idealismus der Kirchenväter und der Realismus der Scholastiker. Braunschweig, Vieweg & Sohn. VI, 652 S. M. 9.
Vgl. Hist. Jahrb. XVI, 174.

M a n s e r (J. A.), possibilitas praemotionis physicae in actibus liberis naturalibus juxta mentem divi Aquinatis. Diss. Freiburg (Schweiz), Universitätsbuchh. 85 S. M. 0,80.

W u l f (Maurice de), histoire de la philosophie scolastique dans les Pays-Bas et la principauté de Liège jusqu' à la Révolution française. Bruxelles, Hayez. 1894. XX, 404 S. [Mémoires couronnés publiés par l'académie royale. Collect. in 8⁰. Tom. 51.]
Der erste Teil behandelt ›La philosophie scolastique dans les Pays-Bas et la principauté de Liège jusqu' à la création des universités nationales.‹ Darin die Kapitel: 1) Les débuts de la vie philosophique jusqu' à la fin du 11. siècle [die Schulen von Utrecht und Lüttich, Odon de Tournai]. 2) Les écoles philosophiques du 12. siècle. 3) Henri de Gand [Oeuvres, doctrines]. 4) Le 13. et 14. siècle [l'averroïste Siger de Brabant; les représentants de l'école thomiste]. — Der zweite Teil: ›La philosophie scolastique dans les Pays-Bas et la principauté de Liège depuis la création des universités‹ zerfällt in die Kapitel: 1) Coup d'oeil général sur les établissements philosophiques dans les Pays-Bas. 2) Dominique de Flandre, Pierre et Georges de Bruxelles, Jean Dullaert. 3) La scolastique et les hommes de la Renaissance. 4) La scolastique et le Cartésianisme. 5) Les Jésuites et les universités. 6) Galilée et l'enseignement scientifique au 13. et 18. siècles. 7) La scolastique au 18. siècle.

S t r ü m p e l l (L.), Abhandlgn. zur Geschichte der Metaphysik, Psychologie u. Religionsphilosophie in Deutschland seit Leibniz. 4 Hefte. Leipzig, Deichert Nachf. M 5,25.
Inhalt: 1) Gottfried Wilh. Leibniz u. die Hauptstücke seiner Metaphysik, Psychologie u. Religionsphilosophie. VI, 91 S. M. 1,60. — 2. De methodo philosophica commentatio. — Die Metaphysik Herbarts nach ihren Prinzipien u. in ihrem Verlaufe geschildert. 64 S. M. 1,00. — 3. Die wirklichen u. wesentlichen Bestandteile der Welt, von denen das in ihr stattfindende Geschehen herkommt. — Joh. Friedr Herbarts Theorie der Störungen u. Selbsterhaltungen der realen Wesen, dargestellt nach ihrer histor. und systemat. Begründung. — Das Problem der Kausalität und die Frage nach dem Ursprunge d. Geschehens. Der Kausalitätsbegriff und sein metaphysischer Gebrauch in der Naturwissenschaft. 134 S. M. 2,40. — 4. Die intellektuellen Verhältnisse der Welt. — Von der Schöpfung, Erhaltung, Regierung der Welt und von der Vorsehung. — Gott und die Kategorien der Endlichkeit und Unendlichkeit. 71 S. M. 1,00.

Franz (J.), das Lehrbuch der Metaphysik f. Kaiser Josef II. Verf. v. —. Zum ersten Male nach dem in der Allerh. k. k. Privat= u. Familienbibliothek befindl. Originale hrsg. u. m. Benützung der im k. k. Haus=, Hof= u. Staatsarchive befindl. u. anderer ungedr. u. gedr. Quellen

philosophiegeschichtlich erläutert durch Fr. Thom. M. Wehofer,
O. Praed. Paderborn, Schöningh. IX, 168 S. ℳ 2,60. [Jahr=
buch f Philosophie u. spekulative Theologie. 2. Ergänzungsheft.]

Rosenberger (F.), Isaak Newton u. seine physikal. Prinzipien. Leipzig,
Barth. 536 S. mit 25 Abbildgn. ℳ 13,50.

Hume (D.), Traktat über die menschliche Natur (Treatise on human
nature). Tl. 1. Ueber den Verstand. Uebersetzt von E. Köttgen.
Die Uebersetzung überarbeitet und mit Anmerkungen und einem Register
versehen v. Theod. Lipps. Hamburg, Voß. 1895. VIII, 380 S. ℳ 6.

Aguanno (G. d'), la filosofia etico-giuridica da Kant a Spencer. I. Il
criticismo kantiano. Palermo, Reber. 65 S. 1. 2.

Tumarkin (Anna), Herder u. Kant. Bern, Siebert. 110 S. ℳ 1,75.
[Aus: Berner Studien zur Philosophie u. ihrer Geschichte. Hrsg.
v. L. Stein. Bd. 1.]

Adickes (E.), Kant=Studien. Kiel, Lipsius & Tischer. 1895. 4°. 185 S.
ℳ. 4.

Crämer (O.), Arthur Schopenhauers Lehre von der Schuld in ethischer
Beziehung. Heidelberg. Diss. 48 S.

Faggi (A.), Eduardo Hartmann e l'estetica tedesca. Firenze, tip.
Bonducciana A. Meozzi. IV, 92 S. fr. 2.

Plechanow (G.), Beiträge zur Geschichte des Materialismus. 1. Holbach.
2. Helvetius. 3. Marx. Stuttgart, Dietz. VIII, 264 S. ℳ 3,50.

Schneider (W.), die Sittlichkeit im Lichte der Darwinschen Entwickelungs=
lehre. Progr. Paderborn, Schöningh. V, 200 S. ℳ 3,60.

Vogt (C.), aus meinem Leben. Erinnerungen u. Rückblicke. Stuttgart,
Nägele. 1895. VI, 202 S. mit Bildnis. ℳ 4,50.

Falkenberg (R.), history of modern philosophy from Nicolas of
Cusa to the present time. Translated by A. C. Armstrong.
London, Bell. 672 S.

Höffding (H.), Geschichte der neueren Philosophie. Eine Darstellg. der
Geschichte der Philosophie von dem Ende der Renaissance bis zu
unseren Tagen. Bd. 1. Unter Mitwirkung des Vf. aus dem Dän.
übers. von F. Bendixen. Leipzig, Reisland. 1895. XV, 587 S.
ℳ 10.

Paulsen (Frdr.), Geschichte des gelehrten Unterrichtes auf den deutschen
Schulen und Universitäten vom Ausgang des Mittelalters bis zur
Gegenwart. Mit besond. Rücksicht auf den klass. Unterricht. 2. um=
gearb. u. sehr erweit. Aufl. (In 2 Bdn.) 1. u. 2. Halbbd. Leipzig,
Veit & Co. Bd. 1. XXIV, 608 S. ℳ. 14.

Paulsen (F.), the german universities, their character and historical
development. Authorized translation by Prof. Edward Delavan
Perry with an introduction by Nicholas Murray Butler. New-
York, 1895. Macmillan & Co. XXXI, 254 S.

Erler (G.), die Matrikel der Universität Leipzig. Im Auftrage der

k. sächsischen Staatsregierung hrsg. von —. Bd. 1: Die Immatriku=
lationen von 1409—1559. Mit 8 Tafeln in Farbendr. Leipzig,
Giesecke & Devrient. 1895. 4⁰. XCVII, 752 S. [Codex diplomaticus Saxoniae Regiae, hrsg. von O. Posse u. H. Ermisch.
2. Hauptteil. Bd. XVI.]

Den verschiedenen Veröffentlichungen der Matrikeln deutscher Universitäten schließt
sich nun auch Leipzig an. Während der erste Band erschien, wurde der zweite
schon in Druck gegeben, und der dritte (Indices) ist sozusagen im Manuskript
abgeschlossen. Der erste Band enthält zunächst ein kurzes Vorwort, daran
reiht sich die Einleitung in neun Abschnitten über folgende Fragen: I. Die
Handschriften und ihre Ausstattung. II. Die Immatrikulationen.
Die Leipziger Statuten schließen sich hinsichtlich des Inskriptionszwanges genau
an die Prager an, wonach alle Studenten und Universitätsverwandte dem Rektor
den Eid leisten und sich intitulieren lassen mußten. Erst 1543 wird eine Strafe
von drei Gulden vorgesehen, wenn ein Universitätsangehöriger einen nicht
immatrikulierten Studenten länger als einen Monat im Hause behält. Die
Einschreibung geschah nicht sofort, sondern wegen der Eintragung nach Nationen
später; so kam es denn, daß die Rektoren die Eidesleistung erst auf Zettel ver=
merkten. In Anlehnung an Prag hat man in Leipzig die Bestimmung getroffen, daß alle Mitglieder der Hochschule in die an Rechten einander völlig
gleichstehenden vier Nationen der Meißner, Sachsen, Bayern und Polen zer=
fallen und an dieser bestimmten Reihenfolge der Nationen festgehalten werde.
Geographisch wird die Frage später abgegrenzt und zwar durch Gewohnheit
und Uebung als durch förmliche schriftliche Auseinandersetzung. Im J. 1520
tritt eine Aenderung in der Zugehörigkeit zu einzelnen Nationen ein durch ein
Mandat des Herzogs Georg. Mit der Annahme des Protestantismus durch die
Hochschule verschiebt sich die Frequenz von Seiten der bayerischen Nation und
weiterhin zwischen 1554—59 wird Leipzig aus einer allgemeinen deutschen Uni=
versität eine solche mit einem mehr territorialen Charakter. Denn in der angegebenen Zeit werden neben 809 Meißnern nur 253 Bayern, 244 Polen und
239 Sachsen immatrikuliert. Von den ersten 16 Rektoren sind den Sachsen und
Meißnern je 4, den Polen 5 und den Bayern nur 3 zugefallen. Ihrem Drängen
ist es darum zuzuschreiben, wenn jetzt im Rektorat die Reihenfolge eingehalten
wird: Meißner, Sachsen, Bayern, Polen und zwar bis zum 60. Rektorat. Dann
wurde die Reihenfolge: Sachsen, Meißner, Bayern, Polen, infolge Belehnung
des Hauses Wettin mit dem Herzogtume Sachsen und der Kurwürde. Unabhängig von diesen Aenderungen blieb die Reihenfolge der Eintragung in die
Matrikel die frühere. III. Die Form der Eintragung. IV. Höhe der
Gebühr und Münzsorten. In Anlehnung an Prag werden 6 grossi als
Gebühr festgesetzt, die 1436 auf 10 Groschen erhöht wurde und 1545 auf 10¹⁄₂.
V. Die Eidesleistung. Jeder Student muß vor der Einschreibung den
Universitätseid leisten. Aus den Statuten von 1543 erhellt, daß der Rektor
Knaben, deren Alter und Verständnis die Vereidigung noch nicht zuläßt, nach
vorausgegangener Belehrung über ihre Pflichten intitulieren könne, ut fit, wie
es heißt, das besagt, daß diese Sitte schon älter war. Erst nach vollendetem
13. Lebensjahre soll auch diesen Knaben der Eid abgenommen werden. Die erste
ausdrückliche Eintragung eines Nichtvereidigten geschieht i. J. 1583. Von
1543 an ist die Zahl der Nichtvereidigten eine beträchtliche. Der jüngste Un-
vereidigte zählte 2 Jahre. VI. Das Ausscheiden aus der Universität
durch Relegation, Exklusion und Resignation. Die Form des
Eintrages von Exklusion und Relegation macht mehrere Wandlungen durch.
Exklusion wird wegen schwerer Vergehen gegen die Disziplin, wegen Tot=
schlages, Diebstahls u. s. w. verhängt, Relegation meist wegen Trägheit,
Unverbesserlichkeit, Exzeß, Trunkenheit, Spiel, Umgang mit liederlichen Frauen-
zimmern und wegen leichterer Vergehen gegen die Disziplin. Man verhängt
sie auf zwei und mehr Jahre, bis zu zwanzig. Sowohl Exkludierte wie Relegierte
sind nicht selten aus den verschiedensten Gründen begnadigt worden (recon-
ciliatus, reassumptus). Die Zahl derer, die auf die Privilegien der Universität

vor Notar und Zeugen verzichteten, ist erheblich geringer, wie die Zahl der Be=
straften. VII. Die Frequenz der Universität. Drobisch rechnet für
die zweite Hälfte des 15. Jahrh. eine durchschnittliche Frequenz von 2000 Stu=
denten für Leipzig aus. Paulsen dagegen stellt einen Bestand von jährlich etwa
590 Studenten fest. Erler schließt sich der Schätzung Paulsens, als der wahr=
scheinlicheren, an. Bezüglich der Zahl der Immatrikulierten für jedes Jahr ist
auf die vorzügliche Tabelle zu verweisen. Die Höchstzahl der Immatrikulierten
war im Sommer 1509 mit 353. VIII. Die Universität Leipzig in
ihrem Verhältnis zu den anderen norddeutschen Hochschulen.
Die Ausführungen Erlers über diesen Punkt bilden Erläuterungen zu einer
groß angelegten, überaus wertvollen Tabelle, in der semester= oder jahrweise die
Frequenzen von Erfurt, Leipzig, Rostock, Greifswald, Wittenberg, Frankfurt a. O.,
Marburg und Königsberg vergleichend nebeneinanderstehen. IX. Die Bear=
beitung des Textes, das Verhältnis der Handschriften zu ein=
ander und ihre Bedeutung für die Herstellung des Textes der
Ausgabe. Die acht Farbendrucktafeln sind sehr lobenswert. Sieben da=
von geben Blätter des Codex wieder, die von einzelnen Rektoren zu Beginn
ihrer Amtsthätigkeit mit einem Bilde geziert wurden. Die Druckausstattung
durch Giesecke & Devrient ist eine musterhafte und der Gesamteindruck des
Bandes mit seinen prächtigen Tafeln ein sehr vornehmer; der Preis (50 ℳ)
ist allerdings ein hoher. Wie der Herausgeber aber es rechtfertigen will,
daß nicht jeder einzelne Band sein Register hat, sondern daß der 3. Band
als Register zu den beiden ersten dienen soll, dürfte interessant zu wissen sein.
Man kann es nur bedauern, daß auf diese Weise die beiden Bände der Matrikel auf
einige Jahre hinaus mindestens zur Hälfte unbrauchbar bleiben, bis der 3. Bd. er=
schienen ist.   Paul Maria Baumgarten.

*Mayr (G.), Geschichte der Universität Freiburg i. Baden in der ersten
  Hälfte des 19. Jahrh. 3. Teil 1830—52. Bonn, Hanstein. 1894.
  135 S. ℳ 2,50.

Auf die beiden ersten Teile 1806—18 u. 1818—30, die wir im Hist. Jahrb.
XV, 651 angezeigt haben, folgt hier der Schluß dieser Universitätsgeschichte.
In diese Zeit fällt die Umgestaltung der inneren Einrichtung der Freiburger
Albertina durch die am 23. Sept 1832 vollzogene Umgestaltung des seit 1767
bestehenden Konsistoriums in einen akademischen Senat. Auch in dieser Periode
war die Existenz der Universität zweimal ernstlich gefährdet, aber die Gefahr
ging dank der Gunst des Großherzogs Leopold glücklich vorüber. Was die
Studentenschaft und das Korporationswesen angeht, so war nach 1829, seitdem
man offene Verbindungen unter Verlegung der Statuten erlaubt hatte, eine Zeit
der Ruhe eingetreten. Nur die Burschenschaften galten immer noch als verdächtig.
Auch in der bewegten politischen Sturm= und Drangperiode der vierziger Tage
verhielt sich mit geringen Ausnahmen (v. Langsdorff) die Studentenschaft ruhiger
als anderswo. Leider fehlt dem Buche ein Register und diesem Teile sogar
ein Inhaltsverzeichnis.   A. M.

Koldewey (F.), Geschichte der klassischen Philologie auf der Universität
  Helmstädt. Mit d. Bildn. des J. Caselius. Braunschweig, Vieweg
  & Sohn. 1895. XI, 226 S. ℳ 6.

Perrod (Maurice), Maître Guillaume de Saint-Amour. L'université de
  Paris et les ordres mendiants au XIIIe siècle. Paris, Firmin-
  Didot. 149 S.

Belin (F.), histoire de l'ancienne Université de Province, ou histoire
  de la fameuse Université d'Aix, 1re période 1499—1679. Paris,
  Picard. 18⁰.

Fournier (M.), la Faculté de décret de l'Université de Paris au
  XVe siècle. T. 1er (2e section). Paris, Champion. 4⁰. III,
  432 S. fr. 25. [Histoire générale de Paris.]

Franqueville (Cte de), l'Institut de France : son origine, ses trans-
formations, son organisation. Paris, Picard. 99 S.

Bulloch (J. M.), a history of the University of Aberdeen (1495—1895).
London Hodder. 228 S.

Four American Universities: Harvard, Yale, Princeton, Columbia. Illustrated. VIII, 202 S. New-York, Harper. 1895. 4⁰.

Ch. E. Norton, A. T. Hadley, W. M. Sloane und B. Mathews haben
uns sehr ansprechende Charakteristiken der vier bedeutendsten Universitäten Amerikas
geliefert und die Entwicklung dieser Anstalten von Kollegien der schönen Künste
zu Fachschulen und dann zu modernen Universitäten aufgezeigt. Die Arbeit
Hadleys ist zu eulogistisch, die Sloanes verweilt zu sehr beim allgemeinen. Die
Darstellung Mathews ist die lehrreichste. Die Illustrationen sind ausgezeichnet.
Die Vogelperspektive der einzelnen Universitäten ist geeignet, uns eine Vorstellung
von der Größe und Ausdehnung der verschiedenen Universitäten zu geben. Z.

Trivero (C.), la storia dell' educazione. Torino, E. Loescher. 1895.

Gebhardt (Br.), die Einführung der Pestalozzischen Methode in Preußen.
Ein urkundl. Kapitel preuß. Schulgeschichte. Berlin, Gärtner. M. 1,40.

Pestalozzi (H.), Lienhard u. Gertrud. Ein Buch für das Volk. Tl. 1
u. 2, mit 6 Bildern in Lichtdr. nach Chodowiecki u. 1 Ansicht des
Neuhofs. Nach der Orig.-Ausg. v. 1781/83 neu hrsg. v. d. Komm.
für das Pestalozzistübchen in Zürich zum 12. Jan. 1896. Zürich,
Schultheß. 1895. VI, 520 S. M 4,80.

Hunziker (O.), Heinrich Pestalozzi. Eine biographische Skizze. Zürich,
Schultheß. 64 S. M. 1.

Burbach (F.), Rudolph Zacharias Becker. Ein Beitrag zur Bildungsgeschichte unseres Volkes. Gotha, Thienemanns Verl. 1895. 4⁰.
68 S. mit 1 Bildnis. M. 1,20.

Runge (F.), Geschichte des Ratsgymnasiums zu Osnabrück. Osnabrück,
Lückerdt. 1895. 144 S. mit 4 Tab. M 3,50.

Hlatky (J.) u. Schröder (K.), Geschichte der Kremnitzer Mittelschule
seit dem 16. Jahrh. (ungar.). Kremnitz. 218 S.

Kovács (G.), Geschichte des Miskolczer reform. Gymnasiums. (ungar.).
Miskolcz, 1895. 2 Bde. 267 S.

Requinyi (G.), Geschichte d. Fünfkirch. Realschule 1857—94. (ungar.).
Fünfkirchen, 1895. 261 S.

Homor (St.), Geschichte d. Realschule von Szegedin 1851—94. (ungar.).
Szegedin, 1895. 307 S.

Torreilles (Ph.), l'enseignement en Roussillon à la veille et au lendemain de la Révolution française. Montpellier, Gustave Firmin
et Montane. 16 S.

Torreilles (Ph.) et Desplanque (E.), l'enseignement élémentaire
en Roussillon depuis ses origines jusqu' au commencement du
XIXe siècle. Extrait du XXXVIe Bulletin de la Société agricole,
scientifique et littéraire des Pyrénées— Orientales. Perpignan, impr.
Latrobe. 1895. 254 S.

Vgl. Bulletin critique XVII (1896), 87 ff.

Cordier (X.), fragments d'une histoire des études Chinoises au XVIIIe siècle. Paris, Imp. nationale. 4⁰. 75 S. mit Plänen.

Militärgeſchichte.

Jablonski (L.), histoire de l'art militaire, accompagnée de morceaux choisis des grands écrivains militaires. Paris, Charles-Lavauzelle. 458 S. fr. 5.

Popp (K.), Wallburgen, Burgſtalle und Schanzen. I. München, Franz. 39 S. mit Illuſtr. .ℳ 0,70.

Kriegsgeſchichtliche Studien hrsg. vom eidgen. Generalſtabsbureau. 1. Die Freiheitskämpfe der Appenzeller. 2. Kriegsgeſchichtliches aus dem Tiroler Krieg 1499. Bern, Semminger. 1895. 54 S. .ℳ 1.

> In dem anſpruchsloſen, mit drei guten Croquis ausgeſtatteten Heftchen werden vom Geſichtspunkte der modernen Taktik aus und unter Verwertung ihrer tech=niſchen Ausdrücke (Aufklärung, dicht aufſchließen, entwickeln u. a.) die Geſechte am Speicher bei Vögelinsegg (15. Mai 1403), am Hauptlisberg bei St. Gallen und am Stooß (17. Juni 1405), ſowie die Schlacht a. d. Calven (22. Mai 1499); fälſchlich „Schlacht auf der Malgerhaide" genannt) behandelt. Der leidenſchafts=loſen, rein ſachlichen Darſtellung wegen iſt das neue Unternehmen, das manchen bisher dunkel gebliebenen Punkt großdeutſcher Kriegsgeſchichte aufzuhellen geeignet iſt, mit Freuden zu begrüßen.   Helmolt.

Kupelwieſer (L), die Kämpfe Ungarns mit den Osmanen bis zur Schlacht von Mohács 1526. Wien, Braumüller 1895. VII, 253 S. mit 12 Karten u. Plänen. .ℳ 6.

> Bietet zwar nichts Neues, enthält aber eine ſehr verdienſtvolle Darſtellung der Kriegsereigniſſe aus der Hand eines erfahrenen hohen Militärs.

Cougnet (A.), la scienza dell' armi nell' epopea Dell Tasso. Reggio nell' Emilia, tip. G. Degani. XIX, 50 S.

Givès (S. de), bref discours du siège de Chartres en 1568. Publ. par l'abbé Métais. Chartres, imp. Durand. 84 S. illuſtr.

Hardy de Périni, batailles françaises de François II à Louis XIII (1562 à 1620). Châteauroux, Majesté et Bouchardeau. 18⁰. 361 S. illuſtr. fr. 3,50.

Larsen (A.), Kristian den fjerdes Krige. Med 2 stentrykte Kort og 16 Figurer. Kopenhagen, Gad. 142 S. Kr. 1,20.

Illéſſy (J.), die Errichtung der kgl. ungar. Leibgarde 1760. Ungar. Budapeſt, Franklin. 1895. 55 S.

Belhomme, histoire de l'infanterie en France. Tome II. Limoges et Paris, Charles-Lavauzelle. 60 S. fr. 1,75.

> Vgl. Hiſt. Jahrb. XV, 650.

Picard (L.), la cavalerie dans les guerres de la Révolution et de l'Empire. T. Ier. Angers, Milon fils. 425 S.

Poyen (H. de), les guerres des Antilles de 1793 à 1815. Avec 7 cartes. Paris, Berger-Levrault. 452 S. [Extrait du Mémorial de l'artillerie de la marine.]

Reding=Biberegg (v.), der Zug Suworoffs durch die Schweiz 24. Herbſt= bis 10. Weinmonat 1799. Mit zahlreichen Beilagen und

Illustration. nebst 10 Kriegskarten in besond. Mappe. Zürich, Schultheß. 374 S. fr. 7,20.

Vf. hat die zahlreichen Quellen fleißig benutzt, auch hs. Tagebücher u. dgl. Auch das Terrain kennt er aus eigener Anschauung gründlich. Die Beilagen I—III enthalten Korrespondenzen franz. Generale, das Protokoll der Klosterfrauen im Muotathal, Auszüge aus Tagebüchern usw. Als Beilage IV sind in besonderer Mappe 10 Karten mit Angabe der Stellungen der Truppen beigegeben. Der niedrige Preis erklärt sich bei der reich ausgestatteten Publikation daraus, daß wir einen Separatabbruck aus dem „Geschichtsfreund. Mitteilgn. des hist. Ver. der 5 Orte." 50. Bd. Stans 1895. vor uns haben.   P. G. M.

Rapp, mémoires du général — (1772—1821), aide de camp de Napoléon, écrits par lui même. Edit. annotée et revue par D. La-croix. Paris, Garnier. 1895. 12⁰. XVI, 464 S. fr. 3,50.

Larchey (L.), les cahiers du capitaine Coignet (1776—1850). Paris, Hachette. 4⁰. VIII, 297 S. illustr. fr. 15.

Noël (J. N. A), souvenirs militaires d'un officier du premier Empire 1795—1832. Paris, Berger-Levrault. 1895. VIII, 300 S. illustr. fr. 6.

Chalamet (A.), guerres de Napoléon 1800—1807 racontées par des témoins oculaires. Paris, Firmin-Didot et Cie. 288 S. illustr. fr. 3,50.

Pils (grenadier), journal de marche (1804—14), recueilli et annoté par R. de Cisternes. Paris, Ollendorff. fr. 7,50.

Faber du Faur (G. de), campagne de Russie 1812 d'après le journal d'un témoin oculaire avec introduction par A. Dayot. Paris, Flammarion. XLVI, 319 S.

Segur, du Rhin à Fontainebleau (1813—14—15). Paris, Firmin-Didot. 1895. 12⁰. 564 S. fr. 3,50.

Woodberry, journal du lieutenant —. Campagnes de Portugal et d'Es-pagne, de France, de Belgique et de France. 1813—15, traduit de l'anglais par G. Hélie. Paris, Plon et Nourrit. 18⁰.

Malo (C.), précis de la campagne de 1815 dans les Pays-Bas. Bruxelles, Falck. 304 S. fr. 5.

Barral (G.), l'épopée de Waterloo, narration nouvelle des Cent-Jours et de la campagne de Belgique de 1815, composée d'après les documents inédits et les souvenirs de mes deux grands-pères, officiers de la Grande Armée, combattants de Waterloo. Paris, Flammarion 1895. 326 S. fr. 6.

Horsburgh (E. L. S.), Waterloo. A narrative and a criticism. London, Methuen & Co. 1895. XII, 312 S.

Gibbs (Montgomery B.), military career of Napoleon the Great; an account of the remarkabled campaigns of the „Man of destiny". Chicago, The Werner Co. III, 514 S.

Meinecke (F.), das Leben des Generalfeldmarschalls Hermann v. Boyen Bd. 1. 1771—1814. Mit Bildnis Stuttg., Cotta. X, 422 S. ℳ 8.

v. Conrady, Leben und Wirken des Generals der Infanterie und kom-mandierenden Generals des V. Armeekorps Carl v. Grolmann.

Ein Beitrag zur Zeitgeschichte der Könige Friedrich Wilhelms III u.
Friedrich Wilhelms IV. Nach archiv. u. handschriftl. Quellen. Tl. 2.
Die Befreiungskriege 1813—15. Mit 3 Uebersichtsk. u. 9 Skizzen.
Berlin, Mittler & Sohn. 1895. III, 400 S. ℳ 8.

Marx, Geschichte des Infanterie = Regiments Kaiser Friedrich, König
von Preußen (7. Württemberg.) Nr. 125. 1809—95. Auf Befehl
des k. Regiments zusammengest. Mit Abbildgn, Karten u. Skizzen.
Berlin, Mittler & Sohn. VIII, 287 S. ℳ 6.

Sacken (Ad.), das österreichische Korps Schwarzenberg=Legeditsch. Beitrag
zur Geschichte der polit. Wirren in Deutschland (1849—51). Wien,
Seidel & Sohn. IV, 164 S. m. Karten.

Erinnerungen aus den Feldzügen 1859 u. 66. Ein Beitrag zur Geschichte
des k. u. k. Uhlanenregiments Nr. 1. Wien, Seidel. 247 S illustr.

Teuber (O.), historische Legionen Habsburgs. Mit 16 Orig.=Abbildgn.
v. R. v. Ottenfeld. Prag und Wien, Tempsky; Leipzig, Freytag.
1895. IV, 392 S. ℳ 10.

Lysons (D.), the crimean war from First to Last. London, Murray.
290 S.

Loizillon (H.), la campagne de Crimée. Lettres écrites de Crimée
par le capitaine — à sa famille. Paris, Flammarion, 1895. XXIV,
236 S. fr. 6.

Delorme (A.), lettre d'un zouave. De Constantine à Sébastopo
Paris, Berger-Levrault, 1895. in-12. 304 S. fr. 3,50.

Cadart, souvenirs de Constantine, journal d'un lieutenant du génie,
rédigé en 1838—39, et coordonné en 1893 par le général —.
Paris, Firmin-Didot, 1894. 12⁰. VIII, 384 S. fr. 3,50.

Lebrun (général), souvenirs militaires (1866—70): préliminaires de
la guerre; mission en Belgique et à Vienne. Paris, Dentu. 338 S.
fr. 7,50.

Kunz, Einzeldarstellungen von Schlachten aus dem Kriege Deutschlands
gegen die französische Republik vom Septbr. 1870 bis Febr. 1871.
Heft 7. Die Entscheidungskämpfe des Generals v. Werder im Jan 1871.
Tl. 2. Die Schlacht an der Lisaine am 15., 16., 17. u. 18. Jan. 1871.
Mit einem Plane in Steindr. Berlin, Mittler & Sohn. 1895. VI,
192 S. ℳ 4,80.

Kirchhof u. Brandenburg I, das Infanterie=Regim. Graf Tauentzien
v. Wittenberg (3. Brandenburgisches) Nr. 20. Feldzug 1870/71
bearb. v. —, Feldzug 1866 bearb. v. B. 2. Aufl. Berlin, Mittler
& Sohn. 1895. VI, 435 S. mit 2 Holzschn.=Taf. ℳ 7,50.

Barret, le dernier mot sur le combat de Cussey-sur-l'Ognon (Donbs),
le 22 octobre 1870, à l'occasion de son 25ᵉ anniversaire Besançon,
Dodivers. 78 S.

Farner (U.), eidgenössische Grenzbesetzung u. Internirung der französischen
Ostarmee im Kriegsjahre 1870/71 Grüningen, Wirz. 408 S. mit
Abbildgn ℳ 7.

Zeiß (K.), Kriegserinnerungen eines Feldzugsfreiwilligen aus den J. 1870 u. 1871. 3. Aufl. Billige Jubelausg. Mit 180 Illuſtr. von R. Starke u. 1 Ueberſichtskarte des Kriegsſchauplaßes. Altenburg, Geibel. 1895. VIII, 920 S. ℳ 7.

Arnold (H.), unter General v. der Tann. Feldzugserinnerungen 1870/71. 1. Bdchn. Von der Kriegserklärg. bis zur erſten Einnahme v. Orleans 11. Oktober 1870. München, Beck. VIII, 219 S. ℳ 2.

Verdy du Vernois (J. v.), im Großen Hauptquartier 1870/71. Perſön= liche Erinnerungen. Berlin, Mittler & Sohn. 1895. VII, 296 S. ℳ 6.

Wachter (A.), la guerre franco-allemande de 1870—71, histoire politique, diplomatique et militaire. Tome Ier: De la déclaration de guerre à la chute de l'Empire Paris, Baudoin. XII, 459 S. fr. 7,50.

Rousset, la seconde campagne de France. Histoire générale de la guerre franco-allemande de 1870—71. Paris, Librairie illustrée. Tomes III—VI. 366, 432, 860, 368 S. fr.30.
Vgl. Hiſt. Jahrb. XVI, 931.

Nordens (C. O. van), fransk-tyska kriget 1870—71. I. Stockholm, Bonnier. 4⁰. 20 S. illuſtr.

Galli (H.), les anniversaires de 1870, d'après „Français et Allemands" (de Dick de Lonlay). Préface et documents par —. Paris, Garnier. 1895. 640 S. fr. 3,50.

Berry (L. C.), Mac-Mahon. Autun, imp. Dejussieu. 108 S.

Martin (L.), le maréchal Canrobert. Paris, Charles-Lavauzelle. 1895. 340 S. fr. 3,50.

Liermann (O), Graf Albrecht v. Roon, Kriegsminiſter u. Feldmarſchall. Ein Bild ſeines Lebens und Wirkens. Frankfurt a. M., Keſſelring. VI, 42 S. mit Bildnis. ℳ 0,60.

Habart (J.), unſer Militär=Sanitätsweſen vor 100 Jahren. Mit 2 Auto= grammen. Wien, Saſar. 111 S. ℳ 3.

Meixner (O.), hiſtoriſcher Rückblick auf die Verpflegung der Armeen im Felde. Wien, Seidel & Sohn in Komm. 1895. Lfg. 1. 201 S. mit 2 Karten. ℳ 4,40.

Gérome, essai historique sur la tactique de l'infanterie depuis l'or- ganisation des armées permanentes jusqu' à nos jours. Paris, Charles-Lavauzelle. 1895. 272 S. fr. 5.

Henry, l'esprit de la guerre moderne d'après les grands capitaines et les philosophes. Paris, Berger, Levrault et Cie. 1895. 238 S.

Hiſtoriſche Hilfswiſſenſchaften und Bibliographiſches.

*Goyau (G.), Lexique des antiquités Romaines rédigé sous la direction de R. Cagnat par — avec la collaboration de plusieurs élèves de l'école normale supérieure. Ouvrage illustré de planches et de nombreux dessins inédits. Paris, Thorin et fils. 1895. 1 Bl. IV, 332 S.

Die jugendlichen Vf. haben in Gemeinschaft mit Herrn Goyau und dem bekannten Epigraphiker Cagnat ein sehr verdienstliches Hilfsbuch hergestellt, welches zunächst für Lehrer und Schüler der Mittelschulen bestimmt ist, aber auch — besonders durch die Abbildungen — Studierenden der Altertumswissenschaft gute Dienste leisten kann. Die Schüler der école normale haben ihre Artikel mit ihren Initialen gezeichnet, während die von Goyau und Cagnat verfaßten (ersterer hat Rechtspflege und Kultus, letzterer Finanz= und Kriegswesen übernommen) seine Unterschrift tragen. Von Zitaten und Literaturnachweisen wurde im Hin= blick auf den nächsten Zweck des Lexikons abgesehen. Aus dem den Schluß des Werkes bildenden, nach Materien geordneten Verzeichnisse der behandelten Be= griffe (1. das römische Jahr, 2. die römische Religion, 3. Recht und Prozeß, 4. die Verfassung des alten Rom, 5. die Regierung der römischen Republik, 6. das Kaisertum, 7. Italien und die Provinzen, 8. das Heer, 9. die Marine, 10. die Finanzen, 11. Münzen und Maße, 12. Kleidung, 13. öffentliche und private Architektur, 14. häusliches Leben, 15. Vergnügungen und geistige Be= schäftigungen, 16. Landleben, 17. Straßen und Wasserleitungen) kann man er= sehen, welch beträchtlicher Stoff auf verhältnismäßig engem Raume bewältigt worden ist. C. W.

Strazzulla (V.), studio critico sulle iscrizioni cristiane di Siracusa. Siracusa, tip. Andrea Norcia. 111 S. l. 2.

Nilles (N.), S. J. Kalendarium manuale utriusque ecclesiae orientalis et occidentalis academiis clericorum accomodatum auspiciis commissarii apostolici auctius atque emendatius iterum edidit —. Tom. I. Oeniponte, Ranch. LXXII, 536 S. 1 Karte.

Das Calendarium manuale des bekannten Innsbrucker Jesuiten Nilles war seit langen Jahren vergriffen, und die lang ersehnte Neubearbeitung wird um so freudiger aufgenommen werden, als der schon hochbetagte Vf. trotz seines Augen= leidens keine Mühe gescheut hat, sein Buch durch Einarbeitung neuerer Forsch= ungen zu vervollständigen und zu verbessern. Den Hauptteil des vorliegenden 1. Bandes bildet der commentarius in festa immobilia totius anni, dem eine umfangreiche Einleitung (über die Kalendarien, die liturgischen Bücher usw.) vorausgeht und eine Reihe von Anhängen (slavische und orientalische Kalen= darien usw.) nachfolgt. Band 2 ist bereits im Druck. C. W.

Koenen (G.), Gefäßkunde der vorrömischen, römischen und fränkischen Zeit in den Rheinlanden. Mit 590 Abbildungen. Bonn, Hanstein. 1895. ℳ 6.

Verf. hat in seiner Gefäßkunde ein außerordentlich wichtiges Werk geschaffen, das durch Wort und Bild es jedermann ermöglicht, ein Gefäß oder einen Scherben zu datieren und zu bestimmen. Koenen, Assistent am Rhein. Prov. Museum zu Bonn, war der geeignetste Mann zu dieser Arbeit, da er seit etwa 20 Jahren die großen vom Provinzialmuseum vorgenommenen archäologischen Ausgrab= ungen örtlich geleitet und deshalb mehr als jeder andere Gelegenheit hatte, die Kulturreste in ihrer ursprünglichen Lagerung genau an Ort und Stelle zu prüfen. Die Gefäßkunde K.s ist zugleich eine sichere Grundlage für die Beantwortung der Fragen, welche sich mit dem Gange und der Aufeinanderfolge von Völker= verschiebungen, mit den Fragen nach arischen und vorarischen, nach keltischen, römischen und germanischen Bewohnern eines Landes befassen, und wird daher in Zukunft jedem Kulturhistoriker unentbehrlich sein. Das Werk hat bereits eine Anzahl durchweg anerkennender Rezensionen erzielt, so von Forrer (Antiquit. Zeitschr. XV, Nr. 7 S. 201), von Naue (Prähistor. Bl. VII, Nr. 1 S. 12), von Naue (Korrespbl. f. Anthropol. 1895, S. 39), von Riese (Lit. Centralbl.

1895, Nr. 28). Letzterer, einer der berühmtesten Kritiker vom Standpunkte des rheinischen Forschers, anerkennt besonders die lokalen Unterscheidungen, z. B. zwischen dem gallisch=mittelrheinischen und dem germanisch=niederrheinischen Gebiete.
A. M.

Fundberichte aus Schwaben umfassend die vorgeschichtlichen, römischen und merowingischen Altertümer, hrsg. vom württemberg. anthropolog. Verein unter der Leitung v. Sixt. 3. Jahrg. Stuttgart, Schweizer=barf. 1895. 72 S. mit Abbildgn. ℳ 1,60.

Hörmann (C.), epigraphische Denkmäler aus dem Mittelalter. Wien, Gerolds Sohn in Komm. 1895. Lex.=8⁰. 22 S. m. 29 Abbildgn. ℳ 1,20. [Aus: Wissenschaftl. Mitteilungen aus Bosnien und der Herzegovina, Bd. 3.]

Wysocki (F.), ein Schatz von Krondenaren des Wladislaus I Locticus u. Kasimir III des Großen. Lemberg, Berlin, Weyl. 1895. Lex.=8⁰. 16 S. m. 1 Taf. ℳ 1,50.

Coragioni (L.), Münzgeschichte der Schweiz. Mit 50 Lichtdrucktafeln. Genf, Ströhlin. 4⁰. 184 S. fr. 30.
Vf. ist Dilettant, der aus zahlreichen Werken den Stoff zusammengetragen hat. Man darf daher seine Angaben nicht mit dem strengen wissenschaftlichen Maßstab messen. Der Hauptwert des Werkes liegt in den auf photographischem Wege hergestellten 1090 Abbildgn., welche die hauptsächlichsten Typen seit den Zeiten der Kelten und Römer bis auf die Gegenwart zur Anschauung bringen, darunter manche seltene Stücke.
P. G. M.

Größler (H.), Mansfelder Münzen im Besitze des Vereins f. Geschichte und Altertümer der Grafschaft Mansfeld zu Eisleben. Eisleben, Reichardt. IV, 72 S. ℳ 2. [Beilage zum 9. Jahrg. der Mans=felder Blätter]

Fiala (E.), Kollektion Ernst Prinz zu Windisch=Grätz. Beschrieben und bearb. v. —. Bd. I: Münzen u. Medaillen des österr. Kaiserhauses. Abt. 1. Prag, Dominicus. 1895. V, 192 S. m. 4 Taf. ℳ 6.

Streitberg (W.), urgermanische Grammatik. Einführung in das vergl. Studium der altgermanischen Dialekte. Heidelberg, Winter. XX, 372 S. ℳ 9. [Sammlung v. Elementarbüchern d. altgerman. Dialekte. Unter Mitwirkung von K. D. Bülbring, F. Holthausen, B. Kahle, V. Michels, L. Sütterlin hrsg. v. W. Streitberg. Bd. 1.]
Die jüngere Generation unserer Germanisten hat sich unter W. Str.s rühriger Leitung zu einem Unternehmen vereinigt, das in mehr als einer Beziehung freudig zu begrüßen ist. Man hat zwar sogar die Bedürfnisfrage erörtert, nachdem Herm. Pauls Grundriß der germanischen Philologie noch nicht allzu lange vollendet wurde, und W. Wilmanns Deutsche Grammatik in rüstigem Fortschreiten begriffen ist, wir namentlich aber schon in der Sammlung kurzer Grammatiken germanischer Dialekte, hrsg. von W. Braune, Halle a. S., Max Niemeyer, ein vorzügliches Hilfsmittel besitzen. Wer aber die Forschungen der letzten Jahre verfolgt hat, weiß, daß in diesem Zeitraum eine Frage in den Vordergrund der Diskussion getreten ist, die in jenen Werken naturgemäß noch nicht, wie sie es verdiente, berücksichtigt werden konnte: wir meinen die Frage nach der Formulierung der germanischen Auslautgesetze und alles, was damit zusammenhängt. Es ist an der Zeit, daß die neue Anschauungsweise, welche sich an die Namen Scherer, Mahlow, Hanssen, Hirt knüpft, einmal durch ein so umfassendes, systematisch angelegtes Sammel=werk einer Feuerprobe unterzogen wird. Insbesondere Str.s urgermanische

Grammatik iſt auch neben den entſprechenden Abſchnitten in Brugmanns Grundriß, neben Noreens Urgermaniſcher Lautlehre und Kluges Vorgeſchichte der altgermaniſchen Dialekte (Pauls Grundriß I, 300—406) keineswegs überflüſſig weder in wiſſenſchaftlicher noch in praktiſcher Beziehung. In erſter Hinſicht muß namentlich verwieſen werden auf die Akzentlehre S. 153—91 und auf die Vorbemerkungen zur Lehre vom Verbum S. 276 ff.; wo beſonders die Begriffe Aktionsart und Zeitſtufe mit aller wünſchenswerten Klarheit behandelt werden. Klarheit und Präziſion ſind überhaupt die praktiſchen Vorzüge dieſes Buches, welche es auch ſolchen empfehlen, die wie die Hiſtoriker ſich nur nebenbei mit dieſen Problemen beſchäftigen können. An Str. werden ſie für das Nebelland urgermaniſcher Geſchichte einen Führer finden, der ihnen bietet, was eine ſich ihrer Grenzen bewußte Sprachwiſſenſchaft hier zu bieten vermag. Wenn ſie mit ihm Umſchau und Ausſchau halten, wird ihnen manche Frage heller und ſchärfer beleuchtet erſcheinen, als ihr bisheriger Standpunkt ſie ahnen ließ. Hg.

Noreen (A.), Abriß der altnordiſchen (altisländiſchen) Grammatik. Halle, Niemeyer. 1895. 60 S. ℳ 1,50. [Sammlung kurzer Grammatiken germaniſcher Dialekte, hrsg. v. W. Braune. C. Abriſſe. Nr 3.]

Friedmannn (L.), la lingua gotica, grammatica, eserziti, testi, vocabulario comparato con ispecial riguardo al tedesco, inglése, latino e greco. Mailand, Hoepli. l. 3. [Manuali Hoepli. No. 214/15.]

Berneker (E.), die preußiſche Sprache. Texte, Grammatik, etymolog. Wörterbuch. Straßburg, Trübner. 1895. XI, 334 S. ℳ 8.

*Vancſa (M.), das erſte Auftreten der deutſchen Sprache in den Urkunden. Leipzig, Hirzel. 1895. Lex.-8. XI, 138 S. [Preisſchriften, gekr. u. hrsg. v. d. fürſtl. Jablonowſki Geſellſch. zu Leipzig. XXX u. XXXI.] Beſprechung folgt.

Brenner (O.), Grundzüge der geſchichtlichen Grammatik der deutſchen Sprache, zugleich Erläuterungen zu meiner mittelhochdeutſchen Grammatik und zur mittelhochdeutſchen Verslehre, mit einem Anhang: Sprachproben. München, Lindauer. 1895. VIII, 113 S. ℳ 2,40. Vgl. hierzu die oben S. 220 angezeigte Schrift desj. Verf.

Morsbach (L.), mittelengliſche Grammatik. 1. Hälfte. Halle, Niemeyer VIII, 192 S. ℳ 4. [Sammlung kurzer Grammatiken germaniſcher Dialekte, hrsg. von W. Braune VII, 1.]

Livet (Ch. L.), lexique de la langue de Molière comparée à celle des écrivains de son temps avec des commentaires de philologie histor. et grammaticale. Ouvrage couronnée par l'Académie française. Tom. I. A—C. Paris, Welter. fr. 15.

Szamota (St.), das latein.-ungar. Vokabular des Murmelius aus dem J. 1533. Budapeſt, Akademie. 46 S. ℳ 1.

Schmidt (Ch.), Wörterbuch der Straßburger Mundart. Aus dem Nachlaſſe. Mit e. Porträt d. Vf.s, ſeiner Biographie u. e. Verzeichnis ſ. Werke. 3 Liefgn. Straßburg, Heitz. XX, 123 S. à ℳ 2,50. Vgl. Hiſt. Jahrb. XVI, 932.

Wenker (G.) u. Wrede (F.), der Sprachatlas des deutſchen Reiches. Dichtung und Wahrheit. Wenker: Herrn Brenners Kritik des Sprachatlas. Wrede: über richtige Interpretation der Sprachatlaskarten. Marburg, Elwerts Verl. 1895. 52 S. ℳ 1.

Wauwermans, histoire de l'école cartographique Belge et Aversoise du XVIe siècle. 2 vols. Bruxelles, Institut National de Géographie 1895. 402 S. 10 Pläne, 1 Bild u 470 S. 5 Pläne, 1 Bild. fr. 15.

Im ersten Teil wird die Geographie des Altertums und des MA. behandelt; darauf werden Verfassung, Sitten und Handel Antwerpens im 16. Jahrh. geschildert. Erst der 2. Band befaßt sich mit der belgischen Kartographie, deren Hauptvertreter Gerhard Mercator, Abraham Ortelius und Gerhard de Jode vornehmlich besprochen werden. Ein Anhang stellt die Editionen des Atlasses von Mercator und des Theatrum mundi des Ortelius zusammen und schildert das Leben des Joachim Lelewel (1786—1861).

Vignols (L.), inventaire cartographique des archives d'Ille-et-Vilaine, du musée archéologique de Rennes et de la Bibliothèque de M. de Palys pour les époques anterieurs à 1790. Paris, imp. nationale. 40 S.

Niox (G.), resumé de géographie physique et historique (troisième partie). Paris, Delagrave. 16⁰. 364 S. illustr. fr. 5.

Werenka (D.), Topographie der Bukowina zur Zeit ihrer Erwerbung durch Oesterreich (1774—85). Czernowitz, Pardini. 272 S. m. 1 Karte. ℳ 6. [Nach Akten aus folgenden Archiven: k. u. k. Kriegsministerium, dessen Kartenarchiv; k. k. Ministerium f. Kultus u. Unterricht.]

Pfaff (F.), deutsche Ortsnamen. Berlin, Trowitzsch & Sohn. 16 S. ℳ 0,40.

Jellinghaus, die westfälischen Ortsnamen nach ihren Grundwörtern. Kiel, Lipsius u. Tischer. VIII, 163 S. ℳ 4.

Studer (J.), Schweizer Ortsnamen. Ein historisch-etymologischer Versuch. In 3 Lfgn. Lfg. 1. Zürich, Schulthess. 80 S. ℳ 1.

Hupp (O.), die Wappen u. Siegel der deutschen Städte, Flecken u. Dörfer. Nach amtl. u. archival. Quellen bearbeitet In 10 Heften. H. 1. Frankfurt a. M., Keller. 1895. Fol. XI, 52 S. mit farbigen Abbildungen. ℳ 24.

Köckritz (D. v.), Geschichte des Geschlechtes v. Köckritz von 1209—1512 und der schlesischen Linie bis in die Neuzeit. Breslau, Max. XVIII, 438, 55 und XXV, 68 S. m. 31 Lichtdr. u. 5 Taf. ℳ 20.

Pyl (Th.), pommersche Genealogien. Bd. 4 u. 5. Greifswald, Bindewald in Komm. XII, 440 S. ℳ 5,20.

Inhalt: 4. Die Genealogien der Greifswalder Ratsmitglieder von 1250—1382, nach den Urkk. und Stadtbüchern des Greifswalder Ratsarchivs hrsg. (XXIV, 180 S. ℳ 2,40. — 5. Dasselbe von 1382—1647, nach der Ratsmatrikel von 1382—1654 (Lib. Civ. XXI, f. 21—293) u. a. Stadtbüchern hrsg. Mit einer chronol. Uebersicht der Greifswalder Ratsmitglieder von 1648—1859 nach Verzeichnissen von A. G. Schwarz und C. Gesterding und den Akten des Ratsarchivs (S. 185—91) und einem alphabet. Register der Rp. von 1250—1895. (XII u. S 181—470. ℳ 2.80.)

Handbuch, genealogisches, bürgerlicher Familien. Hrsg. unter Leitung eines Redaktionskomitees des Vereins „Herold“. Bd. 4. Berlin,

Bruer. 12⁰. VIII, 482 S. m. Wappenbildern u. 8 zum teil farb.
Taf. *M* 6.
Vgl. Hiſt. Jahrb. XV, 934.

Jahrbuch des deutſchen Adels, hrsg. v. der deutſchen Adelsgenoſſenſchaft.
Bd. 1. Berlin, Bruer. 12⁰. XVI, 987 S. m. Wappenbildern. *M* 10.

Adels-Torn (B.), la Maison de Croy, étude héraldique, historique
et critique, par —. Bruxelles, société belge de librairie, 1894.
242 S. illuſtr.

Claudin (A.), les libraires, les relieurs et les imprimeurs de Toulouse
au XVIᵉ siècle (1531—50) d'après les registres d'impositions conservés aux archives municipales. Documents et notes pour servir
à leur histoire. Publiés et annotés par —. Paris, Claudin 1895.
70 S. [Extrait du Bulletin du Bibliophile.]
.Ergänzt auf grund neuer Archivalien ſeine 1883 im Buletttin du Bibliophile
erſchienene Studie: ›Les enlumineurs, les relieurs, les libraires et les imprimeurs de Toulouse aux 15. et 16. siècles 1480—1530.

Baudrier, bibliographie lyonnaise. Recherches sur les imprimeurs,
librairies, relieurs et fondeurs de lettres de Lyon au XVIᵉ siècle.
Publiées et continuées par —. Iʳᵉ série, ornée de 50 reproductions
en facsimilés. Lyon, Brun. 458 S. fr. 16.

Picot (E.), coup d'oeil sur l'histoire de la Typographie dans les pays
roumains au XVIᵉ siècle. Paris, Imp. nationale. 4⁰. 43 S. [Extrait
du centenaire de l'école des langues orientales vivantes.]

Omont (H.), les documents sur l'imprimerie à Constantinople au
XVIIIᵉ siècle. Paris, Bouillon. 29 S.

Bouland (L.), la fondation du Père Joachim Faucher et l'ex-libris
des P. P. jesuites d'Avignon. Mâcon, imp. Protat. 4 S. [Extrait
de la revue Société francaise des collectionneurs d'ex-libris.]

Steffenhagen (E.), zur Geſchichte der Kieler Univerſitätsbibliothek.
Mitteilungen und Aktenſtücke. II.: Das Reſkript des Herzogs Karl
Friedrich zur Verordnung „Ratione Bibliothecae“. Kiel, Univerſitäts=
buchh. in Komm. S. 17—29. *M* 1. [Aus: Zeitſchrift d. Geſellſch.
f. ſchlesw.-holſtein.-lauenburg. Geſch.]
Vgl. Hiſt. Jahrb. XVI, 237.

Hausmann (S.), die kaiſerl. Univerſitäts= u. Landesuniverſität in Straß=
burg. Feſtſchrift z. Einweihg. d. neuen Bibliotheksgebäudes. Straß=
burg, Trübners Verlag. 1895. III, 51 S. m. 7 Abbild. *M* 1,80.

Katalog der kaiſ. Univerſitäts= u. Landesbibliothek in Straßburg. Elſaß=
lothring. Handſchriften und Handzeichnungen bearb. v. K. A. Barack.
Straßburg, Heitz. 1895. VII, 227 S. *M* 5.

Ristelhuber (P.), histoire de la formation de la bibliothèque créée
à Strasbourg en 1872. Paris, Champion. 35 S.

Catalogue des incunables de la bibliothèque de la ville de Colmar. Paris,
cercle de la librairie. 4⁰. 56 S.

Saint-Albin (E. de), les bibliothèques municipales de la ville de
Paris. Nancy et Paris, Berger-Levrault. XXXVI, 335 S. fr. 7,50.

Catalogue méthodique de la bibliothèque de la ville de Tours (belles-lettres). Tours, imp. Bousrez. 455 S.

Lièvre (A. F.), catalogue de la bibliothèque de la ville de Poitiers. I: Inventaire des incunables. Bibliologie, polygraphes, théologie. Poitiers, imp. Masson. 458 S. fr. 7,50.

Katalog der Handschriften zur Schweizergeschichte der Stadtbibliothek Bern. Bern, Wyß. V, 847 S. ℳ 20.

Priebsch (R.), deutsche Handschriften in England. Bd. 1: Asburnham-Place, Cambridge, Cheltenham, Oxford, Wigan. Mit einem Anhang ungedr. Stücke. Erlangen, Junge. gr. 4⁰. 355 S. ℳ 16.

Ingold (A.), à la recherche des manuscrits de Denys le Chartreux. Montreuil-sur-Mer, imprimerie de la Chartreuse de N.-D. des Prés. 12 S.

> Die rührigen Kartäuser in Montreuil-sur-Mer (Pas-de-Calais), die in den letzten Jahren zwei umfangreiche, für die Geschichte des Kartäuserordens belangvolle Werke veröffentlicht haben (vgl Liter. Handweiser 1892, 489 f.), sind z. Z. in ihrer Klosterdruckerei damit beschäftigt, sämtliche Werke des berühmten Kartäusers Dionysius Rickel von Roermonde († 1471) neu aufzulegen. Die zahlreichen Schriften des Doctor extaticus, wie Rickel genannt wurde, werden ungefähr 45 Bände gr. 8⁰ anfüllen. Der Elsässer Gelehrte Ingold, der hierin den franz. Kartäusern hilfreiche Hand leistet, ist eifrigst bemüht, Autographen Rickels aufzusuchen. Es steht fest, daß Rickel alle seine Werke mit eigener Hand geschrieben, und daß diese Autographen im 16. Jahrh. nach Köln transportiert wurden, um bei der Drucklegung der Werke als Vorlage zu dienen. Später kamen sie wieder nach Roermonde, wo sie ohne Zweifel bis zur Klosteraufhebung unter Josef II verblieben; wohin sie dann gekommen, ist unbekannt. Ingold hat vergeblich in verschiedenen Bibliotheken, namentlich in Roermonde, Köln, Brüssel und Wien Nachforschungen angestellt; bis jetzt hat er bloß in Cues und Löwen das eine und andere Autograph vorgefunden. Diesbezügliche Mitteilungen würden vom Kartäuserprior in Montreuil mit Dank entgegengenommen werden N. P.

Huet (G.), catalogue des manuscrits allemands de la Bibliothèque Nationale. Paris, Bouillon, 1895. III, 176 S.

> Katalog über 333 deutsche Hff. der Pariser Nationalbibliothek, von denen nur ein kleiner Teil dem 13.—17., der weitaus überwiegende dem 18. und 19. Jahrh. angehört. Die einzelnen Nummern sind genau beschrieben und spezifiziert; ein Register erleichtert den Gebrauch.

Labande (H. L.), catalogue général des manuscrits des bibliothèques publiques de France. Départements. XXVII et XXVIII: Avignon. I et II. Paris, Plon. CXII, 649 u. 835 S. à fr. 12.

Castellani (C.), catalogus codicum graecorum, qui in bibliothecam D. Marci Venetiarum inde ab a. MDCCXL ad haec usque tempora inlati sunt. Sub auspiciis supremi studior. ministerii rec. et digess. —. Venetiis. Mailand Hoepli. Lex.-8⁰. VIII, 166 S. ℳ 12.

Bouchot (H.), le cabinet des estampes de la Bibliothèque nationale. Guide de lecteur et du visiteur. Catalogue général et raisonné des collections qui y sont conservées. Paris, Dentu. XXIV, 396 S.

Couard (E.), inventaire sommaire des archives départementales anté-rieures à 1790: Seine-et-Oise. Archives ecclésiastiques. Série G. Versailles, Cerf. 4⁰. 462 S. fr. 13.

Guigne (G.), inventaire sommaire des archives départementales antérieures à 1790. Rhône. Archives ecclésiastiques. I. Ordre de Malte; langue d'Auvergne. Lyon, Georg. 4⁰. 395 S. fr. 12.

Gauthier (J.), inventaire sommaire des archives départementales du département du Doubs antérieures à 1790. Archives civiles. Séries B. (Chambre des comptes de Franche-Comté, nᵒˢ 1711 à 3228.) III. Besançon, imp. Jacquin. 4⁰. XIV, 389 S. fr. 12.

Mouynès (G.) et Tissier (J.), inventaire des archives communales antérieures à 1790 (commune de Cuxac-d'Aude). Narbonne, Caillard. 4⁰. VII, 341 S.

Inventaire des cartulaires conservés dans les dépôts des archives de l'État en Belgique. Bruxelles, Hayez. 123 S.

Orlando (P.), carteggi italiani inediti o rari antichi e moderni raccolti e annot. da —. Firenze, fratelli Bocca, 1894.

Battaglino (J. M.) et Calligaris (J.), indices chronologici ad Antiquitates ital. medii aevi et ad Opera minora Lud. Ant. Muratorii. Operis moderamen sibi susceperunt Carolus Cipolla et Antonius Manno Fasc. VI. Augustae Taurin., Bocca. Fol. S. 301—559. fr. 7,50.
Vgl. Hist. Jahrb. XIV, 476.

Bouillet (N.), dictionnaire universel des sciences, des lettres et des arts. Nouvelle édition entièrement refondue sous la direction de J. Tannery et E. Faguet. Paris, Hachette. VIII, 1734 S. fr. 21.

Vigouroux (F.), dictionnaire de la Bible, contenant tous les noms de personnes, de lieux, de plantes, d'animaux mentionnés dans les saintes Ecritures. VIII. Paris, Letouzey et Ané. 287 S. mit Grav. fr. 6.

*Potthast (A.), bibliotheca historica medii aevi. Wegweiser durch die Geschichtswerke des europ. MA. bis 1500. Vollständiges Inhaltsverzeichniß zu „Acta Sanctorum" Boll. — Bouquet — Migne — Monum. Germ. hist. — Muratori — Rerum britann. scriptores etc. Anh.: Quellenkunde f. die Geschichte der europ. Staaten während des MA. 2. Aufl 1. u. 2. Halbbd. Berlin, Weber. 1895/96. VIII, 800 S. ℳ 24.
Besprechung folgt.

Lundstedt (B.), Sveriges periodiska litteratur. Bibliografi enligt Publicistklubbens uppdrag utarbetad. I (1645—1812). Stockholm, Klemming. 180 S.

Catalogo metodico degli scritti contenuti nelle pubblicazioni periodiche italiane e straniere. I (Scritti biografici e critici): terzo supplemento (Biblioteca della Camera dei Deputati). Rom, tip. della Camera dei Deputati. XXIX, 338 S.

Molins (A. E. de), diccionario biográfico y bibliográfico de escritores y artistas catalanes del siglo XIX; apuntes y datos. II. Madrid, Murillo. 4⁰. XXXIX, 788 S.

Wetenschap, letteren en kunst in Nederland, voornamelijk in de 19. eeuw.

Bibliographisch overzicht. 1. Taal en letteren. Met een alphabetisch register. s'Hage, Nijhoff. 301 S. fl. 2,50.

Wenckstern (F. v.), a bibliography of the Japanese Empire. Being a Classified List of all Books, Essays and Maps in European Languages relating to Dai Nihon [Great Japan] published in Europe, America and in the East from 1859—93 compiled by —. Leiden, Brill. XIV, 338, 68 S.

Pagès (L.), bibliographie japonaise depuis le XVe siècle jusqu' à 1859. Leiden, Brill. 1895. 68 S.

Poelchau (A.), die livländische Geschichtsliteratur i. J. 1894. Riga, Kymmels Verl. 12°. 90 S. ℳ 1.

Vgl. Hist. Jahrb. XVI, 705.

* Liebermann (F.), Verzeichnis der von R. Pauli verfaßten Bücher, Aufsätze und Kritiken. Halle, Karras. 1895. 23 S.

Jahresverzeichnis der an den deutschen Universitäten erschienenen Schriften. X: 15. August 1894 bis 14. August 1895. Berlin, Asher & Co. III, 310 S. ℳ 8.

Annalen des historischen Vereins f. den Niederrhein, insbesondere die alte Erzdiözese Köln. H. 60, Abt. 1 Register zu H. 41—59. 1. H. Köln, J. u. W. Boisserée. S. 1—240.

* Jahresberichte der Geschichtswissenschaft, im Auftrage d. hist. Gesellsch. zu Berlin hrsg. von J. Jastrow. Jahrg. 17. Berlin, Gärtner. 1894. Lex.-8°. XX, 135; 436, 338 u. 268 S. ℳ 30.

Besprechung folgt. S. hier S. 467.

Adreßbuch, neues, des deutschen Buchhandels u. der verwandten Geschäftszweige. Ausg. im Okt. 1895. Abgeschlossen am 1. Sept. 1895. Leipzig, Fiedler. 1895. 205, 98 u. 90 S. ℳ 2,50.

Nachrichten.

Von neuen Zeitschriften verzeichnen wir aus Frankreich die im Verlage von E. Adam in Paris (fr. 10 für Frankreich, fr. 12,50 für das Ausland) alle zwei Monate in Heften von 96 Seiten erscheinende Revue d'histoire et de littérature religieuse. Das 1. Heft enthält: H. Margival, Richard Simon et la critique bibl. au 17. scle. (I); C. Weyman, observationes in carmina Damasi; P. Fabre, les colons de l'église rom. au 6. s.; A. Loisy, un nouveau livre d'Hénoch; P. Lejay, chronique de littér. chrétienne. Für die folg. Hefte sind angekündigt: H. Cochin, un frère de Pétrarque; F. Cumont, l'aeternitas des empereurs rom.; L. Dorez, l'académie romaine d'Angelo Colocci, évêque de Nocera; L. Duchesne, les trois premiers siècles de l'état pontifical; G. Goyau, la politique relig. de Dioclétien à l'égard des manichéens; P. de Nolhac, la religion d'un philologue du 16. s., D. Lambin; P. Thomas, notes sur les écrivains ecclés. latins; F. Thureau-Dangin, note d'archéologie orientale etc. — In Italien sind ins Leben getreten zu Pavia: Memorie e documenti per la storia di Pavia e suo principato; zu Messina: Rivista di storia antica e scienze affini; zu Neapel: Archivio storico gentiligio del Napoletano.

Dem Unternehmen „Geschichte der europäischen Staaten", herausgeg. v. Heeren, Ufert, v. Giesebrecht und Lamprecht, sind eine Anzahl neuer Aufgaben einverleibt worden. Prof. Pirenne in Gent hat e. Gesch. der belg. Niederlande übernommen (Bd. I: Gesch. v. Flandern u. Brabant bis z. Mitte d. 14. Jhs, Bd. II: Gesch. d. burgund. Staates); eine Gesch. Böhmens in 2 Bdn. Prof. Bachmann in Prag; e. Gesch. Finnlands Prof. Schybergson in Helsingfors; e. Gesch. Italiens im M.-A. u. z. Z. d. Renaissance, in 3 Bdn. Privatdoz. Sutter in Freiburg i. B.; e. Gesch. Rußlands, zunächst in 2 Bdn. bis z. Abschluß d. vor. Jhs. Staatsrat Prof. Brückner in Jena; die Fortsetzung e. Gesch. Schwedens Prof. Stavenow, früher in Upsala, jetzt in Gothenburg. Unter der Presse befindet sich d. Gesch. Finnlands v. Schybergson. Der 1. Bd. d. russ. Gesch. v. Brückner (e. Uebersicht d. russ. Gesch. b. z. Tode Peters d. Gr., vornehml. vom Gesichtspunkt d. Entwicklung d. Zustände) wird demnächst in die Presse gehen. Mit dem darauf in nicht allzu langer Frist zu erwartenden 2. Bd. wird die Darstellung etwa bis z. Schlusse d. vor. Jahrh. geführt werden, d. h. soweit die ältere, der europ. Staatsgesch. angehörende Gesch. Rußlands v. Strahl u. Herrmann reicht. Von da ab ist dann eine ausführlichere Fortsetzung der Darstellung beabsichtigt. Außer Bd. 1 der russ. Gesch. stehen für das nächste Jahr in Aussicht: Bd. 1 d. Gesch. d. belg. Niederlande v. Pirenne, Bd. 7 d. Gesch. Spaniens v. Schirrmacher, der letzte Bd. der engl. Gesch. (1815 ff.) v. Brosch und vielleicht auch Bd. 7 d. schwed. Gesch. (1718 ff.) v. Stavenow. In weiterer Frist sind

zunächſt zu erwarten Bd. 4 d. Geſch. Bayerns v. Riezler (1508—1651); Bd. 1 d.
Geſch. Böhmens v. Bachmann; endlich Bd. 2 d. Geſch. Württembergs (1496 bis ver=
mutlich 1733) v. Staelin.

Im Druck befindlich iſt die bei Herder in Freiburg i. B. erſch., auf 6 Bde.
berechnete Brieffammlung des ſel. Petrus Caniſius mit Einleitgn., Anmerkgn.
u. alphabet. Regiſtern. Bd. 1 dieſes in latein. Sprache abgefaßten Werſes wird im
Laufe des Monats Mai zur Ausgabe gelangen unter dem Titel: Beati Petri
Canisii, S. J., Epistulae et Acta. Colleg. et adnotationib. illustr.
O. Braunsberger, S. J. gr. 8°. Vol. I: 1541—56.

Unter Leitung von P. Schlenther wird im Verlage von G. Bondi zu Dresden
von 1897 ab eine Anzahl Einzelwerke erſcheinen unter dem Geſamttitel: Das neun=
zehnte Jahrhundert in Deutſchlands Entwicklung. In zwangloſer Reihe
werden im Umfange von je ca. 30 Bogen mit Abbildungen neben einander ver=
öffentlicht: Geſch. d. geiſt. u. ſozial. Strömungen v. Th. Ziegler; Polit. Geſch. v.
G. Kaufmann; Geſch. d. Literatur v. R. M. Meyer; Geſch. d. Kriegs u. Heeres v.
J. Hönig; Geſch. d. Naturwiſſenſch. v. S. Günther; Geſch. d. Technik v. F. Reuleaux;
Geſch d. bild. Künſte v. C. Gurlitt; Geſch. d. Muſik v. H. Welti; Geſch. d. Theaters
v. P. Schlenther.

Die Redaktion der Jahresberichte der Geſchichtswiſſenſchaft (ſ. oben
S. 465) geht vom Jahrg. XVIII (1895) aus den Händen J. Jaſtrows in die des
k. pr. Hausarchivars E. Berner über.

Die Leitung der im Verlage von H. Welter in Paris erſcheinenden Revue
internationale d. Archives, d. Biblioth. et d. Musées hat der bekannte
Diplomatiker A. Giry übernommen. — Vom nämlichen Verlage wurden ſoeben aus=
gegeben: C. Morel: Une illustration de l'Enfer de Dante, 71 minia-
tures du XVᵉ siècle (Bd. 1, 4°, XV, 139 S. u. 71 photogr. Tafeln; fr. 35); —
die erſten Lieferungen eines großen, auf 8 Bde. in gr.=8° berechneten, mit Illu=
ſtrationen und Fakſimiles reich ausgeſtatteten Unternehmens: Histoire de la
langue et de la littérature française des origines à 1900, hrsg. v.
L. Petit de Julleville in Gemeinſchaft mit 43 anderen. (Das Ganze koſtet in
Subſkription für das Ausland fr. 120, im Buchhandel fr. 128.) — Von P. de
Vaiſſière: Charles de Marillac, ambassadeur et homme politique
sous l. règn. de François I, Henry II et François II 1510—60. (Bd. 1, gr.=8°,
XX, 440 S.; fr 10) und: De Roberti Gaguni, ministris generalis O. S.
Trinitat., vita et operibus, 1425?—1501 (Bd 1, gr.=8°, XII, 106 S.; fr. 5). —
Daſelbſt befinden ſich unter der Preſſe: Bibliographia Aristotelica par
Schwab (Bd. 1, 4°; Subſkriptionspreis fr. 20, im Buchhandel fr. 25) und: Bibliographie des voyages en Espagne et en Portugal depuis le II siècle
de l'ère chretienne jusqu' à 1895 par R. Foulché-Delbosc (Bd. 1, 8°, geg.
250 S.; fr. 12). — Spätestens im Dezember d. Js. wird erſcheinen von C. Morel:
Les plus anciennes traductions françaises de la Divine Comédie,
publ. pour la prem. fois d'après l. manuscrits; Bd. 1, 8°, gegen 900 S. nebſt
einem Album phototyp. reproduz. Miniaturen.

Wilperts »Fractio panis« (Hist. Jahrb. XVI, 914) erscheint demnächst in franz. Sprache bei Firmin=Didot zu Paris, ebenda bei Rothschild von E. Müntz: Les tapisseries de Raphaël (60 Fr.), und bei G. P. Putnams Sohn in London der 1. Bd. von: Books and their makers during the M.-A. A study of the conditions of the production and distribution of literature from the fall of the Roman Empire to the close of the seventeenth century by George Haven Putnam. Dieser erste Band schließt mit dem J. 1709; ein zweiter wird in kurzem folgen.

Die k. preuß. Akademie der Wissenschaften erläßt im Interesse der beabsichtigten Kantausgabe (s. oben S. 228) einen Aufruf, daß man eine eventuelle Kenntnis von nicht veröffentl. Kant=Hss., Briefen, Kompendien, Nachschriften von Vorlesungen udgl. an das Sekretariat d. Akademie möge gelangen lassen.

Der Mailänder Bibliothekar Carboni hat in der Estensischen Bibliothek bezw. in des Marquis Campori Sammlung von Briefen großer Männer [von 1500 bis 1800] etwa 300 Briefe Andrea Dorias, Großadmirals Karls V, entdeckt aus der Zeit von 1528—60, die er zusammen mit anderwärts gefundenen zeitgenössischen Briefen demnächst veröffentlichen wird. (Vgl. Beil. z. Allg. Ztg. 1896, Nr. 96.)

Zwischen dem Bayer. Allgem. Reichsarchiv zu München einerseits und anderseits dem Geh. Hof= und Staatsarchiv, dem Archiv des gemeinsamen Finanzministeriums zu Wien und dem Ungarischen Nationalmuseum zu Budapest ist ein umfangreicher Archivalienaustausch ins Werk gesetzt worden, wozu die Vorverhandlungen noch in die siebziger Jahre datieren. Demgemäß folgte das gen. bayer. Archiv gegen einige hundert Stück Bavarica aus den Hss.= und Urkk.=Schätzen der erwähnten Wiener Archive und des Budapester Nationalmuseums an das ungar. Landesarchiv zu Budapest 584 registrierte Hunyadidokumente aus, welche in Pergamenturkk. bestehen und die Glanzperiode des Hunyadischen Hauses bis 1510 umfassen. Speziell die vom ungar. Nationalmuseum abgegebenen 229 Hss. und 266 Urkk. stammen aus einer von Ungarn in den dreißiger Jahren erworbenen Nürnberger Sammlung und reichen vom 13. bis z. 18. Jahrh.; darunter befinden sich „Der schöne Baumgarten“ (13. Jahrh.), eine Hs. des Schwabenspiegels (15. Jahrh.), Kirchen= u. Stadt=Rechnungs= u. Rechtsbücher, Reisebeschreibungen, Korrespondenzen und besonders für die Geschichte bayer. Städte und Familien interessante Materialien; letzteres trifft auch bei den Urkk. zu, unter denen 35 päpstliche aus dem 13. Jahrh., 8 Kaiserurkk. und 38 Urkk. zur Geschichte des Karmelitenordens in Bayern besonders zu nennen sind. (Vgl. Beil. z. Allg. Ztg. 1896, Nr. 91 und 98.)

Das von der Altertumsgesellschaft „Prussia“ in Frauenburg als erstes auf deutschem Boden ausgegrabene Wikingerschiff hat in Königsberg Aufstellung gefunden; von den alten Schriftzeichen wurden Gipsabgüsse genommen. — Dem Münzkabinet der k. Bibliothek zu Brüssel hat der Pariser Numismatiker R. Serrure 105 seltene merovingische, karolingische und französische Feudalmünzen und auf der Insel Rhodus geprägte Münzen der Johanniter geschenkt. (Vgl. Beil. z. Allg. Ztg. 1896, Nr. 98.)

Am 13. April hat sich in München eine bayerische Gruppe der Gesell= schaft für deutsche Literatur und Schulgeschichte gebildet. I. Vorstand ist der Professor a. d. Universität, geistl. Rat J. Bach, II. der Professor a. d. technischen

Hochschule, S. Günther. Unter den Mitgliedern befinden sich der b. Kultusminister v. Landmann und Bischof v. Hötzl von Augsburg. Es wurde der Plan gefaßt, alsbald nach dem Vorgange der Oesterreicher ein Heft der Mitteilungen mit Abhandlungen aus der bayerischen Schulgeschichte zu füllen.

Der Verwaltungsrat der **Wedekindschen Preisstiftung** für deutsche Geschichte verlangt: eine archivalisch begründete Geschichte der inneren Verwaltung des Kurfürstentums Mainz unter Emmerich Joseph (1763—74) und Friedr. Karl Joseph (1774—1802). Besonderer Wert wird auf die Ermittlung der Teilnahme von Johannes Müller gelegt. Bewerbungsschriften sind an den Direktor des genannten Verwaltungsrates vor dem 1. August 1900 einzusenden. Das Urteil des Preisgerichts wird am 14. März 1901 in einer Sitzung der k. Gesellsch. d. Wiss. bekannt gegeben. Der Preis beträgt M. 3300 und muß ganz oder kann gar nicht zuerkannt werden. (Näheres über die Bedingungen s. Nachrichten der k. Gesellsch. der Wissenschaften 1896, geschäftliche Mitteilungen.)

Ein von der k. Gesellsch. der Wissenschaften in Göttingen zu vergebender Preis von 800 M. für in den letzten 10 Jahren erschienene beste Bearbeitungen aus der deutschen Geschichte ist pro 1896 dem Verf. der „Geschichte Frankens" in 2 Bdn. Justizrat Stein in Schweinfurt verliehen worden.

Von der **Akademie zu Paris** erhielt G. Hanotaux für seine Histoire du card. de Richelieu (Hist. Jahrb. XVI, 881) einen Preis von fr. 9000, E. Daudet einen solchen von fr. 1000 aus dem Concours Gobert für sein Werk: La police et les Chouans sous le Consulat et l'Empire (s. oben S. 163), C. Jullian für seine Histoire de Bordeaux (s. oben S. 409) fr. 1500 aus dem Concours Therouanne und dasselbe de Lanzac de Laborie für: La domination française en Belgique, 1795—1814 (wir werden auf das Werk im nächsten Heft zurückkommen) und L. Lecestre fr. 1000 für die Mémoires de Gourville (s. v. S. 407).

Die **Académie des Inscriptions** zu Paris stellt für 1896 die Preisaufgabe: Étude sur les vies des saints, traduites du grec en latin jusqu' au X siècle (prix Bordin: fr. 3000) und für 1898: Étude sur les sources des martyrologues du IX siècle (prix ordinaire: fr. 2000).

Der vierte internationale wissenschaftliche **Katholikenkongreß** (über den dritten vgl. Hist. Jahrb. XVI, 451; den Compte rendu s. oben S. 390 ff.) findet vom 9.—12. Aug. 1897 zu Freiburg i. d. Schweiz statt. Die Organisationskommission, deren Vorsitzender Prof. Sturm ist, legt besonderen Wert darauf, eine größere Beteiligung deutscher Gelehrter anzuregen. Mit Rücksicht darauf werden die Berichte der Kommission in französischer und deutscher Sprache herausgegeben und neben der französischen und lateinischen ist diesmal auch die deutsche Sprache sowohl für die schriftlichen Abhandlungen als für die Vorträge und Verhandlungen gestattet. Die Einführung einer derartigen Neuerung kann kaum irgendwo leichter vor sich gehen als in Freiburg i. d. Schweiz, wo man an der Grenzscheide des deutschen und französischen Sprachgebietes ist. Beitrittserklärungen sind an den Generalsekretär Prof. Kirsch oder an den Schatzmeister Prof. Fietta, beide in Freiburg i. d. Schweiz, zu senden. Der Beitrag ist auf 10 Franken berechnet, jedes

Mitglied erhält dafür ein Exemplar des Kongreßberichtes. Die für den Kongreß bestimmten Arbeiten sind an den Generalsekretär spätestens bis zum 15. Mai 1897 einzusenden. In Deutschland haben sich verschiedene Diözesan= komités gebildet, welche für den Kongreß Teilnahme erwecken wollen und weitere Auskunft erteilen. Wir führen die Namen der Vorsitzenden bezw. Ge= schäftsführer auf: für Bamberg Prof. H. Weber, für Breslau Prof. Bäumker, für Eichstätt Prälat Prunner, für Köln Weihbischof Schmitz, für München Prof. Frhr. v. Hertling, für Passau Prof. Pell, für Regensburg Prof. A. Weber, für Speyer Prof. Pfeiffer, für Straßburg Regens Ott, für Würzburg Prof. Kihn, für Freiburg i. B. Weihbischof Knecht (Geschäfts= führer Prof. Hoberg), für Tübingen Prof. v. Funk, für Trier Prof. Schütz, für Mainz Domkapitular Raich, für Fulda Prof. Braun, für Culm Gen.= Vikar Lüdtke, für Augsburg Prof. Schlecht, für Paderborn Dompropst Schneider.

Wie auf dem vorhergehenden dritten Kongreß unter den eingesandten Abhandlungen die historischen am zahlreichsten waren, so wird aller Vor= aussicht nach auch diesmal die Beteiligung der Historiker eine starke werden; wir würden uns freuen, unter diesen auch viele unserer verehrten Mit= arbeiter zu sehen.

Zu der lebhaft entbrannten Streitfrage über den Ursprung des sieben= jähr. Krieges (s. oben S. 230 f. u. S. 398, 407), hat in der Beil. z. Allg. Ztg. 1896 Nr. 92—94 E. Marcks Stellung genommen mit dem Ergebnisse, daß der Krieg von seiten Friedrichs defensiv gewesen sei. Während er damit die Partei Naudés ergreift, verbleibt H. Delbrück im Aprilheft der Preuß. Jahrbücher im ganzen bei seiner früheren ablehnenden Haltung. Für die ersten Monatsblätter der Deutsch. Zeitschr. f. Geschichtswissensch. (N. F., s. oben S. 227) hat K. Th. Heigel eine Darlegung der Kontroverse angekündigt, und auf Lehmanns Erwiderung gegen Naudé (Gött. Gel. Anz. 1896 Nr. 2) ist im 4. H. der Histor. Zeitschrift R. Koser eingegangen. Wir unserseits werden mit unserem oben S. 231 versprochenen Urteil noch zurückhalten, bis Naudé den für den 2. Teil seiner „Beiträge" (s. oben S. 398) in Aussicht gestellten positiven Beweis veröffentlicht hat, daß die preuß. Vorbereitungen 1756 durchaus ohne offensive Absicht und hinter denen der Gegner zurück waren.

Nekrologische Notizen.

Gestorben: am 4. Febr zu Paris der Historiker Flanderns L. de Bader 82 J. a.; am 24. Febr. in Rom der Professor der christlichen Archäologie an der Uni= versität der Propaganda M. Armellini, 44 J. a.; am 9. März in Falkenstein (Taunus) der Historiker W. Krause, Mitarbeiter d. Mon Germ. hist, 30 J. a.; am 10. März in Zürich der Professor der Kirchengeschichte O. Fritzsche, 84 J. a.; am 30. März in Prag der Professor des kanonischen Rechtes an der deutschen Universität, F. Bering, 63 J. a.; am 28. April in Berlin Professor Heinrich v. Treitschke, 62 J. a. (wie die Nat.=Ztg. mitteilt, hinterläßt er den 6. Bd. seiner deutschen Gesch. unvollendet, mitten erst in der Sammlung der Materialien).

Zur Berichtigung.

Spät genug erfahre ich, daß meine Schrift im Hist. Jahrb., welches den Namen meines großen Lehrers Görres trägt, besprochen ist. Der Rezensent (XVI, 404) findet: „Das Werk teilt alle Eigentümlichkeiten Seppscher Forschung: in einer völlig veralteten Methode der Mythen= und Religions= vergleichung werden die entlegensten Analogien zusammengeworfen und ohne Rücksicht auf die ethnologischen und etymologischen Ergebnisse der modernen Forschung ägyptische, indische und arabische Religionsvorstellungen und Religionsgebräuche mit germanischen zusammengestellt ... Eine arge Ent= täuschung brachte freilich der Nachweis neuerer Germanisten (Golther), wo= nach die Edda und andere derartige Literaturdenkmäler schon durch das Christentum beeinflußt sind ... Sepp läßt sich dadurch aber nicht beirren."

Wohlgesprochen! Ich treibe erst 60 Jahre diese Studien, schrieb 1853 „Das Heidentum und seine Bedeutung für das Christentum" 3 Bde., 1864 „Thaten und Lehren Jesu" mit dem Schlußkapitel: „Entwickelung des Heidentums bis Christus", 1876 „Altbayerischer Sagenschatz zur Be= reicherung der indogermanischen Mythologie", 1890 „Die Religion der alten Deutschen und ihr Fortbestand in Volkssagen, Aufzügen und Fest= bräuchen bis zur Gegenwart" — abgesehen von Einzelabhandlungen und Artikeln. Im Manuskript fertig ist „Die Weltreligion", die nach meinem Tode erscheinen mag. Ich sage: Jede neue Religion übernimmt das In= ventar der alten. Da kommt, umgekehrt der skandinavischen Schule (Bugge, Brenner), welche das Pferd beim Schweife aufzäumt, alles auf den Kopf stellt und die Edda auf dem Christentum beruhen läßt.*) Christ= liche Priester haben das Evangelium des deutschen Heiden= tums verfaßt, die Esche Ygdrasil, an welcher Odin neun Tage hängt und Lieder dichtet, ist ein Nachbild des heil. Kreuzes usw. Doch, daß wir es uns klar machen: Die nordischen Wickinger sind in alle Meere ausgefahren und haben mündlich oder urkundlich aus Klöstern Berichte vom Christentum heimgebracht, welche druidisch geschulte Geistliche verarbeiteten. Wahrscheinlich sind die religionsbeflissenen Seeräuber auch nach Wessobrunn gekommen, haben das bekannte Gebet entdeckt und der Edda einverleibt, denn beide geben das tohu va bohu der Bibel mit derselben Ausführung wieder: „Im Anfang war nicht Erde noch Himmel, nicht Baum noch Berg und Meersee, weder Sonne noch Mond und kein Stern leuchtete, da war nicht Lande noch Wande, als allein der allmächtige Gott." Ich nannte dies den ältesten Katechismus der Menschheit, denn den gleichen Tenor enthalten die Vedas, die chal= däische wie japanische Schöpfungslehre, die orphischen Hymnen, die pytha= goräische Kosmogonie, Hesiod und Virgil in den Metamorphosen, ja auf Havaii und den Marquesos Inseln verlautet genau dasselbe. Herr G. Grupp

---

*) Gegen den Wortlaut dieser Sätze hatte der Autor nichts zu erinnern. D. R.

erteilt mir freundlich die Lektion, daß ich die Mythologie nicht
ethnographisch behandle. Antwort: Weil sie so alt ist, wie die
Sprache und auf die noch ungeteilte Menschheit zurückgeht. Ich kann doch
nicht annehmen, daß ein Volk beim andern in die Schule gegangen, daß
die Aegypter die pers. Anahit (wörtlich Immaculata) als Neith, die Griechen
als jungfräuliche Athenais sich angeeignet, daß die alten Deutschen nach
Syrien gereist sind, um Astaroth als Ostara herüberzunehmen, oder gar
aus Indien den Wudna, unseren Wodan geholt haben. Habe ich unrecht,
dann müssen wir auch zugeben, daß, wie der sprachlich gut unterrichtete,
leider von Bugge beeinflußte Freund Golther meint, die Skandinavier
ihre Weltschlange Jörmungandr dem hebräischen Leviathan nachgebildet,
die Deutschen den Zweikampf zwischen Hildebrand und Hadubrand, Vater
und Sohn, aus dem, durch Görres übersetzten, Heldenbuch von Iran von
Firdussi sich frühzeitig angeeignet und nur die Namen Rustem und Sorab
geändert haben. Wenn Golther unsere Ostergöttin Ostara von der
syrischen Astarte erborgt hält, so legt uns diese Unmöglichkeit doch die
Hoffnung nahe, daß er nächstens von dieser ganzen Richtung der Ent=
lehnung oder des Raubes an fremdem mythologischem Gute zurückkommen wird.

Noch soll ich „bissige Bemerkungen über Aberglauben, Klosterreichtum,
Meßstiftungen" usw. „zur Kulturkampfzeit" gemacht haben. Aber mein
strenger Richter vergißt, daß ich nur Andere reden lasse, z. B. aus
Jörgs Histor. polit. Blättern den Cochläus, Luthers heftigen Gegner an=
führe, der sich stark gegen Meßstiftungen aussprach. Er zitiert nicht wie
ich, daß Papst Benedikt XIV aussprach, der gestifteten Messen seien so
endlos viele, daß sie unmöglich persolviert werden könnten, weshalb Rom
statuierte, es genüge statt zehn Messen eine zu lesen, was noch Pius IX
sanktionierte. Wider Superstition zu eifern verdient doch nur Lob; der
bekannteste katholische Theolog des vorigen Jahrhunderts P. Eusebius
Amort reiste im Auftrag des Bischofs von Augsburg von einem Wall=
fahrtsorte zum andern, um eingerissenen Unfug abzustellen, und ich glaube
einigermaßen in die Fußtapfen dieses meines Landsmanns getreten zu
sein. Andere finden, es stehe in dem Buche so viel neues, daß ein Ein=
heimischer immerhin Jahrzehnte brauchte, um den Stoff zu sammeln und
zu bewältigen. Nur nicht die Finger sich verbrennen! Doch darum keine
Feindschaft!

Dr. Sepp.

Erwiderung.

Dr. Sepp ging allerdings nicht so weit wie die modernen Semito=
logen, welche die mosaische Schöpfungsgeschichte aus babylonischen und
ägyptischen Ursagen ableiten, aber er hat sie hinter die „altgermanische
Urgeschichte" ganz entschieden zurückgesetzt. Alle die Artikel Sepps, die er

in dieser Richtung in die verschiedensten Zeitschriften schrieb, kann ich leider nicht nachweisen. Es genügt aber, einige Sätze aus der Allg. Ztg. 1885 Beilage Nr. 22 anzuführen:

„Wir lernen in den Schulen griechische Mythologie, ja von Kindheit auf hebräische Religionssage, aber kein Wort vom deutschen Weltglauben, der jenen doch ebenbürtig ist. Daß die japhetidischen Urkunden primitiv und selbst der Zeit nach den Vorzug verdienen, dieses nachzuweisen ist eben der Triumph der neueren Wissenschaft. Die Predigten, welche unsere altdeutschen Priester, sei es unter heiligen Eichen oder Linden, sei es vom Wagen aus gehalten, sind voll evangelischer Sanftmuth. Sie sprachen in Gleichnissen, die sich bei ihrer handgreiflichen Faßlichkeit noch erhielten und ähnlich den Parabeln des Erlösers fort erhalten werden bis ans Ende." Noch deutlicher wird die Ueberlegenheit des germanischen über den christlichen Glauben in folgenden Worten erklärt: „Die Weltanschauung war eine freudige, die Erde bedünkte sie keine Bußanstalt, die Priester forderten keine Peinigung und Abtötung." „Den Deutschen fiel nicht ein, die Menschen für Sünde und Tod, für alles Elend und die Trübsal in diesem Jammerthal verantwortlich zu machen. Nichts konnte sie auf ihrem Standpunkt mehr befremden als der Psalmspruch: In iniquitatibus conceptus sum, et in peccatis concepit me mater mea."

Sepps Religionsvergleichung stammt aus den ehrwürdigen Tagen der Kreuzer u. a., wo man in allen Religionen Spuren der Uroffenbarung suchte, aber sich nicht mit dem Gottesglauben begnügte, sondern womöglich auch die Dreifaltigkeit, hl. Jungfrau, Kreuz und Kreuzigung entdecken wollte, Dinge, die nicht einmal das alte Testament kennt. Man sieht bei Sepp, wie weit man dabei kommt: weil viele außerbiblische Religionen deutlichere Spuren christlicher Idee und Symbole enthalten, stellte man sie gar über das alte Testament. Jedem, der einmal sich mit diesen Dingen beschäftigt hat, ist bekannt, wie irreführend Gleichklänge und Analogien im Volksglauben wie in der Volksdichtung, in Sagen, Symbolen und Kultusformen sind; wie schwer ist hier die Priorität festzustellen? Viele Aehnlichkeiten sind gar nicht aus einer Urtradition oder Wanderung sondern aus gleichartiger Geistes- oder Gemütsanlage zu erklären; vielleicht gehören hierher sogar Analogien der Schöpfungssage, die der Bibel fremd sind (z. B. das indische Ei ꝛc.). Jedenfalls müssen bei Aufstellung von Zusammenhängen die Sprachverwandtschaften und Rasseverschiedenheiten der Völker berücksichtigt werden, das thut aber Sepp niemals, er wirft alles unter einander. Man höre: Die Cumerana oder Kümmernis wird S. 15 f. das einemal als Kymeris = kimmerische Jungfrau, dann als sanskritisch Cymeris = Jungfrau, dann wieder als indisch Kumari, ferner als indisch (?) Cumana, abendländisch Cymine dargestellt, endlich mit dem etrurischen Frauennamen Chumenaia verbunden. Die Kümmernis ist ihm eine Crucifixa ante Crucifixum! Die drei „Fräulein", „Jungfrauen" = Nornen, Ainbet, Wolbet,

Bilbet werden S. 11 mit Fides, Spes, Caritas — Irene, Agape, Chionia — Luza, Allath, Manath (mohammedanisch) verbunden. „Der hl. Nikolaus, ursprünglich Nilgot, legt den Kindern seine Gaben in ein Papyrusschifflein. Auf der Insel Zante weiht man das Schifflein dem Dionysius." Die Kettenkapellen des hl. Leonhard werden S. 22 wohl zutreffend mit der „Theiding" verknüpft, Seite 24 aber mit ganz andersartigen arabischen Dingen (bab es Silsile). Der heil. Acker der Cluniacenser, auf dem der Weizen für die Hostien wuchs, wird S. 6 verbunden mit dem ägyptischen Hotep=hem (Frauenschuß) und dem Baalacker zu Gilgal. Das sind Etymologien, die auf der gleichen Stufe stehen mit der Seppschen Ableitung des Gigerl von Gyges!

Ob und inwiefern die Edda samt dem Muspilli vom Christentum beeinflußt ist, kann ich hier nicht weiter ausführen. Aber die Mehrzahl der Forscher bevorzugt die moderne Erklärung; natürlich braucht man nicht alle Einzelheiten, z. B. die von Sepp oben angeführten, deswegen anzunehmen. Die christlichen Einflüsse beim Muspilli stehen ohnehin außer allem Zweifel, so daß man es gar als ein wesentlich christliches Erzeugnis betrachtet.

Was endlich die Meßstiftungen anbelangt, so ist es zweierlei, zu bedauern, daß es ihrer zu viele werden, und über Mißbrauch zu klagen oder gar zu ihrer Abstellung den Staat anzurufen. Am 3. März 1875 forderte Sepp die Regierung auf, die Stiftungen von der Ueberlast der Messen zu befreien und behauptete dabei, die Mehrzahl der gestifteten Messen werde gar nicht gelesen und es bestehe ein schwunghafter Meßhandel! Das einzige Mittel, die kirchliche Reduktion entsprechend den heutigen Stipendienverhältnissen, hatte er in ganz unverständiger Weise angegriffen. An der Ueberzahl der Meßstiftungen ist nicht die Kirche, sondern der fromme Eifer der Gläubigen schuld, und wenn die Kirche diesem Eifer nicht ganz genügen kann, beweist das höchstens, daß sie zu wenig Geistliche hat. Im Mittelalter vermehrten sich mit den Stiftungen auch die Geistlichen, aber gerade dieser Umstand ist es, der Sepp veranlaßt, seinen Widerwillen gegen die Stiftungen auszusprechen (S. 125).

Dr. G. Grupp.

Zur Geschichte der älteren christlichen Kirche von Malta.

Von Albert Mayr.

Die Eroberung Maltas durch die Araber im Jahre 870 hat nicht nur für die politische Geschichte dieser Insel einen Wendepunkt herbeigeführt, sondern auch auf die Bevölkerungs= und Kulturverhältnisse der maltesischen Inselgruppe den nachhaltigsten Einfluß ausgeübt. Bis zu diesem Zeitpunkt soll hier zunächst die Entwicklung der christlichen Kirche auf Malta verfolgt werden. Ob sich auch während der arabischen Herrschaft daselbst das Christentum forterhalten habe, war bisher eine offene Frage. Ihre Erörterung nötigt, hier auch die kirchlichen Verhältnisse Maltas in der Zeit, welche auf die Eroberung der Insel durch die Normannen unmittelbar folgte, ins Auge zu fassen.

Ueber die frühere, wie über die spätere Geschichte der Kirche von Malta hat zuerst im Zusammenhang Pirro [1]) gehandelt. Seine Darstellung enthält zahlreiche Unrichtigkeiten und leidet außerdem unter der unkritischen Verwertung legendenhafter Angaben. Doch beruht auf den Angaben Pirros zum großen Teil, was sich bei den maltesischen Geschichtschreibern, wie Abela, Ciantar,[2]) Bres,[3]) Ferres[4]) über diesen Gegenstand findet. Nicht viel besser steht es mit den Bemerkungen, welche man im Dizionario di erudizione storico ecclesiastica

---

[1]) Sicilia sacra. Panormi 1638, lib. III, notit. VII (im folgenden wird nach der von Mongitore besorgten 3. Ausgabe v. J. 1733 zitiert).

[2]) Abela, della descrittione di Malta. Malta 1647; wieder abgedruckt, mit Zusätzen versehen, in Ciantar, Malta illustrata. Malta 1772 (die Zitate im folgenden beziehen sich auf die Ausgabe von 1772).

[3]) Malta antica, Roma 1816. lib. VI.

[4]) Descrizione storica delle Chiese di Malta e Gozo. Malta 1866.

von Moroni,[1]) bei Cappelletti[2]) und in der 2. Aufl. von Wetzer und Weltes Kirchenlexikon[3]) in dem Artikel „Malta" liest: viele falsche und legendenhafte Angaben des Pirro und Abela kehren hier wieder. Die Namen, welche das Verzeichnis der maltesischen Bischöfe bei Gams[4]) aus den ersten zwölf Jahrhunderten enthält, sind eben= falls größtenteils unrichtig.

In der Zeit, in welche die Anfänge des Christentums fallen, bildeten die Inseln Malta und Gozo wahrscheinlich einen gesonderten Verwaltungs= bezirk des römischen Reiches, der einem kaiserlichen Profurator unter= stellt war.[5]) Die einzigen Städte auf diesen Inseln, Melite und Gaulos, hatten die Rechte und die Verfassung römischer Munizipien und waren von einer zum größeren Teile hellenisierten Bevölkerung bewohnt, in welcher sich jedoch bald römische Sprache und römisches Wesen ein= zubürgern begannen. Daneben hatte aber auch bei einem Teile der Be= völkerung sich noch die alte phönizische Sprache erhalten. Die Zeiten, da Malta als Stützpunkt der phönizischen und karthagischen Seemacht eine wichtige Rolle im Verkehr der Völker gespielt hatte, waren längst vorüber. Der Hafen von Malta bildete zwar immer noch eine Station für Schiffe, die von Aegypten nach Italien segelten; es scheint auch, nach den dort gefundenen Resten des Altertums zu urteilen, in den ersten Jahr= hunderten der Kaiserzeit auf Malta und Gozo eine gewisse Wohl= habenheit geherrscht zu haben. Im Ganzen aber waren Melite und Gaulos damals wenig bedeutende Provinzialstädte, von denen uns fast nur Inschriften Kunde geben.[6])

Zum erstenmal wird Malta in der Geschichte des Christentums ge= nannt, als der Apostel Paulus auf seiner Reise von Cäsarea nach Rom — wahrscheinlich im Herbst des Jahres 60 — durch einen Sturm an die Küste dieser Insel verschlagen wurde.[7]) Die Frage, ob unter

---

[1]) Vol. XLII (1847) S. 81 ff.

[2]) Chiese d'Italia vol. XXI (1870), S. 647 ff.

[3]) VIII, 577 ff.; der Artikel ‚Malta' ist von Reher bearbeitet.

[4]) Series episcoporum S. 947.

[5]) C. I. L. X, 7494; vgl. die Bemerkungen von Mommsen zu C. I. L. a. a. O. 6785.

[6]) C. I. L. X, 7494—511, 8318 add. u. 8319 add.; auch C. I. G. 5754 (Kaibel, inscr. Gr. Sic. 601) und 5755 gehören in diese Periode.

[7]) Acta apost. c. 27, 27 ff. — Wenn die Ansicht von Viktor Schultze (Archäologische Studien S. 61 ff.) richtig ist, so hätte der Schiffbruch des Paulus bei Malta auch eine Darstellung in der altchristlichen Kunst gefunden und zwar in einem Freskogemälde, das in einer der sog. Sakramentskapellen in der Katakombe von S. Callisto angebracht ist.

dem Melite der Apostelgeschichte Malta oder die im Altertum gleichfalls
Melite genannte dalmatische Insel Meleda zu verstehen sei, hat be=
sonders im 18. Jahrhundert einen heftigen Streit erregt und eine
Menge von Abhandlungen über die Seereise des hl. Paulus und die
Ansprüche, welche die beiden Inseln auf den Aufenthalt des Apostels
machten, hervorgerufen.[1]) Doch soll hier auf diesen Gegenstand nicht
weiter eingegangen werden, da aus allem, was in der Apostelgeschichte
über die Richtung der Fahrt, die Oertlichkeit der Landung und die
Verhältnisse auf der Insel gesagt wird, mit zweifelloser Sicherheit her=
vorgeht, daß Paulus an der Küste von Malta und nicht bei Meleda
Schiffbruch litt, was denn auch jetzt allgemein angenommen wird. Paulus
landete auf einer Landzunge,[2]) wie deren sich mehrere an der Ost= und
Nordküste der Insel finden. Eine alte Tradition bezeichnet die im
Norden Maltas gelegene Bucht Cala di San Paolo als den Ort, wo
das Schiff des Apostels strandete.[3]) An zahlreiche Stätten in dieser
Umgebung knüpfen sich sagenhafte Erinnerungen an den Aufenthalt des
Paulus. Die Beschaffenheit der Bucht widerspricht nicht den in der
Apostelgeschichte gegebenen Andeutungen; unmöglich aber läßt sich nach
diesen die Landungsstelle mit Sicherheit nachweisen. Die Schiffbrüchigen,
welche von der eingebornen Küstenbevölkerung eine freundliche Be=
handlung erfuhren, fanden zunächst auf den Landgütern eines Mannes,
der in unserer Erzählung Publius genannt wird und die Würde des
πρῶτος τῆς νήσου bekleidete,[4]) Aufnahme und verweilten während des
ganzen Winters auf der Insel.

Es ist nun vielfach, besonders seitens der maltesischen Lokalhistoriker,
die Ansicht verfochten worden, daß Paulus während seines Aufenthalts
auf Malta einen großen Teil der Einwohner bekehrt und daselbst

---

[1]) Meleda findet sich zuerst bei **Constantin. Porphyrogennet.**, de
administr. imp. c. 36 als der Schauplatz des Schiffbruchs erwähnt. Die ältere
Streitliteratur über die Frage verzeichnet **Bres** a. a. O. lib. VI c. 1, der diese
in c. 2—7 selbst wieder ausführlich erörtert; weitere Literatur über die Landung des
Paulus auf Malta in der **Realencyclopädie** f. **prot. Theologie** XI, 372;
von Neueren sind **Conybeare** und **Howson**, life and epistles of St. Paul,
II, 308 ff., **Renan**, St. Paul S. 547 ff., **K. Th. Rückert**, Nach Nordafrika (1884)
S. 421 ff. anzuführen.

[2]) τόπος διθάλασσος (Act. apost. c. 27, 41).

[3]) Diese Tradition erwähnt als sehr alt zuerst **Quintinus**, descriptio
ins. Melitae (1533), col. 7 (im Thesaurus antiquit. Sicil. vol. XV).

[4]) Ueber die Bedeutung dieser Ehrenstelle, welche sich auch noch in einer
griechischen (C. I. G. III, 5754) und in einer lateinischen (C. I. L. X, 7495) In=
schrift von Malta erwähnt findet, sind wir nicht genauer unterrichtet.

eine chriſtliche Gemeinde geſtiftet habe.[1]) Hiefür beſteht nicht der ge=
ringſte -Anhaltspunkt. Die Apoſtelgeſchichte ſagt nicht einmal, daß
Paulus auf Malta das Evangelium geprebigt habe,[2]) wenn es auch
an ſich nicht unwahrſcheinlich iſt, daß er dem Chriſtentum dort
einzelne Anhänger gewonnen hat. So iſt es denn auch ˙nur eine
jeden hiſtoriſchen Grundes entbehrende Legende, daß der in der
Apoſtelgeſchichte genannte πρῶτος Publius der erſte Biſchof von Malta
war.[3]) Dieſelbe beruht auf der Identifizierung des Publius von Malta
mit dem gleichnamigen von Dionyſius von Korinth[4]) und Hieronymus[5])
genannten Biſchof von Athen, welche ſchon aus chronologiſchen Gründen
unmöglich iſt.[6]) Mit nicht größerem Recht wird ſeit Pirro ein Biſchof
Namens Acacius in den meiſten malteſiſchen Biſchofsliſten angeführt,[7])
der am Konzil von Kalchedon im Jahre 451 teilgenommen haben ſoll.
Die Biſchöfe dieſes Namens, welche in den Akten dieſes Konzils wirklich
als Teilnehmer genannt ſind, gehören Städten an, welche nicht die
geringſte Beziehung zu unſerem Melite haben.[8]) Dagegen war der in

---

[1]) In dieſem Sinne äußert ſich ſchon Joann. Chryſost., in act. apoſtol.
homil. 54 (Migne, patrol. gr. 60, 376); vgl. Bres a. a. O. c. 9.

[2]) Vgl. die Bemerkung von Renan, St. Paul, S. 558.

[3]) Die Angabe findet ſich zuerſt im Vetus Romanum Martyrologium ed.
H. Rosweyd. (1613) S. 3 unter dem 21. Januar: Athenis, S. Publii Episcopi,
qui Meletenus a Paulo epicopus ordinatus; noch dem Vf. des Artifels Malta in
Weßer u. Weltes Kirchenlexifon (2. Aufl.) a. a. O. S. 579 gilt Publius als
der erſte Biſchof von Malta.

[4]) Bei Eusebius, hist. eccl. IV, 23.

[5]) de vir. illust. c. 19.

[6]) Schon Tillemont, mémoires pour servir à l'histoire ecclés. I, 573 f.
machte darauf aufmerkſam, daß der Tod des atheniſchen Biſchofs Publius erſt in die
Zeit des Marc Aurel fällt. Es ergibt ſich dies aus einem Brief des Dionyſios von
Korinth bei Euseb. h. e. IV, 23 § 2. Publius iſt dort als unmittelbarer Vor=
gänger des Biſchofs Quadratus von Athen erwähnt, welch letzterer ein Zeitgenoſſe
des Dionyſios von Korinth (unter Marc Aurel und Kommodus) war. Wenn Hie=
ronymus, de vir. ill. 19, den Biſchof Quadratus in die Zeit des Hadrian hinauf=
rückt, wonach ſich für ihn auch die Zeit des Publius beſtimmt, ſo beruht das auf
einer willkürlichen Identifizierung des Biſchofs Quadratus mit dem (unter Hadrian
lebenden) Apologeten Quadratus (über dieſen Euſeb. a. a. O. IV, 3); ſ. hierüber
Harnack, Geſchichte der altchriſtlichen Literatur bis Euſebius I, 95 f.

[7]) Pirro, Sicilia sacra II, 509; dagegen hat ſchon Ciantar in ſeinen Zu=
ſätzen zu Abela lib. III not. 1 § 3 bemerkt, daß Acacius aus der Liſte der Biſchöfe
von Malta zu ſtreichen ſei.

[8]) Es ſind dies die Städte Antiochia (am Orontes), Ariarathia, Antiochia La=
motis, Cinna (Mansi, conc. coll. VI, 569 B, 1083 E, 1090 A, 1092 D; VII,
121 A, 122 B und C.)

den Verhandlungen des ephesischen Konzils vom Jahre 431 genannte
Acacius, der wohl die Veranlassung zu Pirros irriger Angabe gegeben
hat, nicht Bischof der Insel Melite, sondern der kappadokischen Stadt
Melitene. [1)]

Es ist uns sonach kein Bischof von Malta aus der Periode der
römischen Kaiserzeit bekannt. Ueberhaupt enthalten unsere literarischen
Quellen keinerlei Angabe über die Verhältnisse, unter denen sich in den
Jahrhunderten, da Malta einen Bestandteil des römischen Reiches bildete,
das Christentum dort entwickelte. Auch die zahlreichen altchristlichen
Denkmäler von Malta geben uns hierüber, bis jetzt wenigstens, keinen
sicheren Aufschluß. Die meisten und bedeutendsten der frühchristlichen
Begräbnisstätten Maltas, die Katakomben von S. Paolo, S. Agatha,
S. Venera, S. Cataldo, S. Maria della Grotta, S. Maria tal Virtù,
die Abbatia, liegen im Umkreise der alten Stadt; andere von kleinerem
Umfang sind auch in anderen Teilen der Insel sowie auf Gozo nach=
gewiesen worden. [2)] Von keiner derselben besitzen wir eine auch nur
einigermaßen genügende Beschreibung. [3)] Soviel aus den von maltesischen
Historikern gegebenen Notizen hervorgeht, besitzen die um Città Vecchia
gelegenen Katakomben in der Regel einen geräumigen, in den weichen
Stein ausgehauenen Vorsaal, der noch in ziemlich später Zeit zu gottes=
dienstlichen Zwecken benutzt wurde. [4)] Die an diese Vorsäle sich an=
schließenden Cömeterien sind noch zum größten Teile unbekannt. Sie
enthalten labyrinthartig verlaufende, mitunter aber auch nach einem

---

[1)] Mansi IV, 1213 A, 1309 B, 1363 D.

[2)] Ueber die altchristlichen Begräbnisstätten auf Malta handeln in wenig ein=
gehender und wohl auch nicht immer verläßiger Weise Abela, lib. I not. IV, da=
nach Boldetti, osservazioni sopra i cimiteri de' santi martiri. Roma, 1720.
S. 631—33; Bres, l. c. lib. VI c. 16, Badger, description of Malta and
Gozo (1838) S. 255 ff.; eine kurze Uebersicht gibt Caruana, report on the
Phoenician and Roman antiquities of Malta (1882) S. 104; über ähnliche An=
lagen auf Gozo f. auch Lupi, dissertazioni e lettere filologiche, Lett. XI, 63.

[3)] Nunmehr hat Herr Dr. Arnold Breymann (i. J. 1893) die Katakomben
von Malta untersucht und wird, wie er mir mitgeteilt hat, in den nächsten Jahren
die Resultate seiner Forschungen veröffentlichen.

[4)] Unter den dort vorgefundenen Wandgemälden ‚alla maniera greca‘ (Abela),
welche meist Heilige, zum teil in bischöflicher Tracht darstellen, sind wohl Bilder in
byzantinischem Stil aus sehr später Zeit zu sehen. Auch die Erwähnung von Altären
und eingemeißelten Kreuzen in diesen Krypten deutet auf ihre Benützung in späterer
Zeit. Sogar mittelalterliche Wappenschilder begegnen in einer Krypta bei der Abbatia=
Katakombe.

ganz regelmäßigen Plane hergestellte Galerien, [1] zwischen denen bisweilen einzelne Hallen ausgehöhlt sind. Die Gräber sind teils als Arkosolien, teils als einfache loculi in die Wand eingesetzt; sie folgen in der Regel mit ihrer Langseite der Wand, sind aber bisweilen auch so eingehauen, daß sie ihre Schmalseite dem Beschauer zukehren. Chronologische Anhalts= punkte für die Anlage dieser Begräbnisstätten ergeben sich aus den vorhandenen Beschreibungen sehr wenige. Das Monogramm ☧, das in der Paulskatakombe und auf Gegenständen, die aus den maltesischen Katakomben stammen, auftritt, weist in das vierte Jahrhundert zurück. Auf nicht frühere Zeit deuten die christlichen Embleme auf den in den Katakomben gefundenen Lampen [2] und zwei lateinische Grabschriften, von denen die eine in der Nähe der Katakombe von S. Venera, [3] die andere über einem Grabe der Abbatia [4] gefunden wurde. Lampen mit Kreuzesdarstellungen, die ebenfalls vorkommen, führen dagegen schon in spätere Zeit herab. Wenn demnach die eben erwähnten Reste des christlichen Altertums auf Malta, soweit sie uns gegenwärtig bekannt sind, keine frühere Zeit als das 4. Jahrhundert verraten, so gibt doch die große Zahl der altchristlichen Begräbnisstätten auf dieser Insel [5] ver= bunden mit der großen Ausdehnung, die uns von einigen dieser Cömeterien bezeugt ist, das Recht zur Annahme, daß die Entwicklung der christlichen Gemeinde von Malta schon ziemlich lange vorher ihren Anfang genommen haben muß.

Einen bestimmteren Anhaltspunkt in dieser Richtung scheint ein Denkmal zu enthalten, das im Jahre 1874 am Hügel tal Gisuiti beim großen Hafen in der Nähe einer christlichen Begräbnisstätte entdeckt

---

[1] Solche in dem Teil der Abbatia=Katakombe, von dem ein Plan bei Abela tav. VIII sich findet.

[2] Hierüber Caruana, report S. 120.

[3] C. I. L. X, 7500.

[4] A. a. O. 7498. Von späteren christlichen Inschriften von Malta, die zum teil vielleicht erst aus der byzantinischen Epoche stammen, sind bekannt C. I. L. X, 7499 und die griechischen Inschriften C. I. G. IV, 9450 und 9451. Letztere In= schrift wird fälschlich von Kaibel, inscr. Graec. Sicil. 604 (Kirchhoff C. I. G. IV, 9451; Muratori, thes vet. inscr. IV, 1858, 3) der Insel Gozo zugeschrieben; s. Ciantar, Malta illustrata lib. II not. IV § 32. Eine bei Caruana, a. a. O. S. 153 Nr. XXIX mitgeteilte lateinische Grabinschrift christlichen Charakters unter= liegt bezüglich ihrer Echtheit starken Bedenken.

[5] Caruana, a. a. O. S. 106 ff. zählt auf Malta 9 Katakomben auf, nicht eingerechnet die Begräbnisplätze späterer Zeit, denen die Inschriften C. I. L. X, 7499, C. I. G. 9450 und 9451 angehörten.

wurde. Es ist eine Stele, welche an der Spitze die einfache Zeichnung eines Bootes oder Schiffes und darunter die Inschrift enthält: D M ELVIVS TITVS· VIXIT ANNOS· LV· CIVES BENE MERENTI FECERVNT· Der Fundort und das an der Spitze befindliche (allerdings auch heidnischen Grabdenkmälern nicht ganz fremde) Symbol des Schiffes lassen uns mit großer Wahrscheinlichkeit die Inschrift[1]) als eine christliche erkennen. Ist dem so, so lehrt die ganze Fassung der Inschrift, das vorausgesetzte D. M., die Anführung von zwei Namen bei dem Verstorbenen, daß dieselbe in keine spätere Zeit als die konstantinische fällt. Auch die regelmäßigen Buchstabenformen stimmen mit dieser Ansetzung. Hält man es also für erwiesen, daß die Inschrift eine christliche ist, so muß man bei dem öffentlichen Charakter derselben annehmen, daß die Gemeinde, welche die Inschrift gesetzt hat, damals — spätestens zur konstantinischen Zeit — bereits überwiegend christlich war.

Noch weniger als über die Zeit, in der sich das Christentum nach Malta verbreitete, sind wir über die Frage unterrichtet, von wo aus die christliche Lehre dorthin verpflanzt wurde. In Rom herrschte im 5. Jahrhundert die Ansicht, daß die Kirchen in ganz Italien, Gallien, Spanien, Afrika, Sizilien und auf den dazwischenliegenden Inseln von Rom aus gegründet worden seien.[2]) Was Malta im besonderen betrifft, so liegen die Verhältnisse für eine solche Annahme nicht günstig. Malta lag an der vielbefahrenen Seestraße, die von Alexandria über Syrakus nach Italien führte.[3]) So fuhr Paulus nach seinem Schiffbruch im nächsten Frühjahr auf einem alexandrinischen Schiffe, das im Hafen von Malta überwintert hatte, nach Puteoli weiter. Für Ostsizilien und für Syrakus macht es Viktor Schultze[4]) auf grund der christlichen Monumente und Inschriften sehr wahrscheinlich, daß dorthin das Christentum zuerst vom Orient aus gekommen sei. Dieselbe Annahme liegt auch für Malta nahe; diese Insel dürfte wohl auf dem Wege über Alexandria oder Kyrene

---

[1]) C. I. L. X, 8319 add.; nach der mir von Herrn Dr. Vassallo aus Malta übersandten Kopie ist das Zeichen als Schiff oder Boot aufzufassen.

[2]) Innocent. I epist. XXV (Migne lat. XX, 532) . . . praesertim cum sit manifestum in omnem Italiam, Gallias, Hispanias, Africam atque Siciliam et insulas interiacentes nullum instituisse ecclesias, nisi eos quos venerabilis apostolus Petrus aut eius successores constituerint sacerdotes . . . Oportet eos hoc sequi quod ecclesia Romana custodit a qua eos principium accepisse non dubium est; vgl. Leo I ep. XVI (Migne lat. LIV, 696).

[3]) Vgl. Friedländer, Sittengeschichte Roms II³, 133 f.

[4]) Archäologische Untersuchungen S. 143.

das Christentum erhalten haben. Vielleicht gibt uns eine gründliche Durchforschung der altchristlichen Denkmäler noch einmal Antwort auf diese Frage.

Unsere Kenntnisse über die Entwicklung des Christentums auf Malta während der römischen Kaiserzeit sind demnach noch äußerst beschränkt und beruhen auf wenig sicherem Grunde. Auch über die folgende Periode, in welcher die Insel einen Bestandteil des afrikanischen Vandalenreiches bildete, befinden wir uns noch völlig im dunkeln.

In den letzten Zeiten des weströmischen Reiches waren die Inseln der maltesischen Gruppe in die Hände der Vandalen übergegangen und scheinen von diesen bis zum Jahre 533 behauptet worden zu sein.[1] Auch aus dieser Zeit nennt Pirro, dem hierin wieder alle Späteren[2] gefolgt sind, den Namen eines angeblich maltesischen Bischofs. Nach ihm nahm ein Bischof, den er mit den Worten ‚Constantinus Melitensis episcopus‘ bezeichnet, an dem fünften unter Papst Symmachus zu Rom abgehaltenen Konzil, das nach Pirros Angabe in das Jahr 501 fiel, teil. Die (bei Harduin und Mansi abgedruckten) Akten der Synoden die unter Symmachus in Rom stattfanden, nennen aber nur einen Bischof Constantinus, der als Melitenensis[3] bezeichnet ist und in den Unterschriften der (nach Hefele)[4] siebenten römischen Synode, welche wahrscheinlich in das Jahr 504 fällt, vorkommt. In diesem Bischof müßte man wegen der Namensform Melitenensis und des Umstandes, daß sein Name zwischen zwei kappadokischen Bischöfen genannt ist, einen Bischof von Melitene erkennen. Indes sind gerade die Unterschriften dieser Synode sehr schlecht überliefert, und augenscheinlich ist ein Teil derselben, und darunter auch der Name des Bischofs von Melitene,

---

[1] Daß Malta von den Vandalen besetzt worden sei, wird zwar nicht ausdrücklich überliefert, ergibt sich aber aus Victor Vitens., hist. persecut. Afric. provinc. (rec. Petschenig) I, 13: post cuius (Valentiniani) mortem totius Africae ambitum obtinuit (Geisericus), nec non et insulas maximas Sardiniam, Siciliam, Corsicam, Ebusum, Maioricam, Minoricam vel alias multas superbia sibi consueta defendit. Nichts spricht gegen die Annahme, daß auch in der Folgezeit Malta in den Händen der Vandalen geblieben sei, wie diese auch fast immer einen Teil von Sizilien besessen haben; s. über diese letztere Thatsache u. a. Pallmann, Gesch. d. Völkerwanderung II, 312 ff; F. Dahn, Urgeschichte der german. u. roman. Völker I, 162 ff.

[2] So noch Gams a. a. O. S. 947 u. Neher in Wetzer u. Weltes Kirchenlexikon a. a. O.

[3] Harduin II, 996 A; Mansi VIII, 316 A hat die Form Melitanensis.

[4] Konziliengeschichte II², 646.

einfach den Subskriptionen des Konzils von Chalcedon entnommen.[1] Einen Hinweis darauf, daß auch in der Periode der vandalischen Herrschaft auf Malta kein Bistum bestand, scheint die Notitia provinciarum et civitatum Africae[2] aus dem Jahre 484 zu enthalten. Dort werden von fast allen zum Vandalenreich gehörigen Inseln (Sardinien, Maiorica, Menorca, Ebusus, Girba), aber nicht von Malta, Bischöfe angeführt.

Zu Beginn des Krieges, den Belisar gegen das Vandalenreich führte, landete die byzantinische Flotte bei ihrer Ueberfahrt nach Afrika im Jahre 533 auf Malta,[3] welches nun fast 340 Jahre lang unter der Herrschaft von Byzanz blieb. Innerhalb des byzantinischen Reiches bildeten die Inseln Malta und Gozo einen Verwaltungsbezirk der Provinz Sizilien, an dessen Spitze (wenigstens zur Zeit des Heraklius) ein Dux stand[4]. In der Zeit der byzantinischen Herrschaft über Malta hören wir nun zum ersten Mal von einem Bischof dieser Insel. Der Bischof Julianus von Malta befand sich gelegentlich des sogenannten Dreikapitelstreites im Jahre 553 mit dem Papst Vigilius in Konstantinopel und unterzeichnete dort das von jenem erlassene Konstitutum.[5] Man wird somit, nachdem für die frühere Zeit jede Andeutung mangelt, kaum fehlgehen, wenn man annimmt, daß erst nach der Unterwerfung Maltas unter die byzantinische Herrschaft dortselbst ein Bistum errichtet worden sei.

Einen Einblick in die Kirchenverhältnisse auf Malta in der ersten Zeit der byzantinischen Periode gestatten die Briefe Gregors des Großen. Demnach waren damals in der dortigen Gemeinde arge Mißbräuche eingerissen. Ein Teil der Kleriker hatte Ländereien, welche der afrikanischen Kirche gehörten, gepachtet und unterließ es, hiefür den ausbedungenen Zins zu bezahlen. Der Papst Gregor schickte in einem aus dem Juli des Jahres 592 stammenden Briefe[6] dem Bischof Lucillus von Malta die strenge Mahnung, dagegen einzuschreiten. Aber die

---

[1] Vgl. Mansi VI, 1082 C; schon Ciantar a. a. O. III, not. 1 § 4 hatte dies erkannt.

[2] In der Ausgabe des Victor Vitensis von Petschenig S. 117 ff.

[3] Procop, Vand. I, 14.

[4] Melite und Gaulos erscheinen als Teile von Sizilien in der Provinzenbeschreibung des Georgius Cyprius (hrsg. v. Gelzer S. 30, 592 u. 593); ein Dux auf Gaudomelete wird erwähnt bei Nicephorus ἱστ. σύντομος (ed. de Boor S. 25, 24); diese letztere Stelle deutet auch darauf hin, daß Malta unter den byzantinischen Kaisern als Verbannungsort benützt wurde.

[5] Mansi IX, 106 C.

[6] Gregor. epist. (hrsg. von Ewald und Hartmann) II, 43.

Schäden saßen tiefer, wie aus einer sechs Jahre später gegen denselben
Bischof erhobenen Klage hervorgeht, in welche außer diesem sein Sohn
Petrus, verschiedene seiner Presbyter und Diakonen sowie viele Laien
verwickelt waren. Der von Gregor an den Defensor Romanus von
Sizilien gerichtete Brief[1] macht es zweifellos, daß es sich bei ihrem
Vergehen um die Unterschlagung von Kirchengut in größerem Maßstabe
gehandelt hat. Der Bischof Lucillus wurde abgesetzt[2] und an seiner
statt der Abt Traianus von Syrakus gewählt,[1] dessen Name später
noch einmal in einem Briefe Gregors[3] begegnet.

Aus den Briefen, die Gregor in dieser Angelegenheit schrieb, er=
halten wir auch Aufschluß über die Stellung des Bistums von Malta
innerhalb der römischen Kirche. Wie die Inseln Malta und Gozo in
politischer Hinsicht Sizilien zugeteilt waren, so bildete das dortige
Bistum einen Teil der sizilischen Kirchenprovinz. So wird der Defensor
von Sizilien von Gregor damit beauftragt, die Angelegenheiten der
maltesischen Gemeinde zu ordnen.[1] Ein späterer Brief desselben Papstes
führt den Bischof von Malta unter sizilischen Bischöfen auf.[3] Unter
diesen Umständen könnte die Thatsache auffallend erscheinen, daß die
Kleriker von Malta Ländereien der afrikanischen Kirche in Pacht hatten.
Daraus scheint allerdings hervorzugehen, daß die afrikanische Kirche auf
Malta Besitzungen hatte. Indes erklärt sich dies ungezwungen aus den
mannigfachen Beziehungen, in welche Malta während seiner politischen
Zugehörigkeit zum Vandalenreiche mit Afrika treten mußte; auch ist es
möglich, daß in dieser Periode Malta wirklich mit der Kirche von Afrika
vereinigt war. Wie es sich aber auch immer damit verhalten mag,
seitdem wir von einem Bistum auf Malta wissen, erscheint dasselbe
aufs engste mit der sizilischen Kirche verbunden.

Mit der sizilischen Kirchenprovinz hat Malta lange Zeit das
Schicksal derselben geteilt. Es gehörte ursprünglich zum römischen
Patriarchate. Wie aus Sizilien bezog auch aus Malta das Patrimonium
Petri Einkünfte, welche von Syrakus aus verwaltet wurden.[4] Mit

---

[1] A. a. O. X, 1.
[2] A. a. O. IX, 25.
[3] A. a. O. XIII, 22: Gregorius Gregorio, Leoni, Secundino, Johanni,
Dono, Lucido, Traiano, episcopis Siciliae.
[4] Gregor. ep. XIII, 22; der Brief ist an verschiedene Bischöfe Siziliens,
unter denen sich auch der Bischof Traianus von Malta befindet (s. oben A. 3),
gerichtet: latorem siquidem praesentium Adrianum, cartularium nostrum ad
regendum ecclesiae nostrae patrimonium, Syracusanarum videlicet partium,

dem Ausbruch des Bilderstreites trat hier eine Aenderung ein. Leo der
Isaurier nahm die Güter der römischen Kirche in Unteritalien und
Sizilien weg, riß die dortigen Diözesen ebenso wie die illyrischen und
griechischen von Rom los und gliederte sie dem Patriarchate von
Konstantinopel an. Bres versucht zwar den Nachweis zu führen, daß
Sizilien und Malta immer der römischen Kirche unterthan blieben.[1]
Auch Langen[2] ist der Ansicht, daß Leo der Isaurier nur Ostillyrien,
nicht aber Kalabrien und Sizilien dem Patriarchen von Konstantinopel
unterstellte. Allein die Thatsache, daß auch diese letzteren Provinzen
von der römischen Kirche getrennt wurden, steht fest;[3] noch in den
letzten Jahren vor dem völligen Zusammenbruch der byzantinischen
Herrschaft über Sizilien bemühten sich die römischen Päpste vergebens,
die Rückgabe der ihnen entrissenen Kirchenprovinzen vom oströmischen
Kaiser zu erlangen.

Von nun an erscheint Syrakus als Metropolis von Sizilien und
die übrigen sizilischen Kirchen (mit Ausnahme von Katana) als deren
Suffragane. Unter diesen wird auch der Bischof von Melite genannt.
Noch zur Zeit Gregors I gab es auf Sizilien keine Metropolitankirche,
wie Bres[4] richtig annimmt. Dagegen irrt dieser, wenn er behauptet,
daß dieser Zustand bis zur Unterwerfung Siziliens unter die Araber
fortgedauert habe.[5] Wie die Metropolitanstellung von Syrakus in den
letzten Jahrhunderten der byzantinischen Herrschaft über Sizilien sicher
bezeugt ist, so nennen auch die byzantinischen Notitiae episcopatuum
Melite unter den Syrakus unterstellten Bistümern. Ein Bistümerverzeichnis, das in seiner letzten Redaktion dem Anfange des 9. Jahrhunderts angehört, nennt bei Aufzählung der Bischöfe Siziliens
an erster Stelle den von Syrakus, an letzter den von Melite.[6]

---

dirigentes fraternitati vestrae necessario duximus commendandum. Ueber das
Patrimonium Petri auf Malta s. Bres, M. a. S. 425 s., der in den Flurnamen
ta Romana und tal Papa (erwähnt bei Abela, lib. I not. VIII § 52), die zwischen
den Ortschaften Zurrico und Gudia auf Malta begegnen, eine Erinnerung an die ehemaligen Besitzungen des Patrimonium Petri auf Malta erblickt.

[1] A. a. O. S. 431 ff.

[2] Geschichte der römischen Kirche II (1885) S. 620 Anm. 2.

[3] S. die Belege bei Gelzer, zur Zeitbestimmung der griechischen Notitiae
episcopatuum in den Jahrb. f. prot. Theologie XII (1886) S. 356—58.

[4] A. a. O. S. 427 ff.; vgl. di Giovanni cod. diplom. Sicil. I, 413 ff.

[5] Bres a. a. O. S. 430 ff.

[6] Hieroclis synecdemus et Notitiae Graecae episcopatuum, ex rec.
G. Parthey S. 186 Notit. IX, 152 ff. Vgl. S. 170 N. VIII, 243 ff.; dazu
Gelzer, zur Zeitbestimmung der griechischen Notitiae episcopatuum a. a. O. S. 371 f.

Auch in späteren Notizien[1]) wird unter den der Metropolis Syrakus unterstellten Bischofssitzen Melite angeführt. Wenn auch die Redaktion dieser letzteren Verzeichnisse erst lange nach der Vernichtung der byzantinischen Kirchenprovinz von Sizilien durch die Sarazenen abgeschlossen wurde, so spiegelt sich doch in diesen offenbar einem älteren Verzeichnis entlehnten Angaben die frühere Ordnung wieder.[2])

Mit der Eroberung von Malta durch die Sarazenen wurde die byzantinische Kirche auf den maltesischen Inseln vernichtet. Im Jahre 869 besetzte eine arabische Flottenabteilung Malta. Der Versuch der Byzantiner, die Insel zurückzuerobern, wurde im folgenden Jahre durch das Herannahen eines arabischen Entsatzheeres vereitelt.[3]) Bei dieser Gelegenheit war es wohl, daß der Bischof von Malta in die Gefangenschaft der Araber geriet. Als nach der Einnahme von Syrakus (21. Mai 878) der Erzbischof dieser Stadt, wie Theodosius Monachus[4]) erzählt, von den Sarazenen gefangen nach Palermo geführt wurde, traf er dort im Kerker den Bischof von Malta. Theodosius nennt den Namen des letzteren nicht; man hat ihn indes mit einem gewissen Bischofe Manas identifiziert, dessen Name sich in den Konzilsakten dieser Zeit finden soll. Pirro[5]) schreibt hierüber: Manas episcopus Melitensis in act. 1. et 4. synodi 8. Constantinopolitanae an. sal. 868 coactae subscribitur, und diese Notiz ist von den meisten Schriftstellern, welche die älteste Geschichte der Kirche von Malta berühren, aufgenommen worden. Aber auch hier muß ausgesprochen werden, daß in den Konzilienakten kein maltesischer Bischof dieses Namens vorkommt. Weder in den Präsenzlisten noch in den Subskriptionen des 8. ökumenischen Konzils vom Jahre 869 oder der von den Griechen mit derselben Nummer bezeichneten Kirchenversammlung, welche im Jahre 879 unter Photius abgehalten wurde, ist derselbe genannt. Woraus diese Angabe von Pirro geflossen ist, vermag ich nicht anzugeben.

---

[1]) Parthey a. a. O. S. 129 N. III, 720 und S. 207 N. X, 309.

[2]) S. Gelzer a. a. O. S. 529 ff. und besonders S. 550. Neilos Doxopatres (Parthey a. a. O. S. 302, 312) nennt auch Gaudos unter den Suffraganen von Syrakus; allein das von ihm gegebene Verzeichnis ist einfach der Provinzenbeschreibung des Georgios Cyprios (s. oben S. 483 A. 4) entlehnt, in welcher Neilos mit Unrecht eine kirchliche Aufzeichnung sah.

[3]) Amari, storia dei Musulmanni di Sicilia I S. 352 mit not. 3.

[4]) Epistola ad Leonem Diaconum de expugnatione Syracusarum; dieser Teil des Briefes ist nur in lateinischen Uebersetzungen erhalten; s. Abela a. a. O. lib. III not. 1 § 7; Muratori, script. rer. Ital. t. I pars II S. 264 A.

[5]) A. a. O. II, 905.

Malta blieb über 200 Jahre lang im Besitz der Sarazenen. Erst als die letzten Stützpunkte der Muhammedaner in Sizilien in die Hände der Normannen übergegangen waren, unternahm der Graf Roger I die Eroberung von Malta. Im Juli des Jahres 1091 landeten die normannischen Schiffe auf der Insel. Die unkriegerischen Bewohner ergaben sich, wie der Geschichtsschreiber Malaterra erzählt, nach kurzem Widerstand an Roger. Sie mußten die christlichen Gefangenen, die sie in Händen hatten, ihre Waffen und eine große Geldsumme ausliefern, einen jährlichen Tribut versprechen und den Eid der Treue leisten, blieben aber vorläufig im Besitz ihrer Stadt.[1]

Es ist nun die Ansicht verteidigt worden, daß unter der arabischen Herrschaft auf Malta sich das Christentum forterhalten habe. Aus dieser Periode ist uns kein Bischof von dieser Insel genannt und wir dürfen als sicher annehmen, daß der Bischofssitz daselbst damals verwaist war. Hat doch auch keines der alten Bistümer des eigentlichen Siziliens unter arabischer Herrschaft fortbestanden. Denn der griechische Erzbischof, den die Normannen bei der Einnahme von Palermo dort vorfanden, wird kaum als Rechtsnachfolger eines der alten sizilischen Bischöfe betrachtet werden können.[2] Dagegen entsteht nun die Frage, ob nicht, ebenso wie in Sizilien, sich in Malta eine größere christliche Bevölkerung auch unter der Sarazenenherrschaft behauptet hat. In Sizilien gab es ja noch zur Zeit des Einfalls der Normannen zahlreiche christliche Einwohner, besonders im nördlichen Teile der Insel.

Von verschiedenen Seiten ist behauptet worden, daß wirklich die normannischen Eroberer bei ihrer Landung auf Malta Christen in erheblicher Anzahl angetroffen haben. Von vornherein ist hier die Meinung Abelas[3] abzuweisen, der im Widerspruch mit Malaterra behauptet, die Christensklaven, welche den normannischen Befreiern Kreuze tragend und Kyrie eleison singend entgegenzogen, seien einheimische Malteser gewesen. Diese Sklaven hatten vielmehr nach der ausdrücklichen Angabe Malaterras ihre Heimat nicht nur außerhalb Maltas, sondern auch außerhalb Siziliens. Der normannische Geschichtsschreiber, der die Einnahme Maltas durch Roger ausführlich beschreibt, gibt nicht die geringste Andeutung, welche darauf schließen ließe, daß zur Zeit der

---

[1] Gaufredus Malaterra, historia Sicula lib. IV c. 16 (bei Muratori, SS. rer. Ital. V, 594 f.). — Amari, stor. dei Musulm. III, 177 ff.

[2] Amari a. a. O. II, 401 ff.

[3] L. II not. X § 6 und 8. Auch Bres a. a. O. S. 459 und Caruana, report S. 51 folgt dieser Ansicht.

Eroberung auf Malta eine einheimische chriftliche Bevölkerung vorhanden war. Auch die andern Gründe, mit denen Abela[1]) und nach ihm Caruana[2]) das Fortbeftehen einer chriftlichen Bevölkerung auf Malta zu erweiſen ſuchen, ſind nicht ſtichhaltig. So kann aus einzelnen Orts= namen, welche an die frühere griechiſche Bevölkerung Maltas zu erinnern ſcheinen,[3]) noch nicht geſchloſſen werden, daß ſich dieſe auch während der ganzen arabiſchen Periode auf der Inſel erhalten hat. Wenn Abela in der malteſiſchen Sprache einige liturgiſche Bezeichnungen fand, die aus dem Griechiſchen ſtammen, ſo können dieſe ſehr leicht ſpäteren Beziehungen mit dem Oſten und mit Sizilien, wo ſich auch nach der normanniſchen Eroberung die byzantiniſche Sprache und Kultur lebendig erhielt, ihren Urſprung verdanken. Wenn endlich Abela ſagt, daß in gewiſſen ſiziliſchen Urkunden zwiſchen Gütern, welche die pagani und ſolchen, welche die Chriften von Alters her auf Malta beſaßen, unter= ſchieden werde, ſo unterläßt er es leider, hierüber genauere Angaben zu machen.

Schwerer als die Argumente Abelas könnte ein anderer Grund wiegen, den Amari in ſeiner Storia dei Musulmanni di Sicilia[4]) vor= bringt. Ihm erſcheint es zweifellos, daß damals, als Graf Roger I ſeinen Zug nach Malta unternahm, dort Chriften wohnten, da Roger gleich nach der Einnahme der Inſel daſelbft ein Bistum gegründet habe und die Reihe der malteſiſchen Biſchöfe ſeit Beginn des 12. Jahr= hunderts nicht mehr unterbrochen ſei. Aber wie ſich eine Neugründung des malteſiſchen Bistums durch den Grafen Roger I nicht erweiſen läßt, ſo kann auch von einer Reihe malteſiſcher Biſchöfe zu Ende des 11. und in der erſten Hälfte des 12. Jahrhunderts keine Rede ſein. Beide Annahmen gehen auf Pirro[5]) zurück, dem nicht nur alle malteſiſchen Hiſtorifer, ſondern auch neuere, wie Cappelletti, Gams, Neher[6]) nachgeſchrieben haben. Sie ſind beide dadurch veranlaßt, daß Pirro unrichtigerweiſe Ortsnamen auf Malta bezog, die in Wahrheit andere Städte bezeichnen. Und deshalb muß gleich hier darauf hingewieſen werden, daß in der Normannenzeit für dieſe Inſel bereits durchgängig die Bezeichnung Malta oder *Μάλτη* gebraucht und davon im

---

[1]) A. a. O. lib. II not. X § 8.
[2]) Report a. a. O.
[3]) Z. B. Wied-er-Rum, Guedet-er-Ruhm
[4]) III, 871 f.; vgl. S. 309 not. 1.
[5]) A. a. O. II, 905.
[6]) A. a. O.; ſ. oben S. 476 f.

Lateinischen die Adjektivform Maltensis abgeleitet wurde. Diese Formen
finden sich nicht nur bei den Schriftstellern dieser Zeit wie Gaufredus
Malaterra, Alexander Telesinus, Hugo Falcandus,
Burkhard von Straßburg, wie es scheint, ausschließlich in Gebrauch; auch die offiziellen Urkunden bedienen sich derselben.[1]

Nach Pirro nun wurde das Bistum von Malta unmittelbar nach
der Eroberung der Insel durch die Normannen, welche dieser unrichtiger-
weise in das Jahr 1089 verlegt, gegründet, und als erster Bischof
Gualterius eingesetzt. Pirro sagt, daß er die Dotationsurkunden
der maltesischen Kirche nicht habe auffinden können, trotzdem ihm für
alle übrigen sizilischen Bistümer dieselben zu gebote standen.[2] Den
einzigen Beleg, den er daher für seine Angabe anführen kann, bildet
eine Schenkungsurkunde, welche von der Herzogin Sichelgaita dem Erzbischof Alcherius von Palermo ausgestellt ist und unter ihren Unterschriften auch folgende enthält; Gualterio Melvitano episcopo teste.[3]
Schon die Namensform Melvitanus, wie sie sich in der bei Pirro
abgedruckten Urkunde findet, läßt eine Beziehung auf Malta als höchst
zweifelhaft erscheinen; diese wird aber außerdem durch die Datierung
der Urkunde ganz unmöglich. Im Text bei Pirro ist die Zeit derselben durch das Jahr 1089 und die Indiktion XIII bestimmt. Auf
jeden Fall muß die Urkunde vor dem 16. April 1090, dem Todestag
der Sichelgaita, abgefaßt sein. Sie fällt also schon vor die Eroberung

---

[1] So die päpstliche Bulle aus dem Jahre 1156 bei Pirro I, 94 (Gergentino
et Mazariensi et Maltensi electis); s. unten S. 492 A. 1, und eine andere aus
dem Jahre 1192 bei Pflugk-Harttung, acta pont. ined. III Nr. 448 (Maltensi
et Mazariensi episcopis), sowie eine griechische Urkunde vom Jahre 1168 bei Cusa,
diplomi Greci ed Arabi I, 484 (ὁ ἐπίσκοπος τῆς Μάλτης); das im Auftrage König
Rogers I abgefaßte Bistümerverzeichnis des Neilos Doxopatres erwähnt Malta
mit den Worten Μελίτη νῆσος ἡ λεγομένη Μάλτα (Parthey S. 302, 313). —
Malaterra gebraucht da, wo er von der Einnahme Maltas handelt (IV, 16), die
antike Namensform, hat aber daneben an anderer Stelle (II, 45) die Form Malta.

[2] Pirro bemerkt: harum concessionum diplomata . . . reperire haud
potui. Martinus tamen rex in quodam suo privilegio dato anno 1399 indict.
8 apud R(egiam) Cancell(ariam) Sic. an. 1398 fol. 157 et Capibr(ev.) praelat.
fol. 70 et 198 aliqua recenset. Daß in diesem (von mir nicht eingesehenen) Privilegium sich eine historische Nachricht über die Gründung des maltesischen Bistums
findet, erscheint nach den Worten Pirros wenig wahrscheinlich.

[3] Die Urkunde ist abgedruckt bei Pirro I, 75 (notit. eccl. Panormit);
vgl. Mortillaro, catalogo dei diplomi esistenti nel tabulario della Catte-
drale di Palermo S. 5.

Maltas durch Roger.[1]) Als Nachfolger des Gualterius in der
Würde eines Bischofs von Malta wurde bisher ein Bischof bezeichnet,
der sich auf einer Urkunde des Grafen Roger I von Sizilien,[2]) welche
die Jahreszahl 1095 trägt, mit den Worten unterschreibt: Biraldo
Melitensi episcopo (teste). Capialbi äußert die ansprechende Vermutung,
daß dieser Biraldus eine und dieselbe Person mit dem für das Jahr
1099 bezeugten Bischof Eberaldus von Mileto sei. Da der Vorgänger
dieses Eberaldus, Goffredus, nur bis zum Jahre 1094 in den Urkunden
erscheint, andererseits neben Militensis auch Melitensis als Abjektivform
zu Mileto vorkommt, so scheint der durch die Namensgleichheit nahe=
gelegten Identifizierung nichts im Wege zu stehen.[3]) Bezüglich eines
weiteren Bischofs, der als Joannes Meliten. episcop. neben italienischen
Bischöfen eine zu Benevent im Jahre 1113 ausgestellte Bulle des
Papstes Paschalis II unterschreibt[4]) und bisher auch unter den Bischöfen
von Malta genannt wurde, mangeln zwar alle näheren Angaben. Aber
der Umstand, daß die Bulle in Unteritalien ausgefertigt ist, und Mileto
in den früheren Zeiten der Normannenherrschaft als zeitweiliger Auf=
enthalt der Grafen Roger I und Roger II zu den hervorragenden
Städten Unteritaliens gehörte, läßt an diesen Ort denken. Maltesische
Geschichtschreiber[5]) nennen ferner einen Bischof namens Rainaldus,
der im Jahre 1122 die Kirche von Malta geleitet haben soll. Seine
Unterschrift (Ego Rainaldus Militensis episcopus) findet sich unter
einer Bulle, die vom Papste Calixtus II am 28. Dezember 1121 zu
Catanzaro in Calabrien gelegentlich der Einweihung der dortigen Kirche
ausgestellt wurde.[6]) Man könnte versucht sein, diesen Bischof der Insel

---

[1]) Was für ein Bistum mit der Bezeichnung Melvitanus — bei Pirro II, 905
und Abela steht offenbar irrtümlich Melivitanus, bezw. Melivetanus — gemeint
ist, möchte ich nicht entscheiden. Vermutlich ist an eine Stadt des Herzogtums Apulien
zu denken, zu dem damals auch Palermo gehörte. (Gegen Melfi spricht der Umstand,
daß für diese Stadt aus dieser Zeit ein Bischof (Balduinus; f. Ughelli, Ital.
sacr. (ed. 2) 1, 922 f.) bezeugt ist. — Einem ganz offenkundigen Irrtum verdankt
die Anführung eines maltesischen Bischofs mit Namen Diosphorus, die sich bei Gams
findet, ihre Entstehung (f. Capialbi chiesa Miletese S. 4).

[2]) Abgedruckt bei Pirro I, 76; vgl. Mortillaro a. a. O. S. 5 Nr. 4.

[3]) S. hierüber Capialbi, chiesa Miletese S, 5—7.

[4]) In dieser bei Bosio, istor. della S. Religione di 8 Giovanni I
(1676) S. 47 f. abgedruckten Urkunde nimmt der Papst das Spital des hl. Johannes
zu Jerusalem in seinen Schuß. S. unten S. 492⁴.

[5]) Ciantar, Malta ill. lib. III not. I § 11; danach Ferres a. a. O.
S. 15 f.; auch Moroni, dizionario XLII, 83.

[6]) U. Robert, bullaire du Pape Calixte II Nr. 267; Jaffé=Löwen=
feld Nr. 6940 (5073).

Malta zuzuschreiben; denn der damalige Bischof von Mileto, an den man bei der Namensform Militensis zunächst denkt, hieß Gaufridus;[1]) auch steht der Name des Bischofs Rainaldus unmittelbar nach den Unterschriften dreier sizilischer Bischöfe (von Messina, Catania, Girgenti). Aber demgegenüber steht der Umstand, daß fast alle übrigen in den Unterschriften vertretenen Kirchenfürsten (abgesehen von den Kardinälen) aus Unteritalien und zwar mit wenigen Ausnahmen aus Kalabrien stammen; nach dem Militensis episcopus sind angeführt die Bischöfe von Nicastro, Squillace, Martirano; es müßte bei der geringen Entfernung zwischen Mileto und Catanzaro auffallen, wenn damals der Bischof von Mileto nicht im Gefolge des Papstes gewesen wäre, zumal auch der Abt des Klosters S. Angelo in Mileto unterzeichnet. Man wird wohl eher annehmen dürfen, daß der Name Rainaldus in dieser Urkunde unrichtig ist, als dem Wort Militensis eine andere Beziehung wie die auf Mileto geben. Auf keinen Fall aber kann aus dieser zweifelhaften Unterschrift allein ein Schluß auf den Bestand eines Bistums auf Malta in dieser Zeit gezogen werden. Ganz sicher aber ist es, daß der Bischof Stephanus, der von Pirro und denen, die ihm folgten, Malta zugeschrieben wurde, nach Mileto gehört. Pirro fand seinen Namen in den Unterschriften der Urkunde, welche gelegentlich der Einweihung der Capella Palatina in Palermo im Jahre 1140 ausgestellt wurde, sowie in einer Schenkungsurkunde des Königs Wilhelm I vom Jahre 1157. In letzterer[2]) findet sich die Unterschrift dieses Bischofs nach der des Erzbischofs vom kalabrischen Reggio, und dieser Umstand deutet darauf hin, was andere bei Capialbi[3]) beigebrachte Zeugnisse bestimmt erweisen, daß wir es auch hier mit einem Bischof von Mileto zu thun haben.

Wir kennen somit aus den ersten 60 Jahren, welche nach der Eroberung Maltas durch den Grafen Roger I verflossen, keinen Bischof, welchen man auch nur mit einiger Wahrscheinlichkeit auf diese Insel

---

[1]) An diesen ist eine vom 23. Dezember 1121 datierte Bulle desselben Papstes gerichtet (Robert a. a. O. Nr. 266; Jaffé-Löwenfeld Nr. 6939 (5072); er erscheint noch im Jahre 1123 (Pirro a. a. O. II, 905; vgl. I, 386) — Eine Urkunde von Calixt II bei Th. Aceti, prolegomena in G. Barrii de antiquitate et situ Calabriae libros quinque S. 155 f, die ebenfalls in die Zeit der Anwesenheit dieses Papstes in Kalabrien fallen müßte, enthält unter ihren Unterschriften den Namen eines Bischofs Petrus von Mileto (Petrus Militensis episcopus), ist aber augenscheinlich unecht.

[2]) Bei Pirro I, 97 f.; vgl. Mortillaro, catalogo dei diplomi S. 35.

[3]) A. a. O. S. 13 ff.

beziehen könnte. Zum ersten Mal erfahren wir von einem Bischof von
Malta aus einer päpstlichen Bulle vom Jahre 1156, welche die Bistümer von Girgenti, Mazzara und Malta dem Erzbistum von Palermo
unterstellte,[1]) und der erste Bischof von Malta nach der normannischen
Eroberung, den wir mit Namen kennen, ist der Bischof Joannes,
der unter dem König Wilhelm dem Guten (1166—89) lebte.[2])
Wann die Wiedererrichtung des Bistums von Malta erfolgte, läßt sich
nicht bestimmen; indes ist es ganz unwahrscheinlich, daß dies schon bald
nach dem Zuge des Grafen Roger 1 geschehen sei. Denn laut dem
Vertrage, den dieser mit den dortigen Sarazenen abschloß, behielten
diese den Besitz ihrer Insel und eine, wie es scheint, ziemlich selbständige
Stellung. Eher läßt sich die Erneuerung des Bistums von Malta als
eine, wenn auch schwerlich unmittelbare Folge eines anderen Ereignisses
fassen. Nach dem Plünderungszuge, mit welchem die Araber im Jahre
1127 die Küsten Siziliens heimgesucht hatten, unternahm der Graf
Roger II eine Expedition nach den Inseln, die zwischen Sizilien und
Afrika liegen, und eroberte im Juli dieses Jahres von neuem die Insel
Malta.[3]) An diese Begebenheit will Pagi die Errichtung eines
Bistums auf Malta anknüpfen. Diese Annahme ist nicht unmöglich,[4])
da jedenfalls seit dieser Zeit Malta in eine engere Verbindung mit
dem normannischen Reiche trat. Immerhin dürfte auch nach dieser
zweiten Eroberung Maltas durch die Normannen noch geraume Zeit
verstrichen sein, bis die Insel wieder Sitz eines Bistums wurde.

Somit erwies sich auch der Grund, den man aus der Annahme
einer frühzeitigen Neugründung des Bistums von Malta für das Fort-
bestehen des Christentums unter der arabischen Herrschaft hat ableiten
wollen, als nicht stichhaltig. Es deuten aber auch verschiedene positive
Erwägungen darauf hin, daß während dieser Periode auf Malta der
christliche Kult so gut wie ganz aufgehört und nachher nur ganz

---

[1]) Jaffé-Löwenfeld Nr. 10197 (6942). Pirro I, 94.

[2]) Hugonis Falcandi Hist. de reb. gest. in Siciliae regno bei Muratori, scriptt. VII, 340 D.

[3]) Alexander Telesinus, de reb. gest. Rogerii regis lib. I c. 4 (bei
Muratori, scriptt. V, 617); Ibn al Atîr bei Amari, biblioteca arabo-sicula.
vers. ital. I, 450 (danach) An Nuwayrî bei Amari a. a. O. II, 146).

[4]) Pagi zu Baronius, annales ecclesiastici t. XVII (Lucae 1745)
S. 628 Nr. XIII u. XIV, vgl. t. XVIII S. 401 Nr. II; indes irrt Pagi, wenn
er den Zug Rogers II um das Jahr 1122 ansetzt und den in der Bulle des Papstes
Paschalis II vom Jahre 1113 genannten Bischof Johannes (s. o. S. 490), der nach
Pagi in das Jahr 1123 fällt, als den ersten Bischof der Insel betrachtet.

allmählich wieder Eingang gefunden hat. Klarer als alles andere
zeigt die maltesische Sprache, wie tief die arabische Kultur auf Malta
gewirkt hat. Während auf Sizilien, wo während der arabischen
Herrschaft ein großer Teil der früheren Bevölkerung sich erhielt, die
arabische Sprache nur geringe Spuren hinterlassen hat, ist der maltesische
Dialekt noch heutzutage in seinem Wortschatz wie in seiner Grammatik
vorwiegend arabisch. Daß Malta wenigstens in der späteren Zeit der
arabischen Herrschaft von einer ausschließlich muhammedanischen Bevölkerung bewohnt war, darauf läßt eine merkwürdige, wenn auch im
einzelnen wohl etwas sagenhaft ausgeschmückte Erzählung, die sich in
der Kosmographie des Quazwîni[1]) findet, schließen. Als (wahrscheinlich im Kriege des Maniakes, 1038—1040) ein byzantinisches Heer
die Insel bedrohte, da versprachen, wie Quazwîni erzählt, die
Sarazenen von Malta ihren Sklaven, unter denen man hier wohl auch
die unterworfenen Landeseinwohner verstehen muß, die Freiheit und die
Teilung ihrer Güter, wenn sie sich mit ihnen zu gemeinsamer Abwehr
vereinigen wollten. Die Sklaven gingen darauf ein; die Byzantiner
wurden zurückgeschlagen, und in dem neugeordneten Gemeinwesen von
Malta lebten von nun an die bisherigen Herren und ihre früheren
Sklaven gleichberechtigt nebeneinander. „Es wuchs ihre Macht," setzt
der arabische Geschichtschreiber hinzu, „und die Byzantiner beunruhigten
nach diesem Ereignis die Insel nicht mehr." Was als der Kern dieser
Erzählung erscheint, nämlich die Einigung der gesamten Bevölkerung
Maltas, der herrschenden und der beherrschten Klasse, gegen den christlichen Gegner und die infolge davon erfolgte soziale Gleichstellung beider
Teile, scheint vorauszusetzen, daß die ganze Bevölkerung Maltas damals
dem muhammedanischen Glauben anhing.

So wird es auch erklärlich, wenn das Christentum im 11. und
12. Jahrhundert nur ganz langsame Fortschritte auf den maltesischen
Inseln machte und der Islam daselbst noch lange die herrschende Religion
blieb. Es wurde oben bemerkt, daß sich ein Bistum auf Malta erst
verhältnismäßig spät nachweisen läßt. Burkhard von Straßburg,[2])
der Gesandte Friedrich Barbarossas bei Saladin, der Malta besucht
zu haben scheint, sagt, daß die Insel zu seiner Zeit (im Jahre 1175)
von Sarazenen bewohnt gewesen sei. Mag diese Angabe in ihrer
Allgemeinheit auch einer kleinen Beschränkung bedürfen, jedenfalls können

---

[1]) Amari, biblioteca arabo-sicula (vers. ital.) I, 240 f.; vgl. Amari,
storia dei Musulmanni di Sicilia II, 422 f.

[2]) Bei Arnold, chronica Slavorum, lib. VII (in: Mon. Germ.
SS. XXI, 236).

wir daraus entnehmen, daß zu Burkhards Zeit noch die Hauptmasse
der Bevölkerung aus Sarazenen bestand. Es kann nur zur Bestätigung
der von Burkhard berichteten Thatsache dienen, wenn wir wissen, daß
noch während des ganzen 12. Jahrhunderts auf Malta die arabische
Kultur eine nicht geringe Blüte erlebt hat. Wir kennen mehrere arabische
Dichter dieser Zeit, deren Vaterland Malta war, wir erfahren
von einem arabischen Mechaniker von Malta, der zur Zeit König
Rogers I eine bewunderte Wasseruhr konstruierte;[1] fast in dasselbe
Jahr, in dem Burkhard von Straßburg seine Reise unternahm, fällt
die bekannte arabische Grabschrift der Maymûnah, die zu Gozo gefunden
wurde.[2] Während auf Sizilien die Muhammedaner schon zu Ende
des 12. Jahrhunderts bedeutend eingeschränkt waren, bildeten sie auf
Malta noch im 13. den weitaus überwiegenden Bestandteil der Bevölkerung. An dem großen Aufstand der Sarazenen in Sizilien,
den Kaiser Friedrich II im Jahre 1222 und in den folgenden
Jahren zu bekämpfen hatte, scheinen sich auch die Bewohner Maltas und
anderer Inseln um Sizilien beteiligt zu haben. Wenigstens erfahren
wir, daß Friedrich II einen Zug nach Malta und den Sizilien benachbarten Inseln unternahm oder unternehmen ließ, der aller Wahrscheinlichkeit nach in den Herbst des Jahres 1223 zu setzen ist. Ibn
Haldûn erzählt, Friedrich wäre nach Malta übergesetzt und hätte die
Muselmannen, die sich dort aufhielten, vertrieben und sie wie ihre
Stammesgenossen in Sizilien nach Lucera deportiert. Seine Nachricht
wird durch Ryccardus von S. Germano bestätigt, der berichtet,
daß Friedrich die Einwohner des zerstörten Celano im Jahre 1224
nach Malta bringen ließ Offenbar sollten sie hier als Kolonisten zur
Stärkung des christlichen Elements beitragen. Die sächsische Weltchronik,
welche von dieser Unternehmung Friedrichs II eine allerdings nur un-
bestimmte Kunde hat, nennt bei dieser Gelegenheit die Inseln um
Sizilien „heidenische elant."[3] Dieser Ausdruck hatte, was Malta

<hr />

[1] Amari, bibl. ar.-sic. vers. ital. I, 241; II, 433, 446 f.; vgl. Amari,
stor. dei Mus. III, 684 f., 751 f., 762 f.

[2] Amari, epigrafi arabiche di Sicilia. Parte II, N. XXXII, 102
(zitiert in Amari, bibl. ar.-sic. II, 446 not. 1).

[3] Von der Unternehmung Friedrichs II gegen Malta spricht Ibn Haldûn bei
Amari, bibl. II, 212 f., der aber dieselbe irrtümlich an das Ende der Regierung
dieses Kaisers setzt; f. hierüber Amari, stor. dei Mus. III, 598; Sächsische
Weltchronik (Mon. Germ. Deutsche Chroniken II, 243, 363): De keiser
vor do to Pulle, do he gewiet was, unde gewan dat unde gewan Sycilie unde
Kalabre unde de heidenische lant, de darbinnen lagen unde alle de hei-
nische elant, de umbe en e legen. Diese Expedition nach Malta und den
andern Inseln um Sizilien fand offenbar gleichzeitig mit der in den Herbst des

anlangt, seine volle Berechtigung. Denn noch zwanzig Jahre nach dem Vorgang, von dem hier die deutsche Chronik berichtet, bestanden mehr als zwei Drittel der Einwohner der maltesischen Inseln aus Muhamme= danern. Wir besitzen einen Auszug aus einem kaiserlichen Bescheid, den der Abt Gilbert in seiner Eigenschaft als kaiserlicher Verwalter auf Malta auf seinen Verwaltungsbericht hin erhielt. Nach dieser Urkunde,[1] welche in das letzte Dezennium der Regierung Friedrichs II fällt, be= fanden sich damals auf Malta 47 christliche, 681 sarazenische, 25 jüdische Familien, während auf Gozo 203 christliche, 155 sarazenische, 8 jüdische Familien wohnten. Wenn auch einige andere Zahlenangaben in dieser Urkunde nicht ganz vertrauenerweckend sind, so besitzt doch das Zahlen= verhältnis, in dem die Bekenner der christlichen und der muhammedanischen Religion hier erscheinen, einen hohen Grad von Wahrscheinlichkeit. Diese Angaben fügen sich trefflich an die Reihe der ebenangeführten Indizien an, welche die Bevölkerung von Malta bis zur Zeit Friedrichs II noch als fast ganz muhammedanisch erscheinen ließen. Sie erhalten auch durch eine andere Stelle derselben Urkunde eine gewisse Bestätigung, indem nämlich Abt Gilbert an den Kaiser berichtet hatte, daß die Be= wohner von Malta ganz andere Sitten und Einrichtungen (mores ac constitutiones) als die andern Bewohner des Königreichs Sizilien hätten. Im Widerspruch damit scheint die Erzählung von Ibn Haldûn zu stehen, wonach Friedrich die Sarazenen von Malta nach Lucera hätte dringen lassen. Aber abgesehen davon, daß Ibn Haldûns Dar= stellung dieser Ereignisse auch sonst nicht ganz richtig ist, läßt sich auch annehmen, daß die Deportation nach Lucera nur einen Teil der malte= sischen Sarazenen betroffen habe. Die christlichen Kolonisten von Celano aber, die im Jahre 1224 auf Malta zwangsweise angesiedelt worden waren, hatten schon nach drei Jahren wieder die Erlaubnis zur Heim= kehr erhalten.[2] Die Stärke, in welcher somit noch in den letzten Regierungs= jahren Friedrichs II die Muhammedaner auf Malta vertreten sind, ist umso bemerkenswerter, als die erwähnte Urkunde Friedrichs etwa in dieselbe Zeit fällt, in der die Reste der sarazenischen Bevölkerung in Sizilien den letzten Aufstand gegen die christliche Herrschaft erhoben,[3]

Jahres 1223 fallenden Unternehmung gegen die Insel Djerba statt, nicht i. J. 1224, wie Amari, stor. III, 605 annimmt (Annales Siculi in Mon. Germ. XIX, 496; über die Zeit des Zuges nach Djerba f. Ed. Winkelmann, Kaiser Friedrich II Bd. 1, S. 207, Anm. 1). — Ueber die Versetzung der Einwohner von Celano nach Malta Ryccardus de S. German. in Mon. Germ. XIX, 344 an. 1224.

[1] Ed. Winkelmann, acta imperii inedita I, 713 ff. Nr. 938.

[2] Ryccard. de S. Germano a. a. O. 348.

[3] Dieser Aufstand währte vom J. 1243—46; f. Amari, stor. III, 618 ff.

nach deſſen Unterdrückung die Muhammedaner dortſelbſt überhaupt
völlig verſchwinden.

Nach den arabiſchen und chriſtlichen Quellen, ſoweit ſie im obigen
herangezogen worden ſind, erſcheint es alſo äußerſt wahrſcheinlich, daß das
Chriſtentum auf Malta durch die arabiſche Invaſion eine völlige
Unterbrechung erlitt. Auf der Nebeninſel Gozo waren die Verhältniſſe
wohl kaum anders gelagert, trotzdem hier für die Zeit Friedrichs II
eine verhältnismäßig ſehr bedeutende Anzahl Chriſten bezeugt iſt. In
dieſer Hinſicht haben die malteſiſchen Inſeln das Schickſal aller andern
Inſeln um Sizilien geteilt. Die meiſten der kleineren Inſeln ſcheinen
in der letzten Periode der arabiſchen Herrſchaft überhaupt nicht bewohnt
geweſen zu ſein. Lipari war, wie Edriſi berichtet, nur zeitweiſe bewohnt,
wenn ſich auch ein Kaſtell dort befand.[1]) Gegen Ende des 11. Jahrhunderts wurde dort ein Kloſter gegründet, um das ſich dann wieder
die erſten chriſtlichen Anſiedler ſammelten.[2]) Auf Pantelleria bildeten
im 12. und 13. Jahrhundert Sarazenen die ausſchließliche Bevölkerung.[3])
Auf all dieſen Inſeln hatte die chriſtliche Bevölkerung der Verbindung mit
ihren Glaubens- und Stammesgenoſſen, ſowie des Rückhaltes, den eine
größere Maſſe in ſich hat, entbehrt; ſie iſt deshalb raſch verſchwunden, oder,
wie dies wohl bei Malta anzunehmen iſt, in der ſarazeniſchen aufgegangen.

Somit hat die vorliegende Unterſuchung verſchiedenen verbreiteten
Annahmen gegenüber ein negatives Reſultat ergeben. Die ſicheren
Spuren des Chriſtentums auf den malteſiſchen Inſeln reichen, ſoweit
bis jetzt bekannt iſt, in keine frühere Zeit als bis ins vierte Jahrhundert
zurück, wenn es auch wahrſcheinlich iſt, daß die chriſtliche Lehre ſchon
geraume Zeit vorher dort feſten Fuß gefaßt hat. Das Bistum von
Malta wurde allem Anſchein nach nicht eher gegründet als zur Zeit der
byzantiniſchen Herrſchaft, derſelben Periode, welcher auch die einzigen
vier Biſchöfe, die vor dem Jahre 1156 für Malta nachzuweiſen ſind,
angehören. Die Beſetzung der Inſel durch die Araber führte, wie mit
großer Wahrſcheinlichkeit behauptet werden kann, eine völlige Vernichtung der chriſtlichen Kirche auf Malta herbei. Nur ganz allmählich
fand im 12. und im 13. Jahrhundert das Chriſtentum von Sizilien
aus wieder Verbreitung. Jetzt aber war die chriſtliche Kirche auf
dieſen Inſeln eine andere, als ſie vor der arabiſchen Eroberung geweſen
war. Nicht mehr die griechiſche, ſondern die römiſche Kirche war es,
der dieſe Gebiete durch die Normannen gewonnen wurden.

---

[1]) Amari, stor. III, 775; über Lipari ſ. Edriſi bei Amari, bibl. I, 51
[2]) Pirro, a. a. O. II, 952.
[3]) S. u. a. Amari stor. III, 871 und die not. 2 angeführten Quellen.

Die Passauer Annalen.*)

Von J. Widemann.

I.

Spuren wissenschaftlicher Thätigkeit lassen sich in Passau ziemlich früh nachweisen. Sidonius, der dritte Bischof von Passau, der um die Mitte des 8. Jahrhunderts lebte, trug gemeinschaftlich mit Bischof Virgil von Salzburg die Lehre von den Antipoden vor.[1] Gegen Ende dieses Jahrhunderts hören wir bereits von einer Domschule zu Passau.[2] In der zweiten Hälfte des 9. Jahrhunderts war Ermanrich Bischof (865—74), der wahrscheinlich mit dem gleichnamigen gelehrten Mönch von Ellwangen identisch ist[3] Auch sein Nachfolger Engelmar (874—99) scheint ein Freund der Wissenschaften gewesen zu sein.[4] Um die Wende dieses Jahrhunderts wird ein Passauer Landbischof (chorepiscopus) Madalwin erwähnt, der eine für jene Zeit ziemlich reichhaltige Bibliothek besaß, in der sich außer theologischen Büchern auch Werke poetischen, grammatischen und historischen Inhalts, darunter verschiedene Klassiker, befanden.[5] Unter Bischof Pilgrim (971—91) stand die Passauer Domschule in solchem Ansehen, daß Erzbischof Friedrich von Salzburg seinen Schützling Godehard, den späteren Abt von Niederaltaich (996—1022) nebst dessen Lehrer Liutfried dorthin

---

*) Siehe oben S. 265—318.

[1] Vgl. Hanfiz, Germ. sacra I, 131; Jaffé, regesta Pont. Rom. 2284, 2286

[2] Mon. Boica 28 a 56: Ein gewisser Lantpalt übergibt seine beiden Söhne dem Passauer Stifte, »ut in libertate serviant ad istam domun pro victu et discant literas«. Die Urkunde wird in den Mon. Boica um 788 gesetzt.

[3] Vgl. Wattenbach, Geschichtsquell. I⁶, 282, 290.

[4] Wattenbach a. a. O. 291.

[5] Urk. v. J. 903: Mon. B. 28 a 200.

fanbte. [1]) Befannt find auch die Verbienfte Pilgrims um die Erhaltung
der Nibelungenfage, die er burch feinen Notar Konrad aufzeichnen ließ. [2])
Von Bifchof Altmann (1065—91) enblich heißt es, er habe alle
Kirchen feiner Diözefe mit Büchern ausgeftattet. [3])

Umfomehr muß es wunder nehmen, daß bis zum 13. Jahrhundert
in Paffau fich keine Spur von Gefchichtfchreibung zeigt, [4]) während
diefe doch an den anderen bayerifchen Bifchofsfitzen, in Salzburg,
Freifing, Regensburg, fowie in vielen Paffau benachbarten Klöftern,
befonders Niederaltaich, Melk, Reichersberg, damals längft in Blüte
ftand. Aus der Zeit vor dem 13. Jahrhundert hat Paffau außer
zahlreichen Urkunden nichts aufzuweifen als einen Totenkalender,
von dem wir noch ein Bruchftück befitzen, [5]) unb dürftige Bifchofs=
verzeichniffe, die lediglich die Namen der Paffauer Bifchöfe nebft
Angaben ihrer Amtsbauer enthalten. [6]) Diefe Verzeichniffe gehen offenbar
alle auf diefelbe Quelle, einen in Paffau felbft angelegten Bifchofs=
katalog, zurück. Daß diefer erft, wie vermutet wird, [7]) unter Bifchof
Ulrich 1 (1138—48) abgefaßt wurde, ift unwahrfcheinlich. Woher follte
denn der Vf. die Reihenfolge der Bifchöfe durch faft vier Jahrhunderte,
fowie die Angabe ihrer Amtsbauer, die fich größtenteils als richtig
erweift, entnommen haben, wenn nicht aus älteren Verzeichniffen?
Immerhin wird dasjenige Verzeichnis, aus dem die uns erhaltenen
abgeleitet find, nicht vor dem 10. Jahrhundert hergeftellt worden fein.
Das beweift die allen erhaltenen Katalogen gemeinfame Vertaufchung
der Bifchöfe Englmar und Wiching, fowie die Bezeichnung des erften
Paffauer Bifchofs Bivilo als archiepiscopus, wozu ohne Zweifel eine
Immunitätsurkunde König Arnulfs für Bifchof Wiching vom J. 898
Anlaß gab, in der Bivilo zuerft fo genannt wird. [8])

---

[1]) Vita S. Godehardi, Mon. Germ. SS. XI, 172.

[2]) Klage, Str. 2145 (n. Lachmann).

[3]) Vita Altmanni, c. 17. Mon. Germ. SS. XII, 234.

[4]) In der Erläuterungsfchrift zum Paffauer Bifchofskatalog des 13. Jahrh.
wird deshalb geklagt: ›omnes maiores nostri . . . gesta ipsorum (episcoporum)
tacuerunt.‹ Mon. Germ. SS. XXV, 619.

[5]) Dümmler, Piligrim von Paffau S. 101.

[6]) Mon. Germ. SS. XIII, 361. (Ein weiteres Verzeichnis, das von den hier
erwähnten manche Abweichungen bietet, enthält ein Totenbuch aus St. Nicola bei
Paffau (clm. 1010).

[7]) Blumberger im Archiv für öfterr. Gefch. 46, 258. — Wattenbach,
Gefchichtsquell. II[6] 77.

[8]) Mühlbacher, regesta Karol. 1891. — In der Geftalt, in der die Urk.
uns erhalten, ift diefelbe wahrfcheinlich Neuausfertigung; vgl. Verhandlungen des
hift. Ver. f. Niederbayern 32, 184 f.

Der Eifer für hiſtoriſche Forſchung erwachte in Paſſau erſt um die Mitte des 13. Jahrhunderts. Drei Werke verdanken dieſer Zeit ihre Entſtehung: 1. ein Verzeichnis der Biſchöfe von Lorch und Paſſau, ſowie der bayeriſchen Herzöge, worin aber nicht mehr bloß die Namen nebſt Angabe der Amtsdauer enthalten, ſondern auch der Amtsantritt jedes Biſchofs und Herzogs auf Jahre nach Chriſti Geburt zurückgeführt und hie und da kurze hiſtoriſche Notizen mitein= geflochten ſind; [1] 2. eine umfangreiche Urkundenſammlung, die Biſchof Otto von Lonstorf (1254—65) anlegte und die als codex Lonstorfianus im Münchener Reichsarchiv aufbewahrt wird; [2] endlich 3. ein Annalen= werk, das den Hauptgegenſtand unſerer Unterſuchung bilden wird.

Vorerſt aber mögen einige Worte über die ebenerwähnten Kataloge der Biſchöfe und Herzöge hier Platz finden, die jenen Annalen, wie wir ſehen werden, bereits als Vorlage dienten.

Dem Katalog der Biſchöfe ging die Herſtellung des Herzogs= kataloges voran. Seine Entſtehungszeit läßt ſich ziemlich genau feſt= ſtellen. Von dem zuletzt erwähnten Herzog, Otto dem Erlauchten, heißt es: qui jam ducatum Bavariae rexit XXII annis et utinam bene! Otto war alſo, wie das jam beweiſt, noch am Leben; da er die Re= gierung am 16. September 1231, dem Tag der Ermordung ſeines Vaters, begann, ſo ſcheint der Katalog zwiſchen dem 16. September und 29. November 1253, dem Todestag Ottos, vollendet zu ſein. [3] Der Biſchofskatalog reicht in ſeiner urſprünglichen Faſſung bis Biſchof Berthold (1250—54), deſſen Amtsdauer, 3 Jahre 4 Monate, noch erwähnt iſt. Er wurde alſo erſt nach Bertholds Tod (10. April 1254) fertiggeſtellt.

Der Wert der beiden Kataloge iſt gering. Namentlich iſt der Biſchofskatalog voll von Erfindungen und chronologiſchen Irrtümern; die Fabel vom alten Erzbistum Lorch, [4] als deſſen Fortſetzung das

---

[1] Mon. Germ. SS. XXV, 610.

[2] Mon. B. 28 a 193. Die Sammlung wurde ſpäterhin fortgeſetzt.

[3] Ein auffallendes Verſehen findet ſich bei Loſerth, Geſchichtsqu. v. Krems= münſter (1872) S. VIII, und: Sigmar und Bernhard von Kremsmünſter, im Archiv f. öſterr. Geſch. 81 (1894) S. 381. Auf grund eben jener Stelle wird die Vollendung des Katalogs 1292 geſetzt: ›1231 Ludwicus dux XXXIX. (ſollte heißen XXXXIX.) anno sui ducatus ... obiit, alſo 1270 (!!); cui successit Otto, qui jam duca= tum B. rexit XXII annis, alſo 1292.‹ (!) Loſerth ſcheint 1231 als Anfangsjahr der Regierung Ludwig des Kelheimers betrachtet zu haben.

[4] Vgl. hierüber Dümmler, Piligrim von Paſſau; Blumberger im Arch. f. öſterr. Geſch. 46, 237 ff.; Ratzinger, Katholit 1872, S. 570 ff.; meine Abhand= lung: Zur Lorcher Frage, in Verh. d. hiſt. Ver. f. Niederbayern 32 (1896), S. 159 ff.

Bistum Paſſau galt, iſt hier in reichlichem Maße verwertet. Der Reihe der Paſſauer Biſchöfe geht eine Anzahl Lorcher Erzbiſchöfe voraus, aber auch von den Paſſauer Biſchöfen des 8. bis 10. Jahrh. führen die meiſten noch den Titel eines Erzbiſchofs von Lorch. Ueber die Art, wie jene Lorcher Erzbiſchöfe erfunden und eingereiht wurden, hat bereits Dümmler einiges bemerkt.[1] Es ſei hier nur noch darauf hingewieſen, wie der Erzbiſchof P h i l o oder Bilo[2] Romanus entſtand, den der Katalog zum Jahre 615[3] aufführt. In der Paſſauer Biſchofschronik des Thomas Ebendorfer, von der unten noch weiter die Rede ſein wird, heißt es (fol. 99), Bilo ſei von Papſt Gregor II eingeſetzt worden und 45 Jahre — ſoviel Jahre gibt ihm auch der Katalog — Erzbiſchof geweſen. Von Bivilo, dem erſten Biſchof von Paſſau, den der Katalog zum Jahre 722 bringt, wird bemerkt (fol. 100), daß er unter den Päpſten Gregor II, Gregor III und und Zacharias Biſchof war.[4] Nun exiſtiert von Gregor III (731—41) ein Schreiben an Bonifatius,[5] worin er den Bivilo ſelbſt ordiniert zu haben erklärt (Vivilum, quem nos paullo ante ordinavimus). Dieſes Schreiben wies man, wie es ſcheint, Gregor II (715—31) zu, ſetzte aber deſſen Regierungszeit hundert Jahre zu früh an und ließ gleichzeitig mit ihm i. J. 615 jenen erſten Bilo (Vivilo) ſein Amt antreten. Auf jene Erklärung Gregors gründet ſich wohl auch der dieſem Bilo beigelegte Zuname „Romanus" (der von Rom geſendete).

Bei der Zurückführung der Amtszeit der Paſſauer Biſchöfe auf Jahre nach Chriſti Geburt wurde in der Weiſe verfahren, daß man von Biſchöfen, bei denen ſich ſchon irgendwo Jahresangaben vorfanden, vor= oder zurückrechnete. Wie oberflächlich und willkürlich man aber dabei zu Werke ging, zeigt ſich beſonders bei Engelmar und Richarius. Engelmar wird zum J. 878 aufgeführt, ſeine Amtsdauer auf 22 Jahre angegeben; gleichwohl erſcheint Richarius ſchon 889. Da nun deſſen Nachfolger Burkhard nach dem Katalog 904 den Biſchofsſtuhl beſtieg (ſtatt 902), Richarius aber nach den alten Biſchofsverzeichniſſen bloß

---

[1] Piligrim S. 76 f.

[2] Es finden ſich in den verſchiedenen Quellen die Namensformen Philo, Bilo, Phiphilo, Bivilo, Bivulo.

[3] Die Zahl 611 im Katalog iſt offenbar Schreibfehler (I ſtatt V).

[4] Letztere Notiz über Bivilo findet ſich zuerſt in der Chronik von Kremsmünſter (Mon. Germ. SS. XXV, 654). Woher jene Bemerkung über Bilo Romanus entlehnt iſt, iſt unbekannt. Daß beide Angaben miteinander in Widerſpruch ſtehen, ignoriert Ebendorfer.

[5] Jaffé, regeſta pont. Rom. 2251.

drei Jahre im Amte war, so entstand eine Lücke von zwölf Jahren.
Um diese auszufüllen, ließ man Richarius zwölf Jahre Bischof und
drei Jahre Erzbischof sein!

Große Verwirrung in den chronologischen Angaben herrscht be=
sonders von Bischof Regimar (1121—38) bis Ulrich II (1215—22),
was besonders dadurch hervorgerufen wurde, daß Bischof Reginbert
(1138—48) im Katalog ganz übergangen ist, sei es, daß der Verfasser
des Kataloges selbst ihn übersah, oder daß Reginbert bereits in dem
als Vorlage dienenden älteren Bischofsverzeichnisse ausgelassen war
wegen der Aehnlichkeit seines Namens mit dem seines Vorgängers.
Aber nicht bloß in diesen früheren Zeitabschnitten begegnen wir der=
artigen Verstößen, sie finden sich sogar bei denjenigen Bischöfen, deren
Zeitgenosse der Verfasser des Kataloges war. Konrad II war vom
Sommer 1248 bis zum Herbst 49 Gegenbischof des exkommunizierten
Rudiger;[1] nach der endgiltigen Absetzung Rudigers 1250 wurde
Berthold zum Bischof gewählt Der Katalog aber behandelt Konrad
nicht als Gegenbischof, sondern als Nachfolger Rudigers, läßt ihn daher
1250 Bischof von Passau werden und 1251 Berthold folgen!

In Verbindung mit den Katalogen der Herzoge und Bischöfe steht
eine Art Verteidigungsschrift, worin nach Hervorhebung des
apostolischen Ursprungs der Lorcher Kirche die Echtheit und Glaub=
würdigkeit der beiden Kataloge versichert und schließlich auf die ehemalige
Größe und Ausdehnung des Lorcher Erzbistums hingewiesen wird.

Dazu kommen noch in einer aus Kremsmünster stammenden Hand=
schrift der Kataloge Charakteristiken der Passauer Bischöfe von
Urolf bis Altmann[2] (mit Urolf begann ja nach der Passauer
Tradition der Streit zwischen Passau und Salzburg um die erzbischöf=
liche Würde). Die Bischöfe erhalten hier Lob oder Tadel, je nachdem
es im Katalog von ihnen heißt, daß sie das Pallium trugen oder nicht.
Doch finden sich auch manche erwähnenswerte Nachrichten. So wird
Erzbischof Arn von Salzburg als Sachse bezeichnet, Ermanrich und
Wiching von Passau als Oesterreicher (Ostrogoti).[3] Von Bischof
Reginhar heißt es, daß er die Mähren taufte (anno 831). Von Wiching
wird erzählt, daß er mit Hilfe des „Königs" der Mähren, Zwentibold

---

[1] S. Schirrmacher, Albert von Possemünster (Weimar 1871) S. 174 f.

[2] »Notae de episcopis Pataviensibus« lautet die Ueberschrift in Mon.
Germ. XXV, 623.

[3] Allerdings sind diese Angaben irrtümlich. Ueber Arns Herkunft vgl. be=
sonders Al. Huber im Archiv f. österr. Gesch. 47, 210 ff.

(Swatopluk) im Slavenlande (Seclavia) eine Metropole errichten wollte. Ob für letztere Nachricht bloß ein heute noch abschriftlich erhaltenes Beschwerdeschreiben des Salzburger Erzbischofs und seiner Suffragäne vom Jahre 900 gegen Errichtung eines mährischen Erzbistums[1]) in freier Weise benützt ist, oder ob noch anderweitiges Quellenmaterial vorlag, ist nicht sicher zu entscheiden. Sonderbar ist auch die Erzählung, Bischof Altmann sei von seinen Kanonikern wegen Verschleuderung des Kirchengutes vor die römische Kurie gerufen worden, aber ohne Erfolg, da die meisten Kanoniker in Rom oder auf der Rückkehr von dort starben. Die Sache scheint im wesentlichen auf Kombination des Verfassers zu beruhen, der auf Altmann nicht gut zu sprechen ist. Die Nachricht, daß Altmann in villa carnudarum (?) Tuscia — was darunter zu verstehen, ist unklar — starb, steht im Widerspruch zur vita Altmanni c. 31,[2]) wonach er in Zeiselmauer verschied. Daß der Verfasser der Charakteristiken übrigens auch urkundliches Material benützte, zeigen die Bemerkungen zu den Bischöfen Engelmar, Gerhard, Berenger, Engelbert.

Als Verfasser ist für die beiden Kataloge und für die Verteidigungsschrift jedenfalls dieselbe Person anzunehmen. Waitz[3]) glaubt die Verteidigungsschrift einem andern Verfasser zuschreiben zu sollen, weil hier Quirinus als Lorcher Bischof erwähnt ist, während der Bischofskatalog davon nichts weiß. Allein abgesehen davon, daß ja Quirinus im Katalog leicht hätte nachgetragen werden können, läßt schon der Wortlaut der betreffenden Stelle (quod fuit episcopus ut creditur Laureacensis) erkennen, daß der Verfasser seiner Sache nicht gewiß war. Uebrigens deutet auch der energische Ton, womit die Verteidigungsschrift für die Autorität der Kataloge eintritt, darauf hin, daß sie von dem Verfasser der letzteren herrührt. Ob eben diesem Verfasser auch die Charakteristiken zuzuschreiben sind, wie Dümmler annimmt,[4]) bleibt dahingestellt. Jedenfalls sind sie erst später auf grund des Bischofskataloges verfertigt.[5])

---

[1]) Vgl. über dieses Schreiben Dümmler im Arch. für österr. Gesch. X, 58 und Gesch. d. ostfränk. Reiches III, 511.

[2]) Mon. Germ. XII, 239.

[3]) Mon. Germ. XXV, 611.

[4]) Piligr. S. 78.

[5]) Für die Reihenfolge der genannten Schriften hat Waitz in den Mon. Germ. die Klosterneuburger und die Matseer Hs. zu grunde gelegt, in denen die Verteidigungsschrift den Katalogen vorangeht; die Charakteristiken (notae de episcopis

Auf die Perſönlichkeit des Verfaſſers der Kataloge läßt uns eine Stelle des Biſchofskataloges einen Schluß ziehen. Biſchof Altmann heißt nämlich hier Pataviensis ecclesiae destructor. Altmann verwendete viel auf Gründung oder Reſtaurierung von Klöſtern und mag daher bei den Mitgliedern des Paſſauer Domkapitels, das von ihm vernach= läſſigt ward, nicht in gutem Andenken geſtanden haben. Der Verfaſſer der Kataloge ſcheint alſo ein Paſſauer Domgeiſtlicher geweſen zu ſein. Die im Herzogskatalog unter Otto II angefügte Wunſchformel „et utinam bene" deutet vielleicht darauf hin, daß derſelbe ein Anhänger dieſes Herzogs war, alſo zur ſtaufiſchen Partei gehörte.

Noch beſtimmter läßt ſich vom Verfaſſer der Charakteriſtiken ſagen, daß er Paſſauer Kanoniker war. Hier tritt die Rückſichtnahme auf das Domkapitel in noch viel auffälligerer Weiſe hervor. Von Hartwich, Engelmar, Gerhard, Piligrim werden die Verdienſte, die ſie ſich um das Kapitel erworben, beſonders gerühmt; Altmann dagegen wird auch hier als capituli saevus destructor bezeichnet, der mit den Gütern der Paſſauer Kirche und des Kapitels Klöſter ausſtattete, ſeine eigene Kirche aber und ihre Kanoniker dabei verarmen ließ.

Trotz ihrer vielen Fehler und Mängel bildeten die Kataloge mit den dazugehörigen Schriften für die ſpätere Paſſauer Geſchichtſchreibung eine geſchätzte Quelle. Auf ihrer Grundlage wurde ein großer Teil der Chronik von Kremsmünſter zu Beginn des 14. Jahrhunderts ver= faßt.[1] Aber auch Thomas Ebendorfer, Bruſch und Hundt ſtehen, beſonders hinſichtlich der Chronologie, vielfach unter ihrem Einfluß.

*   *   *

Zunächſt aber waren die Kataloge gewiſſermaßen die Vorläufer eines größeren Geſchichtswerkes, das um jene Zeit in Paſſau entſtand, der Paſſauer Annalen.

Pataviensibus) hat er zwiſchen den Katalog der Biſchöfe und den der Herzoge ein= gefügt. Nun bildet aber der letzte Abſchnitt der Verteidigungſchrift (Sequitur videre bis studebimus adnotare) offenbar nicht den Uebergang zum Biſchofskatalog, ſondern zu den Charakteriſtiken, wie beſonders die Stelle ›qui sint eorum nota digni et benedictione perpetua . . . qui etiam cum Tathan et Abyron propter mala sua opera descenderunt in abyssum‹ zeigt. Die urſprüngliche Reihenfolge bietet daher die Hſ. von Kremsmünſter (C); hier folgen die Schriften in der Ordnung, wie ſie nacheinander entſtanden: zuerſt die beiden Kataloge, wobei natürlich der Katalog der Biſchöfe als der geiſtlichen Fürſten dem der Herzoge, der weltlichen, vorangeht; dann die Verteidigungſchrift und mit ›Sequitur videre etc.‹ daran anknüpfend die Charakteriſtiken.

[1] Mon. Germ. SS. XXV 651.

Ueber diese schreibt Wiguleus Hundt im Eingang desjenigen Teiles seiner Metropolis Salisburgensis, der von dem Bistum Passau handelt, I, 190:[1] „Patavie extat vetustus liber in membranis scriptus, continens annales Patavienses deductos usque ad Annum Domini 1255, una quoque Catalogum succinctum Laureacensium et Pataviensium Archiepiscoporum et Episcoporum, cum copiis diplomatum tam summorum Pontificum quam Romanorum Imperatorum, quem mihi Reverendissimus Dominus Urbanus Episcopus Pataviensis legendum communicavit." Hundt zitiert diese Annalen schon im ersten Abschnitt seiner Metropolis über die Salzburger Kirche (S. 3), besonders häufig aber in dem über die Lorch=Passauer Bischöfe (S. 190 ff.). Vor ihm sind sie, wie schon Schirrmacher (Albert von Possemünster) bemerkt, namentlich in den Passauer Bischofschroniken des Schreitwein und Brusch benützt. Sie lagen aber auch, wie wir sehen werden,[2] Sigmar von Kremsmünster,[3] dem Passauer Chronisten Staindel, dem Wiener Arzt und Geschichtschreiber Wolfgang Lazius vor.

Seit dem Ende des 16. Jahrhunderts jedoch scheinen sie spurlos verschwunden. Gewold, der 1620 die zweite Auflage von Hundts Metropolis besorgte, zitiert zwar einmal Annales Episcoporum Pataviensium in membrana conscriptos; doch sind diese nicht identisch mit den Passauer Annalen Hundts.[4] Der Freiherr von Hornick, der gegen Ende des 17. Jahrhunderts eine Geschichte des Bistums Passau schrieb,[5] kannte sie nicht mehr; er verweist auf sie mit den Worten: „Die Passauerischen Annales, die der Hundius unter den Händen gehabt hat." Aehnlich heißt es in einer andern Bischofschronik aus dem Ende des 17. Jahrhunderts[6] (clm 27111, Bogen 4, S. 4): „Hundius sub b. Quirino annalibus vetustis insertum ait se vidisse" etc. Der Verfasser kannte also die Passauer Annalen ebenfalls nicht mehr.

---

[1] Die Zitate beziehen sich auf die dritte Aufl. der Metrop. Salisb., Regensburg, 1719.

[2] Die näheren Nachweise siehe im zweiten Teil.

[3] Nach Loserth, Sigmar und Bernhard von Kremsmünster (Arch. f. österr. Gesch. 81, 348 ff.) ist Sigmar, nicht der von Aventin genannte Bernhard (Bernardus Noricus) Vf. der Geschichtsquellen von Kremsmünster.

[4] Vgl. unten S. 515 f.

[5] Cgm 1739, 5596, 1738 (1739 scheint Konzept, 5596 Reinschrift, 1738 eine spätere Abschrift zu sein). — Die betr. Stelle findet sich cgm 1739 fol. 9.

[6] Die Chronik reicht bis zum Jahre 1689; der Titel lautet: Astri Laureacensis non extincti pars I et II. Der Vf. ist nicht genannt.

Hieronymus Pez ſuchte nach ihnen vergeblich in den Bibliotheken Oeſterreichs und Bayerns.[1] Hanſiz beklagt im erſten Bande ſeiner Germania sacra (1727) ihren Verluſt.

Vor der Unterſuchung der Paſſauer Annalen ſelbſt werden wir uns mit denjenigen Werken kurz beſchäftigen müſſen, denen wir die meiſten Aufſchlüſſe über dieſelben verdanken, mit den Chroniken des Schreitwein, Bruſch und Hundt.

Schreitwein.

Die unter dem Namen Schreitweins veröffentlichte Paſſauer Biſchofschronik — „Cathalogus Archiepiscoporum et Episcoporum Laureacensis et Pataviensis ecclesiarum per N. Schreitwein collectus" lautet der Titel bei Rauch, script. rer. Austr. II 431 — reicht bis Biſchof Ulrich III von Nußdorf (1451—79); die letzterwähnten Ereigniſſe fallen etwa in das Jahr 1471. Daran reiht ſich eine Fortſetzung, deren Verfaſſer nicht genannt iſt, von 1477 bis zum Amtsantritt des Biſchofs Ernſt, 1517.

Dieſe Chronik ſtimmt nun vielfach wörtlich überein mit einer andern Paſſauer Biſchofschronik eines ungenannten Verfaſſers, die bis 1462 reicht und in einer Handſchrift des geheimen Staatsarchivs zu München aus dem 16. Jahrhundert enthalten iſt.[2] Rockinger, der zuerſt auf dieſelbe aufmerkſam machte,[3] wies aus verſchiedenen Bemerkungen, die der Verfaſſer über ſeine perſönlichen Verhältniſſe einflicht,[4] nach, daß es die Paſſauer Biſchofschronik des Thomas Ebendorfer ſei.

Die Handſchrift enthält fol. 1—47 kaiſerliche Urkunden, von Karl dem Großen bis Friedrich II.; darauf folgen päpſtliche und biſchöfliche

---

[1] SS. rer. Austr. I, 3 (1721).

[2] Eine Abſchrift davon aus dem 18. Jahrh. befindet ſich auf der Münchener Staatsbibliothek, clm 1306. Der Titel lautet gleich dem der Hf. des Staatsarchivs: Pataviensis episcopatus privilegia et series Episcoporum. Darunter ſteht: Notandum est autographum huius manuscripti cartacei in tabellario sanctiori Electoris Bavario-Palatini Monachii in loculo 383 sub. num. 30889 asservari. Die jetzige Signatur der Hf. des Staatsarchivs iſt: Kaſten ſchwarz 393/8. — Die Abſchrift behält alle Fehler ihrer Vorlage bei, ſchreibt auch gedankenlos die falſch ge= legten Bogen fortlaufend ab; die Leſefehler erſcheinen natürlich noch vermehrt: ſo wird aus dem Kanzler Erchanbalt in einer Urk. Karls des Gr. ein Eichenwalt (f. 3), aus dem Biſchof Hartwicus (Artwicus) ein Articulus (f. 217'), u. ſ. ſ.

[3] Abhandlungen der Münchener Akademie XV (1880) 1, 273.

[4] Zu den von Rockinger zitierten Stellen ſei noch auf eine Notiz unter Biſchof Ulrich II (f. 128) aufmerkſam gemacht: ›cui domo domini (der Marienkirche zu Bertholdsdorf) egomet duodecimus (plebanus) utinam digne deservio.‹

Schreiben, darunter mehrere der gefälschten Lorcher Bullen, zuletzt die Beschwerdeschrift der bayerischen Bischöfe v. J. 900 gegen Errichtung des
mährischen Erzbistums. Nach f. 74 steht die Fortsetzung dieses Schreibens
infolge falscher Lage der Bogen f. 77, bricht aber mit den Worten
transmissa cum epistula plötzlich ab, worauf mit Hucusque tracta-
vimus de origine Gottorum Bruchstücke einer Chronik folgen, die sich
auf f. 75 und 76 fortsetzen, f. 78 beginnt mit Priscorum caritatem
die Bischofschronik.

Es fragt sich, woher jene Bruchstücke stammen. Sie handeln von
den Wanderungen germanischer Stämme, besonders der Goten oder
Scythen (!) und der Noriker (Bayern); sodann von der Ausbreitung
des Christentums in Europa. An einer Stelle (f. 77) wird ein „Dekan
von Passau" als Gewährsmann erwähnt: sed potest ab aliquibus hic
opponi, unde habuit ista (die Geschichte von der Verbreitung der
gotischen Stämme) decanus Pataviensis; hierauf werden die Quellen
dieses Dekans aufgeführt. An den Dekan Tageno, der ein Tagebuch
über den dritten Kreuzzug hinterließ,[1] oder an Albert Behaim wird
hier kaum zu denken sein. Wohl aber kann der Dekan Burkhard
Krebs gemeint sein, der um die Mitte des 15. Jahrhunderts lebte[2]
und auf den sich Hansiz wiederholt beruft.[3] Nach des letzteren
Zitaten handelte Krebs über die Verkleinerung des Besitzes der
Passauer Kirche gegenüber der Größe der Lorcher Diözese,[4] über
die Verluste, die das Bistum Passau unter Herzog Arnulf von Bayern
erlitt, über die Vergabung von Passauer Besitzungen an Bamberg
durch Kaiser Heinrich II. Vielleicht schrieb Krebs ein größeres Werk
über die Geschichte des Bistums Passau, in dessen Einleitung, gleich-
wie bei Ebendorfer, auch von jenen Wanderungen der Germanen und
von der Verbreitung des Christentums die Rede war. Ob nun jene
Fragmente in unserer Handschrift von Krebs selbst herrühren, der hier
in der dritten Person von sich spräche, oder ob es Exzerpte Ebendorfers
aus dem Werke des Krebs sind, läßt sich schwer entscheiden. Daß
übrigens Ebendorfer den letzteren benützt hat, ist sicher: die von Hansiz
erwähnten Erörterungen des Krebs sind bei Ebendorfer unter Bischof

---

[1] Vgl. über ihn Wattenbach, Geschichtsquell. II⁶, 303.
[2] Er wird 1438 (bei Brusch, de Laureaco S. 312: 1444) als Dekan erwähnt. Als Todesjahr wird 1462 angegeben (Hundt a. a. O. 222).
[3] Germ. sacra I, 26, 188, 237.
[4] Zu grunde liegt hier die Beschreibung des Lorcher Sprengels in der Verteidigungsschrift zum Bischofskatalog (Mon. Germ. SS. XXV, 618).

Berengar (f. 115'—117') aufgenommen, die erste über die Verkleinerung der Paffauer Diözefe fogar zweimal (f. 101 und 116).

In der Handschrift des Staatsarchivs laffen sich deutlich zwei Schreiber unterscheiden. Die zweite Hand beginnt f. 67' mitten im Text einer Urkunde. Lese= und Schreibfehler, mitunter die finnlofesten, finden sich in Menge: so ab homini nationes (f. 78) statt abominationes, obiit (f. 107) statt obsessus est, fastis (f. 79) statt saltem u. f. f. In der Vorlage scheint der Raum für den Anfangsbuchstaben der Bischofsnamen freigelaffen worden zu fein, wohl um farbige Initialen anzubringen; daher in unserer Handschrift Namen wie Heodoruза (!), Istarius, Aldericus, Rudolfus statt Theodorus, Viscarius, Waldericus, Urolfus. Außerdem fehlen hier und dort Wörter oder auch ganze Partien. so f. 83 unten, wo mit qui a populo die Erzählung plötzlich abbricht; f. 99 oben nach psalterium persolvit; nach f. 95' scheint ein Blatt oder ein Bogen, vielleicht beim Binden, verloren gegangen zu fein.[1]

Die Verwirrung wird noch dadurch gesteigert, daß Ebendorfer häufig die einzelnen Nachrichten, wie er fie in feinen Quellen fand, felbst die widersprechendsten, unvermittelt neben einander stellt. Wenn Dümmler von Schreitwein fagt, er habe „allen von feinen Vorgängern herbei= geschleppten Wust in einen großen Kehrichthaufen zufammengefegt",[2] fo gilt dies noch viel mehr von der Chronif Ebendorfers. Das Werk ist voll von Wiederholungen und Widersprüchen, besonders in den vorderen Partien, die vom alten Erzbistum Lorch handeln.[3] Von einer fystematischen oder chronologischen Ordnung der Nachrichten ist keine Rede. So wird in dem Abschnitte über Bischof Hatto (807—18) die Taufe des Harald von Dänemark und die Thronbesteigung Papst Gregors IV erwähnt (die Salzburger Annalen [Annales S. Rudberti], die hier wahrscheinlich als Quelle benützt find, bringen beide Nachrichten z. J. 827); unter Bischof Adalbert (944—71) hören wir von der Gründung des Klosters Prül durch Bischof Gebhard von Regensburg (1003); unter Konrad II (1248—49) vom Brande von Bozen und von der Auffindung der Leichname des Vitus und Modestus (1222

---

[1] Hier beginnt nach einer Lage von neuen Bogen (f. 78—95) eine neue (f. 96—109).

[2] Piligrim, S. 80.

[3] Aber auch fpäterhin finden fich zahlreiche Wiederholungen. So werden, nur mit geringen Aenderungen im Wortlaut, doppelt erwähnt: das Begräbnis Altmanns in Göttweih (f. 121 u. 121'), der Kampf Bischof Wolfkers mit dem Grafen v. Orten= burg (f. 126), die Abhaltung einer Synode unter Bischof Ulrich II, der Kreuzzug Andreas' von Ungarn (f. 129') u. a. m.

und 1223 nach den Salzburger Annalen). Unter Bischof Engelmar (874—99) wird auf einmal eine ganze Reihe von Salzburger Erz=bischöfen des 10. Jahrh. aufgeführt. So macht Ebendorfers Chronik ganz den Eindruck einer großen Materialsammlung, zu deren Ordnung und Verarbeitung der Verfasser wohl nicht mehr kam. Aber gerade durch die häufig wörtliche Herübernahme der einzelnen Nach=richten läßt sich deren Ursprung um so leichter nachweisen, und dies wird uns auch für die Untersuchung der Passauer Annalen zu statten kommen.

Eine Ueberarbeitung des Ebendorferschen Werkes besorgte wenige Jahre später der Verfasser der sogen. Schreitweinschen Chronik. Die bei Ebendorfer herrschende Unordnung ist zum größten Teil be=seitigt, zugleich aber das ganze Werk bedeutend gekürzt. Namentlich sind viele Partien, die sich mit der allgemeinen oder Reichsgeschichte befassen, weggelassen; ebenso fehlen die Bemerkungen Ebendorfers über seine persönlichen Verhältnisse. Andrerseits aber enthält die Schreit=weinsche Chronik manche Erweiterungen und Zusätze. Der Verfasser zieht besonders noch mehr urkundliches Material heran; einem Passauer Nekrolog hat er die Todesdaten der Bischöfe entnommen, die Eben=dorfer nicht erwähnt. Die Einleitung ist die gleiche geblieben; nur ist an der Stelle, wo Ebendorfer sagt, er habe auf Geheiß König Friedrichs (III) eine Geschichte der römischen Könige und eine Chronik Oesterreichs geschrieben, Friedrich Kaiser genannt.[1]

Der Verfasser war vermutlich ein Passauer, wie sich aus seiner Vertrautheit mit den Passauer Verhältnissen ergibt.[2] Daß er wenigstens in Passau sich aufgehalten, beweist unter anderm die Beschreibung der Grabstätte des Eberhard von Jahnstorf im Passauer Dom.[3]

Was aber den Namen Schreitwein betrifft, so wurde derselbe zweifellos erst später jener Chronik beigelegt, deren Verfasser man nicht kannte. Schon die Aufschrift Cathalogus . . . per N. Schreitwein[4] collectus zeigt, daß wir es hier nicht mit einem Namen des 15. Jahrh.

[1] Rauch a. a. O. S. 435. — Da Friedrich III bereits 1452 zum Kaiser ge=krönt wurde, so ist die Bezeichnung desselben als rex in Ebendorfers Chronik, die ja bis 1462 reicht, auffallend. Vielleicht hatte Ebendorfer mit den Vorarbeiten schon vor 1452 begonnen.

[2] Erhard, Gesch. der Stadt Passau I, 94, bemerkt, Schreitwein habe sich in Osterhofen aufgehalten, bringt aber keinen Beweis hiefür.

[3] Rauch a. a. O. S. 498. Ebendorfer erwähnt nichts hievon.

[4] Chevalier, répertoire des sources histor. en moyenage, S. 2053 nennt ihn daher Nicolas Schreitwein.

zu thun haben, wo doch der Taufname in der Regel wichtiger war als
der Zuname (Ebendorfer selbst war lange Zeit nur unter seinem Taufnamen mit Zufügung seines Geburtsortes, Thomas von Haselbach,
bekannt).

Aventin zitiert Schreitwein in Verbindung mit Frechulf oder Frethulf
wiederholt in seinen Annalen und seiner Chronik als die „ältesten
bairischen Geschichtschreiber"; er sah ihre Werke in den Bibliotheken zu
Regensburg und Paffau[1]). Ebendiese rätselhaften Geschichtschreiber
erwähnt auch Ebendorfer unter seinen Quellen. Er spricht (f. 96')
von der Einwanderung der Bayern unter Herzog Theodo und von den
drei bayrischen Marken Austria, Stiria und Berg oder Vohburg, und
fügt zum Schluß bei: testatur haec Jordanis[2]), Schrittwinus et
Frehholdus. Noch auffallender ist eine Stelle in den Bruchstücken,
die der Chronik Ebendorfers vorangehen (f. 77'). Dort werden die
Quellen des „Dekans von Paffau" aufgeführt, Verojus, Ptolemäus,
Cäsar, Orosius, Sueton u. a.; hierauf: Jordanis, Schritowinus,
Vrechholdus et Gewastaldus, Gotici historici, Gottos,
Ostrogottos, Seygottos, Wesegottos, Gepidas, Avares, Vinolos, Vandales,
Alanos, Herolos, Suevos sunt prosecuti. Hier wird also noch ein
weiterer, bisher unbekannter Autor, Gewastaldus,[3]) genannt. Das Dunkel,
das über jenen Namen schwebt, ist allerdings durch diese beiden Zitate
nicht gehoben. Doch scheint so viel sicher, daß unter den Namen jener
Autoren thatsächlich Werke über die alte deutsche, beziehungsweise bayrische
Geschichte existierten.[4])

Die Handschrift der sogen. Schreitweinschen Bischofschronik gehört
dem 16. Jahrhundert an.[5]) Man kannte damals natürlich die Angaben
Aventins, daß Schreitwein über die Abstammung und Wanderung der
Bayern berichtete. Da nun auch unsere Bischofschronik hierüber manches
enthält, so legte man ihr den Namen jenes alten Geschichtschreibers bei.[6])

---

[1]) Vgl. Riezler, Aventins Werke III, 562.

[2]) Die Erwähnung des Jordanes bezieht sich wohl auf die mehrere Seiten vorher gebrachte Erzählung von den Zügen germanischer Stämme und Attilas.

[3]) Vielleicht ist es nur eine Verstümmelung des von Fürtrer zitierten Garibald
(vgl. über diesen Riezler, Avent. W. III, 567 f.).

[4]) Jedenfalls läßt sich Riezlers Konjektur (a. a. O. 564), Frethulf sei identisch
mit Fürtrer, nicht aufrecht erhalten. Fürtrers Chronik erschien erst 1481, während
Burkhards Krebs bereits 1462, Ebendorfer 1464 starben.

[5]) Vgl. Rauch II, 430. — S. 490 findet sich eine Randnote (nach Rauch
›eadem manu‹), in der auf Aventin verwiesen wird.

[6]) Zur Unterscheidung von der ursprünglichen Chronik Ebendorfers soll im
folgenden für deren Ueberarbeitung die bisher übliche Bezeichnung mit dem Namen
Schreitwein beibehalten werden.

Im Anschluß an die Chroniken Ebendorfers und Schreitweins ist noch clm 1012 zu erwähnen. Derselbe enthält, von der Hand des Abtes Wolfgang Maier (Marius) [1] geschrieben, f 5—82 eine Chronik des Klosters Aldersbach bis 1541, und f 83—114 eine Passauer Bischofschronik bis auf Bischof Wolfgang von Salm (1540—55), mit der Ueberschrift: Pontificum et archipresulum Laureacensis et Pataviensis ecclesiarum catalogus ab incerto autore editus per me fratrem Bolfgangum Abbatem in Alderspach nonnihil castigatus atque abbreviatus. Die Chronik zeigt nähere Verwandtschaft mit der Schreitweins als mit der Ebendorfers, erscheint aber noch mehr verkürzt, was ja die Ueberschrift schon andeutet. Dagegen enthält sie auch wieder manche eigentümliche Nachrichten, so daß wir für sie kaum die gleiche Vorlage annehmen dürfen, wie für die von Rauch edierte Schreitweinsche Chronik.

Mit der Angabe seiner Quellen ist Ebendorfer ziemlich zurückhaltend. In der Regel drückt er sich nur allgemein aus, spricht von Chroniken, Annalen, oder begnügt sich mit einem gelegentlich eingeschalteten alias, alii oder quidam dicunt, legitur u. dergl. Namentlich erwähnt er die Biographien des Severinus, Corbinian, Hermagoras und Fortunatus, Maximilian; die Chronik des Eusebius; ferner wie schon erwähnt, Jordanes, Schreitwein, Frechulf; die Gründungsgeschichte des Klosters Tegernsee, die annales regum Francorum (Fulder Annalen). Unter seinen sonstigen Quellen sind besonders Hermann von Altaich, Martin von Troppau, die Geschichtswerke von Kremsmünster und der Passauer Dekan Burkhard Krebs (f. oben) zu nennen Von den Annalen der österreichischen Klöster scheinen die von Heiligenkreuz und die des Schottenklosters in Wien benützt. [2] Sehr viele Nachrichten weisen auf die Salzburger Annalen (annales S. Rudberti Salisb.) hin; doch ist es zweifelhaft, ob Ebendorfer aus diesen Annalen geschöpft hat, oder aus den Passauer Annalen, die, wie wir sehen werden, mit denen von Salzburg große Aehnlichkeit hatten. Wenigstens finden sich viele Nachrichten bei Ebendorfer mit anderem Wortlaut, zum teil auch viel ausführlicher als in den Salzburger Annalen. Außerdem hatte Ebendorfer

---

[1] Weitere Produkte der literarischen Thätigkeit dieses Abtes enthalten clm 1851 (Gedichte), 2874, 2886.

[2] Die Uebereinstimmung zeigt sich besonders f. 130' bei den Nachrichten über die Aussöhnung des Bischofs Gebhard mit seinem Klerus und von dem Begräbnis des Hadamar von Kunring in Zwetl. Contin. Sancruc. I und Cont. Scotorum ad a. 1231 (Mon. Germ. SS. IX 626, 627).

zahlreiches Material an Urkunden vor ſich, die er teils wörtlich, teils im Auszuge ſeiner Chronik einfügte. Dieſe Urkunden ſah er jedenfalls ſelbſt in Paſſau ein. Daß er hier für ſeine Chronik arbeitete, beweiſt unter anderem die Erwähnung einer Steininſchrift im Paſſauer Dom: Habetur eius (Plectrudis) imago hodie Patavie etc. (f. 99' = Rauch II, 453).

· Zu den wichtigſten Quellen Ebendorfers aber gehören der Paſſauer Biſchofskatalog und die Paſſauer Annalen. Der Katalog nebſt der Verteidigungsſchrift wird einmal als antiqua, einmal als autenticae historiae zitiert.[1]) Die Annalen dagegen werden nur an einer einzigen Stelle erwähnt (f. 122, = Rauch II, 485): Huius (Reginberti) antiquus Cathalogus episcoporum non meminit, sed Regimario ponit immediatum Conradum successorem . . . in Annalibus invenitur quod Anno domini MCXXXIX Innocentius Papa Romae Synodum septingentorum episcoporum collegit, et anno domini MCXL Reginarius episcopus obiit et eidem Reginbertus succedit. Daß der antiquus Cathalogus episcoporum der Paſſauer Biſchofskatalog von 1254 iſt, darüber beſteht kein Zweifel; derſelbe übergeht thatſächlich, wie ſchon erwähnt, den Biſchof Reginbert. Ebenſo ſicher aber ſind unter den Annales die Paſſauer Annalen zu verſtehen: Ebendorfer läßt bei ihnen wie beim Katalog die Bezeichnung ihrer Herkunft weg. Die Nachricht zum Jahre 1139 findet ſich allerdings mit denſelben Worten in den Salzburger Annalen;[2]) Reginbert aber wird in keinem der uns erhaltenen Annalenwerke zum Jahre 1140 aufgeführt.[3]) Dagegen bemerkt Hundt ausdrücklich, daß die Paſſauer Annalen den Tod des Biſchofs Regimar zum Jahre 1140 erwähnen.[4])

Bruſch.

Im J. 1553 erſchien Kaſpar Bruſchs Werk: De Laureaco veteri admodumque celebri olim in Norico civitate, et de Patavio Germanico ac utriusque loci Archiepiscopis et Episcopis omnibus, Libri duo. Ueber die Quellen des Bruſch, ſowie über die Art ſeiner Darſtellung

---

[1]) f. 83 (= Rauch II, 440): ›in antiquis scriptum repperi Philippum Caesarem etc.‹ (vgl. Katalog z. J. 250); f. 83' (= Rauch II, 441): ›patrimonium (Philippi) in autenticis sic describitur historiis‹ (Verteidigungsſchrift).

[2]) Mon. Germ. IX, 775.

[3]) Auct. Garst., Ann. Gotwic., Cont. Cremif., Chron. Magni erwähnen ihn z. J. 1138, Ann. Admont. 1139 (Mon. Germ. SS. IX, 569, 602, 545; XVII, 487; IX, 579).

[4]) Metrop. Sal. I, 205.

hat im allgemeinen bereits Abalbert Horawitz gehandelt.[1] Die Forschungen, die Brusch für sein Hauptwerk, die Klostergeschichte Deutschlands, in verschiedenen Klöstern angestellt hatte, konnte er auch für seine Geschichte von Lorch und Passau vielfach verwerten. Er spricht hier daher wiederholt von den Bibliotheken und Denkmälern von Formbach, Göttweih, Hegelwert, Reichersberg u. a. (S. 40, 50, 146, 150, 180).[2]

Wenn Brusch auf annales Patavienses verweist, so meint er damit, wie schon Ratzinger bemerkt hat,[3] die Passauer Quellen überhaupt, die ihm vorlagen. Die Passauer Annalen dagegen bezeichnet er als chronicon vetustissimum, allerdings nur ein einzigesmal, S. 46: Legitur in vetustissimo Chronico, decessisse eum (Constantium) anno Christi 487. Hundt (a. a. O. 192) bezeichnet dies ausdrücklich als Nachricht der Passauer Annalen. Zweimal erwähnt Brusch auch ein pervetus chronicon; so S. 78: Leguntur in perveteri Chronico . . .: Arno Juvaviensis per truffas ac buffas a Leone Papa cecato pallium Pataviensibus sibi surripuit. Diese Bemerkung findet sich im Bischofskatalog (Mon. Germ. SS. XXV, 620); in den Passauer Annalen stand nach Hundts Versicherung (S. 3) nichts hievon. Dagegen hat Schreitwein (a. a. O. 458) diese Notiz mit denselben Worten,[4] und auf ihn dürfte wohl das pervetus chronicon zu beziehen sein.[5] Auch die andere Nachricht, für die das pervetus chronicon als Quelle zitiert wird (S. 128): Altmannus . . . ex celebri ac perveteri Putinensium ducum genere, mag Schreitwein (a. a. O. 480) entlehnt sein.[6]

Schirrmacher behauptet zwar,[7] daß Schreitwein dem Brusch nicht vorlag, bringt aber keinen Beweis dafür. Daß dies dennoch der Fall war,[8] zeigt sich besonders bei den Bischöfen Engelmar, Wiching,

---

[1] Caspar Bruschius (Prag und Wien 1874) S. 163 ff.

[2] Aus einer Bemerkung S. 153 »de quibus copiose dicturi sumus in Monasteriorum tomo seu Centuria nostra secunda« läßt sich schließen, daß Brusch an seiner Lorcher Geschichte schon schrieb, als er noch mit der Klostergeschichte beschäftigt war. Allerdings erschien letztere bereits 1551 im Druck.

[3] Histor.-polit. Blätter 85, 106 f.

[4] Ebendorfer (f. 102') hat etwas anderen Wortlaut (Arno . . . per fraudes pallium surripuit).

[5] Wenn auch das Wert des Brusch nur etwa 80 Jahre jünger ist als Schreitwein, so liebten es die damaligen Schriftsteller doch, ihre Quellen als möglichst alt hinzustellen.

[6] Auch Ebendorfer (f. 118') bringt diese Notiz, desgleichen Hundt a. a. O. 203, beide ohne Quellenangabe.

[7] Albert von Possemünster S. 180.

[8] Eine Benützung der Ebendorferschen Chronik in der ursprünglichen Gestalt ist indes nicht sicher nachweisbar.

Richarius. Schreitwein ſucht hier die im Biſchofskatalog herrſchende
Verwirrung (ſ. ob. S. 500 f.) durch eine Konjektur zu beſeitigen (a. a. O. 463):
er läßt Engelmar nur 11 Jahre Biſchof oder vielmehr Erzbiſchof ſein,
nach ſeinem Tode 886 Wiching folgen, der 888 abgeſetzt wird; ſtatt
ſeiner wird Richarius Biſchof, doch Wiching kümmert ſich nicht um die
Abſetzung und führt noch 12 Jahre ſein Amt fort; Richarius iſt während
dieſer 12 Jahre bloß Biſchof, erhält endlich 899 das Pallium und iſt
noch drei Jahre Erzbiſchof (nach Katalog). Dieſe Konjektur acceptiert
Bruſch (S. 86 ff.) vollkommen: nur läßt er dann nach dem Tode des
Richarius den Wiching nochmal ein Jahr und drei Monate Biſchof ſein.

Da Bruſch zum Proteſtantismus neigte — Gewold zieht deshalb
in einem Anhang zu den Episcopi Patavienses von Hundts Metropolis
(S. 292 ff.) heftig gegen ihn los —, ſo wurde ſein Werk von Lorenz
Hochwart aus Tirſchenreut im Auftrage des Paſſauer Domkapitels revidiert. Von dieſer Bearbeitung exiſtieren auf der Münchener Staatsbibliothek
drei Abſchriften: clm 1303 aus dem Ende des 16., 27085 aus dem 17.
und 1304 aus dem 18. Jahrh.[1]) Der Verfaſſer erklärt im Eingang,
daß er von der Schrift des Bruſch alles Weitſchweifige und Anſtößige
(remoras et salebras) beſeitigen wolle; es ſei aber ſo wenig geändert,
daß Bruſch zugeſtehen müſſe, es ſei ihm nur ein Dienſt erwieſen (ut
Bruschius non offensionem sed officium sibi factum agnoscere debeat.)
Hochwart behält auch im allgemeinen den Text des Bruſch bei, doch
läßt er die Einleitung (Bruſch S. 3—23) weg, desgleichen alle jene
Stellen, die Ausfälle gegen den Katholizismus oder gegen einzelne
Biſchöfe enthalten. Dagegen bringt er auch manche Zuſätze, fügt nach
Maximilian zwei neue Lorcher Biſchöfe, Valentin und Lucillus, ein,
verweiſt auf Urkunden, die Bruſch nicht erwähnt, und ſetzt die Chronik
bis zum Jahre 1563 fort.

Die Lorcher Geſchichte des Bruſch ſtellte die Chronik des Eben-
dorfer=Schreitwein in Schatten. Sie blieb maßgebend für die ſpäteren
Bearbeitungen der Paſſauer Bistumsgeſchichte, die im 16. und 17. Jahrh.
zu tage gefördert wurden.[2]) Nicht geringen Einfluß übte Bruſch auch auf

---

[1]) Nach Horawitz a. a. O. 171 befindet ſich auch ein Exemplar in Göttweih.

[2]) Von den Hſſ. der Münchener Staatsbibliothek kommen hier in betracht:
eine Biſchofschronik bis 1556; eine Reimchronik bis 1598, eigentlich nur eine Uebertragung der vorgenannten Chronik in Verſe; eine Chronik von J. B. Eiſenreich, bis
gegen Ende des 16. Jahrhs; eine weitere bis 1605, ohne Namen des Vfs.; ſämtliche
in deutſcher Sprache (codd. germ. 1731, 1732; 1734, 1735; 2919, 2920; 2917).

Wiguleus Hundt.

Dieser schreibt, wie bereits Hansiz bemerkte, in dem Teil seiner Metropolis Salisburgensis,[1]) der von den Lorcher und Passauer Bischöfen handelt, Brusch großenteils aus.[2]) Er gesteht übrigens diese Abhängig=keit selbst zu, indem er seinen Gewährsmann wiederholt erwähnt, oder auch ein scriptum reperio oder legimus bei Brusch in reperitur, legitur verwandelt. So zitiert er auf die Autorität des Brusch hin auch Quellen, die er wahrscheinlich selbst gar nicht eingesehen hat. Brusch schreibt z. B. S. 50: ut in veteri libro Formbacensi reperi; Hundt S. 193: quod etiam in veteri Vormbacensi libro reperitur. Brusch S. 165: cui sententiae Pataviensis templi summi Chronica et vetera omnia diaria suffragantur; Hundt schreibt dies wörtlich nach (S. 207), nur setzt er Chronicon für Chronica. Aber nicht immer zeigt er sich in dieser Weise von Brusch abhängig.; er kontrolliert auch dessen An=gaben und berichtigt sie manchmal (vgl. besonders S. 191, 194, 202).

Mit der Angabe seiner Quellen ist Hundt nicht so sparsam als Brusch. Besonders häufig zitiert er Aventin; ferner Rahewin ("Radewicus") und den "Abt von Ursperg" (S. 205), Cuspinian (S. 190 und 205), Johannes Lucidus (S. 196), Paulus Phrygio (S. 200) u. a. Die Zahl der angezogenen Urkunden ist noch größer als bei Brusch. Besonderes Gewicht aber legt er auf die Passauer Annalen; er sagt selber S. 190: illi (libro annalium Pataviensium) propter antiquitatem meo judicio non modica fides habenda est. Er zitiert sie am öftesten unter seinen Quellen. Leider beziehen sich seine Zitate meist nur auf Jahres=zahlen, Angabe der Amtsdauer der Bischöfe oder Schreibart ihrer Namen. Es hängt das damit zusammen, daß Hundt namentlich großes Gewicht auf die Chronologie legt. Wo er für ein Ereignis verschiedene Jahresangaben findet, versäumt er in der Regel nicht, diese gewissenhaft anzuführen. Daher werden auch späterhin, wo die Zahlenunterschiede in den einzelnen Quellen naturgemäß nicht mehr so häufig sind, die Zitate aus den Passauer Annalen immer seltener.

Uebrigens muß bemerkt werden, daß Hundt die Bezeichnung "Passauer Annalen" mitunter auch in dem Sinne des Brusch anwendet, darunter also Passauer Quellen im allgemeinen

---

[1]) Das Werk erschien 1582 im Druck zu Ingolstadt, in zweiter Auflage, von Gewold mit Noten versehen, 1620 zu München, in dritter Aufl. 1719 zu Regensburg.

[2]) Das Lob, das Manfred Mayer, Wigul. Hundt (Innsbruck 1892) S. 92, über die Metropolis Salisburgensis ausspricht, ist wenigstens für den Abschnitt, der über Passau handelt, etwas zu modifizieren. (Vgl. Hist. Jahrb. XIII, 904 f.).

verſteht. Bruſch ſagt S. 152: Appellatur is (Regimarus) in Pataviensium annalibus ecclesiae desertor; S. 199: Ned quidquam aliud
in Pataviensibus annalibus de eo (Conrado) scriptum invenimus.
Hundt ſchreibt beide Stellen wörtlich ab, ändert nur das zweitemal
invenimus in invenitur; er behält auch die von Bruſch gewählte Form
Pataviensium oder Pavienses annales bei, während er, wenn er
von ſeinen Annalen ſpricht, immer annales Pavienses ſagt. D i e s
ſ c h l i e ß t j e d o c h n i c h t a u s, d a ß a u c h d i e P a ſ ſ a u e r A n n a l e n
d i e s b e z ü g l i c h e N a c h r i c h t e n e n t h i e l t e n.

Eine ähnliche Ungenauigkeit läßt ſich Hundt gleich am Eingang, in
dem Abſchnitt über Laurentius zu ſchulden kommen; er bemerkt hier
(S. 190): Annales Patavienses civitatem (Laureacum) putant appellatam
a beato Laurentio; weiter unten aber ſagt er, nachdem er die Handſchrift der Paſſauer Annalen beſchrieben: huius Laurentii neque in
annalibus neque in Catalogo fit mentio. Dieſer ſcheinbare Widerſpruch,
auf den ſchon H a n f i z, Germ. sacra 1 28, aufmerkſam macht, erklärt ſich
dadurch, daß Hundt die Einleitung über Laurentius wörtlich der Chronik
des Hochwart entnahm. Dieſer erwähnt hier als Quelle annales
ecclesiasticae, worunter er vielleicht ebenſo wie Bruſch mehrere Paſſauer
Geſchichtswerke verſtand; Hundt ſchreibt dafür ohne weiteres annales
Patavienses, während er faſt unmittelbar darauf dieſe Bezeichnung für
ſeine Handſchrift der Paſſauer Annalen gebraucht.

Dagegen iſt der Vorwurf, den G e w o l d und nach ihm R a t z i n g e r[1]
gegen Hundt erheben, daß er die Paſſauer Annalen nur oberflächlich
eingeſehen, nicht ſo ganz gerechtfertigt. Es handelt ſich hier um eine
Stelle in dem Abſchnitt über Biſchof Berengar. Bruſch erwähnt nämlich
(S. 125), daß Kaiſer Heinrich 11 das Gebiet von der Ilz bis zum
Regen der Paſſauer Kirche genommen und an Bamberg geſchenkt, dem
Paſſauer Biſchof aber dafür die Hälfte (medietatem) der Stadt Paſſau
gegeben. Hundt ſchreibt dies dem Bruſch nach (S. 202), bemerkt aber
dazu: Haec unde Bruschius habeat, nescio, Annales Patavienses non
ponunt. Hiezu fügt Gewold am Rande bei: Hinc apparet Dn. Hund.
non vidisse Annales Episcoporum Pataviens. in membrana conscriptos,
qui adhuc Passavii extant etc., und S. 242, Note mm, führt er aus
dieſen Annalen einen längeren Abſchnitt an worin übrigens von jenem
Tauſche nicht die Rede iſt. Das Zitat ſtimmt aber aufs Wort überein

---

[1] Hiſtor.-polit. Blätter 85, 112.

mit der Chronik Ebendorfers; [1] dieser erwähnt unter Berengar zuerst eine Urkunde Konrads II, dann Heinrichs II; hierauf folgt eine ausführliche Erörterung, warum die Passauer Bischöfe für die Erhaltung des großen Besitzes der Lorcher Kirche nicht besser sorgten; daran schließt sich eine Abhandlung über die drei bayrischen Marken und über Herzog Arnulf von Bayern; erst gegen Schluß dieses langen Abschnittes (er umfaßt allein vier Folioseiten, 115' bis 117') [2] wird jene Tauschhandlung Heinrichs II erwähnt. Daß eine derartige lange Abhandlung in den Passauer Annalen gestanden hätte, ist sicher nicht anzunehmen; dagegen sprechen auch Stellen, wie: hoc tamen notari v o l o, oder gelegentlich des Hinweises auf den Aufschwung der Ostmark: sicut nobis m o d e r n a indicant t e m p o r a. Vielmehr war die Vorlage Gewolds hier ohne Zweifel nichts anderes als eine Abschrift der Ebendorferschen Chronik Der Vorwurf der Oberflächlichkeit trifft also Gewold selbst. Man sollte zwar meinen, daß er als Neuherausgeber von Hundts Metropolis auch dessen Angaben über die Passauer Annalen, besonders die, daß sie bis 1255 reichten, wohl kannte; allein es genügte ihm vielleicht, daß das ihm vorliegende Werk auf Pergament geschrieben war, um es für die von Hundt erwähnten Passauer Annalen zu halten. [3]

Dagegen zeigt sich hier, daß Hundt die Chronik Ebendorfers weder in ihrer ursprünglichen Fassung noch in der Bearbeitung Schreitweins vorlag. Das ergibt sich auch aus einer Stelle S. 195: Hundt erwähnt hier, daß nach dem Bischofskatalog Richarius 12 Jahre Bischof und

---

[1] Schreitwein, a. a. O. 474, fügt nach dem ersten Satz »Berengerus . . . sine pallio«; noch bei: »cepit Anno Domini MXIII.« Sonst hat er mit Ebendorfer gleichen Wortlaut.

[2] Zur Vorlage diente hier Ebendorfer, wie wir oben S. 506 f. sahen, das Werk des Burkhard Krebs.

[3] Von der Oberflächlichkeit Gewolds zeugt auch ein unter Note oo gebrachtes Zitat. Gewold teilt hier aus einem „anderen Katalog der Passauer Bischöfe" einen längeren Abschnitt über B. Altmann mit (S. 245), der mit der Chronik des Hochwart wörtlich übereinstimmt. Nach den Worten monasterium Canon. S. Augustini erexit (S. 246) bricht die Erzählung plötzlich ab, und folgt mit anno 829 praefuit . . . ein Abschnitt über B. Urolf bis zu den Schlußworten humiliter obtemperetis. Gewolds Vorlage war hier ohne Zweifel clm 1227. Dieser enthält fol. 54 ein Fragment der Bischofschronik Hochwarts, das mit der von Gewold zitierten Stelle über Altmann beginnt und nach S. Augustini mit »successit (von Gewold offenbar in erexit geändert) anno 829« plötzlich auf Urolf überspringt Die Verwirrung setzt sich bei den folgenden Bischöfen fort; erst später, unter B. Adalbert, wird der Text zu Altmann plötzlich mit »S. Augustini aedificavit« wieder aufgenommen. Der Abschreiber hatte offenbar eine Hf. vor sich, in der die Bogen falsch gelegt waren; aber das hat weder er noch Gewold, wie es scheint, gemerkt.

drei Jahre Erzbiſchof geweſen, und fügt bei: quod alibi non reperio.
Er kannte alſo Ebendorfer und Schreitwein, die die gleiche Angabe
enthalten, nicht.

Gewold erwähnt außerdem in den Anmerkungen zur Metropolis
öfters eine Chronik der Lorcher und Paſſauer Biſchöfe,[1] die er von
dem Doktor der Theologie und Rat der Herzoge Albrecht V, Wilhelm V
und Maximilian, G e o r g L a u t h e r, erhalten; Lauther hatte dieſelbe
aus einer Paſſauer Handſchrift abgeſchrieben. Gewold verſpricht ſie
demnächſt herauszugeben, iſt aber zur Ausführung ſeines Vorhabens
nicht mehr gelangt. Wie weit jene Chronik reichte, erwähnt er nicht;
zum letztenmal wird auf ſie in einer Note zu Biſchof Ulrich (1215—21)
verwieſen. Die Zitate Gewolds laſſen auf Verwandtſchaft der Chronik
mit Ebendorfer-Schreitwein ſchließen. Sie erzählt von Florian gleich
Ebendorfer, während Schreitwein dieſen nicht erwähnt; als erſter Lorcher
Erzbiſchof wird Jerardus aufgeführt wie bei Ebendorfer und Schreitwein.
Die Reihenfolge der Biſchöfe Philo, Ottokar,[2] Bruno entſpricht der
bei Schreitwein (der Text der Ebendorferſchen Chronik iſt hier etwas
verworren). Unter Biſchof Berengar war jene weitläufige Erörterung
über die Verminderung des Beſitzes der Paſſauer Kirche enthalten.
Von Biſchof Ulrich II wird nur geſagt, daß er zuerſt Kanoniker geweſen
ſei, von ſeiner Herkunft nichts erwähnt. Wir haben es hier alſo, wie
es ſcheint, mit einer vielleicht hie und da etwas geänderten Abſchrift
der Chronik Ebendorfers zu thun.

*   *   *

Nach Hundts Angabe enthielt die ihm vorliegende Handſchrift nach
den Paſſauer Annalen zunächſt einen Biſchofskatalog. Derſelbe war,
wie die Zitate Hundts zeigen, eine Abſchrift des oben beſprochenen
Kataloges von 1254, und zwar ſtimmte er mit dem des Lonſtorfer
Codex (Handſchrift B nach) Mon. Germ. SS. XXV 611) am meiſten

---

[1] Sie wird bald chronicon, bald catalogus genannt; ſ. die Noten b, c, h,
l, p, q, x, bb, mm, rr. ss, uu. — Pez (SS. rer. Aust. I 3) hielt ſie für identiſch
mit den Paſſauer Annalen.

[2] Gewold ſcheint ſich in den Noten p und q zu widerſprechen. Zuerſt heißt es:
Othocarum Chronicon Episcoporum Laureacensium prorsus omittit: Note q
dagegen ſagt, daß im ›Chronicon Episcoporum Laureacens. et Pataviensium
toties hactenus inculcatum‹ nach Philo Ottacharius, dann Bruno erwähnt ſei.
Wahrſcheinlich wurde Gewold zu dieſen einander widerſprechenden Bemerkungen durch
die verſchiedene Schreibweiſe des Namens Ottokar veranlaßt. Die Form Ottacharus
bietet auch Schreitwein.

überein. Er erwähnte gleich diesem Jerarbus als ersten Lorcher Erz=
bischof z. J. 250, bezeichnete den Bischof Reginhar als Apostel der
Mähren.[1]) Wie weit der Katalog reichte, erwähnt Hundt nicht. Jeden=
falls wurde er erst späterhin dem Codex der Passauer Annalen eingefügt.[2])

Eine bemerkenswerte Notiz bringt Hundt S. 196: Neque in
Annalibus neque in Catalogo dicitur Urolfum obiisse, sicut apud
alios episcopos. Nun erwähnten zwar, wie sich aus verschiedenen
Zitaten Hundts ergibt, die Passauer Annalen häufig das Todesjahr
der Bischöfe. Was aber den Katalog betrifft, so darf man auf grund
obiger Notiz vielleicht annehmen, daß derselbe die Todestage der einzelnen
Bischöfe enthielt, wie dies auch in einem aus Tegernsee stammenden
Bischofskatalog des 16. Jahrh. der Fall ist.[3])

Den dritten Teil der Handschrift der Passauer Annalen bildete
endlich eine Urkundensammlung So sind jedenfalls die Worte der oben
(S. 504) angeführten Stelle, cum copiis diplomatum tam summorum
Pontificum quam Rom. Imperatorum, aufzufassen; die Urkundenkopien
standen also nicht im Texte der Passauer Annalen selbst.[4]) Das beweist
auch die Art, wie Hundt die betreffenden Urkunden in der Regel zitiert:
copiae horum diplomatum descriptae in veteri libro annalium
Pat. (S. 195), haec ex libro ann. Pat. (S. 199), liber annalium
Pat. non habet annum (193) u.s.f. Nach den häufigen Zitaten Hundts
zu schließen, war die Urkundensammlung ziemlich reichhaltig. Unter den
Urkunden der Päpste sind vor allem die gefälschten Lorcher Bullen mit
inbegriffen; Hundt erwähnt ausdrücklich, daß von den Bullen des
Symmachus für Theodor, Leos (VII) für Gerhard, Benedikts (VI)
für Piligrim Kopien in seinem liber annalium enthalten waren
(S. 193, 199, 200).

Aus den Passauer Annalen selbst bringt Hundt, wie schon erwähnt
zahlreiche Zitate, doch beschränken sich dieselben meist auf Angabe von
Jahrzahlen oder beziehen sich auf andere unwichtige Dinge. Wörtlich
werden nur ganz wenige Stellen angeführt; so S. 191: Anno 308.
Quirinus episcopus passus est; S. 3 und 195: Anno 796. Leo papa

---

[1]) Hundt a. a. O. 190, 197.

[2]) Vgl. Hundt 3: Annalibus, tanquam vetustiori scripturae,
plus credendum (puto), quam Catalogo, ut apparet, recentiori.

[3]) Pez, SS. rer. Austr. I, 15.

[4]) So faßt Dümmler, Piligr. S. 132, die Stelle auf, wenn er die Passauer
Annalen als eine von Urkundenauszügen unterbrochene Chronik bezeichnet. In diesem
Fall müßten doch die Worte cum copiis diplomatum unmittelbar an continens
annales Patavienses angeschlossen sein.

sedit, hic Aruouem Juvaviensem pallio sublimavit; S. 197: Anno
Domini 807. Hatto sedit sine pallio annis XI. Halten wir zu dieſen
wenigen wörtlichen Zitaten die durch Ebendorfer überlieferte Stelle
z. J. 1139 und 1140 (ſ. oben S 511), ſo ſteht der annaliſtiſche Charakter
unſeres Werkes außer Zweifel. Es war alſo nicht, wie Dümmler meint,[1]
eine Biſchofschronik, ähnlich der des Schreitwein.

Die Nachrichten zu den Jahren 308, 796, 1139 ſind mit denſelben
Worten in den Salzburger Annalen (Annales S. Rudberti) ent=
halten; gleich dieſen erwähnten die Paſſauer Annalen auch den Tod
Arnulfs z. J. 900.[2] Wie weit dieſe Verwandtſchaft mit den Salz=
burger Annalen ſich erſtreckte, läßt ſich bei der geringen Anzahl der
wörtlich überlieferten Zitate leider nicht feſtſtellen. Auch frägt es ſich,
ob die Salzburger Annalen ſelbſt den Paſſauer Annalen als Vorlage
dienten, oder ob beide auf eine gemeinſame Quelle zurückgehen, etwa
die von Wattenbach angenommene Salzburger Kompilation aus dem
Ende des 12. Jahrh[3] Immerhin darf man annehmen, daß die Nach=
richten der Paſſauer Annalen über die früheren Zeiten
zum teil mit denen der Salzburger übereinſtimmten.

Ihre ſelbſtändigen Zuſätze betrafen hauptſächlich die Geſchichte von
Lorch und Paſſau und beſchränkten ſich wohl zunächſt auf die Auf=
führung der Biſchöfe und Angabe ihrer Amtsdauer. Zur Vorlage
diente hiefür der Biſchofskatalog von 1254; doch folgen ihm die
Annalen keineswegs durchaus. Während im Katalog Maximilian als
Erzbiſchof von Lorch aufgeführt wird, erwähnen ihn die Annalen nicht.[4]
Dagegen bringen ſie den einzigen hiſtoriſch nachweisbaren Lorcher Biſchof
Conſtantius, von dem der Katalog nichts weiß, und erwähnen als
deſſen Nachfolger zum Jahr 487 Theodorus, an den die gefälſchte Bulle
des Papſtes Symmachus gerichtet iſt.[5] Da der Katalog Theodorus
offenbar infolge unrichtiger Datierung einer Abſchrift jener Bulle (699
ſtatt 499)[6] zum Jahre 699 bringt, ſo führen die Annalen zu dieſem

---

[1] Piligr S. 32. Dümmler kam auf dieſe Annahme vielleicht durch Gewolds
Zitat aus den vermeintlichen Paſſauer Annalen (ſ. oben S 515 f.).

[2] Hundt 198. — Die Ann. Mellicenses haben dagegen das richtige Jahr,
899 (Mon Germ. SS. IX, 496).

[3] Geſchichtsquell. II⁶ 305. — Mon. Germ. IX, 561.

[4] Hundt 192. — Vgl. über Maximilian: Verh. d. hiſt. Ver. ſ. Niederb.
32, 165 f.

[5] Jaffé, reg. pont. Rom. 767.

[6] Dies ergibt ſich aus einer Stelle im Katalog des codex Lonstorfianus
(Mon. Germ. SS. XXV, 619, Note †): . . . de quo (Theodoro) nihil habemus
nisi epistulam, in qua S. Symachus papa sibi pallium transmisit . . . anno
sexcentesimo nonagesimo nono.

Jahre einen zweiten Theodor auf.[1] Den Bischof Reginbert, den der
Katalog übergeht, erwähnen die Annalen, wenn auch nicht zum richtigen
Jahre. Aber auch sonst weichen Annalen und Katalog häufig von
einander ab, besonders bezüglich der Jahresangaben, was Hundt in der
Regel zu konstatieren nicht versäumt.

Eine Eigentümlichkeit der Annalen besteht darin, daß sie häufig
als Todesjahr der Bischöfe das Jahr vor dem Amtsantritt ihrer Nachfolger angeben. So erwähnen sie den Tod Brunos zum Jahre 698,
seinen Nachfolger Theodor 699; dieser stirbt 721, 722 folgt Vivilo.
Nach dem Tod des Viscarius, 774, folgt 775 Walderich; dieser stirbt
804, ein Jahr vor dem Amtsantritt des Urolf (805). Reginhar folgt
818 auf den 817 verstorbenen Hatto, u. s. f.[2] Todestage dagegen
enthielten die Annalen keine, wie die von Ebendorfer (f. 122) zitierte
Stelle zeigt; nur bei Bischof Berthold war das Todesdatum erwähnt.[3]

Außer den Salzburger Annalen (bezw. der Kompilation des 12. Jahrhunderts) und dem Passauer Bischofskatalog lassen sich als Quellen
der Passauer Annalen noch nachweisen die vita Severini, der sie den
Bischof Constantius von Lorch entnahmen; die vita Altmanni; ferner
Urkunden, darunter die gefälschten Lorcher Bullen.[4]

Reichhaltigere Nachrichten boten die Passauer Annalen besonders
für die Zeit der Bischöfe Rudiger, Konrad II und Berthold,
die Zeit der politischen Thätigkeit Albert Behaims. Für die Kenntnis
dieser Nachrichten gewähren die reichste Ausbeute Ebendorfer und
Schreitwein. Wahrscheinlich ist bei ihnen die Erzählung großenteils
mehr oder weniger wortgetreu aus den Passauer Annalen herüber-

---

[1] Auch die Chronik von Kremsmünster erwähnt Theodorus zweimal auf grund
der Symmachusbulle: 470. S. Remigius ... sub Symacho papa [qui Theodorum
Archiepiscopum Laur. confirmavit]. — 698. Theodorus Archiep. Laur. et Patav.
sedit. 23 annis. [Huic Symmachus papa pallium dedit]. Die eingeklammerten
Sätze sind erst später beigefügt. (Mon. Germ. SS. XXV, 653.)

[2] Hundt 193 ff.

[3] Vgl. unten S. 543. — Dümmler, Pil. S. 128, vermutet, daß die von
Brusch zitierten Todestage den Passauer Annalen entlehnt seien. Brusch stimmt in
der Angabe der Todesdaten mit Schreitwein überein; bei den Bischöfen Christian,
Altmann und Ulrich, wo Schreitwein keine Angabe enthält, bringt Brusch die gleichen
Daten wie clm 1012. — Hundt folgt auch in der Anführung der Todestage dem
Brusch; das Todesdatum Vivilos, das Brusch nicht enthält, hat er Hochwart entlehnt.
Abweichend ist nur Hundts Angabe über den Tod Gerhards, 16. cal. Oct., Jun.,
während alle übrigen Quellen 4. non. Jan. bieten. Bei Adalbert ist 2. cal. für
11. cal. Jun. offenbar verschrieben (II für 11).

[4] Das Nähere hierüber f. im 2. Teil.

genommen. Doch iſt nicht zu überſehen, daß für den erwähnten Zeit=
abſchnitt neben dieſen Annalen auch andere Quellen benützt ſind; ſo iſt
die Erzählung Schreitweins (a. a. O. 506) vom Anſchlag auf das
Leben König Konrads wahrſcheinlich Hermann von Altaich, die Nachricht
von der Ermordung eines Paſſauer Kanonikers unter Biſchof Berthold
der Chronik von Kremsmünſter entnommen; außerdem ſind noch
Urkunden, bei Ebendorfer auch vielfach die Salzburger Annalen heran=
gezogen.

Schwieriger iſt es bei B r u ſ ch , die einzelnen Nachrichten in ihrer
urſprünglichen Geſtalt feſtzuſtellen. [1]) Dieſer hat die Erzählung der
Paſſauer Annalen in freier Weiſe verarbeitet; namentlich erſcheint Albert
Behaim bei ihm in ganz anderem Lichte als in den Annalen, bezw.
bei Ebendorfer und Schreitwein, die ja den Bericht der Annalen getreu
wiedergeben.

H u n d t folgt in ſeiner Darſtellung wie gewöhnlich faſt aufs
Wort dem Bruſch. Hatte der letztere auch die Geſchichte jener Zeit freier
dargeſtellt, ſo ſtand ſeine Erzählung, was die T h a t ſ a ch e n an ſich betraf,
doch nicht im Widerſpruch mit den Nachrichten der Paſſauer Annalen.
Was Bruſch berichtete, konnte Hundt zum größten Teil auch in den
Annalen wiederfinden. Eine beſondere Bezugnahme auf dieſe mochte
ihm daher überflüſſig erſcheinen. Er zitiert ſie ein einzigesmal und auch
da nur infolge irrtümlicher Auffaſſung (u n t e n S. 544). Wenn aber
Hundt gerade in der Darſtellung der Geſchichte Albert Behaims dem
Bruſch folgt, ſtatt den Annalen den Vorzug zu geben, ſo war für ihn
hier vor allem die Autorität Aventins maßgebend, bei dem ja Albert
ebenfalls im ſchwärzeſten Licht erſcheint.

Nun ſucht R a tz i n g e r [2]) nachzuweiſen, daß Schreitweins Quelle
nicht die Paſſauer Annalen, ſondern eine Biographie Albert Behaims
geweſen ſei; dieſe Biographie ſei Bruſch in annaliſtiſcher Bearbeitung
vorgelegen. Indes hat ſich von einer ſolchen Biographie nirgends die
geringſte Spur erhalten, und, wie R i e z l e r bemerkt, [3]) wäre ein ſolches
Werk „über einen nicht heiligen, nicht aſketiſchen, nicht fürſtlichen Zeit=
genoſſen in jener Periode eine ganz einſam ſtehende, merkwürdige Er=
ſcheinung.“ Wenn aber Ratzinger doch bei Bruſch Benützung von Annalen
annimmt (obſchon er es in Zweifel zieht, daß dies die Paſſauer Annalen

---

[1]) Ueber die Unzuverläſſigkeit des Bruſch ſ. beſonders u n t e n S. 540 ſ.; vgl.
auch S ch i r r m a ch e r a. a. O. 181.

[2]) Hiſt.=polit. Blätter 84, 837 ff.; 85, 105 ff.

[3]) Aventins ſämtliche Werke III, 585.

gewesen seien), so ist diese Annahme bei Ebendorfer und Schreitwein
mindestens ebenso gerechtfertigt. Man vergleiche nur Nachrichten, wie
die von der Beförderung Alberts zum Kanoniker 1212, von der Ermordung des Eberhard von Jahnstorf 1231, von der Wahl Rudigers,
1233, von der Exkommunikation Rudigers und der Wahl Bertholds,
1249 (bei Ebendorfer), vom Einzug Bertholds in Paffau 1251. Es
kann kaum ein Zweifel bestehen, daß diese Nachrichten aus Annalen
entnommen sind. Welche Annalen aber könnten hier eher in betracht
kommen, als eben die Paffauer?[1]) Ist es doch an sich ganz natürlich,
daß diese für die Zeit, die der Verfasser selbst miterlebte, ausführlichere
Mitteilungen enthielten, wie dies ja auch bei anderen Annalewerken
der Fall ist

Wenn ferner Ratzinger für seine Ansicht den Umstand geltend macht,
daß in den Berichten Schreitweins wiederholt eine gewisse Polemik
gegen die Widersacher Alberts und der päpstlichen Partei zu tage tritt,[2])
so ist das noch kein Grund, Benützung von Annalen ohne weiteres in
Abrede zu stellen Gerade in jener Zeit des erbitterten Gegensatzes
zwischen kaiserlich und päpstlich Gesinnten ist es wohl erklärlich, wenn
sich Parteileidenschaft auch auf eine an sich objektive Schrift, wie Annalen,
übertrug. Wenn die Paffauer Annalen auch erst zu einer Zeit verfaßt
wurden, in der die Wogen des Streites sich bereits geglättet hatten,
so könnte doch im Verfasser bei der Darstellung der vergangenen Ereignisse der alte Kampfeseifer wieder aufleben.

Was die Person des Verfassers betrifft, so stand er zu Albert
Behaim offenbar in sehr nahem, persönlichem Verhältnis. Er kennt nicht
nur dessen Schicksale während seiner politischen Thätigkeit genau, sondern
auch seine Beziehungen zur Kurie, seine intimsten Angelegenheiten mit
Bischof Konrad. Er ist über die Vorgänge bei der Absetzung Rudigers,
bei der Wahl Bertholds, wobei ja Albert eine hervorragende Rolle
spielte, eingehend unterrichtet; bezüglich der Absetzung Rudigers scheint
er das Konzeptbuch Alberts selbst benützt zu haben.[3]) Ob nun aber

---

[1]) Wäre Ebendorfer eine Biographie Alberts vorgelegen, so hätte er doch vermutlich auch über dessen spätere Lebensschicksale einiges in seine Chronik aufgenommen,
so z. B. die Gefangensetzung Alberts durch Bischof Otto 1258 (f. Schirrmacher a. a. O.
168). Da er aber die Paffauer Annalen benützte, die nur bis 1255 reichten, so weiß
er hierüber nichts zu berichten.
[2]) Es ist übrigens zu bemerken, daß keineswegs alle Stellen bei Ebendorfer
und Schreitwein, die eine Polemik enthalten, den Paffauer Annalen entlehnt sind, wie
wir unten sehen werden.
[3]) Vgl. Bibliothek des liter. Ver (Stuttgart) XVI b, 133.

der Dromprobſt Meingot, wie Schirrmacher (a. a. O. 184) vermutet,
als Verfaſſer zu betrachten iſt, oder der Notar Alberts, Wolfgang
(Lupus), den Ratzinger (a. a. O. 84, 845; 85, 209) für den Verfaſſer
der von ihm angenommenen Biographie Alberts hält, darüber laſſen
ſich höchſtens Vermutungen ausſprechen. Von Meingot wiſſen wir, daß
er literariſch thätig war;[1] für Lupus ſpricht mehr, daß er als Notar
Alberts jedenfalls zu ihm in allernächſter Beziehung ſtand.

Die Annahme Ratzingers (a. a. O. 85, 113), die Paſſauer Annalen
ſeien identiſch mit dem von Bruſch S. 50 erwähnten liber Formbacensis,
ſeien alſo in Kloſter Formbach verfaßt und von Bruſch erſt nach Paſſau
eingeführt worden,[2] iſt jedenfalls zurückzuweiſen. Selbſt wenn wir
mit Ratzinger die Nachrichten über die Zeit Albert Behaims, die ja
deutlich auf eine Paſſauer Quelle weiſen, den Paſſauer Annalen abſprechen wollten, wäre jene Hypotheſe nicht aufrecht zu erhalten. Hätte
Ebendorfer aus Formbacher Annalen geſchöpft, ſo konnte er dieſe
doch in dem oben (S. 511) erwähnten Zitat unmöglich dem Paſſauer
Biſchofskatalog ſchlechthin als Annales, ohne weitere Bezeichnung ihrer
Herkunft, gegenüberſtellen. Auch wäre es ſehr auffallend, daß Hundt,
der nicht gar ſo lange nach Bruſch ſeine Metropolis ſchrieb, von jener
Herkunft ſeiner Annalen gar nichts erfahren hätte.

Ueber die Entſtehungszeit der Paſſauer Annalen dürfte uns
eine Stelle bei Schreitwein (S. 508) Aufſchluß geben, die, wie wir
unten ſehen werden, den Annalen entnommen iſt: Albertus decanus,
qui pro Pataviensi ecclesia et libertate civitatis simul et patria
47 annis fideliter laboraverat. Da nach den Annalen Albert 1212
zum Kanoniker geweiht wurde, ſo ergibt ſich nach obiger Stelle das
Jahr 1259, und um dieſe Zeit iſt denn auch Albert wahrſcheinlich
geſtorben.[3] Somit ſcheinen die Annalen erſt nach dem Tode Alberts
vollendet zu ſein. Daraus erklärt es ſich auch, daß in denſelben gerade
die letzten Ereigniſſe durchgehends um ein Jahr zu ſpät angeſetzt ſind.
So erwähnen ſie die Belagerung Waſſerburgs zum Jahre 1248 ſtatt
1247, die Exkommunikation Rudigers und Wahl Konrads 1249 ſtatt
1248, die Wahl Bertholds und die darauffolgenden Kämpfe um Paſſau
1251 ſtatt 1250, den Tod Herzog Ottos von Bayern 1254, wahr-

---

[1] Mon B. 28a 484. Ob die hier genannte compilatio Meingoti ein hiſtoriſches oder ein homiletiſches Werk (Ratzinger a. a. O. 84, 846) iſt, ſie zeugt jedenfalls von der ſchriftſtelleriſchen Thätigkeit Meingots.

[2] Auch in der Fortſetzung ſeiner Abh. „Lorch und Paſſau" (Katholik 1896
S. 361 und 365) vertritt Ratzinger dieſe Anſicht.

[3] Vgl. Ratzinger a. a. O. 85, 115.

scheinlich auch die Wahl Bischof Ottos von Lonstorf 1255 statt 1254.
Vielleicht wurden sie auch durch den Bischofskatalog irregeführt, der ja
ebenfalls Berthold 1251 aufführt (bei Konrad, den der Katalog 1250
erwähnt, scheinen sie ihm nicht gefolgt zu sein). Wären die Ereignisse
der letzten Jahre gleichzeitig in die Annalen eingetragen, so wäre ein
derartiger Irrtum wohl ausgeschlossen gewesen. Es scheint daher, daß
die Annalen in einem Zuge nach dem Tode Alberts geschrieben wurden,
wobei der Verfasser jedoch nur bis zum Jahre 1255 kam; möglich, daß
er die Ereignisse zur Zeit des noch lebenden Bischofs Otto († 1265)
nicht mehr behandeln wollte.

Wir haben an den Passauer Annalen sicher eine nicht unbedeutende
Quelle verloren. Wichtig wäre uns ihr Besitz namentlich wegen ihrer
ausführlichen Nachrichten über Albert Behaim, da gerade über diesen
die übrigen gleichzeitigen Geschichtsquellen, auch Hermann von Altaich,
bei dem man am ersten Aufschlüsse erwarten möchte — stand doch Albert
gerade zu Niederaltaich in manchen Beziehungen[1]) —, sich in tiefes
Schweigen hüllen. Allerdings haben wir reichen Ersatz an den Konzeptbüchern Alberts, von denen eines noch im Original erhalten[2]) und von
Höfler im 16. Band der Bibliothek des literarischen Vereins zu Stuttgart
veröffentlicht worden ist, während wir vom andern Exzerpte des Aventin
besitzen.[3]) Aber doch enthielten die Annalen daneben manche nicht
unwichtige Einzelheiten und ermöglichten besonders eine chronologische
Ordnung der in den Konzeptbüchern zerstreut liegenden Notizen und
Aktenstücke.

Viele Nachrichten der Passauer Annalen sind uns besonders durch
Ebendorfer, Schreitwein, Brusch und Hundt überliefert. Aber jedenfalls
enthielten dieselben noch zahlreiche interessante Aufschlüsse über Verhältnisse und Begebenheiten aus der ersten Hälfte des 13. Jahrhunderts,
über die wir gar nicht oder nur mangelhaft unterrichtet sind. Es sei
hier auch erinnert an verschiedene Nachrichten im 7. Buch der Annalen
Aventins, deren Ursprung unbekannt ist, die aber auf eine Quelle hinweisen, welche etwa um die Mitte des 13. Jahrhunderts im östlichen
Bayern geschrieben wurde. Allerdings läßt sich nicht bestimmt nachweisen, ob diese Nachrichten den Passauer Annalen oder einer andern
verlornen Quelle entnommen sind.

---

[1]) Vgl. Ratzinger a. a. O. 84, 648; 85, 209.
[2]) Clm 2574 b.
[3]) Oefele, SS. rer. Boic. I, 787.

II.

Abfürzungen: PA = Paffauer Annalen. Cat. = Bifchofskatalog von 1254.
ASRudb. = Annales s. Rudberti Salisburgenses, MGSS IX, 758 ff. E =
Ebendorfer. Sch = Schreitwein. B = Brufch, de Laureaco. H = Hundt,
Metrop. Salisb. 3. Auflage.

Wenn auch an eine vollständige Wiederherstellung des Textes der
Paffauer Annalen nicht zu denken ist, so können wir doch nach dem,
was besonders Ebendorfer (Schreitwein), Brufch und Hundt uns
erhalten haben, ungefähr ein Bild von ihrem Inhalt gewinnen. Im
folgenden sollen diejenigen Nachrichten zusammengestellt werden, von
denen sich bestimmt oder doch mit großer Wahrscheinlichkeit nachweisen läßt,
daß sie in den Paffauer Annalen enthalten waren. Die Reihe der
Lorcher und Paffauer Bischöfe kann hiebei, soweit sie mit dem Katalog
übereinstimmte, weggelassen werden; auch unbedeutende Abweichungen
bezüglich der Schreibweise der Namen der Bischöfe sowie der Jahresangaben bleiben natürlich unberücksichtigt.

⁂ *

Zum Jahre 308 brachten die PA die Nachricht der AS Rudb:
Quirinus Episcopus passus est. [H 191.]
Davon, daß Quirinus Bischof von Lorch war, wissen die PA also
nichts, während die Verteidigungsschrift zum Cat. dieser Fabel bereits
Glauben schenkt (quod fuid episcopus, ut creditur, Laureacensis.
MGSS XXV 618).
Zum Jahre 312 war folgende Randbemerkung eingetragen:
Propter persecutiones huius temporis et clades Ecclesiarum,
Archiepiscoporum et Episcoporum per Laureacensem provinciam
Catalogus non habetur usque ad tempora Erchenfridi Episcopi
Pataviensis, quoniam quasi omnes sunt martyrio coronati praeter
illos tantummodo, qui suis reliquiis, pecuniis, libris et privilegiis
raptis Neapolim secesserunt. [H 191.]
Diese Bemerkung war vermutlich zu der auch in den AS Rudb.
enthaltenen Nachricht zum Jahre 312: Persecutio post decem annos
finita est, beigefügt. Quelle ist hauptsächlich die Verteidigungsschrift
zum Cat.[1] Die Stelle bezieht sich darauf, daß im Cat. nach Maximilian
gleich Erchenfried (598) aufgeführt wird. Ist die Notiz Hundts
„eadem manu asscriptum" richtig, so gerät der Verfasser der Annalen

---

[1] Mon. Germ. SS. XXV, 617.

34*

mit seinem eigenen Werk in einen gewissen Widerspruch), da er ja vor
Erchenfried noch Constantius und Theodorus erwähnt.

487. Constantius episcopus (archiepiscopus?) Laureacensis decessit et Theodorus successit. [H 292; B 46 mit
Berufung auf das chronicon vetustissimum.]

Woher die PA die Jahresangabe entnahmen, läßt sich nicht
bestimmt nachweisen; vielleicht beruht sie auf eigener Berechnung. Mit
den Nachrichten der vita Severini und Antonii Lirinensis über die
damaligen Ereignisse steht sie ganz im Einklang.[1]

Ob auch das Jahr 427, in dem nach B 45 und H 192 Constantius
Bischof wurde,[2] den PA entlehnt ist, ist ungewiß. Die ASRudb. bringen
zu diesem Jahr eine Notiz über Kaiser Theodosius II. Vielleicht
erwähnten die PA nach dieser Notiz den Amtsantritt des Constantius;
daher bei B und H die Bemerkung, daß Constantius Bischof wurde
„imperante Theodosio juniore."

524. Theodorus archiepiscopus Laureacensis obiit.
[H 193].

Auch E 98' bringt diese Jahresangabe. B 50 beruft sich hiefür
auf einen vetus liber Formbacensis, den Ratzinger, wie schon erwähnt,
irrtümlich für Hundts PA hält (f. oben S. 523). Welches Werk B
hier benützte, entzieht sich unserer Kenntnis. Die Jahresangabe selbst
beruht jedenfalls auf Kombination, da ja jener Theodorus wahrscheinlich
seine Existenz nur der gefälschten Bulle des Papstes Symmachus verdankt.[3]

698. Bruno archiepiscopus Laureacensis et episcopus
Pataviensis obiit nonagenarius. [H 193.]

Ob die Angabe nonagenarius auf älteren Nachrichten oder nur
auf müßiger Kombination des Verfassers der PA beruht (nach B 55
wurde Bruno schon 634, nach H 638 Bischof von Passau), bleibt
dahingestellt.

Vielleicht sind auch die Jahresangaben
730. Verleihung des Palliums an Vivilo,

---

[1] Vgl. Verh. des hist. Ver. f. Niederb. 32, 167.
[2] Auct. Cremif. (Mon. Germ. SS. IX, 550) und die Chronik von Kremsmünster (a. a. O. XXV, 653) erwähnen Constantius z. J. 400; danach E 98'. Sch.
547 hat die Jahreszahl CCCCXXII (wohl III für VII verschrieben); clm 1012
dagegen 427 gleich B und H.
[3] Daß man über ihn keine näheren Nachrichten hatte, zeigen schon die verschiedenen Zeitangaben in Cat. und PA (f. oben S. 519).

735. Ueberfiedelung des Bivilo von Lorch nach Paffau, den PA entlehnt. Vor B (58) und H (194) bringt diese Angaben schon Staindel;[1] doch findet sich bei ihm statt 735 das Jahr 740 (wahrscheinlich X für V verschrieben).

773. Karl der Große unterwirft die Lombardei und triumphiert in Rom.

H 195 bringt hier eine ausführliche Erzählung mit den Schlußworten: „Anno Domini secundum Annales Patavienses 773." Er wollte damit vermutlich nur die Jahresangabe der PA konstatieren, da B 75 das Jahr 776 anführt.[2] Wahrscheinlich boten hier die PA denselben kurzen Bericht wie die AS Rudb. zum Jahre 773: Karolus Lombardiam subicit et Rome triumphavit.

792. Taffilo wird nebst seinem Sohne Theodo von Karl dem Großen abgesetzt. [H 3.]

Die Jahreszahl 792 ist offenbar verschrieben für 787 (LXXXXII statt LXXXVII). Zu letzterem Jahre erwähnen auch die AS Rudb. die Absetzung Taffilos.

796. Leo papa sedit. Hic Arnonem Juvaviensem pallio sublimavit. [H 3, 195.]

Die PA nehmen diesen schlichten Bericht von dem AS Rudb. (oder von deren Vorlage) herüber; sie enthalten sich der Ausfälle gegen Salzburg, die im Cat. sich finden: Post hunc Urolfum archiepiscopum († 806) Arn Juvaviensis episcopus per trufas ac bufas a Leone quarto papa cecato pallium Pataviensibus subripuit.[3]

818. Reginarius electus in episcopum Patavieusem.
822. Reginarius in episcopum ordinatur. [H 197.]

Erstere Nachricht stimmt mit dem Cat. überein; 822 aber erwähnt dieser Reginhars Weihe zum Erzbischof.

Vielleicht stand in den PA auch die Nachricht der Notae de episcopis Patav. (MGSS XXV 623j:[4]

---

[1] Oefele, SS. rer. Boic. I, 422.

[2] E 101 und Sch 456 haben hier gar keine Jahresangabe; clm 1012 (f. 89') dagegen 766, vielleicht verschrieben für 776 = B.

[3] Nicht so leidenschaftlich scheint sich der den PA angefügte Katalog ausgedrückt zu haben, wenn anders H 3 die Stelle wörtlich wiedergibt: Arno Juvavensis Episcopus a Leone papa pallium impetravit.

[4] Danach wäre anzunehmen, daß die Notae erst später entstanden als die PA, was sehr wohl möglich ist (vgl. oben S. 502).

Anno domini 831. Reginharius episcopus Moravorum baptizat omnes Moravos. Reginhar wird hier ebenfalls nur als Bischof bezeichnet. Auch die Worte anno domini vor der Jahrzahl scheinen in den PA gebräuchlich gewesen zu sein; sie finden sich auch in der von E 122 wörtlich zitierten Stelle (s. oben S. 151), ebenso in einigen Zitaten Hundts. Welche Quelle obiger Nachricht zu grunde liegt, ist ungewiß. Doch ist dieselbe keineswegs unglaubwürdig, da die erste Verkündigung des Christentums in Mähren in der ersten Hälfte des 9. Jahrhunderts wahrscheinlich von Passau aus erfolgte.[1]

Uebrigens scheinen über Reginhar noch weitere Nachrichten vorhanden gewesen zu sein, deren Ursprung wir nicht mehr kennen. Auch die Bemerkung des Cat., daß gegen ihn von Salzburg Baturicus[2] in Passau als Bischof aufgestellt worden sei, dürfte doch keineswegs so ganz aus der Luft gegriffen sein, wie Dümmler annimmt.[3] Ob dieser Baturicus wirklich als identisch mit dem gleichzeitigen Regensburger Bischof dieses Namens anzusehen ist, ist erst noch die Frage. Ebenso verhält es sich mit der Nachricht, daß nach dem Tode des Reginhar der Passauer Stuhl „propter discordiam" ein Jahr und länger unbesetzt blieb. Was sollte den Verfasser des Katalogs, der doch mit Jahresangaben sonst sehr willkürlich umgeht, bewogen haben, hier eine Sedisvakanz eintreten zu lassen? Der Streit zwischen Salzburg und Passau, von dem hier die Rede ist, drehte sich zwar schwerlich um das Pallium, wie der Cat. erzählt; wohl aber mochten sich die beiderseitigen Bischöfe im Kampfe um das neue Missionsgebiet in Mähren als Rivalen gegenüberstehen.[4]

Ob in den PA die Bischöfe Engelmar und Wiching ebenfalls verwechselt waren wie im Cat., ist nicht überliefert. Auffallend ist, daß sie Engelmar zum Jahre 874 aufführen und seinen Tod 897[5] setzen (H 198), da doch der Cat. 876 Wiching, erst 878 Engelmar, und 889

---

[1] Vgl. Dudik, Gesch. von Mähren I, 95 ff. — Reginhar wird auch in der Hf. B des Cat. »apostolus Maravorum« genannt (Mon. Germ. XXV, 620).

[2] E 103 schreibt dafür Henricus; daher Sch 459: Baturicus alias Henricus. Spätere Kataloge räumen Baturicus einen eigenen Platz in der Reihe der Passauer Bischöfe ein, so clm 1211, 18776.

[3] Pilgr. S. 77.

[4] Bemerkenswert ist, daß eine Urk. v. J. 829 (Mühlbacher, Reg. Karol. 1303; Mon. B. 31a 56) von Grenzstreitigkeiten zwischen Salzburg und Passau berichtet, die Ludwig der Deutsche schlichtet.

[5] Dieses Jahr hatte jedenfalls auch Schreitwein im Auge, wenn er in seiner Konjektur (S. 463) das Ende Engelmars 867 setzte. 897 hat auch clm 1012.

Richarius bringt. Vielleicht entlehnten die PA das Jahr 874 einer mit
den Ann. Alamann. oder Ann. Weingart. verwandten Quelle, die zu
diesem Jahre den Tod Ermenrichs, des Vorgängers Engelmars, er=
wähnen.[1]

Wann die PA Wiching aufführten, darüber dürfte uns Wolfgang
Lazius Aufschluß geben. Dieser handelt in einem Abschnitte seines
Werkes De republica Romana [2]) (lib. XII sect. 7 cap. 5) über das
Erzbistum Lorch, und beruft sich hier wiederholt auf annales und annales
antiquissimi. Daß hierunter Paffauer Quellen zu verstehen sind, läßt
der Inhalt der zitierten Stellen vermuten; aber bei der Ungenauigkeit
und Unzuverlässigkeit des genannten Autors ist es fraglich, ob unter
jenen annales bezw. annales antiquissimi jedesmal das gleiche Werk
gemeint ist.[3] Ueber Wiching bringt nun Lazius aus den annales
antiquissimi folgendes Zitat (S. 1080):

Wichingus... rursus ab Adriano II in Archiepiscopum consecratur, nequaquam in illum antiquum Laureac. archiepiscopatum
missus, sed in quandam neophytam gentem, quam Quentenbaldus
dux bello domuit et ex paganis Christianos esse patravit. Ipse
tamen Wichingus postea Laureac. archiepiscopatum obtinuit (ut
annalium verbis utar) duoque duces Maraviae, Moymar scil. et
Tudun per Laur. episcopum[4]) et legatos apostolice sedis totam
Maraviam Avariamque cum finitimis Schlavis et confinibus ad fidem
Christi convertebat.

Es ist nicht unwahrscheinlich, daß hier Lazius die PA zitiert, die
diese Stelle vielleicht nach der Notiz zum Jahre 867: Adrianus papa
sedit (= AS Rudb.) brachten; daher das Fehlen jeder Angabe über
Wiching nach den PA bei H.[5] Der erste Satz der zitierten Stelle
(bis patravit) findet sich mit einigen Aenderungen auch bei E 104'

[1]) Mon. Germ. SS. I, 51, 65.

[2]) Frankfurt 1598.

[3]) So dürfte das Zitat S. 1075: Constantius, cuius non solum annales
antiquissimi mentionem faciunt sed etiam Eugippius in historia Heru-
lorum (!), auf die PA weisen; ebenso die Stellen S. 1080 über Wiching, 1081 über
Pilgrim, 1084 zu Altmann. Sehr zweifelhaften Ursprungs sind dagegen die Zitate
über Sidonius (S. 1076) und zu Christian (S. 1083); dort liegt eine Verwechslung
mit Urolf, hier eine falsche Auffassung des Schreibens der bayerischen Bischöfe vom
J. 900 vor. Die neben den ann. antiquissimi erwähnten annales sind vielleicht
mit der Chronik Ebendorfers verwandt.

[4]) Dürfte wohl eher archiepiscopum heißen!

[5]) Wenn H (198) ihn durch Stephan V geweiht werden läßt, so folgt er eben
B (87).

(Sch 462); doch wird hier Adrian II nicht genannt. Der Stelle liegt die Beschwerdeschrift der bayerischen Bischöfe an Papst Johann XII vom Jahre 900 [1]) zu grunde, in der der Satz vorkommt: Antecessor vester Zwentibaldo duce impetrante Wichingum consecravit Episcopum et nequaquam in illum Pataviensem Episcopatum eum transmisit, sed in quandam neophytam gentem, quam ipse dux domuit bello et ex paganis Christianos esse patravit.[2]) Allerdings ist unter dem antecessor nicht Adrian II zu verstehen, sondern Johann VIII (872—82). Im zweiten Teil scheint die gefälschte Bulle Eugens II für Urolf[3]) irrtümlich herangezogen zu sein, wie die Erwähnung der Herzoge Moimar und Tudun beweist.

Zu Pilgrim erwähnt Lazius (S. 1081) folgende Stelle, die er „in pervetusto Annalium codice" gefunden:

Benedictus papa Laureacensi ecclesie privilegia sua restituit et Pilgrimum Archiepiscopum canonicis literis munitum sedi Laureacensi inthronizavit palliumque ei secundum antiquum ecclesie eiusdem usum direxit.

Benützt ist hier die Bulle Benedikts [VI] für Pilgrim.[4])

Ferner zitiert Lazius (S. 1084) zu Altmann nach dem „antiquissimus Annalium codex":

Anno Domini 1073. Est locus in Norico ripensi, dictus ad domum S. Floriani. In hoc loco erant clerici coniugiis et lucris secularibus intenti, negligentes servitium Domini. Hos prudentia episcopi eliminavit et ad serviendum Deo religiosas ibi personas congregavit etc.

Die Stelle ist wörtlich der vita Altmanni, cap. 9 (MGSS XII 231) entnommen; nur fehlt hier jede Jahresangabe. Die Worte anno domini vor der Jahrzahl aber finden sich, wie schon erwähnt, auch sonst häufig gerade bei Zitaten aus den PA. H 205 gibt allerdings für die Re= formierung der Klöster St. Florian, Kremsmünster u. s. f. das Jahr 1080 an; allein er folgt hier eben wieder Brusch).

1101. B. Ulrich beteiligt sich am Kreuzzug des Herzogs Welf und des Erzbischofs Thiemo von Salz= burg. [E 122; B 151; H 205.]

---

[1]) S. oben S. 502, Anm. 1.
[2]) Hansiz a. a. O. 177.
[3]) Jaffé, reg. Pont. 2566.
[4]) Jaffé, reg. Pont. 3771.

Die AS Rudb. ſowie das Auct. Garſt. (MGSS IX 568) erwähnen
den Herzog Welf, Erzbiſchof Thiemo, Abt Giſelbert von Admont und
die Markgräfin (Uda) von Oeſterreich; von Ulrich wiſſen ſie nichts. Ob
die Nachricht auf Wahrheit beruht, läßt ſich nicht ſicher erweiſen.[1]

1139. Innocentius papa Romae synodum septingentorum episcoporum collegit.

1140. Reginarius episcopus obiit et eidem Reginbertus succedit. [E 122; Sch 485; H 205.]

Die Nachweiſe hiezu ſ. oben S. 511.

Den Nachfolger Reginberts, Konrad (1148—64), erwähnten die
PA wahrſcheinlich zum Jahr 1150. Vgl. E 123: Conradus... cepit
anno MCXL (= Cat.), secundum alios L. Dies ſtimmt auch mit der
Angabe der Amtsdauer des Reginbert, neun oder zehn Jahre, überein;
da die PA ihn 1140 aufführten, ſo ergibt ſich für ſeinen Nachfolger
das Jahr 1150.

B. Wolfker (1191—1204) brachten die PA vermutlich zum
Jahre 1185. Dieſes Jahr haben E 126, Sch 494 (1175 offenbar
verſchrieben für 1185), clm 1012. Auch die Chronik von Krems=
münſter gibt die Zahl 1175 (ſtatt 1185) an, während der Cat. Wolfker
zum Jahre 1180 aufführt.

Vom Tode ſeines Vorgängers Theobald (Diepold) auf dem Kreuz=
zug 1190 wußten alſo die PA wohl nichts. Auch E erwähnt nichts
davon, wohl aber Sch 494 (vielleicht nach Chron. Magni presb. MGSS
XVII, 517). B 165 bringt dieſe Nachricht mit Berufung auf summi Pataviensis templi chronica et vetera omnia diaria. Zu den chronica
iſt jedenfalls auch Sch zu rechnen; unter den diaria ſind wahrſcheinlich
die tagebuchartigen Aufzeichnungen des Paſſauer Dekans Tageno über
den dritten Kreuzzug[2] zu verſtehen. H (207), der in den PA nichts
bemerkt fand, ſchreibt die Quellenangabe des B wörtlich ab. Wenn er
dabei chronica in chronicon änderte, ſo wollte er damit ſchwerlich, wie
Ratzinger (a. a. O. 85, 106, Anm. 3) meint, die PA als Quelle be=
zeichnen. Er hätte in dieſem Falle ſicher wie ſonſt annales Patavienses geſagt.

(1190.) Wolfker nimmt teil am Kreuzzug Friedrich
Barbaroſſas.

---

[1] Hanſiz a. a. O. 289, bezweifelt ſie; ihm folgend Schröbl, Passavia
sacra S. 135.

[2] Vgl. hierüber Wattenbach, Geſchichtsqu. II⁶, 303.

Diese irrtümliche Nachricht (Wolfker machte den Kreuzzug 1197 mit[1]) dringen E 126, Sch 494, B 166, H 207; die beiden letzteren, die Wolfker 1189 Bischof werden lassen, mit dem Beisatz: primo gubernationis suae anno. Quelle hiefür sind höchst wahrscheinlich die PA.

1199. Fehde Wolfkers mit den Grafen Heinrich und Rapoto von Ortenburg.

H 207 führt ausdrücklich das Jahr 1199 nach den PA an, da B 167 dafür 1193 angibt; Sch 494: Anno domini MCLXXXXIX. E bringt f. 126 dieselbe Nachricht mit geringen Aenderungen zweimal, das eine Mal wohl nach den PA, das andere Mal nach AS Rudb.

1212. Manegoldus (episcopus) cum Rapotone Palatino lites habuit, ob quod et claustra, monasteria et ecclesiae cum tota provincia ignis vastationi patent. Eodem anno Albertus dictus Bohemus per Innocentium papam in Pataviensem canonicum profertur.

Die Stelle mit der Angabe: Anno domini MCCXII findet sich vollständig bei Sch 495.[2]) Der erste Satz, der mit AS Rudb. übereinstimmt, findet sich auch bei E 126'. Dagegen bringt E die Notiz über Albert Behaim nicht, ebensowenig wie B und H. Doch findet sie sich außer bei Sch auch in clm 1012 und 1303! Daß diese Notiz einem Annalenwerke entnommen, darauf deutet schon der Eingang eodem anno. Es kann daher kaum ein Zweifel bestehen, daß Schreitweins Quelle die PA waren.

1219. Udalricus episcopus cepit construere castrum in monte S. Georgii in Patavia. [Sch 498; B 178; H 209; auch Staindel hat diese Nachricht. Doch ist es fraglich, ob hier nicht Hermann von Altaich (MGSS XVII 387) Quelle ist.]

1220. Ulrich hält zu Passau eine Synode in Gegenwart päpstlicher Legaten. [E, Sch, B, H. — E 129' bringt diese Nachricht zweimal, vielleicht das eine Mal nach den PA, das andere Mal nach AS Rudb.]

1231. Eberhardus de Jahnstorf canonicus Patav. pro suae ecclesiae libertate occiditur et omnibus membris miserabiliter mutilatur, in quo crimine Gebhardus epi-

---

[1] Vgl. Hansiz a. a. O. 343.
[2] Sch erwähnt unter den Klöstern speziell Asbach; H 208 Asbach und Tegernsee.

scopus Pat., quod id ordinaverat, palam infamatur, ob
quod et alia crimina per magistrum Albertum archidiaconum Patav. dictum Boemum accusatus subsecuta in-
quisitione ab episcopatu deponitur, postquam X annos
X menses sederat et cessavit episcopatus per annum.

E 130' und Sch 498 mit der Angabe: anno domini 1231. B 181
mit einigen Aenberungen, da er für ben Streit, dem Eberharb zum
Opfer fiel, den Albert Behaim verantwortlich macht; nach ihm H 210.
Auch Stainbel (a. a. O. 503) berichtet zum Jahr 1232: [1] Gebehardus
episcopus Pat. propter infamiam occisionis Eberhardi canonici Pat.
et aliorum criminum per Magistrum Albertum archidiaconum Pataviensem sibi objectorum . . . . ab episcopatu deponitur. Quelle find
offenbar die PA; die anbern uns erhaltenen gleichzeitigen Annalen erwähnen Albert Behaims Auftreten gegen Gebharb nicht. [2]

1233. Rudigerus primus episcopus Chiemensis ad instantiam solius Alberti archidiaconi Pataviensis sub-
rogatur in locum Gebhardi depositi.

(1235.) Eberhardus occisus de Jahnsdorf sepelitur in
ecclesia Patav. in die Johannis ante portam latinam, eo
die quo passus est quatuor annis evolutis.

E 130', Sch 499 (bie zweite Nachricht eingeleitet mit: Eius anno
secundo); B 184, H 210. Auch Stainbel bringt 1233 die Nachricht,
baß Rubiger gewählt wurbe ad instantiam solius Alberti archidiaconi
Pataviensis.

1236. Rubiger zieht mit anderen Fürsten gegen Herzog
Friedrich II von Oesterreich. Gefangennahme Rubigers und
Bischof Konrads von Freising. [E 131, B 185, H 210.]

Ausführlich handeln hierüber auch die AS Rudb., die cont. Sancr. II
(MGSS IX 638) und Hermann von Altaich (MGSS XVII 392). Letzterem
folgt auch Staindel in der Jahresangabe (1237 und 38). — Wenn B
und H unter den kriegführenden Fürsten irrtümlich Bischof Poppo statt
Eckbert von Bamberg erwähnen, so muß das doch keineswegs, wie

---

[1] Das Jahr 1232 bietet auch clm 1012.

[2] Ob auch die Nachricht vom Einsturz der Burg Stein 1231 (Avent. Werke
III, 265) den PA entnommen ift, wie Rießler vermutet (Avent. III, 585), dafür fehlen
uns nähere Anhaltspunkte. Dasselbe ist der Fall bezüglich der anderen Nachrichten
Aventins, die Rießler a. a. O. den PA zuschreiben will. Ebenborfer, der sonst die
verschiedensten Nachrichten seiner Bischofschronik einreiht, berichtet über jene Ereignisse nichts.

Ratzinger a. a. O. 84, 643 meint, den PA entnommen sein. Daß andrerseits die angeblich aus den PA geschöpfte Nachricht, Albert Behaim sei ebenfalls in jenem Kampf gefangen genommen worden,[1] nur auf einer ungenauen Ausdrucksweise des Hundt beruht, hat Ratzinger a. a. O. 642 nachgewiesen.

1237. Albert Behaim wird von Rudiger seiner Pfründen beraubt und aus Passau vertrieben. [E, Sch, B, H.]

Mit Unrecht verdächtigt Ratzinger (a. a. O. 84, 643 und 842) den Bericht des B und H, daß Albert schon 1237 vertrieben worden sei, indem er behauptet, Sch wisse hievon nichts. Vielmehr stimmen E und Sch in der Reihenfolge der Nachrichten ganz mit B und H überein; nur fassen sie sich etwas kürzer: Hic Rudigerus Albertum … suis rebus expoliavit (nach B und H 1237). Ipse vero … fit legatus … per quadriennium (1239). De quo Salzburgensis cum ceteris commoti sunt instantes cum duce Boiarie, quatenus hoc iugum Rom. ecclesiae ab Alemannia exterminarent (1241). Sed iste (Otto) non extendebat etc.

1239. Albert kehrt von Rom zurück als päpstlicher Legat auf vier Jahre.

E 131, Sch 499, B 187, H 210; sämtliche ohne Jahresangabe. Staindel (a. a. O. 504) bringt diese Nachricht zum Jahre 1239 mit folgenden Worten: Albertus archidiaconus Pataviensis dictus Boëmus per totam Alemanniam, Boëmiam, Poloniam et Moraviam fit Legatus Apostolicus, adeo ut potestatem haberet Archiepiscopos et Episcopos deponendi, et duravit eius legatio quatuor annos. Vielleicht haben wir hier wörtlich den Bericht der PA vor uns. E, Sch, B und H fassen sich viel kürzer.

Wenn B und H Albert schon unter Bischof Gebhard als Legaten auftreten lassen (1227), so hat bereits Schirrmacher a. a. O. 181 dies als unrichtig zurückgewiesen.

(1241) Vorgehen der bayerischen Bischöfe im Verein mit Herzog Otto von Bayern gegen Albert.

E, Sch nur andeutungsweise; ausführlicher B und H; ähnlich Aventin (Werke III 292). Ob die PA auch den Landtag zu Regensburg erwähnten, ist ungewiß; vgl. hierüber Ratzinger a. a. O. 84, 646 ff.

(1241.) Albert wird auf Burg Pernstein von seinem Verwandten Wilhelm verraten und flieht nach Eirberg, wo

---

[1] Schirrmacher a. a. O. 14 schenkt ihr Glauben.

er sich ein Jahr sechs Monate[1] aufhält. Von hier begibt er sich nach Wasserburg und bleibt dort ein halbes Jahr.

Sch 500; E 131' erwähnt die Flucht nach Wasserburg nicht. Mit Sch übereinstimmend B 191, H 210. Vom Aufenthalte Alberts in Pernstein und Eirberg berichtet auch Aventin III 296.

B und H erzählen ferner, Albert habe seine Einkünfte an die Grafen von Wasserburg, Schaumburg und andere Adelige verteilt, und diese hätten Albert an seinen Feinden gerächt und Bayern verwüstet. Ob dies in den PA stand, wie Schirrmacher (a. a. O. 101) annimmt, ist sehr zweifelhaft; diese hätten Albert kaum solche Dinge nachgesagt. B scheint hier vielmehr von der Nachricht Aventins (III 288) ausgegangen zu sein, daß damals, zur Zeit des Schismas, die Adeligen allerorten raubten und verwüsteten, und machte dafür Albert Behaim verantwortlich.

Ob die Nachrichten des Aventin (III 296), B 190, H 210 von der Zusammenkunft Ottos von Bayern mit Kaiser Friedrich zu Eger (1243), vom Verrat der Burg Obernberg und deren Belagerung durch Otto (1244) den PA entlehnt sind, läßt sich nicht sicher erweisen.[2] E und Sch berichten nichts hierüber. Von der Uebergabe von Obernberg an Friedrich von Oesterreich erzählt auch chron. Magni presb. zum Jahre 1244 (MGSS XVII 529), das B hier vielleicht als Quelle diente. Wesentlich verschieden lautet der Bericht der cont. Garst. zum gleichen Jahre (MGSS IX 597).[3]

1245. Albert erscheint in Böhmen; wird hier durch Vermittelung des Böhmenkönigs mit dem früher von ihm exkommunizierten Erzbischof Siegfried von Mainz versöhnt. Mit diesem reist er nach Lyon zum Papste; in Paris entgeht er nur mit Not den Nachstellungen der Anhänger des Kaisers. In Lyon wird er im Auftrage des Papstes vom Bischof von Sabina zum Priester geweiht und vom Papste

---

[1] B 191 spricht von 6 Monaten; Hochwart dagegen gibt mit den übrigen Quellen übereinstimmend 1 Jahr 6 Monate an.

[2] Daß das angebliche Fragment der PA bei Höfler (Bibl. d. liter. Ver. XVI, 153), das diese Nachrichten ebenfalls enthält, nichts anderes als ein Abschnitt aus Brusch (S. 184—96) ist, hat bereits Riezler, Avent. Werke III, 271 Anm, bemerkt.

[3] Nach B 191 belagerte Otto die Grafen von Schaumburg, denen Obernberg von Herzog Friedrich übergeben worden, anderthalb Monate. Welche Quelle B hier benützte, ist ungewiß. Weder das chron. Magni noch die cont. Garst. erwähnt hievon etwas.

als Dekan von Passau, wozu er schon vorher[1]) vom Passauer
Kapitel gewählt worden war, und als Pfarrer von Weitten
bestätigt.

E 131', Sch 500; B 192, H 211; letztere geben für die Reise
nach Böhmen das Jahr 1245 an. Von der Reise nach Lyon und den
Nachstellungen in Paris erzählt auch Aventin a. a. O. Den Bischof
von Sabina erwähnt nur Sch.

(1247?) Albert will mit den in Lyon erschienenen
Abgesandten Bischof Rudigers nach Passau zurückkehren, wird aber von Rudiger nicht eingelassen
und flieht zum Grafen Konrad von Wasserburg.

1248. Wasserburg wird belagert; Albert und
Graf Konrad flüchten sich nach Böhmen und begeben sich von da nach Lyon, um vor Innocenz IV
gegen Rudiger Klage zu führen.

Sch 500. Der Bericht des E (132): Ubi (zu Wasserburg) a
comite Wasserburgensi cum suis traditus obsidione diuturna
cinctus est (Albertus), beruht offenbar auf Nachlässigkeit des Abschreibers. Das Jahr 1248 geben B 193 und H 211 für die Belagerung
Wasserburgs an. Beide handeln übrigens viel ausführlicher über
dieses Ereignis als E und Sch; wahrscheinlich benützt B die, ann.
Scheftlar. (MGSS XVII 343), die aber hierüber zum Jahre 1247
berichten. Die Flucht Alberts nach Böhmen erwähnen B und H nicht.

Ob die Erzählung des E (132') von der Wahl Wilhelms
von Holland durch den päpstlichen Legaten Petrus Capucius
und die Erzbischöfe von Mainz, Trier und Köln,[2]) von der Belagerung Aachens und der Krönung Wilhelms dortselbst den
PA entnommen, ist ungewiß. Die Hervorhebung des Petrus Capucius,
zu dem Albert Behaim in nahen Beziehungen stand, sowie der unmittelbare Zusammenhang dieser Erzählung mit der bei E darauffolgenden
Nachricht von der zu Aachen erfolgten Exkommunikation Rudigers scheinen
dafür zu sprechen, daß die PA hierüber ausführlicher berichteten.

1249. Rudiger wird zu Aachen durch den Kardinal
Petrus Capucius auf Betreiben Alberts abgesetzt.

---

[1]) Statt primus (Sch 500) ist natürlich prius zu lesen.

[2]) Dieselben kirchlichen Würdenträger erwähnt auch Aventin (a. a. O. 297).
Die AS Rudb. bringen hier ganz kurzen Bericht.

Konrad, Sohn eines Herzogs von Polen, wird auf
Alberts Veranlaſſung zum Biſchof gewählt.[1])

E 132'. Die Exkommunikation Rudigers erwähnen auch Sch, B, H
zum Jahre 1249; die Wahl Konrads zu dieſem Jahre nur E.[2])
Weiter unten führt E dann Konrad zum Jahre 1250 auf, entſprechend
der Angabe des Cat. Sch, B und H kennen nur dieſes Jahr, berück=
ſichtigen alſo die Nachricht der PA nicht.

Bei E und Sch folgt nun eine Klage über den durch
Rudigers Schuld herbeigeführten traurigen Zuſtand
Paſſaus.[3]) B bringt dies ungefähr mit denſelben Worten (S. 196)
nach der Erzählung von der endgiltigen Abſetzung Rudigers 1250.
Dieſe Klage hat nur Sinn im Munde eines Zeitgenoſſen. Da ſie ganz
den politiſchen Standpunkt des Verfaſſers der PA vertritt, ſo hat die
Vermutung, daß ſie dieſen entnommen, jedenfalls alle Wahrſcheinlichkeit
für ſich, wenn auch zugegeben werden muß, daß derartige längere
Reflexionen in annaliſtiſchen Werken zu den Seltenheiten gehören.
Allein da der Verfaſſer hier lauter ſelbſterlebte Ereigniſſe erzählt, ſo
läßt es ſich unſchwer erklären, wenn er eine ſolche Betrachtung gelegentlich
miteinflicht.

(1249.) Biſchof Konrad verleiht Albert die Burgen
Bubuz, Wildenſtein und Wolfſtein, den Paſſauer Zoll,
die Probſtei Niedernburg. Albert borgt ihm 65 Mark
Silber zur Rückkehr nach Polen; er vereitelt die
Bewerbungen des Probſtes von St. Guido von Speier
um den Paſſauer Biſchofsſtuhl. Konrad heiratet die
Tochter des polniſchen Herzogs Odowicz und be=
mächtigt ſich des Erbteils ſeiner beiden Brüder.

E 133, Sch 501. B 197 und H 211 berichten hierüber kürzer;
vom Propſte (Konrad) von Speier erwähnen ſie nichts. Die Bemerkung
des B 199: Nec quidquam aliud in Pataviensibus Annalibus de eo
scriptum invenimus, iſt neben der PA jedenfalls auch auf die Chronik
des Ebendorfer-Schreitwein zu beziehen; andere Quellen ſind uns
wenigſtens nicht bekannt. — Wenn Ratzinger (a. a. O. 84, 838) den

---

[1]) Rudigerus . . . deponitur . . . Et Conradus tercius filius ducis Po-
lonie nepos regis Bohemie ad instantiam solius Alberti decani Pataviensis
ecclesie in episcopum surrogatur anno domini MCCXLVIIII (E 132').
[2]) Das richtige Jahr wäre eigentlich 1248; vgl. Schirrmacher S. 175.
[3]) Quid agis, misera Patavia? bis fuissent relevati. Die Eingangsworte:
Hac tempestate Patavia bis dicebat, ſind natürlich Zuſatz Ebendorfers.

Satz bei Sch: Postquam vero Conradus bis obtenuit, der die Nachricht von der Vermählung Konrads und seinem Auftreten gegen seine Brüder enthält, als frembartigen Zusatz erklärt, so ist das durchaus nicht begründet. Wir haben keinen Anlaß, hiefür eine andere Quelle anzunehmen als für das vorausgehende.

1250. Erneutes Prozeßverfahren gegen Rudiger. Erzbischof Philipp von Salzburg, dem die Leitung übertragen wird, erweist sich als rechtsunkundig und gibt sich der Lächerlichkeit preis (se derisioni dedit). Rudiger, vor die Kurie gerufen, erscheint nicht und wird vom Papst am 17. Februar für abgesetzt erklärt.

E 133, Sch 502. B 195 und H 211 berichten hierüber ganz kurz; sie bringen für die Absetzung das Jahr 1250 (die Erneuerung des Prozesses begann schon 1249). Als Veranlassung zur Absetzung erwähnt B, daß Albert nicht aufhörte, „Himmel und Erde gegen Rudiger in Bewegung zu setzen". E dagegen erzählt, daß die Erzbischöfe von Mainz und Köln und andere gegen das eigenmächtige Vorgehen des Petrus Capucius bei der Exkommunikation Rudigers Einspruch erhoben, weswegen der Papst (er ist hier irrtümlich Gregor genannt) das Verfahren wieder aufnehmen ließ.

1251 (?) Albert erhält beim Papste Audienz. Petrus von Albano wird als päpstlicher Legat mit der Leitung der Bischofswahl für Passau betraut und beruft das Passauer Kapitel nach Lüttich. Das Kapitel hatte bereits den Propst (Marquard) von Mosbach gewählt; Petrus dagegen wollte die Wahl eines Kölner Kanonikers[1] durchsetzen. Endlich einigte man sich über die Erhebung Bertholds, Grafen von Sigmaringen, zum Bischof, 15. Juni.[2]

E 134. — Von der Wahl des Propstes Marquard von Mosbach (nicht Morsbach, wie Ratzinger a. a. O. 84, 749 schreibt), berichten auch

---

[1] Heinrich von Vianden (Schirrmacher a. a. O. 159).

[2] ... Albertus ... obtinuit in publica audientia provisionem committi de ecclesia Pataviensi domino Petro Albanensi apostolice sedis per Alemanniam legato. Qui et veniens Leodium capitulum Pataviense solenniter citavit, quod iam prepositum de Mospach canonice elegerat, die ipsa b. Viti martyris, ubi post labores plurimos propter quendam canonicum Coloniensem tunc electum Traiectensem, quem legatus promovere laborabat, tandem Bertholdus frater comitis de Sigmaring vicedominus Ratisponensis in episcopum Pataviensem sublimatur (E 134).

B 200, H 211; sie nennen auch den Namen Marquard. Sch 503,[1] der hier von E textlich nicht unbedeutend abweicht, erwähnt von dieser Wahl nichts, bringt dagegen die Nachricht, Berthold sei auf Betreiben Alberts, des Propstes Meingot und des Wolfgang (sollte heißen Wern-hard[2]) von Morsbach gewählt worden.

E, Sch, B und H setzen übereinstimmend die Wahl Bertholds in das Jahr 1251, zu dem auch der Katalog ihn aufführt. Wahrscheinlich hatten auch die PA dieses Jahr. Hätten sie das richtige Jahr 1250 geboten, so würde doch sicher die eine oder andere der genannten Chroniken dies erwähnt haben.

Wenn die Angaben über die Abstammung Bertholds[3] anders den PA entlehnt sein sollten, so mögen sie vielleicht hier nach der Erzählung von seiner Wahl sich gefunden haben, nicht erst wie bei E und Sch unmittelbar vor der Erwähnung seines Todes.

1251. Berthold erhält die Regalien von König Wilhelm zu Boppard;[4] kommt nach Böhmen, wo er mit Ottokar ein Bündnis schließt gegen Herzog Otto von Bayern und die Passauer Bürger, die ihm den Eintritt in die Stadt ver-wehren wollen. Mit den böhmischen Adeligen Buderz und Witteco betritt er Bayern und zieht sich nach Neuburg bei Passau zurück. Am 11. September gewinnt er Passau durch Verrat; in der Folge gelangt er mit Hilfe seines Bruders (des Grafen von Sigmaringen) und des Bischofs von Regensburg[5] (Albert) in den Besitz der Burgen St. Georg und Orth, wo sich noch Rudiger unter dem Schutze des Bayernherzogs be-hauptet hatte.

---

[1] Clm 1012 berichtet dasselbe, wie er ja auch sonst gewöhnlich Sch folgt.

[2] Ratzinger a. a. O. 84, 750. — An eine Verwechslung der Namen Mos-bach und Morsbach durch E, B und H ist sicher nicht zu denken, da sie weiter unten gelegentlich auch den letzteren Namen (E Morspach, B u. H Moerspach) erwähnen.

[3] E 136 = Sch 509; etwas abweichend B 199, der ihn mütterlicherseits von den Zollern abstammen läßt (E von den Reiffen) und H 211.

[4] E: Lombardie, Sch: Lampardiae, clm 1012: Lombardie; B und H machen daraus Longobardia. Ueber die wahrscheinliche Lesart vgl. Schirrmacher a. a. O. 181.

[5] . . . ac subsequenter (so ist nach E zu lesen statt subsequente bei Sch, was sich auf das vorausgehende anno beziehen würde) mediante domino Ratis-ponensi episcopo, qui cum fratre carnali domini electi personaliter in auxilium venerat, . . . castra S. Georgii et Orth acquisivit. B und H er-wähnen als Bertholds Bundesgenossen nur den Bischof von Regensburg.

Sch 504. E 134' erwähnt das Bündnis mit Ottokar und die
Namen der beiden böhmischen Adeligen nicht. B 201 und H 211
stimmen im allgemeinen mit obigem Berichte überein. Das Jahr 1251
(statt 1250[1]) geben E 135 und Sch ausdrücklich an.

Nach der Erzählung von dem Widerstande der Passauer Bürger
gegenüber Berthold folgt bei E, Sch, und desgleichen in der Chronik
des Hochwart eine Auslassung über deren Ungehorsam mit Hinweis
auf die Immunitätsurkunde Arnulfs von 899[2]). Ob diese Stelle den
PA entnommen ist, bleibt dahingestellt; vielleicht dürfen wir sie eher
E selbst zuschreiben, der hier die Urkunde fast wörtlich wiedergibt,
während Sch und Hochwart sich mit einem kurzen Auszug begnügen.

(1251.) Plünderungszug Bertholds und seines Bruders
des Grafen von Sigmaringen, gegen Herzog Heinrich von
Bayern, um den 11. November; sie dringen in den Weilhart
vor, treiben 1500 Stück Vieh weg. Aber Alram von Utten=
dorf, Ortolf von Wald, Heinrich von Rohr und andere
niederbayrische Ritter drängen sie bis über die Marchlupp
zurück. Der Bruder des Bischofs, die zwei Brüder von Mors=
bach, Wilhelm von Prambach und andere Passauer Mini=
sterialen werden gefangen und nach Burghausen abgeführt.

Sch 505. E 135 erzählt, Berthold sei in der Nähe von Obern=
berg mit den Kriegern des Herzogs in Kampf geraten und geflohen;
unter den Gefangenen werden dieselben Namen genannt wie bei Sch.[3])
Mit Sch stimmt die Chronik von Matsee (MG SS IX 791) wörtlich
überein; nur erwähnt sie den Wilhelm von Prambach nicht und setzt
den Kampf ins Jahr 1249. Die Chronik scheint somit die PA benützt
zu haben, doch verlegte sie irrtümlich die Nachricht, welche diese zum
Jahre MCCLI brachten (das richtige Jahr wäre 1250), ins Jahr MCCIL.

Auch B 194 berichtet von jenem Kampfe zum Jahre 1249. Da
B offenbar von dem Bestreben ausgeht, die verschiedenen chronologischen

---

[1]) Ratzinger a. a. O. 84, 835.

[2]) Es ist bemerkenswert, daß die drei genannten Chroniken übereinstimmend
das Jahr 899 angeben, während das uns erhaltene scheinbare Original 898 aufweist
(Mühlb., reg. Kar. 1891). Vgl. über diese Urk. auch Verh. d. hist. Ver. f. Niederb.
32, 184 ff.

[3]) Non tamen longe post circa castrum Obernperg in quodam conflictu
habito cum militibus ducis Bavarie Bertholdus cum suo milite terga vertit,
ibique comes de Sigmaring frater electi cum duobus germanis de Morspach
et de Prambach et ministerialibus ecclesie Pataviensis captivitati subduntur
et in Burghausen vinculis mancipantur.

Angaben ſeiner Quellen möglichſt zu vereinigen, ſo iſt ſeine Darſtellung
der Ereigniſſe nach der Exkommunikation Rudigers ſehr verworren.
Weil Hermann von Altaich, die ASRudb. und mehrere öſterreichiſche
Annalen[1] als Nachfolger Rudigers nicht Konrad, wie der Katalog,
ſondern gleich Berthold erwähnen, ſo läßt auch er ihm ſofort (statim)
Berthold folgen, und zwar ſchon nach der Exkommunikation Rudigers
1249, um nach der Matſeer Chronik zu dieſem Jahre noch den Kampf
im Weilhart zu bringen; Anlaß zu dieſem Kampfe war nach ſeiner
Darſtellung die Weigerung des Rudiger, ſein Amt niederzulegen! Dann
folgt die endgiltige Abſetzung Rudigers 1250 (nach den PA) und in
demſelben Jahre (nach Cat.) die Wahl Konrads, „der durch Verſprechungen bei Albert Behaim ſo viel vermochte, daß er dem vor den
Toren wütenden Berthold vorgezogen wurde" (ut grassanti foris Ber-
tholdo anteferretur). Erſt nach der Abdankung Konrads „Bertholdus
unanimi omnium, quorum intererat, consensu recipitur" (S. 201).
H folgt der Darſtellung des B faſt aufs Wort.

(1251.) Albert Behaim, deſſen Obhut die Burg Orth
anvertraut worden, wird dort von dem Kaſtellan Ulrich
von Jurt in Feſſeln gelegt, um an König Konrad und
Herzog Otto ausgeliefert zu werden. Biſchof Berthold
aber erſtürmt die Burg am Weihnachtstage und befreit
Albert

E 135 und Sch 505, von kleinen textlichen Verſchiedenheiten abgeſehen, übereinſtimmend. B und H erwähnen hierüber nichts.

Im Anſchluß an vorige Nachricht folgte in den PA wahrſcheinlich
eine Klage über die Ungerechtigkeit der Feinde Alberts.
In der Form, wie dieſe Exklamation bei Sch (508) ſich findet, ſtand
ſie in den PA ſchwerlich. Sch knüpft zunächſt mit „O miserabile Imperium huius mundi" etc. (S. 507) an die von ihm unmittelbar vorher
gebrachte Nachricht vom Tode Kaiſer Friedrichs II an, geht dann über
auf die Verderbtheit der Paſſauer Bürger und ſpricht endlich von dem
Undank, den Albert erntete. Die Stelle, wo Sueton zitiert und auf
Padua, das „zweite Patavia" angeſpielt wird, dürfte wohl von Sch
ſelbſt herrühren.

E bringt jene Exklamation überhaupt nicht. In anderer Form
findet ſie ſich in clm 1012, und zwar in unmittelbarem Anſchluß an
die Nachricht von der Gefangennahme und Befreiung Alberts auf Burg

---

[1] Cont. Garst., cont. Sancr. a. a. 1250 (= AS Rudb., Herm. Alt.); cont.
Lambac. a. a. 1249.

Orth: Albertus decanus, qui pro Pataviensi ecclesia et civitatis
libertate simul et patria 47 annis fideliter laboraverat, suae non
parcens animae neque rebus, ab hostibus ubique liberatus ad Pataviam
rediens capitur et catenis vinctus carceri traditur. Neque his con-
tenti pellem suae carnis ambiunt maxima pecunia exquisita. Ecce
qui diligebatur ab exteris omni parte, a suis oditur et pelle propria
spoliatur. Et si nequam fuisset, a nequam hominibus defensatus
fuisset; sed quia civitati utilis erat, eidem utiliorem inveniens im-
probe sevit in illum. O misera civitas Patavorum, quae suos nunquam dilexit sed potius alienos. In qua nunquam legitur, quod
aliquis civium quartam generationem sui generis attigerit. Unde
quidam de te bene dixit: Patavia fideles honestos et utiles non
dilexit sed contraria facientes.[1])

Vielleicht haben wir hier den wörtlichen Text der PA vor uns.
Die Bemerkung, daß Albert 47 Jahre für die Passauer Kirche thätig
war, ist sicher einer gleichzeitigen Quelle entnommen; der ganze Inhalt
der Klage aber stimmt vollkommen mit der Gesinnung des Verfassers
der PA überein.

(1252?) Berthold erhält an Quadragesima durch die
Bischöfe von Prag und Olmütz die Weihe zum Diakon,
Priester und Bischof. [Sch 508.]

Den PA mögen wohl auch die Nachrichten entnommen sein, daß
Berthold die Freiheiten des Kapitels verletzte, viele
Schulden machte, seinen Neffen und Nichten vom Besitztum
der Passauer Kirche zur Mitgift gab. [E 135', Sch 508;
ähnlich B 203, H 212.] Ob die Annalen auch die Belehnung Ottokars
mit den Lehen der Passauer Kirche in Oesterreich und Steiermark, die
Verleihung der Pfarrei Holabrunn an das Domkapitel, die Erhöhung
der Zölle in Obernberg, Morsbach und Passau[2]) erwähnten, oder ob
die genannten Chroniken diese Nachrichten aus Urkunden schöpften, mag
dahingestellt bleiben.

E 135' schaltet unmittelbar nach der Erzählung von den Vorgängen auf Burg Orth einige Bemerkungen über Herzog Otto von
Bayern ein: His diebus Otto dux Bavarie magnam tirannidem in
ecclesiam Pataviensem et alias ecclesias Bavarie exercuit adeo ut

---

[1]) Der Wortlaut dieser Stelle stimmt im ganzen mit Sch überein; aber die
Anordnung ist eine andere und manche Zusätze des Sch fehlen. Sch hat hier offenbar
den Text der PA frei verarbeitet.

[2]) Der Text bei Sch ist verstümmelt; E stimmt mit B und H überein.

post Arnoldum quendam palatinum Schirensem vix sibi similis in crudelitate visus sit. Postquam Ludovicum et Henricum filios apud Otingam gladio accinxisset et in pascali excommunicatione in eum die cene dominice a papa fulminate iam triennio sorduisset, apud Landshut subita morte in latere uxoris dormientis et filiis in eodem cubili nesciis prevenitur, cum quibus tamen precedenti nocte duxit coreas in gaudio anno domini 1254.

Die Klage über die Tyrannei Ottos, ſowie die Nachricht über die Schwertleite zu Oetting finden ſich auch anderweitig (bei Hermann von Altaich, in ASRudb.); die Erzählung vom Tode Ottos aber iſt nirgends ſo ausführlich.[1]) Da der ganze Bericht den Standpunkt eines Gegners Ottos verrät, ſo dürfte die Vermutung, daß E hier aus den PA ſchöpfte, nicht unbegründet ſein. Auch der Umſtand, daß Ottos Tod um ein Jahr zu ſpät angeſetzt iſt (1254 ſtatt 1253), ſpricht für dieſe Annahme (vgl. oben S. 523 f.).

Dagegen iſt die von E 136 am Schluſſe des Abſchnittes über Biſchof Berthold gebrachte Erzählung von dem Bauern, der dem Herzog ſeinen Tod auf zehn Tage vorherſagte, wenn er ſeine Geſinnung nicht ändere, den ASRudb. entnommen. E gibt dazu das Jahr 1253 an, zu dem auch die ASRudb. davon berichten.

(1255?) Tod des B. Berthold am 25. Januar; Trauer über ſeinen Tod. Otto von Lonstorf wird Biſchof.

Das Todesdatum, 8. Cal. Febr., bringt auch E 136, der bei keinem der vorhergehenden Biſchöfe den Todestag erwähnte, während Sch hiefür, wie oben erwähnt, einen Paſſauer Totenkalender benützte; das Datum iſt alſo wohl den PA entnommen. Die Nachricht von der Trauer über den Tod Bertholds findet ſich nur bei E: Cuius casum civitas fertur inaudito fletu deplorasse, dum aput candelabrum Pataviensi in ecclesia ipsius gleba traderetur sepulturae. Ipsum deflent et hii qui in diocesi in suis actibus complacuere.[2])

---

[1]) Hermann von Altaich, der unter den bekannten Quellen hierüber am ausführlichſten berichtet, ſagt: . . . cum in sero cum uxore et familiaribus suis valde iocundus fuisset, presentem vitam subita morte finit. (Mon. Germ. SS. XVII, 396).

[2]) Die bei E und Sch, B und H nach dem Tode Bertholds folgende Erzählung von der grauſamen Ermordung eines Paſſauer Domherrn iſt der Chronik von Kremsmünſter (Mon. Germ. SS. XXV, 658) entnommen (vgl. hierüber Ratzinger a. a. O. 84, 839 f., 85, 110). Die Nachricht von der Wahl eines andern Berthold an Stelle des abgeſetzten Biſchofs ſtammt aus unbekannter Quelle.

H bemerkt S. 212, nachdem er die Wahl Ottos von Lonstorf erwähnt und eine kurze Charakterschilderung desselben gegeben: Hactenus Annales Patavienses. Da nun nach seiner Aussage (S. 190) die PA bis 1255 reichten, so liegt die Vermutung nahe, daß dieselben als letzte Nachricht die Wahl Ottos zum Jahre 1255 brachten;[1] dies würde auch der Gewohnheit der PA, die zuletzt erwähnten Nachrichten ein Jahr zu spät anzusetzen, entsprechen. Allerdings mag es auffallen, daß weder E und Sch, noch B und H, die sämtlich die Wahl Ottos z. J. 1254 erwähnen, von einer abweichenden Jahresangabe etwas bemerken. Uebrigens führt auch die Chronik von Kremsmünster, sowie die aus diesem Kloster stammende Abschrift des Passauer Bischofskataloges Otto 1255 auf.[2]

Gegen die Nachricht, daß Albert Behaim geschunden wurde, wofür H 211 die PA als Quelle anführt,[3] hat bereits Hansiz a. a. O. 394 gegründete Bedenken erhoben; Ratzinger a. a. O. 85, 108 ff. hat klar nachgewiesen, daß ihr jede Glaubwürdigkeit abzusprechen sei.

Die Entstehung dieser Nachricht stellt sich etwa in folgender Weise dar: In der Exklamation, die in den PA auf die Erzählung von Alberts Gefangennahme und Befreiung in Orth folgte, finden sich die Ausdrücke pellem suae carnis ambiunt und pelle propria spoliatur.[4] Dies gab zunächst Anlaß zu der irrtümlichen Nachricht der Chronik von Krems= münster, daß unter Bischof Berthold ein Domherr verstümmelt wurde; diese Nachricht haben dann auch E und Sch aufgenommen, aber davon, daß Albert geschunden wurde, wissen sie nichts. Nun berichtet Aventin (III 299) ausführlich, Albert sei wegen Meineid, Sakrileg, Treubruch und Gottlosigkeit verurteilt und lebendig geschunden worden,

---

[1] Aus jener Bemerkung Hundts geht jedoch nicht hervor, daß die PA auch die von H in dem betr. Abschnitte erwähnte Amtsdauer Ottos sowie dessen Charakter= schilderung enthielten, wie Schirrmacher a. a. O. 171 annimmt. H wollte bloß sagen, daß die PA Otto von Lonstorf noch erwähnten.

[2] Mon. Germ. SS. XXV, 622 und 651. Die übrigen Hf. des Cat. haben 1254.

[3] Schirrmacher will diese Nachricht als historisch verteidigen. Er korrigiert deshalb auch S. 171 die Angabe des H, daß die PA bis 1255 reichten, mit dem Bemerken, daß sie ja Alberts Tod noch erwähnen, während dieser 1258 nachweislich noch lebte.

[4] Vielleicht stand auch die Stelle, die Sch 505 bei der Erzählung von Alberts Gefangennahme bringt, Albertus venditur Conrado ... localiter cruciandus, in den PA; E drückt sich hier anders aus.

und bemerkt dazu: ita quidam in annales retulere. Es ist kaum
zweifelhaft, daß Aventin keine andere Quelle vorlag als eben jene Klage
der PA; alles übrige ist Produkt seiner üppigen Phantasie.

B kannte die Erzählung Aventins, scheint ihr aber doch nicht ganz
getraut zu haben, da er schreibt (S. 197): Alia atrociora ac virulenta
omitto hoc loco.[1]) Gleichwohl läßt er sich unter dem Eindrucke jener
Erzählung dazu bestimmen, die Nachricht der PA von den Vorgängen
auf Burg Orth mit Stillschweigen zu übergehen, da ja die dort erwähnte
Befreiung Alberts mit dem Berichte Aventins direkt im Widerspruch
steht. H dagegen, der nur zu sehr unter dem Einflusse des von ihm
hochgeschätzten Aventin steht, genügte es, in den PA jene sinnbildlich
zu fassenden Ausdrücke zu finden, um diese Annalen als die Quelle der
fraglichen Nachricht zu bezeichnen.

Wie willkürlich übrigens Aventin mit den Angaben seiner Quellen
verfährt, dafür mag seine Darstellung der damaligen Ereignisse eine Probe
geben (III 298 f.): Nach Erwähnung der Weihe Bertholds [März 1251]
folgt die Besetzung Passaus durch denselben [September 1250!]. Herzog
Otto belagert Albert Behaim sechs Monate[2]) in O b e r n b e r g statt
Orth. Hierauf folgt ein längerer Bericht über den Plünderungszug
Bertholds im Weilhart; sodann wird erzählt, Ulrich von Furt[3]) habe
P a s s a u an Herzog Otto verraten, während Rüdiger aus „der Burg"
einen Ausfall machte. Albert Behaim entkam mit großer Not nach
W a s s e r b u r g, das nun vom Herzog belagert und erobert wurde

---

[1]) Auch in späteren Passauer Chroniken fand jene Nachricht keinen rechten
Glauben. H o c h w a r t schreibt am Schlusse des Abschnittes über B. Berthold: Albertus
amissise pellem scribitur. Cgm 1732 erzählt (f. 47): Die Passauer beraubten
Albert aller seiner Güter und handelten so „unmitleidig" mit ihm, daß man sie beschuldigte, sie wollten ihm „die Haut gar abziehen". Die Passauer Reimchronik, cgm
1734 (1735), berichtet: „Man sagt Burger haben einen B i s c h o f f geschunden — So
aber nicht die Haut zu verstehn — sondern durch gefängnußen — er hat thünen
sagen, ihr habt mich da — in Ewerem Gewalt, ziegt die Haut mir a(b)." In der Chronik
des J. B. Eisenreich, cgm 2919, heißt es: „man sagt, er (Albert) habe seine Haut
unterwegs (von Orth nach Passau) verloren" (!).

[2]) Woher Aventin diese Angabe nahm, ist nicht recht klar. Sollte ihm hier
dieselbe Quelle vorgelegen sein, der B 191 die Nachricht entnahm, daß Otto die Grafen
von Schaumburg in Obernberg anderthalb Monate (sesquimestris) belagerte (vgl.
o b e n S. 535 Anm. 3). Abgesehen von dem groben chronologischen Irrtum (die Belagerung fand 1244 statt), hätte Aventin in diesem Falle statt der Grafen von Schaumburg willkürlich Albert Behaim gesetzt, aus sesquimestris aber sex menses gemacht.

[3]) Es kann hier nur der Kastellan von Burg Orth gemeint sein, der Albert
Behaim gefangen setzte.

[1247!!]. Albert kehrt nach Passau zurück (!); Otto zieht ebenfalls dahin und nimmt im Verein mit Rudiger die Stadt ein (!). Albert wird ergriffen, verurteilt und lebendig geschunden!

Nachtrag.

Die vorstehende Arbeit war bereits fertiggestellt, als ich mit der Abhandlung von Dr. Alois Lang über „Passauer Annalen" (s. oben S. 265—318) bekannt wurde. Wenn ich zu einem wesentlich verschiedenen Resultate gelangte als mein Vorgänger, so liegt der Grund hiefür nicht zum wenigsten in dem Umstand, daß Lang die Handschriften des Münchener Staatsarchivs und der Staatsbibliothek, die zahlreiche interessante Aufschlüsse über verschiedene Punkte gewähren, nicht zu Gebote standen.

Nach Lang sind Hundts Passauer Annalen nichts als Salzburger Annalen, vermehrt mit der Reihe der Lorcher und Passauer Bischöfe (S. 290). Sie wurden verfaßt zum Zweck leichterer Ordnung der zahlreichen Passauer Urkunden. Die Abschrift der Salzburger Annalen schloß im erzählenden Text wohl schon mit dem Jahre 1234, da auch Hermann von Altaich mit diesem Jahre seine den Salzburger Annalen entlehnte zusammenhängende Erzählung schließt. Ein Streben, diese historischen Notizen fortzusetzen mit Nachrichten, die auf die Passauer Kirche Bezug hatten, dürfte gar nicht vorhanden gewesen sein. Nur die Namen der Bischöfe waren noch bis 1255 aufgeführt (S. 293). Die Geschichte Albert Behaims war also in jenen Passauer Annalen nicht enthalten; sie kommt erst in den späteren Bearbeitungen der Passauer Kirchengeschichte, in den annales Patavienses im weiteren Sinne, vor. Aber eine Quelle, die nicht lange nach Alberts Tod geschrieben wurde, nimmt Lang doch hiefür an; er sucht sie in einer „Art Biographie" desselben, die vielleicht in Niederaltaich entstand (S. 301 f.).

Darin stimmen unsere Untersuchungen miteinander überein, daß den Passauer Annalen die Salzburger (annales S. Rudberti) zur Vorlage dienten, oder daß wenigstens beide auf dieselbe Quelle zurückgehen (s. oben S. 519). Daß man bei der Abfassung für die älteren Zeiten eines der damals verbreiteten Annalenwerke zu grunde legte, erscheint ja auch ganz selbstverständlich. Ob die Passauer Annalen nun bloß als Mittel zur Ordnung des Passauer Urkundenschatzes dienen sollten, oder, was wohl wahrscheinlicher ist, ihre Entstehung dem damals in Passau erwachten Eifer für historische Forschung verdankten, ist am

Ende nicht von beſonderem Belang. Uebrigens entſprachen dem von
Lang angenommenen Zweck die Kataloge der Herzoge und Biſchöfe
ſchon zur Genüge.

Dagegen entbehrt die Vermutung, daß der erzählende Text der
Paſſauer Annalen nur bis 1234 reichte, von da bis 1255 alſo außer
den Namen der Biſchöfe keine Nachrichten mehr vorhanden waren, ſehr
der Begründung. Lang kommt zu dieſer Anſicht dadurch, daß Hundt
in der Darſtellung der Geſchichte jener Zeit Bruſch ausſchreibt, ohne
auf ſeine Annalen Bezug zu nehmen. Allein dieſe Abhängigkeit von
Bruſch zeigt ja Hundt größtenteils ſchon von Anfang an, auch an
Stellen, wo er nebenbei ausdrücklich die Paſſauer Annalen zitiert.
Beſonders aber war es hier für ihn bequemer, Bruſch zu folgen, als
nach den Berichten der Annalen, die ja in ihrem letzten Teile ziemlich
ausführlich wurden, ſich ſeine Darſtellung erſt zurechtzulegen. Da nun
Bruſch im weſentlichen die auch von den Paſſauer Annalen erwähnten
Thatſachen, wenn auch zum teil in anderem Lichte, wiedergab, ſo lag
für Hundt kein Anlaß vor, Bruſch nach den Annalen zu korrigieren
(vgl. oben S. 521). Daß Hundt (S. 211) unter Biſchof Konrad den
Ausdruck „Paſſauer Annalen" im Sinne des Bruſch (= Paſſauer
Geſchichtsquellen überhaupt) gebraucht, ſchließt, wie ſchon bemerkt, doch
keineswegs aus, daß auch ſeine Annalen hierunter mitzuverſtehen ſind.

Mit der Annahme einer Biographie Albert Behaims ſteht Lang
ganz auf dem Standpunkte Ratzingers, zu deſſen Ausführungen er
nichts weſentlich Neues beibringt. Da wir bereits oben (S. 521) der
Anſicht Ratzingers entgegengetreten ſind, ſo bedarf es hier keiner weiteren
Erörterung. Nur eines ſei noch bemerkt. Wenn Lang S. 302 ſchreibt:
„Riezlers Bedenken gegen die Biographie eines ſo unheiligen Mannes
(Alberts) müßten aufgegeben werden," ſo legt er den Worten Riezlers
eine falſche Deutung unter. Dieſer ſpricht ſich an der betr. Stelle
(Aventins Werke III, 585) gegen die Biographie eines nicht heiligen,
d. h. doch nur „nicht als heilig verehrten" Mannes aus.

Eine Benützung der Paſſauer Annalen durch Ebendorfer ſcheint
Lang nicht zuzugeben. Er erwähnt zwar (S. 271) die „einzige Stelle, aus
der man auf Benützung von Paſſauer Annalen ſchließen könnte", das
Zitat Ebendorfers (Schreitweins) zu den Jahren 1139 und 40 (ſ. oben
S. 511); doch iſt ihm dabei ein Verſehen zugeſtoßen. Er bemerkt S. 272
richtig: „Die Nachrichten vom römiſchen Konzil finden ſich in mehreren
Annalenwerken, aber die Zahl der Biſchöfe ſtimmt nur mit den Salzburger Jahrbüchern überein. Der Paſſauer Biſchofswechſel
(1140) iſt dort nicht angemerkt". Dagegen ſagt er S. 285.

Hundt erwähne als Todesjahr des Bischofs Regimar das Jahr 1140 „secundum annales", und fügt bei: „Auch diese Jahreszahl, sicher aus den alten Paffauer Annalen genommen, stand, wie oben zu Schreit= wein erwähnt wurde, in den Salzburger Jahrbüchern".[1]*)

Um schließlich noch auf Einzelheiten zu kommen, so schreibt Lang S. 271, Aventin habe seinem Schreitwein eine Nachricht über Albert Behaim zugewiesen. Die betr. Stelle bei Aventin lautet (II 63): Schritovinus et Frechulphus tribuunt eum (Noricum) Libyo Herculi Aegyptio. Dafür hatte Aventin ursprünglich geschrieben: Albertus Boiemus eum tribuit (vgl. III 562). Die Nachricht handelte also nicht über Albert Behaim, sondern wurde von Aventin nur zuerst diesem irrtümlich zugeschrieben.

S. 277 f. sucht Lang nachzuweisen, daß Constantius und Theodorus von Lorch in den Paffauer Annalen nicht erwähnt waren. Er gründet diese Annahme auf die Randbemerkung der Annalen zum Jahre 312, wo es heißt: Catalogus non habetur usque ad tempora Erchenfridi Episcopi Pataviensis. Wir haben schon oben S. 525 darauf hingewiesen, daß sich diese Bemerkung auf den Bischofskatalog bezieht, wo thatsächlich zwischen Maximilian und Erchenfried kein Bischof auf= geführt ist. Wenn aber Hundt S. 192 schreibt: Legitur in annalibus Pataviensibus, cuius Catalogus non meminit, decessisse eum (Constantium) anno 487 etc., so kann er doch hier nichts anderes meinen als seine Paffauer Annalen, die er hier neben dem ihnen angefügten Bischofskatalog zitiert, und auf die er un= mittelbar vorher unter Maximilian verwiesen hat. Und eben diese Annalen sind zweifellos zu verstehen, wenn er S. 193 unter Theodor schreibt: secundum praedictos annales obiit 524.

Ferner betrachtet Lang (S. 317 f.) den Philipp Tanzer, der nach Oefele, script. rer. Boic. I 700, unter anderem über Paffauer Geschichte schrieb, als einen Vorläufer des Ebendorfer. Tanzer war aber ein Zeitgenosse und Freund Aventins (vgl. über ihn Th. Wiede= mann, Joh. Turmaier gen. Aventinus, S. 165).

---

[1] Ein ähnlicher Widerspruch findet sich übrigens auch bezüglich Maximilians. Während S. 277 festgestellt wird, daß Maximilian in den Paffauer Annalen nicht er= wähnt war, heißt es S. 312, daß dessen Martyrium in den Annalen berichtet wurde!

*) Die nämliche Richtigstellung hat Dr. A. Lang selbst eingeschickt. D. Red.

Kleine Beiträge.

War das Herzogtum Lothringen im Mittelalter Reichslehn?

Von Max Janſen.

E. Bonvalot bezweifelt in ſeiner Arbeit über die Verfaſſungs=
geſchichte Lothringens und der drei lothringiſchen Bistümer, daß das Herzog=
tum Lothringen im Mittelalter Reichslehn geweſen ſei,[1] und begründet
ſeine Anſicht mit dem Wortlaut einer Urkunde, durch welche König Alfons
von Caſtilien dem Herzog Friedrich von Lothringen i. J. 1258 die Ver=
leihung der Regalien beſtätigt. Aus der Urkunde, auf welche Bonvalot
ſeine Behauptung ſtützt, hebe ich hier gleich die einſchlägigen Stellen im
Zuſammenhange hervor, um dann an ſie im einzelnen meine Unterſuchungen
anzuknüpfen.[2]

König Alfons urkundet: quod ad instantiam et supplicationes tui
magnifici viri Friderici ducis Lothoringiae et comitis Romaricensis atten-
dentes . . . . . investimus te dictum ducem et comitem de quinque
vexillis in signum quinque dignitatum quas in feodum ab imperio tenere
debes, de infra scriptis dignitatibus et feaudis.

Primum vexillum damus tibi pro ducatu in feudum, in quo et
per quod debes esse summus senescalcus in aula nostra citra Rhenum
et debes nobis servire in annualibus festis de primo ferculo eques. Et
si contigerit ire ad parlamentum cum armis contra regem Franciae
debes facere nobis antecustodiam in eundo et retrocustodiam in redeundo.

---

[1] Histoire du droit et des institutions de la Lorraine et des trois
évêchés (843—1789) I. du traité de Verdun à la mort de Charles II. Paris
1895. S, 245—47. Vgl. Hiſt. Jahrb. XVII, 190.

[2] Die Urkunde iſt abgedruckt bei Calmet, histoire ecclésiastique et civile
de Lorraine. I. Aufl. 1728. Tom. II. S. CCCCLXXXI.

Et debes nobis praestare in terra dicti dominatus forum de necessariis
et victualibus. Et si contigerit nos ire ad praelium citra Rhenum debes
habere primum conflictum et debes facere nobis antecustodiam in eundo
et retrocustodiam in redeundo.

Secundum vero vexillum damus tibi in signum quod debes recipere
duella nobilium commorantium inter Rhenum et Mosam prout metae
super hoc distentae dividunt.

Tertium quoque vexillum damus tibi in signum pro feudo et nomine
feudi de comitatu Romaricensi.

Quartum autem quod debes habere custodias publicarum stratarum
in dicto ducatu tam per aquam quam per terram.

Quintum damus tibi in signum et investituram pro regalibus nostris
in monasterio sancti Petri Metensis et in alio monasterio sancti Martini
Metensis et debes habere custodias ecclesiarum in ducatu tuo. Et
praedicta damus tibi pro feudo et nomine feudi et pro investitura et
nomine investiturae.

In dieſer Urkunde ſteht nun freilich nichts von einer Belehnung des
Herzogs. Friedrich III mit dem Herzogtum Lothringen. Alſo iſt das
Herzogtum Lothringen, müßte man mit Bonvalot folgern, kein Reichslehn
und daher von Deutſchland ebenſowenig abhängig geweſen wie von Frank=
reich.[1]) Als Stützen für ſeine Anſicht führt Bonvalot die franzöſiſchen
und deutſchen Hiſtoriker Pfeffinger, Vignier, Hugo, Chevrier,
Calmet und Digot ins Feld. Wenn ich mich nun trotz dieſer Eides=
helfer der Folgerung Bonvalots verſchließe, ſo liegt dies daran, daß ich
die Vorausſetzung, auf welche er baut, als begründet nicht anerkennen kann.
Alſo war Lothringen doch Reichslehn? Freilich, und zwar aus folgenden
Erwägungen und Gründen. Lothringen hätte, wenn es nicht Reichslehn
geweſen wäre, entweder Lehn einer anderen Macht — in betracht könnte
nur Frankreich kommen — oder vollſtändig unabhängig ſein müſſen.
Ueberblicken wir die Geſchichte Lothringens ſeit dem Vertrage von Merſen
bis zur Mitte des 13. Jahrh., ſo werden wir ohne weiteres die Anſicht,
als ob Lothringen ſelbſtändig geweſen, ablehnen müſſen. Es war während
dieſer Zeit abhängig, und zwar zeitweilig auch von der franzöſiſchen Krone.
Im großen und ganzen aber haben ſeit 870 die deutſchen Könige trotz
aller Rheingelüſte der franzöſiſchen Herrſcher Lothringen feſtgehalten und
mit ihm wie mit einem Reichslehn geſchaltet. Mißliebigen Perſonen wurde
es genommen und ergebenen verliehen. Bis zur Mitte des 11. Jahrh.

---

[1]) S. 247. Que le duc n' a jamais été pour son duché assujéti vis à vis
de l'Empire à un hommage personnel ou réel, que la Lorraine, principauté
souvéraine, était aussi indépendante de l'Allemagne que de la
France. La sujétion se réduisait à des dignités et des fiefs particuliers.

will Bonvalot Lothringen auch als deutsches Reichslehn gelten laffen; [1] also muß von da an bis zur Mitte des 13. Jahrh. im Verhältnis des Herzogtums zum Reiche eine Aenderung vor sich gegangen sein, durch welche Lothringen den Charakter als Reichslehn verlor. Bonvalot weiß den Grund: im Jahre 1048 wurde das Herzogtum von Heinrich III an Gerhard von Elsaß verliehen und erbte in deffen Familie fort. Infolgedeffen hörte es auf Reichslehn zu sein und wurde unabhängig.[2] Die Thatsache wird nach Bonvalot durch den Wortlaut der Urkunde bewiesen, welche im vorhergehenden abgedruckt ist. Machen wir hier einmal halt, um Bon= valots Ansicht zu prüfen. Also durch Erblichwerden im Haufe des Gerhard von Elsaß soll das Herzogtum feines Charakters als Reichslehn entkleidet fein. Das ist aber gegen jeden staatsrechtlichen Grundfatz des deutschen Mittelalters. Im Jahre 1156 wird, um ein bekanntes Beispiel anzu= führen, dem Herzog Heinrich Jafomirgott und feiner Gemahlin Theodora die Mark Oesterreich als Herzogtum zu Erblehn gegeben, ut ipsi et liberi eorum post eos, indifferenter filii sive filie, dictum Austrie ducatum hereditario jure a regno teneant et possideant.[3] Also auch die, wie hier, weitgehendste Erblichkeit verträgt sich recht wohl mit dem Lehns= charakter. Große und kleine Herren befaßen während des Mittelalters erbrechtlich ihre Territorien, und doch fiel es nicht leicht jemandem ein, für folche Befitzungen, fofern es ursprünglich Reichslehn waren, die Ober= lehnsherrlichkeit des Kaifers zu leugnen. Also kann Bonvalots Behauptung, Lothringen habe durch Erblichwerden im Haufe Gerhards von Elfaß den Charakter als Reichslehn verloren, nicht ohne weiteres als zu recht beftehend hingenommen werden. Wird diefe Behauptung nun für Lothringen durch eine verbürgte Thatsache, also wie Bonvalot will, durch die abgedruckte Urkunde ficher geftellt? Ich meine „nein!" Ein näheres Eingehen auf die Urkunde wird mir, glaube ich, recht geben. In derfelben werden dem Herzoge durch Uebergabe von fünf Fahnenlanzen fünf Rechte zu Lehn über= tragen. Mit der erften Lanze erhält der Herzog ein hohes Hofamt bei Hoftagen in feinem Herzogtum, fodann aber und vornehmlich militärische Befugniffe. Er foll dem König auf Zügen zum oder vom Könige von

---

[1] S. 231. Comment et par quelle évolution légale le duché de Mosellane conféré a Gérard d'Alsace à titre bénéficiaire est-il devenu duché héréditaire pendant son règne?

[2] S. 231. Thierry remplaça Gerard sur le trône ducal hereditario jure sans le consentement, mais aussi sans l'opposition de l'Empereur. Depuis lors ni lui ni ses successeurs n'ont plus eu à faire reconnaître par une investiture leur droit à la dignité ducale, dont ils étaient par la constitution allemande les légitimes détenteurs, à la dignité qui leur assurait dans la Mosellane un commandement indépendant, la suprématie et les régales majeures.

[3] Mon Germ. hist. LL. Sect. IV Bd. I (1393), 221—23.

Frankreich den Vor= bezw. den Nachtrab ſtellen und bei Kämpfen des Königs links vom Rhein den Vorſtreit haben. Wir wiſſen nun, daß die Herzogsgewalt an erſter Stelle kriegeriſcher Natur war und im beſonderen daß die Herzöge innerhalb ihrer Gebiete den Vorſtreit hatten.)[1] Mit der zweiten Lanze wird dem Herzog der Vorſitz bei Zweikämpfen von Edlen zwiſchen Rhein und Maas übertragen. Er erhält dadurch im weſentlichen richterliche Befugniſſe über die Edlen, denn der Zweikampf bildete einen Teil des ordentlichen Gerichtsverfahrens. Nun galt gerade die Gerichtsbarkeit über die Edlen, welche ſonſt keinem Richter unterſtanden, als Aufgabe des Herzogsamtes. So baten, um von andersher ein Beiſpiel zu entlehnen, i. J. 1291 der Biſchof von Paderborn und der Graf von Arnsberg den Erzbiſchof von Köln um richterliche Entſcheidung, cum officii vestri debitum id exigat ratione ducatus vestri.[2] Daß gericht= liche Zweikämpfe vor dem Herzog ſelbſt oder deſſen Stellvertretern ſtatt= finden ſollten, läßt ſich auch für das Herzogtum Weſtfalen nachweiſen.[3]

Mit der dritten Lanze wird dem Herzoge die Grafſchaft Remiremont zu Lehn gegeben.

Die vierte Lanze überträgt dem Herzog die Sorge für die Sicherheit auf den öffentlichen Straßen in ſeinem Herzogtum, mit anderen Worten das Geleitsrecht. Dies Recht galt insbeſondere als Ausfluß der Herzogs= gewalt, wird doch des öfteren conductus und ducatus als gleichbedeutend gebraucht.[4]

Mit der fünften Lanze erhält der Herzog die Sorge für die Kirchen innerhalb ſeines Herzogtums und als Lohn dafür gewiſſe Lehn zu Metz. Schutz des Friedens und damit Schutz der Gotteshäuſer galt im allgemeinen als eine der vornehmſten Aufgaben der Herzogsgewalt.[5]

Wir ſehen, wie dem Herzog durch die Urkunde militäriſche und gericht= liche Befugniſſe verliehen werden, wie ihm zugleich die Sorge für die Sicherheit der Straßen und Kirchen übertragen wird. Alles das ſind im allgemeinen herzogliche Befugniſſe, ſie bilden den Inhalt der Herzogs=

---

[1] Seibertz, Urkundenbuch des Herzogtums Weſtfalen, Nr. 666. Vgl. Grauert Herzogsgewalt in Weſtfalen, S. 127.

[2] Seibertz a. a. O. Nr. 438. Vgl. auch Finke, weſtfäliſches Urkunden= buch IV, 2035.

[3] Seibertz a. a. O. II, 384.

[4] Seibertz a. a. O. I, 644. Jus ducis Westphalie est conductus a Wesera usque ad Renum. Vgl. für ducatus = conductus Bremer Urkunden= buch I, 90.

[5] Vgl. meine Ausführungen über die Herzogsgewalt der Erzbiſchöfe von Köln S. 52 ff., außerdem öſterreichiſches Landrecht des Herzogs Leopold von Oeſterreich bei Altmann=Bernheim, Urkk. zur Erl. der Verfaſſungsgeſch. S. 311 (60).

gewalt. Diese wird dem Herzog Friedrich III mit fünf Fahnenlanzen übergeben. [1]

. Wir haben es hier jedenfalls mit der altherkömmlichen Art der Ueber=
tragung eines Stammesherzogtums zu thun. Denn beim Stammesherzogtum
kam es nicht wie später beim Territorialherzogtum ganz auf das Territorium
an, welches verliehen wurde, sondern mehr auf die Rechte, welche in einem
bestimmten Sprengel, der aus einer M e h r z a h l von Herrschaftsgebieten
bestand, übertragen wurden! Um ein schlagendes Beispiel anzuführen: i. J.
1379 verleiht der König Wenzel dem Erzbischof Friedrich III von Köln,
alle und igliche seine und der egenanten kirchen zu Kolne regalia,
herlichkeit, furstentum, lande und leute, als ferre und weyt die geen
und wo die gelegen sind, es sey uf beiden seiten des Reynes in dem
hertzogtume tzu Enger und tzu Westfalen oder in dem hertzogtume
Luthoringen. [2] Es handelt sich hier hauptsächlich um die Belehnung mit
den der kölnischen Kirche gehörenden Herzogtümern Westfalen und Lothringen,
und doch werden n i c h t d i e s e , sondern die Rechte in diesen verliehen.
Genau so ist es hier bei Lothringen: d i e R e c h t e u n d P e r t i n e n z e n
werden ausdrücklich mit Fahnenlanzen verliehen, sie gelten,
was meist bei der Verleihung der Rechte hinzugefügt wird,
für den Bereich des herzoglichen Sprengels. [3]

Es ist demnach zweifellos, daß König Alphons von Castilien durch die
oft erwähnte Urk. dem Herzog Friedrich III die Herzogsgewalt i m a l t e n
S i n n e d e s W o r t e s für Oberlothringen überträgt, und zwar ausdrücklich
als R e i c h s l e h n. [4] Dem französischen Historiker kann demnach nicht zu=
gegeben werden, daß Lothringen während des 13. Jahrh. ebensowenig von
Deutschland wie von Frankreich abhängig gewesen sei.

---

[1] Ich mache auf die Aehnlichkeit in den Verhältnissen Bayerns aufmerksam,
Vgl. Otto von Freising, gesta Friderici Imperatoris II, 55 rec. G. Waitz.
Hann. 1884, S. 128.

[2] Lacomblet, niederrheinisches Urkundenbuch III, 840.

[3] Pro ducatu oder in ducatu.

[4] In signum dignitatum quas in feodum ab imperio tenere debes.

Zu Gregor Heimburg.
Von Paul Joachimſohn.

I.

Meine Arbeit über Gregor Heimburg[1]) hat leider nicht die Billigung
A. Bachmanns gefunden; an drei verſchiedenen Orten[2]) hat er ſeinem
abfälligen Urteil Ausdruck gegeben. Soweit ſich ſein Tadel auf Flüchtig=
keiten in der äußeren Form, Namenſchreibung und Zitierweiſe bezieht,
mußte ich ihn hinnehmen; mit dem übrigen Inhalt der Rezenſionen mich
auseinanderzuſetzen, hatte ich umſoweniger Veranlaſſung, als die „ſelb=
ſtändige“ Charakteriſtik Heimburgs, welche Bachmann ſeiner Rezenſion in
den Mitteilungen beigegeben hatte, im Vergleich mit ſeinem früheren
Artikel über Heimburg in der Allg. deutſchen Biographie eine ſehr erfreu=
liche Klärung ſeiner Anſichten und zwar gerade in der Richtung meiner
Arbeit zeigte.

Umſomehr durfte ich hoffen, in dem ſpäter erſcheinenden 2. Bande
von Bachmanns Reichsgeſchichte[3]) grade für den böhmiſchen Aufenthalt
Heimburgs, bei deſſen Schilderung mich nach Bachmanns Urteil entweder
die Luſt oder die Kraft zum Weiterſchreiben verlaſſen hat, Ergänzungen
und Berichtigungen zu finden. Durch äußere Umſtände verhindert, bin
ich erſt jetzt zum Studium dieſes Bandes gekommen und finde — zunächſt
eine allgemeine Verdächtigung meiner Arbeit,[4]) dann drei Verſuche einer
Berichtigung, ſonſt aber leider auch nicht die Spur einer Erweiterung
unſrer Kenntniſſe über Heimburg. Mit den drei von Bachmann ange=
griffenen Stellen aber will ich mich hier kurz beſchäftigen.

1. Ich hatte in clm 232 f. 190 ff. eine nicht uninintereſſante Invektive
gefunden, in der der Minorit Gabriel von Verona das Ausſchreiben
Heimburgs für Georg Podiebrad vom 28. Juli 1466 in Form einer Rede be=
antwortet,und verlegte das Stück, da darin Kaiſer, Könige und Fürſten an=
geredet werden, vermutungsweiſe auf den Linzer Landtag vom Februar 1467.[5])
Dazu bemerkt Bachmann (S. 89, Anm. 2): „Trotzdem kein Fürſt in Linz

---

[1]) Hiſtor. Abhandl. a. d. Münchener Seminar, hrsg. v. K. Th. Heigel u.
H. Grauert. H. 1. Bamberg, Buchner, 1891. Vgl. Hiſt. Jahrb. XII, 664.

[2]) Deutſche Literat.=Ztg. 13, 123. Mitteilungen d. Inſtit. f. öſt.
Geſchichtsforſchg. 13, 341 ff. Jahresber. d. Geſchichtswiſſenſch. 1891 II, 51.

[3]) Deutſche Reichsgeſchichte im Zeitalter Friedrich III und Max I. Bd. 2.
Leipzig 1894. Vgl. Hiſt. Jahrb. XV, 893.

[4]) A. a. O. 28[1]: „wo aber jede Angabe nachzuprüfen iſt.“

[5]) Heimburg 262.[1]) Hier heißt es: „Zeit und Ort der Abfaſſung ſind nicht
angegeben, doch kann wohl nur an die Linzer Verſammlung gedacht werden, da der
Vf. wiederholt den Kaiſer, die Könige und Fürſten, die ›in hoc frequentiſſimo
conventu‹ anweſend ſeien, anredet. Könige waren allerdings, ſoweit wir wiſſen,
auch in Linz nicht anweſend, wohl aber königliche Geſandte. Urkundlich finden wir

war, außer dem Herzog von Sachsen, der zudem an den kriegerischen
Unternehmungen gegen die Empörer und nicht an den Verhandlungen teil
hatte, es sich überhaupt nur um einen oberösterreichischen Landtag handelte,
der erst nach dem 15. Februar begann, läßt Joachimsohn Rongoni am
11. Februar — nur an diesem Tage waren die böhmischen Gesandten da
— in Linz „in hoc frequentissimo conventu" große Reden über die
böhmische Frage halten." Zunächst bemerke ich, daß Bachmann die Invektive
natürlich nur aus meinen Angaben kennt, sodann, daß ich von einer
Rede am 11. Februar vor der böhmischen Gesandtschaft nichts gesagt habe;
die Böhmen sind auch nirgends angeredet; endlich, daß nach Bachmanns
eigenen und meinen Angaben außer dem genannten Herzog von Sachsen
auch noch eine polnische und eine bayerische Gesandtschaft mit Martin
Mair an der Spitze sich in Linz befand und dort hochpolitische
Dinge verhandelt wurden. Es wird also wohl bei dem frequentissimus
conventus bleiben müssen. Ich habe übrigens die Invektive unterdessen
im Programm des Augsburger Realgymnasiums teilweise herausgegeben
und dabei festgestellt, daß Zeit und Ort überhaupt — fingiert sind.

2. Im Verfolg des Reichstags von 1466 war eine Vermittlung der
Fürsten zwischen dem Papst und Podiebrad beschlossen worden. Ueber den
Wortlaut der den Gesandten mitzugebenden Instruktion entstand ein Streit
zwischen Heimburg und Martin Mair. Ich fand den Entwurf Heimburgs
in einem bereits bei Ermisch ohne Namensbezeichnung gedruckten Stücke,
den Mairs in clm 414. Dann heißt es bei mir weiter (S. 269): „Wir
wissen nicht, welcher von beiden Entwürfen der Gesandtschaft mitgegeben
wurde, aber zur Vermittelung war es schon zur Zeit der Beratung zu
spät, am 23. Dezember 1466 hatte der Papst in feierlichem Konsistorium
Podiebrad als rückfälligen Ketzer für abgesetzt erklärt. Erst Ende März
1467 brachte dann die kurfürstliche Gesandtschaft ihre Werbung in Rom
vor, natürlich ohne Erfolg." Dazu bemerkt Bachmann: „J. kennt einige
der auf die Gesandtschaft bezüglichen Meldungen" — Bachmann kennt nicht
eine einzige mehr als ich — „irrt aber wieder im Texte." In Bachmanns
Text wird nämlich von dem wie üblich auf die Absetzungsbulle folgenden
Gründonnerstagsfluch vom 26 März 1467 erzählt, und dann heißt es:
„Schon zuvor waren die sächsisch-brandenburgischen Gesandtschaften abgewiesen worden." Wer hier irrt, mag der Leser entscheiden.

3. Palacky hatte in den Fontes rerum Austriacarum, 2. Abt.,
Bd. 22, S. 647 ff. eine sehr interessante Apologie Podiebrads gedruckt,

---

Gabriel allerdings noch am 3. Februar 1467 in Rom [SS. rer. Siles. IX 220],
aber schon am 15. April schreibt der Papst an den Vikar und das Kapitel der Observanten, er habe Gabriel wieder nach Deutschland gesandt, um gegen Podiebrad thätig
zu sein (Wadding, annales minorum XIII, 400)."

dieselbe ins Jahr 1467 gesetzt und Heimburg zugeschrieben. [1]) In der Autorbezeichnung waren Markgraf und ich Palacky gefolgt, als Abfassungszeit hatte Markgraf 1466, ich Februar 1467 angenommen.

Bachmann dagegen erklärt S. 200, daß nicht Heimburg, sondern „ein Mann, der an Leidenschaftlichkeit ihm gleich und ganz offenbar von seinen Schriften beeinflußt war," der Vf. sei und daß die Schrift etwa 1469 geschrieben sei. B. bemerkt dabei: „Einen Satz wie: Sciebat (rex), per disputationes a d v o c a t o r u m et pugnas verborum magis ad subversionem quam ad inventionem perveniri veritatis. Hii sunt enim, qui docuerunt linguas suas loqui mendacium, diserti adversus iustitiam, dolis eruditi, sapientes, ut foveant malum, eloquentes, ut malum impugnent," kann man doch Heimburg nicht zuschreiben, sowenig wie die gleich darauf folgenden und andere Ausführungen." Aus den gleich darauf folgenden und den vorhergehenden Aeußerungen ist deutlich zu ersehen, daß mit den advocati hier die Sachwalter an der Kurie gemeint sind; warum Heimburg sich über diese nicht so, wie geschehen, hätte äußern sollen, ist schwer zu sagen. Aber selbst wenn man eine andere Stelle, [2]) wo von den procuratores vel advocati im allgemeinen abschätzig gesprochen wird, heranziehen wollte, würde auch dies nichts gegen Heimburgs Autorschaft beweisen, da er selbst sich auf keinen Fall zu den advocati gerechnet hätte.[3]) Aber nehmen wir einmal an, die Autorschaft Heimburgs wäre aus irgend welchen andern Gründen verdächtig, so müßte der unbekannte Vf. nicht nur von Heimburgs offiziellen Schriften beeinflußt sein, er müßte auch den ganzen Briefwechsel mit Witez u. a., vielleicht auch Heimburgs Apologie gegen Lälius gekannt und benützt haben.[4]) Doch dies ist ja an und für

---

[1]) Der Text bei Palacky ist stellenweise recht schlecht, ich gebe einige Verbesserungsversuche. Es dürfte zu lesen sein: S. 647 Z. 14 v. u. increpatus, quare; 648 Z. 1 saevitia autem, Z. 2 semper excrescente, Z. 22 tenuisse, moderatione tamen, ipsa . . magistra, praecipue custodita. Ipsi enim. 649, 25 struunt de suo; 649 Z. 28 causidicos gnaros, Z. 35 evaserunt, manipulos Roma; 653 Z. 1 non parvas summas; 653 Z. 9 haberet Nicolaus; 664 Z. 18 quid e subditis; Z. 34 illum quidem regem (?), apud quem; Z. 37 Quia vero; 655 Z. 24 manum militarem; 658 Z. 11 instare, tumultus; Z. 12 mentes linguasque; Z. 21 ac sese efferre; 659 Z. 4 vor annuisses fehlt etwa tractari posset; Z. 7 reducatur, regi; Z. 9 meminit? Z. 24 iniuriantur caracteres; Z. 37 correctionem; 660 Z. 23 tam divis premuntur malis; Z. 24 pressam malis; Z. 25 ipso iure (?) periclitari.

[2]) S. 652 Z. 2.

[3]) Vgl. Heimburg S. 114.

[4]) Vgl. zu S. 652 Z. 11 Freher-Struve II, 231: Sed verba mortuo feci, zu den Worten über den Kaiser S. 655 Z. 35 Freher-Struve II, 241 und Düx I, 502; ferner zu S. 652 Z. 15 Düx I, 508, zu S. 656, 36 Düx I, 512, zu S. 658, 27 Düx I, 508, endlich zu S. 647, 36 die erste Apologie SS. rer-Siles. IX, 185: ne crudelitatis insimulemur, si famam . . . defendere neglegemus.

sich bei einem Manne, der etwa Mitglied der Prager Kanzlei war, erklärlich und leicht möglich. Dieser müßte dann aber auch ganz so wie Heimburg humanistisch gebildet gewesen sein und grade so wie Heimburg eine besondere, den Feinden schon bekannt gewordene Vorliebe für Zitate aus Horazischen Satiren haben,[1] er müßte — und das scheint mir die Hauptsache — grade den Gedanken, den man als die fixe Idee Heimburgs bezeichnen kann, daß nämlich der Kaiser die Triebfeder aller Handlungen gegen Podiebrad und auch der Quell aller Uebel sei, durchaus zu dem seinigen gemacht haben und, grade wie Heimburg, ein Interesse daran haben, diesen mit Beispielen aus der Geschichte des Basler Konzils, der Neutralität und des Tiroler Streits zu belegen. Ich wüßte niemand, auf den all diese Merkzeichen auch nur soweit paßten, daß ein Zweifel an Heimburgs Autorschaft berechtigt schiene.

Besser sieht es mit der chronologischen Festsetzung Bachmanns aus. Zwar sein Hauptargument, daß die Schrift nicht vor der Ernennung Roverellas zum päpstlichen Legaten neben Rudolf von Rüdesheim verfaßt sein könne, da stets von „legati" im Plural die Rede sei, ist nichtig, wie ein Vergleich mit Heimburgs Entwurf einer Gesandtschaftsinstruktion von 1467 zeigen kann,[2] aber richtig ist, daß die Schrift nach ihrem ganzen Inhalt nicht verfaßt sein kann, bevor sich die Folgen des Krieges in Böhmen und Sachsen fühlbar machten,[3] also etwa Mitte 1469. Die Schrift früher anzusetzen, veranlaßte Palacky, Markgraf und mich vor allem der Umstand, daß die Schrift die Absetzung Podiebrads nicht erwähnt. Dies gewinnt nun eine andere Bedeutung. Es zeigt, daß die Schrift von einem Juristen verfaßt wurde, der alle nach der Vorladung vom 2. August geschehenen Schritte des Papstes als ungiltig ansah, weil dem Beklagten keine Gelegenheit zu richtiger Verteidigung gegeben worden war. Grade das aber ist Heimburgs Standpunkt, ganz ebenso hat er die Stadt Nürnberg gegen Albrecht Achill, den Herzog Sigismund von Tirol gegen Kusa verteidigt.[4] Danach fällt also die Schrift in die Zeit, wo Heimburg bereits

---

[1] Vgl. die Aeußerung des Lälius (Heimburg 100[1]). In der Apologie ist besonders die 3. Satire des 2. Buchs von S. 654 Z. 13 an stark benutzt. Vgl. ferner zu S. 56 Z. 27 Ars poetica 113, zu S. 658 Z. 3 Epod. 5, 88.

[2] Ermisch, Studien S. 113: ›Cui oper ilegati sanctitatis vestre..... superintendentes.‹ Es sind also offenbar mit legati die päpstlichen Emissäre im allgemeinen gemeint.

[3] S. besonders S. 659 Z. 11 ff. die Erwähnung der Kreuzfahrerschaaren; dann ›extincta est latronum crudelitas et ad bellum militare perventum est.‹ Also die Kreuzfahrerbewegung ist bereits verlaufen. Vgl. auch S. 652 Z. 20 ff. und auch S. 653 Z. 25 ff.

[4] S. Heimburg S. 239 Anm. 7.

keinen direkten Einfluß auf die böhmiſche Politik mehr beſaß, ſie iſt eine Privatarbeit, die, wie ich bereits in der Monographie hervorhob, einen Erfolg nicht gehabt hat.

II.

Ich benutze die Gelegenheit, ein Schriftſtück mitzuteilen, das ich der Güte des Herrn Dr. Beckmann, Mitarbeiters der hiſtoriſchen Kommiſſion in München, verdanke. Es findet ſich in cod. 107, einſt 202 der Lütticher Bibliothek S. 140[b] und lautet:

Venerabili et circumspecto viro domino magistro Georgio Heymburg utriusque iuris egregio doctori[1]) etc. quicquid reuerencie et famulatus potest. — Venerabilis domine mi et pater, ad condecentis status apicem vos conuolare tota anima desidero, cum itaque palam sit, dominum meum Maguntinum, vere iustum, rectum et simplicem, cum toto clero sitire personam vestram tamquam strennuum executorem iusticie et utilem consiliarium ad dirigenda negotia ecclesie Maguntine atque volentem vos sallariari ea summa, qua defunctus archiepiscopus Maguntinus vos sallariauit. Verum attenta domini nostri archiepiscopi supradicti probitate et rectitudine non dubito, quin dirigentem ipsum in tramitem iusticie et callem rectitudinis sublimabit et conualere faciet ad apicem status condecentis. Quare, venerande domine mi et pater, exhortor, requiro et supplico omni, quo possum, affectu vobis, quatenus pronunc sallario antiquo, quod modicum seu parvum differt a ducentis florenis pro nunc a vobis pro sallario desideratis contentus ad nos et partes nostras remeare velitis, inibi permansurus consolando[2]) nos orphanos. Quo facto sencietis in effectu festinanter vos crescere in statu, honore et diuiciis, quoniam renera frequenter eritis ad latus domini Maguntini supradicti. Ipse enim nullatenus admittit consiliarios deuiantes, prout defunctus archiepiscopus fecit, sed sequitur consilia saniora domini decani ecclesie Maguntine et aliorum sapientium et dirigentium in viam salutis eterne. Et ampliore industria vestra per eum comperta eritis magnificus sibi et omni populo et sublimis in statu, honore atque diuiciis, facientes (?) in praemissis, ut confido. Scriptum Maguncie etc.

---

[1]) Das Datum der Promotion Heimburgs im kanoniſchen Recht iſt jetzt durch Luſchin v. Ebengreuth i. d. Sitzungsberichten d. Wien. Akademie, philoſ.=hiſtor. Klaſſe, Bd. 124, 1, 23 feſtgeſtellt. Es iſt der 7. Februar 1430. Bereits am 13. Januar erſcheint Heimburg als dr. legum.

[2]) cod. consulando.

Der Brief ist seinem Inhalt nach nicht lange nach dem Tode des Erzbischofs Konrad [† 10. Juni 1434] an Heimburg gesandt, als dieser wahrscheinlich noch in kaiserlichen Diensten war (Heimburg S. 37 ff.). Der Schreiber ist ein Mainzer Geistlicher, vielleicht Johann von Lysura, der für den neuen Erzbischof Dietrich von Rom das Pallium holte. [1] Der Brief bestätigt zunächst die bisher nur aus der Invektive des Gabriel von Verona bekannte Thatsache, daß Heimburg aus dem Mainzer Dienst in Unfrieden geschieden ist. Die Gründe scheinen nach den Schlußsätzen neben der für Heimburg ja immer sehr wesentlichen Geldfrage doch auch politische gewesen zu sein. Leider ist über die Person des hier genannten Dekans Peter Echter von Mespelbrunn sehr wenig aus Gudenus und Joannis zu entnehmen. [2] Vielleicht aber führt diese Erwähnung doch zu weiteren Funden, die etwas Genaueres über Heimburgs noch immer nicht sehr geklärte Stellung zu den Parteien des Basler Konzils beibringen. [3]

Reuchlins Aufenthalt im Kloster Denkendorf.
Von F. X. von Funk.

Eine pestartige Krankheit veranlaßte J. Reuchlin im J. 1502, sich von Stuttgart einige Zeit in das benachbarte, heute im Oberamt Eßlingen gelegene Denkendorf zurückzuziehen. Der Probst des dortigen Klosters nahm ihn samt seiner Frau und seinem Gesinde gastfreundlich auf, und um sich für die Güte dankbar zu erweisen, hielt der gelehrte Humanist den Mönchen Vorträge über das Predigen. Aus den Vorträgen entstand der Liber congestorum de arte praedicandi ad reverendum patrem dominum Petrum praepositum in Denkendorf ordinis sancti Dominici sepulchri per Germaniam vicarium et visitatorem generalem, gedruckt in Pforzheim 1503. Das Widmungsschreiben an den Probst Petrus ist datiert vom 1. Januar 1503, und durch dasselbe erfahren wir von dem fraglichen Aufenthalt. Welchem Orden der Probst angehörte, ist hier genau angegeben. Heyd nennt ihn in der Tübinger Zeitschrift für Theologie 1839, S. 60, Peter Wolf. L. Geiger fügt aber in seiner Monographie über Reuchlin, 1871, S. 159, da in der Briefsammlung des Humanisten (Bibl. d. liter. Vereins, Bd. 126, S. 85) ein vom 16. April 1504 aus Ulm datierter Brief eines Petrus Siber, Provinzials des Dominikanerordens vorkommt, nach Peter in Klammern Siber bei. Dabei macht er allerdings ein Fragezeichen. Der

---

[1] Gudenus, codex diplomaticus IV, 216.

[2] Gudenus, a. a. O. IV, 209, 227. Joannis, rer. Mogunt. Vol. II, S. 219, 303.

[3] Vgl. auch die von mir im Neuen Archiv XVIII, 694 veröffentlichten Spottverse vom Basler Konzil.

Zweifel, dem er damit Ausdruck gab, hielt aber Klüpfel nicht ab, in dem Artikel Reuchlin der Herzogschen Realencyklopädie für protestantische Theologie und Kirche, 2. A. XII, 218 ohne weiteres von einem Dominikanerkloster Denkendorf zu reden und den Probst Petrus damit unbedingt zu einem Dominikaner zu machen. Die Sache ist völlig unrichtig, und ich wollte den Irrtum korrigieren, als ich den Artikel Reuchlin für das Kirchenlexikon, 2. A., verfaßte. Da aber die Rücksicht auf die gebotene Kürze die Aufnahme des Punktes verhinderte, möchte ich hier die Sache richtig stellen, damit der Irrtum sich nicht noch weiter verbreitet und in der Literatur einbürgert. Bei der Unwahrscheinlichkeit, daß ein Chorherr vom heiligen Grab zum Dominikanerorden übertrete und in kürzester Zeit, binnen 1¼ Jahr, zur Würde eines Provinzials vorrücke, hätte Geiger die fragliche Hypothese gar nicht wagen sollen. Noch weniger aber hätte Klüpfel den Probst von Denkendorf zu einem Dominikaner machen sollen, da er leicht hätte erfahren können, daß es im Dominikanerorden einen Probst nicht gibt, und da er als Württemberger wissen mußte, daß in Denkendorf nur ein Kloster vom Orden des hl. Grabes bestand, nicht aber oder nicht auch ein Dominikanerkloster.

Rezensionen und Referate.

Gothein (G.), Ignatius von Loyola und die Gegenreformation. Halle, M. Niemeyer. 1895. 8°. XII, 795 S. ℳ 15.

G., Professor der Nationalökonomie an der Universität zu Bonn, hat sich in dem vorliegenden Werk die Aufgabe gestellt, das Leben des hl. Ignatius von Loyola sowie die Entstehung und Ausbreitung der Gesellschaft Jesu eingehend zu schildern. Der Verfasser beschäftigt sich indes nicht bloß mit dem Jesuitenorden und dessen Gründer. „Ich durfte mich hiermit nicht begnügen," bemerkt er in der Vorrede. „Die Gründung des Jesuitenordens ist nur eine einzelne, freilich die folgenreichste Erscheinung der Gegenreformation; sie mußte im Zusammenhang mit der Kulturgeschichte dieser ganzen Epoche dargestellt werden. So will denn dieses Werk in vorderster Linie eine Kulturgeschichte der Gegenreformation sein ... Nur in dieser Umrahmung kann auch die Gestalt Loyolas, kann die Gesellschaft Jesu in ihrer Bedeutsamkeit hervortreten." Die inhaltreiche Studie ruht demnach auf breitester Grundlage, und dies wird man nur billigen können. Mit Prof. Dr. A. Weber (Hist.-pol. Bl. Bd. 110, 1892, S. 781) ist allerdings Referent der Ansicht, daß die religiöse Erneuerung, die in der katholischen Kirche im Anschluß an das Tridentinum sich vollzog, sehr unpassend als „Gegenreformation" bezeichnet wird. Auch ist nicht recht einzusehen, warum G. sein Werk eine „Kulturgeschichte der Gegenreformation" nennt. Da nebst der Geschichte des Jesuitenordens bloß die katholischen Reformbestrebungen jener Zeit behandelt werden, so wäre es wohl richtiger, von einem Beitrage zur Kirchengeschichte des 16. Jahrhunderts zu reden.

„Aus zwei Quellen ist die Gegenreformation entsprungen: aus der spanischen und aus der italienischen Kultur." Von diesem einleitenden Satz ausgehend, behandelt G. in einem ersten Buche (11—207) die „Genesis der Gegenreformation" in Spanien sowohl als in Italien. Das zweite Buch (208—467) macht uns mit Ignatius von Loyola und seinem Orden bekannt. Der Entwicklungsgang des berühmten Ordensstifters, die Gründung der Gesellschaft Jesu, die Ausbildung ihrer vielseitigen Thätigkeit, die Verfassung des Ordens: dies sind die Fragen, die in dem zweiten Abschnitt erörtert werden. „Die Truppe war organisiert, der Feldzugsplan bis ins einzelne überlegt; aber erst durch die Ausführung gewinnt er seine Bedeutung." Diese Ausführung schildert das dritte Buch (468—772). Zuerst erfahren wir Näheres über die Thätigkeit der Jesuiten an der Kurie und auf dem Trienter Konzil; dann wird deren Wirken in den romanischen Ländern und in den Missionen behandelt; ein weiteres Kapitel ist der Wirksamkeit der Gesellschaft Jesu in Deutschland gewidmet. Den Abschluß (773—78) bildet eine kurze Schilderung der letzten Lebensjahre und des Todes des hl. Ignatius.

Die bedeutende Arbeit zeugt im großen und ganzen von ernstem Studium. Der Verf. hat sich nicht damit begnügt, die einschlägigen gedruckten Quellen zu rate zu ziehen; er hat auch eingehende Forschungen in den Archiven zu München, Köln, Paris, Florenz, Neapel und Venedig angestellt und das mit großem Fleiße gesammelte Material mit gewandter Feder zu verarbeiten verstanden. Das Werk ist reich an schönen Partien, an feinsinnigen Bemerkungen, an interessanten Erörterungen. Allein so gern wir auch alle diese Vorzüge anerkennen, so können wir doch nicht umhin, ganz entschieden zu betonen, daß G. den Anforderungen, die man an einen Biographen des hl. Ignatius stellen darf, nicht gerecht geworden ist. Er selbst meint allerdings: „Das soll der beste Ruhm der protestantischen Geschichtschreibung sein, daß sie Werden und Wesen jenes merkwürdigsten Phänomens der Weltgeschichte, welches wir „katholische Kirche" nennen, am unbefangensten zu würdigen weiß" (10). Zu einer unbefangenen Würdigung wird aber doch vor allem ein gründliches Verständnis der zu würdigenden Dinge erfordert. Daher wurde auch beim Erscheinen des ersten Bandes von Pastors Papstgeschichte in Zarnckes Literarischem Centralblatt, 1886, Nr. 44, mit Recht bemerkt, daß Pastor als gläubiger Katholik „unzweifelhaft" zu einer richtigeren und zutreffenderen Auffassung von Personen und Verhältnissen" befähigt sei, „als sie einseitig akatholischen Forschern möglich sein würde." Daß aber G. den „einseitigen" akatholischen Forschern beigezählt werden muß, beweisen die zahlreichen Mißverständnisse, die vielen thatsächlichen Unrichtigkeiten und schiefen Beurteilungen, die in seinem Werke vorkommen.

In der Vorrede erklärt der Verf.: „Ich habe mehr eigentliche Theologie in die Darstellung hineinziehen müssen, als dem Historiker lieb sein wird." Nun ist aber gerade die Theologie die schwache Seite des Bonner Gelehrten. Daß ein protestantischer Laie, ein Professor der Nationalökonomie, in theologischen und kirchlichen Fragen nicht sehr bewandert ist, mag weniger auffallen. Auffallender ist es, daß man den Anspruch erhebt, Dinge, die man nicht genügend kennt, am unbefangensten würdigen zu können. Von den zahlreichen Irrtümern und Miß-

verständnissen, die ich mir notierte, mögen hier nur einige namhaft ge=
macht werden.

S. 208 wird behauptet, Ignatius sei am 31. Juli 1493 geboren,
G. hat wohl in irgend einer lateinischen Quelle den 31. Juli als dies
natalis des hl. Ignatius angeführt gefunden. Es ist ihm indessen ent=
gangen, daß in der Kirchensprache der Todestag der Heiligen als
Geburtstag in höherm Sinne bezeichnet wird. Thatsächlich ist Ignatius
am 31. Juli gestorben, während „der Tag und der Monat seiner Geburt
sich nirgends aufgezeichnet finden." [1]

Nebenbei sei bemerkt, daß G. ganz irrig das Jahr 1493 als Geburts=
jahr des Heiligen angibt. Nach der gewöhnlichen Annahme ist Ignatius
1491 geboren; doch lassen sich auch Gründe für das Jahr 1495 anführen.
So schreibt Polanco, der langjährige Sekretär des Heiligen: „Si eidem
Ignatio de vitae suae et de conversionis annis credendum est, potius,
ut ego quidem sentio, natus est ille anno Domini 1495. [2]

Die seltsame Behauptung (177), daß im 16. Jahrhundert Knaben
von zehn Jahren die Priesterweihe empfangen und Messe gelesen
haben, beruht auf einem Mißverständnisse. In der benutzten ungedruckten
Quelle ist wohl die Rede von sacerdotia, d. h. von kirchlichen Pfründen,
die damals Knaben von zehn Jahren verliehen wurden. Recht merkwürdig
ist die Art und Weise, wie G. (305) die Jesuiten von den übrigen Orden
unterscheidet: „Die andern Mönchsorden übten gewöhnlich nur aushilfs=
weise priesterliche Funktionen; der Orden der Jesuiten dagegen war eine
Gesellschaft von Priestern." Dinge, die einem Katholiken etwas Selbst=
verständliches sind, findet G. ganz „unglaublich," so z. B. daß Ignatius
angeordnet habe, die Stillmesse dürfe nicht länger als eine halbe Stunde
dauern (420). Anderswo spricht der Verf. (416) von dem „Begehen des
Amtes der hl. Jungfrau," wo es sich um das Rezitieren der Tagzeiten
(officium) der Mutter Gottes handelt; das „kanonische Missale der
Mutter Gottes," das S. 173 erwähnt wird, ist sicher auch von den Tag=
zeiten der allerseligsten Jungfrau (officium canonicum b. M. V.) zu ver=
stehen. Es sind dies nur Kleinigkeiten, die aber einem Forscher, der in
theologischen und kirchlichen Fragen mitsprechen will, nicht unbekannt
sein sollten.

Erheblicher sind indes die Irrtümer, die sich G. zu schulden kommen
läßt, wenn er sich auf das Gebiet der Dogmatik, der Moral und der
Mystik wagt.

---

[1] Genelli, Leben d. hl. Ign. v. L., in neuer Bearbeitung hrsg. v. B. Kolb.
Wien 1894, S. 4.

[2] Monumenta hist. Societat. Iesu. Matriti 1894. I, 9. Vgl. auch
Analecta Bollandiana. T. XIII (1894), 305.

In der Rede, die Lainez auf dem Religionsgespräch zu Poissy (1561) gehalten, hätte nach G. (596) der berühmte Jesuit „die Allgegenwart der Seele Christi, in der wir nach den Worten der Bibel leben, weben und sind, anerkannt.“ Ich sagte mir sofort, einen solchen Unsinn kann Lainez unmöglich gelehrt haben. Und in der That, als ich in der zitirten Quelle[1]) nachschlug, fand ich folgendes: „La divinità... sta non solamente in tutte l'hostie consecrate et parti loro minime, ma in tutto il mondo, secondo quello: Coelum et terram ego impleo“ Was Lainez von der mit der menschlichen Natur Christi vereinten Gottheit lehrt, hat G. von der menschlichen Seele Christi verstanden! Von demselben Lainez wäre auch „zum ersten Mal die Lehre von der päpstlichen Unfehlbarkeit entwickelt worden, für die bisher nur ein Ansatz in dem Ausspruch vorhanden war, daß das Konzil nicht über dem Papst stehe“ (496). Von den zahlreichen Theologen, die lange vor Lainez die päpstliche Unfehlbarkeit verfochten haben, weiß also G. nichts. Er möge doch einmal nachlesen, was z. B. der Dominikaner Konrad Köllin im Jahr 1523 über diesen Punkt gelehrt hat.[2]) Wenn übrigens G. einen richtigen Begriff von dem Dogma der päpstlichen Unfehlbarkeit hätte, so würde er es gar nicht so „seltsam“ (514) finden, daß Lainez, trotz seines Eintretens für die päpstliche Unfehlbarkeit, der Ansicht gewesen, der Papst könne als Privatperson in eine Häresie verfallen. Höchst seltsam ist folgende Behauptung (455): „So hat Ignatius die bedingte Unfehlbarkeit der Oberen verkündet, die zur unbedingten des Obersten, des Papstes, unbedingt führt.“ Also die päpstliche Unfehlbarkeit ist eine notwendige Folge der Lehre des hl. Ignatius von dem Gehorsam, den die Jesuiten ihren Obern schulden! Ignatius hat übrigens weder die bedingte Unfehlbarkeit der Obern verkündet, noch hat er sich für eine „Menschenvergötterung“ (455) ausgesprochen. Die angeführte Stelle, worin der Heilige die Untergebenen ermahnt, ihren Obern wie Christus dem Herrn zu gehorchen, beweist nichts. Dieselbe Mahnung findet sich schon bei dem Apostel Paulus (Ephes. 6, 5. 7; Colos. 3, 23. 24), wie sie auch bei allen großen Ordensstiftern wiederkehrt, z. B. bei Basilius (Const. mon. cap. 23), bei Benediktus (Regula, cap. 5) und andern. G. ist aber in allen diesen Fragen so wenig bewandert, daß er nicht einmal zwischen einer dogmatischen und einer polemischen Predigt zu unterscheiden weiß. Mehrmals wiederholt er, daß es Ignatius nicht eingefallen sei, „das Dogma vor das Volk zu tragen“ (283), daß es „allgemeiner Grundsatz“ der Gesellschaft Jesu gewesen, die Dogmatik von der Predigt „ganz auszuschließen“ (481), daß „an und für sich die Gesellschaft Jesu einer Mitteilung der Glaubenslehren an das Volk grundsätzlich widerstrebte“

---

[1]) Lainez, disputationes Tridentinae, ed. Grisar. Oeniponte 1886. II, 99.

[2]) Vgl. Zeitschr. f. kath. Theol. 1896, S. 59 f.

(726). Den Beweis dafür, daß es Ignatius aufs schärffte abgelehnt habe,
„das Dogma auf die Kanzel zu bringen" (321), findet G. in folgender
Inſtruktion des Heiligen an die Kölner Jeſuiten: „Auf die kontroverſen
Materien ſollen die Genoſſen zwar beſondern Wert legen, aber ſie nur in
privaten Geſprächen und nicht auf der Kanzel oder in öffentlichen Vorleſungen, außer auf beſondere Anordnung des Erzbiſchofs behandeln; denn
es ſei der ruhigere und ſanftere Weg, die katholiſche Lehre einfach
zu predigen, als Lärm mit Bekämpfung der Ketzer zu erregen." Der
Sinn dieſer Inſtruktion iſt doch klar genug: nur die polemiſche, nicht die
dogmatiſche Predigt ſolle vermieden werden. Oder wie wäre es denn
möglich, „die katholiſche Lehre zu predigen," ohne das Dogma auf die
Kanzel zu bringen? Bezüglich dieſes Punktes ſei noch auf eine andere
Stelle hingewieſen, aus der man zugleich erſehen kann, wie oberflächlich
G. hier und da bei Benutzung der Quellen zu Werke geht. S. 345 wird
ein katechetiſcher Leitfaden des hl. Ignatius erwähnt, wovon ſich „Reſte
bei einem Jeſuiten des 17. Jahrhunderts erhalten haben." Auch hier
„werden die Dogmen bei Seite gelaſſen, hingegen die Heilmittel der Kirche
eingehender behandelt." Wie groß war aber mein Erſtaunen, als ich den
betreffenden Autor[1] einſah! In einer Reihe von Kapiteln ſchildert der
Biograph das Jugendleben des Heiligen; ein eigenes Kapitel behandelt
deſſen Liebe zu Gott. Hier wird nun auf S. 202 kurz erwähnt, wie
der Heilige in der Chriſtenlehre ſo eindringlich zur Liebe ermahnte, wie
er auch forderte, daß man bei der Vorbereitung auf die Beichte Akte der
Liebe erwecke. Dies iſt alles, was Nolarci aus dem handſchriftlichen
Katechismus des Heiligen mitteilt; er hatte keineswegs im Sinne, den
Inhalt des Leitfadens näher anzugeben. Und doch ſtützt ſich hierauf G.,
um zu behaupten, Ignatius habe im chriſtlichen Unterricht die Dogmen
beiſeite gelaſſen!

Ueber Jeſuitenmoral, Probabilismus u. dergl. bringt G. verſchiedene
Ausführungen, die nichts weniger als ſachgemäß ſind. Auch die übliche
Phraſe von der „Stumpfheit des jeſuitiſch geſchulten Gewiſſens gegen die
Lüge" (545) darf nicht fehlen, während die lutheriſche Lehre von der
Rechtfertigung durch den Glauben allein als der „mächtigſte Impuls
der chriſtlichen Weltanſchauung," als „unbedingter Idealismus," dem „die
Zukunft des Chriſtentums gehört" (91 f.), gefeiert wird. Wir dürfen uns
wohl die Mühe erſparen, ſolchen Auslaſſungen gegenüber öfter geſagtes
zu wiederholen. Einige der hier in betracht kommenden Fragen ſind
bereits von W. Kreiten[2] berührt worden. Bloß ein Punkt, auf den G.
ein großes Gewicht zu legen ſcheint, möge hier hervorgehoben werden.

---

[1] Nolarci, vita del patriarcha Sant' Ignatio. Venetia 1687.
[2] Eine neue Ignatius-Biographie, in Stimmen aus Maria-Laach, Bd. 49,
1895, S. 527 ff.

Die Konstitutionen des Jesuitenordens verpflichten bekanntlich nicht unter
Sünde; doch wird die Uebertretung irgend einer Vorschrift zur Sünde,
wenn der Obere diese Vorschrift einem Untergebenen ausdrücklich kraft des
Gehorsams einschärft. Den Inhalt der Regeln kann aber der Obere nur
dann unter einer Sünde befehlen, wann und wo ein solcher Befehl für
das besondere Wohl des Einzelnen oder der Gesamtheit erforderlich erscheint.
Vgl. Constitutiones P. VI. cap. 5. Hierzu bemerkt nun G. (457):
„Also in die Hand des Oberen ist es gelegt, eine Handlung zu stempeln
zur gleichgiltigen oder zur Sünde. Nicht im Verstoß gegen ein Gesetz,
sondern im Verstoß gegen seinen Willen ist die Sünde belegen ... Wir
stehen hier vor der äußersten Konsequenz der jesuitischen Moral.
Wie der Ausgangspunkt Loyolas, das religiöse Abenteuer, der Entschluß,
ein Heiliger zu werden (G. vergleicht hierin Ignatius mit Don Quixote!
vgl. S 214), so bleibt auch dieses Ende an und für sich eine unbegreif=
liche Thatsache." Unbegreiflich doch nur für jene, die von dem Gelübde
des Gehorsams keinen Begriff haben. Was G. als die „äußerste Konsequenz
der jesuitischen Moral" bezeichnet, findet sich nicht bloß bei den Jesuiten,
sondern in allen Orden. In allen von der Kirche anerkannten Orden
haben die Obern das Recht, ihre Untergebenen in gewissen Fällen unter
Sünde zum Gehorsam zu verpflichten. In solchen Fällen ist es aber
keineswegs der Obere, der eine Handlung zur Sünde stempelt, sondern die
Sünde tritt ein, indem der Untergebene seinem Gelübde des Gehorsams
untreu wird. Solche elementare Dinge darf man nicht ignorieren, wenn
man über die Jesuitenmoral zu Gericht sitzen will. Auch sollte man sich
hüten, wenn man die angebliche Verschlagenheit der Jesuiten schildern will,
zu grundlosen Verdächtigungen seine Zuflucht zu nehmen. „Es ist ein
Meisterstück der Jesuiten gewesen," schreibt G. (736), „dem [böhmischen]
Volke seinen nationalen Glaubenshelden Hus ganz zu entziehen und einen
neuen, fabelhaften, den hl. Nepomuk, unterzuschieben; so keck haben sie in
keinem zweiten Falle Geschichte zu erfinden gewagt wie hier." Die Jesuiten
haben indes den „neuen fabelhaften" Heiligen nicht „erfinden" können, da
bereits vor der Gründung des Jesuitenordens der hl. Johannes Nepomuk
in Böhmen als Heiliger verehrt wurde. [1]

Ein guter Biograph des hl. Ignatius muß notwendigerweise eine
gründliche Kenntnis der Mystik und Asketik besitzen. Leider ist G. auf
diesem Gebiete, wenn möglich, noch unerfahrener als auf dem Gebiete der
Dogmatik und der Moral. Als wesentliche Momente der religiösen Mystik
gelten ihm (57) das Streben nach persönlicher Heiligung und der unmittel=

---

[1] Vgl. hierüber A. Frind, der hl. Johannes von Nepomuk. Prag 1870.
Hätte G. diese Schrift eingesehen, so würde er die schon längst widerlegte Behauptung
von O. Abel (Legende vom hl. Joh. v. Nepomuk. Berlin 1855) kaum wieder=
holt haben.

bare Verkehr mit Gott in vertrauensvollem Gebet, also Dinge, die jeder
katholische Katechet den Schulkindern einzuprägen pflegt, da sie zum Wesen
des Christentums gehören. Aus den paar Worten, die, wie oben (S. 565)
bemerkt worden, Nolarci aus einem handschriftlichen Katechismus des
hl. Ignatius mitteilt, folgert G. (345), daß Ignatius „ganz auf dem
Boden der spanischen Mystik stand," daß es ihm, „wie jedem Alumbrado,"
als die Hauptsache erschien, „die mystische Gesinnung selbst bei Kindern
und Bauern zu erwecken" An der betreffenden Stelle wird aber bloß
erzählt, wie der Heilige seine Zuhörer zur Liebe Gottes anzufeuern suchte.
Folgerichtig müßte in dieser Hinsicht auch der hl. Augustinus den
spanischen Alumbrados beigezählt werden, da dieser Kirchenlehrer in seiner
Schrift de catechizandis rudibus ebenfalls darauf dringt, daß man im
katechetischen Unterricht vor allem die Liebesgesinnung zu kräftigen suche.
Wenn jedoch G. in der Art und Weise, wie Ignatius die Liebe preist,
Anklänge an die spanische Mystik finden will, so lese er einmal in dem
Buche de imitatione Christi (III, 5) das schöne Kapitel de mirabili effectu
divini amoris. Auch was G. als das „Grundmotiv der gesamten spanischen
Mystik" bezeichnet, der „Zustand der Gelassenheit" (776), wird er ohne
jedwelche Mühe bei den deutschen Mystikern entdecken können.[1] Wie wenig
G. mit den Lehren der spanischen Mystiker vertraut ist, geht zur Genüge
aus folgender Behauptung hervor: „Bei sämtlichen Mystikern findet sich
in Spanien die unkatholische Geringschätzung aller Werke" (68). Wundern
muß man sich hierbei nur, daß die katholische Kirche mehrere dieser „un=
katholischen" Mystiker heiliggesprochen hat. Der Kuriosität wegen sei noch
erwähnt, daß G. der Ansicht ist, die spanische Mystik sei von der orienta=
lischen Mystik der Indier und Araber beeinflußt worden. „Durch die
spanische Mystik ist diese ganze orientalische Selbstbetäubung erst in den
neuzeitlichen Katholizismus gekommen" (63 f.).

Nach solchen Leistungen wird man von dem auf mystischem und
asketischem Gebiete so wenig erfahrenen Verf. kaum ein sachgemäßes Urteil
über die geistlichen Exerzitien des hl. Ignatius erwarten. G. bezeichnet
das Exerzitienbüchlein als „wunderlich" (227). Wer aber den hohen Nutzen
der Exerzitien aus eigener Erfahrung kennen gelernt hat, wird mit weit
größerm Recht G.'s Auslassungen über das Buch höchst wunderlich finden.
Behauptet doch der Verf. ganz kategorisch, die Methode, die Ignatius in
den Exerzitien befolge, sei ein „Irrweg," und zwar ein sehr bedenklicher
Irrweg. Daß Ignatius die Exerzitien „zu einer bloßen Schulübung des
Geistes machte, die ihren Zweck nicht in sich selber trägt, mußte ihn auf
die schiefe Bahn treiben, auf der selbst der höchste Schwung des Gemütes

---

[1] Vgl. Denifle, das geistliche Leben. Blumenlese aus den deutschen Mystikern
des 14. Jahrh. Graz 1880. S. 485. H. Seuse, deutsche Schriften, hrsg. v. Denifle
München 1880. 1, 233 ff. 525 ff.

zur Unfittlichkeit verkehrt würde" (236). Mit demfelben Rechte könnte
eine jede Predigt, eine jede Erbauungsfchrift, die uns die Glaubens=
wahrheiten vorftellt, um uns zur Tugend anzuleiten, als ein zur „Unfitt=
lichkeit" führender „Irrweg" bezeichnet werden. Wie kann man aber
Ignatius und deffen Stiftung unbefangen würdigen, wenn man die Exerzitien
nicht verfteht? Treffend heißt es im Freiburger Kirchenlexikon VI²,
13, 79: „In den Exerzitien drückt fich Idee und Geift des Ordens am
vollftändigften und lebendigften aus; oberflächliche oder irrtümliche Auf=
faffung derfelben hat jedoch fchon öfter zu völlig fchiefer Beurteilung und
Mißkennung des Ordens geführt."

Es gibt noch einen andern Grund, warum G. fich nicht leicht zu
einem Biographen des hl. Ignatius eignet. Ein proteftantifcher Forfcher[1])
hat vor kurzem behauptet, daß „innige Zuneigung" zur Perfönlichkeit, die
gefchildert werden foll, „bei einem Biographen fchwer entbehrlich" fei.
Von „inniger Zuneigung" zum hl. Ignatius kann aber bei dem neuen
proteftantifchen Biographen keine Rede fein. G. läßt vielmehr feine
Antipathie gegen den „Antiluther" oft genug an den Tag treten. Zwar
findet er auch gutes an Ignatius. Wiederholt fpricht er mit Anerkennung
von deffen hohen Eigenfchaften und ftaunenswerter Thätigkeit. „Soweit
er fich auf hiftorifche Monumente ftützt," fchreibt ein Rezenfent in den
Hift.=pol. Blättern, Bd. 117, 1896, S. 79, „entfteht auch unter
feiner Hand ein bewunderungswürdiges Heiligenbild." Hätte er fich doch
ftets treu an die Quellen gehalten, verfchiedene ungerechte Befchuldigungen
und gehäffige Bemerkungen würden dann weggeblieben fein! Es genüge
hier, bloß die eine und die andere Verdächtigung, die den Zweck haben,
die Wahrheitsliebe des hl. Ignatius in Zweifel zu ziehen, im Namen der
hiftorifchen Kritik zurückzuweifen.

Seine „ganze Zweizüngigkeit" foll Ignatius den Opfern der portugie=
fifchen Inquifition gegenüber bekundet haben. „Die Neuchriften hatten
einen Gefchäftsträger, Diego Hernandez, in Rom; man hatte ihn an
Ignatius gewiefen, und diefer gab fich mit ihm ein mehrftündiges Stell=
dichein im Pantheon. Sie fchieden als die beften Freunde. Hernandez
hatte beim Sakrament auf dem Hochaltar gefchworen, er wünfche nichts
als das größere Seelenheil der Bekehrten, und Ignatius leiftete denfelben
Schwur. „Aber damit meinte ich," fchreibt er in einem Briefe, „wenn
die Inquifition gefetzmäßig eingerichtet ift und ihre Pflicht gut thut, fo
dürfe man ihr kein Hindernis bereiten, befonders wenn fie keinen weltlichen
Vorteil aus ihrer angewandten Mühe zieht." Diefen „fchlechten Streich"
habe Ignatius mit großem Behagen erzählt (612). Hier hat fich jedoch
G. durch Druffel irreführen laffen. Letzterer, der zuerft auf den

---

[1]) G. Löfche, Joh. Mathefius. Ein Lebens= und Sittenbild aus der Re=
formationszeit. Gotha 1895. I, 547.

„schlechten Streich" aufmerksam gemacht,[1] hat den Brief des hl. Ignatius an den Jesuiten Rodriguez[2] falsch verstanden. Obschon in der Zeitschr. für kath. Theol. VI, 383, die irrige Uebersetzung gerügt wurde, so hat man doch seitdem Druffels „Entdeckung" gegen Ignatius und die Jesuiten oft verwertet. So konnte F. Getz[3] nicht umhin, Loyolas „Doppel= züngigkeit" an den Pranger zu stellen; auch G. Kawerau[4] berief sich auf Druffel, um zu zeigen, „wie Ignatius selbst mit dem Eide spielte und mittelst reservatio mentalis kaltblütig das Gegenteil dessen beschwören konnte, was er meinte." Umsonst wiesen die Bollandisten[5] auf die „in= concevable légèreté" der Verdächtiger hin; die „unglaubliche Leicht= fertigkeit" hat sich auch G. zu schulden kommen lassen. Und doch ist der Sinn des Briefes deutlich genug. Nach dem spanischen Text sagt Ignatius: „Ich schwur ihm (Hernandez) beim heil. Sakrament, daß ich denselben Wunsch hege wie er, nämlich das Heil aller bekehrten Seelen, daß ich aber dennoch der Meinung sei, „y con esto yo sentia,‘ man dürfe den Inquisitoren kein Hindernis in den Weg legen." So mußte ihn Hernandez verstehen, und so hat er ihn auch verstanden, wie sein weiteres Benehmen beweist. Denn statt zu danken, statt sich zu freuen, daß nun Ignatius mit ihm übereinstimme, fährt er fort zu drängen, häuft Worte und Beweise, um den Jesuitengeneral auf seine Seite zu bringen. Diesem lästigen Drängen gegenüber erklärte jedoch Ignatius, man solle die Zeit nicht ver= lieren, er könne nach seinem Gewissen nicht anders urteilen: „Tandem, él queriendo siempre traerme razones y para hablarnos mas largo, yo le die, cortando otros conciertos, que en aquella materia no perdiese tiempo conmigo, ni seria bien que yo perdiese con él, porque conforme mi conciencia otra cosa no sentia." Wer sich hierüber näher unterrichten will, der lese den Aufsatz von B. Duhr.[6]

Wegen eines Vorfalls, der 1554 im Collegium Germanicum sich zu= trug, wird Ignatius von G. geradezu als Lügner hingestellt. Zuerst wird berichtet, daß der Jesuit Peter Schorich am 29. September 1554 aus Rom an Kessel, den Rektor des Kölner Kollegs, schrieb, die „Mehrzahl" der deutschen Alumnen sei wegen hartnäckigen Ungehorsams entlassen worden (438, 771); dann heißt es weiter: „Ignatius suchte den üblen Eindruck möglichst zu vertuschen Er schrieb geflissentlich an Canisius nach Deutschland: es seien Ausstreuungen feindlicher Menschen, daß das Kollegium

---

[1] Ignatius v. L. an der römischen Kurie. München 1879. S. 12.

[2] Cartas de San Ignatio I, 142.

[3] Hist. Taschenbuch, VI. Folge. Bd. 12. 1892. S. 286.

[4] Möller=Kawerau, Lehrbuch der Kirchengeschichte. 1894. III, 212.

[5] Analecta Bollandiana XIII (1894), 72.

[6] Der Meineid des hl. Ignatius, in der neugegründeten Zeitschrift: Die Wahrheit. München 1896. S. 7 ff.

Germanikum geringen Erfolg habe; nur ein einziger Unverschämter
sei entlassen worden.... Dem Lehrer am Kollegium, der zur Unzeit ge-
plaudert hatte, Peter Schorich, war es nicht möglich, sich im Orden zu
halten" (771). G. hätte sich indes sagen sollen, daß Ignatius den miß-
lichen Vorfall, selbst wenn er es gewollt hätte, gar nicht hätte vertuschen
können; die zahlreichen entlassenen Schüler hätten ihn ja Lügen gestraft,
wenn er es gewagt hätte, zu behaupten, es sei nur einer fortgeschickt
worden. Thatsächlich ist der Brief an Canisius lange vor dem betreffenden Vorfall geschrieben worden. In den Cartas (VI, 439) ist
das Schreiben allerdings nicht datiert; aber bei Kardinal Steinhuber[1])
den G. (795) doch eingesehen hat, wird ausdrücklich berichtet, daß der
Brief am 29. November 1553 geschrieben worden, also fast ein Jahr
vor der Entlassung der unbotmäßigen Schüler! In einem Schreiben
vom 12. Oktober 1553[2]) hatte Canisius sich entschuldigt, daß er
keine Kandidaten für das Germanicum besorgt habe: „Ihr möget
wissen, daß der Sinn der jungen Leute hier sehr schwierig ist . . .
Wir hören überdies, daß die Zahl bis jetzt gering und der Erfolg bei
vielen Deutschen unbedeutend ist." Diese Bedenken suchte Ignatius in
seiner Antwort vom 29. November zu zerstreuen, indem er auf den günstigen Stand der Anstalt hinwies: „Die Zöglinge, 30 an der Zahl, lassen
hoffen, es werde einst etwas Tüchtiges aus ihnen werden. Wir wünschen
sehr, es möchte die Zahl der guten zunehmen; einen Unverschämten, der unter
die bessern aufgenommen worden, haben wir wieder entlassen." (Insolens
quispiam, inter meliores admissus, iterum dimissus est.) Die Worte:
„nur ein einziger," sind eine Zuthat Gothcins, der auch den Brief Schorichs
mit einer unglaublichen Flüchtigkeit eingesehen hat. Dieser Brief, der sich
zu Köln im Archiv der Studienstiftungen befindet,[3]) und dessen wichtigste
Stellen mir von befreundeter Hand abschriftlich mitgeteilt worden sind, ist
nicht am 29. Oktober 1554 an Canisius geschrieben worden, wie G.
in der Anmerkung zu S 771 behauptet, sondern an Kessel, wie S. 438
richtig steht, aber nicht am 29. September, wie hier zu lesen ist, sondern
am 15. Oktober (17. Calend. Novemb). Von einer Entlassung der
„Mehrzahl" ist darin gar keine Rede; Schorich sagt bloß, daß einige,
nonnulli, fortgeschickt worden sind. Solche Beispiele zeigen, daß die Angaben, die G. aus handschriftlichen Quellen mitteilt, der Kontrolle
bedürfen.

Ich hatte mir übrigens, noch bevor ich den Inhalt des Kölner Briefes
näher kannte, gleich gesagt, daß hier ein grobes Versehen vorliegen müsse.
Daß die „Mehrzahl" der Schüler im Spätjahr 1554 nicht fortgeschickt

---

[1]) Geschichte des Collegium Germanicum. Freiburg 1895. 1, 17.
[2]) Steinhuber 1, 16.
[3]) Epistolae ad R. P. L. Kesselium. Pars I, f. 89a—90b.

wurde, schloß ich aus folgendem: Wie Polanco berichtet,[1] befanden sich
im Juli 1554 etwa 60 Alumnen in der Anstalt; im März 1555 dagegen
etwa 50, wie Ignatius selber[2] dem Kölner Kartäuserprior meldete. Da
aber i. J. 1555 nur noch ein Schüler aufgenommen wurde, da überhaupt
bei Lebzeiten des hl. Ignatius nur 57 Schüler eintraten,[3] so kann im
Spätjahr 1554 eine Entlassung der Mehrzahl nicht stattgefunden haben.
Noch sei bemerkt, daß G. den Austritt Schorichs aus dem Orden irrig als
eine Folge des Briefes an Kessel bezeichnet. Allerdings berichtet Polanco
unterm Jahre 1552 von Schorich: „Ab eadem (societate) misere defecit,
ut postea videbitur.“[4] Doch finden wir Schorich noch im Frühjahr 1556
in der Gesellschaft; auch war damals Ignatius noch zufrieden mit ihm.[5]

Ueber die großartige und erfolgreiche Thätigkeit der ersten Jesuiten
finden sich bei Gothein manche gute Ausführungen, obschon auch hier nicht
weniges zu berichtigen wäre. Mit vollem Recht wird betont, daß die
katholische Restauration in der zweiten Hälfte des 16. Jahrh. vor allem
den Jesuiten zu verdanken ist. Doch wird hier und da der Einfluß des
rührigen Ordens in allzu grellen Farben ausgemalt. Phrasen wie die
folgenden: „Das Resultat der Einwirkung der Jesuiten konnte kein anderes
sein, als die Romanisierung der deutschen Kultur“ (663 vgl. 768), „die
Jesuiten haben es mit der Zeit fertig gebracht, die Hälfte des deutschen
Volkes von der nationalen Kultur auf Jahrhunderte auszuschließen“ (671);
„durch Ignatius und seine Schöpfung, den Jesuitenorden, ist die Herrschaft
des spanischen Geistes in der katholischen Kirche entschieden worden“ (74),
„das Resultat der Gegenreformation ist in gewissem Sinne die Hispanisierung
der katholischen Kirche gewesen (11), solche hochtönende Phrasen machen
auf den denkenden Leser nur geringen Eindruck. Man darf dann wohl
auch fragen, was denn eigentlich G. sagen will, indem er schreibt (772):
„die Jesuiten haben den Katholizismus in Deutschland gerettet. Der Preis,
den unsere Nation hiefür hat zahlen müssen, liegt vor aller Augen.“ Der
Vf. meint hier wohl die konfessionelle Spaltung Deutschlands. Aber kann
denn vielleicht das Auseinanderreißen der jahrhundertelang bestandenen
kirchlichen Einheit den Jesuiten zugeschrieben werden?

Das Streben, zu zeigen, daß die neue Macht der Gesellschaft Jesu
in Deutschland nur „aus dem Bankerott des alten Katholizismus“ sich
erheben konnte, hat G. zu einem höchst ungerechten Urteil über die
katholischen Vorkämpfer des 16. Jahrh. veranlaßt; schreibt er doch (665):
„Vergebens bemüht sich die katholische Geschichtschreibung unsrer Tage, die
deutschen Gegner Luthers aus jenen Tagen auf ein höheres Piedestal zu

---

[1] Cartas IV, 231.
[2] V, 367.
[3] Steinhuber I, 36 ff.
[4] Monum. hist. S. Jesu II, 581.
[5] Cartas VI, 450.

stellen und immer neue, unbekannte Größen auszugraben; jeder Bericht
aus der Feder der wirklichen Vertreter der Gegenreformation, die die zer-
splitterten Kräfte des Katholizismus gestärkt und gesammelt haben, straft
sie Lügen. Wie verächtlich reden die Nuntiaturberichte, sowohl Vergerios
wie Morones, von Eck und seinen Genossen, mag auch jener seinen un-
würdigen Betteleien ein offenes Ohr leihen, dieser als der kluge Menschen-
kenner sich reservirt halten." G. scheint weder die Nuntiaturberichte noch
die neuere katholische Geschichtschreibung zu kennen. Letztere will ja bloß
die literarischen Gegner Luthers der Vergessenheit entreißen, und wer ist
denn berechtigt, sie hierin Lügen zu strafen? „Seit drei Jahrhunderten,"
klagt ein Jesuit in den Stimmen aus Maria-Laach Bd 31, 1886,
S. 48. „hat der Protestantismus alles gethan, die „großen" Männer
seiner Wiegenzeit zu beleuchten und die kleinen Männer nach ihrem Tode
noch groß werden zu lassen." Was haben wir Katholiken für unsere damaligen Vorkämpfer gethan? In der That, Männer wie Eck, Emser
Cochläus, Faber, Nausea, Billick und manche andere, die man
kaum dem Namen nach kennt, sind noch lange nicht genug gewürdigt
worden. Es mögen daher jüngere katholische Kräfte dies brachliegende
Forschungsgebiet nur eifrig bebauen; sie werden sich dadurch um die
historische Wissenschaft verdient machen! Treffend bemerkt ein protestantischer
Geistlicher[1]): „Unsere Kenntnis des Reformationszeitalters leidet an einer
Einseitigkeit oder doch Unsicherheit, so lange wir die Reformatoren und
ihre Freunde unvergleichlich genauer kennen als ihre Gegner. Wie wenig
wissen wir von dem Leben und Wirken der Männer, welche vor allem
auf literarischem Gebiet dem, was ihnen als „politisch-religiöse Revolution"
erschien, Einhalt zu thun suchten! Nicht wenige antireformatorische
Schriften liegen auf Bibliotheken verborgen, deren Verfasser nicht einmal
dem Namen nach bekannt sind. Und doch kann nur eine nähere Bekanntschaft mit diesen Kämpfern Antwort geben auf die Frage, wie es möglich
war, daß so viele Gebildete jener Zeit den reformatorischen Ideen feindlich gegenübertraten. Wer sich in dieser Literatur ein wenig umsieht, wird
bald erkennen, daß die gewöhnlichen Schlagworte zur Erklärung dieser
Erscheinung nicht ausreichen. Ohne Zweifel war Intelligenz und Borniert-
heit zu jener Zeit nicht so verteilt, daß jene allein bei den Reformatoren,
diese allein bei ihren Gegnern zu finden war."

G. beruft sich auf die Nuntiaturberichte Vergerios und Morones.
Da ich diese Berichte gleich nach deren Erscheinen mit der Feder in der
Hand gelesen habe, um alles zu notieren, was für die Geschichte der
katholischen Schriftsteller jener Zeit von Interesse ist, so wage ich es, G.
aufzufordern, auch nur einen Nuntiaturbericht namhaft zu machen, in dem
Vergerio mit Verachtung von Eck und dessen Genossen spricht. In

---

[1]) W. Walther, in der Histor. Zeitschr. Bd. 63. 1889. S. 311.

dem von Friedensburg veröffentlichten Bande ist derartiges nicht zu-
finden, wohl aber kommen mehrere Berichte vor, in denen Vergerio sich
lobend über die katholischen Vorkämpfer, über Eck, Faber, Cochläus,
Nausea, ausspricht.[1]) Wären diese Männer nicht, meldet er einmal nach
Rom (89), so würde die Lage noch viel schlimmer, der Abfall noch größer
sein. Eck insbesondere wird gerühmt als „dottissimo theologo e uno de
piu benemeriti lettrati di santa chiesa" (174).

Wahr ist es, daß Morone am Anfang seiner ersten Legation sich einmal über Faber und Nausea abfällig geäußert hat.[2]) Aber beim Abfassen
des betreffenden Berichtes war Morone, der damals abberufen zu werden
wünschte (122), offenbar verstimmt. Nicht bloß über die zwei Theologen,
auch über Ferdinand I und einige königliche Räte hat er in diesem Berichte
ein sehr unbilliges Urteil gefällt. Einige Monate später lautet sein Urteil
über den König und einige von dessen Räten ganz anders (182 f.), ebenso
wie er dann auch Faber und dessen Genossen Lob spendet (179. 209.)[3])
Von Eck und Cochläus hat Morone nie mit „Verachtung" gesprochen, wohl
aber hat er beide Männer mehrmals gelobt.[4]) Anfangs 1541, nach dem
Wormser Gespräch, empfahl Morone Eck der Liberalität des hl. Vaters
mit der Bemerkung: „perche in vero non ha pare. Et tanta virtu
et cosi segnalati servitii per la religione meritano molto maggiore
remuneratione."[5])

Von Eck insbesondere schreibt G. (665) noch folgendes: „Selbst in
Regensburg, während Eck offen und geheim Contarinis Aussöhnungswerk
zu hintertreiben suchte, entblödete er sich nicht, eben ihm eine Denkschrift in barbarisch rohem Latein über seine Ansprüche vorzulegen, eine
Mischung von widerlicher Demut und Großsprecherei, die, einem
solchen Manne überreicht, schon allein einen Einblick in die niedere Seele
ihres Verfassers verstattet." Ecks Denkschrift steht abgedruckt in Poli
Epistolae. Brixiae 1748. III. CCXXIX. Von „widerlicher Demut und
Großsprecherei" ist darin nichts zu finden, wie sich ein jeder überzeugen
kann, der das kurze Schriftstück einsehen will. Eck bittet darin, ihn endlich
in den Besitz einer Pfründe zu setzen, die ihm von König Ferdinand verliehen worden, in Rom aber seit längerer Zeit streitig gemacht wurde.
Die Pension betrug 20 Gulden. Das Geld begehrte aber Eck nicht für

---

[1]) Nuntiaturberichte aus Deutschland. Bd. I. Gotha 1892. S. 84. 88. 89. 141.
174. 507.

[2]) Friedensburg a. a. O. II, 123.

[3]) Vgl. auch die Lobsprüche, mit welchen die Nuntien Aleander und Mignanelli
Faber und Nausea überhäufen, bei Friedensburg III, 160. 288. 314. 403. 527 f.;
IV, 152. 257.

[4]) Vgl. die Aeußerungen über Cochläus bei Friedensburg II, 134 und in
der Zeitschrift f. Kirchengesch. III, 634.

[5]) Bei Lämmer, monumenta vaticana. Friburgi 1861. S. 336.

sich selbst, sondern für einen jungen Studenten: „Et sic· hactenus pendet negotium, et ille adolescens, cui ad studia donavi hanc pensionem, caret illa pensione." Zeugt denn dies von einer „niederen Seele"? Vielleicht wird es den Leser interessieren, zu erfahren, wie Contarini das Bittgesuch aufgenommen habe. Er sandte dasselbe sofort nach Rom an Kardinal Farnese mit folgendem Begleitschreiben, worin er sich sehr lobend über Eck äußert: „Mando a V. S. R. un Memoriale mandatomi dall' Ecchio, nel quale, come Ella vedrà, domanda una picola cosa; a me pare, che merita ogni favore, per esser persona quali-ficata et benemerita di quella Santa Sede, et per ciò l'ho raccommandato a V. S. R., che certo quest' huomo da bene merita ogni aiuto etiamdio in molto maggior cosa di questa."[1]) Ebenso an-erkennend äußerte sich Contarini über Eck in einem gleichzeitigen Briefe an Kardinal Cervini, dem er eine Abschrift des Gesuchs zugesandt mit der Bitte, „che voglia ajutare questo huomo da bene et molto bene-merito della Sede apostolica, ad ottenere quanto desidera, et massime essendo questa cosa di poco momento."[2])

Schließen wir mit dem hl. Ignatius. G. (778) nennt ihn einen Mann, „mit dessen Charakter sich die Nachwelt beschäftigen wird, so lange man Geschichte schreibt". Der neue Biograph hat sich Mühe gegeben, die hohe Bedeutung des merkwürdigen Ordensstifters nach Gebühr hervor-zuheben; doch ist es ihm nicht gelungen, uns ein wahrhaft objektives Bild des großen Heiligen vor Augen zu stellen. Man kann daher nur wünschen, daß bald von berufener Seite über Ignatius und dessen Werk eine Mono-graphie erscheine, die den heutigen Anforderungen genügt.

München. N. Paulus.

---

* **Reinhardt**, (H.), die Korrespondenz von Alfonso und Girolamo Casati, spanischen Gesandten in der Eid-genossenschaft mit Erzherzog Leopold V von Oester-reich, 1620—23. Ein Beitrag zur schweizer. u. allgem Geschichte im Zeitalter des dreißigjährigen Krieges, mit Einleitung und An-merkungen, hrsg. v. —. Friburgi Helvetiorum apud Bibliopolam Universitatis 1894, LXXXVII, 214 S., Groß 4⁰, fr. 7,50. [Collectanea Friburgensia. Commentationes academicae Universit. Friburgens. Helvet. Fasc. I.]

An Stelle der dem Index lectionum der Universität Freiburg i. d. Schweiz beigegebenen Abhandlungen sind die Collectanea Friburgensia

---

[1]) Dittrich, Regesten und Briefe des Carbinals Contarini. Braunsberg 1881. S. 335.

[2]) Poli Epistolae III, CCXXIX.

getreten, die von Prof. H. Reinhardt mit einem stattlichen Quartbande, dem vorliegenden Werke, eröffnet worden. Der Inhalt desselben bereichert nicht bloß die spezielle Landesgeschichte, sondern auch die allgemeine euro= päische Geschichte; denn in den Bergen der Ostschweiz stießen damals die Gegensätze der casa d'Austria österreichischer und spanischer Linie mit denen Frankreichs und Venedigs zusammen und verzweigten sich damit die Interessen der katholischen Kirche und des Protestantismus. In dem Laufe des 15. Jahrh. waren auf rätischem Boden, in dem Lande, das um die Rhein= und Innquellen liegt, drei Volksbünde entstanden, die in dem Beginn des 16. Jahrh. durch die Erwerbung der sogenannten Unterthanenlande, des Veltlin, der Herrschaft Worms und der Grafschaft Cläven ihre Macht nach Süden erweiterten. Gerade dieses Vorland, das schöne Thal der Abda von Worms (Bormio) bis an den Comersee, die Valtellina, gewann eine größere Bedeutung als Eingang und Schlüssel der wichtigsten Pässe nach Tirol und Süddeutschland, als das Herzogtum Mailand von Frankreich an die spanische Krone kam und Spanien, um diesen Besitz zu sichern, nach Norden hin durch die Verbindung mit den österreichischen Erbländern einen Rückhalt zu gewinnen suchte, in seinen Bestrebungen aber von Venedig und Frankreich bekämpft wurde. Die aus dem Widerstreit dieser Interessen entstehenden politischen Gegensätze in den Bündner Landen, in denen eine französisch=venetianische und spanische Partei sich befehdeten, knüpften an den religiösen Zwiespalt an, verschärften ihn und führten zu der Gewalt= that des 19. Juli 1620, dem sog. Veltliner Mord. Gegen die Okkupation des unteren Thales durch Spanien wehrten sich Venedig und Frankreich und erreichten in dem Madrider Vertrag vom 25. April 1621 die Zu= sicherung, daß die spanische Besatzung zurückberufen und der vorige Stand wieder hergestellt werden solle. Gewaltthätiges Vorgehen von seiten der Bündner („der Wormser Zug") gaben dann dem Gubernator von Mailand, Feria und dem Erzherzog Leopold, seit 1619 an der Spitze Tirols, den gewünschten Anlaß zu einer kombinirten Aktion, die wechselvoll verlaufen, an dem Widerstand der interessirten Mächte scheiterte. Die Einigung zu Avignon zwischen Frankreich, Venedig und Savoyen am 20. November 1622 behufs Ausführung des Madrider Vertrages bahnte die Liga derselben Mächte an, unterzeichnet am 7. Februar 1623, worauf Gregor XV, um den Ausbruch von Feindseligkeiten unter den katholischen Fürsten zu ver= hindern, intervenierte und die Festungen des Veltlins in seine Hände deponieren ließ, Mai 1623, eine vorläufige, aber keine definitive Lösung der Veltliner Frage, die noch lange die europäischen Kabinette beschäftigte und aufregte.

Für die ereignisvollen Jahre 1620—23 bietet nun Reinhardt einen wichtigen Beitrag durch Herausgabe des Briefwechsels der spanischen Gesandten in der Eidgenossenschaft, Alfonso und Girolamo Casate mit dem Erzherzog Leopold. Die beiden Casati, der Vater gestorben 7. Aug. 1621,

und der Sohn Girolamo, waren tüchtige Diplomaten und eifrige Vertreter
der Interessen Spaniens und der Politik Leopolds.

Die Einleitung stellt eingehend die Nachrichten über die Familie der
Casati und die Persönlichkeiten der beiden Gesandten zusammen und bietet
dann einen Einblick in die verwickelten Verhältnisse. Die Korrespondenz,
die aus dem Statthaltereiarchiv zu Innsbruck stammt, entwirft ein lebendiges
Bild des ganzen Verlaufs der Veltliner Angelegenheit in ihrer akutesten
Periode und liefert reiches Material zur Kenntnis sowohl der kriegerischen
Aktionen in den Bündnerlanden und der diplomatischen in der Eidgenossen=
schaft, wie der Bestrebungen des Erzherzogs speziell seiner Stellung zum
Madrider Vertrag, der seine Thätigkeit und Ansprüche ganz übergangen
hatte. Einen besonderen Wert erhält die Casati=Korrespondenz dadurch, daß
in ihr die Vertreter der spanisch=österreichischen und katholischen Interessen
zu Worte kommen, während die bisherigen Darstellungen der Bündner
Wirren nur aus den Berichten der Gegenpartei, aus französischen und
venetianischen Quellen schöpften. Der Text der Briefe und Beilagen ist
vom Herausgeber sorgfältig bearbeitet und scheint, soweit sich das ohne
Kenntnis der Vorlage behaupten läßt, getreu dieselbe wiederzugeben. Die
Benutzung ist wesentlich erleichtert durch das den einzelnen Nummern vor=
gesetzte Regest, die sachlichen, oft eingehenden Anmerkungen und Erläuter=
ungen und das Personenregister am Schlusse. Wir hoffen, dem verdienten
Herausgeber auf dem Gebiete, dem bereits zwei frühere Abhandlungen
von ihm angehören („Beiträge zur Geschichte der Bündner Wirren 1618—20"
und „der Veltliner Mord in seinen unmittelbaren Folgen für die Eid=
genossenschaft"), noch weiter zu begegnen. Vor allem wäre er der geeig=
nete Bearbeiter der in den römischen Archiven und Bibliotheken so reichlich
vertretenen handschriftlichen Materialien zur Geschichte der affari della
Valtellina. Für die Fortsetzung vorliegender Publikation, die mit dem
Eingreifen des Papstes durch Annahme der festen Plätze des Veltlin und
der Grafschaft Cläven „in deposito" schließt, bis zum spanisch=französischen
Vertrag von Monzon 5. März, ratifiziert 9. Mai 1626, würden die
römischen Akten eine Hauptquelle bilden.

Münster i. W.   R. Pieper.

————

1. **Poullet** (P.), quelques notes sur l'esprit public en
   Belgique pendant la domination française (1795—1814).
   Par —, Gand, Imprimerie Eug. Vander. Haeghen, 1896.
   124 S.

2. — — les premières années du Royaume des
   Pays - Bas. (1815—1818.) Par — Extrait de la Revue
   générale. Bruxelles. Société belge de Librairie. 1896. 92 S. 8º.

1. Aus authentischen Berichten beweist der Vf., der würdige Nach=
folger seines Vaters, des Historikers Edmond Poullet, daß die allgemeine
Stimmung Belgiens der ersten französischen Republik gegenüber eine durch=
aus feindselige war und daß die Bevölkerung bei der ersten Gelegenheit
(S. 41) wieder unter österreichische Herrschaft zu kommen hoffte. — Als
solches jedoch nicht geschah, blickte sie dem Konsulate Napoleon I (S. 95)
erwartungsvoll entgegen, wie sehr auch, namentlich die Flamländer, dem
französischen Geiste abgeneigt waren, und obwohl z. B. eine große Anzahl
Schullehrer der französischen Sprache nicht einmal mächtig war (S. 89).
Beiläufig gesagt, haben sich die Verhältnisse heutzutage ganz verschieden
gestaltet, gibt es doch im vlämischen Lande gegenwärtig hunderte von
Beamten jeder Gattung, welche die v l ä m i s c h e Sprache nicht verstehen.
P. schöpfte seine Beweise vorzüglich aus den von diesem Standpunkt aus
nur wenig benutzten französischen Archives nationales zu Paris, und zwar
aus den Rapports sur l'esprit public, den comptes décadaires, den compte-
rendus analytiques de la situation, welche die betreffenden Agenten in
den verschiedenen französischen Departements an die Centralbehörde richteten.
Im J. 1795 wurde zu Gewaltmaßregeln geraten, „um aus Belgiern und
Deutschen das möglichste herauszupressen, sie einen Teil der Assignaten be=
zahlen und eine gezwungene Anleihe schließen zu lassen." Alle althergebrachten
Nationalrechte wurden nunmehr aufgehoben und die Ausübung des Kultus
untersagt. Die Geistlichkeit mußte das priesterliche Gewand ablegen usw.
Infolge dieser Maßregeln hörte der Schulbesuch gänzlich auf (S. 18); die
Kinder wurden nur noch in die Zeichenstunde geschickt.

Die Unzufriedenheit wuchs von Jahr zu Jahr, so daß schließlich die
sonst französisch gesinnten „Patrioten" keine Regierungsämter mehr an=
nahmen. Andererseits waren die Mißbräuche so groß, daß die Regierungs=
kommissäre sich selbst über die Habsucht der untergeordneten Beamten be=
klagen (S. 27). „Statt sich zu läutern, werde der öffentliche Geist mehr
und mehr verdorben," schrieb Mallarmé i. J. 1798, was er durch zahl=
reiche Beweise erhärtet „Man müsse französische Kolonien für die Belgier
gründen, es bleibe kein anderes Mittel übrig."

Die Polizei wurde immer unfähiger, die Widerspenstigen zu zügeln,
und man vermochte nichts gegen die Räuberbanden, welche die Wälder
durchzogen. Schließlich kam das Konkordat und das Konsulat Napoleons,
eine bessere Zeit schien anzubrechen und die Geister beruhigten sich einiger=
maßen. Im J. 1816 wurde der Kaiser sogar von den ausschließlich nieder=
ländisch gesinnten Dichtern mit Jubel begrüßt. Die französische Beamten=
welt jedoch stand den Eingeborenen stets fremd gegenüber (S. 69). Unter
den Flamländern entstand Mißtrauen gegen ein Regiment, das ihnen eine
neue „schöne Literatur" versprach (S. 83); sie fürchteten die Beeinträchtigung
ihrer Nationalsprache. So hieß es denn auch in einem Rapport: die
Belgier ließen sich ebensowenig wie die Holländer und Deutschen „Wohl=

thaten" erweisen, wenn nicht zuerst ihr Geist darauf vorbereitet worden sei
(S. 91). Die Leute seien kalt, träge und schüchtern; in ihren eigenen
Angelegenheiten oder zur Verteidigung dessen, was sie immer noch ihr
Vaterland nennen, könne man ihnen übrigens nicht den Mut absprechen
(S. 95). Im J. 1806 stieß der neue Katechismus auf heftigen Widerstand,
und 1811 fühlte man, daß Napoleon ein Schisma hervorzurufen trachtete.
Und während Napoleon auf diese Weise bei der Geistlichkeit eine feindliche
Gesinnung hervorbrachte, kehrte sich auch der Adel immer mehr von ihm
ab. Die zunehmenden Militärsteuern gaben schließlich den Ausschlag: die
Eroberung Belgiens durch die Alliierten wurde beschlossen. Nach 20jähriger
Unterjochung ward Belgien bis auf Antwerpen und einige Festungen in
wenigen Tagen geräumt (S. 123).

2. Der Vf. hat im Wiener und Pariser Archiv das Material zu
diesem Aufsatze entdeckt, in welchem uns manches neue aus der Regierung
König Wilhelms I der Niederlande mitgeteilt wird.

So erfahren wir zunächst, daß die Brüsseler Diplomaten das König=
reich Belgien gleich nach seiner Entstehung für lebensunfähig hielten und
dasselbe nur als einen Uebergang zur revolutionären Bewegung Frankreichs
betrachteten. Indessen „erblickten die Liberalen aller Länder in Wilhelm
das Vorbild eines aufgeklärten (éclairé) Monarchen." Durch die Gründung
des neuen Königreiches waren Englands Wünsche erfüllt. Aus einem im
Wiener Archiv aufgefundenen Briefe des Barons von Feltz an Metternich
erhellt, daß er (Feltz) Oesterreich gegen die von England unterstützten
orangistischen Umtriebe gewarnt habe (1814). Dieser Brief ist in extenso
mitgeteilt.

Die meisten Konservativen hegten österreichische Sympathien; die
Liberalen dagegen hofften durch Oraniens Thronbesteigung auf eine „mit
den modernen Ideen übereinstimmende" Einrichtung. Holland war der
Vereinigung mit Belgien nicht sehr geneigt, obwohl es einer etwaigen
Vereinigung Belgiens mit Frankreich mit noch größerer Furcht entgegensah.
Im allgemeinen betrachteten ihrerseits die Belgier die gänzliche Vereinigung
mit Frankreich als „ein kleineres Uebel" als die Verbindung mit dem
Norden zu einem einzigen Reiche. Darum setzte auch La Tour du Pin,
der französische Gesandte, seine Regierung an, im Trüben zu fischen und
die wachsende Unzufriedenheit der Belgier zum Vorteile Frankreichs aus=
zubeuten. Dies geschah.

Solches sind die Hauptpunkte der verdienstlichen, mit neuen Belegen
illustrierten Arbeit Poullets.

Löwen.   Alberdingk Thijm.

*Darmftädter (Paul), Das Reichsgut in der Lombardei und Piemont (568—1250). Mit einer Karte und zwei Karten=ſtizzen. Straßburg, Trübner. 369 S. ℳ 10.

Mit beſonderer Genugthuung muß konſtatiert werden, daß die Forſchung ſich in jüngſter Zeit mehr und mehr der ſo lange vernachläſſigten Unter=ſuchung der Schickſale des Reichsgutes zuwendet. Nach den ſchwachen Anſätzen, welche auf dieſem Gebiete von Frey (die Schickſale des kgl. Gutes unter den letzten Staufen), von Küſter (das Reichsgut in den Jahren 1271—1313) und von mir (Meiſter, die Hohenſtaufen im Elſaß mit beſonderer Berückſichtigung des Reichsbeſitzes und des Familiengutes der=ſelben 1079—1275) gemacht worden ſind, brachte uns das vorige Jahr die Arbeit von Overmann (ſ. Hiſt. Jahrb. XVI, 880), die ja auch die Beſtrebungen des Reichs zur Erwerbung eines großen Güterkomplexes zum Gegenſtand hat, und heute erhalten wir in vorliegender Unterſuchung eine umfangreiche und fleißige Bereicherung dieſer neuen Literatur. Freilich weit mehr noch wären wir dem Vf. zu Dank verpflichtet, wenn er das geſamte kgl. Gut in Italien einbezogen und in gleicher Weiſe behandelt hätte, denn wohl können die Grundzüge der kaiſ. Politik auch in dem enger begrenzten Territorium richtig erkannt werden, aber eine Geſamtwürdigung der kaiſ. Einkünfte aus Italien, ein vollſtändiges Bild für die dortige materielle Grundlage der kaiſ. Macht unter den einzelnen Herrſcherdynaſtien kann man nun immer noch nicht gewinnen. Es muß um ſo mehr bedauert werden, daß Vf. ſich dieſe engen Grenzen zog. Die Vollſtändigkeit des Materials in den Historiae patriae monumenta hat ihn dazu verlockt und hauptſächlich die Arbeit von Overmann hat ihn abgehalten weiter zu gehen und doch iſt leider bei Overmann die wirtſchaftliche Seite faſt ganz außer acht gelaſſen. So wird das Bild, das wir uns jetzt von den italiſchen Beſitzungen des Reichs machen können, — von Unteritalien ganz abgeſehen — noch ungleich ſein; es bleiben Lücken in demſelben, die noch ganz un=ausgefüllt ſind und andere wieder, wo noch die vollen Farbentöne fehlen, die wir nur für Piemont und die Lombardei gewonnen haben. Wir möchten hier dringend den Vf. ermutigen, weiter auf dieſem Felde thätig zu ſein und nun über die Grenzen der Lombardei und Piemonts nach Tuszien, Mittelitalien überhaupt und ſchließlich nach Unteritalien und Sizilien vorzudringen. Damit ſoll dem Buche an ſich kein Vorwurf gemacht ſein, denn, wie es hier vorliegt, hat es in dem ſelbſtgewählten engeren Rahmen tüchtiges geleiſtet. Die zeitliche Begrenzung der Unter=ſuchung iſt nur zu billigen, denn vor die Lombardenzeit zurückzugehen, hätte für dieſe Arbeit wenig Zweck gehabt, daß aber die nutzbaren Rechte wie Gerichtsbarkeit, Münze, Markt, Zölle ꝛc. ausgeſchloſſen wurden, das möchte man doch für eine empfindliche Beſchränkung des ſtofflichen Inhaltes halten.

Die Grundlage des späteren Reichsgutes ist ohne Zweifel in dem longobardischen Herzogsgute zu suchen, und eine erste größere Zentralisierung desselben auf den König bei der Thronbesteigung Autharis, als die Herzöge die volle Hälfte ihrer Güter dem Könige zum Unterhalte seines Hofes und seiner Verwaltung auslieferten, gab den ersten festen Grundstock für später. Die Nachfolger Autharis wissen diese Grundlage nicht nur zu bewahren, sondern sie erwerben noch Domäne auf Domäne hinzu, bis sie zuletzt das gesamte Eigentum der meisten longobardischen Herzöge an die Krone gebracht haben. Das Ergebnis der longobardischen Periode ist also eine beständige gewaltige Bereicherung des Krongutes, zumal da noch in dem früher byzantinischen Gebiete große Landstrecken erworben worden waren.

Die karlingische Zeit zeigt anderes Gepräge, es ist eine Zeit zahlreicher Vergabungen an Laien und an die Kirche. Die Gründe dafür sind einleuchtend, die fränkischen Herrscher hatten in Gallien und in Deutschland ausreichende Domänen zur Bestreitung der Bedürfnisse der Regierung und des Hofes, die geregelten Einnahmen aus der Reichsverwaltung machten die Anhäufung von Reichsbesitz in dem entlegeneren Italien ihnen überflüssig. Außerdem führte die enge Verbindung der Karlinger mit der Kirche von selbst zu reichen Schenkungen an dieselbe und es lag nahe, daß man dazu auch den italischen Besitz heranzog. Dazu kam, daß in Italien Aebte und Bischöfe vorwiegend als Verwaltungsbeamte verwendet wurden, man dotierte sie um so lieber mit Krongut, als Schenkungen an die Kirche gar nicht als voller Verzicht der Krone auf diese Güter galt. So kam es, daß neben den italischen Bischöfen und Aebten auch fränkische Kirchen in Italien mit Krongut ausgestattet wurden. Aber auch fränkische weltliche Große wurden in Italien dotiert in der Absicht nämlich, sich hier einen der Krone treu ergebenen Bestand fränkischer Großgrundbesitzer im fremden Lande zu verschaffen. Eine große Einbuße an Besitzungen des Reiches sieht Vf. in den Schenkungen, die Ludwig II und Lothar der Kaiserin Angilberga machten. Es ist indes eine noch offene Frage, ob durch Schenkungen der Könige an ihre Gemahlinnen das geschenkte Krongut, besonders die Morgengabe, als der Krone verloren gedacht wurde, ob dann die durch das Testament der Angilberga an S. Sisto in Piacenza übergegangenen Besitzungen dieser Kaiserin nicht in derselben Weise noch nicht ganz der Krone verloren waren, wie die Verleihungen durch Könige an die Kirche. Den größten Verlust an Reichsgut in Italien brachten aber die Wirren unter den letzten Karlingern und die Kämpfe der verschiedenen italischen Prätendenten um die Krone. Jeder bemühte sich natürlich, durch Verleihungen mit dem Reichsgute sich geistliche und weltliche Große als Anhänger zu gewinnen. Ein Denkfehler ist dem Vf. S. 34 passiert, wo er von der Einziehung der Güter Berengars von Ivrea sagt, daß „sie nichts für die Gestaltung des Krongutes austrug, da Berengar II wahrscheinlich schon bei seiner Rückkehr alle seine Besitzungen zurückerhielt und dazu noch nach Lothars

Tod 950 felbft den Thron einnahm". Den erften Grund könnte man fich
gefallen laffen, aber der zweite ift mir unverftändlich; da Berengar zum
Throne kam, wurde fein Eigengut nach den damaligen Begriffen Krongut,
alfo hat feine Thronbefteigung der Vermehrung des Krongutes — allerdings vorübergehend — Nutzen gebracht. Und Otto I hat fpäter gerade
die Befitzungen Berengars und Adalberts zum teile dem Reiche wieder
erworben. Im ganzen aber kennzeichnet die karlingifche Epoche eine ftarke
Verminderung des Krongutes in Italien.

In einem dritten Abfchnitte behandelt Vf. die Zeit der Ottonen und
Salier bis zum Aufftande Konrads (962—1093). Wieder ift er hier der
Anficht, daß der große Befitz der Kaiferin Adelheid dem Reiche verloren
war, und wieder fcheint mir eher eine Unterfuchung angebracht, inwieweit
die Kaiferin Befitzerin des ihr aus Krongut gefchenkten Beftandes wurde
und ob durch Weiterverleihung diefes Krongut dem Reiche ganz verloren
ging. Es fcheint dies vielfach nicht der Fall zu fein, und gerade bei
Adelheid muß Vf. zugeben, daß ein Teil der von ihr an S. Salvator in
Pavia gefchenkten Güter nachher wieder als Reichsgut nachweisbar find.
Die Ottonen befanden fich im übrigen in derfelben Lage Italien gegenüber
wie Karl d. Gr., fie waren darauf angewiefen, fich eine Partei im Lande
zu fichern, und fo verwendeten auch fie das Reichsgut als willkommene
Fundgrube für Vergabungen. — Mit Heinrich II begannen zuerft wieder
Rekuperationen von Reichsgut, die von Konrad II und Heinrich II energifch
fortgefetzt wurden. Vf. konnte ihre Maßregeln im einzelnen nicht nach-
weifen, aber er konnte konftatieren, „daß unter Heinrich IV eine größere
Anzahl von Höfen wieder königlich ift, die es unter den Ottonen nicht
gewefen waren." Und was diefe Könige dem Reiche eingebracht hatten, das ver-
ausgabten fie nicht in der Weife der Ottonen, wir wiffen nur von fehr wenigen
Schenkungen der Salier. Hatte fich fo der kgl. Domänenbefitz in Italien
unter ihnen ganz bedeutend gefteigert, fo nahm er jedoch unter Heinrich IV
wieder gewaltig ab. Die Empörung des Kaiferfohnes, der dazu Erbe der
reichen Markgräfin Adelheid von Turin war, zog auch das Reichsgut mit
in feinen Ruin.

Von 1097 bis 1172 befchäftigen fich die Könige faft nur mit dem
Mathildinifchen Gut; von den Reften alten lombardifchen Reichsgutes ift
kaum die Rede. Die etwa nötigen Verleihungen werden aus Mathildinifchem
Gute vorgenommen, offenbar weil das Reich diefes Gut nicht felbft behaupten konnte und auch feine Rechte daran nie ganz unbeftritten waren.
Das Mathildinifche Gut war an Umfang bedeutender als die noch übrigen
Refte alten Reichsgutes. Erft Friedrich I hat in Oberitalien wieder einen
gewaltigen Komplex von Domänenbefitz gefchaffen; feine wechfelnden
kriegerifchen Erfolge dafelbft haben auch die Größe diefer Güter wechfelnd
beeinflußt. Ein Zentrum derfelben lag in Piemont, ein anderes um Mailand, welche Stadt er dadurch auch wirtfchaftlich lahm zu legen fuchte, und

sein Hauptaugenmerk richtete er auf Gewinnung der Alpenpässe. Bis 1167 machte Friedrich dauernd Fortschritte, da warf der lombardische Aufstand sein System wieder über den Haufen. Jetzt legte er den Schwerpunkt seiner Wirtschaftspolitik nach Piemont und legte besonderen Wert auf die Verbindung mit Burgund, in der Lombardei gelang es vorläufig nicht mehr, große Komplexe zu behaupten, hier mußte er sich mit der Gewinnung strategisch wichtiger Orte und Burgen begnügen.

Mit Heinrich VI erfolgte der große Umschwung in der italienischen Politik der deutschen Herrscher, die sie von Oberitalien nach Unteritalien ablenkte. Der oberitalische Besitz mußte herhalten, um durch Verschenkungen und Verpfändungen unteritalischen Besitz zu erwerben und zu sichern; Heinrich VI veräußerte ihn mit vollen Händen. Was noch an Reichsgut dort übrig war, das ging dann nach seinem Tode verloren, als das Reich durch den Thronstreit zwischen Philipp und Otto in sich gespalten war. Otto IV begann zwar wieder einzugreifen, Friedrich II aber war lange viel zu viel mit Sizilien beschäftigt, um in Oberitalien etwas retten zu können; erst seit 1236 suchte er hier wieder einen Reichsbesitz neuzubegründen. Es gelang ihm auch, eine ansehnliche territoriale Macht hier zu erwerben, aber noch zu seinen Lebzeiten ging sie wieder verloren. Da mit 1250 die wirkliche Herrschaft Deutschlands über Italien ihr Ende erreichte, so bricht Vf. hier ab; die späteren Versuche von Rekuperationen hatten ja auch keinen dauernden Erfolg mehr, nichtsdestoweniger aber wäre eine Zusammen= stellung derselben wünschenswert.

Das zweite Buch gibt eine Uebersicht des Territorialbestandes des Reichsgutes in der Lombardei und Piemont.

Ein drittes Buch beschäftigt sich mit der Verwaltung, Bewirtschaftung und der rechtlichen Stellung des Reichsgutes. Das Quellenmaterial hiezu ist dürftig und die Resultate sind daher auch geringe. Bis zum 9. Jahrh. wird die longobardische Domänenverwaltung fortbestanden haben. Die eigentlichen Provinzial=Domänenbeamten, den fränkischen domestici ent= sprechend, waren die Gastalden; Unterbeamten als Verwalter einzelner Höfe waren die auch im Frankenreiche bekannten actores. Das Dahinschwinden des Reichsgutes, die Vergabungen zu Lehen, ließen nicht nur keine Weiter= entwicklung des Verwaltungsorganismus zu, sondern beschleunigten sogar das Verschwinden desselben; der Graf erhielt dann die Aufsicht auch über die Domänen. Das neue Reichsgut unter den Saliern bedurfte, wie Vf. ver= mutet, deshalb nicht besonderer Wirtschaftsbeamter auf den Höfen, weil die Abgaben ein für allemal fest geregelt, eine Kontrole des jedesmaligen Er= trages auf den einzelnen Höfen aber überflüssig war. Der Gattung nach war der kgl. Grundbesitz in Italien 1) städtischer Besitz, besonders Pfalzen, 2) Grundbesitz, zur Landesverteidigung dienend, insbesondere Burgen, 3) Grundbesitz, zu den Regalien gehörig, wie Zollhäuser, Märkte u. dergl., 4) Forsten und 5) Königshöfe. Die letzteren bildeten den größten Bestand=

teil des Krongutes. Ein besonderer Abschnitt behandelt daher die schwierige Materie der Beschreibung der Höfe, ihrer Bewohner, ihres Flächeninhaltes, ihres Wertes und ihres Ertrages. Am Südrand der Alpen gehörten besonders Olivenwaldungen dazu, und deshalb wurden hier gerade die deutschen Klöster ausgestattet, damit sie ihr Oel selbst ziehen konnten. Unter der Viehzucht soll die Schweinezucht die hervorragendste gewesen sein, die mitgeteilten statistischen Tabellen ergaben jedoch einen durchweg größeren Schafbestand; aber der Schweinehirt galt für vornehmer als der Schafhirt. Die landwirtschaftlichen Produkte wurden zumeist auf den Höfen selbst verarbeitet; es gab dort oft mehrere Mühlen, Oelmaschinen und Holzwerkstätten. Den Frauen dienten die Spinnstuben (genitium), wo Tücher und Bänder u. dergl. verfertigt wurden. Wertvolle, wenn auch oft vorsichtig zu verwendende, Angaben macht Vf. über die Formen der Bewirtschaftung, sowie einige Berechnungsversuche des Gutsertrages. Zuletzt wird kurz das zusammengestellt, was über die rechtlichen Verhältnisse des Krongutes sich vorfand, Privilegien und Bestimmungen, die zu einer Vermehrung oder Verminderung desselben beitrugen, An= und Verkauf u. dergl. Beigegeben ist ein Register der Ortsnamen und eine Uebersichtskarte der Krongüter, die besondere anerkennende Erwähnung verdient.

Bonn.   Al. Meister.

Neuere Kirchenrechtliche Literatur. [1]

1. **Galante** (Andrea), il diritto di placitazione e l'economato dei benefici vacanti in Lombardia. Studio storico-giuridico sulle relazioni fra lo stato e la chiesa. Milano, Ulrico Hoepli. 1894. X, 128 S. (Studi giuridici e politici. R. Università di Pavia. Istituto di esercitazioni nelle scienze giuridiche e sociali I). L. 2.50.

2. **Bendix** (Ludwig), Kirche und Kirchenrecht. Eine Kritik moderner theologischer und juristischer Ansichten. Mainz, Kirchheim. 1894. VIII, 190 S. M 2.40.

Von einem ähnlichen Standpunkt, wie ihn Emil Friedberg in seinem bekannten Werk 'Die Gränzen zwischen Staat und Kirche und die Garantien gegen deren Verletzung' (Tübingen 1872) einnimmt, hat Professor Francesco Ruffini, früher in Pavia, jetzt in Genua, in der italienischen Bearbeitung von Friedbergs Kirchenrecht (Trattato di diritto ecclesiastico cattolico ed evangelico del Dott. Emilio Friedberg. Edizione italiana. Torino 1893) die Geschichte der Beziehungen zwischen Staat und Kirche in Italien geschrieben (S. 90—131). Seine knappe, nichtsdestoweniger an

---

[1] S. Hist. Jahrb. XVI, 116.

Einzelnheiten reiche Darstellung feffelt auch den Lefer, der die prinzipiellen
Anschauungen des Vf.s nicht teilen kann.

Ein Schüler Ruffinis, Galante, unternimmt es nun, die Geschichte
des Placet und des Oekonomats der erledigten Benefizien in der Lombardei,
d. i. im Mailändischen, zu schreiben. Mit Recht bemerkt er nämlich:
le linee più salienti di queste relazioni (fra lo Stato e la Chiesa) ...
si rispecchiano meglio che non altrove nel diritto di placitazione
(pref. S. V).

In einer längeren Einleitung behandelt G. die Geschichte des Placet
in den verschiedenen Staaten Europas; ein besonderer Abschnitt ist der
Geschichte desselben in den alten italienischen Staaten gewidmet. Die
Darstellung G.s beruht hier zum größten Teil auf den oben erwähnten
Werken Friedbergs und Ruffinis. Wertvolle selbständige Forschungen enthält
der folgende Hauptteil der Schrift (S. 31 f.). Hatten schon früher Streitig=
keiten zwischen der Kirche und der Kommune von Mailand den Frieden
gestört, so war der Kampf mit den Päpsten unter den ersten Visconti
ein überaus heftiger. Der freie Verkehr mit dem apostolischen Stuhl ward
gehemmt, von Bernabò Visconti (1354—78) sagt ein päpstliches Aktenstück
(f. S. 38), daß keine Besetzung einer kirchlichen Stelle ohne seine oder
seines Ministers Geralbolus Zustimmung geschehen könne (f. auch S. 39
das Dekret Bernabòs v. J. 1372). Das Prinzip, wenn auch nicht stets
die Formen der Kirchenpolitik Bernabòs wurden auch von seinen Nach=
folgern festgehalten. Die ununterbrochene Reihe der Oekonomen für die
vakanten Benefizien beginnt mit dem J. 1412 (f. S. 42). Franz Sforza,
der Schwiegersohn des letzten Herzogs von Mailand aus dem Hause der
Visconti, erhielt von Nikolaus V, der kurz hernach auch den Herzogen von
Savoyen ein ähnliches Privilegium erteilte (f. Galante S. 28 und Ruffini
a. a. O. S. 117) i. J. 1450 das Versprechen, daß der apostolische Stuhl
die in den Staaten des Herzogs befindlichen Benefizien nur denjenigen
geben werde, für welche der Herzog selbst die Verleihung bei demselben
erbeten (f. S. 49, insbes. S. 51). Lodovico Moro widerrief zwar im
J. 1499 die Bestimmungen seiner Vorgänger, durch die die kirchliche
Freiheit eingeschränkt worden war (f. S. 64), doch konnte dies den Sturz
seiner Herrschaft nicht aufhalten.

Eine der ersten, Regierungshandlungen der neuen französischen
Herrschaft war ein Erlaß an die ‚banca d'udienza‘ des Generalvikars
des Erzbischofs von Mailand. In dem Aktenstück, das durch G. zum
ersten Mal veröffentlicht wird, verlangt Ludwig XII, daß der könig=
liche Kanzler und dessen Rat in Kenntnis gesetzt werden ‚de tutte le
Lettere, Bolle e Provvigioni Apostoliche, se vorrano mettere ad
esecuzione in questo suo dominio‘ (S. 66). Während die staatliche Gewalt
für die erledigten Benefizien Oekonomen aufstellte, hatten die Päpste nicht
unterlassen, für das Einheben der Früchte derselben Kollektoren zu ernennen

(S. 69). Um den Streitigkeiten, die das einseitige Vorgehen der beiden Gewalten notwendig mit sich brachte, ein Ende zu machen, ward unter Papst Clemens VIII bestimmt, daß der vom Staate aufgestellte Ökonom zugleich auch im Namen des Papstes fungieren solle. Es entstand das Amt des Economato Regio Apostolico. Der Inhaber desselben kam nicht selten in eine äußerst schwierige Lage; empfing er doch von den beiden Gewalten, in deren gemeinsamem Dienst er stand, oft entgegengesetzte Weisungen.

Spanien, an das noch in der ersten Hälfte des 16. Jahrhunderts die Herrschaft über Mailand gekommen war, suchte die Rechte, die es im eigenen Land gegenüber der Kirche in Anspruch nahm, auch im Mailändischen zu behaupten. Die Befugnisse des königlichen Ökonomats waren nicht klar umschrieben, noch weniger in dem Umfang, in dem sie geltend gemacht wurden, von kirchlicher Seite anerkannt. So gab das Institut des Ökonomats, dem auch die Erteilung des Placet und des Exequatur übertragen war,[1] zu einer Reihe höchst bedauerlicher Kämpfe Veranlassung. Die Sympathieen G.s neigen sich offenbar voll und ganz der staatlichen Gewalt zu, doch kann auch er das Unklare der Stellung des königlichen Ökonomen nicht leugnen. Das Bild, das G. von der spanischen Kirchenpolitik im Mailändischen entwirft, ist durch die Fülle der beigebrachten Details ungemein deutlich und anziehend; der Grundzug der spanischen Kirchenpolitik, zähes Festhalten an den in Anspruch genommenen Rechten, ohne es jedoch je zu einem vollkommenen Bruch kommen zu lassen, tritt uns auch hier klar entgegen. Als zu Anfang des 18. Jahrh. ein Teil der mailändischen Staaten an Piemont kam, ward dorthin auch der mailändische Ökonomat verpflanzt. G. teilt hierüber (S. 100 f.) aus dem Mailänder Staatsarchiv höchst wichtige, bisher unbekannte Urkunden mit. Der Vorgang hat umso größere Bedeutung, als die piemontesischen Gesetze später, allerdings mit Modifikationen, auf das ganze Königreich Italien ausgedehnt wurden. Es ist nun klar, daß die gegenwärtig in Italien herrschenden Gesetze über den Ökonomat in ihren Grundzügen auf Einrichtungen des Herzogtums Mailand zurückgehen.

Oesterreich hielt zunächst den alten Zustand in der Lombardei aufrecht; in der Folge ward aber auch das ius circa sacra in den Kreis der Reformen gezogen, die das Staatswesen ordnen sollten. Am 30. November 1765 ward eine Giunta economale, aus dem Generalökonomen und zwei Senatoren bestehend, gegründet; verschiedene Erlasse regelten die Kompetenzen dieser Behörde, der ebenso die Verwaltung der erledigten Benefizien

[1] In der Lombardei unterschied man zwischen Placet und Exequatur. Il primo, sagt G 94², si riferiva alla nomina dei provvisti ai benefici, il secondo invece riguardava l'esecuzione delle bolle, brevi, rescritti ecc. dell' autorità pontificia.

wie die Erteilung des Placet und des Exequatur zustand.[1]) Die italienische
Republik wie Napoleon als König von Italien hielten am Placetrecht fest.

Im letzten Abschnitt (S. 117 f.) schildert G. das gegenwärtig geltende
Recht. Im wesentlichen steht auch heute in der Lombardei rücksichtlich des
Benefizialwesens die österreichische Gesetzgebung in kraft. Dieselbe hatte
nach der Restauration die Normen der französischen Regierung nicht nur
in kraft erhalten, sondern auch vielfach ergänzt. Die allgemeinen Bestim=
mungen des Königreichs Italien in bezug auf die Oekonomate und die
Benefizien finden in der Lombardei nur insoweit Anwendung, als sie den
dort bestehenden Gewohnheiten und gesetzlichen Dispositionen derogieren.[2])
Hat auch die Schrift G.s für den Deutschen nicht das unmittelbare
Interesse, das sie durch die thatsächliche Geltung der in ihr geschilderten
Normen für den Italiener gewinnt, so steigert sich doch auch für ihn der
Wert, den die Darstellung des Verhältnisses zwischen Staat und Kirche
in einem Lande stets besitzt, durch die vielen Mitteilungen aus dem mai=
ländischen Staatsarchiv und der in Deutschland nicht zugänglichen italie=
nischen Literatur. Die Schrift ist allerdings nicht ohne einige Mängel. Im
allgemeinen Teil ist die Geschichte des Placet nicht bis auf die neueste
Zeit geschildert; es fehlt jeder Hinweis auf die belgische Verfassung vom
J. 1831, auf das Grundgesetz für das Königreich Holland vom J. 1848,
oder auf die preußische Verfassung vom J. 1850. Die Monographieen
von E. Mayer und Aug. Reinhard über die Kirchenhoheitsrechte des
Königs von Bayern (München 1884) konnten dem Vf. nicht leicht zu=
gänglich sein, leider war dies aber auch der Fall bei der beide Arbeiten
an Schärfe überragenden Darstellung von Max Seydel, Bayerisches Staats=
recht VI. Bd. 1. Abteil. (Freiburg 1892) S. 1 ff., S. 203 ff. Bei der
Wiedergabe der Aktenstücke haben sich manche Fehler eingeschlichen, so ist
S. 40 Z. 11 v. u. ac (fructibus) statt a, ebda. Z. 8 v. u, eligi statt
eligit zu lesen. Auch sonst finden sich Druckfehler, S. 3 Z. 12 ist Edoardo II
(statt III) zu lesen, das Concordat mit Frankreich wurde 1516 (nicht 1518)
abgeschlossen (f. S. 4); der ‚vescovo di Absburgo‘ (S. 15) ist der Bischof
von Augsburg; S. 7[3] ist ‚Friedberg op. cit. 553‘ zu lesen. — Der
Uebersichtlichkeit schadet es, daß nur selten Alineas gesetzt sind.

2. Es ist erfreulich, daß auch auf katholischer Seite den Anschauungen,
die Rudolph Sohm in seinem Kirchenrecht (Leipzig 1892) über das Ver=

---

[1]) Die Ausführungen über die Giunta economale, die Hans Schlitter
Pius VI und Josef II von der Rückkehr des Papstes nach Rom bis zum Abschlusse
des Concordats, Wien 1894, S. 28 ff. (Fontes rerum austriacarum. 2. Abtl.
Diplomataria et add. Acta. XLVII, 2. Hälfte) gibt, müssen nach der Darstellung
G.s korrigiert und ergänzt werden.

[2]) S. über die Oekonomate in Italien Ruffini a. a. O. S. 776 u. F. Geigel,
das italienische Staatskirchenrecht,[2] Mainz 1886, S. 52 f.

hältnis von Kirche und Recht geäußert hat, entgegengetreten wird. Der Vf., der vielfach auf die rechtsphilosophischen Schriften von Th. Meyer und G. v. Hertling sich stützen konnte und auch in den Praelectiones dogmaticae von Chr. Pesch (Bd. 1, Freiburg 1894) eine brauchbare Vorarbeit fand, erörtert den Begriff der Kirche, das Verhältnis von Gesellschaft und Recht und die rechtliche Natur der katholischen Kirche. In dankenswerter Weise bespricht B. die Ansichten, welche die Apostel und das ‚Urchristentum‘ von der Kirche als vollkommener Gesellschaft hatten. Die Darlegungen des Vf.s dürfen auf die prinzipielle Zustimmung aller katholischen Theologen rechnen; treten uns ja hier nicht neue Sätze entgegen, sondern alte Lehren in zum teil neuer Beleuchtung.

B. hat in ‚kürzester Frist‘ (f. die Vorrede) seine Arbeit fertig stellen müssen; so fallen einige Mängel des Buches, wie eine gewisse Nachlässigkeit des Ausdruckes und die unnötige Breite, die sich manchmal geltend macht, dem Vf. nicht ganz zur Last. Die Definition der Kirche, die S. 41 nach Bellarmin gegeben wird, scheint nicht aus erster Hand zu sein; sie steht auch nicht in c 1, sondern in c. 2 der S. 41[1] zitierten Schrift. Statt Harnack ist S. 163 Anm. Schürer zu lesen; der Vf. konnte hier die schönen Worte Maaßens (‚Ueber die Gründe des Kampfes zwischen dem heidnisch-römischen Staat und dem Christentum‘) anführen: ‚Wenn aber bei der damaligen Lage der Christen im römischen Reich das Gefühl der Vaterlandsliebe sich in Indifferenz verwandelte, oder gar in vollkommene Abneigung umschlug, so war das eine nicht im Wesen des Christentums begründete, eine lediglich vorübergehende Erscheinung‘. S. 156[1] ist statt Texten ‚Zeugen‘ zu lesen, wie der Vergleich mit dem lateinischen Original (contra omnes testes criticos) klar zeigt. Im Register (S. 190) fehlt der Name Singer (f. S. 11[1], 16[2]).

München.   Gietl.

Zeitschriftenschau.

1] **Deutsche Zeitschrift für Geschichtswissenschaft.**

1896. Bd. 12. H. 2. (Jahrg. 1894/95. H. 4.) **M. Döberl, Berthold von Vohburg-Hohen-burg, der letzte Vorkämpfer der deutschen Herrschaft im Königreich Sizilien. Ein Beitrag zur Geschichte der letzten Staufer.** S. 201—78. B. stammte aus dem Hause der Dipoldinger, kam früh an den Hof Friedrichs II und bekräftigte am Sterbebette des letzten staufischen Kaisers auch dessen Testament. D. nennt den Markgrafen den „letzten Vorkämpfer der legitimen deutschen Herrschaft". Das interessante Ergebnis dieses Aufsatzes ist der Nachweis, daß seit den Tagen Konrads IV die Wege der legitimen und illegitimen Descendenz Friedrichs II auseinander gingen, und daß „die Verteidigung der Rechte seines Neffen" nur eine viel und geschickt gebrauchte Phrase Manfreds war, welch letzterem die Gloriole als letzter großer Vertreter des staufischen Hauses genommen wird. Beigegeben ist ein mühsam zusammengesuchter Stammbaum der Dipoldinger Markgrafen. — **O. Seeck, die Entstehung des Indiktionencyklus.** S. 279—96. Knüpft an die Hypothese Savignys an, daß der fünfzehnjährige Indiktionen-cyklus die Censusperiode der späteren Kaiserzeit gewesen sei, und thut durch Proben dar, daß der Cyklus regelmäßig mit einer Schatzung begann, bestreitet aber Savignys Annahme, daß er mit einer Schatzungsperiode zusammenfiel. — **W. Becker, der Sachsen-spiegel und die weltlichen Kurfürsten.** S. 297—311. Erklärt zunächst die einschlägige Stelle des Sachsenspiegels und glaubt, daß Eike das Kurrecht Böhmens als suspen-diert ansieht, und daß er für das Vorrecht der Kurfürsten eine Begründung gibt unter Hinweis auf die Erzwürde der Betreffenden. Die in der Stelle ausgesprochene Theorie hat nach B. als Quelle eine schon um 1198 verbreitete Anschauung. Andere abweichende Wahltheorien zwingen nicht zu der Annahme, es habe neben der Ansicht des Sachsenspiegels eine andere verbreitete Anschauung über die Wahlordnung bestanden: Die Berichte über das Wahlverfahren widerlegen die Angaben des Sachsen-spiegels nicht; „dagegen findet für das Jahr 1237 sein erster Satz volle, sein zweiter zum Teil Bestätigung", und der von ihm geschilderte Zustand läßt sich sehr gut als Stadium in der Entwicklung des Kurfürstentums denken." Schließlich vermutet der Vf. noch, daß bereits der Wahlakt von 1169 unter der herrschenden Ansicht von einem Vorrang der Erzbeamten vollzogen ist. — **A Wießner, zu Prinzipat und Gefolg-schaft in der allgermanischen Verfassung. Interpretation von Kap. 13 der Germania des Tacitus.** S. 312—39. Bespricht sämtliche Deutungen der strittigen

Stelle und nimmt seinerseits das Wort ›dignatio‹ in seinem aktiven, transitiven Sinne. Er glaubt die Stelle so auslegen zu dürfen: Während die Wehrhaftmachung sonst in der kurz vorher erwähnten Art erfolgt, geschieht sie ausnahmsweise früher als sonst bei jungen Leuten, welche von hohem Adel sind, oder deren Väter sich große Verdienste erworben hatten und zwar dann durch einen princeps, wodurch ihnen eine Auszeichnung zu Teil wird. — **Kleine Mitteilungen.** A. Stern, **Hardenbergs Instruktion für Jordan 1817 in Sachen des Artikels XIII der Bundesakte.** S. 340—44. Druckt das Aktenstück ab, in welchem von einem wann und wie der Erfüllung des Artikels XIII über eine landständische Verfassung in den Bundesstaaten noch keine Rede ist. — W. Bröcking, **Bischof Eusebius Bruno von Angers und Berengar von Tours.** S. 344—50. Wendet sich gegen die Behauptung Schnitzers im Katholik (1892. Vgl. Hist. Jahrb. XIV, 884), daß die Lossagung des Eusebius von Berengar schon zwischen 1062 und 1065 erfolgt sei und hält an seiner Annahme fest, daß dieselbe nach der Februarsynode von 1079 stattfand.

2] Deutsche Zeitschrift für Kirchenrecht.

1895. 3. F. Bd. 5. H. 1. Götz, **zwei kanonistische Abhandlungen.** I. **Das Alter der Kirchweihformeln X—XXXI des Liber diurnus.** S. 1.—30. Die Kirchweih=formeln des Liber diurnus (ed. Sickel S. 9—22) gehen in einzelnen Teilen bis auf das Ende des 5. Jahrhs. (Gelasius I) zurück, werden im Laufe des 6. Jahrhs. immer mehr gebraucht und vermehrt, sind unter Gregor d. Gr. als fertige Formelsammlung, zu der er selbst einiges neu beigesteuert hat, im Kanzleigebrauch; die Kirchweihformeln bilden eine der ältesten, wenn nicht die älteste Teilsammlung des Liber diurnus. Dem Vf. der beachtenswerten Arbeit ist leider die Berliner Doktordissertation von Ulrich Stutz, die Verwaltung und Nutzung des kirchlichen Vermögens in den Gebieten des weströmischen Reichs (Berlin 1892) entgangen; dieselbe kommt (vgl. S. 56 f.) von einem andern Ausgangspunkte zu ähnlichen Resultaten wie G. S. 13 Z. 13 von unten ist ablata, ebenda Z. 12 von unten accipiet zu lesen. (f. Migne P. l. LXIX, 18 Nr. 4). — II. **Die Echtheit der fälschlich als Ep. Widonis ad Heribertum archiepiscopum Mediolanensem bezeichneten Decretale Paschalis I. Fraternae mortis.** S. 30—59. Nach G. sprechen gewichtige Gründe für die Echtheit des genannten Schriftstückes; dasselbe ist zum letzten Mal von Thaner in den Libelli de lite imperat. et pontif. I (1891), 5 veröffentlicht worden. Ein Stück desselben findet sich bei Gratian (c. 7 C. 1 q. 3). Die Beweisführung erscheint nicht als gelungen; G. berücksichtigt zu wenig bei der Diplomatik herkömmliche Einteilung der Urkunden (vgl. Breßlau, Handbuch der Urkundenlehre I, 42 f.). — H. Singer, **zur Frage des staatlichen Oberaufsichtsrechtes. Mit besonderer Rücksicht auf das Verhältnis des modernen Staates zur katholischen Kirche. I. Wesen und Begründung des staatlichen Oberaufsichtsrechtes. Zugleich ein Beitrag zur Würdigung der sogenannten „Koordinationstheorie".** S. 60—166. Bedeutungsvolle Arbeit, die nach den Quellen gearbeitet ist, sich aber mitunter im einzelnen verliert. Die Koordinationstheorie, die Kirche und Staat als gleichwertige Größen setzt, ist nach S. wissenschaftlich unhaltbar; unter den damaligen Verhältnissen ist nur das System der Kirchenhoheit des Staates praktisch durchführbar. Gegenüber Martens (Die Beziehungen der Ueberordnung, Nebenordnung und Unterordnung zwischen Kirche und Staat, Stuttgart 1877, S. 339), der behauptet, daß J. von Görres die Koordinationstheorie zuerst zur Geltung gebracht habe, weist S. nach, daß auch die Gallikaner und Febronianer im Prinzipe

38*

die Gleichberechtigung beider Gewalten lehrten; praktisch wurde allerdings die Kirche von ihnen dem Staate unterworfen. Die Verteidiger der kirchlichen Interessen in Deutschland zu Anfang unseres Jahrhs., wie Zirkel und Frey, räumten dem Staate noch sehr ausgedehnte Rechte ein. Erst Franz Otto Freiherr Droste zu Bischering, ein Bruder des Kölner Erzbischofs, suchte in seiner Schrift „Ueber Kirche und Staat" (Münster 1817) mit der Koordinationstheorie Ernst zu machen. S. erwähnt die verwandten Arbeiten von Scheill, Sommer, v. Sicherer. J. v. Görres, dessen prinzipielle Anschauungen über das Verhältnis von Kirche und Staat auch in der späteren Periode noch den Stempel seiner Zeit verraten, beruft sich, wie S. zeigt, ausdrücklich auf die Schrift Drostes. Einen entschiedenen Gegner fand die Koordinationstheorie in Adam Gengler, einem Mitschüler Döllingers. — Literaturbericht. S. 167—84. — Aktenstücke. S. 185—218. ● §. 2. Halban-Blumenstok (A.), die kanonistischen Handschriften der kaiserlichen öffentlichen Bibliothek in St. Petersburg S. 219—312. Kurze, aber immerhin dankenswerte Notizen. Spezielle Forschungen über einzelne wichtige Hss. sind zwar ausgeschlossen, doch geben vier Beilagen über einige Hss. näheren Aufschluß. — Die in der ersten Beilage beschriebene Hs. enthält offenbar nicht die reine Dionysiana, sondern die Dionysio-Hadriana, wie die Scheidung der Beschlüsse des Konzils von Karthago v. J. 419 zeigt (vgl. Maassen, Geschichte der Quellen u. der Literatur des kanonischen Rechts I, 447); die in der dritten Beilage beschriebene kanonistische Kompilation (S. 289 f.) verrät innige Beziehungen zur Sammlung in 74 Titeln (vgl. Fournier (P.), le premier manuel canonique de la réforme du XIe siècle (Extrait des Mélanges d'Archéologie et d'Histoire publiés par l'école française de Rome tom. 14), f. unten S. 422 die Bemerkung v. Paul Krüger. — Literaturübersicht. S. 313—28. — Aktenstücke. S. 339—58. ● §. 3. E. Friedberg, das persönliche Eherecht des I. und II. Entwurfes eines Bürgerlichen Gesetzbuches für das Deutsche Reich. Komparativ zusammengestellt und glossiert. S. 423—40. — Aktenstücke S. 441—53. Im Anhange: Die geltenden Verfassungsgesetze der evangelischen deutschen Landeskirchen. Hrsg. von E. Friedberg, V, 113—32.

3] Archiv für katholisches Kirchenrecht.

1895. Bd. 73. H. Singer, Beiträge zur Würdigung der Dekretistenliteratur II. S. 3—124. — Abänderungen des Gesetzes betreffend die kirchlichen Behörden im Königreich Serbien vom 27. April 1890. S. 125—30. — Chr. Lingen, über kirchliches Gewohnheitsrecht. S. 131—40. L. polemisiert gegen die Ansichten, die Wahrmund insbesondere in dem Aufsatze: Die Bulle Aeterni Patris Filius (Archiv für katholisches Kirchenrecht Bd. 72 S. 201 ff.) über kirchliches Gewohnheitsrecht geäußert hat. Auf dem Gebiet des katholischen Kirchenrechts, lehrt L., gibt es kein Gewohnheitsrecht ohne irgend welche Zustimmung der kirchlichen Obern. Das ius exclusivae kann daher, weil ihm die Zustimmung des kirchlichen Gesetzgebers fehlt, nicht als ein wirkliches Gewohnheitsrecht angesehen werden. — A. Arndt, die Suspensio ex informata conscientia S. 141—70. — Aus der Rechtsprechung des deutschen Reichsgerichtes in Strafsachen 1893/94. S. 171—76. — C. Henner, zur Geschichte der Rota Romana. S. 177—80. Die Papier-Hs. J. 40 der Prager Kapitelsbibliothek enthält ein aus den Jahren 1390—97 stammendes Originalprotokollbuch der päpstlichen Auditoren. Von den Eingaben, die die Prokuratoren der Parteien bei den Auditoren machten, wurden von den Notaren derselben offizielle Abschriften gefertigt, die hier in einen Band von 316 eng beschriebenen Blättern vereinigt sind. Ferdinand Tabra hat in einer böhmisch geschriebenen Abhandlung (Sitzungsberichte der k. böhmischen Gesellschaft der Wissenschaften zu Prag, Phil.-hist. Klasse 1893), über die hier erwähnte Hs. berichtet und acht dieser Protokolle, die sich auf böhmische Verhältnisse beziehen, veröffentlicht. Schon diese geringe Zahl gibt interessante Aufschlüsse über den Geschäftsgang bei der Rota. Die Prozesse wurden den einzelnen Auditoren von Fall zu Fall zur Entscheidung, und zwar zur Fällung einer Definitivsentenz, übermittelt. Doch gab es nach dem Grundsatze, daß vom delegierten Richter — und als solche betrachtete man die Auditores causarum s. palatii apostolici —. an den Deleganten eine Appellation zulässig sei, gegenüber der Entscheidung des päpstlichen Auditors noch das Rechtsmittel der Appellation an den Papst selbst. Die Hs. ist selbstverständlich auch von großer kulturgeschichtlicher Bedeutung. — **Die Belastung der Realsteuern mit Kirchensteuerzuschlägen in Preußen.** S. 181. — **Decreta congregationum Romanarum.** S. 182—86. — Literatur. S. 187—92. — **Sägmüller, das Recht der Exklusive in der Papstwahl.** S. 193—256, s. unten Novitätensch. S. 668 f. — **A. A. Geiger, die reichsgesetzliche Regelung der religiösen Kindererziehung in Deutschland.** S. 257—326. — Aus der Rechtsprechung des deutschen Reichsgerichts in Strafsachen 1893/94. S. 327—31. — **Literae Apostolicae Leonis Papae XIII de disciplina Orientalium conservanda et tuenda.** S. 332—41. — **Decreta congregationum Romanarum.** S. 342. Nr. 1 enthält: Immutationes inductae in clausulis dispensationum matrimonialium. — Literatur. S. 343—67. — Kleine Nachrichten. S. 368. — **St. Kekule von Stradonitz. C. 1 X. 4, 2. Ein Beitrag zur Lehre von der desponsatio impuberum.** S. 369—400. Sehr aphoristisch gehaltene Erläuterung des zitierten Kapitels, die auch formell wenig genügt, wie der Satz (S. 381) zeigt: Der mündige Sohn muß konsentieren, sonst »fieri non potest«, der unmündige Sohn »omnino adimplere debet«. Die klassische Schrift von Sehling, die Unterscheidung der Verlöbnisse im kanonischen Recht (Leipzig 1887) ist K. ganz unbekannt geblieben. — Aus der Rechtsprechung des deutschen Reichsgerichts in streitigen Sachen 1891/94. S. 401—22. — **Synodus dioecesana Argentinensis habita 17—19 IV 94.** S. 423—55. Seit dem J. 1687 war im Elsaß keine Diözesansynode mehr abgehalten worden; die hier veröffentlichten Akten der Synode von 1894 sollen auf späteren Synoden eine Erweiterung erfahren. — **H. Krasnopolski, zur Auslegung des § 63 des österreichischen allgemeinen bürgerlichen Gesetzbuches (impedimentum ordinis).** S. 456—66. — **Bitte der österreichischen Bischofskonferenz vom Jahre 1889 an den hl. Vater in Betreff des Duellunwesens.** S. 467—68. — **Allocutio SS. D. N. Leonis d. prov. Papae XIII habita in consistorio die 18. Martii 1894.** S. 469—71. — Zur Kirchenkonkurrenz in Tirol und Vorarlberg. S. 472. — Literatur. S. 473—75. — Eine Erklärung von Prof. Dr. Sägmüller in Tübingen und Gegenerklärung von Dr. Holder zu Freiburg i. d. Schweiz. S. 476—79.

1895. Bd. 74. **Der Bezug von Stolgebühren durch einen anderen Geistlichen als den zuständigen Pfarrer.** S. 2—17. — **J. Chr. Joder, index casuum et censurarum in universa Ecclesia jure novissimo vigentium.** S. 18—35. Aufzählung der jetzt bestehenden Reservate und Zensuren, die dadurch sehr brauchbar wird, daß die Erklärungen der römischen Kongregationen am entsprechenden Orte stets angeführt werden. — **Das österreichische Gesetz vom 31. Dezember 1894** (betrifft die Bedeckung der Bedürfnisse katholischer Pfarrgemeinden). Nebst den Vorakten. S. 36—63. — **B. Kaltner, das landesfürstliche Patronat im Kronlande Salzburg.** S. 54—99. — Ueber die Privatrechtsfähigkeit der Ordensgeistlichen und die Zulassung derselben zur Eintragung in das Genossenschaftsregister. S. 100—10. — Verhandlungen des österreichischen

Episkopates mit dem k. k. Ministerium für Kultus und Unterricht bezüglich der Bestimmungen über die Erlangung des theologischen Doktorates. S. 111—32. — Eingabe der österreichischen Bischöfe vom 27. Februar 1885 und österreichisches Gesetz vom 1. Mai 1889, betreffend die Dotation der Theologieprofessoren an den Diözesanlehranstalten. S. 133—37. — **Instructio S. Congregationis Fid. Propag. praepos. super missae iteratione** vom 24. Mai 1870. S. 138—46. — Kleine Nachrichten. S. 147. — Literatur. S. 148—60. — Die Unterdrückung des Jesuitenordens in Schlesien unter Friedrich d. Gr. Z. 161—215. Handelt von den Patronatslasten des preußischen Fiskus als Besitzer der ehemaligen Jesuitengüter. — A. Halban-Blumenstok, Schutz und Zins. Eine Bemerkung zu Paul Fabres **Étude sur le Liber Censuum.** S. 216—26. Polemisiert gegen Paul Fabre, der in seiner Étude sur le Liber Censuum de l'église Romaine (Paris 1892) dem in den päpstlichen Schutzbriefen des MA. erwähnten Zins eine größere Bedeutung beilegt als H.-B. in seiner Schrift „Der päpstliche Schutz im MA." (Innsbruck 1890) gethan hat. H.-B. findet es unpassend, daß Fabre die letztere Schrift, die ihm offenbar gute Dienste geleistet, nicht öfters zitiert. — Verhandlungen des österreichischen Episkopates mit der Regierung betr. die Congruaregulirung. S 227—96. — H. Krasnopolski, über § 63 des österreichischen allgemeinen bürgerlichen Gesetzbuches. S. 297—318. Replik, f. oben Bd. 73 S. 456 f. — **Decreta congregationum Romanarum.** S. 319—20. — Literatur. S. 321—28. — J. Hollweck, kann der Papst seinen Nachfolger bestimmen? S. 329—424. Während Holder (Die Designation der Nachfolger durch die Päpste, Freiburg i. d. Schw., 1892) die Frage mehr nach der historischen Seite besprochen, behandelt H. hier dieselbe vorwiegend nach den Erörterungen der Kanonisten und Theologen. Die Argumente, die von den beiden Ansichten verwertet werden, die Kritik, die an denselben von der gegnerischen Seite geübt wurde, werden in ansprechender Form dargestellt. Hollweck kommt zu dem Resultate (S. 375): „1. Die Päpste können die Designation weder als den gewöhnlichen Besetzungsmodus des hl. Stuhles gesetzlich vorschreiben, noch auch faktisch ihn als solchen befolgen. 2. Hält jedoch der Papst in einem einzelnen Fall die Designation nach Lage der kirchlichen und politischen Verhältnisse zum Wohle der Kirche für notwendig oder doch für ersprießlicher als die Wahl, so kann er seinen Nachfolger selbst bestimmen, unter gleichzeitiger Annullierung des Wahlrechtes der Kardinäle für diesen speziellen Fall." H. gibt also im wesentlichen dieselbe Antwort auf die gestellte Frage, wie Suarez, opus de triplici virtute theologica tract. 1 de fide disp. 10 sect. 4 n. 16. Die Meinung, welche dem Papst dieses Recht bestreitet, hat einen entschiedenen Vertreter in dem berühmten Kanonisten Prosper Fagnani gefunden, der zu c. Accepimus 5 X de pactis, 1 35 bemerkt: Sine trepidatione tenenda est haec conclusio, videlicet Papa nullatenus potest sibi successorem eligere, ac si eligat, irrita est electio (Commentaria in sec. partem I. libri Decret.. Col. Agripp. 1681, S. 564). Das Dekret der Synode von 499 (S. 416) war nach Mon. Germ. hist., Auct. antiquiss. XII, 404 zu zitieren. S. unten Bd. 75 S. 413 f. die bemerkenswerte Abhandlung Sägmüllers. — Geigel, wissenschaftliche, Fach- und nationale Bildung der katholischen Geistlichen im französischen Rechtsgebiete, sowie Rechtsträger der Bildungsanstalten. S. 425—48. — Gerichtskostenfreiheit für die Kirche in Preußen. S. 449—52. — Der von den Abg. Bachem und Kören beantragte Entwurf eines preußischen Gesetzes betr. die Anlage konfessioneller Begräbnißstätten. S. 453—62. — Die ungarischen Bischöfe über das Zivilehegesetz. S. 463—70. — Badisches Gesetz vom 14. Juli 1894. S. 471. — **Decr. s. Congreg. super neg. Episc. et Reg.** d. 9. April 1895. S. 471—72.

— Literatur. S. 473—77 u. a. wird besprochen von Camillo Henner: die **Summa cancellariae** (Cancellaria Caroli IV) hrsg. von Ferdinand Tadra (Prag 1895). Unter der Leitung des um die Pflege des Humanismus in Böhmen hochverdienten Kanzlers Johann von Neumarkt (1310—80) war die kgl. böhmische Kanzlei zu einer solchen Blüte gelangt, daß sie für lange Zeit zum leuchtenden Vorbilde wurde. Nichts war natürlicher, als daß man für den praktischen Gebrauch aus den in dieser Kanzlei gefertigten Urkk. und Schreiben Muster= oder Formular=sammlungen zusammenstellte. Dies that in der von Tadra herausgegebenen Sammlung entweder Johann von Neumarkt selbst oder auf seine Veranlassung einer seiner Schreiber. Henner hebt gut die Bedeutung der Sammlung für die Kenntnis der kirchlichen Zustände Böhmens hervor. Es ist Tadra, wie es scheint, unbekannt ge=blieben, daß das Formelbuch schon von Prof. Emil Ott in seinen Beiträgen zur Rezeptionsgeschichte des röm.=kanon. Prozesses in den böhmischen Ländern (Leipzig 1879) benützt worden ist, s. unten Bd. 75 S. 183. — **Entgegnungen von Holder, Kraus und Dr. Scheidemantel.** S. 477—79.

4] Zeitschrift der Savigny=Stiftung für Rechtsgeschichte.

1895. Bd. 16. Germanistische Abteilung. G. Frommhold, zur Ueberlieferung des rügischen Landrechtes. S. 1—40. Der „Wendisch=Rügianische Landgebrauch" des Matthäus von Normann stammt aus der ersten Hälfte des 16. Jahrh., die vor=handenen Ausgaben von Dreyer (1760) und Gadebusch (1777) sind unzulänglich, weshalb Vf. eine neue vorbereitet. Das Landrecht ist in dreierlei Form handschrift=lich erhalten: 9 Hss. bieten den längeren, 11 den kürzeren Text, 8 den Auszug. Vf. stellt das Verhältnis der Hss. her, die sämtlich direkt oder indirekt auf ein verlorenes Originalmanuskript zurückgehen. — **Jos. Hürbin, eine Ergänzung des „Libellus de Cesarea monarchia" Peters von Andlau.** S. 41—62. Die Vorlesungen Peters von Andlau sind in der Niederschrift des Jakob Louber aus Lindau erhalten. H. stellt diese Vorlesungen mit den entsprechenden Stellen des Libellus etc. zusammen und kommt zu dem Ergebnis, daß Peter auch in den bis 1480 gehaltenen Kollegien seinen schon 1460 ausgesprochenen Ansichten im wesentlichen treu geblieben ist und nament=lich trotz des Niedergangs des kaiserlichen Ansehens die höchsten Ansprüche für die deutsche Kaiserwürde auf grund seiner juristischen Anschauungen aufrecht erhielt. Anhangsweise macht dann H. darauf aufmerksam, daß Peter von Andlau unter den=jenigen Schriftstellern ist, welche die Kaiserwahl jenes Friedrich III von Thüringen, an den ursprünglich die deutsche Kaisersage angeknüpft hat, berichten. — **H. Brunner, die Geburt eines lebenden Kindes und das eheliche Vermögensrecht.** S. 63—108. — **F. Rachfahl, zur Geschichte der Grundherrschaft in Schlesien.** S. 108—99. Es gab in Schlesien von Anfang an seit der Kolonisation nur grundherrliche Bauern, d. h. solche, die auf fremdem Grund und Boden gegen Verpflichtung zu gewissen Leistungen angesiedelt waren; ein Stand freier bäuerlicher Eigentümer ist für Schlesien nicht nachweisbar. Die private Grundherrschaft ist auf zwei Wegen entstanden: einmal hat der private Grundherr von vornherein die Bauern (durch Vermittlung eines Unternehmers locator), in das Land und auf seinen Grund und Boden heran=gezogen, sodann hat aber auch der Herzog den Zins und die Grundherrschaft über ursprünglich ihm gehörige Dörfer an Privatpersonen veräußert. Das wichtigste grund=herrliche Recht war das des Zinsbezuges; ferner durfte kein Bauer das Gut verlassen, ohne einen fähigen Ersatzmann zu stellen, zu Verpfändungen und Veräußerungen war der grundherrliche Konsens erforderlich; in gewissen Fällen (erbloses Abscheiden und unerlaubte Dereliktion) war der Grundherr zur Zurücknahme der Liegenschaft berechtigt, jedoch durfte er seinen Hintersassen nicht „auskaufen". Die Forderung von Diensten wird in den Aussetzungsurkunden des 13. und 14. Jahrh. nicht erwähnt: Die Ansiedler werden also zuerst nicht zu Diensten verpflichtet gewesen sein. Die kommunale Autonomie kam nur zum Ausdruck in ihrer Eigenschaft als einer Wirt=schaftsgemeinde zu agrarischen Zwecken, Polizei und Gerichtsbarkeit verwaltete der Schulze als Beamter des Landesherrn. Ursprünglich war die niedere Gerichtsbarkeit nicht notwendig mit der Grundherrschaft verbunden. Erst seit der Wende des 13. und 14. Jahrh. galt sie als Pertinenz der Grundherrschaft; hierauf folgte die Veräußerung noch anderer Bestandteile der landesherrlichen Gewalt über die niedere Bevölkerung. Damit ist die Grundherrlichkeit zu einem Institute des öffentlichen Rechtes geworden. Die Gesetzgebung des 16. und 17. Jahrh. gab den bäuerlichen Besitz preis zu gunsten des grundherrlichen Besitzes, stellte die bäuerliche Arbeitskraft in den Dienst des Grundherrn und beschränkte durch ein System detaillierter Vorschriften die Freizügigkeit. Doch zeigte das Verhältnis der Erbunterthänigkeit in Schlesien eine milde Form: der Anteil der Bauern an der Rechtspflege in den Schöffenkollegien blieb erhalten. Das Bauernlegen wurde keineswegs in dem übertriebenen Maße betrieben wie anderswo. Die Frohnpflicht wurde zwar verallgemeinert und auf alle Bauern übertragen, gestaltete sich aber nicht drückend. Und die Beschränkung der Freizügigkeit blieb rein formal, indem der Gutsherr im allgemeinen die Entlassung nicht verweigern durfte. — Ein Exkurs hiezu behandelt: Die Emanzipation der niederen ländlichen Bevölkerung Schlesiens slavischer Herkunft unter den Einwirkungen des deutschen Rechtes. — H. Haupt, ein oberrheinisches Kolbengericht aus dem Zeitalter Maximilians I. S. 199–213. Kolbengericht ist ein solches, bei dem der Kolben, d. h. die Gewalt, nicht das Recht die Entscheidung gibt. Vf. schildert den Verfall deutschen Gerichtsverfahrens und der Schöffenverfassung zu Beginn des 16. Jahrh. und druckt aus einer in Colmar ver=wahrten oberrheinischen Reformschrift die höchst realistisch gehaltene Darstellung einer damaligen Gerichtsverhandlung ab. — E. Liesegang, Bericht über eine zur Herstellung eines Verzeichnisses der Magdeburger Schöffensprüche im Auftrage der k. bayer. Akademie unternommenen Reise. S. 281—300.

1895. Bd. 16. Romanistische Abteilung. Paul Krüger, über dare actionem und actionem competere in der justinianischen Kompilation. S. 1—6. — J. v. Po=krowsky, die Actiones in factum des klassischen Rechts. S. 7—104. Die actiones adiecticiae qualitatis sind actiones in factum; nicht minder gilt dies von allen übrigen „actiones mit subjektiver Umstellung". Damit verwandt und daher gleich=falls als actiones in factum zu betrachten sind die actiones ficticiae. Nach der Anschauung der klassischen Juristen (jedoch nicht der Kompilatoren) bedeutet die actio in factum unbedingt eine prätorische Klage und also den Gegensatz zur actio civilis. Somit wäre die richtige Einteilung der Klagen nur die in actiones in ius und actiones in factum. — F. W. E. Roth, die Rechtsgelehrten Hans Jacob und Christian Jacob von Zwierlein (1699—1793). S. 105—14. Auf grund des Materials des Zwierleinschen Familienarchivs stellt Vf. die Lebensumstände der beiden Rechts=gelehrten dar: Hans Jacob von Z. wurde 1752 geadelt, er war in Worms geboren und stand in den Diensten der verschiedenen Höfe; sein ältester Sohn Christian Jacob war 1738 in Wetzlar geboren und brachte es als juristischer Schriftsteller zu einiger Bedeutung. — O. Gradenwitz, zur Rechtssprache. S. 114—36. 1. Intra calendas und intra quartum mensem. — Th. Mommsen, zum römischen Grabrecht. S. 203—20.

5] Zeitschrift für die gesamte Staatswissenschaft.

1895. Jahrg. 51. Jul. Häntsche, die handelspolitischen Anschauungen Heinrich von Thünens. S. 95—115. Th.s Ansichten über die Handelspolitik sind niedergelegt im 2. Teile des 1863 erschienenen 2. Bandes seines „Isolierten Staates"; Th. ist schon vor Friedrich List auf theoretischem Wege zu ganz ähnlichen Resultaten wie dieser gekommen. — J. Rothhardt, zur Veräußerung der Staatsdomänen im engeren Sinne in Württembrg. S. 481—93. Die meisten Kulturstaaten Europas haben sich ihres Domanialbesitzes entledigt und Württemberg hat sich, wenn auch in bescheidenem Umfange, dieser Bewegung angeschlossen. Demgegenüber macht Vf. auf diejenigen staatsrechtlichen Bestimmungen (besonders § 103 und 107 der Verf.-Urk.) aufmerksam, wodurch der Veräußerung „eines wesentlichen Teils des Kammergutes" Schranken gesetzt sind. — H. Herkner, Sozialreform und Politik. S. 575—96. Seine politischen Interessen wahrte der in geschlossener Hauswirtschaft lebende germanische Bauer des MA., indem er auf die Rechte der Freiheit verzichtete, um der wirtschaftlichen Lasten der Freiheit (der Kriegs= und Gerichtsdienste und anderer öffentlicher Verpflichtungen) ledig zu werden. Der Erfolg seiner wirtschaftlichen Thätigkeit war nicht von den Wirtschaftsbedingungen großer und größter Kreise abhängig. Vf. verfolgt in Kürze die Entwicklung bis zu dem Zeitpunkte, da selbst im Arbeiterschaft politische Interessen bekommt, und zeigt deren Untrennbarkeit von wirtschaftlichen Ursachen. Die Gebrechen der Demokratien wurzeln, nach ihm, größtenteils in dem Widerspruch, der zwischen der formalrechtlichen Stellung des Volkes und seiner wirtschaftlichen Lage besteht. Die Ausgleichung dieser Gegensätze ist von einem sozialreformatorischen Absolutismus nicht zu erwarten, weil dieser — wie an der Geschichte der Bauernbefreiung in Preußen gezeigt wird — als vom Bureaukratismus unabhängig nicht mehr gedacht werden kann. Vielmehr müssen die Volksmassen im engen Anschluß an die demokratischen Einrichtungen zu deren richtiger Benutzung fähig gemacht werden. — C. Bornhak, die Entwickelung der konstitutionellen Theorie. S. 597—617. Die erste Formulierung des konstitutionellen Staatsrechts stammt von John Locke, der damit die englische Revolution von 1688 philosophisch zu rechtfertigen suchte. Er geht aus von der Annahme der Staatsgründung durch den freien Willen von Natur gleicher Menschen. Montesquieu stellt den Staatszweck in den Vordergrund; er führt das Prinzip der Trennung der gesetzgebenden Gewalt von der exekutiven und der föderativen mit äußerster Konsequenz durch. Sein historischer Sinn und sein aristokratisches Gefühl lassen ihn nicht zur Folgerung einer absoluten Gleichheit kommen. Auf Locke und Montesquieu fußt Blackstone (1765), auf diesem wieder de Lolme (1771). Eine neue Theorie gab Benjamin Constant dadurch, daß er den drei Gewalten eine vierte, die königliche, hinzufügte; dieselbe schließt, bei ihm, die Exekutive nicht in sich. Volkssouveränität und Teilung der Gewalten sind die Grundprinzipien alles romanischen Verfassungs= rechtes. Mit den historischen Grundlagen des deutschen Staates ist dies unvereinbar. Die Theorie des deutschen Staatsrecht beschränkt sich darauf, das monarchisch=konstitutionelle Staatsrecht auf seinen historischen Grundlagen zu erörtern. In England hat sich die Teilung der Gewalten als unvereinbar mit der Omnipotenz des Parlaments erwiesen. Mit diesem Zustand im Einklang befindet sich die Theorie des Stuart Mill (1861) von der Souveränität der Gesamtheit und dem Einfluß der politischen Moral (Representative Government).

6] Jahrbücher für Nationalökonomie und Statistik.

1895. Bd. 64. (3. Folge. Bd. 9.) G. Zöpfl, eine ältere Getreidepreisstatistik. S. 421—25. Getreidepreise in Bamberg 1500—1600, mit einleitenden Bemerkungen

über Münzen und Maße daselbst. — **W. Varges**, zur Entstehung der deutschen Stadt=
verfassung. 2. Teil. Fortf. S. 481—525. Achtes Kapitel: Das Bürgerrecht; neuntes
Kapitel: Die Nichtbürger. — **G. v. Below**, zur Entstehung der Rittergüter. S. 526—50;
837—57. B. sucht die offenen Fragen nach Wesen und Entstehung der Rittergüter
für ein deutsches Doppelterritorium, Jülich=Berg, zu beantworten. Das entscheidende
Kriterium für die Rittergutseigenschaft bildete hier die Eintragung in die Matrikel.
Die Befestigung der Burg ist das erste Erfordernis für die oberste Klasse der ritter=
lichen Besitzungen. Adeliger Stand des Besitzers mußte hinzukommen. Die Prüfung
der Voraussetzungen stand dem Landesherrn und dem Landtag, genauer der Kurie
der Ritterschaft, gemeinsam zu. Ein Hofgericht besitzen nur verhältnismäßig wenige
Rittersitze. Durchaus nicht alle Rittersitze sind Lehen. Das vornehmste Recht der
Rittersitze ist Landtagsfähigkeit. Die Ritterschaft war steuerfrei; die Pächter auf den
ritterlichen Burgen hatten die sog. Gewinn= und Gewerbssteuer nicht zu zahlen. Der
Ritterschaft stand für ihre Rittersitze die niedere Jagd zu. Andere Vorrechte waren
nicht bloß mit den Rittersitzen, sondern mit allen ritterlichen Besitzungen verbunden;
es sind dies folgende: 1. Zollfreiheit; 2. Freiheit von den Banneinrichtungen;
3. Freiheit vom Futterhafer; 4. Freiheit von der Einquartierungslast; 5. das Recht,
daß kein Gerichtsbote die Rittergüter zur Vornahme einer gerichtlichen Handlung
betreten darf; 6. Rittergüter dürfen nicht an Personen anderen Standes veräußert
werden; 7. der privilegierte Gerichtsstand. Vorrechte, die sämtlichen Freigütern, nicht
bloß den Rittergütern, zustanden, waren: 1. die Schatzfreiheit; 2. die Freiheit von
der Grundsteuer in der landständischen Steuer; 3. die Freiheit von den „Diensten"
(Stellung von Heerwagen, Hand= und Spanndienste, Gerichtsdienst u. a. m.); 4. der
Kriegsdienst mit Pferd und Harnisch. Für den Besuch des Landtags werden ursprünglich
feste Regeln nicht bestanden haben. Der Ritterzettel läßt sich bis in das 15. Jahrh.
zurück verfolgen. Die Ritterschaft verdankt unmittelbar nur ihrem militärischen
Charakter ihre Stellung. Das Rittergut des Westens ist nicht notwendig ein großes
Landgut. — **Ed. Meyer**, die wirtschaftliche Entwickelung des Altertums. S. 696—750.
— **K. Helfferich**, die geschichtliche Entwickelung der Münzsysteme. S. 801—28.
Bei der Parallelwährung handelt es sich um ein System von Goldmünzen und ein
System von Silbermünzen unverbunden nebeneinander. Die einen können die andern
nicht vertreten. In Deutschland bestand bis in die Mitte des 18. Jahrh. keine
Parallelwährung. Denn auch innerhalb der einzelnen Systeme lauten Kontrakte und
Obligationen nicht auf Summen in Gold oder Silber schlechtweg, sondern auf be=
stimmte Münzsorten. Keine allgemeine Geldschuld, sondern Sortenschuld! Der Grund
für die Wertschwankungen zwischen den Münzen gleichen Metalls lag in den Münz=
verschlechterungen, dem Auskippen vollwichtiger Stücke, dem Beschneiden der Münzen,
der natürlichen Abnützung im Umlauf oder auch in der wechselnden Nachfrage nach
einer bestimmten Sorte. Diesen Zustand kann man überhaupt kein Münzsystem nennen.
Allmählich erst bildeten sich innerhalb der Münzen des gleichen Metalls systemartige
Gruppen. Der definitive Uebergang zur Parallelwährung vollzog sich in Preußen
i. J. 1750. Daß durch das Edikt vom Juli 1750 eine Doppelwährung zu schaffen
versucht worden sei, ist nicht richtig. [Vgl. hiezu den folgenden Aufsatz.] — **W. Lexis**,
Bemerkungen über Parallelwährung und Sortengeld. S. 829—36. L. erklärt sich mit
dem Resultate des vorhergehenden Aufsatzes nicht einverstanden.

Bd. 65. (3. F. Bd. 10.) **Burkhardt, das Weimarische Grundbuch.** S. 18—51.
Die Landesaufnahme zu Steuerzwecken begann 1723 nach dem System des Rent=
meisters Jenichen, wurde 1732 nach dem billigeren aber unvollkommenen System des

Revisors Häublein weitergeführt und fand 1742 im wesentlichen ihren Abschluß. Vf. stellt das System des so entstandenen Weimarschen Grundbuchs eingehend mit Beispielen dar — **Ad. Schaube, Studien zur Geschichte und Natur des ältesten Cambium.** S. 151—91; 511—34. Cambium bedeutet ursprünglich Tauschgeschäft; erst seit 1220 ist der Ausdruck als für ein Kreditgeschäft gebräuchlich nachgewiesen. Jedes Darlehen wird ursprünglich als cambium angesehen, sobald die Erfüllung des Vertrags in anderer Münze als der gezahlten oder versprochenen Valuta vereinbart ist. Infolge der strengen kirchlichen Verbote des Zinsennehmens wird das cambium eine beliebte Form, um bei Münzdifferenz das Verbot umgehen zu können. Seit dem 14. Jahrh. werden auch Verträge als cambia bezeichnet, bei denen die Münzdifferenz fehlt, Wesentlich wurde jetzt die distancia loci. Man kann das ältere cambium nicht mit unserem Wechsel identifizieren. Dennoch hängt mehr das cambium als, wie L. Goldschmidt will, das Seedarlehen mit dem ursprünglichen Wechsel zusammen. — **P. Frauenstädt, das schlesische Dreiding; ein Beitrag zur Geschichte der gutsherrlichbäuerlichen Verhältnisse.** S. 232—54. Das Dreiding, wie es bis ins 19. Jahrh. bestand, ist die entartete Form des „ungebotenen" Gerichts der karolingischen Gerichtsverfassung und des an dieses sich anschließenden Rügegerichts. Das archivalische Material hierüber reicht bis ins 14. Jahrh. zurück, und die Geschichte des Dreidings, die Vf. gibt, spiegelt daher die Wandlungen in der Lage der schlesischen Landbevölkerung wieder.

7] The English historical review.

1895. X. Vol. 1. John E. Gilmore, the early history of Syria and Asia Minor. S. 1—18. — **Walter E. Rhodes, Edmund earl of Lancaster.** S. 19—40; 209—97. Edmund wurde geboren am 16. Jan. 1245 als der zweite Sohn König Heinrichs III und der Eleonore von der Provence. Er wurde schon am 6. März 1254 vom Papste Innocenz IV mit dem staufischen Königreich Sizilien belehnt. Genauere Abmachungen hierüber wurden im April 1255 durch den Bischof von Hereford vermittelt. Allein da das Parlament die nötigen Gelder nicht bewilligte, so verzichtete Heinrich III in seinem und Edmunds Namen auf Sizilien (1263). Sein Vater entschädigte ihn für den Entgang dieser Krone durch die Verleihung der großen Grafschaften Derby, Lancaster und Leicester (1265) und großer Gebiete in Wales. Ausgedehnte Besitzungen erwarb Lancaster auch durch seine Verheiratung mit der Tochter der Erbin der Insel Wight und der Grafschaft Devon Avelina, Tochter des Grafen von Albemarle (1269). Seine zweite Ehe, mit Blanca von Navarra (1275 oder 76), brachte ihm gleichfalls eine ansehnliche Mitgift ein, die er jedoch 1294 beim Ausbruch des Krieges mit Frankreich wieder verlor. Im J. 1271 ging er ins heilige Land, wo er bis Mai 1272 an den Unternehmungen gegen die Ungläubigen teilnahm. Von da ab beteiligte er sich lebhaft an allen politischen und kriegerischen Bewegungen seines Landes, jedoch nur in dem Sinne, daß er in allem seinen Bruder Eduard I mit allen Kräften unterstützte und speziell in Wales seinen ganzen Einfluß zu gunsten des Königtums und zum Zweck der Herstellung geordneter Zustände in die Wagschale warf. Er starb während des Krieges mit Frankreich am 5. Juni 1296. — **J. A. Dodd, troubles in a city parish under the protectorate.** S. 41—54. Es handelte sich um die Kämpfe zwischen Presbyterianern und Independenten in der Pfarrei St. Botolph without Aldgate der Londoner City. Die Darstellung stützt sich auf Briefe und Streitschriften, welche aus dem Nachlaß des 1654 von Cromwell eingesetzten presbyterianischen „Vikars" Zacharias Crofton († 1672) stammen.

— **W. O'Connor Morris, disputed passages of the campaign of 1815.**
S. 55 – 85. Napoleons Armee beſtand 1815 zwar aus ausgebildeten Truppen, allein
infolge ihrer haſtigen Zuſammenziehung fehlte es an der Organiſation und der Aus=
rüſtung; auch ihr moraliſcher Halt war nicht mehr der alte. Napoleon hat die preußiſche
Armee unterſchätzt, als er annahm, daß ſie ſich nach ihrer Niederlage von Waterloo
nicht wieder ſammeln könne. Allein die Hauptſchuld an der Niederlage von Waterloo
trifft ſeine Untergenerale Ney, Erlon, Grouchy. — **H. Ch. Lea, the donation
of Constantine.** S. 86—87. Kleine Zuſätze zu Zinkeiſens Aufſatz in Engl. Hist.
R., Bd. 9. — **J. H. Round, king Stephen and the earl of Chester.**
S. 87—91. Engliſche Parteiverhältniſſe 1141 und 46. — **F. D. Matthew, the
autorship of the Wycliffite bible.** S. 91—99. M. widerſpricht der Behauptung
Gasquets, daß die Bibelüberſetzung Wyclifs, Herefords und Purveys halboffiziellen
Urſprungs und die Mitwirkung der genannten drei Männer mehr untergeordnet
geweſen ſei. — **M. Petriburg, some literary correspondence of
Humphry, duke of Gloucester.** J. 99—104. Zwei Briefe des päpſtlichen
Protonotars Petrus de Monte an den Herzog (1441), ein ſolcher des letzteren an
Alfons V von Aragon (1445). — **J. Gardiner, the age of Anne Boleyn.**
S. 104. Anna ward geboren 1507, nicht vor dem 19. Mai. — **C. H. Firth, a
letter from Lord Saye and Sele to Lord Wharton,** 29. dec. 1657.
S. 106 ſ. — **Rich. C. Christie, Vanini in England.** S. 238—65. Vf. hat
im Record Office 19 auf Vanini bezügliche Briefe gefunden. Ungefähr im März
1612 lernte der engliſche Geſandte in Venedig zwei Karmeliter kennen, welche behaup=
teten, aus geheimer Hinneigung zu der reformierten Lehre England kennen lernen zu
wollen; er empfahl beide an Erzbiſchof Abbot: es waren Giulio Ceſare (Lucilio)
Vanini und Giovanni Maria de Franchis. Im Juni kamen beide in England an,
ſchon am 5. Juli ſchworen ſie ihren katholiſchen Glauben ab. Die Sache erregte Auf=
ſehen. Da aber die Hoffnungen, die beide an ihren Uebertritt geknüpft hatten, nicht
realiſiert wurden, that Vanini ſchon Ende 1613 heimlich Schritte, um die Verzeihung
des Papſtes für ſich und ſeinen Genoſſen zu erlangen. Man begann, beide ſcharf zu
überwachen, und ſchließlich hielt man ſie in Haft. Anfang Februar 1614 floh zunächſt
Giovanni Maria zu einem der katholiſchen Geſandten; gegen Vanini erging ein Urteil
lautend auf lebenslängliche Verbannung nach den Bermudas=Inſeln, allein bald gelang
es auch ihm, nach Frankreich zu entkommen. Er wurde, vom franzöſiſchen Parlament
verurteilt, am 19. Februar 1619 zu Toulouſe verbrannt. In ſeinen Schriften findet
ſich kein gehäſſiges Urteil über England. — **C. H. Firth, the „memoirs" of
Sir Richard Bulstrode.** S. 266—75. F. prüft dieſe Quelle für die Geſchichte
des großen Bürgerkriegs und kommt zu folgendem Reſultat. Bulſtrode ſchrieb auto=
biographiſche Collectaneen und einige Gedanken über die Umwälzungen, deren Zeuge
er geweſen, nieder. Mit Hilfe dieſer Aufzeichnungen und einiger Papiere aus Bulſtrodes
diplomatiſcher Korreſpondenz hat Nathanael Miſt die von ihm 1721 herausgegebenen
Memoiren kompiliert, indem er noch Charakteriſtiken Karls I und Cromwells, ſowie
die Schilderungen von Ereigniſſen, an denen Bulſtrode nicht beteiligt war, hinzufügte.
— **B. H. Baden-Powell, the permanent settlement of Bengal.**
S. 276—92. — **F. Pollock, the pope who deposed himself.** S. 293 ſ.;
536. -- **F W. Maitland, the murder of Henry Clement.** S. 294—97.
Publikation eines Berichtes über die 1235 vorgefallene Mordthat. — **Paget
Toynbee, a biographical notice of Dante in the 1494 edition of the
„Speculum historiale".** S. 297—304. — **H. Brown, the assassination**

of the Guises as described by the Venetian ambassador. S. 304—32. Abdruck der betreffenden Berichte mit einer Vorbemerkung. — **Andr. Clark & P. Landon, heraldry of Oxford colleges.** S. 333—36; 541—45.

2. **N. Pocock, the condition of morals and religious beliefs in the reign of Edward VI.** S. 417—44. Der Aufsatz verfolgt an der Hand von Hss. und seltenen Drucken die Veränderungen in den religiösen Ansichten, welche sich während der kurzen Regierung Edwards VI in der Richtung nach protestantischen, selbst kalvinistischen Ansichten zu vollzogen und bei manchen beträchtlich weiter gingen, als es in dem Prayer Book von 1552 und anderen offiziellen Dokumenten fest= gehalten erscheint. — **E. Armstrong, the constable Lesdiguères.** S. 445 bis 470. Ausführliche Biographie des letzten Connetables von Frankreich, welcher aus ärmlichen Verhältnissen stammend, ursprünglich zum Rechtsstudium bestimmt, 64 Jahre lang an den Religionskriegen in Frankreich und Deutschland teilnahm und 1626, 83 Jahre alt, in glänzenden Verhältnissen starb. — **D. W. Rannie, Cromwells major-generals.** S. 471—506. Unter den inneren und äußeren Gefahren, welche die Republik bedrohten, empfand Cromwell ganz besonders die Mängel der Gemeindeverwaltung und der örtlichen Milizen. Um diesem abzuhelfen, schuf der Protektor die Einrichtung der major-generals, die, mit außerordentlichen Vollmachten und militärischen Befugnissen ausgestattet, seine Herrschaft zu sichern hatten. Doch bestand die unpopuläre Einrichtung nur von 1655—57. — **J. R. Tanner, John Robert Seeley.** S. 507—14. Nekrolog. — **A. Anscombe, the paschal canon attributed to Anatolius of Laodicea.** S. 515—35. Circa 280. — **J. H. Round, Henri I at Burne.** S. 537 f. Burne ist West= borne in Suffex. — **E. M. Lloyd, the „herse" of archers at Crecy.** — S. 538—41. Vgl. **H. B. George, the archers at Crecy.** S. 733—38. — **H. B. Simpson, the office of constable.** S. 625—41. Das aus comes stabuli entstandene Wort constable hat in England schon früh zur Bezeichnung des Vollzugs= organs der gemeindlichen Selbstregierung gedient und ist wahrscheinlich von den normannischen Eroberern mitgebracht, im 13. Jahrh. auf ein schon vorher existierendes Amt übertragen worden. — **Edwin H. R. Tatham, Erasmus in Italy.** S. 642—62. Erasmus weilte 3 Jahre (1506—9) in Italien. Von England aus trat er mit den Söhnen des königlichen Leibarztes Boerio aus Genua die Reise an. Auf dem Wege von Paris nach Turin schrieb er sein kurzes Gedicht auf das Alter nieder. An der Universität Turin erwarb er am 4. Sept. den Doktorgrad. Ende Sept kam er nach Bologna. Der Krieg gegen Bentivoglio vertrieb ihn von da nach Florenz. Hier gewonnene Eindrücke gibt er in seinem ›Julius excelsus‹ wieder. Das Jahr 1507 verbrachte er, sehr wenig zufrieden, wieder in Bologna, wo er sich schließlich von seinen Schülern trennte. Er stand in nahen Beziehungen zu den Lehrern der Universität, besonders zu Paolo Bombasio. Durch einen Brief vom 28. Okt. trat er zuerst mit Aldus, dem er seine lateinische Uebersetzung zweier Euripideischer Dramen anbot, in Beziehung. Noch im nämlichen Jahr erschien diese Uebersetzung und im Januar 1508 war Erasmus als Gast seines Verlegers in Venedig. Er arbeitete an seinem ›Adagia‹. In späteren Jahren beschrieb er satirisch die Kärglichkeit der Mahlzeiten bei dem Schwiegervater seines Gastfreunds. Er nahm an der neuen Akademie zur Pflege des Griechischen mit Lascaris u. a. teil. Im Okt. 1508 ward er nach Pavia berufen, um Alexander, den Erzbischof von St. Andrews, einen natür= lichen Sohn König Jakobs IV von Schottland, zu unterrichten. Durch die infolge der Ligue von Cambray geschaffene politische Lage wurde er veranlaßt, das venetianische

Gebiet zu verlassen; er wandte sich nach Ferrara, dann nach Siena (Ende 1508). Im Frühjahr 1509 ging er mehrere Male nach Rom. Er bewunderte daselbst nichts so sehr wie die reichen Bibliotheken. Von der römischen Gesellschaft wurde er freundlich aufgenommen. Auf Wunsch seines besonderen Gönners, des Cardinals Raphael Riario, verfaßte er den „Antipolemus", der leider nicht erhalten ist. Mitte Juni 1509 verließ er Rom, um einer Einladung des neuen Königs von England, Heinrich VIII, folgend, nach dem Ausgangspunkt seiner Reise zurückzukehren. — **J. G. Alger, an Irish absentee and his tenants, 1768—92.** S. 663—74. Als der Earl of Kerry nach den Septembermorden heimlich Paris verlassen hatte, wurden mit seiner ganzen Hauseinrichtung auch seine sämtlichen Papiere mit Beschlag belegt; so sind dieselben in die Pariser Nationalbibliothek gelangt. Der Lord war 1740 geboren, studierte in Dublin, heiratete 1768 eine geschiedene Frau, mit der er sich 1772 auf den Kontinent begab. Hier blieb er auch nach seiner Flucht aus Paris, bis ihn der Krieg der Koalition doch eine Zuflucht in England und in seiner Heimat suchen ließ. Nach dem Tode seiner Gattin führte er ein zurückgezogenes Leben, bis er 1818 starb. Der größere Teil seiner Papiere besteht aus Berichten seines Verwalters, des Rev. Christopher Julian, und betrifft wirtschaftliche Angelegenheiten. — **W. B. Duffield, the war of the Sonderbund.** S. 675—98. Der Artikel hat seine selbständige Bedeutung darin, daß er das Verdienst hervorhebt, welche sich die englische Diplomatie um die Schweiz erwarb, indem sie den Grundsatz aufstellte, daß die Angelegenheit des Sonderbunds eine innere, von den Schweizern selbständig zu lösende Frage sei, und infolge dessen jede auswärtige Einmischung fernzuhalten suchte. Es ist jedoch die Frage, ob ihr das gelungen wäre, wenn nicht die Bewegung des Jahres 1848 die Aufmerksamkeit der mitteleuropäischen Regierungen von der Schweiz gänzlich abgelenkt hätte. — **C. H. Turner, the paschal canon of „Anatolus of Laodicea."** S. 699—710. — **F. Haverfield, english topografical notes.** S. 710—12. Bezieht sich auf Ortsnamen bei Beda und in der Confessio des hl. Patricl. — **Mary Bateson, a Worcester cathedral book of ecclestical collections made c. 1000 a. d.** S. 712—31. Die hier publizierte Hs. aus Cambridge enthält eine große Menge theologischer Zitate und Auszüge aus den verschiedensten, teilweise sogar aus verlorenen Quellen und ist wahrscheinlich zum Handgebrauch eines Bischofs gefertigt. — **P. S. Allen, a sixteenth-century school.** S. 738—44. Abdruck einer kulturhistorisch interessanten Schulordnung, in der die Pflichten von Lehrern und Schülern aufgezählt werden. — **H. W. P. Stevens, an ecclesiastical experiment in Cambridgeshire, 1656—58.** S. 744—53.

8) La Civiltà Cattolica.

1891. Serie 14, Bd. 10. S. 17—28; 1892. Serie 15, Bd. 1. S. 143—59, 534—51, Bd. 2. S. 34—50, Bd. 3. S. 54—64, 154—68, 655—66. Bd. 4. S. 404—24, 674—92, Fortf. u. 1893. Serie 15, Bd. 5. S. 174—90 Schluß des Aufsatzes „Il pontificato di S. Gregorio Magno nella storia della civiltà universale di cristiana". (Vgl. Hist. Jahrb. XIII, 320.) ● 1891. Serie 14, Bd. 10. S. 29—46, 270—83, Bd. 11. S. 17—26, 654—71: Osservazioni sopra la storia Cesare Cantù. ● 1892. Serie 15, Bd. 1. S. 675—89. Bd. 2. S. 524—40: „Abb. Luigi Anelli, i Riformatori nel secolo XVI". Ausführliche Kritik des Buches von Anelli, das voll von theologischen und dogmatischen wie von groben und absichtlichen historischen Fehlern ist. ● 1893. Serie 15, Bd. 6. S. 37—47: La nuova biblioteca Leonina. Ueber die Nachschlagebibliothek der Vatikana. — **Le origini del martirologio romano.** 3. 292—305, 653—69.

1894. Bd. 9. S. 137—58, 416—34, Bd. 10. S. 30—44, 270—85, 528—42. Bd. 11. S. 401—14, 666—84, Bd. 12, S. 143—54. 1895. Serie 16, Bd. 1. S. 286—302, 546—52, Bd. 2. S. 164—78, 425—34, 657—71: **Nicolo III (Orsini) 1277—80.** Der Vf. verteidigt Nicolaus gegen den Vorwurf des Nepotismus; N. habe ein gerechtes Maß nicht überschritten. Der Vorwurf, Nikolaus habe seine Verwandten durch Schenkungen von Land auf Kosten des Kirchenstaates bereichert, sei ungerechtfertigt. Das Gebiet von Soriano bei Viterbo erhielt Orso Orsini nicht durch Nikolaus, sondern durch die Mönche von S. Lorenzo auf dem Campo Verano bei Rom, die die höchste Herrschaft über Soriano besaßen; die früheren Besitzer seien zudem durch den Inquisitor Fr. Sinibaldo del Lago als Häretiker verurteilt worden, und Orso, der in jener Provinz die weltliche Autorität repräsentirte, hatte das Urteil zu vollführen. — Für die Behauptung, Nikolaus habe der Kirche das Kastell S. Angelo in Rom genommen und seinem Neffen gegeben, fehle es an Quellen; thatsächlich scheine der Zweig der Orsini, der von Orso abstammt, das Kastell besessen zu haben. Vf. meint aber, die Burg sei nicht durch Konzession von Nikolaus, sondern durch Erbfolge an die Orsini gekommen; Nikolaus habe das Erbrecht nur bestätigt. — An die Absichten des Papstes resp. seine Unterhandlungen mit Rudolf von Habsburg über eine Teilung des deutschen Reiches in vier Königreiche glaubt der Autor nicht; für die Verminderung des deutschen Reiches habe der Papst Rudolf nichts Entsprechendes bieten können; Rudolf hätte Sicheres für Unsicheres, Vieles für Weniges gegeben Die deutsche Nation würde sich auch einer solchen Teilung widersetzt haben. Vf. stimmt hier den Ausführungen Giese's gegen Busson bei. — Das Schlußkapitel handelt über den Ursprung der Familie Orsini. Beigegeben sind einige Stammbäume und Bd. 10 (1894) S. 41—44 auch ein Verzeichnis der von Nikolaus kreierten oder bestätigten Bischöfe vom 5. April 1278 bis zum 29. Juni 1280. Für den vorliegenden Aufsatz ist reiches, zum teil unbekanntes Urkundenmaterial aus römischen und anderen italienischen Archiven benützt und auch die neueste Literatur verwertet worden.

1895. Serie 16, Bd. 3. **La cosidetta „Profezia di S. Malachia" sui papi.** S. 430—44. Gemeint ist die bekannte Prophezeiung, die dem hl. Erzbischof Malachias O'Morgair von Armagh in Irland († 1148) zugeschrieben wird thatsächlich aber viel später entstanden ist. S. 431—33 werden die Prophezeiungen abgedruckt.

9] Archivio della R. società Romana di storia patria.

1894. Bd 17. H. 1—4. **P. Fabre, Massa d'Arno, Massa di Bagno. Massa Trabaria.** S. 5—22. Unter „Massa" versteht man ein größeres Besitztum, das sich aus einer Anzahl Fundien (fondi) zusammensetzt. F. gibt eine topographische Untersuchung der oben genannten, die im ersten Entwurf des liber censuum der römischen Kirche keiner Diözese zugeteilt wurden; sie lagen im Centralapennin. Als Anhang Abschriften, die von Briefen Nikolaus III für Massa Trabaria gegen Ende 1278 genommen wurden. — **C. Manfroni, la lega cristiana nel 1572 con lettere di M. Antonio Colonna.** S. 23—67. Fortsetzung und Schluß. (Vgl. Hist. Jahrb. XVI, 394.) Als Beilage ein Dokument mit der Schlachtordnung der Liga in der Schlacht bei Braccio di Maino am 10. März 1572 mit Namensnennung der Schiffe und ihrer Offiziere. — **G. Tommassetti, della Campagna Romana.** S. 69—93. Fortsetzung. (Vgl. Hist. Jahrb. XVI, 392.) Typographisch-historische

Studie über die antiken Straßen nach Ostia und Laurentum. — G. Monticolo, intorno ad alcuni antichi cataloghi della biblioteca manoscritta di Cristina che si conservano nella biblioteca Vaticana. S. 197—226. — Varieta. R. Lanciani, documenti allo stato degli ebrei nelle antiche provincie romane S. 227—36. Sechs Dokumente von 1510—748 aus dem kapitolinischen Geheimarchiv und dem Staatsarchiv in Rom. — G. Monticolo, gli annali Veneti del secolo XII nel cod. 8 della raccolta del barone von Salis presso la biblioteca civica di Metz. S. 237—45 und Nachtrag S. 526. — Atti della Società — Bibliografia. — Notizie. — F. Fournier, la collezione canonica del regesto di Farfa. S. 285—302. Diese nicht unbekannte, aber noch unedierte Sammlung bildet einen Bestandteil der farfanischen Dokumente des cod. Vatic. 8487. Sie stammt von demselben Autor, der das umfangreiche Regest des Klosters Farfa in Sabina, wie es uns im genannten Codex erhalten ist, anlegte, nämlich Gregor di Catino, Mönch von Farfa; er hat stark den Pseudoisidor benutzt. — L. G. Pélissier, sopra alcuni documenti relativi all' alleanza tra Alessandro VI e Luigi XII (1498—99). S. 303—73. Alexanders Politik sei eine zweideutige und voll von Intriguen gewesen; offiziell wollte er mit Herzog Sforza und dem König von Neapel nicht brechen, ließ aber zunächst durch seine Gesandten, die Ludwig zur Thronbesteigung beglückwünschen sollten, und fast gleichzeitig durch den Bischof von Ceuta, Ferdinand d'Almeida, der wegen der Ehescheidung Ludwigs nach Frankreich gesandt war, Verhandlungen anknüpfen. Zweck sei die Verheiratung des Cäsar Borgia gewesen. Das erste Ergebnis war die Zusendung des Patentes der Investitur mit dem Herzogtum Valence für Cäsar. Die Reise Cäsars selbst zu Ludwig that dann ein übriges; Ludwig erhielt den Dispens, sich von Johanna von Frankreich zu scheiden und die Witwe Karls VIII zu heiraten, und Georg von Amboise, der Erzbischof von Rouen, den roten Hut; Cäsar bekam die zum Herzogtum erhobene Grafschaft Valence, eine Jahresrente, ein Kommando, und als Frau schlug ihm Ludwig die Prinzessin von Taranto vor. — H. Gnoli, descriptio urbis o censimento della popolazione di Roma avanti il sacco Borbonico. S. 376—520. Das vorliegende Dokument, kurz vor dem Sacco verfaßt, bietet die älteste, bisher bekannte Statistik der Bevölkerung Roms. In den 13 alten Regionen von Rom waren 9285 Häuser bewohnt; die Zahl der Einwohner betrug 55035. Der päpstliche Hof allein zählte unter Clemens VII ca. 700 Köpfe; die 21 Kardinäle, die den Sacco in Rom miterlebten, hatten ein Gefolge von 3108 Personen. — Varieta. P. Savignoni, un documento di cittadinanza romana nel medio evo. S. 521—26. Aus dem März 1341. Atti della Società. — Bibliografia. — Notizie.

1895. Bd. 18, H. 1—4. P. Savignoni, l'archivio storico del comune di Viterbo. S. 5—50. Geschichte des Archivs, Katalog der aufbewahrten Manuskripte, Inventar der wichtigsten des 12. Jahrh. — D. Orano, Marcello Alberini e il sacco di Roma del 1527. S. 51—98. O. fand im Staatsarchiv zu Rom das Autograph des Berichtes Alberinis über den Sacco di Roma; er gibt eine ausführliche Biographie des Autors (geb. 1511, gest. 1580) und stellt fest, daß die übrigen Handschriften dieses Berichtes, der zuerst 1837 in Rom publiziert wurde, gefälscht oder stark verändert sind. Mit einem Faksimile. — L. G. Pélissier, l'alleanza tra Alessandro VI e Luigi XII. S. 99—215. Fortsetzung und Schluß. An der Hand weiterer Dokumente, meist aus dem Staatsarchiv zu Mailand, weist P. nach, daß die Leidenschaft des Papstes für seinen Sohn Cäsar der Schlüssel für die Politik des hl. Stuhles in diesen Jahren war. Die Interessen Cäsars und des Papsttums waren dieselben. — Die Heiratsprojekte Ludwigs für Cäsar Borgia zerschlugen sich, Cäsar dachte schon ernstlich an seine Abreise, der Papst beklagte sich im Konsistorium vom 7. April 1499 bitter, Ludwig habe seine Versprechungen nicht gehalten, eine Allianz mit Frankreich schien in weite Ferne gerückt. Da kam durch Vermittlung Ludwigs und des Kardinals Amboise die Heirat Cäsars mit Charlotte d'Albret (ihrem Bruder Amanien d'Albret wurde der rote Hut versprochen) zustande, am 10. Mai 1499, und damit stand Alexander auf Frankreichs Seite; »noi siamo del re«, erklärt er, »per l'amore che il re porta al nostro duca.« Als Anhang gibt P. 15 Briefe des Cäsar Guaschi an Ludwig Sforza aus dem J. 1499 und 17 andere Dokumente zum obigen Thema. — V a r i e t a — P. Savignoni, a proposito di un documento relativo all' exercitus populi romanae urbis. S. 517—27. Das Dokument vom 8. Mai 1308 ist im Stadtarchiv von Viterbo; S. gibt einen Kommentar. — Atti della Società. — Bibliografia. — Notizie. — P. Savignoni, l'archivio storico del comune di Viterbo. S. 270—318. Fortsetzung. Inventar von 125 Manuskripten des 13. Jahrh. — D. Orano, il diario di Marcello Alberini (1521—36). S. 319—416. O. publiziert den Text des Diarium »il libro delli ricordi et spese«, dessen Autograph von ihm aufgefunden wurde. (Vgl. oben.) Alberini begann das Diarium am 1. Januar 1547 aus der Erinnerung niederzuschreiben; für die Zeit vor dem Sacco sind seine Angaben sehr mangelhaft. S. 399—416 wird ein Personen= und Sachregister und ein kleines Dialektwörterbuch beigegeben. — V. Capobianchi, appunti per servire all' ordinamento delle monete coniate dal senato romano dal 1184 al 1439 e degli stemmi primitivi del comune di Roma. S. 417—45. Als Beilage eine Tafel mit den »denari dei conti di Sciampagna« (1125—97), »denari provisini del senato romano« und je einem »denaro provisino« Karls I von Anjou und Colas von Rienzo. — V a r i e t a. M. Antonelli, una relazione del vicario del patrimonio a Giovanni XXII in Avignone. S. 447—67. Infolge der Abwesenheit der Päpste und der schlechten Leitung der Kirchenprovinzen sank die päpstliche Macht in Italien; Empörungen der Bevölkerung gegen die Gubernatoren waren nicht selten. Um die Uebel abzustellen, übertrug Johann XXII die Regierung Wilhelm Costa, Kanonikus von Toul, und als dieser nach kurzer und erfolgloser Leitung gestorben war, dem Bischof von Orvieto, Guitto Farnese; von diesem stammt der hier veröffentlichte Bericht, der zwischen dem 27. September 1319 und dem 2. Juni 1320 verfaßt ist. Er findet sich heute im vatikanischen Archiv arm. XI n. 78 und ist wichtig für die Geschichte Roms und des Kirchenstaates in der avignonesischen Periode. Die einzelnen Städte und Gebiete des Patrimoniums werden aufgeführt und bei größeren auch die Lage beschrieben; nur wenige bezahlten noch die ihnen auferlegten Steuern; die Autorität des Rektors wurde nicht geachtet, Narni, Rieti und Todi wollten sogar nicht mehr zum Patrimonium gehören. Besonders die am Meer gelegenen Ortschaften hatten durch Krieg furchtbar gelitten; in der Stadt Castro, die vordem mehr als 2000 Einwohner hatte, zählte man deren kaum noch 300; ähnlich stand es mit anderen. — Necrologi. — Bibliografia. — Notizie.

10] Bibliothèque de l'école des chartes.

1895. Bd. 56. C. Enlart, Villard de Honnecourt & les Cisterciens. S. 5—20. Hypothesen über den Lebens= und Bildungsgang des Baumeisters Villard (Mitte des 13 Jahrh.) und seinen durch die Cisterzienser veranlaßten Aufenthalt in Ungarn. — **C. de la Roncière** und **L. Dorez, lettres inédites et mémoires de Marino Sanudo l'ancien** (1334—37). S. 21—44. Die hier publizierten 9 Fragmente sind auf einem Einbanddeckel einer Inkunabel entdeckt worden und betreffen den Kreuzzug gegen die Türken, die Beziehungen der Tartaren zu den Päpsten, den versuchten Ausgleich zwischen Ludwig dem Bayer und Benedikt XII, endlich literarische, künstlerische und kommerzielle Beziehungen Venedigs zu Flandern. — **L. Delisle, les heures bretonnes du 16e siècle.** S. 44—83. D. bestimmt zuerst Druckort und Erscheinungsjahr des überaus seltenen Druckes der Heures bretonnes: Paris bei Jacques Kerver um 1570. Im Gebrauch waren diese Horen in der Diözese Léon, was durch die Beschreibung eines ebendaher stammenden Breviers von 1516 und eines Meßbuchs von 1526 dargethan wird. Im Anhang bietet der Vf. „Notizen über bretonische Drucke aus dem 15. und 16. Jahrh." — **J. Lemoine, du Guesclin armé chevalier** S. 81—89. Nach den hier aufgezählten Gründen ist es wahrscheinlich, daß Bertrand du Guesclin gegen Ende der Belagerung von Rennes durch Karl von Blois zum Ritter geschlagen wurde. — **H. Moranvillé, le siège de Reims,** 1359—60. S. 90—98. Geschichte der fünfwöchentlichen erfolglosen Belagerung von Reims durch Eduard III von England. — **A. de la Borderie, Jean Mechinot, sa vie et ses oeuvres, ses satires contre Louis XI.** S. 99—140; 274—317; 601—38. Der Dichter, dessen jetzt vergessene Werke ehedem an die dreißig Ausgaben erlebt haben, starb am 12. Sept. 1491. Er stand im Dienste des Hofes der Herzoge der Bretagne und besaß die Herrschaft Mortiers Von 1442—88 diente er als Stallmeister, die drei letzten Jahre seines Lebens als Haushofmeister. In besonderer Gunst stand er bei den Herzogen Peter II und Arthur III, die ihn gern auf Reisen mitnahmen. Sein geringes Einkommen nötigte ihn, daneben auch dem gräflichen Hause von Laval Dienste zu leisten. Seine Gedichte sind erst 1493 in den Druck gegeben worden. Meschinot ist ein ernster Moralist, ganz und gar nicht empfindsam. Aber nicht immer gleicht seine Poesie einer Predigt; manchmal ist sie eine ergreifende Klage, noch öfter eine beißende Satire gegen die Großen und Mächtigen. Die ›Lunettes des Princes‹ sind ein allegorisches Gedicht, dessen ersten Teil die poetische Autobiographie des Dichters bildet. Seine politischen Dichtungen zerfallen in die Satiren gegen Ludwig XI und die auf Personen und Ereignisse der Bretagne bezüglichen Stücke. Vf. analysiert die sämtlichen Poesien eingehend. Er will damit den Beweis führen, daß der hohe sittliche Ernst Meschinots bis jetzt nicht genügend gewürdigt worden ist. — **J. Viard, date de la mort de Nicolas de Lire.** S. 141—43 Der Vf. der Postillae perpetuae in universa Biblia starb 1349 nach dem 20. Juli. — **Ch. Petit-Dutaillis, André Réville,** 1867—94. S. 144—49. Nekrolog. — **R. Merlet, les origines du monastère de Saint-Magloire de Paris.** S. 237—73. Infolge des Successionskrieges, der sich zwischen Richard I von der Normandie einerseits und den Grafen von Chartres und Angers andrerseits entspann, verließ der Klerus i. J. 960 die Bretagne, 963 kam er nach Paris. Nach dem Normanneneinfall wollte er Paris wiederum verlassen. Allein Hugo Capet war bestrebt, die kostbaren Reliquien, die die Kleriker besaßen, der Stadt zu erhalten, und aus diesem Grunde gelobte er das fragliche Kloster etwa i. J. 970. — **A. Spont, documents relatifs à Jacques de Beaune-Semblançay.** S. 318—57. Ein Verhörsplan über Finanzangelegenheiten vom Admiral Graville gegen Beaune entworfen (1505); ein Aktenstück über die Untersuchung gegen denselben; die Antwort des Angeklagten auf die Anklageschrift (1525); endlich ein Aktenstück, das über das Begräbnis des hingerichteten Beaune de

Semblançay handelt. — G. Lefèvre-Pontalis, épisodes de l'invasion anglaise: La guerre des partisans dans la haute Normandie (1424—29. Fortf.) S.ᵉ 433—508. Behandelt 1. die Erhebung i. J. 1424; 2. die einzelnen Persönlichkeiten des Adels in der Normandie und Picardie; 3. die Schlacht von Verneuil. — A. Giry, dates de deux diplômes de Charles-le-Chauve pour l'abbaye Des Fossés. S. 509—17. — G. Dupont-Ferrier, la date de la naissance de Jean d'Orléans comte d'Angoulême. S. 518—27. Vf. setzt die Geburt des Herzogs zwischen den 1. Mai und den 7. Aug 1399. — L. Delisle, note sur un manuscrit interpolé de la chronique de Bède conservé à Besançon. S. 528—36. Die Interpolationen des fraglichen Codex stammen zum teil aus Fredegar, zum teil aus den Gesta regum Francorum. — R. Merlet, une prétendue signature autographe d'Ives évêque de Chartres. S. 360—44. M. weist nach, daß eine Urkunde, die bisher dem Bischof Ivo von Chartres zugeschrieben wurde und einen Verzicht zu gunsten des Klosters Saint-Père in Chartres enthält, thatsächlich von dem gleichnamigen Bischof von Leez (Sées) zwischen 1070 und 1072 ausgestellt worden ist. — L. Delisle, notes sur quelques manuscrits du baron Dauphin de Verna. S. 645—90. Beschreibung der wichtigsten Hff. einer Bibliothekversteigerung, nämlich 1. eines Fragments einer lat. Bibelübersetzung aus dem 6. Jahrh (jetzt auf der öffentlichen Bibliothek zu Lyon); 2. eines Fragments der Vulgata aus dem 8. Jahrh. (jetzt Nationalbibl. Paris); 3. des 5. und 6. Buches des Jeremiaskommentars des hl. Hieronymus, saec. 6/7 (jetzt ebenda); 4. eines Stückes des Psalmenkommentars Cassiodors, 12. Jahrh.; 5. von Predigten und Kommentaren zum Hohenlied, 12. Jahrh.; 6. einer Hf. aus Kloster Val-Saint-Hugon in Savoyen, ein Martyrologium und Urkt. enthaltend, 12. Jahrh. (jetzt in der Nationalbibl. Paris); 7. dreier kleiner Bruchstücke aus dem 12. u. 13. Jahrh.; 8. von Predigten aus dem Anfang des 13. Jahrh. (jetzt in der Nationalbibl. Paris); 9. eines Moraltraktates aus dem 13. Jahrh.; 10. medizinischen Abhandlungen von verschiedenen Händen geschrieben. (jetzt in der Nationalbibl. Paris); 11. eines Fragments eines kleinen liturgischen Buches v. J. 1316; 12. von Abhandlungen des hl. Bonaventura und anderer, sowie lateinischen Versen des Philippe de Grève und des Gui de la Marche, aus dem 14. Jahrh. (jetzt in der Nationalbibl. Paris); 13. der Summa theologiae des Thomas von Aquino, Hf. des 14. Jahrh.; 14. eines Inhaltsverzeichnisses der Bibel von Fernand Diego von Carrion, 15. Jahrh.; 15. eines Pracht-Meßbuches von Macon aus dem 15. Jahrh.; 16. des Romans von Simon de Pouille, saec. 13/14 (jetzt in der Nationalbibl Paris); 17. alter französischer Gedichte; 18. eines Rezeptbuchs aus dem 15. Jahrh.; 19. eines Rechnungsbuches von Graf Johann von Forez, 1315—16.

11] Századok.

1895. Jahrg. 29. H. 7. L. Kropf, der Fall der Festung Erlau und die Schlacht bei Mezö-Keresztes 1596. II. S. 591—619. Bringt nach dem Bericht des englischen Gesandten Barton mehrere strittige topographische Fragen ins reine und kritisiert namentlich die Darstellung Hammers, der dem türkischen Autor Naima folgte. — A. Áldássy, Geschichte des Reichstages von Onod 1707. II. S. 619—48. Handelt über die mannigfachen Friedensverhandlungen zwischen den Abgesandten Josef I und Rákóczy und über die Eröffnung des Reichstages; er legt ferner die Gründe dar, welche die Gefangennehmung des Sim. Forgách nötig machten und bespricht die

Erörterungen der Stände betreff der in Vorschlag gebrachten Subsidien von seite der Pforte und die Frage des Kupfergeldes, dessen Wert bedeutend gesunken war. — **Th. Lehoczky, ein 400jähriger Grenzstreit. S.** 648—57. Betrifft den in jüngster Zeit abermals aktuell gewordenen Besitzstreit um den an der Grenze Ungarns und Galiziens gelegenen Fischteich (am nörbl. Abhang der hohen Tátra). — **Rezensionen.** — Jancsó B., unser Freiheitskampf und die dako-rumänischen Besprechungen. S. 657—67. — **Miscellen.** Franz Rákóczy II vor Przemysl. Betrifft die fruchtlose Belagerung der Stadt. 1657. S. 667—70. — **Vereinsnachrichten** S. 671. — **Repertorium der auf Ungarn bezug nehmenden ausländischen Literatur und Zeitschriftenschau von L. Mangold. S.** 671—74. — **Nekrologe. H. v. Sybel. S.** 674—94. — **Bibliographie. S.** 685—86.

H. 8. L. Kropf, Königin Anna. S. 689—710. Bringt aus englischen Quellen neue Daten über die Lebensgeschichte der Gemahlin Wladislaus II. — **A. Aldásy, der Reichstag von Ónod, III. S.** 710—46. Diese Fortf. schilbert das Auftreten Rákóczys gegen Rakovszky und Okolicsányi und die näheren Umstände ihrer Ermordung. Aldásy widerlegt an der Hand von Augenzeugen die oft erwähnte Meinung, daß das ganze ein von Rákóczy und seinen Getreuen von vornherein verabredeter Justizmord gewesen sei. Der Hauptankläger Rákóczys, Betési, hat erst in seinem nachträglich niedergeschriebenen, für den Wiener Hof bestimmten tendenziösen „Bericht" diese Fabel in Umlauf gebracht, und Fiedler [Sitzungsberichte der Wiener Akademie. phil.-hist. Klasse 1852, Bd. 9, S. 46 f.) hat diesem Bericht Glauben beigemessen. Unter den im Schloß Vöröspár aufbewahrten Originalbriefen und Orig.-Dokumenten Betésis findet sich aber absolut kein Bericht über den Ónoder Reichstag und die auf diese Zeit sich beziehenden Originalbriefe Betésis stimmen mit jenen Auszügen, welche Betési nach seiner Begnadigung dem Hof übergab, nicht überein. — Aus einem bisher nicht beachteten Dokument, dem Protokoll des Thúróczer Komitates (dto. 26. Nov. 1707) hat übrigens K. Thaly nachgewiesen, daß das harte Beschluß des Ónoder Reichstages betreff des Schicksals des abtrünnig gewordenen Komitates nur zur Hälfte durchgeführt wurde. Eine Zerstückelung des Komitates fand überhaupt nicht statt. — Schließlich ordneten die Stände die Kupfergeldfrage und jene der Gerichtshöfe und sprachen die endgiltige Thronentsetzung des Hauses Habsburg und Proklamierung des unabhängigen Ungarns aus. Beigefügt ist der Originaltext des Abrenuntiation-Beschlusses. — **Besprechungen.** Vámbéry, Entstehung und Verbreitung des Ungartums, von Gf. G. Kúun. S. 746—61. — Márki, Geschichte des Komitates und der Stadt Arad. Bd. II. S. 764—70. — Jurkovich, Geschichte des Neusohler Gymnasiums. 1648—96. S. 770 —71. — Thaly, politische Verse aus dem Jahre 1710. S. 172—75. — Das übrige wie bei H. 7. S. 775—93.

H. 9. Alex. Jakab, Joh. Gálffy und die Familie Báthory. S. 786—818. Wirkte von 1577—92 als siebenbürgischer Politiker und wurde auf Befehl Sigm. Báthorys hingerichtet. — **Karl Fiók, Urgeschichte und die Kritik. I. S.** 818—33. Bespricht die letzten Werke von Hunfalvy, Vámbéry und Munkácsi über die Abstammung der Magyaren. — **Ant. Pór, Königin Elisabeth, Gemahlin Ludwig des Großen. S.** 833-44. **A. Aldásy, Fortf. v. H. 7—8. S.** 845—57. Enthält die Verhandlungen und Beschlüsse bezüglich der Gravamina, den Empfang der siebenbürgischen Abgesandten und den Schluß des Reichstages. **Rezensionen. S.** 856—64. — Illéssy und Pettkó, die libri regali. 1527—1867, B. Kiß, die mit der Dynastie der Arpáden blutsverwandten ungarischen Familien. — Swift, the life and times of James the first the conqueror, king of Aragon. — Briefe von Bischof Ipolyi. S. 864—65. — **Miscellen** und **Bibliographie.** S. 866—84.

H. 10. Fiók, Forts. aus H. 9. S. 885—902. — Pór, Forts. aus H. 9. S. 902—22. — Aldásy, Forts. u. Schluß. S. 922—50. Betrifft die Verlesung und Sanktionierung der gefaßten Beschlüsse und die Protesterklärung der kaiserlichen Partei gegen die gefaßten Beschlüsse. — **Rezensionen.** S. 950—63. — Paul Esterházy, Mars Hungaricus. — L. Mangold, pragmatische Geschichte der Ungarn. — S. Országh, Geschichte der Ofner Theater 1783—1895. — Giesebrecht, Geschichte der deutschen Kaiserzeit. Bd. 5 u. 6. — **Repertorium** und **Biblio- graphie.** S. 964—72. — Index zum Jahrg. 19. S. I—IV.

12] Történelmi Tár.

1895. Bd. 17. H. 3.[1]) Sam. Weber, zur Reihenfolge der Zipser Grafen S. 401—9. Ergänzt die in den „Zipser Geschichts= und Zeitbildern" gegebene Namensliste. — A. Beke, das Archiv des Kapitels von Karlburg. S. 409—33. Urkk.= Regesten aus d. J. 1583—1643. — A. A., Katharine von Brandenburg und die Diplomatie. II. S. 443—57. Bringt die Instruktion des brandenburgischen Gesandten Kosputh zum Abdruck (1630), ferner Schreiben des Kurfürsten Georg Wilhelms an Bethlen. — Alex. Szilágyi, aus dem Archiv der Rákóczy. 1611—30. S. 457—86. Schreiben und Berichte der Gesandten Georg Rákóczys. I. — G. Lindner, aus dem Archiv der Stadt Kolozs. S. 486—99. Erlasse von Johann II (1564), Sigism. Rákóczy (1608), G. Bethlen (1625), Georg Rákóczy (1631 seq.) und M. Apafi (1662). — Jos. Koncz, zur Geschichte des Jahres 1767. S. 499—506. Schreiben der Maria Széchy (Gemahlin des Palatins Franz Wesselényi) und anderer. [Aus dem gräflich Telekischen Archiv zu Maros=Vásárhely.] — Andr. Komáromy, aus dem Archiv der Familie Perényi. I. S. 506—24. Bietet zugleich eine Skizze der Geschichte dieser alt- adeligen Familie. Die mitgeteilten Urkk. rühren aus den J. 1603—25 her, darunter eine Quittung des bayerischen Baron Honorius von Thanhausen. — A. Aldásy, eine ungedruckte Quelle zur Geschichte des Onoder Reichstages. 1707. S. 524—30. Bringt das im Besitz des ungar. Nationalmuseums befindliche »Diarium Conventus Onodiensis« zum Abdruck, dessen Verfasser unbekannt ist. Neue Daten enthält das Opusculum nicht. — L. Szádeczky, das Testament und die Stiftungs-Urkk. der Gräfin Katharina Bethlen. 1742. S. 531—49. — Fr. Kollányi, Verlassenschaften aus dem Jahre 1668 u. 1693. S. 550—59. — Th. Lehoczky, das Privilegium der Kürschner von Szatmár aus dem Jahr 1563. Ungar. u. lateinisch. S. 560—70. — L. Kemény, Ver zeichnis der Ausgaben König Johanns. 1537—40. S. 570—74. — Carmen lugubre in Wladislai regis exitum et pugnam Warnensem. Mitgeteilt von Isid. Schwarz. Aus einem Codex der Krakauer Universität. S. 574—73. — L. Kemény, das älteste Privilegium der Stadt Kaschau. Aus d. J. 155? S. 578—82. Deutsch. Ein Bruchstück daraus wurde schon im Jahrg. 1893 der T. Tár. veröffentlicht. — L. Kemény, zur Geschichte des Weinbaues. S. 583—86. Aus d. J. 1552—625. — Andr. Veress, Edikt des Sultans an die Bewohner von Großwardein. S. 586—87. Betrifft die Steuererhebung und enthält auch polizeiliche Verfügungen. — Ein Schreiben G. Rákóczys I an die Steinmetzzunft in Kronstadt. S. 587—88. — E. Perdácz, Ver-

---

[1]) Auf Seite 834 des Hist. Jahrb. XVI soll es bei Bezeichnung des Bandes der T. Tár statt 1893 u. 1894 richtig 1894 und 1895 heißen.

teidigungsschrift des Joh. Labsánszky. 1687. S. 588—90. Labsánszky verlor als Anhänger Thökölis Hab und Gut und trachtet nun seinen Besitz zurückzugewinnen. — Schreiben des Paschas von Erlau 1865, und ein gleiches vom Szolnoker Beg. 1685. S. 591—92. Beide an Thökölyi gerichtet.

H. 4. L. Thallóczy, die Korrespondenz des Generals Caraffa mit dem Fürsten Dietrichstein. I. S 594—619. Dieser Briefwechsel bietet zwar wenig neues, liefert aber zur Charakteristik Caraffas interessante Details. Caraffas „methodische" Grausamkeit, sein raffinirtes Erpressungssystem und sein hochfliegender Ehrgeiz werden durch viele Einzelheiten aufs neue erhärtet. Neu sind die Nachrichten über die Kapitulation der Festung Munkács. Der gefangenen Helene Zrinyi und ihren Kindern gegenüber benahm sich Caraffa ausnahmsweise ganz korrekt. Der Briefwechsel wirft auch auf sein Verhältnis zum Hofe Licht, und Fürst Dietrichstein erscheint wiederholt bemüht, dem Wüten Caraffas Schranken zu setzen. — Arpád Hellebrant, Beiträge zur Rákóczy-Literatur. S. 619—30. Bringt drei bisher unbekannte Nummern der Kuruzzen-Zeitung, des Mercurius Veridicus zum Abdruck, welche über die Kriegsereignisse d. J. 1710 (Jänner—Februar) Nachrichten enthalten. — A. Beke, Fortf. III. S. 630—53. Regesten aus d. J. 1643—66. — Aler. Szilágyi, aus dem Archiv der Rákóczy. VII. S. 653—79. Briefe der Susanna Lórántffy an ihren Gemahl (Georg Rákóczy I), Gesandtschafts-Instruktion für Andr. Keczer und Stefan Haller, Regulamentum für das siebenbürgische Heer (1630) und ein Schreiben Pázmánys. — Andr. Komáromy, aus dem Archiv der Familie Perényi. II. S. 679—700. Briefe aus d. J. 1625—32. — K. Jsalkovics, das Diarium des Munkácser Bischofs Jos. Camilis. S. 700—24. Enthält kirchliche Verordnungen für seinen Sprengel, Weihen, Ernennungen, Exkommunikationen betr., ferner ein Verzeichnis über Auslagen. — Al. Fest, Korrespondenz türk. Offiziere. 1651—58. S. 725—30. Rührt von zwei Offizieren der Festung Gran her, und sind án Franz Nagy, Offizier in Neuhäusel, gerichtet. Diese Briefe zeichnen sich durch ihren humanen und konzilianten Ton aus, der von dem üblichen Stil der türkischen Behörden und Offiziere vorteilhaft absticht. — B. Kiss, das Testament L. Pekrys. S. 730—37. (Aus d. J. 1700.) — L. Szádeczky, das Testament der Gräfin Kath. Bethlen und deren Stiftungen. II. S 737—49. — S. Borovszky, zur Geschichte des Franziskanerordens. S. 749—55. Auf grund des ›Speculum uite beati Francisci et Sociorum eius.‹ 1504. (Im Besitz der Leipziger Univ.-Bibliothek.) — Zur Geschichte der Druckerei von Debreczin. 1685. S. 756. — Zur Geschichte der Jugend Apafis. 1686. S. 757—58. — Aus dem Archiv der Stadt Kaschau. S. 758—61. — Index. S. 761—87.

13] Sitzungsberichte der philos.-philol. und hist. Klasse der k. bayer. Akademie der Wissenschaften zu München.

1895. M. Lossen, die Verheiratung der Markgräfin Jakobe von Baden mit Herzog Johann Wilhelm von Jülich-Cleve-Berg (1581—85). S. 33—64. Der Plan, den einzigen Sohn des Herzogs Wilhelm mit der um vier Jahre älteren, am bayrischen Hofe erzogenen Jakobe zu vermählen, stammt von den Jülichschen Räten Langer, Offenbroch und Gimnich; in München war es die Herzogin-Witwe Anna von Oesterreich, die daran festhielt: im Februar 1582 schickte sie eigens Hans Jakob von Dandorf an den clevischen Hof. Zwei Hindernisse waren zu überwinden: die Abneigung des alten Herzogs, seinen Sohn schon jetzt zu verheiraten, und der auf kaiserlicher Seite gehegte Plan, eine lothringische Prinzessin mit Johann Wilhelm zu vermählen. Im April 1583 traf Herzog Ernst von Bayern mit dem Heiratskandidaten zusammen und nahm ihn für das Projekt ein. Am 25. September sah derselbe die Markgräfin auf Schloß Dachau zum erstenmal. Am 5. Mai 1584 erfolgte namens des Papstes, des Kaisers und des Königs von Spanien zu Düsseldorf die feierliche Werbung beim alten Herzog. Am folgenden Tag gab er seine Zustimmung. am 12. September fand die Heiratsabrede statt, endlich, nach vielen Verschiebungen und nachdem Johann Wilhelm zu gunsten des Herzogs Ernst die Administration des Bistums Münster abgegeben hatte, am 15. Juni 1585 die Trauung und die große Hochzeitsfeier. — Nekrologe auf Schack, Ismail Pascha (von Pettenkofer), Brunn, Carriere, Dillmann, Heinr. Keil, Ch. Newton, Rawlinson (von Christ), Karl Schmidt und W. Roscher (von Cornelius). S. 177—202. — J. Friedrich, über die Cenones der Montanisten bei Hieronymus. S. 207—51. Vgl. Hist. Jahrb. XVI, 675 f. — A. Dove, das älteste Zeugnis für den Namen Deutsch. S. 223—35. Ein Wolfenbütteler Codex enthält den schon von den Magdeburger Centuriatoren, wenn auch sehr fehlerhaft, herausgegebenenen Bericht des Kardinalbischofs Georg von Ostia an Papst Hadrian I über zwei im Herbst 786 auf englischem Boden abgehaltene Synoden, und darin steht: tam latine quam theodisce. — G. F. Unger, die Seleukidenära der Makkabäerbücher. S. 236—316. — H. Paul, Tristan als Mönch, deutsches Gedicht aus dem 13. Jahrhundert. S. 317—427. Nach einer Brüsseler (und einer Hamburger) Hs. ediert P. diese höchst merkwürdige, von einem elsässischen Dichter herrührende Fortsetzung des Epos unter Hinzufügung von Einleitung und kritischem Apparat. — Ed. Wölfflin, Benedikt von Nursia und seine Mönchsregel. S. 429—54. W. zeigt, in welchen Grenzen sich die Literaturkenntnis und die sprachliche Bildung Benedikts bewegt. (Vgl. oben S. 176.) — G. Unger, zu Josephus. S. 551–604. Dieser erste Teil behandelt „die unpassend eingelegten Senatuskonsulte".

14| Sitzungsberichte der kgl. preuß. Akademie der Wiss. zu Berlin.

1895. E. Sachau, Baal-Harrân in einer altaramäischen Inschrift auf einem Relief zu Berlin. S. 119—22. — W. Wattenbach, Beschreibung einer Handschrift mittelalterlicher Gedichte (Berl. Cod. theol. Okt. 94). S. 123—57. Die Hs. stammt aus Kloster Hautmont im Hennegau und ist nach der Mitte des 12. Jahrh. geschrieben. Der Inhalt ist eine Sammlung von Gedichten, die der Schulpoesie angehören. W. publiziert hier die poetischen Teile des Codex wörtlich; ein Register der Versanfänge ist beigegeben. — G. Huth, Verzeichnis der im tibetischen Tanjur, Abteilung mDo (Sûtra) Bd. 117—24 enthaltenen Werke. S. 267—86. — O. Hirschfeld, zur Geschichte des Christentums in Lugdunum vor Constantin. S. 381—409. Die Nachrichten über das Christentum in Lyon reichen bis 177 zurück, in welchem Jahre dort ein großer Prozeß gegen die Christen stattfand; auf grund verschiedener Quellen stellt H. ein Verzeichnis der damaligen Märtyrer auf. Lyon tritt sofort als Bischofssitz auf, Missionare wurden von da ausgesandt, die Gemeinde entwickelte sich im 3. Jahrh. stetig weiter. Aus der Zeit um 300 sind in der Nähe der Stadt zahlreiche Grabdenkmäler entdeckt worden. Aus ihren Inschriften weist Vf. nach, daß dies die Gräber der in Lugdunum angesiedelten Fremden, die zum teil Christen waren, gewesen sind. — E. Dümmler, über Leben und Lehre des Bischofs Claudius von Turin. S. 427—43. Der Priester Claudius, der 811 zuerst am aquitanischen Hofe Ludwigs des Frommen erwähnt wird, stammte aus Spanien. Er schrieb ein unbeholfenes Latein. Für Ludwig verfaßte er einen kürzlich wiederentdeckten und bis jetzt noch ungedruckten Commentar zur Genesis, ferner eine Zusammenstellung aus Kommentaren der Kirchenväter (in 10 Hss. erhalten), eine Auslegung des Galaterbriefs (zuerst 1542 gedruckt), und endlich eine solche der Briefe an die Epheser und an die Philipper (ungedruckt). Frühestens 816 wurde er Bischof von Turin. Als solcher fand er noch Zeit, die übrigen Paulinischen Briefe und größere Abschnitte aus dem alten Testament zu erläutern. Auch diese Kommentare sind nur bruchstückweise gedruckt. Durch seine Schriften verwickelte sich Claudius in dogmatische Streitigkeiten. Seine bei dieser Gelegenheit geschriebenen Repliken, sowie die Gegenschriften des Theodemir, des Dungal und des Bischofs Jonas von Orleans bespricht D. ausführlich. Claudius ist zwischen 827 und 32 gestorben. — U. Köhler, die athenische Oligarchie des Jahres 411 v. Chr. S. 451—68. — Fr. Hiller von Gärtringen, eine neue Inschrift von Nisiros. S. 471—75. — Georg Wentzel, Beiträge zur Geschichte der griechischen Lexikographen. S. 477—87. W. gibt hier in Kürze die Resultate einer Arbeit über die Quellen des Suidas, soweit sie dessen lexikalische Artikel betrifft. — Th. Mommsen und Ad. Harnack, zu Apostelgeschichte 28, 16 ($\Sigma \tau \varrho \alpha \tau o \pi \varepsilon \delta \acute{\alpha} \varrho \chi \eta \varsigma$ = Princeps peregrinorum). S. 491—503. — B. Latyschew, Inschriften aus dem Taurischen Chersonesos. S. 505—22. — Ad. Harnack, Tertullian in der Literatur der alten Kirche. S 545—79. H. legt dar, wie die einzelnen Kirchenväter Tertullian beurteilt und was sie seinen Schriften entnommen haben. 80 Jahre lang wird Tertullians Name absichtlich von seinem Schriftsteller erwähnt, wiewohl sein Einfluß auffallend hervortritt. Erst Lactantius benutzt ihn nicht nur, sondern erwähnt ihn auch ausdrücklich. Eusebius scheint der einzige Morgenländer zu sein, der ihn nennt. Im Orient ist er durch eine Ueber- setzung des Apologetikums zuerst bekannt geworden. Hilarius und Ambrosiaster haben ihn als die ersten ausdrücklich als Häretiker bezeichnet. Hieronymus benutzt und erwähnt ihn an mehr als 50 Stellen und konstatiert die weite Verbreitung seiner orthodoxen Schriften. Augustin aber hat ihn nicht mehr unter den viris illustribus der Kirche aufgezählt, sondern ihn in den Katalog der Ketzer gestellt. — K. Weinhold, die altdeutschen Verwünschungsformeln. S. 667—703. — Carl Schmidt, eine bisher un- bekannte altchristliche Schrift in koptischer Sprache. S. 705—11. Die fragliche Schrift erzählt die Auferstehungsgeschichte. Als Erzähler erscheinen die Jünger, deren anfäng- licher Unglaube möglichst ans Licht gerückt wird. Die Schrift trägt deutlich anti- gnostischen Charakter; ihre Abfassung fällt ins 2. Jahrh. unserer Zeitrechnung. — A. Kirchhoff, der Margites des Pigres von Halikarnaß. S. 767—79. — G. Kaibel, die Vision des Maximus. S. 781—89. K. versucht das in Aethiopien, auf der Südmauer des Mandulistempels entdeckte griechische Gedicht zu erklären. Der Dichter nennt sich Maximus und sucht in dem Gedichte, einem Hymnus auf Mandulis, die Entstehung desselben als göttliche Eingebung darzustellen. — E. Curtius, der Synoikismus von Elis. S. 793—806. — A. Weber, vedische Beiträge. S. 815—66. Das 18. Buch der Atharvasamhitâ. — J. Gahlen, über einige Anspielungen in den Hymnen des Callimachus. S. 869—85. — Th. Mommsen, das Potamon-Denkmal auf Mytilene. S. 887—901. — U. Köhler, zur Geschichte Ptolomaios' II Philadelphos. S. 965—77. — Al. Conze, über den ionischen Tempel auf der Theaterterrasse von Pergamon. S. 1057—68. — E. Dümmler, über den Mönch Otloh von St. Emeram. S. 1071—102. Im Freisinger Sprengel gegen 1010 geboren, in Tegernsee und Herzfeld erzogen, trat Otloh (dies ist die einzig richtige Namensform) 1032 ins Kloster St. Emeram zu Regensburg, wo ihm das Amt des Schulmeisters übertragen wurde, und er seine ganze Muße mit Herstellung von Handschriften ausfüllte. Einen guten Teil seiner Lebensarbeit füllen die Bemühungen, die äußere Lage seines Klosters zu verbessern und den Geist der Brüderschaft zu heben. Wie weit er an der Fälschung der zu gunsten von St. Emeram lautenden Karolinger-Urkunden beteiligt war, läßt sich nicht mehr sicher feststellen. Infolge von Streitigkeiten verließ Otloh 1062 Regensburg, um erst nach fünf Jahren wieder zurückzukehren; er ist hier nach 1070 gestorben. Seine zahlreichen Schriften gehören teils der theologischen, teils der Erbauungs= literatur an. Vf. analysiert dieselben und fügt anhangsweise seinem Aufsatze 2 kürzere, bisher noch ungedruckte Stücke von Othlos Hand an.

*   *   *

Außerdem verzeichnen wir aus andern Zeitschriften folgende Artikel:

Abhandlungen, germanistische, begr. v. K. Weinhold, hrsg. v. F. Vogt. H. 12. (1896). Beitr. z. Volkskunde. Festschrift, K. Weinhold z. 25jähr. Doktorjubiläum am 14. Jan. 1896 dargebr. im Namen d. schles. Gesellsch. f. Volksk. Daraus notieren wir: W. Creizenach, zur Gesch. d. Weihnachtsspiele u. des Weihnachtsfestes. Nach Hss. d. Krakauer Universitätsbibl. — P. Drechsler, Handwerkssprache u. =brauch. — L. Jiriczek, die Amlethsage auf Island. — E. Mogk, Segen= u. Bannsprüche aus einem alten Arzneibuche. — K. Olbrich, d. Jungfernsee bei Breslau. Ein mytholog. Streifzug. — P. Regell, etymolog. Sagen a. d Riesengebirge. — Th. Siebs, Flur= namen. — F. Vogt, Dornröschen — Thalia — O. Warnatsch, Sif.

Annalen des historischen Vereins für den Niederrhein, insbesondere die alte Er= diözese Köln. 1894. Heft 58. F. Schroeder, die Chronik des Johannes Turck. S. 1—175. Nach einer ausführlichen Einleitung (S. 1—37) über den Vf. und seine Familie folgt nach dem einzigen, bisher bekannt gewordenen Codex in der Klever Stadtbibliothek, welchen S. für eine Kopie der Originalhandschrift ansieht, eine Edition der für die Länder Jülich, Kleve, Berg usw. wichtigen Chronik. Diese ist eine Ergänzung und Vervollständigung der klevischen Chronik des Gert von der Schüren (hrsg. v. Scholten, Kleve 1884) und zerfällt in zwei Teile; der erste beginnt mit dem J. 1790 der Erschaffung der Welt und reicht bis auf Elias Gral, den sagen= haften Stammvater des Klevschen Hauses; der zweite, größere, führt die Geschichte von dem Schlusse der Chronik Gerts (1452) bis zum Aussterben des klev.=jülichschen Herzogshauses 1609. — E. v. Oidtman, Schutz den Grabsteinen! S. 176—83. Tritt warm für Konservierung der zahlreichen in den rheinischen Kirchen vorhandenen mittelalterlichen, künstlerisch und genealogisch=historisch wertvollen Epitaphien ein. — E. Pauls, zur Geschichte der Burggrafen und Freiherren von Hammerstein. S. 183—97. Auf grund zweier, vor mehreren Jahren erschienenen, von Familiengliedern bearbeiteten Werke: „Urk. und Regesten zur Gesch. der Burggr. u. Freih. von H." Hannover 1891, und „Geschlechtsalbum der Freih. von H., 1889," wird in großen Zügen eine Uebersicht über die Gesch der von Hammerstein gegeben mit besonderer Berücksichtigung des Abtes Johann von Hammerstein zu Kornelimünster, 1582—97. — Literatur. S. 198—206. Ausführliche Rezensionen von Gothein über Acta Borussica. Die preuß. Seidenindustrie im 18. Jahrh., 3 Bde., Berlin 1892, und von Pauls über: Koch, das Dominikanerkloster zu Frankfurt a. M. — Miscellen, S. 207—8. v. Below druckt einen Brief, betr. Bürgermeister=Schmaus in Köln 1541 ab, u. H. Hüffer gibt Notizen aus dem Brief= wechsel Alexander Kaufmanns. — S. 209—21: Berichte über die Generalversammlungen des Vereins in Kleve, Juni 1892, in Neuß Oktob. 1892, in Münstereifel Mai 1893. — S 222—23: Rechnungsablage 1893/94. ● 1894. Heft 59. Die Stadtarchive von Andernach, Duisburg und Linz Auf Anregung des Kölner Stadtarchivars Hansen beschloß i. J. 1892 der hist. Verein, die kleineren (Stadt=, Kirchen= und Privat=) Archive des Vereinsgebiets zu inventarisieren und die Inventare durch den Druck zugänglich zu machen. Die Inventare der drei genannten Archive werden in diesem Hefte ver=

öffentlicht. — Inzwischen hat der Verein mit der Gesellschaft für Rheinische Geschichts=
kunde in der Weise sich in die Arbeit geteilt, daß die Gesellschaft eine Uebersicht über
den Inhalt der kleineren Archive der Rheinprovinz, nach Kreisen geordnet, bearbeiten
läßt — 1896 bereits erschienen von Dr. A. Tille : die Kreise Köln=Land, Neuß, Krefeld=
Stadt und Land, St. Goar —, während dem hist. Verein für den Niederrhein die
gesonderte Bearbeitung und Herausgabe der umfangreicheren, seinem Arbeitsgebiete
angehörigen Archivinventare zufällt. — ● 1895 Heft 60. 1 Abteilung = S. 1—240
Erster Teil (A—Jonas) des von C. Bone bearbeiteten ausführlichen Registers zu
Heft 41—59. — ● 1895. Heft 61. H. Hüffer, aus den Jahren der Fremdherrschaft.
S. 1—56 Aus dem gräfl. Mirbach'schen Archiv zu Harff veröffentlicht H. eine poetische
Beschreibung des kurkölnischen Hofrats B. M. Altstätten über seine Flucht von Bonn
nach Westphalen 1794—95 (S. 1—20); sodann interessante Mitteilungen über die
Familie Lombeck=Gudenau während der Revolutionszeit (S 21—37), und schließlich
einen Beitrag zur Charakteristik des Grafen Adrian Lezay=Marnesia, Präfekt des Rhein=
und Moseldepartements 1806—1810, dessen großes Verdienst um den Wegebau und
um die Forstkultur am Rhein besonders hervorgehoben werden. — O. Dresemann,
die jülichsche Fehde 1542—43. Zeitgenössischer Bericht des Michael zu Louff, Johanniters
in Kieringen. S. 57—78. Publiziert aus dem Aachener Stadtarchiv einen von einem
wohlunterrichteten Zeitgenossen verfaßten, viel Neues bietenden Bericht über die Kriegs=
drangsale der Länder Jülich, Geldern und Limburg während des Kampfes um Geldern
zwischen Herzog Wilhelm von Kleve und Kaiser Karl V. — Ders., Aus einer Chronik
des Karthäuserklosters Vogelsang bei Jülich. S. 79—94. Eine Anzahl, besonders
kulturgesch. interessanter Auszüge aus der Chronik der i. J. 1473 durch Herzog Wilhelm
von Jülich gestifteten Karthause. Die Chronik rührt her von dem Frater, späteren
Prior Bruno Gulich und reicht bis 1771, mit wertlosen Nachträgen von einem Fort=
setzer bis 1776. — Al. Meister, die Haltung der drei geistlichen Kurfürsten in der
Straßburger Stiftsfehde 1583—92. S. 95—128. Auf grund des von Ehses=Meister
publizierten Kölner Nuntiaturberichte und ungedruckten Archivalien aus Düsseldorf,
Straßburg und München. — K. Hayn, aus den Annaten=Registern der Päpste
Eugen IV, Pius II, Paul II und Sixtus IV (1431—47; 1458—84). S. 129—86.
Gibt als Fortsetzung der im 56. Heft begonnenen Veröffentlichung 376 Auszüge aus
den Annatenregistern für die Erzdiözese Köln. — K. Keller, die historische Literatur
des Niederrheins für die Jahre 1892 u. 93. S. 187—236. Verzeichnet in 208, resp.
176 Nummern die ganze einschlägige Literatur. — H. Hüffer, der Grabstein des
Burggrafen Heinrich von Drachenfels und Rhöndorf. S. 237—44. Mit Abbildung.
Beschreibung des aus der Abteikirche zu Heisterbach stammenden Grabmals aus dem
16. Jahrh. — Literatur, S. 245—47. Anerkennende Rezension von S. über Pfülf,
S. J.: Kardinal von Geissel, Bd. I. — S. 246—68: Berichte über die General=
versammlungen des Vereins zu Werden Oktober 1893, Godesberg Juni 1894, Kempen
Oktober 1894, Honef Mai 1895, Zülpich Oktober 1895. — S. 269—70. Rechnungs=
ablage für 1894/95.

Annales franc-comtoises. (1896). Jan.-Fevr. Perrod, recherches
historiques sur saint Anatoile, évêque, patron de la ville de Salins.

Annales de philosophie chrétienne. (1896). Janvier. C. Huit,
le platonisme pendant la Renaissance; les théories philosophiques de Ficin.

Antologia, nuova. Vol. 61. (1895.) Fasc. 4. V. Malami, il carnevale
di Venezia nel secolo XVIII. — Vol. 62. (1896.) Fasc. 6. R. Mariano,
Francesco d'Assisi e il suo valore sociale presente.

Anzeiger der Akademie der Wissensch. in Krakau. (1895.) Dez. F. Piekosiński, zur Entstehungsgesch. der Statuten des Königs Kasimir d. Gr.

Anzeiger für schweizer. Gesch. 27. Jahrg. (1896.) Nr. 1 u. 2. F. L. Baumann, zur Gesch. Albrechts von Bonstetten.

Archiv für Gesch. des deutschen Buchhandels. N. F. 18. (1895) O. v. Hase, Bericht über den Fortgang meiner Arbeit für die Gesch. des deutschen Buchhandels. — G. Buchwald, archival. Mitteilungen über Bücherbezüge der kurfürstl. Bibliothek und Georg Spalatins in Wittenberg. Mit einigen Bemerkungen von A. Kirchhoff. — F. W. E. Roth, Joh. Haselberg von Reichenau, Verleger und Buchführer, 1515 —38. — K. Lohmeyer, Gesch. des Buchdrucks und des Buchhandels im Herzogtum Preußen. (16. u. 17. Jahrh.) — K. R. Dreher, der Buchhandel und die Buchhändler zu Königsberg in Preußen im 18. Jahrh. — A. Kirchhoff, aus den Anfängen der Thätigkeit der Leipziger Buchhdlgs.-Deputierten. (Anstreben des Konzessionswesens.) — Ders., ein Verlagskontrakt v. J. 1604 mit einer Art Gewinnbeteiligung des Vf. — R. Alberti, ein Urteil über den Buchhändlerstand a. d. J. 1781.

Archiv für latein. Lexikographie und Grammatik. Mit Einschluß des älteren MA. Hrsg. v. Ed. Wölfflin. 9. Bd. (1895.) H. 4. E. Wölfflin, est invenire. Infinitiv auf: uiri bei Augustin. — Ders., die Latinität des Benedikt v. Nursia. — Ders., Reaedifico in der lex Ursonensis. — Ders., inauratura. Didascalia apostolorum.

Archiv für slavische Philologie. Bd. 18. (1896.) H. 1 u. 2. G. Polivka, die apokryphische Erzählung vom Tode Abrahams. — J. Bolte, zwei böhmische Flug- blätter des 16. Jahrh. Mit einer Anmerkung von A. Brückner. — O. v. Gebhardt, das Martyrium des hl. Pionius. — Schmidt, Martyrium des Kodratus. — J. v. d. Gheyn, Martyrium des S. Sabinus. — Abicht u. Schmidt, Martyrium der 42 Märtyrer zu Amorium. — B. Oblak, eine Bemerkung zur ältesten süd- slavischen Geschichte.

Archivio nuovo Veneto. Bd. 9. (1895.) G. Bolognini, le relazioni tra la Repubblica di Firenze e la Repubblica di Venezia nell' ultimo ventennio del secolo XIV. — G. Monticolo, l'Apparitio Sancti Marci ed i suoi manoscritti. — G. Biadego, Antonio Medin e Ludovico Frati. — Lamenti storici dei secoli XIV, XV e XVI raccolti e ordinati. — G. Claretta, delle principali relazioni politiche fra Venezia e Savoia nel secolo XVII. — C. Cipolla, pubblicazioni sulla storia medioevale italiana (1894). — A. Medin, le relazioni e i codici della Cronaca Carrarese del sec. XIV. — G. Monticolo, nota intorno alla apparitio Sancti Marci

Beilage zur Allgem. Zeitung. (1896.) Nr. 4 u. 6. L. Brentano, warum herrscht in Altbayern bäuerl. Grundbesitz. — Nr. 9. F. Kluge, vom geschichtl. Dr. Faust. — Nr. 10. H. Sabersky, Randbemerkgn. zu einer dunkelen Dantestelle. — Nr. 23. B. Riehl, Burg Karlstein in Böhmen. — Nr. 27. W. H. Riehl, die Demokratisierung des Verkehrs. — Nr. 29. G. Schmoller, das politische Testament Friedrich Wilhelms I von 1722. — Nr. 34/35. A. Bock, Blücher in Gießen. — Nr. 36. S. Schott, über ein verschollenes Seitenstück zur Emilia Galotti. — Nr. 61/62. B. Riehl, die Gründung der Akademie der bildenden Künste in München. I. — Nr. 65. A. v. Bechmann, der churbayr. Kanzler Alois Frhr. v. Kreittmayr. 1. — Nr. 67. P. Weber, der Hortus deliciarum der Herrad von Landsperg. — Nr. 69. O. Lorenz, Gustav Freytags politische Thätigkeit. — Nr. 73/75. E. Steinmann, das Appartemento Borgia im Vatikan. — Nr. 99. F. Thimme, die Universität

Göttingen unter der französisch=westfäl. Herrschaft. — Nr. 105. J. Loserth, aus den Lehrjahren Kaiser Maximilians II. — Nr. 112, 113, 116, 117, 118, 120. Edwin Frhr. v. Manteuffel an Leopold v. Ranke.

Beilage zur Augsburger Postzeitung. (1895). Nr. 2—8. M. König, Peter v. Schaumberg, Kardinal und Bischof v. Ausgsburg. — Nr. 5—7. H. Groß, Geiler v. Kaisersberg. — Nr. 12, 13. J. N. Seefried, Uebergang der Burggrafschaft Nürnberg von den Grafen von Retz an die Grafen von Abenberg um 1177/78. — Nr. 12·14. A. Müller, schwäbische Chiliasten in Südrußland. — Nr. 15, 16. Die bayer. Franziskanerprovinz, deren Entstehung und Entwicklung. — Nr 18—20, Gottfried Heinrich Pappenheim in Vergleich gezogen mit Gustav Adolph. — Nr. 21—23. A. Hirschma'n, zur Chronologie des hl. Willibald. — Nr. 26—31. K. Schilcher, Theophrastus Paracelsus. — Nr. 36—38. J. N. Seefried, die Bruchstücke aus der Chronologia Willibaldina nach der Sanctimonialis Heidenheimensis, einer bayer. Schriftstellerin des VIII. Jahrh. — Nr. 40—45. J. St., das Vaticinium Lehninense — Nr. 43—49. L. Eid, eine Dalberg als Opfer Robespierres, Maria Anna von der Leyen. — Nr 47, 48. F X Kiefl, die Stellung des Leibniz zum Katholizismus. ● (1896). Nr. 2—4. Ch. Saint=Paul, die Gründer des Hauses Bourbon=France. — Nr. 5—10. A. K., Christoph von Stadion, Bischof von Augsburg, und seine Stellung zur Reformation. — Nr. 8—10. E. Heindl, der selige Luitpold von Breitbrunn. — Nr. 11—16. A. Hirschmann, Adam Weishaupt — Nr. 19, 20. B. S., die Entstehung der Kaiserchronik — Nr. 21—24. J. N. Seefried, Beatus Adalbertus, e. Graf Zollern=Hohenberg=Haigerloch; Mönch, Priester u. Prior in der niederbayer. Benediktinerabtei Oberaltaich 1261—1311.

Beilage, wissenschaftl., der Leipziger Zeitung. (1896.) Nr. 10. Ein Leipziger Beichtspiegel von 1495. — Nr. 13. M. Beck, das Wasser im Kultus und Volksglauben. — Nr. 17. Matthias, Kreuzweg, Wegscheide, Scheideweg. Eine kulturhist. Betrachtung. — Sebastian Schertlin von Burtenbach. Zu seinem 400jähr. Geburtstag. — Nr. 21. Harzen=Müller, berühmte Heilige in der Kunst und in der Legende. 1. Sancti. — Nr. 24. M. Bräß, der Storch im Volksglauben. — Nr. 66. M. de Monti, Juste, das letzte Asyl Karls V. — Nr. 69. G. Buchwald, der Bildungsstand der Geistlichkeit Sachsens in den ersten Jahrzehnten der Reformation.

Beiträge zur Gesch. der Stadt Rostock. Bd. 2. (1896.) H. 1. F. Bunsen, der Rostocker Erbvertrag vom 13. Mai 1788. — L. Krause, die Rostocker Heide i. J. 1696. — Ders., private Rats=Jägermeister im 16. u. 17. Jahrh. — K. Koppmann, Mandate und Verträge in betreff der Jagd von 1554—1680. — A. Hofmeister, die Szepter der Universität Rostock.

Blätter für liter. Unterhaltung. (K. Heinemann.) (1896.) — Nr. 5. O. Jiriczek, Karl Müllenhoff.

Geschichtsblätter des deutschen Hugenotten-Vereins. V. Zehnt, H. 1—4. 1. D. Brandes, die Hugenotten=Kolonien im Fürstent. Lippe. — 2. Fr. W. Cuno, Gesch. der wallon. u. französ.=reform. Gemeinde zu Wesel.

Globus. Bd. 69. (1896.) Nr. 19. F. G. Schultheiß, die geschichtl. Entwicklg. des geogr. Begriffes „Deutschland."

Grenzboten, die (J. Grunow). 55. Jahrg. (1896.) Nr. 6. K. Lange, war Dürer ein Papist?

Handweiser, literarischer. 34. Jahrg. (1895.) Nr. 635. F. Kampers, zur Literatur der Gesch. der deutschen Kaisersage. Stellt chronologisch die umfangreiche

Literatur zusammen und hebt die Arbeiten, welche in einzelnen Punkten die Forschung förderten, hervor.

Jahrbuch, kirchenmusikalisches. (1896.) (F. X. Haberl.) A. Walter, kirchen= musikalische Jahreschronik vom Okt. 1894 bis Okt. 95. S. 1—16. — K. Walter, archivalische Exzerpte über die herzogl. Hofkapelle in München. (Schl.) S. 17—26. Vgl. Hist. Jahrb. XVI, 398. — R. von Liliencron, ein deutsches Missale aus dem J. 1529. S. 26—33. Enthält eine deutsche Uebersetzung der bibl. Texte. Eine Notiz der Redaktion verweist auf eine einschlägige Stelle der Thalhofer=Ebner'schen Liturgik. (I, 95.) — Haberl, über Kataloge von Musikbibliotheken. S. 34—40. Praktische Winke. — Katalog der St. Marienbibliothek zu Elbing, aufgenomm. von Th. Carstenn. S. 40—49. — G. Gietmann, S. J., rhythmische Gliederung des Chorals. Eine neue Theorie nach A. Dechevrens. S. 50—65. — E. Langer, das vom deutschen Gesang begleitete Hochamt. S. 65—72. — Haberl, Tomas Luis de Victoria. Eine bio=bibliographische Studie. S. 72—84. Spanischer Komponist des 16. Jahrh. — U. Kornmüller, die Neumenforschung (Paléographie musicale und Dr. Fleischers Neumenstudien). S. 84—110. Kritik von Fleischers Buch, in dessen als hervorragend anerkanntem Werke schwere Irrtümer nachgewiesen werden.

Jahrbücher, Bonner. (1896.) H 98. R. Schultze und K. Steuernagel, Colonia Agrippinensis. Ein Beitrag zur Ortskunde der Stadt Köln.

Jahresbericht des histor. Vereins Dillingen. Jahrg. 8. (1895). Th. Specht, die Privilegien der ehemal. Universität Dillingen. — A. Schröder, Untersuchungen gegen Mag. Kaspar Haslach, Prediger in Dillingen, wegen Verdachtes der Häresie. (1522.) — J. Fille, zur Reformationsgesch. Augsburgs. — A. Wagner, der Augustiner Kaspar Amman — J Schlecht, Felician Ninguarda in Andechs. (1583.) — Miscellanea. J. M. Harbauer, die Entstehung des Namens Dillingen. — Th. Specht, Matrikeln der Universität Dillingen. — A. Wagner, Prioren des Lauinger Augustinerklosters bis 1540. — J. Schlecht, zur Geschichte der deutschen Augustiner vor Luther.

Kirchenzeitung, allgem. evang.=luther. (1896.) Nr. 4. Luther u. die Kindererziehung. — Nr. 7. Die Einweisung des ersten evangelischen Bischofes von Naumburg, Nikolaus von Amsdorf, und Luthers Festrede in der Domstiftskirche am 20. Januar 1542. — Nr. 19. Das Wachstum des Protestantismus in der kathol. Hauptstadt Bayerns.

Land, das. Jahrg. 4. (1896.) Nr. 16. Helmolt, Kaiser Karls Verordnung über die Krongüter. Behandelt das Capitulare de villis vel curtis imperii, welches H. nach der Ausgabe von Gareis (vgl. Hist. Jahrb. XVI, 909) übersetzt.

Messager des sciences historiques de Belgique. (1896.) 3e livr. P. Poullet, quelques notes sur l'esprit public en Belgique pendant la do- mination française (1795—1814). S. o. S. 615. — J. Proost, le mariage de Baudoin III, comte de Hainant, avec Jolande, fille de Gérard de Wassenberg, comte de Gueldre.

Mitteilungen vom Freiberger Altertumsverein, mit Bildern aus Freibergs Ver= gangenheit. (H. Gerlach.) (1896.) H. 31. K. Knebel, die Freiberger Goldschmiede= Innung, ihre Meister und deren Werke. Ein Beitr. zur Gesch. des sächs. Kunsthandels.

Monatshefte der Comenius-Gesellschaft. (L. Keller.) Bd. 5. (1895.) H. 1 u. 2. K. Melchers, Pestalozzi und Comenius. Eine vergleichende Betrachtung ihrer sozial= politischen und religiös=sittlichen Grundgedanken. — F. Thudichum, die „deutsche Theologie." Ein religiöses Glaubensbekenntnis aus dem 15. Jahrh.

Monatsschrift, altpreußische. N. F. Bd. 32. (1895).' H. 5—8. M. Perlbach, der Uebersetzer des Wigand von Marburg. — G. Conrad, Regesten ausgewählter Urkk. des reichsburggräfl. Dohnaschen Majoratsarchivs in Lauck (Ostpr.). ● Bd. 33. (1896.) L. Froehlich, die Jesuitenschule zu Graudenz. — P. Schwenke, Hans Weinreich und die Anfänge des Buchdrucks in Königsberg.

Publications de la Section historique de l'Institut royal grand-ducal de Luxembourg. Vol. 42. (1895.) Peters, die luxemburger Bistumsfrage. — N. van Werveke, les monnaies luxembourgeoises de 1383 à 1412. — K. Arendt, Blumenlese aus der Gesch. der Burg Vianden und des Nassau-Viandener Grafengeschlechtes.

Repertorium für Kunstwissenschaft. Bd. 18. (1895.) H. 4. F. M. Valeri, der Palast des Podestà in Bologna. — H. 6. E. H. M. Lehrs, zur Datierung der Kupferstiche Martin Schongauers. — Zucker, zu Dürers letztem venetianischen Brief. — J. Rieffel, die Steinigung des hl. Stephanus von Baldung. ● Bd. 19. (1896.) H. 1. W. Lippert, Urkk. zur Kunstgesch. der wettinischen Lande im 14. Jahrh. — M. J. Friedländer, Dürers Bildnisse seines Vaters. — K. Koetschau, zu Dürers Familienchronik. — F. J. Schmitt, über Marienkirchen im MA.

Revue de l'Agénais. (1895.) Nov.-Déc. J. F. Bladé, les comtes carolingiens de Bigorre et les premiers rois de Navarre.

Revue générale de Bruxelles. (1895.) II. Jos. Buet, de Maistre pendant la Révolution. — Poullet, la domination française en Belgique. — de Ricault, de quelques ouvrages sur la révolution. — Poullet, les premières années du royaume des Pays-Bas. S. o. S. 576.

Revue générale du droit, de la législation et de la jurisprudence. (1895.) Nov.—Déc. Bensa, histoire du contrat d'assurance au moyen âge. — P. E. Vigneaux, essai sur l'histoire de la praefectura urbis à Rome.

Rundschau, deutsche. (J. Rodenberg.) Jahrg. 22. (1896.) H. 6. Briefe der Königin Luise an die Oberhofmeisterin Gräfin Voß (1796—1810.) Hrsg. u. erläutert von Paul Bailleu. — Graf von Pfeil, die Gründung der Boerenstaaten. — G. Egelhaaf, Briefe von David Friedrich Strauß.

Schriften des Vereins für Sachsen-Meiningische Geschichte und Landeskunde. (1896.) H. 20. Ew. Eichhorn, die Gräfsch. Camburg. — G. Jacob, Verzeichnis der Studierenden aus dem Herzogt. Sachs.-Meiningen, die in der Zeit von 1502—60 die Universität Wittenberg besuchten. — A. Human, Max Kleemann. Ein Lebens- und Charakterbild. — Max Kleemann, Programm zur Neubearbeitung der Landeskunde des Herzogt. S.-Meiningen.

Tidsskrift, historisk, sjette Raekke udgivet af den danske historiske Forening ved dens Bestyrelse. Bd. 5. (1894.) J. Paludan, om Priodedeling i den danske Litteraturs Historie. — E. Holm, Frederik II af Preussen og Dronning Juliane Marie. — Chr. V. Christensen, de jydske Kirkebogers Bidrag til Belysning af Krigen i Jylland 1657—59. ● Bd. 6. (1895.) H. 1. H. Matzen, Leges Waldemari Regis — M. Mackeprang, de danske Fyrstelen i Middelalderen. Deres Udvikling og statsretlige Stilling. — K. Erslev, den saakaldte ›Constitutio Valdemariana‹ af 1326.

Vierteljahreshefte, württembergische, für Landesgeschichte. N. F. (Jahrg. 1895.) H. 3 u. 4. H. Keidel, Ulmische Reformationsakten von 1531 u. 32. — Ph. Schott,

Württemberg und Gustav Adolf 1631 u. 32. — Steiff, Kreuzfahrer u. Jerusalems=
pilger aus=Württemberg (bis 1300).

Zeitschrift des Aachener Geschichtsvereins. 1895.¹ Bd. 17. A. Pauls, der Ring
der Fastrada. S. 1—73. F. war die dritte Gemahlin Karls d. Gr. An sie knüpft
sich die Sage, daß sie noch nach dem Tode auf den Kaiser einen geheimnisvollen
Einfluß ausübte, so daß dieser sich nicht von ihrem Leichnam trennen wollte; erst als
einen in ihrem Haar verborgenen Ring der Erzbischof Turpin heimlich an sich ge=
nommen hatte, gestattete Karl die Beerdigung. Turpin warf den Ring in den See
bei dem kaiserlichen Jagdschloß Frankenberg bei Aachen; seitdem wurde Aachen der
Lieblingssitz des Kaisers. P. bespricht ausführlich die Entstehung und Entwickelung
dieser Sage bis in die Neuzeit. — A. Cartellieri, Heinrich von Klingenberg, Propst
von Aachen 1291—93. S. 74—88. Kurze Biographie des späteren Bischofs von Konstanz
(1193—306). — Jos. Buchkremer, die Architekten Johann Joseph Couven und
Jakob Couven. S. 89—206. Aachener Baumeister des 18. Jahrh. S. oben 438. —
J. Fromm, zeitgenössische Berichte über Einzug und Krönung Karls V in Aachen
am 22. u. 23. Oktober 1520. S. 207—51. Zusammenstellung, Vergleichung und teil=
weiser Abdruck dieser Berichte. — **Kleinere Mitteilungen.** S. 252—60.
A. Bellesheim, Studenten aus der alten Reichsstadt Aachen im Collegium
Germanicum Hungaricum in Rom. Nach Kardinal Steinhubers Geschichte des
Kollegs. — Keussen, Urkk. zur Gesch. der Jülicher Reichspfandschaften. Aus dem
Kölner Stadtarchiv. — H. Kelleter, gefangene Aachener in Algier. Schreiben der
Stadt Köln an Aachen vom 8. Juli 1591. — **Literatur.** S. 261—67. Rezension
von Scheins, urkundliche Beiträge zur Gesch. der Stadt Münstereifel und ihrer
Umgebung. I. Bd. 1894/95. — F. Wissowa, bibliographische Uebersicht des in
Aachener Zeitungen von 1815—90 enthaltenen lokalgeschichtlichen Materials S. 268—326.
= 832 Nummern.

Zeitschrift des bergischen Geschichtsvereins 1893. Bd. 29. von Below, Urkk.
und Akten zur Geschichte der Steuern in Jülich und Berg. S. 1—131. c. 100 aus
dem Düsseldorfer Staatsarchiv genommene Belege für v. B.s Gesch. der direkten
Staatssteuern in Jülich und Berg in Bd. 26 u. 27 dieser Zeitschr. — J. Joesten,
zur Geschichte des Schlosses Windeck. S. 133—59. Das Schloß W. an der Sieg wurde
von Erzbischof Philipp von Heinsberg für das Erzstift Köln von dem Landgrafen von
Thüringen erworben und war später Sitz des gleichnamigen bergischen Amtes. — W.
Harleß, zur Gründungssage der Abtei Altenberg. S. 161—79. Gibt die ältere
Gründungssage nach einem Codex der Abtei, welcher jetzt in der Landesbibliothek in
Düsseldorf sich befindet. — F. Küch, eine Abtschronik von Altenberg. S. 171—91.
Abdruck der bereits von Jongelinus, Notitia abbatiarum ordinis Cisterciensis
auszüglich benutzten Chronik aus dem J 1517; wichtig für die Baugeschichte der Abtei.
O. Redlich, das Düsseldorfer Religionsgespräch vom J. 1527. S. 193—213. Neudruck
der bis heute fast ganz unbeachtet gebliebenen Schrift des sächsischen Hofpredigers und
Pfarrers zu Gotha Friedrich Mykonius über seine Disputation mit dem Kölner
Franziskaner Johann Heller aus Korbach in Düsseldorf am 19. Februar 1527. —
K. Kraft, Domherr Friedrich Graf zu Rietberg als Angeklagter des Rates zu Köln,
1529. S. 215—237. Abdruck einer Reihe Akten. — E. Jacobs, Johann Meinerzhagen
und das Interim. S 238—65. Auf grund Stolbergscher Archivalien gibt J. dankens=
werte Beiträge über die letzten Lebensschicksale des aus der Grafschaft Mark stammenden
Vorfechters der Reformation. — Wachter, zwei Schreiben des Herzogs Alba und
der Statthalterin der Niederlande, Margaretha von Parma, an den Herzog Wilhelm

von Cleve, vom 22. bezw. 25. September 1567. S. 266—68. Ergänzung zu Bd.
der Publik. aus den preuß. Staatsarchiven. — L. Schmitz, ein Nuntiaturbericht aus
dem J. 1630. S. 269—72. Verzeichnis der in den Besitz der Protestanten gelangten
rechtsrheinischen Kirchen des Erzbistums Köln mit Angabe der Prediger usw. —
Kleinere Mitteilungen. S. 273—84: Wachter, das Wappen des Stiftes Essen
und seine Bedeutung. Rezensionen über 1 Kuhl, Gesch. des früheren Gymnasiums
zu Jülich. Teil I u. II. 2. Osnabrücker Geschichtsquellen, Bd. I: die Chroniken des
MA., von Philippi und Forst. 3. Arthur Körnicke, Entstehung und Entwickelung
der bergischen Amtsverfassung bis zur Mitte des 14. Jahrh. Bonn 1892. 4. K. vom
Berg, Gesch. der evangelischen Gemeinde Lennep. ● 1894. Bd. 30. G. von Below,
über die militärische Unterstützung des Herzogs von Jülich-Cleve durch Franz I von
Frankreich im geldrischen Erbfolgestreite. S. 1—7. Drei diesbezügl. Aktenstücke mit
ganz neuen Aufschlüssen. — Ders., Quellen zur Geschichte der Behördenorganisation
in Jülich-Berg im 16. Jahrh. S. 8—168. Sehr wichtige Aktenpublikation über dieses
noch ganz unbebaute Gebiet, der hoffentlich bald eine Darstellung folgt. — A. Mörath,
ein bergischer Zolltarif vom J. 1639. S. 169—71. Nach einem Druck im Schwarzen-
bergischen Archive zu Schwarzenberg in Franken; das Original scheint verloren zu sein.
— W. Harless, Bericht des kurfölnischen Raths Jakob Omphalius vom Reichstage
zu Speyer (1544). S. 172—79. Ueber den Handel des Kurfürsten Johann Friedrich
von Sachsen und des Landgrafen Philipp von Hessen wider Herzog Heinrich von
Braunschweig — K. Spannagel, die Gründung der Leineweberzunft in Elberfeld
und Barmen im Oktober 1738. S. 181—99. Interessanter, auf Archivalien beruhender
Beitrag zur Geschichte der Industrie des Wupperthals. — F. Wachter, Briefe nieder-
rheinischer Humanisten an Erasmus (1529—36). S. 201—12. Sieben Stück nach
den Originalen in der Breslauer Stadtbibliothek, die eine große Zahl ungedruckter
Originalbriefe an Erasmus aufbewahrt. — F. Küch, die Lande Jülich und Berg
während der Belagerung von Bonn 1588. S. 213—52. Schilderung ihrer Kriegsleiden.
— K. Krafft, der Kampf des Magistrats von Elberfeld, der Bürgerschaft von Elberfeld und Barmen und der kirchlichen Konsistorien des Wupperthals gegen die Erbauung
eines Theaters in Elberfeld i. J. 1806. S. 253—66. Das Theater wurde errichtet
trotz des Einspruches der Bürgerschaft usw., welche dadurch eine Beeinträchtigung der
Religiosität und des Nationalwohlstandes befürchtete. — Ders., der westphälische
Reformator Demiken über seine Lebensgeschichte. S. 267—73. Kleiner Beitrag zu
der Geschichte dieses noch wenig bekannten, für die Reformationsgeschichte Westfalens
und Mecklenburgs indes sehr bedeutsamen Mannes. — Ders., Erzählung des Pastors
Johannes Mollerus über sein Leben bis zum Jahre 1709. S. 274—79. M. war Pastor
in Soest bei der Marienkirche zur Höhe und starb 1741. — Ders., einige Lebens-
umstände von J. C. Henke zu Duisburg, von ihm selbst verfaßt. S. 280—87. Die
Erinnerungen reichen bis 1730, in welchem Jahre H. Pastor in Duisburg wurde;
H. starb 1780. — O. Redlich, zur Geschichte des Klosters Bödingen im 15. Jahrh.
S. 289—93. Das Kloster wurde von Windesheim gegründet um 1423 und erfreute
sich des besonderen Schutzes der Herzöge von Jülich-Berg ● 1895. Bd. 31. M.
Lossen, die Verheiratung der Markgräfin Jakobe von Baden mit Herzog Johann
Wilhelm von Jülich-Cleve-Berg (1581—85). S. 1—77. Bereits früher in den Sitzungs-
berichten d. Münch. Akad., 1895, H. 1, erschienen. Vgl. oben S. 608. — E. Pauls, Kultur-
geschichtliches. S. 79—104. Uebersendung eines Wahrzeichens an den Herzog Adolf
von Jülich-Berg 1434; amtliche Korrespondenz über eine Hexe im Kirchspiel Porz bei
Mülheim am Rhein 1637; Hausinventar aus dem J. 1488; diätetische Mittel gegen

die Fallsucht im 15. Jahrh. — Ders., ein Massengrab im Dom zu Altenberg.
S. 105—12. Aus dem J. 1339. — W. Harleß, die Fürstengruft zu Altenberg.
S. 113—18. Verzeichnis der im sogen. Herzogenchor des Altenberger Münsters be=
statteten bergischen Landesherren und fürstlichen Personen geistlichen und weltlichen
Standes. — Ders., das Memorienregister der Abtei Altenberg. S. 115—50. Abdruck
der erhaltenen Fragmente des im 13. Jahrh. angelegten und bis in das 18. fort=
geführten Registers. — Hengstenberg, die Entstehung des Altenberger Domvereins.
S. 151—52. Der Verein bezweckt die Wiederherstellung und künstlerische Ausschmückung
dieses berühmten gotischen Bauwerkes und seiner Grabdenkmäler. — Literarisches.
S. 153—54. Anzeige von B. Schönneshöfer, Geschichte des bergischen Landes.
Elberfeld 1895.

Zeitschrift, neue kirchl. (G. Holzhäuser.) Jahrg. 7. (1896.) H. 1 u. 2. Th. Zahn,
neuere Beiträge zur Gesch. des apostol. Symbolums. — H. 3. W. Walther, ein an=
geblicher Bibelübersetzer des MA.

Zeitschrift für bildende Kunst. N.·F. Jahrg. 6. (1895.) A. Rosenberg,
Peter Paul Rubens. — C. Justi, das Bildnis der Isabella von Oesterreich von
Mabuse. — C. Berger, Beiträge zur Entwicklungsgeschichte der Maltechnik. Van
Eycks=Tempera. ● Jahrg. 7. (1896.) H. 8. E. Steinmann, das Madonnenbild
des Michelangelo.

Zeitschrift für christliche Kunst. Jahrg. 8. (1895.) F. Jostes, die Darstellung
der Kreuzigung Christi im Heliand. — Graf J. Asseburg, frühgothisches Lektionarium
in der St. Nikolaikirche zu Höxter. — St. Beissel, das Reliquiar des hl. Oswald
im Domschatz zu Hildesheim.

Zeitschrift für vergleichende Literaturgeschichte. (M. Koch.) N. F. Bd. 8. H. 6.
A. Heisenberg, die byzantinischen Quellen von Gryphius „Leo Armenius." ●
Bd. 9. (1896.) H. 1. J. O. E. Donner, Richardson in der deutschen Romantik.
— E. Sulger=Gebing, Dante in der deutschen Literatur des 18. Jahrh. 2. die
Uebersetzungen. — R. Schlösser, eine Dichtung in Jamben a. d. J. 1778.

Zeitschrift für Sozial= und Wirtschaftsgeschichte. Bd. 4. (1896.) H. 2. G. Winter,
zur Gesch. des Zinsfußes im MA. — K. Häbler, die Anfänge der Sklaverei in
Amerika. — J. Hartung, Akten zur deutschen Wirtschaftsgeschichte im 16., 17. u.
18. Jahrh. — K. Schalk, Bruderschaftsbuch der Wiener Goldschmiedezeche, an=
gelegt i. J. 1367.

Zeitschrift für deutsche Sprache. (D. Sanders.) Jahrg. 9. (1896.) H. 11. Goethes
Beziehungen zu Jacob und Wilhelm Grimm.

Novitätenschau.*)

Bearbeitet von Dr. Jof. Weiß und Dr. Franz Kampers, Affiſtent a. d. k. Hof= u. Staatsbibliothek zu München.

Philofophie der Geschichte; Methodik.

Adams (B), the law of Civilisation and Decay, an essay on history. London, Sonnenschein. 1895. 312 S. sh. 7,6.

Mahan (A. T.), der Einfluß der Seemacht auf die Geschichte Ueberſetzt v. d. Redakt. d. Marine=Rundſchau. Lfg. 1 u. 2. Berlin, Mittler & Sohn. S. 1—96. à ℳ 1.

Weltgeschichte; Allgemein Kulturgeschichtliches; Sammelwerke verſchiedenen Inhalts.

Ranke (L. v.), Weltgeschichte. Textausg. 2. Aufl. In 4 Bdn. od. 24 Lfgn. Lfg. 1. Bd 1. S 1—112. Leipzig, Duncker & Humblot. ℳ 1,60; Bd. 1. 762 S. ℳ 10.

Knoke (F.), die römiſchen Moorbrücken in Deutſchland. Berlin, Gärtner. 1895. IV, 136 S. mit 5 Holzſchn., 4 Kart. u. 5 Taf. ℳ 5.

Bryant (E.), the reign of Antoninus Pius. Cambridge, Univ. Press. 242 S. sh. 3,6.

*Löwe (R.), die Reſte der Germanen am ſchwarzen Meere. Eine ethnolog. Unterſuchung. Halle, Niemeyer. XII, 270 S. ℳ 8. Beſprechung folgt.

Church (R. W.), the beginning of the middle ages. London, Macmillan & Co. 1895. XXII, 269 S.

---

*) Von den mit einem Sternchen bezeichneten Schriften ſind der Redattion Rezenſionsexemplare zugegangen.

Wo keine Jahreszahl angegeben, iſt 1896, wo kein Format beigefügt wird, iſt 8° oder gr. 8° zu verſtehen.

Falórsi (G.), corso di storia del medio evo. Roma, Soc. ed. Dante Alighieri. 1895. 335 S.

*Bumüller (J.), Lehrbuch der Weltgeschichte. 7. Aufl. in gänzlich neuer Bearbeitung v. S. Widmann. Tl. 2: Geschichte des MA. Freiburg i. Br., Herder. XII, 384 S. ℳ 3,30.
Besprechung folgt.

Swinburne (H.), the courts of Europe at the close of the last century. 2 vols. London, Nichols. 1895. 428, 352 S. sh. 21.

Müller (W.), politische Geschichte der Gegenwart. Begründet v. — u. fortges. v. K. Wippermann. Bd. 29: Das Jahr 1895. Berlin, Springer. XII, 391 S. ℳ 4.
Vgl. Hist. Jahrb. XVI, 644.

Schultheß' europäischer Geschichtskalender. Neue Folge. 11 Jahrg. 1895. Der ganzen Reihe 26. Bd. Hrsg. v. Gust. Roloff. München, Beck. VIII, 379 S. ℳ 8.

Wintera (L.), die Kulturthätigkeit Brewnows im Mittelalter. Brünn, Braunau, Bocksch. 1895. 28 S. ℳ 0,50.

Burckhardt (J.), die Kultur der Renaissance in Italien. 5. Aufl. 2 Bde. Leipzig, Seemann. XII, 326. VIII, 335 S. ℳ 11.
Unveränderter Abdruck der 4. von Ludw. Geiger hrsg. Aufl.

Biagi (Gu.), the private life of the renaissance florentines. Florence, Bemporad. 1896. 92 S. l. 2.

Edersheim (A.), history of the Jewish nation after the destruction of Jerusalem by Titus. Rev. by H. White, pref. by Sanday. London, Longmans. 568 S. sh. 18.

Brann (M.), Geschichte der Juden in Schlesien. Breslau, Jacobsohn & Co. IV, 40 u. XIII S. ℳ 1,60.

Lang (A.), mythes, cultes et religion. Traduit par L. Marillier, avec la collaboration de A. Dirr. Précédé d'une introduction par L. Marillier. Paris, Alcan. XXVIII, 683 S. [Biblioth. de philos. contempor. 158]

Hopkins (E. W.), the religions of India. Boston and London, Ginn and Comp. XXX S. 1 Taf. 612 S. [Handbooks on the History of Religions. Ed. by M. Jastrow. Vol. 1.]

Bose (P. N.), a history of Hindu civilisation during British rule. Vol. III: Intellectual condition. London, Paul. 296 S. sh. 7,6.
Vgl. oben S. 144.

Luckock (H. M.), the history of marriage, jewish a. christian, in relation to divorce a. certain forbidden degrees. 2. ed. London, Longmans. 1895. 382 S. sh. 6.

Waronen (M.), die Totenehrung bei den alten Finnen. Helsingfors. Diff. 135 S. (in finnischer Sprache).

Maury (A.), croyances et légendes du moyen-âge; nouv. éd. publ. p. M. Bréal. Paris, Champion. LV, 459 S. mit Portr. fr. 12.

Leland (C. G.), legends of Florence, collect. from the people and re-
told. London, Nutt. 1895. 374 S.

Cooper (W. M.), flagellation and the Flagellants; a history of the
rod in all countries from the earliest period to present time. New
ed. revis. London, Reeves. 556 S. sh. 7,6.

Hottenroth (F.), Handbuch der deutschen Tracht. Mit 1631 ganz. Fig.
u. 1391 Teilfig. in 271 schwarz. Textilluftr., 30 Farbentaf. u. einer
Titelvignette. Stuttgart, Weise. VI, 983 S. mit 2 farb. Taf. ℳ 30.

Hergsell (G.), die Fechtkunst im 15. und 16. Jahrh. Mit 48 Lichtdr.=
Taf. u. 48 Textilluftr. mit Faksimile. Prag, Calve. Lex.=8°. X,
631 S. ℳ 48.

Brinkmann (A.), die Burganlagen bei Zeitz in tausendjähriger Ent=
wicklung. Mit 14 Orig.=Darstellgn. Progr. Halle, Hendel. Lex.=8°.
V, 54 S. ℳ 2.

Peter (H.), Beiträge zur Geschichte Eisenachs. Die alte Stadtbefestigung.
Mit 1 Lagenplan u. 2 Ansichten auf 1 Taf. Eisenach, Kahle V,
340 S. ℳ 0,50.

Müller (Ad.), vier Schreckenstage der Stadt Hersfeld. Hersfeld, Schmidt.
36 S. ℳ 0,50.

Stieler (J.), Lebensbilder deutscher Männer und Frauen. Mit Bildern
v. L. Richter, W. Friedrich, E. Klimsch u. a. 2. Aufl. Glogau,
Flemming. 346 S. ℳ 4,50.

Festschrift, zum 70. Geburtstage Oskar Schade dargebr. von seinen Schülern
und Verehrern. Königsberg, Hartung. V, 415 S. ℳ 10.
Inhalt: H. Becker, zur Alexandersage. Der Brief über die Wunder Indiens
bei Johannes Hartlieb und Sebastian Münster. (26 S.) — W. Brill, ein Bei=
trag zur Kritik von Lessings Laokoon. (8 S.) — O. Carnuth, das Etymo=
logicum Florentinum Parvum und das sogenannte Etymologicum Magnum
Genuinum. (42 S.) — H. Fietau, die drei Ausgaben von Rückerts Weisheit
des Brahmanen. (16 S.) — L. Fischer, die charakteristischen Unterschiede
zwischen dem plattdeutschen und hochdeutschen Dialekt in den Lauten und der
Formenbildung der Substantiva. (10 S.) — U. Friedlaender, metrisches
zum Zwein Hartmanns v. Aue. (10 S.) — L. Goldstein, Beiträge zu lexi=
kalischen Studien über die Schriftsprache der Lessingperiode. (16 S.) — F. Graz,
Beiträge zur Textkritik der sogenannten Caedmonschen Genesis. (11 S.) —
H. Hartmann, über William Cowpers Tirocinium. (23 S.) — E. Hasse,
Schillers „Glocke" und das griechische Chorlied. (14 S.) — L. Jeep,
alias. (7 S.) — M. Kaluza, zur Betonungs= und Verslehre des Alt=
englischen. (33 S.) — E. Lagenpusch, Walhallaklänge im Heliand. (18 S.)
— A. Ludwich, Erinnerungen an Oskar Erdmann. (24 S.) — K. Marold,
zur handschriftlichen Ueberlieferung des Tristan Gottfrieds v. Straßburg. (10 S.)
— J. Müller, Liscow und die Bibel. (42 S.) — R. Nadrowski, über
die Entstehung des Nibelungenliedes (4 S.) — H. Reich, über die Quellen
der ältesten römischen Geschichte und die römische Nationaltragödie. (17 S.) —
J. Schulz, Jagdallegorie. (5 S.) — G. Thurau, E. T. A Hoffmanns
Erzählungen in Frankreich. (50 S.) — J. Toltiehn, de Livii Andronici
Odyssia et de Cn. Matii Iliade latina. Accedit appendicula de
T. Livio in Prisciani libris laudato. (8 S.) — W. Uhl, der Waise.
(11 S.) — A. Zimmermann, etymologisches aus dem Bereiche der Ger=
manistik. (3 S.)

Festgabe an Karl Weinhold. Ihrem Ehrenmitgliede zu seinem 50jährigen

Doktorjubiläum dargebracht von der Gesellschaft für deutsche Philologie in Berlin Leipzig, Reisland. 135 S. ℳ 2,40.

Inhalt: R. Bethge, die altgermanische Hundertschaft. S. 1—19. — W. Luft, 1. zur Handschrift des Hildebrandsliedes. S. 20—27; 2. zum Dialekt des Hildebrandsliedes. S. 27—30. — W. Scheel, die Berliner Sammelmappe deutscher Fragmente. S. 31—90. — J. Bolte, in dulci jubilo. S. 91—129. — P. Kaiser, Schillers Schrift vom ästhetischen Umgang.

Orientalische Beobachtungen. Sammlung von Artikeln und Untersuchungen von Professoren und Dozenten der Fakultät der oriental. Sprachen an der Universität zu St. Petersburg. St. Petersburg, Druckerei der Akademie der Wiss. 1895. 404 S. [In russischer Sprache.]

Aus dem Inhalt seien notiert die Artikel: Wasiljew, Buddhismus. — Marr, die Sage vom Katholikos Petrus. — Smirnow, Urkunde Osmans II. — Schukowski, Gesänge eines alten Heraters — Rosen, Hu dai-Nameh. — Kokowzew, Moise ben Esra. — Posdnejew, Denkmal der mongolischen Literatur.

(Sidney-Lee), Dictionary of National Biography. Vol. XLIII: Owens-Paselaw. Vol. XLIV: Paston-Percy. Vol. XLV: Pereira-Pocock. Vol. XLVI: Pocok-Puckering. London, Chapmann Hall. sh. 15.

Es muß genügen, einige Angaben des in mancher Hinsicht ausgezeichneten Werkes zu prüfen und einige Artikel namhaft zu machen. Unter Parry nennt Pollard den Paget einen Jesuiten, in dem Artikel, auf den P. verweist, wird derselbe Paget als bitterer Feind der Jesuiten bezeichnet. Die Artikel Parson von Law und Oates von Leccombe sind sehr gehaltreich. Unter den wichtigen Artikeln des 44. Bandes sind hervorzuheben Peckam von Kingsford, Penn von Riggs, Pepys von Leslie Stephen. Band 45 enthält manche historische Namen: Pitt, Earl of Chatham, von Russell Barker; William Pitt von W. Hunter; Hugh Peters von Firth; der Artikel über den Jesuiten Petre ist sehr mangelhaft. Der weitaus beste Artikel des 46. Bandes ist Kardinal Pole von Gairdner, der einen Separatabdruck wohl verdiente Alexander Pope (der Dichter von Leslie Stephen) ist ein Meisterwerk. Gut sind die Artikel Priestley von Harlog, Pocock von Lane Poole; Porson von Jebb. Die Vff. der einzelnen Artikel müßten auf einander mehr Rücksicht nehmen, dann würden die leidigen Wiederholungen und einzelne Widersprüche vermieden. Z.

Politische Geschichte.

Deutsches Reich und Oesterreich.

Schreiber (F.), die Mark Michelstadt, Einhards Vermächtnis an das Kloster Lorsch Progr. Schleusingen, Adler. 20 S. ℳ 1.

Mittag (A.), Erzbischof Friedrich von Mainz und die Politik Ottos des Großen. Hallenser Diff. 90 S.

Vgl. Hist. Jahrb. XVI, 659.

—, die Arbeitsweise Ruotgers in der Vita Brunonis. Seine Abhängigkeit von augustin. Ideen. Progr. Berlin, Gärtner. 4⁰. 27 S. ℳ 1

Fabarius, die Schlacht bei Riade. Ein Rückblick auf die erste Gründung des Deutschen Reiches unter Heinrich dem „Städteerbauer". Auch ein kleiner Beitrag zu der 25jähr. Jubelfeier des deutsch. Reiches. Halle, Anton in Komm. 47 S. mit 1 Karte. ℳ 1 [Aus: Neue Mittlgn. des thür.-sächs. Geschichts- u. Altertumsvereins.]

Der Sang vom Sachsenkriege. Mit einem Exkurse: Ueber Stilvergleichg. als Mittel des histor. Beweisverfahrens. Innsbruck, Wagner. XIX, 818 S. ℳ 8,40. [Aus: Heldenlieder der deutsch. Kaiserzeit, a. d. Lat. übers., an zeitgenöss. Berichten erläut. u. eingel. b. Uebersichten über d. Entwickelg. d. deutsch. Geschichtsschreibg. im 10., 11. und 12. Jahrh z. Ergänzg. d. deutsch. Literaturgesch. u. z. Einführg. in die Geschichtswissensch. v. W. Gundlach. Bd. 2.]

Gianandrea (A.), di Federico II di Svevia e della sua casa in relazione con la città di Jesi: discorso Jesi, Ruzzini. 1895. 27 S.

*Monumenta Historica Ducatus Carinthiae. Geschichtl. Denkmäler des Herzogtumes Kärnten. Bd. I: Die Gurker Geschichtsqu. 864—1232, hrsg. von A. v. Jaksch. Klagenfurt XXIII, 432 S.

Der Kärntner Geschichtsverein hätte mit seinem schönern Unternehmen das An denken des verdienten Ankershofen feiern können, als mit demjenigen, das mit der Herausgabe der Gurker Geschichtsquellen inauguriert wurde. Schon Meiller hat den Wunsch darnach ausgesprochen. Das ganz eigentümliche Verhältnis des Bistums zur Metropole Salzburg, der langjährige Streit hierüber, welcher auch Anlaß war für eine Reihe von Urkundenfälschungen, das alles ist geeignet, das Interesse des Kanonisten, des Rechtshistorikers wie des Diplomatikers und Paläographen in besonderem Maße auf sich zu lenken. Daher ist auch schon in frühern Arbeiten diese älteste Gurker Geschichte nicht unbesprochen geblieben. Aber abgeschlossen nach jeder Richtung: in bezug auf Sammlung des Materials wie kritische Beleuchtung desselben, liegt sie erst jetzt in der Publikation von Jaksch vor. Sickels Ausgabe der Diplomata in den Mon. Germ. hat als Muster gedient. In der Vorbemerkungen und einer Einleitung hat v. J. alles geboten, was nur immer zur geschichtlichen Einführung in das edierte Quellen material und dessen Verständnis dienen kann. Für die Gurker Kanzlei wird eine ganze Reihe von Schreibern nachgewiesen, jeder einzelne möglichst genau besprochen. Eine ebenso eingehende Behandlung erfährt die Geschichte des Gurker Nonnenklosters, der Stiftung und Bewidmung des Bistums wie des Domkapitels und so auch des Streites mit Salzburg. Daran reiht sich dann eine durchaus mustergiltige Urkundenedition mit 538 Nummern. Welchen Fortschritt die vor liegende Publikation gegen alle frühern einschlägigen Arbeiten bedeutet, mag der Kundige schon auf den ersten Blick erkennen. Es sei da nur je eine Stelle aus der Einleitung und aus der Edition herausgehoben. Sehr treffend ist auf S. 11 der Einleitung hingewiesen auf das Vorhandensein des Originals der Vita Heinrici II in Gurk, welche zum Studium der Bamberger Zustände und zur Nutzanwendung auf Gurk dienen konnte. Nr. 136 (S. 130) Bestätigungs urkunde des Papstes Lucius II, die bisher für eine Fälschung gehalten wurde, wird in ebenso scharfsinniger wie überzeugender Weise als echtes Stück erwiesen. — Dieser 1. Bd. ist der Vorläufer weiterer Kärntner Urkk.-Publikationen, welche v. J. selbst zunächst bis zum Erlöschen der Sponheimer führen will. Es ist ein Unternehmen, auf welches der Geschichtsverein wie dessen gelehrter Archivar mit Recht stolz sein dürfen. Dem nobel ausgestatteten Bande sind 20 Siegelbilder beigegeben. H.

Bode (G.), Urkundenbuch der Stadt Goslar und der in und bei Goslar gelegenen geistlichen Stiftungen. Bearb. v. —. Tl. 2: 1251—1300 mit 18 Siegeltaf. Halle, Hendel. IX, 699 S. ℳ 16. [Geschichts quellen der Provinz Sachsen u. angrenzender Gebiete. Hrsg. von der hist. Kommiss. der Prov. Sachsen. Bd. 30.]
Vgl. Hist. Jahrb. XIV, 683.

Soldan (H.), Beiträge zur Geschichte der Stadt Worms Worms, Kräuter. 228 S. mit farb. Titel. ℳ 2,60.

*Witte (H.), die älteren Hohenzollern und ihre Beziehungen zum Elsaß. Festschrift zur Einweihungsfeier des Kaiser=Friedrich=Denkmals bei Worth. Straßburg, Heiß. 1895. Fol. XII, 136 S. mit 8 Lichtdr.= u. 2 Stammtafeln. *M* 12.

Besprechung folgt.

Witte (H.) und Wolfram (G.), Urkunden und Akten der Stadt Straß= burg. hrsg. mit Unterstützung d. Landes= u. Stadtverwaltg. Abtl. 1: Urkk.=Buch der Stadt Straßburg. Bd 5, 2. Hälfte: Polit. Urkk. von 1365—80. Bearb. von —. Straßburg, Trübner. 4°. VIII und S. 521—1128. *M* 26.

Vgl. oben S. 396.

*Bader (K.), Beiträge zur Geschichte des Kölner Verbundbriefes v. 1396. Darmstadt, Bergsträßer. V, 54 S. M. 0,80.

Besprechung folgt.

Seeliger (H.), der Bund der Sechsstädte in der Oberlausitz während der Zeit von 1346—437. Tl. 1. Görlitz, Druck d. Görl. Nachr. IV, 98 S.

Diese fleißige, in der Hauptsache auf dem sicheren Boden von Urkunden und Handschriften der Städte Görlitz und Bautzen gegründete Arbeit hat zusammen mit einem zweiten Teile, der die Hussitenkriege behandelt, als Doktordissertation der philosophischen Fakultät der Universität Marburg vorgelegen. Der erste Teil enthält die Geschichte des Sechsstädtebundes von 1346—1436 und ist in zehn Kapitel gegliedert, die der Bedeutung jenes Ausschnittes aus der Entwickelung der Oberlausitz nach den verschiedensten Richtungen hin gerecht zu werden ver= suchen. Abschnitt I erörtert die Gründung des Bundes, den am 21. August 1346 die Städte Bautzen, Görlitz, Löbau, Lauban und Kamenz, sowie das böhmische Zittau angesichts der unsicheren Verhältnisse des Landes ringsum geschlossen hatten. Von einer zielbewußten Politik darf hier noch keine Rede sein; es handelte sich damals nur um „ein loses, durch die nächstliegenden Bedürfnisse hervorgerufenes Achtsbündnis ohne jede Spur von einer Bundesverfassung". Doch dieser Vertrag zur gemeinsamen Bekämpfung von Straßenräubern hat sich im Laufe der Jahrzehnte zu einem der respektabelsten Städtebünde ausgebildet. Gleichwohl darf man nicht annehmen, daß innerhalb der Jahre, die sich der Vf. als Grenzen gesetzt hat, hier etwas mehr als eine Landfriedenseinung vor= liege. In den Kapiteln, die über das Fehmgericht, die Städte= und Ständetage, die Steuern und Abgaben, die Rangordnung der Sechsstädte innerhalb des Bundes handeln und das Verhältnis der Städte zu den Zünften, zur Ritter= schaft, zum Landvogt und endlich zum Könige klarstellen, beweist der Vf. an verschiedenen geschickt ausgezogenen Beispielen, wie unabhängig im einzelnen die Städte trotz der Einung geblieben waren. Bautzen und Zittau schließen Sonderfrieden mit den Hussiten ab, Görlitz verharrt trotzig in seiner kriegerischen Stimmung: es gibt keine Gewalt, die die einzelnen, das Gesamtinteresse ver= kennenden und schädigenden Mitglieder des Bundes zur Abkehr zwänge. Allen gemeinsam ist nur das unentwegte Festhalten an der Krone Böhmen. Theoretisch wirkt dies loyale Verhalten auch heute noch nach: strenggenommen besitzt über die königlich sächsische Markgrafschaft Oberlausitz, also über ein Glied des deutschen Reichskörpers, noch heutigen Tages der Kaiser von Oesterreich als König v. Böhmen die Oberlehensherrlichkeit (vgl. Prinz Max [v. Sachs.], die staats= rechtliche Stellung des k. sächs. Markgraftums Oberlausitz, Leipzig 1892, S. 25)! Wenn auch eigentliche Reichsgeschichte in S.s Arbeit kaum gestreift wird, ein wichtiger Beitrag zur Geschichte der territorialen und städtischen Entwickelung Deutschlands wird uns auf alle Fälle damit geboten. Und dieser Einblick in 90 Jahre spätmittelalterlicher Politik und Kultur ist um so wertvoller, als es sich bei den „Sechsstädten" um ein Gebiet an der äußersten Peripherie deutschen Wesens und deutschen Einflusses handelt. Auf die Fortsetzung der Abhandlung, den die Hussitenkriege darstellenden Teil, dürfen wir gespannt sein.   Helmolt.

Gurnik (A.), die Urkunden des Stadtarchivs zu Frankfurt a. O. Tl. 2. 1377—512. Frankfurt a. O., Trowitzsch & Sohn. 4⁰. 35 S.

Diese übersichtlich nach Jahr und Tag geordnete Zusammenstellung von Frank=
furter Stadturkunden, die wissenschaftliche Beigabe zu dem 96er Jahresberichte
über die Oberschule (Realgymnasium) zu Frankfurt a. O., umfaßt 154 Nummern,
von denen nur 16 Stück noch nicht gedruckt waren. Und auch von diesen
beanspruchen eigentlich nur zwei ein weiteres Interesse: Nr. 218 und 236.
Am 13. März 1455 verleiht in Lebus der kaiserl. Pfalzgraf Johannes Trogseße
von Beyerrod den beiden Bürgermeistern von Frankfurt die Machtbefugnis,
20 notarios publ., tabelliones und judices ordinarios bestallen zu dürfen.
Innerhalb des Zeitraumes zwischen 1473 und 1486 belehnt (laut zweier nur in
ziemlich gleichzeitigen Abschriften erhaltenen Papiere ohne Schlußformel) Kurfürst
Albrecht Achilles den Bürger Bamme mit dem Gerichte zu Frankfurt, unter der
Bedingung, daß dies nach Bammes Tode um 1300 fl. wieder käuflich sein soll.
Helmolt.

Schmidt (L.), Urkundenbuch d. Stadt Grimma u. des Klosters Nimbschen. Leipzig, Giesecke & Devrient. XXIV, 439 S. mit 2 Lichtdr.=Taf. ℳ 24. [Cod. diplom. Saxon. reg. II. Hauptabtlg. Bd. 15.]

Sello (G.), Saterlands ältere Geschichte und Verfassung. Mit einer Nach= bildung der Karte des Saterlandes von 1588. Oldenburg, Schulze. XII, 64 S. ℳ. 1,60.

Heldmann (A.), die Reichsherrschaft Bretzenheim a. d. Nahe, ihre In= haber und Prätendenten. Urkundlich untersucht. Kreuznach, Harrach. 70 S. mit 2 Abbildgn. u. 3 Stammtafeln. ℳ 1.

*Eberhard (W.), Ludwig III Kurfürst von der Pfalz und das Reich 1410—27. Ein Beitrag zur deutschen Reichsgeschichte unter König Sigismund. Gießen, Ricker. 168 S. ℳ 4.

Unter König Sigismund haben nur zwei Kurfürsten, trotz ihrer scharf aus=
geprägten territorialen Bestrebungen, intensiver sich der Reichspolitik gewidmet:
Friedrich I von Brandenburg und Ludwig III von der Pfalz. Des ersteren
Beziehungen zu Sigismund sind vor einigen Jahren noch durch Brandenburg
(Hist. Jahrb. XII, 420) einer erneuten Beurteilung und Würdigung
unterzogen worden. E. will nun in dem vorliegenden Buche, was bisher noch
nicht geschehen, die Teilnahme des Pfalzgrafen an der Reichspolitik und seine
Stellung zu ihr im Zusammenhang untersuchen und deren Bedeutung und Einfluß
darlegen. Hierbei ist es, zumal bei einer Erstlingsarbeit, leicht erklärlich, daß
Vf. seinen Helden eine allzugroße Rolle spielen läßt. So wird z. B. nicht
jeder den Satz unterschreiben wollen (S. 58): „Dieser große und günstige Er=
folg (nämlich die Cession Gregors XII am 4. Juli 1415 vor dem Konstanzer
Konzil) ist unzweifelhaft in der Hauptsache nur Kurfürst Ludwig zuzuschreiben".
Daß L. gewiß einiges Verdienst darum hat — über die Beziehungen des Pfalz=
grafen zu Gregor in den Jahren 1413/14 bringt Finke in den Acta I, S. 264—70
einige neue Aktenstücke —, wollen wir gerne zugestehen, aber Gregors Entschluß,
zu resignieren, war doch in erster Linie den Bemühungen Malatestas, der schon
im April 1409 dem Papste in diesem Sinne zugesprochen hatte (vgl. Ampl.
Coll. VII, 1061 ff.), und dann dem energischen Vorgehen des Konzils, welches
seinen Zweifel darüber ließ, daß es im Weigerungsfalle die Absetzung aus=
sprechen würde, zu verdanken. Ebenso betont E. allzustark das Verdienst des
Pfalzgrafen um die Beruhigung und Zusammenhaltung des Konzils nach der
Flucht Johanns XXIII von Konstanz (S. 63). — Andrerseits wollen wir nicht
versäumen, die guten Seiten der Arbeit gebührend hervorzuheben: Sie stützt sich
auf fleißiges Studium der zum teil sehr entlegenen Quellen und Literatur und
gruppiert die Thatsachen sehr geschickt. Besondere Beachtung verdient noch der
von E. auf grund zweier, in der Beilage abgedruckten Urkk gebrachte Hinweis
auf die wahrscheinlich von dem Kölner Erzbischof Friedrich von Saarwerden,

wenn auch vergeblich angestrebte Kandidatur eines englischen Prinzen um die
römische Königskrone nach dem Tode Ruprechts (S. 12—16), von welcher bisher
nichts bekannt war.   L. S.

* Regesta imperii XI. Die Urkk. Kaiser Sigismunds 1410—37, verzeichnet
von W. Altmann. Lfg. 1. Innsbruck, Wagner. gr. 4⁰. VII u.
S. 1—240. ℳ 14.
Besprechung folgt.

Thunert (F.), Akten der Ständetage Preußens königl. Anteils (West=
preußen). Bd. 1, Lfg. 2, 1472—79. Danzig, Bertling 1895.
S. 167—598. ℳ 6. 1. u. 2. ℳ 8,50. [Schriften des westpreuß.
Geschichtsvereins.]
Vgl. Hist. Jahrb. X, 447.

* Götz (W.), die bayerische Politik im ersten Jahrzehnt der Regierung
Herzog Albrechts V von Bayern (1550—60). München, Rieger. III,
133 S. ℳ 2.
Besprechung folgt.

Mordtmann (A.), eine deutsche Botschaft in Konstantinopel anno 1573
—78. Vortrag. Mit 1 Plan v. Konstantinopel u. 4 Abbildgn. Bern,
Konstantinopel, Keil. 50 S. ℳ 2,50.

Georg der Fromme, Landgraf zu Hessen, der Stifter des Hessen=
Darmstädtischen Regentenhauses. Denkschrift zur Erinnerung an den
vor 300 Jahren, am 7. Februar 1596, verstorbenen Fürsten, ver=
öffentl. von dem hist. Verein für das Großherzogtum Hessen. Mit dem
Portr. d. Landgrafen ꝛc., sowie 1 Stammtafel. Darmstadt, Berg=
sträßer. XXVI, 70 S. ℳ 3.

Wahl (Adalb.), Kompositions= und Successionsverhandlungen unter Kaiser
Matthias während der Jahre 1613—15. Bonn, Diss. 49 S.
Nach der Sprengung des Reichstages von 1613 standen zwei Reichsangelegenheiten
im Vordergrund: die Komposition, d. h. der gütliche Ausgleich der gesamten
Streitigkeiten zwischen Katholiken und Protestanten, und die Succession im Reiche.
Die „korrespondierenden" Protestanten verlangten vor allem Verhandlung über
die Komposition auf einem besonderen Kompositions= oder Konferenztage, die
geistlichen Kurfürsten aber vor allem Feststellung der Succession; sie waren dabei
einig über die Kandidatur des Erzherzogs Ferdinand. Zwischen den streitenden
Parteien standen Johann Georg von Sachsen als Beteiligter, der Kaiser als
Leiter der Dinge. Zu Linz wurde im Sommer 1614 zwischen dem Kaiser, Erz=
herzog Ferdinand, Maximilian und dem spanischen Botschafter Zuniga über die
Succession und zwar vor allem über die Hauptsuccession beraten. Das Resultat
war, daß der Kaiser in die Entschädigungsverhandlung mit Spanien nicht ein=
greifen soll, sondern daß sie zwischen Zuniga und den Erzherzögen weitergeführt
werde; ferner daß der Kaiser und Maximilian sich auf die Person Ferdinands
einigten, dieser auf seine Rechte verzichtete und seinen Bruder Albert zum Verzicht
zu bewegen versprach. Im Sept. 1614 wurde die Reichssuccession aufgenommen
von Mainz; Sachsen schlug als Vorbereitung einen Kurfürstentag vor aber ohne
vorherige Mitteilung des Zweckes. Im Dez. 1614 drängt Sachsen auf schleunige
Berufung und erklärt sich für die Wahl eines österreichischen Fürsten bereit.
Diesem Plan trat entgegen, daß Klesl seit Okt. 1614 behauptete, die Komposition
müsse der Succession vorausgehen und zwar auf dem von den Korrespondie=
renden geforderten Kompositionstage. Der Mainzer stellt drei Bedingungen, unter
denen er sich auf einen Vergleich einlassen wolle. Der Kaiser suchte zu vermitteln
und seine Räte schlugen am 28. Febr. 1615 vor, einen persönlichen Kurfürstentag
zu berufen zur Vorbereitung der Succession, der Förderung der Komposition

und der Vorbereitung eines neuen Reichstages. Der Mainzer machte Gegen=
vorschläge, welche auf Ablehnung hinausliefen, die Haltung der Korrespondierenden
hatte ihn dazu bestimmt. Diese hatten nämlich ein „an Ton und Inhalt beinahe
ungeheuerlich schroffes Schreiben" an den Kaiser geschickt, das bestimmend auf
die weiteren Verhandlungen einwirkte. Die katholische Partei und noch besonders
Kurmainz stellen für die von den Korrespondierenden vorgeschlagene Komposition
schroffere Bedingungen, auch in Sachsen führte jenes Schreiben zu einem Um=
schwung in der Politik. Eine Gesandtschaft Gegenmüllers an Mainz bringt
den Gegensatz der mainzischen und kaiserlichen Politik zu tage. (Siehe folgende
Schrift.) A. M.

*Meier (W.), Kompositions= und Successionsverhandlungen unter Kaiser
Matthias während der Jahre 1615—18. Bonn, Cohen. Dissert.
76 S. .ℳ 1,50.

Vorliegende Arbeit setzt die Untersuchung der obigen Schrift von Wahl fort.
Der Kaiser hat sich den Korrespondierenden gegenüber auf den Vergleich ver=
pflichtet und suchte, beraten von Bischof (später Kardinal) Klesl, die Katholiken
zum Nachgeben zu bewegen, und Ende 1615 war er entschlossen, über beide
Reichsfragen zugleich auf einem „persönlichen" Kurfürstentage verhandeln zu
lassen. Aber vor der geschlossenen Opposition unter Führung seines Bruders
Maximilian und Schweikhards von Mainz wich er zurück und willigte in einen
Kurfürstentag „nur zur Festitellung der Succession", ja er war damit einver=
standen, zur Niederwerfung des Widerstandes von Pfalz und Brandenburg sich
der Hilfe eines von ihm selbst, den gehorsamen Reichsständen, Spanien, Erzherzog
Albrecht, dem Papste und den italienischen Lehensfürsten aufzustellenden Heeres
zu bedienen, das die geistlichen Kurfürsten ihm zur Abwehr und als kräftige
Exekutivmacht in der Justiz angeraten hatten. Dieser Armierungsplan wurde
indes der Gegenpartei verraten, und die kaiserliche Politik sah sich genötigt, auf
die Kompositionsforderung wieder mehr Rücksicht zu nehmen. Doch der Plan,
den Reichstag von 1613 zu reassumieren und gleichzeitig durch einen paritätischen
Ausschuß die Komposition verhandeln zu lassen, zerschlug sich, ebenso wie
der Plan eines zu berufenen Konferenztages zwischen den beiden Häuptern der
Reichsparteien, Mainz und Pfalz, und den Vertrauenspersonen des Kaisers.
Ende März 1617 griff man dann wieder auf den Kurfürstentag zurück, und im
August gelang es dem Kaiser, den Kurfürst von Sachsen zum Erscheinen auf
dem Tage, auf dem man »ante omnia« die Succession verhandelt werden sollte, zu
bewegen. Da kurz vorher noch alle anderen Kurfürsten zu erscheinen versprochen
hatten, so wäre die Succession gesichert gewesen, und der Kaiser hätte doch auch
noch für den „Vergleich" einiges dort erreicht. Aber der Kaiser zögerte mit der
Berufung — da brach der böhmische Aufstand aus; mit der Vermittlungspolitik
war es damit zu Ende: Klesl wurde gestürzt. „Wie Kardinal Contarini mit
seinem Versuche eines religiösen Vergleichs, so scheitert Kardinal Klesl mit dem
Plane eines Vergleichs auf politischem Gebiete. Ein Resultat hatten beider
Bemühungen: die Erkenntnis, daß ein gütlicher Ausgleich zwischen den streitenden
Parteien unmöglich sei." — Die Arbeit beruht wie die vorige auf archivalischen
Forschungen in Brüssel, Düsseldorf, München, Wien und Dresden; sie ist eine
Detailuntersuchung, die Gindelys Ergebnisse, was überhaupt den Nach=
arbeitern Gindelys allgemein begegnet, vielfach berichtigt und ergänzt; vor allem
zu dem oben erwähnten Armierungsplan ist vom Vf. neues beigebracht. A. M.

*Chroust (A.), Abraham von Dohna. Sein Leben und sein Gedicht auf
den Reichstag von 1613. München, K. B. Akademie der Wissenschaften.
In Komm. d. G. Franzschen Verl. (J. Roth). XII, 388 S.

Dieses Felix Stieve zugeeignete Buch enthält in grunde, wie C. gesteht und
schon der Titel andeutet, zwei verschiedene Arbeiten: Eine Lebensgeschichte
(S. 11—193) und die Veröffentlichung eines bisher kaum beachteten Literatur=
denkmals (S. 195—351). Die Persönlichkeit Abrahams von Dohna soll beide
zusammenhalten. — Der ostpreußischen Linie des weitverzweigten Geschlechtes
der Dohna entsprossen, hat Abraham (1579 März 10—1631 Dezember 14) zwar
„weder als Kriegsoberst noch als geheimer Rat des Kurfürsten von Brandenburg

auf die Geschicke des Kurstaates oder gar auf die Ereignisse draußen im Reich
bestimmend eingewirkt," darf aber als einer der leidenschaftlichsten Calvinisten
seiner Zeit, als Hauptbeförderer der „Reformierung" Kurbrandenburgs und „als
eigentlicher Vertreter der unionstreuen Politik am Berliner Hof," endlich als
einer der frühesten Träger des neuen französisch-höfischen Bildungsideals unser
Interesse beanspruchen. (Zum letzten Punkt f. auch die hier oben S. 123
angezeigten, von C. in Zeitschr. f. Kulturgesch. II, 410 ff veröffentlichten Briefe
Abrahams) Abrahams Studien und Reisen, seine Verbindung mit den anhalti=
schen Höfen, seine Teilnahme an den Feldzügen des Prinzen Moriz von Oranien
(1604—9) und im Dienste der Union am Jülicher Feldzug 1610, die diplo=
matische Vertretung seines Landesherrn Johann Sigismund 1611 in Warschau,
1612 beim Frankfurter Wahltag, 1613 auf dem Regensburger Reichstag, seine
Sendung nach Cleve und dem Haag 1615 in der Jülicher Sache, endlich sein
Anteil an dem schlesischen „Landrettungswerke" während des böhmischen Auf=
standes 1618—21 und am schwedisch-polnischen Kriege 1625—30, all dies ist
auf dem nicht zu breit gemalten welthistorischen Hintergrunde anschaulich auf=
getragen und wirft auf jenen manchen neuen Lichtstrahl zurück. So wird 148
m. Anm 1 der Bericht Gindelys, Gesch. d. 30jähr. Krieges, III, 159 f.,
über den Reichstag von Neusohl im Sommer 1620 berichtigt. Dafür haben
sich jedoch gerade hier bei C. zwei Unrichtigkeiten eingeschlichen: C. bezeichnet
Emerich Thurzó als Palatin (146, 149, 153, 312₁), verwechselt ihn somit
offenbar mit dem im Dezember 1616 verstorb. Palatin Georg Thurzó, welchem
in dieser Würde Sigmund Forgách folgte (Huber, Gesch. Öst., V, 93, 96,
170 f.); und C. läßt Bethlen am 25. August 1620 zum König von Ungarn
gefrönt werden (149), während derselbe doch die Krönung zurückwies und
nur den Titel eines erwählten Königs von Ungarn annahm (Huber,
V, 171). Durch Ueberschriften gekennzeichnete Gliederung der Lebensgeschichte
wäre wünschenswert. — Die „Historische reimen von dem unge=
reimten reichstag anno 1613. Durch einen kurzweitigen liebhaber der
warheit ans Licht gebracht, desselben jars in der weinlese nach der stroernte"
sind nach der in Schlobitten durch C. aufgefundenen, von Abrahams Hand
stammenden Abschrift (Schl¹) gedruckt. Mit voller Sicherheit scheint mir
übrigens Abrahams Autorschaft nicht erwiesen zu sein. Ich mache nur auf
die kaum als bloßer Scherz aufzufassenden Stellen (V. 2329/30, 2359, 2476—2484)
aufmerksam, welche den Autor als zur Zeit des Reichstages bereits verheiratet
voraussetzen; Abraham trat jedoch erst elf Jahre später in den Ehestand (141,
158). Ferner kommen im Gedichte bei allen oft wörtlichen Anklängen an das
Tagebuch Abrahams über den Reichstag doch auch von C. selber betonte, merk=
würdige Differenzen und Widersprüche zwischen beiden vor (f. z. B. 271₂, 291₁
gegenüber V. 1534/5, 341₂); und daß die Dohna'schen Brüder des gerade in
Unionskreisen verbreiteten Gedichtes (10) mit keiner Silbe erwähnen (6₁), darf
billig befremden. Die Erläuterungen C.s sind nur sachlicher Natur; zu sprach=
lichen fühlte er sich nicht berufen. Doch ist das Gedicht auch in sprachlicher
Hinsicht interessant und sind z. B. die Nachahmungen der österreichischen Mundart
sowie die häufigen unreinen Reime beachtenswert. An Wildheit des Humors
und Derbheit des Ausdrucks, an schroffer Tadelsucht und erbarmungslosem
Hohn, an unflätigen Wendungen und bedenklichen Vergleichen suchen die „Reime"
ihresgleichen (VII). Und doch findet auch vor diesem „fanatischen Calvinisten"
(98) Erzherzog-Deutschmeister Maximilian Gnade! (93, 299, 310). — Ein
Porträt Abrahams aus seinen letzten Lebensjahren in Lichtdruck (vgl. 184₁),
gute Inhaltsangaben (IX—XI und 197—199), endlich ein fleißig gearbeitetes
alphabetisches Register (353—388) sind dankenswerte Beigaben.

Johann Zöchbaur.

Bär (M.), die Politik Pommerns während des 30jähr. Krieges. Leipzig,
    Hirzel. XI, 503 S. ℳ 14 [Publikation a. d. k. preuß. Staats=
    archiven. Bd. 64.]

Schott (Th.), Württemberg und Gustav Adolf 1631 u. 32. Mit einem
    Anhang ungedr. Briefe v. Gustav Adolf, Maximilian v. Bayern und

Barbara Sophia v. Württemberg. Stuttgart, Kohlhammer. 60 S.
.*M* 1. [Aus: Württ. Vierteljahreshefte.]

Wilhelm V, Landgraf von Hessen, Briefe des — an den Reichskanzler
Axel Oxenstierna. 1632—37. Stockholm, Norstedt & Söners. 1895.
S. 327—658. [Oxenstierna's skrift och brefvexl. 2 Afdelning 7. Bd.]

Hertig Bernhards af Sachsen-Weimar bref 1632—39. Stockholm, Norstedt & Söners. S. 1—326. [Rikskansleren Axel Oxenstierna's skrift. of brefvexl. 2. Afdelningen Bd. 7.]

Winter (H.), Lehrbuch der deutschen und bayerischen Geschichte mit Einschluß der wichtigsten Thatsachen der außerdeutschen Geschichte und
der Kulturgeschichte für höhere Lehranstalten. Mit 10 Karten und
30 Abbildungen. Bd. 1: Mittelalter und Neuzeit bis zum westfäl.
Frieden. München, Oldenbourg. 1895. VIII, 208 S. *M* 2,30.
Die Auswahl des Stoffes ist mit gutem Geschmack getroffen, die Darstellung
kurz und prägnant, wo es nötig ist, erläutern Stammbäume und Karten den
Vortrag. Von andern ähnlichen Lehrbüchern unterscheidet sich vorliegendes
dadurch, daß die gesamte Literatur- und Kunstgeschichte aufgenommen ist. Seiner
Haltung nach ist es für konfessionell nicht getrennte Schulen berechnet, doch
hätte dieser Zweck gerade nicht verlangt, die katholische Kirche als die „Papst-
kirche" (S. 151, 152) zu bezeichnen und vom „Eintreiben" der Ablaßgelder zu
reden. Auch scheint es einseitig, den Schülern und Schülerinnen wohl von
„lasterhaften" Päpsten (S. 148), von Alexander VI und seinen Kindern zu
erzählen, aber von den heiligen (Pius V) und tugendhaften (Julius III, Pius IV,
Gregor XIII, Sixtus V), die auf jene folgten, zu schweigen. Die katholische
Gegenreformation hat sich eben nicht darauf beschränkt, „jedes andere Bekenntnis,
zu unterdrücken" (S. 178). Auch war im MA. die Herrschaft der Mönche über
das Volk keine „unbedingte" (S. 89), sowenig als alle Opfer des Hexenwahnes,
der von „unklarer Frömmigkeit" begünstigt wurde, „Unschuldige" (S. 200)
waren. Auf andere Einzelheiten einzugehen, ist hier nicht der Ort.   Schl.

Brunner (K.), der pfälzische Wildfangstreit unter Kurfürst Karl Ludwig
1664—67. Innsbruck, Wagner. X, 68 S. mit 1 farb. Karte. *M* 2.

Frédérique Sophie Wilhelmine, Margrave de Bareith,
Mémoires de — soeur de Frédéric le Grand, depuis l'année 1706
jusqu'à 1742, écrits de sa main 4. éd. continuée jusqu' à 1758
et ornée du portrait de la Margrave. Éd. de luxe. Leipzig, Barsdorf. III, 618 S. *M* 15.

Marie Christine, Briefe der Erzherzogin von —, Statthalterin der
Niederlande an Leopold II. Nebst einer Einleitg.: zur Geschichte der
franz. Politik Leopolds II. Hrsg. v. H. Schlitter. Wien, Gerolds
Sohn in Komm. CXXI, 360 S. *M* 6,50. [Fontes rer. Austriac.
Abt. 2, Diplomatar. et acta. Bd. 48, 1. Hälfte.]

Bockenheimer (K. G.), die Mainzer Klubisten der Jahre 1792 u. 93.
Mainz, Kupferberg. VII, 372 S. *M* 2.

Hüffer (H.), der Rastatter Gesandtenmord mit bisher ungedruckten
Archivalien und einem Nachwort. Bonn, Rohrscheid & Ebbecke. 121 S.
M 2,50. [Erweit. Abdr. aus: Deutsche Rundschau.]

Pufahl (Katharina), Berliner Patrioten während der Franzosenzeit von
1806—8. Programm. Berlin, Gärtner. 4°. 43 S. *M* 1.

Ebart (P. v.), Bernhard August von Lindenau. Mit 3 Bild. Lindenaus und 3 Ansichten. Gotha, Stollberg. VII, 196 S. ℳ 4.

Prokesch v. Osten (Graf), aus den Briefen des Grafen P. v. O., k. u. k. österr. Botschafters u. Feldzeugmeisters 1849—55. Wien, Gerolds Sohn. VII, 472 S. ℳ 9.

*Frankfurter (S.), Graf Leo Thun-Hohenstein. Leipzig, Duncker & Humblot. 1895. 83 S. ℳ 1,60. [Sonderabdr. a. d. Allgem. deutschen Biogr.]

Nachdem Frankfurter schon im J. 1893 bei Gelegenheit der 42. Vers. deutscher Philologen und Schulmänner in Wien dem ersten österreichischen Minister für Kultus und Unterricht, dem Grafen Leo Thun und seinen hervorragenden Mitarbeitern, Franz Exner und Hermann Bonitz, welche mit ihm die österr. Unterrichtsreform begründet, eine Lebensskizze gewidmet hat, führt er dieselbe in der vorliegenden Schrift zu einem volleren Bilde aus. Mit dem lebhaftesten Interesse folgt der Leser der liebevollen, warmempfundenen Schilderung, welche uns hier von der hochstrebenden Geistesentwicklung und eingreifenden Thätigkeit des österr. Staatsmannes geboten wird. Der Mann mit dem lauteren Charakter, den das strengste Pflichtgefühl beseelte, der in dem hohen idealen Flug seiner Gedanken universelle Kenntnisse, eine erstaunliche Gelehrsamkeit und wissenschaftliche Durchbildung sich angeeignet hatte, den ein energischer Wille zu zielbewußtem Handeln befähigte, der als Katholik von strengster Ueberzeugung und treuer Ergebenheit gegen die Kirche die größte Hochachtung vor der Wissenschaft empfand, der Mann, dessen ganze geistige Potenz Bewunderung einflößte, war der bestgeeignete, um in schwerer Zeit, am 28. Juli 1849, das neugeschaffene österr. Ministerium für Kultus und Unterricht zu übernehmen und es bis zum Erlaß des Oktoberdiploms vom 20. Okt. 1860 mit fester Hand zu leiten. Die Reform des österr Mittelschulwesens, welche das richtige Gleichgewicht zwischen den realistischen und humanistischen Fächern in glücklicher Weise anstrebte, ist unter der schöpferischen Aera Thun verwirklicht worden. Aber auch die Hochschulen erfuhren eine gründliche Umgestaltung. Stätten des akademischen Unterrichts und des freien Betriebes der Wissenschaft sollten sie fortan sein; als Musterinstitut trat das Institut für österr. Geschichtsforschung unter Albert Jägers und später Theodor v. Sickels Leitung an der Wiener Universität in fruchtbringende Thätigkeit. Dem wissenschaftlichen Wettbewerb wollte Thun nicht allzu ängstlich Schranken gezogen wissen. Aber dafür glaubte er allerdings sorgen zu müssen, daß einseitige wissenschaftliche Richtungen an der Universität nicht ihres sachlichen Gegengewichtes entbehrten. Auf dem Gebiete des Kultuswesens wurde am 18. August 1855 das Konkordat mit dem päpstlichen Stuhl abgeschlossen, und rückhaltlos erklärte Graf Thun, die Ueberzeugung von der Gerechtigkeit, welche durch das Konkordat de katholischen Kirche gegenüber geübt worden ist, es stets zu den stolzesten und freudigsten Erinnerungen seines politischen Lebens mache, zu dieser Maßregel mitgewirkt zu haben." — Vergegenwärtigen wir uns noch, daß Leo Thun als Minister bei Gelegenheit der 18. Versammlung deutscher Philologen in Wien i. J. 1858 in begeisterter und zündender Rede die Bedeutung der Philologie schilderte und die Gemeinsamkeit wissenschaftlicher Bestrebungen in Deutschland und Oesterreich feierte als eine Idee, deren fortschreitende Entwicklung er mit freudiger Teilnahme beobachte, so begreifen wir das Interesse, dessen die Schrift F.s auch in Deutschland sicher sein darf. H. G.

Bismarcks Briefe an den General Leopold v. Gerlach, hrs. v. H. Kohl. Berlin, Häring. XXXII, 379 S. ℳ 6.

Bismarck, Reden, a. d. Jahren 1847—95, sachlich geordn. u. hrsg. v. H. Krämer. Bd. 1 u. 2. Halle, Hendel. 1895. à ℳ 1,50. Der 3. Bd. (Schluß) erscheint demnächst.

Hopf (W.), die deutsche Krisis d. J. 1866, vorgef. in Aktenstücken, Aufzeichngn. und quellenmäß. Darstellgn. Melsungen, W. Hopf. XX, 528 S. M. 5.

Denis, la formation de l'Unité allemande. Paris, Quantin. 300 S mit vielen Illustr. fr. 4.

Weinhold (K.), zum Gedächtnis des 18. Jan. 1871. Rede bei der Erinnerungsfeier der königl. Friedrich-Wilhelms-Universität in Berlin. Berlin, Becker. gr. 4⁰. 22 S. M 0,75.

Ulmann (H.), unsere Vergangenheit und das Werk von 1871. Festrede. Greifswald, Abel. 16 S. M 0,40.

Richter (E.), im alten Reichstag. Erinnergn. Bd. 2. Jan. 1877 bis Novbr. 1881. Berlin, „Fortschritt, A.-G." VII, 246 S. M 2. Vgl. Hist. Jahrb. XVI, 184.

Laband (P.), das deutsche Kaisertum Rede. Straßbg., Heitz. 30 S. M 0,60.

Schneider (E.), württembergische Geschichte. Stuttgart, Metzler. VI, 590 S. M 7.

Ruby (F.), Zeittafeln der österr. Geschichte mit erklär. u. ergänz. Anmerkgn. u. einem histor.-geogr. Ortsverzeichnisse. Wien, Verlag „Austria". 336 S. mit 1 Stammtafel. M 4,70.

Schweiz.

Küchler (A.), Chronik von Sarnen. Sarnen, Küchler. 519 S. fr. 3,50.

Hardegger (A.), St. Johann im Turtal. Hrsg. vom histor. Verein in St. Gallen. St. Gallen, Huber & Co. gr. 4⁰. 58 S. mit Abbildgn. und 2 Taf. M 3.

Wirz (C.), Akten über die diplomatischen Beziehungen der römischen Kurie zu der Schweiz 1512—52. Basel. 1895. LI, 536 S. [Quellen zur Schweizer Geschichte, Bd. 16.]
Das Buch verfolgt den Zweck, für die Periode 1512—52 die umfassenden Aktenpublikationen aus Schweizer Archiven durch möglichst vollständige Herausgabe des gesamten auf die Schweiz bezüglichen Materials aus italienischen, namentlich vatikanischen Quellen zu vervollständigen. Daher ist alles bereits Gedruckte grundsätzlich ausgeschlossen; das Unbekannte aber ist mit bewundernswerter Hingabe und Ausdauer aus den Archiven von Rom, Neapel, Parma, Florenz usw. zusammengetragen, „wo irgend eine Spur auf schweizerische Akten hinzudeuten schien, wurde nachgesucht." Es würde schwer sein, aus den gegenwärtig zugänglichen italienischen Aktenbeständen irgend eine namhafte Fundstelle von Schweizer Materialien nachzuweisen, die der Herausgeber übersehen oder nicht genügend ausgebeutet hätte. Der vorwiegende Zweck, vorhandenes zu ergänzen und Lücken auszufüllen, brachte es mit sich, daß sich Wirz streng auf die Pflichten des Herausgebers beschränkt und die zusammenhängende Verarbeitung des Stoffes dem Geschichtsschreiber überläßt; doch ist in den biographischen Abschnitten der Einleitung und mehr noch in der früher erschienenen wertvollen Schrift Wirz' über Ennio Filonardi (s. Hist. Jahrb. XV, 468) alles wesentliche über Zweck und Erfolg der betreffenden Nuntiaturen enthalten; auch ist keine der in den Akten erscheinenden Persönlichkeiten ohne die nötigen Angaben und Nachweise gelassen. Leider aber fehlen durch den ganzen Band die Inhaltsangaben bei kleinen wie bei den größten Stücken, was die Benützung der Akten sehr erschwert. Vorzüglich ist dagegen wieder der einleitende Abschnitt über die Fundorte, der durch die Genauigkeit und Vollständigkeit der Angaben, namentlich über die vatikanischen Archive, weit über das Interesse des Schweizer Forschers hinausgeht. Den Texten selbst hat der Hrsgb. bei dem enormen Zeitaufwand, den das Aufsuchen

der Materialien verursachte, nicht in allem die gleiche Sorgfalt angedeihen laſſen;
wenigſtens ſind dem Referenten bei einem Vergleiche mit eigenen Kopieen aus
der Korreſpondenz des Kardinals Campeggio verſchiedene zum teil nicht unwichtige
Verſtöße begegnet, die bei einem durch Fleiß und Gewiſſenhaftigkeit ſo hervor=
ragenden Werke beſonders unangenehm ſind. Ein Herausgeber darf ſich ſelbſt
bei einem im allgemeinen bewährten Kopiſten der Mühe nicht entſchlagen, die
Texte einer genauen Nachprüfung zu unterziehen. — Das Jahr 1552 iſt als
Endpunkt gewählt, weil bis dahin die Schweizer Nuntiatur ein faſt ausſchließlich
politiſches Gepräge zeigt, während mit und nach dem Konzil von Trient die
äußere Politik vor den religiös=kirchlichen Beſtrebungen der Kurie in den
Hintergrund trat.   Ehſes.

Niederlande und Belgien.

Balau (S.), histoire de la Seigneurie de Modave. Liége, Grandmont-
  Donders. 4⁰. 360 S. ℳ 16.

Die älteſten Quellen über die Entſtehung des Schloſſes Modave reichen bis ins
14. Jahrh. hinauf. Das Werk, deſſen Vf. als Geiſtlicher in der Nähe des Archivs
von Modave wohnhaft iſt, zerfällt in drei Teile. Nach einer Einleitung, die
Topographie und Bevölkerung betreffend, folgt eine kurze Geſchichte der erſten
Herren von Modave um 1233. Im II. Teil behandelt der Vf. die Geſchichte
der Kirche, die Geiſtlichkeit, die Einkünfte und die Schule von Modave. Der
dritte — für das Ausland wohl der intereſſanteſte — Teil iſt der Geſchichte der
Gemeinde gewidmet. Es wird in demſelben über eine Reihe kulturgeſchichtlicher
Fragen Aufſchluß erteilt. Mit zahlreichen Belegen verſehen, verdient er das
Intereſſe auch weiterer Kreiſe, obgleich mancher belgiſche Leſer ſich über eine
gewiſſe Trockenheit beſlagen dürfte.   A. T.

Werken uitgegeven door het Historisch Genootschap gevestigd te Utrecht
  3ᵉ serie, no 9. Rekeningen de 16ᵉ eeuw, uitgegeven door P. J.
  Blok, 'sGravenhage, Martinus Nyhoff.

Die Arbeit umfaßt die Jahre 1526—48. Aeltere Rechnungen von Groningen
ſind nicht bekannt und die in die angegebenen Jahre fallenden ſind nicht einmal
vollſtändig. Der Vf. hat dieſe Sammlung erläutert durch frühere Aufſätze über
die Groninger Finanzen, welche er 1894 (s' Gravenhage, Nyhoff) ſowie im 1890er
Groninger Volksalmanak veröffentlichte und welche hier abermals zum Abdruck
gelangen. Daß die hier gebotenen : 94 Seiten, obwohl mit peinlichſter Sorgfalt
nach der Hſ. herausgegeben, ein gar trockenes und mur in einzelnen Fällen
nützliches Material bieten, wird jedem klar, welcher derartige lokale Mitteilungen
durchblättert. Der Hauptteil dieſer verdienſtvollen Arbeit, für welche Prof. Blok
unſern Dank verdient, war bereits früher vollendet. Der größte Nutzen des
vorliegenden Werkes beſteht nämlich in dem Neuabdruck der ſo fleißig
geſammelten Reſultate. Wäre nun noch eine ausführliche Tafel oder ſyſtematiſches
Regiſter beigefügt, ſo könnten wir dem Fleiß und der Ausdauer des Hrsgbrs.
noch weit größere Bewunderung zollen.   A. T.

Bijdragen en mededeelingen van het Historisch Genootschap gevestigd
  te Utrecht; 17ᵉ Deel. 'sGravenhage, Martinus Nyhoff. 294 S.

Dieſer Band enthält zunächſt eine allgemeine Ueberſicht des geſellſchaftlichen
Zuſtandes und einige Winke über die Art und Weiſe der Herausgabe von
Manuſkripten namentlich inbezug auf die Geſchichte der letzten Jahrhh. Joh.
C. Breen gibt hier einen Auszug aus den Memoiren eines bekannten Amſter=
damer Kaufmannes des 16. Jahrh., Laurens Jacoby Reael, deſſen Verwandte
in der Geſchichte der Stadt Amſterdam eine wichtige Rolle ſpielten; B. verſpricht
jedoch eine ausführliche Behandlung von deſſen Lebensgeſchichte. Dieſe Memoiren
findet man teilweiſe in den Aufzeichnungen des Fratris minoris Hendrik
van Biesten, welcher auch als niederländiſcher Dichter bekannt iſt. [Seine
Erlebniſſe in Amſterdam, um die Mitte des 16. Jahrh., von ihm ſelbſt beſchrieben,
ſ. in: Dietſche Warande, 1867, S. 521 und 1869, S. 417 ff.] Es bedarf

feiner Versicherung, daß sowohl die Mitteilungen des Protestanten Reael als des schlichten Katholiken Biesten ein interessantes Licht werfen auf die Geschichte des 16. Jahrh., deren Behandlung schon so viel Tinte gekostet hat. Im nämlichen Bde. teilt J. S. van Veen Briefe Wilhelms von Oranien und seines Bruders Ludwig von Nassau an Bernhard von Mérode mit. Mérode war Wilhelms Lieutenant und vertrauter Freund. Die meisten Briefe stammen aus den J. 1580—83, also aus Wilhelms letzten drei Lebensjahren. Für die allgemeine Geschichte sind die darin vorkommenden Einzelnheiten von nur untergeordnetem Interesse. Uebrigens sind die Briefe nur sieben an der Zahl. Darauf folgt nun eine Beschreibung, wie zu Utrecht i. J. 1618 der remonstrantische, d. h. Oldenbarneveld anhangende antiorangistische Magistrat durch Mitglieder der kalvinistischen Regierungspartei ersetzt wurde, also eine Betrachtung über Begebenheiten, die größtenteils als bekannt vorausgesetzt werden. Es sei jedoch hinzugefügt, daß auch manche unbekannte Einzelheit die Herausgabe durch Herrn Bezemer vollkommen rechtfertigt. Der letzte Aufsatz des B. ist die von H. de Jager veröffentlichte „Verweerschrift" (Verteidigungsschrift) eines „contraremonstrantischen Predikanten," welcher durch die Regierung abgesetzt und verbannt wurde, was deshalb interessant ist, weil es selten vorkam. Der von der Regierung abgesetzte Willem Crynsse verteidigt sich gegen die Beschuldigung, daß er von der calvinistischen Lehre abweiche und überhaupt für das Predigeramt unfähig sei. Die Schrift umfaßt 187 Seiten, ein merkwürdiges Stück Sittengeschichte aus dem Streit der religiös-politischen Parteien im 17. Jahrh.　A. T.

Recueil de documents relatifs à la convocation des Etats-Généraux de 1789 publ. par A. Brette. Tome II. Paris, Leroux. XXVII, 719 S. fr. 12.

Vgl. Hist. Jahrb. XVI, 419.

*Lanzac de Laborie (L. de) la domination française en Belgique. Directoire — Consulat — Empire. 1795—1814. Paris, librairie Plon. 1895. 2 vol. 465 et 409 S. (S. oben S. 469.)

Nous ne pouvons mieux faire connaître l'ouvrage dont nous venons de transcrire le titre, qu'en reproduisant quelques extraits de l'avertissement. M. de Lanzac nous dit d'abord qu'il s'est proposé d'étudier le régime administratif du Consulat et de l'Empire. »Au lieu d'étudier le fonctionnement de ce régime dans un département ou une province de la vieille France, j'ai choisi une des contrées que la Révolution avait annexées à notre territoire: là, en effet, à côté de l'installation et de la mise en œuvre d'un nouveau mécanisme administratif, le changement de domination et les procédés employés pour consolider la conquête présentent un attrait de plus . . . . L'annexion officielle de la Belgique à la République française a presque coïncidé avec l'avénement du Directoire Il est indispensable de remonter jusque là: l'état du pays sous le Directoire prépare et explique sa situation après le 18 Brumaire. Je me suis abstenu au contraire de traiter de la conquête . . . . Elle est surtout militaire et politique il n'y a d'administration régulière qu'à dater du décret de réunion.« (1er octobre 1795.) — L'auteur étudie successivement l'organisation des autorités et l'action des fonctionnaires, les impots et les finances, la sureté publique et la police, les questions religieuses et les persécutions, la conscription et l'esprit public. Sur ces différentes branches M. de Lanzac a recueilli des matériaux sans nombre, puisés soit dans les sources imprimées, soit dans les documents officiels conservés aux archives nationales. Chaque détail est emprunté à ces sources indiquées avec la plus scrupuleuse précision et peut être ainsi facilement contrôlé. L'abondance des détails est loin de nuire à la clarté du récit. L'auteur a su les grouper avec art et méthode dans une suite de chapitres bien coordonnés. Quoique, dit l'auteur, la Belgique qui venait en 1789 de se révolter contre Joseph II, fût mûre pour l'annexion »si le sentiment populaire ne ratifia par cette annexion, la faute en fut à la France et à ses représentants. Il faut dès à présent dire à leur décharge que les conditions générales de l'Europe, les guerres ininterrompues, les coalitions sans cesse renouées ne facilitaient pas précisément leur tâche. Mais les vexations prodiguées aux Belges ne sont pas toutes imputables à la situation extérieure; il en est qui procédèrent de dédains maladroits; beaucoup furent inspirées par cet esprit de système, par ce goût de centralisation et d'uniformité qui était de vieille date au fond du caractère français et que la révolution avait étrangement développé. Je ne crois pas avoir à m'excuser de la part importante que j'ai faite aux questions religieuses. Elles tenaient le premier rang dans les préoccupations des Belges, et ont fort contribué à leur rendre odieux le regime français.« L'ouvrage de M. de Lanzac contient des leçons de politique et d'administration, qui, mises en pratique de nos jours, seraient un préservatif contre les utopies enflées de grands mots et pernicieuses à présent comme autrefois. G—d.

Beaucarme (E.), notice historique sur la Commune d'Eename. 2 Tle. Gand, Van der Poorten. 1893—95. 4⁰. VII, 120 u. 520 S.

Der erste Teil enthält: »Documents, Rechten ende Costumen van de heerlichede van Eename«; der zweite: »Histoire de l'abbaye de Eename.«

Schliep (H.), Ur-Luxemburg. Ein Beitrag zur Urgeschichte des Landes, des Volkes u. der Sprache, der Urreligion, Sitten u. Gebräuche 2c. Luxemburg, Selbstverlag. 408 S. mit Bildnis u. 2 Karten. ℳ 5.

Großbritannien und Irland.

Powell (E.), the rising in East Anglia in 1381. With an appendix contain. the Suffolk poll tax lists for that year. Cambridge, University Press. sh. 8.

*Wylie (J. H.), history of England under Henry IV. Vol. III: 1407—10. London, Longmans. sh. 18.

Die Anmerkungen unter dem Text nehmen öfters mehr Raum ein als der Text, weil W. der löblichen Gewohnheit huldigt, für jede seiner Behauptungen nicht nur eine, sondern mehrere Belegstellen beizubringen. Im Interesse der meisten Leser hätten wir gewünscht, daß W. die archaistischen, oft sehr barocken Ausdrücke durch moderne ersetzt, oder wenn er dem Leser ein solches Zugeständnis zu machen verschmähte, dieselben in den Anmerkungen erläutert hätte. Mit den Zitaten ist den Lesern nicht gedient, denn die meisten Bücher sind denselben unzugänglich. Wer das Werk Ws. mit den Darstellungen von Stubbs, Creighton und Ramsay vergleicht, wird sofort entdecken, daß manche irrige Angaben seiner Vorgänger berichtigt sind. W. ist nicht nur mit der englischen, sondern auch mit der ausländischen Literatur vertraut wie nur wenige seiner Landsleute und so imstande, die Geschichte Englands und seine Beziehungen zum Auslande eingehend zu behandeln Man kann dem Vf. nur danken, daß er der religiösen und sozialen Geschichte seine besondere Aufmerksamkeit zugewandt. Die Kapitel: das Schisma, die Konstitutionen und die Visitation Arundels sind besonders lehrreich, ebenso die Kapitel über die Gilden, Bistümer, Reisen. Die Gründung der vielen Kapellen hat nach W. ihren Grund in dem Streben der Frommen, ein Gegengewicht gegen den Wicliffismus zu haben. Die Thätigkeit der Lollarden, das gibt auch W. zu, war nicht immer segensreich. Sein Urteil über Oldcastle ist zu günstig, in dem Urteile über Päpste und Kardinäle ist W. öfters befangen und einseitig. Immerhin halten wir den vorliegenden Band für eine wahre Bereicherung der Wissenschaft. Z.

Aubrey (W. H. S.), the rise and growth of the English Nation, with special reference to epochs and crises. Vol. II (1399—1658) u. III (1658—1895). London, Stock. 1895. 535 u. 508 S. sh. 7,6.

Hutton (W. H.), Sir Thomas More. London, Methuen. 302 S. sh. 5.

Flower (B. O.), the century of Thomas More. Boston, Arena Publ.
& Co. IX, 293 S. mit Bildnis. 1 Doll. 50 c.

Hume (M. A. S.), the courtships of Queen Elizabeth; a history of
the various negotiations for her marriage. London, Unwin.
356 S. sh. 12.

Calendar of State Papers Spanish V. III. Elizabeth (1580—86) edit. by
M. A. S. Hume. London, Eyre and Spottiswood. sh. 15.
Manche der hier veröffentlichten Dokumente besitzen hohen Wert, leider sind
dieselben öfters ungenau wiedergegeben. In der Einleitung ergeht sich Hume
in Hypothesen, die nicht immer stichhaltig sind, und entdeckt bei Philipp II kluge
Berechnung und maßlose Selbstsucht, wo uns die Annahme von zu langem
Zaudern manche seiner Schritte besser erklärt. Der Tod Maria Stuarts, bevor
Philipp sein Unternehmen gegen England ausführen konnte, war ein schwerer
Schlag und beraubte Philipp seiner wirksamsten Bundesgenossin; H. freilich
behauptet das Gegenteil.   Z.

Temple Leader (G.), vita di Roberto Dudley, duca di Nortumbria,
illustrata con lettere e documenti finora inediti. Firenze, Barberà.
1895. 4⁰. 233 S.

Court of England under Georges IV. Founded on an diary interspersed
with letters writt. by the queen Caroline and other disting. per-
sons. 2 vols. London, Macqueen. 626 S. sh. 25.

Paget (C. E.), autobiography and Journals, ed. by A. Otway.
London, Chapmann. 382 S. mit Porträt u. Illustr. sh. 16.

Lord (W. F.), the lost possessions of England; essays in imperial
history. London, Bentley. 336 S. sh. 6.

Italien.

Trevisani (E.), storia di Roma nel medio evo. Torino, Roux, Frassati
e C. 1895. 12⁰. XX, 392 S.

Bottini-Massa (E.), il comune di Bologna nel secolo decimoterzo.
Bologna, Zanichelli. 1895. 38 S.

Gabotto (F.), l'età del conte Verde in Piemont secondo nuovi documenti 1350—83. Torino, Paravia e C. 1895. 261 S.

Eisenhardt (W.), die Eroberung des Königreiches Neapel durch Durazzo.
Halle-Wittenberg. Diff. 52 S.

Bolognini (G.), le relazioni tra la repubblica di Firenze e la repubblica
di Venezia nell' ultimo ventennio del sec. XIV. Venezia, Visentini.
1895. 109 S.

Celani (E.), documenti Sforzeschi nell' archivio di Stato in Napoli.
Milano, frat. Rivara. 1895. 14 S.

Armstrong (E.), Lorenzo de Medici and Florence in the fifteenth
century. London, Putnam Sons. XV, 449 S. sh. 6.

Ambrosoli (S.), Giangiacomo de' Medici, castellano di Musso 1523—32.
Milano, frat. Treves. 16⁰. 1895. 79 S.

Zanoni (E.), vita pubblica di Francesco Guicciardini con nuovi documenti. Bologna, Zanichelli. IX, 594 S.

Rossi (A.), Franc. Guicciardini e il governo fiorentino, dal 1527 al 1540 (con nuovi documenti). Vol. I (1527—31). Ebenda. XI, 301 S. fr. 4.

Die erste der beiden vorgenannten Schriften baut die Biographie auf einer Geschichte der ital. Renaissance auf, schildert die Jugendzeit G.s und seine Thätigkeit als Gesandter, Heerführer und Gouverneur im Dienste des Papstes, sowie seine Thätigkeit am Hofe Cosimos; die zweite Schrift behandelt nur die Florentiner Periode in G.s Leben, für welche sie neues Material erschließt.

Pasini (F.), la corte di Ferrara ai tempi del Tasso. Roma, Unione cooper. editr. 1895. 16°. 18 S. [Aus: Vita italiana n. 15.]

*Raulich (J.), storia di Carlo Emanuele I duca di Savoia con documenti degli archivi italiani e stranieri. Bd. I: Dall' assunzione al trono all' occupazione di Saluzzo 1580—88. Milano, Hoepli. XXIII, 390 S. l. 5.

Während weitläufige Biographieen nicht mangeln über andere Herzoge des Hauses Savoyen, besitzt die italienische Geschichtsschreibung über die hervorragendsten wie Emanuel Philibert, Karl Emanuel I und Viktor Amadeus II noch kein allgemeines Werk. Diese Lücke teilweise auszufüllen, schickt sich an Italo Raulich, Obergymnasialprofessor in Rom. Soweit man bis jetzt voraussehen kann, studiert R. die Thätigkeit des Herzogs Karl Emanuel I besonders von dem diplomatischen Standpunkte aus. Nach einer kurzen und zwar nicht sehr ausführlichen Einleitung über die Regierung Emanuel Philiberts beschreibt der Vf. den Zustand des Hauses von Savoyen in der Zeit, als Karl Emanuel den Thron bestieg, den ersten Versuch des Herzogs bez. Genfs, die verschiedenen Unterhandlungen über seine Ehe, die Heirat mit der zweiten Tochter König Philipps II von Spanien, den zweiten vergeblichen Versuch mit Genf und die Einnahme der Markgrafschaft von Saluzzo, was alles binnen neun Jahren geschehen ist. Diejenigen, welche bis jetzt mit Karl Emanuel und dem Hause von Savoyen im allgemeinen sich beschäftigt haben, benutzten beinahe nur das reiche Staatsarchiv in Turin; R. begnügte sich damit nicht, sondern machte sich auch die Archive und Bibliotheken von Venedig, Rom, Mantua, Mailand, Simancas, Paris und London zu nutze, und in dieser Weise war er im stande, für jeden Zeitraum eine Menge von Nachrichten aus verschiedenen Quellen beizubringen. Und während er im Texte das archivalischen Materialien frei benützt, giebt er in den Anmerkungen die Stellen der Urkunden gewissenhaft wieder. Der Reichtum an Nachrichten also, die Absicht, unparteiisch zu urteilen, die gefällige Erzählung verleihen diesem Werke große Wichtigkeit. Doch bezweifle ich, daß die Methode, nicht wegen Mangel an Fleiß, sondern weil der Vf. einer alten Schule vielleicht zu strenge folgen wollte, alle ganz befriedigen wird. Ich will einige Einwürfe nennen und es thut mir leid, daß der Mangel an Raum mir nicht erlaubt, dieselben weiter zu erklären. Der Vf. hat viele Archive benützt, er hat aber nicht gezeigt, welche von ihm möglichst vollständig erforscht worden sind und welche nur teilweise. Nach der subjektiven Anordnung seines Werkes trennt er die urkundlichen Nachrichten von einander, ohne die Urkunden selbst allgemein einer strengen Kritik zu unterziehen; auch die Chronologie ist zu wenig ins Licht gesetzt. Die Literatur scheint mir zu spärlich: z. B. Erdmannsdörffers Werk sehe ich nicht einmal zitiert, obwohl die Einleitung dieses Buches vortrefflich ist. Viele Seiten verfließen ohne eine bibliographische Anmerkung; nirgends hat der Vf. sich angelegen sein lassen, uns zu sagen, ob die Urkunden, welche er benützt, schon von anderen studiert wurden oder mindestens anderen bekannt sind, und auch wenn bibliographische Anmerkungen vorkommen, sind sie unvollständig, weil die typographischen Angaben regelmäßig weggelassen sind. Was die Beurteilung der Ereignisse betrifft, so ist sie manchmal zu unbestimmt und trägt mehr einen allgemein moralisierenden als einen streng geschichtswissenschaftlichen Charakter, und insbesondere wird man dann und wann eine gründlichere Anschauung der Zustände Piemonts wünschen. Carlo Merkel.

Tononi (A.), missioni del padre Paolo Segneri nei ducati di Piacenza e Parma ed affari di essi da lui trattati 1664—91. Memorie su documenti inediti. Firenze, Rassegna Nazionale. 1895. 32 S.

Piscitello (S.), Carlo Alberto e Francesco IV d'Austria Este. Roma, Soc. ed. Dante Aligh.

Beaufond (E. de), Elisa Bonaparte princesse de Lucques et de Piombino. Paris, Gainche. 1895. 32 S.

Bernardini (N.), Ferdinando II a Lecce [14—27 gennaio 1859]. Lecce, tip. Cooperativa 1895. 194 S.

Masi (E.), la monarchia di Savoia: studio. Firenze, Barberà. 1895. 16⁰. 178 S.

Tivaroni (C.), l'Italia degli Italiani. Vol. I: 1849—59. Torino, Roux, Frassati e C. 1895. 16⁰. 483 S. [Storia critica del risorgimento italiana. Vol. VIII.]

Arietti (A.), ricordanze della guerra per l'independenza italiana. 1860—61. Firenze, Carnesecchi. 1895. 36 S.

La campagna del 1866 in Italia, redatta dalla sezione storica del corpo di Stato maggiore T. II. Roma, Voghera. 1895. 425 S. m. 5 Kart.

Cardinali (A.), i volontari garibaldini del 1867 nella provincia di Viterbo. Jesi, tip. economica. 1895.

Locatelli (G.), Monteratondo e Mentana: ricordi di un garibaldino della colonna Mosto e Stallo. Bergamo, Fagnani e Galeazzi. 1895. 53 S.

Barrili (A. G.), con Garibaldi alle porte di Roma 1867. Ricordi e note di —. Milano, frat. Treves. 1895. 32⁰. 228 S.

Bordoni (A.), Marco Minghetti. Roma, Bertero. 1895. 16⁰. 18 S.

Lastella (G.), de Sanctis e i suoi tempi: conferenza. Melfi, Grieco e Ercolani 1895. 19 S.

Soderini, Rome et le gouvernement italien [1870—94]; précédé d'une introduction par M. Swiney. Paris et Poitiers, Oudin. 1895. XVI, 85 S.

Bonetti (A. M), 25 anni di Roma capitale e suoi precedenti. 2 vol. Roma, Filiziani. 1895. fr. 5.

Roma e Venezia. Ricordi storici d'un Romano. In occasione del XXV anniversario di Roma capitale d'Italia. Roma, Roux, Frassati. e Cie. XIII, 322 S. [Politica segreta italiana. Vol. 2.]

Corsi (C.), Italia 1870—95. Torino, Roux, Frassati e Cie. 1895. 448 S. I. 6.—

Frankreich.

Klein (J. B.), Clovis, fondateur de la monarchie française. Lyon, Vitte. XVI, 440 S. fr. 4,50.

Mogt (E.), Kelten und Nordgermanen im 9. und 10. Jahrh. Progr. Leipzig, Hinrichs Vert. in Komm. 4⁰. 27 S. M 1.

Thompson (J. W.), the development of the French monarchy under Louis VI le Gros, 1108—37. Paris, Picard. XII, 113 S. fr. 4.

Borelli de Serres, recherches sur divers services publics du 13. au 17. siècle. Paris, Picard. VI, 612 S. fr. 10.

Lescot (Richard), chronique de —, religieux de Saint-Denis 1328—44, suiv. de la continuation de cette chronique 1344—64 publ. pour la première fois par la Soc. de l'hist. de France par J. Lemoine. Paris, Renouard. LII, 264 S.

Publiziert werden hier: Richardi Scoti chronicon; Richardi Scoti chronici continuatio; Richardi Scoti genealogia; Gerardi de Fracheto chronici prima continuatio in monasterio S. Dyonysii redacta (beginnend 1268). Im Appendix wird geboten: das Itinerar Eduards III von England von 1329 bis 60 und Aktenstücke der Gesch. des 100jähr. Krieges. Eine eingehende Vorrede beleuchtet das Verhältnis der hier publizierten Stücke. Die Chronik Richards ist dem Manuskript der Nationalbibliothek fonds lat. 5005ᶜ entnommen und sieht dort wie eine Fortsetzung der Chronik des um das Jahr 1205 geborenen Gerard de Frachet aus, von der Holder-Egger Fragmente in den Mon. Germ. SS. XXVI veröffentlichte. Diese Chronik, welche Wilhelm von Nangis kannte und benutzte, erhielt eine Fortsetzung in den Jahren 1285—93 für die Zeit von 1268—85; eine zweite für die Jahre von 1285—1344 durch — sicher allerdings nur für den größeren letzten Teil dieses Zeitraumes — Richard Lescot, über dessen Leben der Hrsg. die dürftigen Notizen zusammenstellt, und eine dritte für den Zeitraum von 1344—64.

Courteault (H.), Gaston IV, comte de Foix, vicomte souverain de Béarn, prince de Navarre 1423—72. Toulouse, Privat. XXXII, 411 S. fr. 7. [Biblioth. méridionale.]

Hanotaux (G.), histoire du cardinal de Richelieu. 2. éd. Paris, Didot. VII, 559 S. fr. 10.

Vgl. oben S. 469.

Lodge (R.), Richelieu. London, Macmillan. Geb. 2 sh. 6 d.

Basserie (J. P.), la conjuration de Cinq-Mars. Av. portrait de Cinq-Mars et préface par Mézières. Paris, Perrin & Co. IX, 336 S. fr. 3,50.

Bourgeois (E.), Ludwig XIV in Bild u. Wort mit ca. 550 Textilluftr., Vollbildertaf., Karikaturen und Autographen. Nach den berühmtesten Malern, Bildhauern u. Stechern damal. Zeit übertr. v. O. Marschall v. Bieberstein. [In ca. 35 Lfgn.] Lfg. 1. Leipzig, Schmidt. Lex.-8°. S. 1—16. M. 0,60.

Mac Laughlin (Luise), the second Madame, a memoir of Elisabeth Charlotte, duchesse d'Orléans. New-York, Putnam. IV, 172 S. d. 1,25.

Baird (H. M.), the Huguenots and the revocation of the edict of Nantes by —. 2 vols. New-York, Scribner. I: 566, II: 580 S. sh. 7.50.

Baird ist ein Abkömmling der Hugenotten, der an seinen Religionsgenossen nur die Licht-, an ihren Gegnern nur die Schattenseiten sehen kann, und daher trotz seines Strebens, die Thatsachen wahrheitsgetreu zu berichten, ein Zerrbild entwirft. Ludwig XIV hatte weit bessere Gründe für seine Verfolgung der Hugenotten als Wilhelm III für seine Unterdrückung der Katholiken. Die Hugenotten waren oft die Angreifer, schlossen Bündnisse mit auswärtigen

Mächten, suchten ein unabhängiges Reich im Reich zu gründen. Kein Herrscher konnte das dulden. Die Fabel von der Verarmung Frankreichs, dem Niedergang von Handel und Gewerbe infolge der Auswanderung der Hugenotten, spielt auch bei Baird eine große Rolle. Faktisch wurde der finanzielle Niedergang durch die langjährigen Kriege und die unkluge Gesetzgebung verschuldet, welche Handel und Gewerbe lähmte. Für diese Gesetze sind die Minister weit mehr verantwortlich als der König. Die Katholiken waren nicht weniger arbeitsam und geschickt als die Hugenotten, und die Auswanderung eines Viertels derselben würde kaum bemerkt worden sein, hätten nicht langjährige und unglückliche Kriege die Bevölkerung gelichtet. Baird hätte berichten sollen, daß manche Katholiken, unter ihnen auch Jesuiten, die Verfolgung mißbilligten und geltend machten, daß friedliche Mittel weit eher zum Ziele geführt hätten. Die Verfolgung war grausam gewaltthätig, aber von kurzer Dauer. Z.

Syveton (G.), une cour et un aventurier au XVIIIe siècle. Le Baron de Ripperda d'après des documents inédits des archives impériales de Vienne et des archives du ministère des affaires étrangères de Paris. Paris, Leroux. XIII, 309 S.

Douglas (R. B.), the life and times of Madame du Bary. London, Smithers. 394 S. mit Portr. sh. 16.

Vizetelly (E. A.), the true story of the chevalier d'Eon his experiences and metamorphoses in France, Russia, Germany and England. London, Tylston. 1895. 374 S. mit Portr. u. Faks. sh. 15.

Macdonald (P.), studies in the France of Voltaire and Rousseau. With Portraits. London, Unwin. 270 S. sh. 12.

* Ségur (le comte de). Le Maréchal de Ségur [1724—1801] ministre de la guerre sous Louis XVI. Avec deux portraits en héliogravure. Paris, librairie Plon. 1895. VIII, 398 S. (S. unten 711).

La famille de Ségur doit en grande partie son illustration à la carrière militaire parcourue avec distinction par plusieurs de ses membres. Celui dont M. le comte de Ségur vient de publier l'histoire, était déjà connu, mais imparfaitement; il méritait de l'être mieux et d'une manière plus complète. Philippe Henri de Ségur, entré dans l'armée à l'âge de dix-sept ans, a pris une part brillante à toutes les guerres du règne de Louis XV. Ses talents et les services rendus lui valurent, sous Louis XVI, le bâton de Maréchal et le titre de ministre de la guerre, qu'il conserva pendant sept ans, jusqu'en 1784; il rentra alors dans la vie privée. Quelques années plus tard la Révolution le priva de tous ses biens et sous la Terreur, vieux et infirme, il gémit pendant six mois dans les cachots de la Force. Rendu à la liberté après le 9 thermidor, il aurait vécu dans le dénuement sans une pension que le premier consul alloua à l'ancien Maréchal de France. Il mourut le 8 octobre 1801. Le comte de Ségur a utilisé des fragments de Mémoires et des lettres de son quadrisaïeul et recueilli dans les archives et bibliothèques publiques tout ce qui pouvait contribuer à faire mieux connaître le Maréchal et le milieu dans lequel il a vécu. Son livre se lit avec plaisir et il renferme de nombreux détails intéressants sur la vie privée et publique de cette époque. L'auteur signale en particulier la sagesse et la fermeté de l'administration du Maréchal pendant son ministère, qui eut d'heureux résultats. On lui reproche la malheureuse ordonnance de 1781 sur les preuves de noblesse dans l'armée; elle lui fut imposée et il ne la signa que malgré lui. En terminant cette lecture ce n'est pas sans émotion que l'on voit le futur empereur, au sortir de l'entrevue qu'il venait d'accorder au vieux Maréchal, lui faire rendre les honneurs militaires et lui procurer ainsi une dernière joie après les dures épreuves qu'il venait de traverser. . G—d.

Chastenay (Mme. de), mémoires [1771—1815] publ. par Roserot.
Tome I: L'ancien Régime. la Révolution. Paris, Plon & Co. VIII,
492 S. mit Portr. fr. 7,50.

Index des noms révolutionnaires des communes de France [1790—94].
Poitiers, Blais et Roy. 76 S.

Stern (A.), la vie de Mirabeau. I. Avant la Révolution traduit par
Lespès, Pasquet et P. Péret. II. Pendant la Révolution
trad. par H. Busson. Paris, Bouillon. IV, 395 u. 398 S.

Tarbell (Ida M.), Madame Roland, a biographical study. New.-York,
Scribner. IX, 328 S. mit Portr. d. 1,75.

Halem (G. A. de), Paris en 1790. Voyage de —. Traduction, introduction et notes par A. Chuquet. Paris, Chailley. 402 S.

Isambert (G.), la vie à Paris pendant une année de la Révolution
[1791—92]. Paris, Alcan. fr. 3,50.

*Pierre (V.), la déportation ecclésiastique sous le Directoire. Docu-
ments inédits, recueillis et publiés pour la société d'histoire contemporaine par —. Paris, Picard. XXXIX, 481 S. fr. 10.

Der Herausgeber dieses Quellenwerkes, einer der besten Kenner der französischen
Revolutionsgeschichte, hat über die Schreckensherrschaft, die sog. seconde terreur,
welche nach dem Staatsstreiche des 18. Fruktidors (4. Sept. 1797) von dem
Direktorium ausgeübt wurde, bereits zwei wichtige Schriften veröffentlicht: zuerst
eine zusammenhängende Darstellung, dann eine Sammlung von Aktenstücken,
die hauptsächlich auf die schreckenerregende Thätigkeit der sog Militärkommissionen
bezug haben (Hist. Jahrb. XIV, 918). Die neue Publikation, welche aus-
schließlich die Deportation der Geistlichen behandelt, bringt in chronologischer
Ordnung alle Deportationserlasse, die von den Direktoren ausgingen. In
Frankreich wurden von dem Direktorium nicht weniger als 1260 Geistliche zur
Deportation verurteilt, während in Belgien der gesamte Klerus geächtet wurde.
Allerdings konnte das Strafurteil nicht immer vollzogen werden; manchen
Geistlichen gelang es, sich den Häschern durch die Flucht zu entziehen; viele
andere wurden im Innern des Landes in den Gefängnissen zurückbehalten.
Thatsächlich wurden auf Befehl des Direktoriums 375 französische und 101
belgische Geistliche nach Cayenne oder auf die Inseln Ré und Oléron
deportiert. P. hat indessen nur die von dem Direktorium aufgestellten
Proskriptionslisten berücksichtigt. Da auch die Lokalverwaltungen sehr strenge
vorgingen, so wurden in allem 1388 Geistliche deportiert. Mit vollem Rechte
kann man daher von einer seconde terreur sprechen, obgleich verschiedene
Lobredner der Revolution von dieser zweiten Schreckensherrschaft nichts wissen
wollen. N. P.

Challamet (A.), les clubs contre-révolutionnaires. Cercles, comités,
sociétés, salons, réunions, cafés, restaurants et librairies. Paris,
Quantin. 1895. 633 S. [Collect. de documents relatifs à l'hist.
de Paris pendant la Révolut. franç. VII.]

Hesdin (R.), a journal of a spy in Paris during the Reign of Terror,
Jan.—July 1794. London, Murray. 238 S. sh. 5.

Cappelletti (L.), la leggenda di Luigi XVII. Livorno, Belforte
& Co. 1895. 174 S. l. 2,50.

Auf Grundlage der einschlägigen Literatur, ohne wesentlich neues zu bieten, hebt
Vf. den historischen Kern der Lebensgeschichte des unglücklichen Kindes aus dem
Gewirr von Legenden heraus, welche zumeist durch das Auftreten falscher
Dauphins hervorgerufen wurden.

Twiquan (J.), souveraines et grandes dames. L'impératrice Josephine d'après les témoignages des contemporains. Mit Porträt. Paris, libr. illustr. fr. 3,50.

Barras, mémoires de —. Tome III [du 18. Fructidor au 18. Brumaire.] Tome IV [dernier]. Consulat, Empire, Restauration publ. p. G. Duruy. Paris, Hachette. XXXVI, 509 S., XXXII, 536 S. à fr. 7,50.
Vgl. Hiſt. Jahrb. XVI, 666.

Pulitzer (A.), eine Idylle unter Napoleon I. Der Roman des Prinzen Eugen Mit 3 Heliograv. Aus dem Franzöſiſchen. Wien, Brau= müller. VII, 342 S. ℳ 4.

Turquan (J.), les soeurs de Napoléon, les princesses Elisa, Pauline et Caroline. Paris, libr. illustr. II, 540 S. u. 3 Portr. fr. 3,50.

Laquiante (A.), un hiver à Paris sous le Concordat 1802—3, d'après les lettres de J-F. Reichardt. Paris. Plon, N. & C. 495 S. fr. 7,50.

Vandal (A.), Napoléon et Alexandre I. L'alliance russe sous le pre- mier empire. Vol. III. La rupture. Paris, l'lon. 596 S. fr. 8.

Sasseney de, les derniers mois de Murat. — Le guet-apens du Pizzo. Paris, Calm Lévy. 307 S. fr. 3,50.

Thirria (H.), Napoleon III avant l'empire, tomé II. Paris, Plon. 591 S. fr. 8.

Fraser (W.), Napoleon III. [My Recollections.] 2. edit. London, Samp- son Low. 274 S. sh. 7,6.

Rochefort (H.), aventures de ma vie, tome 1 et 2. Paris, Dupont. à fr. 3,50.
Der erſte Band iſt von Bedeutung für die Geſchichte des Kaiſerreichs und der bemerkenswerten Perſönlichkeiten der Zeit, der zweite für die Geſch). des deutſch= franzöſiſchen Krieges und der Kommune.

Lubomirski (Prince). France et Allemagne, 1868 — 71. Paris, Calm. Levy. 619 S. fr. 7,50.

Chevalier (G.), Tours capitale. La délégation gouvernementale et l'occupation prussienne. Tours, Mame. 341 S. fr. 5.

March (T.), the history of the Paris Commune, 1871. London. 380 S.

Dänemark, Schweden, Norwegen.

Lund (Th.), Danmarks og Norges Historie i Slutningen af det 16. Aar- hundrede. Tolvte Bog. Dagligt Liv. Aegteskab og Saedelighed. Kopenhagen, Gyldendal. 488 S. Kr. 6,50.

Vessberg (V.), bidrag till historien om Sveriges Krig med Danmark 1643—45. I. Gustaf Horns fältag. Stockholm, Rietz. 68 S. Kr. 1.

Brown (J.), original memoirs of the sovereigns of Sweden and Denmark, from 1766 to 1818. 2 vols. London, Nichols. 674 S. sh. 21.

Spanien.

Gadaleta (A.), relazione di Spagna del cav. A. Cappello ambasciatore a Filippo V dall' anno 1735 al 1738. Firenze, Ariani. 31 S.

Rußland, Polen.

Pierling (P.), la Russie et le Saint-Siège. Études diplomatiques. Tom. I. Paris, Plon. XXXI, 463 S. fr. 7,50.

> P. Pierling hat in den letzten Jahren über die Beziehungen zwischen Rom und Rußland eine ganze Anzahl interessanter Studien veröffentlicht, die nun in neuer Bearbeitung gesammelt erscheinen sollen. Der vorliegende Band, dem noch andere folgen werden, behandelt die Beteiligung der Russen, namentlich des Moskauer Metropoliten Isidor am Konzil von Florenz; die Vermählung i. J. 1472 der griechischen Prinzessin Zoe Paläolog mit dem russischen Großfürsten Ivan III im Vatikan; die Beziehungen zwischen Rom und Rußland unter Leo X und Clemens VII; das Thun und Treiben des deutschen Abenteurers Hans Schlitte, der sich um die Mitte des 16. Jahrh. fälschlich für einen Gesandten Ivans IV ausgab und selbst Karl V zu täuschen verstand; endlich verschiedene erfolglose Annäherungsversuche, die unter Pius IV, Pius V und Gregor XIII stattfanden. Unter diesen Versuchen verdient eine besondere Erwähnung die von Rom beabsichtigte und von Kaiser Maximilian II verhinderte Sendung des Ingolstädter Professors Rudolf Clenke nach Moskau. P., der von Hause aus ein Slave ist, zeigt sich in den altrussischen Geschichtsquellen trefflich bewandert; aus dem vatikanischen Archiv und verschiedenen andern Archiven bringt er über den bisher wenig bekannten Gegenstand manche neue Aufschlüsse. Die elegante Darstellung würde einem geborenen Franzosen Ehre machen.   N. P.

Marie Feodorowna, correspondance de sa Majesté l'Imperatrice — avec Mlle de Nélidoff, sa demoiselle d'honneur [1797—1801] suiv. des lettres de Mlle de Nélidoff au Prince A. B. Kourakine publ. par la Princesse Lise **Troubezkoi**. Paris, Leroux. 2 Portr. XXXV, 372 S. [Biblioth. slave Elzévirienne XIV.]

Gabriac (marquis de), souvenirs diplomatiques de Russie et d'Allemagne, 1870—72. Paris, Plon N. & C. 337 S. fr. 7,50.

Schybergson (M. G.), Geschichte Finnlands. Deutsche Bearbtg. v. Fr. Arnheim. Gotha, Perthes. XXIV, 663 S. .ℳ 12. [Geschichte der europ. Staaten. Hrsg v. Heeren, Ukert, Giesebrecht u. Lamprecht.] S. oben S. 466.

Kalinka (V.), der vierjähr. poln. Reichstag 1788—91. Aus dem Poln. übers., deutsche Orig.-Ausg. Bd. 1. Die Ereignisse der J. 1787—89 umfassend. Berlin, Mittler & Sohn. XXXIII, 684 S. .ℳ 14.

Ungarn, Balkanstaaten.

Kaindl (R. F.), Bericht über die Arbeiten zur Landeskunde der Bukowina während des Jahres 1895. 5. Jahrg. Czernowitz, Pardini in Komm. 16 S. .ℳ 0,40.

Xenopol (A. D.), histoire des Roumains de la Dacie Trajane, depuis les origines jusq' à l'Union des principautés en 1859. 2 vol. Paris, Leroux. XXXV, 486; 611 S. mit Karten. fr. 25. (S. unten 711.)

Lemaître (A.), Musulmans et Chrétiens. Notes s. l. guerre de l'in-
dépendance grecque. Paris, Martin XII, 263 S. fr. 3,50.
Beitrag zur Geschichte des griechischen Befreiungskampfes und Vergleich der
damaligen Zustände mit den heutigen.

Djemaleddin Bey, Sultan Murad V, the Turkish dynastic mystery,
1876—95. London, Paul. 274 S. .ℳ 9.

Asien.

Mohammed En-Nesawi, histoire du Sultan Djelal ed-din Mankobirti, Prince du Kharezm. Traduit de l'arabe par O. Houdas.
Paris, Leroux. Lex.-8°. X. 484 S. fr. 15.
Mankobirti (1220—31) kämpft gegen die Mongolen in Asien; auch eine Geschichte
seines Vorgängers Ala ed-din Mohammed (1199—1220) wird hier geboten.

Afrika.

Muir (W.), the Mameluke or Slave Dynasty of Egypt, 1210—1517.
London, Smith & E. 278 S. sh. 10,6.

Johnson (S.), history of Rasselas, prince of Abyssinia. Edit. with
introduct. and not. by Oliver F. Emerson. New-York, Holt and
Cie. LV, 179 S.

Reindorf (C.) history of the Gold Coast and Ashantied bas on traditions and historical facts from about 1400 to 1860. London,
Paul. sh. 9.

Slatin Pascha (R.), Feuer und Schwert im Sudan. Meine Kämpfe
mit den Derwischen, meine Gefangenschaft und Flucht. 1879—95.
Deutsche Orig.-Ausg. mit 1 Portr. in Heliograv., 19 Abbildgn. von
Talbot Kelly, 1 Karte u. 1 Plan. Leipzig, Brockhaus. XII, 596 S. .ℳ 9.

Amerika.

Irving (W.), la vie et les voyages de Christophe Colomb. Paris,
Hachette et Cie. 16°. VIII, 300 S.

Isaza (E.), antologia colombiana. Tomo. I. Paris, Bonnet. 1895. 18°.
VIII, 336 S.

Markham (Cl. R.) narratives of the voyages of Pedro Sarmiento de
Gambóa to the straits of Magellan. Translated and edited, with
notes and an introduct. by —. London, printed for the Hakluyt
society. 1895. XXX, 401 S.
Die Einleitung gibt eine Lebensgeschichte des spanischen Entdeckers des 16. Jahrh.

Channing (E.), the United States of America 1765 — 1865. Cambridge, University Press. VIII, 352 S. sh. 6.

Rhodes (J. F.), history of the United States from the Compromise
of 1850 by —. V. I—III (1850—62). New-York, Harper. 1893—95.
506, 541, 659 S.
Die schwere Aufgabe, über Personen und Ereignisse, die uns so nahe liegen,
unparteiisch zu berichten, ist in den drei ersten Bänden des Werkes, das die
Geschichte der Vereinigten Staaten bis zum Jahre 1885 zu führen beabsichtigt,

glücklich gelöst. Nicht nur die hauptsächlichsten Flugschriften und Aufsätze in Zeitschriften sind benützt, sondern auch Zeitungen. Dadurch erhält die schlichte Darstellung Farbe und Leben. Daß R. überall das Richtige getroffen, läßt sich nicht behaupten. So unterschätzt er den Abscheu der Nordstaaten gegen die Sklaverei. Rechtlichen Fragen ist R. zu sehr aus dem Wege gegangen, auch seine Schlachtenberichte sind matt. Hier und da hätte R. die Beweggründe der leitenden Persönlichkeiten mehr hervorheben müssen. .   Z.

Longstreet (J.), from Manassas to Appomatox; memoirs of the civil war in America. Philad., Lippincott. XXII, 690 S. mit Porträts, Karten und Tafeln. d. 4

Conrad (Howard L.), history of Milwaukee from its first settlement to the year 1895. 2 vols. Milwaukee, Caspar. 1110 S. d. 25.

Kingford (W.), the history of Canada. Vol. 8. 1808—15. London, Kingsford Paul. sh. 15.

Vgl. oben S. 412.

Begg (A.), history of British Columbia from its earliest discovery to the present time. London, Low. 580 S. illustr. sh. 12,6.

Rae (W. F.), Sheridan a biography. With an introd. by Sh.'s great-grand son, the marquess of Dufferin. 2 vols. London, Bentley. 908 S. sh. 26.

Australien.

Jenks (E.), the history of the Australasian Colonies. From their foundation to the year 1893. Cambridge, Univ. Press XVI, 352 S. sh. 6.

Rusden (G. W.), history of New-Zealand. 2. ed. 3 vol. London, Melville. 1834 S. sh. 45.

Kirchengeschichte.

Arosio (L.), i primi giorni del Cristianesimo. Milano. 656 S. mit geogr. u topogr. Karten. fr. 5,50.

Bole (F.), Flavius Josephus über Christus u. die Christen in den jüd. Altertümern: XVIII. 3. Eine Studie. Brixen, Weger. VIII, 72 S. M 1.

Philonis Alexandrini opera quae supersunt ediderunt Leopoldus. Cohn et Paulus Wendland. Vol. I. Berlin, Reimer. 3 Bl. CXIV, 298 S. 1 Faksimile.

Der erste von Cohn bearbeitete Band dieser längst ersehnten Ausgabe enthält ausführliche Prolegomena über die Hss, Ausgaben, Uebersetzungen (lat. und arm.), Excerpte usw. (über die textkritische Bedeutung der Zitate bei Clemens Alexandrinus vgl. jetzt Wendland, Hermes 31, 435 ff.) und den Text der Schriften 1. de opificio mundi, 2. legum allegoriarum lib. I—III, 3. de Cherubim, 4. de sacrificiis Abelis et Caini, 5, quod deterius potiori insidiari soleat. S. LXXXV ff. sind die testimonia de Philone eiusque scriptis zusammengestellt; das beigefügte Faksimile gibt eine Schriftprobe des wichtigen cod. Vindob. theol. gr. 29 s. XI, in welchem sich nach dem Schriftenverzeichnis die für die Ueberlieferungsgeschichte bedeutsamen Worte, ‚Εὐζόϊος ἐπίσκοπος ἐν σωματίοις ἀνενεώσατο' (vgl. Hieronym. de vir. ill. 113 Euzoius ... corruptam iam bibliothecam Origenis et Pamphili in membranis instaurare conatus) finden. .   .   . C. W.

*Naber (S. A.), Flavii Josephi opera omnia. Post Immanuelem Bek-
kerum recogn. —. Vol. VI. Lipsiae, Teubner. LI, 374 S.
Auch die Teubnerſche Joſephusausgabe liegt jetzt vollendet vor, ſo daß man
den lange ungebührlich vernachläſſigten Autor nunmehr in zwei bezw. drei
neuen Ausgaben ſtudieren kann. Der Schlußband enthält die Bücher 5—7 des
jüdiſchen Krieges, die beiden Bücher gegen Apion (die Angabe in der Notiz
über Bd. V im Hiſt. Jahrb. XVII, 171 beruht auf einem Verſehen), die
pſeudojoſephiſche Schrift über die Herrſchaft der Vernunft und den Index
nominum. Sehr auffällig war mir die Bemerkung des Hrsg. S. III ‚sequitur
ineptum opusculum de Maccabaeis (d. h. die ebengenannte pſeudojoſephiſche
Schrift), in quo recognoscendo nihil mihi praesto fuit praeter collationes
Havercampianas'. Zählt denn die ſchöne Abhandlung von Freudenthal
über dieſes Werkchen, die zahlreiche kritiſche Beiträge und S. 169 ff. Mitteilungen
van Herwerdens (!) über einen ſehr alten codex Marcianus enthält, jetzt
zu den „in Holland verſchollenen Büchern"? C. W.

Perrier, la grande fleur de la Vie des saints. X [saints de juillet
et août). Lyon, Vitte. 16⁰. 386 S.

*Cavalieri (P. F. de), la Passio SS. Perpetuae et Felicitatis. Rom.
166 S. 2 Taf. [Römiſche Quartalſchrift. 5. Supplementheft.]
Eine tüchtige Arbeit. Der Vf. legt ſowohl den lateiniſchen als den griechiſchen
Text der Paſſio in neuer Rezenſion vor, wobei er ſich für letzteren einer Photo-
graphie des Jeruſalemer Codex (nach C. aus d. 12. Jahrh.) bedienen konnte, und tritt
in der den erſten Teil der Schrift bildenden Abhandlung energiſch für die Priorität
der lateiniſchen Faſſung ein. Für den eigenen Bericht der Perpetua ſcheint er
aber ein griechiſches Original anzunehmen, deſſen charakteriſtiſche ſprachliche
Eigentümlichkeiten vom Redactor der lateiniſchen Akten pietätvoll konſerviert
worden ſeien, ſo daß ſich in der lateiniſchen Verſion dieſe Partie deutlich von
der übrigen Erzählung abhebe, während der griechiſche Ueberſetzer der ganzen
Paſſio ein gleichmäßiges, ſtiliſtiſches Kolorit verliehen habe. Für den Gebrauch
von ›accedere‹ mit Infinitiv hätte C. im Archiv f. lat. Lexikogr. VII, 549
zahlreiche Beiſpiele finden können (zu S. 19 Anm. 4), über ›beneficio‹ mit
Genetiv iſt in ſpeziellem Hinblick auf die Acta Perpetuae Archiv VIII, 589 f.
gehandelt worden (zu S. 55 Anm. 1). C. W.

Violet (B.), die paläſt. Märtyrer des Euſebius von Cäſarea, ihre ausführlichere Faſſung und deren Verhältnis zur kürzeren. Leipzig, Hinrichs. VIII, 178 S. [Texte u. Unterſuchungen XIV, 4.]
Der Vf. behandelt das nämliche Thema, dem J. Viteau 1893 ſeine Theſe,
de Eusebii Caesariensis duplici opusculo „περὶ τῶν ἐν Παλαιστίνη
μαρτυρησάντων' gewidmet hat. Während der franzöſiſche Gelehrte die kürzere,
im Original erhaltene Faſſung der Schrift als eine rein hiſtoriſche, die längere
(von einzelnen griechiſchen Bruchſtücken abgeſehen, nur in ſyriſcher Ueberſetzung
erhaltene) als eine mehr erbaulichen Zwecken dienende Arbeit bezeichnet, beſtimmt
der deutſche Forſcher das Verhältnis der beiden Rezenſionen dahin, daß die
kürzere als eine nicht für die Oeffentlichkeit beſtimmte Vorarbeit, die längere als
die Ausführung zu betrachten ſei. C. W.

Fisher (G. P.), history of christian doctrine. New-York, Scribner.
Edinburg, Clark. 600 S. sh. 12.

Krüger (G.), was heißt und zu welchem Ende ſtudiert man Dogmen-
geſchichte? Freiburg, Mohr. 80 S. ℳ 1,20.

Atzberger (L.), Geſchichte der chriſtlichen Eschatologie innerhalb der
vornicäniſchen Zeit. Mit teilweiſer Einbeziehung der Lehre vom chriſtl.
Heile überhaupt. Freiburg i. B., Herder. XII, 646 S. ℳ 9.

Rodrigues (H.), histoire du péché originel et des origines de l'Eglise.
Paris, Lévy. 247 S. fr. 7,50.

Lea (H. C.), history of auricular confession and indulgences in the latin church. Vol. I: Confession and Absolution. London, Sonnenschein. XII, 523 und VIII, 514 S.

Lauchert (Fr.), die Canones der wichtigsten altkirchlichen Konzilien nebst den apostolischen Canones, hrsg. von —. Freiburg i. Br., Mohr. XXX, 228 S. [Sammlung ausgew. kirchen= und dogmengeschichtl. Quellenschriften H. 12.]

Eine äußerst praktische Handausgabe, durch welche den Studierenden der Theo= logie eine bequeme Lektüre der apostolischen Canones, der Canones von Elvira (306), Arles (314), Neocaesarea (zw. 314—25), Nicaea (325), Antiochia (341), Sardica (343 oder 344), Laodicea (zw. 345—81), Gangra (vgl. Hist. Jahrb. XVI, 586), Konstantinopel (381), Ephesus (431), Chalcedon (451), des Quinisextum (692) und des zweiten Konzils von Nicaea (787), ferner dreier afrikanischer (Karthago I. ca. 345—48, Karthago II. ca. 387—90, Karthago III. 397), zweier spanischer (Saragossa 380, Toledo 400) und dreier gallischer (Valence 374; Nimes 394, Turin 401) Konzilien ermöglicht wird. Die Texte sind, dem Plane der Krüger= schen Sammlung entsprechend, im Anschlusse an die besten älteren Ausgaben wiedergegeben (über einzelne Abweichungen orientieren die Bemerkungen S. 189 ff.), die Einleitung enthält die nötigsten Literaturnachweise (S. XVIII hätte doch die Abhandlung Duchesnes über die die Flamines betreffenden Bestimmungen der Synode von Elvira erwähnt werden sollen), das Register berücksichtigt mehr die sachlichen, d. h. theologischen, historischen und kanonistischen, als die rein sprachlichen Interessen. S. 156, 33 ist gewiß »reprehenditur«, nicht »deprehenditur« die richtige Lesart. S. 167, 8 und 168, 7 fällt die veraltete Schreibung »foemina« auf. Ueber H. 11 der Krügerschen Sammlung s. Hist. Jahrb. XVI, 689. C. W.

Bernoulli (C. A.), das Konzil von Nicäa. Habilitationsvorlesung. Frei= burg i. B., Mohr. III, 36 S. ℳ 0,80.

Halmel (A.), die Entstehung der Kirchengesch. des Eusebius v. Cäsarea untersucht von —. Essen, Baedecker. IV, 60 S.

Die Kirchengeschichte des Eusebius ist in der Form, in welcher sie im textus receptus vorliegt, nicht ein Wert aus einem Guß, sondern das Ergebnis einer mit den Ereignissen fortschreitenden Nacharbeit an einem ersten Entwurf, welcher nur auf sieben Bücher berechnet und streng einheitlich angelegt war. Derselbe blieb eine Privatarbeit, bis Eusebius durch die Ereignisse des J. 313 veranlaßt wurde, die Bücher 8 und 9 beizufügen und (315) das Ganze der Oeffentlichkeit zu übergeben. Etwa 325 trat noch das 10. Buch hinzu, wodurch die Schrift über die Martyrer in Palästina, die ihren Platz ursprünglich hinter dem ersten Entwurfe, dann hinter dem Schlusse der Fortsetzung gehabt hatte, an das Ende des ganzen Werses geschoben wurde. C. W.

Diekamp (F.), die Gotteslehre des hl. Gregor von Nyssa. Ein Beitrag zur Dogmengeschichte der patrist. Zeit. Tl. I. Münster, Aschendorff. VIII, 260 S.

Ausführliche Darstellung der Lehre Gregors von der Gotteserkenntnis, von dem Wesen und den Eigenschaften Gottes mit einer über den allgemeinen Standpunkt des Kirchenvaters orientierenden Einleitung. C. W.

*Fessler (J.), institutiones patrologiae quas denuo recensuit, auxit, edidit Bernardus Jungmann. T. II, p. 2. Oeniponte, Rauch. XI, 711 S. ℳ. 5,40.

Die Ausgabe des vorliegenden Schlußteiles der Neubearbeitung von Feßlers Institutiones patrologiae hat sich verzögert, da inzwischen auch der zweite Hrsgb. aus dem Leben geschieden ist. Jungmanns Kollegen Hebbelynck und Lamy, haben für die Vollendung des Buches Sorge getragen, jener durch

Bearbeitung des fünften Abschnittes von Kap. 8 (die Päpste von Hilarius bis
Gregor d. Gr.), dieser durch Beifügung eines Anhanges über die syrischen und
armenischen Väter bezw Kirchenschriftsteller des 5. und 6. Jahrh. Ich habe
bereits durch die Notizen, welche ich dem ersten Bande und dem ersten Teile
des zweiten Bandes gewidmet habe (s. Hist. Jahrb. XI 799, XIV 168) genügend
angedeutet, daß ich die Neubearbeitung wesentlich anders gewünscht hätte und
auch angesichts des Schlußteiles kann ich nur meinem Bedauern Ausdruck geben,
daß ein für seine Zeit so verdienstliches Buch nicht durch Beseitigung von
Ballast und planmäßige Einarbeitung der sicheren neuen Forschungsresultate
den Bedürfnissen der Gegenwart angepaßt worden ist. Um nur ein besonders
drastisches Beispiel anzuführen (andere kann man leicht durch Vergleichung mit
Bardenhewers Patrologie finden), so ist S. 369 adn. 1 als neueste Literatur
über die »metra in Heptateuchum« — Pitras Ausgabe im ersten Bande des
Spicilegium Solesmense genannt! · C. W.

**Bergman (J.), Fornkristna Hymner. Dikter af Prudentius. Svensk
Tolkning med historisk inledning af —. Prisbelönt af vetenskaps-
akademien. Andra Upplagan (med latinska Urtexten Bifogad).
Göteborg, Wettergren & Kerber. (1894.) 135 S.**

Die übersetzten Gedichte sind cathem. IX, X, V, VI und die praefatio (»skaldens
själfbekännelse«). C. W.

***Bellet (Ch. Fr.), les origines des églises de France et les fastes
épiscopaux. Paris, Picard. XV, 275 S.**

Der Vf. unternimmt es, gegen Duchesne zu beweisen, daß „in der Frage der
Anfänge unserer (der französischen) Kirchen, die moderne Kritik nicht berechtigt
ist, gegen die Traditionen der Kirchen ihre Schlüsse zu ziehen, denn sie ist nicht
imstande, ihre negative Lösung zu rechtfertigen. Hingegen ergibt sich eine mehr
oder weniger große Wahrscheinlichkeit zu gunsten der affirmativen traditionellen
Ansicht.“ Die Beweise, welche in der Untersuchung der einzelnen in der Schrift
behandelten Fragen beigebracht werden, sind jedoch nicht der Art, daß das obige
Resultat daraus gefolgert werden könnte. Die Einwürfe gegen Duchesnes Verwertung der Bischofslisten gallischer Kirchen sind nicht stichhaltig. In seinem
Versuche der Rechtfertigung der angeblichen Ueberlieferung über die Ankunft der
hl. Maria Magdalena und deren Gefährten nach Südfrankreich kommt B. eigentlich
nur zu dem Resultat, daß in kirchlichen Kreisen von Aix um das Jahr 1070
eine diesbezügliche Erzählung in Umlauf war. Es ist klar, da man weder
Ursprung noch Entwicklung dieser angeblichen Ueberlieferung in dem ganzen
vorausgehenden Jahrtausend verfolgen kann, sich im Gegenteil auch andere
„Traditionen“ vorfinden, daß eine solche Ueberlieferung in keiner Weise als
historische Quelle angesehen werden kann. Ein ähnliches Urteil muß die meisten
Beweisführungen zu gunsten des Ursprunges gallischer Kirchen in der unmittelbar
nachapostolischen Zeit treffen. Einen Vorteil bietet jedoch die Schrift: Die
Advokaten — denn eher als solche wie als Forscher muß man die Vertreter der
sog. Traditionsschule bezeichnen — der angeblichen Ueberlieferungen vieler gallischer
Kirchen haben in B. wohl ihren besten Vertreter gefunden, der in seinem Werke
alles vorgebracht hat, was gegen Duchesne ins Feld geführt werden kann.
Dem »audiatur et altera pars« ist genüge geschehen, und jeder objektiv urteilende
Historiker kann sich jetzt in klarer Weise seine Ueberzeugung bilden: dieselbe wird
gewiß zu gunsten Duchesnes ausfallen. Auf die einzelnen Punkte einzugehen,
können wir uns versagen. Uebrigens sei erwähnt, daß Duchesne selbst
geantwortet (Bulletin critique, 1896, Nr. 7, S. 122—31) und daß P. Fournier
(ebda. Nr 11, S. 209—17) den prinzipiellen Standpunkt kurz und klar dargelegt hat. Ul. Chevalier veröffentlicht in Sachen der Schrift zwei Erklärungen
(ebda. Nr. 9, S. 173, Nr. 10, S. 197 f.) des Inhaltes, daß er seinen Anteil an
der Entstehung des Werkes habe, jedoch mit dem Endresultat einverstanden sei.
Die PP. Bollandisten stehen ganz auf seite Duchesnes gegen B und andere
Gegner (s. Analect. Bolland. XV, 1896, S. 82 ff.) J. P. Kirsch.

Müller (A.), das Martertum der thebäischen Jungfrauen in Köln. Die

hl. Ursula und ihre Gesellschaft. Ein Beitrag zur köln. Geschichte. Köln, Schafstein & Co. III, 369. ℳ. 0,75.

Arnold (C. F.), Cäsarius von Arelate. Predigten in deutsch. Uebersetzg. mit einer einleit. Monographie hrsg. v. —. Leipzig, Richter. XXXIV, 142 S. [Die Predigt der Kirche. Klassikerbibl. der christl. Predigt= literatur Bd. 30.]

> Die Auswahl umfaßt 31 Predigten des gegenwärtig von der theologischen Wissenschaft lebhaft kultivierten gallischen Bischofs. Der Einleitung liegt natürlich das Hist. Jahrb. XVII, 174 angezeigte Buch Arnolds zu grunde. C. W.

Bright (W.), the roman see in the early church and other studies in church history. London, Longmans. sh. 7,6.

Duchesne (L.), autonomies ecclésiastiques. Églises séparées. Paris, Thorin (Fontemoing). VIII, 356 S.

> Der Vf. vereinigt in diesem Buche sieben Aufsätze, welche bereits einzeln in Zeitschriften erschienen sind: 1. les origines de l'église anglicane 2. les schismes orientaux. 3. l'encyclique du patriarche Anthime 4. l'église romaine avant Constantin. 5. l'église grecque et le schisme grec. 6. l'Illyricum ecclésiastique. 7. les missions chrétiennes au sud de l'empire romain. 1:—5. sind zuerst in der Quinzaine von 1895 und 1896, 6. in der Byz.-Zeitschr. von 1892, 7 in den Mélanges d'archéol. et d'hist. von 1896 veröffentlicht worden. Dem vorletzten Aufsatze ist in der zweiten Ausgabe ein Exkurs beigefügt worden (S. 275—79), in welchem D. gegen Mommsen, Neues Archiv XIX, 433 ff. die Echtheit der beiden in die Sammlung von Thessalonike aufgenommenen Schreiben des Honorius und Theodosius II verteidigt. In einem weiteren Bande wird D. von den ‚églises unies‘ handeln. C. W.

Greenwood (A.), Empire and Papacy in the Middle Ages. London, Sonnenschein, Swan and Co. 1895. 232 S.

Moulart (J.), l'Église et l'État ou les deux puissances; leur origine, leurs relations, leurs droits et leurs limites. 1 vol. Louvain, Peeters. 1895. 557 S.

Brancaccio di Carpino (F.), nuova cronologia dei papi. Torino, fratelli Bocca. 1895. 4⁰. 139 S.

Kranich (A.), die Asketik in ihrer dogmatischen Grundlage bei Basilius dem Großen. Paderborn, Schöningh. 2 Bl IV, 98 S.

> Die einschlägigen Aeußerungen des Basilius werden nach den Rubriken 1. Begriff der Asketit; Wesen und Bedeutung der christlichen Askese. 2. die Gegensätze, Hindernisse und Feinde der christlichen Askese. 3. die Mittel der christlichen Askese. 4. Bedingungen der Askese, Askese im engeren Sinne (d. h. Mönchs= leben) vorgeführt. C. W.

Gebhart (E.), moines et papes. Paris, Hachette. 306 S. fr. 3,50.

Allies (T. W), the monastic life, from the fathers of the desert to Charlemagne. London, Kegan Paul. XXII, 382 S. sh. 9. [The format. of Christendom. Bd. VIII.]

> Dieses ebenso gründliche als zeitgemäße Buch zeigt uns, was die Mönche von den ersten Jahrhunderten bis zum achten nicht nur für Verbreitung der christ= lichen Lehre und sittliche Reform, sondern auch für Erhaltung und Wieder= belebung der Zivilisation und der Künste des Friedens geleistet haben. Der Vf. hebt ausdrücklich hervor, daß die „Abteien die festgegründeten Kolonien waren in Mitte einer hin und herflutenden Bevölkerung; Gesellschaften von unverwüstlicher Lebenskraft, die ungleich Bischöfen, Königen nicht sterben, die

durch die Zähigkeit, mit der sie ihr Besitztum verteidigten, der Handhabung des Rechtes Nachdruck gaben (353). Kein Stand hat den Vorwurf der Trägheit und geistigen Erschlaffung weniger verdient als die Mönche.   Z.

Tosti (L.), vita di S. Benedetto patriarca dei monaci d'Occidente, compendiata per cura di C. L. Torelli. Montecassino, tip. di Montecassino. 1895. XVI, 182 S.

*Schiaparelli (L.), diploma inedito di Berengario I (a. 888) in favore del monastero di Bobbio. Torino, Clausen. 15 S. [Estr. d. Atti de R. Acad. d. Scienze di Torino. Vol. XXXI.]

Veröffentlicht die Urk., von der ein schönes Fakſimile beigegeben iſt, und gibt zu der Publikation einen diplomatiſchen und paläograph. Kommentar.

Lubin (A.), abbatiarum Italiae brevis notitia. Additiones et adnotationes ex ms. bibl. Angelicae, curante H. Celani. Romae, ex tip. polygl. de propag. fide. 1895. 87 S.

Baldissera (V.), cronachetta della chiesa e convento di S. Antonio in Gemona. Gemona, Tessitori. 1895. 30 S.

Schiwietz (St.), de S. Theodoro Studita, reformatore monachorum basilianorum. Breslau, Schletter. 29 S. M. 0,60.

* Lindner (Th.), die ſogenannten Schenkungen Pippins, Karls des Großen und Ottos I an die Päpſte. Stuttgart, Cotta. 99 S. M. 2.

Da ihn ſeine der zahlreichen bisherigen Löſungen des Problems befriedigte, das die Schenkungen der Karolinger an die Päpſte begründen, bemühte ſich L., nicht abgeſchreckt durch die anſcheinende Ausſichtsloſigkeit des Unternehmens, eine eigene Anſicht zu gewinnen, und obwohl ihm dieſes lange Zeit nicht gelang, ließ er doch, wie er in der Einleitung bemerkt, von der Unterſuchung nicht ab, bis er endlich glaubte, den Ariadnefaden durch das Labyrinth zu finden. Vor die Oeffentlichkeit wollte er mit demſelben zwar noch nicht treten. Aber beſondere Verhältniſſe nötigten ihn dazu. Da er in ſeiner „Allgemeinen Geſchichte ſeit der Völkerwanderung" an der Frage nicht vorübergehen und ſie doch auch nicht ſo eingehend erörtern konnte, wie die Aufſtellung einer neuen Theſe erfordert, ſo mußte er die Erörterung in einer beſonderen Schrift vorlegen. Den Schwer= punkt der ganzen Frage bildet Karls Urkunde v J. 774 oder die Mitteilung des Papſtbuchs über die Schenkung Karls. Dieſelbe kommt im 7. Abſchnitt zur Unterſuchung, nachdem in den vorausgehenden Kapiteln eine Ueberſicht über die Streitfrage und ihre Ueberlieferung gegeben, die Ausdrücke istius Italiae provinciae, donatio und respublica Romanorum, die Erzählung des Papſtbuches und der anderen Geſchichtſchreiber über die Ereigniſſe bis zum Pontifikat Hadrians, die Papſtbriefe bis 774, das Verhalten Karls und Hadrians nach dem Papſtbuch und den Briefen, und das Ludovicianum erörtert worden; und nach der Prüfung des Einzelnen werden S. 78—89 die Ergebniſſe zuſammengefaßt. Daraus mögen folgende Hauptſätze hervorgehoben werden: Die Stelle im Liber pontificalis iſt vollkommen echt und daher an der Angabe, daß Pippins Urkunde in Quierzy ausgeſtellt worden ſei, nicht zu zweifeln. Dieſe Urkunde enthielt nur ein allgemein gehaltenes Verſprechen, die Gerechtſame des hl. Petrus zurückzubringen, ein Verſprechen, deſſen Wortlaut genau her= zuſtellen kaum möglich iſt. Es fehlte insbeſondere jede genaue Bezeichnung von Oertlichkeiten; weder der Exarchat noch die Pentapolis wurden zugeſichert. Pippin ſonnte kaum anders handeln, da ihn das ganze Unternehmen in neue Verhältniſſe brachte, die er ſchwerlich überſah. Karl beſtätigte 774 die Urkunde Pippins mit ihrer allgemeinen Verheißung der justitia Petri und der Ueber= gabe von »civitates et territoria« an den Papſt und deſſen Nachfolger und ſagte zu, die Stücke auszuliefern. Aber der bisher nicht ins einzelne gehenden Verheißung gab er Form und Geſtalt. Er ging von demſelben Grundgedanken aus, der die Urkunde Pippins beherrſcht: Wiedergabe alles deſſen, was dem hl. Petrus gehört, erweiterte ihn aber noch. Während es sich in der Urkunde von 754 nur um die Restitution der Gebiete handeln sonnte, die Aistulf an sich genommen hatte, gestand Karl allen Besitz zu, der je den Päpsten von den Longobarden entzogen worden war, innerhalb der Grenzen seiner Macht oder so weit er sie auszudehnen beabsichtigte. Sein Versprechen umfaßte nicht, wie der Text des Papstbuches gewöhnlich verstanden wird, einfach das ganze Land von der byzantinischen Grenze im Süden bis zu der im Norden gezogenen Grenze: für die Landstriche außerhalb des Exarchates und der Pentapolis bezog es sich nur auf einzelne Städte, Patrimonien, Einkünfte u. dgl. Dabei behielt sich Karl die Prüfung Fall für Fall vor, und die Erfüllung der Urkunde von 774 ging, weil mancherlei Hindernisse, politische wie juristische dazwischen traten, nicht schnell von statten. Hadrian klagt wiederholt und drängt auf Erfüllung der Verheißungen. Schließlich wurden seine Wünsche immer erfüllt, wie der Vergleich mit dem Ludovicianum lehrt. Karl beging hienach keinen Treubruch, wie man ihn nach der herrschenden Auffassung, so sehr man sich auch dagegen sträubt, im Grunde annehmen muß, und Hadrian hat ihm auch keinen derartigen Vorwurf gemacht. — Die These ist im einzelnen nicht einwandfrei, und es wird schwerlich an Widerspruch fehlen. Aber sämmtliche Schwierigkeiten lassen sich hier nun einmal nicht beseitigen oder alle Einzelheiten in ein zweifelloses Licht stellen. Die Auffassung verdient aber jedenfalls ernstliche Beachtung. Sie scheint mir vor den anderen Lösungsversuchen den Vorzug zu verdienen.   Funk.

Stamminger, Franconia sancta. Geschichte und Beschreibung des Bis=
    tums Würzburg; fortgesetzt von A. Amrhein. Lf. 2. Landkapitel
    Lengfurt. Abt. 1. Würzburg, Bucher. 200 S. .ℳ 2,80.
    Vgl. Hist. Jahrb. X, 880.

Petersen (R.), fra det svenske Kirkeliv i de sidste hundrede Aar.
    Nogle Person-og Tidskildringer. Kopenhagen, Schønberg. 320 S.
    Kr. 4.

Baedae (Venerabilis) historiam ecclesiasticam gentis Anglorum, historiam
    abbatum, epistolam ad Ecgberctum una cum historia abbatum auc-
    tore anonymo ad fidem codicum manuscriptorum denuo recognovit,
    commentario tam critico quam historico instruxit Carol. Plummer.
    Oxford, Clarendon Press. 2 Bde. 4 Bl. CLXXVIII, 459 und
    XL, 546 S.
    Eine prächtig ausgestattete Ausgabe der historischen Schriften Bedas. Der erste
    Band enthält eine ausführliche Einleitung über Bedas Leben und Werke und
    über die handschriftliche Ueberlieferung mit zwei Anhängen (1. einer Chronologie
    von Bedas Schriften, 2. dem Briefe Cuthberts an Cuthwin de obitu Baedae),
    den Text der historischen Schriften, eine Anzahl von Varianten einiger späterer
    Hss., die nicht in den Apparat aufgenommen wurden, und einen index nomi-
    num et locorum, der zweite eine chronologische Tafel, den Kommentar zu den
    im ersten Bande edierten Schriften, zwei Anhänge über die älteste Biographie
    Gregors des Großen (im Sangall. 567; zum Teil publiziert von Ewald in
    den Aufsätzen zum Andenken an Waitz. Nach Plummer hat Beda diese Vita
    benützt) und über Bedas Bibelzitate, endlich einen ausführlichen index nominum,
    locorum, rerum.   C. W.

Mommsen (Th.), chronica minora s. IV, V, VI, VII edidit —. Vol. III,
    Fasc. 2., Berolini, Weidmann. 1895. S. 223—354. [Mon. Germ.
    hist. auct. ant. t. XIII, p. 2.]
    Enthält Bedas chronica maiora (bis 725) und (unter dem Texte) minora
    (bis 703), d. h. Kap. 66 -71 des größeren und Kap. 16—22 des kleineren
    Werkes de temporibus. Von diesen beiden chronica, welche bereits in den
    Hss. vielfach aus »de temporibus« losgelöst erscheinen, repräsentiert die kleinere
    im wesentlichen eine Wiederholung der kleineren Chronik Isidors mit Zusätzen

und Aenderungen Bedas, wogegen die größere aus allen möglichen Quellen
(Eusebius—Hieronymus, Prosper, Marcellinus, Isidor, Marius von Avenches,
Liber pontificalis usw.) zusammengearbeitet ist. Beigegeben sind noch
1. interpolationes cod Par. nouv. acq. 1615; 2. interpolationes cod.
Monac. 246 a Diocletiano ad Arcadium; 3. auctaria quaedam chronicorum Bedanorum maiorum, nämlich a) eine continuatio Constantino-
politana a. 820 et 842, b) ein Marginalzusatz des cod. Ambros. M. 12
sup. s. IX zum J. 585; 4. continuatio chronicorum Bedanorum minorum
Carolingica prima; 5. generationum regnorumque laterculus Bedanus cum
continuatione Carolingica altera (gewöhnlich ›chronicum de sex aetatibus‹
genannt). Ueber chron. min. vol. III fasc. 1 vgl. Hist. Jahrb. XVI, 866.
C. W.

Peyrot (Ph. H.), Paciani Barcelonensis episcopi opuscula edita et
illustrata. Inaug=Diss. der Univ. Utrecht. Zwolle, Druck v. Tyls
Erben. 3 Bl. XI, 143 S.

Das Verdienst des Hrsgbs. besteht in der Heranziehung von zwei Hff. (einem
Parisinus s. XII—XIII und einem Vaticanus s. X—XI) und in der
Vermerkung der Parallelstellen aus den Hauptgewährsmännern Pacians, Ter-
tullian und Cyprian. Im übrigen ist die Leistung sehr mangelhaft, wie ich an
anderer Stelle (Berl. philol. Wochenschr. 1896) ausführlich nachweisen werde.
C. W.

Ernst (J.), die Lehre des hl. Paschasius Radbertus von der Eucharistie.
Mit besond. Berücksichtigung der Stellung des hl. Rhabanus Maurus
u. des Ratramnus zu ders. Freiburg i. B., Herder. IV, 136 S. ℳ 2,20.

Breuils (A.), Saint Austinde, archevêque d'Auch. [1000—68] et la
Gascogne au XIᵐᵉ siècle. Auch, Cocharaux. Paris, Fontemoing.
1895. VI, 359 S. fr. 10.

Eine Lebensgeschichte des Heiligen, welche zum Hintergrund eine eingehende
Darstellung der kirchlichen, feudalen und sozialen Verhältnisse in der Gascogne
hat. Bildungswesen und Zustand sind jedoch wenig berücksichtigt.

Le huitième centenaire du concile de Clermont et de la première croisade. Clermont-Ferrand, Bellet. 1895. 244 S.

Enthält einen ausführlichen Bericht über die großartigen Feste, welche voriges
Jahr vom 16—19. Mai in Clermont abgehalten wurden, mit Wiedergabe der
einzelnen Reden. Letztere sind natürlich in erster Linie auf oratorische Wirkung
berechnet gewesen, aber auch der Leser wird Freude haben an manchem geist-
reichen Gedanken, der in ihnen enthalten ist. Doch müssen wir es als einen
bedauerlichen Rückschritt kritischer Werteilung ansehen, wenn Professor Condamin
die legendenhafte Rolle, welche Peter der Eremit in der Zeit vor dem Konzil
von Clermont gespielt haben soll, verteidigt. Die Gründe, mit welchen er gegen
Hagenmeyer, den bekannten Vf. des i. J. 1879 erschienenen Buches über
Peter den Eremiten, polemisiert, setzt er in folgender Weise auseinander: ›Nous
avons trois excellentes (!) raisons de suspecter la loyauté des intentions
d'Hagenmeyer: d'abord, c'est un écrivain protestant; puis, c'est un
Allemand; et enfin, il a écrit son libelle en 1879, au surlendemain de
la guerre de 1870. Nous laisserons donc à la joie de ses prétendues
découvertes le savant qui ne peut avoir pour l'Eglise et la France
que des ... tendresses ... négatives: un tel homme ne saurait être de
nos amis.‹ (S. 101.) Erfreulich ist es, daß an dem gleichen Ort, in der
Kathedrale von Clermont, diesem Standpunkt von einem hohen kirchlichen
Würdenträger widersprochen wurde. In der Rede des Bischofs Turinaz von
Nancy (S. 211) finden wir folgende Stelle: ›Quelques historiens ont attribué
une grande part de cette gloire à Pierre l'Ermite, mais des démon-
strations appuyées sur les sources originales sont opposées à ce récit.
L'austère pélerin ne prêcha la Croisade ni avant Urbain II ni même

dans l'assemblée de Clermont. Il faut le redire, Urbain II fut le premier apôtre et l'organisateur de la Croisade.« Dazu wird in dem Bericht auf eine Fußnote verwiesen, in welcher neben anderer Literatur auch Hagenmeyers Werk zitiert wird. Hoffentlich bricht sich diese richtige Auffassung des Bischofs von Nancy bald allgemein Bahn.

Schrader (F. L.), Leben und Wirken des sel. Meinwerk, Bischofs von Paderborn 1009—36. Paderborn, Junfermann. 104 S. *M.* 1.

Baier (J.), Geschichte des alten Augustinerklosters Würzburg (gegründet ca. 1262). Würzburg, Stahel. 1895. 98 S. mit 5 Abildgn. *M.* 1,50.

Heßdörfer (Cl. B.), geschichtliche Notizen über ein ehem. Siechenhaus zum hl. Nikolaus, sowie über das Spital, die Kirche u. Pfarrei zum hl. Geist in Schweinfurt. Mit 6 Illustr. u. 1 Plane. Schweinfurt, Stoer. III, 62 S. *M.* 1.

Minazi (G.), le chiese di Calabria dal quinto al duodecimo secolo. Cenni storici. Napoli, typografie Lanciano e Pinto. 364 S. l. 3.80. Unter mancherlei intimen Anklängen an frühere Veröffentlichungen des Vfs. erhalten wir in diesem Buche eine Arbeit über die Entstehung und die Schicksale der Bistümer des heutigen Calabriens. Die geographische Seite der Frage ist bisher nirgendwo besser gelöst worden. Zu eingehender, einwandfreier historisch-kritischer Untersuchung mangelt dem Vf. die Schulung. Doch füllt sein unermüdlicher Sammelfleiß manche Lücke aus, die bisher noch in allen gleichen Bearbeitungen des Gegenstandes gähnten und sich seit zwei Jahrhunderten von einem Schriftsteller auf den andern vererbten. Die großen Sammelwerke päpstlicher Urkunden der neueren Zeit sind fast gar nicht für seine Zwecke ausgebeutet worden. Dagegen erhalten wir in den 23 Abschnitten des Werkes einen guten summarischen Ueberblick über die Geschichte Calabriens. Unter vollständiger Heranziehung namentlich der griechischen Literatur verbreitet sich Vf. des längeren über die Einführung der griechischen Sprache und des griechischen Ritus in Calabrien. Ob seine Theile, daß in der klassischen Zeit und noch Jahrhunderte später von griechischer Sprache in Calabrien seine Rede sein könne, allgemein anzunehmen sei, ist fraglich. Die Arbeitsweise und Zitiermethode ist noch die der alten Schule, wodurch die Nachprüfung der Resultate wesentlich erschwert ist. Nur zuweilen werden genauere Literaturangaben gemacht. Das Buch ist zur Orientierung sehr nützlich und kann unter diesem Gesichtspunkt empfohlen werden.   Paul Maria Baumgarten.

Clément IV, les registres de — [1265—68]. Recueil des bulles de ce pape publ. ou analys. d'après les manuscrits origin. des archiv. du Vatican par E. **Jordan** fasc. 2 et 3. Paris, Fontemoing. 1895. 4⁰. à 2 col. S. 113—344. Vgl. Hist. Jahrb. XIV, 675 (dort ist Jordan zu lesen).

Esser (F. Th.), die Lehre des hl. Thomas von Aquino über die Möglichkeit einer anfanglosen Schöpfung; dargestellt u. geprüft. Münster, Aschendorff. 1895. VI, 176 S. *M.* 3.

Delaville le Roulx (J.), inventaire de pièces de Terre Sainte de l'ordre de l'Hôpital, publié par —. Paris, Leroux 1895. 71 S. [Extr. de la Rev. de l'Orient latin; t. III] Vgl. hiezu die Hist. Jahrb. XVI, 429 angezeigte Schrift desselben Vf.

Cartulaire du prieuré de Saint-Hippolyte de Vivoin et de ses annexes, publié par l'abbé L. J. **Denis**. Paris. 4⁰. XIV, 358 S.

Thureau-Dangin (P.), un prédicateur populaire dans l'Italie de la

Renaissance. Saint Bernardin de Sienne 1380 — 1444. Paris,
Plon. 18⁰. XV, 332 S. fr. 3,50.

In diesem reizenden Büchlein schildert uns ein gläubiger Akademiker, der bekannte Geschichtschreiber der Juli-Monarchie, in vollendeter Sprache das Leben eines der merkwürdigsten Heiligen des ausgehenden MA. Der hl. Bernhardin von Siena, aus dem Orden des hl. Franziskus, war in der ersten Hälfte des 15. Jahrh. für Italien, was kurz vorher der hl. Vincenz Ferrer für Frankreich gewesen: ein gewaltiger Bußprediger, der oft unterm freien Himmel zahllosen Zuhörern das Wort Gottes verkündete und überall die erstaunlichsten Erfolge zu verzeichnen hatte. Da der Vf. die Thätigkeit des gottbegnadigten Volksredners im Zusammenhange mit den damaligen religiös-sittlichen Zuständen Italiens uns vor Augen führt, so bietet die neue Biographie einen wichtigen Beitrag zur italienischen Kulturgeschichte des 15. Jahrh.; zugleich ist sie von hohem Interesse für die allgemeine Geschichte des Predigtwesens im MA.
N. P.

Butler (J.), Catharine of Siena: a biography. 4th ed. London, Marshall and Son. 1895. 338 S.

*Minges (P. Parthenius), Geschichte der Franziskaner in Bayern, nach gedr. und ungedr. Quellen bearb. München, Lentner (Stahl jr.). Lex.-8⁰. XV, 302 S. M 5.

Bekanntlich spaltete sich der vom hl. Franziskus gestiftete Orden der fratres minores im Laufe der Zeiten in drei selbständige, durch eigene Generäle geleitete Körperschaften oder Familien. Die erste bilden die in Deutschland gewöhnlich mit dem Namen „Franziskaner" bezeichneten Anhänger der ersten und zweiten Reform des Ordens (observantia regularis und observantia strictior), von denen die ersteren näherhin Observanten heißen, die letzteren aber in Reformaten, Rekolletten und Discalceaten zerfallen. Zur zweiten Körperschaft gehören jene, welche diesen Reformen nicht beitraten und gemeinhin „Minoriten" genannt werden; die dritte Körperschaft besteht aus den Befolgern der besonderen Reform der „Kapuziner." Von allen diesen drei Körperschaften finden sich zu Provinzen vereinigte Klöster in Süddeutschland und zwar hauptsächlich auf Bayern beschränkt. Die betreffenden Provinzen der Minoriten und Kapuziner haben bereits früher ihre geschichtliche Darstellung gefunden. In obiger Publikation erhalten wir nun auch eine solche bez. der Franziskaner in Bayern. Diese Geschichte bietet insofern größeres Interesse, weil sie so ziemlich alle Phasen der Entwickelung des Franziskanerordens in den Bereich ihrer Darstellung ziehen mußte. Naturgemäß zerfällt dieselbe denn auch in die 3 Perioden von der Ankunft der Franziskaner in Bayern bis zur Einführung der ersten Reform, von der Einführung der ersten Reform bis zur zweiten Reform, von der Einführung der zweiten Reform bis zur Gegenwart. Das reiche Material für jede Periode ist mit ersichtlichem Fleiße gesammelt und übersichtlich verarbeitet. Nach der jeweiligen Darstellung der Ausbreitung durch Erwerbung von Klöstern und Aufzählung der Provinzvorstände ist immer auch eingehend die Rede von der Wirksamkeit der Franziskaner in der betreffenden Periode und von den durch Gelehrsamkeit, pastorelle Tüchtigkeit sowie Frömmigkeit und Tugendhaftigkeit hervorragenden Männern. Es begegnen uns da schöne Zeugnisse in ersterer und Namen vom besten Klang in letzterer Hinsicht. Und doch kann man nicht sagen, daß der Vf. nur den Schönfärber und Lobredner gespielt hat; vielmehr macht seine ganze Darstellung den Eindruck wohlthuender Objektivität und Aufrichtigkeit. Wenn er sich nur auch bisweilen eines gefeilteren Stiles beflissen hätte! So aber läßt derselbe manchmal zu wünschen übrig. Andere kleinere Ausstellungen wären folgende: Die zweite Periode wird in 2 Abschnitte zerlegt, für deren Abgrenzung das Auftreten Luthers als maßgebend angenommen ist. Wenn auch nicht geleugnet werden kann, daß dasselbe auf die Geschicke der Provinz bedeutenden Einfluß übte, so bildete doch für ihre Geschichte ein anderer gleichzeitiger Umstand den maßgebenden Wendepunkt und das ist die 1517 erfolgte gänzliche Umgestaltung des Verhältnisses der Observanten zu den Minoriten und die dadurch erlangte

Selbständigkeit oder vielmehr erst Schaffung der Straßburger Observanten=
provinz. Auch in diesem Buche kehrt sodann (S. 5) die falsche Lesart „Solato"
für „Sosato" (Soest) wieder. Die S. 6 erwähnte Predigt des Johannes de
Plano Carpinis geschah nicht vor dem Bischof von Speyer, sondern vor jenem
zu Hildesheim; dort war auch jener Burcardus Kanonikus. Bei Glaßberger,
auf den sich Vf. verließ, zeigt sich hier eben eine Lücke; es hätte da auf
Jordanus von Giano zurückgegriffen werden sollen. Der S. 23 genannte
Kardinallegat Bertrand Poyet war nicht, wie allerdings auch anderwärts zu
lesen ist, Bischof von Porto, sondern von Ostia. Die S. 27 erwähnte Stell=
vertretung des Provinzials Johannes Leonis ist auf grund neuerer Forschungen
dahin zu berichtigen, daß es sich nicht um eine Stellvertretung handelt, sondern
um ein selbständiges Gegenprovinzialat zur Zeit des Schismas; denn eine nicht
unbedeutende Zahl von Klöstern der oberdeutschen Minoritenprovinz gehörte zur
avignonesischen Obedienz, namentlich Freiburg i. Br., wo Friedrich von Amberg
weilte. Der Bamberger Bischof Heinrich von Schmiedelfeld (S. 28), dessen
Geburtsort verschieden angegeben wird, sicher aber nicht Kempten im Allgäu ist,
war bei seiner Erwählung Probst von Aachen; er ist wohl Stifter des Minoriten=
klosters Wolfsberg und mag auch, wie das ja häufig vorkam, im Minoriten=
gewande begraben worden sein, Minorit im eigentlichen Sinne war er aber nicht.
Bezüglich des Touler Bischofs Konrad Probus (S. 28) hätte nicht bloß auf
Eubels Gesch. d. oberd. Min.=Prov., sondern auch auf dessen Aufsatz: Die
Minoriten Heinrich Knoderer (Bischof von Basel und Erzbischof von Mainz)
und Konrad Probus im Hist Jahrb. IX, 393—449 und 650 — 73 verwiesen
werden sollen. Aus dessen anderem Aufs. ebenda VI. Jahrg. über den Minoriten
Heinrich von Lützelburg wäre zu ersehen gewesen, daß derselbe nicht von Kron=
stadt in Siebenbürgen (S. 33), sondern von Kurland nach Chiemsee transferiert
wurde. Jener Henricus ep. Carpensis, welcher 1254 (richtiger 56) einen Altar
in der Minoritenkirche zu Speyer oder vielmehr diese selbst weihte, war wohl
Henricus ep. Sambensis O. Teut. (vgl. Eubel, zur Gesch. des Min.=Klosters
Speyer, in Zeitschr. für Gesch. des Oberrh., N. F. VI, 677). Und so
wären noch einige andere Kleinigkeiten zu berichtigen, die aber mit Rücksicht auf
den zugemessenen Raum übergangen werden müssen. Sie machen ja der
Gesamtdarstellung keinen wesentlichen Eintrag. Dieselbe ist immerhin als eine
ebenso gelungene als gehaltvolle zu bezeichnen. Bemerkt sei noch, daß der
Vf. sein, wie es scheint, historisches Erstlingswerk dem hochwürdigsten Herrn
Bischof von Augsburg, Dr. Petrus von Hötzl, seinem ehemaligen Lektor, Magister
und Provinzial in dankbarster Verehrung gewidmet hat. P. C. E.

Lemmens (L.), niedersächsische Franziskanerklöster im Mittelalter. Beitrag
zur Kirchen= und Kultusgeschichte. Hildesheim, Lax. VIII, 79 S.
mit 1 Siegeltafel. ℳ 2.

Olrik (H.), Valdemarstidens Kirkemagt og Kongedømme. [Ogsaa m. T.:
Konge og Praestestand i den danske Middelalder. Andet Bind].
Kopenhagen, Gad. 222 S. Kr. 3.

Pinton (P.), appunti biografici intorno al grande giurista ed umanista
card. Zabarella. Potenza, Garramone e Marchesiello. 1895. 17 S.

*Finke (H), acta concilii Constanciensis. Bd. 1: Akten zur Vorgesch.
des Konstanzer Konzils 1410 — 14. Münster i. W., Regensberg.
VIII, 424 S.

Von den oben S. 229 angekündigten Acta conc. Constanc. liegt der erste
Teil vor, welcher in einem stattlichen Bande die Vorgeschichte des Konstanzer
Konzils behandelt. Die hier mitgeteilten Aktenstücke werden in drei Abschnitte
geschieden, deren erster „die Unionsverhandlungen und Konzilspläne in den
Jahren 1410—13" umfaßt (S. 1—107), während der zweite „das römische
Konzil 1412 und 1413" (S. 108—68) und der letzte, und natürlich umfang=
reichste, die eigentliche „Vorgeschichte des Konstanzer Konzils von Sommer 1413
bis November 1414" (S. 169—401) betrifft. Nach dem bei der Edition der

deutschen Reichstagsakten, welche bei der Drucklegung überhaupt als Muster gedient zu haben scheinen, angewandten Modus hat der Hrsgb. jedem einzelnen Abschnitte eine längere Einleitung vorausgeschickt, in welcher er die zum größten Teil undatiert überlieferten Stücke (von 113 Nummern sind nur 46 in der Vorlage datiert) chronologisch bestimmt und sie in ihrer Bedeutung kurz charakterisiert. Für diese an und für sich unbedingt notwendige Einführung der einzelnen Aktenstücke sind wir dem Hrsgb. um so dankbarer, weil er dabei aus seinen umfassenden Materialiensammlungen zur Geschichte des Konzils mancherlei miterwähnt, was die Mehrzahl der Benutzer des Buches, die sich nicht wie er so lange und eingehend mit dieser Zeit beschäftigt haben, wohl ungern entbehren würden. Nur 20 Aktenstücke des Bandes waren ihrem Inhalte nach bisher ganz oder teilweise bekannt; viele von ihnen werden aber erst durch die ihnen von F. gegebene Datierung für die Forschung verwendbar. Von den 93 neuen Aktenstücken beziehen sich nur vier auf das römische Konzil Johanns XXIII, dessen Akten F. trotz wiederholten Suchens leider nicht hat auffinden können Es freut uns, daß F. gleichwohl diesem Konzil einen eigenen Abschnitt gewidmet hat, in welchem er zahlreiche Irrtümer und falsche Ansichten in den bisherigen Darstellungen dieser Versammlung endgiltig zurückweist. Die meisten und auch wichtigsten Funde (circa 66 neue Stücke) enthält der letzte Abschnitt, welcher dadurch eine besondere Bedeutung erhält. Alle drei Abschnitte sind mit gleicher Gründlichkeit und Sachkenntnis bearbeitet. Daß hier und da ein kleines Versehen untergelaufen ist (z. B. S. 156 Anm. 5: „Ueber die Sendung nach Schottland . . . verlautet nichts." Der Kardinal Challant ging am 30. Mai 1413 als Legat nach England und Schottland, nach den Konsistorialakten; zu S. 254: Alamannus war schon am 18. März 1413 zum Legaten nach Frankreich ernannt und reiste am 9. Mai von Rom ab, nach derselben Quelle), kann bei der Masse des verarbeiteten Stoffes nicht Wunder nehmen, noch dem Werte des Buches, welches eine reichsfließende Quelle für die kirchenpolitische Geschichte des 15. Jahrh. ist, irgendwie Eintrag thun. Ein gutes Register (S. 403—24) beschließt das auch durch klaren, übersichtlichen Druck ausgezeichnete Buch, dessen Fortsetzung wir mit Spannung erwarten. Vielleicht würde es sich empfehlen, in den folgenden Bänden — ein Band von 60 Bogen möchte doch wenig handlich sein — in der Inhaltsübersicht auch die einzelnen Teile der Einleitung besonders anzugeben, wodurch dem Benutzer manches lästige Umblättern erspart würde.   L. S.

*Fromme (B.), die spanische Nation und das Konstanzer Konzil. Ein Beitrag zur Geschichte des großen abendländischen Schismas. Münster, Regensberg. VIII, 153 S. ℳ 3.

Eine sehr fleißige, in den Gegenstand tief eindringende, in jeder Hinsicht lobenswerte Arbeit mit vielen neuen Resultaten, die sich einerseits aus den zwei bedeutsamen, von der deutschen Geschichtsforschung bisher fast ganz unberücksichtigt gelassenen spanischen Werken: Anales de la corona de Aragon von Zurita Caragoça 1669 und F. de Bofarull y Sans: Felipe de Malla y el Concilio de Constanza, Gerona 1882 ergeben, andrerseits aus dem von H. Finke edierten Tagebuch des Kardinals Fillastre; hinzukommen noch zahlreiche dem Vf. von Finke zur Verfügung gestellte ungedruckte Aktenstücke aus spanischen Archiven, welche für die Darstellung von der größten Wichtigkeit waren. Besonders beachtenswert erscheinen Ref. das 3. und 4. Kapitel des Buches (S. 46—101), in denen das versteckte Zusammenspiel der kastilischen Gesandten mit dem Kardinalskollegium gegen Sigismund und die Reformpartei aufgedeckt und gezeigt wird, daß die Sezession der Kastilianer (September 1417) im Einverständnis und mit Vorwissen der Kardinäle erfolgte, welch letztere dadurch den handgreiflichen Beweis für den von ihnen stets verteidigten Satz lieferten, daß durch die Vorwegnahme der Reform und die dadurch bedingte Verzögerung der Wahl die Kirche Gefahr liefe, wieder in das alte Schisma zurückzufallen (S. 94). — Die von Finke übernommene Behauptung Fs. (S. 35), daß die Engländer in Konstanz zum ersten Male als Nation anerkannt wurden, ist doch wohl nicht richtig; dies war bereits in Pisa der Fall gewesen, vgl. Römische Quartalschr. 1894, S. 367—69. Die Nichtberücksichtigung dieses letzteren Aufsatzes rührt wohl daher, daß ein Teil des Buches bereits 1894 als Münsterjche Dijjertation gedruckt worden ijt. L. S.

*Concilium Basiliense. Studien u. Quellen z. Gejchichte d. Konzils von Bajel. Hrsg. mit Unterjtützung d. hijtor. u. antiquar. Gejelljch. v. Bajel. Bd. 1: Studien u. Dokumente 1431—37, hrsg. v. J. Haller. Bajel, Reich. XII, 480 S. ℳ 16.

Der größere Teil des Bandes, welcher eine höchjt bedeutjame Quellenpublikation eröffnet, entfällt natürlich auf die „Dokumente" (S. 161—464). Voraus gehen die „Studien", doch jind in diejelben (aus welchem Grunde ijt nicht zu erjehen) auch jchon Urkunden eingejchaltet, nämlich die Berichte des Benediktiners Ullrich Stöckel aus Tegernjee nach den Clm. 1807, 18420 und Cgm. 1585, die wegen der Beziehungen des Schreibers zum Konzilsprotektor, Herzog Wilhelm von Bayern, nicht ohne Wert jind und eines kundigen Bearbeiters jchon lange harrten. Unter den Studien ragt hervor die Unterjuchung über die handjchrift-liche Ueberlieferung, welche den kojtbaren Nachweis erbringt, daß ein Teil der Notariatsprotokolle des Konzils noch vorhanden jind. H. ijt es gelungen, die-jelben in den Hjj. Ms. lat. 1495, 1502, 1512, 15623—27, 1509 der National-bibliothek zu Paris und Cod. Regin. 1017 der Vaticana (vgl. jeine Ausführungen in der Hijt. Zeitjch. XXXVIII, 385 und Conc. Bas. 8 jj.) wieder auf-zufinden und den wertvollen Nachweis zu führen, daß jie für die größere Darjtellung des Joh. Alfonji de Segovia eine wejentliche Quelle geboten haben (S. 45 jj.) Gewiß läßt die Edition des letzteren in den von der Wiener Akademie herausgegebenen Monumenta Conciliorum s. XV vieles zu wünjchen übrig, aber daß das jchwierige Werk überhaupt in Angriff genommen wurde, war jchon ein unleugbares Verdienjt, und deßhalb jcheint mir H. in jeinem Tadel (S. 43) doch zu weit zu gehen, wie nicht minder in jeinem Urteil über Hefele (S. 127 j.). Von den Gejchichtjchreibern des Konzils: Enea S. Piccolomini, Agojtino Patrizzi, Johann von Ragusa, Johannes Alfonji v. Segovia werden uns jcharf gezeichnete Charakterbilder gegeben, wobei der erjte allerdings nicht jo gut wegkommt, wie bei Voigt. Die Würdigung Segovias, des „radikalen Theoretikers" und Hauptvertreters der konziliaren Theorie, die Darjtellung jeiner literarijchen Thätigkeit und jeiner gejtigen Wandlungen nimmt mit Recht einen breiteren Raum ein. Der Herausgeber jteht mit jeinen Sympathien meijt auf Seite des Konzils und der antipäpjtlichen Oppojition; hier jind „die konjequenten Denker, die jtillen Gelehrten die Wortführer" (S. 39); die Kurie arbeitet mit ganz anderen Mitteln (131, 158). So kommt es, daß er bei Segovia, der Eugen IV einen Verbrecher nennt, immer noch „Ruhe des Tones findet (37). Doch gibt H. zu, daß in Bajel bald der kirchliche Radikalismus vorherrjchte und die Verjammlung jchließlich ein Werkzeug wurde in der Hand der egoijtijchen franzöjijchen Diplomatie, welche nichts anderes damit im Schilde führte, als die Kurie nach Avignon zurückzubringen und damit das Papjttum neuerdings unter franzöjijchen Einfluß zu jtellen und für franzöjijche Interejjen aus-zubeuten. Die Nachweije finden jich in der zweiten Hälfte der „Studien", welche eine genaue, unjere bisherigen Kenntnijje bedeutend bereichernde Darjtellung der Vorgänge auf dem Konzil bis zum Ausbruch des Schismas (Herbjt 1437) auf grund der von Haller gejammelten neuen Dokumente und mit Rückjicht auf die bisherige Forjchung geben; es ijt gar kein Zweifel, daß dadurch viele Vorgänge, bejonders die Unionsverhandlungen mit den Griechen, in ein ganz neues Licht gerückt werden. Was nun den zweiten Teil, die „Dokumente" betrifft, jo jind jie durchweg inedita und von hohem Werte: jo gleich die erjte Nummer, Reformvorjchläge für die Kurie mit eigenhändigen Bemerkungen Martins V (vor 1423), dann Reformanträge der deutjchen Nation (Nr. 4), die bisher irrtümlich für das Konjtanzer Konzil beanjprucht wurden, ferner die Nachrichten aus Rom über die Verhandlungen Sigismunds mit Eugen IV (26—27), die Gejandtjchaftsberichte des Joh. v. Ragusa (43—46), die Verhandlungen mit dem franzöjijchen Hofe (52—55), die zahlreichen Schreiben Eugen IV ujw. Die Texte jind tüchtig durchgearbeitet, wo jie in verjchiedenen Fajjungen vorliegen, die Varianten angegeben. In letzterer Beziehung dürfte aber des guten zu viel geschehen sein. Welchen Wert haben die Varianten tepestates neben tempestates (334), exepto neben excepto (S. 256), personas religiosos neben p. religiosas (228), Wienna neben Vienna und Vyenna (444)? Dagegen schlage ich zu S. 256 vor, statt s u o latino ornato satis zu lesen s e r m o n e latino ornato satis. Ferner wäre der Wunsch wohl gerechtfertigt, daß die krause Original=orthographie des 15. Jahrhs. doch nur für wirkliche Originalschriftstücke bei=behalten werde, Kopien jedoch in etwas mehr lesbarer Gestalt sich präsentieren möchten als die so oft wiederkehrenden uel, ymo, uero, benediccio usw. es thun. Endlich, da ich doch einmal am Aeußern von Wünschen bin, möchte ich noch bitten, die folgenden Bände mit Seitenüberschriften zu versehen, welche jedenfalls die Nummer des betreffenden Stückes und das Datum enthalten sollten, um dem Benutzer langes Nachsuchen und Herumblättern zu ersparen. Mein Gesamturteil aber geht dahin, daß wir zu dieser für die Kirchen= und Konzilien=geschichte des 15. Jahrhs. so wichtigen Publikation den Herausgeber wie die herausgebende Gesellschaft nur beglückwünschen können.   Schlecht.

* **P a s t o r** (L.), Geschichte d. Päpste seit dem Ausgang des MA. Mit Be=nützung des päpstl. Geheimarchivs u. vieler anderer Archive bearb. v. — Bd 3: Geschichte der Päpste im Zeitalter der Renaissance v. d. Wahl Innocenz VIII b. z. Tode Julius II. Freiburg, Herder. 1895. 8⁰. LVII. 888 S. M. 11., ungeb. M. 13.

Der verhältnißmäßig kurze Zeitraum von 1484 bis 1515 ist für die politische wie kirchliche Geschichte so eigenartig bedeutungsvoll, so reich an Licht und Schatten, er umschließt eine fast endlose Reihe von starren Kraftnaturen und birgt in sich eine Fülle von Ereignissen und von Lebenskeimen für die Zu=kunft, daß wir uns gar nicht wundern, wenn dem Geschichtschreiber der Päpste zur Schilderung desselben ein stattlicher Band von beinahe tausend Seiten kaum genügte. Aber billig staunen müssen wir über die Sicherheit, womit derselbe Ordnung und Leben in die Masse gebracht und das Gewirre der sich kreuzenden Interessen und Meinungen, den Zusammenhang der treibenden und abstoßenden Kräfte mit sicherer Hand klargelegt hat, so daß es dem Leser Genuß und Ge=winn bereitet, eine Periode der Papstgeschichte genau kennen zu lernen, für welche so manche das respektvolle Schweigen des Bedauerns, so viele das faunische Lächeln der Schadenfreude auf den Lippen haben. Mit steigender Spannung folgen wir der glänzenden Darstellung Pastors, die durch Quellen=aushebungen nicht in dem Maße in ihrem Fluß gehemmt wird, wie dies bei Janssen der Fall. Man weiß nicht, worüber man mehr erstaunt sein soll: über die Fülle des Wissens und den Reichtum des aus Archiven und Bibliotheken behobenen Materials oder über die Sicherheit des Urteils, welches im Motto mit den Worten eines großen Papstes sich ankündigt und Person und Sache wohl zu trennen weiß. In der umfangreichen Einleitung erhalten wir eine Darstellung der Kulturzustände Italiens im Cinquecento, umfangreicher und tiefer als die entsprechenden Ausführungen am Eingange des ersten Bandes und zeitlich über die Regierungsdauer der vier geschilderten Päpste nach vor=wärts und rückwärts weit hinausgreifend, eine notwendige Ergänzung zu B u r c h a r d s Kultur der Renaissance, da P. Erscheinungen und Zustände würdigt, die dort kaum gestreift werden, und dabei den Vorwurf von dem all=gemeinen sittlichen Verderben jener Zeit trefflich zurückweist, ohne in den Fehler einseitiger Schönfärberei zu verfallen. Zum Thema: antisemitische Bewegung, sei gestattet hinzuweisen auf die Ritualmorde und Hostienfrevel, welche wie in Deutschland so auch in Italien vorkamen und in der gelehrten wie Flugschriften=literatur lebhaft besprochen wurden, zumal der Trienter Fall des Knaben Simon (II², 571), ungewöhnlich großes Aufsehen machte und u. a. dem Herzog von Mai=land Anlaß bot, eine Judensteuer von 20000 Gulden zu erheben (E r l e r , die Juden im 15. Jahrh. f. kath. Kirchenrecht L, 60 ff.). Die Wahl des Genuesen Innocenz VIII (über sein Verhältnis zur Heimatrepublik f. den nicht foliierten Band XXIV der Litterae im Staatsarchive Genua], die Schwierigkeiten, womit er nach innen und außen zu kämpfen hatte, sein schwacher Charakter, seine Tugenden und Mängel, seine angebliche Urheber=

schaft an den Hexenprozessen werden trefflich beleuchtet; zu letztgenannter
Frage vgl. die Breven vom 18. Juni 1485 an Sigismund von Tirol,
den Erzbischof Berthold von Mainz und den Abt von Weingarten im
Vat. Geh. Archiv Brev. Jun. VIII lib. I, 203 f. Für sein Verhältnis zu
dem türkischen Prinzen Dschem sind die Briefe des Kardinals Giuliano della
Rovere 1487—88 in der Marciana zu Venedig Lat. cl. X 178 f. 68 ff. von
Interesse; ihnen zufolge wurde schon 1487 von türkischer Seite aus der Versuch
gemacht, den Prinzen durch Gift aus dem Wege zu räumen. Umso glaublicher
ist P.s Ansicht, daß Alexander VI am Tode desselben seine Schuld trage; im
übrigen geht er mit diesem Manne, der durch Simonie den Stuhl Petri bestieg
und ihn ein Jahrzehent lang entehrte, ernst und strenge ins Gericht. Seine
schweren sittlichen Verirrungen werden unumwunden zugestanden, nur der
schreckliche Vorwurf der Blutschande aus Mangel an Beweis zurückgewiesen;
möglicherweise könnten aber die Registerbände dieses Papstes, die an Legitimationen
und Dispensationen so reich sind, doch vielleicht auch in dieses Dunkel neues
Licht bringen, und ich fürchte nicht zu gunsten seiner Sache, wenn ich anders
einer mündlichen Mitteilung des amerikanischen Forschers de Roo, der jahrelang
mit den Papieren Alexanders im Vat Archiv sich beschäftigte, Gewicht beilegen
darf. Noch weltlicher als der Vat er war der Sohn Cesare Borja, dem der Ehe-
handel Ludwig XII ungefähr zur selben Zeit zur Prüfung übertragen wurde,
als er selber daran war, den roten Hut abzulegen und sich zu vermählen (Bibl.
Marciana in Venedig a. a. O. f. 42 f.). Gegenüber diesen düsteren Gestalten voll ungezügelter Leidenschaft steht in mildernster Freundlichkeit Pius III
da, einer der edelsten Geister jener traurigen Zeit, dessen fleckenlosen Charakter
P. mit Recht in Schutz nimmt; leider dauerte sein Pontifikat nur wenige Tage.
Bei der deutschen Nation war der Kardinal von Siena von jeher beliebt gewesen und ich hoffe an anderer Stelle Gelegenheit zu haben, auf seine interessante
und reichhaltige Korrespondenz mit den Freunden in Deutschland (in Cod. S. 1
Bibl. Angelica in Rom u. a. a. O.) näher einzugehen. Wie die Regierung
Julius II für das Papsttum eine seltene Höhe äußeren Glanzes bedeutet, so
bildet die Darstellung derselben bei P. eine Glanzleistung geschichtschreibender
Kunst. Gegenüber Geistern wie Raffael und Michelangelo läßt man sich gerne
die Ausführlichkeit der Erzählung, der Schilderung und Deutung ihrer Meisterwerke gefallen, besonders wenn letztere neue Bahnen wandelt, wie es bezüglich
der Disputa der Fall; der Dank der Kunsthistoriker ist dem Werke hiefür bereits
in verdientem reichen Maße zu teil geworden (vgl. Hist.=polit. Blätter
CXIII, 113 ff.). Daneben wird allerdings der Wunsch rege, Verfasser möge
minder anziehenden aber ebenso wichtigen Erscheinungen, namentlich der Entwickelung und Organisation des päpstlichen Finanzwesens mit seinem über die
ganze Welt verzweigten Verwaltungsapparat, gleiche Würdigung zu teil werden
lassen; doch dürfte dieses Kapitel auf den 4. Band verspart sein, wo es ja
auch am besten im Zusammenhang mit dem Ablaßwesen und der Kollektorie
zur Sprache kommen mag. Man kann dem Erscheinen desselben nach der Fülle
des Vollendeten, was hier geboten, mit freudiger Spannung entgegensehen.

Schlecht.

Joannis de Segovia, presbyteri cardinalis tit. Sancti Calixti,
historia gestorum synodi Basileensis. Edition. ab E. Birk inchoat.
apparatu critico adiecto contin. R. Beer. Vol. II. Liber XVIII.
Wien, Gerolds Sohn. Imp.=4°. S. 947—1206. M. 9,20. [Mon.
concil. gener. sec. XV, ed. caes. acad. scient. socii delegati. Concilium Basileense. Script. t. III pars IV]

*Finke (H.), die kirchenpolitischen und kirchlichen Verhältnisse zu Ende des
Mittelalters nach der Darstellung K. Lamprechts. Eine Kritik seiner
„Deutschen Geschichte". Rom. Freiburg i B., Herder in Komm.
VI, 136 S. M 4. [Römische Quartalschrift 4. Supplementheft.]

Nach bemerkenswerten methodischen Bemerkungen über die Schilderungen des aus=
gehenden MA. unterzieht F. die Darstellung, welche Lamprecht in seiner deutschen

Geschichte, Bd. 4 u. 5, von den kirchlich=sittlichen Zuständen am Ausgang des
MA. gibt, einer ins einzelne eingehenden Kritik. Das Ergebnis, zu dem F.
gelangt, ist kein günstiges für Lamprechts Werk. F. sagt von ihm: „Die Dar=
stellung der kirchenpolitischen und kirchlichen Verhältnisse des endenden MA.
bedeutet nicht einen Fortschritt sondern einen Rückschritt der wissenschaftlichen
Forschung, sowohl was die Vollständigkeit, wie vor allem was die Korrektheit
angeht. Die außerordentlich zahlreichen Fehler des Buches entspringen zwei
Quellen: der Flüchtigkeit und einer nicht genügend gezügelten Effekthascherei."
F. hat die Fehler L.s richtig erkannt, neben denen freilich die guten Seiten, die
L.s Werk nicht fehlen und die auch F. anerkennt, entsprechend hervorgehoben
werden müssen, wenn man ein allgemeines Urteil über L.s Wert fällen will,
was übrigens F. ausdrücklich nicht als seine Absicht erklärt. Nicht allein als
Kritik hat F.s Schrift Wert, sie wird von jedem Forscher beachtet werden
müssen, der sich mit dem ausgehenden MA. und der Frage nach den Gründen
für die Glaubensspaltung des 16. Jahrh. beschäftigt. F. beschränkt zwar seine
Urteile vielfach nur auf norddeutsche Verhältnisse, da er aber besonders für
diese als zuständiger Beurteiler anerkannt werden muß, so hat er umsomehr
Recht, gehört zu werden, wenn er z. B sagt: „in Westfalen und in Schleswig=
Holstein . . kann von einer eigentlichen weitgreifenden Korruption des Volkes
und auch des Klerus (in der vorreformatorischen Zeit) nicht die Rede sein"
(S. 11), oder: „der Prozentsatz der nicht residierenden Pfarrer ist, abgesehen
von größeren Städten, wo die Stellvertretung nicht so schlimm wirken konnte,
außerordentlich gering" (S. 106) Am Schluß seiner Schrift gibt F. eine Kritik
der Harnack=Dieckhoffschen Anschauung von der Attritionslehre zu Ende des
MA.s. Nicht ganz klar ist aber, was F. darüber bemerkt, daß der Begriff der
contritio, den ein Isidor von Sevilla im 7. und ein Rabanus Maurus im
9. Jahrh. geben, sich deckt mit dem, der uns in den Predigten des ausgehenden
MA.s entgegentritt. Richtig ist, daß überall von der übernatürlichen Reue
die Rede ist, hingegen sind die von F. herangezogenen Stellen aus Isidor und
Rabanus nicht im Sinne einer vollkommenen, sondern nur einer unvollkommenen
Reue aufzufassen, besonders so auch der Satz des Radulf Ardens: Contritio
est dolor cordis ex recordatione peccati et timore iudicii proveniens.
N. Paulus, dem F. sich anschließt, drückte sich über die hier in betracht
kommende Frage, Hist. Jahrb. XVI, 45 ff., vorsichtiger und, wie es mir
scheint, richtiger als F. aus. — Zu S. 10, Abs 1, wäre noch beizufügen der
Aufsatz von Jostes in Kath. Schweizerblätter 1894.   G. Sch.

Kolde (Th.), die Augsburgische Konfession, lateinisch und deutsch, kurz
erläutert. Mit 5 Beilagen: 1. Die Marburger Artikel. — 2. Die
Schwabacher Artikel. — 3. Die Torgauer Artikel. — 4. Die Con-
futatio pontificia. — 5. Die Augustana von 1540 [Variata]. Gotha,
Perthes   VII, 224 S.   M. 4,50.

Fürst Georg der Gottselige v. Anhalt. Die 11 Synodalreden,
geh. im Dome zu Merseburg 1545—50. Eingeleitet und übersetzt v.
G. Stier. Dessau, Baumann.   IV, 85 S.   M 2.

Müller (J.), die Gefangenschaft des Johann Augusta, Bischofs der böhm.
Brüder 1548—64, u. seines Diakonen Jakob Bilek, v B. selbst be=
schrieben. Aus dem Böhm. übers u. hrsg. v. — Leipzig, Jansa.
1895. XVI, 136 S. mit 1 Bildnis.   M. 2.

Witz (Th.), der Heidelberger Katechismus. Hrsg u. bearb. v. —. 3. Aufl.
Wien, Braumüller. 12°. VII, 148 S.   M 0,70.

Barth (G. K.), die Systematik der beiden evangel. Hauptkatechismen.
Eine religionswissensch. Studie z. Gebr. für Lehrer u. Studierende.
Vorna, Noske. 1895. 116 S.   M 2.

Hummelauer (Fr. de), Ignatii de Loyola, S., meditationum et

contemplationum puncta, libri exercitiorum textum diligenter secutus explic. Freiburg i. B., Herder. 12⁰. VII, 435 S. ℳ 3.

Piaget (E.), l'essai sur l'organisation de la Compagnie de Jésus. Leiden, Brill. 1895. XVI, 250 S. fr. 6,10.

Kann als Einleitung zu dem im Hist. Jahrb. XVI, 681 notierten Werke desselben Vf.s gelten.

Dittrich (F.), Lovianensium et Coloniensium theologorum de antididagmate Joannis Gropperi judicia. 4⁰. 20 S. [Ind. Lect. Braunsberg.]

Froude (J. A.), lectures on the council of Trent. London, Longmans. 314 S. sh. 12,6.

Cornelius (C. A.), die ersten Jahre der Kirche Calvins. 1541—1546. München, Franz in Komm. gr. 4⁰. 88 S. ℳ. 2,60. [Aus: Abhandlgn. der k. bayer. Akademie der Wissenschaften.]

Bähler (E.), Jean le Comte de la Croix. Ein Beitrag zur Reformat.-Geschichte der Westschweiz. Biel, Kuhn. 1895. X, 128 S .ℳ 2.

Burrage (H. S.), tru to the end; a story of the Swiss Reformation. Philadelphia, Baptist Publ Co. 192 S. c. 90.

Geschichte der Wiedertäuferbewegung in der Schweiz zur Zeit der Reformation.

Müller (E.), Geschichte der Bernischen Täufer. Nach den Urkk. dargest. Frauenfeld, Huber. 1895. VII, 411 S. ℳ 5,60.

Moll (W.), die vorreformatorische Kirchengeschichte der Niederlande. Deutsch bearb. nebst einer Polemik gegen Janssen u. einer Abhandlg. über die Bedeutung kirchengeschichtl. Bildung für das geistl. Amt v. P. Zuppke. Leipzig, Barth. 1895. XLV, 342 u. 770 S. ℳ 18.

Gee (H.) and Hardy, documents illustrative of English church history, compiled from original sources. London, Macmillan. 682 S. sh. 10,6.

Maclear (G. F.) and Williams, introduction to the articles of the Church of England. London, Macmillan. 1895. 446 S. sh 10,6.

Gibson (E. C. S.), the 39 articles of the church of England. Vol. I art. 1—8 London, Methuen. 368 S. sh. 7,6.

Maccunn (F. A.), John Knox. London, Methuen. 1895. 232 S. sh. 3,6.

Gasquet (F. A, O. S. B.), Hampshire Recusants. A story of their troubles in the time of queen Elizabeth. London, John Hodges. 1895. 58 S. sh. 1.

Behandelt die scharfen Strafgesetze der Königin Elisabeth gegen die Katholiken und deren Einwirkungen auf die sozialen Verhältnisse der letzteren. Die Anhänglichkeit der „Recusanten an ihre Mutterkirche" zeigt sich im schönsten Lichte.

Baconi (Francisci, Baronis de Verulam, Vicecomit. S. Albani) confessio fidei anglico sermone ante a. MDCIV conscripta, cum versione lat. a Guil. Rawley, s. Theol. Doctore dominationi suae a sacris et operum ejus editore a. MDCLIII evulgata Nunc denno typis excusa cura et impensis G. C. Halle, Niemeyer. 12⁰ 31 S. ℳ 1.

Barry (A.), the ecclesiatical expansion of England in the growth of the Anglican Communion. London, Macmillan. 400 S. sh. 6.

Jensson (J. C.), american Lutheran biographies or historical notices

of over 350 leading men of the Am. Luth. Church, from its establishment to the year 1890. Milwaukee, Haferkorn. 901 S. mit
Portr. d. 4.

Baudrillart (P. A.), comment et pourquoi la France est restée
catholique au XVIe siècle. Paris, Firmin-Didot. 32 S.

Mahrenholtz (R.), Fénelon, Erzbischof v. Cambrai. Ein Lebensbild.
Leipzig, Renger. VIII, 188 S. M 4.

Comba (E.), i nostri protestanti. I. Avanti la Riforma. Firenze, tip.
Claudiana. 1895 16⁰. XXV, 519 S. fr. 3,50.

Amante (B.), Giulia Gonzaga contessa di Fondi e il movimento re-
ligioso femminile nel secolo XVI; c. molti documenti inediti. Bologna,
Zanichelli di Caesare e Giac. Zanichelli. XIII, 493 S. mit Porträts. 1. 8.

Daae (L.), og Huitfeldt-Kaas (H. J.), Biskop Nils Glostrups
Visitatser i Oslo og Hamar Stifter 1617—37. Christiania Thronsen.
1895. XX, 160 S
Protokolle der Kirchenvisitationen

Lupton (J. H.), archbishop Wake and the project of union 1717/20
betw. the gallic. and anglic. churches London, Bell. sh. 3,6.

Ahlquit (O), Joh. Albr Bengel Eu lifsbild ur det 18. arhundradets
Kyrko-historia 1. o. 2. hft. Göteborg, Bolinder. 183 S. Kr. 1,85.

Capecelatro, vie de St. Alphonse-Marie de Liguori traduite par
Le Monnier. Tournai, Société de St. Augustin. 2 Bde.
816 S. fr. 10.

Der Vf. behandelt den Gegenstand wie er früher die Lebensgeschichte der hl.
Katharina von Siena, Petri Damiani und des hl. Philippus geschrieben hat.
Mit großem Geschick nimmt er den hl. Alphonsus zum Ausgangspunkt der
Kulturgeschichte seiner Zeit. Seine Hauptquelle ist das dreibändige Werk von
Tannoïa, sowie Alphons' vor wenigen Jahren veröffentlichter Briefwechsel.
Uebrigens läßt sich der Vf. nicht mit theologischen Betrachtungen und Erörterungen
ein. Er stellte sich eben bei seiner Arbeit einen weltlichen Leserkreis vor, welcher
dergleichen Auseinandersetzungen gerne aus dem Wege geht. Das Werk dürfte
auch in dieser Uebersetzung viel Gutes stiften.   A. T.

Lyons, les trois génies de la chaire: Bossuet, Bourdaloue, Massillon
ou leurs oeuvres oratoires en tableaux synoptiques. Nice, libr.
Salésienne. 4⁰. XIX, 665 S. fr. 16.

Ingold (A.), les correspondants de Grandidier. VIII. Martin Gerbert
de Hornau prince-évêque de Saint-Blaise Lettre inédite, suivie de
seize lettres de Grandidier. Paris, Picard; Colmar, Huffel.
52 S. fr. 2,50.

Ueber die früher erschienenen Faszikel des Briefwechsels Grandibiers, eines
hervorragenden elsässer Kirchenhistorikers des 18. Jahrh., vgl. Hist. Jahrb.
XVI, 901. Das vorliegende Heft enthält verschiedene interessante Angaben über
G.s Beziehungen zum berühmten Abt von St. Blasien, Martin Gerbert. Recht
lesenswert ist ein im Anhange mitgeteiltes Schreiben G.s, worin letzterer einem
anonymen Kritiker gegenüber die Rechte der historischen Kritik in bezug auf
unbegründete Heiligenlegenden zu wahren sucht.   N. P.

Tiepolo (Alv.), relazione sul conclave per la elezione di papa Pio VI:
brano di storia Veneziana. Venezia, Visentini. 4⁰. 13 S. [pubblicato

da Fr. Voltolina per le nozze di Francesco Buttaro con Elisa Barbaro.]

Wege (B.), der Prozeß Calas im Briefwechsel Voltaires. Tl. 1. Progr. 4°. Berlin, Gärtner. 30 S. M. 1

Jaffoy (W.), Erlebnisse einer Hugenottenfamilie; nach einem alten Manu=skripte. Kiel, Eckardt. 64 S. M 0,80.

Eine Metzer protestantische Familie, welche zu Beginn des 18. Jahrh. aus=wandern mußte.

Sacchinelli (D.), memorie storiche sulla vita del cardinale Fabrizio Ruffo con osservazioni sulle opere di Coco, di Botta e di Colletta. Ed. 2ª. Roma, tip. Poliglotta d. s. c. de propag fide. 1895. 4°. 295 S. mit Fakfim.

*Knöpfler (A.), Johann Adam Möhler. Ein Gedenkblatt zu dessen hundertsten Geburtstag, von —. München, Lentner. IX, 149 S. M. 2,50.

Vf. entwirft in neun Kapiteln von dem großen Theologen (geb. 6. Mai 1796) ein ebenso lehrreiches als interessantes Lebensbild. Wertvoll und gelungen ist der Nachweis, daß die wissenschaftliche und religiös=sittliche Erziehung Möhlers nicht so ungünstig und berufswidrig verlief, wie oft behauptet wird, und daß er auch von Anfang an ein gewissenhafter Priester war und die Heiligkeit seines Amtes stets unversehrt bewahrte. Maßgebend hiefür ist das ihm von seinem Prinzipal ausgestellte Zeugniß, das allen Glauben verdient und alle gegenteiligen Berichte widerlegt. Doch auch dieses Zeugnis, sowie der Tübinger Nekrolog lassen durchblicken, als habe W. sich erst nach und nach zu einem positiv gläubigen Standpunkt durchgerungen. Sowohl das pastorelle Wirken als auch die ersten literarischen Leistungen zeigen, daß dies unwahr ist, und daß aufrichtige Liebe zu Christus und seiner Kirche ihn von Anfang an beseelt haben. — Vom Herbste 1825 an widmete sich M. voll und ungeteilt der kirchen=historischen Thätigkeit und hat „den deutschen Katholiken mit sicherer Hand den Weg zu den Quellen der Geschichte der Kirche gezeigt, das richtige Studium und die nutzbringende Verwertung derselben gelehrt und damit in Wahrheit eine neue Epoche ernsten wissenschaftlichen Arbeitens inaugurirt" (S. 53). Welch reichen Nutzen M. selbst aus diesen Studien gewann, zeigt der Vf. in einem Kapitel, worin er ihn als „theologischen Forscher" schildert. Seine oft frei=mütigen Aeußerungen erklären sich aus seiner Auffassung von der Kirche. „Durch das Studium der heiligen und der Väter=Schriften hat M. die Kirche als die große göttliche Heilsanstalt kennen gelernt, deren Lebensprinzip göttliche Liebe, deren Ziel und Hauptzweck immer und überall die salus animarum ist und sein soll" (S. 63). Unter diesem Gesichtspunkt werden alle Erscheinungen im Leben der Kirche beurteilt, und was diesem Lebensprinzip entgegen ist, wird von M. auch offen und frei gewertet. Als „akademischer Lehrer" (Kap. VI) hat M. einen hervorragenden Einfluß ausgeübt. Seine Schüler hingen an ihm und er nicht minder an seinen Schülern. Der Vf. erklärt nicht genug, warum M. Thränen ins Auge bekam, als man ihn aus Gesundheitsrücksichten zu einem längeren Aufenthalt in Südtirol bewegen wollte (S. 83). Reitmayr gibt den Grund in seiner Vorrede zur Patrologie an: „Ihm grünte und winkte eine schönere Zukunft in der jungen Priesterjaat". Die in dem christlichen Altertum in so reicher Fülle angehäuften Ideale den Theologen vorzuführen, ihnen Liebe und Begeisterung für die Kirche, Sinn für ihre Wissenschaft, Disziplin und Verfassung einzuhauchen und dadurch den Grund zu einem neuen Aufschwung im Leben wie in der Wissenschaft der Kirche zu legen, das war das von dem hochbegabten Lehrer angestrebte Ideal. Hiefür erschien auch Ms. Persönlichkeit, von der der Vf. eine glänzende Schilderung entwirft (Kap. VIII), vorzüglich geeignet. Leider starb er schon am 12. April 1838. Das Denken und Fühlen des geist= und gemütvollen Gelehrten erforscht zu

haben, ist das große Verdienst des Vfs. Zu einer zweiten Auflage, die hoffentlich bald nötig werden wird, möchte ich vorschlagen, die Beilagen wegzulassen
und das Lebensbild durch gelegentlich eingestreute Stellen aus der Patrologie
noch etwas zu erweitern. Dem Wunsche des Vfs.: „Möhlers Geist möge
immer weitere Verbreitung finden", schließt sich Referent von ganzem Herzen an.
　　　　　　　　　　　　　　　　　　　　　　　　　J. P.

*Pfülf (O.), Kardinal von Geissel. 2 Bde. Freiburg i. B., Herder. 1895
u. 1896. XVI u. 696 S. im Bd. 1, XVI u. 675 S. im Bd. 2.
Beide M 9, geb. M 11,50.

Kardinal Geissel hatte seinen handschriftlichen Nachlaß dem noch lebenden Kölner
Domkapitular Dr. Dumont hinterlassen; dieser hat bereits vor einer Reihe von
Jahren die gesammelten „Schriften und Reden" Geissels und die „diplomatische
Korrespondenz" über seine Berufung zum Koadjutor Klemens Augusts herausgegeben. Seit langem war geplant, die bisher erschienenen Lebensbilder aus
der Feder Remlings, des Geschichtschreibers der Speier'schen Bischöfe, und des
Kölner Weihbischofs Baudri durch ein neues zu ersetzen. Eine Reihe von
Umständen und besondern Fügungen, sagt Vf., hat dazu geführt, daß die Arbeit
ihm übertragen wurde, und es ist kein Zweifel, daß Dumont in dem rühmlichst
bekannten Biographen Mallinckrodts den geeigneten Mann gefunden hat, dem
verewigten Kirchenfürsten zum Centenarium seines Geburtstages (5. Febr. 1896)
ein seiner Bedeutung für Kirche und Staat entsprechendes literarisches Denkmal
zu setzen. Vf. wollte „das reiche kirchengeschichtliche Material in aller Vollständigkeit
und Zusammengehörigkeit der Nachwelt erhalten." Das Werk sollte nach seiner
Absicht hauptsächlich eine Dokumentensammlung sein, „nicht zwar in der äußern
Form, wohl aber der Sache nach." Er hat es verstanden, die einzelnen Schriftstücke passend mit einander zu verbinden und in den richtigen Zusammenhang
zu bringen. Einen eigentümlichen Reiz übt es aus, die Briefe eines solch
hervorragenden Mannes wie Geissel zu lesen, unmittelbar und ungetrübt seine
eigene Auffassung von der Lage der Dinge, seine augenblickliche Stimmung,
seine Wünsche, Hoffnungen und Enttäuschungen kennen zu lernen und in gewissem
Maße nachzuempfinden. Diese Art der Behandlung hat aber auch ihre Nachteile.
Audiatur et altera pars, könnte man zuweilen sagen, und ferner haben manche
Briefe naturgemäß einen sehr verwandten Inhalt, und ist daher ein wenig
ermüdend, solche Schreiben immer wieder ganz durchlesen zu müssen. Den Scheide-
punkt der beiden Bände bildet die Erhebung Geissels zur Würde eines Kardinals
i. J. 1850. Die anziehende Schilderung von Geissels Jugend und seinem Wirken
in Speier stützt sich zum großen Teile auf Remlings Arbeit. Von Wichtigkeit
ist die Darstellung der Berufung Geissels von Speier nach Köln, und es erscheint
hier manches in einem andern Lichte als bei Friedberg. Der Dombau lag dem
Erzbischof sehr am Herzen, und in mehreren Kapiteln lernen wir seine Sorgen
und Mühen um dieses erhabene Gotteshaus kennen. Ausführlich behandelt Vf.
auch den Kampf des Kirchenfürsten gegen den Hermesianismus, Deutschkatolizismus
und Güntherianismus, sowie sein Wirken für eine freiere Entwickelung der katholischen Kirche Preußens nach der Revolution v. J. 1848. Geissels mächtige
Persönlichkeit übte einen gewaltigen Einfluß auf ganz Deutschland aus, und mit
großem Eifer und Geschick trachtete er darnach, ein einheitliches und gemeinsames
Vorgehen der Bischöfe Deutschlands und ganz besonders Preußens zu erreichen;
diesem Zwecke diente ja auch die Würzburger Bischofsversammlung (1848) und
das berühmte Kölner Provinzialkonzil (1860). Trotz mannigfacher Schwierigkeiten wußte der Kardinal doch ein gutes Einvernehmen mit den Regierungen,
namentlich mit den beiden edlen und hochsinnigen Königen Friedrich Wilhelm IV
und Ludwig I, zu wahren. Ein ausführliches Inhaltsverzeichnis und ein
zuverlässiges Personenregister erleichtern die Benützung des schön ausgestatteten
Werkes.
　　　　　　　　　　　　　　　　　　　　　　　　　J. Gr.

Gasquet (J. R.), Cardinal Manning. London, Cathol. Truth Society.
1895. 12⁰. 125 S. sh. 1.

Geschichte der freien evangelisch-katholischen Gemeinde zu Königsberg i. Pr.

1846—96. Zum Gedenktage ihres 50jähr. Bestehens hrsg. v. Vorstand. Königsberg, Hartung. IV, 140 S. mit 2 Bildn M. 1.

Jentsch (C.), Wandlungen. Lebenserinnerungen. Leipzig, Grunow. VII,
400 S. M. 4.

Parsons (J. D.), the non-christian cross, an inquiry into the origin
and history of the symbol adopt. as that of our religion. London,
Simpkin. 224 S. sh. 4.

Ebner (A.), Quellen u. Forschungen zur Geschichte des Missale-Romanum
im Mittelalter. Iter Italicum. Mit 1 Titelbilde u. 30 Abbildgn. im
Texte. Freiburg, Herder. VIII, 487 S. M 10, geb. M. 12.

Unter den gelehrten Arbeiten, welche wir in den letzten Jahren über die Geschichte
der römischen Meßliturgie erhielten, ist die von Ebner sicher eine der bedeutendsten.
Sie schafft für die Forschung eine Fülle von neuem Material herbei und macht
sich zugleich an die Verarbeitung desselben, indem sie zeigt, welch wichtige
Schlüsse auf die Entwickelungsgeschichte des ersten der liturgischen Bücher sich
daraus ableiten lassen. Der Gedanke des Vfs., das gesamte handschriftliche
Material, das in fast allen Bibliotheken ebenso reich vertreten ist als es wenig
gewürdigt wird — es sei denn, daß der Kunsthistoriker von der rein äußerlichen
Seite her ihm näher tritt — zu erreichen, zu verzeichnen, zu durchforschen und
zu beschreiben, ist in der That geeignet, das liturgisch-historische Studium auf
einen ganz neuen Boden zu stellen. Freilich übersteigt die Lösung dieser Aufgabe in ihrem ganzen Umfang die Kräfte des Einzelnen. Aber der Vf. hat
doch nicht einen „Baustein" (S. 5), sondern einen ganz bedeutenden Teil zu
diesem Werke beigetragen, indem er fast alle erreichbaren italienischen Hff. auf-
spürte und beschrieb und bei den wichtigeren die entscheidenden Texte mit unbedingt verläßiger Genauigkeit aushob und veröffentlichte. Die vorzügliche
historisch-paläographische Schulung, über die Vf. verfügt, zeigt sich fast auf jeder
Seite in der Sicherheit, womit er das Alter und die Provenienz der Hff., die
Abhängigkeit derselben von einander bestimmt, die Einzelheiten ihres Inhaltes
würdigt und die darüber vorhandene Literatur angibt und verwertet. Ein
besonderer Vorzug des Buches ist die Sorgfalt und das Verständnis, womit
Ebner den Hff. auch nach ihrer kunstgeschichtlichen Bedeutung gerecht wird.
Gerade diese alten Sacramentarien und Missalien sind die fast einzigen Quellen
für die Kenntnis der Malerei des frühesten Mittelalters, und welche Bedeutung
ihnen beikomme, hat Janitschek in seiner Geschichte der deutschen Malerei
gezeigt. Die italienischen Hff. sind jedoch weder von ihm noch von Springer
oder Duchesne erschöpfend herangezogen worden. Hier füllt E's. Werk eine
wirkliche Lücke aus, zumal er seine eingehende und genaue Beschreibung durch
photographische Aufnahmen erläutert. Dieselben sind allerdings nicht alle gleich
gut gelungen, und die starke Verkleinerung, welche sie für die Reproduktion sich
gefallen lassen mußten, trägt gerade nicht zur Deutlichkeit bei — (am besten
wäre wohl gewesen, wenn der Verleger sie alle hätte umzeichnen lassen, wie
dies mit dem Titelbild geschehen, wenn auch der Preis des Werkes dann nicht
so niedrig hätte gestellt werden können); aber wenn man bedenkt, daß Vf. selber
sie in den Bibliotheksräumen oft unter den ungünstigsten Beleuchtungsverhältnissen
aufnehmen mußte und wenn man dazu die Lokalität so mancher Kapitels- und
Kommunalbibliothek kennt, so wird man ihm auch für diese Leistung Anerkennung
nicht versagen. Selbst dem Fachmanne neues bietet die Untersuchung über
Präfationszeichen und Schmuck des Kanonanfanges im letzten Teil des Bandes,
in den „Forschungen". Hier finden sich außer der eben genannten noch drei
weitere selbständige Untersuchungen: die Entwickelung des Sakramentars zum
Vollmissale, die Stellung des Canon in den römischen Sakramentarien, Versuch
einer Gruppierung der Hff. derselben und Beiträge zur Textgeschichte des Canon.
So verlockend es wäre, auf die Forschungsergebnisse E's. einzugehen, so muß
ich doch mit Rücksicht auf den mir hier zur Verfügung stehenden Raum darauf
verzichten. Meines Erachtens bezeichnen aber gerade diese Abhandlungen den
Höhepunkt der deutschen liturgisch-geschichtlichen Forschung der Gegenwart. Für

die vorzüglichen Register (sie füllen 30 Seiten Kleindruck), die den Schlüssel zum reichen Inhalt des Buches bieten, sei dem Vf. ganz besonders gedankt.
Schlecht.

Schulte (F. v.), die Macht der römischen Päpste über Fürsten, Länder, Völker u. Individuen, nach ihren Lehren u. Handlungen seit Gregor VII zur Würdigung ihrer Unfehlbarkeit beleuchtet. 3. Aufl. Gießen, Roth. VIII, 127 S. ℳ 2.

Joos (W.), die Bulle „Unam sanctam" und das vatikan. Autoritäts= prinzip. Einleitung zu einer neuen Aufl. des Buches, welches obigen Titel trägt. Schaffhausen, Schoch in Komm. 65 S. ℳ. 0,50.

Duerm (Ch. van), Rome et la franc-maçonnerie. Vicissitudes politiques du pouvoir temporel des papes de 1789 à 1895. 2e éd. Bruxelles, Desclée et de Brouwer. 497 S. fr. 5.

Bacon (L. W.), Irenics and Polemics with sundry essays in church history. New-York, Christ-Lit. Co. 303 S. d. 1.

White (A. D.), a history of the warfare of Science with Theology. 2 vol. New-York, Appleton. 438, 487 S. d. 5.

Probst (F.), die abendländische Messe vom fünften bis zum achten Jahr= hundert Münster i. W., Aschendorff. XV, 444 S. ℳ 9.

Erörtert die Gestaltung des mailändischen, irisch=römischen (nach dem Stowe= Missal), römischen (vor und nach Gregor), gallikanischen und mozarabischen Meßritus vom 5.—8. Jahrh. an der Hand des gedruckten, freilich zum teil viel jüngeren Quellenmaterials. Das Werk ist ein wertvoller Beitrag zur Auf= hellung einer der dunkelsten Partien in der Geschichte der abendländischen Liturgie. Doch bedürfen viele Teile einer Nachprüfung und Berichtigung auf grund der handschriftlich erhaltenen Quellen. Die Gregor dem Großen bezügl. des Canon zugeschriebene Thätigkeit scheint uns überschätzt. Umgekehrt ist, was die Gestalt des Ordo missae vor und nach dem Canon anbelangt für die Zeit des 5.—8. Jahrh zu vieles schon als fix angenommen, was sich erst allmählich und verschiedenartig entwickelte. Auch die Notwendigkeit einer Missa quotidiana im Sinne Probsts neben dem Sakramentar dürfte kaum zu beweisen sein. Im übrigen bildet das Werk einen würdigen Schlußstein für die bahnbrechende Arbeit des greisen Vfs. auf dem Gebiete der Geschichte der Liturgie. (Ebner.

*Chevalier (Ul.), repertorium hymnologicum. Catalogue des chants, hymnes, proses, séquences, tropes en usage dans l'église latine depuis les origines jusqu' à nos jours. 2. fasc. D—K [Nos 4540 —9935] Avril 1892; 3. fasc L—Q [Nos 9936—16091] Octobre 1894. Louvain, Imprimerie Lefever. S. 273—601; S. 1—388. Je ℳ 10. [Extrait des Analecta Bollandiana.]

Seit wir über dieses Werk erstaunlichen Sammelfleißes zuletzt berichteten (Hist. Jahrb. XI, 407), ist dasselbe stetig vorangeschritten und steht jetzt schon im Buchstaben Q, so daß seine Vollendung in nicht allzuferner Zeit in Aussicht ist. Wenn auch die Publikationen von Dreves u. a. inzwischen bereits wieder neues Material zu tage förderten, was wohl ein Supplement erheischen wird, so ist das Werk doch als höchst dankenswertes Repertorium hochzuschätzen und freudig zu begrüßen. (Ebner.

Wetzer und Welte, Kirchenlexikon. 2. Aufl. begonnen v. H. Hergen= röther fortges. v. F. Kaulen. Bd. X. H. 102 u 103. Freiburg i. Br, Herder. Sp. 385—786.

Vgl. Hist. Jahrb. XVII, 169. An Artikeln heben wir hervor: (H. 102) Preußen [Schluß] (Esser); Priscillian (Peters); Privilegien des Klerus (v. Buß);

Procopius von Cäsarea und von Gaza (A. Ehrhard); Proselyt (Kaulen);
Prosper, Tiro von Aquitanien (Bardenhewer); Protestantismus (Wurm); Pro=
vinzialkonzilien (Ph. Schneider); Provisio canonica (Permaneder). — (H. 103)
Prudentius (Rösler); Prüm (Marx [de Lorenzi]); Pseudoisidor (Ph. Schneider);
Pulververschwörung (A. Bellesheim); Quadrivium und Trivium (Siebengartner);
Quäker (A. Zimmermann); Quedlinburg (Stieren); Quietismus (Pruner); Ra=
banus Maurus (Knöpfler); Rabbinische Sprache und Literatur (Kaulen); Räte,
evangelische (Pruner); Raimund Lullus (Hartmann); Rainald von Dassel
(Stiefelhagen).

Studia biblica et ecclesiastica. Essay chiefly in biblical and patristic
criticism by membres of the University of Oxford. Vol. IV. Oxford,
Clarendon Press. 3 Bl., 324 S.

Inhalt: 1. E. L. Hicks, St. Paul and Hellenism., 2. W. M. Ramsay,
the ›Galatia‹ of St. Paul and the ›Galatic territory‹ of Acts. 3. F. C.
Conybeare, Acta Pilati (von zwei armenischen Versionen dieses Apokryphs
wird die eine ins Griechische retrovertiert, die andere ins Lateinische übersetzt).
4. F. W. Bussel, the purpose of the world-process and the problem
of the evil as explained in the Clementine and Lactantian writings in
a system of subordinate dualism. 5) F. W. Watson, the styl and
language of St. Cyprian. Ueber vol. III der Stud. bibl. et eccl. vgl. Hist.
Jahrb. XIII, 611.   C. W.

Studia Sinaitica no. V. Apocrypha Sinaitica edited and translated
into english by Margaret Dunlop Gibson. London, Clay and
Sons. XX, 66 u. 14 u. 69 S.

Inhalt: 1. Anaphora (Bericht) Pilati in syrischer und (zweifacher) arabischer
Version. 2. Zwei arabische Rezensionen der pseudoklementinischen Recognitionen.
3. Martyrium des Klemens. 4. Predigt des Petrus. 5. Martyrium des Jakobus,
des Sohnes des Alphäus. 6. Predigt des Simon, des Sohnes des Kleophas.
7. Martyrium des nämlichen (Alles arabisch). Vgl. Theol. Litztg. 1896,
Nr. 14.   C. W.

*Heimbucher (M.), die Orden und Kongregationen der kathol. Kirche.
Bd. 1. Paderborn, Schöningh. X, 583 S. M. 6. [Wissenschaftl.
Handbibliothek, Teil 10.]

Ein sehr nützliches Werk, das geeignet ist, namentlich dem Geschichtsforscher
treffliche Dienste zu leisten! Aus Vorlesungen entstanden, die der Vf. an der
Münchener Universität als Privatdozent gehalten hat, bringt die neue Schrift
das Wichtigste über die Geschichte und Einrichtung aller Orden und Kongregationen
der katholischen Kirche. Die Einleitung (1—29) erörtert den kanonischen Begriff
eines Ordens, den Unterschied zwischen eigentlichen Orden und Kongregationen,
den Ursprung des Ordenslebens und die Würdigung desselben für die Kirche.
Der 1. Abschnitt (30—91) schildert die Entwickelung des Ordenswesens bis auf
den hl. Benedikt. Der 2. Abschnitt (92—263) ist dem Benediktinerorden gewidmet,
sowie den zahlreichen andern Orden, die aus der gemeinsamen Wurzel der
Benediktinerregel entsprossen sind, den Kartäusern, Cisterziensern, Trappisten usw.
Dann (264—385) wird der Franziskanerorden mit seinen mannigfaltigen Ab=
zweigungen besprochen; darauf (386—539) folgt der Augustinerorden mit den
vielen männlichen und weiblichen Genossenschaften, die auf der sog. Regel des
hl. Augustinus ruhen. Ein 5. Abschnitt über die Dominikaner (540—83) bildet
den Schluß des vorliegenden Bandes. Der 2. Band, der noch im Laufe dieses
Jahres erscheinen soll, wird den Karmeliten= und Jesuitenorden, sowie die in
neuerer Zeit gegründeten und nicht mit ältern Orden in Verbindung stehenden
Kongregationen behandeln. Allen wichtigeren Orden ist jedesmal eine Uebersicht
über ihr Wirken für Schule und Wissenschaft, für Kirche und kirchliches Leben
usw. beigegeben. Recht dankenswert sind auch die mit viel Fleiß und großer
Genauigkeit zusammengetragenen Literaturangaben, die den Leser, der über
irgend einen Punkt sich näher unterrichten will, mit den einschlägigen Quellen=
werken aus alter und neuester Zeit bekannt macht.   N. P.

Ruprecht (G.), bibliotheca theologica oder vierteljähr. system. Biblio=
graphie aller auf dem Gebiete der (wissenschaftl.) evangel. Theologie
in Deutschld. u. dem Auslande neu erschien. Schriften u. wichtigeren
Zeitschriften=Aufsätze Hrsg. v. —. Jahrg. 48. N. F. Jahrg. 10.
H. 4. Okt.—Dez. 1895. Göttingen, Vandenhoeck & Ruprecht. M 1,20.

Rechtsgeschichte.

Laurin (F.), introductio in jns matrimoniale ecclesiasticum. Praesertim
in usnm auditorum suorum exaravit —. Wien, Manz. 1895.
VIII, 144 S. M 3,20.

Castellari (G.), il diritto ecclesiastico nel suo svolgimento storico e
nella sua condizione attuale in Italia. Fasc. 16. Torino, Unione
tip.-editr. 1895. S. 97—144.

Friedberg (E.), die Collectio Canonum Cantabrigiensis. Leipzig, Edel=
mann. 50 S. M 1.

In einer schon von Pertz benützten Hf. des Trinity College in Cambridge
(N. 9, 17, 13. Jahrh.) hat der leider früh verstorb. Mitarbeiter an der 2. Aufl.
von Jaffés Papstregesten, S. Löwenfeld, neben einem Auszuge aus dem
Registrum Alexanders III (f. Löwenfeld, Epistolae Pontificum Romanorum
ineditae, Leipzig, 1885, S. V) auch eine Canonensammlung entdeckt. Hat er
auch die Bedeutung der Sammlung im allgemeinen erkannt, so sind die Notizen,
die er im Neuen Archiv d. Ges. f. ält. deutsche Geschichtsk. (X, 587) gab, nicht
frei von Irrtümern. Als Vorstudie für eine ausführliche Arbeit über die
Canonensammlungen zwischen Gratian und Bernhard v. Pavia (S. 4) behandelt
nun der verdiente Leipziger Canonist eingehend die Sammlung. Mit Recht
folgert Fr aus dem Umstande, daß unserer Sammlung die so natürliche Ein=
teilung nach Rubriken fehlt, daß sie zeitlich vor die Appendix Concilii
Lateranensis zu setzen ist. — Auch diese Sammlung zerreißt die Dekretalen,
unter der nämlichen Inskription stehen sogar Teile verschiedener Dekretalen.
Fr. weist die Beziehungen unserer Sammlung zu einer Reihe anderer Samm=
lungen nach, unter denen die Collectio Parisiensis I und II bisher nicht
bekannt waren. Die Art der Publikation gestattet an der Hand einer Ausgabe
der Appendix Concilii Lateranensis einen vollkommen genügenden Einblick
in die Teile der Sammlung. — S. 18 (Absatz g von Nr 15) ist statt arrare
artare (== arctare) zu lesen, wie der durch prolongare ausgedrückte Gegensatz
zeigt; S. 38 (letzter Absatz von Nr 93) ist confirmari in consummari
zu emendiren. — S. 6 3 5 von unten ist 8 B statt 83 zu lesen. — Möge
der Vorstudie bald die vollständige Arbeit folgen; so werden die Lücken, die die
Arbeiten Maaßens und Schultes noch gelassen haben, bald ausgefüllt
sein. Neben Friedberg arbeitet auch Prof. Paul Fournier in Grenoble
an dieser schönen Aufgabe (f. oben S. 392). Gietl.

Galante (A.), il beneficio ecclesiastico. Milano, Vallardi. 1895.
190 S. M 2. [Estratto dall' Enciclopedia giuridica Italiana
vol. II, parte I.)
Besprechung folgt.

*Wahrmund (L.), die Bulle „Aeterni patris filius' und der staatliche
Einfluß auf die Papstwahlen. Mit Benützung römischer Aktenstücke.
Mainz, Kirchheim. 1894. 134 S. [Sonderabdruck aus F. H Verings
Archiv für katholisches Kirchenrecht, Bd. 72.]

*Sägmüller (J. B.), das Recht der Exklusive in der Papstwahl. Mainz,
Kirchheim. 1895. 64 S. [Sonderabdruck aus Bd. 73 des genannten
Archivs.]

Die Vorarbeiten, aus denen ein Gesetz erwachsen ist, und die Auslegung, die es unmittelbar nach seinem Erscheinen erfahren hat, geben späteren Geschlechtern den besten Anhalt, Ziel und Bedeutung desselben zu erfassen. So ist es freudig zu begrüßen, daß es Prof. W. gelungen ist, im cod. XXX, 105 der Bibl. Barberiniana zu Rom den weitaus größten Teil der auf den Erlaß der Bulle Aeterni patris filius bezüglichen handschriftlichen Quellen aufzufinden. Bei weiteren Nachforschungen entdeckte W. überdies noch zwei umfassende Kommentare zu dieser Bulle aus der Feder hervorragender Zeitgenossen (S. 2). Die Wahl durch Abstimmung mittelst beschriebener Stimmzettel war zwar früher in Uebung gewesen, im 16. Jahrh. jedoch durch die Adoration beinahe ganz verdrängt worden. Quando due terzi de Cardinali, sagt eine anonyme Schrift, die in der erwähnten Hf. der Bibl. Barber. enthalten ist, quali bastano a fare il Papa, parte tirati dalla gratitudine ò da altro interesse ò timore overo perche giudichino degno quel Cardinale, sono accordati in un soggetto, questi ò buona parte di essi vanno alla cella di detto Cardinale ,e lo conducono in capella et ivi lo eleggono Papa per adorazione, la quale si fà in questa maniera: pongono a sedere il Cardinale sopra l'altare et poi li Cardinali ad uno ad uno li vanno avanti e li fanno un'inchino profondo. A simile adoratione, subito che è publicato esser accordato numero bastante de Cardinali per detta elettione, tutti gli altri (quasi tumultariamente) sogliono concorrere, dubitando ciascuno d'esser notato di essere l'ultimo ò di non concorrerci di buona voglia. Questa forma di elettione per via di adoratione si canoniza magiormente poi con vivi suffragii, cio è con scrutinio aperto, quale però si fà senza pregiuditio dell' elettione (S. 51). Indem der Erlaß Gregor XV neben der Wahl durch Kompromiß und durch Quasi=Inspiration, die beide Einstimmigkeit von seiten der Wähler voraussetzen, nur die Wahl mit verschlossenen Stimmzetteln im Scrutinium und Acceß gestattete, war endlich das seit Klemens VIII erstrebte Ziel der Reform, die Abschaffung der seit Julius III fast ständig gewordenen Wahlform der Adoration erreicht (f. S. 6). Am 15. November 1621 verkündigte Gregor XV in einem Konsistorium die bevorstehende Publikation des neuen Wahlgesetzes, die wahrscheinlich am 26. November dieses Jahres statt hatte (f. S. 17, 18). Ein Anteil Prosper Fagnanis an den Vorarbeiten für die Bulle läßt sich aus den vorhandenen Akten nicht nachweisen (f. S. 14). — Sägmüller, der schon in seiner Schrift: Die Papstwahlbullen, Tübingen 1892, S. 261 die Bedeutung der Bulle Gregors XV für den Wahlmodus im Konklave dargelegt hatte, stimmt hierin W. vollkommen bei (f. S. 3). Während aber S. in dem § Cardinales der Bulle Aeterni patris filius ein Verbot der formellen Exclusive findet (f. S. 4. 36), glaubt W., daß dieser Paragraph zunächst nur gegen die Stimmen=Inclusion und Exclusion gerichtet sei, nicht gegen die formelle Exclusive (S. 107—8), die erst später zu Ende des 17. Jahrh. entstanden sei (f. Wahrmund, das Ausschließungsrecht x., Wien 1888, S. 218). Das von W. veröffentlichte Material spricht in der That sehr zu gunsten der Ansicht desselben; die Aeußerungen eines von W. zitierten Anonymus zeigen, wie fremd noch dem ersten Viertel des 17. Jahrh. der Begriff der formellen Exclusive war (f. S. 111: Die Exclusion ist der Inclusion entgegengesetzt, sie erfolgt, wenn mehr als ein Drittel der Wähler sich förmlich vereinigen und erklären, irgend eine Person nicht zu wollen, ob sie nun den Grund hiefür angeben oder nicht; und wer immer diese Zahl finden und vereinigen und festhalten kann, den nennt man Haupt der Exclusion, mag letztere auch des Ansehens oder öffentlichen Wohles halber gemacht worden sein, wie in unseren Tagen einzelne stattfanden, oder um des Privatinteresses eines Parteiführers oder mächtigen Fürsten willen, wie man im Konklave Gregors XIV sah, woselbst der König von Spanien einige namentlich excludierte; die einen und die anderen Arten von Exclusionen werden in unserer Zeit offenkundig gesehen). — Die Polemik S's. hält hier m. E. mit Unrecht den alten Standpunkt fest (f. S. 34 und die Papstwahlbullen S. 264 f.) Unter dem Einflusse der Darlegungen von Lucius Lector, le Conclave, Paris 1894, S. 560 f., ist W. (f. Kritische Vierteljahrsschrift f. Gesetz= gebung und Rechtswissenschaft, XXXVIII (1896), 155[1] zur Annahme geneigt, daß zuerst im Konklave Innocenz XII (1691) die formelle Exclusive ihre

Wirkungen äußerte, während er früher (f. Ws. Schrift, das Ausschließungsrecht (Jus exclusivae) der katholischen Staaten Oesterreich, Frankreich und Spanien bei den Papstwahlen S. 186 f.) in der im Konklave von 1721 abgegebenen Erklärung des Kardinals Althann, der Kaiser gebe dem Kardinal Paolucci die Exclusive, die erstmalige Ausübung der formellen Exclusive sah. — Die That=sachen, die die historische Forschung rücksichtlich der Exclusive feststellt, bedürfen der juristischen Würdigung. W. sieht die formelle Exclusive als ein Recht der betreffenden Staaten an (f. Das Ausschließungsrecht 2c. S. 251 f.), Sägmüller (f. S. 64 und dessen Schrift, die Papstwahlbullen S. 281) dagegen glaubt: ‚es fehlt viel, sehr viel, um im Ernst von einem Gewohnheitsrecht der staatlichen Exclusive in der Papstwahl sprechen zu können'. Da die formelle Exclusive nicht Gesetzesrecht ist, sondern nur auf dem Wege der Gewohnheit in Rechtskraft er=wachsen sein kann, so führen die Untersuchungen über ihre rechtliche Bedeutung notwendig zu allgemeinen Erörterungen über das kirchliche Gewohnheitsrecht überhaupt. W. handelt daher auch im letzten Teile der vorliegenden Arbeit (S. 116 f., f. auch die Ausführungen in Ws. Schrift, das Ausschließungsrecht S. 234—52) ziemlich eingehend vom kirchlichen Gewohnheitsrecht; der Consens des Gesetzgebers ist nach W. nicht notwendig, auf daß eine thatsächliche Uebung Rechtskraft erlange. Die Theorie des kirchlichen Gewohnheitsrechts bedarf vielleicht der Vertiefung; das Wahre, das die „Ueberzeugungstheorie" der historischen Schule in sich schließt, bedarf der ausdrücklichen Berücksichtigung; nichtsdestoweniger ist die Meinung, die in der Zustimmung des kirchlichen Gesetz=gebers den letzten Grund dafür sieht, daß die thatsächliche Uebung Rechtskraft besitzt, m. E. wohlbegründet und richtig, f. u. a. Schwering (J.) zur Lehre vom kanonischen Gewohnheitsrecht, Warendorf 1888 (Göttinger Diss) S. 25 f. und Friedberg (E.) Lehrbuch des Kirchenrechts 4. Aufl. S. 122. Da aber dieser Konsens imvorhinein gegeben ist (f. c. 11 X. de consuet 1, 4), so wird die Untersuchung über die Rechtsbeständigkeit einer Gewohnheit die Zustimmung des Gesetzgebers „nicht als ein im Einzelfall besonders zu erweisendes Erfordernis eines Gewohnheitsrechtssatzes betrachten", sondern sich im einzelnen Falle auf die Konstatierung der Thatsache beschränken, daß „die Gewohnheit den im positiven Recht niedergelegten Erfordernissen entspricht" (Schwering a a O. S. 13). Aber auch von diesem Standpunkt aus scheint mir die These Ws. nicht haltbar zu sein. Besitzt so die Exclusive nicht den Charakter eines Rechtes, das den Staaten Oesterreich, Frankreich und Spanien zukommt, so behält doch für die Kardinäle die moralische Pflicht, die Nachteile zu würdigen, die aus der Wahl eines diesen Staaten mißfälligen Kandidaten für die Kirche selbst erwachsen könnten. — W. konnte, wie es scheint, die Stelle (S. 43, Z. 6): Innoc. ibi dicit quomodocunque conveniant firmam esse electionem nicht nachweisen; die Worte gehen auf eine Aeußerung Innocenz IV zurück, der in seinen Commentarii super libros quinque decretalium bei der Erklärung von c. Licet, de elect. (= c. 6. X. 1, 6) sagt: quia propter speciale non est hic aliqua forma ex necessitate servanda, imo quocunque modo appareat duas partes consentire in aliquem, tantum in electum ius habet et verus Papa est (ed. Frankofurt. 1570. fol. 42 col. 1). — Durch einen Druckfehler steht bei S. (S. 64 Z. 2) oecumenicum statt oeconomicum.   Gietl.

Frantz (A.), die Literatur des Kirchenrechts 1884—94. Leipzig, Hinrichs. 18 S. ℳ. 0,50. [Ergänzungsband z. Centralblatt für Rechtswissen=schaft, Juristischer Literaturbericht 1884—94. Heft 7.]
Der Vertreter des Kirchenrechts an der Universität Kiel, u. a. bekannt durch eine fleißige Arbeit über „Das katholische Direktorium des Corpus Evangeli=corum" (Marburg 1880) und ein sehr geschickt abgefaßtes kürzeres Lehrbuch des Kirchenrechts (2. Aufl. Göttingen 1892) gibt hier in allgemeinen Umrissen ein Bild der Entwicklung der Wissenschaft des Kirchenrechts für das angegebene Dezennium. Der Vf. ist bestrebt, durch den Hinweis auf die hervorragenden Erscheinungen der Literatur die Behauptung zu erhärten, daß aus diesem Zeit=raume „eine ganze Anzahl tüchtiger und anerkennenswerter Untersuchungen" (S. 1) vorliegt; für Einzelheiten, (die den Historiker, der mit einer bestimmten Frage sich beschäftigt, zunächst interessieren), verweist er auf Friedberg, Lehr=

buch des Kirchenrechts (4. Aufl. Leipzig 1895), durch dessen Arbeit das ältere Werk von Richter immer mehr verdrängt werde. Fr. berücksichtigt fast nur die deutsche Literatur; so fehlt jeder Hinweis auf Esmeins Werk Le mariage en droit canonique (Paris 1891). Die Veröffentlichung der Summen des Paucapalea, Stephan von Tournay und Rufin durch Fr. von Schulte war trotz der Mängel, die diesen Arbeiten anhaften, zu erwähnen. **Gietl.**

Schultze (W.), die Abgrenzung der Gaugrafschaften des alamannischen Badens. Heidelberg, Diss. 116 S.

Heckmann (C.), zur Entwicklungsgeschichte der deutschen Ministerialität. Hallenser Diss. 63 S.

Kohler (J.) und Liesegang (E.), das römische Recht am Niederrhein. Gutachten Kölner Rechtsgelehrter aus dem 14. u. 15. Jahrh. Zugl. ein Beitrag z. Geschichte des Territorialstaatsrechts. Stuttgart, Enke. VIII, 151 S. ℳ 5. [Beiträge zur Geschichte des röm. Rechts in Dtschld. In Verbindung m. a. Gelehrten bearb. v. J. Kohler. H. 1.]

*** Reinecke (W.),** Geschichte der Stadt Cambrai bis zur Erteilung der Lex Godefridi (1227). Marburg, Elwert. X, 276 S. ℳ 7.

Die vorliegende Arbeit ist als Dissertation auf Anregung des verst. Prof. Weiland entstanden. Vf. hat sich seiner Aufgabe mit großem Geschick entledigt und das verhältnismäßig reiche Quellenmaterial zu einer anziehenden Darstellung der Geschichte Cambrais verarbeitet. Die Stadt war ursprünglich der Gerichtsbarkeit der Gaugrafen unterworfen, wurde aber 948 laut Urkunde Ottos I von derselben befreit und unter die Gerichtshoheit des Bischofs gestellt. Dieser betraute einen Burggrafen (châtelain) mit seiner Vertretung. Indes führte die Anmaßung der Burggrafen bald zu erbitterten Kämpfen zwischen diesen und den Bischöfen. In die fast ununterbrochenen Streitigkeiten ließen sich die Grafen von Flandern nicht ungern hineinziehen und brachten es schließlich dahin, daß sie selbst von den Bischöfen mit der Burggrafschaft belehnt wurden, welche sie als Afterlehn weiter vergaben. In diesen unruhigen Zeitläuften suchte nun das Bürgertum von Cambrai sich vom Bischofe unabhängig zu machen und eine selbständige Kommune zu begründen. Vf. stellt fest, daß in Cambrai schon sehr früh, um die Mitte des 10. Jahrh ein kommunaler Zusammenschluß stattfand. Die meisten Bischöfe standen den Unabhängigkeitsgelüsten der Bürger entschieden gegenüber. Auf beiden Seiten suchte man bald durch Waffen bald durch Prozesse der Oberhand zu gewinnen. Die kaiserlichen Verfügungen waren heute der einen und morgen der anderen Partei günstig, bis endlich das Bürgertum der rücksichtslosen Energie des Bischofs Gottfried und der Ungnade des Kaisers Friedrich II erlag. Die Lex Godefridi vom J. 1229 vernichtete die kommunale Selbständigkeit Cambrais. Während die benachbarten Kommunen des französischen Reiches unter dem Schutze des französischen Königtums aufblühten, mußte Cambrai seine Zugehörigkeit zum deutschen Reiche mit der Vernichtung seiner Selbständigkeit bezahlen. Die Entwicklung des Verfassungslebens in der Stadt führt Vf. uns in anschaulicher Weise vor Augen. Daß er dabei polemische Auseinandersetzungen möglichst meidet, gereicht der Arbeit nicht zum Schaden. Indes wäre ein näheres Eingehen auf das Wirtschaftsleben in der Stadt wünschenswert gewesen. Vielleicht holt Vf. dies bei der Fortsetzung der Stadtgeschichte nach. Der Wert vorliegender Arbeit wird durch drei Urkundenbeilagen erhöht. **Max Jansen.**

Bovio (G.), disegno d'una storia del diritto in Italia dall' origine di Roma ai nostri tempi. 2. ed. Roma, Civelli. 1895. 478 S.

*** Heinemann (L. v.),** zur Entstehung der Stadtverfassung in Italien. Leipzig, Pfeffer. 75 S.

Verf. hat mit seiner Geschichte der Normannen in Unteritalien ein sehr dankbares Gebiet betreten, von welchem aus er in der Lage ist, auch für andere allgemeinere

Fragen neue Gesichtspunkte zu gewinnen und auf Erscheinungen hinzuweisen, die anderwärts dem Forscher sich entziehen, hier aber deutlicher in den Vordergrund treten. So beschränken sich die hier mitgeteilten verfassungsgeschichtlichen Beobachtungen auch vorwiegend auf Unteritalien. Hier sind fränkisch-deutsche Einflüsse nach seiner Darlegung bis ins 11. Jahrh. kaum zu erkennen, politisch und wirtschaftlich neigen diese Gegenden nach Byzanz, ihr Rechtsleben basiert auf longobardischem und römisch-justinianischem Rechte. Vor allem ist die Gerichtsverfassung den römischen Einrichtungen ähnlich gewesen, es ist nicht zwischen Richter und Urteiler geschieden, sondern der Richter urteilt selbst. Die weitere Untersuchung dreht sich um das Institut der boni homines. In der freiwilligen Gerichtsbarkeit sind sie Vertrauensmänner; in der streitigen Gerichtsbarkeit wären sie zunächst unthätiger Umstand gewesen, dann in Grundbesitzstreitigkeiten fungieren sie als Gemeindezeugen und werden darauf Friedens- und Schiedsrichter im Zivilprozeß. Es ist natürlich, daß sich ihre Kompetenz noch weiter entwickelte, wo die obrigkeitliche Gewalt schwächer war. „Deshalb finden wir die mit dem ordentlichen Gerichte konkurrierende friedens- und schiedsrichterliche Thätigkeit am meisten und am frühzeitigsten in den Städten entwickelt, in denen auch sonst freiheitliche Regungen der Bürgerschaft unter der Führung des städtischen Adels zu bemerken sind" (S. 23), wie in Neapel, Gaeta und Amalfi. Frühe treten zu der richterlichen Thätigkeit der boni homines eine politische und administrative hinzu. Verf. weist schon für das 10. und 11. Jahrh. eine Vertretung der gesamten Bürgerschaft durch einen Ausschuß der boni homines nach, und damit unterschied sich diese Stadtvertretung von dem oberitalischen Konsulat nur dem Namen nach. Aber auch der Name Konsuln ist für Siponto früher als in Oberitalien nachgewiesen. Darauf sucht Verf. an Gaeta nachzuweisen, daß der Ausschuß der boni homines und das dortige Konsulat ein und dasselbe war, nämlich „eine jährlich wechselnde Behörde von meistens vier gewählten Beamten, welche in Gemeinschaft mit dem iudex der Stadt richterliche, polizeiliche und administrative Funktionen ausüben und als Vertreter der Handelsinteressen der Seestadt erscheinen". Also die boni homines, die nobiles oder meliores sind die ersten Träger der freiheitlichen Bewegung der Städte. In der Frage nach dem Ursprung der boni homines entscheidet sich Verf. dahin, daß sie nicht die römischen Dekurionen fortsetzen, sondern daß vom 5. bis 7. Jahrh. ein neuer Adel entstand aus den freien Longobarden und den römischen Großgrundbesitzern. Die boni homines bethätigten sich zuerst als Zeugen vor Gericht; auf dem Zeugnis vor Gericht beruht ihre Grundlage, und man wählte dazu die angesehensten freien Grundbesitzer der Gemeinde, die sich die Kenntnis der Gesetze Justinians verschafft hatten. Daß aber die freiheitlichen Regungen der südital. Städte nicht zu dem Resultate wie in Oberitalien führten, dafür sorgten die Normannen. Die apulischen Seestädte waren in den Kämpfen zwischen Byzanz, den unteritalischen Fürsten und den Normannen auf dem besten Wege, ihre volle Freiheit zu erringen, da hat zuerst Robert Guiskard diese Bewegung erstickt. In den Wirren nach seinem Tode strebten die Städte abermals empor; als dann Roger auftrat, stützte er sich gegen die normannischen Großen auf die Städte und gab ihnen Freiheitsprivilegien. Als er aber ihre Hilfe nicht mehr brauchte, verwarf er die Versprechungen und unterdrückte die städtische Selbständigkeit. — Im Anhange folgen fünf Urkunden.   A. M.

La Mantia (V.), leggi civili del regno di Sicilia [1130—816] raccolte ed. ordinate. Palermo, Reber. 1895. 326 S.

Botero (E.), prudenza di stato o maniero di governo di Giovanni Botero. Con ritratto di G. Botero. Milano, Hoepli. 16⁰. LXXVII, 551 S. l. 6.
Vgl. hiezu das im Hist. Jahrb. XV, 922 angezeigte Werk von Gioda. Vorliegendes Buch kann als Ergänzung dazu angesehen werden; es schildert die Lehre dieses Gelehrten im 16. Jahrh. vom Staate in philosophischer, politischer, religiöser und volkswirtschaftlicher Beziehung.

Bechmann (A. v.), der churbayer. Kanzler Alois Frhr. v. Kreittmayr. Festrede. München, Franz Verl. in Komm. 4⁰. 32 S. M. 1.

Luçay (comte de), la décentralisation, étude pour servir à son histoire en France. Paris, Guillaumin. 1895. 244 S. fr. 6.

Foster (R.), commentaries on the constitution of the Unit. States, historical and juridic.; with observations up. the ordin. provisions of state constitutions and a comparison with the constitutions of other countries. Vol. I. Boston, Book Co. VII, 713 S. fr. 20.

Caldwell (J. W.), studies in the constitutional history of Tennessee. With portraits. Cincinnati. sh. 10,6.

Oehler (M.), Schwurgerichte und Schöffengerichte. Beitrag zur histor. Entwickelung und gegenwärtigen Bedeutung. Berlin, v. Decker. IV, 93 S. ℳ 1,50.

Der historische Charakter des Büchleins, welches auf engem Raume ein umfang= reiches Material verarbeitet, überwiegt. Das erste Kapitel: Entstehung der Schwurgerichte, greift in vorchristliche Zeiten zurück; weiter werden die englische und französische Jury und sodann das deutsche Schwurgericht in ihrer genetischen Entwicklung behandelt.

Knapp (H.), das alte Nürnberger Kriminalrecht. Nach Ratsurkk. erläut. Berlin, Guttentag. ℳ 6.

Schreuer (H.), die Behandlung der Verbrecherkonkurrenz in den Volks= rechten. Breslau, Köbner. XII, 299 S. ℳ 9. [Untersuchgn. zur deutschen Staats= u. Rechtsgesch., hrsg. v. O. Gierke. 50. H.]

*Below (G. v.), das Duell und der germanische Ehrbegriff. Kassel, Brunnemann. 47 S.

Das Werkchen entbehrt des wissenschaftlichen Apparats, verrät aber trotzdem auf jeder Seite das gediegene Wissen seines Vf.s. Nach einer Einleitung widerlegt B. im 1 Kapitel schlagend die Behauptung, das Duell knüpfe an den gericht= lichen Zweikampf des deutschen MA. an. Das Duell ist ein absichtlich außergerichtliches und außergesetzliches Verfahren. Der gerichtliche Zweikampf ist ein gerichtlicher Akt des formalen deutschen Beweisrechts. Der gerichtliche Zwei= kampf war in Deutschland längst verschwunden (seit Anf. des 15. Jahrh.), als die ersten Duelle in Deutschland aufkamen (um 1570) Auch aus dem deutschen Fehderecht ist das Duell nicht herzuleiten (Kap. 2). Die Fehde war im spätern MA. nur subsidiäres Mittel der Selbsthilfe, wenn die richterliche Hilfe versagte. Die Fehde wurde 1495 so gut wie vollständig beseitigt, ein Jahrh. bevor Duelle aufkamen Außerdem wurde die Fehde nie wegen Ehrenhändel angewandt. Am verfehltesten war der Versuch, das Duell mit den Turnieren in Verbinduug zu bringen (Kap. 3). Turniere sind stets nur Ritterspiele gewesen, übrigens nicht germanischen Ursprungs. Nach deutschem Recht wurden Ehrverletzungen vor dem öffentlichen Richter durch Bußen und Zurücknahme der Beleidigungen gesühnt, und zwar nicht bloß in den niedern, sondern auch in den höhern Ständen (Kap. 4). Es entsprach dem deutschen Rechtsgefühl, dem Gericht nicht aus dem Weg zu gehen. Wir halten den Beweis für erbracht, daß das Duell nicht germanischen Ursprungs ist Die Wurzel desselben liegt in Spanien (Kap. 5), dem Land der Don Quixote und der Stierkämpfe. Erste sichere Nachrichten über das Vorkommen des Duells stammen aus den Jahren 1473—80. Von Spanien verbreitete sich die Unsitte alsbald über die übrigen romanischen Länder, zunächst Italien, in Kürze auch Frankreich, wo dieselbe seit Franz I immer mehr um sich griff und unter den letzten Valois ihren Höhepunkt erreichte. Die ärgste Zerrüttung aller Zucht und Sitte ging damals am französischen Hofe mit un= täglichen Duellen Hand in Hand. Noch in den ersten Regierungsjahren Heinrichs IV starb der zweite Adelige in Frankreich im Duell. Seit ungefähr 1570 findet das Duell allmählich Aufnahme in deutschen Adelskreisen. Seit dem 16. Jahrh. schritt die Gesetzgebung gegen das Duell ein, zuerst die geistliche, besonders die katholische Kirche in den Satzungen des Konzils von Trient, leider durch den weltlichen Arm in ihren Bestrebungen zur Bekämpfung des Duellunwesens zu wenig unterstützt. Seit Heinrich IV gab es in Frankreich eine Antiduellgesetzgebung. Dem Duellunwesen unter Heinrich IV von Frankreich widmet Vf. ein besonderes (6.) Kapitel. Wir können nur wünschen, daß B. diese Gelegenheitsschrift zu einer eingehenden Darstellung erweitern möchte.   K. B.

Wirtschaftsgeschichte.

Schönberg (G. v.), Handbuch der polit. Oekonomie. 4 Aufl. in 3 Bdn. Bd. 1: Volkswirtschaftslehre. In 2 Bdn. Bd. 1. Tübingen, Laupp. Lex.=8⁰. XIV, 885 S. *M* 18.

Rothe (Tancred), traité de Droit naturel théorique et appliqué. Tom 3ᵉ· De la famille. Paris. 907 S.

Mit diesem Bande findet die im zweiten begonnene Abhandlung über die Familie ihren Abschluß. Er behandelt die väterliche Gewalt, die Erziehung, das Erbrecht und den Einfluß der öffentlichen Gewalt auf die Familie, lauter zeitgemäße und brennende Fragen, Fragen, die gewiß eine gründliche Bearbeitung verlangen, die aber mitunter so ausführlich besprochen sind, daß man eher einen deutschen Professor vom alten Stil hinter dem Vf. vermuten möchte als einen modernen Franzosen.

Schulten (A.), die römischen Grundherrschaften. Eine agrarhist. Untersuchung. Weimar, Felber. XI, 148 S. *M* 3.

Meitzen (A.), Wanderungen, Anbau u. Agrarrecht der Völker Europas nördlich der Alpen. Abt. 1: Siedelung u. Agrarwesen der Westgermanen und Ostgermanen, der Kelten, Römer, Finnen u. Slawen. 3 Bde. u. Atlas. Berlin, Besser. I. mit 52 Abbildgn. XIX, 623 S. — II. mit 38 Abbildgn. XV, 698 S. — III. mit 39 Karten u. 140 Figur., sowie einen gesondert beigegeb. Atlas v. 125 Karten u. Zeichngn. XXXII, 617 S. *M* 48.

Battaglia di Nicolosi (G.), i diplomi inediti relativi all' ordinamento della proprietà fondiaria in Sicilia sotto i Normanni e gli Svevi. Palermo, Clausen. 1895. XVI, 208 S. l. 7.

Reville (A.), les paysans au moyen age. 13. et 14. siècles. Paris, Giard et Brière. 63 S. fr. 2,50.

Rogers (J. E. Th.), die Geschichte der englischen Arbeit. (Six centuries of work and wages.) Uebers. v. M. Pannwitz. Rev. v. K. Kautsky. Stuttgart, Dietz. XXVIII, 422 S. *M* 5.

Beitrag zur englischen Wirtschaftsgesch. v. 13. Jahrh. bis zur Gegenwart.

*Heil, die Gründung der nordostdeutschen Kolonialstädte und ihre Entwickelung bis zum Ende des 13. Jahrhs. Wiesbaden, Lützenkirchen. 38 S. *M* 0,80.

Eine kleine, ansprechende, populär gehaltene Darstellung der Gründung deutscher Städte in den slavischen Kolonisationsgebieten. Anmerkungen fehlen. Am Schlusse ein Literaturverzeichnis, das in guter Auswahl die einschlägige Literatur aufführt. Vf. zerlegt seinen Stoff in 7 Abschnitte. Im 1. Kapitel wird der Verlauf der nordostdeutschen Kolonisation im allgemeinen dargestellt. Vf. erblickt in ihr „das erstaunlichste Ereignis der deutschen Geschichte bis zum Anbruch der Neuzeit." Die ersten Anfänge der Ansiedlung gehen auf die Zeit Heinrichs I (etwa 920) zurück. Besonders die sächsischen Herzoge förderten sie in der Folgezeit. Am gewaltigsten war die Bewegung im 13. Jahrh. Ueber 20000 qkm

Land wurden damals der deutschen Kultur gewonnen. Für Schlesien allein wird die deutsche Einwanderung bis 1260 auf 150—180000 Menschen, die Zahl der von ihnen gegründeten Dörfer auf 1500 berechnet. Die Ursachen der Kolonisation waren religiöser, politischer und wirtschaftlicher Natur. Besonders die damalige starke Bevölkerungszunahme im deutschen Reich veranlaßte zur Auswanderung, an der sich zunächst die Landbevölkerung, der Adel, bald auch deutsche Städtebürger beteiligten. Hoch anzuschlagen sind die Verdienste der Prämonstratenser und Cisterzienser, insbesondere aber des Deutschritterordens um die Kolonisation des Ostens. Im 2. Kap. behandelt Vf. die Gründe zur Anlage deutscher Städte und die Wahl des Platzes. Die ersteren sind militärische und wirtschaftliche: die Städte sollten Sitz des Handels und Gewerbes werden. Bei der Wahl des Platzes war vorzüglich günstige wirtschaftliche Lage ausschlaggebend: Isthmus zwischen zwei Seen, trockener Uebergang zwischen See und Sumpf, Ränder von Höhenzügen, belebte Rastorte an alten Handelsstraßen, Windungen der Flüsse. Hatte man sich in der Wahl des Platzes vergriffen, so kamen häufig Umsiedlungen vor. Kap. 3: Plan, Aufbau und Benennung der Stadt. Man wendete im ganzen Osten dasselbe Schema an. Es wurde ein runder Raum von 5—600 m Durchmesser, also eine Fläche von etwa 50—100 Morgen ausgesteckt und darin die Straßenzüge, Plätze ꝛc. ausgemessen. Am Marktplatz, der wertvollsten Stelle, erhielten die Häuser die schmälste Front. So sind diese Städte künstliche Schöpfungen. Die Anlage der Städte wurde von den Landesherrn an Unternehmer, sog. Lokatoren, überlassen, die hiefür eine Summe entrichteten und regelmäßig das Schultheißenamt in der Neugründung erhielten. Ihnen war auch die Auswanderungsreklame im Mutterland überlassen. Den Namen entlehnten die Städte meist den slavischen Ortschaften, an die sie sich anlehnten. 4. Kap.: Die städtische Verfassung. Jede neugegründete Stadt erhielt von vornherein deutsches Recht. Die Leistungen der Bürger bestanden nach einer Zahl von Freijahren in einem Aderzins und in Zehnten. Die Vogtverfassung wurde auch hier allmählich durch Rat und Zünfte verdrängt. Meist wurde der Neugründung das Recht einer bestimmten deutschen Stadt verliehen. Zwei große Gruppen gehen auf Magdeburg einerseits und Lübeck (— Soest) andererseits zurück. Die preußischen Städte erhielten schon 1233 vom Deutschorden in der „Kulmer Handfeste" ein Grundgesetz. Ein 5., etwas dürftiges Kapitel behandelt Ackerbau, Handel, Gewerbe und äußere Beziehungen auf 6 Seiten. Die größte Handelsthätigkeit entfaltete Lübeck. Sehr stark ist im 14. Jahrh. die städt. Bevölkerungszunahme. Seit Mitte des 13. Jahrh. schließen die Städte zeitweilig Bündnisse, aus denen sich in der Folge die Hansa entwickelte. 6. Kap.: Zustände im Innern. Wirft Streiflichter auf die Verhältnisse des Patriziats, Bildung eines besondern Gesellenstandes, Spitäler, Privathäuser, Schulen, Geld und Preise. Im 7. Kap.: Umfang der Städtegründungen und ihre Bedeutung für die Folgezeit wird die Gesamtzahl der im Osten gegründeten deutschen Städte auf 350 angegeben. Das Büchlein ist für eine Orientierung über den behandelten Gegenstand zu empfehlen. Gründlicher Nachweise entbehrt es, solche will es auch nicht bieten. K. B.

*Heldmann (C.), Geschichte der Deutschordensballei Hessen nebst Beiträgen zur Geschichte der ländlichen Rechtsverhältnisse in den Commenden Marburg u. Schiffenberg. Tl. 1 (bis 1360). Cassel, 1894. 191 S. u. 16 Tab. [Sonderabdr. aus der Zeitschrift des Vereins für hess. Geschichte und Landeskunde N. F. Bd. XX.]

Das Werk, dessen 1. Teil vorliegt, stützt sich auf das in den Publikationen aus den kgl. preuß. Staatsarchiven Bd. 3 erschienene Urk.-Buch der Ballei Hessen I 1879 (—1300) und II 1884 (—1360). Es beutet diese Quellenpublikation zu einer rein geschichtlichen und zu einer wirtschaftsgeschichtlichen Darstellung aus. Der 1. Abschnitt behandelt das Entstehen und die Ausdehnung der Deutschordensballei Hessen, nach geographischen Gesichtspunkten getrennt. 1207 erhielt der Deutschorden als erste Schenkung in Thüringen die Kirche zu Reichenbach. Daraus entstand um 1221 die erste Commende. Seit Begründung des Ordens

stand derselbe in nahen Beziehungen zu den Thüringer Landgrafen. 1225 erhielt
er von Landgraf Ludwig IV, dem Gemahl der hl. Elisabeth, das Privileg der
hohen und niedern Gerichtsbarkeit für alle Besitzungen im Gebiet des Landgrafen.
An den Tod der hl. Elisabeth in Marburg 1231 knüpft sich für den D.=Orden
der Erwerb des von der Heiligen in Marburg gegründeten Spitals an, der zum
Mittelpunkt ausgedehnter weiterer Erwerbungen wurde; ferner die Wacht des
Grabes der Heiligen, das alsbald ungezählte Pilger nach Marburg rief und
dem Orden in deren Verpflegung eine reiche Quelle der Thätigkeit eröffnete.
12 Brüder und ein Komthur bildeten den Marburger Convent. Große Kloster=
bauten erstanden, die Elisabethkirche wurde gebaut, nebenher geht eine ununter=
brochene Reihe päpstl. und bischöfl. Gunstbezeugungen. Um die Mitte des
13. Jahrh. machte die Commende Marburg große Guterwerbungen und
erhob sich zur Landcommende, zur Ballei Hessen, wenn auch zunächst der Name
nicht in Gebrauch war. Die Blüte der Ballei liegt in den J. 1255—90. In
diese Zeit fällt die an die umfassende Rodungsarbeit anknüpfende Einführung
der freien bäuerlichen Pacht, der sog. Landsiedelleihe (s. unten). Mit Beginn
der 90er Jahre des 13. Jahrh. wendet sich das Interesse der Ballei vorzugs=
weise den großen oberhessischen Gutsbezirken zu (Kastnerei Müllrich=Fritzlar seit
1231 mit 13 Höfen zu 69 Hufen in 38 Orten; Seibelsdorf=Alsfeld 1240
mit einem über 30 Dörfer verbreiteten Besitz; Wetzlar=Herborn seit 1285
Kastnerei; Ordenshof in Friedberg mit 27 Hufen in 12 Dorfmarken.) Daneben
treten Besitzungen in Ober=Flörsheim in der Pfalz (1245), seit 1287 Commende
mit 10 Höfen zu 485 Morgen; Griefstedt, Commende seit 1251 mit 165 Hufen
zu 5000 Morgen, seit 1283 der Ballei Hessen inkorporiert, an deren Spitze seit
etwa 1332 ein D.=Herren=Convent in Erfurt trat. Endlich das frühere Augustiner=
chorherrenstift Schiffenberg im Bistum Trier seit 1323, seit 1334 eigentliche
Commende. Der von der Commende Marburg verwaltete Grundbesitz wird 1358
auf 7800 Morgen Acker, 800 Morgen Wiesen und 200 Morgen Rottland, ohne
Wald angegeben. Der Gesamtgrundbesitz der Ballei Hessen betrug in der Blüte=
zeit 20000 Morgen, davon 12000 auf hessischem Gebiet — Außer den wirt=
schaftlichen Erwerbungen wird, indes ungleich kürzer, die politische Geschichte der
Ballei behandelt. Eine reiche Illustration zu der Darstellung der Gütererwerbungen
der Ballei bilden die angehefteten, auf eingehendsten Forschungen beruhenden
wirtschaftsgeschichtlichen Tafeln. Leider fehlt dem Buch eine Karte, die umso
schwerer vermißt wird, als der Vf nirgends nähere geographische Bezeichnungen
den Ortsbenennungen hinzufügt. Auch wird es schwer, sich auf grund der Dar=
stellung ohne Karte ein einigermaßen klares Bild des Besitzes zu machen. Sehr
dankenswert sind die als 2. Abschnitt angefügten wirtschaftlichen Untersuchungen,
deren erstere über die hörigen Standesverhältnisse zwar der bäuerlichen Bevölkerung zwar
nichts wesentlich neues bietet, deren zweite aber über die hauptsächlichsten Land=
nutzungsformen des Ordensbesitzes ein wertvoller Beitrag zur Wirtschaftsgeschichte
ist. Die zahlreichen Privaturk. erfahren eine wertvolle Würdigung. Die An=
sichten Heuslers, Arnolds, Lamprechts werden beleuchtet. Vf. erblickt in
den prinzipiell erblichen Pachtverhältnissen einen Vorzug des Besitzes höherer
Stände und sieht in dem spezifisch landgauischen Leib= und Landsiedelrecht die
Normalpachtform für die bäuerliche Bevölkerung im Ordensgebiet. Die Land=
siedelleihe erwächst auf dem Boden der Rodungen und stellt sich dar als gemein=
sames Produkt von Grundhörigkeit und Precarie. Eigentümlich ist ihr die Pflicht
zur Besserung des Grundstücks und der Colonen und der regelmäßig mit ihr
verbundene Fastnachthühnerzins. Vf. erblickt im Gegensatz zu Lamprecht in
ihrer Entwicklung und weiten Ausbreitung keine Durchbrechung der alten hof=
rechtlichen Verhältnisse, ihre Wirkung liege nur auf sozialem und wirtschaftlichem
Gebiet. Die Landsiedler sind ihm regelmäßig unfreie Leute, die durch günstige
Pachtbedingungen zu Rodungsarbeiten usw. sich bestimmen lassen.   K. B.

*Bergér (H.), Friedrich der Große als Kolonisator. Gießen, Ricker.
VIII, 111 S. mit 3 Taf. ℳ 4. [Gießener Studien auf dem Ge=
biete der Geschichte. Hrsg. v. W. Onken. H. VIII.]
Das Buch fördert unsere Kenntnis nicht eben viel. Vf. hat 14 Aktenbände des
Geh. Staatsarchivs zu Berlin benutzen können. Sie haben es ihm ermöglicht,

eine Reihe von Zahlenangaben, namentlich Beheim-Schwarzbachs, zu berichtigen. Doch sind auch seine Feststellungen noch sehr unsicher. Auf tiefer eindringende Fragen ist B. kaum eingegangen; schuld daran mag tragen, daß er sich in keiner Weise mit der vorhandenen Literatur, weder der älteren noch der neueren, vollständig bekannt und vertraut gemacht hat. Schmollers geistreicher Aufsatz in den Schriften des Vereins für Sozialpolitik XXXII, 1—43 wird ihn darüber aufklären, daß er eine Reihe von Werken unbeachtet ließ und eine Fülle von Fragen, die wichtiger sind, als die: wie stark die Einwanderung gewesen ist, gar nicht oder nicht genügend beantwortet hat. Selbst der Unterschied zwischen Kolonisation und Einwanderung ist ihm nicht aufgefallen. Aus seinen Zahlen seien hervorgehoben: Gesamteinwanderung in Schlesien 62000 Personen, davon Böhmen 44 %, deutsche Polen 30 %, Sachsen 15,9 %; in der Kurmark 60000: davon Sachsen 33,4 %, Mecklenburger 25,4 %; in Pommern 26000 (in die Städte 7000): davon Pfälzer 33,9 %, Mecklenburger 24,4 %, Polen 18,6 %; in die Neumark 24000 (in die Städte 8000): davon Polen 64,6 %, Sachsen 11 %; in Magdeburg-Halberstadt 20000: davon Sachsen 46,2 %, Braunschweiger 16,6 %; in Ostpreußen 15082 (in die Städte 2572): die Nationalitätsnachweise fehlen; in Westpreußen 11015 (in die Städte 4635): davon Polen 35,2 %, Schwaben 30,3 %. Das Bekenntnis der Kolonisten und Einwanderer war durchweg das protestantische. In Westpreußen war das Verhältnis der Katholiken zu den Protestanten 1784 bereits 5:3, heute etwa 1:1. Schmoller (S. 16) sagt klar, daß der König evangelische Wirte bevorzugt habe. Damit erübrigt sich auch alles, was B. pathetisch über die Bedeutung Friedrichs II als des Apostels wahrer Toleranz und Religiosität schreibt. —a—

Schmid (C. A.), Beiträge zur Geschichte der gewerbl. Arbeit in England während der letzten 50 Jahre. Nach den Erhebungen der Royal Commission on Labour. Jena, Fischer. VIII, 215 S. ℳ 4,50. [Staatswissenschaftl. Studien, hrsg. v. L. Elster. Bd. 6. H. 1.]

Cheyney (E. P.), social changes in England in the 16. century as reflected in contemporary literature. Part I. Rural changes. Halle, Niemeyer. 1895. ℳ 4,20. [Public. of the Univ. of Pennsylvania. Vol. IV, No. 2.]

Weeks (St. B.), southern Quakers and slavery, a study in institutional history. Baltimore, John Hopkins Press. XIV, 400 S. d 2.

Nuñez Ponte (J. M.), estudio histórico acerca de la esclavitud y de su abolición en Venezuela. Valencia (Venezuela), tip. Chambon. 39 S.

Schoenhof (J.), a history of money and prices being an inquiry into their relations from the 13. century to the present time. New-York, Putnam. XVII, 352 S. d. 1,50.

Cons (H), précis d'histoire du commerce. 2 vols. Nancy, Berger-Levrault & Co. XII, 328 u. IV, 398 S. fr 8.

Depew (Ch. M.), one hundert years of American Commerce 1795—1895, a history of the first century of Am. comm. by 100 Americans. 2 vols. New-York, Haynes & Co. 924 S. mit Portr. d. 15.

Wutke (K.), die schlesische Oderschiffahrt in vorpreußischer Zeit. Urkk. und Aktenstücke. Bd. 17. Breslau, Max. gr. 4°. VI, 336 S. ℳ 7. [Codex diplom. Silesiae. Hsg. vom Vereine für Geschichte u. Altertum Schlesiens. 17. Bd.]

Baasch (E.), Hamburgs Convoyschiffahrt u. Convoywesen. Ein Beitrag zur Geschichte der Schiffahrt u. Schiffahrtseinrichtungen im 17. und 18. Jahrh. Hamburg, Friederichsen & Co. VIII, 519 S. ℳ 12.

Baicoianu (C. J.), Geschichte der rumän. Zollpolitik seit dem 14. Jahrh. bis 1874. Stuttgart, Cotta. X, 250 S. ℳ 5. [Münchener volks= wirtschaftl. Studien. 14. Stück]

Flour de Saint-Genis, la banque de France à travers les siècles. Paris, Guillaumin. 238 S. fr. 6,50.

Thirion (H.), la vie privée des financiers au 18me siècle. Paris, Plon, N. & Co. 1895. fr. 7,20.

Berghoff=Jsing (J.), die sozialistische Arbeiterbewegung in der Schweiz. Ein Beitrag zur Geschichte der sozialen Bewegung in den letzten 30 Jahren. Leipzig, Duncker & Humblot. XVI, 415 S. ℳ 8,40.

Weil (G.), l'école Saint-Simonienne, son histoire, son influence jusqu' à nos jours. Paris, Alcan. 319 S fr. 3,50.

Warschauer (O.), Geschichte des Sozialismus und Kommunismus im 19 Jahrh. Abt. 3: Louis Blanc. Berlin, Bahr. VI, 163 S. ℳ 3. Vgl. Hist. Jahrb. XIV, 461.

Kunstgeschichte.

Knackfuß (H.), allgemeine Kunstgeschichte. In Verbindung mit anderen hrsg. Bd. 1: Kunstgeschichte des Altertums und des MA. bis zum Ende der romanischen Epoche von M. G Zimmermann. Abt 1. Bielefeld, Velhagen & Klasing. ℳ 2.

Kraus (F. X.), Geschichte der christlichen Kunst. Bd 1, Abtl. 2 Mit 231 Abbildgn Freiburg, i. Br., Herder. XIX u. S 321—621. ℳ 8.
.Vorliegende zweite Abteilung setzt die Entwickelungsgeschichte der altchristlichen Baukunst fort. Daran reiht sich ein sehr interessanter, in mancher Beziehung bahnbrechender Abschnitt über die Bilderzyklen des 4.—6. Jahrh., die altchrist= liche Mosaik= und Buchmalerei. Die folgenden Teile behandeln: Technische und Kleinkünste, Geräthe und liturgische Kleidung, byzantinische Kunst. Erste Anfätze der Kunst bei den nordischen Völkern. Erziehende Thätigkeit der Kirche Der Benediktinerorden. (Ausführl. Bespr. folgt. Die Redaktion.)   Ebner.

Tocilesco (G.), das Monument von Adamklissi, Tropaeum Traiani unter Mitwirkung von O. Benndorf und G. Niemann hrsg. Wien, Hölder. 1895. gr. 4°. VI, 149 S. mit 134 Abbildgn. und 3 Taf. ℳ 40.

Italienische Skulpturen aus den k. Museen zu Berlin Mit erklär. Text v. der Direktion der Sammlung. 1. Serie. 57 Fol.=Taf. in photogr. Druck, ausgef. in d. Offizin d. Verleger. Mit Textheft: Italienische Bildwerke d. christl. Epoche mit Ausschl. der Bronzen a. d. k. Museen zu Berlin. Berlin, Mertens. 15 S. ℳ 100.

Braun (E.), Beiträge zur Geschichte der Trierer Buchmalerei im früheren Mittelalter. Mit 6 Lichtdrucktafeln Trier, Linß. [Jn: Westdeutsche Zeitschrift für Geschichte u. Kunst. Ergänzungsheft IX, S. 1—120, hrsg. von J. Hansen.]
Weist für das Sakramentar Ms. 360ma der Universitätsbibliothek zu Freiburg i. Br. Trier als Heimat nach, wo es gegen Ende des 10. Jahrh. gemalt wurde und

untersucht diese und verwandte Miniaturhandschriften bezüglich ihrer Abhängig=
keit, so besonders die von Echternach und München-Gladbach. Im Anhang wird
der Kalender des Freiburger Sakramentars abgedruckt. Sehr wertvoll sind die
trefflichen Tafeln (St. Gregor und eine Initiale aus der Freiburger Hf.;
Dedikationsbild und Initiale aus dem Missale 1946 in Darmstadt, St. Gregor
aus dem Registrum Greg. in Trier und eine Darstellung aus der Hf. der
Apokalypse daselbst). Die im Hist. Jahrb. XVI, 894 verzeichnete Dissertation
bildet Abschnitt 1 obiger Abhandlung.
Ebner.

Tikkanen (J. J.), die Psalterillustration im Mittelalter. In 2 Bdn.
Bd. 1: Die Psalterillustration der Kunstgeschichte. H. 1. Byzantinische
Psalterillustration. Mönchisch=theol. Redaktion. Helsingfors. Leipzig,
Hiersemann. 4°. 90 S. mit 87 Illustr. u. 6 Taf. M 4.

Stückelberg (E. A.), Reliquien und Reliquiare. Zürich, Fäsi & Beer
in Komm. gr. 4°. 32 S. mit Abbildgn. u. 1 farb. Taf. M 3,20.
[Mitteilungen der antiquar. Ges. für vaterl. Altertümer. in Zürich.
Bd. XXIV, H. 2.]

Hamann (K.), Bemerkungen zum cod. Simeonis im Domschatz zu Trier,
ergänzt u. hrsg. v G. Flügel. Trier, Linz. 4°. 16 S. mit
4 Lichdr. M 1.

Oechelhaeuser (A. v), die Miniaturen der Universitätsbibliothek zu
Heidelberg. Tl. 2 Heidelberg, Kaester. 1895. gr. 4°. 420 S. mit
16 Taf. M 60.
Der erste Teil erschien i. J. 1887; der hier vorliegende befaßt sich mit Hff. des
13. und 14. Jahrh. Hier verdienen zumeist Interesse die Beschreibungen der
Hff. des „Wälschen Gastes" (vgl. hierzu das im Hist. Jahrb. XI, 852 notierte
Buch Oechelhäusers) u. der Manessischen Liederhandschrift (vgl. dazu F. X. Kraus,
die Miniaturen der Manessischen Liederhandschrift, Straßburg 1887).

Riegl (A.), ein orientalischer Teppich v. J. 1202 n Chr. u. die ältesten
orientalischen Teppiche. Mit 2 Farbentaf. u. 16 Textillustr. Berlin,
Siemens. M 8.

Firmenich=Richartz (E.), Wilhelm von Herle und Hermann Wynrich
von Wesel. Eine Studie zur Gesch. der altköln. Malerschule. Düssel=
dorf, Schwann. Imp.=8°. M 4.

Probst (J.), Ueberblick über die Kunstgeschichte der oberschwäb. Land=
schaft. Biberach, Dorn. 63 S. M 1.

Paukert (Fr.), Altäre und anderes kirchliches Schreinwerk der Gotik in
Tirol. Leipzig, Seemann. 1895. gr. Fol. 32 lith. Taf. mit 4 S.
Erläutgn. M 12.

Endl (J.), Studien über Ruinen, Burgen, Klöster und andere Denkmale
der Kunst, Geschichte und Literatur ꝛc. des Horner Bodens. Bd. 1.
H. 3. Altenburg, Wien, St. Norbertus in Komm. S. 89—156 mit
9 Illustr. M 1,60.

Merz (W.), die Habsburg. Studie, im Auftrag der Baudirektion des
Kantons Aargau verf. Mit 31 Abbildgn. im Text, 19 Taf., 1 Plane
u 5 Stammtaf. Aarau, Wirz. VII, 100 S. M 4.

Schmidt (O.), die Veste Hohensalzburg. 17 Heliogr. u. 4 Textillustr.
mit erläut. Text v. A. Ilg Wien, Schroll & Co. gr. Fol. 4 S. M 26.

Arendt (K.), die ehemalige Schloßburg der Grafen und Herzoge von

Luxemburg auf dem Bockfelsen daselbst. Eine kunstarchäologisch-kriegs-
bautechnische Studie. Luxemburg, Beffort. 4⁰. 52 S. 5 Taf.

Laste (F.), Schloß Wilhelmsburg bei Schmalkalden, aufgenom., dargest.
und kunstgesch. geschildert v. —. Unter Beigabe geschichtl. Forschgn.
von O. Gerland. Berlin, Schuster & Bufleb. gr. Fol. VIII, 26 S.
mit 34 Taf., von denen 9 in Farbendr. u. 62 Textabbildgn. *M.* 45.

Pfau (W. C.), das gotische Steinmetzzeichen. Mit 2 Taf. Leipzig, Seemann. IV, 76 S. *M.* 2,50. [Beitr. zur Kunstgesch. N. F. XXII.]

Forrer (R.), spätgotische Wohnräume und Wandmalereien aus Schloß
Issogne. Straßburg, Schlesier. gr. 4⁰. 11 S. mit 12 Lichtdr.-Taf.
v. Manias & Co. *M.* 14.

Macgibbon (D.) and Ross (Th.), the ecclesiastical architecture of
Scotland from the earliest christian times to the XVII century.
Vol. I. Edinburgh, Douglas. XIII, 483 S.

*Merkel (C.), l'epitafio di Ennodio e la basilica di S. Michele in Pavia.
Roma 1895. 4⁰. 141 S. [Sonderabdruck aus: Memorie della r.
Accademia dei Lincei. Cl. di scienze morali, stor. e filolog. Serie 5a,
Bd. 3, Tl 1.]
Die Monographie enthält die folgenden 4 Abteilungen: 1. die Ausgaben der
Ennodius-Grabschrift; 2. die kritische Ausgabe derselben; 3. die Untersuchung
der Grabschrift unter dem Gesichtspunkt der Paläographie, Orthographie, Grammatik, Metrik, Schreibart und Geschichte; überdies bemüht sich der Vf., freilich
vergebens, festzustellen, wer der Verfasser gewesen ist, und wie die Grabschrift
nachgeahmt wurde. Im 4. Teile spricht er über das Begräbnis des Ennodius
und die allbekannte Basilika von S. Michele in Pavia; bezüglich des Begräb-
nisses sucht er die Ueberlieferung zu gewinnen, welche sich aus der Hagiographie
und darnach aus den Studien der Gelehrten ausbildete. Nachdem er zuletzt
die ältesten Kirchen Pavias erwähnt hat, sammelt er die historischen Nachrichten
über S. Michele vom 7. bis zum 13. Jahrh., und die epigraphischen Denkmäler,
welche seit dem Altertume die Basilika geschmückt haben, und kommt dann auf
die Vermutung, daß, obwohl der jetzige Bau der berühmten Basilika, welche
die Krönung mancher deutscher Kaiser gesehen hat, nur aus dem 11. oder
12. Jahrh. sei, er doch in seiner Gründung bis ins 6. Jahrh. hinaufreiche, und
daß Ennodius dort sein erstes und einziges Grabmal gehabt habe.

Boito (C.), la basilique de Saint-Marc à Venise étudiée au double
point de vue de l'art et de l'histoire. Trad. d'Alfred Cruvellie.
3e partie. Venise, Ongania. S. 492 à 1133 fr. 16.

Canestrelli (A.), l'abbazia di S. Galgano; monografia storico-artistica,
con documenti inediti e numerose illustrazioni. Firenze, frat Alinari.
IX, 152 S. mit 6 Taf.

Dondi (A.), notizie storiche ed artistiche del duomo di Modena, coll'
elenco dei codici capitolari in appendice. Modena, tip. pont. ed
arciv. dell' immacolata Concezione. XVII, 301 S. I. 5.

Raschdorff (O.), Palast-Architektur von Oberitalien und Toscana vom
13. bis 17. Jahrh. Bd. 3. Venedig. Lfg. 2. Berlin, Wasmuth.
gr. Fol. 10 Lichtdr., 6 lith. u. 1 farb. Taf. *M.* 28.

Gurlitt (C.), die Baukunst Frankreichs. In 8 Lfgn. Lfg. 1. Dresden,
Gilbers. gr. Fol. 25 Lichtdrucktaf. *M.* 25.

Recueil d'architecture civile en France du XIIe au XVIe siècle. Berlin, Heßling. Lex.=8⁰. Album mit 80 Taf. u. 7 S. Text. *M.* 20.

Robida (A.), Paris de siècle en siècle. Texte, dessins, lithographies, chromotypographies et eau-forte. Paris, libr. illustrée. 4⁰. 1895. 416 S. fr. 25.

Alt=Paris in Wort und Bild unter besonderer Berücksichtigung der architektonischen Entwickelung der Stadt.

Yriarte (Ch.), journal d'un sculpteur florentin au XVe siècle; livre de souvenirs de Maso di Bartolommeo, dit Masaccio (manuscrits conservés à la bibliothèque de Prato et à la Magliabecchiana de Florence). Paris, Rothschild. 4⁰. 100 S. mit 47 Illustr. fr. 30.

Schmarsow (A.), Masaccio=Studien. Tl. I u. II. Kassel, Fisher & Co. 1895/96. gr. Fol· VIII, 112 S. mit 30 Lichtdr.=Taf.; VII, 97 S. mit 18 Lichtdrucktafeln à *M.* 30.

Inhalt I: Castiglione d'Olona m den Malereien des Masolino. II: Masaccios Meisterwerke.

Cornelius (C.), Jacopo della Quercia. Eine kunsthistor. Studie. Halle, Knapp. XII, 194 S. mit 38 Abbildgn. *M.* 8.

Lehrs (M.), der Meister W—, ein Kupferstecher der Zeit Karls des Kühnen. Dresden, Hoffmann. gr. Fol. 25 S. mit 31 Taf. in Lichtdr. *M.* 75.

Marcuard (F. V.), das Bildnis des Hans v. Schönitz und der Maler Melchior Feselen. Kunstgeschichtl. Studie. München, Verlagsanstalt für Kunst u. Wissenschaft. gr. Fol. III, 27 S. mit Abbildgn. und 8 Heliograv. *M.* 25.

Berenson (B.), the Florentin painters of the Renaissance, with an index to their works. London, Putnam. 142 S. sh. 5.

Springer (A.), Raffael und Michelangelo. Bd. 2. Leipzig, Seemann. X, 399 S. *M.* 9.

Ricci (C.), Antonio Allegri da Correggio, sein Leben und seine Zeit. In 12 Lfgn. Lf. 1. Berlin, Cosmos. Hoch=4⁰. S. 1—48 mit Ab= bildgn. u. 4 Taf. in Heliograv. u. Lichtdr. *M.* 4.

Vesme (A.), Matteo Sanmicheli, scultore e architetto cinquecentista. Roma, tip. dell'Unione cooperativa editrice. 4⁰. 49 S. mit Illustr.

Muntz (E.), les collections de Cosme Ier de Médicis 1574: nouvelles recherches. Paris, Leroux. 1895. 11 S.

Lupatelli (A.), storia della pittura in Perugia e delle arti ad essa affini dal risorgimento sino ai giorni nostri. Foligno, Campitelli. 114 S. l. 2,50.

Knackfuß (H.), Künstler=Monographien Lfg. 6—11. Bielefeld, Velhagen & Klasing. 1895/96. 64; 17, 132; 128; 128; 76; 76; 60 S, alle mit vielen Abbildgn. *M.* 2; 3; 2; 3; 2; 3; 2.

Vgl. oben S. 199. Inhalt: 6. Knackfuß, Velasquez. — 7. Ders., Menzel. — 8. A. Rosenberg, Teniers der Jüngere. — 9. Ders., A. von Werner. — 10. Knackfuß, Murillo. — 11. L. Pietsch, Knaus. — 12. Knackfuß, Franz Hals.

Stevenson (R. A. M.), the art of Velasquez. London, Bell. 4⁰. 124 S. 19 u. 43 Taf. S. 45.

Sponsel (J. L.), Sandrarts teutsche Akademie, kritisch gesichtet, m. 1 Lichtdruck-
Bildnis. Dresden, Hoffmann. VII, 186 S. *M* 10.

Drexler (K.), Stucco-Dekorationen in dem reg. Chorherrnstifte Kloster-
neuburg bei Wien. Aufgen. v. —, erklär. Text v. A. Ilg. 34 Taf.
in Lichdr. Wien, Schroll & Co. Fol. 7 S. Text mit 6 Abbildgn. *M* 30.

Normand (Ch), Empire. Ornamente, Möbel, Geräte ꝛc. aus der Zeit
Napoleon I. Lichtdr. nach dem im J. 1803 unter d. Tit.: „Nouveau
recueil en divers genres d'ornaments et autres objets à la déco-
ration" in Paris erschien. Werke v. —. Berlin, Heßling. 36 Taf.
Fol. 2 Bl. Text. *M* 18.

Müller (G. O.), vergessene und halbvergessene Dresdner Künstler des
vorigen Jahrh. Dresden, Hoffmann. IX, 164 S. mit 1 Lichtdr. *M* 8.

Hamerton (P. G.), painting in France after the decline of classi-
cism: an essay. Boston, Roberts Brothers. 125 S. mit Illustr. fr. 15.

Courajod (L.), les origines de l'art moderne: II: l'école académique.
Paris, imp. Dumoulin 61 S.

Brahm (O.), Karl Stauffer-Bern. Sein Leben; seine Briefe; seine Gedichte. Nebst einem Selbstporträt des Künstlers und einem Briefe von
G. Freytag. 4. Aufl. Leipzig. VIII, 340 S. *M* 4,50.

Frimmel (Th. v.), kleine Galeriestudien. N F. Lfg. 3: Die gräflich
Schönborn-Buchheimsche Gemäldesammlung in Wien. Leipzig, Meyer.
VIII, 87 S. mit 2 Vollbild. u. 6 Abbildgn. im Text. *M* 3.
Vgl. Hist. Jahrb. XVI, 686.

Architektonische Meisterwerke alter und neuerer Zeit in Deutschland, Belgien,
Holland u. d. Schweiz. Berlin, Heßling. gr. 4⁰. 96 Lichtdr.-Taf. *M* 30.

Elsässische Kunstdenkmäler in Gemeinschaft mit Fr. Leitschuh u. A. Seyboth
hrsg. v. S. Hausmann. Straßburg i. E., Heinrich. Lfg. 1. *M* 2.
Die 1. Lieferung bringt in trefflichen Lichtdrucken wertvolle Holzschnitzereien des
15. Jahrh. aus Straßburg, Schlettstadt, Colmar und Mülhausen. Der auf
eine Umschlagseite sich beschränkende deutsche und französische Begleittext soll in
erweiterter Form am Schlusse des Werkes gesondert beigegeben werden. Im
Interesse der Richtigkeit desselben sei eine Bemerkung gestattet. Zu der interessanten
Doppelbüste auf Tafel 4 heißt es: „Zwei Bischöfe in vollem Ornate, Egidius (?)
und Benediktus". Bekanntlich waren diese beiden Heiligen Aebte. Es ist aber
überhaupt fraglich, ob dieselben in dieser Darstellung zu erblicken sind. Beachtung
verdient, daß eine der beiden mit Inful und Stab geschmückten Gestalten das
Rationale trägt, dessen Gebrauch zwar im früheren MA. nicht auf die Bischöfe
von Eichstätt beschränkt war, das aber im ausgehenden MA. ein ständiges
Attribut des hl. Willibald bildet. Es wäre daher möglich, daß das Schnitzwerk
das eng verbundene Brüderpaar Willibald (Bischof mit Rationale) und Wunibald
(Abt) darstellt, wofür auch gerade die Art der Darstellung als Doppelbüste
sprechen dürfte.　　　　　　　　　　　　　　　　　Ebner.

Bau- und Kunstdenkmäler Thüringens. Bearb. v. P. Lehfeldt. H. 22:
Großherzogtum Sachsen-Altenburg. Amtsger.-Bezirk Ronneburg und
Schmölln. Jena, Fischer Lex.-8⁰. X u. S. 309—435 u. VIII S.
mit 17 Abbildgn. u. 1 Lichtdruckbild. *M* 3,50.

Büttner Pfänner zu Thal, Anhalts Bau- und Kunstdenkmäler nebst
Wüstungen. Mit Illustr. in Heliogr., Lichtdr. u. Phototypie. Ausg.
in 5 Kreisen Dessau, Kahle. gr. 4⁰. *M* 30.

Magdeburgs Bau= und Kunstdenkmäler. 2. Serie. Bau= u. Kunstdenkmäler
der Renaissance und des Barock. 40 Lichtbr.=Taf. nach photograph.
Aufnahmen von E. v. Flottwell. Neuer Abdruck. Berlin, Schuster
& Bufleb. gr. Fol. *M* 32.

Verzeichniß der Kunstdenkmäler der Prov. Posen. Im Auftrage des Prov.=
Verbandes bearb. v. J. Kohte. Bd. 3: Die Landkreise des Reg.=
Bez. Posen. Lfg. 3: Die Kreise Fraustadt, Lissa, Rawitsch u. Gostyn.
Berlin, Springer. Lex.=8⁰. S. 171—256 mit Abbildgn. u. 1 Taf. *M* 2.

Riemann (H.), Präludien u. Studien. Gesammelte Aufsätze zur Aesthetik,
Theorie u. Geschichte der Musik. Bd. 1. Frankfurt a. M., Bechhold.
VII, 239 S. *M* 5.

Crowest (F. J.), the story of British music (from the earliest times
to the Tudor period). London, Bentley. 404 S. sh. 15.

Davey (H.), history of English music. London, Curwen. 1895.
534 S. sh. 6.

Grove (G.), Beethoven and his nine symphonies. London, Novello,
408 S. sh. 6.

Weston (J. L.), the legends of the Wagner drama; studies in mytho-
logy and romance. London, Nutt. 388 S. sh. 6.

Literärgeschichte.

Winter (J.) und Wünsche (A.), die jüdische Literatur seit Abschluß des
Kanons. Eine prosaische u. poet. Anthologie mit biograph. u. literar-
geschichtl. Einleitgn. unter Mitwirkg. von W. Bacher, S. Bäck,
Ph. Bloch u. a. hrsg. 25. (Schluß)=Lfg. Trier, Mayer. Bd. 3,
XII u. S. 753—923. *M* 2,50.

Schanz (M.), Geschichte der röm. Literatur bis zum Gesetzgebungswerk
des Kaisers Justinian. Tl. 3: Die Zeit von Hadrian 117 bis auf
Constantin 324. München, Beck. XIX, 410 S. [Handbuch der klass.
Altertumswissenschaft VIII, 3]

Die Hälfte des Bandes (S. 204 ff.) entfällt auf die christliche Literatur, und
man muß dem Vf. das Zeugnis ausstellen, daß er sich mit einer Gründlichkeit,
von der mehrere seiner Fachgenossen lernen könnten, in das ihm bisher ferner
gelegene Gebiet eingearbeitet hat. Die Kreise, an welche sich das Handbuch seiner
ursprünglichen Bestimmung gemäß zunächst wendet, werden wahrscheinlich mit
der so ausführlichen Darstellung eines schon großenteils jenseits der Examinations-
grenze liegenden Abschnittes der römischen Literaturgeschichte nicht zufrieden sein,
die Fachmänner aber werden Schanz dafür dankbar sein, daß er nicht, gleich
anderen Literarhistorikern, die längst bekannten Literaturgebiete in behaglich
langsamem, die noch vielfach der Aufhellung bedürftigen in succefsiv beschleunigtem
Schritte durchmessen hat, und werden es gerne in den Kauf nehmen, daß etwas
mehr kirchen= und dogmengeschichtliches Material hereingezogen worden ist, als
für eine römische Literaturgeschichte unbedingt nötig war, und daß z. B. der
Abschnitt über Tertullian (S. 240—302!) doch gar zu ausführlich geraten ist.
Es würde mich aufrichtig freuen, wenn es dem verdienten Vertreter der klassischen
Philologie in Würzburg in nicht zu ferner Zeit vergönnt wäre, sein schönes
Werk mit dem die Literatur von Konstantin bis Justinian umfassenden vierten
Bande zu vollenden. C. W.

Grenfell (B. P.), an Alexandrian erotic fragment and other greek
papyri chiefly Ptolemaic. Oxford, Clarendon Pr. 4⁰. 1 Taf. XII, 130 S.
Die prächtige Publikation enthält u. a. Fragmente der LXX und des Prot=
evangeliums (s. IV—VIII) und zahlreiche Urkk. aus der römischen und der
byzantinischen Zeit.   C. W.

Taciti (P. Cornelii), de vita et moribus Julii Agricolae liber. Texte
latin, établi et annoté par René Pichon. Paris, Colin et Cie.
18⁰. 177 S.

Stamm (F. L.), Ulfilas oder die uns erhaltenen Denkmäler der gotischen
Sprache, neu hrsg. Text u. Wörterbuch v. M. Heyne, Grammatik
v. F. Wrede. 9. Aufl. Paderborn, Schöningh. XV, 444 S.
M 5. [Bibl. der ältesten deutschen Literatur=Denkmäler. Bd. 1.]

Novác (R.), curae Ammianeae. Prag, Storch Sohn. IV, 92 S.

Gislazon (K.), forelaesninger over oldnordiske Skjaldekvad. (Ogsaa
m. T.: Efterladte Skrifter. Første Bind.) Kopenhagen, Gyldendal.
328 S. Imp.=8⁰. Kr. 5.

Kalund (Kr.), Laxdaela saga. Halle, Niemeyer. VII, XIV, 276 S.
M. 8. [Altnordische Saga=Bibliothek. 4. H.]

Niedner (F.), zur Liederedda. Progr. Berlin, Gärtner. 4⁰. 32 S. M 1.

Gallée (J. H.), altsächsische Sprachdenkmäler. Leiden, Brill. 1895. gr. Fol.
LI, 367 S. nebst Faksimile=Sammlung, 29 Lichtdr.=Taf. mit 1 Bl.
Text. M 45.

Wülker (R.), Geschichte der englischen Literatur von den ältesten Zeiten
bis zur Gegenwart. In 14 Hftn. H. 1. Leipzig, Bibliogr. Inst.
S. 1—48 mit 150 Abbildgn. im Text, 25 Taf. in Farbendr., Kpfrst.
u. Holzschn. u. 11 Faksimilebeilagen. M 1.

Putnam (G. H.), books and their makers during the middle ages;
a study of the production and distribution of Literature from the
fall of the Roman empire to the close of the 17. century. Vol. I
476—1600. New-York, Putnam. 488 S. d. 2 50.

Comparetti (D.), Virgilio nel medio evo. 2 ediz. rived. dall' autore.
2 vol. Firenze, Seeber. I: XI, 316, II: 238 S. l. 10.

Dippe (O.), die fränkischen Trojanersagen, ihr Ursprung und ihr Ein=
fluß auf die Poesie u. d. Geschichtschreibung im Mittelalter. Progr.
Wandsbek. Leipzig, Fock. gr. 4⁰. 30 S. M 1.

Cohn (C.), zur literarischen Geschichte des Einhorns. Progr. 4⁰. Berlin,
Gärtner. 30 S. M 1.

Macler (F.), les apokalypses apokryphes de Daniel. Thèse. Paris,
impr. Noblet. 113 S.

*Reuschel (K.), Untersuchungen zu den deutschen Weltgerichtsdichtungen
des 11. bis 15. Jahrhs. Tl. I: Gedichte des 11. bis 13. Jahrhs.
Leipziger Diss. Chemnitz, Heyde. 1895. 45 S.
Vf. stellt, soweit Referent sehen kann, alle bekannten und einige unbekannte
Antichristdichtungen zusammen, beurteilt sie nach ihrer sprachlichen Seite und
schält die allmählich sich ausschmückende Tradition vom Antichristen aus diesen
heraus. Die Dissertation ist ansprechend geschrieben und in ihren Resultaten

wertvoll. Referent bedauert, daß die ganze Schrift, deren zweiter Teil, in den
„Beiträgen zur Geschichte der deutschen Sprache und Literatur" veröffentlicht
werden soll, an zwei verschiedenen Stellen erscheint, worunter die Uebersicht leiden
muß. Aber auch so sind wir dem Vf. für seinen Wegweiser zu dank verpflichtet;
und wir hoffen, daß er, fußend in diesen Vorarbeiten, uns einmal ein längst
notwendig gewordenes Gesamtbild von den Dichtungen über den Antichristen
gibt in einer Darstellung, welche die seit der Apokalypse sich entwickelnde und
ausbildende Legende vom Antichristen teils zum Fundament, teils zum Hinter=
grund hat. Bousset3 im Hist. Jahrb XVI, 888 notierte Schrift dürfte dazu
reiches Material bieten, wenngleich dessen Rückschlüsse von der späteren Tradition
auf die ältere vom Vf., was aus vorliegender Schrift hervorgeht, mit Recht
nicht gebilligt werden würden; auch Malvenda3 Folioband »De Antichristo«
dürfte hierzu eine Fundgrube bilden. Schließlich seien noch einige Bemerkungen
gestattet. Ueber Adso3 Quellen findet sich das Nötige in des Referenten unten
S. 707 notierten Buche. Hier schließt sich Referent auch der Vermutung des
Vfs. über eine bis auf Karls Tod zurückgehende Sage von dessen Wiederkunft
an. Belege dafür fehlen aber, und Vfs. Beweisführung stützt wohl eine Karl=
Prophetie, welche einen beliebigen Kaiser der Zukunft verheißt, nicht aber
eine Karl=Sage, die an den konkreten Heldenkaiser anknüpft. Vollends der
Hinweis auf den Methodiustext vom J. 1569 ist verfehlt, denn die dort an=
geführte Stelle vom erwachenden Kaiser, den die Menschen als Toten hielten,
steht wörtlich im griechischen Original und bezieht sich nach Meinung
des Referenten auf eine byzantinische Sage vom wiederkehrenden Alexander
dem Großen. Franz Kampers.

Meinhold (W.), die lehninsche Weissagung gegen alle, auch die neuesten
Einwürfe verteidigt, zum erstenmal metrisch übersetzt u. kommentiert
von —. Aufs neue hrsg. von P. Majunke. Regensburg, Nat.
Verl.=Anst. XXIII, 270 S.

Majunke, der noch in der jüngsten Zeit durch mehrere Arbeiten in den Hist.=
polit. Blättern die „Echtheit" der Lehninschen Weissagung zu beweisen suchte,
veröffentlicht hier das Manuskript Meinholds zu einer 2. Aufl. seiner i. J. 1849
zum ersten Male gedruckten „Lehninschen Weissagung". Der Hrsgb. selbst hat
zwei seiner vorgenannten Aufsätze hier abermals zum Abdruck gebracht und
zugleich ein Kapitel beigefügt: „Zur Literatur über das Vatizinium". Hier wird,
wie auch in den übrigen Aufsätzen Majunkes, Hilgenfelds klare und wissen=
schaftliche Beweisführung der „Unechtheit" unserer Weissagung aus d. J. 1875
übergangen; auch H. Schneider3 Berliner Gymnasialprogramm (Ueber die Hff.
des Vaticinium Lehninense, Berlin 1890), das mit Nutzen hätte studiert
werden können, wird ignoriert. Für die wissenschaftliche Welt schwankt der
Streit über das Alter des Vatiziniums in der uns vorliegenden Gestalt nur
noch um Jahrzehnte. Die Beantwortung der Fragen, ob nicht eine kürzere
Redaktion des Vatiziniums existierte, und aus welchen Quellen der Kompilator
schöpfte, steht allerdings noch aus Bezüglich der älteren Fassung glaubt Ref.
eine archivalische Spur gefunden zu haben, welche er augenblicklich weiter ver=
folgt; über die Quellen gab er Andeutungen in seinem unten S. 707 notierten
Buche: „die deutsche Kaiseridee in Prophetie und Sage" S. 150 ff. und stellt
eingehendere Erörterungen darüber in Aussicht. Nicht uninteressant dürfte der
Hinweis darauf sein, daß auf Karl V eine Weissagung umlief, welche angeblich
von dem Astronomen des Großtürken, Meister Astolgant, abgefaßt war und
behauptete: „In Löwen in Brabant durch glaubhaftige Personen in einer
alten Mauer" gefunden zu sein (v. Bezold, Kaisersage, Sitzungsberichte der
bayr. Akademie, phil.=hist. Klasse 1884, S. 601), daß ferner Joh. Wolf in seinen
i. J. 1600 erschienenen »Lectiones« auch eine ganze Reihe von Vatizinien ab=
druckt, auch solche in metrischer Form, welche fast durchweg behaupten, in
einem alten Kloster aufgefunden worden zu sein; aber niemandem ist es später ein=
gefallen, für die „Echtheit" derselben eine Lanze zu brechen. Franz Kampers.

Freybe (A.), Fauft und Parcival. Eine Nacht= u eine Lichtgeftalt von volksgeschichtlicher Bedeutung. Gütersloh, Bertelsmann. XXVIII, 366 S. *M* 4,80.

Gorra (E.), delle origini della poesia lirica del medio evo. Torino, Lattes. 34 S.

Gurteer (S. H.), the epic of the fall of man, a comparative study of Caedmon, Dante and Milton. New-York, Putnam. 456 S. d. 2,50. Beigefügt ist eine Uebersetzung des den Sündenfall behandelnden Abschnittes bei Caedmon. 27 Handschriftenfaksimile illustrieren den Text.

Polacco (L.), rimario perfezionato della Divina Commedia di Dante Alighieri. Mailand, Hoepli. VIII, 97 S. I. 1.

Graefe (B.), An-Dante. Divina commedia als Quelle für Shakespeare und Goethe. Drei Plaudereien. Leipzig, Fock. 12⁰. 46 S. *M* 0,80.

Antonelli (R.), l'idea guelfa e l'idea ghibellina dal Dictatus Papae al libro „De Monarchia". Roma, tip. Terme Diocleziane. 1895. 50 S.

Zumbini (B.), studî sul Petrarca. Firenze, le Mounier. 16⁰. 393 S. l. 4.

Gauthiez (P.), l'Arétin 1492—1556. L'Italie au 16e siècle. Paris, Hachette. IX, 436 S. fr. 3,50.

Boccomino (L.), la poesia esplicata nei principali poeti italiani. 3 vol. Firenze. 636 S. l. 6,50.

Bouchaud (P. de), Pierre de Nolhac et ses travaux, essai de con- tribution aux publications de la société d'études italiennes. Paris, Bouillon 324 S. fr. 7,50. Eingehende Würdigungen der Arbeiten Nolhacs, vornehmlich der über die großen italienischen Dichter der Renaissance und über die Bibliotheken Petrarkas, Fulvio Orsinis und des Humanisten Muret, dann über Handschriftenillustrationen des Virgil, über den italienischen Einfluß auf die französische Literatur, über Maria Antoinette und v. a. Im Appendix werden Ns. in periodischen Zeitschriften erschienenen Arbeiten zusammengestellt.

Murner (Th.), die Gäuchmatt (Basel 1519). Hrsg. v. W. Uhl. Mit Einltg., Anmerkgn. u. Exkursen. Leipzig, Teubner. *M* 2,80.

Sachs (Hans). Hrsg. von A. v. Keller und E. Goetze. Bd. 23. Hrsg. von E. Goetze. Tübingen, Selbstverl. des liter. Vereins 612 S. [Bibliothek des literar. Vereins in Stuttgart (Tübingen) 207. Publikation.]

Marguerite de Navarre, dernières poésies, publ. pour la prem. fois par A. Lefranc. Paris, Colin. XXVII, 461 S. fr. 12. [Publ. la Soc. d'hist. lit. d. l. France.]

Tordi (D.), Vittoria Colonna in Orvieto durante la guerra del sale. Perugia, Boncompagni. 1895. 61 S. [Estr. dal Bollett. d. soc. umbra di storia patria. Vol. I.]

Hosken (J. D.), Christopher Marlowe and Belphegor. London, Henry. 166 S. sh. 3,6.

Boas (F. S.), Shakspere and his predecessors. London, Murray. 556 S. sh. 6.

Riese (W.), Stratford-on-Avon. Ein Bild aus alter und neuer Zeit. Progr. Berlin, Gaertner. 4⁰. 23 S. *M* 1.

Schipper (J.), der Bacon=Bacillus Zur Beleuchtg. b. Shakspere=Bacon=
Unsinns ältest. u. neuest. Datums. Nebst einem kurzen, die wichtigst.
histor. Zeugnisse für die Autorschaft des Dichters enthalt. Biographie
Shakesperes. Wien, Braumüller. VIII, 89 S. ℳ 1.

Resurrectio divi Quirini Francisci Baconi, Baronis de Verulam, vice-
comitis Sancti Albani. CCLXX annis post obitum eius in die
Aprilis anni MDCXXVI. Cura et impensis G. Cantor. Halle,
Selbstverl. 12⁰. IV, 24 S. ℳ 1,50.

Sanctis (N. de), G. Cesare e M. Bruto nei poeti tragici. Palermo,
Clausen. 1895. 97 S. I. 2.
    Tragödien Antonis, Contis, Alfieris, Shakespeares und Voltaires, welche Caesar
    und Brutus als Helden haben, werden gewürdigt.

Branthome (Pierre de Bourdeilles, Seigneur de), oeuvres complètes
publ. pour la première fois selon le plan de l'auteur av. variant.
et fragments inéd par P. Mérimée et L. Lacour, tom. XII
et XIII. Paris, Plon, Nourit & Co. fr. 6.
    Historisches Interesse verdienen die ›Mémoires dieses 1614 gestorbenen fran-
    zösischen Schriftstellers.

Schmid (P.), Beiträge zur Erklärung von Corneilles Polyeucte. Progr.
Grimma, Gensel. 4⁰. III, 31 S. ℳ 1.

Vortenstein (Hinrik), der Bookesbeutel. Lustspiel von —, 1742. Hrsg.
von F. Heitmüller. Leipzig, Göschen. XXX, 73 S. ℳ 1,20.
[Deutsche Literaturdenkmale des 18 u. 19. Jahrh, hrsg. v. A. Sauer.
Nr. 56 u. 57. Neue Folge Nr. 6 u. 7.]

Morel (L.), James Thomson, sa vie et ses oeuvres. Paris, Hachette.
1895. 678 S. fr. 7,50.

Lion (H.), les tragédies et les théories dramatiques de Voltaire. Paris,
Hachette. XI, 476 S. fr. 7,50.

Nourrisson, Voltaire et le Voltairianisme. Paris, Lethielleux. IV,
672 S. fr. 7,50.

Ritter (E.) la famille et la jeunesse de J. J. Rousseau. Paris,
Hachette. VII, 305 S. fr. 3,50

Chambers (R.), life and works of Robert Burns; revised by W. Wal-
lace. Vol. I. London, Chambers. 492 S. sh. 7,6.

Jacks (W.), Robert Burns in other tongues; a critical review of the
translations of the songs of R. B. London, Maclehose. 580 S. sh. 9.

Ludwich (A.), über die Handschriften des Epikers Musäos. Königsberger
Diss. Königsberg, Schubert & Seidel. 4⁰. 16 S.

Pailhès (G.), Chateaubriand, sa femme et ses amis; études critiques
av. documents inédits. Bordeaux, Féret 600 S. mit 5 Fig. fr. 12,50.

* Petzet (E.), Johann Peter Uz. Zum hundertsten Todestage des Dichters.
Ansbach, Brügel & Sohn. VIII, 88 S.
    Vf. nimmt in dieser Schrift seine "Studien zu Joh. Peter Uz," welche 1893 in
    der Zeitschr. für vergl. Literaturgeschichte und separat als Dissertation (vgl.
    Hist. Jahrb. XV, 231) erschienen, wieder auf, ergänzt sie und führt sie zu
    einem glücklichen Abschluß. Die flott geschriebene Arbeit ist als Festschrift für
    weitere Kreise berechnet, genügt aber nach jeder Richtung hin auch den Anforde=

rungen des Gelehrten, wenngleich der schwerfällige wissenschaftliche Apparat in Wegfall kommen mußte. Geschickt hebt der Vf. Uzens Bedeutung für die Ent= wicklung der deutschen Literatur hervor; das Lebensbild des bescheidenen Dichters gewinnt durch ihn eine ebenso anmutige wie treue Darstellung; seine bahn= brechende Thätigkeit als Anakreontiker wird durch viele Beispiele charakterisiert; sein Kampf gegen Wieland erfährt gleichfalls eine vorzügliche Beleuchtung. Alles in allem eine würdige Gabe zum hundertsten Geburtstage des „bescheidenen Vorläufers Schillers," der redlich in „Lied und Ode an der glänzenden Ent= wicklung unserer Literatur nach Kräften fruchtbar beigetragen" hat   F. K.

Herchner (H.), die Cyropädie in Wielands Werken. Tl. 2. Progr. Berlin, Gärtner. 4⁰. 24 S. ℳ 1.

Appell (J. W.), Werther und seine Zeit. Zur Goetheliteratur. 4. Aufl. Oldenburg, Schulze. VII, 367 S. ℳ 4.

Weitbrecht (C.), diesseits von Weimar. Auch ein Buch über Goethe. Stuttgart, Frommann. 1895. V, 313 S. ℳ 3,60.

Müller (E.), Schillers Jugenddichtung und Jugendleben. Neue Beiträge aus Schwaben. Stuttgart, Cotta Nachf. 157 S. ℳ 2.

—, Geschichte der deutschen Schillerverehrung. Vortrag. Tübingen, Laupp. III, 20 S. ℳ 0,50.

Möller (M.), Studien zum „Don Carlos". Nebst einem Anhang: Das Hamburger Theatermanuskript. 1. Druck. Greifswald, Abel III, 93 u. II, 137 S. ℳ 4,80.

Jaden (H. K. Frhr. v.), Theodor Körner und seine Braut. Körner in Wien, Antonie Adamberger u. ihre Familie. Ein Beitrag z Körner= literatur und zur Geschichte des k. k. Hofburgtheaters. Dresden, Verl. d. Univ. X, 100 S. mit Illustr. ℳ 3,60.

Tardel (H.), Quellen zu Chamissos Gedichten. Progr. Graudenz. Leipzig, Fock. 23 S. ℳ 0,70.

Immermann (Karl). Eine Gedächtnisschrift zum hundertsten Geburtstage des Dichters. Mit Beiträgen v. R. Fellner, J. Geffcken, O. H. Geffcken, R. M. Meyer und Fr. Schulteß. Hamburg Voß. VII, 220 S. mit 1 Portr. Immermanns in Photograv. u. 1 Lichtdr.= Tafel. ℳ 6.

Waeles (L.), Nikolaus Becker, „der Dichter des Rheinliedes". Bonn, Hanstein. VII, 115 S ℳ 1,50.

Brandes (G.), Ludwig Börne u. Heinr. Heine. Zwei literar. Charakter= bilder. Uebersetzt von A. v. d. Linden. Leipzig, Barsdorf. III, 154 S. ℳ. 2,50.

—, Rahel, Bettina und Charlotte Stieglitz. Drei literar=histor. Charakter= bilder aus der Zeit des „jungen Deutschland". Uebers. von A. v. d. Linden Leipzig, Barsdorf. 31 S. ℳ. 0,60.

Benignus (S.), Studien über die Anfänge v. Dickens. Eßlingen. Straß= burg, d'Oleire in Komm. V, 72 S ℳ 1,20.

Waugh (A.), Alfred Lord Tennyson: a study of his life and work. London, Heinemann. 282 S. mit Illustr. sh. 6.

Schack (A. Fr.), nachgelassene Dichtungen. Stuttgart, Cotta. 1895. 276 S. ℳ 3.

Kont, la Hongrie littéraire et scientifique. Paris, Leroux. LX, 459 S. fr 5.

Stratico (A.), manuale di letteratura albanese. Milano, Hoepli. 12⁰. 304 S. fr. 3.

Faldella (G.), i fratelli Ruffini. Storia della Giovine Italia. Libro 1: L'antica monarchia e la Giovine Italia. Libro 2: La famiglia Ruffini. Torino, Roux, Frassati e Co. 1895. 155 S.

Jahresberichte für neuere deutsche Literaturgeschichte mit besonderer Unter= stützung von E. Schmidt, hrsg. von J. Elias u. M. Osborn. Bd. 4. [1893.] Abt. 2—4. Leipzig, Göschen. Lex=8. 288 und VI, 248 S. ℳ 13,20 u. 7,60.

Vgl. oben S. 213.

Brümmer (J.), Lexikon der deutschen Dichter und Prosaisten des 19. Jahrh³. 4. Ausg. In 20 Lfgn. Lfg. 1. (Bd. 1). Leipzig, Reclam. 16⁰. S. 1—96. ℳ 0,20.

Vgl. die Rezension im Literar. Handweiser. Nr. 636. Sp. 694.

Morley (J.), English men of letters. Vol. IX. London, Macmillan. 1895. 652 S. sh 3,6.

Saintsbury (G.), essays in English Litterature, 1780—1860. 2d series. London, Dent. 436 S. sh. 6.

Küchler (C.), Geschichte der isländ. Dichtung der Neuzeit 1800—1900. H. 1. Novellistik. Leipzig, Haacke. VII, 85 S. ℳ 2,40.

Schmidt (J.), Geschichte der deutschen Literatur von Leibniz bis auf unsere Zeit. 5. (letzter) Bd. 1814—66. Berlin, Hertz. ℳ 9.

Vgl. Hist. Jahrb. XI, 199.

Wolff (E.), Geschichte der deutschen Literatur in der Gegenwart. Leipzig, Hirzel VIII, 400 S. ℳ. 5.

Saintsbury (G.), a history of 19. century literature. 1780—1895. London, Macmillan sh. 7,6.

Bölte (J.), Martin Friedrich Seidel, ein brandenburg. Geschichtsforscher des 17. Jahrh. Progr. Berlin, Gärtner. 4⁰. 32 S. mit Bildn. ℳ 1.

Billia (L. M.), Cesare Cantù, la sua opera, il suo carattera. Parma, Ferrari e Pellegrini. 1895. 14 S

Bertolini (P.), Cesare Cantù e le sue opere: studio biografico e bibliografico. Firenze, Bemporad e figlio 1895. 38 S.

Tamburini (G.), Cesare Cantù i biografia. Firenze, Ricci, 1895. 22 S.

Lefmann (S.), Franz Bopp, sein Leben und seine Wissenschaft. 2. Hälfte. Mit einem Anhang: Aus Briefen und anderen Schriften. Berlin, Reimer. 1895. VI u S. 177—381 und VII u. S. 171—284. à ℳ 8.

Die 1. Hälfte erschien i. J. 1891.

Günther (S.), Kepler, Galilei. Berlin, Hofmann. VII, 233 S. mit 2 Bildn. ℳ 2,40. [Geisteshelden, Bd. 22.]

—, Jakob Ziegler, ein bayer. Geograph und Mathematiker. Ansbach,

Eichinger. Lex.‑8⁰. 64 S. mit 6 Fig. ℳ 2. [Aus Forschgn. zur Kultur‑ u. Literaturgeschichte Bayerns.]

Volger (F.), Bernhard v. Lindenau als Gelehrter, Staatsmann, Menschen‑ freund und Förderer der schönen Künste. Altenburg, Bonde. III, 116 S. mit 7 Abbildgn. ℳ 2.

Pagel (J. L.), neue literarische Beiträge zur mittelalterlichen Medizin. Berlin, Reimer. IV, 196 S.

Billroth (Th.), Briefe. 2. Aufl. Hannover, Hahn. VIII, 600 S. mit 3 Bildn. u. 1 Taf. in Lichtdr. ℳ 12.

Baas (J. H.), die geschichtl. Entwicklung des ärztlichen Standes und der medizin. Wissenschaft. Berlin, Wreden. XI, 480 S. mit 2 Abbildgn. in Holzschn. ℳ 11.

Suter (H.), die Araber als Vermittler der Wissenschaft in deren Ueber‑ gang vom Orient in den Occident. Vortrag. Aarau, Sauerländer & Co. 31 S. ℳ 0,80.

Falco (Fr.), dottrine filosofiche di Torquato Tasso. Lucca, tip. del Serchio. 16⁰. 100 S.

Tänzer (A.), die Religionsphilosophie Josef Albos, nach seinem Werke „Ikkarim" dargestellt u. erläut. Tl. 1. Frankfurt a. M., Kauffmann. VII, 80 S. ℳ 2.

Kornfeld (B.), Moses Mendelssohn und die Aufgabe der Philosophie. Berlin, Duncker. 37 S. ℳ 0,80.

Wallenberg (G.), Kants Zeitlehre. Progr. Berlin, Gärtner. 4⁰. 20 S. ℳ 1.

Romanes (G. J.), Darwin, and after Darwin: an exposition of the Darwinian theory and a discussion of Post-Darwinian questions. Part. 2: Post-Darwinian questions, heredity and utility. London, Longmans. 352 S. sh. 10,6.

Lange (P.), die Lehre vom Instinkte bei Lotze u. Darwin. Programm. Berlin, Gärtner. 4⁰. 16 S. ℳ 1.

Ticnes (A.), Lotzes Gedanken zu den Prinzipienfragen der Ethik. Heidel‑ berg, Hörning. 58 S. ℳ 1.

Jodl (Fr.), Abriß der Geschichte der Ethik. Langensalza, Beyer & Söhne. III, 19 S. ℳ 0,60. [Aus: Reins encyklopäd. Handb. der Pädagog.]

Allier (R.), la philosophie d'Ernest Renan. Paris, Alcan. 182 S. fr. 2,50. Vgl. die Rezension im Lit. Centralbl. 1896, Sp. 571.

Hudson (W. H.), an introduction to the Philosophy of Herbert Spencer with a biograph. sketch. London, Chapman. 1895. 234 S. sh. 5.

Brentano (F.), die vier Phasen der Philosophie und ihr augenblicklicher Stand. Stuttgart, Cotta. 1895. 46 S. ℳ 1.

Eucken (R.), die Lebensanschauungen der großen Denker; eine Entwicke‑ lungsgeschichte des Lebensproblems der Menschheit von Plato bis zur Gegenwart. 2. Aufl., Lfg. 1. Leipzig, Veit & Co. S. 1—96. ℳ 2.

Giesebrecht (W.), l'istruzione in Italia nei primi secoli del medio evo, traduzione de C. Pascal. Firenze, Sansoni. 1895. VI, 95 S.

Ozanam (A. F.), le scuole e l'instruzione in Italia nel medio evo. Traduzione di G. J. Firenze, Sansoni 1895. 16⁰. II, 74 S.

Krampe (Wilh.), die italienischen Humanisten und ihre Wirksamkeit für die Wiederbelebung gymnast. Pädagogik. Breslau, Korn. 1895 VIII, 247 S. ℳ 3.

*Rösler (Aug, P. C. S. S. R.), Kardinal Johannes Dominicis Erziehungslehre. Der Kartäuser Nikolaus Kemph. Freiburg i. Breisg., Herder. 1894. XVI, 354 S. ℳ 3,60, geb. ℳ 5,40. [Bibliothek der katholischen Pädag. VII.]

Die Herdersche Bibliothek ist gewiß mehr als eine pädagogische Chrestomatie, mehr als eine systemlose Ausgrabung vor= und nachreformatorischer katholischer Autoren. Jeder Band bildet einen Beitrag zu einer monumentalen, dokumentarischen Geschichte der Pädagogik. Aber ein Moment tritt nicht genügend hervor. Die biographischen Einleitungen sollten sich mehr auf den pädagogischen Charakter des zur Vorführung gelangenden Autors konzentrieren und namentlich nach der Seite hin vertiefen, daß sie nicht nur den theologischen, sondern auch den philosophischen Standpunkt desselben feststellt. Gerade bei der Lektüre des vorliegenden Bandes hat sich dieser Wunsch sehr rege gemacht. Die philosophische Atmosphäre in der aufgehenden Periode des Humanismus macht die Reaktions= bestrebungen katholischerseits erst vollkommen begreiflich. Nun erhebt aber das im vorliegenden Bande einleitungsweise Aufgeführte, namentlich bei Johannes Dominici, nicht über den Eindruck, derselbe sei doch mehr gelegentlich, aus äußerer Veranlassung unter die pädagogischen Schriftsteller gegangen, während er überwiegend Ordensmann und Diplomat war. Die Irrwege moderner Pädagogik hängen aber aufs engste mit den seltsamen Irrgängen der Philosophie zusammen. Die Pädagogik wächst eben nicht allein aus dem Boden der Theologie hervor, die Philosophie hat ihren wohlberechtigten Anteil daran. Wenn der Wissenschaft und nicht überwiegend dem praktischen Leben, wenn der apologetischen Tendenz mit der Herderschen Sammlung ganz und voll gedient sein soll, muß der philosophische Unterbau der dargebotenen Einzelleistung und bei den zusammenfassenden Charakteristiken eingehender herausgehoben werden. Dem großen Interesse, welches jeder der bisher erschienenen Bände und nicht zuletzt der VII. Band wegen des stark hervortretenden Zeitkolorits und der sich auf= drängenden Vergleiche mit unsern Verhältnissen verdient, wird dann der wissenschaftliche Wert die Wage halten. J. N. B.

Tögel (H.), die pädagog Anschauungen des Erasmus in ihrer psycholog. Begründung. Dresden, Bleyl & Kämmerer. XIV, 130 S. ℳ 1,80.

*Reichling (D.) und Kayser (Fr.), ausgewählte pädagogische Schriften des Desiderius Erasmus. Johannes Ludovicus Vives' pädagogische Schriften. Freiburg i. Br., Herder. XXXVI, 436 S. ℳ 5.

Der achte Bd. der Herderschen pädagog. Bibliothek könnte den Titel führen: pädagogische Bestrebungen katholischer Humanisten. Einleitungsweise wird eine zusammenfassende Uebersicht gegeben über die Pädagogik des Humanismus bis auf Erasmus und Vives. Durch die Vorführung der Hauptvertreter desselben, eines Agricola, Hegius, Wimpfeling, Murmellius in ihrem Entwickelungsgang und ihren charakteristischen Werken wird dem vollen Verständnis der Männer vorgearbeitet, welche in diesem Bande zur eingehenderen Darstellung kommen sollen. Das Lebensbild des Erasmus und Vives, quellenmäßig entworfen, ist wohl gelungen, vielleicht etwas zu breit im Verhältnis zum Zwecke des Unternehmens. Hier muß der Pädagoge in den Vordergrund treten mit seinen Leistungen. Durch diese Einschränkung wäre wohl auch Raum gewonnen worden, um die eine oder andere pädagogische Arbeit jener katholischen Humanisten zu bringen, welche so mit nicht viel mehr als ihren Titeln aufgeführt werden. Neben den Abhandlungen des Erasmus „über die Notwendigkeit einer frühzeitigen wissenschaftlichen Unterweisung" und „über die Methode des Studiums" und den des Vives „über den Unterricht in den Wissenschaften oder den christlichen Unterricht", „über den Lebenswandel und die sittlichen Grundsätze der Gelehrten", „über die Erziehung der Christen" dürfte sich von „dem Erzieher Deutschlands", Wimpfeling, sein „Wegweiser für die deutsche Jugend" ebenbürtig sehen lassen, und er verdiente sachlich unbestritten den Vorzug vor den mehr oberflächlichen Auslassungen des Erasmus. Das historische und das pädagogische Interesse an der Herderschen Sammlung ruft einen solchen Wunsch wach. Im übrigen aber konnte der Verlag kaum geeignetere Männer finden, um die Aufgabe des vorliegenden Bandes zu lösen. Sowohl Dr. Reichling wie Dr. Kayser hatten auf dem ausgewählten Gebiete, jener über Erasmus, dieser über Vives bereits gründlich literarisch vorgearbeitet und konnten so ein Werk schaffen, das der wissenschaftlichen Anforderung nicht weniger entspricht, als es der praktischen Belehrung reichstes Material bietet.　　　　　　　　　J. N. B.

Cavazza (Fr.), le scuole dell' antico studio Bolognese. Milano, Hoepli. XIV, 314. LXVIII. l. 8.

In der Einleitung handelt der Vf. von den Schulen des bolognesischen „Studio" im MA. im allgemeinen; darauf folgt die Entwickelung der Schulen von den Anfängen bis zu den letzten Jahren des 13. Jahrh., die Schulen der Juristen seit den letzten Jahren des 13. bis zum 16. Jahrh., die Schulen der freien Künste in derselben Zeit. Dabei sucht der Vf. die Schulen auf, welche der „Studio" außerhalb der Stadt und in ungewöhnlichen Orten gehabt hat, spricht von der Vereinigung der Schulen der Juristen und der freien Künste, von den Orten, welche für die Prüfungen bestimmt waren, von den Kirchen der Universität, von dem neuen Palaste der Schulen, d. i. des Archigymnasiums. Zum Schlusse verfolgt er die geschichtliche Entwickelung der Schulen von der Mitte des 16. bis zum 19. Jahrh.　　　　　　　　　C. M.

Fabricius (W.) die akademische Deposition (Depositio cornuum). Beiträge zur deutschen Literatur= und Kulturgeschichte, speziell zur Sittengeschichte der Universitäten. Frankfurt, Völcker. 76 S. M. 2.

Eichelkraut (P.), Beiträge zur Kenntnis der Didaktik des Wolfgang Ratichius (Ratke). Jenenser Diss. 88 S.

Rüdiger (W.), Petrus Viktorius aus Florenz. Studien zu einem Lebensbilde. Halle, Niemeyer. VIII, 151 S. M. 4.

Ein Beitrag zur Geschichte der klassischen Philologie des 16. Jahrhs.

Biadego (G.), Bernardino Donato grecista veronese del sec. XVI. Verona, Franchini. 1895. 40 S.

Les registres de l'Académie française. Paris, Firmin-Didot. 612, 677 und 667 S. fr. 36.

Sachse (R.), das Tagebuch des Rektors Jakob Thomasius. Progr. Leipzig, Hinrichs. 4°. 36 S. M. 1,20.

Wünschmann (M.), Beiträge und Vorarbeiten für eine Würdigung der Stellung Chr. Weises innerhalb der Schul= und Bildungsgeschichte des 17. Jahrhs. Leipzig, Librisch. 142 S. M 2,50.

Seyffarth (L. W.), Pestalozzi in seiner weltgeschichtl. Bedeutung. Nach Vorträgen zur Feier des 150. Geburtstages Pestalozzis. Liegnitz, Seyffarth. 58 S. M 0,50.

Schwendimann (J.), der Pädagoge Pestalozzi nach zeitgenöss. Quellen. Luzern, Räber. 64 S. M. 0,70.

Senckel (Frdr.), Johann Heinrich Pestalozzi 1746—1827 und Johann
Heinrich Wichern 1808—81. Eine 15= u. 150jähr. Erinnerg. an zwei
dtsch. Volkserzieher. Vortrag. Frankfurt a. O., Harnecker & Co. in
Komm. II, 34 S. ℳ. 0,75.

Rißmann (R.), Pestalozzis Pädagogik. Bielefeld, Helmich. 45 S. ℳ 0,75.
[Sammlung pädagog. Vorträge. Bd. 8, H. 10.]

Vogel (J G), Pestalozzi ein Erzieher der Menschheit. Ansbach. Nürn=
berg, Korn. 29 S. mit Karte. ℳ 0,45.

Dicrauer (J.) Heinrich Pestalozzi. Vortrag. St. Gallen, Huber & Co.
28 S. mit 1 Bildnis. ℳ. 0,40.

Heim, die sozialen Anschauungen Pestalozzis. Hamburg, Agentur des
Rauhen Hauses. 22 S. ℳ. 0,40. [Aus: Fliegende Blätter aus
dem Rauhen Hause.]

Melchers (R.); Comenius und Pestalozzi. Bremen, Hampe. 47 S. ℳ 0,60.

Daguet (A.), le père Girard et son temps; histoire de la vie, des
doctrines et des travaux de l'éducateur suisse. 2 vol. Paris,
Fischbacher. XI, 473, 337 S. mit 2 Portr. fr. 15.
Girard (1763—1850) war Franziskaner und als Pädagoge in der französischen
Schweiz wirksam.

Vauglin (N.), les mémoires d'un instituteur français. Contribution
à l'étude de l'enseignement primaire pendant la 2e moitié du
XIXe siècle. Paris, Picard et Kaan. 16⁰. XV, 292 S. fr. 2,25.

Parmentier (J.), histoire de l'éducation en Angleterre, les doctrines
et les écoles, depuis les origines jusqu' au commencement du
19e siècle. Paris, Perrin. II, 303 S. fr. 3,50.

Hertzberg (N.), paedagogikens historie samt de norske skoles udvikling og ordning. 2. udgave. Christiania, Grondahl. 178 S. Kr. 2.

Steinel (D.), das Schulwesen im Gebiete des ehemal. Hochstifts Würz=
burg während der ersten bayer. Besitznahme 1803—6. München,
Pohl. 37 S. ℳ. 0,50. [Aus: Bayer. Zeitschrift für Realschulwesen.]

Beyer (Th.), die ältesten Schüler des Neustettiner Gymnasiums. Tl. 3.
Progr. Neustettin, Eckstein. gr. 4⁰. 25 S. ℳ 1.

Report of the Commissions of Education, year 1892—93. Washington. 1895. I—IV, X, 153 S.
Die Publikationen des Bureau of Education haben in der Gelehrtenwelt Europas
die ihnen gebührende Beachtung nicht gefunden, weil dieselben nur wenigen
zugänglich sind, dann weil manche sich durch die Dicke der Bände abschrecken
lassen. Die Inhaltsangabe, das überaus reichhaltige und gut geordnete Register,
die Einleitung des Bundeskommissärs für Erziehung setzen den Leser in den
Stand, das Wichtige und Neue leicht herauszufinden. Die Berichte sind nicht
nur für die Geschichte des Erziehungswesens in Amerika unentbehrlich, sondern
enthalten auch treffende Bemerkungen über die Erziehung in anderen Ländern.
Wir beschränken uns auf einige Angaben. Für Erziehung werden aufgewendet
163,000,000 d., die Zunahme der Kosten steht in keinem Verhältnis zum Zu=
wachs der Bevölkerung — die Ausgaben haben sich seit 1880 verdoppelt (S. 3).
Die theologischen Anstalten sind reicher dotiert als die übrigen. Die Zahl derer,
die weder lesen noch schreiben können, beläuft sich unter den einheimischen
Weißen auf 6,2 Prozent, unter den Ausländern auf 13,1. Die Schäden der

Mittelschulen werden schonungslos aufgedeckt und Heilmittel vorgeschlagen (1417—1533) Die Schulen der Neger beschränken sich meist auf Elementar= unterricht — daneben ein Minimum von technischem Unterricht.   Z.

Militärgeschichte.

Poten (B.), Geschichte des Militär=Erziehungs= und Bildungswesens in Preußen Berlin, Hoffmann & Co. VI, 542 S. M. 15.

Einzelschriften, kriegsgeschichtliche. Hrsg. vom Großen Generalstabe, Abtlg. für Kriegsgeschichte. H. 3. 2. Aufl. Berlin, Mittler & Sohn. III, 156 S M. 2,50.

> Ein brandenburgischer Mobilmachungsplan aus dem J. 1477. Beiträge zur Geschichte des 2. schlesischen Krieges. Mit 1 Ueberfichtskarte und 2 Skizzen. Der Zug der 6. Kavallerie=Division durch die Sologne vom 6 bis 15. Dezbr. 1870. Mit 1 Ueberfichtskarte.

Oddo (H.), le chevalier Paul, lieutenant général des armées navales du Levant 1598—1668. Paris, Le Soudier. fr. 3,50

Dodge (T. A.), Gustavus Adolphus. A history of the art of war from its revival after the middle ages to the end of the Spanish succession war, with a detail. account of the campaigns of the great Swede, of Turenne, Condé Eugene and Marlborough. Boston. Leipzig, Harrassowitz. 864 S mit 237 Illustr. M. 22,50.

Schmidt (R.), Otto Christof v. Sparr, Unterbefehlshaber Melanders am Niederrhein und in Westfalen 1646—47. Ein Beitrag zur Geschichte des ersten brandenburg. Feldmarschalls. Progr. Berlin, Gärtner. 4º. 19 S. M. 1.

Will (C.), die Einnahme von Stadt=Kemnath am 12. März 1634. Bei= trag zur Gesch. des 30jähr. Krieges in der Oberpfalz. Regensburg,. Wunderling. 32 S. M. 0,35. [Aus: Verhandlgn. d. hist. Vereins für Oberpfalz und Regensburg. Bd. 47.]

Roy (J.), Turenne, sa vie, les institutions militaires de son temps. Paris, Levasseur. 1895. 430 S. mit 140 Grav., 8 Taf. u. 1 Karte. fr. 12. S. unten 711.

Le Pelletier (L. A.), mémoires de — lieutenant général des armées du Roi 1696—1769. Paris, Hachette et Co. XXVI, 193 S.

Erbfolgekrieg, österr. 1740—48. Nach den Feldakten und anderen authent. Quellen bearb. in der kriegsgeschichtl. Abteil. d. k. u. k. Kriegsarchivs. (Geschichte der Kämpfe Oesterr.) Kriege unter der Regier. der Kaiserin= Königin Maria Theresia. Im Auftr. des k. u. k. Chefs des General= stabs hrsg. von der Direktion des k. u. k. Kriegsarchivs. I, Tl. 2. Wien, Seidel & Sohn. XXVIII, 1125 S. mit 9 Tab. u. 11 genealog. Taf., nebst 8 graph. Beilagen. M. 20.

*Pingaud (L.), l'invasion austro-prussienne 1792—94. Documents publiés pour la société d'histoire contemporaine par —. Paris, Picard. 1895. XVI, 319 S. fr. 10.

> Vorliegendes Werk enthält verschiedene gleichzeitige Berichte über die Kriegs= führung der österreichisch=preußischen Truppen in den Jahren 1793—94. Langerom ein französischer Emigrant, der in Rußlands Dienste getreten, hatte sich in,

Aufträge Katharinas II den Verbündeten angeschlossen, um über den Verlauf des Krieges eingehende Berichte nach Petersburg zu senden. Ueber die Kriegs= operationen in den Niederlanden und am Rheine verfaßte er dann für seinen eigenen Gebrauch ähnliche Berichte, die hier zum ersten Male veröffentlicht werden. Auf diese Berichte folgt eine sehr ausführliche Schilderung des elsässischen Feld= zugs Wurmsers i. J. 1793. Der anonyme Vf., wahrscheinlich ein Royalist aus Elsaß oder Lothringen, kennt alle Einzelheiten des Feldzuges; nur ist er zu sehr eingenommen für den österreichischen Obergeneral Wurmser, während er dem preußischen Feldherrn, dem Herzog von Braunschweig, feindlich gegenübersteht.
N. P.

Droese (M.), Generallieutenant Georg Wilh. v. Driesen. Ein Lebensbild. Berlin, Mittler & Sohn. 26 S. ℳ 0,40.

Sargent (H.), Napoleon Bonaparte's first campaign. With comments. London, Trübner & Co. 232 S. sh. 6.

Saint-Chamans, mémoires du général Cte de — ancien aide de camp de maréch. Soult 1802—32. Paris, Plon, Nourrit & Cie. fr. 7,50.

Davout, Maréchal, duc d'Auerstaedt, 1806—7. Opérations du 3me corps. Paris, Calman Lévy. 384 S. mit Portr. und Karten. fr. 7,50.

Sveriges Krig aren 1808—9, utgifvet af generalstabens krigshistoriska afdelning 2. delen. Stockholm, Looström & Co. i distr. VIII, 390 S. 67 bilagor, 25 kartor o 6 ljustrycksplanscher. Kr. 9.

Will (C.), archivalische Beiträge zur Geschichte der Erstürmung v. Regens= burg am 23. April 1809 und deren Folgen. Stadtamhof, Wunder= ling. 129 S. mit 1 Bildnis. ℳ 1,20. [Aus: Verhandlgn. des histor. Vereins für Oberpfalz u. Regensburg. Bd. 47].

Bertin (G.), la campagne de 1812 d'après des témoins oculaires. Paris. ℳ 6.

Lindenau (v.), der Beresinaübergang Napoleons unter besonderer Be= rücksichtigung der Teilnahme der bad. Truppen. Vortrag. Berlin, Mittler. ℳ 1,40.

Bouvier (F.), les premiers combats de 1814. Prologue de la cam- pagne de France dans les Vosges. Paris, Cerf. 18⁰. 166 S. fr. 3,50.

Angeli (M. Edler v.), Erzherzog Karl von Oesterreich als Feldherr und Heeresorganisator. Im Auftrage seiner Söhne der Erzherzoge Albrecht und Wilhelm, dann seiner Enkel der Erzherzoge Friedrich und Eugen nach österr. Orig=Akten dargestellt Bd. 1. Wien, Braumüller. IX, 279 S. mit Uebersichtskarten u. Plänen. ℳ 7.

Manfredi (Cr.), la spedizione Sarda in Crimea nel 1855 — 56: narrazione compilata sulla scorta dei documenti esistenti nel- l'archivio del corpo di stato maggiore. Roma, Voghera. VIII, 413 S.

Ryan (C. E.), with an ambulance during the Franco-German war: personal experiences and adventures with both armies London, Murray. 376 S. mit Portr. sh. 9.

Trosta (F.), im französischen Lager. Die Verteidigung Frankreichs durch die Volksheere im Kriege von 1870/71. Berlin, Schriftstell.=Genoss. 238 S. ℳ 3.

Dincklage=Campe (F. v.), Kriegserinnerungen: Wie wir unser eisern Kreuz erwarben. Nach persönl. Berichten bearb. Illustr. v. ersten dtsch. Künstlern. Mit Nachtrag. Berlin, Bong. hoch 4°. VII, IV, 360 u. 120 S. geb. *M* 12. Nachtrag allein *M* 4.

Darstellung der Kriegsereignisse um Metz 1870, enth. Truppenaufstellgn., nach den besten Quellen. 1 : 50,000. 1. Schlacht von Colombey— Nouilly [14. Aug.], 2. Schlacht v. Bionville—Mars=la=Tour [16. Aug.], 3 Schlacht v. Gravelotte—St. Privat [18. Aug.]. 45×62 cm Farben= druck. Metz, Scriba. *M* 1.

— Dass., Einschließung=Aufstellung der deutschen u. Verteidigungsstellung der franz. Armee bei der Uebergabe von Metz. 45×62 cm Farben= druck. Ebd. *M* 1.

Hoenig (F.), der Volkskrieg an der Loire im Herbst 1870. Unter Be= nutzung von amtlich. Schriftstücken, Tagebüchern u. Aufzeichngn. von Mitkämpfern dargestellt. Bd. 3 u. 4. Berlin, Mittler & Sohn. XV, 270 u. IX, 234 S. *M* 6,50 u. 6.
Vgl. Hist. Jahrb. XV, 244.

Secretan (Ed.), l'armée de l'Est; 20. déc. 1870—1. Févr. 1871. 2. éd Neuchâtel, Attinger. Paris, Fischbacher. VIII, 590 S. mit Karten. fr. 10.

Varnhagen (H.), die Schlacht an der Lisaine am 15.—17. Jan. 1871. Ein Vortrag Erlangen, Junge. IV, 48 S. mit 1 Bildnis d. Generals v. Werder u. 1 Skizze des Schlachtfeldes. *M* 0,80.

Félix (G.), le maréchal Canrobert. Tours, Cattier. 240 S. mit Illustr.

Duban (Ch.), souvenirs militaires d'un officier français. 1848—87. Paris, Plon, Nourrit et Cie. 287 S. fr. 3.

Historische Hilfswissenschaften und Bibliographisches.

*Schneider (A.), das alte Rom, Entwickelung seines Grundrisses und Geschichte seiner Bauten, auf 12 Karten u. 24 Tafeln dargestellt mit 1 Plane der heutigen Stadt sowie einer stadtgeschichtl. Einleitung. Leipzig, Teubner.

Das Werk, in Atlasformat, 50 zu 44 cm, leistet, was es verspricht. Die 12 Karten veranschaulichen die Entwickelung des Grundrisses und das Entstehen der Bauten, da die Karten die den einzelnen Epochen entsprechenden Einzeich= nungen enthalten. Die Epochen sind: Roma quadrata, Septimontium, Roma quatuor regionum, — Servii regis, — liberae rei publicae 510 · 80 a. Chr., liberae rei publicae 80—50 a. Chr., — Caesaris tempore, — Caesaris Augusti aetatis, — gentis Juliae Claudiae aetate, — gentis Flaviae tempore, — inde a Nerva usque ad Commodum, — saeculis HI et IV. Die Karten, alle im gleichen Maßstabe gezeichnet, geben also zwölf Städtebilder Roms. Sie sind auf durchsichtiges Papier gedruckt und können so für sich, getrennt verwendet werden; soll dagegen die Lage der Oertlichkeiten und der Denkmale nach dem heutigen Rom bestimmt werden, so wird die bewegliche Karte der modernen Stadt untergelegt; oder es können drittens „mehrere Stadt= bilder in bezug zu einander gesetzt werden," indem man die betreffenden Karten isoliert, „wobei das Wachstum der Stadt, und was an dem folgenden Stadt= bilde neu ist, deutlich hervortritt." In diesen 12 Karten liegt der Hauptwert

des Werkes. — Die 24 Tafeln bieten, ebenfalls in geschichtlicher Abfolge, Einzel=
pläne, Abbildungen von Gegenständen der Kunst, der Kleinkunst und des Hand=
werks, Rekonstruktionen, Illustrationen zur Kulturgeschichte 2c. Diese Blätter
haben daher ein etwas buntscheckiges Aussehen, umsomehr als die Reproduktions=
verfahren auch sehr verschiedenartig sind. Sie enthalten nichts wesentlich neues.
— Die Einleitung bringt auf 8 Seiten, zum besseren Verständnis der Karten,
im Anschluß an die Entwickelung Roms, eine Fülle interessanter Dinge, Welt=
und Kunstgeschichtliches, Politik und Soziales, allgemeines und besonderes usw.
Es ist eine bunte Mosaik, die dem Kundigen wenig neues, dem Unkundigen,
Lernenden zu wenig ausführliches vorführt. Die Einleitung hätte an Uebersicht=
lichkeit und Klarheit gewonnen wenn in den einzelnen Abschnitten das Gleich=
artige zusammengestellt oder auch nur hier und dort ein Wort gesperrt gedruckt
worden wäre. Nach dem Vorwort verfolgt der Atlas drei Ziele: „wissenschaft=
licher Arbeit soll er ein bequemes Werkzeug bieten, dem Lehrzweck auf Hochschule
und Gymnasium ein neues Lehrmittel schaffen, dem gebildeten Italienfahrer
möchte er eine Vorbereitung auf Rom, ein Wegweiser in Rom und eine Rück=
erinnerung an die ewige Stadt werden." P. Albert Kuhn.

Mazegger (R.), die Römerfunde und die römische Station in Mais (bei
Meran). Mit 1 Titelbild v. W. Humer, 26 Abbildgn. v. A. Reib=
mayr u. 1 Karte. Innsbruck, Wagner. VI, 101 S. M 3,60.

Chlingensperg auf Berg (M. v.), die römischen Brandgräber bei
Reichenhall in Oberbayern. Geöffnet, untersucht u. beschrieben v. —.
Braunschweig, Vieweg & Sohn. Imp.=4°. III, 66 S. mit 1 Karte,
22 Taf. Abbildgn. u. 2 Ansichten der Brandgräber. M 25.

Jentsch (H.), das Gräberfeld bei Sadersdorf im Kreise Guben und die
jüngste Germanenzeit der Niederlausitz. Guben, Berger 142 S. mit
78 S. Abbildgn. u. 4 Taf. M. 2. [Aus: Niederlausitzer Mitteilgn.]

*Grisar (H., S. J.), ancora del preteso tesoro cristiano. Roma,
Spithöver. 19 S. Fol.

Auf die im vorigen Jahrgange (Hist. Jahrb. XVI, 676) angezeigte Schrift
Grisars, durch welche eine Sammlung von angeblich aus dem christlichen Alter=
tum stammenden Gold= und Silbergeräten, im Besitze von Giancarlo Rossi, als
unecht erwiesen wurde, entschloß sich der Besitzer, eine Verteidigung der Echtheit
seines „Schatzes" zu veröffentlichen. Gr., der von diesem Vorhaben Kenntnis
erhielt, suchte in einem längern Briefe, worin er die Bemerkungen des bekannten
Kunsthistorikers J. Helbig (Revue de l'art chrétien 1895, S. 301—5) zu
gunsten der Echtheit widerlegt und die zustimmenden Urteile zahlreicher Fachleute
anführt, jenen von der Unhaltbarkeit seiner Ansicht zu überzeugen. Da nun
Rossi trotzdem seine Kritik der Ausführungen Gr.s veröffentlichte, gab dieser
unter obigem Titel jenen Brief ebenfalls heraus, mit Hinzufügung eines Schreibens
an J. Helbig und der Antwort des letzteren, sowie einer Erklärung von Dr.
Marucchi, die beide die Unechtheit jetzt ebenfalls anerkennen. Hoffentlich ist
damit für immer der ›Tesoro Rossi‹ als Sammlung von angeblich alt=
christlichen Gegenständen definitiv aus der archäologischen Welt hinausgeschafft.
J. P. K.

Jelić (L.), interessanti scoperte nel fonte battesimale del battistero
di Spalato (Capella Palatina del Palazzo di Diocleziano). Spalato.
1895. S. 81—131 mit 2 Taf. [Estratto del Bullettino di Archeo=
logia e Storia Dalmata fasc. giugno e luglio 1895]

Die von der thätigen historischen Gesellschaft ›Bihač‹ unternommene Untersuchung
des Taufbrunnens im Baptisterium von Spalato ergab eine Reihe interessanter
Funde, über welche Professor Jelić Bericht erstattet. Das meiste Interesse ver=
dient neben einigen Inschriftfragmenten ein Marmorrelief, von dem eine gute
Abbildung beigegeben ist. Dasselbe stellt unter einem romanischen Bandornament

eine thronende Gestalt dar, der eine zweite zur Seite steht, während eine dritte ihr zu Füßen liegt. Der Vf. glaubt, es sei hier der thronende Weltheiland mit einem Heiligen zur Seite, in der liegenden Gestalt der Donator dargestellt. Wir können uns dieser Deutung nicht anschließen. Es erscheint unzweifelhaft, daß hier das höchst interessante Bild eines thronenden Herrschers vorliegt, der, eine Krone von merkwürdiger Form auf dem Haupte, in der Rechten ein kurzes Kreuz, in der Linken den Reichsapfel trägt. Die charakteristische Tracht allein schon kennzeichnet ihn zweifellos als Laien und macht es unmöglich, in der Gestalt einen segnenden Bischof oder Heiland zu erblicken, ganz abgesehen von dem Fehlen des Nimbus. Die Deutung der beiden anderen Gestalten hat sich hienach zu richten. Das Ganze verdient hohes Interesse, zumal wegen der engen Verwandtschaft der Darstellung mit den Kaiserbildern in Handschriften der ottonischen und späteren Zeit. Die vom Vf. gegebene Datierung (11.—12. Jahrh.) dürfte ziemlich richtig sein; vielleicht wäre sogar noch etwas weiter herabzugehen (12.—13. Jahrh.) Ebner.

Biondi (S.), la casa Savoia: iscrizioni. Ascoli, Piceno, Stipa 1895. 4⁰. 182 S.

Paoli (C.), Grundriß zu Vorlesungen über lateinische Paläographie und Urkundenlehre. II: Schrift- u. Bücherwesen. Aus dem Italien. übers. von K. Lohmeyer. Innsbruck, Wagner. 1895. V, 206 S. ℳ 4. Vgl. Hist. Jahrb. X, 920.

Wattenbach (W.), das Schriftwesen im MA. 3. verm. Aufl. Leipzig, Hirzel. ℳ 14.

Prou (M.), nouveau recueil de facsimilés d'écriture du 12. au 17. siècle (manuscrits latins et français, av. transcriptions). Paris, Picard. 4⁰. 12 phototyp. Tafeln mit Text. fr. 6.

Simonsfeld (H.), neue Beiträge zum päpstlichen Urkundenwesen im MA. und zur Geschichte des 14. Jahrh. Mit 1 Taf. gr. 4⁰. 92 S. ℳ 3. [Aus: Abhandlgn. d. k. bayer. Akad. d. Wiss.]

Bär (M.), Leitfaden für Archivbenutzer. Leipzig, Hirzel. VIII, 71 S. ℳ 1,60.

Vegni (G.), appunti di cronologia. Montepulciano, Fumi e Caleri 1895. 112 S.

Otto (M.), Wesen und Aufgaben der Genealogie als Einleitg. u. Schluß einer Schrift über die kriegerischen Eigenschaften des Welfengeschlechtes in genealogischem Verfolg. Jenenser Diff 59 S.

Frankenberg u. Ludwigsdorf (E. v.), anhaltische Fürstenbilder. Mit Genehmigung Sr. Hoh. des Herzogs hrsg. Bd. 2. Dessau, Kahle. gr. 4⁰. VI S. u. 23 Bl. illustr Text mit 40 Lichtdr.-Taf ℳ 10.

Feilitzsch (H. E. F. v.), zur Familiengeschichte des deutschen, insonderheit des meißnischen Adels von 1570 bis ca. 1820. Kirchenbuchauszüge der ganzen Ephorie Großenhain, sowie der Orte Annaberg, Boriß, Canitz ꝛc. Großenhain, Starke. XII, 373 S. ℳ 12.

Schack (H. v.) u. Bär (M.), Beitr. zur Geschichte der Grafen u. Herren v. Schack. II: Die Prillwitzer Linie. Schwerin, Stiller. VII, 200 S. mit 1 Siegel- u. 4 Stamintaf. ℳ 6.

Geschichtsquellen des burg- u. schloßgesessenen Geschlechts v. Borcke. Im Auftr. des Familienvorstandes hrsg. v. G. Sello. Bd. 1. H. 1. Bis zum Ausgang des 13 Jahrh. Berlin, Stargardt. Lex.-8⁰. 150 S. mit Wappenabbildgn. ℳ 8.

Rothenhäusler (R.), Geschichte der Frhr. v. Jfflinger-Granegg. Stutt=
gart, Kohlhammer. VIII, 158 S. mit 8 Taf. u. 2 geneal. Tab. ℳ 5.

Stockhorner v. Starein (Frhr.), die Stockhorner v. Starein. Ver=
such der Darstellg. der Geschichte dieses Geschlechtes. Wien, Konegen.
184 S. mit 1 Stamm= u. 1 Siegeltafel. ℳ 6.

Kindler v. Knobloch (J.), oberbad. Geschlechterbuch. Hrsg. von der
bad. histor. Komm. Bd. 1. Lfg. 4. Heidelberg, Winter. 4⁰. S. 241
—320 mit eingebr. Wappen. ℳ 6.
Vgl. Hist. Jahrb. XVI, 934.

Schlickeysen (F. W. A.), Erklärung der Abkürzungen auf Münzen der
neueren Zeit und des Altertums, sowie auf Denkmünzen und münz=
artigen Zeichen. 3. vermehrte u. verbeff. Aufl., bearb. v. R. Pall=
mann. Mit 2 Taf. Berlin u. Stuttgart, W. Speemann. VIII u.
512 S. ℳ 20.
Ein gutes Nachschlagebuch, wenigstens für die neuere Zeit, die ja auch an Münz=
abkürzungen am reichsten ist, dagegen ungenügend für Altertum und MA. Die
Münzmeister finden sich in großer Vollständigkeit gesammelt, dagegen wird auf
jede Literaturangabe verzichtet. Unrichtigkeiten lassen sich bei so vielen tausend
Artikeln natürlich nicht ganz vermeiden; doch hätte die Deutung von JHS
(S. 240) unschwer besser gegeben werden können. S. 241 lies Metten statt Mathen,
S. 387 Dorfen statt Dorf. Schl.

Lehr.(E.), les monnaies des landgraves autrichiens de la Haute-Alsace.
Nouvelle description. Supplém. au Bulletin de la Soc. industrielle
de Mulhouse de février 1896. Mülhausen i. E., Detloff. XX, 203 S.
mit 12 Taf. ℳ 8.

Fiala (E.), Kollektion Ernst Prinz zu Windisch-Grätz. Beschrieben u. bearb.
v. —. Bd. 1: Münzen und Medaillen des österreich. Kaiserhauses.
Abt. 2. Prag, Dominicus. S. 193—411 mit 4 Taf. ℳ 8.
Vgl. oben S. 460.

Paul (H.), deutsches Wörterbuch. In 4—5 Lfgn. Lfg. 1. Halle, Nie=
meyer. 160 S. ℳ 2.

Steinmeyer (E.) und Sievers (E.), die althochdeutschen Glossen. Ge=
sammelt u. bearb. Bd. 3. Sachlich geordnete Glossen. Bearb von
E Steinmeyer Mit Unterstützg. der k. preuß. Kultusministeriums
der k. preuß. Akad. der Wissensch. Berlin, Weidmann. Lex.=8⁰. 1895.
XII, 723 S. ℳ 28.
Band II erschien im Jahre 1882.

Brachet (A.), an historical grammar of the French language; re-
written and enlarged by Paget Toynbee. Oxford, Clarendon Press.
364 S. sh. 7,6.

Mühlbrecht (O.), die Bücherliebhaberei (Bibliophilie — Bibliomanie)
am Ende des 19. Jahr. Berlin, Puttkammer & Mühlbrecht. VIII,
216 S. ℳ 6.

Katalog der Bibliothek des Baron Brukenthalschen Museums in Hermann=
stadt. Hrsg. im Auftrage des Curatoriums. H. 1. Hermannstadt,
Krafft in Komm. 160 S. ℳ 2.

Katalog der Bibliothek des Reichstages.· Bd. 1—3. Berlin, Asher & Co. XXIV, 704; XLIV, 1023 u. XXXV, 1126 S. Geb. ℳ 40.

Schmidt (Ch.), répertoire bibliographique Strassbourgeois jusque vers 1530. VII: Jean Knobloch 1500 — 28. Straßburg, Heitz 4⁰. IX, 102 S. ℳ 18.

Vgl. Hist. Jahrb. XV, 488.

Vidien (A.), répertoire méthodique du moyen-âge français. Paris, Bouillon. VIII, 118 S. fr. 4.

Catalogue de l'histoire de France. Table des auteurs. Bibliothèque nationale. · Département des imprimés. Paris, Firmin Didot & Cie. 4⁰. X, 799 S.

Lumbroso (A.), saggio di una bibliografia ragionata alla storia dell' epoca napoleonica. Benoit-Bernais. Modena, tip. lit. Namias e Co. XV, 144 S.

Vgl. Hist. Jahrb. XVI, 238.

Catalogue des manuscrits français. T. 4. Ancien fonds, nrs 4587—5525. Bibl. nationale. Département des manuscrits. Paris, Firmin Didot et Cie. 4⁰. ·804 S.

Catalogue général des manuscrits français de la Bibliothèque nationale. I. Nrs. 6171—9560 du fonds français. Paris, Leroux XII, 412 S.

James (M. R.), a descriptive catalogue of the manuscr. in the library · of Eton College. Cambridge, University Press. 1895. XVI, 125 S.

—, a descriptive catalogue of the manuscripts in the library of Jesus College, Cambridge. London, Clay and Sons. 1895. VIII, 122 S.

—, a descriptive catalogue of the manuscr. other than oriental in the library of Kings College, Cambridge. Cambridge, Univ.-Press. 1895. X, 87 S

Moncada (C. C.), la biblioteca Vaticana e mons. Isidoro Carini. Palermo, Davy. 1895. 49 S.

Morpurgo (S.), i manoscritti della r. biboteca Riccardiana di Firenze: manoscritti italiani. Vol. 1. Fasc. 2—5. Roma, presso i princip. librai. 1895. S. 81—400.

Vgl. Hist. Jahrb. XV, 245.

Gibson (M. D.), catalogue of the Arabic Mss. in the Convent of S. Chaterine on Mount Sinai. Compilled by —. London, Clay and Sons. 4⁰. VIII, 138 S. mit Faksim. [Studia Sinaitica 3.]

Mülller (F.), die armenischen Handschriften des Klosters von Argni (Arghana). Wien, Gerolds Sohn in Komm. 14 S. ℳ 0,50. [Aus: Sitzungsber. der k. Akad. d. Wissensch.]

Muller (S.), regesten van het archiff der stad Utrecht. Utrecht, Breijer. Lex.-8⁰. XIV, 345 S.

Brugmans (H.), verslag van een onderzoek in Engeland naar archivalia, belangrijk voor de geschiedenis van Nederland, in 1892 op last der regeering ingesteld door —. 's-Gravenhage, Nijhoff. 1895. IV, VII, 516, 63 S.

Unterſucht werden die Hſſ. der »Public record office«, des britiſchen Muſeums, der übrigen Londoner Archive und Bibliotheken, der »Bodleian library« und der »College libraries« in Oxford, der Univerſitätsbibliothek und der »College libraries« zu Cambridge und der übrigen Bibliotheken Englands, Schottlands und Irlands. Die Mitteilungen ſind in ziemlich ausführlicher Spezifizierung und überſichtlicher nach Materien beſtimmter Anordnung geboten, und dürften dem Forſcher holländiſcher Geſchichte wertvolles Material bieten. Hingewieſen ſei auf die S 42 f. notierten Briefe des Pfalzgrafen Johann Caſimir, die Bezolds Ausgabe derſelben ergänzen, und auf die S. 45 aufgezählten Akten über die Koalitionskriege gegen Frankreich und den öſterreichiſchen Erb= folgekrieg. Auch ſonſt dürfte manches Material für die Univerſal= und Kirchengeſchichte hier erſchloſſen ſein. Ein Namen= und Sachregiſter bildet eine wertvolle Zugabe. (Vgl. unten S. 711.)

Kayſerling (M.), die jüdiſche Literatur von Moſes Mendelsſohn bis auf die Gegenwart Trier, Mayer III, 191 S. ℳ 3. [Aus: Winter u. Wünſche, die jüd. Literatur ſeit Abſchluß des Kanons.]

Liber Mafâtîh Al-Olûm, explicans vocabula technica scientiarum tam Arabum quam peregrinorum auctore Abû Abdallah Mohammed ibn Ahmed ibn Jûsof Al-Kâtib Al-Khowarezmi. Edidit, indices adjecit G. van Vloten. Leiden, Brill. 1895. III, 328 S.

Battaglino et Calligaris, indices chronologici ad Antiquitates Ital. medii aevi et ad Opera minora Lud. Ant. Muratorii. Operis moderamen sibi susceperunt Carolus Cipolla et Antonius Manno. Fasciculus VII—VIII (letzte). Augustae Taurinorum. Bocca. XII, 361—470. l. 7,50 für d. Faſz.

Nachrichten.

Jahresbericht über die Herausgabe der Monumenta Germaniae historica. Von E. Dümmler.

Die 22. Plenarversammlung der Zentraldirektion der Monumenta Germaniae historica wurde in diesem Jahre vom 9. bis 11 April in Berlin abgehalten.

Im Laufe des Jahres 1895/96 erschienen

in der Abteilung Auctores antiquissimi:

1. Chronica minora saec. IV. V. VI. VII. ed. Th. Mommsen III, 2, (= A. a. XIII, 2);

in der Abteilung Scriptores:

2. Deutsche Chroniken I, 2 (der Trierer Silvester, das Annolied);

3. Annales regni Francorum inde ab a. 741 usque ad annum 829, qui dicuntur Annales Laurissenses maiores et Einhardi, recogn. F. Kurze;

4. von dem Neuen Archiv der Gesellschaft Bd. XXI, herausgegeben von H. Breßlau.

Unter der Presse befinden sich ein Folioband, 8 Quartbände.

In der Sammlung der Auctores antiquissimi steht nur noch die demnächst zu erwartende Schlußlieferg. d. 3. Chronikenbandes aus. Ein ausführliches Register über alle 3 Bände ist Dr. Lucas in Charlottenburg übertragen worden. Im Anschluß an diese Chroniken hat Prof. Mommsen seit dem Sommer 1895 die Ausgabe des ältesten Teiles des Liber pontificalis bis auf Constantinus I († 715) übernommen und zum Zwecke einiger Nachvergleichungen im Januar eine Reise nach Italien angetreten. Vorstudien für diese seit Jahrzehnten vorbereitete Ausgabe bringt das Neue Archiv. Der Beginn des Druckes ist für den nächsten Sommer in Aussicht genommen.

In der Reihe der Scriptores ist der Druck der merowingischen Heiligenleben im 3. Bd. der SS. rerum Merovingicarum durch Dr. Krusch ununterbrochen fortgeschritten und hat mit Cäsarius von Arles festen historischen Boden erreicht. Die Vollendung des Bandes darf noch in diesem Jahre erhofft werden.

Der 3. Band der Schriften zum Investiturstreite ist seit vorigem Sommer in Fluß gekommen; an Stelle des früher dafür thätigen Dr. Dieterich ist Dr. H. Böhmer als neuer Mitarbeiter seit dem 1. Mai eingetreten. Den bedeutendsten Anteil hat jedoch an diesem, wie an dem vorhergehenden Bande Dr. Sackur in Straßburg, zumal durch die Bearbeitung von Auszügen aus Gerhoh von Reichersberg.

Nach einigen Schriften aus der Zeit Heinrichs V, darunter zwei von dem bekannten Honorius von Autun, tritt nunmehr der Streit Friedrichs I mit Alexander III in den Vordergrund. Erst nach den darauf bezüglichen Stücken soll dann eine Anzahl von Nachträgen auch für das 11. Jahrh. sich anschließen, deren Umfang sich umsoweniger übersehen läßt, als auch Dr. Hampe in England noch einige bisher unbekannte Abhandlungen über die Priesterehe aufgefunden hat.

Der Druck des 30. Foliobandes der alten Reihe der Scriptores ist nach längerer Unterbrechung seit Dezember wieder aufgenommen worden und zwar mit der Chronik des Erfurter St. Petersklosters. Die ausführlichen vorbereitenden Untersuchungen zur Entwirrung der thüringischen Geschichtsquellen des späteren MA., welche Prof. Holder-Egger im Neuen Archiv niedergelegt hat, haben die Ausgabe zwar wesentlich verzögert, aber auch entlastet. Neben den Ergebnissen, welche dieselben für den vorliegenden Band gehabt haben, sollen sie auch einem schon früher beschlossenen Bande von Monumenta Erphesfurtensia saec. XII. XIII. XIV in der Reihe der Handausgaben zu gute kommen, dessen Druck im Sommer beginnen wird. Eine Reise nach Thüringen im September 1895 diente ebenfalls diesen Studien. Für die zweite Hälfte des 30. Bandes sind Nachträge zur Ottonischen und Salischen Zeit bestimmt, u. a. des Rangerius Vita Anselmi und des Abtes Desiderius Miracula S. Benedicti. Dr. Böhmer nimmt auch für diese Partie als Helfer die Stelle des Dr. Dieterich ein, während ein neuer Mitarbeiter, Dr. Eberhard aus Gießen, nach seinem für den Sommer bevorstehenden Eintritt an den italienischen Chroniken des folgenden Bandes mitarbeiten soll.

In der Reihe der deutschen Chroniken ist Schröders Ausgabe der Kaiserchronik in erwünschter Weise durch den damit zusammenhängenden Trierer Silvester und das schon lange sehnlich erwartete Annolied ergänzt worden. In dem 3. Bande gelangte der Text von Enikels Fürstenbuch durch Prof. Strauch in Halle zum Abschluß, und es wurde als Anhang das von Dr. Jos. Lampel in Wien herausgegebene Oesterr. Landbuch gedruckt. Somit erübrigen nur noch Register und Einleitung, die im Laufe des Jahres nachfolgen werden. An dem 6. Bande hat Prof. Seemüller in Innsbruck seine Thätigkeit mit Eifer fortgesetzt und auf einer Reise nach England im Frühjahr 1895 sowie nach Oberösterreich weitere Hff. des Hagen ausgebeutet, auch die Zwettler Denkmäler an Ort und Stelle bearbeitet, doch werden noch fernere Studien in Wien und München nötig sein, um den Umkreis dieser Chroniken genauer festzustellen. Die von Dr. Heinr. Meyer in Göttingen unter Leitung des Prof. Röthe herauszugebenden politischen Sprüche und Lieder in deutscher Sprache sind in regelmäßigem Fortschritt begriffen und zeigen einen wachsenden Reichtum an Material. Prof. Holland in München hat seine in früherer Zeit dafür angelegten Sammlungen zur Verfügung gestellt.

Die Abteilung Leges hat am 9. März durch den Tod ihres Mitarbeiters Dr. Vittor Krause (s. oben S. 470) einen Verlust erlitten, wodurch wieder der 2. Band der Capitularia regum Francorum betroffen wird, der durch die Erkrankung des Prof. Boretius schon einmal eine lange Hemmung erlitten hatte. Dennoch besteht die Hoffnung, das nur zum teil abgeschlossene Sachregister sowie die fehlende Einleitung mit Aufzählung der Hff. noch in diesem Jahre fertigzustellen. Die Ausgabe des Benedictus Levita, für welche Krause im Winter vor einem Jahre eine Reise nach Rom unternommen hatte, ist dem Privatdozenten Dr. Emil Seckel in Berlin übertragen worden.

Für die große Ausgabe der Leges Wisigothorum hat Prof. Zeumer im Frühling 1895 in Paris den Codex Euricianus und andere Hss. verglichen. Der Druck kann vielleicht schon in diesem Geschäftsjahre beginnen, während die Geschichte der westgotischen Gesetzgebung einer besonderen Ausführung vorbehalten bleibt. Mit der neuen Ausgabe der Lex Baiuvariorum ist der Prof. Frhr. von Schwind in Innsbruck betraut, der in den Osterferien 1897 deshalb die italienischen Bibliotheken zu besuchen gedenkt.

Von den durch Dr. Schwalm in Göttingen weitergeführten Constitutiones imperatorum steht der Druck des 2. Bandes im Register. Dr. Schaus hat sich an den Korrekturen desselben in ersprießlicher Weise beteiligt. Für den 3. Band sind noch manche Nachträge erforderlich, bevor er druckreif werden kann, für den 4., zumal die Zeit Ludwigs des Baiern, eine Archivreise nach München und an den Rhein, welche im nächsten Sommer stattfinden soll. Auch für die Leges ebenso wie für die Scriptores hat die Reise des Dr. Hampe nach England vielfältigen Ertrag geliefert, wertvolle Beiträge aus England und Frankreich für die Constitutiones imperatorum sind dem Dr. Herm. Herre in München zu verdanken.

In der Abteilung Diplomata hat Prof. Breßlau, unterstützt von den Mitarbeitern Bloch und Meyer, den Druck der Urkk. Heinrichs II langsam, doch stetig fortgesetzt. Während er selbst dafür in Paris und Besançon einige Nachträge sammelte, besuchte Bloch die Archive von Vercelli, Novara, Pavia, Mailand. Durch seine Entdeckungen ist der hervorragende Anteil, welchen Bischof Leo von Vercelli unter Otto III und Heinrich an der Abfassung von Königsurkk. gehabt hat, klar hervorgetreten und wird in einer Abhandlung des Neuen Archivs näher beleuchtet werden.

Für die von Prof. Mühlbacher zu bearbeitenden Karolingerurkk hat sein Mitarbeiter Dr. Dopsch von Ende März bis Mitte Oktober 1895 einen großen Teil Italiens bis hinab nach Neapel bereist und neben einigen unbekannten Stücken für viele bekannte bessere Formen der Ueberlieferung gefunden. Eben jetzt wird zu dem gleichen Zwecke Venedig und Friaul, das noch fehlte, von ihm nachgeholt. Eine empfindliche Einbuße erlitten die Arbeiten durch die Berufung seines zweiten Mitarbeiters M. Tangl als Professor nach Marburg, doch wird derselbe von dort aus benachbarte Gebiete wie Fulda und Hersfeld, Trier und Prüm noch ferner bearbeiten, und in Wien ist in der Person des Dr. Max Schedy ein anderer Hilfsarbeiter an seine Stelle getreten. Eine Reise des Dr. Dopsch nach Belgien und dem nördlichen Frankreich wird für das nächste Jahr erforderlich.

Von den dem Prof. Scheffer-Boichorst für die Vervollständigung der staufischen Königsurkk. bewilligten Mitteln hat er selbst mit günstigem Erfolge in Unteritalien und Sizilien eine Anzahl Archive besucht, und sein Mitarbeiter Schaus hat zu demselben Zweck in November bis Januar das obere Italien bereist. Einige weitere Stücke lieferte auch Dr. Bloch.

In der Abteilung Epistolae hat, nachdem der Text des Registrum Gregorii zu Ende gedruckt war, Dr. Hartmann in Wien mit Hilfe des Doktorandus Wenger seine Arbeiten an dem Register fortgesetzt, welches ein sorgfältig ausgeführtes Bild aller sprachlichen Eigentümlichkeiten Gregors darbieten soll. Die Vollendung des Druckes darf im Laufe des Jahres erwartet werden.

Für den 5. Band der Epistolae hat zwar Dr. Hampe die Briefe Einhards, Frothars, sowie einen Teil der päpstlichen druckfertig gemacht, während anderes von

E. Dümmler vorbereitet wurde, allein die Unzulänglichkeit der Sammlungen nötigte doch vor allem, neues Material herbeizuschaffen. So begab sich denn Dr. Hampe nach einem kleineren Ausfluge nach München und Karlsruhe im Mai von Mitte Juli 1895 bis in den Februar 1896 nach England, um in umfassenderer Weise, als es seit langer Zeit geschehen war, die dortigen Bibliotheken für die verschiedenen Abteilungen zu durchsuchen. Eine hervorragende Stelle nahm darunter wegen der stets drohenden Gefahr einer Zersplitterung ihrer Bestände die jetzt dem Mr. Fenwick gehörige Bibliothek in Cheltenham ein, der allein 34 Tage gewidmet wurden. Ein ausführlicher Bericht über diese besonders auch für das 13. Jahrh. fruchtbare Reise ist in Vorbereitung. Von den wichtigen und durch ihre Tironischen Noten schwierigen Handschrift des Servatus Lupus in Paris besorgte Prof. de Vries in Leyden eine sorgfältige Vergleichung. Eine kürzere Reise nach Brüssel und Paris würde für diesen und den folgenden Band noch wünschenswert sein.

In der Abteilung Antiquitates hat Prof. Herzberg-Fränkel in Czernowitz durch einen Urlaub für den Sommer endlich die nötige Muße gewonnen, um das schon lange vorbereitete Register der Salzburger Totenbücher zu Ende zu führen, doch bedarf es wegen der darin zu gebenden Erläuterungen einer Reise auf einige österreichische Bibliotheken. Von dem durch Dr. Traube in München herausgegebenen 3. Bande der Poetae latini Carolini fehlt nur noch das Register, welches Dr. Neff als Hilfs-arbeiter übertragen ist. Für den 4. Band der Poetae ist Dr. von Winterfeld in Berlin als Mitarbeiter seit einem Jahre eingetreten. Er hat sich seiner Aufgabe auch mit so nachhaltigem Eifer unterzogen, daß der Druck der ersten, den Schluß der karolingischen Zeit enthaltenden Hälfte vielleicht noch in diesem Geschäftsjahre beginnen kann. Eine nochmalige Vergleichung der Hf. der Gesta Berengarii besorgte Dr. Schaus auf seiner Reise, Gedichte aus dem Ende des 10. Jahrh. in Vercelli verglich Dr. Bloch.

Das Neue Archiv hat unter der Leitung des Prof. Breßlau in dem erweiterten Umfange von 50 Bogen seinen geregelten Fortgang gehabt. In den Redaktionsausschuß ist an Stelle von Sybels Prof. Scheffer-Boichorst eingetreten.

Die vierte Versammlung deutscher Historiker, veranstaltet vom Verbande deutscher Historiker findet wie oben S. 231 mitgeteilt wurde, am 11., 12., 13. und 14. September 1896 zu Innsbruck statt. Für die Verhandlungen sind vorläufig folgende Themen in Aussicht genommen: 1. Welche Wünsche haben die Historiker gegenüber den Archiv-verwaltungen auszusprechen? Referent Prof. Prutz. 2. Welche geschichtl. Aufgaben verdienen von Akademien gemeinsam gefördert zu werden? Ref. Prof. K. Th. Heigel. 3. Ueber die Anlage eines histor. Atlas der Alpen-länder in Bez. z. verwaltungsgeschichtl. Forschung. Ref. Prof. E. Richter aus Graz. 4. Ueber das Institut f. österreich. Geschichtsforschung in Wien. Ref. Prof. E. Mühlbacher aus Wien. 5. Erörterung üb. d. Wesen d. Kulturgeschichte u. ihre Stellung innerhalb d. geschichtl. Wissenschaft. Ref. Prof. K. Lamprecht. Vorträge haben zugesagt: Prof. J. Hirn: Ueber Innsbrucks histor. Boden. Prof. G. F. Knapp aus Straßburg: Ueber die Grundherrschaft im Nordwesten Deutschlands. Prof. Luschin von

Ebengreuth aus Graz: Ueber d. Entstehung der Landstände. R. v. Scala: Individualismus u. Sozialismus i. d. Geschichtschreibung. Mit dieser Versammlung ist die zweite Konferenz von Vertretern histor. Publikations-institute verbunden.

Die diesjährige Generalversammlung der Görres-Gesell-schaft wird am Dienstag und Mittwoch, 29. und 30. Sept. in Konstanz abgehalten werden. Am 28. September findet eine Sitzung des Vor-standes statt.

Der kunsthistorische Kongreß für 1896 findet vom 1. bis 4. Ok-tober in Budapest statt.

Das Polybiblion vom Monat Mai (p. l.) gibt auf S. 420—24 eine Be-sprechung der neuesten Jeanne d' Arc-Literatur. — Ueber die Napoleon-Bibliographie hat Geoffroy de Grandmaison bei Perrin soeben ein Buch veröffentlicht: Napoléon et ses récents historiens (16°, fr. 3,50), eine Sammlung der ehedem im Univers erschienenen diesbez. Aufsätze des Vf.s.

Eine kritische Uebersicht über die Dante-Literatur gibt G. A. Scartazzini in der Beil. z. Allg. Ztg. 1896 Nr. 167, 168, 169.

In einer ungemein gelehrten Abhandlung[1]) untersucht Paul Kehr vier Papyrusfragmente des Marburger Staatsarchivs, welche dem Kloster Hersfeld entstammen. Da das eine gänzlich unbeschriebene Fragment an einer Hanfschnur die Bulle eines Papstes Johannes trägt, so hielt man früher längere Zeit irrtümlich auch die drei anderen Fragmente für Bestand-teile einer oder zweier päpstlicher Papyrusurkunden. Kehr räumt mit diesem Irrtum, der schon im vorigen Jahrh. vorübergehend als solcher erkannt wurde, endgiltig auf, und macht bezüglich des unbeschriebenen Fragments die Zugehörigkeit zu einer im Original sonst verlorenen, am 2. Januar 968 für Kloster Hersfeld ausgestellten Urk. Papst Johannes XIII wahrscheinlich.

Die drei beschriebenen Fragmente hat Kehr in ihrem Wortlaute nicht ohne Mühe entziffert und unter Zuhilfenahme der bei L. M. Hartmann[2]) und im Registrum Sublacense gedruckten römischen Privaturkunden des früheren MA. glücklich rekonstruiert, wobei alle Zweifel natürlich nicht zu beseitigen sind. Danach stellt sie sich als emphyteutische Verleihung des im römischen Stadtgebiet gelegenen fundus Turanus auf drei Generationen dar. Als Urkundenschreiber nennt sich Johannes scriniarius et tabellio

---

[1]) Ueber eine römische Papyrusurkunde im Staatsarchiv zu Marburg in den Abhandlungen der k. Ges. d. Wiss. zu Göttingen, philolog.-histor. Kl., n. F., Bd. I, H. 1. Berlin, Weidmann, 1896. 28 S. in 4°.

[2]) L. M. Hartmann, ecclesiae S. Mariae in Via lata tabularium.

urbis Romae; in der Aktumzeile ist Rom als Ort der Verhandlung zu lesen. Kehrs eindringende Untersuchung berücksichtigt die Verwendung von Papyrus bei stadtrömischen Privaturkunden und prüft sehr genau den Schrift=charakter der drei Fragmente, welche in trefflichen photographischen Nach=bildungen der Abhandlung beigefügt sind. Auch die Organisation des römischen Notariats unterzieht er einer sorgfältigen Erörterung. Sein Ergebnis ist, daß die Papyrusurkunde, zu welcher die drei beschriebenen Fragmente gehörten, im 10. Jahrh. in der Zeit der Ottonen, etwa in den J. 949—88 von einem Scriniar Johannes geschrieben wurde. Vielleicht habe Abt Egilulf von Hersfeld bei Gelegenheit der Kaiserkrönung Ottos III zu Weihnachten 967 zu Rom den fundus Turanus erworben und, da das deutsche Kloster diesen römischen Besitz nicht selber bewirtschaften konnte, in der damals in Rom üblichen Weise auf drei Generationen verpachtet. Von den darüber doppelt ausgefertigten Urkunden sei dann das eine Exemplar nach Hersfeld gekommen, das andere, jetzt verschollene, in die Hände der römischen Pächter gegeben worden.   H. G.

Die stattliche Doktorarbeit unseres Redaktionsmitgliedes Dr. phil. Franz Kampers über die Kaiserprophetien und Kaisersagen im MA.[1] hat sich eines überraschenden Erfolges zu erfreuen gehabt. Wenige Monate nach Erscheinen derselben war die erste Auflage trotz des hohen Preises von 8 ℳ fast vollständig verkauft und konnte eine zweite vorbereitet werden, welche kurz vor der Einweihung des Kyffhäuserdenkmals unter dem neuen Titel: „Die Kaiseridee in Prophetie und Sage" ausgegeben wurde.[2] Die neue Auflage ist nach mehreren Seiten hin erweitert. Die 56 Druckseiten umfassenden gelehrten Exkurse der ersten Auflage dagegen, welche 1. die tiburtinische Sibylle des MA., 2. die Schrift des Telesphorus, und 3. das lombardische Städtevatizinium und die erythräische Sibylle des MA. behandeln, sind in der neuen Ausgabe fortgelassen worden. In dem darstellenden Teile der letzteren ist dafür ein neues Kapitel über den Islam, Byzanz und die Franken in der vorkarolingischen Prophetie hinzugefügt worden (S. 26—30), für welches insbesondere Vassilievs Anecdota Graeco-Byzantina und Boussets neue Forschungen über den Antichrist ausgenutzt werden konnten. Dann aber hat die neue Auflage die Geschichte der Kaiser=prophetie und Kaisersage über das MA. hinaus bis in das 19. Jahrh. fortgeführt. Von diesen neuen Zusätzen habe ich nur sehr wenig vor der Drucklegung im Manuskript gelesen. Der Vf. erhebt selber nicht den Anspruch, den reichen Gegenstand für die neueren Jahrhunderte erschöpft zu haben. Zu mancherlei weiteren Untersuchungen bietet sich auch jetzt noch reichlich

---

[1] In Heigel u. Grauerts histor. Abhandlungen, Heft 8. München, Dr. H. Lüneburg. 8° 262 S.

[2] München, Dr. H. Lüneburg, 1896. 231 S. ℳ. 5.

Gelegenheit. Aber die Fachgenossen und allem Anscheine nach auch weitere
Kreise des gebildeten Publikums werden das Kampers'sche Buch, das schon
durch den warmen Ton der Darstellung fesselt, auch in der neuen Form
dankbar entgegennehmen.   H. G.

Wie wir einer Besprechg. der Schrift v. K. Rück (W. Pirckheim. Schweizerkrieg,
s. oben S. 209) durch A. Reimann i. d. Deutsch. Literaturztg. 1896, Nr. 20, S. 633
entnehmen, bereitet der Kustos a. d. Nürnberg. Stadtbibliothek E. Reicke die Heraus=
gabe der zum weitaus größten Teile in der gen. Bibliothek befindl. Pirckheimer=
Papiere vor.

Der Druck der Fortsetzung des Bullarium Francisc. v. P. K. Eubel
O. M. C. nimmt einen raschen Fortgang. Das gleiche gilt von dem Gams redivivus desselben Gelehrten. Das Werk wird zu Beginn 1897 abgeschlossen sein.

Das Statist. Bureau des k. Minist. f. Elsaß-Lothringen, welches bei Bull in
Straßburg soeben einen Bd. (186 S. mit Karten, M. 8): Die alten Territorien
des Elsaß nach dem Stande v. 1. Jan. 1648 veröffentlicht hat, bereitet einen
anderen Band vor, welcher die Territorien Lothringens behandelt.

Anknüpfend an die Ueberlieferung, daß Karl d. Gr. zu Ende des 8. Jahrh.
die heutige Stiftung des Campo Santo ins Leben gerufen habe, feiert das Haus
gegen Schluß des Js. das 1100jähr. Jubiläum seines Bestandes. Von früheren
und gegenwärtigen Kaplänen, Gästen und Freunden des C. S., unter anderen von
den HH. Prof. Ehrhardt, Finke, Kirsch, Pieper, P. Eubel, P. Grisar, Dr.
Baumgarten, Ehses, Merkle, Unkel ist eine Festschrift geplant mit Beiträgen
aus dem Arbeitsgebiete der christl. Altertumskunde und Geschichtswissenschaft; die
Redaktion ist St. Ehses übertragen, und wenn sich alles nach dem Programme entwickelt, kann das Ganze bis November fertiggestellt sein.

Soeben beginnt bei J. A. Barth in Leipzig zu erscheinen: J. C. Poggen-
dorffs biograph.=literar. Handwörterbuch z. Gesch. d. exakt. Wissenschaften, Bd. 3, die Jahre 1858—83 umfassend. Hrsg. v. B. W. Feddersen u.
Prof. A. J. v. Oettingen in 15 sechswöchentl. Lfgn. zum Preise von à M. 3.

Das 1. Heft der Kantstudien von H. Vaihinger (s. oben S. 228) ist er=
schienen. Aus dem Inhalt heben wir hervor: E. Adickes, die bewegenden Kräfte in
K.s philos. Entwicklg. u. die beiden Pole s. Systems 1. — K. Vorländer, Goethes
Verhältn. zu Kant in s. hist. Entwicklg. 1. — A. Pinloche, Kant et Fichte et
le problème de l'éducation.

Eine Biblioteca critica della letteratura italiana erscheint in
Monatsheften unter Leitung von Fr. Torraca bei Sansoni in Florenz. Die Bei=
träge bestehen in italien. und ausländ. Abhandlungen und in bisher nicht veröffent=
lichten Arbeiten bekannter Autoren, z. B. in H. 2: Ozanam, les Écoles et
l'instruction en Italie au moyen-âge; H. 7: T. Carlyle, Dante e Shakespeare.

Unter dem Titel Spigolature di erudizione e di critica (Pisa, Mariotti, 16⁰, 215 S.) hat F. Flamini einen nur in 70 Exemplaren ausgegeb. Sammelband soeben veröffentlicht mit 16 Aufsätzen, von denen einer l'ordinamento morale dell' Inferno di Dante, ein anderer la Beatrice di Dante behandelt.

Die Società Dantesca italiana wird in Bälde den 1. Bd. der kritischen Ausgabe von Dantes Werken veröffentlichen und zwar den Text von De vulgari eloquentia hrsg. von Prof. Pio Rajna.

In Perugia hat sich eine R. deputazione sopra gli studi di storia patria per l'Umbria gebildet.

Unter dem Auspizium der Königin von Italien, der die Publikation auch gewidmet ist, wird Prof. Ferrieri im Verl. von Gebr. Bocca in Turin zur Feier des 5. Zentenariums (27. Aug.) der Certosa in Pavia ein nachgelassenes Werk von Prof. C. Magenta aus Pavia veröffentlichen: La Certosa di Pavia, storia e illustrazione. (Vgl. oben S. 229.)

Der 5. Fasz. des Catalogo d. manoscritti (ser. ital.) der R. Biblioteca Riccardiana (Florenz) verzeichnet unter Nr. 1276, 1289, 1290, 1292, 1295, 1301, 1308, 1336, 1337: Leggende di Santi, Esempi, Miracoli, sec. XIV—XV. — 1278: Fioretti di S. Francesco, s. XV. — 1287: Vita di s. Francesco, s. XIV. — 1295: Leggende e Fioretti di S. Francesco, s XIV. — 1291: Vita di S. Caterina da Siena, s. XV; — 1303, 1313: s. Caterina, lettere, s. XV; — 1311: Cronaca universale sino a Giuliano l'Apostata, s. XV; — 1329: Leonardo Aretino, Vite di Dante e del Petrarca, s. XV.

Die Pariser Nationalbibliothek hat aus privatem Besitz eine wichtige Sammlung von Urkk. erworben, welche jetzt den Cod. Nouv. acquis lat. 2573 bildet, zahlreiche Urkk. der Erzbischöfe von Ravenna seit dem 10. Jahrh., Kaiser- und Papsturkk. und anscheinend auch das Cartarium des aufgeh. Klosters San Gregorio zu Rom enthält [vgl. Neues Archiv d. Gesellsch. f. ä. d. G., Bd. 21, H. 3, S. 785].

Bei F. Alcan zu Paris ist unter der Presse Bd. 2 u. 3 der Histoire de de la troisième République von E. Zevort, und Recueil des instructions données aux ambassadeurs et ministres de France, depuis l. traités de Westphal jusqu'à la Révolut. franç.: XII Espagne, par Morel-Fatio et Léonardon, t. 2. complét. l'ouvrage. — Ebenda bei Lecoffre beabsichtigt Joly eine Sammlung von Heiligenleben in kleinen Bändchen herauszugeben nach dem Muster der Grands écrivains français. Mitarbeiter sind Allard, b'Arbois de Jubainville, Aubollent, de Broglie, Cochin, Dorez, Fabre u. a. Die Revue historique IX, 1 (Mai—Juni) S. 216 hegt Zweifel an der Durchführbarkeit des Unternehmens, meint aber zum Schlusse: ›Néanmoins l'entreprise et intéressante digne d'être encouragée; elle est à plus d'un titre un signe des temps.‹

A. de la Borderie wird in Bälde bei Plihon & Hervé zu Rennes eine Histoire de Bretagne in 4—5 Bdn. gr. 8⁰ herausgeben.

Nach dem Muster seines früheren Werkes, Scènes et épisodes de l'histoire nationale (Hist. Jahrb. XIV, 917) veröffentlicht Ch. Seignobos bei A. Colin & Cie. zu Paris jetzt auch einen Prachtband in 4°: Scènes et épisodes de l'histoire d'Allemagne, gebr. auf Luxuspapier u. ausgestatt. m. 40 Original-Vollbildern v. G. Rochegrosse u. A. Mucha. Das Werk erscheint in 40 Lfgn. à 75 cts. (Preis des ganzen fr. 30) und behandelt die Zeit von Arminius bis auf Goethe und Schiller. Die 1. Lfg. liegt vor.

Die Société de l'École de Chartes hat beschlossen, neben der Bibliothèque alljährlich noch einen Band Mémoires et Documents herauszugeben. A. Rigault wird das Unternehmen eröffnen mit einer Publikation über: Le procès de Guichard, évêque de Troyes (1308—13). Paris, Picard. 8°. 300 S.

Th. Funk-Brentano in Paris, Professor a. d. École d. scienc. politiques, hat ein Collège libre des Sciences sociales gegründet. Dem Komitee gehören u. a. an: Aulard, Bourgeois, Marquis de Castellane, Th. Funk-Brentano (als Direktor), A. Giry (profess. à l'École d. Chart.), Lavisse (profess. à la Fac. d. Lettr.); le Cour Grandmaison (Senator). Das Programm umfaßt eine Section de méthode und eine Section de doctrines et d'histoire: In der ersteren halten Vorträge u. a.: Th. Funk-Brentano und Fr. Funk-Brentano über: Histoire sociale. [I. Définition. Méthode. — II. La formation sociale de la France (Xe et XIe siècl.). — III. La France patronale (XIIe et XIIIe siècl.). — IV. La crise sociale du XIVe siècle. — V. La Renaissance. — VI. La Réforme. — VII. La France monarchique (XVIIe siècle). - VIII. La perte d traditions social. (XVIIIe siècle). — IX. L'oeuvre sociale de la Révolution. — X. La France administrative.] In der zweiten Section zuletzt E. Delbet über: La Sociologie d'après Aug. Comte; A. Delaire (secrét. générale da la Soc. d'économie sociale) über: Doctrin. moral. et économiqu. de F. Le Play et de son école; Y. Guyot (ancien ministre) über: Économie politique; G. Rouanet (Deput.) über: Socialisme théorique [Histoire critique des doctrines économiques]; Abbé de Pascal, Andler, Hubert-Vallerour, Seignobos (maitre de conférenc. à la Sorbonne) über: Hist. contempor. d. partis d'agitation sociale, u. B. Lazare über: Hist. d. Doctrines révolutionnaires. [Les hommes et le parti des «Enragés» pendant la Révolution (1791—93.)]

Der 1896 erschienene 10. Bd. der Selden Society beschäftigt sich mit den Select Cases in Chancery aus dem Beginn der Regierungszeit Richards II; 1897 wird die Gesellschaft die Select Pleas in the Court of Admirality veröffentlichen. — Der nächst erscheinende Bd. der Story of Nations (bei Fisher Unwin) ist Bohemia, verf. v. C. E. Maurice. — Bei Sampson Low & Cie. ist eine History of the royal navy unter Redakt. v. Laird Clowes mit verschied. Mitarbeitern in Vorbereitung.

Bd. 3 u. 4 der History of the French Revolution v. J. H. Mac Carthy werden demnächst hrsg. durch Chatto u. Windus und beschäftigen sich mit der Konstituier. Versammlung.

Der nächste Bd. der Cambridge historical series, der z. Z. unter der Presse ist, behandelt Ireland to the year 1868 von O'Connor Morris. — Im Verlage v. J. Murray wird demnächst der Herzog von Argyll, der letzte Ueberlebende vom Kabinett Palmerston, ein Buch über die Vorgeschichte der Oriental. Frage erscheinen lassen.

Die Royal histor. Society in London stellt Publikationen zur Geschichte der Regierung Georgs III in Aussicht. — Die Navy-Records Society bereitet Veröffentlichungen vor, welche sich mit dem englisch-holländischen Seekrieg zur Zeit Blakes, der Geschichte der Marine unter Heinrich VIII und mit dem amerikanischen Unabhängigkeitskampf befassen.

Die holländ. Regierung hat eine Unterstützung bewilligt für Nachforschgn. in französ. Archiven nach diplomat. Materialien z. Gesch. der Niederlande. (Vgl. oben S. 700: Brugmans.) — Die Königin-Regentin hat die Erbauung eines Heims für das Familienarchiv des Hauses Nassau-Oranien verfügt, welches Ende 1897 im Haag fertig gestellt sein soll.

Preiserteilungen. Von der Académ. d. sciences moral. erhielt J. Roy für: Turenne, sa vie, les institut. militair., de son temps (oben 694) den prix Audiffred (fr. 1000). Von d. Acad. française erhielten Rousset für: Histoire générale de la guerre franco-allem. 1870—71 (Hist. Jahrb. XVI, 391) den pr. Née (fr. 5000); G. Maugras für: Le duc de Lauzun et la cour intime de Louis XV, le duc de Lauzun et la cour de Marie Antoinette (Hist. Jahrb. XVI, 665) vom pr. Guizot fr. 1500, und vom näml. Preis fr. 1000 Graf P. de Segur für: Le Maréchal de Ségur (1724—1801) (s. oben S. 640); E. Rodocanachi für: Renée de France, duchesse de Ferrare (Une protectrice de la Réforme en Italie et en France) den pr. Halphen (fr. 500), J. Texte für: J. Rousseau et l. origines du cosmopolitisme littèr. (Hist. Jahrb. XVI, 925) vom pr. Guérin fr. 1500 und Xenopol für: Histoire des Roumains et de la Dacie Trajane (oben 643); R. Thamin für: Saint Ambroise et la moral chrétienne au IV. s. vom pr. Monthyon fr. 1500, ebenso Vacandard für: Vie de S. Bernard. Von der Acad. des inscript. et belles lettres erhielten F. Lot für Hariulfe, chronique de saint Riquier (Hist. Jahrb. XVI, 678) den pr. Lafons-Melicocq; N. Valois für: Histoire du grand schisme d'Orient (s. oben S. 355) den 1. pr. Gobert und den 2. Petit-Dutaillis für: La vie et le règne de Louis VIII (s. oben S. 161); G. Kurth für: Clovis (s. oben S. 405) die I. Medaille.

Preisausschreiben. Die f. Jablonowskische Gesellschaft hat für 1896 die Aufgabe gestellt: eine eingehende Untersuchung der wirtschaft., sozial. u. polit. Bewegung in irgend einer größeren deutschen Stadt des ausgehenden MA. mit besond. Rücksicht auf die Wirkungen des seit Ende d. 14. Jahrhs. aufkommenden kapitalist. Individualismus (Preis ℳ 1000). — Für 1897 eine Untersuchung über: die Sprache der deutsch. Urkk. in der kaiserl. Kanzlei Karls IV (Preis ℳ. 1000). — Das Institut Lazareff in Moskau schreibt einen Preis von 700 Rubel aus für eine (event. deutsch abgefaßte) Arbeit über die Armenier in Byzanz bis zur Epoche der Kreuzzüge (Termin: 1. Januar 1898).

Für 1896/97 wurden von der Münchener Universität folgende Aufgaben gestellt: Theologische Fakultät: Beteiligung der Christen am öffentlichen Leben in der vorkonstantinischen Zeit. Juristische Fakultät: Die reichsständische Verfassung Deutschlands von der Goldenen Bulle bis zum Schlusse des 15. Jahrhs. Staatswissenschaftl. Fakultät: Die Fakultät wünscht eine Darstellung des Staatshaushaltes, insbesondere des Steuersystems im Herzogtume Bayern während des 18. Jahrh. unter Berücksichtigung der polit. Verfassung, der gesellschaftl. Gliederung und der wirtschaftl. Verhältnisse des Landes. Philosophische Fakultät, I. Sektion: Die Fakultät wünscht eine kritische Würdigung von Hartmann Schedels Weltchronik. Dabei sollen insbesondere die für Schedels geschichtl. Auffassung charakterist. subjektiv. Urteile über die großen Ereignisse und Einrichtungen der geschichtl. Entwicklung, weiterhin aber die von Schedel benützten Quellen, vornehmlich Jakob Philipp von Bergamos Supplementum Chronicarum beachtet werden. Die Quellenanalyse kann allenfalls auf die Darstellung der Ereignisse von der Regierung Kaiser Friedrichs I bis zu Maximilian I beschränkt werden.

Der Vorstand der histor. Gesellschaft des Künstlervereins zu Bremen fordert unter Aussetzung eines Preises von 3000 *M.* zur Ausarbeitung eines Werkes über die Geschichte der deutschen Hansa vom Stralsunder Frieden (1370) bis zum Utrechter Frieden (1474) auf. Termin: Sonntag vor Pfingsten 1900. Umfang der Arbeit nicht über 30 Druckbogen.

Die durch den Tod des Prof. Vering (s. oben S. 470) erledigte Redaktion des Archivs für kath. Kirchenrecht hat Prof. Frz. Heiner (Freiburg i. B.) übernommen, und die durch den Tod A. Bruders (s. hier S. 713) erled. Redaktion des Staatslexikons d. Görresgesellsch. Rechtsanwalt Jul. Bachem (Köln). Voraussichtlich wird im Laufe des nächsten Jahres das Staatslexikon zum Abschluß gelangen.

Die Historische Zeitschrift wird nach Treitschkes Tod jetzt herausg. von F. Meinecke unter Mitwirkung v. Archivrat P. Bailleu, L. Erhardt u. Privatdozent O. Hintze in Berlin, Prof. O. Krauske in Göttingen, Prof. M. Lenz in Berlin, Geh. Reg.-Rat Prof. M. Ritter in Bonn, Prof. K. Varrentrapp in Straßburg u. Prof. K Zeumer in Berlin. Es werden künftig größere Essays, die zu umfangreich für die Zeitschrift sind, als selbständige und einzeln käufliche Beihefte unter dem Sammeltitel "Historische Bibliothek" erscheinen; auch kleinere Quellenpublikationen sollen nicht ausgeschlossen sein.

Die älteste und verdienteste Zeitschrift des kathol. England, die Dublin Review feiert heuer ihr "diamantenes" Jubiläum. Ihre Anfänge zieren die Namen Wiseman und O'Connel. Von 1863—78 widmete ihr W. G Ward seine Kraft und die Zeitschrift erhielt von da ab einen mehr gelehrten Charakter.

Nekrologische Notizen.

Die Pariser Académie des inscriptions et belles lettres hat in der Frist von nicht ganz zwei Monaten zwei hochverdiente Mitglieder verloren. Am 29. April b. J. starb im Alter von 84 Jahren Barthélemi Hauréau. Zahlreiche Arbeiten größeren, aber auch geringeren Umfangs haben seinen Namen für immer mit der Geschichte des Mittelalters, insbesondere der geistigen Bewegungen desselben verknüpft. Es sei hier nur hingewiesen auf die Histoire littéraire du Maine, H.s Anteil an der Heraus= gabe der Gallia christiana. Seine Histoire de la philosophie scolastique (2. Ausg., Paris 1872—80, 3 Bde.) zeigt allerdings die geringe philosophische Schulung des Verfassers; dagegen hat der Verstorbene in seiner Schrift Les oeuvres de Hugues de Saint-Victor, Paris 1886, bedeutendes für die Kenntnis der Handschriften des großen Victoriners geleistet. Eine Reihe wertvoller Notizen enthalten die Notices et extraits de quelques manuscrits latins de la bibliothèque nationale, Paris 1890—96, 6 Bde., ebenso die Rezensionen, die H. im Journal des Savants ver= öffentlichte, das er seit Ende des Jahres 1881 leitete. Der Wunsch, den er einmal äußerte (f. Notices et extraits etc. I, S. VII): Assistez-nous, bonnes lettres, jusqu' à notre dernier jour, ist in Erfüllung gegangen; nach kurzer Krankheit ist er aus dem Leben geschieden H. besaß eine reiche Sammlung von Initien mittel= alterlicher Schriftwerke, aus der er gerne Mitteilungen selbst an Fernerstehende machte. — Am 18. Juni starb Eugène de Rozière (geb. 2. März 1820). Seine Ausgabe des Liber diurnus (Paris 1869) besitzt auch nach Sickels trefflicher Ausgabe durch die Anmerkungen, die sie enthält, einen Wert; auch ein anderes Werk des Verstorbenen, sein Recueil général des formules usitées dans l'empire de Francs du Ve au Xe siecle, Paris 1851—71 3 Bde, ist durch Zeumers Ausgabe der Formulae Merovingici et Karolini aevi in den Schatten gestellt worden. Die treffliche Nouvelle Revue historique de droit français et étranger betrauert in dem Dahin= geschiedenen einen ihrer Patrone.   G . .l.

Gestorben: am 1. Mai zu München Geh.=Rat F. H. Geffken, 66 J. a.; am 2. Mai zu Paris b. Historik. Graf Heft. de la Ferrière, 85 J. a; am 6. Mai zu Paris L. A. G. Germ. de Lavigne, 84 J. a.; am 6. Mai zu Rom der Präsekt der vatikan. Archive, S. E. Kardinal L. Galimberti, 60 J. a. (Bf e. Apolog. pro Marcellino papa; Introductio philos. ad historiam univers., singillat. vero ad ecclesiasticam; Lutero ed il socialismo); am 20. Mai zu Innsbruck b. Kustos a. b. Univ.=Bibliothek und Hrsgb. des Staatslexikons der Görresgesellschaft A. Bruder, geb. 2. März 1851; am 29. Mai in Christiania der schwed. Reichsarchivar M. Birkeland, 65 J. a.; am 7. Juni in Paris b. Akademiker u. ehemal. Minister d. öffentlichen Unterrichts J. Simon, 82 J. a.; am 16. Juni in Kopenhagen der Historiker P. F. Barford, 85 J. a.; am 11. Juli in Berlin der Prof. Geh.=Rat Erz. E. Curtius, 82 J. a.; am 18. Juli in Paris der Metzer Historiker A. Prost.

Die Taufe des römischen Königs Heinrich IV.

Von Johann Müllner.

Eine der ersten Schwierigkeiten in der Geschichte der Jugendzeit des römischen Königs Heinrich IV bietet die Fixierung des Datums seiner Geburt. Indessen kann man sich hinsichtlich dieses Punktes den Ausführungen Flotos[1] anschließen, der nach dem vorhandenen Quellenmateriale[2] mit guten Gründen die Geburt auf den 11. November 1050 ansetzt. Ueber das Jahr der Geburt erhalten wir nämlich in den einzelnen Quellen an zweierlei Stellen Kunde. Die unten zitierten gehören denjenigen an, welche im Geburtsjahre selbst Nachricht geben, andere führen den Prinzen erst dann in ihre Darstellung ein, als Kaiser Heinrich III stirbt, wobei das damalige Alter des jungen Königs sehr verschieden angegeben wird. Während die einen sich damit begnügen, einfach anzuführen „admodum puer regnare coepit,“ geben andere[3] ihm bald ein Alter von fünf,[4] bald von sieben[5] Jahren. Um die Sache klarzustellen, müssen wir auf frühere Jahre zurückgreifen. Zum Jahre

---

[1] Floto (H.), Kaiser Heinrich IV und sein Zeitalter. I. Stuttgart 1855, 184 S.

[2] Annales Altah. maior: ex rec. W. de Giesebrecht . . . ed. alt. Hann. 1891, S. 47. — Herim. Aug. Chron.: MGSS. V, 129. — Lamberti Annal.: MGSS. V, 155. — Chron. Monast. Mellic.: H. Pez, SS. rer. Austriac. I, 224. — Chron Claustro-Neoburg. ebenda 438. — Chron. auct. inc. (Zwettl?) ebenda, 553. — Annal. Mellicens.: MGSS. IX, 498. — Anonym. Leob. Chronic. Lib. I. ebe da 770.

[3] Lamberti Annales MGSS. V, 158. — ebenso Chronic. M. Casin: MGSS VII, 690.

[4] Lamberti Annal. a. a. O.

[5] Bertholdi Chronic.: MGSS V, 264—326. — Annales S. Blasii: MGSS XVII, 275 ff.

1047 berichten die Altaicher Annalen[1]) ebenso wie Hermann,[2]) daß
Agnes dem Kaiser Heinrich III zu Mantua eine Tochter geboren habe,
daß also das älteste Kind desselben eine Tochter war. Da nun zum
Jahre 1050 beide Quellen ausdrücklich melden,[3]) daß die Kaiserin einen
Sohn geboren habe, woraus sich ergibt, daß Heinrich IV beim Tode
seines Vaters sechs Jahre alt, mindestens aber im sechsten Jahre gewesen
sei, glaubte ich mich der obigen Ansicht Flotos anschließen zu sollen.
Was Lambert betrifft, der die Geburt mit genauem Tagesdatum,[4])
aber zum Jahre 1051 anführt, so fragt es sich, ob die Hersfelder
Annalen, welche Lambert vorlagen, wirklich sich eines solchen Fehlers
schuldig gemacht haben können, oder ob Lambert eine andere Eintragung
für Heinrich IV angenommen habe. Jedenfalls verdient die auch später
hervorgehobene Unklarheit Lamberts speziell in der Datierung dieser
Jahre betont zu werden.

Nicht so einfach ist die Frage des Ortes der Geburt, da keine der
angezogenen Quellen über denselben etwas berichtet. Giesebrecht[5])
hat die Vermutung ausgesprochen, daß Heinrich IV zu Goslar geboren
sein dürfte, da sich der Kaiser Heinrich III in diesem Winter meist zu
Goslar aufhielt, und G. Meyer von Knonau[6]) hat sich dieser Ansicht als einer „sehr wahrscheinlichen" angeschlossen. Nun hängt aber,
wie ich glaube, diese Frage untrennbar mit derjenigen des Ortes der
Weihnachtsfeier des Jahres 1050 zusammen; denn man darf wohl annehmen, daß der Ort der Geburt und der Weihnachtsfeier dieses Jahres
derselbe gewesen sein muß, da es wohl selbstverständlich ist, daß man
mit dem neugeborenen Kinde nicht eine für die damaligen Wegverhält=
nisse zumal zur Winterszeit doch sehr beschwerliche Reise über den Harz
angetreten hat. Nun ist aber der Ort der Weihnachtsfeier selbst ein
strittiger Punkt, veranlaßt durch die Divergenz unserer Ueberlieferung.
Es berichtet nämlich Hermann[7]) zum Jahre 1051, daß Kaiser Heinrich III

---

[1]) A. a. O. S. 43.

[2]) MGSS V, 126.

[3]) Annales Altah. maior. a. a. O. S. 47 speziell autumno.

[4]) A. a. O. MGSS. V, 155: natus est imperatori filius Heinricus
quartus rex 3. Idus Novembris .... — Vgl. Ederlin, das deutsche Reich
während der Minderjährigkeit Heinrichs IV bis zum Tage von Kaiserswert. Programm
des kgl. Domgymn. zu Halberstadt 1888, S. 6. Die dort zum Beweise angeführte
Stelle Bertholds z. J. 1057 beweist gar nichts; im Gegenteile gibt sie, wie oben
gezeigt, ein ganz falsches Alter an.

[5]) Geschichte d. deutschen Kaiserzeit II. 4. Aufl., S. 474.

[6]) Jahrbücher d. deutschen Reiches unter Heinrich IV u. V, Bd. 1, 1890, S. 4.

[7]) Herim. Aug. Chronic. a. a. O. S. 129.

Weihnachten zu Goslar feierte, während Lambert von Hersfeld [1] und die Altaicher Annalen [2] übereinstimmend Pöhlde als Ort dieser Feier nennen. Beide Angaben haben etwas für sich. Für Goslar bilden zwei Urkk. Heinrichs III vom 16. September und 24. November [3] dieses Jahres eine Stütze, da aus diesen eben eine Anwesenheit des Kaisers auch am 11. November, dem Tage der Geburt, an diesem Orte erschlossen werden kann; für Pöhlde spricht die Uebereinstimmung der Altaicher Annalen und Lamberts. Trotz dieses letzteren Umstandes scheint hier Hermann den richtigen Ort überliefert zu haben, wie aus folgendem erhellen dürfte. Gesetzt, es habe die Weihnachtsfeier zu Goslar stattgefunden, so muß man diesen Ort aus obigem Grunde auch als mutmaßlichen Ort der Geburt Heinrichs IV festhalten und umgekehrt. Nicht so ist dies, wenn man sich, wie Meyer von Knonau, für Pöhlde als Ort der Weihnachtsfeier entscheidet; denn es bleiben in diesem Fall nur zwei Möglichkeiten für den Geburtsort übrig: entweder ist Goslar Geburtsort und Pöhlde die Stätte der Weihnachtsfeier, ein Fall, den Meyer von Knonau als den richtigen annimmt, oder Pöhlde ist beides zugleich. Das erstere ist nun aber aus dem früher angegebenen Grunde nicht gut denkbar, mithin fällt auch die Ansicht Meyers von Knonau. Es kann daher nur die zweite Eventualität in Betracht kommen, daß Pöhlde Ort der Geburt und Weihnachtsfeier zugleich gewesen sei, eine Ansicht, zu der Meyer von Knonau auch hätte kommen müssen, wenn er in seiner Schlußfolgerung konsequent geblieben wäre. Denn die Vermutung Giesebrechts ist aller Wahrscheinlichkeit nach ein Rückschluß aus dem Orte des Weihnachtsaufenthaltes; hinsichtlich dieses pflichtet Meyer von Knonau der Ansicht Giesebrechts nicht bei, hält aber nichtsdestoweniger dessen Endergebnis für „sehr wahrscheinlich." Nun hat sich Meyer von Knonau, was Pöhlde als Ort der Weihnachts= feier anbelangt, wie er selbst anführt, [4] auf Steindorffs [5] Ansicht gestützt. Nach den Worten Meyers von Knonau müßte man nun glauben, Steindorff habe mit gewichtigen Gründen die Frage betreffs Goslars

---

[1] A. a. O. 1052. Giesebrecht a. a. O. 664 Anm. zu S. 474—76 zieht Lamberts Angabe von 1051 statt der von 1052 heran, wodurch er in den Irrtum gerät, Worms als Angabe Lamberts zu finden. Die Stelle Lamberts lautet: Imperator nativitatem Domini Polethe celebravit.

[2] A. a. O. S. 47. — Natale imperator Pholide feriavit.

[3] Die Reichskanzler des 10., 11. u. 12. Jahrh. v K. F. Stumpf=Brentano, Innsbruck 1865—83, II, 197, Nr. 2391, 2393 u. 2394.

[4] A. a. O. S. 4, Anm. 4.

[5] Jahrbücher d. deutschen Reiches unter Heinrich III, Bd. II, 118 A. 2.

ober Pöhldes definitiv entschieden. Dem ist nun nicht so. In der Besprechung der Weihnachtsfeier [1] läßt Steindorff die Frage vollständig unentschieden, wenn er sagt: „der Kaiser wartete mit der Einführung seines Sohnes in die politische Welt nicht bis zur Taufe, schon bei der Weihnachtsfeier in Goslar oder Pöhlde benutzte er 2c." ..... Nur in einer Anmerkung [2] erklärt er: „die Möglichkeit, daß Hermann sich in betreff des Ortes der Weihnachtsfeier irrte, muß anerkannt werden, mit Rücksicht auf die Annal. Altah. und Lambert." Demgemäß hat Meyer von Knonau mehr aus Steindorff herausgelesen, als dieser selbst behaupten will; denn dessen Ansicht steht und fällt mit dem letzteren Passus bezüglich der Annales Altahenses und Lamberts. So lange man deren Nachricht für unzweifelhaft richtig hält, muß freilich Hermann das Falsche berichtet haben. Dem steht nun aber gegenüber, daß erstens, wie oben bemerkt, zwei, respektive drei Urkunden auf einen Aufenthalt des Kaisers in diesem Winter zu Goslar, keine einzige auf einen solchen in Pöhlde hinweist, daß zweitens Lambert gerade in diesen Jahren ziemlich verwirrte Nachrichten bringt, vielfach die Daten der Jahre 1050, 1051, 1052 und 1053 vermengt [3] und auch als spätere Quelle nicht allzusehr ins Gewicht fallen dürfte; es bleiben somit die Altaicher Annalen mit ihrer Nachricht über Pöhlde allein, während für Hermann noch die Urkunden sprechen. Aus diesem Grunde dürfte Goslar als Ort der Weihnachtsfeier und der Geburt Heinrichs IV festgehalten werden müssen. [4]

An diesem Weihnachtsfeste wurde nun auch eine Handlung vorgenommen, die mir in keiner der bisherigen Darstellungen der Geschichte Heinrichs IV ihre richtige Würdigung gefunden zu haben scheint, ich meine den Treueid, welchen Heinrich III auf dem an diesem Feste abgehaltenen Reichstage die Fürsten des Reiches seinem Sohne leisten ließ. [5] Während Giesebrecht [6] dies als etwas ganz natürliches hin-

---

[1] A. a. O. S. 118.

[2] A. a. O. Anm. 2.

[3] so, wenn er z. B. i. J. 1051 Weihnachten zu Worms gefeiert werden läßt, was erst 1053 geschah.

[4] Eckerlin a. a. O. S. 7.

[5] Herim. Aug. Chronic. MGSS V, 129: Imperator apud Goslare natalem Domini egit et multos ex principibus filio suo iureiurando fidem subiectionemque promittere fecit. — Vgl. Lamberti Ann. a. a. O. anno 1052: Imperator filio suo Heinrico adhuc catecumino principes regni sub iuramento fidem promittere fecit.

[6] A. a. O. S. 474 u. 475.

stellt und den Grund hiefür in der Erblichkeit der Kaiserwürde findet, den Treueid somit als bloße Formsache auffaßt, ist Steindorff[1] der Vorgang doch etwas merkwürdig vorgekommen, und er meint, daß „nach dem Dafürhalten des Kaisers die Ansprüche des Sohnes auf die Krone nicht rasch genug durch Huldigungsakte der Großen anerkannt werden konnten." Steindorff hebt ferner auch den Umstand hervor, daß der Eid noch vor der Taufe des Kindes geleistet wurde. Meyer von Knonau bringt einfach die Thatsache, ohne sich näher in die Frage einzulassen. Nun steht aber die Frage des Treueides in engster Beziehung zur Taufe Heinrichs IV und kann erst nach Behandlung dieses Punktes zu einer, wie ich glaube, befriedigenden Lösung geführt werden.

Das Osterfest des Jahres 1051 (31. März) feierte Heinrich III zu Köln, und dort wurde Heinrich IV von Hermann, dem dortigen Erzbischofe, getauft.[2] Mit diesen Worten läßt sich etwa kurz dasjenige zusammenfassen, was die Annalen über die Taufe Heinrichs IV berichten. Floto sowohl als Giesebrecht, Steindorff und Meyer von Knonau haben die Angaben der Quellen über diesen Punkt ohne weitere Kritik in ihre Darstellung aufgenommen und es gar nicht auffallend gefunden, daß die Taufe des Kindes erst so spät vollzogen wurde; lediglich Meyer von Knonau fügt hinzu, daß „die Taufe anfänglich auf einen früheren Tag angesetzt gewesen war," während sich Steindorff[3] begnügt zu sagen: „die Taufe wurde verschoben bis Ostern des nächsten Jahres." Nun hat Giesebrecht sowohl als Meyer von Knonau zum Beweise ihrer Darlegungen über die Taufe Heinrichs IV einen Brief Heinrichs III an den Abt Hugo von Clunh herangezogen, auf den ich jedoch vorläufig nicht eingehen will, um im folgenden zu zeigen, daß sich auch ohne denselben lediglich aus dem vorhandenen Annalenmateriale genau dieselben Ergebnisse gewinnen lassen. An geeigneter Stelle werde ich auf den Brief eingehend zurückkommen.

Aus vorliegender Darstellung ergibt sich, daß Heinrich IV am 11. November 1050 geboren und am 31. März 1051 getauft wurde, daß mithin zwischen Geburt und Taufe des Kindes nahezu fünf Monate vergingen, eine Thatsache, die nur in zwei Möglichkeiten ihre Erklärung

---

[1] A. a. O. S. 118.

[2] Lamberti Annales MGSS V, 155. — Herim. Aug. Chron. a. a. O. z. J. 1051. — Annales Altah. maior. a. a. O. anno 1051.

[3] A. a. O. S. 118.

finden kann: es bestand im 11. Jahrhunderte ein Gesetz, nach welchem die Taufe Heinrichs IV ordnungsgemäß zu Ostern 1051 vollzogen wurde und nicht früher vollzogen werden konnte oder durfte, oder es bestanden dieselben Gesetze wie heute zu recht, und es war ein höchst verwerflicher, ja gefährlicher Akt von seite der Eltern Heinrichs IV, fünf Monate lang zwischen Geburt und Taufe des Kindes verfließen zu lassen. Merkwürdig ist, daß weder Giesebrecht noch Meyer von Knonau auf dieses Dilemma aufmerksam wurden und ohne eine nähere Erörterung über dasselbe hinweggingen.[1]) Wie schon früher erwähnt, fügt Meyer von Knonau seiner Darstellung der Sache noch die Worte hinzu, daß „die Taufe anfänglich auf einen früheren Tag festgesetzt gewesen war." Wenngleich Meyer von Knonau dies dem Briefe Heinrichs III an den Abt Hugo von Cluny entnehmen zu können glaubt, ich aber von demselben vorläufig gänzlich absehe, will ich doch diese Worte einer näheren Betrachtung unterziehen, um daran zu zeigen, von welcher Wichtigkeit die Aufstellung obiger Alternative ist. Wir sehen sofort, daß Meyers von Knonau Ansicht sich nicht mit der ersten These vereinigen läßt, daß Heinrichs IV Taufe ordnungsgemäß zu Ostern vollzogen wurde und nicht früher vollzogen werden durfte. Sie konnte nach seiner Ansicht früher vollzogen werden, also gab es kein Gesetz, das die Taufe zu früherer Zeit verhindert hätte, es galt der Grundsatz wie heute, und in nicht zu rechtfertigender Weise wurde die Taufe so lange hinausgeschoben. Naturgemäß fragt man sich nun, was war die Ursache hievon, was veranlaßte den sonst so frommen Kaiser, etwas den Kirchengesetzen so Widersprechendes zu unternehmen. Aus Meyers von Knonau und auch aus Lehmanns[2]) Darstellung können wir den Schuldtragenden entnehmen, es ist niemand anderer als der Abt Hugo 1 von Cluny. Ich sage ausdrücklich, wir können es aus ihrer Darstellung entnehmen, denn unmittelbar mißt ihm zwar keiner von beiden die Schuld bei, aber ihre Worte sind darnach gehalten, daß ein leiser Vorwurf wohl auf die Person Hugos zurückfällt.

Nach der Auffassung Giesebrechts, Meyers von Knonau und Lehmanns müßten wir also annehmen, daß die Taufe Heinrichs IV auch früher hätte vollzogen werden können, und wahrscheinlich zu Weihnachten 1050 auf dem Reichstage zu Goslar hätte vollzogen werden

---

[1]) Von R. Lehmanns Abhandlung soll später ausführlich die Rede sein.
[2]) Forschungen zur Geschichte des Abtes Hugo I von Cluny 1049—1109. 1869. S. 93—98.

sollen, also zu einer Zeit, die unserem heutigen gesetzlichen Intervalle wenigstens einigermaßen entspricht.[1]

Ich sagte vorhin, ich wolle vorläufig Heinrichs III Brief an Hugo gänzlich außerachtlassen, um zu zeigen, daß sich aus den Annalen allein dasselbe gewinnen lasse, was die angezogenen Autoren mit Hilfe des Briefes gefunden haben; aus folgendem dürfte hervorgehen, daß sich aus ihnen sogar noch mehr entnehmen läßt, und daß in ihnen gerade der Schlüssel zu finden ist, der allein dazu berufen ist, Klarheit in diese Sache zu bringen. In der oben zitierten Stelle Lamberts von Hersfeld ist es ein Ausdruck, der unsere besondere Aufmerksamkeit zu erregen geeignet ist: filio suo Heinrico adhuc catecumino. Wir sehen durch dieses eine Wort, dessen Bedeutung Lambert wohl kannte, und das er nicht ohne Absicht setzte, die Sachlage augenblicklich ver-ändert. Heinrich IV war damals noch Catechumene. Nun ist man zwar gewöhnlich geneigt, anzunehmen, daß trotz der Beibehaltung der Ceremonie des Catechumenates, das ursprünglich mehrere Jahre dauerte, da man sich bei den Catechumenen nicht nur von der Kenntnis der Glaubenswahrheiten, sondern auch von der bereitwilligen Befolgung derselben überzeugen wollte, später das Catechumenat nur mehr Form-sache gewesen sei. Wie ich glaube, geht man hier zu weit, eine bloße Formsache ist es auch in diesen Zeiten nicht gewesen. Es muß zwar zugegeben werden, daß von einem solchen Catechumenate im strengen Sinne des Wortes in den späteren und auch in Heinrichs III Zeiten nicht mehr die Rede sein kann, nichtsdestoweniger hat sich das Cate-chumenat als solches in mehr oder minder längerer Dauer auch damals erhalten, was darin begründet sein dürfte: In den ersten Zeiten des Christenthums hielt man eben strenge an dem Gesetze fest, daß nur Er-wachsene getauft werden dürften. Schon zu Irenäus,[2] Tertullians und namentlich des heiligen Augustinus Zeiten wurde aber die Ausspendung der Taufe, wenn auch mit mancherlei Beschränkungen auch an Kinder üblich, wie dies namentlich in des letzteren Schriften deutlich zum Aus-

---

[1] Der Zeitraum zwischen Geburt und Taufe wäre nämlich selbst unter dieser Voraussetzung doch schon ein ziemlich langer, da das z. B. für Oesterreich maßgebende Konzil von Wien v. J. 1858 Tit. III Cp. 2 bestimmte: Infantium Baptismus ultra biduum a nativitate non differatur. Nichtsdestoweniger hat sich der Usus ein-gebürgert, daß in Städten die Taufe erst 8—14 Tage, oft noch etwas mehr nach der Geburt vollzogen wird.

[2] Irenaeus advers. haeretic. II, 22, 4: Omnes enim venit per semetipsum salvare: omnes inquam, qui per eum renascuntur in Deum, infantes et parvulos et pueros et iuvenes et seniores.

drucke kommt.[1]) Mit dieser Neuerung mußte aber Hand in Hand eine
Verkürzung, ja vielleicht manchmal gänzliche Vernachläſſigung des Cate=
chumenates der Kinder gehen. Aus folgendem wird erhellen, wie be=
ſchaffen das Catechumenat der Kinder überhaupt geweſen ſei, und hie=
durch auch, was Lambert mit der Anwendung des Ausdruckes bei
Heinrich IV bezeichnet haben wollte.

Aus dem Umſtande, daß Heinrich IV Catechumene war, ließe ſich
nämlich zwar ſchon erklären, daß man es mit ſeiner Taufe nicht ſo
eilig hatte, noch klarer aber wird es, wenn wir auf die Kirchengeſetze
des 11. Jahrhunderts hinſichtlich der Taufe zurückgehen und nachforſchen,
ob vielleicht die erſte Alternative beſtand, ob es ein Geſetz hinſichtlich
des Zeitpunktes des Empfanges des Sakraments der Taufe gab.
Unterſucht man nämlich, welche Geſetze über die Taufe noch im
11. Jahrhunderte in Giltigkeit waren, ſo laſſen ſich dieſe aus drei
Momenten herleiten:

1. aus Erläſſen von Päpſten und Synodalbeſchlüſſen,
2. aus den Kapitularien der Könige,
3. aus dem Zeitpunkte des Vollzuges der Taufe, welchen uns die
   einzelnen Annalennachrichten dieſer und der vorhergehenden Zeiten
   überliefern.

Es wird nötig, im folgenden der behandelten Frage etwas aus=
führlicher nachzugehen, da man einerſeits bisher dieſem Punkte zu wenig
Aufmerkſamkeit geſchenkt hat, andererſeits die nun folgende Erörterung
als Baſis für eine kritiſche Behandlung der Taufe Heinrichs IV un=
umgänglich notwendig war. Ich glaube aus dieſem Grunde das Be=
weismaterial, ſoweit es anging, möglichſt wörtlich bringen zu ſollen, was
ſchon deshalb von Wichtigkeit iſt, weil ſich oft nur aus dem Zuſammen=
hange ein genauer Einblick in die geſetzlichen Beſtimmungen gewinnen
läßt, andererſeits aber ſelbſt einzelne Worte für die Löſung der Frage
von der größten Bedeutung erſcheinen.

Unter den auf die Taufe ſich beziehenden Papſtdekreten iſt in
erſter Linie zu erwähnen der Brief des Papſtes Syricius an den

---

[1]) Corp. iur. canon. ed. H. Freiesleben, Coloniae Munatianae 1735,
S. 1206, Cp. 7: Illud perscrutari homines solent, sacramentum baptismi
Christi, quid parvulis prosit: cum eo accepto plerumque moriuntur, prius-
quam ex eo quicquam agnoscere potuerunt. Qua in re satis pie recteque
creditur, prodesse parvulo fides eorum, a quibus consecrandus offertur. Ibid.
lib. I, ep. 32: Parvuli etiam baptizati inter credentes reputantur per Sacra-
menti virtutem et offerentium responsionem.

Tarraconenſer Himerius im Jahre 385 n. Chr.,[1] ſodann der Brief
Leos I an die geſamten Biſchöfe Siziliens[2] im Jahre 447, ferner ein
Brief des Papſtes Gelaſius I an den Klerus und das Volk von Tarent[3]
und ein weiterer Brief desſelben an die Lucaniſchen Biſchöfe[4] im Jahre
494. Auch das im Jahre 517 abgehaltene Gerundenſer Konzil enthält
einen Canon bezüglich der Taufe,[5] der den vorhergehenden päpſtlichen
Erläſſen entſpricht.

---

[1] Sacror. concil. nov. et ampl. collectio Venetiis 1725 ed J. Mansi
III, 656, Ep. I, 2. Sequitur de diversis baptizandorum temporibus, prout
unicuique libitum fuerit, improbabilis et emendanda confusio, quae a nostris
consacerdotibus (quod comnoti dicimus) non ratione auctoritatis alicuius,
sed sola temeritate praesumitur, ut passim ac libere natalitiis Christi, seu
apparitionis, necnon et apostolorum seu martyrum festivitatibus innumerae
(ut asseris) plebes baptismi mysterium consequantur, cum hoc sibi privilegium et apud nos et apud omnes ecclesias, dominicum specialiter
cum pentecoste sua pascha defendat, quibus solis per annum
diebus, ad fidem confluentibus generalia baptismatis tradi convenit
sacramenta, iis dumtaxat electis, qui ante quadraginta vel eo amplius dies
nomen dederint . . . . Vgl. Reg. Pontif. Roman. ed. Ph. Jaffé ed. II.
Tom. I. Lipsiae 1885. S. 40: 10. Februar 385.

[2] Vita epist. et decreta Leonis Papae I ex nov. recens. fratr. Balleri-
norum, quam dederunt in nova edit opp. S. Leonis M. Tom. 1 apud Mansi
a. a. O. Tom. V, Ep. 16, cp. 1, S. 1306: Cum mihi sollicito . . . innotuerit,
vos in eo quod inter sacramenta Ecclesiae principale est, ab apostolicae
institutionis consuetudine discrepare, ita ut baptismi sacramentum numero-
sius in die Epiphanie, quam in paschali tempore celebretis, miror vos, vel
praecessores vestros tam irrationabilem novitatem usurpare
potuisse. . . . Vgl. auch S. 1310 c. 5: Unde quia manifestissime patet baptizandis in Ecclesia electis haec duo tempora, de quibus locuti sumus,
esse legitima; dilectionem vestram monemus, ut nullos alios dies huic
observantiae misceatis . . . . non interdicta licentia, qua in baptismo tri-
buendo quolibet tempore periclitantibus subvenitur. — Vgl. Jaffé a. a. O.
S. 61, Nr. 414.

[3] Manſi a. a. O. T. VIII, c. 10, S. 40. Venerabilis baptismi
sacramentum non nisi in festivitate Paschali et Pentecostes
tradere praesumat Episcopus: exceptis iis, qui urgente mortis periculo
talibus oportet ne in aeternum pereant, remediis subveniri . . .

[4] A. a. O. Baptizandi sibi quisquam passim quocumque tempore
nullam credat inesse fiduciam praeter paschale festum et pentecostes venerabile sacramentum, exceptis dumtaxat gravissimi languoris
incursu: in quo verendum est, ne morbi crescente periculo sine remedio
salutari fortassis aegrotans exitio praeventus abscedat. — Vgl. Jaffé a a. O.
S. 85, Nr. 636.

[5] Manſi a. a. O., Tom. VIII, 549. 4. De catechumenis baptizandis
id statutum est, ut in paschae solennitate vel pentecostes, quanto

Wiewohl diese eben besprochenen Papstdekrete die Grundlage für die Beschlüsse der Folgezeit bilden, kommen sie doch für unsere Frage nicht so sehr in betracht, da vielleicht eingewendet werden könnte, das seien Briefe, die für die Mittelmeerländer Geltung hatten, für die nördlichen Gebiete Europas aber belanglos waren. Daß dem nicht so war, beweisen die Beschlüsse dreier Konzilien, welche für die von mir behandelte Frage von der allergrößten Bedeutung sind, und zwar das im Jahre 572 abgehaltene sogenannte dritte Bracarenser Konzil, das unter dem Vorsitze des Suevenkönigs Miro tagte, [1] das an Wichtigkeit noch übertroffen wird von zwei Merovingerkonzilien, dem Concilium Matisconense vom Jahre 585 [2] und dem Concilium Autissiodorense, gehalten zwischen den Jahren 573 und 603. [3] Auf deutsches Gebiet bezieht sich der Brief Gregors II vom Jahre 726 [4] und derjenige, welchen er an den Klerus, Adel und Volk richtet, dem Bonifatius

---

maioris celebritatis maior celebritas est, tanto magis ad baptizandum veniant: ceteris solennitatibus infirmi tantummodo debeant baptizari: quibus quocumque tempore convenit baptismum non negari.

[1] Mansi a. a. O. T. IX. Concilium Bracarense III Capitula collecta a Martino episc. Bracarensi Tit. 49. c. 63: non liceat ante duas septimanas paschae, sed ante tres ad baptismum suscipere aliquem.

[2] Mon. Germ. hist. Concilia Tom. I. Concilia Aevi Merovingici Hannoverae 1893 rec. Fr. Maassen, S. 166 c. 3. Relatione quorumdam fratrum nostrorum comperimus Christianos non observantes legitimum diem baptismi paene per singulos dies ac natales martirum filios suos baptizare ita ut vix duo vel tres reppereantur in sanctum pascha, qui per aquam et Spiritum sanctum regenerentur. Idcirco censemus, ut ex hoc tempore nullus eorum permittatur talia perpetrare, praeter illos, quos infirmitas nimia aut dies extremus compellit filios suos baptismum percipere. Ideoque praesentibus admonitionibus a suis erroribus vel ignorantia revocati omnes omnino a die quadragesimo cum infantibus suis ad ecclesiam observare praecipimus, ut impositionem manus certis diebus adepti et sacri olei liquore peruncti legitimi diei festivitate fruantur et sacro baptizmate regenerentur, quo possint et honoribus, si vita comis fuerit, sacerdotalibus fungi et singulares celebrationes solemnitate frui.

[3] Concilia Aevi Merov. etc. a a. O. S. 181, XVIII. Non licet absque paschae sollemnitatem ullo tempore baptizare, nisi illos, quibus mors vicina est, quos gravattarios dicunt. Quod si quis in alio pago contumacia facientem post interdictum hunc infantes suos ad baptismum detulerit, in ecclesias nostras non recipiantur; et quicumque presbyter ipsos extra nostro permisso recipere praesumpserit, tribus mensibus a communione ecclesiae sequestratus sit.

[4] Jaffé a. a. O. S. 255, Nr. 2174.

als Bischof vorgesetzt worden sei.[1] Nichtsdestoweniger scheinen die
Bestimmungen dieser vorgenannten Konzile allmählich wieder in Ver=
gessenheit geraten zu sein, da das im Jahre 829 auf den Befehl
Ludwigs des Frommen in Paris[2] zusammengetretene Konzil ausdrück=
lich Leos' und Gelasius' Bestimmungen den Gläubigen wieder ins Ge=
dächtnis ruft, wie denn auch das Meldenser Konzil[3] vom Jahre 845,
das unter dem Erzbischofe Rabanus im Jahre 847 abgehaltene erste
Mainzer Konzil[4] und das Konzil von Tribur im Jahre 895[5] Canones
bezüglich des Zeitpunktes der Taufausspendung enthalten, die mit den
früher genannten völlig übereinstimmen, ja oft nur eine wörtliche Wieder=
holung derselben darstellen.

Wenn auch weder den Papstdekreten noch Konzilienbeschlüssen
angehörend, sollen doch an dieser Stelle auch die „capitula
Attonis Vercellensis" vom Ende des 10. Jahrhunderts genannt
werden, da sie am besten mit jenen zugleich angeführt werden, schon
aus dem Grunde, weil sie nur eine Rekapitulation der Worte des ob=
genannten Briefes des Papstes Gelasius an die lucanischen Bischöfe
enthalten.[6] Außer diesem möge hier noch die „capitularium Benedicti
Additio secunda"[7] aus dem neunten Jahrhunderte Erwähnung finden,

---

[1] Mansi a. a. O. XII, S. 240, ep 4: Sacrosancti autem baptismi
sacramentum, non nisi in paschali festivitate et pentecoste noverit
esse praebendum, exceptis iis, quibus mortis urgente periculo, ne in aeternum
percant, talibus oportet remediis subvenire.

[2] Mansi a. a. O. Tom. XIV. Concil Paris. VI. Lib. I. VII. S. 541 ff.:
Praefixa tempora canonum super celebratione baptismatis a multis, partim
ignorantia, partim praesumptione violantur . . . . . . Unde quia manifestissime
patet baptizandis in ecclesia haec duo tempora, de quibus locuti sumus
esse legitima . . . . . .

[3] Mansi a. a. O. XIV, S. 830. — Conc. Meldense XLVIII. Ut nemo
presbyterorum baptizare praesumat nisi in vicis et ecclesiis baptismalibus,
atque temporibus constitutis, nisi causa aegritudinis, vel certae
necessitatis . . . . .

[4] Mansi XIV, 903. — Conc. Moguntinum I. Tit. III. Wiederholung des
Dekretes Leos I.

[5] Mansi XVIII, 138 u. 139. — Conc. Triburiense XII. Sacrosanctum
baptismi mysterium, sciant omnes in Christo regenerari, non nisi in
praefixis et legitimis in anno celebrari temporibus, cum hoc sibi
privilegium, ut in epistola Siricii papae legitur capite secundo, et apud nos,
et apud omnes ecclesias specialiter cum pentecoste sua domini cum
pascha defendit.

[6] Mansi a. a. O. XIX, 248, Kap. XVII u. XIX.

[7] MGLL. I, 117. Capitula, quae deinceps sequentur non tunc, quando
praescripta velud in subsequentibus habentur inventa, collecta, ordinata

welche ausdrücklich gleichsam zum Handgebrauche in zweifelhaften Fällen
bestimmt war. Der Taufe Heinrichs IV zeitlich am nächsten liegt das
Konzil von Coyaca, im Jahre 1050 gehalten, dessen Bestimmungen
so klar hinsichtlich der Kindertaufe sprechen, daß sie allein schon das
Vorgehen bei der Taufe Heinrichs IV vollkommen erklären würden.[1]
Zum Beweise dafür, daß die vorgenannten Konzilbeschlüsse auch noch
in späterer Zeit in voller Geltung blieben, somit die Taufe Heinrichs IV
nicht in eine Uebergangszeit in bezug auf die kirchliche Taufpraxis, das
heißt in den allmählichen Uebergang zur Taufe während des ganzen
Jahres fällt, führe ich noch die Bestimmungen des Konzils von Rouen
vom Jahre 1072 an, das sich ausdrücklich auf die Dekrete der heiligen
Väter beruft, unter welchen es namentlich Innocenz 1 und Leo 1 heran-
zieht, und das auch die Gesetze hinsichtlich der Kindertaufe erneuert[2]
Daß diese Verordnungen aber auch noch über das 11. Jahrhundert
hinaus in kraft blieben, bezeugt der Umstand, daß sie sich unverändert
in der pars III „de congregatione" des „decretum Gratiani" des
Mönches Gratian aus der Mitte des 12. Jahrhunderts wiederfinden.

Neben den kirchlichen Erlässen bezüglich der Taufe sind uns noch
drei C a p i t u l a r e von Königen erhalten, welche die Taufe im allgemeinen
zu ihrem Gegenstande haben.

Als erstes tritt uns das Capitulare Karls des Großen zu Paderborn[3] im Jahre 785 entgegen, welches zwar hinsichtlich des Tages

---

hucque inserta esse noscuntur, sed postmodum a fidelibus reperta hac in
scedula sicut acta erant, sunt inserta, ut facilius a fidelibus, quotiens necesse
fuerit, repperiantur. Punkt 2: Quo tempore baptisma celebrari oporteat. Ut
extra s t a t u t a t e m p o r a canonum baptismata non celebrentur; quia sacri
canones hoc modis omnibus, nisi aliquod periculum institerit, fieri prohibent,
in tantum, ut etiam eos, qui alio tempore baptizantur, a gradibus ecclesiasticis arceant.

[1] Mansi a. a. O. XIX, 792: Coyacensis Concilii acta ampliora, e
schedis Lusitanis restitutum a 1050 celebratum. Quinto autem capitulo statuimus, sabbatho paschae et pentecostes ut baptismus generaliter
adimpleatur et sic nullus infans ante hos terminos baptizetur nisi infirmitas coegerit.

[2] Mansi XX, 40. Conc. Rotomagense XXIV. Item iuxta sanctorum
patrum decreta scilicet Innocentii papae et Leonis statuimus, ne generale
baptisma nisi sabbato paschae et pentecostes fiat. Hoc quidem
servato, quod parvulis, quocumque tempore, quocumque die petierint re-
generationis lavacrum non negetur. Vigilia vel die epiphaniae ut nullus, nisi
infirmitatis necessitate, baptizetur, omnino interdicimus.

[3] MGLL. I, 49. Karoli Magni Capitularia. Paderbrunnense A 785 c. 19.
Similiter placuit his decretis inserere, quod omnes infantes intra

der Taufe keinerlei Bestimmungen enthält, das aber den Zeitraum, innerhalb dessen die Taufe vollzogen werden muß, auf längstens ein Jahr nach der Geburt festsetzt und sogar Geldbußen für die Ueber= tretung dieses Befehles bestimmt. Indirekt können wir aber auch aus der Notwendigkeit, daß ein solches Gesetz erlassen werden mußte, darauf schließen, daß eben wegen des Umstandes, daß nur zu bestimmten Zeiten des Jahres die Taufe vollzogen werden durfte, viele die Taufe ihrer Kinder ungebührlich lange hinausgezogen haben mußten, so daß endlich dem eine Grenze zu setzen nötig war. Von Karl dem Großen stammt noch ein weiteres Capitulare[1] vom Jahre 801, in welchem den Priestern strengste Beobachtung der Taufzeiten aufgetragen wird. Ein ferneres Capitulare ist das Ludwigs des Deutschen aus dem Jahre 852,[2] welches anbefiehlt, kranke Kinder zu jeder Zeit zu taufen, was also ergibt, daß gesunde nur zu bestimmten Zeiten getauft werden durften.

Hinsichtlich des dritten Momentes für die Bestimmung des Zeit= punktes der Taufe, der von Annalisten überlieferten Präzedenzfälle von Taufen, sind die Nachrichten äußerst spärlich: entweder ist dies darin gelegen, daß die Annalisten es für überflüssig erachteten, den Zeitpunkt der Taufe der Königskinder anzugeben, oder darin, daß man es als selbstverständlich ansah, daß die Kinder immer nur zu den ge= botenen Zeiten getauft wurden. Ich habe im folgenden die Nachrichten über Taufen zusammengestellt, welche uns die Annalen vom 8. bis inklusive 11. Jahrhundert bieten. In den ersteren Jahrhunderten sind die Angaben noch häufiger, da es sich oftmals noch um Bekehrungen handelt und auch die Taufen mit größerem Gepränge vollzogen wurden. In den späteren Jahrhunderten werden sie seltener und verlieren sich während der Regierung des kinderlosen Otto III und Heinrich II und später unter Heinrichs IV eigener Regierung bis auf einen Fall ganz. Zur größeren Deutlichkeit wurden nicht bloß Nachrichten über die Taufe

---

annum baptizantur. Et hoc statuimus, ut si quis infantem intra cir- culum anni ad baptismum offere contempserit, sine consilio vel licentia sacerdotis, si de nobili genere fuerit, centum viginti solidos fisco componat, si ingenuus sexaginta, si litus triginta.

[1] Mansi a. a. O. XIV, 256. Capitularia regum Francorum Tit. X. Ut a cunctis sacerdotibus ius et tempus baptismatis temporibus congruis se- cundum canonicam institutionem cautissime observetur.

[2] MGLL. I, 415. Hludowici Germ. capitularia Canon. Hludowici regis 16; a. 852 B. X. Conventus Mogontinus. De parvulis infirmis baptizandis. Si parvulus egrotans ad quemlibet presbiterum baptismi gratia de cuiuslibet parrochia allatus fuerit, ei baptismi sacramentum nullo modo non negetur.

von Kindern, sondern auch von Erwachsenen herangezogen, da auch aus
diesen einen Schluß auf den Vollzug der Kindertaufe zu ziehen gerecht=
fertigt sein dürfte. Zunächst seien die Taufen von Erwachsenen in
chronologischer Folge angeführt.

Als erstes Beispiel in dem von mir betrachteten Zeitraume findet
sich im Jahre 785 auf 786[1]) die Taufe Widukinds und der Sachsen.
Aus der Verbindung der Nachrichten zu den Jahren 785 und 786 und
dem Umstande, daß die Annales Einhardi das Jahr von Ostern zu
Ostern rechneten, können wir entnehmen, daß die Taufe in Attiniacum
zu Ostern 785 stattfand. Die nächste deutliche[2]) Nachricht liegt uns
für die Taufe des Normannen Heriold und seiner Gattin vor,[3])
welche zu Pfingsten des Jahres 826 vollzogen wurde. Bezeugt ist uns
ferner die Taufe von 14 böhmischen duces im Jahre 845,[4]) über welche

---

[1]) **Einhardi Annales**: MGSS. I, 167—69, a. 785: cum eodem ipso ad
eius praesentiam in Attiniaco villa venerunt, atque ibi baptizati sunt a. 786:
cum et hiemis tempus expletum et sanctum pascha in Attiniaco villa fuisset
a rege celebratum .... .. Zum Jahre 785 berichten **Einhardi Fuldensis**
Annales: MGSS. I, 350: Widukind Saxo Attiniaci ad fidem Karoli venit et
baptizatus est.

[2]) Ich bemerke hier, daß ich im folgenden nur Taufen herangezogen habe, in
welchen entweder ausdrücklich der Zeitpunkt der Taufe angegeben ist, oder bei denen
sich wenigstens auf denselben mit Notwendigkeit schließen läßt, und daß ich alle un=
bestimmten Nachrichten als meinem Zwecke nicht förderlich übergangen habe. Es
finden sich nämlich oft am Schlusse einzelner Jahre Angaben, wie z. B. i. J. 897
die Nachricht in den Annalen des Klosters St. Vaast bei Arras: MGSS. I, 530,
daß Karl den Hunebertus im Kloster Cluny aus der Taufe gehoben habe, nicht gar
selten, sie sind aber für eine strengere Beweisführung nicht zu verwenden, da man
erst nach dem Beweise wird vermuten dürfen, daß auch diese Taufen nur an den ge=
botenen Tagen stattgefunden haben müssen.

[3]) **Vita Hludowici Imp**: MGSS. II, 629, c. 40 Imperator vero
Kalendis Junii mensis ad Ingelunheim venit, ibique illi conventus populi sui,
secundum quod praeceperat, occurrit .... Nec non et Herioldus a Nord-
manniae partibus cum uxore veniens Danorumque non parva manu, Mogon-
tiaci apud sanctum Albanum cum suis omnibus baptismatis sacri perfusus
est unda ....; **Einhardi Annales**: MGSS I, 214 ff. a. 826: Imperator vero
medio mense Maio Aquis egressus circa Kalendas Junii ad Ingilunheim venit,
habitoque ibi conventu non modico, multas et ex diversis terrarum partibus
missas legationes audivit et absolvit .... Eodem tempore Herioldus cum
uxore et magna Danorum multitudine veniens, Moguntiaci apud sanctum
Albanum cum his quos secum adduxit, baptizatus est

[4]) **Ruodolfi Fuldensis Annales**: MGSS. I, 845. Hludowicus XIV
ex ducibus Boemarum cum hominibus suis christianam religionem desi-
derantes suscepit, et in octavis theophaniae baptizari iussit.

aber erst später die Rede sein soll; zum Jahre 853 bringt Regino [1])
über die Taufe zu Ostern überhaupt Nachricht. Im Jahre 892 fand
zu Pfingsten die Taufe Catills [2]) statt. Ohne nähere Jahresangabe,
aber sehr merkwürdig ist die Nachricht des Mönches von St. Gallen in
der Schrift über die Thaten Karls des Großen, aus der die Gewohnheit, die Taufe zu Ostern abzuhalten, ganz deutlich hervorgeht. [3])

Bei der Aufzählung der uns überlieferten Taufen von Königs-
kindern glaube ich die Sache etwas ausführlicher behandeln zu sollen,
da diese Beweise im innigsten Zusammenhange mit der von mir zu
erörternden Taufe Heinrichs IV stehen. Die erste ausdrücklich zu Ostern
bezeugte derartige Taufe ist die Pippins, des Sohnes Karls des
Großen im Jahre 781, [4]) der vom Papste Hadrian in Rom getauft
wurde. Zu gleicher Zeit melden auch die Quellen von der Taufe der
Tochter Karls des Großen, Gisela, vom Erzbischofe Thomas in Mai-

---

[1]) Reginonis Chronic.: MGSS. I, 568 u. 853: Nordmanni . . . . pontificem civitatis ipso die sabbato sancto paschae, cum baptismum et more
celebraret, in basilica interficiunt.

[2]) Richeri Hist. Lib. I: MGSS. III, 562 a. 892₁₀ Utiliter ergo patrata
victoria rex (Odo) tirannum captum secum Lemovicas ducit . . . . Quia
ergo pentecostes instabat sollempnitas . . . ab episcopis ei triduanum indi-
citur ieiunium.

[3]) Monachi Sangall. Gesta Karoli Lib. II: MGSS. II, 762, cp. 19:
Quod cum diutius actitaretur et non propter Christum set propter commo-
da terrena ab anno in annum multo plures iam non ut legati, set ut devo-
tissimi vasalli, ad obsequium imperatoris in sabbato sancto paschae festinarent
occurrere, contigit . . .

[4]) Annales Laurissenses: MGSS I, 160 a. 781: Et supradictum
iter peragens, celebravit pascha in Roma; et ibi baptizatus est domnus
Pippinus, filius supratitulati domni Caroli magni regis, ab Adriano papa,
qui et ipse eum de sacro fonte suscepit. — Einhardi Annales: MGSS I,
160; Et cum ibi sanctum pascha celebraret, baptizavit idem pontifex filium
eius Pippinum . . . .; Annales Lauresham. pars altera ebenda S. 31: et
baptizatus est ibi filius eius qui vocabatur Carlomannus, quem Adrianus
papa mutato nomine vocavit Pippinum; — Annal. Quedlinburg.: MGSS.
III, 37 a. 781: Carolus Romam perrexit et ibi baptizatus est filius eius
Carolomannus, quem Hadrianus papa mutato nomine vocavit Pippinum. —
Annal. Weissenburg.: ebenda, mit dieser Nachricht gleichlautend. Das gleiche
berichtet Lambert a. a. O. zum selben Jahre, und auch Einhardi Fuldensis
Annales, MGSS. I, 349 zum Jahre 781, während die Würzburger Annalen:
MGSS. II, 240, dies zum Jahre 782 melden. — Vgl. hiezu auch Böhmer reg.
Imper. ed. E. Mühlbacher I, 87; Urk. vom 15. April 781, Roma — woselbst
die Vermutung ausgesprochen ist, daß die Taufe wahrscheinlich schon am Charsamstag
stattgefunden habe.

land auf der Rückreise von Rom.[1]) Diese Taufe kann wohl nur erst zu Pfingsten vollzogen worden sein, welche in diesem Jahre auf den 4. Juni fielen, und zwar aus folgenden Gründen. Erstens dürfte sich Karl auch nach Ostern noch einige Zeit in Rom aufgehalten haben, und dann berechtigt auch die Entfernung zwischen Rom und Mailand zu dem Schlusse, daß Karl erst um Pfingsten Mailand erreicht haben dürfte. Bewiesen wird dies durch eine Urkunde Karls des Großen vom 25. Mai 781, ausgestellt in Pavia,[2]) aus welcher erhellt, daß er damals noch südlich von Mailand sich aufhielt; daß er am 8. Juni dieses Jahres ebenfalls zu Pavia weilte, dürfte für unsere Frage nicht so schwer ins Gewicht fallen, da es nahe liegt, zu vermuten, Karl sei von Pavia zur Pfingstfeier nach Mailand gezogen, dann aber wieder nach Pavia zurück= gekehrt. Höchst wahrscheinlich fand die Taufe Giselas daher zu Pfingsten statt. Erst im Jahre 853 begegnen wir wieder der Taufe einer Prin= zessin. Die Annalen des Prudentius[3]) melden nämlich zu diesem Jahre, daß die Dänen bis zum März im Lande blieben, daß Lothar die Tochter Karls aus der Taufe hob und wenige Tage später in die Heimat zurückkehrte. Da Karl, wie später gemeldet wird, bereits im April eine Synode zu Soiffons versammelte, konnte die Taufe nur zwischen dem Abzuge der Dänen und der Synode zu Soiffons statt= gefunden haben, was mit den Ostern zusammenfällt, welche in diesem Jahre auf den 2. April fielen.[4]) Eine Taufe zu Ostern berichten auch die Annalen des Klosters St. Bertin zum Jahre 875.[5])

Ein Hauptbeweis für meine Behauptung hinsichtlich der Taufe Heinrichs IV von Deutschland liegt in einer Nachricht des Jahres

---

[1]) Annal. Lauriss. a. a. O. Et inde revertente domno Carolo rege Mediolanis civitate pervenit, et ibi baptizata est filia eius domna Gisela ab archiepiscopo nomine Thoma, qui et ipse eam a sacro baptismate manibus suscepit. -- Einhardi Annales a. a. O. Rege vero Roma digresso ac Mediolanum veniente, Thomas eiusdem urbis archiepiscopus baptizavit ibi filiam eius, nomine Gislam et de sacro fonte suscepit.

[2]) Böhmer a. a. O. S. 88.

[3]) Prudentii Trecensis Annales: MGSS. I, 447 a. 853: ceteri Danorum usque ad mensem Martium inibi absque ulla formidine resident.... Lothariusque filiam Caroli a sacro fonte suscipit, et paucos post dies ad sua remeare contendit.

[4]) Nach H. Grotefends Chronologie d. deutsch. MA. Hannover 1872.

[5]) Hincmari Remensis Annales: MGSS. I, 497: Carolus circa initium quadragesimae monasterium sancti Dionysii adiit, ubi et pascha Domini celebravit. Et Richildis uxor eius noctu ante quartam feriam paschae [i. e. in der Nacht vor dem 4. Ostertage] abortu filium peperit, qui baptisatus mox obiit.

877, indem hier ein völlig entsprechender Fall überliefert wird.[1] Richildis hatte nämlich im Oktober des Jahres 876 auf der Flucht einen Knaben geboren, den sie nach Antennacum brachte. Daß dieser nicht sogleich getauft wurde, und daß man die Ostern des nächsten Jahres hiezu abwartete, beweist die Nachricht des Jahres 877. Das Kind wurde vor diesem Zeitpunkte krank und mußte schleunigst getauft werden. Daß dies kurz vor Ostern geschah, erhellt aus dem folgenden Satze, da Karl zu Compendium, wo auch sein Sohn gestorben war, noch das Osterfest feierte. Ausdrücklich gesagt ist bei einer Nachricht des Jahres 945[2] zwar nichts von einem Zeitpunkte des Vollzuges der Taufe, aber wir können auch hier entnehmen, daß mit der Taufe des Prinzen gewartet wurde, und daß man, wie ich später noch des näheren ausführen werde, demselben „ad catezizandum" einstweilen einen Namen gab. Als letztes überliefertes Beispiel einer Ostertaufe vor derjenigen Heinrichs IV erscheint die Taufe der Zwillingssöhne des Königs Ludwig IV im Jahre 953.[3] Es ist zwar in dem betreffenden Berichte nicht gesagt, daß die Taufe zu Ostern stattfand, aber es ist ein Ausdruck gebraucht, der, wie ich glaube, beweisen dürfte, daß die Taufe wirklich zu diesem Zeitpunkte vollzogen wurde, ich meine „in albis decedit." Diese Redewendung ist nämlich nur dann verständlich, wenn man sich vor Augen hält, daß die Täuflinge am weißen Sonntage die weißen Taufkleider, die sie am Charsamstage bei der Taufe empfangen hatten, ablegten,

---

[1] Ebenda S. 502 a. 876. Richildis autem, audiens 7. Idus Octobris de fuga hostis imperialis et ipsius imperatoris ab Heristallo movit, et fugiens, subsequenti nocte galli cantu in via peperit filium, quem post partum famulus suus ante se portans, fugiendo usque ad Antennacum detulit. a. 877: Convalescens autem per Carisiacum ad Compendium venit (sc. imperator); ubi dum moraretur, filius eius, qui, antequam Richildis ad Antennacum veniret in via natus fuerat, infirmatur, et a Bosone, avunculo suo, de fonte susceptus, Carolus nominatus moritur ..... Carolus autem imperator in Compendio quadragesimum peragens, pascha Domini celebravit.

[2] Flodoardi Annáles: MGSS. III, 391 a. 945: adhuc rege Ludowico apud Rodomum degente, Gerberga regina filium Lauduni peperit, qui Karolus ad catezizandum vocitatus est.

[3] Ebenda S. 402 a. 953: Interea Gerberga regina Lauduni geminos enixa, quorum unus Karolus, alter vocatus est Heinricus, sed Heinricus post baptismum defunctus est. — Richeri Hist. Lib. I. a. a. O. 109. 502 a. 953. Interea Gerberga regina Lauduni geminos enixa est. Quorum alter Karolus, alter Heinricus vocatus est. At Heinricus mox post sacri baptismatis perceptionem in albis decedit.

was am besten aus den Worten des Rabanus Maurus[1] hervor=
gehen dürfte. Wenn es nun heißt, daß Heinrich noch in den Tauf=
kleidern starb, so liegt wohl die Vermutung nahe, daß die Zeit seines
Todes in die Woche nach dem Osterfeste fiel, da unter anderer Vor=
aussetzung sowohl die Wendung „in albis decedit," als auch „mox
post baptismatis perceptionem" nicht zu erklären wäre.

Schon aus diesem angezogenen Beweismateriale ergibt sich, wie
ich glaube, mit voller Klarheit, daß im Laufe des gesamten Jahres die
Taufe nur an zwei Terminen vollzogen werden durfte, zu Ostern
und zu Pfingsten, und daß es nur gestattet war, Kranken oder sich
in Gefahr Befindenden zu jeder Zeit das Sakrament der Taufe zu
spenden. Für die Taufe der Kinder galten keine anderen Gesetze, von
der Geburt an bis zum nächsten Oster= bezüglich Pfingstfeste blieben
sie Katechumenen; falls sie etwa in der Zwischenzeit krank wurden oder
ihr Leben gefährdet war, konnten sie zu jeder Zeit entweder von einem
Priester ordnungsgemäß getauft werden, oder die Nottaufe erhalten.[2]

Sollten noch irgend welche Zweifel hinsichtlich des eben gesagten
bestehen, so werden dieselben durch folgende beide Belege, wie mir dünkt,
vollständig beseitigt und die Giltigkeit dieses Gesetzes gerade bezüglich
der Kindertaufe auch in der Kindheit Heinrichs IV von Deutschland
klar und unumstößlich bewiesen. Der erste Beweis ist ein Brief Alcuins,
der seiner Wichtigkeit halber eine genauere Betrachtung verdient; denn
obwohl Alcuin zu verschiedenen Malen in seinen Briefen das Wort
hinsichtlich der Taufe, namentlich bei der Bekehrung der Hunnen ergriff,
so sind doch in dem angezogenen Briefe die für unsere Frage belang=
vollen Punkte am besten zusammengestellt. Derselbe berichtet über Er=
örterungen, welche Paulinus, Patriarch von Aquileija, in einer auf
Befehl des Königs Pippin berufenen Bischofsversammlung über die

---

[1] Rabanus Maurus de instit. Cleric. lib. 3. c 39: Dies albas voci-
tamus propter eos, qui in sancta nocte baptizati albis per totam hebdomadam
utuntur vestibus. Nach diesen Worten ist wohl klar, daß nur in der Woche nach
Ostern die am Charsamstag Getauften in weißen Kleidern erschienen; erst später, als
sich der Brauch der Taufe auch zu anderen Zeiten einbürgerte, mußten natürlich die
Getauften 8 Tage nach ihrer jeweiligen Taufe in den weißen Kleidern einhergehen,
ein Moment, das für die von mir betrachtete Zeit ganz außer Betracht fällt.

[2] Bereits erwähnt vom hl. Augustinus im Briefe an Fortunatus: corp. iur.
can. ed. Aem. Friedberg, Lipsiae 1879, S. 1174 c. 21. In necessitate, cum
Episcopi aut Presbyteri aut quilibet ministrorum non inveniuntur et urget
periculum eius, qui perit, ne sine isto sacramento hanc vitam finiat, etiam
Laicos solere dare Sacramentum, quod acceperunt, solemus audire.

Art und Weise hält, wie die unterworfenen Hunnen getauft werden
sollen. [1] Wir finden in diesem Briefe ausdrücklich wiederholt, daß nur
zu Ostern oder zu Pfingsten getauft werden solle, und mit aller Schärfe
ist der Passus bezüglich der Taufe der Kinder ausgesprochen, den ich
nicht umhin kann, wörtlich hier wiederzugeben: „Die gesäugt werdenden
Kinder sollen, woferne sie nicht in der Zwischenzeit von Todesgefahr
bedrängt werden, insgesamt aufbewahrt werden bis zu jenen zwei all=
gemeinen Zeiten, von denen schon öfter gesprochen wurde, nämlich
Ostern und Pfingsten."

Ist dieses erste Zeugnis somit einer der besten Beweise für das
8., so ist es nicht minder der folgende für das 11. Jahrhundert. Kein
geringerer als Ordericus Vitalis selbst ist es, der uns in seiner
Kirchengeschichte von seiner eigenen Geburt und Taufe erzählt, [2] und
dadurch den Beweis erbringt, daß selbst der in allem reformierende
Wilhelm der Eroberer dieses Gesetz nicht zu beseitigen imstande war,

---

[1] Ph. Jaffé, bibl. rer. Germ. T. VI. Monumenta Alcuin. ed. Wattenbach et Duemmler. Alcuini Epistolae 68 S. 312—17: 796 aestate: Inven-
tumque est protinus et per sacras scripturarum adprobatum paginas, duo
tantummodo legitima tempora, in quibus sacramenta baptismatis, nisi iusta
et inevitabilis, ut praefati sumus, interveniat occasionis necessitas, modis
omnibus iure sunt celebranda : pascha videlicet celeberrimum festum et
pentecosten gloriosum sancti Spiritus in igneis linguis adventum. — Ebenda
S. 313. Unde et ab ipsis apostolis traditum est sanctae ecclesiae, duo haec
tempora in mysterio sacri baptismi singulariter caelebrare. Ebenda S. 316:
Porro de duobus legitimis temporibus, id est pascha vel pentecosten, in quibus
universaliter, sicut dictum est, sanctum tribuitur baptisma, considerare libet,
qualiter propter conversionem istarum gentium atque sacerdotum raritatem
inviolabiliter valeant anticipari .... Si felici praesumptione hac de causa
praedicta tempora anticipare non expavescimus, venerandae tamen dominicae
diei terminum, excepta mortis causa, nullo quolibet temeritatis ausu transilire
praesumamus, ita ut per hunc ordinem cuncta procedant. — S. 317. Parvi
autem lactantes nisi solo mortis debito interveniente, ser-
ventur cuncti ad illa duo universalia, de quibus iam saepius
dictum est tempora, pascha utique vel pentecosten. — Vgl. ep. 93
a. a. O. S. 344—92.

[2] Hist. Normann. script. ed. A. Duchesnius. Paris 1619. — Orderic.
Vital. Angligenae histor. eccl. L V, S. 547 u. 48: A modo tertium ab anno
Incarnationis Dominicae MLXXV Libellum exordiar, et de Abbate meo ac
Uticensi contione et de rebus per XII annos, scilicet usque ad Guillelmi
Regis obitum gestis loquar. A prefato nempe anno placet inchoare
praesens Opusculum, quo in hanc lucem XIV. Kal. Martij ex matris utero
profusus sum, Sabbatoque sequentis Paschae .... sacro fonte re-
natus sum.

wahrscheinlich es auch nie versucht hat, an ihm zu rütteln. Ordericus wurde hienach am 16. Februar geboren und erst am Charsamstage des kommenden Osterfestes getauft (4. April).

Ein einziger der angezogenen Fälle scheint der allgemeinen Giltigkeit des Gesetzes entgegenzustehen, nämlich die Taufe der 14 böhmischen duces am Feste der Erscheinung des Herrn im Jahre 845. Der eben genannte Brief Alcuins gibt aber sofort Klarheit über die Sache. Man solle zwar, heißt es in demselben, strenge an dem Gesetze festhalten, ginge es aber wegen der Menge der Bekehrten oder des Mangels an Priestern nicht an, diese Termine einzuhalten, so könne ausnahmsweise auch an anderen Festen getauft werden. Einer dieser beiden Ausnahms= fälle dürfte nun hier wirklich vorliegen. Da bei Kindertaufen keiner derselben jemals eintreten konnte, fällt dieser eine Fall für unsere Frage gar nicht in die Wagschale.

Diese Bestimmungen hatten somit nicht etwa bloß für das gewöhn= liche Volk Geltung, auch die Fürsten genoßen keinerlei andere Rechte, ja im Gegenteile gerade sie mußten mit gutem Beispiele vorangehen, um ihren Unterthanen keinerlei Präzedenzfälle zu bieten. Wenn sie schon ein Vorrecht gegenüber dem Volke hatten, so war es höchstens das Privilegium, daß die Taufe in ihrem Palaste vorgenommen werden durfte,[1] während sie sonst nur in der Kirche giltig vollzogen werden konnte, eine Bestimmung, welche auch in das Rituale Romanum Pauls V[2] übergegangen ist.

Als deutlichster Beweis dafür aber, daß man selbst in späteren Jahren immer und immer wieder auf diese alten Gesetze nachdrücklichst hinwies, erscheint mir der Umstand, daß selbst im Rituale Romanum, zeitlich also nach den Bestimmungen des Tridentiner Konziles, betont wird, daß nach altem Gebrauche eigentlich nur zu Ostern und Pfingsten getauft werden dürfe, und daß man sich bestreben solle, dieses Gesetz womöglich, wenigstens bei Erwachsenen, zu befolgen.[3]

---

[1] Corp. iur. canon. a. a. O. 1174.

[2] Rituale Roman. Pauli V. Pont. Max. Venetiis 1857, S. 11: in privatis locis nemo baptizari debet, nisi forte sint regum aut magnorum filii.

[3] Im Kapitel de tempore et loco administrandi baptismum, wo es heißt: quamvis Baptismus quovis tempore, etiam interdicti et cessationis a divinis, praesertim si urgeat necessitas, conferri possit [so bestimmte nämlich das Tridentiner Konzil in der V., VI., VII. und XXIV. Sessio c. 2. Vgl. Canones et Decreta sacrosancti oecumenici et generalis Concilii Tridentini

Aus der vorhergehenden Erörterung ergibt sich denn also, wie mir scheint, völlig klar, daß Heinrich IV nur zu Ostern oder Pfingsten des Jahres 1051 getauft werden konnte, und daß er in der Zwischenzeit, wie ihn auch Lambert nannte, Katechumene war. Die Eltern Heinrichs IV ließen sich also keine kirchenfeindliche Handlung, kein sogenanntes scandalum zu schulden kommen, im Gegenteile, sie fügten sich als fromme Glieder der katholischen Kirche auf das genaueste den damals herrschenden Kirchengesetzen; zudem war es ja der Kaiser seiner eigenen Würde schuldig, nicht für sich eine Ausnahme eintreten zu lassen. Von diesem Gesichtspunkte aus wird uns nunmehr auch die Person des Abtes Hugo von Cluny in weit anderem Lichte erscheinen, als sie den obenerwähnten Autoren erschien.

Jetzt erst glaube ich den passenden Moment gefunden zu haben, den vielfach erwähnten Brief des Kaisers Heinrich III an den Abt Hugo einer genaueren Würdigung zu unterziehen, da sich erst nach diesen Darlegungen vieles in demselben als klar und natürlich ergibt, was in der bisherigen Auffassung unklar erschien, und namentlich Lehmann, welcher der Sache nachging, zu dem Ausspruche veranlaßte: „Es fehlt, wie mir scheint, an hinreichenden Indizien, um auf diese Fragen zu antworten."[1]

Nichtsdestoweniger kann ich nicht sofort darangehen, nach dem vorhandenen Quellenmateriale das Eingreifen und die Beziehungen Hugos von Cluny zur Taufe Heinrichs IV darzulegen, da es vor allem notwendig ist, in eine nähere Untersuchung des angezogenen Briefes ein-

---

sub Paulo III, Julio III, Pio IV, Pont. max. Vienna 1823] tamen duo potissimum ex antiquissimo Ecclesiae ritu sacri sunt dies, in quibus solemni caerimonia hoc sacramentum administrari maxime convenit: nempe sabbathum sanctum Paschae et sabbatum Pentecostes, quibus diebus baptismatis fontis aqua ritu consecratur. — Vgl. Rituale Rom. a. a. O. quem ritum, quantum fieri commode potest, in adultis baptizandis, nisi vitae periculum immineat retineri decet, aut certe non omnino praecipue in metropolitanis aut cathedralibus ecclesiis.

[1]) Da sowohl Meyer von Knonau als Giesebrecht auf Lehmanns Forschungen zur Geschichte des Abtes Hugo I von Cluny (1049—1109) [Göttingen 1869] fußen, will ich mich im folgenden bloß mit der ausführlicheren Abhandlung des letzteren beschäftigen, und zu zeigen versuchen, inwieweit dessen Ansichten sich mit meinen, von anderen Gesichtspunkten ausgehenden Ergebnissen decken und inwieweit sie differieren. Lehmann widmet im zweiten Teile seiner Arbeit den § 12 „dem Verhältnisse Hugos zu Kaiser Heinrich III und Agnes und dem Anteile desselben an den deutschen Angelegenheiten überhaupt in den Jahren 1049—72."

zutreten, der für meine Erörterungen von der größten Wichtigkeit er= scheint. Da nun zwar Giesebrecht einen Abdruck desselben in den Dokumenten [1]) des zweiten Bandes seiner Geschichte der deutschen Kaiser= zeit gab, derselbe aber, wie schon Lehmann zur vierten Auflage bemerkte,[2]) auch in der fünften nicht ganz sorgfältig ist, glaube ich denselben aus der Originalquelle neuerdings vorführen zu sollen.[3])

Betrachten wir den Brief so, wie er vor uns liegt, ohne uns von der einen oder anderen Ansicht hinsichtlich des Zeitpunktes der Taufe beeinflussen zu lassen, so können wir aus ihm meiner Ueberzeugung nach folgende Thatsachen entnehmen:

---

[1]) Giesebrecht, Geschichte der deutschen Kaiserzeit. II. Bd., 5. Aufl., Doc. 12, S. 708.

[2]) Lehmann a. a. O. S. 94, Anm. 5a.

[3]) Der Brief findet sich im Specilegium sive collectio veterum aliquot script. ed. D. Lucae d'Achery nova ed. Tom III. MDCCXXIII. S. 443, und lautet wie folgt: [Die Worte, welche mir von besonderer Bedeutung für die vorliegende Frage erschienen, sind gesperrt gedruckt, die bei Giesebrecht fehlenden in Klammern gesetzt]: Epistola III. Heinrici Imperatoris ad Hugonem Cluniacensem:

›Heinricus, Dei gratia Romanorum Imperator Augustus, Hugoni venera- bili Abbati Cluniacensi gratiam et salutem.‹

›Visis sanctitatis tuae litteris admodum gavisi sumus. .Tuas tanto libentius suscepimus, quanto ferventiori studio divinae contemplationi te inhaerere novimus. In quibus quoniam te dixisti nimium exultasse de reddita nobis sanitate, de concessa coelitus filii adoptione grates paternitati tuae referimus, grates ex intimo corde persolvimus. Id etiam tam summopere mandamus, quam humiliter deposcimus, ut tua apud clementissimum Dominum nostrum jugiter non desit oratio pro Reipublicae commodo, pro totius regni honore, pro nostra nostrorumque salute, ut divinitus nobis collata prosperitas, Ecclesiarum et populi totius pax possit esse et tranquillitas. Quis enim sapiens .tuam orationem, tuo- rumque non exoptet? Quis insolubili caritatis vinculo retinere non ambiat, (nach Giesebrecht verbessert an Stelle des bei d'Achery stehenden ambiget) quorum oratio tanto purior, quanto ab actibus seculi remotior; tanto dignior, quanto divinis conspectibus exstat propinquior. Quod autem pro longinquitate itineris negasti potuisse venire sicut iussimus (quamquam gra- tianter tuum suscepissemus adventum) eo ignoscimus tenore, ut in Pascha ad nos Coloniam venias, si est fieri possibile, quatenus si audemus dicere, eundem puerum, de quo ita laetatus es, de sacro fonte susciperes, et spiritualis pater tuae benedictionis munere signares, sicque simul expiati fermento delictorum Paschali solemnitate mereamur perfrui (azymis) caelestis gloriae.‹

Wir erfahren:

1. daß Hugo von Cluny an den Kaiser einen Brief schrieb, über welchen derselbe große Freude empfand, ein Brief, der uns leider nicht erhalten ist;

2. daß Hugo von Cluny dem Kaiser zur Wiedererlangung der Gesundheit und zur heißersehnten Geburt eines Sohnes Glück gewünscht haben muß, da Heinrich III dem Abte hiefür aus tiefstem Herzen seinen Dank ausspricht;

3. daß der Kaiser den Abt bittet, für das Wohl des Staates, für die Ehre des gesamten Reiches, für sein und seines Hauses Heil und für die Ruhe und den Frieden der Kirche und des gesamten Volkes bei Gott zu beten, da er von der Macht des Gebetes des Abtes Hugo aus vollem Herzen überzeugt ist;

4. daß der Kaiser dem Abte Verzeihung gewährt dafür, daß dieser durch die Länge des Weges abgeschreckt, nicht seinem Befehle[1]) ge= horcht habe;

5. daß er aber die Verzeihung zugleich mit der Bitte verbindet, falls es ihm möglich sei, zu Ostern nach Köln zu kommen;

6. daß Heinrich III in sehr bescheidener Weise an den Abt das Ersuchen stellt, bei diesem Anlasse auch Pate seines Sohnes zu sein, über dessen Geburt Hugo ja so erfreut gewesen wäre;

7. daß in dem Briefe mit keinem einzigen Worte erwähnt wird, daß schon früher eine Aufforderung zur Patenschaft an den Abt er= gangen ist, auch nicht einmal mit einem Worte wie iterum u. dgl.;

8. daß diese Aufforderung in so schwülstigem Tone gehalten ist, daß sie keine Wiederholung der Bitte sein kann.

Verbinden wir nunmehr diese Thatsachen mit dem früheren Er= gebnisse hinsichtlich des gesetzlichen Zeitpunktes des Vollzuges der Taufe, so ergibt sich folgendes Resultat: Mag es immerhin sein, daß Kaiser Heinrich III von der Macht des Gebetes Hugos völlig überzeugt ist,

---

[1]) Ich betone hier ausdrücklich die wörtliche Uebersetzung des iussimus. Ferner bemerke ich hier, daß die Weite des Weges wirklich als Entschuldigungsgrund selbst bei den wichtigsten Angelegenheiten in dieser Zeit angesehen wurde. Als Beweis hiefür sei angeführt die zweite Sitzung der Synode am 22. Nov. 963 zu Rom, über welche uns Liutprand in seinem Liber de rebus gestis Ottonis Magni Imp. II: MGSS. III, 344 14 folgendes berichtet: Sed si, quod absit, venire et obiecta vobis capitalia crimina purgare dissimulatis, cum praesertim vos nihil venire impediat, non maris navigatio, non corporis egritudo, itineris longitudo, tunc excommunicationem vestram parvi pendemus,

und zugegeben, daß er die Wiederherstellung seiner Gesundheit und die langersehnte Geburt des Prinzen der Fürbitte Hugos bei Gott zuschreibt, ich kann mich doch nicht entschließen, der Ansicht Lehmanns[1] bei= zupflichten, daß diese Fülle von Dankesbezeugungen etwa nicht im Ein= klange mit der Kürze und dem Zwecke des Briefes stehe. Der Zweck dieses Briefes gestaltet sich eben nach meiner Auffassung ganz anders als nach der Lehmanns. Wie ich früher in einer Anmerkung bereits hervorhob, lege ich besonderen Nachdruck auf den Ausdruck iussimus, der zwar Lehmann ebenfalls auffiel, der ihn sich aber nicht erklären konnte.[2] Wir wissen nämlich, daß zwischen der Geburt des Prinzen und der Taufe desselben noch etwas anderes stattfand.: der Reichstag am Weihnachtsfeste zu Goslar. Und dieser Reichstag ist es eben, der Lehmann, obwohl er selbst als objektiver Betrachter zugestehen muß, daß „die ganze Art und Weise, in welcher Heinrich III von diesem Gevatterstehen spricht, entschieden (!) darauf hindeutet, daß Heinrich III in diesem Briefe die betreffende Bitte zum ersten Male ausspricht,"[3] allerlei Zweifel über den Zweck dieser Ladung aufstellen ließ und ihn zu einer Reihe von Hypothesen und Fragen veranlaßte, die er zum Schlusse nicht zu lösen imstande ist.

Wie ich glaube, ist dieses „iussimus" allein in der Lage, Klarheit in die Sache zu bringen. Wir wissen, daß die Abtei Cluny oder besser gesagt, der jeweilige Abt des Klosters als Herr der zahlreichen Güter des Klosters namentlich in Oberburgund, Unterthan des deutschen Reiches war. Fragen wir uns nun, würde wohl Kaiser Heinrich III, wenn er den Abt schon zu Weihnachten 1050 nach Goslar[4] als Paten zur Taufe geladen hätte, was ja nach Lehmanns und der übrigen ange= zogenen Autoren Ansicht durch das iussimus angedeutet werden soll, den Abt, dem er in jeder Beziehung so freundlich entgegenkam,[5] dessen

---

[1] Lehmann a. a. O. S. 95, Mitte.

[2] Er sagt: „hatte ihm befohlen" und setzt in Parenthese hinzu „er braucht gerade diesen Ausdruck (iussimus)."

[3] Lehmann a. a. O. S. 96, Z. 3—6.

[4] Ich lasse die Unmöglichkeit des Vollzuges der Taufe zu Weihnachten 1050 hier völlig außer Betrachtung und will hier nur zeigen, daß selbst, wenn dieses Verbot nicht bestanden hätte, die erste Ladung sich nicht auf das Gevatterstehen be= zogen haben kann.

[5] Man vgl. hiezu Recueil des Chartes de l'Abbaye de Cluny formé par A. Bernard, complété, revisé et publié par Alex. Bruel Tom. IV, Paris 1888. S 171, n. 2977: Praeceptum Henrici III. Imperatoris, quo confirmat Hugoni Abbati Cluniacensi Monasterium Paterniacum, Romanum monasterium etc.

Besitzungen er in jeder Weise zu mehren trachtete,[1] dem er im zweiten
Briefe mit den Worten quatenus si audemus dicere in so ehrfurchts=
voller Weise die Bitte vorträgt, das erste Mal mit einem so starken
Ausdrucke wie iussimus eingeladen haben können. Ja, Lehmann
betont[2] selbst, es gehe aus dem Briefe der Kaiserin Agnes[3] hervor,
„daß Heinrich III bei der Wahl Hugos zum Paten seines Sohnes
zunächst und speziell an die Sicherung des Königreiches Burgund ge=
dacht habe.“ Und auch Giesebrecht erklärt,[4] „Heinrich habe durch
die enge Verbindung mit Cluny eine allmähliche friedliche Eroberung
Frankreichs bezweckt.“ Ich glaube, unter solchen Umständen war wohl
ein quatenus si audemus dicere, nie aber ein iussimus am Platze.
Es ergibt sich also schon daraus, daß der Zweck der ersten Ladung

---

4. Dec. 1049. — Cuius petitionem gratanter accipientes, propter antiquam
familiaritatem et caritatem, quam ipse (sc. Hugo) suique antecessores cum
nostris predecessoribus regibus et imperatoribus habuerunt, orando ad Do=
minum pro stabilitate regnorum et imperii et salute animarum eorum . . . . . ,
denn einerseits beweist dieser Brief Heinrichs III, wie alt und innig seine Freund=
schaft mit dem Abte war, andererseits lehrt uns derselbe aber auch durch eine Reihe
von Ausdrücken, welche denen des Briefes v. J. 1051 entsprechen, daß die in letz=
terem gebrauchten Redewendungen nicht etwa, wie Lehmann glaubt, schwulstige
Phrasen sind, um den Abt zur Uebernahme der Patenstelle zu bewegen, sondern
daß Heinrich III, durchdrungen von der innigsten Religiosität, immer und immer
wieder sich, seine Familie, sein Reich und seine Unterthanen dem Gebete des
Abtes empfahl.

[1] Außer dem ebengenannten Briefe vgl. Stumpf, Reichskzl. II, Nr. 2378,
und Böhmer, reg. imp. S. 80, Nr. 1599, Dez. 4. 1049. Argentinae bestätigt
Heinrich III der Abtei Cluny ihre Besitzungen, insbesondere das Kloster Peterlingen
im Waadtlande, die Höfe Hüttenheim und Colmar im Elsaß, die Abtei Romainmoutier
2c. Ind. III. Ord. 21. Reg. II u. Imp. 2.

[2] A. a. O. S. 106.

[3] Epistola Anonymi ad Hugonem Abbatem. Dilectissimo Patri et
omni acceptione digno Hugoni Abbati . . . . . . quaequae modo Deo iubente
fit, salutem et devotum obsequium. Quia in luctum versa est cithara
mea, pro gaudio gemitum, pro exultatione, quam litterae vestrae fecerant,
refers lamentabile planctum. Cor tamen maerore tabidum refugit ex toto
referre. Quapropter et quia velox fama malorum, ut credo, meum vobis do=
lorem nuntiavit, precor, ut dominum meum, quem diutius in carne servare
noluistis, saltem orando cum vestro conventu defunctum Deo commendetis,
filiumque vestrum diu sibi heredem fore ac Deo dignum obtineatis: et turbas
si quae contra eum in vestris vicinis partibus regni sui oriuntur etiam consilio
sedare studeatis. — Specilegium etc. a. a. O. ed. D. Lucae d'Achery
Tom. III a. a. O.

[4] A. a. O. S. 384 u. 385.

nicht der sein konnte, der Abt solle Pate beim jungen Prinzen sein.
Es konnte dies aber auch aus dem Grunde nicht der Fall sein, weil
eben Heinrich IV zu Weihnachten 1050 noch gar nicht getauft werden
durfte. Zu etwas anderem mußte also der Kaiser den Abt Hugo von
Cluny geladen haben und zwar durch eine formelle Entbietung, und
das ist der Reichstag in Goslar selbst. War schon Hugo von Cluny
als Unterthan des deutschen Reiches verpflichtet, pünktlich auf dem
Reichstage zu erscheinen, so war es noch im besonderen Interesse
des Kaisers gelegen, daß diese mächtige Persönlichkeit, deren Gebete
das Wohl des Reiches und seiner Familie anzuvertrauen er nicht Anstand nahm, in seiner nächsten Umgebung weilte und ihm mit Rat und
That hilfreich zur Seite stand, was meiner Ansicht nach in den Worten[1]
„quamquam gratanter tuum suscepissemus adventum" zum Ausdrucke
kommt. Andererseits aber wollte er eben diesen einflußreichen Abt, wie
die übrigen Fürsten des Reiches schon von vornehrein dem Kinde durch
den Eid der Treue verpflichten.

Dieser Aufforderung war also Abt Hugo nicht nachgekommen, wie
er sagt, infolge der weiten Entfernung vom Orte des Reichstages, die
ja, wie ich früher ausführte, als Entschuldigungsgrund angenommen
wurde. Es löst sich hiedurch die von Lehmann aufgeworfene Frage[2]
von selbst, „wohin der Kaiser wohl den Hugo das erste Mal bestellt
habe," und es bedarf keiner Kombinationen, um dann zu dem Schlusse
zu gelangen: „es ist nicht unwahrscheinlich, daß Kaiser Heinrich III
zuerst Hugos Besuch in Goslar wünschte." Nein, es ist nicht nur nicht
unwahrscheinlich, sondern, wie ich dargethan zu haben glaube, gewiß,
daß der Kaiser den Abt nirgendshin als nach Goslar auf den Reichstag geladen haben könne. Der Abt war verpflichtet, sich beim Kaiser
wegen seines Fernbleibens zu rechtfertigen, und das that er denn auch
in dem Schreiben, von welchem Heinrich III gleich im Eingange seines
Briefes spricht. Er that dies wohlweislich mit einem Glückwunsche zur
Genesung und zur Geburt des langersehnten Erben. Er traf damit
den wunden Punkt des Kaisers, und wenn auch dieser anfangs etwas
ungehalten gewesen sein mochte, jetzt gab es nur mehr Verzeihung,[3]
die schließlich sogar in eine Lobpreisung des verehrten Kirchenfürsten
ausklingt. — Und vielleicht war es gerade der Glückwunsch zur Geburt

---

[1] Bei Giesebrecht a. a. O. ausgelassen, in der obigen Wiedergabe des
Briefes in Klammern gesetzt.

[2] A. a. O. S. 96, Absatz, 9. Zeile v. u.

[3] eo ignoscimus tenore . . . . .

des Knaben, der dem Kaiser, wenn er auch im stillen sich den Plan schon lange zurecht gelegt haben mochte, gerade eine günstige Gelegenheit bot, anknüpfend an des Abtes Worte seinen sehnlichsten Wunsch aus= zusprechen. Die Worte „quatenus si audemus dicere" scheinen mir hiefür ein Beweis zu sein. Nach meiner Auffassung lassen sich nun= mehr auch die Worte si est fieri possibile erklären, welche nach Lehmanns Ansicht über den Zeitpunkt der Ausspendung der Taufe sich nicht erklären lassen, und von dem betreffenden Autor auch nicht zu erklären versucht wurden. Nach den früheren Erörterungen wäre nämlich eine Verschiebung der Taufe immer noch innerhalb der herr= schenden Kirchengesetze gewesen, da es heißt, daß die Taufe nur zu Ostern oder zu Pfingsten vollzogen werden durfte. In dem Glauben nun, ohnedies schon ziemlich viel von dem Abte begehrt zu haben, stellt es der Kaiser demselben anheim, entweder zu Ostern oder falls es ihm da nicht möglich sein sollte, zu Pfingsten am kaiserlichen Hoflager zu erscheinen, um Pate des Prinzen zu sein. Daß der Abt nun nicht mehr zögerte und dieser Bitte des Kaisers schon am ersten Termine, zu Ostern, nachkam, hatte einen doppelten Grund: einmal war er ja schon als geistlicher Würdenträger verpflichtet, keinen Moment zu ver= säumen, um bei der ersten gebotenen Zeit die Taufhandlung vollziehen zu helfen, andererseits mußte er sich, nachdem er einmal schon einer Ladung des deutschen Kaisers nicht gefolgt war, einer Bitte desselben um so willfähriger zeigen, als er ja durch diese Bitte einer der höchsten Ehren teilhaftig wurde.

Und so wurde denn vollkommen den Kirchengesetzen des 11. Jahr= hunderts entsprechend die Taufe am Osterfeste des Jahres 1051 (am 31. März) vollzogen.

Ich habe nun bisher zu zeigen versucht, daß sich sowohl die Annalennachrichten als auch der Brief Heinrichs III an den Abt Hugo von Cluny mit meiner Auffassung der Sachlage ganz wohl vereinigen lassen; ich will nun auch zeigen, daß dies auch mit einer weiteren Quelle über diesen Akt der Fall ist: der Vita S. Hugonis Abbatis Cluniacensis VI ab Hildeberto episc. conscripta.[1])

---

[1]) Biblioth. Cluniac. ed. Martinus Marrier Lutetiae Paris. MDCXIV, S 417: ›Unde et Imperator Teutonicorum, secundus scilicet Heinricus, eius faciem videre et familiaritatem adipisci desiderans, ut venire dignaretur ad se supplici voce postulavit, postulantem pius pater exaudit, intrat Saxoniam, summo pariter et honore suscipitur et gaudio. Paucis ibi diebus peractis ex petitione Regis filium eius sacro de fonte levavit, puero nomen patris

Ich führe diese Quelle absichtlich erst als Schlußbeweis des ganzen an, da diese dem Aktenmateriale des Klosters Cluny selbst entstammend, wohl am ehesten etwaige Nachrichten über eine erste Ladung des Abtes zur vorzunehmenden Taufe gewiß aufgezeichnet haben würde. Wir finden auch in dieser, daß der Kaiser ehrfurchtsvoll den Abt um Erfüllung seines Wunsches bat (supplici voce postulavit), und erhalten hier noch die Nachricht, daß die Zusammenkunft des Kaisers und des Abtes in Sachsen stattfand. Daß hier, wie Lehmann[1]) anzunehmen geneigt ist, „ein Mangel genauer geographischer Anschauung von seiten Hildeberts vorliege und dieser in der That zu glauben scheint, daß Köln in Sachsen liege," halte ich nicht für wahrscheinlich, da man wohl annehmen darf, daß das kaiserliche Hoflager aus Sachsen nach dem nahen Köln während der Anwesenheit Hugos wirklich verlegt worden ist; wenn Lehmann hervorhebt, Hugo sei nach Köln bestellt worden, so schließt dies ja nicht aus, daß der Abt dem Kaiser entgegengezogen und auf sächsischem Boden mit Heinrich III zusammengetroffen sei. Wie aus diesem Berichte weiter hervorgeht, erfreute sich der Abt während seines Aufenthaltes am Hoflager des Kaisers einer solchen Zuvorkommenheit und eines solchen Ansehens, als ob der Kaiser mit ihm ewige Freundschaft geschlossen hätte. Ich glaube, daß hier keinerlei Uebertreibung von seiten Hildeberts vorliegt; es ist mir wenigstens ganz wohl vorstellbar, daß der Kaiser, der einen seiner Herzenswünsche erfüllt sah, der sich nunmehr bewußt war, seinem Sohne einen mächtigen Beschützer gewonnen zu haben, in seiner Freude keine Grenzen hatte, und daß es dem Abte nur mit Mühe gelang, die Erlaubnis zur Heimkehr von Heinrich III zu erwirken.[2])

---

imponens. Celebravit autem Pascha cum Imperatore in Agripina Colonie; Teutonicis mirantibus in juvenili adhuc aetate caniciem morum, conversationis mansuetudinem, vultus gratiam, verborum lenitatem. Quibus profecto virtutum indiciis, ita cum eo et cum Cluniacensi Monasterio Regis est anima colligata, ac si Rex ipse perpetuam cum eis amicitiam pepigisset. Tandem vix impetrata redeundi licentia, pastor pius ad ovile revertitur, dona deferens ampliora, quae velut quoddam dilectionis pignus a praefato Rege transmissa sunt.‹

[1]) S. 98 Ende des ersten Absatzes
[2]) Vgl. Vita S. Odilonis Abb. Clun. V. 1817. Bibl. Clun. a. a. O. Concurrat in hunc amorem Robertus Rex Francorum, accedat Adhelaida mater Othonum, veniat Henricus Imperator Romanorum, intersint Conradus et Heinricus, videlicet pater et filius, Caesares et ipsi nobiles invicti. Quorum omnium amicitiis, officiis et imperialibus muneribus ita magnificatus est, ut sibi et illis cor unum et anima una fuerit.

Am bedeutendsten für die von mir aufgestellte Ansicht ist der Umstand, daß auch in diesem Berichte nicht im geringsten etwas über eine frühere Einladung zur Patenschaft bei Heinrich IV erwähnt ist. Wir sehen also, daß auch dieser Bericht mit der obigen Theorie vereinbar ist.

Zum Schlusse will ich es nun noch unternehmen, auch den Treueid zu Goslar von meinem Standpunkte aus zu erklären, dessen Wichtigkeit den früher erwähnten Autoren entgangen zu sein scheint. Berücksichtigen wir nämlich, daß Heinrich IV zur Zeit, als ihm dieser Eid geleistet wurde, zwar noch nicht ein eigentliches Glied der Kirche war, daß er aber als Katechumene schon in den Stadien der Aufnahme in den Verband derselben sich befand, erwägen wir ferner, daß er eben als Katechumene vieler Rechte trotzdem schon teilhaftig war, so mag es immerhin zwar etwas eilig vom Kaiser gewesen sein, einem ungetauften Kinde den Treueid leisten zu lassen, aber nach den herrschenden Kirchengesetzen konnte niemand an der Sache Anstand nehmen, da sich alles ordnungsgemäß vollzog und die Taufe eben nicht früher hatte vorgenommen werden können. Nach jeder anderen Auffassung muß der dem Prinzen zu Goslar geleistete Treueid als ein einem außer der Gemeinschaft der Kirche Stehenden geleisteter angesehen werden, was in einer Zeit, wo von höchster Stelle aus, vom Papste selbst, einem Ketzer geleistete Eide für ungiltig erklärt wurden, sehr verhängnisvoll werden konnte, da sich viele der anwesenden Fürsten hierauf hätten berufen können. Daß zu alledem kein Grund vorhanden war, glaube ich im vorhergehenden zur Genüge dargethan zu haben.

Ich kann nicht umhin, bei dieser Gelegenheit aber auch darauf hinzuweisen, daß erst im Laufe des 11. Jahrhunderts die Gewohnheit, den kaiserlichen Prinzen noch zu Lebzeiten des Vaters den Treueid zu leisten, aufkam, und daß Heinrich III selbst es war, der schon 1028 zu Aachen am heiligen Osterfeste vom Kölner Erzbischofe Pilgrim sogar zum Könige gesalbt wurde,[1] daß aber ein Jahrhundert vorher ein ähnlicher Akt als contra morem seiend mißbilligt wurde.[2]

Mit diesen Darlegungen ist die Schwierigkeit, welche die Taufe Heinrichs IV bietet, noch nicht völlig beseitigt, da es noch erübrigt,

---

[1] Herim. Aug. Chron.: MGSS. V. a. a. O. a. 1028.
[2] Liudprandi Lib. de reb. gest. Ottonis M. Imp II: MGSS. III, 340: Horum itaque rex piissimus .... filium suum sibi aequivocum contra morem puerilibus in annis regem constituens, eum in Saxonia dereliquit.

eines ferneren strittigen, nichtsdestoweniger aber doch unterſchätzten Umſtandes zu gedenken, der Namengebung bei der Taufe. Die Annales Augustani[1]) berichten nämlich, daß der ſpätere Kaiſer Heinrich IV urſprünglich Konrad genannt worden ſei und daß er erſt bei der Taufe den Namen Heinrich erhalten habe. Es iſt merkwürdig, welchen ver= ſchiedenen Sinn die verſchiedenen Autoren dieſen Worten der Annalen beilegten. Während Floto[2]) einfach ſagt: „es wird berichtet, man habe ihn erſt Konrad und dann ſpäter Heinrich geheißen,“ ohne ſich auf eine nähere Kritik dieſer Worte einzulaſſen, geht Gieſebrecht[3]) ſchon etwas weiter, wenn er den obigen Worten ein „man erzählt“ vorausſetzt, woraus man wohl indirekt entnehmen kann, daß Gieſebrecht dieſen Satz der Annales als leeres Gerede auffaßt, dem weiters keine Bedeutung zuzumeſſen ſei. Ganz anders iſt die Auffaſſung Meyers von Knonau,[4]) der die Annalenſtelle ſo interpretiert, als ob ur= ſprünglich der Name Konrad ins Auge gefaßt worden ſei, daß man aber bei der Taufe endgiltig ſich für Heinrich entſchied. Als geradezu abſonderlich muß die Meinung Breßlaus[5]) bezeichnet werden, der dem Prinzen bei der Taufe den Namen Konrad geben und ſpäter ganz einfach mit dem Namen Heinrich vertauſchen läßt, als ob es in dem Belieben des einzelnen gelegen wäre, den bei der Taufe erhaltenen Namen nach Willkür zu ändern, ganz abgeſehen davon, daß es in der Vita Hugonis[6]) ausdrücklich heißt, der Abt habe dem Prinzen den Namen des Vaters gegeben.

Wie aus folgender Darſtellung, die auf das innigſte mit der vor= hergehenden über den Zeitpunkt des Empfanges der Taufe zuſammen= hängt, hervorgehen dürfte, iſt keine dieſer Anſichten richtig. Man ging eben bei der Betrachtung der Namengebung von unſerer heutigen Auffaſſung aus, welche der damaligen keineswegs entſpricht. Ich glaube vielmehr die Vermutung ausſprechen zu können, daß die obige Nachricht den richtigen Sachverhalt berichtet, daß man dem Kinde unmittelbar nach der Geburt den proviſoriſchen Namen Konrad gegeben habe, der eigentliche und für das Leben bleibende Name Heinrich

---

[1]) MGSS. III, 126 z. J. 1050: Imperatori filius, Heinricus postea dictus, nascitur, prius Kounradus nominatus.

[2]) A. a. O. S. 186

[3]) A. a. O. S. 476.

[4]) A. a. O. S. 5.

[5]) Jahrbücher d. deutſchen Reiches u. Konrad II. II, S. 383 n 2.

[6] Biblioth. Cluniac. a. a. O. S. 417.

aber erst bei der Taufe selbst dem Prinzen beigelegt worden sei. Ist diese Vermutung zu beweisen, und das glaube ich im folgenden gethan zu haben, so bietet diese Thatsache auch mit einen Beweis dafür, daß auch die Prinzen nur zu bestimmten Terminen getauft werden durften, da sonst eine provisorische Namengebung wohl überflüssig gewesen wäre. Daß eine solche aber im Gebrauche stand, erhärtet eine Nachricht der Annalen Flodoards[1]) ganz klar. Es heißt in derselben, daß der Sohn Ludwigs IV nur während des Katechumenates und bis zur Taufe Karl genannt wurde, bei der Taufe selbst aber wahrscheinlich einen anderen Namen erhalten haben dürfte. Daß diese provisorische Namengebung in der Regel Sache der Mutter gewesen zu sein scheint, bezeugt Liudprand.[2]) Der stärkste Beweis aber hiefür, daß wirklich der Name bei der Taufe gewechselt wurde, ist die bereits erwähnte Taufe Pippins, des Sohnes Karls des Großen, zu welcher alle Quellen[3]) bemerken, daß er ursprünglich Karlmann geheißen und der Papst Hadrian bei der Taufe diesen Namen in Pippin geändert habe. Ein fernerer Beweis für die provisorische Namengebung unmittelbar nach der Geburt läßt sich auch aus der zum selben Jahre berichteten Taufe einer Prinzessin entnehmen.[4]) Denn es heißt dort, der Papst taufte die Tochter desselben, namens Gisela, und nicht er taufte die Tochter desselben, welche den Namen Gisela erhielt. Es scheint dies eben darzuthun, daß die Tochter Karls schon vor der Taufe den Namen Gisela hatte; möglich ist immerhin, daß sie diesen auch nach der Taufe fortbehielt, daß also hier keine Namensänderung wie bei Karlmann vorgenommen wurde. Dieser Brauch scheint ursprünglich sich wohl aus dem Bestreben der Kirche ergeben zu haben, heidnische Namen, welche im frühen Mittel-

---

[1]) MGSS. III, 391 ad ann. 945. — adhuc rege Ludowico apud Rodomum degente Gerberga regina filium Lauduni peperit, qui Karolus ad catezizandum vocitatus est.

[2]) Antapodosis Lib. IV, 14: MGSS. III, 319—20: Haec ante regni susceptionem viro suo filium peperit, quem vocavit Ottonem,.... post regiam autem dignitatem duos peperit, unum, quem patris nomine vocavit Heinricum.

[3]) Annal. Lauriss.: MGSS. I, 160 a. 781. — Einhardi Annal.: MGSS. I, 160. — Annalium Lauresham. pars alt., ebenda S. 31. — Annales Quedlinburg: MGSS. III, 37. — Annal Weissenburg: ebenda. — Lamberti Annal. a. a. O. — Einhardi Fuldensis Annal. a. a. O. — Annal. Wirciburg.: a. a. O.

[4]) Ebenda, baptizavit ibi filiam eius, nomine Gislam, et de sacro fonte suscepit.

alter wohl gerne noch als Taufnamen gewählt werden mochten, zurück=
zudrängen und dem Taufenden hierin eine gewisse Beschränkungsgewalt
zu geben. Es sollte sich eben die Aeußerung der kirchlichen Autorität
schon bei der Taufe zeigen.

Wie obige Beispiele lehren, erhielt sich der Brauch der provisorischen
Namengebung auch in späterer Zeit noch fort und zwar in der Weise,
daß in der Regel die Mutter dem Kinde unmittelbar nach der Geburt
einen Namen gab, der ja bei der Länge der Zeit, welche oft bis zur
nächsten gebotenen Taufzeit verstreichen konnte, auch notwendig war;
derselbe konnte zwar auch bei der Taufe als eigentlicher und bleibender
beibehalten werden, wurde aber, wie aus vorstehendem hervorgeht,
wohl gewöhnlich mit dem Namen vertauscht, den der Taufende oder
Taufpate dem Kinde bei der Taufhandlung selbst gab. Somit er=
klärt sich der Name Heinrichs IV vor der Taufe, wie ich glaube,
von selbst.

Ferretos Gedicht „De Scaligerorum origine" und das Geburtsjahr Cangrandes I della Scala.

Von H. Spangenberg.

Als Cangrande I della Scala, der Beherrscher Veronas, sich im September 1328 durch Einnahme Paduas zum Herrn der Trevisaner=mark gemacht hatte, schrieb Ferreto von Vicenza zur Verherrlichung des Scaligers das Gedicht „De Scaligerorum origine"[1] in der Hoffnung, dermaleinst an den Hof des als Mäcen weithin bekannten Signoren von Verona berufen zu werden. Da der Dichter zweifellos das Jugend=leben seines Helden als unmittelbarer Zeitgenosse desselben genau kannte, sind alle Versuche, das Geburtsjahr Cangrandes I zu ermitteln, von der Interpretation des Gedichtes ausgegangen. Auf grund derselben ist das von Parisio, dem veronesischen Chronisten des Trecento, überlieferte Jahr 1291[2] zuerst von Grion und Claricini[3] ver=worfen worden. Einigen Sätzen ihrer Beweisführung hat sich neuerdings G. Sommerfeldt[4] angeschlossen und 1281 als Geburtsjahr Canes

---

[1] Das Gedicht ist herausgegeben von G. Orti Manara, cenni storici e documenti, che risguardano Cangrande I della Scala. Verona 1853; eine kritische Ausgabe Cipollas steht bevor.

[2] Chron. veronense bei Muratori, rerum italicarum scriptores VIII, 641.

[3] Propugnatore, studii filologici, storici e bibliografici IV, 2. Bologna 1871 (G. Grion, Cangrande amico di Dante S. 395—427); Nicolò de' Clari=cini Dornpacher, quando nacque Cangrande I della Scala. Padua 1892.

[4] Da Grions Ansicht, der 1280 als Geburtsjahr Cangrandes feststellt, bereits früher besprochen ist (vgl. Spangenberg, Cangrande I della Scala I, 203—5, Berlin 1892, s. unten Novitätenschau), Claricini, dessen Untersuchung das Jahr 1279 ergibt, in G. Bolognini im Archivio storico italiano Serie V, Tom. XIII, 125—49, einen einsichtigen Kritiker gefunden hat, sei es gestattet, an dieser Stelle nur auf G. Sommerfeldts in den Mitteilungen des Instituts für österr. Geschichts=forschung 1895, H. 3, S. 425—57 veröffentlichten Aufsatz „Ueber das Geburtsjahr des Cangrande I della Scala" bezug zu nehmen [vgl. Hist. Jahrb. XVI, 826].

berechnet. Er stützt seine Untersuchung auf die zeitliche Bestimmung des in Ferretos Gedicht, Buch IV, erwähnten paduanisch-veronesischen Feld= zuges. In Anknüpfung hieran soll in Folgendem versucht werden, die auch literarhistorisch bedeutsame Frage, von deren Beantwortung die Ermittelung des fiktiven Jahrs für die Handlung der göttlichen Komödie Dantes abhängt, einer sicheren Lösung entgegenzuführen.

Ferreto beginnt in seinem Gedicht mit der ältesten Geschichte Veronas, schildert Ezzelinos Bedeutung, Schuld und Untergang und geht dann zur Begründung der Scaligerherrschaft, der Ermordung Mastinos I (Oktober 1277)[1] und Thronfolge Albertos I della Scala über. Nach Einführung Albertos wird die Geburt seines Sohnes Cangrandes I von der Konzeption an in mehr als anderthalb Büchern unserer Ausgabe beschrieben und verherrlicht. Dem schließt sich das vierte und letzte Buch an, das mit folgenden Worten beginnt:

„Excitat interea Patavos iam saeva trahentes
Bella furor maiorque animis et mente superba
Ira fremit, quae post habitum sopita triumphum
Ut cecidit gravibus turrita Colonia muris
Marte Phrygum, quibus Euganei fluit unda Timavi,
Languebat" etc.[2]

Mit „interea" besagt der Dichter, daß die Wiederaufnahme des paduanischen Feldzuges, von der er sprechen will, während der eben geschilderten Vorgänge d. i. zwischen der Konzeption und Geburt Can= grandes erfolgt ist. Gelingt es, die Chronologie jenes Feldzuges mit Sicherheit festzustellen, so ist ein wichtiges Argument für die Bestimmung der Geburtszeit Canes gewonnen.

Es unterliegt keinem Zweifel, daß Ferreto mit dem Fall Colognas auf die Einnahme dieses veronesischen Kastells durch die Paduaner im Dezember 1278[3] hinweisen wollte. Sie bildete das Vorspiel eines zwei Jahre lang dauernden Krieges: Padua war verbündet mit den Welfen= städten Ferrara, Cremona, Modena, Brescia und mit Gerardo da Ca-

---

[1] Syllabus potestatum bei Cipolla, antiche cronache veronesi I, 397. Venedig 1890 (vgl. Hist. Jahrb. XIII, 644. Statt Carini lies Cipolla); ann. de Romano ibid. S. 419; chron. veron. bei Verci, storia della marca trivigiana e veronese VII, 123. Venedig 1787.

[2] Ferretus bei Orti S. 88.

[3] Inventa post Rolandini chron. bei Mur. VIII, 381; hier ist der 16. Dez., in der paduanischen Chronik bei Mur. ant. IV, 1147 das Fest des hl. Thomas, d. i. der 21. Dez. als Tag der Uebergabe Colognas genannt; hist. Cortusiorum bei Mur. XII, 776.

mino;[1]) Alberto della Scala suchte die Estes vom feindlichen Bunde
zu trennen und wiegelte im Juli 1279 Vicenza und Trient zum Abfall
von Padua auf,[2]) dem es nur mit Mühe gelang, die Abtrünnigen
unter seine Botmäßigkeit zurückzuführen. Diese Vorgänge steigerten die
Erbitterung der kämpfenden Parteien: die Veronesen verheerten das
vicentinische, die Paduaner das veronesische Gebiet. Wirren im Innern
Paduas lähmten die Kriegführung für kurze Zeit; doch schon im
Januar 1280 hob sie von neuem an. Kleinere paduanische Trupps
wurden bei Cologna von den Veronesen in den Hinterhalt gelockt, besiegt
und gefangengenommen.[3]) Das Gros des Heeres, das am 16. Mai[4])
am Alpone ein Lager bezog, verwüstete 14 Tage lang Dörfer, Felder,
Weinberge bis an die Vorstädte Veronas, so daß Alberto della Scala
aus Furcht vor größeren Verlusten die Vermittlung Venedigs und
Trevisos annahm und am 29. Mai einen Waffenstillstand, am 2. Sept.
den Frieden mit Padua abschloß[5])

Auf diese letzten Ereignisse, den Feldzug des Jahres 1280, bezieht
sich nach Sommerfeldt die Darstellung Ferretos im vierten Buch seines
Gedichtes. Ihr liegt in kurzem folgender Inhalt zu Grunde: Der
Zorn der Paduaner, der seit Einnahme Colognas geruht, wird von
neuem geweckt durch den Mahnruf einer Seherin, den Feind zu bewältigen, bevor Cangrande, der zweite Achilles, herangewachsen sei. Die
Aelteren warnen vor dem Kampf; doch die trunkene Jugend und der
thatendurstige Adel gewinnen die Oberhand. Das aufgebotene Heer bringt
nach kurzer Rast an den Alpone vor und schlägt ein Zeltlager auf, um
zunächst von den Strapazen des Marsches auszuruhen. Alberto della
Scala besticht aus Furcht vor der Uebermacht des Feindes und um das
Verderben des Krieges zu meiden, die Heerführer. Diese sind froh des
Gewinnes, lassen die Zelte abbrechen und kehren heim.

Ist es zulässig, diese Darstellung Ferretos mit den Ereignissen des
Jahres 1280 zu identifizieren? Nach Grion[6]) und Sommerfeldt
beziehen sich die Worte „Ira fremit, quae post habitum sopita
triumphum .... languebat" auf eine Waffenruhe innerhalb des
Krieges 1278 bis 1280. Die paduanische Chronik aber berichtet, er

---

[1]) Verci III, 31 ff. Dof. 231. Das Bündnis wurde am 28. Nov. 1278
›in castris circa Coloniam‹ geschlossen.

[2]) Chron. pat. bei Mur., aut. IV, 1147, 1148; Verci III, 53 ff. Dof. 246.

[3]) Inventa post. Rol. chron. bei Mur. VIII, 382.

[4]) Ann. de Romano bei Cipolla S. 422; chron. est. bei Mur. XV, 336.

[5]) Verci III, 60 ff. Dof. 253.

[6]) Propugnatore IV, 2, 399.

habe ununterbrochen zwei Jahre gedauert, [1]) und dem entspricht die Darstellung der einzelnen Vorgänge. Nach dem Abfall Vicenzas und Trients im Juli 1279, der veronesischer Hilfe zugeschrieben wurde, nach den Verwüstungen der Truppen Albertos bedurfte es für Padua keiner besonderen Veranlassung zur Aufnahme des Kampfes, nicht des Mahn= rufs einer Seherin. Konnte der Dichter nach jenen Ereignissen und bei dem tief eingewurzelten Haß der beiden Kommunen, den erbitterte Kämpfe zurückgelassen, von dem Zorn sprechen, der sich schon gelegt, von dem stillen Gift, dem „verborgenen" Haß, [2]) den die rasende Seherin erst wecken mußte? Die Darstellung Ferretos macht den Eindruck, als habe man sich nach geraumer Friedenszeit zu einem neuen Kriege ent= schlossen. Das Volk ist in zwei Parteien gespalten; erst nach längerer Beratung siegt die Kriegspartei. Und nun der Verlauf des Feldzuges! Aus dem Jahre 1280 wird von siegreichen Gefechten der Veronesen bei Cologna, von Gefangennahme paduanischer Bürger, täglichen Ver= heerungen der veronesischen Gefilde berichtet. Nach Ferreto haben über= haupt nicht feindliche Begegnungen stattgefunden. In Erkenntnis der eigenen Schwäche und Ueberlegenheit des Feindes sucht Alberto dem Ausbruch des Kampfes vorzubeugen („belli vitare ruinam"), [3]) und es gelingt ihm durch Bestechung der Heerführer. Hier also ist es nicht einmal zum Friedensschluß gekommen, den i. J. 1280 Venedig und Treviso vermittelten.

Nun bemerkt Cortusio, nachdem er den Feldzug 1280 erwähnt: „Veronenses iterato in MCCLXXXX voluerunt accipere Vicentiam Paduanis." [4]) Ist die Darstellung Ferretos mit den Berichten über 1280 nicht vereinbar, so wird man sie in das Jahr 1290 verweisen, [5]) da in der Zwischenzeit der Friede zwischen Padua und Verona gewahrt wurde. Demnach beziehen sich die Worte „ira fremit, quae post habitum sopita triumphum ... languebat" auf die Zeit zwischen zwei Kriegen, von denen der eine durch sein Hauptmoment, die Katastrophe von Cologna,

---

[1]) Chron. pat. bei Mur., ant. IV, 1147.

[2]) Ferr. bei Orti S. 89: ›Tacitumque serit cum tabe venenum, Inde latens odium, positam quoque suscitat iram.‹ Vgl. dazu: ›Ira fremit, quae post habitum sopita triumphum . . . languebat‹ bei Orti S. 88.

[3]) Ferr. bei Orti S. 93.

[4]) Hist. Cortus. I, 8 bei Mur. XII, 776.

[5]) Die historischen Anhaltspunkte, welche Ferreto erwähnt, daß die Paduaner nach Vicenza und von dort in das Alponethal gezogen sind ꝛc, sind so allgemein, daß man sie fast auf jeden Angriffskrieg der Paduaner gegen Verona beziehen kann.

charakterisiert wird.[1]) Jetzt werden Wendungen des Dichters wie „inde latens odium, positam quoque suscitat iram"[2]) erklärlich. Der zehn= jährige Frieden hatte Zorn und Haß gemildert.

Man hat gegen diese Ansicht geltend gemacht, daß vicentinische Chroniften, ja Ferreto felbst, von der Verschwörung in Vicenza berichten, nicht aber von dem paduanischen Feldzug, der 1290 durch jene veranlaßt wurde.[3]) Der Grund dafür liegt einerseits in der Bedeutungslosigkeit desselben; wie er aus der momentanen Aufwallung der Volksleidenschaft entstanden war, fo verlief er ohne Waffenthat und Friedensschluß. Zweitens aber beschränken sich die beiden Historiker, Ferreto und Smereglo, von denen S. Aufschluß über den Auszug der Paduaner gegen Verona erwartet, ausschließlich auf die Stadtgeschichte Vicenzas: Die Fortsetzung Smereglos[4]) ist nicht viel mehr als ein Verzeichnis der vicentinischen Podestas, das hier und da durch Eintragung städtischer Begebenheiten erweitert ist. Der Gesichtskreis des Verfassers reicht über die Mauern feiner Vaterstadt nicht hinaus. Und Ferreto befolgt in den ersten drei Büchern feines Geschichtswerkes das Prinzip, den Stoff nicht nach chronologischen, fondern territorialen Gesichtspunkten zu ordnen. In dem Abschnitt über Vicenza beschränkt er sich ausdrücklich auf die Ge= schichte feiner engeren Heimat.[5]) Daher hat er den Ausfall der Paduaner gegen Verona nicht erwähnt, der für den Historiker zudem ganz bedeutungslos, für den Verfasser des Lobgedichtes von größerer Wichtig= keit war, weil er ihm Gelegenheit bot, die größte Waffenthat des Scaligers, die Eroberung Paduas (1328), geziemend hervorzuheben. Hierin liegt der Grund, daß die Episode der früheren paduanisch=veronesischen Feldzüge überhaupt dem Gedichte eingefügt wurde.[6]) Zur Charakteristik

---

[1]) Ferr. bei Orti S. 88.

[2]) Ferr. bei Orti S. 89.

[3]) Sommerfeldt in den Mitteilungen d. Inftit. f. öfterr. Gefch. 1895, H. 3, S. 445, 446.

[4]) Ann. vicentini bei Mur. VIII, 110.

[5]) Ferreti historia bei Mur. IX, 983: ›Refert nunc etiam infelicis Patriae nostrae male acta recolere, ut aliquid, donec locorum ordine trahimur, his perpetuae descriptionis studiis inseramus.‹

[6]) Die Einschaltung der feindlichen Beziehungen zwischen Padua und Verona in die Darstellung des vierten Buches ist gezwungen und unterbricht den Zusammen= hang. Wie mir scheint, hat dies in der Entstehung des Gedichtes feinen Grund. Ursprünglich beabsichtigte Ferreto nicht nur die Jugendzeit Canes zu behandeln, er wollte, wie er es in der Einleitung bemerkt, mit den ersten Jahren anfangen, dann aber in größerem Gedicht die Kriegsthaten des Scaligers besingen: ›promtior inde tuas maiori carmine vires forte canam partosque tibi per bella triumphos‹

der vicentinischen Historiographie und zu richtigerem Verständnis der zitierten Worte Cortusios sei auf die folgende Schilderung Pagliarinos verwiesen: „Quest' anno (d. i. 1278) Vicentini tradirono il castello di Cologna. Ancora Veronesi insieme con alcuni fuorusciti Vicentini si sforzarono di levare Vicenza dalle mani de' Padovani ma le sue forze furono vane."[1]) Cortusio schildert fast mit denselben Worten die Ereignisse des Jahres 1290. Hier wie dort ist nur die Teilnahme der Veronesen am vicentinischen Aufstande, nicht die sich anschließenden Kämpfe zwischen den Scaligern und Padua erwähnt. Konnte von Pagliarino der zweijährige Krieg nach Einnahme Colognas (1278) übergangen werden, wie viel mehr von Cortusio das klägliche Nach= spiel, das der vicentiner Verschwörung von 1290 folgte. Und ferner: Cortusio hätte sicher nicht der Beteiligung Veronas an der Erhebung Vicenzas gedacht, wenn sie nicht einige ernstere Folgen gehabt hätte. Bei der Unvollständigkeit und Kürze der Angaben Cortusios erweist gerade die Erwähnung der Mithilfe Veronas am Aufstand gegen Padua die relative Bedeutung derselben für den Verlauf der Ereignisse.[2]) Nur in der Chronologie scheint Cortusio geirrt zu haben; denn die Hin= richtung Beroaldos, dem die Hauptschuld an der Erhebung Vicenzas zugeschrieben wurde, geschah im Januar 1291, nicht 1290.[3]) Daher sind

---

vgl. Orti S. 53. Zum Schluß des vierten Buches bricht er ab mit den Worten: ›Clara tuae primordia vitae et puerile decus cecinique ab origine laudes hactenus‹ vgl. Orti S. 105. Politische oder persönliche Verhältnisse, seine Thätigkeit als Notar nötigten ihn wahrscheinlich nach Beendigung der ersten drei Bücher — sie sind bei weitem breiter angelegt als das letzte — den in der Einleitung angekündigten zweiten Teil aufzugeben. Er will nur noch das Heranwachsen Canes schildern: ›te tuosque meo cum carmine prosequor ortus‹ bei Orti S. 94; daher sucht er Gelegenheit, wenigstens auf den größten, bisher schon mehrfach angedeuteten Triumph seines Helden, die Eroberung Paduas, nachdrücklich hinzuweisen und diese findet er in der episodenartigen Einfügung der paduanisch-veronesischen Kriege früherer Zeit.

[1]) B. Pagliarino, croniche di Vicenza. Vicenza 1663.
[2]) Vgl. Bolognini im Archivio stor. it. a. a. O. S. 143.
[3]) Die ann. de Romano bei Cipolla S. 438, sowie die pad. Chronik bei Mur., ant. IV, 1151 nennen das Jahr 1291, der Fortsetzer Smereglos bei Mur. VIII, 110 genauer das Fest des hl. Marcellus d. i. den 16. Januar als Tag der Hinrichtung Beroaldos. Daß Smereglo und der Nachtrag zu Rolandinos Chronik bei Mur. VIII, 383 die Begebenheit zum Jahre 1290 rubrizieren, erklärt Sommer= feldt S. 446 Anm. 1 daraus, „daß er die Ereignisse mit Zugrundelegung der pa= duanischen Podestà-Liste erzählt. Der paduanische Podestà pflegte sein Amt Ende Juni zu beginnen, so daß in Wirklichkeit auch hier 1291 gemeint ist." Der Amts= antritt des paduanischen und vicentinischen Podestà ist aber bereits im Jahre 1280 vom letzten Juni auf die Kalenden des Januar resp. Weihnachten verlegt worden

die Feindseligkeiten Paduas gegen Verona, je nachdem sie der Hin=
richtung Beroaldos vorangegangen oder gefolgt sind, Ende 1290 oder
Anfang 1291 geschehen.

Die hierdurch gewonnene Chronologie der von Ferreto geschilderten
Ereignisse ist aus der Art seiner Darstellung und den übrigen Quellen=
berichten abgeleitet. Es fragt sich, ob sie sich mit dem Zusammenhang
des Gedichtes vereinigen läßt. Hiernach müßten die paduanischen
Rüstungen, die Cortusio in den Winter 1290/91 verlegt, zwischen der
Konzeption und Geburt Cangrandes geschehen sein. Die Geburt wäre
einige Zeit, höchstens neun Monate später anzusetzen, würde also sicher=
lich in das Jahr 1291 fallen. Legt man die Ueberlieferung Parisios,
welche durch diese Erwägungen bestätigt wird, d. i. das Frühjahr 1291,
als Zeit der Geburt zu grunde, so gewinnen die einzelnen Züge des
Gedichtes größeres Leben und mehr innere Wahrscheinlichkeit, als es
bei Sommerfeldts Voraussetzungen der Fall ist, nach denen von den
paduanischen Kämpfen i. J. 1280 bis zur Geburt Canes (er setzt sie in
den April 1281) fast ein Jahr verflossen, die Konzeption also zur Zeit, da
die Seherin zum Kampf gegen Verona mahnte, noch nicht erfolgt wäre.
Wenn Verde, Albertos Gattin, um die Wende 1290/91 in wenigen
Monaten ihrer Niederkunft entgegensah, wird die Fiktion Ferretos sehr
wohl verständlich, daß die „rasende Prophetin" das Kind bereits in der
Wiege sah.[1] Auch die bald darauf folgenden Worte „hac est de
stirpe vocandus dux tibi, quem nondum pater optimus orbi pro=
didit"[2] weisen auf die nahe bevorstehende Geburt des Scaligers hin;

(vgl. chron. pat. bei Mur., ant. IV, 1148; ann. vicent. bei Mur. VIII, 109 ad.
ann. 1280). 1294 wurde die Amtsdauer auf 6 Monate beschränkt (vgl. inventa
post Rolandini chron. bei Mur. VIII, 387). Dieser Wechsel des Amtsantritts
und der Amtsdauer der Podestà hat freilich durch die Gewohnheit der Chronisten, die
Ereignisse unter dem Namen der Podestà einzutragen, und bei der Verschiedenheit
des Amts= und Kalenderjahres zur Verwirrung der Chronologie geführt. Es zeigt
dies ein Blick auf die annalistischen Notizen hinter Rolandinos Chronik und ein
Vergleich derselben mit der von Mur. ant. IV edierten paduanischen Chronik. So ist
es zu erklären, daß Ereignisse des Jahres 1291 bald unter 1290, bald wie die Ver=
schwörung des Giordano di Seratico (vgl. Mur., ant. IV, 1152) zum Jahre 1292
vermerkt sind.

[1] Ferr. bei Orti S. 89.

[2] Ferr. bei Orti S. 92. Aus den angeführten Worten schließt S. mit Recht,
daß zur Zeit, da die Seherin zum Kampf gegen Verona mahnte, d. i. Anfang Mai 1280
Verdes Niederkunft noch bevorstand; Cane war aber nach seiner Berechnung Ende
April geboren. Aus beidem folgert er: „So wird für uns seine Geburt überhaupt
um ein Jahr hinausgerückt" (vgl. S. 448). Nach S.s Voraussetzungen wäre der
Schluß wohl berechtigt, daß Cane nach 1280 geboren ist; ein zwingender Grund,
gerade das Jahr 1281 anzunehmen, ist in seiner Beweisführung nicht enthalten.

und in einem der Verse, welche die Besorgnis des veronesischen Signoren schildern, das Verderben des Krieges abzuwenden und dem hoffnungs-vollen Sohn die glänzende Zukunft zu retten, wird Alberto vom Dichter selbst „Albertus pater" genannt;[1] die Beziehung zu Canes Geburt ist hier unverkennbar.

Bei Annahme der Identität der von Cortusio (zum Jahre 1290) und Ferreto erzählten Vorgänge paßt also der für Canes Geburt ge-wonnene Zeitpunkt trefflich in den Zusammenhang des Gedichtes. Nirgends findet sich ein Widerspruch. Trotzdem darf nicht mit S.[2] der Anspruch erhoben werden, mit der chronologischen Fixierung des paduan-nischen Feldzuges das wesentlichste Argument zur Lösung der gestellten Frage gefunden zu haben. Der Beweis bleibt doch immer ein indirekter. Gerade und sicherer führt der folgende Weg zum Ziele, der zur Fest-stellung der Geburtszeit Canes eingeschlagen werden muß.

Im zweiten Buche seines Gedichtes schildert Ferreto, wie Alberto della Scala nach Ermordung seines Bruders im Oktober 1277 die Herrschaft über Verona gewinnt, die Mörder Mastinos bestraft und als weiser Regent das Volk beherrscht. Nun bemerkt eine wohl unterrichtete Chronik zum Jahre 1286: „Jacobus notarius de Cesarina fuit bannitus et expulsus, qui tractaverat et ordinaverat mortem domini Alberti de la Scala" etc.[3] Da Jakobus als besonders wohlhabend und einflußreich bezeichnet wird, mußte seine Verbannung voraufgegangen sein, wenn Alberto in vollem Frieden sein Land regieren wollte, wie es die Verse besagen:

„Jamque metu vacuus, Plebi dilectus amatae,
Solus agens patriam tranquilla pace fovebat."[4]

Hieraus und aus der kurz darauf folgenden Angabe, daß Cane zu jener Zeit noch nicht auf der Welt war,[5] ist zu schließen, daß der Scaliger nach 1286 geboren ist.

Nachdem Ferreto die Geburt Canes im Anfang des vierten Buches geschildert, dann die Episode des paduanischen Feldzuges eingeflochten hat,

---

[1] Orti S. 93: ›At vigil insomnes iam dudum pectore curas involvens pater Albertus‹ etc.

[2] Mitteilgn. des Instit. für österr. Gesch. a. a. O. S. 444, 449.

[3] Boninsegnae chron. ver. bei Verci VII, 153; die Nachricht wird bestätigt durch den Syllabus pot. bei Cipolla S. 398 und die ann. de Romano bei Cipolla S. 431, welche in richtiger Uebereinstimmung von Wochentag und Monatsdatum den 11. August als Zeitpunkt der Verbannung angeben.

[4] Ferr. bei Orti S. 73.

[5] Ferr. bei Orti S. 74: ›At nondum genitus patrio sub amore latebas.‹

nimmt er den verlassenen Faden wieder auf und beginnt mit der frühesten
Entwicklung des Kindes, der Freude des Dreijährigen an glänzenden
Waffen, am Tone der Drommete, erzählt von dem sechsten und siebenten
Lebensjahr, in dem der Knabe zuerst die Burg des Vaters verläßt gleich
dem kaum befiederten Vogel, der des Flugs noch ungewohnt aus dem
Nest auf die nächsten Zweige hüpft. Schon ist er an Wuchs den Brüdern
gleich:

„Jam gravis amplexu, iam vertice fratribus aequus,
annua iam geminis referens duo tempora lustris,"[1]

da raubt ihm ein mißgünstiges Geschick den Vater. Der schwülstige
Vers, der zu verschiedenen Interpretationen Anlaß gegeben, besagt, Cane
habe die beiden Jahreszeiten, d. i. Sommer und Winter, in doppelten
Lustren zurückgelegt.[2] Er bezeichnet also das zehnte Lebensjahr. Ließe
die Auslegung hier einen Zweifel, so würde die bisher eingehaltene
Gewohnheit des Dichters, größere Sprünge in der Darstellung zu vermeiden, den Schluß nahelegen, daß er nach Erwähnung des sechsten
und siebenten Lebensjahres nur um weniges in der Entwicklung seines
Helden vorgeschritten ist; und dies bestätigt die nähere Charakteristik
des jungen Prinzen, daß er bartlos, noch nicht mannbar war,[3] den
Knabenkittel ausgezogen, das waffenfähige Alter noch nicht erreicht
hatte u. a. War aber Cane beim Tode seines Vaters d. i. 1301 zehn
Jahre alt, so ist er 1291 geboren.

Ferreto erzählt von den ritterlichen Uebungen des Knaben und
fährt dann fort: Als die Jahre der Männbarkeit kamen und der erste

---

[1] Ferr. bei Orti S. 100.

[2] Die Worte ›annua duo tempora‹ dienen wohl hauptsächlich dazu, den
Vers zu füllen. Daß sie die Jahreszeiten Sommer und Winter bezeichnen, geht aus
dem Zusammenhang und ähnlichem Sprachgebrauch des Dichters hervor. (Bolognini
hat im Archivio stor. it. S. 145 Anm. 2 darauf hingewiesen, daß Ferreto ›messis‹
mit Vorliebe zur Jahresbezeichnung anwendet. So schildert er das sechste Lebensjahr Canes mit den Worten: ›cum septima nondum horrea frugiferis implesset
messibus aestas‹ bei Orti S. 97 vgl. S. 94, 102.) Die Präposition in ›referens‹
heißt nicht nur „zurück", sie deutet zugleich die jährliche Wiederkehr von Sommer und
Winter innerhalb der beiden Lustren an. — Claricini, der 1279 als Geburtsjahr
Canes annimmt, interpretiert folgendermaßen: ›2 × 5 = 10 primi due lustri, 2 × 5
= 10 secondi due lustri, 10 + 10 = 20, più 2 stagioni annue, il che equi-
varebbe a 22 anni‹ vgl. S. 27. Nach S. besagt der Vers, Cane habe „zweimal
je zwei Lustren zurückgelegt", als hätte der Dichter ›bina‹ und nicht ›duo‹ geschrieben; im übrigen vgl. Bolognini S. 144.

[3] Ferr. bei Orti S. 100: ›ac puerilem exutus amictum pubertate tenus‹.
Der Dichter deutet an, daß nun in der Entwicklung seines Helden die Zeit bis zum
Eintritt der Männbarkeit folge.

Flaum sich auf den rosigen Wangen zeigte, sank Canes Mutter ins Grab.[1] Verde de Salizzoli starb zu Weihnachten 1305.[2] Die in des Dichters Worten liegende Bezeichnung der Altersstufe gestattet einen nur ungefähren Rückschluß auf die Geburt des Scaligers. Bei Sommerfeldts zeitlicher Bestimmung derselben wäre Cane Ende 1305 24½ Jahre alt gewesen, und S. ist der Ansicht, „der Flaum auf den rosigen Wangen", der Eintritt der Mannbarkeit bezeichne eben jenes Alter.[3] Daß es sich um einen frühreifen Romanen handelt, der nach glaubhaften Angaben besonders zeitig entwickelt war, hat Bolognini einer entsprechenden Ansicht Claricinis entgegengehalten. Sicherlich hat der Dichter die bezeichnete Entwicklungsstufe seines Helden nicht aus Erkundung oder eigener Beobachtung — Ferreto war 1305 höchstens zehn Jahre alt —, sondern durch ungefähre Schätzung nach seiner eigenen oder der normalen Entwicklung und nach der Geburtszeit Canes festgestellt. Ferreto aber bekennt in seinem Geschichtswerk, daß er selbst zur Zeit der Eroberung Vicenzas durch Cane, d. i. im J. 1311, mannbar geworden sei.[4] Damals war er 14 bis 16 Jahre alt.[5] Geht man von dem Todesjahr der Verde (1305) als dem Zeitpunkt der Pubertät Canes um 14 Jahre zurück, so ergibt sich 1291 als Jahr der Geburt.

Am eingehendsten hat der Dichter das 18. Lebensjahr seines Helden bestimmt, das in den Versen:

> „Jam torserat orbes
> Annorum coeleste iubar ter senaque messis venerat"[6]

angekündigt und genau begrenzt wird durch die Angaben, daß Alboin in der Herrschaft über Verona seinem Bruder gefolgt, Bartolomeo ge-

---

[1] Ferr. bei Orti S. 101.

[2] Ann. de Romano bei Cipolla S. 468. Mit Recht bemerkt S., daß ich mich in der Biographie Cangrandes I durch die in der Chronik enthaltene Jahresangabe 1306 verleiten ließ, den Tod der Verde auf Weihnachten 1306 anzusetzen. Indessen ist diese irrtümliche Ansetzung ohne Einfluß auf die dort S. 201—5 enthaltene Argumentation über das Geburtsjahr Canes geblieben.

[3] Mitteilgn. d. Inst. f. österr. Gesch. a. a. O. S. 450.

[4] Ferr. bei Mur. IX, 1123.

[5] Ferreto war zwischen 1295 und 1297 geboren. Vgl. M. Laue, Ferreto von Vicenza. Halle 1884. S. 3, 4.

[6] Ferr. bei Orti S. 102. Nach Grion S. 415 und Claricini S. 30 besagt der Vers, daß 3 Jahre und 6 Monate verflossen seien. S. erkennt an, daß ›ter senaque messis‹ das achtzehnte Lebensjahr bedeutet, doch setzt er Zweifel in die Richtigkeit des überlieferten Textes. Wie mir Prof. Bolognini mitteilte, sind die zitierten Worte durch das übereinstimmende Zeugnis der drei in den Bibliotheken Veronas befindlichen Handschriften des Gedichtes gesichert.

storben und Cane bereits vermählt war. Hieraus geht hervor, daß der
Scaliger nach 1304, dem Todesjahr Bartolomeos,[1]) und innerhalb der
Regierungszeit Alboins (1304—11) den 18. Geburtstag erlebt hat. Nach
Saraina;[2]) Corte[3]) u. a. hat er 1308 die Ehe mit Johanna von
Antiochien geschlossen. In der älteren Literatur Veronas, welche die
Zeit von 1307—10 kaum berührt, findet sich keine Angabe, um die Richtigkeit des von Saraina erwähnten Datums prüfen zu können; doch
findet dieses eine indirekte Bestätigung durch Ferreto selbst. Er führt
kurz nach Erwähnung des 18. Lebensjahres den Leser mit den Worten
„sex quater exactis fastorum mensibus"[4]) um 24 Monate weiter in
die Zeit der Ankunft Kaiser Heinrichs VII in Italien. Da hierdurch
zweifellos das Jahr 1310 gegeben ist, ist der Rückschluß zwingend, daß
Cane sich zwei Jahre zuvor vermählt hat. Damals war er nach Ferreto
18 Jahre alt. Es bewährt sich also auch durch diese Erwägungen die
Glaubwürdigkeit des für die Geburt Canes von Parisio überlieferten
Jahres 1291.

Die angeführte Reihe der dem Gedichte Ferretos entnommenen
Argumente ergibt ein positives Resultat, das im Sinne der alten veronesischen Tradition entscheidet und ihr dadurch eine feste Stütze verleiht.
Zur Sicherung des gewonnenen Ergebnisses sind die Gründe zurückzuweisen, mit welchen die Gegner der Ueberlieferung Parisios „gewissermaßen ex oppositis" ihre abweichende Ansicht zu verteidigen suchen.
Sie beziehen sich in der Hauptsache auf das Zeugnis Cortusios und
der späteren veronesischen Chronisten.

Cortusio berichtet zum 22. Juli 1329, dem sicher bezeugten
Todestage Canes: „Obiit aetatis suae anno quadragesimo primo";[5])
demnach würde die Geburt ins Jahr 1289 fallen. Nachdem S. die
entgegengesetzten Angaben des paduanischen Historikers und Parisios[6])
festgestellt, die, wie er sagt, von allem sonst Ueberlieferten abweichen (!),
zieht er den Schluß: „Da beide Chronisten in ihren Angaben unter sich
noch differieren, werden wir sie einfach beide zu verwerfen haben."[7])

---

[1]) Syllabus pot. bei Cipolla S. 405; chron. ver. bei Verci VII, 154.
[2]) Saraina, le historie e fatti de Veronesi. Verona 1542. S. 24. Die
Thatsache, daß Cane mit Johanna von Antiochien vermählt war, bezeugt hist. Cort. IV, 9
bei Mur. XII, 851.
[3]) Corte, l'istoria di Verona. Verona 1594. X, 604 ff.
[4]) Ferr. bei Orti S. 103.
[5]) Hist. Cort. IV, 9 bei Mur. XII, 851.
[6]) Chron. ver. bei Mur. VIII, 641.
[7]) Mitteilgn. d. Inst. f. österr. Gesch. a. a. O. S. 441.

Die Möglichkeit, daß nur Cortusio oder nur Parisio geirrt habe, ist hierbei übergangen worden, und es befremdet dies um so mehr, als S. selbst zugibt, daß das Rechenexempel Cortusios falsch sei, ja sich wundert, wie man den Versuch machen könne, den Fehler desselben überhaupt zu erklären. Hat Cortusio geirrt, so ist Parisio darum nicht zu verwerfen. Er konnte von älteren Zeitgenossen Canes Erkundigungen über dessen Leben einziehen und stand ihm als Landesgenosse selbst nahe. Vor allem: Wer ein bestimmtes Datum der Geburt Canes überliefert, nennt das Jahr 1291, die jüngeren Chronisten Panvinio, Moscardo u. a [1] ebensowohl als die älteren. Diese sind zum größten Teil freilich, insbesondere die von Orti edierte Chronik, [2] von Parisio abhängig; aber sie bestätigen doch in ihrer Gesamtheit, daß die veronesische Tradition bis in das 18. Jahrh. hinein 1291 als Geburtsjahr Canes festgehalten hat, und es gehören dazu auch solche Chronisten, denen man eine literarische Beziehung zu Parisio nicht nachweisen kann, wie z. B. Panvinio.

Saraina, [3] Panvinio, [4] Corte [5] und andere Historiker des 16. Jahrh. und der späteren Zeit erzählen nun freilich, daß Cane i. J. 1293 die Signorie von Parma und Reggio, 1297 die Herrschaft Vicenzas und zwei Jahre später Feltre und Belluno erworben habe. S. beruft sich hierauf, um zu erweisen, daß man das Geburtsjahr Canes viel früher als bisher, nämlich 1281, ansetzen müsse. Dies Heilmittel ist von vornherein teilweise unwirksam; denn die Annahme einer Eroberung von Parma und Reggio 1293 — nach S.s Berechnung wäre Cane damals dreizehnjährig gewesen — ist durch die Jugend des Scaligers ausgeschlossen. [6]

---

[1] Vgl. dazu Carli IV, 110, 346; Corte, l'istoria di Verona. Verona 1594. lib. XI, 18.

[2] Orti Manara, cronaca inedita dei tempi degli Scaligeri. Verona 1843. Nach Verci VII, 150 und Cipolla beruht die Ueberlieferung des J. 1290 in der chronica illorum de la Scala bei Cipolla S. 501 auf Textverderbnis. Es wird dies bestätigt durch einen Vergleich mit der Lesart der von Orti edierten veronesischen Chronik S. 11.

[3] Saraina a. a. O. S. 22—24.

[4] O. Panvinius, antiquitates veronenses. Padua 1648. Lib. VII, 203, 205.

[5] Corte lib. IX, 562 ff., 571, 579 ff. Die Einnahme von Feltre und Belluno berichten Corte u. a. zum J. 1300.

[6] Hieran ist nichts geändert durch die Annahme, daß jene Ereignisse sich 1295 zugetragen haben. — Aehnlich verhält es sich mit S.s Auseinandersetzungen über den Bericht der ann. de Romano bei Cipolla S. 442, 443, demzufolge Bardelone

Zur Kritik der jüngeren veronesischen Chronistik muß zunächst festgestellt werden, daß mehr als drei Fünftel ihrer Nachrichten, welche
von den primären Quellen abweichen oder in ihnen nicht enthalten sind,
wenigstens für die Zeit Cangrandes I nachweisbar entstellt, ausgeschmückt
oder gänzlich erdichtet sind. [1]) Die Quelle des sagenhaften Gehaltes
der Ueberlieferung ist bei der Lückenhaftigkeit derselben meist nicht zu
ermitteln; doch zeigt schon die romanhafte Erzählung von Romeo und
Julia, die von Corte u. a. zum Jahre 1303 übernommen ist, [2]) daß die
Chronisten poetische, novellistische Darstellungen benutzt haben. Mancher
von ihnen hatte die dunkle Empfindung, daß er die geschichtliche Wahrheit beeinträchtige. So bemerkt Corte zu der gänzlich erfundenen Beschreibung von Ludwigs des Baiern Aufenthalt zu Verona im März 1327:
„Alcuni dicono, che dègli autori, che io seguito, e spezialmente de'
moderni molti ce ne sono, che non hanno scritto il vero"; [3]) doch
ist auch er unkritisch und leichtgläubig genug, um blindlings seine Vorlagen auszuschreiben. Diese Erfahrung lehrt, daß die Nachrichten
späterer Chronisten nur mit größter Vorsicht und nach genauer Prüfung
aufzunehmen sind.

Dazu kommt, daß die Eroberung Vicenzas, Feltres und Bellunos
durch Cane in den Jahren 1297, 1299 von seiner einzigen älteren
Quelle auch nur angedeutet wird; manche widersprechende Angabe dagegen, wie schon Verci ausführt, [4]) erregt berechtigten Zweifel an

---

Bonacolsos Tochter 1294 nach Verona kam »ad filium domini Alberti, qui vocabatur Canismagnus, quia debet esse uxor sua.« Cane kann sich weder 3 noch
13 Jahre alt vermählt haben. S. selbst führt an anderer Stelle aus, daß der Scaliger
erst 24½ Jahre alt beim Tode seiner Mutter, d. i. 1305, die Pubertät erreicht habe.
(Vgl. 427, 450.) Es handelt sich in den Veroneser Annalen, wie Bolognini S. 147
bereits Claricini entgegnet hat, um ein Eheversprechen, das nach dem Zeugnis Ferretos
(vgl. Orti S. 102) nicht erfüllt wurde; die Nachricht der Annalen ist daher sehr wohl
mit dem von Parisio überlieferten Geburtsjahr Canes vereinbar. — Ueber die im
gleichen Jahre 1294 an den dreijährigen Cane verliehene Ritterwürde, vgl. G.
Salvemini im Archivio storico ital. Serie V, Tom. XIV. 1894. S. 319—22.
[1]) Vgl. Spangenberg, Cangrande I della Scala I, 7, 7¹, 11⁰, 15³, 16³,
25⁵ ꝛc.; 11 51⁶, 56², 59⁴, 104².
[2]) Corte lib. X, 589—94; Carli IV, 145—59 (z. J. 1302). Nach Aussage
eines Zeitgenossen, des Sagazio della Gazata Mur. XVIII, 42, wurde Cane schon
zu Lebzeiten viel besungen. »De ipso multa cantabantur et merito.« Ueber die
erhaltenen Dichtungen zur Verherrlichung Cangrandes I della Scala vgl. A. Medin
im Archivio veneto XXXI, 371 ff. und XXXV, 351 ff.
[3]) Corte II, 153.
[4]) Verci, storia della marca trivigiana II, 170 ff.; VII, 66. Sommerfeldt
gibt zu, vgl. S. 438 ff., daß Reggio 1293 dem Markgrafen Azzo von Este, nicht.

ihrer historischen Wahrheit. Ein Schluß ex silentio ist hier zulässig,
da es sich nicht um ein einzelnes Ereignis, das leicht vergessen werden
konnte, sondern um eine Reihe folgenschwerer Kämpfe handelt, die nach
Eroberung fünf größerer oberitalienischer Städte zur Begründung eines
mächtigen veronesischen Stadtstaates geführt haben würden. Daß keiner
der zum Teil wohl unterrichteten Annalisten des 14. und 15. Jahrh.
hiervon berichtet, ist im höchsten Grade auffallend. Von ihnen wird
die Teilnahme Canes an politischen Aktionen vor dem Jahre 1306 nur
einmal erwähnt. Nach den Chroniken Modenas[1] soll er i. J. 1299
den Frieden zwischen der Gemeinde Bologna und ihren Verbannten
vermittelt haben; aber auch diese Nachricht wird durch die urkundliche
Tradition widerlegt. Ihr zufolge sind die vorberatenden Verhandlungen
1299 im Auftrage Albertos della Scala durch Bartolomeo da Farina
und Niccolò da Reggio erledigt worden;[2] hernach aber wurde Boninesio
de' Paganoti, da Alberto persönlich nicht erscheinen konnte, durch ein
Dokument vom 24. April[3] zum Vertreter des Scaligers ernannt, um

---

dem Scaliger übergeben wurde, vgl. chron. reg. bei Mur. XVIII, 13, daß
Parma damals in ungestörter Ruhe lebte und erst 1295 Bürgerkämpfe ausbrachen,
bei deren Erwähnung die ann. parm., MG. XVIII, 718, von der Hilfe Mai-
lands, Piacenzas und anderer »amici Guidonis« sprechen, mit keinem Wort
aber Verona nennen. (Aus dem Vertragsverhältnis des Scaligers mit Mailand und
dem selbstverständlichen Interesse desselben an dem Siege der Ghibellinen Parmas
zu schließen, daß unter jenen »amici« auch Verona gewesen, und weiter zu folgern,
daß gerade Cane Truppen nach Parma geführt habe, ist völlig unbegründet). Panvinios
Bemerkung über Eroberung Vicenzas 1297, sowie Feltres und Bellunos durch Cane
i. J. 1299 beruht nach S. vgl. S. 434, 440, ebenfalls auf einem Irrtum des Chronisten.
So viel Irrtümer finden sich in den wenigen Zeilen Panvinios! Und trotzdem kommt
S. zu dem Schluß, daß der Chronist „alles in allem zuverlässiges Material biete."
    [1] Das Memoriale historicum des Maffeo de Griffoni bei Mur. XVIII, 132
sowohl als die im 16. Jahrh. verfaßte Chronik Tassonis vgl. Cronache Modenesi
di Alessandro Tassoni, di Giovanni da Bazzano e di Bonifazio Morano
(Monumenti di storia patria delle provincie modenesi Bd. XV, Modena 1888,
S. 87) stimmen in ihrem Bericht über Canes angebliche Thätigkeit in Bologna fast
wörtlich mit Bazzano überein. Er allein hat selbständigen Wert als geschichtliches
Zeugnis.
    [2] Verci IV, 135 Dok. 412 (7. April 1299).
    [3] Verci IV, 137, Dok. 413. Den Bericht der ann. de Romano bei Cipolla
S. 456: «lata fuit sententia per dum. capitaneum Mediol. de voluntate domini Alberti« führte ich in der Biographie Cangrandes I zur Widerlegung der
modenesischen Tradition an. S. bemerkt darauf (vgl. S. 431), es sei mir entgangen,
daß diese Worte indirekt die Ueberlieferung von der Vermittlung Canes bestätigen.
Abgesehen davon, daß man ihnen nicht einmal mit einiger Sicherheit entnehmen kann,
ob Alberto sich überhaupt habe vertreten lassen oder nicht, wodurch berechtigen sie,

mit Matteo Visconti den Frieden zwischen den streitenden Parteien zu
vermitteln; Canes Name ist nirgends erwähnt.

Eine zuverlässige Auskunft erteilt das Gedicht Ferretos, der auch
von den Gegnern der alten veronesischen Tradition als sicherster
Gewährsmann für die Jugendgeschichte des Scaligers anerkannt wird.
Er erzählt, daß Cane beim Tode seines Vaters, der 1301 gestorben,
das waffenfähige Alter noch nicht erreicht habe.[1] Der junge Prinz
blieb damals dem ernsten Kampfe fern und war daher auch zu der
schwierigeren Aufgabe diplomatischer Verhandlungen, wie er sie nach
der unverbürgten Aussage modenesischer Geschichtsschreiber 1299 in
Bologna geleitet haben soll, noch nicht fähig. Nach Bartolomeos Tode
(1304), nach den Kämpfen bei Ostiglia begann er am Hof und im
Felde sich auszuzeichnen Diese Kämpfe führen in den Sommer 1307.[2]
Nach dem zeitgenössischen Bericht Ferretos sind die veronesischen Truppen
daselbst nur von Alboin geführt worden,[3] dem die Eroberung Bregantinos
zu danken war. Die Estenser Chronik berichtet schon, Cane sei in Be-
gleitung des älteren Bruders gewesen,[4] und nach Carli hat Alboin
müßig daheim gesessen, Cane allein die Kämpfe geleitet.[5] Es ist dies
eines der vielen Beispiele für die allmähliche Entartung der Tradition.
Hier wie oftmals hat die Neigung, den Scaliger zu verherrlichen, dahin

---

Cane gerade als Bevollmächtigten Albertos anzunehmen? Indem S. diesen Schluß
zieht, setzt er stillschweigend die Richtigkeit der modenesischen Tradition voraus; denn
sie allein erwähnt in diesem Zusammenhang Canes Namen. Die Urk. vom 24. April
besagt deutlich, daß Boninesio Albertos Vertreter war. Er sollte mit den Visconti
zusammen, diesem gleichberechtigt, die Verhandlungen führen, konnte also nicht bloß,
wie S. vermutet, „Beirat" Canes gewesen sein, dessen in den Dokumenten nirgends
gedacht wird.

[1] Ferr. bei Orti S 100: ›necdum tibi fortiter aetas venerat armorum.‹
S. behauptet (vgl. S. 450), der Dichter habe in diesem Vers den Nachdruck auf
›fortiter‹ gelegt: Cane könne sehr wohl schon vorher am Kriege teilgenommen haben
Der bei dieser Interpretation geforderte Gegensatz der tapieren Thaten, die der Scaliger
seit 1301 vollbrachte, zu den weniger tapferen der früheren Zeit wäre nicht gerade
dem Tone und der Tendenz des Lobgedichtes entsprechend. Die Unmöglichkeit jener
Auslegung geht hervor aus den Worten bei Orti S. 102: ›At tu iam longa perosus
otia, iam patriis questus torpere theatris, quaerebas exire procul‹ ɪc., welche
sich auf die Zeit nach 1304 beziehen.

[2] Ferreto selbst erwähnt die Kämpfe um Ostiglia und Bregantino in seinem
Geschichtswerk bei Mur. IX, 1023.

[3] Ferr. bei Orti S. 102: ›Quo duce ... adversi cecidit munimine belli
Bricantinus apex.‹

[4] Chron. est bei Mur. XV, 359.

[5] Carli, istoria della città di Verona. Verona 1796. IV, 175—77.

geführt, ihm Verdienfte feiner Vorgänger zuzuschreiben. Befonders hat der Vater, der die Erfolge des glücklicheren und begabteren Sohnes vorbereitete, unter dem Undank der Nachwelt gelitten. Cane griff erft im 18. Lebensjahr felbftändig in die Geschicke feiner Vaterstadt ein, wie Ferreto fchreibt, unwillig, daß er bisher müßig gewesen, noch nichts geleistet habe auf dem thatenreichen Schauplatze feiner Ahnen:

> „Jam longa perosus
> Otia, iam patriis questus torpere theatris
> Quaerebas exire procul."[1]

Zur felben Zeit d. i. 1308 verheiratete er fich und wurde zum Mitregenten Veronas ernannt[2] Bald darauf, am 15. April 1311, zeichnete er fich bei der Eroberung Vicenzas durch die Kaiferlichen aus. Es war dies der erste wirkliche Triumph des Scaligers; mit ihm beginnt in Wahrheit das ruhmvolle Lebenswerk des jungen Fürften: „Ista tuis accessit prima triumphis gloria."[3]

Läßt die Neigung der späteren veronesischen Chroniften zur Aufnahme fagenhafter Züge in den von Panvinio u. a. berichteten Heldenthaten des jungen Cane die hiftorische Unwahrheit vermuten, fo steigert sich diese Annahme dadurch zur größten Wahrscheinlichkeit, daß jene frühen Erfolge in der gefamten zeitgenössischen Literatur nicht erwähnt sind, ja vielfach mit gutbeglaubigten Angaben derfelben in unvereinbarem Widerspruch stehen. Gewißheit bringt Ferreto; er bezeugt, daß Cane erft geraume Zeit nach 1304, dem Todesjahr Bartolomeos, die Waffen im ernsten Kampfe zu führen begann und 1311 die erste Ruhmesthat vollbrachte. Wenn daher die Kämpfe Cangrandes vor Reggio, Feltre, Belluno zc. im letzten Dezennium des 13. Jahrh nebst vielem anderen in das Gebiet der Sage zu verweisen sind, fallen die Gründe hinweg, welche man gegen das Jahr 1291 als Geburtszeit des Scaligers geltend gemacht hat. Die veronesische Chroniftik älterer und jüngerer Zeit beftätigt im Gegenteil die Ueberlieferung Parifios, die nach dem Ergebnis der vorangehenden Unterfuchung ihre sicherfte Stütze in der Uebereinstimmung mit Ferretos Gedicht ‚De Scaligerorum origine' findet.

Dagegen steht Parifio hinfichtlich des Monatsdatums der Geburt Canes „natus fuit . . . . nono Martii"[4] in Widerspruch mit dem

---

[1] Ferr. bei Orti S. 102.

[2] Rousset, supplément à Dumont Corps diplomatique. Amfterdam 1739. I, 2, 60. Vgl. Carli, istoria della città di Verona. IV, 179.

[3] Ferr. bei Orti S. 105.

[4] Chron. ver. bei Mur. VII, 641.

gewichtigeren Zeugnis Ferretos. Dieser setzt den Zeitpunkt der Konzeption nach der in seinem Gedicht beschriebenen Konstellation der
Gestirne[1] — die Sonne stand im Zeichen des Löwen — zwischen Mitte
Juli und Mitte August an. Die Geburt erfolgte „neun Monate"[2]
später. Schon war Tag- und Nachtgleiche dahingegangen

> Jamque Dionei relegens confinia mensis
> Phoebus Agenorei torrebat viscera Tauri,

als Verde della Scala den verheißenen Tag der Niederkunft herannahen fühlte. „Confinia" könnte an sich die Grenze des April zum
März sowohl als zum Mai bezeichnen. In dem gegebenen Zusammenhange aber ist nur das letztere möglich; denn als die Grenze des
mensis Dioneus erreicht war, stand die Sonne bereits im Zeichen des
Stieres, das sie ungefähr am 15. April betrat und am 15. Mai verließ,
und zwar in der Mitte dieses Zeichens, wie es den Worten „torrebat
viscera" zu entnehmen ist. Hieraus ergibt sich, daß Canes Geburt
etwa Anfang Mai erfolgt ist. Dies Datum paßt hinsichtlich des neun-
monatlichen Zwischenraums zu dem berechneten Zeitpunkt der Konzeption.
Nun überliefert Panvinio zum Jahre 1291: „Hoc anno VIII Idus
Maii Canis . . . . natus est."[3] An dieser Stelle scheint der sonst
nicht zuverlässige Chronist, da er hier mit Ferretos Angaben übereinstimmt, die Tradition Parisios (d. 9. März) zu berichtigen. Vergegen-
wärtigt man sich die Art der handschriftlichen Abkürzung der beiden
Daten, des 9. März und des 8. Mai, so liegt es nahe, die Lesart
Parisios aus dem Irrtum eines Abschreibers zu erklären, der VIII Id. Maii
in den 9. März verlesen hat. Die Annahme der Korruption im Text
Parisios scheint mir darin eine Bestätigung zu finden, daß Zagata,[4]
der Parisio fast wörtlich übersetzt, auffälligerweise nur an dieser Stelle,
in Angabe des Geburtstages Canes, von ihm abweicht, indem er in
Uebereinstimmung mit Panvinio den 8. Mai überliefert. Ein sicherer
Schluß wird erst dann möglich sein, wenn Cipolla in dem noch aus-
stehenden zweiten Bande der veronesischen Chroniken den Text Parisios
festgestellt hat. Bis jetzt hat die Angabe Panvinios, d. i. der 8. Mai,
die größte Wahrscheinlichkeit für sich.[5] Uebrigens ist die Ungewißheit

---

[1] Ferr. bei Orti S. 75.
[2] Ferr. bei Orti S. 80.
[3] Panvinius, antiquitates veron. lib. VII, S. 203.
[4] Zagata, cronica della città di Verona. Verona 1745. I, 59.
[5] Wie mir nachträglich bekannt wird, erfährt die obige Annahme weitere Bestätigung durch die Parisiushandschrift eines von K. Hampe zuerst verwerteten Oxforder Codex. In dieser ist bei Angabe der Geburtszeit Canes „9 martii von derselben
Hand geändert in: 8 maii." Neues Archiv d. Ges. f. ä. d. Geschichtsk. 1896 Bd. XXII
H. 1 S. 267, 268.

in diesem Punkte wenig empfindlich; wichtig ist nur das Jahr der
Geburt Canes, das durch Ferretos Angaben hinreichend gesichert ist;
es ist, wie bemerkt, auch von Wert für die chronologische Bestimmung
der göttlichen Komödie.

Im 17. Gesange des Paradieses weissagt der Florentiner Caccia-
guida dem Dichter, daß er nach der Verbannung Aufnahme bei dem
„großen Lombarden" finden werde, der unter dem Zeichen des Mars
geboren, bald in glorreicher Herrlichkeit erstehen sollte.

> „Noch haben sein die Völker jetzt nicht Acht
> Bei seiner Jugend, da die Sonn' erst neun
> Um ihn von ihren Schwingungen gemacht". [1]

Der Ungenannte ist Cangrande. Da er zur Zeit der Weissagung
Cacciaguidas neun Jahre alt war und, wie eben festgestellt, 1291 geboren
ist, so ergibt sich als fiktive Zeit für die Handlung der göttlichen Komödie
das Jahr 1300. Damals war die Christenheit in größte Erregung
versetzt durch die Jubiläumsbulle Papst Bonifaz VIII vom 22. Febr. 1300,
welche den Rompilgern aller Welt allgemeinen Sündenablaß verhieß.
Die Osterwoche dieses Jahres als historischer Hintergrund verlieh der
Dichtung Dantes eine lebendige unmittelbare Beziehung zu den bewegenden Ideen der Zeit.

Ob Dante in den zitierten Versen des Paradieses reguläre Sonnen-
oder Marsjahre gemeint, ob der „gran Lombardo" Bartolomeo della
Scala oder ein anderer gewesen, ist in diesem Zusammenhang von
geringer Bedeutung. Diese Fragen seien der Danteforschung überlassen;
hier galt es, derselben durch Bestimmung der Geburtszeit Canes ein
möglichst sicheres historisches Fundament zu geben.

---

[1] Dantes Paradies XVII, 79—81 hrsg. v. K. Witte. Leipzig 1873. S. 81.

Beiträge zur Lebensgeschichte des Hieronymus Bock, genannt Tragus.

(1498—1554.)

Von Joh. Mayerhofer.

Die Nachrichten über das Leben und Wirken des berühmten
Botanikers Hieronymus Bock (Tragus) gehen im großen und ganzen
zurück auf die Vitae Germanorum Medicorum, qui saeculo superiori
et quod excurrit claruerunt von Melchior Adam (Heidelberg, 1620)
oder auf das Theatrum virorum eruditione clarorum (Nürnberg,
1688) des Nürnberger Arztes Paul Freher, welcher seinerseits bekennt,
daß er seinen Artikel aus Adams Vitae Germanorum medicorum ent=
nommen habe. Eine schlichte Zusammenstellung der bekannten Lebens=
notizen Bocks gab in neuerer Zeit Ludwig Molitor in seinem Buche:
Geschichte einer deutschen Fürstenstadt [Zweibrücken], (Zweibrücken, 1885)
S. 166—71, und seine Würdigung als Botaniker hat Bock — mit
Seitenblicken auf den Kulturhistoriker und deutschen Schriftsteller Bock
— unter Angabe der einschlägigen Literatur durch Janssen=Pastor
im VII. Bande der Geschichte des deutschen Volkes seit dem Ausgange
des Mittelalters (Freiburg i. B., 1893), S. 332—36, in weiteren Kreisen
gefunden. Mustert man die bisher bekannten biographischen Notizen
mit kritischem Blicke, so findet man unschwer, daß sie in mehrfacher
Richtung auf etwas schwachen Füßen stehen.

Die Literatur ist sich schon über den Geburtsort Bocks nicht klar.
Sein ältester Biograph, Professor Dr. Melchior Sebiz[1]) von Straß=

---

[1]) Melchior Sebiz, geb. 1539 zu Falkenberg in Schlesien, ließ sich 1576
dauernd als Arzt in Straßburg nieder, wurde 1586 Professor, war mehrmals Dekan
und Rektor der Universität, und starb, 86 J. alt, am 19. Juni 1625. Ueber ihn siehe
Freher a. a. O. S. 1351.

burg, läßt ihn in der Ausgabe von Bocks Kräuterbuch v. J. 1580 — also 26 Jahre nach Bocks Tode! — zu „Heidesbach bei Zweibrücken" geboren sein.[1]) Paul Freher[2]) sagt, Bock sei „Heidespachii, pago Brettae Philippi Melanchthonis patriae vicino" geboren. Engler folgt in der Allgem. deutschen Biographie II, 766, der ersteren Angabe. Molitor[3]) entscheidet sich unter Berufung auf eine Stelle in des gewissenhaften Zweibrücker Gelehrten Crollius Historia Scholae Hornbacensis für „Heidesbach bei Bretten." Auffällig ist, daß es keinem dieser Schriftsteller zum Bewußtsein gekommen ist, daß es weder im Gebiete des alten Herzogtums Zweibrücken ein Heidesbach gegeben hat und gibt, noch daß es ein Heidesbach in Baden gibt. Ich möchte sowohl aus andern Gründen als aus der Bestimmtheit, mit der Freher die Herkunft Bocks „in ein Dorf nahe bei Philipp Melanchthons Vaterstadt Bretten" verlegt, mich dafür entscheiden, daß Baden die Heimat unseres Hieronymus Tragus gewesen ist; nur muß, wenn diese Annahme richtig ist, als Geburtsort Heidelsheim genannt werden; denn nur ein solcher Ort existiert in der Nähe von Bretten.

Geradezu verwirrt sind die biographischen Daten über Bock in der Folgezeit; am meisten durch Sebitz-Kirschleger,[4]) der „das ganze Hornbacher Kollegium" mit „Pfalzgraf Friedrich II." (!) zum Protestantismus übertreten, und es dadurch dem Bock gelingen läßt, wieder nach Hornbach zurückzukehren auf seine Stelle als „Kanzelredner und Arzt," die er, weil „die Herren des Kollegiums in Hornbach, an welchem Tragus Prediger und Arzt war, die Neuerung seiner reformatorischen Predigten nicht leiden mochten," hatte aufgeben müssen, um bei Graf Philipp von Nassau-Saarbrücken Zuflucht zu suchen. Eine Zeitbestimmung darüber, wie lange Bock in seinem unfreiwilligen Zufluchtsorte Saarbrücken verweilt habe, gibt Sebitz-Kirschleger nicht an. Molitor[5]) läßt uns die Zeit zwischen 15. Mai 1548 bis in das Jahr 1550 hinein als Exilszeit vermuten.

Diese und ähnliche Unbestimmtheiten, Verwirrtheiten und Unrichtigkeiten rühren meines Erachtens daher, daß über das Leben Bocks bisher nur mehr oder minder spät geborne literarische Produkte als Zeugen

---

[1]) S. den Aufsatz von Dr. Fr. Kirschleger in August Stöbers Alsatia 1862—67 (Mülhausen, 1868) S. 228.

[2]) A. a. O. S. 1235.

[3]) A. a. O. S. 167.

[4]) in Stöbers Alsatia a. a. O. S. 229 f.

[5]) A. a. O. S. 168.

aufgerufen worden sind, während man an den gleichzeitigen archivalischen
Dokumenten über ihn, die zum größten Teile von seiner eigenen Hand
herrühren, vorübergegangen ist.

Beim Studium der Urkunden und Akten des Klosters Hornbach
im k. Kreisarchive Speier sind mir diese Dokumente für eine
Geschichte Bocks durch die Hand gegangen, und indem ich den wesent=
lichen Inhalt derselben hier wiedergebe, hoffe ich, nicht nur die Chro=
nologie im Leben Bocks, sondern auch seine Stellung in Hornbach und
den Zustand in seiner klösterlichen Umgebung in eine neue Beleuchtung
zu setzen und damit einige wertvolle Bausteine für eine künftige
Biographie des hervorragenden Forschers auf dem Gebiete der Botanik
zu liefern.

Das vom hl. Pirminius um 740 gegründete Benediktinerkloster
Hornbach bei Zweibrücken hatte schon früher, jedenfalls vor 1182 in
Hornbach selbst einen Ableger gebildet: das Kollegiatstift St. Fabian,[1]
dessen Personal jeweils aus 12 Chorherren bestand, deren ältester die
Würde des Dechants bekleidete. Das Kollegiatstift und die Ernennung
der einzelnen Stiftsherren unterstand dem jeweiligen Abte des Klosters
Hornbach. Als solcher hatte am 5. Dezember 1513 die päpstliche Kon=
firmation[2] erlangt Johann von Kinthausen, ein Mann, der wie ge=
schaffen war, dem Luthertume und der Säkularisierung seines Klosters
die Wege im Herzogtume Zweibrücken zu bahnen. Einem Haupt=
erfordernisse von einem katholischen Priester und Abte, seinem Keuschheits=
gelübde, war er schon frühzeitig untreu geworden, indem er mit einer
Ledigen einen Sohn, Eustach, erzeugte; seit 1516 hatte er eine Bürgers=
tochter aus Zweibrücken, Namens Sophie Schneider bei sich im Kloster,
heiratete dieselbe — der Zeitpunkt ist fraglich,[3] da er die Ehe im
geheimen abschloß, um sie, wie er im Jahre 1540 wirklich that, im
Notfalle in der Oeffentlichkeit in Abrede stellen zu können — und ge=
wann von dieser „Ehrbaren" einen Sohn Ludwig.[4] Einem im Punkte

---

[1] M. J. Frey, Versuch einer geographisch=hist.=statist. Beschreibung des Rhein=
kreises (Speier, 1837), Bd. IV, 122 u. Fr. X. Remling, urkundl. Geschichte der
ehemal. Abteien u. Klöster im jetzigen Rheinbayern (Neustadt a. H. 1836) I, 53—88.

[2] Urkk. des Klosters Hornbach Nr. 26.

[3] Vermutlich darf hiefür das J. 1535 angenommen werden, weil nach einem
Gebote der vormundschaftlichen Regierung von Zweibrücken „sich alle im Konkubinate
lebenden Geistlichen bis Ostern 1535 verehelichen sollten." Vgl. Karl Menzel, Wolf=
gang v. Zweibrücken (München, 1893), S. 12.

[4] In seinem ersten Testamente vom 24. Febr. 1537 sorgte Abt Joh. Kintheuser
für seine Kinder in der Art, daß er dem Eustach, der damals im Kloster untergebracht

des Keuschheitsgelübdes schwachen Abte mußte es auf dem Glaubens=
gebiete gefährlich werden, daß im April 1523 Luthers Anhänger Johann
S ch w e b e l aus Pforzheim an den Zweibrücker Hof kam und —
wahrscheinlich im Jahre 1526 — die Erlaubnis erhielt, in der dortigen
Pfarrkirche die neue Lehre zu predigen und die Bilder der Heiligen aus
dem Gotteshause zu entfernen; zumal da Schwebel nach dem Rück=
tritte des alten, ebenfalls stark zum Luthertume hinneigenden Zweibrücker
Pfarrers Johann Meisenheimer im März 1533 an dessen Stelle befördert
wurde und im selben Jahre 1533 noch zwei Gesinnungsgenossen und
Landsleute nach Zweibrücken brachte, den Michael Hilsbach, dem die
zweite Pfarrstelle, und den Kaspar Glaser, dem die Erziehung des
jungen Prinzen Wolfgang von Zweibrücken anvertraut wurde. Die
Luft am Zweibrücker Hofe war seit 1523 lutherisch, und unter den An=
hängern Luthers befand sich im Dienste des Herzogs Ludwig II (geb.
1502, Regent, erst unter Vormundschaft, von 1514 ab, gest. 3. Dezbr.
1532) auch unser Hieronymus B o ck, nach Angabe Frehers im Jahre
1498 in der Nähe von Bretten und zwar nach meiner Deutung im
Dorfe Heidelsheim geboren und somit ebenfalls ein Landsmann der
Schwebel, Hilsbach und Glaser.

---

war, die Unterkunft darin auch für die Zukunft gesichert wissen wollte; er wünschte,
daß sowohl Eustach wie Ludwig mit geistlichen Lehen versehen und zu Diensten ver=
wendet werden sollten, wozu sie tauglich sein würden. Außerdem .vermachte er da=
mals jedem der beiden Söhne die Hälfte seiner Kleider und Bücher, dagegen fielen
dem Ludwig der Harnisch, die sämtlichen Gewehre, Spieße, Hellebarden, Büchsen,
Armbrust, Degen, Messer usw. allein zu. (Kloster Hornbach, Urk. Nr. 37.) Später
entfremdete er sich seinem Sohne Eustach. Unterm 3. Febr. 1540 ließ er durch die
Zweibrückische Herrschaft lediglich seine Sophie und seinen Sohn Ludwig von aller
Bede, Frohn, Wacht, Raise und Schatzung befreien (Kloster Hornbacher Urk. Nr. 41);
und als er — nach dem Tode seines Sohnes Ludwig! — am 28. Febr. 1546 sein
zweites Testament machte, warf er dem Eustach von allem Hausrat nur je Ein Stück
aus: Ein Bett, Eine Wind= und Berg=Armbrust mit Köcher, dazu allerdings auch des
Abts Harnisch, bestehend aus „Rücken, Krebs, Beckelhaube, Armschienen" 2c. (Kloster
Hornbacher Urk. Nr. 45.) Erheblicher wuchsen die Mißhelligkeiten zwischen Vater und
Sohn, seitdem ersterer am 15 Nov. 1548 auf seine Abtei Hornbach resigniert und
sich nach Zweibrücken in sein Haus zurückgezogen hatte. Hier übernahm nämlich sein
Sohn Eustach mit seiner Frau, welche beide ihren Dienst beim Rheingrafen Jakob
aufgegeben hatten, die Wartung und Pflege des alten Vaters, ohne von diesem einen
Pfennig Lohn erhalten zu können Unterm 11. Okt. 1550 mußte sich Eustach an den
Herzog Wolfgang wenden um dessen Vermittlung, daß er den Vater zur Zahlung
des Pfleglohnes anhalte, widrigenfalls er, Eustach, sich um einen anderen Dienst um=
sehen müsse. (Kreisarchiv Speier, Abtlg Zweibrücken, I. Fasz. 1122 I, S. 94 f.)
Unterm 19. Mai 1561 finden wir Eustach Kintheuser als Keller, d. h. Rentamtmann,
zu Hornbach und i. J. 1582 als tot. (Urkk. des Klosters Hornbach Nr. 166 u. 176.)

Der Wunsch seiner in mäßigem Wohlstand lebenden Eltern, ihren Sohn als Klosterherrn zu sehen, scheiterte am Widerwillen des Hieronymus gegen den Mönchstand; mit einem „Viatikum" versehen von Eltern und Verwandten begab sich der junge Student vielmehr auf mehrere Hochschulen — die Namen sind leider nicht genannt[1] —, um sich dem Studium der Naturphilosophie und besonders der Theologie zu widmen. Ungefähr um dieselbe Zeit wie Schwebel, spätestens anfangs des Jahres 1523, kam Bock nach Zweibrücken, um daselbst eine Lehrerstelle zu übernehmen; schon am 25. Jänner 1523 hielt er daselbst mit Eva, Tochter des dortigen Bürgers Victor, Hochzeit.[2] Ob und durch wen er an den Herzog Ludwig empfohlen worden, ist bis jetzt nicht aufgeklärt. Vielleicht hat ihm Schwebel, vielleicht auch hat Bock jenem die Wege nach Zweibrücken geebnet, vielleicht auch hat Bock selbst sich hinlänglich durch sein botanisches Wissen und sein medizinisches Können dem jungen Fürsten empfohlen.[3] Die guten Beziehungen zum Hofe erhellen nicht nur daraus, daß Bock für den Fürsten einen „Garten mit Pflanzen von verschiedener Gattung" anlegte, sondern auch aus anderen Thatsachen. Im Jahre 1531 hob der Fürst einen Sohn Bocks aus der Taufe;[4] im folgenden Jahre 1532 vermittelte er es, daß die Gemeinde Frankweiler einen anderen Sohn Bocks, den etwa 8—10 jährigen „Kleriker" Oscas Bock auf ihre, ungefähr im Jahre 1500 gestiftete Frühmesse

---

[1] Alle Bemühungen, die von Bock besuchten Universitäten aus den verschiedenen Universitätsmatrikeln zu eruieren, wobei ich besonders den Herren Professoren Dr. Jakob Wille in Heidelberg und Dr. Gustav Knod in Straßburg sowie Herrn Stud. phil. Max Pfeiffer in Heidelberg und Herrn Rektor Jungt in Saarbrücken zu Dank verpflichtet bin, haben bisher kein positives Resultat gezeitigt. Die Heidelberger Universitätsmatrikel weist zwar unterm 23. Juni 1519 — vgl. Toepke, die Matrikel der Universität Heidelberg I, 518 — die Intitulation eines „Jheronimus Bock" nach. Es würde auf unsern Bock Vor- und Zuname passen und selbst noch die Zeit des Jahres 1519; aber die Angabe der Heimat lautet in der Heidelberger Matrikel „de Schifferrstat." Schifferstatt ist ein Dorf nördlich von Speier auf dem linken Rheinufer, während der angegebene Geburtsort Bocks, Heidelsheim, auf dem rechten Rheinufer bei Bretten liegt. Ist aber gleichwohl die Identität des Botanikers Bock mit dem in der Heidelberger Matrikel aufgeführten Jheronimus Bock anzunehmen, so muß man glauben, daß die Eltern Bocks zwischen 1498 und 1519 ihren ursprünglichen Wohnsitz gewechselt hatten.

[2] Freher a. a. O.

[3] Herzog Ludwig II litt nach Martin Bucer an ›non vulgaribus malis,‹ namentlich an ›pestilens ille potandi morbus;‹ an den Folgen seiner Trunksucht starb er auch in der Blüte seiner Jugend. S. Molitor a. a. O. 157 u. Noten.

[4] Freher a. a. O.

präsentierte, um ihm deren Pfründegenuß zu verschaffen;[1] am 3. De=
zember 1532 endlich verschied der Herzog in den Armen des Hiero=
nymus Bock.[2]

---

[1] Es ist uns heute schwer verständlich, daß sich Pfarrer und Kirchengeschworne
von Frankweiler bereit finden ließen, von ihrem Kollaturrechte auf ihre Frühmeß=
stiftung dem Wunsche des Herzogs gemäß so leichten Gebrauch zu machen, da sie sich
doch bewußt sein mußten, daß sie damit den Zweck ihrer Stiftung auf viele Jahre
hinaus illusorisch machten, weil von einem 8—10jährigen Knaben, wie Oseas Bock
damals war, weder die Lesung einer hl. Messe noch ein Schulhalten für die Kinder
des Orts vor c. 14 Jahren erwartet werden konnte. Wir begreifen auch schwer, wie
der Speierer Domprobst Joh. v. Ehrenberg am 8. April 1532 die Präsentation der
Gemeinde Frankweiler acceptieren und auf die durch freiwillige Resignation des bis=
herigen Inhabers Jodokus Wolff erledigte Frühmeßpfründe thatsächlich den „Kleriker"
Oseas Bock investieren und durch den Dekan des Landkapitels Lustatt in den körper=
lichen Besitz der Pfründe und in alle damit verbundenen Rechte einweisen lassen
konnte. (Kreisarchiv. Sp., Urkk. des Herzogtums Zweibrücken, Nr. 238.) Noch un=
verständlicher freilich erscheint es, daß der i. J. 1532 bereits gut lutherische Hieronymus
Bock damals noch einen Sohn zum „Meßpfaffen" bestimmen konnte; denn das mußte
er doch wohl, wenn er ihn auf eine Frühmeßpfründe präsentieren ließ; und Oseas
Bock mußte, wenn er, wie es in der That der Fall war, investiert werden wollte,
die kathol. Tonsur tragen als „Kleriker." Die ›auri sacra fames‹ scheint in diesem
Falle dem Charakter des Vaters Bock einen bösen Streich gespielt zu haben, wie das
auch hervorgeht aus dem weiteren Verlaufe dieser Angelegenheit. Oseas Bock starb
nämlich ungefähr 1541 und naturgemäß wäre jetzt die Pfründe wieder an die Gemeinde
als Kollator zurückgefallen. Aber Hieronymus Bock wußte es dahin zu bringen, daß
die Gemeinde Frankweiler nunmehr ihn selbst im Genusse der Frühmeßpfründe beließ,
aus welcher er bis 1551 mindestens 700 fl. Einnahmen bezog, ohne dafür irgend
etwas zu leisten, obschon er das i. J. versprochen und damit die Gemeinde wiederholt
vertröstet hatte. Auf ein Gesuch der Gemeinde vom 7. August 1546 hin, ihr doch
das für ihn ganz unnötige Pfründehaus samt Hofraite zuzustellen, da sie dasselbe,
um der großen Wassersnot im Dorfe abzuhelfen, notwendig brauche, um vor dem=
selben „mit schweren Kosten" ein Wasser=„Weede" zu bauen, wobei erforderlich sei,
die Straße zu erweitern und in den Hof des Pfründehauses zu „greifen," ließ Bock
unterm 9. August 1546 der Gemeinde zwar das Pfründehaus zuschreiben, bestand
aber seitdem um so hartnäckiger auf dem Bezuge aller anderen Nutznießungen aus
der Frühmeßstiftung und behauptete schließlich, er habe dieselbe von Herzog Wolfgang
„in Lehensweise und sein Leben lang verschrieben" erhalten. Das fiel der Gemeinde
auf die Länge der Zeit doch zu beschwerlich, und sie wandte sich am 24. April 1551
an den Herzog mit der Vorstellung, daß Bock nunmehr lange genug die Pfründe
genossen habe, die außer zur Abhaltung einer Frühmesse a u c h z u d e m Z w e c k e
g e s t i f t e t w o r d e n s e i, d a ß d i e „J u n g e n z u d e r S c h u l l g e h a l t e n
w e r d e n s o l l e n;" sie bäten darum den Herzog, er möge Bock veranlassen, daß
dieser ihren Kindern seinen Sohn Heinrich „zu einem Schulmeister zu Frankweiler
gebe," oder aber wenigstens sie — durch seinen Fortbezug des Pfründeeinkommens
— nicht hindere, sich einen anderen Schulmeister zu suchen. Die Entscheidung des
Herzogs ist uns zwar nicht mehr erhalten, aber sie scheint zu gunsten der Gemeinde
und ihrer Stiftung ausgefallen zu sein; denn wir hören, daß später dem alten Bock
von der Gemeinde Frankweiler nur mehr ein Viertel Wein gefallen sei. (Nach den
Akten des k. Kreisarchivs Speier, Abtlg. Kurpfalz, ad Fasz. 982½.)

[2] Molitor a. a. O. S. 157 u. 167.

Der Tod Herzog Ludwigs II hatte für Bock eine große Wendung in seinem Lebensschicksale zur Folge.

Wohl um seine Dienste, die er dem verstorbenen Herzoge geleistet, zu belohnen, suchte die für den minderjährigen Herzog Wolfgang eingesetzte Vormundschaftsregierung seine materielle Existenz sich erzustellen; vielleicht auch war bei ihr und bei Bock der Gedanke aufgetaucht, man müsse ihm eine Stelle verschaffen, die ihm für sein botanisches und medizinisches Studium mehr freie Zeit gönne als das Schulmeisteramt zu Zweibrücken ihm übrig ließ. Es galt also, für Bock eine Art Sinekure aufzufinden, die ihm einerseits die nötige Muße für seine wissenschaftlichen Bestrebungen und anderseits eine sorgenlose Existenz bot. Zu solcher Versorgung bot die Hand Abt Johann Kintheuser von Hornbach. „Mit verwilligung des conuent vnd ganzen stifft," sagt Bock in einem Briefe an den Zweibrückenschen Kanzler M. Han vom 21. Juli 1550,[1] „bin ich 1533 vom abt gein Hornbach vocirt.... worden." Abt Kintheuser bot nämlich ihm, dem Laien, der Weib und Kinder hatte, die Stelle und Pfründe eines Kanonikus am St. Fabiansstifte zu Hornbach an. Ob Kintheuser das Anerbieten unter dem Drucke der Zweibrücker Herrschaft that, oder ob schon damals eine persönliche Freundschaft zwischen beiden Männern bestand, die sich für später nachweisen läßt, kann schwer mehr ergründet werden. Es lag auch ein gewisser Reiz und Vorteil darin, einen Mann wie Bock an Hornbach zu fesseln, der sich schon damals eines großen Ansehens erfreute als Botaniker und, was noch wichtiger war, als Arzt. Denn eines solchen bedurfte ein Kloster für sich und die Umgebung dringend, und Bock war nicht der erste Stiftsherr in Hornbach, der der Heilkunde mächtig war. Wir wissen, daß der am 18. April 1498 von Abt Andreas auf die Pfarrei und eine Stiftspfründe bei St. Fabian zu Hornbach präsentierte Nikolaus Fabri nicht bloß Mag. artium liberalium, sondern auch Dr. medicinae war.[2]

Bock war sich bewußt, daß er bereits einen Namen habe und daß er „wol köstlicher conditiones"[3] haben könne als eine Stiftspfründe zu Hornbach, die er noch dazu „zum theil auch mit gelt bezahlen" mußte, und womit er also nur zum teil aus „freyer donation . . . . .

---

[1] Kreisarchiv Speier, Abtlg. Zweibrücken I, Fasz. 1122 I, S. 19 ff.

[2] Urkk des Klosters Hornbach Nr 157 im k. Kreisarchive Speier.

[3] Worte Bocks vom 7. März 1550 auf Fol. 3 des Fasz. 1122 I in der Zweibrücker Abtlg. I.

versehen" wurde.[1] Aber schließlich ließ er sich doch von Pfalzgraf
Ruprecht und der Herzogin=Witwe Elisabeth, die an seinem Verbleiben
im Herzogtume Zweibrücken Interesse hatten, zur Annahme der Horn=
bacher Stiftspfründe „persuadiren" und darauf „einsetzen."[2] Er siedelte
demgemäß mit seiner Familie nach Hornbach über und bezog ein eigenes,
zu seiner „Canoney" gehöriges Haus. In religiöser Hinsicht hatte der
Lutheraner Bock in Hornbach keine Anfechtung zu erleiden. Das Luthertum
hatte vom Zweibrücker Hofe aus an verschiedenen Orten des Herzogtums
und nicht am wenigsten im Kloster und Stift Hornbach guten Boden
und empfängliche Aufnahme gefunden. Man darf den Abt Johann
Kintheuser seit 1533 innerlich als dem Luthertume angehörig bezeichnen,
wenn er auch, vielleicht lediglich aus Vorsicht, an den äußeren Uebungen
des katholischen Gottesdienstes noch festhielt. Und wie der Hirte so
war seine Herde, im Kloster wie im Stift: im innern dem alten katho=
lischen Glauben entfremdet und der neuen Lehre zugewendet und nur
nach außen hin noch am alten Gebrauche und Herkommen hangend.
Darum sagte Bock in einem Briefe an den Herzog Wolfgang vom
7. März 1550, er habe im St. Fabiansstifte bei seinem Eintritte „ein
Religion funden, daran wir uns noch halten und halten wöllen."[3]
    Aber trotzdem Bock sich voller Gewissensfreiheit erfreute, ein rechtes
Behagen konnte er zunächst doch nicht finden in seiner neuen Stellung.
Seinem Bedürfnisse, in völliger Unabhängigkeit Herr seines Thun und
Lassens und seiner Zeit zu sein, widerstrebte es, sich irgendwelche Be=
schränkungen, die nun einmal, trotzdem er Laie war, mit der Würde
und Stellung eines Stiftsherrn verbunden waren, gefallen zu lassen.
Er weigerte sich, das beim Eintritte ins Stift von jedem Kanoniker zu
entrichtende Deputat von 20 fl. zu entrichten;[4] er weigerte sich, am Chor
und Kapitel teilzunehmen, woran die Stiftsherren trotz ihres innerlichen
Abfalls vom katholischen Glauben noch festhielten; er weigerte sich
endlich, das ihm übertragene Scholasteramt in der That zu übernehmen.

---

[1] Aus dem zitierten Briefe an den Kanzler Han, Zweibrücker=Abtlg. I,
Fasz. 1122 I, Fol. 20.
    [2] Aus einem Briefe Bocks an den Herzog Wolfgang von Zweibrücken vom
21. Juli 1550, Zweibrücker Abtlg. I. Fasz 1122 I, Fol. 19.
    [3] Zweibrücker Abtlg. I, Fasz. 1122 I, Fol. 3 f.
    [4] Diese Eintrittsgelder, welche an allen Stiften bestanden, dienten dazu, Para=
mente, kirchliche Gefäße, Missalien, Antiphonarien, Gradualien, Psalterien, Legenden
und sonstige liturgische Bücher für die Stiftskirchen zu beschaffen. Vgl. Urkk. des
St. German= u. Moriz=Stifts in Speier Nr. 12 vom 7. September 1441 im k. Kreis=
archive Speier.

Es ist einleuchtend, daß Bock bei diesem Verhalten mit seinen Mitkanonikern
in hellen Zwist kommen mußte, und daß diese die Frage aufwerfen
konnten, ob ein Stiftsherr, der sich den Anforderungen, welche sein Amt
an ihn stelle, nicht fügen wolle, Kanoniker sein und bleiben und die
Gefälle seiner Pfründe weiterbeziehen könne; anderseits aber konnte sich
auch Bock die Frage vorlegen, ob er denn, wenn er auch in Hornbach
wieder „Schulmeister" sein müsse usw., wodurch seine medizinischen und
botanischen Studien erheblich Einbuße erlitten, durch Annahme einer
Stiftspfründe eine seinen Neigungen und Bestrebungen entsprechende
Existenz sich geschaffen habe. Den Ausbruch einer Krisis, infolge deren
Bock dem Stifte Hornbach vielleicht für immer den Rücken gekehrt hätte,
verhinderte die herzogliche Regierung. Durch ihre Beamten, den Zweibrücker Amtmann Christophel Mauchenheimer und den fürstlichen Kanzlei-
sekretär Heinrich Keßler, beseitigte sie auf dem Vergleichswege am
28 Dezember 1536 die Irrungen zwischen Bock und dem Stiftskapitel.
In der Vergleichsurkunde wurde dem Bock zunächst zugestanden, daß
er „nit mer des orts schulmeister, aber nit desto weniger sein lebenlang im Stifft Canonicus sein vnd bey seiner Canoney vnd deren
gesellen, auch dem zugehörigen hauss, das er iecz besizt, vnd Capitel
statt pleiben" solle.

Hatte Bock inbezug auf seine Weigerung gegen Uebernahme des
Schulmeisteramts einen ganzen Sieg errungen, so erlangte er einen
solchen nicht im vollen Maße in den übrigen Differenzpunkten. Von
den zwanzig Gulden Kapitularsdeputat mußte er, „domit dem Stift
nit newerung inreiss vor sein jura capitularia zehen gulden entrichten," die übrigen 10 fl. wurden ihm „vmb vorbitt willen vnsers
genedigen fursten vnd herren" nachgelassen. Ein Schlag für die Bewegungsfreiheit Bocks scheint auf den ersten Blick der weitere Punkt
in der Vergleichsurkunde, wonach er gehalten sein sollte, „im Chor,
Capitel vnd sonst zu thun wie ein ander Canonick vnd ieder Zeit
vnder inen der brauch sein wurt." Das stand aber eigentlich nur
theoretisch und akademisch auf dem Papiere, um den andern Stiftsherren die exzeptionelle Stellung Bocks nicht zu fühlbar und neidens-
wert erscheinen zu lassen. Denn praktisch wurde die Verpflichtung
Bocks, zum Chorgebet und zu den Kapitelssitzungen zu erscheinen, doch
nur selten. Denn dieselbe Vergleichsurkunde behielt dem Bock ausdrücklich aus, daß das Stift ihm zu gestatten habe, seine Dienste der
jetzigen oder künftigen Herrschaft „der Arzney oder anderer
irer furstlichen gnaden geschefft halben" auf Erfordern
zu leisten, ohne daß er deshalb durch seine Mitkanonifer an seiner

Pfründe und deren Gefällen „intrag oder verhinderung" erleiden solle;
und ebensowenig solle es seiner Pfründe und seinem Einkommen Ein=
buße thun, wenn er auf Ansuchen „anderen armen vnvermuglichen
leuthen vmb gotteswillen... mit der arczney" seine Hilfe angedeihen
lasse. Man sieht: bei solchem Vor= und Ausbehalte konnte sich Bock
die theoretische, generelle Verpflichtung zum Chorgebet und zur Präsenz
im Kapitel gerne gefallen lassen. Wenn er zu den armen Kranken auf
weit und breit hin gehen konnte, um ihnen mit seiner ärztlichen Kunst
Linderung und Heilung zu bringen, wenn er seiner Landesherrschaft
als Arzt und sogar in „anderen fürstlichen Geschäften" seine Dienste
widmen konnte, ohne in seinen Stiftseinnahmen eine Schädigung be=
fürchten und erfahren zu müssen, so war ihm ein weiter Spielraum
gegeben, seinen Studien ungehindert nachzugehen.

Wenn man frägt, was denn Bock mit der vielen freien Zeit angefangen habe, die ihm beim Eintritte ins Stift St. Fabian seit Anfang
des Jahres 1533 zur Verfügung stand, und deren Ausnützung ganz zu
seinen eigenen Zwecken ihm die Mißgunst seiner Mitkanoniker zuzog,
so muß die Antwort darauf dahin lauten, daß es hauptsächlich die Zeit
von 1533—36 gewesen ist, in welcher er seine botanischen Ausflüge in
den Wasgau, auf den Idar im rheinischen Schieferplateau, ins Mosel=
und Saarthal, in die Vorderpfalz, ins Elsaß und in die Schweiz dis
Graubündten unternahm,[1]) um reich beladen mit Gewächsen und neuen
Kenntnissen wieder heimzukehren. Damals war es auch, daß ihm
die Freude ward, daß der am 23. Nov. 1534 zu Bern verstorbene
„hochgelahrt Dr. Otho Brunfels"[2]) (von welchem zwischen 1530 und
36 selbst ein Werk „Abbildungen der Kräuter nach der Natur" in drei
Abteilungen erschien) „sich zu Fuß erhoben und von Straßburg dis
gen Hornbach in das rauhe Wasgau verfügt," um seine „vielfältige,
arbeitselige Colligierung vieler Gewächs samt derselben Aufschreibung
in Gärten und Schriften" zu sehen, nachdem er „von etlichen Leuten"

---

[1]) S. Sebiz=Kirschleger a. a. O 229, woselbst diese Fahrten irrtümlich in
die Zeit seines Aufenthalts in Saarbrücken verlegt werden; diese Annahme ist aber
deshalb unhaltbar, weil, wie weiter unten dargethan werden wird, dieser Aufenthalt in
Saarbrücken nur wenige Monate dauerte, und die Zeit frisch=fröhlichen Wanderns für
den i. J. 1550 schon stark schwindsüchtigen Mann längst vorüber war.

[2]) Ueber Leben und Schriften von Otto Brunfels hat sich neuestens ausführlich
verbreitet Fr. W. E. Roth in der Zeitschrift f. Gesch. d. Oberrheins,
N. F., Bd. IX, S. 284—320. (S. Hist. Jahrb. XVI, 141.) — Zu seiner Würdi=
gung vgl. Janssen=Pastor, Gesch. des deutschen Volkes VII, 330 f.

von Bocks „Kräuterfarth“ und seinem auf die Gewächse verwandten Eifer und Fleiße Kenntnis erhalten hatte. [1]

Der Besuch, den Brunfels unserm Bock in Hornbach abstattete, hatte seine Konsequenzen. Seit Brunfels die Sammlungen Bocks ge= sehen, ließ er ihm keine Ruhe mehr, „das groß, mühselig Werk in ein Ordnung zu stellen, und erstmahls dem Teutschen Vatterland damit zu dienen.“ Alle Einwände, die Bock dagegen in seiner Bescheidenheit erhob, da er sich „dieses Handels viel zu gering achtete,“ prallten an dem immer heftigeren Drängen Brunfels ab, und so gab denn Bock nach und legte die Resultate seines Sammelfleißes und seiner scharfen und unermüdeten Beobachtungen auf dem Gebiete des Pflanzenreiches nieder in seinem zum ersten Mal 1539 bei Wendelin Rihel zu Straß= burg erschienenen „N e u e n K r e u t t e r b u ch.“

Bock hatte sein Werk mit einer gewissen Aengstlichkeit in die Welt gesendet; anderseits aber gab er sich doch auch einer gewissen Zuversicht hin. „Wo nun diese Arbeit und angewandter Fleiß gemeinem Nutz zu Gute gereicht, wär’ mir vast lieb und der höchsten Freud(en) eine,“ sagt er in der Vorrede. Diese Freude erlebte Bock in der That. Sein Werk, das, dem Zeitgeiste und dem hilfreichen Sinne des Verfassers entsprechend, eröffnet wird mit der Aufzählung der gemeinen wilden und zahmen Kräuter und Wurzeln, die in der Arzneifunde angewendet werden, fand so großen Beifall, daß schon 1545 eine z w e i t e Auflage notwendig wurde. Und diesmal scheute der Verleger auch die Kosten nicht, das Buch mit Abbildungen der Pflanzen in Holzschnitt auszu= statten. Zu diesem Behufe sandte er einen Straßburger Bürgerssohn, den jungen David Kandel, zu Bock nach Hornbach, um dort alle ihm vorgelegten Kräuter, Stauden und Bäume „auffs allereinfältigst, schlechst und doch wahrhafftig, nichts darzu nichts davon gethan,“ sondern genau nach der Natur mit der Feder zu zeichnen, [2] wahrscheinlich 1544.

Während der Ausarbeitung der ersten Ausgabe seines Kräuterbuchs kam die Freude des Schriftstellerns überhaupt über Bock. [3]

Schon ein Jahr nach dem Erscheinen seines Hauptwerks, im Jahre 1540, veröffentlichte er zu Straßburg seine „T e u t s ch e S p e i ß k a m m e r,

---

[1] S e b i ß = K i r s ch l e g e r setzt a. a. O. 232 diesen Besuch Brunfels ins J. 1528; er muß aber ins J. 1533 fallen, weil Bock erst in diesem Jahre nach Hornbach übersiedelte und Brunfels 1533 von Straßburg weg als Stadtarzt nach Bern verzog.

[2] S e b i ß = K i r s ch l e g e r a. a. O. S. 231 f.

[3] Die Titel seiner botanischen Werke suche bei P r i t z e l, thesaurus litera-turae botanicae. 2. Aufl. Leipzig 1872.

(Cella penaria) oder was gesunden und kranken Menschen zur Leibes=
nahrung gegeben werden soll". Das Buch verfolgt, wie sein Titel
zeigt, ebenfalls medizinische Zwecke, ist dabei aber eine reiche Quelle für
den Kulturhistoriker des 16. Jahrhunderts, wie Abr. Charles Gérard
in seinem Buche „L'ancienne Alsace à table" und Molitor[1]) an einem
Beispiele aus Bocks Buche über den „Schlaftrunk," d. h. die üppigen
Abendmahlzeiten, trefflich ausweisen.

Dem obengenannten Philipp David Kandel, der für die 2. Auflage
des Kräuterbuchs die Zeichnungen fertigte, verdanken wir auch die
Herstellung des Porträts unsers Bock. Dasselbe, „ein Brustbild, steht
unter einer Art Triumphbogen mit der Legende: Effigies Hieronymi
Tragi anno aetatis suae 46" — ist also 1544 gefertigt. Bock trägt
dabei „den lutherischen Doktormantel; in der Hand haltet er ein
Merzenglöckchen."[2]) Statt eines „Merzenglöckchens" möchte man in
Bocks Hand freilich eher eine Brennessel erwarten. Denn Nesselblätter
hatte Bock von seinen Voreltern her in seinem Signete, mit den Nessel=
kräutern eröffnete er sein Kräuterbuch, die Nesseln nennt er die rein=
lichsten Kräuter und zählt sie zu den arzneikräftigsten Gewächsen.[3])
Das Brustbild von Bock, das uns Freher[4]) aufbewahrt hat, zeigt
uns ein schmales Gesicht mit schmaler Nase, deren Wurzel unter der
gefurchten Stirne stark zurückweicht; das ungescheitelte Haar ist reich,
aber schlicht geordnet und fällt über die Ohren herab; ein ziemlich kurz
gehaltener Bart umrahmt Kinn und Kinnladen, das Auge blickt scharf,
der Mund scheint auf einen süßlich=milden, witzigen Charakter zu deuten;
ein lutherischer Pastorenmantel, der noch den ganzen Hals einschließt,
bekleidet den Oberkörper. Beim Betrachten dieses Bildes glaubt man
nicht, einen „Medicus" vor sich zu haben, wie die Unterschrift sagt,
sondern einen lutherischen Prädikanten. Und in der That — Bock war
nicht bloß Schriftsteller, Botaniker und Arzt — er war auch luthe=
rischer Pfarrer. Die Zustände im Kloster Hornbach hatten sich im
Laufe weniger Jahre, zwischen 1530 und 40 ganz gewaltig geändert.
Noch am 8. Mai 1532 muß Abt Kinthenser als der alten Kirche zu=
gehörig betrachtet werden. Denn unter diesem Datum läßt Dr. jur.
can. Bernhard Dorinck, Probst zu Herford und Offizial des geistlichen
Hofgerichts zu Coblenz, durch seinen Subdelegaten Philipp Glann,

---

[1]) A. a. O. S. 169.
[2]) Kirschleger a. a. O. S. 235.
[3]) A. a. O.
[4]) A. a. Nr. 5 der 55. Tafel zu S. 1231.

Dekan bei St. Johann in Mainz, die Zurücknahme der von ihm vor einiger Zeit über unſern Abt verhängten Exkommunikation in den Kirchen, während das Volk bei der hl. Meſſe oder aus anderem Anlaſſe ver=ſammelt ſei, promulgieren [1] Aber nach 1533, längſtens ſeit 1535, dem, wie wir oben geſehen haben, mutmaßlichen Jahre der Eheſchließung Kintheuſers mit Sophie Schneider, ſcheint der Abfall vom alten Glauben rapid und offen eingetreten zu ſein. Am 14. April 1540 konſtatiert Kaiſer Karl V in einer aus Gent datierten Urkunde,[2] daß Abt Kintheuſer ſamt zwei Konventualen „ſich der newen Secten anhengig gemacht, Ire habit vnd Claidung verlaſſen, zum tail weiber — vermainlich zur ehe — genomen vnd ſich aines vncloſterlichen vngeſchickhten weſens, Irer profeſs zuwider gehalten." Es waren alſo im Kloſter Hornbach drei Viertel des Mönchsperſonalſtandes lutheriſch geworden: der Abt und die Konventualen Reinhard v. Altdorf gen. Wollſchläger, der ſich ebenfalls ein Weib genommen hatte, und Helfrich v. Stockheim; und nur ein Viertel war katholiſch geblieben: der Konventual Johann Bonn v. Wachenheim. Alle übrigen Konventualen hatten ſchon 1540 dem Kloſter überhaupt Valet geſagt. Es muß als auffallend betrachtet werden, daß in der katholiſchen Zeit das Kloſter Hornbach ſtets eine erhebliche Anzahl von Mönchen gehabt hat; noch im Anfange der Krummſtabsführung Johann Kintheuſers, im Jahre 1516, lebten 24 Religioſen im Kloſter, wovon 12 Prieſter waren, während die anderen noch den Studien oblagen und Subdiakone oder Diakone waren.[3] Man könnte verſucht ſein zu glauben, der Andrang zum Kloſter wäre umſo ſtärker geworden, je weniger ſtraff die Zügel der Diſziplin ge=führt wurden, und je freier die Gewiſſen ſich in der vom lutheriſchen Geiſte durchwehten Atmoſphäre bewegen durften. Aber das Gegenteil war der Fall; je ſchlaffer die Zucht im Kloſter wurde, deſto mehr nahm die Zahl der Religioſen ab. Schon 1535 konnte der herkömm=lichen katholiſchen Gottesdienſtordnung in der Kloſterkirche nicht mehr nachgekommen werden und die Feierlichkeit der Kirchenzeremonien ſchrumpfte zuſammen, weil es an Konventualen mangelte. Wären die Kanoniker vom St. Fabiansſtifte, ſoweit ſie noch katholiſch geblieben

---

[1] Die Exkommunikation war erfolgt, weil Kintheuſer es trotz Aufforderung unterlaſſen hatte, ſich von dem Verdachte, er habe eine Schmähſchrift gegen den Kardinal=erzbiſchof Albrecht von Mainz verfaßt oder veranlaßt, zu reinigen. (Urkk. d. Kloſters Hornbach Nr. 34.)

[2] Urkk. des Kloſters Hornbach Nr. 43.

[3] Urkk. des Kloſters Hornbach Nr. 122.

waren, nicht mit zur Feier des Gottesdienstes in der Klosterkirche
herangezogen worden, so hätte schon damals der Gottesdienst in der
Klosterkirche fast gänzlich eingestellt werden müssen.[1]

Je mehr aber der katholische Gottesdienst und das katholische Leben
im Kloster im Erlöschen begriffen war, desto mehr erhob das Luthertum
sein Haupt an einer Stätte, die seit mehr als 800 Jahren ein Hochsitz
katholischer Lehre gewesen war. Nachdem Abt Kintheuser für seine
Person soweit mit der katholischen Religion gebrochen hatte, daß er
offen sich zur Lehre Luthers bekannte, seine Ordenskleidung ablegte und
es duldete, daß seine Konventualen das gleiche thaten und sich, gleich
ihm, auch Weiber nahmen, war es nur ein Akt der Konsequenz, daß
er ganz im Sinne von Luthers allgemeinem Priestertum zum Pfarrer
von Hornbach einen erklärten Lutheraner bestellte: nämlich unsern
Hieronymus Bock, den verheirateten Laien und Stiftsherrn bei
St. Fabian.

Wir wissen ja wohl, daß Bock s. Z. auf der Universität auch
Theologie studiert hatte. Aber wir können doch unser Erstaunen darüber nicht ganz bergen, wie ein Mann mit dem ausgeprägten Streben
nach voller Unabhängigkeit von jeglichem offiziellen Amte, das seine
Zeit und Bewegungsfreiheit hemmte, der sich gegen den Besuch des
Chors und Kapitels und gegen die Uebernahme des Schulmeisteramtes
so energisch und erfolgreich gesträubt hatte, sich nunmehr so willig
herbeiließ, seine Zeit und Kraft, die durch seine ärztliche Praxis, durch
sein botanisches Studium und seine Schriftstellerei schon mehr als
hinlänglich in Anspruch genommen erscheinen, auch noch dem evangelischen Prädikantentume zu widmen! War es der reine Eifer für das
„reine Evangelium", der ihn auch diese neue Last auf seine Schultern
sich laden ließ, oder spielte dabei auch die Mehrung der Einkünfte eine
Rolle? Der gegenwärtige Stand unseres Wissens läßt darüber kein
festes Urteil aufkommen. Nach Theodor Gümbel[2] war Bock Pfarrer
zu Hornbach seit dem Jahre 1536; in einer Urkunde vom 10. August
1537[3] erscheint er aber noch als bloßer „Canonicus Jeronymus Bock."[4]

---

[1] Urkk. des Klosters Hornbach Nr. 36.

[2] Die Geschichte der protestantischen Kirche der Pfalz. (Kaiserslautern,
1885.) S. 551.

[3] Urkk. des Klosters Hornbach Nr. 360.

[4] Daß der Antritt des Pfarramts durch H. Bock in die zweite Hälfte des
Jahres 1537 oder besser ins Jahr 1538 zu verlegen ist, geht aus der Ermahnung
hervor, welche Bock aus Saarbrücken am 4. Nov. 1550 an seine alten Pfarrkinder in
Hornbach richtete, und worin er sie unter sanftem Tadel wegen ihres Rückfalls ins

Ueber Bocks Thätigkeit als Pfarrer erfahren wir einiges aus dem Protokolle, welches über die im Mai 1544 im Oberamte Zweibrücken durch die Kommissäre Caspar Glaser und Michel Hilspach abgehaltene Kirchenvisitation aufgenommen wurde.[1] Die dabei über Bock abgegebene allgemeine Zensur lautet, daß er „seiner lere und sonst nach aller notturfft befragt, der lere halben wol geantwort hat," sich auch „wol vergleicht," d. h. wohl verträglicher Natur war.

Von einer sittigenden Wirkung seiner pastoralen Thätigkeit und einem erheblichen Einflusse auf seine Pfarrgemeinde war aber wenig zu spüren. Die Visitatoren mußten vermerken, daß die Hornbacher Bürger sich „Zauberei, Fluchen und Gotteslästern" zu schulden kommen ließen und ihre Kinder nicht zum Besuche der Schule und Kinderlehre anhielten. Der Hornbacher Vogt hielt dafür, daß Bock nicht die rechte Taufe habe, weshalb er nichts von ihr hielt und das auch jedem öffentlich sagte, der es hören wollte; ja er redete dem Bock sogar nach, daß er „mit dem Deuffel vmbgee," womit er vermutlich auf die alchymistischen Studien Bocks anspielte. Des „Abts" Gesinde führte sich nicht besser auf als das Bürgertum; es gab Anlaß zur Bemerkung, daß es „etwas leichtfertig," Gott lästere und ein „leichtfertig Leben, sonderlichen im Backhause führe."

Das alles hinderte aber die 3 Zensoren und den Ausschuß aus den 14 Schöffen und der Gemeinde nicht, ihre „Zufriedenheit mit Pfarrer, Schulmeister, Schultheiß und Faugt" (der doch von des Pfarrers Taufe nichts hielt und ihm Umgang mit dem Teufel nachsagte!) zu bezeugen.

Von 1547—49 hatte Bock als Amtsgehilfen bei Abhaltung der Kinderlehre und Predigt den jungen Nikolaus Rothaar, dem Kintheuser das Schulmeisteramt in Hornbach übertragen hatte.[2] Während ihm auf diese Weise auf der einen Seite die Amtsbürde erleichtert wurde, suchte ihn sein Freund Kintheuser anderseits finanziell immer besser zu

---

Papsttum auffordert, wieder zum „Evangelium" überzutreten. Darin heißt es nämlich: „Euch ist allem zu wißen, welcher moßen ich das heilig Evangelium vom Sonn Gottes vff die xiii Jar lang bey euch gepredigt." Dies Sendschreiben Bocks an die Hornbacher findet sich im Archive der protestantischen Kirchenschaffnei Zweibrücken, Repert. 11, Akten-Nr. 122; siehe dasselbe abgedruckt h i e r S. 787—99.

[1]) Gedruckt im „Stoff für den künftigen Vf. einer pfalzzweibrückischen Kirchengeschichte von der Reformation an." 2. Lieferung. (Frankfurt u. Leipzig, 1792.) S. 107 f.

[2]) Als solcher wird er vom Abte bezeichnet in der Urk. des Klosters Hornbach Nr. 46 vom 16. April 1546.

stellen. Abgesehen davon, daß er ihn zu seinem „Kaplan"[1] bestellt
hatte, eine Stelle, womit die Einkünfte des St. Johann Baptist= und
St. Johann Evangelisten Altars in der St. Marienkapelle zu Hornbach
verbunden waren,[2] hatte er ihn mit einem Doppelkanonikat am St.
Fabiansstifte ausgestattet. Bock bezog also die Erträgnisse zweier Pfründen,
die einer gewöhnlichen Stiftsherrnpfründe und jene der Kanonikatspfründe,
mit welcher die Funktion des Pfarrers verknüpft war, welch letztere
natürlich die einträglichere war.

Da Bock mit Kindern reich gesegnet war (5 Knaben und 5 Mädchen),
so ist es begreiflich, daß ihm diese Aemterkumulierung nicht nur er=
wünscht kam, sondern daß er sie seiner Familie soviel als möglich auch
zu erhalten strebte. Er stellte deshalb durch Vermittlung Kintheusers
die Bitte, es möchte sein nicht mit der Pfarrei verbundenes Kanonikat
seinem Sohne Heinrich übertragen werden, damit er die Beruhigung
habe, ihn versorgt zu wissen. Am 7. April 1546 gab Herzog Wolfgang[3]
hiezu seine Genehmigung, da Heinrich Bock „eines züchtigen erbaren
Wandels und Wesens vnd in seinem studiren empsig" sei;[4] doch war

---

[1] Urkk. des Klosters Hornbach Nr 118.

[2] Kreisarchiv Speier, Zweibrücker Abteilg. I, Fasz. 1121. — Nikol. Rothaar
sollte in seiner Jugend in das Kloster Stürzelbronn eintreten, zog es aber vor, an
den lutherisch gesinnten Orten Zweibrücken, Straßburg und Marburg zu studieren;
nach Vollendung seiner Studien war er ein halbes Jahr Pfarrgehilfe in Veldenz,
dann ein Jahr lang Schulgehilfe in Zweibrücken, und seit 1546 Schullehrer zu Horn=
bach. Als ihm 1549 — er hatte damals noch seinen 80jährigen Vater und 10 Ge=
schwister — Johann Bonn von Wachenheim die Alternative stellte, entweder wieder
katholisch zu werden oder sein Kanonikat bei St. Fabian niederzulegen, wollte
er mit seiner Frau Christina und seinen Kindern nach Zweibrücken ziehen und dort
eine deutsche Schule eröffnen. Der Tod Johann Bonns überhob ihn dieser Emigration,
und er scheint von da an ruhig bei seiner Stiftspfründe verblieben zu sein bis zu
seinem etwa 1574 erfolgten Tode. Seine Witwe lebte noch i. J. 1600, in welchem sein
Sohn Peter als Bürger zu Zweibrücken und sein Sohn Johann als Pfarrer zu
Dörrenbach bei Bergzabern erscheint. Ueber letzteren, der von 1574—1602 Pfarrer
zu Dörrenbach war, siehe Joh. Schneider, die evangelische Kirche in der ehe=
maligen Herrschaft Guttenberg, Kaiserslautern, I. Teil (1895), S. 87 f.

[3] Herzog Wolfgang war unserm Bock überhaupt ein gnädiger Herr. Im
J. 1544, in welchem ihm Bock sein Buch „Regiment für alle zufallende kranckheit des
leibs / auch wie man die leibsgebresten so jetz = und vorhanden sol abschaffen"
widmete, gab ihm der Herzog die Wiese zu Rinckweiler als Erblehen und 1515 be=
freite ihn, seine Frau und seine Kinder, solange diese ledig, von allen Lasten. Vgl.
Zweibrücker Kopialbücher, tom. 42, fol. quer 13.

[4] An der Universität Heidelberg wurde der zu Zweibrücken geborne Heinrich
Bock inskribiert am 10. Juni 1548; vgl. Toepke, die Matrikel der Universität
Heidelberg I, 600.

daran die Bedingung gehängt, daß der junge Heinrich, wenn er zu
seinen Tagen komme, das Kanonikat auch in der That beziehe oder
„sunst im Fürstenthume sich zu dem Dienst Gottes vnd der Kirchen
gebrauchen lasse," widrigenfalls er dasselbe wieder zu resignieren habe.
Infolge dessen machte Kintheuser dem Stifte St. Fabian am 16. April
1546 die Mitteilung, daß er das fragliche Kanonikat nunmehr dem
jungen Heinrich Bock verliehen habe.[1]) Auch sonst zeigt sich das intime
Verhältnis zwischen Hieronymus Bock und Johann Kintheuser. Als
der letztere nach dem Hinscheiden seiner Sophie — ihr Testament datiert
vom 6. November 1546 — erkrankte und, sich mit Todesgedanken
tragend, dem ihn in Hornbach besuchenden Zweibrücker Altpfarrer
Johann Meisenheimer sein Testament in die Feder diktierte am 30. Juni
1548, vergaß er bei der Disposition über seine Habe auch seines Freundes
Bock nicht und vermachte ihm einen „zinnen bren[n] helm, Kolben,
Kessel" und andere Dinge,[2]) wie sie der Alchymist jener Tage nötig
hatte.[3])

Ueberblickt man an dieser Stelle das Leben und Wirken Bocks, so
muß man sagen, daß es ihm bisher an Anerkennung und materiellem
Erfolge nicht gefehlt und daß allzeit ein heiterer, wenn auch vielleicht
nicht ganz blauer Himmel über seinem Haupte geleuchtet habe.

Schwerere Wolken zogen erst an seinem Lebensabend auf.

Johann Bonn von Wachenheim, der — wie wir oben gehört haben
— einzige, katholisch gebliebene Mönch im Benediktinerkloster Hornbach,
der schon am 14. April 1540 durch Kaiser Karl V zum Administrator
des Klosters ernannt worden war, hatte es endlich nach Besiegung
zahlreicher Hindernisse und Schwierigkeiten dahin gebracht, daß Herzog
Wolfgang unterm 15. November 1548 seine Zustimmung gab, daß Abt
Johann Kintheuser „von wegen seines hohen vnd wolbedagten alters,
sodann auch sonderlichen zugestandener Kranckheit vnd blödigkait
seins leibs vnd abgangs seines gesichts" die Abtei an ihn resignierte.
Als „erwählter Abt" suchte Johann Bonn von Wachenheim alsbald

---

[1]) Zweibrücker Abtlg. I, Fasz. 1122 I, Fol. 13—15.

[2]) Urkk. des Klosters Hornbach Nr. 162 u. 164.

[3]) Wie lange in der aufgeklärten Rheinpfalz die alchymistischen Versuche fort-
dauerten, ersieht man daraus, daß noch im 18. Jahrh. der brave und sprachgelehrte
Pfarrer Laukhard „auf die Goldkocherey verfiel," was er „wie alle Goldkocher durch
teures Lehrgeld büßen mußte." S. Friedrich Christian Laukhard, Leben und Thaten
des Rheingrafen Carl Magnus (wahrscheinlich Halle), 1798, S. 169 f.

die päpstliche Bestätigung nach[1]) und beschloß, sein Kloster wieder vollständig im katholischen Geiste zu reformieren. Teils verpflanzte er
fremde katholische Mönche nach Hornbach, teils suchte er zum Luthertume übergegangene Konventualen wieder zum alten Glauben zurück
zuführen. Wahrscheinlich beschränkte er seine Reformthätigkeit anfangs
auf das Kloster; nach ungefähr einem Jahre dehnte er dieselbe auch
auf das St. Fabiansstift aus. Hier fand er aber offenen Widerstand
an Hieronymus Bock und dessen Mitkanonifer Amand Sutor, der von
Johann Kintheuser unterm 11. August 1546 zum Stiftsherrn ernannt
worden war.[2]) Johann Bonn von Wachenheim forderte die beiden
Stiftsherren am 25. Jänner und wiederholt am 26. Februar 1550
persönlich auf, entweder der lutherischen Lehre zu entsagen und ihren
geistlichen Verpflichtungen nachzukommen, oder aber ihre Kanonifate
aufzugeben und auf alle Nutznießungen aus dem Stifte zu verzichten.
Da sie der Aufforderung nicht Folge leisteten, machte Johann Bonn
mit seiner Drohung Ernst und sperrte ihnen die Temporalien. In
wiederholten Eingaben an den Herzog Wolfgang und den Kanzler
Michael Han[3]) vom 8. Februar, 7. März und 21. Juli 1550 stellte
Bock seine Bedrängnis dar, versicherte, daß er als Laie und Lutheraner
ins Stift getreten sei und dabei verbleiben wolle und bat immer
dringender und heftiger, der Herzog möge ihn bei seiner Pfründe und
seinem Einkommen handhaben. Beweglich klagt er dem Herzog, dd.
Hornbach 21. Juli 1550, daß er schon seit Weihnachten 1549 „jetb-
sychebent seinen Pfennig müssen zehren," und daß er, da seine Ersparnisse
bald aufgebraucht gewesen seien, habe Schulden machen müssen, und

---

[1]) Die päpstliche Konfirmation des Johann Bonn von Wachenheim betrieb in
Rom jener päpstliche Kammergerichtsnotar Johann Appocellus, welcher unterm 8. bis
20. Dezember 1527 an den Speierer Domvikar Anton Schnepf einen interessanten
Brief über den ›Sacco di Roma‹ schrieb. Siehe meine Publikation „Zwei Briefe
aus Rom aus dem Jahre 1527" im Hist. Jahrb. XII, 747—56. Jak. Appocellus
starb bald nach dem Tode des Papstes Paul III († 10. Nov. 1549), und setzte etliche
Freunde zu Ubstatt im Brurhein zu seinen Erben ein. Vgl. Kreisarchiv Speier,
Zweibrücker Abteilung I, Fasz. 1122, 66 r. Er war nämlich aus Ubstatt gebürtig;
am 5. Februar 1509 war er an der Universität Heidelberg immatrikuliert worden;
vgl. Toepke, die Matrikel der Universität Heidelberg, I, 469.

[2]) Kreisarchiv Speier, Abtlg Zweibrücken, Fasz. 1122[1].

[3]) M. Han stammte aus Kenzingen, trat als Syndikus in den Dienst der
Stadt Straßburg, war vom November 1547 bis Ende 55 herzoglich zweibrückischer
Kanzler und wird 1563 als tot erwähnt. Vgl. Georg Christian Crollius, commentarius
de cancellariis et procancellariis Bipontinis (Frankfurt und Leipzig, 1768),
S. 61—64.

daß ihm der „alte Meßpriester" Johann Breitfurt[1]) mit Hilfe der zwei
fremden Mönche, die Bonn zur Wiederaufrichtung der alten Klosterzucht
nach Hornbach berufen, auch noch seine Stiftswiese abgenommen habe.
Im Postscripte seines Briefes an den Kanzler Han vom 21. Juli 1550
wies Bock mit Nachdruck auch darauf hin, daß durch die Sperrung
seiner Temporalien nicht bloß er getroffen werde, sondern auch alle
armen Kranken, denen er disher mit seiner Arzneikunst habe Hilfe
bringen können, was er nunmehr, weil selbst seines Einkommens beraubt,
unterlassen müsse. „Wa ich bis anhere einem armen menschen mit
einem par batzen hab können rathen vnd artzney geben," sagt er,
„das kann ich nun vmb ein dicken ₰ (= Pfenning) nit erzeugen:
also werden dye armen kranken leut vom ytzigen apt in dem theil
auch beraubt vnd mit mir spolijrt."[2])

Herzog Wolfgang verschloß sein Ohr den Vorstellungen Bocks in
keiner Weise; wiederholt versprach er, sich mündlich und schriftlich beim
Abte Johann Bonn zu seinen gunsten zu verwenden; aber so rasch
und rechtswidrig, wie Bock es wünschte, der unterm 21. Juli 1550 aus
Hornbach noch erklärt hatte, er wolle und könne die „verdiente und
erkaufte Pfründe", die noch dazu eine Laienpfründe sei, nicht aufgeben
und bitte um Erlaubnis, die Stiftsgefälle zu seiner Schadlos=
haltung arrestieren zu dürfen, konnte damals selbst der Herzog
ihm nicht zu willen sein. Er ließ ihn, d. d. Meisenheim, 29. Juli 1550,
durch den Zweibrücker Landschreiber Jost von Nassau zur Geduld
mahnen und zu bedenken geben, daß er, der Herzog, sehr gerne seinet=
halben beim Abte in Güte das möglichste zu erreichen versuchen wolle,
daß aber anderseits bei Lage der Sache weder auf dem Rechtswege und
noch weniger mit Trotzen und Pochen Bock etwas für sich erzwingen
könne.[3]) Allein wie konnte sich Bock zur Geduld und zum Harren ver=
weisen lassen, er, der kranke Mann, der Frau und Kinder zu ernähren
hatte, der seine Ersparnisse bereits zugesetzt hatte, und dessen Einkommen
gesperrt war? Er selber sagt, daß er damals „Armut und großer
Schwachheit halben beinahe versunken wäre, auch keines Erretters und
Helffers auff Erden sich getrösten kundt."

In dieser großen Notlage bekam Bock Hilfe von ganz unerwarteter

---

[1]) J. Breitfurt war im Mai 1544 excurrendo von Hornbach als Pfarrer zu
Brenschelbach und beklagt sich über die Baufälligkeit der Kirche daselbst. Siehe: „Stoff
für den künftigen Vf. einer pfalzzweybrückischen Kirchengeschichte," II, S. 109.

[2]) Kreisarchiv Speier, Zweibrücker Abtlg. I, Fasz. 1122, Fol. 22.

[3]) Zweibrücker Abtlg. I, Fasz. 1122 I, Fol. 19—21.

Seite. Graf Philipp von Nassau=Saarbrücken,[1] dem er einmal in einer tötlichen Krankheit das Leben gerettet hatte,[2] vernahm kaum sein „Anfechten," als er ihn und die Seinen gnädiglich zu sich nach Saar= brücken einlud und damit „gleich als aus der tiefften Höllen zog."[3]

Es war in den letzten Juli= oder erften Augufttagen des Jahres 1550, daß Bock nach Saarbrücken überfiedelte. Er fand dort freundliche Aufnahme.[4] „Es gefchicht mir vil guts zu Sarbrucken im hoff; dann alles hoffgefynd tut mir guts," fchrieb er von dort aus am 14. Auguft 1550 nach Zweibrücken. Aber trotzdem wollt' er gerne wieder nach Hornbach zurückkehren, wie er fagt, wenn ihn der Graf ziehen ließe.

Faft über Nacht war in Hornbach ein Ereignis eingetreten, das geeignet fchien, die Verhältniffe Bocks vollftändig neu zu regeln und das nur wenige Tage früher hätte einzutreten brauchen, um den Ent= fchluß Bocks, feine Zuflucht in Saarbrücken zu fuchen, umzuftoßen. Am 4. Auguft 1550, um 2 Uhr nach Mitternacht, vielleicht zur felben Zeit, in welcher Bock feinen Einzug in Saarbrücken bewerkftelligte — war in Hornbach Abt Johann Bonn von Wachenheim erkrankt und fchon am 5. Auguft zwifchen 11 und 12 Uhr Mittags fetzte der Tod feinem Leben und Streden ein Ziel. Mit feinem Hinfcheiden fchien die ganze katholifche Reftaurationspolitik im Klofter Hornbach wieder in Frage geftellt, und lebhaft befchäftigte fich Bock mit dem Gedanken, daß nun= mehr wieder die lutherifche Sache in Hornbach odenauf kommen und er felbft wieder in fein altes Kanonikat, in den Genuß feines Stifts= haufes und feiner Pfründe reftituiert werden würde.

In diefem Sinne fchlug Bock in einem Briefe an den Zweibrücker Landfchreiber Joft von Naffau vom 14. Auguft 1550 vor, man folle den alten, refignierten Abt Johann Kintheufer, wenn immer feine Ge= fundheit es erlaube, neuerdings zum Abte machen, oder aber, wenn dies nicht angehe, den Konventualen Reinhart von Altdorf, genannt Wollfchläger, vorausgefetzt freilich, daß deffen Weib von ihm willig abftehe, und im felben Sinne ermahnte er in einem Sendfchreiben, d. d. Saarbrücken, 4. Nov. 1550,[5] die inzwifchen wieder katholifch gewordene

---

[1] Graf Philipp von Nassau=Saarbrücken ift geb. 1509 und geft. 1554; f. Wilh. von der Nahmer, Handbuch des Rheinifchen Partikularrechts, III, 80, Stammtafel. (Frankfurt, 1832.)

[2] Freher a. a. O. S. 1235.

[3] Worte aus der Vorrede zur 3. Auflage des Kräuterbuchs.

[4] Nach Freher a. a. O. verblieb Bock zwei Jahre in Saarbrücken und legte daſelbft für den Grafen einen botanifchen Garten an.

[5] Archiv der proteft. Kirchenfchaffnei Zweibrücken, Repert.=Akten 11, Nr. 122.

Gemeinde Hornbach, sich neuerdings dem reinen Evangelium zuzuwenden. Kintheuser wäre in der That bereit gewesen, die Abtswürde nochmals zu übernehmen. Allein Herzog Wolfgang riet ihm dringend ab und bewog ihn, seine Resignation aufrechtzuerhalten[1]) und zwar diesmal zu gunsten des von Graf Philipp von Nassau-Saarbrücken empfohlenen Abts Sebastian von Longfelden, der die Kapitulation mit dem Herzoge bezüglich seiner Zulassung auf die Abtei Hornbach unterm 11. Dezember 1550 abschloß.[2]) Die Kapitulation war für einen katholischen Prälaten von drückender Verkümmerung seiner Rechte; sie beschränkte die Ausübung der katholischen Religion und des katholischen Gottesdienstes auf die Räume hinter den Klostermauern.

Dadurch ward es möglich, daß Bock wieder nach seinem alten lieb= gewordenen Hornbach zurückkehren und die lutherische Pfarrerstelle für die Gemeinde Hornbach neuerdings übernehmen konnte.[3])

Aber die Gewitterwolken über seinem Haupte hatten sich mit seiner Flucht nach Saarbrücken noch nicht völlig entladen. Hatte er noch 1550 „selbsjebent," d. h. wohl er, seine Frau und 5 Kinder „seinen Pfennig gezehrt", so mußte er seitdem bis zu seinem eigenen Tode zu seinen bereits verstorbenen 5 Kindern noch 3 weiteren Sprößlingen ins Grab sehen. An seinem eigenen Marke zehrte 16 Jahre lang, je länger je ärger die Schwindsucht. Sein Sohn Heinrich hatte seine Universitäts= studien beendet und Abt Nikolaus von Werschweiler hatte ihm als Kollator die Pfarrei Walsheim übertragen. Als Hieronymus Bock immer schwächer und kränker wurde, sehnte er sich nach der Hilfe und Nähe seines Sohnes und erwirkte es, daß derselbe vom Abte Sebastian als Schulmeister nach Hornbach berufen wurde am 25. Jänner 1553. Aber auch diese Freude, seinen Heinrich jetzt um sich zu haben, wurde ihm verbittert. Abt Nikolaus von Werschweiler nahm keine Rücksicht darauf, daß Heinrich Bock vom Hornbacher Abte Sebastian als Schul= meister berufen worden war, und daß diese Berufung ihre Veranlassung darin hatte, daß der alte Bock der Pflege und Hilfe seines Sohnes dringend bedurfte, — er glaubte vielmehr, Heinrich Bock habe die Pfarrei böswillig oder leichtsinnig verlassen, und ließ darum seine Habe im Pfarrhofe zu Walsheim mit Arrest belegen. Der alte Bock empfand

---

[1]) Johann Kintheuser starb bald darauf am 25. Juli 1551; vgl. F r e y a. a. O. IV, 129.

[2]) Kloster Hornbacher Urkk. Nr. 52.

[3]) Nach G ü m b e l , Geschichte der protestantischen Kirche der Pfalz, S. 551, seit dem Jahre 1551.

tief und schmerzlich das Vorgehen gegen ihn, der „den Aebten und
Conventualen ohne alle Wiedergeltung und Statung vor und in seiner
Krankheit vielfaltige wolthat und Dienste beweist und erzeigt hatt."
Unterm 16. Februar 1533 richtete Heinrich Bock an die herzoglichen
Räte ein Gesuch, sie möchten den Abt von Werschweiler zur Aufhebung
des Arrestes über seine Habe veranlassen. Ob die Bitte Erfolg hatte,
steht nicht mehr in den Akten.[1]

Bei diesen Verhältnissen mag dem alten Bock, dem so gar kein
holder Sonnenstrahl mehr leuchten wollte, der Tod als ein Erlöser
erschienen sein, als er ihm am 21. Februar 1554 die müden Augen
schloß und die Ruhe schenkte, die er in den letzten Lebensjahren so
wenig gefunden hatte. „Sein Leib wurde in der St. Fabianskirche zu
Hornbach begraben," die in ihren äußeren Teilen noch heute besteht,
wenn auch nur mehr als Stallung und Scheuer eines daneben wohnenden Landmanns.[2]

Seine Witwe, eine Tochter und sein Sohn Heinrich überlebten ihn.[3]
Auch dem letzteren scheint kein freundlicher Stern geleuchtet zu haben.
Unterm 7. Februar 1556 berichtet Pfarrer Leonhard Exter,[4] der Amts-
nachfahr des Hieronymus Bock, daß der Nachfolger des Hornbacher
Abts Sebastian, der unterm 16. Febr. 1555 als neuer Abt angenomme
Graf Anton v. Salm am 6. Febr. 1556 seinen Präzeptor, „einen
wälschen Pfaffen an Statt des Sohnes des verstorbenen Hieronymus
Bock" als Kanonikus ins Stift aufgenommen habe. Damit ging Heinrich
Bock auch seiner Stiftspfründe verlustig, die er 10 Jahre vorher, am
7./16 April 1546 unter Abt Johann Kintheuser erlangt hatte. Ueder
seine ferneren Lebensschicksale Nachrichten aufzufinden, ist mir nicht gelungen.[5]

---

[1] Nach Fasz. 1121 der Zweibrücker Abtlg I im Kreisarchive Speier.

[2] Molitor, Geschichte einer deutschen Fürstenstadt, S. 171.

[3] P. Freher, a. a. O. S. 1235.

[4] Leonhard Exter, ein Franziskaner von Sittard bei Maastricht (früher zum
Herzogtum Jülich gehörig), ging nach Italien, von da nach Straßburg, wo er seinen
Orden und seine Religion verließ, erscheint dann als lutherischer Pfarrer zu Kleeburg
im elsäßischen Kanton Weißenburg, später im Hanau-Lichtenbergischen, endlich seit 1555
als erster Pfarrer zu Hornbach; seit 1578 emeritus starb er 1583. In seinem
Wappen führte er eine Elster, auch Atzel genannt, die im Westfälischen Aegerste heißt,
woraus Exter entstanden sein soll. Vgl. Gümbel, a. a. O. 551 u. 611 sowie Zweibrücker Abtlg. I; ad Fasc. 1127 im Kreisarchive Speier.

[5] Möglicherweise ist ein Enkel oder Urenkel unseres Botanikers Hieronymus
Bock jener Hieronymus Bock, welcher als Gärtner zu Speier erscheint, und der mit
seiner Frau Rosina Barbara Drom taufen läßt am 13. Jänner 1669 eine Maria

Habe ich bisher den Lebensgang Bocks darzustellen versucht, soweit sich derselbe auf grund der Archivalien des k. Kreisarchivs Speier und der Literatur eruieren läßt, so möchte ich zum Schluße dem Leser noch einen unmittelbaren Einblick verschaffen in die religiösen Anschauungen des vielseitigen und hochbegabten, streng lutherisch gesinnten Mannes.

Ich glaube dies am besten dadurch thun zu können, daß ich nach= stehend wortgetreu das Sendschreiben[1] mitteile, welches Bock unterm 4. November 1550 aus seiner Zufluchtsstätte in Saarbrücken an seine alte lutherische, während seiner Abwesenheit wieder katholisch gewordene Pfarrgemeinde Hornbach gerichtet hat, und worin er ausführlich sein religiöses, evangelisch gläubiges Bekenntnis, um deffenwillen er „schäden vnd verfolgung erlitten," darlegt und begründet.

Es ist aber dies Sendschreiben der Veröffentlichung nicht nur des= halb wert, weil es uns das religiöse Seelenleben Bocks enthüllt, sondern auch aus dem Grunde, weil es seinen Verfasser als einen der besten Meister des deutschen Stils ausweist, die unser Vaterland im 16. Jahr= hunderte gehabt hat.

Dasselbe lautet:

Gnad vnnd fried vonn gott dem himlischen vatter durch Christum Jesum seinenn einigenn gelieptenn Sonn, durch welchenn wir alleinn bey vnnd vonn gott vnnd sonst keinn ander mittel oder weg gnad, verzeihung der sündenn vnnd das ewig lebenn findenn vnnd erlangen, seye euch sampt vnnd besunder liebe burgerschafft zuuor, mitt erbiet= tung aller meiner trewenn, warenn vnnd vermöglichen Dienstenn. Euch ist allenn zuwissenn, welcher mossenn ich das heilig Euangelionn vom Sonn gottes vff die XIII Jar lang bey euch gepredigt, dessenn ich mich als der gewaltigenn Krafft gottes gar nit scheme, welches Jr auch treulich angenommenn, durch welches jr die ware seligkeit vonn Christo zu erreichen geglaubt, vnnd denn selbenn ewern glaubenn mit denn rechtenn gotlichenn bund, Zeichenn der heilgen Sacramentenn, wie sie Christus der Son gottes Jngesetzt vnnd vffgericht, offentlich in ewer pfarkirchenn bezeugt hab[t], vnnd ewere junge Kindlein nach solcher Christlicher ordnung nit allein lassenn tauffenn, sunder auch furter zu gemelter Euangelischer leer Jnn Catechissmo allenn Sontags pressentirt vnnd furgehalten. Wie ist es dann, liebe burger vnnd freund, so bald vnnd in Kurzem dahin gerattenn, das Jr alzumal so eilends ongezwangk

---

Magdalena, am 3. Septbr. 1672 einen Caspar, am 26. Dezbr. 1674 eine Katharina Elisabet und am 5. Septbr. 1680 eine Anna Christina Vgl. das Taufbuch der Predigerpfarrei zu Speier im Stadtarchive zu Speier.

[1] Archiv der protestant. Kirchenschaffnei Zweibrücken, Rep. II, Nr. 122.

vonn gedachter bekantnuss, vnnd offentlicher Zeugnuss der Christlichenn rechtenn Sacramentenn Zu ruck (wie ich hore) getrettenn seind, vnnd ann statt der selbenn die gleissnerische, verfurische, geltsuchtige Opffer vnnd winckelmessenn widerum besuchenn, die selbig anbettenn, vererenn, vnnd vonn newem mit menschlichenn onnutzenn erdachtenn Sacramentenn, nit allein der heilgenn tauff, durch welche wir zur himlische burgerschafft jnngeschriebenn, vnnd angenommenn, sonder auch das Jr euch das blut Jesu Christi im abendmal, durch welches wir allein vonn sundenn erledigt, habt lassenn entzihenn, vnnd jnn Summa, das jr mit ewern Kinderenn in allenn stuckenn ongezwungen Pabstisch wordenn, vnnd so bald der hohenn trefflichenn gabenn vnnd gnadenn gottes sampt aller Christlichenn freiheit vergessentlich vrlab gebenn, daraus geschrittenn vnnd dem Satann vonn newem platz gebenn, der vormals durch die predig des euangeliums war aussgetriebenn? Ist im nit also? Der onsauber lugenhafftig geist hatt seine alte herberig, die etwas schonn geschmuckt vnnd gebutzt war, widerum eingenommenn, das es nhun mehr mit euch zu Hornbach vil erger dann am aller erstenn tag wordenn ist?

Vber solchenn ewerenn Jamer vnnd selen schadenn hab ich, als da ich noch ewer furgenger war, offtermals mit eiferigem hertzenn verkundigt vnnd gesprochenn, gott werde vmb der grossenn ondanckparkeit willenn sein heilges wort vnnd Sacrament der welt widerumb entzihenn, vnnd ann statt des selbigenn teuffels Dreck sehenn lassenn vnnd pflantzen. Das alles (gott wol es bald wendenn!) erfindt sich ietzunder ann vilenn orttenn vnnd bey euch am hochsten. Dieser ewer abfal vnnd Jamer. vom Satan eingefurt, Kummert mich hoch vnnd viel hertzlicher weder alle meine erlittene schädenn vnnd verfolgung, so ich vmbs euangeliums willenn bis anher erlittenn hab, drumb, das gadacht mein leidenn, schadenn vnnd verfolgung des Satans nur zeittlich vnnd baldt einn end nemenn muss, aber ewer schadenn (es sei dann, das Jr euch widerum vonn der Zauberey vnnd verfurung zu der warheit Christi bekeren, das ich hertzlich wunsche) ewig pleibenn wurt. Ich schreib aber solchs euch, liebe burger, trewer meinung eins teils zur warnung, dann ewer wolfart ich allezeit herzlich gern sehenn vnnd vernemenn mocht, andertheils darumb, das ich denn gifftigenn schmeherenn vnnd wescherenn dem Euangelio zu Dienst das maul stopffe, drumb das sie mich vnnd meine gehapte lehr in meinem abwessen lesterenn vnnd scheltenn, gebenn vonn mir auss, ich seihe mit der lere ein Belial, das ist, ein verfurischer Teuffelischer lugenn prediger, vnnd die lere, so ietzund mit denn römischenn Ceremonienn bey euch ihm schwang gehet, sey Christenlich vnnd gerecht; so konnen aber Christus vnnd Belial beieinander wonen, vnnd dieweil ernente schmehe lugenn nit allein mein lebenn, das ich (ob gott wil) gegenn solchenn wescherenn wol weis zu verteidigenn, sunder auch meine predig vnnd lere berurt,

erfordert die ehre gottes, die furderung des Euangely vnnd meiner
schafflin Jrgang, gehapte meine lere vnnd predig, dieweil sie nit mein
sunder Christi vnnd des vatters ist, zuuerantworttenn vnnd bis ans
ende zuuerteidigenn. Derohalbenn geb ich antwort vnnd sprich vffs
erst, das ich kein Belial bin, auch Belials lehr nie geliept noch iemands
die selbig furgetragenn. Das red ich frey offentlich mit gutter Conscientz
vor Christo vnnd seinenn liebenn englenn, vff welchenn ich mich hiemit
berufft vnnd bezeugt wil habenn ;. darnach so zyhe mich desse auch vff
euch vnnd alle menigclich, so meine predigt gelessen vnnd gehort habenn,
Ja auch vff das gegentheil : die päbstler selbs, welche bekennen müssenn,
das ich nichts dann allein die heilge götliche schrifft lauter vnnd ein-
faltiglich hab furgetragenn, alle zanckische rotterey vnnd Jrrige geister
hindann gestelt vnd almal das vrtheil meiner predig der warenn Christlichenn Kirchenn vnderworffenn. Vnnd damit ich gehapter meiner lehr
vnnd predinenn ein kurze Sum begreiff, So ist — Jr liebe burger vnd
freund — dis hirnach die gantze Summa des Euangely, Nemlich das
der Son gottes vonn himmel heraber khommenn, mensch wordenn, vff
das er vonn aller menschenn wegenn, die begangene sünd durch seinenn
bitterenn todtt, am holtz erlittenn, auffhube, am dritten tag widerumb
gewaltiglich vom todt vmb vnserer aller gerechtigkeit willenn er-
standenn vnnd darnach gein Himmel, daher er kommenn ist, sichtparlich
gefarenn, laut vnnd Inhalt der geschrifft, vnnd das er der her himels
vnnd der erdenn ist, der alles regirt vnnd zu seiner Zeit widerumb
onversehenlich kommen wurt mit grosser macht vnnd herlichkeit, mit
denn lebendigenn vnnd Dottenn das gericht zu haltenn, vff das alle
die Jhenige, so gutz gethonn habenn, sie seienn begrabenn vnnd ver-
schiedenn oder noch vorhandenn, sollenn mit ihm in das ewig lebenn
ghenn, vnnd dargegenn, so onrecht gehandelt, in die ewige verdamnus
verurtheilt, verwiesen vnnd verstossenn werdenn.

So ist nun solche lehr vnnd predig der gantzenn geschrifft Inhalt
gantz rein vnnd lautter, wie es alle prophetenn vnnd apostel in der
gantzenn welt gelert vnnd bis in Irenn todt verkundiget habenn, vnnd
furter der Kunfftigenn welt zu trost in schrifftenn verlassen, laut vnnd
Inhalt der gantzenn bibel.

Sollenn wir nun mit Christo vnserm herrenn ewiglich regiren vnnd
— wie wir dann alle begern — selig werdenn, So mussenn wir je
lernenn vnnd wissenn, was doch die seligkeit seye, warin sie stand,
vnnd wie wir dartzu kommenn sollenn.

Was nun die seligkeit vnnd ewigs lebenn seie, wissenn wir kein
besserenn lehrmeister dann Christum den herrenn selbs, welcher im
abscheid zu seinen jungern sprach, Johann: XVII: das is das ewig
lebenn, das sie dich, das du allein warer gott bist, vnnd denn du ge-
sand hast, Jesum Christum, erkennenn. So ist nun gehorte erkantnuss
der anfang, daran wir pleibenn sollenn, vnnd auss dem weg gar nit

schreittenn, dann. dieser Jngang vnnd weg ist gantz richtig, vnnd schlecht, bedarff keiner ausslegung. Christum Jesum erkennenn ist, das mann ihnn vff erdenn in der Kripffenn ihm stal vnnd in seiner mutter Mariae schos in vnserem fleisch lernn suchen, vnnd furter am Kreutz vffgericht recht können ansehenn vnnd glaubenn, das er allein das recht, einig angeneme, gnugsam opffer sey der gantzenn welt, mit ablenung vnnd hinderstellung aller Judischenn Ceremonienn, aller menschenn ordnung, vnnd satzung, sie habenn gleich namenn oder ansehens wie sie wollenn. Ja auch Moyses mit seinen gebottenn selbs wurt nichts zur seligkeit helffenn. Es ist vnnd stehet allein in dem, das mann denn Sonn gottes, wie obstehet, recht lern erkennenn vnnd ihm vertrauwenn. Darumb so erinnere ich euch wider, liebenn burger, desse, das Jr vorhin wissen vnnd vnderricht sein, Nemlich, das wir gar nit durch haltung des gsatz Mosi selig werdenn, wie die Judenn vnnd Jrs gleichenn Judgnossenn vermeinenn, Nach vil weniger durch vnsere erdichte werck, die villeicht einn ansehens habenn, vnnd vonn lugenn predigern, denn papistenn, hoch gepriesenn werdenn; wir werdenn auch nit selig durch eusserliche Zucht vnnd Dugend, wie die hochweisenn heidnischenn philosophi geschribenn vnnd gewennd*) habenn, sunder es stehet allein in der erkantnus Jesu Christi; denn mussenn wir in seinem wort kennenn lernn, desselbenn wort mussenn wir allein horenn, annemenn vnd glaubenn, wie das er vns mit seinem leidenn vnnd sterbenn vonn sundenn, tode vnnd ewigenn verdamnus erlöst vnnd also gott seinem himlischenn vatter darmit versunet, das also der almechtig gott vnnd vatter allein vmb seins liebenn Sons willenn, ann welchem er der vatter allein wolgefallens tregt, vns allenn gnedig sein wil vnd sonst durch khein ander mittel, es sey gleich im himmel oder vff erdenn. Dann es ist in ewigkeit einmal beschlossenn, das niemands in himmel kompt dann der so vonn himmel kommen ist, Christus Jesus, des der himmel eigenn ist.

Hie werdenn vnnd müssenn auch wol die lieben prophetenn vnnd Apostel herauss pleibenn, ich geschweig aller Cartheuser vnnd papistenn. Dann Christus ist allein, dem der himmel offenn stehet; wil nun iemands im himmel sein mitburger werdenn, so muss er vorhin horenn vnnd glaubenn, wie Christus selber spricht vnnd sagt: Gleich wie Moises in der wusten ein schlangenn erhohet hatt, also muss des menschenn Sonn erhohet werdenn vff das alle die, so ann ihnn glauben, nit verlorn werden sunder das ewig lebenn habenn, Diessenn trostlichen, warhafftigenn, werdenn spruch Christi Jesu hab ich euch offt vnnd beinahe in allenn meinenn predigenn (damit Jr des selbenn wol gewöntenn) verkundet vnnd erklärt vnnd darbei alwegenn gelert vnnd

---

*) = gewähnt.

auss der schrifft bewert, das es alles ann solcher erkantnus hange,
vnnd damit die phariseher nit sich rumptenn Ires hohenn verdinst,
hab ich die vrsach aus Christo angezeigt, die also lauttet: Gott der
almechtig hatt sein eigenn geschopff, die welt, also hoch vnnd sehr
geliept, das er seinenn einigenn Sone gab, vff das alle, so ann Jnn
glaubenn, nit verlorenn werdenn sonder das ewig lebenn habenn. Solche
wort vnnd verheissung hatt Christus vnser lieber her hinn vnnd wider
vil mal im heilgenn Euangelio gemelt, repetirt vnnd erholt, darmit zu
bezeugenn, dass kein ander mittel, in himmel zukhommenn, irgends zu
findenn noch zu erwartenn seie, dann allein durch denn glaubenn
vnndt recht vertrauwenn in Christum Jesum denn Sonn gottes, wie
Jr liebenn burger solchs offt vonn mir vernommenn hapt. Vmb des
willenn, liebenn burger vnnd freund, wann Jr das heilig euangelionn
onn Zusatz horenn lesenn durch alle vier euangelistenn vnnd apostelenn
beschriebenn, So werdenn Jr alwegenn horenn vnnd vernemenn, wie
das der recht vnnd bestendig glaub ann Christum Jesum denn furzug
hatt, vnnd der recht weg zum ewigenn lebenn gepriessenn vnnd gelopt
ist, wie dann sonder Zweiffel ewer vil solches noch wol im gedechtnus
habenn, vnnd damit ich euch desselbenn ietzt ein wenig erinnere, so
wissenn Jr, das S. Johannes schreibt in seinem euangelio, das der
anfang, mittel vnnd ende, es seienn gleich predig, lere vnnd wunder-
zeichenn vonn Christo geschehenn als dahinn lendenn auch derohalbenn
vonn ihm Johanne vnnd anderenn Apostelenn vffgeschriebenn, das wir
glaubenn sollenn, Jesus seie Christus, gottes Sonn, das ist: warer gott
vnd warer mensch, vnnd das wir durch solchenn bekantenn glaubenn
frey onuerholenn das ewig lebenn erlangenn, nemlich in seinem namenn
vnd Keins anderem; Auch zum himmel keins anderenn schlussels,
mittels oder fursprechenn bedorffenn, es heis gleich oder hab fur
namenn wie es woll. So ist es einnmal vnnd ewiglichenn also beschlossenn; darwider lassend schreyenn, predigenn, lerenn, wer da
will; auch die hellische pfortenn selber mussenn diessenn Christum in
seinem regiment vnd Kirchenn pleibenn lassen. Es jrren sich aber
hirrein ietzunder ewer sehr vill; das schafft, sie pleibenn am exempel
des grossenn vnuerstendigenn hauffens hangenn, darumb das sie teglich
sehenn die seltzame gotsdinst, die wonderbarlichenn, närrischenn, on-
gleichenn ceremonienn, vnnd das ein ieder etwas besunders zur seligkeit furhatt; Einer will ihm Kloster lebenn, der ander sonst denn
himmell verdienenn, die drittenn ruffenn die seligenn, abgestorbenenn
heilgenn ann; die besuchenn sie in Jrem schlaff mit opffer vnd wal-
farten, die vierten wollens mit vilenn Kirchen gepler vnnd onuer-
stendigem psalter geschwetz verdienenn, reissenn also himmell vnnd
erdenn zusammenn, das ist, gott muss Inenn (wie sie furhabenn) hie
gutz gnug vnnd darnach denn himmel dartzu geben, sagenn frey her-
rausser, sie habens also mit bettenn, fastenn, singenn, lesenn, Kirchgang,

vnd dergleichenn narrenwerck wol verdient. Solcher leut exempel,
vnnd Deuffels Dreck verfurt vil einfaltige menschenn, vnd besorg es
werde mit euch zu Hornbach auch nit gar fehlenn. Drumb das ewer
etliche vff obgemelter leuth thun vnnd exempel gaffenn vnd gedenckenn,
wann es onrecht wer, es würdens die hohenn vnnd gelertenn in der
welt, auch vnser hern vnnd vorgenger nit thun, faren also dem grossen
hauffen nach, wissenn aber nit vnnd wollends auch nit glaubenn, das
es eitel vile pfad vnd Jrrige holtzweg seind, . drumb das solche weg
nit Strassenn sunder vom vihe — das ist von menschen erdacht, seind
vnnd von Christo dem rechten weg verworffenn vnd verdampt Matt. xv.
Wer nun hie orn habenn khan zu horn, der mags vernemmenn. Der
ander schad vnnd gleissnerej, dardurch vil leuth bewogenn werdenn,
ist die menschliche, zarte vernunfft; die pleipt von angeborner art vnd
natur abwegenn am gesatz Moisj hangenn vnnd schleuss .bei Jr sebs,
mann muss durch eigne besundere gute werck denn himmel vffschliessenn
vnnd verdienenn; solcher leut wolmeinung vnd onnutzes vertrawenn
gebirt eitell werckheilgen vnd gleisner, welche alzeit irs thuns halben,
wie der pharisehr Jnn Luca cap. 18 gesehenn vnnd gerumpt wollenn
sein, So doch offenbar vnnd onleuckbar, das noch nie einer fundenn
ist wordenn, der dem gsatz Mosj hat mogen gnug thon, wie hefftig
auch etlich sich auch ihm gsatz gemartert habenn; drumb. ists mitt
vnserm thun, so vil die ware gerechtigkeit belangt, gar verlorn. Wir
sein vnd pleiben alle onnutze Knecht; vmb solches vnsers gebrechens
willenn ist das gsatz gots als ein spiegell vns vor die augenn gestelt,
Nemlich das wir vnsre mängel vnd onmuglichkeit aus dem gsatz
lerntenn erkennenn vnd anderswo hilff zusuchenn vervrsacht werdenn.
So wendenn wir das spil vmb vnd meinenn, wann wir ein eusserliche
schein .fürenn vnnd zu denn erdichtenn abfurischenn Ceremonien der
· messenn helffenn, so seienn wir gantz from, das gsatz sei Jnn der
Opffermess durch ein Oele geschmirtenn hultzene priester erfult, vnnd
denn himmel darzu verdienet; denn selbenn mussenn wir aller erst
vmb solche lose leuth thewer mit gelt abkauffenn. Warumb woltenn
sunst so vil opffer messenn, seel messenn, vigilienn, Chorgepler, heilgenfart, vnnd dergleichenn Ceremonienn angestelt sein wordenn, wann
man nit hoffnung darauff gestelt het? Kurtzlich: wann man alle ernente werck im grund examinirt, erfint sichs, das es eitel, onnutze,
erdichte, ongegrundte menschenn satzung (welche alzumal der rechtenn
strassenn verfelenn) sein mussenn, vnnd wann sie lang daruber dis-
putirenn vnnd zanckenn, können sie nit mehr dann allein die alte,
langwirige, hergebrachte gewonheit vnnd satzung der Concilienn zur
Zeugnus darthonn vnd nit eins buchstabenn der biblischenn schrifft
darlegenn. Sie woln dan die schriefft biegenn oder radbrechenn, Jre
buberei darmit zu befestigenn, wie dann ietzunder gemeinlich vonn
vilenn papistenn predigern offentlich gehort wurt, welche klagenn vnnd

gebenn für, Jch vnnd meins gleichenn verfurenn das volck, dann wir
verbiettenn vnnd verachtenn alle gute werck, Jnn dem das wir lerenn
vnnd predigenn, der glaub ann Christum Jesum mach allein vnnd
lauter vmb sonst onn zu thon der wergk fromme vnnd selig.

Dennselbenn Nässlernn vnnd spitzkopffenn geb ich aus Krafft
gottes wort diese antwort vnnd sprich frey, das wir Ja allein durch
den glaubenn ann Christum vnnd sonst kein ander werck oder mittel
selig werdenn, laut vnd Inhalt aller geschrifft.

Das wir aber die werck, so Christus vnnd seine Junger gelert,
verwerffenn soltenn, thun sie vns gewalt vnnd redenn die vnwarheit;
dann Jr wissend, liebe burger, wie hefftig ich ann denn werckenn
Christi gehangenn, mit was ernst vnnd vleiss ich die selbige gefurdert
vnnd gerhumet, ja vil mehr dann alle papisten daruber gehaltenn
habenn. Zum anderenn, so haben wir das gesatz vmb des willenn,
das es vns zuhalten onmuglich ist, gar nit verworffenn, wie sie mich
beschuldigenn, sunder also gelert vnnd gepredigt, das wir alzumal
niemans aussgenommenn das gesatz gottes, durch Mosen gegebenn, bei
der hochstenn stroff, so gott vber die brecher vnnd verächter bis ins
drit vnnd vierde glid gestelt, zuhaltenn schuldig seinndt; wir habenn
auch darbej gelert, wie jr wissenn vnnd ewer Kinder selbs gestehen
werdenn, Jr habends dann Jnn denn wind geschlagenn, das got der
almechtig alle die, so seine gebot haltenn, reichlich vnnd bis in die
tausend glider belonenn will.

So wissen wir auch vnnd haben (got lob) sebs gepredigt, das
Christus vnser her denn schrifftgelertenn, der nach der hohenn fromkeit
forscht, was er doch thon solt, damit er selig wurdt, geantwortet hat:
wie liessest du Jm gsatz? vnnd nach dem der pharisehr sich selbs
im gsatz gefangenn hatt, ward ihm vonn Christo dieser bescheid vnnd
antwort geben: Thue das, sprach der her, so würstu leben./ Daraus
volgt aber noch nit, wiewol der befelch dasteht, thue das, so würstu
lebenn, das gemelter schrifftgelerter solche gebot gottes gethonn oder
gehaltenn hab, dann es ware ihm, wie hoch er sich derselben vonn
Jugend vff rhumet, zu haltenn nit muglich. Es pleibt vnnd steht alwegenn da vor augenn, es mangelt dir noch eins; solchenn grossenn
mangel befindenn wir bei vns allenn, wie hefftig wir vns auch im
gsatz gottes bemuhenn; habenn wir schonn die gebott gottes etwann
in eim stucklin, so seind wir doch der anderenn zu vil bruchig, das
alwegenn der mangel ann vnns ist vnnd des gerichts schuldig seinnd,
vrsach, das gsatz gottes, diweil es geistlich ist vnnd onzertrent gehaltenn muss werden, erfind sich der mangel alzeit an vns, dann ihm
gsatz gottes steth geschriebenn: Nit lass dich gelustenn! der, welcher
wilig vff erdenn vonn Adam an bis vff diese stund hat dies gebot
können oder mögenn haltenn; hie ist nit einer, sagt die geschrifft, der
gutz thue; der Dauid muss selber bettenn: her, nit gehe ins gericht

mit deinem Knecht, dann vor dir wurt kein lebendiger mogenn be-
bestehenn. ps. 149. Dieweil dann dem gsatz gottes gar nit gnug ge-
schicht, wie sichs geburt, vnnd ob es wol villeicht etwann stuck werk
(das ich auch onmuglich bei mir halte) erfult wurt, So volgt also bald
die straff, die gott vber die brecher geordnet hat, Nemlich der todt
vnndt ewige verdamnus; denn gott drewet Im gsatz vnnd spricht:
vermaledeit sey iedermann, der nit alles helt vnnd thut was ihm gesatz
geschriebenn ist, vnnd herwiderumb: wer in eins gebott bruchig wurt,
der selbig ist der anderen aller schuldig; wer will sich hie vss denn
schlingenn zihenn, oder wo pleipt hie der gros verdinstlich rhum? Wo
pleipenn da die verfurische papisthische werck, welche Ir vil onuer-
schampt vmb gros gelt verkauffenn? Es drette hie einer herfur, der
sagen darff, er hab die gebot gottes vonn Jugend vff gehalten. Vnnd
nach dem der mangell allein bei vns allenn ist, das wir dem gsatz
gottes nit gnugsam, wie es gott vonn vns erfordert, thonn konnenn
noch vermogenn. Warum gonnenn wir dann dem Sonn gottes nit seine
geburliche ehr, der nit allein das gesetz gottes in allen stückenn, auch
denn geringstenn titul, erfullet, sunder auch die straff, so wir alle der
sund halbenn zu leidenn schuldig, vff sich genommenn? Ist ein Fluch
vor vns wordenn, hatt denn todt daruber am holz mussenn leidenn, vff
das wir ledig aussgingenn vnnd der ewigenn straff enthabenn pliebenn.
Solchs lernenn wir vnnd rhümens in allen predigen, wie wir dann denn
todt Christi zu uerkundigenn befelch habenn, Auff das alle die Jhenige,
so gemelte predigt aus gotlichem wort hörenn, annemmenn, steiff
glaubenn vnnd darbei pleibenn, selig werdenn durch den tewernn verdinst Christi Jesu vnsers lieben herrenn, Drumb so volgt weitter vnnd
onwidersprechlich, das wir die seligkeit durch denn glaubenn alleinn
vnnd sunst kein ander werck erlangenn mussenn, wie Sanct peter
selbs in denn geschichtenn der apostel bekennet vnnd spricht: die
hertzenn werdenn durch denn glaubenn gereiniget; daraus erfindt
sichs zwar ganz klar, warumb das gesatz gegebenn sei, endlich nit
darumb, das wir dardurch selig werdenn, wie die Judenn vnnd papisteun
lerenn — sonst were Christus vergeblich gestorben, — sunder des
halbenn, das wir vnsere onuermuglichkeit aus dem gsatz gottes als
aus einem spigel lerntenn erkennenn; dann recht ein ieder bei ihm
selbs, wer wolt mir oder dir sagenn, das die begirlichkeit auch sunde
were, wann das gsatz nit da stund, das mir vnnd dir gebeut, Ich soll
mich nit lassenn gelustenn; drumb mussenn wir vnns vnnd vnsere
schwacheit vnnd onuermuglichkeit erstlich aus dem gsatz lernenn
kennenn, vnnd furter, — wollenn wir anders friedenn mit gott habenn
vnnd selig werdenn, — nach einer anderenn hilff trachtenn; dann so
wir vns schonn lang Im gsatz marterenn vnnd villerlei weg zur seligkeit fur die hand nemmenn, es sei mit fastenn, bettenn, messhörn,
heilgenfart, so erfind sich doch kein ander nothelffer weder ihm himmel

noch vff erdenn, der zu vnss sprechenn khann oder sprechenn darff:
Kumptt her zu mir die Ir beladenn vnnd bekummert sein, ich will
euch vffhelffenn vnnd erquickenn. Solche red geburt allein dem Sonn
gottes; der hatt das gsatz erfullet, denn vatter vnsserthalbenn versonet,
vns in allenn Dingenn den last abgeladenn, erquickt, gesterckt vnnd
zu aller gnadenn bracht; vmb solcher herlichenn wolthat willenn sollenn
wir das wort Christi gern horn vnnd desselbigenn erfrewenn, annemmenn
vnnd denn Sonn gottes gleich dem vatter ehrn vnnd preissenn; das
will auch gott der vatter von vns habenn, dann mit ernst hat er
befolhenn, denn Sonn allein zuhorn. Er will auch ausserthalb dieses
mittels keinn gnad zukern, der mensch wende gleich fur, was er wol;
er hat sonst vor werck gethon, was vnnd wie vil er wol, so ist es
doch vor denn augenn gottes alles grewel vnnd onflat, wie Esaias
sagt Christus aber, der Sonn gottes vonn der Jungfrawenn Maria
geborn, ists allein vnnd alles inn allenn dingenn. Ja in ihm wonet
die gotlich volkhomenheit leiblich; dann erstlich so ist er der weg, der
vns gar nit verfurt, Er ist die worheit, der vns gar nitt leugt, Er ist
der hirt, der vns inn der wüste hütet vnnd bewaret, Er ist selbs die
Dier, der vns selbs für den wolffenn in sich schleust, Er ist das ware
licht der welt, der vns aus aller funsternus mit seiner leuchtenn vnnd
klarem schein furgeth, Er ist das recht vnnd ware himmelbrot, der
vns speiset vnnd ewig Satt macht, Er ist die onergrundliche, frische,
lebendige wasser quel, darmit er vns dermassenn drenckt vnnd erquickt,
das wir hinfurter, wann wir einmal erquickt vnnd gedrenckt werdenn,
keinenn durst furenn noch leidenn dorffenn, Er ist der ewig gnadenn
stull, vff welchem wir frolich rugenn dorffenn, Er ist der eintzig
mittler vnnd fursprech zwischen gott dem vatter vnnd seiner glaubigen
Kirchenn, der si stets vertrit vnnd furter vertrettenn will, Er ist allein
die betzalung vnnd satisfaction oder genugthugunge fur aller welt sund,
so fern wirs annemmenn, glaubenn, vertrawenn vnd one alle wanckenn
bei ihm allein pleibenn, Er ist das eintzig lebendig opffer, der sich
selbs williglich in todt gegebenn hatt vnnd dernhalbenn vonn Sanct
Johans dem Teuffer das lemblin gottes, das der welt sund tregt, vor
dem gantzenn Issrahelischenn volck angezeigt vnnd aussgeruffenn is
worden. Weiter so ist dieser Christus die vfferstehung vnnd das lebenn
selbs, also vnnd dermassenn, wer ann ihnn glaubt, bey seinem befelch,
wort allein sich findenn lasst, der khann vnnd mag nimmer mehr des
ewigenn todts sterbenn, dann er ist schonn durch denn leiblichenn
tod hinnein ins ewig lebenn getrungenn, vnnd solchs aus Krafft des
glaubens an Christum Jesum, welchenn vnns der vatter derohalbenn in
die welt gesandt hatt. Drumb steht geschriebenn Joann. 5.: Gleich
wie der vatter eigner macht die todten vfferweckt, also thut auch der
Sonn, der erweckt die todtenn, wann vnnd welche er will, auff das
mann sehe vnnd lerne, das ebenn die ehr, so dem vatter geburt, dem

Sonn gleichvals zustehe vnnd gebure; dann der vatter hatt denn Sonn
sehr lib, drumb er Inen zu ehrenn gesetzt vnnd ihm alles vnderthenig
gemacht ihm himmell vnnd vff erdenn. Solches ist wahrhafftig vnnd
nit erdicht, wie dann der Sonn gottes, der ins Vatters schos ist, vns
selber verkundiget hatt. Joann 1. Diesse obgemelte stück, liebenn
burger, hab ich euch offentlich in der Kirchenn, da ich noch bei euch
war, vffs treulichst furgetragenn vnnd darnebenn nit vnderlassenn, das
mann denn glaubenn zu befestigenn vnnd zu bezeigenn die herliche
bundzeichenn, die hochwürdige Sacramenta, als der heiligenn tauff vnd
des hern Testament oder nachtmal nit auss der acht lassen, sonder
mit grosser reuerenz haltenn soll, vnnd das mann in solchem fal die
ordnung vnd Insatzung Christi pleibenn, nit veränderenn oder verruckenn
soll, als wenig mann eins menschenn testament verruckenn oder veränderenn darff. Es wurt vns ie Christus im einsetzen seiner Sacra-
menten nit betrogenn habenn; denn selbenn sollenn wir billich als
vnserenn rechtenn meister hornn vnnd bei seiner Ingesatzte ordnung,
wie Ciprianus der heilig marterer vnnd Zeuge Christi selberts meldet,
verbleibenn; das mann sich aber in dem theil ietzunder vonn newem
vergreifft, die ordnung vnnd Insatzung Christi eins theils zerreist vnnd
zum theil gewaltiglich denn armenn furhelt mit einfurung alter gewonheit vnnd teuffels Dreck, so sie ann stat des lebendigenn gotlichenn
worts ausspreittenn, habenn jr woll vnnd offt vernommenn, das gott
zu seiner Zeit solche lesterer vnnd Sacramentschender heimsuchen vnnd
richtenn wurt; dem wollenn wirs als dem rechtenn richter heimgestelt
habenn. Denn gegenwurff, so die bauch prediger, die feind Christi,
furwendenn, ist mir wol bewist, in dem das sie lernn vnnd schliessenn,
der blos glaub an Christum Jesum ohnn zuthonn guter werck mach
nit selig, beweissen das aus der zweiten epistell pauli zu denn
Corinthern am funfften Capitell daselbst steht geschribenn: wir mussenn
alle offenbart werdenn fur dem richterstul Christi Jesu, vff das ein ieder
empfahe ann seinem leib noch dem er gehandelt hatt es sei gleich gut
oder bös; diese schrifft stet auch zun Romern 14. Soll nun der blos
glaub ann Christum (sprechenn sie) alleinn die seligkeit erlangenn,
wo pleipt dann die lieb, oder warum hatt dann der apostel paulus
solche klare wort vonn werckenn dorffenn schreibenn, oder warumb
hatt Christus selbs denn schrifftgelehrten ins gesatz geweist vnnd
gesprochenn: wiltu selig werdenn, so halt die gebot, vnnd zum anderenn
schrifftgelehrten, der denn rechtenn pfad auch zuwissen begert, gesprochen: thue das, so wirstu lebenn; solche vnnd dergleichenn spruch
vom gesatz haltenn vnnd gutenn werckenn werdenn hin vnnd wider im
euangelio gelesenn; drumb kann nit volgenn (sprechen die papistenn),
das der glaub allein die seligkeit ergreiffenn mag, wendenn also auss
gehörtenn wortenn fure, mit beredung des armenn volcklins, obernente
stuck vnnd Krafft, so wir dem blossenn warenn glauben ann Christum

zugebenn, sei erlogenn vnnd ein verfurische teuffelische lehr; wer vns
ongeweichte leihenn, als schneider, schuster, schulmeisternn vnnd dergleichenn bubenn die heilig schrifft lerenn wolt? mit diessenn vnnd
dergleichenn vilenn schmewortenn! Solchenn gotslesterernn vnnd
Sacrament schenderenn mussenn wir der ehr gottes halbenn antworttenn
vnnd denn armenn gefangenenn onuerstendigenn Conscientzenn zu trost
anzeigenn vnnd sagenn frey, das wir allzumal, allein durch denn
glaubenn ann Christum lautter vmb sonst, onn Zuthonn aller werck die
seligkeit vnnd ewigs lebenn erlangenn müssenn, vnnd trutz hiemit allenn
blindenn papistenn, allenn gehaptenn Concilienn, lang hergebrachtenn
gewonheittenn aller beschornenn munch vnnd pfaffenn, sampt denn
hellischenn pfortenn vnnd Belial selbs, das sie es anders beweisenn
vnnd ordnenn; vrsach durch denn glaubenn ann Christum habenn wir
onn Zuthun vnsserer werck, vergebung der sündenn aus Krafft vnnd
macht der Satisfaction oder betzalung des Sonn gottes am holtz geschehenn, wie wir gnugsam drobenn angezeigt habenn vnnd aus Johanns
erweiset, das Christus allein das lemblin gottes ist, das der welt sünde
tregt, vnnd dazumal getragenn hatt ann seinem leib, da wir allzumall
noch bubenn vnnd sünder warenn, also vnnd dermassenn, das nit einer
fundenn wart, der gnugsam hett mogenn thonn; drumb hats gott der
almechtig also verordnet vnnd beschlossenn, das wir durch den hohenn
verdinst seines sons vnnd sunst kein ander mittell selig sollenn werdenn,
wie Christus die warheit selbers in Johanne redt vnnd spricht: wer
mein wort hört vnnd glaubt, dem der mich gesant hatt, der kompt nit
Ins gericht, sunder ist durch denn todt ins ewig lebenn gedrungenn;
diesse wort Christi pleibenn als ein eisserin mauer fest, vnnd kein
verdamnus mehr denenn so Inn Christo Jesu seind; wo aber nit todt
sünd noch verdamnus ist, dasebst mus [mann] vonn notwegenn ewige
fried vnnd lebenn seinn. Joann. 5. Das aber der recht glaub ann
Christum onn gute werck nit ist noch sein kann, so wenig als fewer
onn hitz, so volgt aber darum nit, das die gute werck, welche zu vil
schwach seind aussrichtenn, das dem glaubenn ann Christum allein zu-
stet vnd geburt, weiter das Christus zum schrifftgelehrtenn auff seine
frag sprach: thue das, so wirstu lebenn, — noch volgt nit, das ers
thonn habe oder thun konte, er pleib vor als nach wie wir allzumal
ein onnutzer Knecht, dem mann zugebenn oder zu lohnenn mit recht
nichts schuldig ist. Luc. 17.

Das wir aber vor dem Richterstul Christi, wie paulus schreibt,
gestelt werdenn, hatt diese meinung: Nachdem die gotlossen onn glaubenn
erscheinenn vnnd die heuchler mit Irenn erdichtenn Ceremonienn kein
vergebung der sündenn erlangenn, werdenn nit allein vor denn richt-
stull erfordert sunder mussenn auch vonn einem iedenn onnutzen wort
am selben tag rechnung gebenn. Matt. 12.

Was aber ann Christo ist vnnd pleibt als ein reb ann weinstock,

der wurt gespeist, gedrenckt, ernert vnnd erhaltenn, das er vermog
seins glaubens des gerichts erledigt ist, dann sein vertretter vnnd
gnadenn stul Christus kompt darzwischenn, hebt das gericht vff, will
nit, das seine gehorige gericht werdenn, wie er selber sagt: wer ann
mich glaubt kumpt nit ans gericht, sunder ist durch denn todt ins
ewig lebenn gedrungenn, Also vnnd der massen, dass der leib bis zur
ankunfft Christi in der erdenn als in einem susse schlaff ruget, der
geist aber feret zu Christo in die ewige freud, da pleipt er bis ann
Jüngstenn tag, wann Christus alle schloffende corper herfur wurt heissenn
trettenn, vnnd die, so gutz gethonn habenn, mit leib vnnd Seel zur
ewigenn freudenn mit sich furenn, die jenige aber so args gethonn
vnd denn glaubenn ann Christum vercleinert, auch sein testament, die
Ingesetzte Sacramenta, geendert vnd geschendet, wurt er mit allenn
verdamptenn in die hell verschliessenn, da eitel Jamer, qual vnnd angst .
in ewigkeit sein werdenn. Solche Kurtze wolgegründte Erjnnerung
steth vnnd pleipt vff dem volsten Christo als ein eisserin mauer, die
wollennd, liebenn burger, vonn mir euch zu trost vnnd wolfart gestelt,
annemmenn vnnd wissennd, das wer in Christo also pleibenn vnnd be-
sthenn wurt, der hann vnnd mag vonn allem ongewitter der sturm
wind vnnd platz regenn sicher vnnd wol bis anns end erhaltenn werdenn
vnnd ist des strengenn gerichts schonn entladenn, vnnd das dargegenn
die schnede Belials Kinder mit Irrenn lügenn vnnd verfurischenn ceremonienn zu spott vnnd letzlich sunder Zweiffell zu grund ghenn
müssen. Drumb last euch solche leuth das Zil nit mehr verruckenn,
last euch kein andere lehr oder offenbarung furter bewegenn, vnnd
ob schonn engel vonn himmel kemenn, euch anderst zuberedenn, so
volgt nit, dencket drann, das ichs euch öfft gesagt hab vnnd gesprochenn,
es sei einmal vor all beschlossenn, das gott der allmechtig ausserthalb
Christo nit versunet werdenn khann; dann er hats dem Sonn alles,
was ihm himmel vnnd erdenn ist, zu handenn gestelt vnnd vberlieffert,
derselbig soll vnnd muss denn preiss, bis das er alle seine feind erlegt,
in ewigkeit behaltenn; wer nhun diesen vnserenn hern Christum in
seinem heilgen wort vnnd selbs verordnetenn Sacramentenn nit will
horenn, annemmenn vnnd bei ihm pleibenn, der sei vonn gott verflucht
vnnd ewiger Anathema. Amenn.

Vonn der Christlichenn einigkeit, gemeinem friedenn, Nachparlicher
hilff, liebe vnnd trewe, so wir all ie einer dem anderenn zu leisten
schuldig sein, acht ich dismal onnvonnöttenn, vil zuschreibenn, Sintemal
Irs vorhinn wol wist, wie auch das natürlich gsatz solchs alles mit
sich bringt, das ein ieder wohl weis, so ers anderst wissenn wile, wes
wir in dem theil einander schuldig sein, Nemlich lieb vnnd trew, in
der warheit, wie Christus Summarie darvonn redt: alles, was wir gern
vonn anderenn gethonn hettenn, das wir solchs herwiderumb anderenn
zu leisten schuldig sein, vnnd solchs will vnnd erfordert die ander taffel

Mosij, oder wie Christus sagt, darann hang das gsatz vnnd aller prophetenn predigt. Drumb darff mann nit vil newer gsatz vorschreibenn; Es ist alles, was vonn notenn, vorhin reichlich durch die Euangelistenn vnnd apostel furgeschriben, welche all zu diesem eintzigen Zweck vnnd zill reichenn, Nemlich zur Christenlicher libe, welche das end ist aller annderenn geboth vnnd die rechte frucht des glaubenns vnnd gar nit die verfurische ceremonienn, dahin mann euch widerumb bringenn wil. So pleipt nhun furter, liebe Burger, eins vndereinander, vertragt einander leichlich ?) vnnd lassennd die einigkeit vnnd lieb bei euch Inn schwangh ghenn, So wurt mann spurenn vnnd sagenn müssenn, Ir seienn rechtgeschaffene vnnd fridliche burger in Christo ewerem herrenn; dem selbenn eintzigenn hern Christo, dem Sonn gottes, sei mit dem vatter vnnd dem heilgenn geist ewigs lob, ehr vnnd preiss, sterck, macht vnnd aller gewalt Inn ewigkeit. Amenn.

Gebenn vnnd geschriebenn zu Sarbrückenn denn vierden tag Nouembris, Anno domini 1550.

Ewer aller
gantz dinstwilliger Alter vorgenger am gotlichen wort

Hieronymus Bock;
manu propria subscripsit.

Kleine Beiträge.

Die Teilnahme des Bischofs Imad von Paderborn an der Synode von Worms 1076 Jan. 24.

Von F. Tenckhoff.

Evelt hat im Anhange seiner Schrift „Zur Geschichte des Studien-
und Unterrichtswesens in der deutschen und französischen Kirche des elften
Jahrhunderts", 2. Teil, Paderborn 1857, S. 33 f. nachzuweisen gesucht,
daß der Bischof Imad von Paderborn (1051—76) an der Synode von
Worms, welche am 24. Januar 1076 eröffnet wurde, und welche an demselben Tage den Papst Gregor VII für abgesetzt erklärte, nicht teilgenommen
habe. Demgegenüber halten Scheffer-Boichorst,[1] Wilmans[2] und
Meyer von Knonau[3] an der schon von Erhard in den Regesten zur
westfälischen Geschichte[4] niedergelegten Ansicht fest, daß Imad thatsächlich
der Synode beigewohnt habe.[5] Mir scheint letztere Ansicht unhaltbar zu
sein und stimme ich der Meinung Evelts bei. Wenn ich es unternehme,

---

[1] Annales Patherbrunnenses, Innsbruck 1870, S. 71.

[2] Additamenta zum westfälischen Urkundenbuche, Münster 1877, Exturs, S. 22.

[3] Jahrbücher d. deutschen Reiches u. Heinr. IV u. Heinr. V, Bd. II, S. 614 ff.

[4] Regesta Historiae Westfaliae, Münster 1847, no. 1163.

[5] Wenn Wilmans a. a. O. die Möglichkeit behauptet, daß Imad seinen
Namen unter das Absetzungsdekret habe setzen lassen, so bedarf diese Möglichkeit gar
sehr des Nachweises. Es wäre darzuthun, daß in damaliger Zeit für deutsche Verhältnisse überhaupt eine Stellvertretung üblich war, sodann warum in der Unterschrift
durchaus kein Hinweis auf die Stellvertretung sich finde Und selbst wenn dieses dargethan wäre, so wäre eine solche Stellvertretung immerhin nur möglich, aber nicht
wahrscheinlich; denn eine Namensunterschrift läßt doch zunächst darauf schließen, daß
der Träger des Namens selbst anwesend war. Endlich würde Imad, da er in seinem
Bistum in seinen Entschließungen frei war, nach Lage der weiter unten darzulegenden
Verhältnisse sich kaum veranlaßt gesehen haben, einen Vertreter mit so weitgehenden
Vollmachten zur Synode zu entsenden.

nach der klaren Eveltschen Darlegung noch einmal die Gründe für diese
Ansicht zusammenzustellen, so geschieht es einmal, weil der Widerspruch
gegen die Eveltschen Aufstellungen noch unwiderlegt geblieben ist, sodann
weil zu der Beweisführung Evelts das eine und das andere hinzuzufügen,
an ihr dieses oder jenes zu berichtigen ist. Vieles jedoch werde ich aus
derselben herübernehmen.

Allerdings findet sich der Name Imads — und das ist ein sehr be=
deutungsvoller Einwand — unter den Unterschriften des Dekretes der
Wormser Synode, durch welches der Papst Gregor VII für abgesetzt erklärt
wurde. Wenn es aber gelingen sollte, die Echtheit der Unterschriften an=
zufechten, dann scheinen mir die andern Gründe, welche gegen eine Teil=
nahme Imads an der Synode sprechen, ein solches Gewicht zu haben, daß
die Behauptung der Teilnahme nicht aufrecht erhalten werden kann.

Die Namensunterschriften der Bischöfe finden sich in zwei von den
vier Textesrezensionen, welche von Pertz bei der Herausgabe des Ab=
setzungsdekretes[1]) herangezogen sind, nämlich in der des Codex regius
Hannoveranus chart. sec. XVI, 196 und der Editio Goldasti in den
Constitutiones Imperiales S. 237. Da aber letztere Rezension, welche
mit der ersteren fast durchweg übereinstimmt, auch die Namen der Bischöfe
aus derselben übernommen haben dürfte, so bliebe nur eine selbständige
Quelle, welche zugleich das Namensverzeichnis gibt, übrig. Es sind die
Namen von sechsundzwanzig Bischöfen, vierundzwanzig deutschen, einem
burgundischen, dem Bischofe von Lausanne, und einem italienischen, dem
Bischofe von Verona. An erster Stelle steht der Erzbischof von Mainz,
an zweiter der von Trier, die beiden letzten Stellen nehmen die genannten
außerdeutschen Bischöfe ein. Die Reihenfolge der deutschen Bischöfe ist
eine geographisch geordnete. Die Reihe beginnt im Westen mit dem
Bischofe von Utrecht, geht im Halbkreise durch den Süden und schließt im
Osten mit dem Bischofe von Brandenburg. Sei es, daß die geographische
Ordnung sogleich anfangs oder erst später getroffen ist, auf jeden Fall
erregt es ein gewisses Bedenken, daß gerade die Namen derjenigen beiden
Bischöfe, welche man am wenigsten auf der Synode vermuten sollte,
Burchards von Halberstadt und Imads von Paderborn, außerhalb der
Reihe stehen. Der Name Burchards findet sich sogar zwischen dem des
Speierer und Straßburger Bischofes, der Imads nicht unter den Namen
der westfälischen Bischöfe, sondern zwischen dem des Naumburgers und
Brandenburgers. Unter Berücksichtigung der folgenden Erörterungen ist
die Thatsache immerhin bemerkenswert und legt den Gedanken einer späteren
Einschiebung nahe.

Wichtiger ist, daß der Name eines Bischofes, dessen Anwesenheit man
mit Bestimmtheit erwarten sollte, Liemars von Bremen, fehlt, der Name

---

[1]) Monum. Germ. Legg. tom. II, S. 44 ff.

eines andern, deſſen Anweſenheit ſo ſehr überraſcht, Burchards von Halber=
ſtadt, überhaupt ſich findet. Erzbiſchof Liemar von Bremen war einer
von den wenigen ſächſiſchen Biſchöfen welche vom Anfange des Sachſen=
krieges an auf der Seite des Königs Heinrich IV geſtanden hatten; er
war ein beſonderer Freund desſelben. Auf ſeine Anteilnahme an der
Synode, auf ſeine Unterſchrift mußte Heinrich beſonderes Gewicht legen.
Sollte alſo dieſer nicht anweſend geweſen ſein? Und doch fehlt ſein Name
in der Unterſchriftenreihe. Von größerer Bedeutung iſt, daß Burchards
Name genannt wird. Derſelbe war ſowohl in der Vorzeit als auch
wiederum in der Folgezeit unter den ſächſiſchen Biſchöfen der erbittertſte
Feind des Königs. Zur Zeit der Wormſer Synode war er in der ſtrengen
Haft des Biſchofs Rupert von Bamberg. Scheffer=Boichorſt[1]) begegnet
dem Einwande mit der Bemerkung, man dürfe nicht vergeſſen, daß Burchard
ein Gefangener des Königs geweſen ſei; ob wollend oder nicht, habe
er unterſchreiben müſſen. Aber wenn man ihn im Sommer desſelben
Jahres aus Furcht, er möchte ſeiner Bamberger Haft entkommen, in noch
ſtrengeren Gewahrſam nach Ungarn bringen wollte, ſo iſt kaum anzunehmen,
daß man ihn im Januar nach Worms geführt und ſich ſo der Gefahr aus=
geſetzt hat, daß er auf der Reiſe entfliehe oder von ſeinen Freunden befreit
werde. Zudem wird ein Mann von der Entſchiedenheit Burchards ſich
ſchwerlich zur Unterſchrift haben zwingen laſſen.

Abgeſehen von der Gefangenſchaft liegen die Dinge bei Imad ähnlich
wie bei Burchard, nur daß bei ihm ein anderes wichtiges Moment hinzu=
kommt, nämlich daß er ſchon am zehnten Tage nach dem Erlaſſe des er=
wähnten Abſetzungsdekretes geſtorben iſt. Auch Imad war vom Beginn
des Krieges an ein Gegner Heinrichs geweſen. Und als nach den Freveln
der Sachſen auf der Harzburg viele ſich von ihnen abwandten, war er
unter den weſtfäliſchen Biſchöfen der einzige, welcher ſeinen Landsleuten
feſt zur Seite blieb.

Auf ſächſiſcher Seite finden wir ihn im Winter 1074—75. Aller=
dings ſcheint er an den Kämpfen, welche im Sommer 1075 ſtatthatten,
und welche für die Sachſen ſo unglücklich endigten, nicht perſönlich beteiligt
geweſen zu ſein. Denn wir finden ihn am 18. Auguſt in Paderborn, wo
er in der Krypta des Domes eine Urkunde ausſtellte;[2]) auch wird er nicht
unter denen genannt, welche am 26. Oktober desſelben Jahres zu Spier
im Sonderhauſenſchen ſich dem Könige auf Gnade und Ungnade ergaben.
Aber daraus wird man nicht ohne weiteres folgern dürfen, daß er ſich
mit dem Könige ausgeſöhnt habe, und zwar inſoweit ausgeſöhnt habe, daß
er an der Wormſer Synode, auf welcher der Freund und Schützer der Sachſen,

---

[1]) A. a. O. S. 71, Anm. 6.

[2]) Regesta Historiae Westfaliae no. 1159. Codex Diplomaticus Historiae
Westfaliae no. 157.

Gregor VII, entſetzt wurde, teilgenommen hätte. Vielmehr ſpricht ſchon
der Charakter Imads gegen ſeine Anteilnahme. In den 25 Jahren ſeiner
Regierung hatte er ſich als den echten Sproſſen des thatkräftigen Geſchlechtes
der Immedinger gezeigt, als den würdigen Neffen Meinwerks, von dem
wir wiſſen, wie folgerichtig er das, was er einmal als Recht erkannt hatte,
verfolgte. In zwei ſchweren Jahren des Sachſenkrieges hatte er ſeine
Willenskraft und Standhaftigkeit bethätigt. Sollte er da ſo völlig ſeine
Geſinnung geändert haben?

Dazu kommt — und das iſt von ſehr großer Wichtigkeit —, daß
Imad am zehnten Tage nach der Eröffnung der Synode, am 3. Febr. 1076,
geſtorben iſt. Nehmen wir vorläufig als feſtſtehend an, daß er in Pader=
born geſtorben ſei, ſo hätten die Vorbereitungen zur Abreiſe von Worms,
die Reiſe ſelbſt, gegebenen Falls ein wenn auch nur kurzes Krankenlager
und ſein Tod ſich in der kurzen Zeit von zehn Tagen vollziehen müſſen.
Scheffer=Boichorſt[1] meint nun, Imad habe gar wohl am 24 Januar in
Worms unterſchreiben und 3. Februar in Paderborn ſterben können;
vielleicht um ſo ſchneller habe er geeilt, den königlichen Hof zu verlaſſen,
je widerwilliger er unterſchrieben habe. Möglich iſt das allerdings,
aber nicht wahrſcheinlich. Wer ſagt uns, daß Imad ſogleich am Tage
nach dem Erlaſſe des Dekretes, da die Synode doch wohl eine längere
Dauer hatte, den Ort der Zuſammenkunft verlaſſen habe? Und ſelbſt
wenn das geſchehen iſt, ſo haben wir immerhin die nur ſehr kurze
Spanne Zeit von neun Tagen. Die Entfernung von Worms bis Pader=
born in der Luftlinie beträgt 235 Kilometer. Der von den Reiſenden
zurückzulegende Weg mag etwa 300 Kilometer betragen haben. Ein ſolcher
Weg kann allerdings unter gewöhnlichen Verhältniſſen in neun Tagen oder
etwas weniger Zeit zurückgelegt werden. Aber es iſt zu bedenken, daß
Winterszeit war, in welcher die Wege nicht ſelten wegen des Schnees ſchwieriger
zu begehen ſind, und in welcher die Kürze der Tage die zur Reiſe geeig=
neten Stunden nicht wenig beſchränkt. Dazu kommt, daß Imad wohl
ſchon in Unwohlſein, vielleicht gar ernſtlich krank von Worms aufgebrochen
wäre, ein Kranker aber gewiß weniger ſchnell die Reiſe bewerkſtelligen
kann. Allerdings ſteht es nicht feſt, wie Evelt[2] annimmt und Scheffer=
Boichorſt[3] zuzugeben geneigt iſt, daß Imad gerade in Paderborn geſtorben
iſt. Aber auch mir ſcheint es, daß dem thatſächlich ſo iſt; denn die An=
nahme liegt, da die gegenteilige Meinung durchaus keine Stütze hat, nahe.
Aber ſelbſt wenn Imad nicht in Paderborn geſtorben iſt, ſind die Schwierig=
keiten, welche ſich aus der unmittelbaren Aufeinanderfolge des Tages der
Eröffnung der Synode und des Todestages ergeben, keineswegs gelöſt.
Woher wiſſen wir endlich, daß Imad eines plötzlichen Todes oder wenigſtens

---

[1] A. a. O. S. 71, Anm. 6.　　[2] A. a. O. S. 33.
[3] A. a. O. S. 71, Anm. 6.

nach kurzem Unwohlsein gestorben ist, daß er nicht etwa, was doch bei sehr vielen Menschen der Fall ist, erst nach längerem Krankenlager verschieden ist? In letzterem Falle würde er aber schon durch sein Unwohlsein verhindert gewesen sein, überhaupt zur Synode nach Worms aufzubrechen.

Wenn wir die dargelegten Gründe zusammenhalten, so scheint es mir, daß der Haupteinwand, welchen die Verteidiger der Teilnahme Imads an der Wormser Synode erheben, daß nämlich sein Name unter dem Absetzungsdekrete sich finde, hinreichend widerlegt ist und zugleich die Schwierigkeiten, welche jene immerhin zugeben müssen, beseitigt sind. *)

Aeber das wahre Jahr der Erstlingsausgabe des großen Katechismus des sel. Petrus Canisius.

Von Joh. Fijałek.

In dem ersten Abschnitte seines wertvollen Buches „Entstehung und erste Entwickelung der Katechismen des sel. Petrus Canisius S. J."[1] weist P. Braunsberger nach, daß der erste, große Katechismus oder die „Summa doctrinae christianae" nicht im Jahre 1554, sondern erst im Frühling des Jahres 1555, wahrscheinlich um Anfang Mai ausgegeben wurde. Der Verfasser kennt nur zwei Gelehrte, welche das — nach seiner Meinung — richtige Jahr 1555 angeben: J. Feßler (Geschichte der Kirche Christi, zum Gebrauche für das Obergymnasium) und A. Wappler (Geschichte der katholischen Kirche. Lehrbuch für Obergymnasien). Er aber selbst macht zum erstenmale auf diese Thatsache aufmerksam. „Die Briefe unseres ersten Katecheten — sagt der Verfasser S. 28 — „sind bis zur Stunde ungedruckt. In den ersten Ausgaben des Katechismus suchte man vergebens nach einer Angabe des Druckjahres. Man fand lediglich Ferdinands Verordnung vom 14. August 1554 und klammerte daher an diese sich an, mit dem Gedanken sich tröstend, das Buch werde nicht jünger sein als sein Vorwort."

Da uns die Beweisführung P. B.s für das Jahr 1555 als das Jahr der Erstlingsausgabe des Katechismus des sel. Canisius nicht so sicher und unwiderleglich wie dem Verfasser selbst und allen Referenten seines, übrigens tüchtigen Werkes (s. z. B. Hist. Jahrb. a. a. O., Liter. Rundschau 1893, Nr. 7, S. 210, und Katholik, März 1893, S. 267) erscheint, so sei es hier gestattet, gegen die genannte Behauptung des Verfassers folgendes zu bemerken.

---

*) Eine zwingende Beweisführung ist meines Erachtens dem Herrn Vf. nicht gelungen. J. W.

[1] Siehe Ergänzungsheft zu den Stimmen aus Maria-Laach. 57. Freiburg, Herder, 1893. 25—28 (vgl. Hist. Jahrb. XIV, 679 f.).

Den allgemeinen Irrtum über das angeblich unrichtige Jahr der
ersten Veröffentlichung des großen Canisius-Katechismus (1554) glaubt P.
B. hauptsächlich durch zwei bisher unbekannte eigenhändige Schreiben des
sel. Schöpfers des katholischen Katechismuswesens für immer zu beseitigen.
Namentlich soll Canisius erst am 27. April 1555 seinem gelehrten Freunde
Martin Kromer, dem damaligen Kanonikus des Krakauer Domkapitels und
späteren Fürstbischofe von Ermland, seine Summa übersandt und ihn gebeten haben, er möge ihm sein Urteil über das Buch kundgeben, damit die
Mängel bei einer künftigen Ausgabe beseitigt werden könnten; als Gegen-
gabe erbat Canisius sich die Werke des Hosius (f. S. 27, 42 u. 72). Es
gibt nun zwar einen Brief dieses Datums, den, welchen Canisius aus
Wien an Kromer nach Krakau sandte, und der schon vor etlichen Jahren
in dem zweiten Bande der Hosianischen Korrespondenz[1]) aus dem cod.
Nr. 28 n. 11 der Jagellonischen Bibliothek in Krakau abgedruckt worden
ist. allein derselbe enthält gar keine Erwähnung des Canisius-Katechismus.
Der Verfasser ist der Meinung, daß das kleine am Ende des erwähnten
cod 28 n. 387 eingeklebte und noch nicht gedruckte Blättchen mit der
eigenhändigen undatierten Nachschrift des Canisius über die oben-
erwähnte Sendung des Katechismus, zu diesem Briefe vom 27. April 1555
gehöre (a a. O. S. 27, Anm. 3). Wir lassen sie im Wortlaut hier folgen:
„Catechisticam doctrinam Rex noster edidit, de qua tuum audire iudicium velim gravissime vir, ut quae desiderari posse censueris, aliquando, si recognoscendum praecipue sit opus, corrigantur aut suppleantur. Ea enim in re quae CHRISTI gloriam et fidei asserendae
causam summopere tangit, Regem libenter admonemus. Mitto igitur
pro munusculo libellum hunc, et ut boni consulas precor, ac vicissim
ut Osii laudatissimi Episcopi scripta nobis communices opto vehementer.
Tum quae superioribus annis a pietate tua conscripta sunt, quia lectu
digna esse novi, videre quidem aveo, petere tamen vix audeo, utpote
cum meae exiguitatis conscius, tum tuae dignitatis probe memor. Dmns
IESUS cura sua succurrat patriae laboranti et Religionis statum labentem
erigat. Idem tuus in Christo servus Canisius." Nirgends ist eine Zeitangabe oder eine nähere Bemerkung in dieser Nachschrift enthalten, daß
sie eben damals. mit jenem Briefe vom 27. April 1555, wie der Verfasser
vermutet, an Kromer geschickt wurde. Mit demselben Rechte kann man
behaupten, Canisius habe dieses Postskriptum seinem anderen Briefe vom
27. Dezember 1554 (Hosii epistolae in Acta hist. res gestas Polon.
illustr. a. a. O. 1020 nr. 68) wenn nicht noch früher jenem vom 6. November

---

[1]) Siehe Acta historica res gestas Poloniae illustrantia, Cracoviae t. IX,
S. 1025 nr. 73. (Tomus IX continet Stanislai Hosii S. R. E. Cardinalis
Episcopi Warmiensis Epistolarum tom. II a. 1551—58. Editionem sumptibus
Academ. Litter. Cracoviensis curav. Dr. Fr. Hipler et Dr. V. Zakrzewski.)

1554 (fiehe Cypriani Tabularium Ecclesiae Romanae S. 576) beigefügt. Daß es nur zu dem obenerwähnten Briefe vom 27. April 1555 gehöre, kann möglich fein, ift aber durch den Verfaffer doch nicht bewiefen; um fo mehr, als der Nachtrag anders zufammengefaltet ift als der Brief, obwohl die Schrift fowie das Papier dasfelbe ift. Denn wenn der Nach= trag zu diefem Briefe gehören würde, müßte er in demfelben Format zufammengefaltet fein wie der Brief.*)

Canifius — fo Braunsberger a. a. O. S. 25 — konnte erft am 25. März 1555 dem hl. Ignatius anzeigen, der Druck des Katechismus fei jetzt „beinahe vollendet"; ein anderes Mal werde er ihm ein voll= ftändigeres Exemplar fenden. Auch diefe zweite Beweisführung, die fich auf das bis jetzt unedierte Schreiben des Seligen nach Rom ftützt, fcheint uns nicht ftichhaltig zu fein. Denn erftens kennen wir den ganzen Text des eigenhändigen italienifchen Briefes des Canifius an den hl. Ignatius in feinem Wortlaut noch nicht; zweitens ift die kritifche Stelle des genannten Briefes nur kurz angedeutet, aber nicht vollftändig, wenngleich in deutfcher Ueberfetzung angeführt; drittens widerfpricht der Verfaffer fich felbft, indem er uns berichtet, Canifius habe mit dem Briefe vom 26. November 1554 an Polanco die erften Abzugbogen nach der ewigen Stadt und dann am 25. März des folgenden Jahres das noch unvollendete Exemplar feines Werkes zur Durchficht nach Rom gefendet (S. 25), der wohlunterrichtete, forgfältige Orlandini fpricht aber nicht etwa bloß von einem Teile des Buches, fondern von dem Buche einfachhin, das zu Rom durchgenommen und höchlich gebilligt, dann an feinen Verfaffer zurückgefendet worden und auf Befehl des Kaifers an das Licht getreten fei (S. 27). Ift es wahr= fcheinlich, fragen wir nun, daß das Werk, welches Ende März noch nicht einmal vollftändig gedruckt, fchon einen Monat fpäter, um Anfang Mai, nachdem es durch die römifchen Oberen genau revidiert und mit den kleinen fachlichen Anmerkungen verfehen war, vollendet, herausgegeben und zuerft an Kromer nach Krakau gefendet werden konnte? Zudem enthalten beide Schreiben des Canifius, jenes an den hl. Ignatius vom 25. März (wenn anders die Mitteilung desfelben durch den Verfaffer richtig ift), und diefes an Kromer vom 27. April denfelben Wunfch des Seligen: „Ignatius möge einen beliebigen Pater mit der Verbefferung des Buches beauftragen... damit bei einem etwaigen Neudrucke des Werkes alles genau und ganz in Ordnung fei": „Cromerus suum ferre iudicium velit, ut quae desi-derari posse censuerit, aliquando, si recognoscendum praecipue sit opus, corrigantur aut suppleantur." Die zweimalige Wiederholung des Namens Jefu und die innere Verwandtfchaft der oft zitierten Nachfchrift mit dem Briefe des Canifius an Kromer vom 15. Jänner 1555 (Hosii epistolae a. a. O. II, 1022 nr. 70) läßt uns vermuten, der felige Katechet

---

*) Unbedingt notwendig ift das nicht. J. W.

habe sein Werk höchst wahrscheinlich um diese Zeit als ein Neujahrsgeschenk dem Kromer zugesandt.

Aus dem Gesagten ist es ersichtlich, daß Braunsberger für die Fest=stellung der Zeit, in welcher die erste Auflage des großen lateinischen Katechismus des sel. P. Canisius zu Wien erschien, ähnlich wie auch für die Bestimmung der Erstlingsausgabe des kleinen deutschen Katechismus (siehe: Katholik 1895, H. 2, S. 189—92) unrichtige Daten gegeben hat. Darnach können die Autoritäten der veralteten Schulbücher von Feßler und Wappler, die das richtige Jahr getroffen haben sollen, nicht in betracht kommen. Es ist noch beizufügen, daß auch die tüchtigen Herausgeber der „Cartas de San Ignacio" (Bd. 4, S. 82 u. 234) das Jahr 1554 und nicht 1555 angeben.

Nachschrift. Während der Korrektur obiger Zeiten empfing ich eine neue Ausgabe der Briefe des sel. Petrus Canisius von O. Brauns=berger (s. unten Novitätenschau), welcher im 1. Band auf Seite 537 die oben angegebene Nachschrift, jedoch mit einem Fehler, ebenfalls gedruckt hat und zwar compleantur statt supplantur, wo letzteres ganz deutlich zu lesen ist Außerdem finden wir in der Publikation den oben erwähnten Brief des Canisius an den hl. Ignatius vom 25. März 1555 zum ersten=male in seinem ganzen Wortlaut gedruckt (auf Seite 519 f., Nr. 169). Der sel. Verfasser des Katechismus schreibt also: „Quando al Catechismo, sia laudato il Signor per la cui gratia questa opera quasi gia e finita, et mandaro un' essempiare pieno per altra volta, lassando tutta la correctione a qual si voglia Padre secondo la volonta di V. R. P. Questo dico, accio per altra volta quando se stampasse questa opera, tutto sia correcto et posto in ordine...." Daraus ist zu ersehen, daß der sel. Canisius schon in demselben Jahre eine neue verbesserte Ausgabe seines Werkes beabsichtigte. Uebrigens verbleibt der Verfasser bei seiner früheren Behauptung.

Zwei Urkunden zur Geschichte des dreißigjährigen Krieges.

Mitgeteilt von R. F. Kaindl (Czernowitz).

Gindely schildert in seiner Geschichte des böhmischen Aufstandes von 1618 Bd. I, 320 ff. den ersten Eindruck, welchen die Nachricht vom „Fenstersturze" hervorrief, und die fieberhafte Thätigkeit, welche sich zur Dämpfung des Aufstandes in den ersten Junitagen entwickelte. Seine Darstellung erfährt durch die hier unter I abgedr. Urkunde eine nicht un=wesentliche Bereicherung. Wir ersehen nämlich aus derselben, daß der Kaiser schon am 8. Juni die oberösterreichischen Stände ermahnte, mit den Aufständigen in keinerlei Verbindung zu treten, und dieselben nicht zu unterstützen; hingegen sollten sie treu auf seiner Seite ausharren und ins=

besondere einen gegen Böhmen gelegenen Musterplatz für ein halbes Regiment, das offenbar angeworben werden sollte, bestimmen.[1]

Die unter II veröffentlichte Urkunde ist datiert vom 21. November 1618. Bekanntlich hat sich[2] Bouquoy, nachdem er am 9. November 1618 ostwärts von Budweis geschlagen worden war, in diese Stadt werfen müssen und wurde hier von Thurn belagert. Infolge dieser Truppenanhäufung entstand ein arger Lebensmittelmangel, so daß sich Bouquoy veranlaßt sah, in einem Schreiben vom 15. November den Kaiser um Abhilfe zu bitten. Aus unserer Urkunde erfahren wir nun, welche Schritte der Kaiser that, um der drückenden Not abzuhelfen. Indem er den Oberösterreichern mitteilt, seine Truppen hätten sich nach Budweis gezogen, um Oberösterreich gegen die Einfälle der Böhmen zu schützen (!), fordert er sie auf (dasselbe geschah übrigens auch in Niederösterreich), für Proviantzufuhr nach Budweis zu sorgen, weil seine Truppen dort „die Notturft Proviant vielleicht nicht haben möchten"; auch bemerkt er, daß er zu diesem Zwecke „offen Generalia" habe ausfertigen lassen. (Gleichzeitig verkündet der Kaiser, daß durch Vermittlung des Kurfürsten von Sachsen der Frieden bald abgeschlossen werden würde,[3] und befiehlt, keine weiteren Werbungen vorzunehmen. Die Oberösterreicher hatten nämlich unter dem Vorwande, daß sie die Kriegsgefahr von ihrem Lande abwenden müßten, ihre Soldtruppen bedeutend vermehrt und Befestigungen angelegt, welche nicht nur den Böhmen das Eindringen, sondern vor allem auch Bouquoy den Rückzug zu verwehren geeignet waren.[4]

Schließlich noch einige Worte über die Herkunft der Urkunden. Dieselben rühren aus dem Nachlasse des Herrn Finanzraths a. D. Fr. A. Wickenhauser her (✝ 1891 zu Czernowitz), der dieselben aus seinem Heimatland Niederösterreich in die Bukowina gebracht zu haben scheint. Außer denselben fanden sich noch einige für die Lokalgeschichte Niederösterreichs nicht unwichtige Schriftstücke aus dem 17. und 18. Jahrh. vor. Sämtliche gingen in den Besitz des Schreibers dieser Zeilen über.

I.

8. Juni 1618. Matthias unterrichtet durch den Reichshofrat W. N. v. Grünthal die oberösterreichischen Stände über die Vorfälle in Prag (Fenstersturz); er sei an den Unruhen unschuldig und hätte dieselben in gütlichem Wege nach böhmischem

---

[1] Man vergleiche damit die Bemerkungen Gindelys a. a. O. S 325 über die Erteilung von Werbepatenten in der ersten Juniwoche und S. 365 über die Haltung der Oberösterreicher. Auch ist zu vergleichen Hurter, Geschichte Kaiser Ferdinands II VII, 285 f., wo zwei Schreiben ganz ähnlichen Inhalts an die Verordneten von Niederösterreich angeführt werden vom 15. und 19. Juni 1618.

[2] Vgl. Gindely a. a. O. S. 415. [3] Vgl. Gindely, S. 456, 460 ff.

[4] Vgl. Gindely, S. 429.

Recht entscheiden wollen; die Stände mögen in keiner Weise die Aufständigen unterstützen, vielmehr in gewohnter Treue bei ihrem Erbherrn ausharren und insbesondere einen gegen Böhmen gelegenen Musterplatz für ein halbes Regiment bestimmen; Landeshauptmann und Vizedom ob der Enns werden aufgefordert, die Interessen des Kaisers zu fördern.

Matthias von Gottes Gnaden erwöhlter römischer Kaiser, zu allen Zeitten Mehrer des Reichs.

Instruction auf unsern Reichshofrath und lieben getreuen Wolf Niclasen von Grüenthal zue Krembsegg und Rheinsperg, was in unserm Namen bey unseren getreuen gehorsamen Stendt ob der Enns Verordneten Er als unser kaiserlicher Commissarius und Abgesandter anbringen, handlen und verrichten soll.

Ersternennter von Grienthal solle sich von hinnen alßbaldt erheben, nach Linz begeben und zu seiner Ankhunfft dahin bey gemelten Verordneten anmelden, auch nach Abgebung beygefüegter Credentialen sub A[1]) und danebens Anzaigung unsers Kayf. Grues, Gnad und alles Gueten seinen fürtrag nachvolgenden Innhalts anstellen und volbringen.

Wir wollen gnedigist nicht zweiflen, Inen den Verordneten werde alberait zu Ohrn kommen sein, wasmassen sich unlanngist verwichener Tagen in unserm Königreich Behaim und königlichen Residenz daselbst zu nicht geringem Despect und Verschimpffung unserer gepürenden königlichen Reputation und Hochait ain sehr ergerliche und ganz unverantwortliche That begeben und zuegetragen, indeme sich etliche erstgemelt unsres Königreichs Behaim Unterthanen vermeßner und frävenlicher Weis understanden und gelusten lassen, in unserm königlichen Schloß zu Prag und die darinn habende Canzley in grosser Anzahl mit gewaffneter Hanndt einzufallen, zwen aus unsern wolverordneten Statthaltern und Landtofficirn sambt unserm Secretario in sizendem Rath gewaltsamblich anzutasten, ja dieselben gar zum Fenster hinaus in die Tieffe des Schloßgraben hinunder zu stürzen.

Und ob wir nun wohl alßbaldt hierauff Ursach genug gehabt hetten, mit gebürlicher wolverdienten ernstlichen Demonstration und zwar noch umb sovil desto mehr zu verfahren, weilen es dißfahls, wie man unserer aufgestandenen Underthanenseits aines und anderen Ortts mit scheinberlichen fürgeben vor- und einbilden mag, gar umb thain Religionssachen zue thuen, so seyen wir doch ungeachtet dessen aus vätterlicher fridtfertiger Lieb genzlich entschlossen gewest, hierinnen die Güette der Scherff vorzuziehen und den erhaischenden Haubstritt, aus welchen vorangedeute Thädtlichait entstanden, durch ordenliche Erkantnus vermüg der in obgehörten

---

[1]) Dieser und die folgenden Buchstaben B bis F sind stets auch am Rande des Blattes angesetzt.

Königreich Behaim üeblichen Rechten, dabey den angebnen Defensoribus
und ihren Verwahnten sub utraque Ire Exceptiones nach Notturfft vor-
zubringen unbenommen gewesen were, erörtern und entschaiden zu lassen
und also hiemit menigelich unsern Glimpff und Sanfftmuetigkait zu Erhaltung
gemainer Rhue und Fridtlebens zu erkennen zu geben.

Demnach aber numehr genuegsamblich erscheint, das dise unsere unrhueige aufgestandene Underthanen sambt irem Anhang mit Hindansezung
vorangeregts unsers angebottenen Glimpffs und Sanfftmuetigkait zu an-
gebeütem Recht und fridtlichen Entschiedt auch Erörtterung der angebnen
Strittigkaiten nit kommen zu lassen, sondern diß Orts alles auf die Faust
zu sezen willens sein, inmassen unser Gesandter aus beyverwarten Copien
derjhenigen Schreiben, so unsere königeliche Statthalter an unns nach und
nach abgehen lassen sub B C D zu vernemmen hat, auch sonsten das gemaine
und landtkhundige Geschray genuegsam zu erkennen gibt, das wir also
wider unsern Willen und tragendes fridtliebendes Gemüeth gleichsam gezwungen
zu Erhaltung unserer gebürenden kayf. und königelichen Authoritet, Hochait
und Jurisdiction, deren sich allberait dise unrhueige Underthanen mit Absez-
und Veränderung unserer Beampten, Eingreiffung in die vorwilligten Con-
tributionen, Ausschaffung und Landtsverweisung unschuldiger Personen ver-
messelich unterstehen, wie nit weniger auch zu Versicherung unser selbst
aignen Personen und unserer Königreich Landt und getreuen Underthanen
unns in wirkliche Gegenverfassung zu stellen, dabey wir aber leichtlich erachten
können, das ob disem unserm zuegenöttigten Vorhaben allerhandt wider-
werttige Discurs und Informationes gehen und auf der Paan gebracht und
ungleiche Gedankh eingebüldet werden möchten.

Disennach und damit unsere(r) getreuen gehorsamisten Oberennßerischen
Landstendtverordneten und menigelich dises unversehenen Verlauffs und das
wir ainiche Ursach darzue geben noch unns die geringste Schuldt zuegemessen
werden kan, aigentlich verstendigt werden, haben wir derhalben Ihne Abgesandten zu denselben abgeferttigt gnedigist begerendt, Sy die Verordneten
wollen darob und daran sein, das bey so beschaffnen Sachen denen Widerwerttigen in offtgehörtem unserm Königreich Behaim weder haimb- noch
offentlich nicht allain kain Beyfall und Vorschub oder auch Passierung ainicher
Werbung, Durchlauffs zugs, Munition, noch andere Behelff zuegelassen oder
verstattet, sondern solches ganz ernstlich abgestellet und verwaigert werde,
allermassen wir unns dann ganz kainen Zweifel machen, unsere getreue
gehorsame Landtstandt werden Irer in vil underschidlichen Occasionen lob-
würdig erzaigten bestendig Treu und Devotion nach, auf den Fall es ye
wider unser güettige Intention und gnedigistes Versehen zu ainem andern
und noch mehrern Macht gelangen müeiste, bey unns als irem Erbherrn
und Landtsfürsten mit Rath und Thatt beywohnen und das eüsserste dabey
zuesezen, unns auch, damit wir unser werbendes Kriegisvolckh alßbalt auf
den Fues bringen können, ohne ainichen bey so unumbgenglicher eyl ganz
geserlichen Aufzug jezo ainen Mussterplaz gegen Behem werts auf ein

halbs Regiment außzaigen, wie den zu Verschonung der Underthanen denen Soldaten das Lifergelt geraicht werden und sovil immer müglich der Underthanen Betrangnus verhiet werden solle.

Auf den Fall aber unser Abgesandter vermerckhen und befinden wurde, das man dises entstandenen beheimschen Unwesens halben in particulari etwa mehrern Bericht degere und erfordern möchte, wirdet Er sich dißorts beyligenden Information sub E und darinnen begriffnen Erheblichait sein unns bekannten Vernunfft und Discrection nach zu gebrauchen wissen.

Nit weniger soll unnser Gesandter mit unserm Verwalter der Lanndtshauptmanschafft und Vizdomb ob der Ennß das auch communicirn und dieselben, als beede unsere getreue Officier unser diß Orts wolmainende Intention aller Müglichhait nach zu befürdern sich bemüehen sollen, vermanen, zu welchem Endt er Gesandter an dieselben sub F Credentiales zu empfahen.

Wie er sich nun unverlengt widerumben herab zu befürdern, auch seiner Verrichtung außführliche Relation zu thuen hat, als sein Wiers derselben gnedigist erwärttendt und bleiben ime mit kayf. und landtsfürstlichen Gnaden wolgewogen.

Geden in unser Statt Wien den achten Tag des Monats Juny Anno sechzehenhundert achtzehend, unserer Reiche des römischen im sechsten, des hungrischen im zehendten, und des behemischen im achten.

Matthias m. p.

L. S.

Ad mandatum sac. caes.
Maiestatis proprium.

(Auf der Rückseite des vierten und letzten Blattes: Khayserliche Instruction von 8. Juny a. 1618.)

II.

21. November 1618. Matthias teilt durch den Reichshofrat W. R. Grüenthal den Ständen ob der Enns mit, daß seine Truppen sich nach Budweis gezogen hätten, um einem Einfall der Böhmen nach Oesterreich vorzubeugen; er meldet ihnen, daß durch Vermittlung des Kurfürsten von Sachsen der Friede zustande kommen und sodann die Entlassung des Kriegsvolks erfolgen werde; da aber im Feldlager Nahrungsnot herrsche, möge man für Zufuhr sorgen; die Stände sollen keine weiteren Truppen anwerben; Grüenthal soll die Landtagsmitglieder vor Zusammentritt des Landtags zu gewinnen suchen. P. S. Die Verordneten und die Ausschüsse mögen den für die Truppen an der ungarischen Grenze bestimmten Betrag alsbald auszahlen; der Kaiser werde sie am künftigen Landtage rechtfertigen.

Matthias von Gottes Gnaden erwohlter römischer Kaiser, zu allen Zeitten Mehrer des Reichs.

Instruction, was unser Reichshofrath und lieber getreuer Wolff Niclaß von Grüenthal zu Krembsegg bey einer ersamen Landtschafft od der Ennß Verordneten und adjungierten Aufschüzen in unserm Namen andringen und verrichten soll.

Demnach wir gemelten Verordneten und Inen adjungierten Aufschüssen gnedigist parte geben lassen wollen, warumben unser Veldtleger auß irem dis daher innen gehabten Posto aufdrochen und nach Budtweiß sich begeben; danebens was wir unns für Clemenz und güettigen Mitl diß daher, diß behaimische Unwesen zu stillen, gebraucht haben. Alß solle ermelter von Grüenthal sich alßbaldt hinauff nach Lynz verfüegen, zu seiner Ankunfft dahin mit beyverwahrten Credentialn bey obgedachter gemainer Landschafft Verordneten und adjungierten Aufschüzen begeben, denselben unser kay. und landtsfürstliche Gnad vermelden und danebens unser gnedigist und väterliche Intention; auch was es mit unserm Veldtläger für aine Mainung hab, anzaigen, das nemblich sich bemelt unser Veldtleger dahin nach Buttweiß begeben, hierdurch die Päß und Gräniz gegen Österreich under und ob der Ennß zu versichern, in Erwegung die widerwertigen Behaim mit Ein- und Ueberfall unsern getreuen gehorsamen Landtstenden berait schrifftlich getrohet, dessen sy also gänzlich geübrigt und ohne Gefahr sein können. Zudem so hat unser Abgesandter auß beyverwahrtem Extract den Verordneten und adjungierten Aufschüssen die ganze Beschaffenhait dises Unwesens und was wir alles zu Still und Hinlegung desselben gethan, zu communicieren, sonderlich aber das die Sach auf Interpofition stehet, unnd wir des Churfürsten zu Sachssen L. vaßt alle Difficulteten, so sich der Deposition Armorum halder befinden möchten, übergeben und auf unser Kay. Wort sich hirauff diß Werds zu unternemen gnedigist committirt; daher wir unns gnedigist versehen wollen, es möchte numehr zum Friden gelangen und die Abbandung des Kriegsvolds darauß ervolgen.

Wann aber gemelt unser Veltläger, umb das die widerwerttigen sich hievor aldort herumben befunden und vaßt alles aufzehrt, die Notturfft Proviant villeicht nit haben möchten, also sähen wir gnedigist gern, das demselben gegen Bezahlnng auß Österreich unter und ob der Ennß allerhandt Victualien, wie wir dann offne Generalia derwegen berait außzufertigen bevolhen, zugeführt würden. Alß ersuechten wir hirauff sy die Verordneten und adjungierten Außschüß gnedigist, Sy wollen solche Zuefuhr allermügligkait nach, zumahln es mit der Irigen Nuzen beschiecht und sich berait underschiedtliche willfährig hierzue anerbotten, befürdern helffen.

Unnd wie nun hirauß die Verordneten und adjungierte Außschüß unser wolmainende Intention,[1] das wir alß Vatter des Vatterlandts unns

---

[1] Offenbar sind hier die Worte „erkennen könnten" ausgefallen.

nichts mehrers angelegen fein laffen, denn wie man zu Fridt und Ruhe gelangen mechte; daher wir unns gnedigift verftehen wolten, Sy werden hirunder fchultpflichtig correfpondiren und fich unns gehorfamift vertrauen.

Zum Fall aber unfer Abgefandter vermerckt, das man derortten auf mehrere Werbung oder Auffbott des Landtvolcks oder das Riftgelt an= fchlagen und einfordern wolte, welches außer aines gemainen Landtags hievor niemals befchehen, auch nit dafür halten wollen, das wider alles Herkomen fo weit gegangen werden folte, alß würd fich unfer Gefandter eufferift bemühen und Sy darvon abmahnen, umb willen bey difer Wintters= zeitt fo groffer Uncoften wol erfpart und hernach auf Abdankung des Kriegsvolcks, fo villeicht ehift fich begeben möcht, verwent werden kan.

Welches gemelter unfer Abgefandter denen Verordneten und abjungierten Außfchüffen alfo fürzutragen, auch weyln wir den Landtag zu befürdern gnedigift bedacht, bey denen Landtsmitgliedern hin und wider guete Prae= paratoria darzue zu machen wiffen wirt, fo wir ime feiner unns bekandten Dexteritet nach gnedigift vertrauen. Unnd foll unns danebens, was er für Erclärung hirüber von den Verordneten und abjungierten Außfchüffen er= langen würdt, alßbald fchrifftliche Relation neben dem, was derortten tractiert und gefchloffen werden möcht, in gleichem gehorfamlich uberfenden.

Unnd pleiben benebens demfelben mit kay. und landtsfürftlichen Gnaden gewogen. Geben in unferer Statt Wienn den einundzwainzigiften Novembris anno fechzehnhundert und achtzehenden unferer Reiche des römifchen im fibenden, des hungerifchen im ailfften und des behaimifchen im achten.

Matthias m. p.

L. S.

Ad mandatum facrae caes.
majeftatis proprium.

P. S.

Es folle auch unnfer Abgefandter mit denen Verordneten und abjungierten Außfchüßen unnfertwegen beweglich handlen, weilen die hungerifchen Gränizen wegen deß fo lang verzognen Landtag an Proviandt hoch emplöft, daß Sy die getreuen gehorfamen Stendt järliche bewilligte m/50 fl hierzue, damit diefelben unverzogentlich khinnen verfehen werden, alßpalt dargeben wolten; hergegen wier unnß anerbietten, in khünfftigem Landtag bey den Stenden folliches in Richtigkhait zu bringen und fy die Verordneten und abjungirte Außfchüß bey denfelben zu vertretten und ohne Schaden zu halten. Datum ut in inftructione.

(Auf der Rückfeite des dritten und leßten Blattes der Inftruction fteht: „Khayß. Inftruction und Poftfcription dat. Wien den 21. Nov. a. 1618“. Das Poftfcriptum ift auf einem vierten nicht angehefteten Blatte niedergefchrieben).

Rezensionen und Referate.

*Dante Alighieri, la divina Commedia riveduta nel testo e commentata da **G. A. Scartazzini**, 2ª edizione. Milano, Ulric Hoepli. 1896. XX, 1034 u. 122 S. 8⁰.

Drei Jahre nach dem erstmaligen Erscheinen der kleinen Dante-Ausgabe, welche wir dem unermüdlichen Dante-Forscher am Hallwyler See verdanken, erscheint eine neue Auflage derselben. In ihrer typographischen Ausstattung und hinsichtlich des bei aller Knappheit ungewöhnlich reich-haltigen Kommentars verdient sie höchste Anerkennung. Für die Herstellung des Textes folgte Scartazzini schon in seiner großen dreibändigen Dante-Ausgabe (Leipzig, Brockhaus 1874—82) einem eklektischen System. Die Lesarten der besten Handschriften, wie sie ihm durch alte und neue Drucke vermittelt wurden, zog er zu Rate. Aber auch die alten Kommentare, namentlich die des 14. Jahrh., glaubte er bei der Rekonstruktion des Textes nicht vernachlässigen zu sollen. Denn die ihnen vorgelegenen Hand-schriften dürften teilweise älter gewesen sein, als die älteste Handschrift des Gedichtes, die wir jetzt noch kennen (Sc. Dante-Handbuch S. 497 f.). Eine wirklich abschließende kritische Ausgabe der großen Dichtung, für welche unbedingt die Archetypen der verschiedenen Gruppen unter den mehr als 500 erhaltenen Handschriften und die namhafteren Ableitungen zu ver-gleichen sind, bleibt freilich immer noch ein dringendes Bedürfnis. — Sc. selbst hat ein gutes Menschenalter hindurch seine beste Kraft den Dante-Studien gewidmet. In polemischer Erörterung hat er entgegenstehende Ansichten oftmals lebhaft, manchmal schroff und verletzend bekämpft. Aber rastlos war er thätig, das Verständnis der tiefsten, Diesseit und Jenseit umspannenden Dichtung sich selbst und andern voller zu erschließen, den Lebensgang des Dichters und das Werden der übrigen Werke desselben mit kritischem Blick zu erfassen. Daß der Gelehrte des 19. Jahrh. dabei mehr als einmal seine Ansichten geändert hat, wer wollte es ihm gegenüber so schwierigen Problemen übel deuten? Jeder Tag bringt neue Belehrung und Sc. verschmäht es nicht, von jüngeren und älteren Fachgenossen zu lernen, wenn sie beachtenswerte Früchte bieten. Die neueste Ausgabe zeigt uns fast auf jeder Seite, wie scharf der Herausgeber die neueste Dante-Literatur verfolgt. Die in den letzten Jahren im Druck erschienenen älteren Kommentare sind selbstverständlich gewissenhaft benutzt; den ältesten, noch den zwanziger Jahren des 14. Jahrh. angehörigen Kommentar des Bolognesen Graziolo de' Bambaglioli hat uns jetzt Antonio Fiammazzo zugänglich gemacht. Aber auch die große Erläuterung, welche der Minorit Fra Giovanni da Serravalle, Bischof von Fermo, während des Konzils von Konstanz 1416/17 auf deutschem Boden seiner lateinischen Uebersetzung der Divina Commedia hinzufügte (f. Hist. Jahrb. XVI, 512), wurde nicht vernachlässigt.

Zu Inferno I möge hier auf die trübe Schilderung hingewiesen werden, welche einer der Geisteshcroen des Mittelalters, Roger Baco, anfangs der 70er Jahre des 13. Jahrh. von den Zuständen in der Kirche seiner Zeit entwirft. Sie gipfelt in dem einseitig generalisierenden Satze: totus clerus vacat superbiae, luxuriae et avaritiae.[1]) Der Danteforscher erinnert sich dabei der drei symbolischen Tiere, des Panthers, des Löwen und der Wölfin in der selva oscura vor Eintritt in die Hölle. Das Heilmittel für die Schäden der Zeit sieht der englische Minorit in dem Zusammenwirken des besten Papstes mit dem besten Kaiser: Sed nunc quia completa est malitia hominum, oportet quod per optimum papam et per optimum principem, tanquam gladio materiali coniuncto gladio spirituali purgetur ecclesia.[2]) An anderer Stelle spricht Roger Baco bekanntlich dem Papst Klemens IV gegenüber i. J. 1267 die frohe Hoffnung aus, daß er, Klemens, der seit 40 Jahren prophezeite große Papst der allgemeinen Kirchenreform sein werde, unter welchem die Griechen zur Einheit der römischen Kirche zurückkehren, die Tartaren sich bekehren, die Sarazenen unterworfen und die Worte verwirklicht werden: fiet unum ovile et unus pastor.[3]) Von solchen prophetisch angeregten Erwartungen, welche in der gesteigerten Kreuzzugsbewegung während der Pontifikate Innocenz III, Honorius III und Gregors IX einen besonders günstigen Nährboden fanden und i. J. 1227 einen ersten Kulminationspunkt erreichten, war auch das 14. Jahrh. erfüllt; der Gedanke liegt nicht fern, auch Dante habe ihnen sein Herz nicht verschlossen. Bekanntlich wird der veltro von manchen älteren Erklärern auf das unmittelbare Eingreifen Jesu Christi gedeutet.[4]) Aus Dantes eigenem Munde hören wir im zweiten Buche der Schrift

---

[1]) Rogeri Baconis opera quaedam inedita ed. Brewer, London 1859. S. 399.

[2]) A. a. O. 403.

[3]) A. a. O. 86. Döllinger, kleine Schriften. S. 509 f.

[4]) Scartazzini stellt im Purgatorio seiner größeren Dante-Ausgabe (Leipzig 1875) S. 801—17 eine Reihe von Erklärungen des Veltro und Dux zusammen. . . . .

De Monarchia c. 12,[1]) an einer Stelle, wo der Verfasser vom Haupt=
wege seiner Erörterung abschweifend, den Nepotismus in der Kirche seiner
eigenen Zeit lebhaft beklagt, die bemerkenswerten Worte: Sed forsitan
melius est, propositum prosequi et sub pio silentio Salvatoris
nostri expectare succursum. Der Zusammenhang schließt nicht
aus, daß Dante auch hier die Hilfe des Herrn von dem Zusammenwirken
eines gottgesandten Papstes mit einem gottgesandten Kaiser erwartet.

Neben dem Veltro in Inferno I steht der Dux in Purgatorio XXXIII
vv. 37—45: Das nach Dante entartete Papsttum, das mit dem Riesen,
dem Königshause von Frankreich buhlt, soll nebst dem Riesen von dem
Gesandten des Herrn, dem Messo di Dio, der mit der mystischen Zahl 515
bezeichnet wird, niedergeworfen werden, und der Adler des Kaisertums,
der seine Federn im Wagen der Kirche gelassen, nicht allzeit ohne Erben
bleiben; die Rache Gottes fürchte sich nicht vor dem Uebelthäter, der am
Grabe des Erschlagenen triumphiere. — Hier darf unmittelbar an die
Kaiserprophetie erinnert werden, wie sie sich im 13. und 14. Jahrh. in
Italien ausgestaltete. Hatte die Kaiserhoffnung des früheren Mittelalters
unter dem Einfluß des merkwürdigen Methodiusbuches und der Schrift
des französischen Abtes Abso (948), den letzten mächtigen Kaiser der End=
zeit aus französischem Königshause erwartet, so manifestiert sich die national=
deutsche Reaktion gegen diese Auffassung im 12. Jahrh. mit besonderer
Lebhaftigkeit in dem Tegernseer ludus paschalis de Antichristo.[2]) Hier
treffen wir zum erstenmal in der mittelalterlichen Prophetie auf den Kampf
der Franzosen und der Deutschen um das Kaisertum, der mit dem Siege
der letzteren endet. Vor der Mitte des 13. Jahrh. verkündet der pseudo=
joachimitische Kommentar zum Propheten Jeremias den Spruch: „Es wird
der Franke (= Franzose) überwunden werden, es wird der Papst gefangen
genommen werden, es wird der Kaiser der Deutschen die Oberhand be=
kommen".[3]) In Minoritenkreisen erinnern in demselben 13. Jahrh. der
Engländer Alexander von Hales und der Deutsche Albert von Stade an
dieses prophetische Wort.[4]) Die engere Verbindung zwischen dem Papsttum
und dem französischen Königshause, wie sie im Zeitalter der staufischen
Dynastie und vornehmlich bei ihrem Sturze sich vollzieht, geben ihm im
ghibellinischen Lager neue Nahrung. Demütigung des französenfreundlichen
Papsttums, Niederwerfung des französischen Königshauses und siegreiches

---

[1]) Ed. altera Carol. Witte S. 80.

[2]) Man vergleiche die schönen Darlegungen von Franz Kampers in seiner in
zweiter Auflage unter dem Titel: „Die deutsche Kaiseridee in Prophetie und Sage",
München 1896, erschienenen Doktorschrift S. 39—63 (s. oben S. 707).

[3]) Ps. Joachim super Hieremiam Venet. 1516 fol. 60ʳ; der Druck hat:
domatur Alemanus imperator statt dominatur.

[4]) Vgl. meine Ausführungen über die deutsche Kaisersage im Hist. Jahrb. XIII,
S. 101 f.

Auffteigen des römisch=deutschen Kaiferablers, das ist das Losungswort, welches seit dem Falle Manfreds die Hoffnung der Ghibellinen Italiens trotz des Vordringens der französisch=angiovinischen Macht immer von neuem und frisch belebt. Während das große Interregnum des 13. Jahrh. Kirche und Reich in Deutschland wie in Italien zerrüttete, ließ der englische Kardinalbischof von Porto, Johann von Toledo, ein Mitglied des Cisterzienser=ordens, einen dieser Sprüche aus Italien nach Deutschland gelangen. Dort fand er alsbald Aufnahme in die Chronik eines Erfurter Franziskaners: Karl I von Anjou, der König von Neapel, welcher Konradin den Tod bereitete, soll danach vernichtet, ebenso aber auch das Königreich Frankreich dem Untergange geweiht werden und Friedrich der Freidige von Thüringen, der Nachkomme des staufischen Friedrich II seine Kaiferherrschaft bis an die Enden der Erde ausdehnen. Unter ihm werde auch der Papst gefangen genommen werden.[1] Dieselbe franzosenfeindliche Lösung des Kaiferdramas verkündigt ein prophetischer Spruch, welchen der englische Chronist Bartholo=mäus Cotton am Ende des 13. Jahrh. überliefert.[2] Die Verse sollen an=

---

[1] Regnabit Menfridus bastardus a flatu mezani usque ad finem regni. Contra quem veniet rex ultramontanus, leo Francie (Karl I), propter audaciam et feritatem, qui debellabit eum et auferet dyadema de capite suo. Tunc surget filius aquile (Konradin) et in volatu suo debilitabitur leo, et 21 dies post conflictum filius aquile incidet in os leonis et post hec leo modico tem-pore regnabit. Orietur enim ramus de radice regni Fridericus nomine orientalis, qui debellabit leonem et ad nichilum rediget, ita ut memoria sua non sit amplius super terram. Cuius potencie brachia extendentur usque ad finem mundi. Ipse enim imperans imperabit et sub eo summus pontifex capietur. Post hec Theu-tonici et Hyspani confederabuntur et regnum Francie redi-gent in nichilum. M. G. hist. SS. XXIV, 207. S. Hist. Jahrb. XIII, 113.

[2] Bartholomaeus Cotton, historia Anglicana ed. Luard in den Scriptores rer. Britannicar. London 1859 S. 239:

Gallorum levitas Germanos iustificabit
Italiae gravitas Gallos confusa necabit
Millenis ducentenis nonaginta sub annis
Et tribus adiunctis consurget aquila grandis
Gallus succumbet, aquilae victricia signa.
Mundus aborrebit, erit urbs vix praesule digna,
Papa cito moritur, Caesar regnabit ubique.
Sub quo tunc vana cessabit gloria cleri.
Terrae motus erunt, quos non prius auguror esse
Constantine cades et equi de marmore facti.
Et lapis erectus et multa palatia Romae.

Hier wird neben dem Tode des Papstes und der Demütigung des Klerus auch die Zerstörung der Stadt Rom vorausverkündigt. Tod und Niederlage der Franzosen sind in dieser Form möglicherweise erstmals i. J. 1281/82 im Hinblick auf die fizilianische

geblich in Rom aufgefunden und i. J. 1293 an englische Freunde geschickt worden sein. Wie lebhaftes Interesse man ihnen entgegenbrachte, bezeugt die Thatsache, daß sie noch i. J. 1310, wahrscheinlich mit bezug auf Heinrich VII von Luxemburg wiederholt,[1] und auch später in Italien noch öfter, am Anfange des 16. Jahrh. sogar von Hartmann Schedel, abgeschrieben wurden. Mit bezug auf Kaiser Karl V sind sie selbst noch im J. 1520 ins Deutsche übertragen worden.[2] Auch in diesen Versen wird mit der Niederlage der Franzosen der Tod des Papstes[3] und die Demütigung des Klerus verbunden. Nicht wesentlich anders gestaltet sich das Bild, welches das bei dem Würzburger Geschichtschreiber Michael de Leone zum Jahre 1348 verzeichnete Vaticinium uns entrollt: Unus solus erit dominus. Imperium Romanum exaltabitur. Magna rixa erit in terra. Tyrannus rex Francie cadet cum baronibus suis. Bononia ditabitur . . . Papa dissipabitur cum cardinalibus suis. Weitere Hinweise auf italienische Verhältnisse lassen den italienischen Ursprung auch dieses Spruches als unzweifelhaft erscheinen.[4]

Inmitten der Zerrissenheit und Zerklüftung der italienischen Parteiverhältnisse des 13. und 14. Jahrh. verlangt das Volk und verlangen seine geistigen Führer nach Frieden. Misericordia e pace! so lautet der Schrei, der tausend- und abertausendmal sich der gepreßten Brust der Geißler entringt, welche wenige Jahre vor Dantes Geburt, i. J. 1260, die italienischen Städte durchziehen;[5] noch i. J. 1399 ertönt derselbe Ruf nach Erbarmung und Frieden; inmitten kirchlicher und politischer Zerrüttung geht durch die Orte Italiens die neue Bußfahrt, deren Teilnehmer sich abmühen, um von Gott das schmerzlich vermißte Gut des Friedens zu erflehen.[6] Jo vo gridando pace! pace! pace! so konnte Petrarka seinem

---

Vesper in den Spruch aufgenommen worden. Man sehe auch Kampers, Kaiseridee S. 98 u. 208. Die Reihenfolge der Verse habe ich, abweichend vom Druck, nach dem Sinn und den Reimen hergestellt.

[1] Archiv der Gesellschaft für ältere deutsche Geschichtsk. X, 528 f.; Forschungen zur deutschen Geschichte XVIII, 572.

[2] Kampers, Kaiseridee, S. 144 f. M. Jähns, der Vaterlandsgedanke und die deutsche Dichtung, S. 38 (s. oben S. 447).

[3] Im deutschen Text von 1520 heißt es: Bebstliche gewalt wirt den ersterben.

[4] S. Hist. Jahrbuch XIII, 133 f.; Böhmer Fontes I, 474.

[5] Nach den Annales Placentini Gibellini ad a. 1260 rufen die Geißler pacem et beatam Mariam, M. G. h. SS. XVIII, S. 512, Z. 35: nach Francesco Pipin, dem bolognesischen Geschichtschreiber des 14. Jahrhs. lautet ihr Ruf: pax, pax! Muratori, script. rer. Ital. IX, Sp. 704. Ich zitiere die Worte: Misericordia e pace nach dem Gedächtnis, da mir ihre Quelle augenblicklich nicht zur hand ist.

[6] Jacob Philipp von Bergamo Supplementum Cronicarum 1483 und später z. J. 1399.

schwer heimgesuchten Volke zurufen.[1]) Die Friedenssehnsucht ist dem Dichter der Divina Commedia mit dem jüngeren Zeitgenossen, und Tausenden seiner Landsleute gemein.[2]) Deshalb verlangt er mit so vielen unter Italiens Söhnen auch im kirchlichen Lager nach der Wiederaufrichtung eines starken Kaisertums, das allen Völkern und Ländern den Frieden vermitteln könne. Prophetisch angehauchte Geister sehen den Herrscher bereits als Retter, als Erlöser, als Abgesandten Gottes, als dei missus dux einziehen unter günstigem Gestirn.[3]) Nach Dantes Tode wird selbst im alten tuszischen Gebiete des Kirchenstaates, in Viterbo und Corneto, der über Friedrich von Oesterreich siegreiche Ludwig der Bayer gleichsam als ein Messias erwartet. Kein Geringerer als Papst Johannes XXII gibt uns unter dem 18. Dezember 1325 von dieser schwärmerisch gesteigerten Volks= stimmung Kunde.[4])

In diesem Zusammenhange erkennen wir Dantes Verse im Purga= torio XXXIII, 34—45 als ein Glied in der Kette der mittelalterlichen kaiserfreundlichen oder antifranzösischen Kaiserprophetie.[5]) Wie die angeführten Kaisersprüche, so tritt auch Dante dem in Italien durch pseudojoachimitische Schriften weit verbreiteten Pessimismus in bezug auf das Kaisertum mit aller Entschiedenheit entgegen. Der unter Joachims Namen umlaufende Kommentar zum Propheten Jeremias schloß mit dem hoffnungslosen Aus= blick in die Zukunft: In ipso (scil. Friedrich II) quoque finitur imperium,

---

[1]) Am Schluß der berühmten Canzone Italia mia, benche 'l parlar sia in- darno, vgl. Emile Gebhardt, moines et papes S. 88.

[2]) Vgl. auch Scheffer=Boichorst, aus Dantes Verbannung S. 3 f. 240 ff.

[3]) Vgl. das von Isidoro del Lungo nach einer Hf. der Magliabecchiana saec. XIV veröffentlichte Gedicht: Audite magnalia in Dino Compagni Vol. I p. II, Firenze 1880 S. 621 A. 1:

> Jam deorsat vir elatus
> Jovialiter causatus
> Alta petit saturnatus
> Divinis auxiliis.

> Notus erit in palestris
> Dei missus dux a dextris
> Ponet lupum in fenestris
> Eiusque satellites.

[4]) Vatikanische Akten zur deutschen Geschichte in der Zeit Ludwigs des Bayern, Innsbruck 1891, S. 260 Nr. 598: Joh. XXII Patrimonii b. Petri in Tuscia Rectori: Ludovici ... quem in ipsis partibus velut adventum Messie dicuntur vanis cogitationibus expectare.

[5]) Vgl. auch Döllinger, Dante als Prophet, in: „Akademische Vorträge" I, 100. Döllinger hat die von mir angezogenen Kaiservatizinien in dieser akademischen Rede nicht verwertet; der von ihm S. 99 Anm. 2 zitierte pseudojoachimitische Kommentar zu Jeremias hat eher Dantes Widerspruch herausgefordert. S. oben im Text.

quia et si successores sibi fuerint, tamen imperiali vocabulo et Romano fastigio privabuntur.[1]) Bruder Salimbene aus Parma wiederholt noch vor Ablauf des 13. Jahrhs. den bedeutungsvollen Satz in seiner Chronik, soviel ich sehe, viermal.[2]) Das seien Worte einer Sibylle, so bemerkt er. Er habe sie freilich weder bei der Erithrea noch in der Tiburtina gefunden. Aber dennoch seien sie wahr. Es sei einmal nicht Gottes Wille, quod de cetero aliquis imperator surgat post Fridericum secundum.[3]) Auch im 14. Jahrh. mußten die so bestimmt lautenden Worte des Jeremias= Kommentars, die unter Joachims Autorität umliefen, dem Pessimismus neue Nahrung liefern. Da tritt Dante auf und verkündigt mit vollem Nachdruck durch Beatricens Mund:

> Non sarà tutto tempo senza reda
> L'aquila che lasciò le penne al carro,
> Per che divenne mostro e poscia preda;
> Ch'io veggio certamente, e però il narro,
> A darne tempo già stelle propinque,
> Sicure d'ogni intoppo e d'ogni sbarro,
> Nel quale un cinquecento diece e cinque,
> Messo di Dio, ancidera la fuja
> Con quel gigante che con lei delinque.[4])

Wen der Dichter dabei als den Messo di Dio im Auge hat, wird sich mit absoluter Gewißheit nicht mehr festftellen lassen. Heinrich VII, den er früher als das Lamm Gottes begrüßte, welches hinweg= nimmt die Sünden der Welt,[5]) war allem Anscheine nach bereits todt. Der Herbst des Jahres 1314 brachte die leidige Doppelwahl

---

[1]) Joachim super Hieremiam prophetam. Venetiis 1516, S. 62. Den im Druck verderbten Text habe ich nach den Zitaten bei Salimbene gebessert. Die Venetianer Ausgabe hat statt sibi das hier nicht passende Christi. Die ganze Stelle im Jeremiaskommentar als spätere Interpolation anzusehen (so Kampers, Kaiseridee S. 205 ad S. 91 Anm. 14) liegt kein zwingender Grund vor. Auf jeden Fall müßte sie vor Heinrichs VII Kaiserkrönung, also vor 1312, interpoliert sein.

[2]) Monumenta historica ad provincias Parmensem et Placentinam pertinentia t. III, Parme 1857, S. 167, 224, 268, 378.

[3]) Vgl. die angeführten vier Stellen.

[4]) Purgatorio XXXIII, 37 ff. S. auch Döllinger, akademische Vorträge I, 100. Uebrigens hatte auch Brunetto Latini in seinem um das Jahr 1266 abgefaßten Schatzbuch geschrieben: „Wenn Merlin und die Sibylle die Wahrheit sagen, so muß mit Friedrich II die Kaiserwürde zu ende gehen; doch weiß ich nicht, ob dies bloß von seinem Geschlechte oder von den Deutschen oder von allen insgemein zu verstehen ist." Brunetto Latini, livres dou trésor ed. Chabaille S. 93, Döllinger, kleine Schriften S. 507.

[5]) Dante Alighieri, opere minori ed. Fraticelli, t. III. S. 466.

im römisch-deutschen Königtum, welche Ludwig den Bayer und Frie=
drich von Oesterreich als Gegner einander gegenüberstellte und auch
Italien in Mitleidenschaft zog. Vielleicht war v o r derselben wiederum
von einer Kandidatur des noch in kräftigem Mannesalter stehenden Land=
grafen Friedrichs des Freidigen von Thüringen die Rede. Ob Dante für
einen der genannten Kandidaten bezw. Prätendenten oder für einen anderen
Machthaber sich lebhafter interessierte, kann mit Sicherheit nicht mehr ent=
schieden werden. Die spätere Verwertung der Prosaschrift De Monarchia
im Lager Ludwigs des Bayern, von welcher Boccaccio berichtet, gestattet
keine Rückschlüsse auf Dantes eigene Parteistellung. Nur so viel steht fest,
daß der Dichter in der Prosaschrift De Monarchia III c. 16 (15) das
aktive Wahlrecht der d e u t s c h e n Kurfürsten für die Besetzung des römisch=
deutschen Königsthrones anerkennt. Aber freilich scheint er gerade für diese
Institution eine gewisse historische Entwickelung anzunehmen.[1] Scartazzini
thut daher wohl daran, auch in der neuen Ausgabe der Divina Commedia
die vielbehandelten Fragen nach der Persönlichkeit des Veltro und des
Dux unentschieden zu lassen. Nur das kann man mit einiger Bestimmtheit
sagen: der Dichter erwartete das Heil der Menschheit von dem har=
monischen Zusammenwirken eines mächtigen Weltkaisers mit einem gott=
begnadeten Papst.[2]

Nun noch ein Wort über die dunklen Verse 34—36 in Purgator. XXXIII,
in denen Beatrice dem Dichter verkündigt:

> Sappi che il vaso, che il serpente ruppe,
> Fu e non é, ma chi n' ha colpa creda,
> Che vendetta di Dio non teme suppe.

Der Dichter soll wissen, daß die Rache Gottes sich nicht fürchtet vor
,suppe', und dem Kaiseradler der Erbe nicht fehlen werde. Die älteren
Dante=Kommentare deuten die ,suppe' mit bezug auf einen in Florenz
eingebürgerten Gebrauch, wonach derjenige, welcher einen anderen erschlagen
hatte, vor der Rache der Familie des Erschlagenen geschützt war, wenn er
innerhalb neun Tagen nach dem Todschlag auf dem Grabe des Erschlagenen
Wein und Brot essen konnte. Der dem Jahre 1375 angehörige Kommentar,
welcher fälschlich dem Boccaccio zugeschrieben wurde, erläutert den Vers
von der Rache Gottes mit dem Hinweis auf König Karl I von Neapel,
welcher nach der Hinrichtung Konradins diese Tunke über den Leichen des
jungen Staufers und seiner Genossen verzehrt und sich dadurch für immer

---

[1] De Monarchia III c. 16 (15): Ex quo haberi potest ulterius, quod
nec isti qui nunc, nec alii cuiuscumque modi dicti fuerint
Electores sic dicendi sunt, quin potius denunciatores divinae pro-
videntiae sunt habendi.

[2] S. darüber die Schlußworte der Monarchia ed. C. Witte, 1874. S. 140,
Hist. Jahrb. XVI, 537.

gegen jede Rache sicher geglaubt habe.[1]) Betrachtet man Dantes Kaiserprophetie im Lichte der älteren Vatizinien, namentlich jenes Spruches,
welchen Kardinal Johann von Toledo nach Deutschland gelangen ließ, in
welchem der Untergang des Anjou vorausverkündigt wird,[2]) so tritt thatsächlich der Vers 36 im 33. Gesange des Purgatorio ungemein plastisch
hervor; die Stellung, welche Dante dem angiovinischen Hause gegenüber
einnahm, legt dazu eine Deutung des Verses 36 im Sinne des falschen
Boccaccio außerordentlich nahe. Ist ja die Rache für Manfred und
Konradin auch noch im späteren Verlaufe des 14. Jahrhunderts eines der
Motive, mit welchem der Dichter Fazio degl' Uberti Ludwig den Bayer
anfeuert, den Kaiserruhm Karls des Großen und Ottos von Sachsen in
Italien zu erneuern.[3]) Dante aber würde bei obiger Auslegung des 36. Verses
ganz ähnlich wie das Kaiservatizinium des Kardinals Johannes von Toledo
aus den Jahren 1268—71 vorausverkündigt haben: die Rache Gottes über
die am Grabe Konradins triumphierende angiovinische Dynastie, weiter in
den folgenden Versen die Demütigung der Kurie und des mit ihr verbündeten französischen Königshauses, sowie das siegreiche Aufsteigen des
Kaiseradlers.

Namen- und Sachregister und ein von Luigi Polacco neu bearbeitetes
Reimverzeichnis der Divina Commedia erhöhen den Wert der neuen Ausgabe Scartazzinis. Der mäßige Preis von 4½ Lire erleichtert die Anschaffung.

München.   H. Grauert.

---

[1]) Divina Commedia, Purgatorio ed. Scartazzini. Leipzig 1875, S. 775.
Chiose sopra Dante (falso Boccaccio) ed. lord Vernon, Firenze 1846. S. 515.

[2]) S. oben S. 817 A. 1.

[3]) Liriche di Fazio degli Uberti ed. Rodolfo Renier, Firenze 1889. S. 95:
          In Bavera, canzon, fa che tu passi
          al segnior nostro e quivi t'inginocchi,
          e davanti a' su' occhi
          benignamente il tuo parlar spiega.
          E poi divota il priega
          ch' e' venga, o mandi, e non dia indugio
          però ch' a lui s' avvene al bene,
          di suscitare el morto ghibellino
          e vendicar Manfredi e Corradino.

Neuere sagengeschichtliche Literatur.
I.

1. **Wadstein** (E.), die eschatologische Ideengruppe: Antichrist—
Weltsabbat—Weltende und Weltgericht in den Hauptmomenten
ihrer christlich mittelalterl. Gesamtentwicklung. Leipzig, Reisland.
1896. IX, 205 S.

2. **Maury** (A.), croyances et légendes du moyen âge. Nouvelle édition des 'Fées du moyen âge' et des 'Légendes pieuses',
publiée d'après les notes de l'auteur par MM. Aug. Longnon
et G. Bonet-Maury. Avec une préface de M. Michel Bréal.
Paris, Honoré Champion. 1896. 1 Portr. LXII, 459 S. 12 fr.

3. **Vassiliev** (A.), anecdota Graeco-Byzantina. Pars prior.
Collegit, digessit, recensuit —. Mosquae 1893. LXXII, 345, II S.

1. Bereits im Hist. Jahrb. XVI, 888 wurde ein Referat über
Boussets Schrift über den Antichrist gebracht. Der gelehrte Referent wird
verzeihen, wenn hier abermals, um das folgende in das rechte Licht setzen
zu können, kurz auf dieses Werk hingewiesen wird. Bousset versuchte, wie
mein Vorgänger richtig hervorhob, „den Nachweis zu führen, daß die
eschatologische Ueberlieferung vom Antichristen eine spätere Umgestaltung,
eine Vermenschlichung des altbabylonischen Drachenmythos sei." Aber nicht
aus vorchristlichen Quellen schließt B. auf eine alte Apokalypse vom Antichristen, sondern rückwärts aus der spätern Tradition sucht er die Züge
des ursprünglichen Bildes zu rekonstruieren. Diese Arbeitsweise — vgl.
auch die ansprechende Rezension im Literar. Centralbl. 1895,
Sp. 1545 ff. — ist aber gerade auf dem Gebiete der stets sich erweiternden,
stets neues sich assimilierenden Sage und Legende eine überaus gefährliche,
und der Beweis des Vfs ließe sich unschwer auf den Kopf stellen. Doch
diese prinzipielle Seite kann hier nicht näher beleuchtet werden; für das
folgende genügt ein Hinweis auf das hochbedeutsame Material, das die
gelehrte Arbeit B.s für die älteste und auch für die spätere Geschichte der
Antichristerwartungen herbeitrug. In diesem Material, namentlich in den
einschlägigen Schriften Hyppolyts, Efraem Syrus, der Sibyllinen, des
Pseudo-Methodius und der Danielapokalypsen sind die Hauptquellen für
die eschatologischen Traditionen des Mittelalters zu suchen, und jeder, der
diese Traditionen zum Gegenstand seiner Forschung macht, muß deshalb
aus diesen Quellen schöpfen. Es ist bedauerlich, daß Wadstein in seiner gleichzeitig mit B.s
Werk in der Zeitschr. f. wiss. Theologie (38 u. 39) erschienenen Schrift,
welche jetzt auch als selbständiges Werk vorliegt, B.s Untersuchungen nicht
benutzen konnte. Beide Vf. hätten sich in gewissem Sinne ergänzen können;
Bousset würde seinem Nachfolger die Quellen gezeigt haben, aus denen
dessen mühsam zusammengetragenes Material resultiert, Wadstein auf der

anderen Seite hätte seinen Vorgänger vielleicht eben durch das neue Material, das er bietet, von seiner rückschließenden Beweisführung abgehalten.

Genug, beide Forscher wagten sich an einen Stoff, über den schon der Bienenfleiß eines Malvenda vor mehr denn 200 Jahren einen dicken Folioband schrieb. Letzteres fundamentales Werk ist, das sei hier zunächst betont, durch beide vorerwähnten Arbeiten nicht überflüssig gemacht; es harrt noch immer des Meisters, der die Fülle des in ihm enthaltenen Stoffes in den Details auf Grundlage der neueren Forschungskriterien bearbeitet und das Bearbeitete im genetischen Aufbau wieder zusammenfügt. Schon diese Vorbemerkung verbietet mir, Wadsteins Werk, sowohl was das verarbeitete Material angeht, als auch was den Mangel einer Grundlage der Darstellung betrifft, als ein nach allen Seiten abgeschlossenes anzusehen. Das verlangt auch der Vf., dessen Sammelfleiß ausdrücklich anerkannt werden soll, nicht; er selbst wird am besten wissen, daß Ergänzungen in reicher Fülle gemacht werden können.

W. disponiert seinen Stoff überaus subtil; das hat die bedenkliche Folgeerscheinung, daß durch die vielen a α αα ꝛc. Dinge auseinandergerissen werden, welche sich nur schwer trennen lassen, und W. ist an dieser Klippe nicht ungefährdet vorübergesteuert. So z. B. trennt er „Weltende und Weltgericht" vom „Antichristen" und gibt hier ein Kapitel „eschatologische Zeitstimmung", dort ein anderes „ethisch-kirchlicher Pessimismus". Letztere beiden lassen sich doch, ohne das Verständnis erheblich zu beeinträchtigen, nicht trennen Doch das nebenbei, hier seien bei der Inhaltsangabe Einzelheiten richtig gestellt oder doch wenigstens in andere Beleuchtung gerückt.

In dem 1. Unterkapitel: „eschatologische Zeitstimmung" behauptet der Vf. (S. 8), daß von Augustin an der Gedanke an die Ankunft des Antichristen vor dem jüngsten Gericht das eschatologische Bewußtsein in der abendländischen Christenheit deeinflußt habe. Der Satz in seiner allgemeinen Fassung ist ebensowenig richtig, wie der folgende (S. 8): In Konstantinopel erwartete man schon im Jahre 557 den Untergang der Welt wegen eines Erdbebens. Thatsächlich haben die jüdischen Sibyllinen und die Konstanssibylle, vor allem aber auch die von B. wiederholt und vorher auch von mir (vgl. Hist. Jahrb. XV, 884) häufig erwähnte Predigt PseudoEfraems den Antichristglauben schon weit früher in ganz bestimmte Ueberlieferung gefaßt, welche namentlich durch die Vermittlung des PseudoMethodius und der genannten Predigt der gesamten mittelalterlichen eschatologischen Tradition Inhalt und Richtung verlieh. Der Raum verbietet ein näheres Eingehen darauf; sicher ist, daß sich gleich hier der Mangel einer Grundlage und einer Kenntnis des genetischen Aufbaues der Antichristtradition fühlbar macht. Von Interesse sind die Erwartungen des Weltendes in England um das Jahr 1000 (S. 11); auch für die gleichen Befürchtungen im Frankenreiche — trotz der subtilen Disposition

entbehrt die Darstellung einer sachlichen oder chronologischen Gruppierung
— wird neues Material herbeigetragen. Bei der Erwähnung der deutschen
eschatologischen Erwartungen um das Jahr 1000 vermißt man einen
Hinweis auf die Ausführungen von Eicken (Forschgn. z. deutschen Gesch.
XXIII [1882] S. 305 ff.) und Beissel (Stimmen aus Maria Laach,
XLVIII [1895] S. 469 ff.), welche die allgemeine Furcht vor dem Unter=
gange der Welt um das Jahr 1000 als Sage nachweisen. Die mangelnde
Kenntnis der älteren Tradition macht es sodann auch erklärlich, daß Adsos
Libellus de antichristo, das Mittelglied zwischen der byzantinischen und
der späteren deutschen Tradition, in seiner ganzen Bedeutung nicht erfaßt
ist (S. 16). Manche Bereicherung erfährt aber weiterhin unsre Kenntnis
über die von eschatologischen Befürchtungen geschreckte Stimmung zur Zeit
der Kreuzzüge und der Folgezeit. Die Prophezeiung der „Sternkundigen
aus Toledo" (S. 32) ist jedoch in andere Beleuchtung zu rücken. That=
sächlich handelt es sich hier um eine Weissagung, die, ebenfalls auf ältere
Motive zurückgehend, zunächst im Jahre 1179 verkündet und dann in den
folgenden Jahrhunderten unter dem Namen des Johannes von Toledo
wieder und wieder mit neuer Jahreszahl versehen wurde; eingehende
Erörterungen darüber stellt Prof. H. Grauert in Aussicht. Der „Libellus
de semine scripturarnm" (S. 33) ist nur mit Vorsicht zu zitieren. Der
Text dieser Schrift, den ich mir aus einer vatikan. Hs. abschreiben ließ,
stimmt wenig mit den Zitaten, welche die „Notitia saeculi" aus ihm bietet
und erfüllt nur schwach die Erwartungen, welche die letztere bedeutsame
Schrift uns zu stellen berechtigte; eine quellenkritische Erörterung muß hier
noch Licht schaffen. Ein folgendes Kapitel trägt die Ueberschrift: „Dog=
matische Behandlung." In seiner Kürze (S. 36—43) — vgl. neuerdings
auch L. Atzberger, Geschichte der christl. Eschatologie innerhalb der
vornicänischen Zeit, Freiburg i. B., Herder, 1896 — gibt es kaum die
Umrisse von der „allgemeinen Kirchenlehre", der „apokalyptischen An=
schauung" — hier ist nur Hildegard erwähnt — und den „häretischen
Ansichten." Ein 3. Kapitel befaßt sich mit der „künstlerischen Behandlung."
Die bildende Kunst wird nur gestreift, bei der redenden ist jetzt Reuschels
oben S. 684 erwähnte Dissertation nachzutragen. Interessant sind die
Hinweise auf die englischen Miracle=Plays und die eingehende Behandlung
des Kynewulf, und auch für die „lyrische Behandlung" wird reiches Material
zusammengetragen.

Der folgende Hauptabschnitt ist dem Antichristen gewidmet. Das
1. Kapitel: „Ethisch=kirchlicher Pessimismus" schildert zunächst Joachims
von Fiore (c. 1200) pessimistische Auffassung vom Zustande der Kirche;
die Schilderung ist aber viel zu kurz, um dem Leser die merkwürdige, an
Joachims Lehre anknüpfende spiritualistische Bewegung verständlich machen
zu können; namentlich hätten die Joachimiten des 13. Jahrhunderts eine
eingehende Behandlung verdient. Der Joachimit des 14. Jahrhunderts
Johannes de Rupescissa (S. 84) wäre auch wohl wesentlich anders ein=

geführt worden, wenn Vf. meine Ausführungen an dieser Stelle (XV, 796 ff.) gekannt hätte. Gerade durch Rupeſciſſas ältere, dem Vf. unbekannte Prophezeiungen, gewinnen erſt die von W. angeführten Weiſſagungen des Prager Bußpredigers und Reformators Milic von Kremſier ihre rechte Beleuchtung. Letzterer verkündete, daß im Jahre 1346, alſo in dem Jahre, in welchem Karl IV Gegenkönig Ludwig des Bayern wurde, der Antichriſt geboren ſei. Aber gerade Karl galt unſerem Rupeſciſſa als der verheißene große Weltkaiſer, welcher vor dem Ende der Zeiten kommen ſollte, während Ludwig der Bayer von ihm als Antichriſt oder als Vorläufer des Antichriſten bezeichnet wurde. Im Jahre 1366 ſoll Milic ſogar dem Kaiſer ins Geſicht geſagt haben, er ſei der Antichristus major. Es ergibt ſich ſomit, daß die Perſönlichkeit Karls hüben wie drüben Gegenſtand myſtiſcher Spekulationen war; der förmliche Weiſſagungskampf verdient hohes Intereſſe. Ein weiteres Kapitel iſt überſchrieben: „Polemiſche Richtungen“ und behandelt a) antipapiſtiſche Antichriſtverheißungen. Unter dieſen treten durch ihre Schärfe gegen den päpſtlichen Stuhl am meiſten hervor die Weiſſagungen des Ranieri von Florenz (1080) und des Erzbiſchofs Eberhard von Salzburg (1241); in dem Bannkreis dieſer antipäpſtlichen Ideen ſteht auch der Biſchof Probus Tullenſis (1280).[1]) Auch die dogmatiſche Oppoſition, welche ſich in dieſen Antichriſterwartungen ausſpricht, wird ſtellenweiſe in ganz neues Licht gerückt, wobei auch die „ſchismatiſche Oppoſition“ der Franziskaner — hier vermiſſen wir eine Berückſichtigung von Denifles Aufſatz im Archiv f. Literatur u. Kirchengeſchichte (I [1885] S. 49 ff.) — betont wird. Kurz wird auch die katholiſch-kirchliche Richtung des Antichriſtglaubens (S. 124) geſtreift. Bei der nunmehr folgenden „dogmatiſchen Behandlung“ macht ſich abermals mangelnde Kenntnis der älteren Tradition unangenehm fühlbar. Eine eingehende Berückſichtigung u. a. von Efraem Syrus und Pſeudo-Methodius hätte dieſem Kapitel ein ganz anderes Kolorit verliehen, denn ihnen verdankt die ſpätere Tradition ihr charakteriſtiſches Gepräge. In dem Kapitel: „Künſtleriſche Behandlung“ weiſt Vf. mit berechtigtem Nachdruck auf den Einfluß hin, welchen die Prophetie Adſos auf die mittelalterliche Antichriſt-Poeſie ausübt; auch Gerhoh von Reichersberg und das Tegernſeer Spiel vom Antichriſten finden anſprechende Berückſichtigung; bei den letzteren wäre aber nach der neuen Ausgabe von W. Meyer (Sitzungsber. der philoſ.-philol.-hiſt. Kl. der bayer. Akad. d. Wiſſenſch., I. Bd. [1882]) zu zitieren geweſen.

Der zweite Hauptabſchnitt iſt überſchrieben: „Weltſabbat.“ Das 1. Kapitel: „Theoretiſcher Chiliasmus“ (S. 159) behandelt die Grundtheorie Joachims und den Joachimismus — hier gilt dasſelbe, was oben

---

[1]) Vgl. über dieſen K. Eubel, die Minoriten Heinrich Knoderer und Konrad Probus im Hiſt. Jahrb. IX (1888) 650 ff.

von der Behandlung dieser spiritualistischen Bewegung gesagt ist —; das
2. Kapitel befaßt sich mit dem „praktischen Chiliasmus" und zwar 1. mit
dem „cäsaristischen." Hier macht sich vor allem das Fehlen eines sicher
fundamentierten Unterbaues der Darstellung fühlbar. Nicht einmal der
Versuch wird unternommen, zu zeigen, wie sich die Idee eines kommenden
Kaisers allmählich aus den rein eschatologischen Weissagungen herausschält
und sich zur Kaisersage verdichtete. Daß die joachimitische Sekte zu
Schwäbisch-Hall den Anlaß zur Bildung der deutschen Kaisersage bot,
glaube ich an anderer Stelle widerlegt zu haben. Vf. konnte und wollte
jedoch auch wohl dieses Unterkapitel nicht erschöpfend behandeln, und schon
deshalb müssen wir hier von einer Fülle von Ergänzungen absehen. Interessant
ist die von W. erwähnte Prophetie des Minoriten-Generalministers „Magister
Parisiensis" Gerhard Odo (1329) [S. 167],[1] welcher vor dem Ende der
Welt noch fünf große Kriege weissagte, nach deren Beendigung die Völker und
die Könige der Christenheit einen römischen Kaiser zum höchsten Oberhaupt
einsetzen würden, welcher dann in bekannter Weise die Heerfahrt ins
heilige Land unternehmen würde. Ganz ähnlich weissagte auch Rupescissa,
der mit Odo in Parallele zu setzen wäre. Nicht minder interessant ist ein
vom Vf. (S. 173) mitgeteiltes Gedicht des William Longland (etwa 1362).
Dieser prophezeit in den Tagen der Verderbtheit der Kirche und des sozialen
Elendes einen königlichen Erretter, welcher das Mönchtum züchtigen und
vernichten soll und darauf ein Friedensreich heraufführen wird. — Sodann wendet sich W. dem „papistischen" praktischen Chiliasmus zu und
beschäftigt sich mit den Erwartungen eines Papa angelico. Hier vornehmlich fällt es auf, daß Vf. seinen Vorarbeitern doch allzuwenig gerecht
wird. Was W. über die erste Erwähnung des Engelpapstes bei Roger
Baco und über die Vorstellungen über diesen bei Fra Dolcino anführt,
hat Döllinger bereits im Jahre 1871 in Raumers Taschenbuch viel
besser gesagt. Auch sonst hätte gerade dieser Aufsatz viel häufiger zitiert
werden müssen, nicht minder auch von Zezschwitz' nur beiläufig erwähntes
Werk über den Tegernseer Ludus. Wesentlich neues bietet das Kapitel
nicht; im Gegenteil sind nicht einmal Döllingers Forschungen gänzlich
erreicht worden. Ein früherer Hinweis des Herrn Prof. Dr. Grauert[2]
ermöglicht es mir, die Stelle bei Roger Baco in eine neue Beleuchtung
zu rücken. Ausdrücklich wird hier zum Jahre 1267 gesagt, daß vor 40
Jahren geweissagt sei, der Engelpapst werde erscheinen. Dieses Jahr 1227
ist aber hochbedeutsam durch die mystischen Verheißungen, die es erfüllten.
In Syrien lebt die Petrusapokalypse wieder auf, welche dem heiligen Lande

---

[1] Die Prophetie steht in der joachimitischen Schrift Psalt. decem chord. (in
der Venediger Ausgabe v. J. 1527, auf Joachims Erklärung der Apokalypse folgend
fol. 279.)

[2] Siehe auch dessen oben S. 815 f. vorgetragene Bemerkung.

zwei Retter aus dem Osten — den Priesterkönig Johannes — und Westen — Friedrich II — verheißt; in Deutschland tritt der Gedanke auf, daß nach dem Tode Friedrich Barbarossas und seines gleichnamigen Sohnes nunmehr ein dritter Friedrich, und als solcher galt Friedrich II, das heil. Grab erobern würde; der im März 1227 verstorbene Papst Honorius III predigte, unter seinem Pontifikate werde Jerusalem wiedergewonnen werden; Karmeliter verhießen z. J. 1227 ein „passagium“ des Papstes und des französischen Königs nach den heil. Stätten. Kurz, in dieser mystisch angehauchten Atmosphäre vor Beginn des lange erwarteten Kreuzzuges scheint die Vorstellung von einem Engelpapste, vermutlich unter Beziehung auf Honorius,[1]) greifbare Form angenommen zu haben. — In dem Abschnitt: „Anarchistisch-revolutionärer Chiliasmus“ wird namentlich der kommunistische Zug des hussitischen Chiliasmus behandelt; die deutsche kommunistische Prophetie, die doch hohes Interesse erheischt, wird dagegen nicht berücksichtigt. Es folgt dann noch eine theoretische Erörterung über den mittelalterlichen Pessimismus, die wir nach keiner Richtung hin unterschreiben können. Die Farben, mit denen W. den mittelalterlichen Pessimismus malt, sind doch etwas gar zu dunkel und gar zu willkürlich gewählt; unschwer ließe sich als Gegenstück ein Lichtbild herstellen, ohne andere Stoffe als diese eschatologischen Spekulationen und visionären Träume heranzuziehen. W. leugnet, daß das Mittelalter jemals zu einer harmonischen christlichen Weltanschauung gelangte, „und“, fügt er bei, „wie könnte es anders sein, da die Kenntnis der Gnade Gottes, dieser einzigen Quelle aller wahren Lebensharmonie des Individuums sowie der Menschheit von einer herrschsüchtigen, gottentfremdeten Kirche ihren betrogenen Betrügern vorenthalten und ihnen sogar bei Lebensstrafe untersagt wurde“ (S. 196). Die Reformation brachte nach W. erst die Auflösung des mittelalterlichen Pessimismus. Wir entziehen uns der Mühe, dieses ausgedroschene Stroh neuerdings zu bearbeiten, nur möchten wir den Vf. auf die Thatsache hinweisen, daß um die Zeit der Reformation die an sich doch harmlosen Phrophetien mehr und mehr verschwanden, daß an deren Selle die dunkele Magie und Astrologie traten, die Vorschule des Aberglaubens, der heute die breitesten Schichten beherrscht.

*

2. Bereits im Liter. Handweiser (Nr. 645/46 S. 211 f.) habe ich auf Maurys oben genanntes Werk hingewiesen, das im Wesentlichen nur ein Abdruck zweier Publikationen aus dem Jahre 1843 ist und in seinem neuen Titel mehr verspricht als es hält. Wenn auch die Notizen aus dem Handexemplar des 1892 verstorbenen Autors von den Herausgebern mit verarbeitet sind, so steht dieser Abdruck dennoch nicht auf der Höhe der

---

[1]) Vielleicht eher inbezug auf Gregor IX. H. G.

Forschung, und nur der bedeutsame Gegenstand und die reiche Fülle des gebotenen Materials rechtfertigen denselben; wenngleich auch dann noch zu bedauern ist, daß die Herausgeber die Lücken nicht ausfüllten Von einer eingehenden Besprechung muß deshalb Abstand genommen werden; ein kurzes Referat möge auf das trotz seiner häufig mangelnden Objektivität bedeutsame Werk den Historiker wie Theologen aufmerksam machen.

Zum Eingang bietet August Longnon ein interessantes Kapitel: „Alfred Maury et sa chaire d'histoire au Collège de France", und Bonet=Maury, Professor an der protest.=theol. Fakultät zu Paris, stellt eine exakte Bibliographie der Schriften und ein Verzeichnis der Vorlesungen unsers Autors zusammen. Die erste wiederabgedruckte Schrift: „Les Fées du moyen âge" gliedert sich in drei Kapitel: 1. les Fées et les déesses-mères, 2. les fées, 3. les esprits fantastiques des peuples du nord. Der hier gebotene Beitrag zur vergleichenden Mythologie ist von der Forschung, die allerdings gerade bezüglich der Einwirkung christlicher Ideen auf den nordischen Mythus noch weit auseinandergeht, längst überholt. Das stellenweise noch wenig bekannte Material, das Vf. hier namentlich für die Verschmelzung und Uebertragung verschiedener charakteristischer Züge der Feen, Nymphen, Druiden und für die Einwirkungen des Christentums auf den Feenglauben überhaupt beibringt, rechtfertigt allein kaum den Wiederabdruck.

Wichtiger ist die zweite Schrift: „Les légendes pieuses". Deren erstes Kapitel verfolgt das Vordringen des Rationalismus und seine Einwirkungen auf das Christentum in den einzelnen Jahrhunderten der Geschichte. Vf. vertritt, wenn auch in vornehmerer und geistreicherer Art, einen ähnlichen Standpunkt wie vorher Wadstein, nur daß hier an Stelle eines mittelalterlichen Pessimismus die Feindschaft zwischen Theologie und Wissenschaft im Mittelalter als Dogma aufgestellt wird. Der hier gleich zu Tage tretende rationalistische Zug macht sich in der ganzen Schrift bemerkbar; im Einzelnen sei jedoch hier davon Abstand genommen, darauf fortwährend hinzuweisen. Das zweite Kapitel zeigt, wie biblische Stoffe Eingang finden in die Legende, indem das Leben des Heilandes, das Leben von Persönlichkeiten des alten Testamentes und der Apostelgeschichte und schließlich das Leben der heiligen Jungfrau gewissermaßen die Modelle bei der Abfassung von Heiligenlegenden abgeben. Dafür bietet Vf. eine staunenswerte Fülle von Einzelheiten als Belege. Im dritten Kapitel sucht M. den Beweis dafür zu liefern, daß die abstrakten und metaphysischen Ideen zunächst in das Gewand der Allegorie gekleidet wurden. Von diesem Gesichtspunkte aus werden u. a. die Christophoruslegende, die Erzählung von den Siebenschläfern, die häufig wiederkehrenden Berichte von wunderbaren Brodvermehrungen und vornehmlich die beiden Unterkapitel „Le jugement dernier devient l'espérance des âmes", sowie „Conception matérielle du Paradis" beleuchtet. Ersteres Unterkapitel hätte Wadstein

heranziehen müſſen, letzteres iſt zu ſehr Skizze geblieben. Das vierte
Kapitel befaßt ſich mit den Legenden, welche erfunden wurden, um figür=
liche Symbole, deren Sinn man ſpäter vergeſſen hatte, zu erklären.
Behandelt werden zunächſt die bildlichen Darſtellungen Gott Vaters, Chriſti,
der hl. Dreieinigkeit und der Seele. Ein weiteres Unterkapitel iſt den
Thierſymbolen übernatürlicher Weſen gewidmet. Gerade dieſes Kapitel
erheiſcht lebhafteſtes Intereſſe, da Vf. überall dem urſprünglichen Charakter
und der urſprünglichen Bedeutnng des ſpäter mit anderen Begriffen iden=
tifizierten Symboles nachgeht. Ein letztes Kapitel iſt überſchrieben: „Examen
rationel des légendes; garanties d'authenticité". Es genüge, von den
hier gedoteten recht anſechtbaren Ausführungen die Unterkapitel anzuführen:
1. Vrais principes de critique, caractères de la certitude, 2. Application
des principes au mode de composition des légendes, 3. Application à
l'état d'esprit des écrivains de légendes, 4. Maladies nerveuses et
mentales, causes de légendes.

Der 20 Nummern umfaſſende Appendix ſetzt ſich zuſammen aus längeren
ſchriftlichen Noten des Mauryſchen Handexemplars. Von den einzelnen
Exkurſen ſeien genannt: Der heidniſche Urſprung des Weihnachts=, Oſter=
feſtes und des Feſtes des hl. Johannes d. Täuf.; der heidniſche Urſprung
des Sabbaths im Mittelalter; Verwandtſchaft zwiſchen den Statuen der
Jungfrau Maria und denen der Maja und der Iſis; die chriſtlichen Symbole
in den Katakomben; die bildliche Darſtellung des Weltendes; die Legende
und das Feſt der hl. drei Könige. Ein vorzüglicher, nach Materien geord=
neter Index erleichtert den praktiſchen Gebrauch des Buches. Referent
muß es ſich verſagen, hier ſeiner urſprünglichen Abſicht entgegen, weiter
auf den Inhalt des Buches einzugehen, nur den Wunſch möchte er noch
ausſprechen, daß demnächſt einmal die ganze mittelalterliche Legendenbildung
eine zuſammenfaſſende Darſtellung erfährt von einem Manne, der ein ſeines
Gefühl für den in ihnen verkörperten religiöſen Gedanken und für den ſie
durchwehenden Hauch reinſter Volkspoeſie beſitzt.

*　　*　　*

3. Kurz ſei in dieſem Zuſammenhang auf eine Sammlung von Apo=
kryphen hingewieſen, die Vaſſiliev unter dem oben angegedenen Titel
zuſammenſtellte. Das Buch exiſtiert in Deutſchland nur in wenigen Exem=
laren, umſomehr iſt ein Hinweis am Platze. Der Herausgeber gibt ein
verhältnißmäßig kurzes Begleitwort zu den einzelnen Stücken, in dem er
ſeine handſchriftlichen Quellen anführt und die einzelnen Apokryphen kurz
zu analyſieren und zu datieren ſucht. Jedoch dürfte hier noch viel zu thun
ſein, bis dieſelben nach allen Seiten hin richtig gewürdigt und ihren rechten
Platz in dem genetiſchen Zuſammenhang der apokryphen Literatur erhalten
haden. Einige textliche Ausſtellungen ſtellte Krumbacher in der Byzant.
Zeitſchr. III (1894) 190 f. zuſammen. Das Buch enthält folgende

Schriften: 1. Narratio de praeciso Joannis Baptistae capite; 2. Diaboli Jesu Christo contradictio; 3. Quaestiones s. Bartholomaei apostoli; 4. Christi epistola de die dominica; 5. Visiones Danielis a) E relevationibus Methodii Patarensis, b) Visio Danielis; 6. Vaticinia de rebus Byzantinis (zu 5. und 6.) (vgl. Bouffets oben erwähnte Schrift und Maclers und meine oben S. 707 f. und S. 684 notierten Arbeiten); 7. Quomodo Jesus Christus sacerdos factus sit; 8. Narratio de rebus in Persia gestis; 9. Apocalypsis Deiparae (vgl. hiezu die Ausführungen Maurys über den Marientypus, die Apokryphe bildet einen trefflichen Beitrag zur Geſchichte der Marienverehrung); 10. Vita S. Macarii Romani; 11. Vita S. Zosimae; 12. Panagiotae cum Azymita disputatio (eine Satyre gegen Michael Palaeologus); 13. Palaea historica; 14. Mors Abrahami; 15. Narratio de Hierusalem capta (die babyloniſche Gefangenſchaft); 16. Quaestiones Jacobi fratris Domini ad S. Joannem Theologum; 17. Orationes falsae.

München. *Franz Kampers.*

---

* **Baer** (M.), die Politik Pommerns während des dreißig-jährigen Krieges. Leipzig, Hirzel. 1896. XI u. 503 S. gr. 8°. [Publikationen aus den k. preußiſchen Staatsarchiven, Bd. 64.]

Die pommeriſche Geſchichte ſcheint ſich in jüngſter Zeit einer beſonderen Aufmerkſamkeit zu erfreuen: Sommerfelds Arbeit über die Germaniſierung Pommerns bis zum Ablaufe des 13. Jahrh. (ſ. Hiſt. Jahrb. XVI, 867) mein Buch über den Zeitraum von 1478 bis 1625,[1) Baers Arbeit von 1626 bis 1649, da bleibt nicht allzu viel mehr übrig. Von dieſen drei Büchern beanſprucht das von Baer natürlich nicht nur orts-, ſondern auch allgemeingeſchichtliches Intereſſe. Unſere Kenntnis des Kampfes um Stral-ſund, der Abſichten Guſtav Adolfs, der Art und Weiſe, mit der die Schweden Brandenburg um ſein rechtmäßiges Gut gebracht hat, erfährt eine ſehr bedeutungsvolle, ich darf wohl ſagen, vielfach endgiltige Klärung. Unter den Umſtänden muß man es lebhaft bedauern, daß die preußiſche Archiv-verwaltung einem Manne von ſo hingebendem Fleiße, ſo klarer und oft durchdringender Auffaſſung, ſo beſonnenem und geradem Urteile, wie Baer es iſt, nur eine „Ergänzung" der für ſeinen Gegenſtand ſchon vorhandenen Quellen zugemutet hat. Baer ſtellt, immer ergänzend, der eigentlichen Aktenpublikation eine Einleitung in ſechs Abſchnitten voran: 1. Die erſten Kriegsgefahren und die kaiſerliche Einquartierung 1626. 1627. 2. Von der

---

[1) Verfaſſungs- und Wirtſchaftsgeſchichte des Herzogtums Pommern von 1478—1625. Leipzig, Duncker & Humblot. 1896. 8°. XVIII, 202 S. M. 4,60. [Staats- und ſozialwiſſenſchaftliche Forſchungen, herausg. von Schmoller, Bd. 14, H. 1.] Beſprechung folgt. D. Red.

kaiserlichen Einquartierung bis zur Ankunft des Königs Gustav Adolf
1627—30. 3. Die Regierung des Landes. 4. Von der Ankunft des
Königs Gustav Adolf bis zum Tode des Herzogs Bogislav 1630—37.
5. Die Versuche einer pommerschen Zwischenregierung 1637—40. 6. Von
der Einführung einer schwedischen Regierung bis zum Friedensschluß
1640—48. Eine Besprechung kann sich nur mit dieser Einleitung, die
insgesamt 166 Seiten umfaßt, auseinandersetzen; sie wird sich übrigens
im wesentlichen auf eine Skizze des Inhaltes und einige Nachträge be=
schränken müssen.

Von ihr möchte ich von vornherein den größten Teil des ersten Ab=
schnittes, der die Haltung der Stände betrifft, und den ganzen dritten Ab=
schnitt ausnehmen. Ich stimme zwar in vielen darin behandelten Punkten
mit dem Vf überein, vermisse aber den rechten Platz für sie und für sehr viele
andere überhaupt einen Platz, weil Baer keine systematische und erschöpfende
Darstellung der inneren Zustände Pommerns in der Zeit versucht hat.
M. E. kann erst sie über vieles, was der auswärtigen Politik angehört,
völliges Licht verbreiten, so daß sie notwendig in Baers Buch hineingehört
hätte. Baers frühere schriftstellerische Thätigkeit läßt vermuten, daß weniger
er als die Beschränktheit des ihm zugewiesenen Raumes an ihrem Fort=
bleiben die Schuld trägt. In einer Rezension den Versuch zu machen, das
Fehlende zu ergänzen, geht nicht an; ich hoffe es demnächst an einer andern
Stelle nach Möglichkeit nachholen zu können.

Baer läßt die Beratungen der pommerschen Regierung mit den Ständen
über die Kriegsgefahr erst 1626 beginnen, wie mir scheint, nicht ganz mit
Recht. Eine bange Ahnung des kommenden Unheils erfüllte die Pommern
schon lange. Als Philipp Julius von Wolgast am 11. I. 1620 die Land=
räte von seinem Entschlusse benachrichtigte, Stralsund vorderhand aus ihrer
Mitte auszuschließen, baten sie ihn dringend, davon abzustehen: „Die
Separatio und Trennung Stralsunds von S. f. G. und dem Lande könne
allerlei Ungelegenheiten und Difficultaeten, sonderlich in diesen betrübten
und gefährlichen Zeiten, da Coniunctio und Concordia zum höchsten nötig,
gebären".[1] Als die Landschaft sich am 20. II. 1622 ihre Privilegien
vom Kaiser Ferdinand II bestätigen ließ, setzte sie — es erscheint das
bedeutsam — einen neuen Artikel durch, der den Landständen „in gegen=
wärtiger schwerer Zeit" versprach, sie bei der Augsburgischen Konfession
zu belassen.[2] Doch blieb man bei solchen Worten nicht stehen. Schon
am 21. XII. 1621 beriet man die Abordnung gewisser Personen aus den
Geheimen= und den Landräten zur Facilitierung des Defensionswerkes.[3]

---

[1] Wolgaster Archiv Tit. 39 Nr. 63. Vgl. Spahn 199 f.
[2] Geheimes Staatsarchiv Berlin Rep. 30 Nr. 231.
[3] Dähnert J. C., Sammlung Pommerscher und Rügischer Landes=Urkunden.
Stralsund 1765 ff. Supplement=Band 1, 611.

Anderthalb Jahre später forderte die Nähe der Kriegsgefahr von den Ständen gebieterisch, daß sie ihren alten Streit über den modus collectandi aussetzten, damit die nötigen Steuern schleunigst ausgeschrieben werden könnten.[1] Es ist wahr: über Beschlüsse ist man nicht hinausgekommen; war dem aber nach 1626 etwa anders? Nur das änderte sich 1626, daß alle übrigen Beratungsgegenstände, die die öffentliche Meinung beschäftigten, völlig gegen den einen dringendsten zurücktraten.

Es folgt eine sechs Seiten lange Darlegung der ergebnislosen ständischen Verhandlungen des Jahres 1626 über die Kriegsverfassung, sowie eine abschließende Darstellung der Vorgänge, die dem ersten Durchbruche schwedischer Truppen, von Mecklenburg nach Polen, vorangingen und klares Licht über den Zwiespalt in den Anschauungen der beiden pommerischen Regierungen und Landschaften verbreiten. Doch klärt Baer ebensowenig die tieferen Ursachen dieses Zwiespaltes wie vorher die des Scheiterns der ständischen Verhandlungen auf. Interessant ist die Entdeckung, daß Pommern es einem Geldgeschenke von 9000 Thalern an die schwedischen Obersten verdankte, daß die Schweden nicht auf seinem Gebiete über die Oder gingen. Von da ab beginnt die Gefahr der Besetzung Pommerns durch Wallenstein, die dann im November 1627 stattfand. Auch Baer erscheint sie als militärisch durchaus gerechtfertigt. Die Einschränkung: daß sie gerechtfertigt gewesen sei, „wenn W. wirklich damals schon den Eintritt des Schwedenkönigs in den deutschen Krieg fürchtete und vorausgesehen" hätte, ist ja wohl thatsächlich keine, da die in ihr hypothetisch behandelte Besorgnis Wallensteins den Feldherrn unzweifelhaft bewegt hat.

Der Einzug der Kaiserlichen gab die Veranlassung, nicht die Ursache — Baer hebt diesen Unterschied kaum, sozusagen gar nicht hervor — zum Abfalle Stralsunds von seinem Herzoge. Für die Beurteilung des Abfalls scheint mir übrigens noch eine von Baer nicht erwähnte Stelle aus einem Protokolle des Geheimen Rates von einigem Werte, die darthut, wie sehr die herzogliche Regierung von vornherein ihre städtefeindlichen Sonderzwecke bei den Verhandlungen mit Stralsund verfolgt hat. Am 15. Febr. 1628, zu einer Zeit also, da der Streit sich ausschließlich um die Aufnahme einer wallensteinischen Besatzung drehte, und noch von keinem Mittelwege die Rede sein konnte, beschloß sie: „Korrespondenz zu erhalten mit Stralsund um Remedierung vor Augen schwebenden Uebels und Versicherung der Stadt, item wegen Compescierung des gemeinen Pöbels, Uebergebung des Volkes, es pflichtbar S. f. G. zu machen".[2]

---

[2] Stettiner Archiv Pars I Tit. 79 Nr. 53. Bl. 79. Das Protokoll ist vom Archivar Frost an dieser Stelle ganz besonders unleserlich geschrieben. Seine Entzifferung verdanke ich der gütigen Hilfe des Herrn Redakteurs Taege in Berlin, des unermüdlichen Helfers in aller Not auf dem Berliner Geheimen Staatsarchive.

Baer versucht, den nun folgenden Geschehnissen möglichst objektiv gegen=
überzutreten. Ereignisse, wie der mutige, erfolgreiche Widerstand der
protestantischen Stadt gegen die Wallensteiner, das siegetrönte Hervor=
brechen Gustav Adolfs, gehörten noch vor kurzem zu den Dingen, welche
die Protestanten aufs tiefste bewegten; die Umkehr in ihrer Beurteilung
ist sicherlich eines der schwersten Opfer, das ihre Forscher der geschichtlichen
Wahrheit gebracht haben. Erleichtert wurde es ihnen höchstens dadurch,
daß gerade unser Brandenburg am bittersten unter den Schweden hat leiden
müssen. So hart wie Baer hat wohl noch selten ein Protestant über Stralsund
und zumal über Gustav Adolf geurteilt; selbst manchem Katholiken wird
er in seinem Gerechtigkeitsgefühle zu weit gegangen sein, ich wenigstens
werde Anlaß haben, an zwei Stellen eine etwas schwedenfreundlichere
Stellung geltend zu machen.

Die Fülle neuer Einzelzüge zu der Belagerung Stralsunds entzieht
sich hier der Wiedergabe. Hervorgehoben sei der Nachweis, daß die Auf=
gabe des Dänholms durch die Kaiserlichen (15. IV. 1627) vermutlich ver=
räterischerweise erfolgt ist, daß Arnim über die Vorgänge am Hofe stets
sehr genau unterrichtet wurde, daß die Schwankungen in der Politik
Wallensteins noch stärker hervortreten. Sehr genau sind die Mitteilungen
über den Stralsunder Accord, der in den Quellen als Nr. 56 wörtlich
abgedruckt worden ist. Mit ihnen ist Wallensteins außerordentliches Entgegen=
kommen bei den letzten Unterhandlungen endgiltig dargethan, über das
meines Wissens zuerst Irmer[1] Andeutungen gemacht hat.[2] Die Belagerung
sollte abgebrochen werden, nicht wie Wallenstein es ursprünglich verlangt
hatte, nach der Erfüllung der Vertragsbedingungen durch Stralsund, sondern
sogleich nach dem Vollzuge der Bürgschaftsurkunde durch den Herzog Bogislav.
Baer verteidigt mit gewichtigen Gründen die Politik der Regierung; erst
jetzt bespricht er auch den Zwiespalt zwischen Stralsund und den übrigen
wolgastischen Ständen, der m. E. ausschlaggebend für den Abfall gewesen,
übrigens in dem größeren zwischen Stralsund und der wolgastischen Re=
gierung aufgegangen ist.

Darauf wird das Gelingen des Einfalles Christians IV 1628 VIII
durch den Nachweis geheimer Zettelungen zwischen den Pommern und
Dänen tiefer aufgeklärt. Es folgt eine knappe Zusammenfassung der end=
losen kindlichen Versuche der Pommern, durch Gesandtschaften Gustav Adolf
aus Stralsund, Wallenstein aus dem übrigen Lande zu vertreiben. Sie
führt den Vf. auf die erneuten Verhandlungen mit Stralsund, die im
Juli 1629 begannen. Er mißt ihnen eine bisher unbekannte Bedeutung

---

[1] Hans Georg von Arnim 92.

[2] Für die frühere Annahme vgl. noch Opel: Der niedersächsisch=dänische
Krieg III, 614.

bei und schiebt ihr Scheitern einzig und allein dem bösen Willen Stral=
sunds und dem der dortigen schwedischen Vertreter zu. Er schließt aus
ihrem Verlaufe, „daß Gustav Adolf in geschickter Weise bestrebt gewesen
ist, sich für einen späteren Eintritt in den deutschen Krieg die einmal
gewonnene Stellung zu behaupten" (S. 58). Des Königs Schuld sei es,
daß die Danziger Handlung nicht einmal begonnen worden sei. Diese
Feststellung ist nicht eben neu; denn sie ist durch die Auszüge aus den
Berichten Dohnas in Onno Klopps dreißigjährigem Kriege Bd. III Teil 1.
408 und 413 bereits erfolgt, die mit dem unter Nr. 108 der Quellen mit=
geteilten Berichte Natzmers und Krockows durchweg übereinstimmen, Baer
aber unbekannt zu sein scheinen. Nur stellt Klopp[1] daneben fest, daß
Gustav Adolf noch bis ins Frühjahr 1630 geschwankt hat, ob er den Krieg
beginnen solle, sein Eingehen auf die Danziger Handlung also keineswegs
von vornherein Spiegelfechterei gewesen sein dürfte. Aus Klopp III, 1 S.
220 und 329 scheint mir auch zu folgen, daß man mit den Schweden
wegen ihrer ablehnenden Haltung gegenüber den friedensfreundlichen Be=
mühungen nicht allzustreng ins Gericht gehen darf. Einmal boten ihnen
Wallensteins Friedensversicherungen bei seinem steten Hin= und Herschwanken
nicht die geringste Gewähr für den Ernst seiner Absichten, sodann aber
hatte zunächst nicht einmal der kaiserliche Hof etwas von dem Frieden
wissen wollen. Wallenstein lag sogar bis Ende 1629 irgendwelche Nach=
giebigkeit fern.

Inzwischen wurden die Kaiserlichen immer verhaßter und allmählich
fingen auch die Hinterpommern an, nach der Hilfe Gustav Adolfs zu schreien.
Feldmarschall Conti legte trotzdem keine Besatzung nach Stettin, so daß es
dem Schwedenkönig, als er endlich kam, ein leichtes war, sich des Landes
zu bemächtigen. Hier setzt nun Baers Forschung so recht eigentlich ein.
Das schwedisch=pommerische Bündnis ist, was bisher nur Odhner vermutet
hat,[2] nicht am 20. Juli 1630, sondern erst anderthalb Monate später nach ver=
zweifeltem, teilweise erfolgreichem Widerstreben der Pommern abgeschlossen
worden. Es ist nunmehr bewiesen, daß die alte pommerische Behauptung:
Der letzte Vertragsartikel, der Brandenburgs Erbrecht thatsächlich null und
nichtig erklärt, sei von ihrem Herzoge niemals eingegangen worden, sondern
nur ein einseitiges „Reservat des Königs" gewesen, über jeden Zweifel
richtig ist. Bei den Unterhandlungen wie in seiner am 1. September
gehaltenen Ansprache an die Landstände, die Baer in Wahrheit als einen
archivalischen Fund seltenster Art bezeichnen darf — ich erinnere mich noch
mit Vergnügen des Märztages 1894, da er ihm glückte —, hat Gustav

---

[1] A. a. O. III, 1, 400 und 405.

[2] Die Politik Schwedens im Westfäl. Friedenskongreß 9; doch am 4. IX,
nicht 30. VIII.

Adolf wiederum mehrfach[1]) seine auch sonst vertretenen, sehr merkwürdigen
Anschauungen von der Unterthanentreue entwickelt. Baer fällt über ihn
das Gesamturteil: „Die Quellen haben noch einen weiteren und tieferen
Wert, insofern auch sie wie so viele andere, Zeugnis ablegen dafür, daß
jene ältere, noch heute so weit verbreitete Auffassung der protestantischen
Geschichtschreibung ganz gewiß im Irrtum befangen gewesen ist, als sie
dem großen Schwedenkönig lediglich und in erster Linie religiöse Beweg=
gründe untergelegt hat . . . . . Wäre die Rettung des Protestantismus
sein erster Beweggrund gewesen, er würde seiner auch an erster Stelle,
er würde seiner doch überhaupt gedacht haben. Das erste Bündnis auf
deutschem Boden hätte die Ankündigung des Kampfes um den Glauben
ganz notwendig enthalten müssen: in jenem Vertrage aber findet sich von
kirchlichen Dingen kein einziges Wort" (83 f.) Damit stellt sich Baer auf
den Standpunkt der Mehrzahl der katholischen Forscher. Nur verstehe ich
dabei seine Beweisführung nicht ganz. Heißt es in dem Bündnisvertrag
unter 4 nicht: „So ist von beiden Teilen einmutig beliebet, daß man also=
fort treulich zusammensetzen, was diesem allen und jeden wie auch dem
teuer erwordenen Religionfriede in einige Wege zuwieder oder sonsten
hieraus entstehen mochte mit semptlichen Kresten und nach eines jedwedern
Teil Vormogen vertreten und abwenden sollen und wollen" (Baer 265)?
Werden diese Worte nicht noch deutlicher gemacht durch den Schlußartikel
der Pommern über das Stift Cammin, „dafern über Vorhoffen inskunftige
dem Stift oder desselben Kapitel wegen Wahl eines Bischofen oder Koad=
jutorn oder auch sonsten in einige Wege etwas wolte angemutet oder auf=
gedrungen werden, daß wir der König zu Schweden neden den Herzog zu
Pommern solches mit allen Kresten abwenden und das Kapitel und Stift
bei der freien Wahl auch Würden, Stande und Rechten, wieder menniglich=
liches Gewalt jederzeit schützen wollen" (269)? Und dann: Gustav Adolf
hat durchaus den Schein aufrecht erhalten wollen, daß er nicht als des
Kaisers Feind den deutschen Boden betrete, sondern nur zur Befreiung
Pommerns von denen, die es unter des Kaisers Namen bedrängten. Verdot
es ihm da nicht schon sein gesunder Menschenverstand, von seinen Absichten
gegen die katholische Kirche unnötig viel Aufhebens zu machen? Gewiß,
trotz dieser Einwendungen wird sich gegen die These Baers nicht viel
Beweiskräftiges vorbringen lassen. Dennoch scheint mir es bedenklich, so
bestimmt von dem ausschließlichen Vorwiegen der Eroberungspläne bei
Gustav Adolf zu sprechen; ich wenigstens würde mich scheuen, die Summen
der ewig durcheinanderwogenden Gedanken und Stimmungen eines so
bedeutenden Mannes so einfach aufzulösen, auch scheint mir das, was ich
von dem nordisch=protestantischen Charakter kennen gelernt habe, nicht ganz
zu der Lösung zu stimmen.

---

[1]) Vgl. Baer 79, 80, 81 und Quellen Nr. 118, aber auch S. 118, Anm. 495.

Guſtav Adolf mußte ſeine Aufmerkſamkeit raſch anderen Dingen zu=
wenden; dennoch hat er es nicht vergeſſen, Verſuche zu machen, die Regierung
Pommerns noch zu Lebzeiten des Herzogs an ſich zu bringen. Sein früher
Tod verhütete ihr Gelingen, befreit hat er das gequälte Land nicht. Die
bald ſich zu gunſten des Kaiſers ändernde Lage zwang es zu neuen
erbarmenswürdigen Anſtrengungen: von Pommern aus mit pommeriſchem
Gelde hat Schweden ſtets den langen Krieg geführt. Der Umſchwung der
politiſchen Verhältniſſe machte zugleich auch die Frage der Erbfolge wieder
brennend. Schon auf dem Frankfurter Konvente der evangeliſchen Stände,
über den Bär beſonders ausführlich in einem Anhange (S. 463—86)
berichtet, kam die Frage der Entſchädigung Schwedens für die geleiſtete
Kriegshilfe zur Sprache; die Umtriebe der pommeriſchen und branden=
burgiſchen Räte brachte die Verhandlungen zum Scheitern. Baer läßt damit
den Umſchwung der brandenburgiſchen Politik ins ſchwedenfeindliche Lager
beginnen. Wie er ſich entwickelte, in welche fürchterliche Lage das in aller
Not dem Kurfürſten die Treue bewahrende Pommern dabei geriet, legt er
ausführlich dar. (Vgl. beſonders für Schwedens Stimmung S. 116, 128,
141, 157 und die dazu gehörigen Nummern der Quellen.)

Am 20. März 1637 ſtarb der letzte des Greifengeſchlechtes. Seine
Räte führten auf den Wunſch der Landſtände die Regierung weiter, bis ſie
der entſchiedenen Willensmeinung Georg Wilhelms ſich beugten und ab=
traten, dadurch freilich die Verwaltung den Schweden auslieferten. Baer
teilt die Schuld an der Starrheit des Kurfürſten Schwarzenberg zu, doch
können mich ſeine Ausführungen nicht davon überzeugen, daß Erdmanns=
dörfer[1]) mit Unrecht Schwarzenbergs Einfluß in der brandenburgiſchen
Politik gegen Schweden nicht hervortreten, ſondern ihren Gang vornehmlich
durch Georg Wilhelm ſelbſt, vielleicht auch durch Arnim beſtimmt ſieht.
Nur das ſcheinen ſie mir darzuthun, daß dieſelben Gefühle des Haſſes gegen
Schweden, die den Kurfürſten vorantrieben, auch ſeinen leitenden Miniſter
beſeelten; das aber iſt nahezu ſelbſtverſtändlich.

Nachdem Schweden thatſächlich ſchon ſeit 1630, ſicher ſeit 1637
Pommern regiert hatte, begann es 1639 ſich ganz häuslich dort einzurichten,
ohne ſich durch die brandenburgiſch geſinnten Stände davon zurückhalten
zu laſſen; 1641 war es damit fertig. Von der Ausübung der ſtändiſchen
Gerechtſame war keine Rede, es regierte mit der willkürlichſten Gewalt.
Eiſern lag die Hand ſeines Statthalters und der Gouverneure auf dem
unglückſeligen Lande,[2]) für deſſen Leiden ſie nur ein kühles Achſelzucken

---

[1]) Urkunden und Aktenſtücke zur Geſchichte des Kurfürſten Friedrich Wilhelm
von Brandenburg I, 27 ff.

[2]) In vieler Hinſicht ergänzt die Mitteilungen Baers R. Hancke aus dem
Nachlaſſe des Paſtors Wachſe († 1773) in dem dritten Aufſatze ſeiner 1895 erſchienenen
„Pommerſchen Kulturbilder"; doch iſt er mit einiger Vorſicht zu benutzen.

und Spottworte hatten. Treffend schildert eine brandenburgische Flug=
schrift des Jahres 1678, die wohl der Vergessenheit entrissen zu werden
verdient, sie und ihre Helfershelfer: „Wann sie ihre Nachbarn unverwarnter
Sachen überfallen, und ganze Länder in Teutschland verheeren und aus=
plündern: Ja wann sie gleich wider das Römische Reich mit dero Feinden
schädliche Bündnisse machen und ungeachtet sie ein Stand des Reichs zu
dessen Schmälerung fleißig cooperiren helfen, soll doch niemand ein solches
schelten noch fragen dürfen: was machst du? Sie wollen, es sei genung,
wann Schweden also beliebe zu verfahren und daß allein diese Cron davon
niemand Rechenschaft zu geben habe. Sic volo, sic jubeo, stat pro ratione
voluntas. Und wir sind die undankbarsten und unglückseligsten Leut auf
dem Erdboden, wann wir nicht mit blindem Gehorsam in Gedult alles
ertragen und uns von dieser Nation auf den Kopf treten lassen. Undankbar,
weiln sie vermeinen, daß die Gutthaten, welche Teutschland von der Cron
Schweden empfangen, dermassen groß und überschwenglich, daß Schweden
keinesweges mehr sich an uns vergreiffen könne, wie grob und untreu
auch sie mit uns handeln werde: Und wir in dessen Ansehen alles erleiden
müssen." [1]

Die letzten Seiten der Darstellung sind der Teilnahme der pommerischen
Gesandten an den Osnabrücker Friedensverhandlungen gewidmet. So viel
interessantes sie auch noch bringen, so leiden sie doch darunter, daß die
Hauptquelle, der Gesandtschaftsbericht, bereits vor einem halben Jahrhunderte
veröffentlicht worden ist.

Der Darstellung folgen auf ungefähr 300 Seiten 240 Urkunden=
beilagen, an deren ganzer Bearbeitung und Genauigkeit man die Hand des
Archivars wahrnimmt. 170 von ihnen sind Auszüge, 43 gekürzte Abdrucke
und 27 vollständige Wiedergaben. Das Verfahren der gekürzten Abdrucke,
das einfach mit den zahllosen Floskeln des Kanzleistils des 17. Jahrh.
aufräumt, im übrigen aber den Wortlaut der Vorlage beibehält, verdient
wohl allgemeine Nachahmung. Dieser Teil macht die Einleitung keineswegs
überflüssig, da in ihr „weit über tausend Aktenstücke" verarbeitet worden sind,
deren Fundort mit dankenswerter Sorgfalt in zahlreichen Anmerkungen
genau bezeichnet ist. Nur hätte Baer wohl gut daran gethan, wenn er
nach löblichem Brauche nachgewiesen hätte, welche der von ihm aus den
Archivbeständen benützten Stücke bereits gedruckt sind. Ich habe nicht jedes
Aktenstück daraufhin untersuchen können und bemerke nur, daß das Schreiben

---

[1] Kurzer doch gründlicher Beweiß, daß Stralsund und Gripswold, sammt
den Inwohnern der Insul Rügen, nicht nur allein keine Ursach mehr haben, an der
Cron Schweden getreu und gewärtig zu bleiben; Sondern auch ein solches mit gutem
Gewissen und ohne Verletzung Göttlicher und Röm. Kaiserl. Majestät auch des Heil.
Reichs Majestät nicht thun können. Gedruckt im Jahr Christi 1678. S. 7 fl. (Berl.
kgl. Bbl.).

Bogislavs an den Kaiser vom 5. August 1628 (nicht 6! Vgl. Klopp
und Baer selbst Quelle Nr. 66) bei Klopp III 1 S. 114/116, das vom
7. Mai 1630 a. a. O. S. 252 f. zum Teil und vermutlich auch ein Teil
aus dem vom 19. September 1628 a. a. O. S. 126 (hier undatiert)
gedruckt ist. Wichtige Abschnitte des Briefes Arnims an Wallenstein vom
30. VI. 1628 finden sich bei Irmer, Arnim 71 f. Auf die Ueberein=
stimmung der Berichte Dohnas und der pommerischen Gesandten habe ich
bereits hingewiesen; es erübrigt noch anzumerken, daß der Bericht der
Pommern über ihre Verrichtung bei Wallenstein 1628 IX. 16. Quelle
Nr. 69 fast wörtlich mit dem bei Klopp III 1 S. 124 f. benützten
Berichte Wallensteins übereinstimmt. Daß Baer das oben erwähnte Schreiben
Bogislavs an Ferdinand vom 5. August 1628 nicht in seine Auswahl auf=
genommen hat, ist bedauerlich, da es nach Klopp das einzige in den
pommerischen Akten erhaltene zu sein scheint, welches die Absichten Wallen=
steins auf Pommern andeutet.[1]) Ich meine an dieser Stelle es nicht unter=
lassen zu dürfen, der Verwunderung darüber Ausdruck zu geben, daß Onno
Klopps großes Werk trotz seines Reichtums an ungedrucktem Stoffe
und trotzdem es eine so selbständige und Bärs Auffassung nicht gar fern=
stehende Ansicht über die Stralsunder Sache vorträgt, auch nicht einer
einzigen Erwähnung gewürdigt worden ist! — Auf S. 234 ff. spricht
der Gesandte Schliesen öfters von einem „bewußten Manne". Es dürfte
nicht unnötig sein, darauf hinzuweisen, daß aus dem sehr sorgfältigen, den
Wert des Buches noch steigernden Personen= und Sachregister hervor=
geht, daß Arnim damit gemeint ist. (Vgl. Register unter Arnim und
Schliesen.)

Das Aeußere des Buches ist vortrefflich. Es sind allerdings einige
Druckfehler stehen geblieben, die indessen kaum stören, da es sich meist um
ausgefallene, vertauschte oder falschgestellte Buchstaben handelt. Doch ist
es schade, daß sich zwei solche Versehen auch in die Ueberschrift von Ab=
schnitt 6 hineingedrängt haben. S. 42 Anm. 195 Z. 2 von unten ist
wohl „ließ", S. 43 Anm. 198 Z. 1 von unten „Thun" zu lesen. Dem
Stile merkt man namentlich im Anfange den Einfluß der Aktensprache der
pommerischen Kanzlei ein wenig an; Worte wie „Schriftwechselungen"
klingen nicht besonders gefällig. Dankenswert ist die entschiedene Fehde,

[1]) Allenfalls kann man für diese Frage die Worte Arnims an Pauli vom
1. Oktober 1629 heranziehen. Arnim, der zur Zeit des Gespräches bereits mit Wallen=
stein zerfallen war, bemerkte: „Wenn man sich des schwedischen Einfals in Pommern
nicht zu besorgen, so würde so viel clärer und unwiderleglicher daraus erhellet werden
konnen, daß der H. General diese Lande mit so schweren praesidiis ohne Not und
nur ob privatum interesse, sich bei Meckelburg militari manu zu schützen,
belegete." (Baer, Quelle Nr. 94). Arnim wußte also von W.s Absicht auf Pommern
scheinbar nichts.

die der Verfasser dem unseligen Bindung=s angekündigt hat, doch ist ihm
auf S. 138 eines entgangen. Zum Schlusse habe ich noch eine Ehren=
pflicht zu erfüllen. Von den Herren, die das Werk des Herrn Dr. Baer
besprechen werden, wird wohl niemand so wie ich ermessen können, welch
eine ungeheure Arbeit Dr. Baer mit seiner Publikation geleistet hat. Die
große Mehrzahl der Protokolle der pommerischen Verhandlungen in jener
Zeit sind von der Hand des Archivars Frost geschrieben. Die Handschrift
dieses Mannes ist im Gegensatze zu den weitaus meisten Handschriften des
16. und 17. Jahrhunderts schon an sich geradezu unleserlich; es kommt
aber hinzu, daß die Tinte auf dem Papiere, das Frost benutzt hat, zerflossen
und an zahllosen Stellen durchgesickert ist. Trotzdem hat Dr. Baer mit
Opfermut die Protokolle entziffert und veröffentlicht, ohne auch nur mit
einem einzigen Worte anzudeuten, welch eine Arbeit da wieder einmal ein
deutscher Gelehrter geleistet hat. Möge denn an dieser Stelle, was er
bescheiden versäumt hat, mit um so herzlicherer Anerkennung nachgeholt
werden.

Berlin.   M. Spahn.

Zeitschriftenschau.

1] Neues Archiv der Gesellschaft für ältere deutsche Geschichtskunde.
1896. Bd. 21. H. 2 u. 3. Th. Mommsen, ordo et spatia episcoporum Romanorum in libro pontificali. S. 333—57. Verbreitet sich über die beiden Quellen für die Angaben des liber Pontificalis über die ältesten römischen Bischöfe, den Index und den Catalogus Liberianus. Die chronologischen Abweichungen und Irrtümer werden beleuchtet und der liber Pontificalis — abgesehen von den späteren gleichzeitigen Eintragungen — als ungeeignetes Hilfsmittel für die Chronologie der Päpste charakterisiert. — E. Egli, eine neue Rezension der Vita s. Galli, 361 — 71. Abdruck derselben aus einem als Bücherüberzug verwendeten Manuskript des 10. Jahrh., das im Züricher Archiv aufgefunden wurde, und sich als Bruchstück einer Sammlung von Heiligenleben charakterisiert. — E. Bernheim, über die Origo gentis Longobardorum. S. 375—99. Verteidigt im Gegensatz zu Mommsen, welcher die Origo für einen Auszug aus einem verloren gegangenen ausführlicheren Werke ansieht, dessen Spuren sich in der sog. Hist. Langobardorum codicis Gothani und in der Hist. Langob. des Paulus Diakonus erkennen ließen, und zu Waitz, der die Origo und die entsprechende Quelle, welche in den beiden obengenannten Werken benutzt ist, nur für differierende Rezensionen eines und desselben Schriftstückes hinstellt, dessen wesentlich ursprüngliche Gestalt uns in der Origo vorliege, den originalen Charakter der Schrift. — A. Overmann, die Vita Anselmi Lucensis episcopi des Rangerius. S. 403—40. Vf. glaubt, daß diese lange gesuchte und zu Anfang unseres Jahrh. in Spanien aufgefundene Vita trotz ihres überwiegend theologischen Inhalts, und trotzdem sie sich als versifizierte Uebertragung der schon längst bekannten Vita Anselmi des Bardo darstellt, doch als Quelle von selbständigem historischen Werte für die Zeit des Kampfes zwischen Heinrich IV und Gregor VII gelten könne. Die Vita wird analysiert und die wichtigsten sich ergebenden neuen Punkte hervorgehoben. Besonders für die lucchesische Geschichte der achtziger Jahre, für die Szene von Canossa und die Römerzüge Heinrichs bringt sie selbständige Nachrichten. — O. Holder-Egger, Studien zu thüringischen Geschichtsquellen. IV. S. 444—546. Ueber die Cronica S. Petri Erfordensis moderna und die verwandten Erfurter Quellen. — Miszellen. M. Manitius, zur Frankengeschichte Gregors von Tours. S. 549—57. Weist auf den stellenweise zu tage tretenden poetischen Aus-

druck in der Frankengeschichte hin und vertritt die Ansicht, daß G. die Bucolica, Georgica und Aeneis kannte, ebenso auch Gellius, Plinius und wahrscheinlich auch Servius, den Kommentator Vergils. — F. W. E. Roth, eine Briefsammlung des 12. Jahrh. aus dem Kloster Steinfeld. S. 558—61. Briefe aus einer Hs. der bisch. Seminarbibliothek zu Mainz, deren Veröffentlichung er votiert. — R. Röhricht, zum Fall von Accon und zur Geschichte des fünften Kreuzzuges. S. 562—64. Stellen aus einem Codex zu Assisi und des Vatikans. — H. V. Sauerland, ein Brief des Königs Sigmund von Ungarn an den Großmeister des Johanniterordens Philibert von Naillac. S. 565—56. Abdruck ohne Kommentar. — Nachrichten. S. 567—98. ● K. Hampe, zur Lebensgeschichte Einhards. S. 601—31. Weist zunächst darauf hin, daß bereits Sirmond vor Duchesne in seiner Ausgabe der Kapitularien Karls des Kahlen v. J. 1623 Stücke aus Einhards Briefen anführt. H. prüft die Briefe von neuem und sucht einige derselben, namentlich solche, welche Licht über sein Verhalten am Hofe verbreiten, neu zu datieren. Die Grundsteinlegung der Abtei Seligenstadt wird entgegen der Ueberlieferung, welche dieselbe ins Jahr 828 verlegt, zwischen den J. 831 und 34 datiert. Weiterhin wird Einhards Parteinahme für den jungen Kaiser Lothar und sein späterer Verkehr mit dem Hofe Lothars beleuchtet. Zusammenfassend verurteilt H. das scharfe Urteil Simsons über Einhards greisenhafte Schwäche, Ratlosigkeit und Schwanken zwischen den Parteien. „Insofern er sich," sagt H., „in den Wechsel der Dinge fügen mußte, machte er in der That äußerlich die Schwankungen in der Regierung des Frankenreiches mit. Daraus kann ihm kein Vorwurf erwachsen. In seinem jeweiligen Urteil über die Ereignisse jedoch läßt sich ein durchgehender Zug nicht verkennen: Abneigung gegen das System, das mit dem Namen der Kaiserin Judith verknüpft war, Hinneigung zu Lothar und seinen Anhängern." — H. Böhmer, der dialogus de pontificatu sanctae Romanae ecclesiae. S. 635—84. Kommentiert eine noch ungedruckte kleine Streitschrift in dem cod. lat. Monac. 17184 aus den ersten Jahren Alexanders III, „die nach Form und Inhalt zu dem besten gehört, was aus der zweiten Hälfte des 12. Jahrh. auf unsere Tage gekommen ist." Das Schriftchen ist eine „höchst geschickte Verteidigung der Ansprüche Alexanders, nicht sowohl gegenüber einem überzeugten Anhänger Viktors, sondern gegenüber einem unentschiedenen Neutralen." Als Vf. wird Otto von Freisings Schüler Rahewin angenommen. Ein Anhang I bejaht die Frage, ob Rahewin den Gratian benutzte; in einem Anhang II. führt Vf. an der Hand eines Rahewin zugeschriebenen Gedichtes in cod. lat. Monac. 19488 den Nachweis einer großen Belesenheit Rahewins und sucht dadurch zugleich dessen theologischen Standpunkt zu fixieren. Ein Anhang III ist überschrieben: „Die Abfassungszeit von De investigatione I und die Synode von Toulouse." Letztere wird mit Reuter in den Oktober des Jahres 1160 verlegt. — O. Holder-Egger, Studien zu thüringischen Geschichtsquellen. S. 687—735. V. Ueber die Erfurter Annalen des 12. Jahrh., die Cronica S. Petri moderna und verlorene Reinhardsbrunner Annalen. — Miszellen. O. Seebaß, über die beiden Columba-Hss. der Nationalbibliothek in Turin. S. 730—46. Entgegnung auf den im Hist. Jahrb. XV, 868 notierten Artikel von H. J. Schmitz. — K. Hampe, zur Datierung der Briefe des Bischofs Frothar von Toul. S. 747—60. — H. Böhmer, ein Schmähgedicht auf Abt Ivo I von St. Denis. S. 761—69. Teilt das Gedicht, von dem Mabbillon in den Ann. ord. s. Bened. Bruchstücke veröffentlichte, aus der jetzt in der Berliner Bibliothek befindlichen Hs. mit.

2) **Historische Zeitschrift** (begr. v. H. v. Sybel, hrsg. v. Treitschke u. F. Meinecke. S. oben S. 227).

1896. **Bd. 76 (N. F. Bd. 40), H. 3.** D. Schäfer, die Verurteilung Heinrichs des Löwen. S. 385—412. Vf. erkennt der Verweigerung der Heeresfolge keine Rolle im Prozesse gegen den Herzog zu; die Verbindung zwischen Heinrichs Sturz und seiner Haltung in den ersten Monaten des Jahres 1176 erscheint ihm quellennäßig zu schlecht beglaubigt. Nachdem Heinrich zu dem Vermittlungstermin wegen Land=friedensbruch in Worms 1179 nicht erschienen und daselbst von Dietrich von Lands=berg auch die Hochverratsklage erhoben war, wurden in beiden Klagesachen neue Termine für Magdeburg angesetzt, wo der Herzog sich wiederum nicht einfand, ebenso=wenig wie zu Nürnberg (Erfurt) und Ulm. In der Landfriedenssache wird Heinrich, zu Kaina geächtet, wegen Hochverrats aber zum dritten Termin auf Januar 1180 nach Würzburg geladen und daselbst auf grund jener Aechtung, wegen seiner fort=gesetzten Feindseligkeiten und seiner Mißachtung des Kaisers wegen Hochverrats zum Verlust von Lehen und Eigengut verurteilt. — O. Hintze, preußische Reformbestrebungen von 1806. S. 413—43. Die Gesetzgebung von 1807 ist nur der Abschluß einer langen Entwicklung. Der Anfang dieser Reformbestrebungen fällt in den Beginn der Re=gierung Friedrich Wilhelms III, und die eigentlichen Träger sind die Kabinetsräte Mencken und Beyme, beide Anhänger Suarezscher Ideen; Beyme speziell war die treibende Kraft in der Frage der Bauernbefreiung. Vf. entrollt ein detailliertes Bild von jenen Bestrebungen und dem Anteile einzelner Männer wie Hardenberg, v. Borg=stede und v. Voß an den Reformen, namentlich auf grund einschlägiger Akten der neugeordneten Kabinetsregistratur Friedrich Wilhelms III von 1797—1806 im Berliner Staatsarchiv. — Miszellen. K. Wenck, zur Dante=Forschung. S. 444—49. Eingehender Hinweis auf die Ergebnisse der Untersuchungen Grauerts im Histor. Jahrb. XVI, 510—44. Dazu gibt der Vf. folgenden Beitrag: Dantes Divina Commedia figuriert schon im Testamente Johanns von Neumarkt 1368 April 1 (vgl. Centralbl. f. Bibliothekswes. 10 (1893) S. 156). Die Stellungnahme des Papstes zu König Albrecht war bereits in der ersten Hälfte des Jahres 1299 bekannt, und Bonifaz hat die Gründe, mit denen er seine Handlungsweise deckte, von Anfang an nicht verhehlt. Den Makel, der auf Albrechts Thronbesteigung ruhte, betonte der Papst nach W. wohl deshalb, weil seine eigene Erhebung auch nicht einwandfrei war, und weil eben jener Makel vielleicht die Gelegenheit bot, vom Könige für die Anerkennung die Abtretung Toskanas zu erhalten. — A. Wrede, das Datum des Wormser Edikts. S. 449—53. Nicht die Originale, sondern der offizielle Druck galten für Deutschland. Am 26. Mai unterschrieb der Kaiser in der Fassung vom 8. Mai die ursprünglich schon in def. ihm vorgelegten Reinschriften. — Literaturbericht. S. 454—528. Bei der Besprechung der „Beiträge zur Geschichte vornehml. Kölns" 2c. (zum 80. Geburtstage G. v. Mevissens. S. Hist Jahrb. XVI, 605.) S. 478 f. nimmt G. v. Below Stellung gegen die von K. Lamprecht in einem Aufsatze in jener Festschrift, „die Herrlichkeit Erpel", vorgebrachten geschichts=philosophischen Ansichten. — K. Haebler berichtet S. 515—28 über „Neuere Erscheinungen zur spanischen Geschichte aus den Jahren 1893—95". — Notizen und Nachrichten. S. 529—68. Friedr. Meinecke widerspricht S. 530 f. den Ausführungen K. Lamprechts in der „Zukunft" v. 8. Febr. d. J.: „die gegenwärtige Lage der Geschichtswissenschaft".

1896. **Bd. 77. (N. F. Bd. 41), H. 1.** K. Koser, neue Veröffentlichungen zur Vorgeschichte des Siebenjährigen Krieges. S. 1—40. Besprechung des ersten Teils von A. Naudés Beiträgen zur Entstehungsgeschichte des Siebenjährigen Krieges (s. oben

S. 398 u. 470) und des Aufsatzes von A. Beer, zur Geschichte des Jahres 1756 in den Mitteilungen des Instituts für österreichische Geschichtsforschung (s. unten S. 846). [Wir kommen voraussichtlich in Heft 1 des nächsten Bandes des Histor. Jahrb. auf den Stand der ganzen Kontroverse zurück, da inzwischen auch der zweite Teil von Naudés Beiträgen erschienen ist. D. R.] — **P. Baillen, zur Geschichte Napoleons I.** S. 41—66. Der erste Teil einer dankenswerten Prüfung und Würdigung der neuesten Napoleon-Literatur, hier der Aufzeichnungen und Briefe Napoleons und seiner Brüder (hauptsächlich liegt das Werk von F. Masson und G. Biagi, Napoléon inconnu (Histor. Jahrb. XVI, 666) zu grunde. — **A. Pick, Briefe des Feldmarschalls Grafen Neithart v. Gneisenau an seinen Schwiegersohn Wilhelm v. Scharnhorst.** Im Auftrage von Agnes Freifrau v. Münchhausen, geb. v. Scharnhorst, herausg. von —. S. 67—85. Die 27 Briefe, von denen vorerst neun hier veröffentlicht werden, fallen in die Zeit vom 29. August 1828 bis zum 16. Juli 1831. Sie gehören der letzten Lebensperiode des greisen Feldherrn an und sind interessant wegen ihrer Bezugnahme auf die Zeitereignisse, die im Gefolge der Pariser Julirevolution aufgetretenen europäischen Umwälzungen, die polnische Insurrektion und den belgischen Aufstand. — **F. Meinecke, Heinrich von Treitschke.** S. 86—90. Nachruf. S. oben S. 470 u. 712. — *Literaturbericht.* S. 91—154. S. 106—14 kritisiert v. Inama eingehend und, was vor allem die methodologische Seite betrifft, mit mancherlei Tadel das preisgekrönte Werk von G. d'Avenel: Histoire économique de la propriété etc. (s. Histor. Jahrb. XVI, 684). — **Notizen und Nachrichten.** S. 155—92.

3] **Deutsche Zeitschrift für Geschichtswissenschaft.** (N F. s. oben S. 227). 1896/97. Jahrg. 1. (Der ganzen Folge 7. Jahrg.) 1. u. 2. Viertelj.-Heft. E. Bernheim, politische Begriffe des MA. im Lichte der Anschauungen Augustins. S. 1—23. Behandelt häufig wiederkehrende politische Begriffe. Unter ›Pax‹ versteht Augustin „den Zustand inneren und äußeren Gleichgewichtes, in dem sich alles Geschaffene, sofern es in seiner ursprünglich gut erschaffenen Natur beharrt, an seiner Stelle in den Kosmos eingefügt und so an dem höchsten Gute, an der Einheit des Seins in Gott, in unbedingter Ein= und Unterordnung teilnimmt." Die Störung dieser Harmonie ist die ›Superbia‹ oder ›Inobedientia‹. Die ›Justitia‹ beruht auf dem Dienste und dem Gehorsam gegen Gott. Der Papst verlangt als Vorkämpfer der causa justitiae ›Obedientia‹. Auf dem Begriffe ›Pax‹ beruht der weitere eines ›rex iustus.‹ Das Gegenstück zu dieser Herrschaft des wahren Friedens bilden die weiteren Begriffe der ›Discordia‹ und des ›Tyrannus‹. Zum Schluß wird die Herrschaft des ›iustus pastor‹ als die gottwohlgefällige demütige Herrschaft ohne Selbstsucht und Ueberhebung charakterisiert. Der Brennpunkt dieser Begriffe, deren Modifikationen und Anwendung — namentlich unter Gregor VII — verfolgt werden, ist die Idee eines „Gottesreiches des Friedens und der Gerechtigkeit unter der väterlichen Leitung des friedfertigen, selbstlos gerechten Vorgesetzten" und demgegenüber die weitere Idee eines Teufelsreiches des Eigennutzes und der Ueberhebung gegen Gott. — **S. Rietschel, zur Datierung der beiden ältesten Straßburger Rechtsaufzeichnungen.** S. 24—47. Prüft die sich widersprechenden älteren Forschungsresultate und sucht für die Datierung der älteren Stadtrechte um das Ende des 12. Jahrh. den Wahrscheinlichkeitsbeweis zu führen, während er für die Datierung des zweiten Straßburger Stadtrechtes die Datierung Hegels adoptiert, der die Zeit von 1214—19 annimmt. — **G. Schmoller, das politische Testament Friedrich Wilhelms von 1722.** S. 48—69. (Rede, gehalten am Geburtstage S. M. d. Kaisers in der Aula der Friedr. Wilh.-Universität zu Berlin am 27. Januar 1896. S. oben S. 227.) — **Kleine Mitteilungen.** K. Maurer, zur Geschichte der skandinavischen Städte. S. 70—71. Vgl. hiezu die oben S. 109 notierte Kritik desselben Vf.; hier wird auf 2 neuere Publikationen: Das „Gothenburgische Recht" und „Das Gartenrecht in den Jacobsfjorden vnnd Vellgarden" hingewiesen. — W. Friedensburg, über den Vf. des ›Promemoria ad Hadrianum papam VI de depravatione status Romanae ecclesiae.‹ Nicht Aegidius, sondern Campeggi ist der Verfasser des von Höfler so hoch gerühmten Gutachtens. — Ein Nachtrag von E. Bernheim weist darauf hin, daß Mittags oben S. 623 notierte Arbeit Ruotgers Abhängigkeit von augustinischen Ideen ganz in dem Sinne, wie er es in seinem obigen Aufsatze andeutete, darlegt. ● **K. Lamprecht, was ist Kulturgeschichte? Beitrag zu einer empirischen Historik.** S. 75—150. Nach eingehenden psychologischen Deduktionen sagt L.: „Die Kulturgeschichte ist die vergleichende Geschichte der sozialpsychischen Entwicklungsfaktoren, und sie verhält sich zur Sprachgeschichte, Wirtschaftsgeschichte, Kunstgeschichte usw. so, wie sich sonst vergleichende Wissenschaften zu den ihr untergeordneten Wissenschaften zu verhalten pflegen." Sie „ist für alle geschichtlichen Richtungen oberste Bedingung." Ein Nachtrag beschäftigt sich mit der Replik Nachfahls im Juniheft der Preuß. Jahrb. — **Kleine Mitteilungen.** Grotefend, der Kalenderstein von Stürzelbronn in Lothringen. S. 151—53. Sagt von der Tafel auf demselben, daß sie den Zwischenraum zwischen dem Weihnachtstage und dem Sonntage Invocavit in Wochen und Tagen wiedergibt. — A. Pannenborg, Ergänzungen zu Lamberts Hersfelder Klostergeschichte. S. 154—59. Teilt aus einer Hf. der herzogl. Bibl. zu Wolfenbüttel ein Bruchstück aus dem zweiten Buche v. Lamberts Hersfelder Klostergeschichte mit. Der Prolog zur Klostergeschichte ist nach P. nicht vor der zweiten Hälfte des J. 1076 geschrieben. — P. Sander, ein Beitrag zur Kritik Peter Harers. S. 159—63. Eine Hf. des „Bauernkrieges 1525", die sich in Münchener Privatbesitz befindet, stellt den Anteil Peter Harers an dieser Aufzeichnung in Frage und thut dar, daß amtliche Relationen zu derselben verwertet wurden. — K. Maurer, zur Auslegung des Kieler Friedens. S. 163—66. Bespricht eine Abhandlung von H. Forssel, Fjärde artikeln af fredstraktatenai. Kiel d. 14 jan. 1814. [G. B. A. Holm, Nytt jurid. Arkiv 20 (1895.)]

Monatsblätter. 1896. Jahrg. 1. Nr. 1—4. (April—Juli.) K. Th. Heigel, **Friedrich der Große und der Ursprung des siebenjährigen Krieges.** S 1—17, 33—47. Bespricht die hochinteressante Kontroverse, zu welcher das Hist. Jahrb. in H. 1 (1897) Stellung nehmen wird. — E. Marcks, Heinrich von Treitschke. Ein Nachruf. S. 65—75. — A. Doren, neuere Arbeiten zur Bevölkerungs- und Sozialstatistik des 15. und 16. Jahrh. S. 97—112. Besprochen werden Eulenburgs oben S. 137 notierter Aufsatz und eine Publikation desselben Autors aus der jüngsten Zeit in der Zeitschr. f. Gesch. des Oberrheins, auf welche wir noch zurückkommen werden.

4] Mitteilungen des Instituts für österreichische Geschichtsforschung.

1896. Bd. 17. H. 1 u. 2. A. Dopsch, die falschen Karolinger-Urkk. für St. Maxim (Trier). S. 1—34. Wendet sich gegen Breßlau, welcher die Entstehungszeit der 5 Königsurkk. zwischen die J. 953 und 63 verlegt und sucht darzuthun, daß sie der Zeit Lothars III angehören. Weiterhin wird die merkwürdige Erscheinung gestreift, daß gerade die von D. angenommene Zeit so zahlreiche Fälschungen über den Besitzstand der Klöster gefertigt wurden und der Grund darin gesucht, daß um diese Zeit der charakteristischen Neuformulierung der Immunität die Klöster es als ein

54*

Bedürfnis ansahen, das als Schenkung und Verpachtung älterer Zeit hinzustellen, wofür ein sicherer Beweistitel nicht produziert werden konnte. — E. von Ottenthal, ein Ineditum Ottos I für den Grafen von Bergamo von 970. S. 35—47. Mitteilung des Textes mit Kommentar. — E. Winkelmann, die angebliche Ermordung des Herzogs Ludwig von Baiern durch Kaiser Friedrich II i. J. 1231. S. 48—63. Stellt die That= sache fest, daß gleich nach der Ermordung Ludwigs von Bayern ein weit verbreitetes Gerücht, dessen Entstehung wir verfolgen können, den Kaiser als den Mörder bezeich= nete, daß aber ferner der Ueberlieferung, welche dieses Gerücht weiter trug, nach keiner Richtung hin irgend welche innere Wahrscheinlichkeit zur Seite steht. — L. Schmitz= Kheydt, ein Bullenstempel des Papstes Innocenz IV. S. 64—70. S. unten Nachr. — M. Mayr-Adlwang, über Expensrechnungen für päpstliche Provisionsbullen des 15. Jahrh. S. 71—108. Der 3. Bd. der sog. Serie ›Compositiones‹ der libri d. camera apostol. des 15. Jahrh. enthält Bruchstücke einer besonderen Art von Cameral=Registern, die durch die vorangestellte und am Schluß des Aufsatzes abgedruckte Abschrift eines Ediktes des Kardinal=Kämmerers Ludw. v. Aquileja ›Edictum positum pro exhibendis cedulis expensarum provisionum‹ vom 29. April 1462 ihre Aufklärung erhalten. Jeder Prokurator oder Sollizitator von jeder Art von Provisionen, die in der Kammer tarixt sind, soll darnach bereits ausgefertigte und expedierte Bullen nicht eher aus der Kurie fortnehmen, bis er nicht in der Kammer zur gewöhnlichen Amtsstunde eine ausführliche und richtige Rechnung über alle Auslagen präsentiert hätte. Erst wenn diese Rechnung vom clericus mensarius oder dessen Stellvertreter unterfertigt und in den Kammerbüchern gehörig registriert ist, darf sie gleichzeitig mit den Bullen an die Partei ausgehändigt werden. Daß dieser Erlaß praktische Bedeutung erlangte, lehrt der nunmehr eingehend besprochene Inhalt des Registerbandes. — A. Beer, zur Geschichte des J. 1756. S. 109—60. Stellungnahme zu der bekannten Kontroverse oben S. 843 f. — Kleine Mitteilungen. E. Rodenberg, die Städtegründungen Heinrichs I. S. 161—67. Führt auf grund von Urkk. den Nachweis, daß bereits Heinrich I kraft seiner öffentlichen und staatlichen Gewalt in Sachsen das Recht besaß, von der Landbevölkerung Leistungen und Dienste für die Befestigung von Burgen und Städten zu fordern und nimmt als wahrscheinlich an, daß Heinrich hier nur Einrichtungen des karolingischen Staates neu belebte und in eigentümlicher Weise ausgestaltete. — R. Sternfeld, vier verwandte arelatische Diplome Konrads III. S. 167—76. Weist die Geschichte der Privilegien für die Erzbischöfe von Arles und Embrun, für den Bischof von Viviers und für den Edlen von Clérieu nach, die durch Uebereinstimmung eines großen Teiles ihres Textes zusammen zu gehören scheinen. ● W. Lippert, Markgraf Friedrich der Freidige von Meißen und die Meinhardiner von Tirol 1296—98. S. 209—33. Gibt ein Itinerar des land= flüchtigen Markgrafen, welcher sich nach Tirol, Steiermark und der Lombardei wandte. Die italienischen Ghibelinen sahen ihn als ihr Oberhaupt an im Kampfe gegen die guelfisch gesinnten Elemente und gegen das Papsttum und dessen Vorkämpfer, die Anjous, an. 1297 weilte Friedrich bei der Krönung Wenzels II von Böhmen in Prag; die dortige Fürstenzusammenkunft richtete ihre Spitze gegen Adolf, und von ihr wird der von Adolf schwer gekränkte Markgraf Hilfe erwartet haben, welche vorerst aber ausblieb. Abermals wandte er sich nach Tirol, und erst 1298 weilte er wieder in seinen Erblanden. Einige Ausgabenrechnungen über Lebensunterhalt, welchen wir die Kenntnis dieses Itinerars verdanken, werden mitgeteilt. Höchst befremdend wirkt es, daß Grauerts einschlägige Ausführungen im Hist. Jahrb. XIII, 100 ff., gar nicht herangezogen werden. — Ph. Schön, die Reichssteuer der schwäbischen Reichsstädte

Eßlingen, Reutlingen und Rottweil. Ein Beitrag zur Geschichte der Einkünfte der deutschen Könige und Kaiser. S. 234—64. An der Hand der Geschichte der Reichssteuer dreier schwäbischer Reichsstädte wird gezeigt, „wie nach und nach der Ertrag der Reichssteuern statt in die Hände des Reichsoberhaupts an die einzelnen Stände des Reichs gelangte." — **H. J. Biedermann, die österreichischen Länderkongresse.** Aus dem Nachlasse des Verewigten herausgegeben von S. Adler. S. 264 bis 92. Eine Grazer Rektoratsrede v. J. 1882, welcher der wissenschaftliche Apparat fehlt. Vf. schließt, daß der Föderalismus in Oesterreich sich nie als Bindemittel bewährte, daß er wohl Provinzialverbände hat bilden helfen, daß aber „alle Versuche, den österreichischen Staat als ganzen auf genossenschaftlicher Grundlage zu konstituieren," scheiterten. — **Kleine Mitteilungen.** Sickel, das Verbot, Bücher der gatikanischen Bibliothek auszuleihen. S. 293—96. Mitteilung über Breven Pius' IV vom 20. Juni und vom 29. November 1564, welche dem Cardinal Carl Borromeo Beschränkungen beim Entleihen von Büchern auferlegen. Der erste Brief wird abgedruckt. — A. Dopsch, über die »tres comitatus« bei der Erhebung Oesterreichs zum Herzogtum (1156). S. 296-310. Vf. versteht mit Hasenöhrl (Arch. f. österr. Gesch. 82, 419 ff.) unter »comitatus« die Grafenrechte und deutet die Stelle bei Otto von Freising, daß dem Babenberger das neue Herzogtum mit zwei Fahnen übertragen worden sei, so, „daß mit der einen Fahne die zum Herzogtum erhobene Ostmark, mit der anderen aber ihr verliehenen Rechte (insbesondere die Grafenberechtigung) bei der Investitur symbolisiert werden sollten." — J. Seemüller, über die angeblich älteste deutsche Privaturkunde S. 310—15. Ein Diplom aus dem Familienarchiv Mülinen, angeblich vom 12. Nov. 1221, ist erst an dem gleichen Datum des Jahres 1321 ausgestellt. **Literatur.** Hingewiesen sei auf die erste Rezensionenserie: „neuere Literatur über deutsches Städtewesen" von K. Uhlirz, welche 50 Publikationen aus den Jahren 1888—95, darunter auch Zeitschriftenartikel, bespricht.

5] Archiv für österreichische Geschichte.

1895. Bd. 81. 2. Hälfte. J. Loserth, Sigmar und Bernhard von Kremsmünster. Kritische Studien zu den Geschichtsquellen von Kremsmünster im 13. und 14. Jahrh. Mit 2 Tafeln. S. 349—446. Nimmt gegen Waitz' gleichbetitelte Ausführungen in den Forschgn. zur deutschen Gesch. (XX, 605—16) Stellung und hält an Sigmar als Autor der Kremsmünsterer Sachen im Wiener Codex 610 fest. Vorausgeschickt werden allgemeine Bemerkungen über die literarische Thätigkeit in Kremsmünster unter dem Abte Friedrich von Aich; es folgen Ausführungen über den Codex Fridericianus, der das 1304 vollendete Urbarium und den Liber privilegiorum enthält, bei deren Abfassung Sigmar hervorragend thätig war. Die Bemerkungen aus dem Totenbuch des Abtes Friedrich von Aich thun sodann dar, daß Sigmar nicht, wie man vielfach annimmt, bereits vor 1326 starb, womit ein wesentlicher Grund gegen seine Autorschaft fällt. Für die Vita s. Agapiti ist weder Sigmar noch Bernardus als Autor anzunehmen. Die folgenden Kapitel über die histor. Arbeiten in Kremsmünster aus der Zeit Friedrichs von Aich und ihre handschriftliche Ueberlieferung, über die Ordnung der Bibliothek von Kremsmünster unter dem Abte Friedrich von Aich, über den ersten Abtskatalog und seinen Vf., über das Verhältnis des ersten zum zweiten Abtskataloge, über den angeblichen Bernardus Noricus, suchen die Verdienste Sigmars zu beleuchten, während auf der andern Seite die Werke des Bernardus Noricus als überschätzt hingestellt werden, „da man nicht erkannte, wie

viel er seinem nächsten Vorgänger zu verdanken hatte." — F. v. Krones, Beiträge zur
Städte- und Rechtsgeschichte Oberungarns. S. 449—512. (Vgl. Hist. Jahrb. XVI
406.) — M. Erben, die Frage der Heranziehung des deutschen Ordens zur Verteidigung
der ungarischen Grenze. S. 515—99. Der Gedanke, den deutschen Orden zur Abwehr
der Türken an der ungarischen Grenze heranzuziehen, findet sich zum erstenmale in
dem 1566 entstandenen Gutachten des Lazarus Schwendi, des Oberbefehlshabers des
kaiserlichen Kriegsvolkes in der Zips. Vf. schildert die Behandlung, welche dieses
Gutachten im Reiche erfuhr, wobei auch die Persönlichkeit Schwendis schärfer ins
Auge gefaßt wird. Weiter wird dargestellt, wie Erzherzog Maximilian nach seiner
Erhebung zum Hochmeister des deutschen Ordens letzteren wieder für die auswärtige
Politik des Reiches nutzbar machte, indem er dessen finanzielle Beteiligung an seinen
polnischen Plänen und dessen Kriegshilfe für seine Feldzüge in den J. 1594 und 95
durchsetzte, und wie er ferner eine Reform des Ordensstatutes betrieb, welche 1606
zur That wurde und den Orden aus seiner Isolierung und Unthätigkeit, in die er
seit der Lostrennung des Herzogtums Preußen verfallen war, herausreißen und den
öffentlichen Angelegenheiten dienstbar machen wollte. Die Beilagen bieten einen Abdruck von 1. „Zeitung aus Graz vom 15. Aug. 1594 betr. die Einnahme von Petrina"
und 2. „Eigentliche Partikularität von Eroberung und Einnehmung beeder Vöstungen
Petrinia und Sissegg."

6] Zeitschrift für die Geschichte des Oberrheins.

1895. N. F. Bd. 10. H. 3 u. 4. J. Becker, die Wirksamkeit und das Amt der Landvögte des Elsaß im 15. Jahrh. S. 321—60. 1. Das Amt der Landvögte betrachtet
nach den Bestallungsurkunden und Schwörbriefen. Der neue Landvogt fand sich in
jeder Stadt seines Amtsbezirkes ein, ließ sich huldigen und nahm den Eid des Gehorsams entgegen. Die Dauer des Amtes war unbestimmt, d. h. auf Widerruf. Da
die Inhaber der Landvogtei meist mächtige Herren der Nachbarschaft waren, ernannten
sie Unterlandvögte. Seit Karl IV waren die Landvogteien des Ober- und Nieder-
elsaß in eine Gesamtlandvogtei zu Hagenau vereinigt. — 2. Die Stellung des Landvogts zu den Sonderbünden der Reichsstädte des Elsaß. Der Bund der sieben Städte,
der 1342 gegründet, 1346 verlängert wurde, bestimmte zwar, daß dem Kaiser und
dem Landvogte alle ihre Rechte gewahrt werden sollten, aber es scheint doch, daß der
Bund zur Abwehr von Bedrückungen durch die Reichsbeamten gegründet wurde.
Der Gesamtbund der 10 Städte von 1354 unterschied sich daher von diesen ersten
Bünden gerade dadurch, daß er unter die Leitung des Landvogtes gestellt wurde,
1360 schlossen acht Städte den Abänderungsvertrag, daß gegenseitige Streitigkeiten
der Städte der landvogteilichen Jurisdiktion entzogen und einem Schiedsgericht von
Vertretern der Städte unterstellt würden. 1378 hob der Kaiser den Zehn-Städtebund
auf, in Zukunft sollte der Landvogt für die Städte allein maßgebend sein. Dagegen
erfolgte 1379 ein Schutzbündnis der Städte. — 3. Landvogt und Reichsstädte in ihren
Beziehungen zu den Landfriedensbündnissen am Oberrhein. Bei dem Landfrieden
im Elsaß haben Landvogt und Reichsstädte Vertreter beim Bundesgericht. Seit König
Wenzel ist der Landvogt ständiger Kriegshauptmann des Landfriedensbundes. —
4. Die militärische Wirksamkeit der Landvögte. Sie sind von Anfang an Befehlshaber
der Reichskontingente ihres Gebietes; auch der Defapolisbund machte sie zu obersten
Kriegsherren der Zehnstädte. — 5. Das Eingreifen der Landvögte in die Verfassungskämpfe und Bürgerunruhen der Reichsstädte. Wiederholt schlichteten sie Bürgerunruhen durch gütliche Vermittlung oder mit Gewalt und nahmen Teil an der Um-

bildung der städtischen Verfassungen wie besonders 1330 in Oberehnheim, 1347 in Mülhausen, 1358—61 in Kolmar. — 6. Der Landvogt als Sachwalter in Streitsachen der unmittelbaren Reichsgebiete und Reichsbürger. In gegenseitigen Streitigkeiten der Reichsstädte war er Schiedsrichter, Zwistigkeiten zwischen ihm und einzelnen Städten wurden von Vertretern der anderen Städte entschieden, Streit des Landvogts mit der Gesamtheit der Reichsstädte gehörte vor den Kaiser. — 7. Die gericht= lichen Kompetenzen der Landvögte. Der Landvogt ernennt den Reichsschultheiß von Hagenau, auch über die übrigen Reichsstädte stand ihm rechtlich die Einsetzung und Ueberwachung der Schultheiße zu. Für die Reichsdörfer bildet die Stadt Hagenau den Appellgerichtshof. Der Landvogt kann persönlich eingreifen, die Schult= heiße sind seine Vertreter, eine Art Unterricht. Vor den Landvogt und den Rat gehören Vergehen der Hagenauer Juden und Waldfrevel im hl. Forst. — 8. Die Verwaltung der Reichseinkünfte und die persönlichen Einnahmen des Landvogts. — 9. Die Unterbeamten und die Wohnung des Landvogts. — **Al. Cartellieri, Beiträge zur kirchlichen Geographie und Statistik.** S. 361—75. C. hält gegen Sommerfeld zur Frage von der Herkunft des Predigermönches Nikolaus, Titularbischofs von Butrinto, die Bischofsreihe bei G a m s für Avlona für ungenügend, während er die für Avlino anerkennt, bringt neue Belege dafür, daß unter Valanea, nicht Valona, sondern Banias oder Balinas im Ejalat Beirut zu verstehen sei. C.s Ansicht von der Lausanner Herkunft des Nikolaus von Butrinto scheint erschüttert zu sein, er betont jetzt mit mehr Nachdruck, daß die Beziehungen einiger Ratgeber Heinrichs VII zum Bistum Lausanne es erklärlich machten, „wie" Nikolaus in diesen Gegenden zu einem geistlichen Amte gelangte. — **G. Knod, hat Markgraf Bernhard d. j. von Baden († ca. 1424) wirklich in Bologna studiert?** S. 376—82. Knod beweist, daß an den vor= kommenden Stellen der Acta „nicht von zwei verschiedenen Personen, sondern nur von einem Bernardus de Baden geredet wird" und „daß mit diesem Bernardus de Baden, der als filius marchionis Badensis bezeichnet wird, nicht Markgraf Bernard der jüngere (wie Schulte und Fester meinten), sondern nur ein anderer bisher unbekannt gebliebener und zwar unechter Sohn des Markgrafen Bernard des älteren gemeint sein kann. — **F. Bresch, Stadt und Thal Münster im Elaß im dreißig= jährigen Kriege.** S. 383—423. Stadt und Thal Münster, nämlich die Stadt und zehn Ortschaften bildeten ein unzertrennliches Gemeinwesen unter kaiserlichem Schutz. In der ersten Zeit des dreißigjährigen Krieges hatte dasselbe einen Teil der Soldzahlungen aufzubringen, die Graf Mansfeld der Landvogtei Elsaß auferlegte; dann hatte es mehrfach unter Durchzügen und Einquartierungen zu leiden. Im Sommer 1632 rückten die Schweden ins Elsaß ein; nach denselben strömten Lothringer, Ungarn, Deutsche und Spanier ins Land. Der schwedische Resident in Straßburg beschloß daher, Colmar, das schon vorher dazu neigte, und andere elsässische Städte unter französischen Schutz zu stellen. Das Schicksal von Colmar, Münster, Türkheim, Kaysersberg und Ammerschweier war damit besiegelt, bei den westfälischen Friedens= verhandlungen gewann der Colmarer Abgeordnete Balthasar Schneider bald den Ein= druck, daß das Elsaß schwerlich den Händen Frankreichs zu entwinden sei. Auch nach dem Abschluß des Friedens hatte das Elsaß noch Entschädigungsgelder an Schweden aufzubringen. Münster und Thal war im Kriege verarmt, auch Verwilderung aller Sitten ließ sich nachweisen. — **Fr. Jostes, Fritz e Closener und Jakob Twingers Vokabularien.** S. 424—43. Vf. hat ein verloren geglaubte Vokabular Closeners auf= gefunden und untersucht sein Verhältnis zu dem von Twinger. Sein Ergebnis ist: 1. „Das ganze Werk Closener's hat Twinger, so wie es vorlag, sich angeeignet und

zur Grundlage des seinigen gemacht. 2. Wenn Twinger sagt, er habe die Gedächtnis=
verse hinzugefügt, so ist das unwahr; weitaus die meisten stehen schon im Closener,
Tw. hat nur weitere hinzugefügt." 3. Auch Closener hatte schon alphabetische An=
ordnung, aber Tw. hat daran einiges geändert, auch manches hinzugefügt Jostes
weist nach, daß die Vermehrung Twingers keine Verbesserung gegen Closener genannt
werden könne. Er hält Closener für „das erste eigentliche deutsche Wörterbuch" und
zugleich auch für „ein sehr selbständiges Werk". „Twingers Bearbeitung hat den
Charakter kaum verändert oder den Wert erhöht, und der Niger abbas ist nichts
als der Schatten Closeners". Es sind mehrfache Beispiele als Belege im Abdruck
beigegeben. — C. Waldner, **castrum Argentariense**. S. 444—47. Unter
dem Hinweis, daß das Kirchspiel von St. Peter den ältesten Teil von Colmar um=
faßt, und der Pfarrer von Horburg der ordentliche Seelsorger dieser ältesten Kirche
war, untersucht W. das Verhältnis beider und kommt zu dem Schluß, daß wir es
mit einer Organisation der christlichen Kirche aus der Römerzeit zu thun haben und
daß in Horburg vor dem Untergang der Römermacht eine Bischofskirche bestanden
hat. Da Mommsen eine Bischofskirche für das castrum Argentariense annimmt,
so sei das heutige Horburg auf den Trümmern Argentariums erbaut. — F. W. Roth,
Johannes Merkurius Morheimer. S. 448—55. Er war ein Schüler Melanchthons und
hatte in Heidelberg eine Privatschule. Für die Methodik des lateinischen Unterrichtes
ist er von Bedeutung, weil er eine lateinische Grammatik geschrieben, in welcher zum
erstenmale die lateinische Sprache nicht lateinisch, sondern auf deutsch gelehrt wird.
Beigegeben sind biographische Angaben über ihn, sowie als Anlage der Abdruck des
Vorworts aus seiner lateinischen Grammatik von 1556. — M. Huffschmied, **Otto Heinrich
und der Kanzler Mückenhäuser.** S. 456—60. Es sind mehrere Meckenhäuser in pfalz=
gräflichen Diensten, nachweisbar aber keiner ist Kanzler gewesen. „Möglicherweise
war ein Glied dieser im Hofdienste stehenden Familie ein in Heidelberg stadtbekanntes
Original, dem man allerlei Abenteuer nacherzählte, gleichgiltig, ob sie es der Zeit
nach erlebt haben konnte oder nicht, und das verdient oder unverdient eben das Glück
hatte, als „Kanzler Mückenhäuser" durch Scheffel der Vergessenheit entrissen zu
werden." — **Miscellen.** Herrenschneider, Argentovaria Horburg. S. 461—67. Gegen
Pfannenschmid, der die früheren Ergebnisse Herrenschneiders, daß unter Argen=
tovaria, Argentaria und castrum Argentariense das Römerkastell zu Horburg zu
verstehen sei, angegriffen hatte, hält H. an seinen „Argent=Drillingen" fest, und weist
hin auf die Haltlosigkeit der Gründe Pf.s für die Lage Argentovarias in Oedenburg.
S. oben Waldner. — C. Beyerle. aus den Konstanzer Münster.
S. 466—69. Beschreibung zweier Tafeln, auf welchen die Anwesenheit der Mitglieder
der Konstanzer geistlichen Bruderschaft notiert wurde bei der Abhaltung der Anni=
versarien, um darnach die Höhe der ihnen zukommenden Präsenzgelder zu berechnen.
In der jüngeren fragmentarischen Tafel findet sich der Name Gallus Oheim, wodurch
die Angaben bei Brandi (die Chronik des Gallus Öhem) eine andere Beleuchtung
erfahren. — Fr. Glasschröder, **zum kurpfälzischen Ständewesen.** S. 470—71. Abdruck
einer Urkunde, aus der hervorgeht, daß der Kurfürst i. J. 1505 „fürstentum, land
und leute geistlicher und weltlicher stände" einberufen hatte, um mit ihnen über die
harten Friedensbedingungen zu beratschlagen. Gothein verwarf eine Stände=
versammlung und nahm nur einen erweiterten kurfürstlichen Rat an, hier haben wir
jedoch den Beleg, daß die Versammlung in der That ein „Anfang zu einer ständischen
Verfassung in der Kurpfalz" gewesen ist; „aber bei diesem Anfang ist es geblieben".
— A. Cartellieri, **zu Johann von Botzheim.** S. 471/72 gibt ein paar Daten über ihn

aus dem Karlsruher Archiv und stellt die Literatur über ihn zusammen. — H. Haupt, zur Sagengeschichte des Oberrheins und der Schweiz. S. 472—76. Teilt aus der kirchenpolit. Reformschrift aus der Zeit Maximilians I Proben mit legendarischen Abschnitten mit. — Literaturnotizen S. 476—80. — Archivalien aus dem Amtsbezirk Offenburg; St. Blasien, Schönau, Waldshut m 49 — m 80. ● F. Gfrörer, die katholische Kirche im österreichischen Elsaß unter Erzherzog Ferdinand II. S. 481—524. Ohne Unterstützung der geistlichen Obrigkeit hat die österreichische Regierung in ihren elsässischen Gebieten während der schwierigsten Zeiten und Verhältnisse im 16. Jahrh. die katholische Religion aufrecht erhalten; dies wird an der Hand von Colmarer und Innsbrucker Archivalien, insbesondere eines Berichtes von Leonhard Lueck und Rochius Castner a. d. J. 1570 im einzelnen nachgewiesen. Die Uebelstände werden vor allem in der Geschichte des Klosters Münster im Gregorienthal und seines Abtes Heinrich von Gestetten dargethan. Andere Klöster hatten gar keinen geistlichen Vorsteher, sondern wurden im Namen der österreichischen Regierung von einem weltlichen Schaffner verwaltet. Außerdem gab es mehrere Klöster mit wälschen Mönchen (sechs Cluniazenserklöster), welche in den unruhigen Zeiten Kleinodien und Einkünfte nach Frankreich verschleppten. Auch in Frauenklöstern wird Mißwirtschaft nachgewiesen, vor allem unter Frau Scholastika von Falkenstein, Aebtissin von Masmünster. Vom Weltklerus entwirft der Vf. kein besseres Bild. Die Laienbevölkerung war guten Geistlichen entgegenkommend; Abwendung von der katholischen Kirche soll weniger aus dogmatischen Bedenken als aus Unzufriedenheit mit dem schlechten Klerus erfolgt sein. Die Regierung wollte bessern, aber sie hatte kein Geld und sie mußte den Adel schonen. Der Ensisheimer Pfarrer Joh. Naffer ist die Seele der katholischen Bewegung im österreichischen Elsaß geworden; er gründete eine Schule, deren Schulordnung im Anhang abgedruckt ist. — J. Schneider, Gerechtigkeiten und Einkünfte der Hinterburg in Neckarsteinach. S. 525—46. Aus dem Archiv zu Darmstadt wird nach einer Kopie die Beschreibung abgedruckt, die i. J. 1537 Pomponius Oeller, Kellermeister auf der Hinterburg, von Obrigkeit, Gerechtigkeit u. s. w., welche zur Burg gehörten, aufgezeichnet hat — H. Ulmann, zur politischen Entwicklung Sleidans i. J. 1544. S. 547—64. Sleidan stand seit 1536 in französischen Diensten, durch königlichen Auftrag insgeheim mit seiner Besoldung auf den trésor d'épargne angewiesen. Als französischer Agent ist er 1544 von Frankreich nach Deutschland gezogen und gehörte der französischen Gesandtschaft an, welche auf dem Speyrer Reichstage 1544 Zwietracht unter die Stände säen sollte. Da die Gesandten nicht zugelassen wurden, veröffentlichten sie ihren Auftrag in abgeänderter Form im Druck. Sleidan hat zur Verbreitung desselben das Seinige gethan, er sollte sie auch ins Deutsche übersetzen, was zuletzt unterblieb. Vf. vermutet, daß Sleidan von Nancy aus weiter nach Deutschland hinein abgesandt wurde, um die abgewendeten Franzosenfreunde wiederzugewinnen; er blieb als französischer Spion und Berichterstatter in Deutschland zurück. — H. Meisner, deutsche Johanniterbriefe aus dem 16. Jahrh. mit Einleitung und Erläuterungen hrsg. von —. S. 565—631. Die Adressaten dieser schon 1828 mit verderbtem Text gedruckten Erläuterungen und Briefe wie die Briefschreiber sind in der Geschichte des Johanniterordens von Bedeutung: Johann von Gattstein ist Präsident der kaiserlichen Kammer geworden; Georg Schilling ist es zu verdanken, daß Malta zum Wohnsitz auserwählt wurde, er wurde Gouverneur von Tripolis, General der Galeeren und 1548 von Karl V in den Reichsfürstenstand erhoben. Die Briefe sind für die historische Stellung der Deutschen innerhalb des Ordens interessant und auch wegen ihrer Sprache und des Briefstiles bemerkenswert. — F. v. Weech, Mitteilungen aus dem vatikanischen Archiv,

S. 632—49. 1. Verzeichnis des Inhalts der Akten der Congregazione sopra il
Palatinato. Diese Kongregation wurde nach den Siegen der Kaiserlichen in der Pfalz
1621 und 1622 gegründet, und es wurden ihr zunächst alle kirchlichen Angelegenheiten
für Oberdeutschland, später auch für Niederdeutschland überwiesen. 2. Dominikaner
an der Universität zu Konstanz. Während der französischen Okkupation Freiburgs
1686—97 war die Freiburger Universität nach Konstanz verlegt und die Dominikaner
bemühten sich, die Lehrstühle für Philosophie und Theologie zu erhalten. 3. Instruktion
des Kardinalstaatssekretärs Gaulucci für Mons. Spada bei dessen Sendung in außerordentlicher Mission an den kaiserlichen Hof. 1702 März 25. — K. Fester, die Erwerbung der Herrschaften Hachberg und Höhingen durch Markgraf Bernhard I von Baden.
S. 650—67. Bis zur Mitte des 15. Jahrh. geht die südwestliche Kleinstaaterei zurück.
Vf. behandelt den Uebergang von Hachberg und Höhingen an die badische Markgrafschaft und druckt ein Urbar von 1414 ab, das den faktischen Wert der zum Verkauf
angebotenen Herrschaften ausweist. — Miszellen. H. Pfannenschmid, ein Mandat
Friedrichs II. S. 668—69 Ein Jneditum aus dem Bezirksarchiv zu Colmar: Der
kaiserl. Schultheiß zu Colmar wird beauftragt, die Priorei St. Petri vor Belästigungen
der Bürger zu schützen. Vf. datiert die Urkunde auf (Speyer) 1236 April (26). —
Glasschröder, zur Entstehungsgeschichte des Lehenbuches Kurfürst
Ludwigs V von der Pfalz. S. 670. Abdruck eines Briefes des Kurfürsten an
Abt Johann Bühel v. Arnstein 25. Mai 1540, er möge das Wappen seiner Abtei für das
im Entstehen begriffene Lehenbuch einsenden. — P. Albert, Friz Andwil,
ein verschollener Chronist? S. 671—74. Notizen zu dem Lebensbild des von
Th. Ludwig in seinen Arbeiten über die Konstanzer Geschichtschreibung zu den ver-
schollenen Chronisten gezählten F. J. v. Andwil. — Literaturnotizen. S. 674—83.
— Jnhaltsverzeichnis der Zeitschrift für die Geschichte des Ober-
rheins. N. F. Bd 1—10, bearbeitet von Jos. Stumpf. S. *1—*82. —
Archivalien aus Orten des Amtsbezirks Waldshut, Breisach, Konstanz, Bretten, Lahr, Kehl, Staufen, Waldkirch, Wolfach und vom
Freiherrlich von Racknitzschen Archiv zu Heinsheim m 81 bis m 99. —
Personalnachrichten m 100.

7] Forschungen zur brandenburgischen und preußischen Geschichte.

1895. Bd. 8. 2. Hälfte. H. Donalies, der Anteil des Sekretärs Westphalen an
den Feldzügen des Herzogs Ferdinand von Braunschweig. Teil II. 1760—62. S. 1—99.
Vgl. oben S. 113. Behandelt die Feldzüge der J. 1760—62 und schildert Westphalens
persönliches Verhältnis zu Herzog Ferdinand, dessen Feldherrnruhm des ersteren Verdienste nach D. nicht verdunkelten. — C. Jany, Lehndienst und Landfolge unter dem
Großen Kurfürsten. S. 101—49. Beleuchtet sein Thema von der Kriegsperiode von
1672—79, in der man gezwungen war, auf die Aufgebote der alten Zeit zurück-
zugreifen. Die Darstellung gliedert sich in die Kapitel: „Wehrlosigkeit der Mark
Brandenburg zu Anfang des 17. Jahrh."; „Pläne und Versuche der Landesdefension
im Zeitalter des dreißigjährigen Krieges"; „die Kriegsverfassung des Herzogtums
Preußen"; „die stehenden Garnisonen vor dem schwedisch-polnischen Kriege"; „Landes-
aufgebote in Brandenburg, Pommern und den westdeutschen Gebieten bis zum Frieden
von Oliva"; „die preußischen Landtruppen im schwedisch-polnischen Kriege"; „Entwicklung des stehenden Heeres nach dem Frieden von Oliva". — W. Ribbeck, Johann
Rodger Torck in seinem Verhältnis zu der Politik seiner Zeit und in seinen Beziehungen
zu den Bistümern Minden, Münster und Paderborn in den J. 1660—78. S. 151—68

Vgl. hiezu R.s und Tibus' im Hiſt. Jahrb. XVI, 376 notierte Aufſätze; gegen den
letzteren repliziert hier R. — W. Oncken, Sir Charles Hotham und Friedrich Wilhelm I.
i. J. 1730. Urkundliche Aufſchlüſſe aus den Archiven zu London
und Wien. S. 169—204. Vgl. Hiſt. Jahrb. XVI, 830. Verfolgt die Er=
eigniſſe bis zu dem Augenblick, wo es ſich zeigen mußte, ob England überhaupt eine
Heiratsverbindung mit Preußen wünſchte. — A. Naudé, Beiträge zur Entſtehungs=
geſchichte des ſiebenjährigen Krieges. Teil I. S. 205—300. (Näheres darüber wird
in einem ſelbſtändigen Artikel folgen. S. oben 843 f.) — Kleine Mitteilungen. A.
Cartellieri, Urkk. von und für Albrecht Achilles. S. 301—2.
Weiſt unter Bezugnahme auf die im Hiſt. Jahrb. XVI, 182 angezeigte Publikation
von Priebatſch auf einige unbekannte Karlsruher Urkk. hin. — R. Doebner,
Sabbatordnung Biſchof Dietrichs IV von Brandenburg,
Burg Ziefar, 30. Septbr. 1471. S. 302—3. Der Text ohne Kommentar
wird aus einer gleichzeitigen Abſchrift des Hildesheimer Stadtarchivs mitgeteilt. —
E. Friedländer, ein Brief Eichels vom 21. September 1751. S. 306.
Adreſſat iſt Miniſter Podewils. — H. Kiewning, Inſtruktion der Plantage=
inſpektoren für den Seidenbau in der Kurmark vom J. 1769.
S. 307—10.

8] Hiſtoriſch=politiſche Blätter.

1895. Bd. 116. Dr. S., die kirchlichen Unionsbeſtrebungen gegenüber den Süd=
ſlaven. S. 1—16, 111—24. Die Einigungsverſuche vom Konzil von Ferrara=Florenz
bis in die allerneueſte Zeit. — F. B., Erinnerung an Emilie Ringseis. S 81—111,
161—88. Biographiſche Skizze, Würdigung ihrer Werke in Poeſie und Proſa, ihre
Teilnahme an der Miſſionsanſtalt in St. Ottilien (Tuzing). — P. M., die „Luther=
forſcher" in Verlegenheit. S. 216—22. Die wiederaufgefundenen Original=Nachſchriften
der Tiſchreden Luthers. — A. Paulus, Mathias Sittardus. Ein kaiſerlicher Hofprediger
des 16. Jahrh. S. 237—52, 329—40. S. ſtammte aus dem Städtchen Sittard,
daher ſein Name; der Familienname war Eſche. Er wurde geboren am 2. Febr. 1522
und trat 1538 zu Aachen in den Dominikanerorden. 16 Jahre lang war S. Prediger
in Aachen. 1557 begleitete er den Herzog Wilhelm von Jülich zum Wormſer Re=
ligionsgeſpräch, wobei er angeblich in Frankfurt und Worms proteſtantiſche Geſinnung
geheuchelt habe. Von 1559—66 war S. Hofprediger in Wien und wurde Beichtvater
Ferdinands I. Auch von Kaiſer Maximilian II hochgeſchätzt, begleitete er dieſen 1566
zum Reichstag nach Augsburg und in den Türkenkrieg. Dort erkrankte er bald und
ſtarb, nach Wien zurückgekehrt, am 31. Okt. 1566. — J. Mausbach, der Kommunismus
des hl. Klemens von Rom. S. 340—49. Der im Decretum Gratiani (c. 2 Diliciſ=
ſimis CXII qu. 1) ſtehende Brief „des hl. Klemens von Rom an die Chriſten=
gemeinde zu Jeruſalem" iſt nicht echt, ſondern ein Werk Pſeudo=Iſidors. — Ein
Künſtlerleben: P. Gabriel Wüger aus der Beuroner Kunſtſchule. S. 473—89, 549—62.
Geboren 1829 zu Steckborn (Kanton Thurgau) von kalviniſchen Eltern, geſtorben
1893 zu Monte=Kaſſino als Prieſter O. S. B. — J. Veith, die kirchlichen Martyro=
logien. S. 489—98, 629—43, 809—22. Die Entwicklung der Martyrologien aus
den Kalendarien; Verzeichnis der wichtigſten Abhandlungen über Martyrologien; das
ſogenannte Martyrologium Hieronymianum und deſſen Entſtehung; die hiſtoriſchen
Martyrologien: das hl. Beda und das ſog. Martyrologium Romanum par=
vum — F. W. E. Roth, Godfrid Adolf Waluſius, Weihbiſchof von Mainz 1617—79.
S. 543—48. Biographiſche Skizze des früheren kalviniſchen Predigers und ſpäteren

Weihbischofs B. (Vogler), der sich um die Hebung der Liturgie, des Religionsunterrichts und des kirchlich sozialen Lebens große Verdienste erwarb. Beigefügt ist ein Ver= zeichnis' seiner Schriften.

9] Analecta Bollandiana.

1895. Tom. XIV. De codicibus hagiographicis Johannis Gielemans canonici regularis in Rubea Valle prope Bruxellas. S. 5—88. Die kaiserliche Familien=Fideikommiß=Bibliothek in Wien bewahrt in neun Bänden eine von Johannes Gielemans, Subprior des Klosters Rouge=Cloître bei Brüssel zusammengestellte Kollektion historischer Denkmäler, welche man längst für verloren betrachtet hatte. Johannes Gielemans ist im J. 1427 geboren, geraume Zeit vor dem J. 1460 trat er im Kloster Rouge=Cloître ein, wo er 1464 Priester wurde. Er starb 1487. Im ganzen stellte er 20 Bände zusammen; er hat indessen nicht alles einfach abgeschrieben, sondern auch selbständige Beiträge geliefert. S. 14 —48 werden der Inhalt der erhaltenen 9 Bände aufgeführt und in Fußnoten die Quellen genannt, aus denen Johannes Gielemans schöpfte. Die 4 frühesten Bände (Cod. 9397 a) umfassen eine ›Sanctilogium‹ genannte Sammlung von mehr als 1000 Heiligenleben, dann folgt das ›Hagiologium Brabantinorum‹ (Cod. 9363) in 2 Bänden, hierauf das ›Novale Sanctorum‹ (Cod. 9364) wiederum in 2 Bänden, endlich das ›Historiologium Brabantinorum‹ (Cod. 9365) in 1 Band. — La plus ancienne vie de S. Géraud d'Aurillac († 909). S. 89—107. Es existieren 2 Rezensionen der Vita dieses Heiligen: die eine (A) wurde zum ersten Male 1614 in der Bibliotheca Cluniacensis col. 65—114 veröffentlicht, die andere (B) wurde erst 1870 von Bouange herausgegeben. A ist als die ältere Redaktion zu betrachten, ihr Vf. ist Odo von Cluny, der sie im zweiten Viertel des 10. Jahrh. (wahrscheinlich nicht lange nach 925) niederschrieb; B ist nichts anderes als eine Ab= kürzung von A, ihr Vf. ist wahrscheinlich ein Mönch von Aurillac. — Miracula Beati Antonii Peregrini ex apographo Musei Bollandiani. S. 108 —14. Der in Rede stehende Codex ist eine im 17. Jahrh. von Konrad Janning gefertigte Kopie einer Perg.=Hs., die er bei den Benediktinerinnen des Antoniusklosters in Padua gefunden hatte. Der 1. Teil dieses Perg.=Codex, der die Vita B. Antonii Peregrini enthält, ist im Jahre 1346 geschrieben, der 3. im Jahre 1324 geschriebene Teil dagegen — der 2. Teil ist nicht von Belang — der die nach dem Tode des Seligen geschehenen Wunder behandelt, geht auf eine ältere Quelle zurück, nämlich auf die in Urkundenform geschriebenen Aufzeichnungen des Notars Thealbus, welcher wiederum die — offenbar bald nach dem Tode des Seligen († 1. Febr. 1267) — gemachten Aufzeichnungen seines Großvaters benützt hatte. Was das Verhältnis der Vita unserer Hs. zu der in den Analekten XIII, 417—25 herausgegebenen Vita (s. Hist. Jahrb. XVI, 163) anlangt, so besteht zwischen beiden kein wesentlicher Unter= schied; dagegen erweist sich die a. a. O. ebenfalls abgedruckte Wundererzählung des Sicco Polentonus als sehr verdorben, weshalb dieselbe S. 110—14 nach Thealbus ergänzt und verbessert wird. — Vita Sancti Nicephori episcopi Milesii saeculo X. S. 129—66. Diese Vita ist nur in einer einzigen Hs., dem Pariser Cod. gr. Nr. 1181 (einstens Nr. 2350 der kgl. Bibliothek) erhalten. Der Vf. ist ein Sizilianer mit unbekanntem Namen; er schrieb die Vita wenige Jahre nach dem Tode des Nicephorus und war vielfach Augenzeuge dessen, von dem er berichtet. S. 133—61 wird der Text der Vita gegeben. In einem Anhange wird S. 161—65 über die domus τοῦ Μωσελλοῦ, in der der hl. Nicephorus erzogen wurde, eine Untersuchung angestellt. Diese domus war eine berühmte Knabenschule in Konstantinopel, nicht weit von der Kirche des hl. Akacius, in der 10. Region gelegen. Ihren Namen hat sie von Alexius Moseles, der zur Zeit des Romanus Lacapenus lebte. Im 12. Jahrh. oder kurz vorher wurde die Schule in ein Kloster verwandelt. — **Legenda beati Francisci de Senis ordinis servorum B. M. V., edidit R. P. Peregrinus Soulier eiusdem ordinis.** S. 167—97. Ein Teil dieser Legende ist bereits 1743 zu Rom herausgegeben worden. Vorliegende Veröffentlichung beruht auf einer i. J. 1726 von P. Callixtus Palombella gefertigten Abschrift einer nicht mehr aufzufindenden Hf. des 14. Jahrh. Der Vf. der Legende ist Fr. Christophorus von Parma, welcher der intimste Freund und Beichtvater des Seligen war. Die Zeit der Abfassung fällt nach 1348. Gegenüber irrigen Angaben in der Literatur sind folgende Daten aus dem Leben des Seligen festzuhalten: Er ist geb. 1263, trat 1283 in den Orden ein und starb 1328. — **Vita Sancti Naamatii diaconi Ruthenensis extremo saeculo VI, ut videtur, conscripta.** S. 198—201. Nach einer Hf. der Pariser Bibliothek Nr. 2637, olim Colbert. 143. Der Vf. der Vita ist unbekannt. Die genannte Hf. hat bereits A. Borral (1548—1627) ausgezogen. Auf diese Quelle gehen auch die späteren, in den Acta SS. Nov. t. II, part. I, pp. 288, 89 veröffentlichten Nachrichten über den Heiligen zurück. — **Catalogus codicum hagiographicorum qui Vindobonae asservantur in bibliotheca privata Serenissimi Caesaris Austriaci.** S. 231—83. Beschreibung der Hff. der kaiserlichen Familien-Fideikommiß-Bibliothek in Wien mit Nachweis der Werke, in denen die einzelnen Hff. oder Teile von ihnen gedruckt sind. In einem Anhang zu cod. 7928 mit dem Titel: De venerabili viro Godefrido Pachomio, monacho Villariensi wird S. 263—68 das wesentliche über diesen Mönch aus der Hf. abgedruckt. Ein weiterer Anhang zu cod. 9366 b, betitelt: De B. B. martyribus Carthusiensibus in Anglia bringt S. 268—83 die Erzählung des Mauritius Chauncy über die unter Heinrich VIII hingerichteten Karthäusermönche zum Abdruck. — **Sancti Apollonii Romani acta Graeca ex codice Parisino Graeco 1219.** S. 284—94. Nach dem Zeugnisse des Eusebius waren die Martyrakten des Apollonius in griech. Sprache abgefaßt. Vorliegender Text ist jedoch nicht mit demjenigen identisch, den Eusebius vor sich gehabt hat, ebensowenig hat er die Vorlage zu der 1874 in Venedig von den Mechitaristen veröffentlichten und 1893 von J. C. Conybeare ins Englische übertragenen armenischen Uebersetzung jener Akten gedient. — **Vita et miracula S. Stanislai Kostkae, conscripta a. P. Urbano Ubaldini, S. J.** S. 295—318. Fortsetzung der Vita (vgl. Hist. Jahrb. XVI, 162.) — **La Légende de S. Florus.** S. 319—21. Wendet sich gegen einen Artikel von Boudet im Juliheft der Annales du Midi. — **L'inscription de Sainte Ermenia.** S. 322—24. Im J. 1893 erschien im Archivio storico Italiano (Ser. V. t. XII) von Nitti di Vito eine Abbildung einer Bleiplatte, die laut Inschrift aus dem Reliquiarium einer hl. Ermenia, deren Mutter eine Tante der seligsten Jungfrau gewesen sei, stammen sollte. Es wird nun nachgewiesen, daß Platte samt Inschrift eine plumpe Fälschung sind. — **Bulletin des publications hagiographiques.** S. 115—28, 202—230, 325—352. Besprechung der neuesten hagiographischen Arbeiten. — In diesem Bande der Analecta führt Chevalier sein Repertorium hymnologicum von Praesentis festi tempore (Nr. 15320) bis Rutilat Marthae dies (Nr. 17605). S. 341—484.

10] Theologische Quartalschrift.

1895. Jahrg. 77. H. 3 u. 4. H. Koch, der pseudepigraphische Charakter der dionysischen Schriften. S. 353—420. I. Der Stand der areopagitischen Frage. II. Die Schriften des Dionysius. III. Besprechung der für den pseudepigraphischen Charakter beweiskräftigen Stellen. — Schäfer, die Christologie des hl. Cyrillus von Alexandrien in der römischen Kirche. 432—534. S. 421—47. — Schanz, die Lehre des hl. Augustinus über das hl. Sakrament der Buße. S. 448—96 u. 598—621. — A. Koch, ethische Freiheit und Verantwortlichkeit des Verbrechers. S. 529—63. — O. Mussil, das. auserwählte Volk im Lichte der modernen Kritik. S. 564—97. — Vetter, eine rabbinische Quelle des apokryphen dritten Korintherbriefes. S. 622—33. — Belser, Lukas und Josephus. S. 634-62. Der vorliegende 1. Teil der Abhandlung prüft vornehmlich die angeblichen sprachlichen Beziehungen zwischen Josephus und Lukas. — J. M. Mercati, Stephani Bostreni nova de sacris imaginibus fragmenta e libro deperdito κατὰ Ἰουδαίων. S. 663—68. ● 1896. Jahrg. 78. H. 1—2. Belser, Lukas und Josephus. S. 1—78. Prüft die sachlichen Parallelen. — Schanz, die Lehre des hl. Augustinus über die Eucharistie. S. 79—115. Der hl. Augustinus ist nicht Spiritualist und Symboliker, sondern lehrt die reale Gegenwart Christi in dem Sakrament der Eucharistie. — Funk, die pseudojustinische Expositio rectae fidei. S. 116—47. — Belser, zur Emmausfrage. S. 193—223. Hält das heutige Kubebeh für das lukanische Emmaus. — Funk, die pseudojustinische Expositio rectae fidei. (Schluß.) S. 224—50. S. Merkle, neue Prudentius-Studien. S. 251—75. Untersucht zunächst das Verhältnis zwischen Augustin und Prudentius und stellt die Hypothese auf, daß ersterer i. J. 421 des letzteren Werke kannte. Sodann wendet er sich gegen Weymans Ausführungen im Hist. Jahrb. XV, 370 ff. und nimmt an, daß Severus' Chronik vor den Gedichten des Prudentius erschienen ist; schließlich verteidigt er seine im Hist. Jahrb. XIV, 876 erwähnten Ausführungen gegen Kattenbusch. (Vgl. Hist. Jahrb. XV, 660.) — A. Peters, zu Js. 40, 19—20 und 44, 19. S. 276—86. — J. M. Mercati, Zacchaeus Caesareensis. S. 287—89. — H. Koch, das Klemenszitat bei Pseudo-Dionysius Areopagita. S. 290—98. Dasselbe bildet „in keinem Falle eine Instanz gegen den pseudepigraphischen Charakter der dionysischen Schriften."

11] Zeitschrift für katholische Theologie.

1895. Jahrg. 19. H. 1—4. N. Nilles, in scrinio pectoris sui. Ueber den Brustschrein Bonifacius VIII. S. 1—34. Durch die Worte Bonifacius VIII: ›Romanus Pontifex iura omnia in scrinio pectoris sui censetur habere‹ kann, wenn sie gegen den Sinn, in welchem er sie in der Decretale Licet geschrieben, zur Bezeichnung der Primatialgewalt des Papstes gebraucht werden, nach römischer Auffassung weder absolutistische Gewalt, noch schrankenlose Omnipotenz, noch souveräne Willkür ausgedrückt sein. — M. Gatterer, der selige Guerricus, Abt von Igny, und seine Sermones. Eine homiletische Studie. S. 35—90. Schüler des hl. Bernhard von Clairvaux, dessen Leben und Werke behandelt werden. — M. Morawski, über die Worte: „Unter Pontius Pilatus." Ein Beitrag zur Geschichte des apostolischen Glaubensbekenntnisses. S. 91—100. — Rezensionen. Analekten. H. Grisar, Schriften zur mittelalterlichen Geschichte des Kirchenstaates. S. 145—57. — E. Michael, das Testament des Kurfürsten Friedrich Wilhelm von Brandenburg. S. 157—58. Hinweis auf die Publikation E. v.

Höflers im 11. Bde. des Arch. f. Kunde österr. Geschichtsquellen. — J. K. Zenner, Ecclesiasticus nach Cod. Vat. 346. S. 159. — E. Michael, Wilmers und Lüdtkes kirchengeschichtl. Schriften. S. 159—62 — S. Haidacher, eine unechte Chrysostomus-Homilie. S. 162—65. Gemeint ist die Homilie »De Melchisedeco.« — E. Michael, zur Charakteristik Leopold von Rankes. S. 165—69. Bezieht sich auf Veröffentlichungen von Th. Wiedemann in der Deutschen Revue 1893. S. 343 ff. — N. Nilles, das Mitte-Pfingstfest. S. 169—77. — J. Ernst, der 22. Kanon des Arausicanum II. S. 177—85. — f. Stentrup, der Staat und die Schule. I. Das Forum des Naturrechtes S. 193—233. — J. Ernst, der angebliche Widerruf des hl. Cyprian in der Ketzertauffrage. S. 234—72. — A. Kröß, die Kirche und die Sklaverei in Europa in den späteren Jahrh. des MA. S. 273—305. Die Sklavenfrage ist kirchlich zu Beginn des MA. bereits gelöst. „Die heidnische Sklaverei ist als unvereinbar mit dem Christentume im Schwinden begriffen und selbst die wenigen Ueberreste, welche sich da und dort noch erhalten haben, haben eine solche Umbildung erfahren, daß sie eigentlich nicht mehr unter dieselbe Kategorie fallen. Man betrachtet nicht die Person als ein Besitztum des Herrn, sondern einzig die Arbeiten des Sklaven und ihre Ergebnisse. Der Sklave ist dem Herrn gegenüber nicht Sache, sondern eine Person mit gewissen unveräußerlichen Rechten, allerdings auch mit Pflichten, die aber der Herr nicht nach Willkür, sondern einzig nach den Gesetzen des Christentums fordern darf." H. Grisar, ein angeblicher Kirchenschatz aus dem ersten Jahrh. (Der Tesoro sacro des Cavaliere Giancarlo Rossi zu Rom.) S. 306—31. Nennt den „Schatz" ein Werk des 19. Jahrh.s Rezensionen. Analekten. A. Hoffer, das Verzeichnis der ungarischen Titularbischöfe. S. 355—64. Sucht die vielfach unbekannten Bischofssitze der Verzeichnisse zu bestimmen. — N. Nilles, über die Erzbischöfe der Metropolie von Durazzo. S. 364—66. — M. Gatterer, P. Schobers Caeremoniae mis. solemn. S. 366—67. — J. B. Nisius, Commentare zur Encyclica Providentissimus Deus. S. 367—73. J. K. Zenner, Textverbesserung zu Ps. 121, V. 3. S. 373—74. — J. E. Danner, der Ahd-Nameh für Bosnien 1464. S. 374—76. P. Angelus Zujezdović erwirkte den Christen in Bosnien Duldung. — J. Brandenburger, bibliotheca belgica. S. 376—77. — L. Fonck, der hl. Irenäus über die Sprachengabe. S. 377—80. — N. Nilles, das kroatische Rituale Romanum. S. 380—82. — J. B. Nisius, der Cursus scripturae sacrae. S. 382—86. S. Haidacher, Quellen der Chrysostomus-Homilie De perfecta caritate. S. 387—89. ● f. Stentrup, der Staat und die Schule. II. Das Forum des positiven göttlichen Rechtus. S. 401—37. — A. Zimmermann, Pusey im Kampfe gegen die katholischen Tendenzen der Tractarianer und die protestantische Richtung der Anglikaner. S. 438—49. Schildert den 3. Bd. von Liddons Life of E. B. Pusey als unzuverlässig und parteisch; außerdem sei die Biographie nicht vollständig. — E. Michael, Luther und Lemnius, Wittenbergische Inquisition 1538. S. 450—66. Luthers Vorgehen gegen Simon Lemchen aus Graubünden, Magister an der Akademie zu Wittenberg, der in Epigrammen den Erzbischof Albrecht von Mainz gefeiert hatte, straft die Behauptung Lügen, die Reformation sei eine Bewegung für Gewissensfreiheit gewesen. — Ph. Huppert, Probabilismus oder Aequiprobabilismus? S. 467—505. — Rezensionen. Analekten. H. Hurter, Streiflichter auf die neueste kath. theol. Literatur. S. 544—52. An der Hand von H.s Nomenklator. — J. Kern, zum neuesten Werke Wellhausens. S. 552—72. — N. Nilles,

das ſyriſch-katho!. Kirchenjahr. S. 572—80. Veröffentlicht die von dem
Erzbiſchof von Damaskus zuſammengeſtellte Liſte der »Festa immobilia Ecclesiae
Syrorum.« — J. K. Zenner, Textkritik zu Habakuk. S. 581—82. —
J. Heller, die „fünf" Wundmale des Herrn. S. 582—85. — Derſ.,
Judas auf dem Oelberge. S 585—86. — Kleinere Mitteilungen. ●
A. Kröß, die Kirche und die Sklaverei in Europa in den ſpäteren Jahrh. des MA.
S. 589—622. Fortſetzg. (ſ. oben.) Liefert den Nachweis, daß „der mittelalterliche
Sklave, welcher Religion und Nation er auch immer angehören mag, als vernünftiges
Weſen ebenſo Rechtsſubjekt iſt, wie ſein Herr," und daß der einzige Unterſchied
zwiſchen beiden darin beſteht, „daß der Umfang der Rechtsbefugniſſe verſchieden iſt."
Das Chriſtentum hat den aus dem Heidentume überkommenen Zuſtand der Sklaverei
auf dem Wege vieler Mittelſtufen beſeitigt. — Th. Granderath, die Machtvollkommenheit
der römiſchen Kongregationen bei Lehrdekreten. S. 623—50. — F. Schmid, die Lehre
der Agnoeten und ihre Verurteilung. S. 651—80. — Rezenſionen. Analekten. H.
Noldin, die Briefe des hl. Alfons von Liguori. S. 735—41. Behandelt
die in Regensburg bei Manz erſchienene Ausgabe derſelben. — N. Nilles, das
neueſte Dekret betreffs der Herz Jeſu-Bilder. S. 741—48. — J.
Biederlack, ein kanoniſtiſch-liturg. Zweifel betreffs der Abtweihe.
S. 748—53. — E. Michael, Innocenz III und die Kreuzzugsſteuern.
S. 753—56. Bejaht die von Gottlob (Hiſt. Jahrb. XVI, 312 ff.) verneinte
Frage, ob Papſt Innocenz III. ſich das (erzwingbare) Recht zuerkannt habe, auch die
Laien für Kreuzzugszwecke zu beſteuern. — E. Lingens, die anglikaniſchen
Weihen. S. 756—60. — E. Michael, Entſtehung der ſtändigen
Nuntiaturen nach Pieper. S. 760—61. Zeigt das im Hiſt. Jahrb. XV, 913
notierte Werk von Pieper an. — E. Lingens, Studium Solesmense.
S. 761—63. — E. Michael, Dürers Glaubensbekenntnis nach
A. Weber. S. 763—64. Befaßt ſich kurz mit W.s im Hiſt. Jahrb. XV, 688
notierten Buche.

12] Studien u. Mitteilungen aus dem Benediktiner- u. dem Ciſterzienſerorden.

1895. Jahrg. 16. Plaine, de veris Breviarii Romani originibus et
prima eius forma. Disquisitio critico-liturgica. S. 3—10, 216—23, 336
—90. Die älteſte Form des röm. Breviers beſtand in der Verteilung des Pſalteriums
auf die einzelnen Wochentage und dieſe Form war ſchon vor dem 6. Jahrh. üblich,
ſtammt alſo nicht vom hl. Benedikt. — Dolberg, die Liebesthätigkeit der Ciſterzienſer
im Beherbergen der Gäſte und Spenden von Almoſen. S. 10—21, 243—50, 414—18.
Die Pflicht der Gaſtfreundſchaft gegen alle anſtändigen Perſonen war ſo ſtreng, daß
jede Verſehlung dagegen, die zur Kenntnis des Generalkapitels kam, von dieſem ſtreng
beſtraft wurde. Wegen Mißbrauch und zu ſtarker Inanſpruchnahme mußten zeitweilig
manche Klöſter davon dispenſiert werden. — Wintera, die Kulturthätigkeit Břewnovs
im MA. S. 21—34, 237—43, 408—14. B. war durch ſeine hervorragenden Leiſtungen
auf dem Gebiete der Kultur vier Jahrhunderte hindurch in Böhmen prädominierend.
— Grillnberger, zur Vorgeſchichte der Salzburger Provinzialſynode v. J. 1456. S. 35—40.
Aus der hier veröffentlichten Urk. einer Wilheringer Hſ., die ein Schreiben des Erzbiſchofs Sigmund von Salzburg enthält, geht hervor, daß dieſer den päpſtlichen
Forderungen nicht feindlich gegenüberſtand und den Türkenzehnten bewilligen wollte,
aber bei ſeinem Klerus Widerſtand fand. — Lanz, ein öſterreichiſches Ciſterzienſerkloſter.
S. 40—53. Beſchreibung der Abtei Heiligenkreuz im Wienerwalde. — Laſner, Regeſten

zur Geschichte des schwäbischen Klosters Hirsau. S. 54—64, 259—71, 426—37. Von 1501
bis 1892. — Renz, Beiträge zur Geschichte der Schottenabtei St. Jakob und des Priorats
Weih St. Peter (O. S. B.) in Regensburg. S. 61—81, 250—59, 574—81. Nach einer
kurzen Geschichte des Klosters folgen Regesten von 1075 — 298. — Eubel, die deutschen
Aebte in den libri obligationum et solutionum des vatikan. Archivs während
der Jahre 1295 — 378. S. 84—95. Aus den 1295 beginnenden päpstlichen Obligations=
und Solutionsbüchern sind die deutschen Aebte des Augustinerchorherren=, Prämon=
stratenser=, Benediktiner= und Cisterzienserordens zusammengestellt mit Angabe der zu
entrichtenden Taxen (vgl. Hist. Jahrb. XVI, 625). — Albers, das Verbrüderungsbuch der
Abtei Deutz. S. 96—104. Aus dem im 12. Jahrh. geschriebenen Pergamentkodex des
Klosters, der sich gegenwärtig in der fürstlichen Bibliothek zu Sigmaringen befindet.
— Ders., ein Beitrag zur Geschichte St. Maximin zu Trier. S. 193—216, 280—82.
St. Maximin, vielleicht gegen Ende des 6. Jahrh. von schottischen Mönchen gegründet,
welche die Regel des hl. Kolumban befolgten, nahm gegen Ende des 7. Jahrh. die
mildere Regel des hl. Benedikt an. Zum erstenmal sind hier aus dem Cod. Otob. 2421
der vatikan. Bibliothek publiziert die infolge der, wohl vom Trierer Erzbischofe ver=
anlaßten, Visitation gegebenen Reformationsstatuten von 1609 oder 1610. — Adlhoch,
geschichtsphilosophische Studien. S. 223—37, 390—407. Der Gottmensch Christus
das Vorbild aller Geschichte. — Grillnberger, kleinere Quellen und Forschungen zur
Geschichte des Cisterzienserordens. S. 270—80, 599—610. Aufstellung von Konservatoren
für den Cisterzienserorden gegen weltliche Bedrängungen in der zweiten Hälfte des
14. Jahrh.; Bemühungen des Kardinals Pileus bei den Cisterziensern zu Gunsten
des Papstes Urban VI nach einer Wilheringer Urk.; Mitteilungen aus einem Wil=
heringer Formelbuche über einige Klöster. — Albers, ein Beitrag zur Geschichte der
englischen Benediktinermärtyrer unter Heinrich VIII. S. 283—85. Veröffentlichung der
Kopie eines Briefes in Monte Kassino über das Martyrium des Weltpriesters Raynold
und des P. Alban Rhó O. S. B. — Göppel, die Abtei U. L. Fr. von Oulton in
England. S. 285—95. Historische Notizen aus der Klosterchronik. — Eubel, Papst
Urban V und seine Provisionen auf deutsche Abteien. S. 296—99. Ergänzung zu
S. 84—95. — Leistle, wissenschaftliche und künstlerische Strebsamkeit im St. Magnus=
stifte zu Füssen. S. 371—86, 539—55. Die Entwicklung des Klosters bis in die
Reformationszeit, in welcher es eine Hochburg des katholischen Glaubens war. Die
Gründung verlegt L. gegen Steichele (das Bistum Augsburg IV, 388 ff.) und
Baumann (Geschichte des Allgäus I, 93 ff.) ungefähr in das Jahr 628. — Albers,
zur Geschichte des Lübecker Benediktinerklosters Cismar. S. 438—51. Die wichtigsten
Ereignisse von der Gründung durch Bischof Heinrich von Lübeck 1174 bis zur Ver=
treibung der Mönche 1543. — Endl, Paul Troger, ein Künstler der Barockzeit. S. 452—58,
648—63. T., geboren 1698 zu Welsberg in Tirol, gestorben 1762 in Wien, ist einer
der kraftvollsten, fruchtbarsten und kenntnisreichsten Maler seiner Zeit. Würdigung
seiner Werke in den Stiften zu Melk, Altenburg, Zwettl, Seitenstetten und Göttweig.
— Jud, Maria, Martha und Lazarus in Südfrankreich. S. 458—67. Entwicklung der
Legendenbildung, wonach die drei Geschwister in Südfrankreich gelebt, dort gestorben
und begraben sein sollen, von den ältesten Zeiten bis in unsere Tage. — Kolle, die
sieben neuen Seligen des Benediktinerordens. S. 474—87. Biographische Notizen über
die im Mai 1895 selig gesprochenen Benediktiner, die 1539 in England den Martertod
erlitten. — Ders., unbeachtete Zeugnisse über die Zustände in den englischen Klöstern am
Vorabend ihrer Aufhebung durch Heinrich VIII. S. 488—92. Nach Gasquet, Dublin
Review 1894. S. 245 ff. — Wintera, eine Stätte alter Benediktinerkultur (Kloster

Sazawa in Böhmen). S. 556—74. Vgl. Chronicon monachi Sazaviensis oder Monachus Sazaviensis aus dem 12. Jahrh. veröffentlicht in Scriptores Bohemici (Fontes Bohemicarum II). — Vielhaber, eine Admonter Rotel vom Jahre 1390. S. 582—90. Nach einer Hf. des Prämonstratenserstiftes Schlägl in Oberösterreich. — Berlière, Visitationsrezeße des Benediktinerklosters St. Trond aus dem Jahre 1252 und Statuten des Kardinals Hugo von St. Sabina. S. 590—98. Die sehr wichtigen Statuten deuten auf eine Reformbewegung im 13. Jahrh. — Breitschopf, zur Wahl Kaspar Hofmanns zum Abte von Melk (1587). S. 633—38. Genaue Darstellung des Wahlaktes aus einem Mstr. v. J. 1608—10. — Plaine, de l'authenticité de la mission de S. Maur en France. S. 639—46. Polemik.

13] Katholik.

1895. 3. F. Bd. 11. Mausbach, hat Rom im 3. Jahrh. sein Symbolum geändert? S. 1—20. Der von Zahn (das apostolische Symbolum 2. A., Erlangen 1893) versuchte Beweis, daß man im 3. Jahrh. in Rom das unum aus dem Symbolum entfernt und das patrem hinzugefügt habe, ist nicht gelungen. — Miszellen. S. 89—96. 1. Der hohenlohesche Katechismus von 1763; 2. zum Unterricht im MA.: Privatunterricht, Frauenbildung in Klöstern; 3. von der Beichte in den oranien-nassauischen Gebieten. Eine Instruktion vom Jahre 1540, in welcher Graf Wilhelm die Beibehaltung der Ohrenbeichte anordnet. —. Goerigk, Johannes Bugenhagen und die Protestantisierung Pommerns. S. 97—124, 226—44, 300—26, 424—41. Seine kirchliche Organisation zeugt von einer gewissen konservativen Schonung gegen das Althergebrachte: was ihm nicht in direktem Widerspruch mit der lutherischen Glaubenslehre zu stehen schien, ließ er bestehen oder er schob der alten Uebung einen anderen Sinn unter. Die Einführung des Konfirmationsaktes ist sein Werk. — Rattinger, die Mainzer Weihbischöfe des MA. S. 140—53, 245—58. Kommentar zu der von Dr. Falk gefertigten Liste der Mainzer Weihbischöfe. (Siehe Nachtrag S. 479.) — Miszellen. Paulus, Ewald Vincius, ein vergessener Katechet des 16. Jahrhs. S. 187—89. V., Priester in Neuß, gab 1551 einen Katechismus in lateinischer und deutscher Sprache heraus, der 1553 in 2. Auflage erschien. — Reiser, wann ist die „Erstlingsausgabe" des kleinen deutschen Katechismus des hl. P. Kanisius erschienen? Nicht 1563, sondern 1560. — Paulus, zur Revision des Index. S. 193—213. Aufzählung und kurze Charakterisierung von 47 kathol. Schriftstellern Deutschlands aus dem 16. Jahrh., die bei der bevorstehenden Revision aus dem Index gestrichen werden könnten. — Miszellen. Paulus, Johann Weyer, der Bekämpfer des Hexenwahns, war Protestant. S. 278—83. — Ein vergessener deutscher Katechismus des 16. Jahrhs. S. 283—87. Der Vf. ist nicht genannt. Der Katechismus wurde 1592 zu Thierhaupten in Schwaben gedruckt. — Bellesheim, P. Joseph Stevenson S. J., Konvertit u. Historiker 1806—95. S. 289 —300. St. gehört zu jenem kleinen Kreise engl. Historiker, welche durch die textkritisch genaue Herausgabe der Chroniken des MA. sowie durch urkundliche Behandlung des Zeitalters der Glaubensspaltung althergebrachte Vorurteile zerstreut und eine gerechte Würdigung der kathol. Kirche angebahnt haben. Die zahlreichen historischen Schriften desselben werden von B. aufgezählt und gewürdigt. — Paulus, zur Geschichte der Kreuzwegandacht. S. 326—35. Auszug aus einer 1521 bei Jobst Gutknecht in Nürnberg erschienenen und in der Münchener Staatsbibliothek aufbewahrten Schrift mit 17 Stationsbildern, erklärendem Text und Psalmversen. In der Schrift des Adrichomius ›Jerusalem sicut Christi tempore floruit‹ (Köln 1584) sind die erſten 12 Stationen in der jetzt üblichen Reihenfolge aufgeführt, die beiden letzten — Kreuzabnahme und Grablegung — werden dem eigentlichen Kreuzwege nicht beigezählt. Gegen Ende des 17. Jahrhs. iſt die Zahl und Reihenfolge der Stationen endgiltig fixiert. — **Deſſ., Kaspar von Gennep, ein Kölner Drucker und Schriftſteller des 16. Jahrhs. S. 408 — 23.** Aufzählung und Charakteriſierung der von G. verfaßten und gedruckten Schriften mit Auszügen aus denſelben. — **Miszellen. Kardinal Nikolaus von Kuſa als Kartograph. S. 477—79.** Nach dem Tode des Kardinals erſchien in Eichſtädt 1491 eine von dieſem hergeſtellte — die erſte gedruckte — Karte von Deutſchland. Das einzige erhaltene Exemplar befindet ſich im Britiſchen Muſeum in London. — **Stiglmayr, zwei unbeachtete Väterzeugniſſe für das Feſt Maria Lichtmeß. S. 566—71.** Gemeint ſind: Cyrillus von Alexandrien, hom. div. XII (M s. gr. LXXVII 1040—49) und Theodotus von Ancyra, hom. IV (M. s. gr. LXXVII 1389—1412). — **Paulus, Johann Vogelſang, ein Pſeudonym von Cochläus, nicht von Lemnius. S. 571—74.** Der Vf. der Schrift: „Ein heimlich geſprech Vonn der Tragedia Johannis Huſſen zwiſchen D. Mart. Luther und ſeinen guten Freunden, Auff die weiß einer Komedien. Durch Jo. Vogelſang. 1538. Ohne Ort, 24 Bl. 8⁰", wovon auch eine 2. Ausgabe von 1539 exiſtiert (auf der Kgl. Bibliothek in Berlin und der Münchener Staatsbibliothek), iſt Cochläus. — **Deſſ., Sylveſter Czecanovius, ein Pſeudonym von Staphylus. S. 574 f.** Die Schrift: ›De corruptis moribus utriusque partis, Pontificiorum videlicet et Evangelicorum. Dialogus lectu iucundus et valde utilis, Authore Sylvestro Czecanovio. Sine loco et anno. 64 Bl. 4⁰‹ iſt von Staphylus verfaßt (1561 oder 1562).

1895. Bd. 12. Zur Geſchichte der Päpſte im 15. Jahrh. S. 63—69, 145—53, 222—33. Zuſätze und Beiträge zu Paſtors Papſtgeſchichte. — **G. M., Propſt Joſeph Dankó von Preßburg. S. 69—75.** Nekrolog und Aufzählung der von D. verfaßten Schriften. — **Miszellen aus der Reformationszeit. S. 90—96.** — **Kirſchl, das Mariengrab in Jeruſalem. S. 154—79, 246—62, 324—40.** S. Katholik 1894, Bd. 10, S. 383—407. (S. hier oben S. 169 u. unten Novität.) N. nimmt als Todesjahr Mariens das Jahr 45 an; ihr heil. Leib wurde am Fuße des Oelberges im Thale Joſaphat unweit des Gartens Gethſemane begraben. Nach der Zerſtörung Jeruſalems wurde das Mariengrab ähnlich wie das Grab Chriſti mit Schutt bedeckt und verſank gleichſam in die Erde. Bis zum Jahre 390 blieb es gänzlich unbekannt, was ſich aus den Zeitumſtänden ſehr leicht begreifen läßt. Im Jahre 451 berichtet Johannes von Damaskus, der ſich auf einen älteren Schriftſteller Namens Euthymius beruft, daß die Entdeckung des Mariengrabes und zwar ſchon vor längerer Zeit in Jeruſalem geſchehen ſei. — **Miszellen. Paulus, Kulturgeſchichtliches aus einer „Weckglocke" des 16. Jahrhs. S. 185—92.** Der lutheriſche Prediger M. Rupertus Erythropilus in Hannover ſchildert 1595 in ſeiner „Weckglock, darinnen die ſchlaffende Teutſche wider die wachende Türcken aufgeweckct werden", die Zuſtände ſeiner Zeit und die drohenden Gefahren. — **Derſ., die Vernachläſſigung der Peſttranken im 16. Jahrh. S. 280—86.** Klagen proteſtantiſcher Autoren über Vernachläſſigung der Peſtkranken von Seite der Paſtoren und Verwandten. — **Derſ., zur Biographie des Mainzer Buchdruckers Franz Behem. S. 286—88.** B. iſt geboren zu Dippoldiswalde 1500 und geſtorben zu Mainz 1582. Sein Sohn Kaspar iſt 1592 geſtorben. — **de Waal, Sänger und Geſang auf chriſtl. Inſchriften Roms vom 4.—9. Jahrh. S. 289—304.** Aus den erſten drei chriſtl. Jahrhunderten haben wir keine diesbezüglichen Grabinſchriften, was ſich völlig aus der Kürze der älteren Epigraphik erklären läßt. Von der Mitte des 4. Jahrhs. an führt d. W.

mehrere solche Inschriften auf und fügt noch einige kunstgeschichtliche Bemerkungen bei. — Krose, P. de Ravignan S. J. (1795—858). S. 398—411, 498—513. Biogr. Skizze des „Apostels von Paris", wie ihn Papst Gregor XVI nannte. — Sellesheim, neue Seligsprechung englischer Blutzeugen durch Leo XIII. S. 437—53. Einige geschichtliche Notizen über die 7 am 13. Mai 1895 selig gesprochenen Benediktiner Englands sowie über Thomas Percy, Grafen von Northumberland und den Johanniter Adrian Fortescue, welche unter Heinrich VIII und der Königin Elisabeth den Martertod erlitten. — Paulus, Adam Walasser, ein Schriftsteller des 16. Jahrhs. S. 453—67. W., geboren in Ulm, kam um 1551 nach Dillingen, wo er bis zu seinem Tode 1581 lebte. Die meisten seiner Schriften (P. zählt deren 33 auf) sind Uebersetzungen oder Umarbeitungen älterer Vorlagen. Namentlich hat er sich durch die Herausgabe alter Kirchenlieder und tüchtiger aszetischer Schriften nicht geringe Verdienste erworben. W. war Laie. — Ders., Johann Host von Romberg, ein Dominikaner des 16. Jahrhs. S. 481—97. H., geb. um 1480 auf dem Hofe Romberg bei Kierspe in Westfalen, trat zu Köln in den Dominikanerorden, wo er nicht bloß als Prediger und Universitätsprofessor, sondern auch als Schriftsteller sehr thätig war. Daß H. am Ende seines Lebens zum Protestantismus hinneigte, ist unrichtig, irrtümlicherweise aber kam sein Name auf den Index der verbotenen Bücher.

14] **Časopis musea království českého.** Böhmische Museumszeitschrift. 1894. Jahrg. 68. J. Kvíčala, Comenius und Des Cartes. S. 50—68. Eine Parallele der beiden Männer in ihrem Verhältnis zur Theologie. — Fr. Pastrnek, das altertümliche dz in slovenischen Dialekten und die Kijever und Prager glagolitischen Fragmente. S. 68—73. — A Patera, ein Fragment des altböhmischen Osterspieles aus dem XIV. Jahrh. in der Domkapitelbibliothek. S. 73—85. — V. Tille, zur Judaslegende. S. 86—87. — Fr. Kameníček, die Einfälle der Bočkaischen Truppen in Mähren und die Ratifikation des Wiener Friedens durch die Länder der böhmischen Krone 1605—1606. S. 88—106, 257—274, 378—397, 534—556. Vf. schildert zuerst die unerfreulichen Zustände in Mähren, besonders der Stände in moralischer Hinsicht (anfangs des 17. Jahrh.), und die Ursachen des Bočkaischen Aufstandes in Ungarn (1604). Diese Ursachen lagen in politischen und reformatorischen Bestrebungen des kaiserlichen Hofes. Nachdem die Aufrührer ganz Nordungarn erobert hatten, begannen sie im Mai 1605 auch in Mähren einzufallen, um die mährischen Stände zum Aufstande zu bewegen, was ihnen aber nicht gelang. Die Stände baten um Hilfe in Böhmen, Schlesien und Lausitz. Anfangs August zog die böhmische Hilfe unter Adam von Sternberg mit dem mährischen Kontingente von Brünn zur Grenze, und bald eroberte man Skalice, Holič, Branič und Sastín (Sasvar) in Ungarn. Ende August fingen die langen Friedensunterhandlungen zwischen Bočkai und Erzherzog Mathias an. Schließlich vermittelte Stephan Jllyeshazy am 23. Juni 1606 den Wiener Frieden, welcher am 23. September nach einigen Veränderungen von beiden Seiten angenommen und durch die Stände der böhmischen und österreichischen Länder ratifiziert wurde. Die Abhandlung beruht hauptsächlich auf neuen handschriftlichen Quellen. — H. Jireček, Studien zur Kosmas-Chronik. Schluß. S. 116—17. III. Von allen slavischen Völkern hatten nur die Böhmen eine Amazonensage, die sie wahrscheinlich mit sich aus den skythischen Gegenden brachten. Zur Vergleichung zieht der Artikel auch die kleinasiatische, skythische und sarmatische Amazonensage heran. IV. Andere Sagen beim Kosmas: die Zahl 3, weißes Pferd, das Verschwinden der Ochsen des Přemysl, ein Herrscher von vielen Gliedern eines Geschlechtes — mit

Vergleichungen. V. Die Perſonennamen mit beigefügten. von. ihnen abgeleiteten Ortsnamen. — J. Stěpánek, die Leitomyſchler Bürger in ſchwediſcher Gefangenſchaft. S. 118—35. Am 28. September 1639 kamen die ſchwediſchen Truppen von König=
grätz nach Leitomyſchl und forderten, daß die Stadt mit ihnen einen Akkord mache, ſonſt drohten ſie mit der Plünderung. Aus der Stadt wurden zu den Schweden Bürgermeiſter Práſek, Ratherr Stemberský und Stadtrichter Svoboda mit 300 Thalern geſchickt, die Schweden wollten aber 3000 Thaler haben und 16000 Thaler als Ranzion für die drei Bürger, die ſie nach Königgrätz mitſchleppten. Erſt am 20. Febr. 1640, als ſich Erzherzog Leopold und Piccolomini der Stadt Königgrätz bemächtigten, wurden die Bürger befreit. Der Artikel enthält auch jammervolle Briefe der Ge=
fangenen, in welchen ſie den Leitomyſchler Stadtrat um Hilfe bitten. — J. V. Šimák, das Geſchlecht der Bodnanský von Uraĉov und ihre Memoiren S. 135—46, 274—85. Der Vf. ſchildert die Geſchichte der Bodnanský nach gedruckten Quellen und nach Randvermerken in einem Exemplare von Daniel Adams von Veleſlavín hiſtoriſchem Kalender. Die älteſten Nachrichten von den Bodnanský finden ſich im J. 1557 in Taus. Am meiſten bekannt von dem Geſchlechte iſt Nathanael Bodnanský, welcher in Prag wohnte und einer von den Direktoren des ſtändiſchen Revolutionsregiments im J. 1618—20 war. Am 21. Juni 1621 wurde er auf dem Altſtädter Ring mit anderen Teilnehmern des böhmiſchen Aufſtandes hingerichtet. Bald darauf mußte die Familie — ſie war proteſtantiſch — in die Fremde auswandern, wo ſie ohne Spur verſchwand. — A. Rybiĉka und Ferd. Menĉík, biographiſche und bibliographiſche Beiträge. S. 147—52. Nachrichten über den Univerſitätsprofeſſor Aegidius Chládek († 1806), den Pfarrer und Schriftſteller Joſef Mirovít Král († 1841), den Buch=
drucker Wenzel Láſa († 1868), den Schriftſteller Michael Silorad Patrĉka († 1838), Samuel Adam von Veleſlavín, den Sohn des berühmten Buchdruckers Daniel (im 17. Jahrh.), und über die Portraite der wichtigen Männer Böhmens im 17. Jahrh. (Weingarten: Fürſtenſpiegel.) — Fr. Mareš, die Roſenbergiſche Kapelle. S. 209—36. Schon im MA. hatten die Könige, Herren und Städte nicht nur in Böhmen, ſondern auch in Nachbarländern, einen, zwei oder mehrere Trompeter. Aus dieſen Trompetern entſtanden ſpäter die Muſikkapellen. Die Vokalkapellen ſind älter als dieſe. In Böhmen hatte das Roſenbergiſche Haus eine Muſikkapelle ſchon im J. 1552, früher als die habsburgiſchen Herrſcher. Wilhelm († 1592) und Petr Vok († 1611) von Roſenberg waren große Liebhaber der Muſik und freigebige Unterſtützer der Kom=
poniſten und Muſikanten. Wilhelm gab i. J. 1552 auch eine Inſtruktion für ſeine Kapelle heraus. Der Artikel enthält auch ein Inventarium musicum der Kompo=
ſitionen und Muſikinſtrumente der Roſenbergiſchen Kapelle aus dem J. 1610. — V. J. Nováĉek, Johann Jeníſek von Uſezd und Svrĉovec. S. 237—57, 397—409. Die Nachrichten über Jeníſeks Leben (1506—65) ſind hauptſächlich auf grund ſeiner Memoiren zuſammengeſtellt. Er war ein fleißiger Wirt, er trat in Dienſt bei Adam von Sternberg (1539), in den J. 1541—57 war er auch öffentlich thätig, 1555—57 war er Vicekämmerer. Von ſeiner Nachkommenſchaft iſt Přibík Jeníſek, königlicher Prokurator zur Zeit der großen Konfiskationen nach dem J. 1620, der wichtigſte. Den Schluß bilden fünf ausgewählte Teile aus Jeníſeks Memoiren. — V. Tille, die Erzählungen über die Reiſen ins Jenſeits. S. 285—306, 409—31. — Fr. Krejĉí, die neueren Richtungen in der Pſychologie. S. 307—33, 431—55, 556—88. — J. V. Práſek, Udalrich Prefáts von Vlkanov Reiſe nach dem Orient i. J. 1546 und deren Bedeutung. S. 453—78, 518—34. Der erſte Teil bringt einige Belege über Prefáts Bildung auf grund ſeiner Reiſebeſchreibung. Von ſeinen Kenntniſſen fallen am

meisten auf die astronomischen, mathematischen, militärisch=technischen und klassischen. Er beherrschte die böhmische, lateinische, deutsche, wälsche, minder die griechische Sprache, war ein eifriger Katholik, übte aber Kritik an den mittelalterlichen Legenden. Der zweite Teil schildert Prefáts Reise von Prag nach Venedig, zu Schiffe nach Jaffa, von Jaffa nach Jerusalem, Bethlehem und Hebron und über Cypern zurück, unter Hinweis auf die parallelen Stellen der Reisebeschreibung des englischen Bischofs Pocoke (1378). — **J. Winter, die Meisterstücke der alten Handwerker (im 14.—18. Jahrh.).** S. 495—518. In Böhmen begegnen uns die ersten beglaubigten Zünfte am Anfange des 14. Jahrh. Der Lehrling wurde nach 2—6, gewöhnlich 4 Lehrjahren zum Gesellen erhoben. Nach einigen Wanderjahren konnte der Geselle Meister werden, früher mußte er aber das vorgeschriebene Meisterstück machen. Dabei zahlte er eine Gebühr in die Zunftkasse und gab den Meistern eine „Jause". In Prager Neustadt gehörte im 16. Jahrh. zu einem Schneidermeisterstücke ein Ornat, eine Dalmatik, eine Mönchs= kapuze, eine Magisterkappe, ein Doktorenrock, ein Priesterrock mit zwei Falten und ein Nonnenrock. — Litteratur und Nachrichten. S. 152—208, 334—52, 455—94, 588—612.

15] **Časopis matice moravské.** Zeitschrift des mährischen Vereins für Litteratur. (Redakteure: Vincenz Brandl, Franz Bartoš. Hauptmitarbeiter F. Slaw.) 1894. Jahrg. 18. **J. Sloكša, Dante Alighieri und Böhmen.** S. 1—9, 110—16. In Dantes Comedia finden wir dreifache Erwähnung Böhmens: Fegfeuer VII, 91—102, Paradies XIX, 112—17, 124—26. Dante lobt Přemysl II und tadelt Wenzel II wegen seiner Feigheit, er erwähnt auch Böhmens Plünderung durch Albrecht i. J. 1304. Gegen Wenzel II ist Dante nicht ganz gerecht; Wenzel II war ein besserer Herrscher, als wir ihn bei Dante sehen. — **Aug. Sedláček, zerstreute Kapitel aus der alten Topographie und der Geschichte der adeligen Geschlechter.** S. 9—13, 117 —19. Der Artikel enthält Beiträge zur Geschichte der Herren von Boskovice (1222 —451) und der Herren von Sádek (Ungersberg, 1239—338). — **J. Čižmař, die Hausarzneikunst des slovakischen Volkes.** S. 14—23, 100—10, 205—15, 331—40. — **V. Prasek, zur Geschichte der Kirche der böhmischen Brüder.** S. 23—30. Das hand= schriftliche Register der Hochzeitsverträge 1573—677 von Weißkirchen gibt Nachrichten von 29 Gebethäusern der böhmischen Brüder, Beiträge zur Biographie einiger brüder= licher Priester und ein Verzeichnis der Rektoren von Weißkirchen. — **Fr. Vl. Jurek, Valentinus von Mezikič nud sein Verhältnis zu Bohuslaw Hassistejnský von Lobkovic** S. 31—38. Ein Beitrag zur Geschichte des böhmischen Humanismus. Valentinus († 1540) war bei den Zeitgenossen sehr berühmt, später kam er in Vergessenheit. Die klassischen Sprachen, Mathematik und Astronomie studierte er in Italien. In Satz wurde er Schulrektor und später Notarius. Er stand in guter Freundschaft mit dem berühmten Bohuslav von Lobkovic. — **Jar. Demel, Konrad Otto, der erste Mark= graf von Mähren.** S. 38—48, 136—46, 215—25, 298—318. Ein kritisches Lebens= bild des mährischen Teilfürsten und vom J. 1182 Markgrafen Konrad Otto; manche Einzelheiten sind neu. — **Fr. Kameníček, archivalische Rundschau.** S. 48—53, 158—64. 245—54, 340—45. Ein Beitrag zur Geschichte der mährischen Landtage am Anfange des 17. Jahrh. Zum 5. und 6. Bde. der mährischen Landtagsdenkmäler gehören noch zwei Bücher von Landtagsmemoiren (Memoirenbücher); das erste enthält solche Artikel (1606—19), welche im gemeinen Landtage schicklich keinen Raum hatten, das zweite Memoirenbuch enthält Verträge der ständischen Kongresse und des Landes= gerichts (1610—36). — **Fr. Pastrnek, die Denkmäler der glagolitischen Litteratur.**

S. 93—100. Der Artikel gibt eine kurze Uebersicht des jetzigen Standes des Studiums der glagolitischen Denkmäler. — J. Pekař, die Geschichte des Königs Přemysl Ottokar II (Annales Otakariani). S. 128—36. Köpfe teilte die zweite Continuatio Cosmae Pragensis (1142—283) in sieben Teile. Der Artikel beweist, daß der 5. Teil, die sog. Annales Otakariani (1254—78) nicht von einem, sondern von vier Schriftstellern herkommt. — Fr. A. Slavík, die Unterthanenverfassung der Domäne des Königinklosters in Altbrünn vom J. 1597 bis zur Hälfte des 17. Jahrh. S. 146—58. Der Artikel bringt die Unterthanenverfassung von Rosine Konradin von Bamberg, der Aebtissin des genannten Klosters (1583—98). Diese Verfassung wurde von ihren Nachfolgerinnen bis zum J. 1683 erneuert. — V. Prasek, Geschichte des Namens „Žišnov." S. 198—204. Dieser historisch-philologische Artikel zeigt, daß jede Veränderung des Namens dieser Stadt in Mähren mit Veränderungen der Verhältnisse der Stadt zusammenhängt, und daß die angegebene Form richtig ist. — Fr. Šilhavý, Franz Bohumír Štěpnička. S. 119—27, 232—41, 318—24. Dieser Beitrag zur Geschichte der Auferweckung der böhmischen Literatur gibt eine Biographie und Würdigung der literarischen Thätigkeit des F. B· Štěpnička. — B. Dolejšek, Fr. Heidenreich, Jar. Janoušek, Voj. Ploténý, A. Rybička, Fr. Rypáček, Fr. Slavík, Fr. Šilhavý, Kunst= und wissenschaftliche Nachrichten. S. 54—63, 164—79, 254—74, 346—59. — Literatur und Nachrichten. S. 64—92, 180—91, 274—88, 359—68.

16] **Věstník Matice Opavské.** Anzeiger der Troppauer Matice.

1894. H. 4. V. Prasek, Friedeck und Mistek. S. 1—7. Eine historisch= topographische Studie. — J. Vyhlídal, die schlesische Tracht in Troppau. S. 7—12. — Ant. Landsfeld, die Metzger in Teschen und Skočov. S. 12—17. Abdruck von zwei Privilegien; das erste ist von Wenzel, Fürsten von Teschen, den Metzgern in Teschen i. J. 1574, das zweite von Elisabeth Lucretia, Herzogin von Teschen, den Metzgern in Skočov i. J. 1632 gegeben worden. — Fr. Havlas, Janovice. S. 21—22. — V. Prasek, die Georgskirche in Troppau. S. 22—25. Kurze Geschichte dieser Kirche in den J. 1452—632. — M. Radlinský, die hervorragenden Personen Troppaus im 16. Jahrh. S. 25—29. Nachrichten über den Rathherrn Hans Gynter und Heinrich Polan den Aelteren von Polandorf. — U., Zur Geschichte der böhmischen Sprache in Schlesien. S. 29—31. Ein Beitrag zur Biographie des protestantischen Priesters und Schriftstellers Georg Joannides Frýdecký. — Archiv der Troppauer Matice. Regesten der 21 neugefundenen Troppauer und Teschener Urkk. aus den J. 1417—763. S. 32—34. — Literatur und Miszellen. S. 34—48. — Beilage: V. Prasek, das Kopialbuch der i. J. 1566 geschriebenen Sendbriefe des Bischofs Wilhelm Prusinovský. Verlag der Troppauer Matice. Troppau 1894. S. 96. (Quellen zur Troppauer und Teschener Geschichte. II.) Das Kopialbuch enthält 896 Nummern und gibt uns besonders Nachrichten über Wilhelms Inthronisation zu Olmütz, über seine Absendung des Landesaufgebotes nach Ungarn und über seine Ehrenaufgabe, die polnische Königin durch Mähren zu begleiten.

17] **Sborník historického kroužku.** Sammelblatt des historischen Zirkels Prag.

1894. H. 3. Josef Vávra, die Anfänge der katholischen Reformation in Böhmen. S. 3—40. Der Vf. schildert, hauptsächlich nach Schmiedels Historia Societatis Jesu, das Wirken der Jesuiten im Schulwesen. Selbst die akatholischen Eltern schickten oft ihre Kinder in die Jesuitenschulen. Auch bei der Reformation der böhmischen Klöster hatten die Jesuiten viel Arbeit. Außerdem predigten sie oft nicht nur in Prag, sondern auch auf dem Lande. — J. Hamršmíd, einige Worte über den böhmischen Klerus im 14. und 15. Jahrh. S. 40—55. Der Artikel bringt viele Belege dafür, daß „man doch etwas lobenswertes über den Klerus dieser Zeit sagen kann," und zwar nicht nur in moralischer Hinsicht, sondern auch was die Beobachtung geistlicher Disciplin und die Beschäftigung mit Wissenschaften anbelangt — Fr. Kroiher, die unpatriotische Gesinnung der böhmischen akatholischen Stände in der Zeit vor dem J. 1620. S. 55—73. Den böhmischen Ständen dieser Zeit kann man viel vorwerfen, besonders die geringe Opferwilligkeit und das fast leichtsinnige Verlassen auf fremde Hilfe. Vor dem Kriege ließen viele böhmischen Magnaten ihre Kleinode und ihr Geld aus dem Lande in die Fremde in Sicherheit bringen; für die Armee, für die Kriegs=bedürfnisse hatten sie kein Geld. — M. Kovář, considerationes, quas, cuidam excellentissimo comiti super subditorum gravaminibus praeposuit non nemo ex nostris, prius quam officium confessarii apud eundem excellentissimum acceptaret. S. 73—87. Nach einer Einleitung über P. de Haies S. J., den Autor der Considerationes, folgt die böhmische Uebersetzung derselben. Das Original der Considerationes ist von Prof. Rezek in den Sitzungsberichten der königl. böhm. Gesellschaft in Prag (1893) herausgegeben. De Haies nimmt sich in den Considerationes, welche für den Grafen Wilhelm Lamboy zu Arnau und Oels geschrieben sind, der Bauern gegen die Bedrückungen der Herrschaften an. — H. Kollmann, P. Bonaventura aus Köln, Kapuziner und Reformator der Stadt Fulnek. S. 87—105. Der Vf schildert P. Bonaventuras Thätigkeit in Fulnek nach den Quellen aus dem Archiv der hl. Kon=gregation de propaganda fide in Rom. Bonaventura wirkte in Fulnek im J. 1623 und zwar mit großem Erfolge, wie man aus seinen Briefen sieht, er wurde aber bald gegen seinen Willen von seinen Vorgesetzten von der Missionsarbeit abgerufen. — Rezensionen und Nachrichten. S. 105—12.

Außerdem verzeichnen wir aus anderen Zeitschriften folgende Artikel:

Annales de Bretagne. Publ. par la Faculté des lettres de Rennes. Tome I (1886). A. Dupuy, les épidémies en Bretagne au XVIIIe siècle. S. 20—49. Fortsetzung in Tome II S. 190—226. — A. Nicolas, M. Thomas-Henri Martin, ancien doyen de la Faculté des lettres de Rennes. Sa vie. Son oeuvre. S. 377—410. Fortsetzung in T. II, S. 123—42, 438—56, III, S. 179—204, 261—81, IV, S. 116—45, 553—84. ● Tome II (1887). R. Petit, la science et l'art de guérir en Bretagne. S. 261—90. — L. Robert, une étude de philosophie scolastique. S. 571—601. Eine Studie über das philosophische System des Duns Scotus im Anschlusse an eine Schrift von Pluzanski (Paris 1887) über den berühmten Scholastiker. ● Tome III (1888). A. Dupuy, l'administration municipale en Bretagne au XVIIIe siècle. S. 66—102, 299 370, 541—611, Fortsetzung in T. IV, S. 234—94, V, S. 153—89, 662—91, VI, S. 179—223, 283—372. ● Tome IV (1889). A. Dupuy, l'enseignement supérieur en Bre-tagne avant et après la Révolution. S. 365—85. ● Tome V (1890). L. Vignols, la piraterie sur l'Atlantique au XVIIIe siècle. S. 190—261, 337

—85. — L. Maitre, les Romains dans la vallée de la Loire. S. 293—318. ● Tome VI (1891). A. Dupuy, l'agriculture et les classes agricoles en Bretagne au XVII^{le} siècle. S. 3—28. — L Dugas, une amitié intellectuelle, Descartes et la princesse Elisabeth. S. 223—62. ● Tome VII (1892). L. Pelissier, Louis XII et les privilèges de la Bretagne en cour de Rome. S. 317—21. ● Tome VIII (1893). L. Vignols, les Prussiens dans l'Ille-et-Vilaine en 1815. S 136—44, 246—67; 681—717. — A. Le Braz, les Saints bretons d'après la tradition populaire. S. 207—45, 403—16, 622—41. Fortf. in T. IX, S. 33—52, 238—53, 579—601 und X, S. 39—62, 413—37. ● Tome IX (1894). Tempier, les Bretons en Amérique avant Christophe Colomb. S. 175—82. — A. de la Borderie, les monastères celtiques aux VIe et VIIe siècles. S. 183—209, 379—94. ● Tome X (1895). S de la Nicollière-Teijeiro, la Bretagne et la fin de la guerre de cent ans. S. 252—70, 394—412, 577—89.

Bulletin de l'académie delphinale. 4e Série. Tome 8 (1894). J. Masse, histoire de l'annexion de la Savoie à la France en 1792. S. 229—524. — A. Prudhomme, lettre du dauphin Humbert II à l'empereur Louis de Bavière en faveur des Dominicains. S. 534—35. In diesem Schreiben, vom 3. März 1343 ober 1344, verwendet sich der Dauphin bei Kaiser Ludwig IV. für die Dominikaner, die »in partibus Alamanie et terris vobis subiectis de XVII conventibus fuerunt proscripti pariter et banniti, ex eo quod olim adheserunt et inconcusse adherent processibus Sancte Romane Ecclesie, servando continue interdictum positum per plures Romanos Pontifices in partibus antedictis«. Der Kaiser möge gestatten, daß die Brüder wieder in ihre Klöster zurückkehren können. »Ad tollendum autem adversa quelibet de terris vestris parati sumus toto conamine laborare«. Vgl. P. Fournier, le royaume d'Arles et de Vienne. S. 442 (f. Hist. Jahrb. XII, 424).

Bullettino dell' Istituto di diritto romano a. 8, fasc. I—III (Roma 1895). Federico Patetta, delle opere recentemente attribuite ad Jrnerio e della scuola di Roma S. 39 154. Weber die Quaestiones de iuris subtilitatibus, noch die Summa Codicis sind in der That, wie Fitting glaubt, von Jrnerius: die Quaestiones sind wahrscheinlich in der Zeit zwischen der Erneuerung des römischen Senates i. J. 1144 und der Wiederherstellung der päpstlichen Macht durch Innocenz III entstanden (S. 104); wissenschaftlich unter dem Einflusse der Schule von Bologna stehend, gehören sie ihren politischen Tendenzen nach zu den Antipoden dieser Schule, die stets die kaiserlichen Rechte (pretese imperiali) verteidigte. Die Summa Codicis ist dagegen von einem Bologneser Juristen um die Mitte des 12. Jhrh. geschrieben.

Osvĕta. Revue für Kunst, Wissenschaft und Politik. 24. Jahrg. Prag 1894. Josef Alex. Frhr. von Helfert, die konstituierende Reichsversammlung in Kremsier im späten Herbste 1848. S. 289—302, 425—40. Eigene Erfahrungen und Memoiren des Frhrn. v. Helfert, welcher damals in Kremsier als Abgeordneter, als Mitglied des Ministeriums und als Verwalter der Angelegenheiten des öffentlichen Unterrichts anwesend war. — J. J. Toužimský, Ludwig Kossuth und der ungarische Staat. S. 441—60, 548—62, 669—85, 814—29, 893—912, 967—86, 1073—90. Diese historisch-politische Studie behandelt die ungarischen Begebenheiten seit dem langen Landtage 1832—36 bis zur Kapitulation der ungarischen Revolutionsarmee bei Vilàgos 1849. Kossuth spielte in diesen Begebenheiten die Hauptrolle. Den Schluß bilden Nachrichten über Kossuths Thätigkeit in der Verbannung und die Entwickelung des ungarischen Staates bis zum österreichisch-ungarischen Ausgleiche 1867. — B. Gabler, Napoleon I und Herzog von Enghien. S. 644—55, 685—704. Der Vf. schildert die Verhaftung des Herzogs von Enghien zu Ettenheim in Baden am 15. März 1804, seine Verurteilung und Hinrichtung am 21. März 1804 zu Vincennes. Er kommt zu dem Ergebnis, daß dies alles von Napoleon befohlen wurde, daß Napoleon um des Herzogs Unschuld, was die Verschwörung in den ersten Monaten 1804 anbelangt, wußte, und daß des Herzogs Hinrichtung ein abscheulicher Mord ist.

Revista trimensal do Instituto Historico e Geographico Brazileiro fund. no **Rio de Janeiro.** Tomo 57. Rio de Janeiro, Companhia Typographica do Brazil, 1894—95. Der **erste Teil** enthält folgende Artikel: America Abreviada, suas noticias e de seus naturæs e emparticular do Maranhão, titulos contendo instrucçõe á sua conservação e augmento mui uteis, pelo Padre João de Souza Ferreira. S. 5—146. Geschichte Brasiliens, dies wurde bekanntlich früher Amerika genannt und besonders von Maranhao. Doch ist der Hauptzweck des A. ein ganz praktischer, den vielen Schäden und Mißbräuchen der Kolonie abzuhelfen und der weltlichen und geistlichen Behörde es zu ermöglichen, Abhilfe zu schaffen. A. schrieb 1693 und zeigte große Vertrautheit mit den Verhältnissen des Landes und besonders mit den Eingeborenen von Maranhao. Er zitiert Vasconcelles und Laet. Die Sprache ist schwerfällig und zuweilen unverständlich. Er ergeht sich in langen Reflexionen, fügt eine lange Allegorie ein, ebenso einen Dialog zwischen einem Hirten und einem Gärtner, worin er auf verschleierte Weise gewissen Leuten die Wahrheit sagen will. — Catalogo dos governadores do Maranhão e bispos, provinciæs, reitores do Maranhão e do Pará. — Catalogo dos capitæs mores do Maranhão e do Pará. 146—50. Carta de D. André Jamas sobre a lei da extinção da escravidão. S. 155. Memorías do anni de 1816. S. 159. Patriarchas da Indepedencia Nacional, conferencia por Tristão de Alencar de Araripe. S. 167. A. will zeigen, daß nicht nur, wie bisher, José Bonifacio den Ehrentitel eines Patriarchen der nationalen Unabhängigkeit verdient, sondern auch D. Pedro I und besonders José Clemente. — Principio e origem dos indios do Brazil e seus costumes, adoraçes e ceremonias S. 185—212 ist eine Kopie aus dem Codex 116 der öffentl Bibliothek von Evora. Die Schrift ist gegen Ende des 16. Jahrh. verfaßt. Der A. wird nicht angegeben, scheint aber ein Mitglied der Gesellschaft Jesu zu sein. — Trabalhos dos primeiros jesuitas do Brazil. S. 213—47. Enthält die Schilderung der Arbeiten und Leiden der ersten Jesuiten in Brasilien bis z. J. 1583 und ist ebenfalls dem Codex 116 der öffentl. Bibliothek von Evora entnommen. Die Schrift ergänzt in manchen Punkten die Chronik von Vasconcellos. So erfahren wir, daß die Zahl der Neubekehrten schon im J. 1561 sich auf 34000 Seelen belief. Auch die Bestrafung der Caetés durch Men de Sá, weil sie den ersten Bischof von Brasilien getötet hatten, erscheint in einem neuen Lichte. Dieselbe wäre besser unterblieben. Von 12000 Indiern, die sich in den Aldeamentos der Missionäre befanden, flohen alle bis auf 1000 aus Furcht, weil sie Verwandte der so streng bestraften Caetés waren oder aus anderen Gründen. Ferner starben schon i. J. 1562 gegen 30000 Neubekehrte an einer ansteckenden Krankheit, während Vasconcellos erst z. J. 1563 von den Blattern spricht, was auch durch diese Schrift bestätigt wird. Die Schwierigkeiten, welche die Portugiesen den Missionären entgegensetzten, treten uns grell vor Augen. Die Erlasse der portugiesischen Regierung, um den Uebelständen abzuhelfen, werden in ihrem Wortlaute beigefügt, erweisen sich aber als unzulänglich, da die Indianer keinen Prokurator haben, der ihre Rechte vertritt. Daß der Vf. ein Mitglied der Gesellschaft Jesu ist, kann nicht bezweifelt werden. Auffällig ist, daß bie Wirren mit den Tamoyos, bei deren friedlichen Beilegung Anchieta eine so große Rolle spielte, ganz übergangen und die Arbeiten und der Name dieses großen Apostels von Brasilien mit keinem Worte erwähnt werden. Es steht überdies nichts im Wege, Anchieta als den Vf. unserer Schrift zu betrachten. ● **Zweiter Teil.** Os claustros e o clero do Brazil, por José Luiz Alves. S. 1—259. Die ausgedehnte Abhandlung könnte man eher eine Geschichte der Kanzelberedsamkeit in Brasilien nennen, da diese fast den ganzen Raum einnimmt. Doch werden auch diejenigen Geistlichen aufgeführt, welche sich in anderen Künsten und Wissenschaften sowie in der Verwaltung ausgezeichnet haben. Unter ihnen wird bes. Bartholomeu Lourenço de Gusmao als der eigentliche Erfinder des Luftballons gefeiert. — Indicações sobre a historia nacional, por Tristão de Alencar Araripe. S. 259—91. Ein populärer Vortrag über Geschichte und Geschichtschreibung. Als die vorzüglichsten Historiker Brasiliens nennt er Southey und Pereira da Silva. Varnhagen schrieb ohne Kritik und Stil, jedoch sei ihm das Verdienst nicht abzusprechen, daß er wertvolle Dokumente ans Tageslicht gefördert habe.

Revista do Museo Paulista public. por H. von Ihering, Dr. med. et phil., Director do Museo Paulista etc. vol. I. [S. Paulo, Typ. de Hennies Irmãos 1895] enthält folgende historische Artikel: Barão de Ramalho, a Proclamação de Independencia do Brazil. S. 3—8. — H. v. Ihering, historia do Monumento de Ypiranga do Museo Paulista. S. 9—31. Die brasilianische Regierung hatte ein monumentales Gebäude zur Erinnerung an die Unabhängigkeitserklärung errichten lassen, ohne ihm einen praktischen Zweck angewiesen zu haben. Diesen erhielt es nun im vorigen Jahre durch die Gründung eines Museums, bezw. Uebertragung der Naturaliensammlung Sertorio. Dem neuen Institute wurde der treffliche deutsche Gelehrte Herr Dr. v. Ihering als erster Direktor und Organisator gegeben. — Derselbe, a civilisação prehistorica do Brazil meridional S. 35—155. Inhaltsverzeichnis: Introducção. — Os Coroados. — Tradições historicas — Archeologia Riograndense — Conclusões archeologicas — Comparações a relações com os estados limitrophes especialmente a Republica Argentina e o Estado de S. Paulo. J. macht hier meines Wissens den ersten und zwar glücklichen Versuch, unter dem bereits angewachsenen Material der Archäologie von Südbrasilien einmal etwas Ordnung herzustellen. Er ist der erste, der eine strenge Scheidewand aufrichtet zwischen der vor= und nachcolumbischen Archäologie. Als Kennzeichen der letzteren stellt er auf: die Aggri=Perle (Venezianische Glasperle), Helix similaris, eine Landschnecke, die aus Asien nach der Entdeckung eingeführt wurde, den cachimbo (Tabakspfeife), die Knochen von Rindern und Pferden, Eisenwerkzeuge und Münzen. In Bezug auf den cachimbo, sowie über die Ethymologie dieses Wortes müßten jedoch noch gründlichere Studien nach meiner Meinung gemacht werden, um sie einfachhin als nachcolumbisch charakterisieren zu können. Dasselbe könnte man dann ja auch von den Wirteläxten behaupten, da diese ja sich auch nicht in den Sambagnis finden, was jedoch J. nicht zugeben würde. Auch über die Sambagnis hat J. neues Licht verbreitet. Nicht alle diese Muschelhügel an der Küste von Riogrande rühren von den Muschelfischern her, noch verlangt er 6000 Jahre zu deren Erklärung, wie andere vor ihm gethan. Die größeren Hügel scheinen das Werk der Natur zu sein. Im allgemeinen sind die in denselben gefundenen Gegenstände vorcolumbisch; jedoch kennt er zwei, die offenbar teilweise nachcolumbisch sind. Daß die riograndenser, bezw. südbrasilianische Kultur von Peru aus als dem gemeinschaftlichen Mittelpunkt ausgegangen, kann man J. einstweilen zugeben. Ebenso hat der deutsche Gelehrte das Verdienst, zuerst bestimmt zu haben, zu welchem größeren Volksstamme die in Riogrande und S. Paolo noch lebenden Indianer (Coroados) gehören, nämlich zu den Camés, da er das Vocabularium der letzteren in einer Bibliothek Deutschlands entdeckt hat und es mit dem der Coroados identisch fand. Auch ist er einer von den äußerst seltenen Schriftstellern Brasiliens, die den alten Jesuitenmissionären Gerechtigkeit und Anerkennung ihrer Verdienste widerfahren lassen. P. T.

Svĕtozor. Illustriertes Wochenblatt für Unterhalt, Belehrung und Literatur. 28. Jahrg. Prag 1894. Č. Zíbrt, Giovanni Sercambi über Karls IV Aufenthalt in Italien. S. 331—35, 317, 355—56. Sercambi schrieb im 14. Jahrh. eine Chronik, welche von Salvatori Bongi in Fonti per la storia (vgl. Hist. Jahrb XIII, 912) herausgegeben wurde. Die Originalzeichnungen der Hs. sind auch bei Bongi abgedruckt. Unser Artikel behandelt hauptsächlich die auf Karl IV bezüglichen Abbildungen.

Theologisch-praktische Monatsschrift (Passau, Abt.) 1895. Bd. V: Dirndorfer, Lebensweise der Jesuiten vor 100 Jahren zunächst im Collegium zu Passau. S. 7—14, 93—99. — Pfülf, Prinz Clemens Franz v. Paula, Herzog in Ober- und Niederbayern. S. 81—93. — Wimmer, Kloster Fürstenzell. S. 159—62. — Linderbaur, die Einwirkung des Christentums auf die Bildung der deutschen Sprache. S. 237—42, 316—23. — Kiefl, der Kirchenbegriff im Reunionsplan des Leibniz. S. 449—62. — Perger, die volle Wahrheit über Tetzel. S. 533—44. — Schmitt, Dietrich Schlagheck. Ein Bild aus den Tagen der „Reformation" Dänemarks. S. 749—57. — Nirschl, zur Archäologie der Kreuzigung. S. 825—40 (gegen Forrer u. Müller, Kreuz und Kreuzigung Christi in ihrer Kunstentwicklung).

Zeitschrift für vaterländische Geschichte und Altertumskunde (Westfalens). 1895. Bd. 53. Abtl. I. Münster. J. Metzen, die ordentlichen, direkten Staatssteuern des Mittelalters im Fürstbistum Münster. S. 1—95. (S. oben S. 431 f.) — Fr. Tenhagen, die Vredener Landwehr, ihr Lauf, Ursprung und Zweck. S. 96—140 (mit Karte). Dieselbe ist ein auf Veranlassung des Bischofs von Münster und im besonderen Interesse der Stadt Vreden 1380 oder nicht lang vorher aufgeworfener Schutzwall. — Fr. Darpe, alte Wallburgen und Urnenfriedhöfe in Westfalen. S. 121—48 (mit vier Skizzen). Gibt eine kurze Uebersicht über die Volksburgen in Westfalen und bespricht die Volksburg bei Harsewinkel und die Urnenfriedhöfe unweit Warendorf. — A. Wormstall, eine westfälische Briefsammlung des ausgehenden Mittelalters. S. 149—81. Eine Sammlung von 41 Privatbriefen aus Insassen des Klosters Langenhorst, zum größten Teil an die Aebtissin Maria Huchtebrock, aus der Zeit zwischen 1470—95, bis auf einen in westniederdeutscher Sprache, von kulturgeschichtlichem Interesse wird beschrieben und mitgeteilt. — A. Bömer, der münsterische Domschulrektor Timann Kemner. Ein Lebensbild aus der Humanistenzeit. S. 182—244. Kemner war 1500—30 Rektor der Domschule, Konrektor war längere Zeit unter ihm Murmellius; besonders wird die schriftstellerische Thätigkeit behandelt. — W. Zuhorn, Geschichte der Wohlthätigkeitsanstalten der Stadt Warendorf. S. 245—58. I. Siechenhorst. — J. B. Nordhoff und Fr. Westhoff, neue römische Funde in Westfalen. S. 259—326 (mit Karte). Eine römische Dammstraße bei Haltern und ein Münzfund an derselben. Mit drei Anlagen: I. Fundort

und Fundumgebung: allgemeine Grundsätze darüber. II. Borggreve über Hölzer=
manns Lokaluntersuchungen. III. Knote über die Äußersten der Bructerer u. f. w.;
Abfällige Kritik über deſſen neueſte Schrift „die römiſchen Moorbrücken in Deutſch=
land. Berlin 1895.“ — H. Finke, Adolf Tibus. S. 327—42. Gedächtnisrede
auf den langjährigen (1880—94) Direktor der Abteilung Münſter. (Inzwiſchen
auch ſeparat erſchienen.) — J. B. Nordhoff, Heinrich Geisberg. S. 343—50
(mit Porträt). Geisberg, geſtorben 14. Mai 1895, war 1859—65 und 1875—77
Direktor. — Miszellen: S. 351—58. 1. Fr. Stolle, Heißt Vetera das
„alte Lager“? (nein); 2. Müller, Pamphlete über den Max=Clemenskanal 1725;
3. Auguſt Hüſing, zwei Weſtfalen im Collegium Germanicum (die Brüder
Peter Hermann und Kaspar Gerhard Söcker aus Geſcher). ● Abtl. 2. Paderborn.
W. Hoeynck, die Truchſeſſiſchen Religionswirren und die Folgezeit
bis 1590 mit beſonderer Rückſicht auf das Herzogtum Weſtfalen.
(Schluß). S. 1—96 (vgl. Hiſt. Jahrb. XVI, 376) — Aug. Heldmann, Weſt=
fäliſche Studierende zu Wittenberg. 1502—640. S. 97—108 Aufzählung der Namen,
bis 1560 aus Förſtemann, Album Academiae Witebergensis, 1841, von da aus
der Originalmatrikel auf der Univerſitätsbibliothek zu Halle. (War Philippus Melanchthon
— S. 98 — auch ein Weſtfale?) — F. X. Schrader, Nachrichten über den
Osnabrücker Weihbiſchof Johannes Adolf von Hörde. S. 97—133. Der=
ſelbe war Weihbiſchof 1723–61, zugleich apoſtoliſcher Vikar der Nordiſchen Miſſionen;
ſein Bericht an die Propaganda vom 15. Sept. 1724 wird aus dem Archiv derſelben
mitgeteilt. — Miszellen. S. 134—39: 1. Bericht über die vorgenommenen Auf=
grabungen nach etwaigen Reſten des römiſchen Kaſtells Aliſo im Dorfe Elſen (mit
Karte); dieſelben haben den Nachweis geliefert, daß Aliſo an der Stelle, wo man das=
ſelbe bisher in Elſen ſuchte, nicht gelegen hat. 2. Die fremdartigen Säulen in der
Vorhalle des Paderborner Domes und ihre Beziehungen zu der römiſchen Waſſer=
leitung in der Eifel. 3. Ein denkwürdiger Stein (unweit Bödexen, Kreis Höxter). —
Im Ergänzungsheft die Fortſetzung des Liber dissencionum des Dietrich
von Engelsheim (S. 145—424; vgl. Hiſt. Jahrb. XV, 418); die Belege bis
Nr. 65.

Zlatá Praha. Illuſtriertes Wochenblatt für Unterhalt und Belehrung.
11. Jahrg. Prag, 1894. J. Hanuš, ein unruhiges Jahr im Leben des V. V.
Nebeský. S. 559, 571, 583—86, 598—99, 603—6, 615—18. Ein biographiſcher
Beitrag, behandelt das Verhältnis des Schriftſtellers Nebeský zum Schriftſteller Hanuš
und ſeine Stellung im Streite um die Königinhofer Hſ. i. K. 1858—9. — E. Jelinek,
Herr Adam Januszja Rosciszewski von Rosciszew. S. 295—97, 303—6, 315,
326—31, 339–42, 351—54. Ein Beitrag zur Geſchichte der böhmiſchen Literatur
in den J. 1829—44 nach Rosciszewskis Briefen an den böhmiſchen Schriftſteller
V. Hanka.

Novitätenschau.*)

Bearbeitet von Dr. Jos. Weiß und Dr. Franz Kampers, Assistent a. d. k. Hof- u. Staatsbibliothek zu München.

Philosophie der Geschichte; Methodik.

Syrkin (R.), geschichtsphilosophische Betrachtungen. Berlin, Gottheiner. III, 140 S. *M.* 3.

Montesquieu, considérations sur les causes de la grandeur des Romains et de leur décadence. Publiés avec introduction, variantes, commentaires et tables par Cam. Jullian. Paris, Hachette et Cie. Pètit in-16. XXXVIII, 304 S. fr. 1,80.

Mahan (A. T.), der Einfluß der Seemacht auf die Geschichte. In Uebersetzung hrsg. v. d. Red. d. Marine-Rundschau. 10.—12. (Schluß-) Lfg. Berlin, Mittler & Sohn. XVII u. S. 433—634 mit eingedr. Kartenskizzen, 1 Karte u. 1 Bildnis. *M.* 3,50.
Vgl. oben S. 620.

Arbois de Jubainville (H. de), deux manières d'écrire l'histoire. Critique de Bossuet, d'Augustin Thierry et de Fustel de Coulanges. Paris, Bouillon. 18⁰. XXVII, 260 S.

Rickert (H.), die Grenzen der naturwissenschaftl. Begriffsbildung. Eine logische Einleitung in die histor. Wissenschaften. 1. Hälfte. Freiburg i. Br., Mohr. 304 S. *M.* 6.

Meyer v. Knonau (G.), zu der Frage: „Wie soll der Schweizer Geschichte studieren?" Rektoratsvortrag. Zürich, Fäsi & Beer. 21 S. *M.* 0,60.

---

*) Von den mit einem Sternchen bezeichneten Schriften sind der Redaktion Rezensionsexemplare zugegangen.

Wo keine Jahreszahl angegeben, ist 1896, wo kein Format beigefügt wird, ist 8⁰ oder gr. 8⁰ zu verstehen.

Weltgeschichte; Allgemein Kulturgeschichtliches; Sammelwerke verschiedenen Inhalts.

Weiß (J. B. v.), Weltgeschichte. Bd. 2: Hellas u. Rom. 5. Aufl. Graz, Styria. · XXIV, 962 S. .*M.* 8,50.

Vgl. oben S. 385.

*****Widmann** (S.), J. Bumüllers Lehrbuch der Weltgeschichte. II. Teil: Geschichte des MA.s. Freiburg i. B., Herder. CCCLXXXII, 382 S. *M.* 3,30.

Die Durcharbeitung dieses Bandes steht hinter der des ersten (s. oben S. 141) weit zurück. Es mangelt vor allem an der Benützung der nötigsten Quellen und Quellenschriften der jüngsten Zeit. So ist das römische Germanien äußerst ungenügend behandelt. Die zahlreichen Forschungen der letzten zwei Jahrzehnte sind viel zu wenig berücksichtigt. Die Bayern läßt der Vf. noch von den Herulern, Skyren usw. abstammen. Die Persönlichkeit und das große Wirken des hl. Bonifatius konnte nach den Quellen, besonders den Briefen des Apostels viel lebendiger hervorgehoben und der Segen der christlichen Kultur der Völkerausfaugung und -Erdrückung durch den Islam anschaulicher gegenübergestellt werden. Die Kämpfe Pipins und Karl des Großen gegen das bajuvarische Herzogtum sind noch ganz nach dem einseitig fränkischen Berichte der Lorscher Annalen erzählt. Vor allem bedarf die Geschichte des Kampfes zwischen Papsttum und Kaisertum einer objektiven und gründlicheren Darstellung. Die Geschichte Ludwigs IV d. B. wäre nicht bloß nach der gegnerischen Auffassung der böhmisch-österreichischen Quellen zu geben. Hätten die deutschen Könige ihren Blick auch mehr dem Osten zugewandt wie Ludwig, so wären dort, wo jetzt Rußland gebietet, wohlhabende deutsche Länder und Provinzen. Die Uebersichten über die Kulturperioden S. 15--28, 193—236, 353—70 sind glücklich zusammengefaßt, sollten aber ein Hauptkulturgebiet, das südwestliche Deutschland, mehr berücksichtigen und Baukunst, Literatur eingehender behandeln. Denn die Geschichte des deutschen Mittelalters muß doch jeder Deutsche besser kennen als das griechische oder römische Altertum.   *F. Franziß.*

Gardthausen (B.), Augustus und seine Zeit. Tl. 1, Bd. 2 u. Tl. 2, 2. Halbbb. mit Abbildgn. Leipzig, Teubner. *M.* 21.

Bd. 1 des ersten Teiles u. Halbbb. 2 des zweiten Teiles erschienen 1891.

Sarwey (O. v.) u. **Hettner** (F.), der obergerman.-rätische Limes des Römerreiches). Im Auftrage der Reichs-Limeskommiss. hrsg. v. —. Lf. 3. Heidelberg, Petters. gr. 4°. 22 u. 15 S. mit Abbildgn., 5 Taf. u. 1 Karte. *M.* 2,80.

Vgl. oben S. 140.

Wolff (G.), Kastell Marköbel. Heidelberg, Petters. gr. 4. 22 S. mit Abbildgn. u. 3 Taf. *M.* 3. [Aus: Der obergerman.-rät. Limes des Römerreiches.]

Leo (F.), Tacitus. Göttinger Universitätsrede. Göttingen, Univ.-Buchdruckerei. 18 S.

T.' Stoff ist nicht selbstgeschöpft, seine Arbeit keine Forschung, das letzte Ziel seiner Darstellung ist nicht die Wahrheit, aber Tacitus war ein Dichter, und nur als Dichter kann der größte römische Historiker ganz verstanden werden.

Mercks (J. F.), kleine Studien zur Taciteischen Germania. Festschrift. Köln. 173—192 S.

Mommsen (Th.), chronica minora s. IV, V, VI, VII ed. —. Vol. III, Fasc. 3. Berolini, Weidmann. S. 355—469. [Mon. Germ. hist. auct. ant. t. XIII, 3.]

Inhalt: I. Laterculi consulum urbis Romae. 1) Fasti Theonis **Alexandrini**
a. 138—372 (griech.) ed. H. Usener. (Einzige Hf. der vulgo ‚fasti Florentini
minores' genannten Faften Laurent. XXVIII, 26). 2) Fasti Veronenses
a 439—494 (aus dem Veronefer Palimpfefte, der uns die lateinifche Ueberfetzung der Didascalia aufbewahrt hat). 3) Fasti Augustani a. 378—498
(aus einem cod s. XV der Augsburger Stadtbibliothef, der von einer verlorenen alten Reichenauer Hf. abgefchrieben ift). 4) Fasti Heracliani a. 222
—630 (griech.) ed. H. Usener (im Gegenfatze zu den Faften Theons gewöhnlich ‚Fasti Florentini maiores' genannt. Einzige Hf. Leidensis gr.
LXXVIII, deffen Lücke durch eine im Laurent XXVIII, 12 vorliegende Ab-
fchrift ergänzt werden kann. ‚Fastos Heraclianos eos dicimus, quos ad
imperium Heraclii deductos ex codice legum i. e. ex exemplo codicis
Theodosiani sumptos Stephanus Alexandrinus adornavit'). — II. Laterculi
imperatorum Romanorum. 1) L. i. R. codici Theodosiano adiuncti (aus
dem Turiner Palimpfefte a II 2). 2. Expositio temporum Hilariana
a. 468 (im cod. 134 s. XIII der Madrider Univerfitätsbibl. der Schrift des
O. Julius Hilarianus, de duratione mundi' angefügt). 3) Laterculus
imperatorum ad Justinum I (in verfchiedenen Hff. erhalten). 4) L. i. R.
Malalianus ad a. 573 (aus einer cod. Vat. Pal. 277 s. VIII erhaltenen
Chronit, die ftarke Abhängigteit von Malalas zeigt und zur Verbefferung und
Ergänzung deffelben verwendet werden kann). 5) Laterculi regum et imperatorum ab astronomis Alexandrinis conditi et Constantinopoli continuati
(griech.) ed. H. Usener. a) Laterculus Heraclianus in Phoca desinens
b) L. Leoninus in Michaele I. desinens. c) L. acephalus ad Leonem VI
deductus. — III. 1) Laterculus regum Vandalorum et Alanorum (in zwei
Rezenfionen). 2) L regum Visigothorum legum corpori praemissus (nach
zahlreichen Hff.) Zu S. 425 bemerke ich, daß in dem Ausdruck ‚dei et
hominum mediator' nicht etwas fpezififch ‚occidentalifches' ftedt; vgl. I Tim. 2, 5.
Ueber chron. min. III, 2 vgl. oben 651. C. W.

Kaemmel (O.), illuftr. Gefchichte des Mittelalters. Tl. 1: Von der
Völferwanderung bis zu den Kreuzzügen. In 3. Aufl. neubearb. v. —.
Leipzig, Spamer. XIV, 726 S. mit 300 Textabbildgn. u. 8 Beilag.
u. Karten *M* 10. [Spamers illuftr. Weltgefch. 3. Aufl. Bd. 3.]

Lavisse (E.), Rambaud (A.), histoire générale du IV⁰ siècle à nos
jours. T. XVI: Louis XIV. (1643—715). T. VII: Le XVIII⁰
siècle 1715—88. Paris, Colin. 1895/6. 981, 1051 S.

Der 6. u. 7. Bd. find den Vorgängern (oben S. 101—7) vollfommen ebenbürtig,
Hrsgb. u. Mitarbeiter befitzen das feltene Gefchick, überall die bedeutenden Momente
hervorzuheben; fo kommt es denn, daß wir in dem 6. Bd. ein weit vollftändigeres
Bild von Ludwig XIV u. feinen Zeitgenoffen erhalten als in umfangreicheren und
größerer Prätenfion auftretenden Werken. Der vorliegende Band braucht einen
Vergleich mit dem Onckenfchen Sammelwerke nicht zu fcheuen, bietet im Gegen-
teil manches, was man bei Oncken vergebens fucht Hierzu rechnen wir das
Kapitel „Die abfolute Monarchie, Regierung, Verwaltung, Gefellfchaft" von
Lacour=Gayet, „Die Staatswirtfchaft, Colbert und feine Nachfolger" von
Levaffeur, „Die katholifche Kirche" von Chenon, „Französifche Literatur"
von Faguet, „Kunft in Europa" von Michel. Selbftverftändlich bildet
Frankreich den Schwerpunkt, werden französifche Verhältniffe und die Beziehungen
Frankreichs zu anderen Ländern weit eingehender behandelt als bei Oncken. Die
Darftellung ftützt fich vielfach auf die Berichte der französifchen Gefandten, deren
Bemerkungen über die getrönten Häupter und ihre Minifter meift ebenfo fcharf
als zutreffend find. Die Abfchnitte über die Gefchichte Englands von Sayous
find durchgängig torrett. Sayous geht indes zu weit, wenn er behauptet (VI, 442),
Wilhelm von Oranien habe fich auf eine trotzige Neutralität befchränkt. Unter
den Neueren hat Wolfeley, ›Life of Marlborough‹, diefe Behauptung am
gründlichften widerlegt. Irrtümer, Ungenauigkeiten find auch in diefem Bande
nicht vermieden, aber im großen und ganzen wüßte ich kein Lehrbuch, das dem

Anfänger größere Dienste leistete. — Die Periode von 1715—88 ist eine Zeit des Niederganges dreier Staaten, die in der vorhergehenden Periode eine große Rolle gespielt haben. Frankreich, Oesterreich, Schweden verfolgen eine innere und ·äußere Politik, infolge deren die natürlichen Hilfskräfte des Landes erschöpft werden England, Preußen und Rußland machen sich die politischen Fehler ihrer alten Rivalen zu Nutzen und entreißen denselben in erfolgreichen Kriegen einige ihrer reichsten Provinzen. Statt sich innerlich zu kräftigen und die nötigen Reformen durchzuführen, sehen wir diese Staaten langwierige Kriege führen, welche die bestehenden Uebelstände nur noch erhöhen und eine furchtbare Katastrophe, die französische Revolution, vorbereiten, die nur deshalb lokal geblieben, weil die Greuel der Führer der französischen Revolution die übrigen Nationen mit heilsamem Schrecken erfüllten. So viel auch über die Ursachen der französischen Revolution geschrieben worden, so findet man doch in dem vor= liegenden Bande viel Neues oder das Alte in neuer Beleuchtung. „Ludwig XVI und die innere Politik" von Foncin, „Die französische Staatswirtschaft" von Levasseur, ergänzen vielfach die Darstellung von Taine, Sorel 2c. Sehr gut sind die Bemerkungen über Joseph II und den Josephinismus. Nächst Karl VI hat kein österreichischer Herrscher eine so verhängnißvolle und verkehrte äußere Politik verfolgt. Z.

Sypniewski (Alfr. Odroważ Ritt. v.), Geschichte der neuesten Zeit vom J. 1816 bis auf die Gegenwart mit besonderer Berücksichtigung Oesterreich=Ungarns u. Deutschlands, zusammengest. u. bearb. v. —. 4. Aufl. Wien, Braumüller. VIII, 300 S. ℳ 3.

Regeneration. A Reply to Max Nordau with an introduction by N. M. Butler. New-York, Putnam. XII, 311 S.

Der anonyme Vf. bekämpft mit zumteil recht tüchtigen Gründen die pessimistischen Ausführungen von Max Nordau, in dem er einen Juden wittert, verfällt aber in fast dieselben Fehler wie sein Gegner. In England und Amerika sieht er nur Licht, in Deutschland nur Schatten. Von der Zunahme des deutschen Handels und der Industrie nimmt er gar keine Notiz und betont ganz einseitig die Steuerlast Deutschlands. Deutschland wird fast auf die gleiche Stufe mit Rußland gestellt, dem deutschen Kaiser werden fast alle Rechte des russischen Autokraten zugeschrieben. Mit denselben Gründen, mit welchen Vf. den sklavischen Sinn der Deutschen beweist, ließe sich die Vergötterung der englischen Königin und ihrer Familie durch das englische Volk demonstrieren. Z.

Hellwald (Fr. v.), Kulturgeschichte in ihrer natürl. Entwickelung bis zur Gegenwart. 4. Aufl. Leipzig, Friesenhahn. 496 u. XXVIII S. mit Abbildungen u. 19 Taf. ℳ 10.

De Marchi (A.), il culto privato in Roma antica. I. La religione nella vita domestica, iscrizioni ed offerte votive. Mailand, Hoepli. 322 S. mit 6 Taf. u. 8 Illustr. l. 8.

Hula (E.), die Toga der spätern Kaiserzeit. 18 S. [Programm des 2. deutschen Obergymn. Brünn.]

Franklin (A.), la vie privée d'autrefois. Arts et métiers, modes, moeurs, usages des Parisiens du XIIᵉ siècle, d'après des documents origi- naux ou inédits. (La layette; la nourrice; la vie de famille; les jouets et les jeux.) Paris, Plon, Nourrit et Cie. 18⁰. XII, 323 S. illustriert.

Müller=Guttenbrunn (A.), deutsche Kulturbilder aus Ungarn. 1. u. 2. Aufl. Leipzig, Meyer. VIII, 184 S. mit 9 Illustr. ℳ 3.

Bode (W.), kurze Geschichte der Trinksitten und Mäßigkeitsbestrebungen in Deutschland. München, Lehmann. IV, 227 S. ℳ 2,40.

Weber (K.), kurzer Abriß der Geschichte der Leibesübungen vom Jahre 1774—1895. Beobachtungen u. Betrachtungen. Anhang: Das Turnen an der isol. Lateinschule und nachher am Gymnasium zu Burghausen. 84 S. [Progr. des Gymn. zu Burghausen.]

Roggero (E.), il settecento galante. Milano, Galli di Chiesa. 68 S.

White (E. D.), a history of the warfare of science in Christendom. New-York, Appleton. XXI, 415 u. XIII, 474 S. d. 5.

> White macht zwar nicht die Theologie verantwortlich für die bittere Polemik gegen die Resultate der Naturwissenschaft wie Draper, conflict of religion and science, läßt aber den Theologen kaum mehr Gerechtigkeit widerfahren als sein Vorgänger. In einem Buche wie dem vorliegenden, in dem alle vermeintlichen und wirklichen Sünden der Theologen gegen die Wissenschaft aufgezählt werden, wäre ein Kapitel über die Leistungen der Theologen in der Naturwissenschaft, in der methodischen Kritik am Platz gewesen, umsomehr, da W. für manche seiner Kapitel den Stoff einfach aus Wellhausen, u. a. herübergenommen hat. Bekanntlich waren manche Professoren der Naturwissenschaften viel einseitiger und befangener in ihrer Polemik gegen Kopernik, Newton, als die Theologen. W. gibt selbst zu, daß die katholische Kirche sich weit toleranter bewiesen habe als die protestantischen Sekten. Die Vorrede, in welcher W. seine Konflikte mit den amerikanischen Sekten schildert, ist denen, welche Protestantismus und Geistesfreiheit identifizieren, sehr zu empfehlen. W. hat in seiner Darstellung zu sehr den Parteimann herausgekehrt und verkannt, daß die schwerste Bekämpfung einer neuen Theorie derselben meistens zu gute gekommen ist und zu erneuter Prüfung der Gründe und Gegengründe geführt hat. Die apologetischen Werke eines Hettinger, Schanz, Gutberlet sind W.s Buch vorzuziehen, schon darum, weil auch der Gegner zum Worte kommt. Z.

Schuller (G.), der siebenbürg.=sächsische Bauernhof u. seine Bewohner. Eine kulturhist. Skizze. Hermannstadt, Michaelis. 41 S. mit Abbildungen. M 0,80.

Mummenhoff (E.), die Burg zu Nürnberg. Geschichtlicher Führer für Einheimische und Fremde. Nürnberg, Schrag. 12°. 87 S. mit 8 Abbildungen. M 1.

Kiesewetter (K.), der Occultismus des Altertums. 2.: Griechen, Römer, Alexandriner, Neupythagoräer u. Neuplatoniker, Kelten u Germanen, Barbarische Völker. Leipzig, Friedrich. S. 439—921. M 9. Vgl. Hist. Jahrb. XVI, 867.

Riezler (S.), Geschichte der Hexenprozesse in Bayern. Im Lichte der allgemeinen Entwickelung dargest. Stuttgart, Cotta. X, 340 S. M 6.

Dennler (J.), ein Hexenprozeß im Elsaß v. J. 1616. Ein Beitrag zur Kulturgeschichte des Elsasses. Zabern, Fuchs. 28 S. M 60. [Bausteine zur Elsaß=lothring. Geschichte u. Landeskunde. H. 2.]

Bang (V.), Hexevaesen og Hexeforfølgelser isaer i Danmark. Kjøbenhavn, Frimoot. 139 S.

Gallese (G.), la leggenda di Traiano nei volgarizzamenti del Breviloquium de virtutibus. Firenze, Carnesecchi e figli. 1895. 13 S.

Paris (G.), la leggenda di Saladino, traduzione di C. Menghini. Firenze, Sansoni. 75 S.

Lincke (A.), die neuesten Rübezahlforschungen. Ein Blick in die Werkstatt der mytholog. Wissensch. Dresden, Zahn & Jaensch. VI, 51 S. M 1,20.

*Reiser (K.), Sagen, Gebräuche und Sprichwörter des Allgäus. Aus dem Munde des Volkes gesammelt v. —. Lfg. 1—6. Kempten, Kösel. S. 1—384. à M. 1.

Als würdige Ergänzung zu Baumanns trefflicher Geschichte des Allgäus gibt Vf. eine Sammlung von Sagen, Gebräuchen und Sprichwörtern des Allgäus heraus. Von Ort zu Ort wandernd hat R., wie die vorliegenden sechs Hefte beweisen, ein reichhaltiges Material zusammengetragen. Die treuherzige Sprache, deren sich der Herausgeber bedient, läßt uns in ihm einen Freund und Kenner seines Volksstammes erkennen; das wissenschaftliche Verständnis, das sich in der Wiedergabe und Gruppierung der Sagen äußert, verrät den ernsten Gelehrten; so wird eine Sammlung geboten, die einmal dem Volke eines seiner köstlichsten Erbteile zu erhalten wohl berufen sein dürfte, die aber auch dem Sagenforscher eine Fundgrube schönen Materials bieten wird. Mit Vergnügen werden wir nach Vollendung des Werkes dasselbe nach seiner wissenschaftlichen Seite eingehender würdigen.   F. K.

Laube (C.), volkstüml. Ueberlieferungen aus Teplitz u. Umgebung. Prag, Calve. 108 S. M. 1. [Beiträge zur deutsch-böhm. Volkskunde. Bd. 1. H. 2.]

Henric-Petri (J.), der Stadt Mülhausen Historien. Mülhausen i. E., Bahy. 285 S. mit 23 Taf. u. Beil. in Lichtbr., darunter 12 Orig.-Kompositionen v. C. Spindler. M. 16.

Tschiebel (J.), aus der ital. Sagen- u. Märchenwelt. Hamburg, Verlagsanstalt u. Druckerei. 31 S. M. 60. [Sammlung gemeinverst. wissensch. Vorträge 247.]

Budge (E. A. W.), the life and exploits of Alexandre the Great being a series of Ethiopic texts edited from manuscr. in the Brit. Museum and the Biblioth. Nation. Paris with an english translation and notes by —. Vol. I. The Ethiopic text, introduction etc. Vol. II. The english translation. London, Clay and sons. 4°. XV S. 3 Taf. LIV, 383 S. u. 1 Portr. VI, 610 S.

Ein überaus vornehm ausgestattetes Werk, das nur in 200 numerierten Exemplaren abgezogen wurde. Die Hff. der ethiopischen Version der Alexandersage des Pseudo-Callisthenes werden mit Beigabe von Faksimiles beschrieben und darauf die Geschichte von und über Alexander d. Gr. behandelt. Aegypten wird als Urheimat der Sage bestimmt. Auch die Versionen der Sage in den anderen orientalischen Sprachen werden kurz charakterisiert. Diese Einleitung erhebt sich wenig über die Resultate der umfangreichen Forschung über die weitverzweigte Sage. Pseudo-Methodius' Beziehungen zu letzterer dürften noch manches Licht über dieselbe verbreiten, namentlich über die Lehre vom Uebergang der Reiche, über die Persönlichkeit der Königin Candace, über den Umwandlungsprozeß, den die Sage in Byzanz durchzumachen hatte u. v. a. Wieder und wieder muß bedauert werden, daß immer noch nicht von berufener Hand die griechischen und slavischen Texte des Pseudo-Methodius, dieses hochinteressanten Dokumentes der Sagengeschichte, ediert worden sind. An Texten und Uebersetzungen werden von Budge herausgegeben: 1. die ethiopische Version des Pseudo-Callisthenes, 2. die Geschichte Alexanders d. Gr. von Al-Makin, 3. dieselbe von Abû Shâfer, 4. dieselbe von Joseph ben-Gorion, 5. die anonyme Geschichte vom Tode Alexanders d. Gr., 6. ein christl. Roman von Alexander d. Gr., 7. die Geschichte des Mannes, der zur Zeit des Propheten Jeremias lebte. Der beigegebene Index dürfte kaum seinem Zweck genügen. Fragen muß man sich, ob das an sich ja dankenswerte Werk diese kostbare Ausstattung verdient.   F. K.

Rodriguez (J. B.), idolo Amazonico achado no Rio Amazonas. Rio de Janeiro 1875.

Das vermutliche Idol, von dem eine Lithographie beigegeben ist, stellt zwei roh gearbeitete tierische Gestalten vor, von denen das größere das kleinere über=wunden hat und mit seinem Rachen den Kopf des letzteren gefaßt hält. Die beiden Figuren sind aus Einem Stein gearbeitet (Serpentin) und das Ganze hat 18 cm Höhe, 9 cm Breite und 15 cm Länge R. hält die obere Figur für einen Tiger und die untere für eine Schildkröte, jedoch gehört dazu viel guter Wille. Ferner erkennt er in derselben ein Götzenbild, nämlich die Mutter der Tiger, welche die Schildkrötenfänger anriefen und deren Idol sie mit in den Kahn nahmen. Sollte es seine Richtigkeit haben mit dem Idol unseres gelehrten Forschers und Botanikers, so würde allerdings die fast alleinstehende Ansicht des Jesuiten=Missionärs J. Daniel (Thesauro descoberto no maximo rio Ama-zonas, Revista de Inst. Hist. tom. 2.), der in der Mitte des vorigen Jahr=hunderts die Amazonasgegend missionierte, daß nämlich die dortigen Eingebornen auch Idole hätten, sie aber wenig verehrten und nur an sie dächten, wenn sie derselben im Kriege oder auf der Jagd zu bedürfen meinten, eine Bestätigung finden. Von dem übrigen Brasilien melden die älteren Missionare des 16. und 17. Jahrh. alle das Gegenteil. Die Erklärung dafür, daß sich bis jetzt kein einziges Idol gefunden hat — denn das Exemplar, welches R. aufgefunden, wäre das erste — gibt auch derselbe P. Daniel, indem er meldet, daß sowohl die spanischen Jesuiten als die portugiesischen Karmeliter=Missionare am Ama-zonas diese Idole nach Kräften zerstört hätten. — Im Museum des Louvre in Paris figuriert schon ein Idol vom Amazonas, welches Graf Castelneau i. J. 1846 auf seiner Reise durch Manaos daselbst gefunden zu haben glaubte Hernach stellte es sich heraus, daß das vermeintliche Idol von einem ehrlichen Christen, der an nichts gedacht, als sich die Langeweile zu vertreiben, nämlich von dem Steinhauer Antonio Almeida fabriziert worden ist, worüber der bekannte Rio=grandenser Dichter Araujo. Porto=Allegre, sich in einer Satyre Estatue Ama-zonica nachher lustig machte (Revista do Instit. Hist tom. 3. u. 9 S. 96, 97)! Herrn R. kann diese Geschichte nicht unbekannt sein; möge es mit seinem neuen Idol nicht dieselbe Bewandtnis haben. Meinerseits halte ich fest, daß es von den Anden her nach dem Amazonasgebiet verschleppt wurde. Auf die Er=widerung des A., daß dort die Schildkröten unbekannt seien, sei bemerkt, daß es sehr in Frage steht, ob die kleine Figur gerade eine Schildkröte vorstellt.

P. T.

Sébillot (P.), légendes et curiosités des métiers. Ouvr. orné de 220 gravures d'après des estampes anciennes et modernes ou des dessins inédits. Paris, Flammarion. 4⁰.

33 Gewerbe werden aufgeführt, jedes mit eigener Paginierung.

Rolland (E.), flore populaire ou histoire naturelle des plantes dans leurs rapports avec la linguistique et le folklore. Tome I. Paris, Rolland. III, 272 S.

Stern (M.), Tabellen zur Geschichte der Juden u. ihrer Literatur. Kiel, Stern. 56 S. ℳ 0,60.

Neubauer (A.), mediaeval Jewish chronicles and chronological notes. Ed. by —. London, Frowde. 4⁰. sh. 18,6.

Kaufmann (D.), die Memoiren der Glückel von Hameln 1645 — 719, hrsg. v. —. (In hebr. Sprache.) Frankfurt a. M., Kauffmann. LXXII, 400 S. ℳ 7.

***Havet** (J.), oeuvres (1853—93). Tome I.: Questions Mérovingiennes. Tome II: Opuscules divers. Paris, Leroux. XXI, 456, 526 S.

Besprechung folgt.

A monsieur Pierre Vaucher professeur à l'université de Genève, pages
d'histoire par quelques-uns de ses anciens élèves dédiées à Pierre
Vaucher à l'occasion de la trentième année de son professorat.
Genève, Georg et Cie. 1895.
Aus dem Inhalt notieren wir: Ch. Kohler, l'ambassade en Suisse
d'Imbert de Villeneuve, premier président au Parlement de Dijon
1513–14. — Francis de Crue, Barthélemy, ambassadeur en Suisse,
d'après ses papiers. — Ch. Borgeaud, les étudiants de l'Academie de
Genève au XVIe siècle. -- B. Bouvier, un cahier d'élèves du pré-
cepteur Wieland. — Ch. Seitz, Taine et la Révolution française. —
A. Guilland, Léopold de Ranke et l'esprit national allemand. —
— H. Aubert, documents diplomatiques relatifs au traité de Soleure,
8. Mai 1579. — G. Vallette, un humaniste genévois. — E. Dunant,
la politique du Directoire et la chute de l'ancien régime en Suisse. —
F. Gardy, l'histoire suisse et la section genévoise de la Société de
Zofingue. — E. Favre, l'oeuvre de Pierre Vaucher jusqu' en 1895,
avec une bibliographie.

Oder (E.), anecdota Cantabrigiensia, edidit et commentatus est —.
Pars I. Progr. Berlin, Gärtner. 31 S. ℳ 1.

Bricka (C. F.), Dansk biografisk Lexikon tillige omfattende Norge
for tidsrummet 1537—1814. 76 de Haefte. (10. Binds. 4. Haefte.)
Levetzow-Lindenow. Kopenhagen, Gyldendal. S. 241—320.
Von diesem nach Art der Allgemeinen deutschen Biographie eingerichteten Lexikon
erschien der 1. Band im Jahre 1887.

Finsk biografisk handbok, udgifven under medverkan af äldere och
yngre vetenskapsmän. 1. Heft. Helsingfors, Edlund. 160 S. Kr. 2,25,

Politische Geschichte.

Deutsches Reich und Oesterreich.

Stacke (L.), deutsche Geschichte. 7. Aufl. Mit zahlreichen Taf. u. Beilagen
in Farbendr. u. 650 Holzschn.=Abbildungen. In 40 Lfgn. Lfg. 1.
Bielefeld, Velhagen & Klasing. S. 1—48. ℳ. 0,50.

Mehlis (C.), Studien zur ältesten Geschichte der Rheinlande. Mit 2 Taf.
35 S. [Schulprogr. des Gymn. in Neustadt a. d. H.]

Schütz (C.), die inneren politischen und wirtschaftlichen Verhältnisse der
Westgermanen, insbesondere der Westsueben in der Urzeit. 20 S.
[Programm des Proggymn. in Donaueschingen.]

*Mühlbacher (E.), deutsche Geschichte unter den Karolingern. Stuttgart,
Cotta Nachf. Lex.=8⁰. IV, 672 S. mit 1 Stammtafel u. 1 Karte. ℳ 8.
Bildet einen Teil der „Bibliothek Deutscher Geschichte" von H. v. Zwiedineck=
Südenhorst. Die erste Lieferung ist schon 1886 erschienen, die folgenden Liefe=
rungen in Zeiträumen von einem bis zwei Jahren. Die wenigen seitherigen Er=
gebnisse sind als „Nachträge und Berichtigungen" am Schlusse beigefügt. Die
Zeit der Karolinger ist wohl der am gründlichsten durchforschte Abschnitt der
deutschen Geschichte und auch schon so oft dargestellt worden, daß man von einer
neuen Bearbeitung keine erhebliche Erweiterung unserer bisherigen Kenntnisse
erwarten darf. M. kennt die Quellen und die Forschungen seiner Vorgänger
gründlich, hat sie fleißig beraten und kritisch gesichtet, so daß seine Aufstellungen

als wissenschaftlich gesichert gelten können. Sein geistiges Eigentum ist aber die kunstvolle Gruppierung, die fließende und anziehende Darstellung. Er versteht meisterhaft zu schildern; so sind z. B. die Sachsenkriege Karls d. Gr., seine Persönlichkeit und Hof Glanzstücke historischer Kunst. Sehr anziehend ist auch die Beschreibung der inneren Zustände in Karls Reich und im Gegensatz dazu mit dramatischer Anschaulichkeit die Schwäche Ludwigs d. Fr. vor Augen geführt. Dagegen wird man beim letzten Abschnitt, Deutschland am Ausgang der karolingischen Zeit, einzelne kulturhistorische Züge im Gesamtbilde vermissen. Die leicht lesbare gewählte Sprache erhöht den geistigen Genuß des Lesers, der seltener durch Ausdrücke modernster Prägung, häufiger durch einzelne Wendungen, die außerhalb Oesterreichs keinen Kurs haben, gestört wird. Auch wird er selten durch eine Anmerkung aufgehalten, die aber nicht Quellenzitate oder kritische Auseinandersetzungen, sondern nur einzelne Erläuterungen bringt. Der Vf. ist nicht bloß auf seinem eigentlichen historischen Felde wohl bewandert, er hat auch die benachbarten Gebiete durchstreift und die Sagenkreise berührt, die deutschen und lateinischen Dichter hereingezogen, selbst paläographische Einzelheiten angeführt. In der Schreibung der Eigennamen wäre größere Genauigkeit zu wünschen gewesen; so steht bald Fontenay, bald Fontenoy; Cresburg heißt auf der Karte Erisburg, Bernhards Gattin heißt nicht Dodona, (S. 374) sondern Dodana; S. 450 heißt der Fluß nicht Aar sondern Aare und ebenda sind durch einen Lapsus calami Worms, Speier und Mainz auf das rechte Rheinufer geraten, S. 534 ist ebenso zweimal aus Anastasius ein Athanasius geworden, S. 471 lesen wir fuori li muri u. A. m. Rätselhaft ist auch, wenn S. 32 Pippin sich „der erlauchte Mann" nennt. Entweder kennt der Vf. Havets Questions méroving. (oben S. 878) nicht, oder er muß besondere Gründe haben, seine eigene Ansicht zu behalten. Auch das ist auffallend, daß bis zum Ueberdruß immer wieder Karls des Kahlen Feigheit betont wird, während S. 429 von seiner „festen Haltung", S. 430 von „blutigem energischen Vorgehen", „teils durch Gewalt, teils durch Drohungen", S. 431 von seinem „glücklichen Handstreich", S. 432 vom Anbieten der Schlacht und davon auf der folgenden Seiten nochmals die Rede ist; nach dem S. 442 angeführten Zeugnisse Mithards ist er kühn wie sein Bruder. (Vgl. Hist. Jahrb. XVII, 141.) Allzusehr tritt überall der Parteistandpunkt des Vf.s, der moderne politische und religiöse Liberalismus zu tage, der ihn gewissen Strömungen und Institutionen früherer Jahrhunderte nicht gerecht werden läßt. Auf den Ruhm, objektiver Historiker zu sein, wird er kaum Anspruch erheben. Dem Referenten ist bei der Schilderung der so überaus kläglichen Zustände in Staat und Kirche und noch besonders bei der Verehrung eines Königs Zwentibold als Heiliger (S. 645) klar geworden, daß ein Gregor VII kommen mußte. P. Gabriel Meier.

Detten (G. v.), die Abtei Corvey, eine Kultur- u. Bildungsstätte des MA.s. Frankfurt a. M., Fösser Nachf. 23 S. M. 0,50. [Frankfurter zeitgemäße Broschüren N. F., hrsg. v. J. M. Raich. Bd. 16, H. 10..]

Siebert (R.), Untersuchungen über die Nienburger Annalistik und die Autorschaft des Annalista Saxo. Ein Beitrag zur Kritik der deutschen Geschichtsquellen des MA.s. Nebst einer Stammtafel. Diss. Rostock, Berlin, Selbstverlag. 84 S. M. 3.

Die Kölner Königschronik. Nach der Ausg. der Mon. Germ. übers. v. K. Platner. 2. Aufl. Neu bearb. u. vermehrt v. W. Wattenbach. Leipzig, Dyk. XV, 416 S. M. 7,20. [Geschichtschreiber der deutschen Vorzeit. 2. Gesamtausg. Bd. 69.]

Die Jahrbücher von St. Jacob in Lüttich. Die Jahrbücher Lamberts des Kleinen, die Jahrbücher Reiners. Nach der Ausg. der Mon. Germ. übers. v. C. Platner. Leipzig, Dyk. X, 121 S. M. 1,80. [Geschichtschr. der deutschen Vorzeit. 2. Gesamtausg. Bd. 70.]

Sachse (W.), Canossa. Histor. Untersuchung. H. 1. Leipzig, Thomas. 57 S. M. 1.

Regesta diplomatica necnon epistolaria historiae Thuringiae. 2. Halbbd. [1120—52.] Bearb. u. hrsg. v. O. Dobenecker Jena, Fischer. gr 4⁰. III, XXIV u. S. 241—44. M 15.

S. Hist. Jahrb. XVI, 659.

Guttmann (B.), die Germanisierung b. Slawen in der Mark. Berliner Diss. Berlin, Rosenbaum. 29 S.

Enthält den ersten Teil des fünften Kapitels der ganzen Arbeit: „Die wendische Landbevölkerung", sowie einen Exkurs: „Die ejectio Slavorum", deren konsequentes Prinzip er läugnet.

Haenselmann (L.), Urkundenbuch der Stadt Braunschweig, im Auftrage der Stadtbehörden hrsg. v. —. Bd. 2, Abtl. 2. MCCC—MCCCXVI. Braunschweig, Schwetschke & Sohn. 4⁰. S. 225—440. M 10,80.

Vgl. Hist. Jahrb. XVI, 869.

* Schmidt (L.), Urkundenbuch der Stadt Grimma u. des Klosters Nimbschen. Im Auftrage der k. sächs. Staatsreg. hrsg. v. —. Leipzig, Giesecke & Devrient. 1895. 4⁰. XXIV, 439 S., 2 Tafeln Siegelabbildgn. M. 24. [Codex diplomaticus Saxoniae regiae Im Auftrage der k. sächs. Staatsreg. hrsg. v. O. Posse u. Ermisch. 2. Haupttl. Bd. 15.

Das vorliegende Urkundenbuch, für dessen Vollständigkeit die gewissenhafte Benutzung von 17 Archiven und 7 Bibliotheken spricht, ist dem freundlichen Städtchen Grimma gewidmet. Da sich die Urkunde vom 31. März 1065, auf die man die erste urkundliche Erwähnung einer „Stadt Grimma" basierte, vor kurzem als eine Fälschung des 13. Jahrh. erwiesen hat, so hat man nunmehr als erstes Jahr, wo Grimma als ein Forum, ein Ort mit Marktrecht, erscheint, 1203 anzunehmen. Damit setzt der erste Teil des Schmidtschen Urkundenbuches ein; er führt die Geschichte der Stadt Grimma bis zu dem Zeitpunkte, wo diese als Bestandteil des Wittums der Kurfürstin Margarethe († 1486) an die Ernestinische Linie gelangte (147 Urkk. vom 23. IV. 1203 an bis zum 9 X. 1486; dazu kommen im Nachtrage 11 Urkk. aus der Zeit zwischen 1265 und 1456). Der zweite Teil beschäftigt sich mit dem Augustinerkloster in Grimma (Markgraf Friedrich Tuto, der Sohn Friedrichs von Landsberg, hatte 1287 — merkwürdiger Weise wieder an einem 23. April, dem Geburtstage König Alberts von Sachsen — den Augustinern die Erlaubnis zur Begründung eines Klosters gegeben) und enthält genau 100 Urkk., die mancherlei Geschäfte und Angelegenheiten des Klosters von seiner Gründung bis zu seiner Sequestration (1540) berühren. Der dritte und letzte Teil endlich bringt alle Urkk. des [Cisterzienser-] Jungfrauenklosters Nimbschen: das vorher in Torgau ansässige Cisterzienser-Nonnenkloster Marienthron hatte 1251 seinen Sitz nach Grimma und (i. J. 1288 oder 1289?) von dort nach dem benachbarten Nimbschen verlegt. Die Zahl der Stücke beträgt für dies Kloster, das zu den größten Sachsens gehört hat, einschließlich zweier Nachträge aus den Jahren 1326 und 1360, 258 Urkk., obwohl diese zeitlich bereits 1536 aufhören. Auch hier wirkt die Sequestration dadurch besonders interessant, daß sie Veranlassung gibt, den gesammten Bestand des Klosters an Personal und Einkünften urkundlich festzulegen. — S. 390 und 391 muß in den Anmerkungen 121ᵇ (statt 121ᵃ) stehen. Das Register ist vorzüglich gearbeitet. Die zwei Tafeln, auf denen Siegel der Stadt Grimma und ihrer Schöffen, des Konvents, des Priorats und des Spitalwärters vom Augustinerkloster, sowie solche des Konvents und der Aebtissinnen vom Nimbschener Jungfrauenkloster, im Ganzen 31 Stück, abgebildet sind, machen dem Typographischen Institute von Giesecke und Devrient alle Ehre. Helmolt.

Gelcich (J.), monumenta Ragusina. Libri reformationum. Tom. IV. A. 1364—96. Collegit et digessit —. Agram, Buchh. d. Akt.-Buchdr. 288 S. *M.* 5. [Mon. spectantia historiam Slavorum meridionalium Vol. XXVIII.]

Urkundenbuch der Stadt Außig bis z. J. 1526, begonnen v. W. Hieke, vollendet v. A. Horčička. Prag, Dominicus in Komm. 4°. IX, 260 S. mit 2 Lichtdr.

Höhlbaum (C.), hansisches Urkundenbuch. Im Auftr. des Ver. f. hans. Gesch. hrsg. v. —. Bd. 4: 1361—92. Bearb. v. K. Kunze. Halle, Buchh. d. Waisenh. gr. 4°. XIV, 522 S. m. einem Sachreg. *M.* 16.

Berold (W.), Geschichte der Burg Lutterberg bei Lauterberg (Harz), nebst einem geschichtl. Anh. der Grafsch. Lutterberg bis zum Aussterben der welfisch-grubenhagener Herzöge 1596. Mit 13 Urkk. Bad Lauterberg, Mittag in Komm. 63 S. *M.* 1.

*Kirschkamp (J.), ein Beitrag zur Geschichte von Burgwaldniel. Paderborn, Schöningh. V, 49 S.

Der frühere Herrensitz von Waldniel war der Brockhof, der sich seit dem 13 Jahrh. im Besitze der Herren von Bocholz nachweisen läßt. Vf. beschreibt die Lage des Brockhofes auf einer Insel, an die fränkische Wasserbefestigung der Kastelle erinnernd, und den dazugehörigen Güterbesitz, nach neueren Berechnungen etwa 200 Morgen. Sodann wird an der Hand der genealogischen Stammtafeln der Bocholz und von in Privatbesitz befindlichen Familienpapieren der Besitz des Waldnieler Herrensitzes durch die wechselnden Glieder der Familie verfolgt und nachgewiesen, bis am 12. Febr 1789 durch den Tod der Gräfin Stepprat die direkten Besitzer ausgestorben waren und nun vier Seitenlinien auf das Gut Anspruch erhoben. Im J. 1829 wurde der Anspruch des Albert Otto von Ingenhoven als der allein berechtigte gerichtlich anerkannt, nachdem seine Rechte vorher an Freiherrn Nik. von Rot und Jak. Kirschkamp übergegangen waren. Durch einen Ritter des Deutschen Ordens Arnold von Bocholz ist der Protestantismus in die Familie der Herrn von Bocholz und Waldniel in der zweiten Hälfte des 16. Jahrh.s eingezogen. Vf. macht es glaubwürdig, daß der hl. Wolfhelmus, der aus dem Geschlechte der ripuarischen Grafen Neil stammte, in Waldniel und vielleicht auf dem früheren fränkischen Edelsitz an der Stelle des Brockhofes seine Heimat hatte, wenigstens werden zwei andere Niel zurückgewiesen. In einem Anhange beschreibt er das Leben des hl. Wolfhelmus nach der von seinem Zeitgenossen dem Mönche Konrad von Brauweiler verfaßten vita b. Wolfhelmi.   A. M.

Laible (J.), Geschichte der Stadt Konstanz und ihrer nächsten Umgebung. Konstanz, Ackermann. 8°. 317 S. *M.* 4.

Das vorstehende, äußerlich sehr hübsch ausgestattete Buch ist von einem Dilettanten, einem geborenen Konstanzer und langjährigen Lehrer an der dortigen Realschule verfaßt. Ein reicher Bilderschmuck hat bisher nur in seltenen Exemplaren vorhandene Bilder aus dem alten Konstanz zum Gemeingut aller gemacht. Allein der Inhalt hält nicht, was der Titel verspricht. Ohne Kritik, ohne wissenschaftliche Behandlung des Gegenstandes, ja selbst ohne gewandte Form der Darstellung sind zusammenhanglos Ereignis an Ereignis gereiht. Archivstudien hat der des Lateins unkundige Vf. nicht betrieben. Er steht überdies auf einseitigem Standpunkt und bekämpft alles Katholische. Das ganze Mittelalter, der Schwerpunkt der Konstanzer Geschichte, wird auf 71 Seiten abgehandelt, von denen die Hälfte der Geschichte des Konzils zufällt. Seit der Reformation wird die Behandlung des Stoffes lebendiger, der Stil flüssiger. Verdienstlich sind die Kapitel über das 19. Jahrh. Darüber bestand bisher noch gar nichts Zusammenfassendes. Hier ist die Arbeit wirklich dankenswert, und hätte L. sich

hierauf beschränkt und das Buch: Beiträge zur Geschichte der Stadt Konstanz
im 19. Jahrhundert genannt, so würde nichts auszusetzen sein. Für den
Historiker von Fach kann nur die Darstellung des 19. Jahrhunderts Anspruch
auf Beachtung erheben.   K. B.

*Witte (H.), die ältern Hohenzollern und ihre Beziehungen zum Elsaß.
Straßburg, Heitz. 1895. 4°. LXII, 136 S. mit 8 Lichtdruck= und
2 Stammtafeln. M. 12.

Genealogischen Untersuchungen gegenüber, besonders wenn sie die frühesten
Zeiten betreffen, ist immer einige Vorsicht geboten; in diesem Buche ist der Vf.
nur gar zu oft auf Hypothesen angewiesen, als daß man den Eindruck gewinnen
kann, daß seine Schlüsse sehr überzeugend seien. Viele derselben beruhen auf
dem Satze, daß durch reiche Erbinnen Vornamen aus einem Geschlechte in ein
anderes gebracht wurden; begegnet also in einer Familie ein neuer Name, so
wird nach einem Geschlechte gesucht, in welchem dieser häufig vorkommt und
daraus irgend eine Verwandtschaft konstruiert. Auf diese Weise wird für den
ersten zollerischen Namen Werner, da er nicht in die Namensreihe des burcharding=
ischen Geschlechtes paßt, eine angeheiratete Verwandtschaft der Ortenberger
Grafen in Anspruch genommen. Durch die Ortenberger soll das Weilerthal
und Breuschthal im Elsaß an die Zollern gekommen sein, das eine Zollerin,
als Gemahlin Rudolfs von Habsburg, diesem zubrachte. Die Hohenberger Linie
erweist Vf. mit Recht als die ältere, die zollerische als die jüngere Linie. Auch
scheint es sehr einleuchtend, daß die Zollern nicht mit den Staufern verwandt
waren, daß auch nicht von den Staufern der Name Friedrich in die Familie
gekommen ist. Sie standen vielmehr gegen Heinrich IV und gegen die Staufer.
Der Name Friedrich soll durch eine Familienverbindung mit den Grafen von
Dillingen aufgekommen sein. Den Burgfeldener Wandgemälden, deren Auf=
findung vor einigen Jahren so gefeiert wurde, spricht Vf. dynastische Bedeutung
ab. Er verwirft die Ansicht Schmids von der gemeinsamen Abstammung der
Zollern und Zähringer. — Die Ausstattung des Buches, das als Festschrift
zur Einweihung des Kaiser Friedrich=Denkmals in Wört erschien, ist eine vor=
treffliche, die Abbildungen und die Stammtafeln sind dankenswert. In Einzel=
heiten hat Vf. sicher vielfach Schmids Resultate (Geschichte der Grafen von
Zollern=Hohenberg, und der Urstamm der Hohenzollern) berichtigt.   A. M.

Bostetter (A.), geschichtl. Notizen über die Stadt Brumath. Straßburg,
Schmidt. VII, 133 S. mit 6 Ansichten u. 1 Karte. M. 2,40.

Mulhouse, le vieux. Documents d'archives publiés par les soins
d'une commission d'études historiques. En 3 tomes. Tome I. Mül=
hausen i. E., Detloff. VIII, 401 S. M. 3.

Mayer (A.), Antwort auf Dr. Uhlirz Besprechung der Quellen z. Gesch.
der Stadt Wien. Wien, Konegen 24 S. M. 0,50.
Vgl. Hist. Jahrb. XVI, 649.

Uhlirz (K.), Nachtrag zu meiner Kritik der Quellen zur Geschichte der
Stadt Wien. Zur Abwehr u. Klärung. Wien, Schworella & Heick.
35 S. M. 0,80.

Stippel (J.), Landstein v. J. 1381—1433. (Fortf. zu dem Aufsatze
„die Herren von Landstein"). [Progr. d. Obergym. Eger (Böhmen.)]

Juritsch (G.), Geschichtliches von der königl. Stadt Mies in Böhmen.
93 S. [Schulprogramm des Obergymn. in Mies.]

Zahn (J. v.), Styriaca. Gedr. u. Ungedr. zur steierm. Geschichte u.
Kulturgeschichte. N. F. Graz, Moser. V, 283 S. mit 4 Abbildgn.
u. mehreren Planskizzen. M. 3.

Zwiedineck=Südenhorst (H. v.), das reichsgräfl. Wurmbrand'sche Haus=
u. Familienarchiv zu Steyersberg. Graz, Selbstverl. d. Kommiss. 128 S.
[Veröffentlichungen der Histor. Landeskommission f. Steiermark. II.]

Regesten über so ansehnliche Archivbestände, wie das Wurmbrand'sche Archiv in
Steyersberg ist, sind sehr willkommen. Ein beigegebenes Register erleichtert
noch wesentlich die Benützung. Aber die Einteilung der Urkk. in solche, „welche
die Geschichte der Familie Wurmbrand betreffen", und in solche „welche fremde
Familien betreffen", erweist sich nicht als praktisch. Denn dadurch kommt es,
daß so manche Urk. doppelt registriert wird, was gewiß nicht ökonomisch ist. So
erscheinen z. B. drei Stücke der ersten Abteilung auf S. 15 (8. Dezember 1410,
1. Mai 1414, 11. Juli 1418) ein zweites Mal registriert bei der zweiten Abteilung auf S. 59. (S. unten S. 946.)   H.

Loserth (J.), das St. Pauler Formular. Briefe u. Urkk. aus der Zeit
König Wenzels II. Gefunden u. hrsg. v. —. Prag, Dominicus in
Komm. gr. 4°. V, 91 S. ℳ 4.

Thunert (F.), Akten der Ständetage Preußens, königl. Anteils. (Westpr.)
Schriften des westpr. Geschichtsvereins. Bd. 1: 1466—79. 3. (Schluß=)
Lfg. Danzig, Bertling. IV u. S. 599—696. ℳ 1,50.
Vgl. oben S. 627.

Diemar (H.), die Entstehung des deutschen Reichskrieges gegen Herzog
Karl den Kühnen von Burgund. II, 101 S. Marburg. [Habili=
tationsschrift.]

Wrede (A.), deutsche Reichstagsakten unter Kaiser Karl V. Gotha, Perthes.
V, 1007 S. ℳ 50. [Deutsche Reichstagsakten Jüngere Reihe.
Auf Veranlassung Sr. Maj. d. Königs v. Bayern hrsg. durch d. hist.
Komm. bei der k. Akad. d. Wissenschaften. Bd. 2.]

*Höhlbaum (K.), Kölner Inventar. Bd. 1: 1531—71, bearb. v. —.
unter Mitwirkg. v. H. Keußen. Mit einem Aktenanhang. Leipzig,
Duncker & Humblot. Lexikon=Format. XVII, 637 S. ℳ 22.
[Inventare Hans. Archive des 16. Jahrhs., hrsg. vom Verein für
Hans.=Gesch. Bd. 1.]

Ein neues umfangreiches und eigenartiges Unternehmen des Hansischen Geschichtsvereins! Zu seinen beiden großen bisherigen Quellenpublikationen (unt. 946), dem
„Urkundenbuch" (ob. 882) und den „Hanserecessen", kommt mit dem vorliegenden ersten Bande der „Inventare" eine dritte, viel Material zur Hansa-
geschichte versprechende Reihe von Dokumentenverzeichnissen. Der Unterschied
gegenüber den älteren Unternehmungen ist schon im Namen angedeutet. Es
wird in erster Linie nicht die unmittelbare Mitteilung der überkommenen Urkunden und Akten erstrebt, sondern nur der Nachweis der noch vorhandenen
Archivalien, dieser aber extensiv und intensiv vollständig. Dabei sind in dem
etwa die Hälfte des Bandes füllenden „Akten-Anhange" die wichtigeren Stücke
ausführlich und mit Beibehaltung der charakteristischen Redewendungen ausgezogen oder im Wortlaut mitgeteilt. Das Werk ist also doch nicht bloß ein
Wegweiser, sondern es wird denjenigen Forschern, die nicht gerade Spezialia
darin verfolgen, auch den materiellen Inhalt der Archivalien in den meisten
Fällen schon genügend darbieten, so daß das persönliche Herantreten an dieselben
erspart ist. Der Hrsgb spricht in der „Einleitung" von Anlehnung an die englischen ›Calendars of state papers‹. Es ist aber ein großer Unterschied. In
den ›Calendars‹ herrscht viel zu sehr die Schablone, eine Urkunde ist wie die
andere behandelt. Hier hingegen ist die Unterscheidung zwischen wichtigen und
weniger wichtigen Stücken fruchtbar geworden. — Der Titel sagt „Kölner

Inventar". Statt nach historischem Prinzip in breiter, über alle hansischen Archive zugleich ausgedehnter Masse voranzuschreiten, hat das Unternehmen nämlich die geographische oder richtiger lokale Einteilung bekommen. Es sollen nach= und nebeneinander die Inventare der einzelnen Hauptstädte der Hansa, der Drittel= und Quartierstädte, und zwar zunächst die von Köln, Braunschweig, Danzig und Lübeck veröffentlicht werden. Dazu mag dann ein Ergänzungs=Inventar aus anderen Archiven treten. Ueber die Vorzüge und Nachteile dieses Verfahrens dürfen wir uns hier des Raumes wegen nicht weiter verbreiten. Ein Hauptnachteil, die vorläufige Unvollständigkeit der Veröffentlichung des zu jeweils bestimmten Fragen gehörigen und in den verschiedenen hansischen Archiven zerstreuten Materials, mag auch durch die schnelle Aufeinanderfolge im Erscheinen der Bände in vielen Fällen behoben werden. Wir lesen wenigstens, daß das Danziger Inventar schon von Dr. Eugen Remus "entworfen" und das Braunschweiger von Dr. Heinrich Mack "in Angriff genommen und in der Hauptsache für das 16. Jahrh. vollendet" sei. — Den Anfang mit Köln zu machen, dafür sind persönliche Verhältnisse des Hrsgb. und sehr gewichtige sachliche Gründe maßgebend gewesen. Aus den letzteren heben wir heraus den ungeheuren Reichtum des Kölner Stadtarchivs an hansischen Archivalien, die zudem noch vermehrt sind durch das zu Ende des 16. Jahrh. nach Köln geflüchtete Kontor-Archiv von Brügge=Antwerpen, sowie durch die reiche Sammlung hansischer Akten und Korrespondenzen von Dr. Heinrich Sudermann, dem bekannten langjährigen aus Köln gebürtigen hansischen Syndikus des 16. Jahrh. Auf die Fülle der Kölner Hansia=Akten gestützt, darf der Hrsgb. behaupten, „daß aus dem Archiv dieser Stadt beinahe eine lückenlose Kunde von dem äußern und innern Dasein des (Kölner) Drittels, daneben eine ungemein reiche Ueberlieferung von den hansischen Beziehungen in dem gesamten Westen von Europa gewonnen werden kann." Da das vorliegende „Inventar" nun, wie bemerkt, die überkommenen Akten vollständig verzeichnet und einen großen Teil derselben auch schon unmittelbar mitteilt, so ist mit jenen Sätzen auch die Publikation selbst in ihrem Werte charakterisiert. Dieser Wert wird noch erhöht durch den Umstand, daß „all diese Akten — zuvor kaum berührt, noch weniger aber ausgenutzt worden" sind. — Dieser 1. Bd. umfaßt die Jahre 1531—71. Auch die übrigen „Inventare" werden das 16. und 17. Jahrh. begreifen. Es ist also die Zeit des Niedergangs der deutschen Hansa, deren urkundlicher Erschließung das Unternehmen dient. Während die deutsche geschichtliche Forschung aus Mangel an genügenden Quellenwerken dem Rückgange der Hansa und den ihn bewirkenden Veränderungen in den allgemeinen politischen und wirtschaftlichen Verhältnissen Europas bis jetzt verhältnismäßig wenig oder gar nicht zugewandt oder sonst in gewissen Fragen auf gegnerische englische Quellen angewiesen war, ist darin nun auch Wandel zu erwarten. Es wird namentlich durch die Sudermannschen Schriftstücke der Todeskampf des Hansahandels gegen England in eine neue, für die englische Politik wenig günstige Beleuchtung gerückt. Daneben fallen erwünschte Streiflichter auf die Stellung der Hansastädte zu den großen, rein politischen Fragen der Zeit, auf ihre Beziehungen zu dem England feindlichen Spanien, auf ihre spätere Begünstigung der Niederlande gegen Spanien, auch auf gewisse nordische Staatsverhältnisse, endlich auf den religiösen Streit innerhalb Deutschlands, der die Städte selbst entzweite. A. G.

Mühlau (A.), der schmalkaldische Krieg nach seinen histor. Ursachen und Wirkungen betrachtet. 26 S. [Schulprogr. des Gymn. in Gleiwitz.]

*Turba (G.), Verhaftung und Gefangenschaft des Landgrafen Philipp von Hessen. 1547—50. Wien, Gerold. 8⁰. 126 S. [Sonderabdr. aus dem Archiv für österreichische Geschichte. Bd. LXXXIII. I. Hälfte.]

Dr. Turba, der Hrsgb. der venetianischen Depeschen vom Kaiserhof (Hist. Jahrb. XV, 191), hat bereits i. J. 1894 über die Verhaftung des hessischen Landgrafen im Schulprogramm veröffentlicht. Die Auffindung neuer Dokumente auf der Wiener Hofbibliothek veranlaßte ihn, denselben Gegenstand einer nochmaligen Prüfung zu unterziehen. Es gilt besonders die Frage zu lösen, ob die Verhaftung des Landgrafen wirklich ein „listiger kaiserlicher Gewaltstreich" war.

Aus der vorliegenden, sehr gründlichen Abhandlung geht unzweifelhaft hervor, daß von einer durch den Kaiser beabsichtigten Täuschung absolut keine Rede sein kann. Moritz von Sachsen und Joachim von Brandenburg hatten vom Kaiser für den Landgrafen, falls er sich auf Gnade und Ungnade ergebe, bloß eine Zusicherung gegen Todesstrafe und lebenslängliches Gefängnis erhalten. Trotzdem sicherten die beiden Fürsten Philipp von Hessen zu, daß er überhaupt nicht mit Gefängnis beschwert werden solle. Der Landgraf ist demnach von seinen Freunden, nicht vom Kaiser getäuscht worden. Durch die neue Studie wird die Darstellung Janssens III¹⁴, 616 ff. vollauf bestätigt.   N. P.

*Druffel (A. v.), Beiträge zur Reichsgeschichte 1553—55. Erg. u. bearb. v. K. Brandi. München, Rieger. ℳ. 20 XIV, 810 S. [Briefe u. Akten zur Geschichte des 16. Jahrhs. mit besond. Rücksicht auf Bayerns Fürstenhaus. Bd. 4.]

Als v. Druffel am 23. Oktober 1891 starb, hatte er für den vierten Band seiner wertvollen Beiträge zur Reichsgeschichte schon die meisten Materialien gesammelt. Mit der Ergänzung und Bearbeitung der hinterlassenen Aktenstücke wurde von der histor. Kommission bei der bayer. Akademie der Wissenschaften Karl Brandi beauftragt. Es war keine leichte Aufgabe, die hiermit dem jungen Gelehrten zuteil wurde. Vor allem galt es, das hinterlassene Rohmaterial zu ordnen, zu bearbeiten und zu ergänzen; eine sehr reiche Nachlese bot das Wiener Staatsarchiv. Der neue Hrsgb. mußte dann auch den mitgeteilten Aktenstücken die nötigen Literaturnotizen und kritischen Bemerkungen beifügen, was nicht wenig Zeit in Anspruch nahm, da sich in Druffels Nachlaß nur Auszüge und Abschriften von Archivalien vorfanden. B. hat indessen seine schwierige Aufgabe trefflich gelöst. Der neue Band reiht sich würdig den drei früheren an, sowohl bezüglich der sorgfältigen Bearbeitung als des wichtigen Inhalts. In letzterer Hinsicht sei besonders auf die Verhandlungen des Reichstags vom J. 1555 und den Augsburger Religionsfrieden hingewiesen. Das vorliegende Werk verbreitet hierüber ein neues Licht. Hier und da findet man auch interessante Aufschlüsse über hervorragende Persönlichkeiten, z. B. über die religiöse Haltung des Herzogs Albrecht V von Bayern (Nr. 67, 113, 676) und des Passauer Bischofs Wolfgang von Salm (Nr. 311, 540). Mit Recht hat B. in Nr. 259 Letmat gelesen; Henne schreibt irrig Lermat. Ueber den Utrechter Generalvikar Hermann Letmat, der auch schriftstellerisch hervorgetreten ist, vgl. Foppens, bibliotheca belgica I, 476. Bei Nr. 489 hätte vor allem Braunsbergers grundlegendes Werk über die Entstehung der Katechismen des sel. Canisius (Hist. Jahrb. XIV, 679) eingesehen werden sollen; dann wäre in der Anmerkung nicht behauptet worden, daß durch das Edikt vom 14. August 1554 nebst der Summa doctrinae christianae auch der Parvus catechismus catholicorum in Oesterreich eingeführt worden ist. Ueber den auf S. 620¹ erwähnten Canisiusbrief, dessen Echtheit übrigens nicht feststeht, ist jetzt die kritische Untersuchung von Braunsberger (Epistulae Canisii I, 530 ff. S. unten S. 912) zu vergleichen. Ein gutes Register schließt den inhaltreichen Band. Vgl. unten S. 911.
N. P.

*Gossart (E.), Charles-Quint et Philippe II. Étude sur les origines de la prépondérance de l'Espagne en Europe. Bruxelles, Hayez. 8⁰. XIV, 53 S. [Extrait du tome LIV des Mémoires publiés par l'Académie royale de Belgique].

In der vorliegenden Abhandlung wird quellenmäßig dargethan, wie Karl V nach und nach eine immer größere Vorliebe für Spanien gewann, die ihn schließlich bewog, alles Mögliche aufzubieten, um Philipp II einen überwiegenden Einfluß in Europa zu verschaffen.   N. P.

*Moritz (H.), die Wahl Rudolfs II, der Reichstag zu Regensburg (1576) und die Freistellungsbewegung. Marburg, Elwert. 1895. XXIV, 466 S. ℳ. 12.

Vf., durch v. Kluckhohn angeregt, beabsichtigte die Geschichte der Freistellungs=

bewegung im Zusammenhang zu behandeln, fand aber, daß sie sich von einer Darstellung der auf die Wahl Rudolfs bezüglichen Verhandlungen und der Beratungen des Reichstags von 1576, besonders inbezug auf die Türkenhilfe, nicht trennen ließ. So wurden auch diese ausführlich geschildert, doch so, daß die Freistellungsbewegung der rote Faden blieb, an dem sich die Untersuchung aufreihte. Es wird schärfer, als es gewöhnlich geschieht, hervorgehoben, daß die protestantische Forderung nach Freistellung in erster Linie materielle Beweg= gründe zur Grundlage hatte. Für die Grafen und Herren, besonders die Wetter= auer Grafenkorrespondenz waren diese Gründe unbedingt die maßgebenden, für die Fürsten dagegen will Vf kirchlich=politische Motive stärker in Anspruch nehmen. Doch auch bei ihnen haben persönliche Interessen vielfach mitgewirkt, die Aussicht auf Bischofsstühle, Abtswürden und auf Kapitularpfründen in Köln und Straßburg; ich erinnere in dieser Hinsicht nur daran, daß, als man einige Zeit später in den J. 1587—92 die Freistellung in Straßburg durchsetzen wollte, eine ganze Anzahl Fürstensöhne in der evangel. Partei des Domstifts saßen, teils als Kanoniker, teils als Kapitulare, die Herzoge Joachim Karl von Braun= schweig, Franz von Braunschweig, Ernst von Braunschweig, Christian von Holstein, die Markgrafen Johann Georg und August von Brandenburg, der Prinz Johann Georg von Anhalt, Herzog August von Lüneburg, Prinz Ulrich Erbe zu Norwegen und Herzog von Schleswig=Holstein. Faktische Erfolge hat die Freiheitsbewegung in der hier behandelten Zeit kaum aufzuweisen, nur Ver= schiebungen in den Religionsparteien haben stattgefunden. Der sächsische Kur= fürst, dessen Politik der Vf. als kleinlichen Egoismus bezeichnet, verlor immer mehr an Einfluß bei den Protestanten und in gleichem Maße stieg das Ansehen der Pfälzer. Von der Ausschließung der letzteren aus dem Religions= frieden war in Regensburg keine Rede. Und während diese Spaltung zwischen Sachsen und der Pfalz wuchs, erstarkte die katholische Partei. Die auf aus= gedehnter archivalischer Grundlage beruhende Arbeit ist eine eingehende Detail= untersuchung. Leider fehlt ein Register.   A. M.

*Mentz (G.), Johann Philipp v. Schönborn, Kurfürst v. Mainz, Bischof v. Würzburg u. Worms 1605—73. Ein Beitrag zur Geschichte des 17. Jahrh. Tl. 1. Jena, Fischer. VIII, 188 S. *M.* 4.

Der 1. Teil, 44 S. stark, erschien separat als Jenenser Diss. (Besprechung folgt.)

Wild (C.), Johann Philipp v. Schönborn, gen. der Deutsche Salomo, ein Friedensfürst z. Z. des 30jähr. Krieges. Heidelberg, Winter. VII, 162 S. mit Bildnis u. Stammtafel *M.* 4.

*Die alten Territorien des Elsaß nach dem Stande vom 1. Januar 1648. Hrsg. v. d. statist. Bureau d. kais. Minister. für Elsaß=Lothringen. Straßburg, Bull. 186 S. mit Ortsverzeichnis u. 2 Kartenbeilagen: „Die Herrschaftsgebiete des Unter=Elsaß" und „Die Herrschaftsgebiete des Ober=Elsaß". [Statistische Mitteilungen XXVII.]

Das statistische Bureau liefert hiermit eine vorzügliche Grundlage für die territorialgeschichtliche Forschung, indem es die geschichtliche Geographie des Elsaß feststellt in der Zeit vor der französischen Okkupation. Damals, als das Elsaß noch deutsch war, hatte es kein einheitliches Gepräge, es war ein buntes und vielstaatliches Konglomerat von verschiedenen Territorien, erst Frankreichs Verwaltungstalent hat all diese Verschiedenheiten assimiliert, die zerrissenen Teile in ein ganzes verschmolzen und in den Einwohnern das Gefühl der Zusammen= gehörigkeit geweckt. So sehr dies auch anzuerkennen ist, die Art der französischen Besitzergreifung wird durch jede neue Bearbeitung dieser Vorgänge als schreiendes Unrecht erwiesen. Die Einmischung Frankreichs beim 30jähr. Krieg war zeitlich und ursächlich durch die militärische Besetzung des Landes der Anfang vom Uebergang an Frankreich. Im westfälischen Frieden hat der Kaiser nur das abgetreten, was ihm gehörte, etwa ein Drittel des Landes, den übrigen zwei Dritteln mit Straßburg wurde ausdrücklich im § 87 die reichsunmittelbare Zu= gehörigkeit zum deutschen Reich garantiert. „Wenn König Ludwig trotzdem

nach und nach das ganze Elſaß Frankreich einverleibt hat, ſo geſchah das mit
bewußter Widerrechtlichkeit." Dieſe Verhältniſſe werden klar und prägnant in
der Einleitung auseinandergeſetzt, die auch eine vorzügliche Ueberſicht der Ent=
wicklung gibt vom alten elſäſſiſchen Herzogtume der Etichonen an, durch die
ſchwäbiſch=elſäſſiſche Zeit der Zweiteilung in einen Nord= und Sundgau, bis zur
Auflöſung in eine Vielheit ſtaatlicher Gebilde, die ſeit dem Sturze der Staufer
und dem Ende des ſchwäbiſchen Herzogtums eintrat. Das Buch iſt leider nicht
ganz auf archivaliſcher Grundlage aufgebaut; Archivalien wurden nur dann
herangezogen, wenn die Druckwerke Lücken boten; aber, nach Stichproben zu
urteilen, die Referent aus den Abſchnitten über das Territorium des Straß=
burger Domkapitels und der Stadt Straßburg machte, ſind die Angaben von
Kirchner vielfach ergänzt und berichtigt worden. Den Entwurf der Arbeit ver=
faßte der Straßburger Oberlehrer Dr. Fritz, Miniſterialſekretär Lehmann
und Ulrich Schulze haben ihn dann mit Rückſicht auf die ſtaats= und lehns=
rechtlichen Verhältniſſe überarbeitet; von letzterem rühren die beiden beigefügten
Karten her; dankenswert iſt außerdem ein ausführliches Ortsverzeichnis.
Der alten Entwicklung gemäß zerfällt das ganze in zwei Teile: die Terri=
torien des Oberelſaß und die des Unterelſaß. Bemerkenswert iſt dabei, daß das
Oberelſaß 20 Territorien zählte, von denen 8 dem Hauſe Habsburg gehörten,
während das Unterelſaß nicht weniger als 50 Territorien umfaßte. Und dabei
ſind noch die Grafſchaften Salm, Dagsburg, Saarwerden und Lützelſtein,
die Herrſchaft Diemeringen, Teile der Grafſchaft Bitſch, des Amtes Lambach
und der Herrſchaft Saaralben ausgelaſſen, weil ſie früher zu Lothringen rechneten
und deshalb mit Lothringen im Zuſammenhange in einem ſpäteren Hefte
der ſtatiſtiſchen Mitteilungen behandelt werden ſollen. Es wäre wünſchenswert,
daß dann für Lothringen mehr wie es hier geſchehen iſt, der Charakter
des Beſitzes unterſucht und zwiſchen den verſchiedenartigen Hoheitsrechten unter=
ſchieden würde. Sehr zu vermiſſen iſt auch, daß die elſäſſiſche Reichsritterſchaft
ſtets nur als Geſamtheit betrachtet wird, und daher für die ritterſchaftlichen
Güter nicht die einzelnen beſitzenden Ritterfamilien angegeben ſind. Ebenſo
hätte bei den nicht zum Verbande der Reichsritterſchaft gehörigen Dynaſten ihr
wahrer Stand angegeben werden müſſen, ob ſie reichsunmittelbar, oder ob ſie
Dienſtmannen eines Herrn, vielleicht der Kirche waren; daraus hätte man wieder
auf Herkunft und Charakter ihres Beſitzes Schlüſſe ziehen können.   Meiſter.

Ruville (A. v.), die kaiſerliche Politik auf dem Regensburger Reichstag
    von 1653—54. Berlin, Guttentag. II, 124 S.

*Breitenbach (J.), Aktenſtücke zur Geſch. des Pfalzgrafen Wolfg. Wilh.
    v. Neuburg. Zugleich ein Beitrag zur pfalzneuburg. Unionspolitik
    u. zur Geſch. des Erſtgeburtsrechts in den deutſchen Fürſtenhäuſern.
    München, Buchholz in Komm. XCVIII, 56 S. mit Bildnis. M. 3.
    Beſprechung folgt.

*Haake (P.), brandenburgiſche Politik und Kriegsführung in den Jahren
    1688 u. 1689. Berl. Diſſ. Berlin, Druck von Denter & Nicolas.
    36 S.
    [Die Schrift liegt vollſtändig vor als H. 2 d. Beiträge z. deutſch. Territorial=
    geſch. (ſ. unten S. 957). Beſprechung folgt. D. Red.]

*Naudé (A.), Beiträge zur Entſtehungsgeſchichte des Siebenjähr. Krieges.
    Tl. II. Leipzig, Duncker & Humblot. 228 S. M. 4,80.
    Vgl. unſere Bemerkung oben S. 843 f. in der Zeitſchriftenſchau.

Jacob (G.), Heinrich, Herzog von Römhild 1676—710. Lebens=
    Charakter= u. Zeitbild v. —. Hildburghauſen, Keſſelring. 104 S.
    M. 2,50. [Schriften d. Ver. für Sachſ. Mein. Geſch. u. Landeskde.
    H. 21. (1. Apr. 1896.)]

*Kaindl (F.), Kaiſer Joſeph II in ſeinem Verhältniſſe zur Bukowina.

Vortrag geh. v. — in der Jahresversammlung des Bukow. Landes=
museums=Vereines am 10 Mai 1896. Czernowitz, Pardini. 22 S.
[Separatabdr. a. d. Jahrb. des Bukowiner Landesmus. 1896.]
Vgl hiezu die im Histor. Jahrb. XV, 659 notierte Arbeit desselben Autors.
Hier wird geschildert, wie unter Maria Theresias Regierung die Bukowina
Oesterreich einverleibt und wie zum großen Teile unter persönlicher Einfluß=
nahme Kaiser Josefs II die Grundlage für die spätere Entwickelung des
Landes geschaffen wurde. Namentlich werden die Thätigkeit des Kaisers für
die Ordnung der kirchlichen Verhältnisse, für die Reorganisation des Schul=
wesens, für die Förderung der Kolonisation und für die Hebung des Bauern=
standes hervorgehoben.

Denis (E.), l'Allemagne 1789—1810. Paris, Quantin. fr. 4.

*Hüffer (H.), der Rastatter Gesandtenmord mit bisher ungedruckten
Archivalien und einem Nachwort. Bonn, Röhrscheid & Ebbecke.
121 S. M. 2,50.
Seit 18 Jahren bemüht sich Böhtlingk (Karlsruhe) seine Hypothese zu ver=
teidigen, daß der Mord, welchem in der Nacht des 28. April 1799 die beiden
französischen Gesandten am Rastatter Kongreß zum Opfer fielen, von Bonaparte
oder seiner Partei herbeigeführt worden sei. Diese Ansicht hat Hüffer schon
vor Jahren zurückgewiesen, und auch jetzt fertigt er sie mit kurzen Worten ab.
Viel wichtiger dagegen ist die Frage nach dem Anteil Oesterreichs, die Frage,
wie sich die österreichische Regierung und das Hauptquartier in der ganzen Zeit
vor und nach dem Morde verhalten haben und ob ihnen irgend welche Schuld
beizumessen sei. Aus der Darstellung des Vf. geht überzeugend hervor, daß
die österreichische Regierung, der Kaiser sowohl wie die leitenden Beamten Thugut,
Lehrbach, Colloredo und Metternich jeder gewaltsamen Maßregel, selbst der
Wegnahme der Gesandtschaftspapiere fremd und abgeneigt waren und an dem
Morde nicht den geringsten Anteil hatten. Damit verliert das Verbrechen des
Mordes seinen völkerrechtlichen Charakter und fällt als Akt einer Privatrache
in das Gebiet des Strafrechtes. Denn, wenn sich auch die eigentlichen Urheber
und Thäter nicht namhaft machen lassen, so scheint doch alles dafür zu sprechen,
daß ein privater fanatischer Haß zu dem Verbrechen führte, und der nächste
Verdacht fällt dabei auf die Emigranten. Ob als Werkzeuge dazu angestiftete
Szekler=Husaren oder in deren Uniformen gesteckte Franzosen gedient haben, das
muß dahingestellt bleiben. Allerdings wird man den Einwand machen können,
daß die Regierung für die Sicherheit der bei ihr beglaubigten Gesandten auf=
zukommen habe und für jedes Verbrechen gegen sie verantwortlich gemacht
werden müsse; indessen seit Februar 1799 herrschte zwischen der Regierung in
Wien und dem Hauptquartiere Meinungsverschiedenheit über Stellung und Be=
rechtigung der französischen Agenten und Gesandten, und nach der Abberufung
Metternichs galt der Kongreß überhaupt als aufgelöst und die Neutralität des
Kongreßortes als aufgehoben. Bis vor kurzem war noch kein authentisches
Dokument bekannt, welches bestimmte Personen oder Behörden bei dem Ver=
fahren gegen die Gesandten als Urheber feststellte. Man unterschied deshalb
auch nicht die Personen, welche die Gesandten anhielten und die Gesandtschafts=
papiere wegnahmen, von denen, welche den Mord verübten. Durch das Schreiben
des Erzherzogs an den Kaiser wird jetzt unzweifelhaft, daß der unvorsichtige
Brief des General Schmid Maßregeln österreichischer Militärbehörden gegen die
Gesandten veranlaßte. Sie können jedoch, wie aus anderen Umständen und
Dokumenten hervorgeht, nicht den Mord, sondern nur die Wegnahme der
Gesandtschaftspapiere bezweckt haben; wohl aber boten sie den eigentlichen
Mördern Gelegenheit zur Ausübung ihrer That. Der Brief des Erzherzogs,
welcher die Gnade des Kaisers für den General Schmid erbittet, läßt auch be=
greifen, warum die österreichische Regierung, welche zuerst auf eine öffentliche
Untersuchung und strenge Bestrafung der Thäter drang, die Sache an den Reichs=
tag brachte, also voraussichtlich auf die lange Bank schob, und warum sie später
ihre eigene Rechtfertigung vor der Oeffentlichkeit sich nicht angelegen sein ließ.

Denn wenn der Kaiser auf Bitten seines Bruders den, wenn auch unfreiwilligen Urheber des Ereignisses nicht zur Rechenschaft zog, war es schwer, untergeordnete Beteiligte strenge zu bestrafen, und eine Darlegung des Sachverhaltes vor der Oeffentlichkeit hätte freilich die Regiments behörden von jeder Verantwortlichkeit freigesprochen, aber den Militärbehörden eine Auffassung und ein Verfahren vorwerfen müssen, die gerade in Wien am wenigsten gebilligt wurden. — Vf. gibt 15 ungedruckte Aktenstücke bei und beleuchtet in einem Nachworte die Polemik Böhtlingks.   A. M.

Stälin (v.) und Bach, die Herrschaftsgebiete des jetzigen Kgr. Württemberg nach dem Stand v. J. 1801. Neu bearb. v. v. S. u. Bechtle. Hrsg. v. d. statist. Landesamt. Stuttgart, Lindemann. Lex.-8°. 28 S. M. 3,50.

Eid (L.), Marianne v. der Leyen geb. v. Dalberg, die „Große Reichsgräfin" des Westrichs. Gedenkblätter. Zweibrücken, Ruppert. 120 S. mit 2 Portr., 5 Ansichten, 2 Plänen u. 1 Karte. M. 1,60.

Froelich (X.), de Courbiere, Gouverneur der Festung Graudenz. Ein Lebensbild. 2. Aufl. Graudenz, Gaebel. 12°. M. 0,60.

Kieseritzky (E.), die Sendung von Haugwitz nach Wien Novemb. u. Dez. 1805 Göttinger Diss. Göttingen, Univ.-Buchdr. 1895. 52 S.

Eberl (Fr.), Studien zur Geschichte des französ. Königreiches Bayern. 53 S. [Schulprogramm des Gymnasiums in Passau.]

*Sepp (J. N.), Görres. Berlin, Hofmann. [Geisteshelden (Führ. Geister), hrsg. v. A. Bettelheim. Bd. 23.]
Besprechung folgt.

*Ilwof (F.), Franz Freiherr von Kalchberg (1807—90). Sein Leben und Wirken im Ständewesen der Steiermark und im Dienste des Staates. Graz, Moser. 72 S.
Als Quellen dienten autobiographische Aufzeichnungen Franz von Kalchbergs und namentlich auch die Protokolle der steiermärkischen Landtage von 1838—48. Das segensreiche Wirken K.s als steiermärkisch-ständischer Ausschußrat, als Ministerialrat im Handelsministerium und als Präsident der Grundentlastungs-Kommission in Steiermark, als Sektionschef im Handelsministerium, als Generaldirektor des Kommunikationswesens und als Sektionschef und Unterstaatssekretär im Finanzministerium erfährt hier durch einen Landsmann eine liebevolle und für die noch wenig bebaute Geschichte der österreich. Bureaukratie wertvolle Schilderung.

Hamberger (J.), die französische Invasion in Kärnten im Jahre 1809. Nach den Invasionsakten. Die Lage Kärntens während der Anwesenheit der Feinde. Tl. 3. Progr. Klagenfurt, Kleinmayr. 44 S. M. 1.

Reuter (F.), die Erlanger Burschenschaft 1816—33. Ein Beitrag zur inneren Geschichte der Restaurationszeit. Erlangen, Mencke. VIII, 415 S. M. 6.

1848. Briefe von und an Gg. Herwegh, hrsg. v. Marcel Herwegh. München. VIII, 386 S. M. 3.
Vgl. oben S. 446.

Frensdorff (F.), Rede zur Feier des 25jähr. Bestehens des deutschen Reichs. Vom alten Reiche zum neuen. Göttingen, Dieterich. Lex.-8°. 24 S. M. 0,30.

Thümmler (C.), zur Geschichte des sächsischen Landtags. L.-Reudnitz, Hoffmann. 46 S. M. 0,75.

Treitschke (H. v.), Reden im deutschen Reichstage 1871—84. Mit Einleitung u. Erläuterungen hrsg. v. O. Mittelstädt. Leipzig, Hirzel. VIII, 223 S. *M.* 2,40.

Hansjakob (H.), auf der Festung. Erinnerungen eines bad. Staatsgefangenen. 2. Aufl. Heidelberg, Weiß. 63 S. *M.* 0,80.

Treitschke (H. v.), deutsche Geschichte im 19. Jahrh. Lieferungsausgabe. In 50 Lfgn. Lfg. 1. Leipzig, Hirzel. S. 1—80. *M.* 1.

Luschin v. Ebengreuth (A.), österreichische Reichsgeschichte. Geschichte der Staatsbildg., der Rechtsqu. u. des öffentl. Rechts. Ein Lehrbuch. 2. (Schluß=)Tl.: Die Zeit von 1526 — 867. Bamberg, Buchner. XVI u. S. 325—585. *M.* 5,60.
Vgl. oben S. 430.

Bachmann (A.), Lehrbuch der österreichischen Reichsgeschichte. Geschichte der Staatsbildg. u. des öffentl. Rechtes. Prag, Rohliček & Sievers. IV, 470 S. *M.* 7.

Wippermann (K.), deutscher Geschichtskalender für 1895. Sachlich geordnete Zusammenstellg. der politisch wichtigsten Vorgänge im In= u. Ausland. Bd. 2. Leipzig, Grunow. XVI, 390 S. Geb. *M.* 6.
Vgl. oben S. 400.

Schweiz.

Dändliker (K.), Geschichte der Schweiz mit bes. Rücksicht auf die Entwickelung des Verfassungs= u. Kulturlebens v. d. ältesten Zeiten bis auf die Gegenwart. Nach den Quellen u. neuest. Forschungen gemeinfaßlich dargestellt. Bd. 2. 2. verbesserte u. vermehrte Aufl. Zürich, Schulthess, 1894. VIII, 795 S. fr. 12.
Während Bd. I bis z. J. 1400 in 3 Aufl. erschienen ist (vgl. Hist. Jahrb. XVI, 878) liegt hier die Fortsetzung des Werkes von 1400—1718 in 2. Aufl. vor, reich ausgestattet u. mit 117 Illustrationen versehen. Wenn die politische Geschichte der Eidgenossenschaft in Dierauers Werk bis 1516 eine unübertroffene Darstellung gefunden hat, tritt hier Dändlikers Werk allein in die Lücke und kann durch seine wissenschaftliche Behandlung und Literaturverzeichnisse im Anhang auch dem Forscher schätzbare Dienste leisten, obwohl das Werk seiner Anlage nach in erster Linie für das große Publikum bestimmt ist. Die neuere Literatur ist bis 1891 in der Darstellung verwertet und in den Literaturangaben das Wichtigere auch berücksichtigt. Abgesehen von der Heranziehung der neueren Literatur sind nur die Partien über Zwingli und die Schweizer Reformation in einem der Politik des Züricher Reformators günstigeren Sinne umgearbeitet, die katholische Literatur dagegen ebenfalls benutzt worden. Da hier die Neubearbeitung dieser Auflage schon 1891 abgeschlossen wurde, so ist die neueste Literatur darin nicht mehr enthalten. Hoffentlich wird bald eine dritte Ausgabe nötig werden und dem Vf. Gelegenheit bieten, auch diesen Wünschen nachzukommen. A. B.

Anshelm (Valerius), die Berner Chronik des —. Hrsg. v. Hist. Ver. des Kantons Bern. Bd. 5. Bern, Wyß. 400 S. *M.* 6.
Der vierte Band erschien i. J. 1893; der hier vorliegende umfaßt die Jahre 1523—29.

Sammlung bernischer Biographien. Hrsg. v. dem hist. Ver. des Kantons Bern. H. 16. Bern, Schmid, Francke & Co. Bd. 2. VI, S. 561—640 u. 8 S. mit 1 Bildnis. *M.* 1,50.

Sterchi (J.), Denkschrift zur 50jähr. Stiftungsfeier des hist. Vereins des Kantons Bern im Juni 1896. Bern, Schmid, Francke & Co. IV, 215 S. mit 1 eingedr. Bildnis u. 2 Bildn.-Taf. *M* 5.

Meyer von Knonau (G.), Lebensbild des Professors Georg von Wyß (geb. 1816, gest. 1893). Zürich, Fäsi & Beer. 84 u. 124 S. 4⁰. [Separatausgabe der Neujahrsblätter LVIII u. LIX (1895 u. 1896) zum Besten des Waisenhauses in Zürich.]

G. v. W. ist den Lesern des Hist. Jahrb. nicht mehr unbekannt; eine kurze Biographie brachte Bd. XV, 354 ff. Wenn diese auf grund der damals erreichbaren Literatur über den Verstorbenen und nach den in den Tagesblättern erschienenen Nekrologen erstellt war, so liegt hier ein von berufenster Seite auf grund eines umfangreichen Briefwechsels im großen Stile gezeichnetes Lebensbild vor, das G. v. W. als Gelehrten in seinem Bildungs- und Entwickelungsgang und als Menschen in vielseitiger Beteiligung aufs anziehendste schildert, ja vor unseren Augen entstehen und werden läßt. Das Bild ist in den wesentlichen Grundzügen dasselbe; es tritt jedoch lebhafter vor die Augen, die zahlreichen, glücklich in die Darstellung verwobenen brieflichen Aeußerungen beseelen dasselbe und lassen uns seine Linien bis ins einzelne verfolgen. Viele neue Züge werden dem ersten Bildungs- und Entwicklungsgang hinzugefügt, welche das Rätsel lösen, wie aus dem für Mathematik und Astronomie bestimmten und hiefür speziell ausgebildeten jungen Manne der treffliche Historiker werden konnte. Man kann den Mann, der seit 1854 an der Spitze der Allg. geschichtforschenden Gesellschaft der Schweiz stand, nicht schildern, ohne die Bestrebungen und Leistungen dieser Gesellschaft, ja dieser Wissenschaft in der Schweiz überhaupt zu zeichnen. Dazu war nun niemand besser berufen als M. v. K., ein Mitbürger und Schüler, langjähriger Kollege des Verstorbenen und schließlich sein Nachfolger als Präsident der Allgem. geschichtforschenden Gesellschaft. G. v. W. handhabte das Französische in Wort und Schrift mit seltener Eleganz, schätzte die Vorzüge des französischen Wesens, ohne sie im mindesten zu überschätzen. Als Historiker war er ein deutscher Gelehrter, der sich an deutschen Vorbildern gebildet und mit größter Aufmerksamkeit die deutschen Einigungsbestrebungen verfolgt hat. Bezeichnend sind die Worte, die er i. J. 1849 über die Einigungsbestrebungen schrieb: „Nur Wenige bei uns haben ein Herz für Eure Sache, und diese Wenigen sind durch und durch von der Ueberzeugung durchdrungen, daß Preußen allein helfen kann . . . Soll es aber helfen, so wird dennoch diese Hilfe nur durch die größten Gefahren. Prüfungen und Anstrengungen Aller Euch zu dem glücklichen Ziele eines einigen und starken Deutschlands führen können. Denn Oesterreichs starres Abschließen, Bayerns und der Kleineren bornirter Egoismus, die Mißgunst der großen Nachbarn sind zentnerschwere Gewichte, die sich auf jenem Wege hemmend entgegenstellen. Aus diesem Zwiespalte kann nur Eines retten: eine Wiedergeburt von Deutschland, eine Wiedergeburt, gegründet auf ein vernünftiges, aus Fürstenmacht und Volksmacht gemischtes System, vor allem aber auf einen durch und durch wieder herrschend werdenden religiösen, innerlichen, züchtigen, mäßigen Geist.“ Auch der deutsche Leser wird dieses Buch, dessen Lektüre ebenso angenehm als anregend ist, nicht ohne große Befriedigung gefunden zu haben, aus der Hand legen. A. B.

Niederlande und Belgien.

Mirguet (V.), histoire des Belges et de leur civilisation. Bruxelles, Lebègue et Cie. 925 S.

Blok (P. J.), Rekeningen der Stadt Groningen uit de 16ᵈᵉ Eeuw, uitgegeven door —. s'Gravenhage, Nijhoff. XXI, 395 S. 4 Bl. [Werk. uitgeg. door het histor. Genootsch. Ser. III, No. 9.]

Großbritannien und Irland.

Rößler (O.), Kaiserin Mathilde, Mutter Heinrichs von Anjou, und das Zeitalter der Anarchie in England. Berliner Diss. Berlin, Buchdr. Schade. 68 S.

O'Connor Morris (W.), Ireland 1494 — 868 with two introductory chapters. Cambridge, University Press. sh. 6.

Arezio (L.), l'azione diplomatica del Vaticano nella questione del matrimonio spagnuolo di Carlo Stuart, principe di Galles (anno 1623). Con molti e preziosi documenti. Palermo, Reber. 88 S.

Paget (A.), the Paget Papers. Diplomatic and other Correspondence of the R. H. S. — 1794 to 807. [With two appendices 1808 and 1821—29.] Arrang. and ed. by his son . . A. B. Paget. With notes by J. R. Green. In two vol. I: 1794 — 801; II: 1801—7. London, Heinemann. XX S., 2 Bl., 366 S., 12 Portr. u. 4 Bl. 410 S., 12 Portr.

*Michael (W.), englische Geschichte im 18. Jahrh. Bd. 1. . Hamburg u. Leipzig, Voß. XII, 856 S. M 16.

In Lechys Geschichte des 18 Jahrh. ist die politische Geschichte auf Kosten der Kulturgeschichte vernachläffigt worden; die politische Geschichte Englands von Mahon enthält zwar viel brauchbares Material, ist aber offenbar veraltet, während Broschs Geschichte Englands auch den bescheidensten Ansprüchen nicht genügt. Es war ein glücklicher Griff, eine politische Geschichte Englands zu schreiben und das in den letzten Jahrzehnten veröffentlichte Material für seine Darstellung zu verwerten. Es liegt nahe, den vorliegenden Band mit dem ersten Band der Geschichte der Tudors von Busch zu vergleichen. Beide Schriftsteller haben gemein die gründliche Quellenkenntnis, das Streben nach Unparteilichkeit; in der Auffassung und Behandlung des Stoffes dagegen zeigt sich große Verschiedenheit. Busch legt großen Wert auf künstlerische Darstellung und Auswahl des wirklich Interessanten, geschickte Gruppierung der Ereignisse. Michael ergeht sich in behaglicher Breite und gewährt den Gesandtschaftsberichten viel zu viel Raum. Vf. hätte offenbar besser daran gethan, sich Erdmanns-dörffer zum Muster zu nehmen, statt Onno Klopp oder Zwiedinec-Südenhorst. Zumal weil der Stoff so spröde, weil die Zeit so arm ist an großen Ideen und großen Männern, war es geboten, das wirklich Interessante herauszugreifen. Die zwei ersten Bücher „Rückblick auf frühere Zeiten" (7—206), „Die Begründung des parlamentarischen Königtums" (209—400) hätten wir dem Vf. gerne geschenkt, er hätte in diesem Falle Raum für die politische Geschichte der zwei ersten Georges und für eine Darstellung der inneren Entwicklung der Nation gefunden, die einem weiteren Bande vorbehalten ist. Weil wir es mit einer tüchtigen Leistung zu thun haben, empfehlen wir dem Vf. eine knappere Darstellung und eine größere Berücksichtigung seiner Vorgänger. Gerade die Auseinandersetzung mit den Gegnern ist für den Leser sehr lehrreich und prägt seinem Gedächtnis die wichtigeren Ereignisse ein. Wir sehen mit Spannung einem weiteren Bande entgegen, der Gründlichkeit mit Schönheit der Darstellung verbinden wird. Z.

Sulivan (H. N.), life and letters of the late admiral Sir Bartholom. James Sulivan, K. C. B., 1810—90. With an introduction by G. H. Richards. With portrait, map, plans, and illustrations. London, Murray. 474 S. sh. 6.

Dänemark, Schweden, Norwegen.

Andersen (N.), Faerøerne 1600 — 709. Med 2 Kort. København, Gad. 1895. IV, 457 S.

Rimkrønike, den danske. Efter et haandskrift i det kgl. Bibliothek i Stockholm, udgivet af Universitets-Jubilaeets danske Samfund ved H. Nielsen. 1 Hefte. København, Klein. 112 S. Kr. 2,75.

Clausen (J.), Frederik Christian Hertug af Augustenborg 1765—814. En monografisk skildring. Med to portraeter. København, Det Schubotheske Forlag. X, 148 S.

* Wittmann (P.), kurzer Abriß der ſchwediſchen Geſchichte. Auf grund neueſter Quellen und Hilfsmittel verfaßt. Breslau, Koebner. VI, 96 S. .M 2.
Beſprechung folgt.

Sylwan (O.), Svenska pressens historia till statshvälfningen 1772. Lund, Gleerup. VI, 498 S.

Almquist (J. A.), riksdagen i Gefle 1792. akad. Afhandl. Upsala, Almquist u. Wiksell. 208 S.

Italien.

Cantù (C.), storia degli Italiani. Disp. 50—56. Torino, Unione tipografico-editrice. 512 S.

Centarelli (L.), annali d'Italia dalla morte di Valentiniano III dalla deposizione di Romolo Augustolo 455—76. Rom, Tipogr. poliglotta. gr. 4⁰. 89 S.

Menghini (C.), re Liutprando cattolico e politico: appunti storici. Sulmona, Angeletti. 1895. 61 S.

Delisle (M. L.), notice sur la chronique d'un Dominicain de Parme. Paris, Klincksieck. 4⁰. 33 S. u. 1 Fakſ. Taf.

* Spangenberg (H.), Cangrande I della Scala. Tl. 1: (1291—1320). Berlin, Gärtner, 1892. 219 S. m. 1 Karte. [Hiſt. Unterſuchgn. hrsg. v. Jaſtrow. H. 11.] Tl. 2: (1321—29). VIII, 168 S. (S. oben 747—64.)
Vf. erzählt wie ein mittelalterlicher Annaliſt Hauptſachen und Nebenſachen neben-einander, verweiſt letztere viel zu wenig in die Anmerkungen, wo ſie zum teil hingehörten und den Fluß der Darſtellung nicht geſtört hätten. Alles Lob hingegen verdient die kritiſche Sichtung des Materials. Der Fleiß, der hier angewandt iſt, erweckt das Gefühl der Zuverläſſigkeit der Grundlage. Der erſte Teil hat außerdem einen kritiſchen Exkurs über das Geburtsjahr Can-grandes, der zweite deren vier, von denen jedoch nur die drei erſten dieſen Namen verdienen, nämlich 1) Entſtehungszeit der Veroneſer Statuten, 2) die hiſtoriſche Glaubwürdigkeit Albertino Muſſatos im zwölften Buch der Gesta Italicorum, 3) zur Interpretation Dantes (Paradies XVII Vers 70—72), während der vierte ſog. Exkurs eine Beilage von Dokumenten gibt. Der zweite Teil befriedigt inſofern mehr, als er einige größere Geſichtspunkte aufweiſt, ſo orientiert das dritte Kapitel über Cangrandes Stellung zu Kaiſer und Papſt und das ſechſte zeigt ihn uns in ſeinem Verhältnis zu Handel und Verkehr, zu Kunſt und Wiſſenſchaft. Daß die Darſtellung ſchleppend iſt, das mag zum teil an der Fülle der hereingezogenen Details liegen. A M.

Cosentino (G.), le nozze del re Federico III con la principessa Antonia del Balzo. Palermo, Reber. 1895. 102 S.

Chini (G.), l'assedio di Rovereto: episodio della campagna veneto-tirolese dell' anno 1487. Rovereto, Sottochiesa. 42 S.

Grottanelli (L.), Claudia de' Medici e i suoi tempi. Firenze, Rassegna nazionale. 155 S.

Rodocanachi (E.), Renée de France, duchesse de Ferrare. Paris, Ollendorff. 573 S. mit Portr. fr. 7,50.

Vayra (P.), Carlo Alberto e le perfidie austriache. Torino, Roux, Frassati e Co. 264 S.

Giacometti (G.), l'unité italienne. Période de 1860—61. Aperçus d'histoire politique et diplomatique. Paris, Plon, Nourrit et Cie. 2 Bl. 435 S.

Bonghi (R.), storia di Roma Vol. III: Frammento postumo, preceduto da un profilo biografico per G. Negri. Mailand, Treves. 127 S. fr. 2,50.

Frankreich.

Merlet (R.), la chronique de Nantes (570 environ — 1049). Publiée avec une introduction et des notes. Paris, Picard & Fils. LXXXII, 166 S.

Franklin (A.), histoire généalogique des souverains de la France; ses gouvernements de Hugues Capet à l'année 1896. Paris, Delagrave. fr. 1.50,

Hutton (W. H.), Philip Augustus. London, Macmillan & Co. 3. Bl. 228 S.

*Baudon de Mony (Ch.), relations politiques des comtes de Foix avec la Catalogue jusqu'au commencement du XIVe siècle. 2 vols Paris, Picard & Fils. XVI, 428 u. IV, 452 S. mit 4 Tafeln u. 1 Karte. Besprechung folgt.

Perret (P. M.), histoire des relations de la France avec Venise du XIIIe siècle à l'avénement de Charles VIII. Précédée d'une notice sur l'auteur par M. P. Meyer, de l'institut. 2 vols. Paris, Welter. M. 20.

Gombervaux (R. de), Jeanne d'Arc. Sa mission, son oeuvre. Avec un grand nombre de gravures. Paris, Taride. fr. 2.

Oliphant, Jeanne d'Arc. Her life and death. London, Putnam's Sons. fl. 4⁰. sh. 5..

Notes curieuses sur Jeanne d'Arc. Sa vie, par Heince et Begnon, en 1667; le problème de sa mort, par Polluche d'Orléans, en 1749, ce qu'a coûté Jeanne la pucelle à la France et à l'Angleterre; sa coifure de ville, etc. Paris, Laurent-Laporte. 18⁰. 48 S.

Pélissier (L.), Louis XII et Ludovico Sforza. Paris, Thorin et Fils.

Ferry-Carondelet, dépêches de Ferry-Carondelet, procureur en cour de Rome (1510—13). Publiées par L. de La Brière, avec une préface de R. de Maulde. Paris, Imp. Nationale. 39 S.

Fourquevaux (de), dépêches de M. —, ambassadeur du roi Charles IX en Espagne 1565—72, publiées par M. l'abbé Douais. Tome I. Paris, Leroux. XXXVII, 398 S.

Broglie (E. de), les portefeuilles du président Bouhier. Extraits et fragments de correspondances littéraires (1715 — 46). Paris, Hachette. XI, 347 S.

Norvins (J. de), mémorial, publié avec un avertissement et des notes par L. de Lanzac de Laborie. Tome I. 1769—93. Paris, Plon. 1 Portr. 2 Bl. XXXVI, 427 S. ·fr. 7,50.

Cradock (Mᵈᵉ), journal de — —. Voyage en France (1783—86). Traduit d'après le manuscrit original inédit par Mᵐᵉ O. Delphin Balleyguier. Paris, Perrin et Cie. XI, 331 S.

Baumont (X.), Lunéville à la veille de la Révolution. Paris, Berger-Levrault. 1895. 52 S.

Rudemare, journal d'un prêtre parisien (1788—92). Avec préface et notes de Ch. d'Héricault. XXX, 125 S. Paris, Gaume et Cie.

Gomel (Ch.), histoire financière de l'assemblée constituante. I. 1879. Paris, Guillaumin et Cie. XXXV, 565 S.

* Glagau (H.), die franzöſiſche Legislative und der Urſprung der Re-volutionskriege 1791--92, mit einem Anhang polit. Briefe aus dem Wiener k. u. k. Haus= u. Staatsarchiv. Berlin, E. Ebering. XIII, 368 S. M. 6. [Hiſt. Studien, veröffentl. v. E. Ebering. H. 1.] Beſprechung folgt.

Moris (H.), Nice à la France. Documents officiels inédits sur la réunion en 1793. Paris, Plon Nourrit et Cie.

Penanster (H. de), une conspiration en l'an XI et en l'an XII. Paris, Plon. XI, 327 S.

Boulay de la Meurthe, documents sur la négociation du Concordat et sur les autres rapports de la France avec le Saint-Siège en 1800 et 1801. Paris, Leroux. 1895. XIV, 614 S.

Mayer (J.), die franzöſiſch=ſpaniſche Allianz vom Vertrage San Ilde-fonſo bis zum Vertrage von Fontainebleau (1796—1807). 2. Teil: Von 1806—7. Linz, Ebenhöch. 64 S. M 1. Vgl. Hiſt. Jahrb. XVI, 882 S.

Grandmaison (G. de), Napoléon et ses récents historiens. Paris, Perrin et Cie. 3 Bl. IX, 349 S. Beſpricht in der Reihenfolge der wichtigſten Epochen aus Napoleons Leben die denſelben gewidmete Literatur, ohne Anſpruch auf Vollſtändigkeit erheben zu können (ſ. oben 706).

Laurent (P. M.), vollſtändige Lebensgeſchichte des Kaiſers Napoleon I. Aus dem Franz. von J. Sporſchil. In 20 Lfgn. Lfg. 1. Baſel, Koehler. S. 1—32. M. —.20.

Sorel (Alb.), Bonaparte et Hoche en 1797. Paris, Plon. 340 S. fr. 7.50.

Napoléon Iᵉʳ, allocutions et proclamations militaires de Napoléon Iᵉʳ. Publiées pour la prem. fois, d'après les textes authentiques, par Barral. Paris, Flammarion. 252 S. mit Portr. fr. 0,60.

Masson (Fr.), Napoléon et les femmes. L'amour. Paris, Ollendorf.

Avrillon, mémoires de m^lle A., première femme de chambre de l'impératrice sur la vie privée de Joséphine, sa famille et sa cour. Paris, Garnier frères. 18⁰.

Lepelletier (E.), les trahisons de Marie-Louise. Les fourberies de Fouché. Paris, Montgredien. 18⁰.

Heitz (L.), le général Salme 1766—811. Paris, Lavauzelle. 185 S.

Combe, mémoires du Colonel — sur les campagnes de Russie 1812, de Saxe 1813, de France 1814 et 1815. Nouvelle édition. Paris, Plon, Nourrit. 3 Bl., 334 S.

Barras (P.), Memoiren. Mit einer allgemeinen Einleitg., Vorworten u. Anhängen hrsg. v. George Duruy. Autoriſ. Ueberſetzg. 3. u. 4. (Schluß=)Bd.: 3. Das Direktorium vom 18. Fructidor bis zum 18. Brumaire. Unter Beigabe v. 2 Portr. (XLIII, 495 S.) — 4. Konſulat — Kaiſerreich — Reſtauration. Perſonen= u. Sachregiſter. Unter Beigabe u. 1 Portr. u. 2 Fcſm.=Wiedergaben v. Briefen Barras. (XXXVIII, 522 S.) Stuttgart, Deutſche Verlagsanſtalt. à ℳ 7.50. Vgl. oben S. 642 u. Hiſt. Jahrb. XVI, 666.

Haussez (Baron de), mémoires du —, dernier ministre de la marine sous la Restauration publ. par la duchesse d'Almazan. Introduction et notes par le comte de Circourt et le comte de Paymaygre. Tome I. Paris, Lévy. 2 Bl., 416 S. mit 1 Port. fr. 7.50.

Montgaillard, mémoires diplomatiques de — (1805—19). Extraits des Archives du Ministère de l'Intérieur et publiés avec une introduction et des notes par Clém. de Lacroix. Paris, Ollendorff. 2 Bl. 442 S.

Salles (G.), les origines des prèmiers consulats de la nation Française à l'étranger d'après des documents inédits. Paris, Leroux. IV, 62 S.

Denormandie, notes et souvenirs. Les journées de 1848. Le siège, la Commune. L'assemblée nationale. Paris, Chailley. fr. 5.

Persigny (de), mémoires du duc de Persigny. Publiés avec des documents inédits, un avant-propos et un épilogue par M. H. de Laire. Paris, Plon, Nourrit et Cie. XX, 512 S. mit Port. fr. 7.50.

Du Barail, mes souvenirs. Tome III. 1864—79. Avec un portrait. Paris, Plon, Nourrit et Cie. fr. 7,50.
Vgl. Hiſt. Jahrb. XVI, 882.

Coubertin (P. de), l'évolution Française sous la troisième République. Paris, Plon, Nourrit et Cie. XX, 432 S. fr. 7,50.
Reicht bis in die neueſte Zeit und behandelt außer den politiſchen Verhältniſſen auch den religiöſen, geiſtigen und ſozialen Zuſtand des Landes.

Blümel (E.), die Kommune von Paris. (18. März bis 29. Mai 1871). Ein Erinnerungs= u. Warnungsbild f. das deutſche Volk. Eisleben, Chriſtl. Verein. III, 163 S. ℳ 0,80.

March (F.), the history of the Paris Commune, 1871. London, Sonnenschein. 380 S. 7 sh. 6 d.

Rochefort (H.), les aventures de ma vie. 3e volume: Les hommes de la commune. — M. Thiers et la République. — A Versailles. — Nouméa. Paris, Dupont. fr. 3,50.
Vgl. oben S. 642.

Spanien.

Hannay (D. R.), Don Emilio Castelar. New-York, Warne. 240 S. m. 1 Bildniß. d. 1.25.

Rußland, Polen.

Brückner (A.), Geschichte Rußlands bis Ende des 18. Jahrhs. Ueberblick der Entwickelung bis zum Tode Peters d. Gr. Bd. 1. Gotha, Perthes. XXII, 638 S. ℳ. 12. [Gesch. der europ. Staaten. Hrsg. von Heeren, Ukert, Giesebrecht und K. Lamprecht.]

Ein Vorwort Lamprechts, der nunmehr die Redaktion der Sammlung leitet (S. oben S 466), betont die kulturgeschichtlichen Bestrebungen der ersten Herausgeber. Brückner legt gleichfalls Nachdruck auf die kulturhistorische Seite der Geschichtsschreibung und zeigt, wie Rußlands Europäisierung begann und fortschritt. Das erste Buch des vorliegenden ersten Bandes ist überschrieben „Europa und Rußland" und umfaßt die Zeit, als Rußland noch außerhalb der Kulturwelt stand. Das zweite Buch schildert „Land und Volk"; das dritte: „Byzanz" behandelt den Jahrhunderte hindurch bestimmenden Einfluß von Byzanz auf die politische und soziale Entwickelung des Landes, namentlich aber auf die Entstehung der russischen Kirche Im vierten: „Tartarisierung", behandelt Vf. Rußlands Unterjochung durch die Mongolen, das Emporkommen Moskaus und schildert den orientalischen Charakter des Staates. Das fünfte Buch: „Rußland und Europa" stellt Rußlands Schwenkung nach dem Westen dar, wobei Peters des Großen Persönlichkeit eingehend gewürdigt wird.

Hedenström (A. v.), die Beziehungen zwischen Rußland und Frankreich während des 1. nordischen Krieges. Marburg. 97 S. Inauguraldiss.

Danilewski (Gr.), Moscou en flammes. Scènes de l'année terrible. Traduit du Russe. Paris, Perrin. fr. 3,50.

Aagard (O. H.), Kejser Nikolaus I og hans naermste omgivelser. Kopenhagen, Schous. 212 S.

Koźmian (St. v.), das Jahr 1863. Polen und die europ. Diplomatie. Autoris. deutsche Bearbeitg. v. S. R. Landau. Wien, C. Konegen. XIII, 404 S. ℳ. 10.

Ungarn, Balkanstaaten.

Gelléri (Mor.), aus der Vergangenheit u. Gegenwart des 1000jährigen Ungarn. Budapest. Leipzig, Schulze. 12⁰. 183 S. mit Abbildgn. u. 6 farb. Taf. ℳ 2.

Schütte (R.), der Aufstand des Leon Tornikios im Jahre 1047. Eine Studie zur byzantinischen Geschichte des 11. Jahrhs. Progr. des Gymn. in Plauen i. V.

Radics (P. v.), Fürstinnen des Hauses Habsburg in Ungarn. Zur Millenniums- und Huldigungsfeier. Dresden, Pierson. 216 S. mit 10 Abbildungen. ℳ 4.

Hundert Jahre sächsischer Kämpfe. Zehn Jahre aus der Geschichte der Siebenbürger Sachsen im letzten Jahrh. Hermannstadt, Krafft. VI, 344 S. ℳ 3.

Inhalt: F. Schuller, die Reaktion gegen die Josefinischen Reformen und die Regulation 1790—805. — K. Teutsch, stille Jahre 1805—30. — A. Schuller, neues Leben 1830—48. — O. Wittstock, das literarische Leben der vierziger Jahre. — W. Schiller, die Revolution von 1848/49 — F. Teutsch, die Sachsen i. J. 1848/49. — R. Briebrecher, unter dem Absolutismus 1850—60. — W. Bruckner, die politische Entwickelung von 1860—76. — A Schullerus, unsere geistige Entwickelung seit den fünfziger Jahren. — F. Teutsch, Um- und Vorschau.

Kainbl (R. F.), Geschichte der Bukowina. 1. Abschn. Von den ältesten Zeiten bis zu den Anfängen des Fürstentums Moldau 1342. 2. Aufl. Czernowitz, Pardini in Komm. 35 S. mit 9 Abbildgn. im Text u. 17 Fig. auf 2 Taf. ℳ 1.

Munro (R.), rambles and studies in Bosnia-Herzegovina and Dalmatia, with an account of the proceedings of the congress of archaeologists and anthropologists, held in Sarajevo, august 1894. London, Blackwood & S. 416 S. sh. 12,6.

Hidden (A. W.), the ottoman dynasty: a concise history of the sultans of Turkey from the foundation of their dynasty in 1299 to the present day. Illustrated. New-York. sh. 10.

Asien.

Lucas (L.), Geschichte der Stadt Tyrus z. Z. der Kreuzzüge. Marburg. Berlin, Mayer & Müller. 92 S. ℳ 2,40.

Ludolph von Suchem's description of the Holy Land and of the way thither. Written in the year A. D. 1350. Trans. by A. Stewart London 1895. X, 142 S. [Palestine Pilgr. Text Society. No. 27.]

Gregovini (A.), le relazioni in lingua volgare dei viaggiatori italiani in Palestina nel secolo XIV. Pisa, tip. Nistri e C. 80 S.

Hunter (Sir W. W.), the Indian empire; its peoples, history and products 3rd ed. London, Smith & E. 852 S. sh. 28.

Huth (G.), Geschichte des Buddhismus in der Mongolei. Mit einer Einleitung: Politische Geschichte der Mongolen. Aus dem Tibet. des „Jigs-med nam-mk'a hrsg., übers. u. erläutert. Tl. 2: Nachträge zum 1. Tl. Uebers. Straßburg, Trübner. XXXII, 456 S. ℳ 30.

Amerika.

Mc Master (J. B.), with the Fathers, Studies in the history of the United States. New-York, Appleton. 12⁰. 334 S. d. 1,5.

Mc. Master ist einer der gründlichsten Kenner der neueren amerikanischen Geschichte. Vorliegende Essays haben vor der Geschichte Amerikas (oben S. 167) den leichten, fließenden Stil voraus und die geistreiche pointierte Darstellung; sie enthalten, wie alles, was Vf. schreibt, eine Fülle von Stoff und orientieren über manches, was man in größeren Werken vergeblich sucht. Die Essays über die Monroe doctrine, the political depravity of our Fathers, The riotos

Career of the Know-Nothing sind ausgezeichnet. Mac Master ist ein Muster der Unparteilichkeit und läßt der katholischen Kirche in Amerika Gerechtigkeit widerfahren. Z.

Grinndell (G. B.), the story of the Indian. New-York, Appleton. 1895. XI, 270 S.

Diese zumeist auf Autopsie beruhende Schilderung der Sitten und Gewohnheiten der Indianer widerlegt manche Vorurteile, die sich selbst in den Darstellungen sorgfältiger Historiker breit machen. Die Indianer waren keineswegs sorglose, in den Tag hinein lebende Müssiggänger, zeigten vielmehr große Einsicht im Einpökeln des Fleisches und der Fische und trafen zum teil treffliche Vorkehrungen für die Jahreszeit, in der die Jagd und der Fischfang wenig Ausbeute bot. Weit entfernt davon, sich gegenseitig zu befehden, finden wir, daß manche Stämme einen gut organisierten Bund geschlossen hatten.

Roosevelt, the winning of the West. V. IV: Louisiana and the Northwest. New-York, Putnam. VIII, 363 S. d. 2,5.

R. schildert das unaufhaltsame Vordringen der englischen Rasse, das Zurückweichen des Indianers. Die Abtretung Louisianas (Jefferson wollte nur New-Orleans haben) wird Napoleon oft zum Vorwurf gemacht. R. sieht darin einen Beweis des genialen Scharfblicks. R. ist vielfach zu lobrednerisch und unterschätzt den Einfluß der europäischen Zivilisation. Z.

Fischer (S. G.), the making of Pennsylvania. Philadelphia, Lippincott. 364 S. d. 1,5.

Wohl in keinem Staate Nordamerikas findet sich eine buntere Mischung von Nationen als in Pennsylvania, der großen Kolonie der Quäker. Holländer, Schweden, Deutsche, Quäker, mährische Brüder, Presbyterianer vom Norden Irlands, Anglikaner, Walliser haben sich daselbst niedergelassen und zeitweilig großen Einfluß geübt. Die Darstellung der Konflikte dieser verschiedenen Nationen war mit besonderen Schwierigkeiten verbunden. Fischer glaubte sich die Aufgabe dadurch erleichtern zu können, daß er jeder Nation oder Konfession ein besonderes Kapitel widmete, hat aber dadurch die Einheit zerstört und das, was zusammen gehört, auseinander gerissen. In dem Buche finden sich manche gute Bemerkungen. Wenn die Deutschen oder andere Nationen vereinzelt sind, assimilieren sie sich den Amerikanern, wenn sie, wie in Pennsylvania, Kolonien bilden, bewahren sie ihre alten Gewohnheiten. Z.

Patton (Jac. Harris), political parties in the United States; their history and influence. New - York. Amsterdam, Book & Co. 384 S. d. 1,25.

Lamon (W. H.), recollections of Abraham Lincoln, 1847—65. Ed. by Dorothy Lamon. With 2 portr. and facs. letters. Chicago. 12⁰. sh. 6,6.

Lincoln (A.) and Douglas (S. A.), political debates between Abraham Lincoln and St. A. Douglas in the celebrated campaign of 1858 in Illinois; including the preceding speeches of each at Chicago, Springfield etc. Also: The two great speeches of Abraham Lincoln in Ohio in 1859, and a complete index to the whole. Cleveland, Ohio. 4⁰. S. 18.

Codeceira (Major J. D.), a idea republicana no Brazil, (der republikanische Gedanke in Brasilien.) Recife 1894. 124 S. kl.-4⁰.

Die junge Republik von Brasilien will ihre Helden und tapferen Vorkämpfer belohnen und schaut sich deshalb in der Geschichte um, wem sie wohl die Ehre, den republikanischen Gedanken in Brasilien zuerst ausgesprochen und verteidigt zu haben, zuerkennen soll. Da haben sich die obersten Lenker der Geschicke entſchloſſen, dem Tiradentes als dem erſten Märtyrer der republikaniſchen Freiheit ein Denkmal zu ſetzen Dieſer Entſchluß iſt aber auf häufigen Widerſpruch geſtoßen, und mit Recht erheben ſich die Pernambucaner und vindizieren ihren Vorfahren das in Frage ſtehende Vorrecht. Den Beweis tritt nun d. A. an, indem er zuerſt zeigt, daß Tiradentes gar kein Anrecht auf dieſen Vorzug haben könne. Nach den beſten Schriftſtellern, ſowie nach den geſchichtlich bekannten Dokumenten war die Verſchwörung von Minas (1789) mehr eine Träumerei exaltierter Dichter als eine Erhebung zur Unabhängigkeit. Und bei derſelben ſpielte Joaquim Joſé de Silva Xavier, zugenannt Tiradentes (Zahnauszieher), eine ſehr untergeordnete Rolle. Zuerſt Hauſierer, war er ſpäter in das Heer eingetreten und hatte es zum Fähnrich gebracht; bei der Verſchwörung, deren Plan er nicht einmal kannte, bildete er den Zwiſchenträger. Durch ſeine Ge= ſchwätzigkeit verriet er die Namen der Verſchworenen und wegen der Kühnheit ſeiner Sprache gegen die Regierung wurde er von dieſer zum Sühnopfer aus= erſehen und hingerichtet, während aus die eigentlichen Verſchworenen aus dem Lande verbannt wurden. Abgeſehen davon, daß die Pernambucaner unter dem tapferen Joao Fernandez Vieira die Holländer 1654 aus Braſilien hinausgeworfen und ſo die Integrität des Landes gerettet haben, ſind ſie auch die erſten auf ameri= kaniſchem Boden, welche den republikaniſchen Gedanken in der Revolution von 1710 proklamierten, in der Bernardo Vieira de Mello die Republik »ad instar dos venezianos« ausrief (S. 86) und dafür in der Verbannung ſtarb. Dieſe Revolution hatte ſich ſchon in der ganzen Regierung des Nordens bemächtigt und hätte für Portugal verhängnisvoll werden können, wenn die Adeligen von Olinde nicht den Rückzug angetreten hätten. Ebenſolche Verſuche waren die blutigen Revolutionen von Pernambuco in den Jahren 1817 und 1824. Einen intereſſanten Zwiſchenfall in dem Ringen um den in Rede ſtehenden Vorrang kann ich hier nicht unerwähnt laſſen, um ſo mehr da er auf die Aufrichtigkeit gewiſſer Geſchichtsforſcher ein eigentümliches Licht verbreitet. Der vor kurzem verſtorbene Hiſtoriker Joaquim Norberto aus Rio hatte vor Jahren die Dokumente über Tiradentes in dem Inſtituto Hiſtorico zu rate gezogen und war dabei zu derſelben Meinung wie der A. gelangt. Dabei hatte er auch eingeſehen, daß Tira= dentes Tod wenig von dem eines Helden an ſich trug, denn er küßte dem Scharfrichter ſogar die Füße. Da nun ſeine Veröffentlichung ſehr angegriffen und der berührte Umſtand ſogar abgeleugnet wurde, konſultierte er nochmals die Dokumente, um zu ſehen, ob er ſich nicht getäuſcht habe. Da fand er nun, daß die Worte: „er küßte ihm die Füße“ unter einem dicken Strich, der mit neuer ſchwarzer Tinte gemacht war und ſehr von der alten gelblichen Schrift abſtach, verſchwunden waren —, jedoch konnte man noch deutlich die Haken der langen Buchſtaben dieſer Worte erkennen. P. T.

Kirchengeſchichte.

Wetzer und Welte, Kirchenlexikon. 2. Aufl. begonnen v. Hergenröther, fortgeſ. v. F. Kaulen. Bd. X. H. 104 u. 105. Freiburg i. B., Herder. Sp. 769—1152.

Vgl oben S. 666. An Artikeln heben wir hervor: (H. 104) Ratramnus (Zeck); Ratzeburg (Lezker); Ravenna (Reher); Rechtfertigung (Einig); Rechtsmittel (v. Kober); Reformation (Weber); Regalienſtreit (v. Döllinger); Regensburg (Weber); Regeſten (Knöpfler); Regino v. Prüm [Marx (de Lorenzi)]; Reichenau (G. Mayer). — (H 105) Reimbibeln (Kaulen); Reims (Reher); Religion (Schanz); Religionsunterricht (Kellner); Reliquien (Eſſer); Remedius (Ph. Schneider); Remigius, der hl. von Reims (Zeck); Renan (A. Eſſer); Rennes (Reher); Reprobation (Einig); Reſervatfälle (Pruner); Reservatio mentalis (A. Lehm= tuhl S. J.); Reservatum ecclesiasticum (Permaneder); Reuchlin (v. Funke); Revolution, franzöſiſche (ohne Schluß).

*Nirſchl (J.), das Grab der hl. Jungfrau Maria. Eine hiſtor.=kritiſche Studie. Mainz, Kirchheim. XII, 118 S. ℳ 1,80.

Vf. hält ſeine ſchon in einem früheren Aufſatze (Katholik 1894, S. 385 ff.,

1895, S. 154 ff.) ausgesprochene Ueberzeugung, daß Jerusalem und nicht Ephesus
die Begräbnisstätte der sel. Jungfrau sei, auch gegenüber den neuesten Ver-
teidigern der letzteren Ansicht (bes. Wegener, vgl. oben 169 ff.) mit Glück
aufrecht. Im 1. Teile zeigt er die Unmöglichkeit der Angaben der gottsel.
Anna Kath. Emmerich bez. des Aufenthaltes und Todes Mariä in Ephesus.
Der 2. Teil bringt den positiven Nachweis für die Echtheit des Grabes in Jerusalem. Aehnlich dem Grabe des Herrn sei es mehrere Jahrh. verborgen geblieben und zwischen 390 und 451 aufgefunden worden, worüber freilich keine
direkten Zeugnisse vorhanden sind. Wenn auch nach dieser Untersuchung bestehen bleibt, daß weder für Jerusalem noch für Ephesus als Grabesort Mariä
weit in das christl. Altertum zurückreichende Zeugnisse vorhanden sind, so ist
doch sicher, daß die Präsumption für Jerusalem spricht. Dies außer Zweifel
gesetzt und zugleich die ältesten Spuren der Tradition über Tod, Begräbnis und
Himmelfahrt der sel. Jungfrau übersichtlich zusammengestellt zu haben, ist das
Verdienst vorliegender Schrift, die wir, ohne allen einzelnen Beweisgründen
und Ausführungen beistimmen zu können, als einen wertvollen Beitrag zur
Lösung der interessanten Frage dankbar begrüßen.   Ebner.

Belsheim (J.), evangelium Palatinum. Reliquias IV evangeliorum
ante Hieronymum latine translatorum ex codice Palatino purpureo
Vindobonensi quarti vel quinti p. Chr. saeculi et ex editione
Tischendorfiana principe denuo ed. —. Christiania, Dybwad.
VIII, 96 S.

Durch diese von der Gesellschaft der Wissenschaften zu Christiania unterstützte
Publikation wird ein wichtiger vorhieronymianischer Evangelientext, der bisher
nur in der kostspieligen editio princeps von Tischendorf (1847) vorlag, bequem
zugänglich gemacht. Das Evangelium Palatinum (cod. Vindob. 1185), umfaßt jetzt Teile des Matthäus (ein wenig bereichert durch die im Hist. Jahrb.
XIV, 904 notierte Veröffentlichung Linkes; vgl. Belsheim S. V f.), fast den
ganzen Johannes und Lukas und geringe Reste des Markus (man beachte die
altertümliche Reihenfolge) und gehört wahrscheinlich zu den Bibeltexten, die
man als ‚afrikanische‘ den ‚europäischen‘ gegenüber zu stellen pflegt.   C. W.

Burkitt (F. C.), the Old Latin and the Itala. With an appendix
containing the text of the S. Gallen palimpsest of Jeremiah. Cambridge, University press. VIII, 96 S. [Texts and Studies vol. IV.
No. 3.]

Wir heben aus dem reichen Inhalt dieser Schrift hier nur den von der ‚Itala‘
handelnden Abschnitt (S. 55 ff.) hervor, in welchem der Vf. — nicht als erster
(vgl. S. Berger, Bull. crit. 1896 Nr. 25) — die Ansicht vertritt, daß Augustinus
unter der Itala, die er an der berühmten Stelle der Schrift de doctrina
christiana als ‚verborum tenacior cum perspicuitate sententiae‘ preist,
keine andere Uebersetzung verstanden habe, als die des — Hieronymus, die
Vulgata (nach dem späteren Sprachgebrauche) Schon Isidor von Sevilla,
dessen Worte B. als Motto seiner Untersuchung vorausschickt, hat die augustinische
Charakteristik der ‚Itala‘ auf die ‚interpretatio‘ des Hieronymus angewendet.
Ueber Texts and Studies IV Nr. 1 und 2 werde ich später referieren; über
III Nr. 2 und 3 f. oben S. 414 f.   C. W.

*Corssen (P.), monarchianische Prologe zu den vier Evangelien. Ein
Beitrag zur Geschichte des Kanons. Leipzig, Hinrichs. V, 138 S.
M. 4,50. [Texte u. Untersuchungen XV, 1.]

In den Vulgatahandschriften bis zum Ausgang des MA.s und in den ältesten
Vulgatadrucken erscheinen Evangelienprologe, welche vom Vf. mit Scharfsinn
und Gelehrsamkeit untersucht werden. Daß dieselben trotz ihrer unverkennbar
monarchianischen Theologie in die Hss. der Vulgata aufgenommen wurden, wird
passend daraus erklärt, daß sie von einem zentralen Punkte des christlichen Oc-
cidents d. h. von Rom aus durch die Evangelienhandschrift, für die sie bestimmt

waren, verbreitet wurden. Als ihre Abfassungszeit wird das erste Drittel des
3. Jahrhs. (damals war der Monarchianismus zu Rom in Blüte) betrachtet,
und wenn sich diese Ermittelungen über Entstehungsort und Entstehungszeit als
sicher erweisen, so dürfen wir in den Prologen, nicht nur das älteste Zeugnis
für die Evangelienreihenfolge Matth., Joh., Luc., Marc., sondern auch ,das
älteste Aktenstück aus der römischen Kirche zu der Geschichte des Kanons' nächst
dem muratorischen Fragment' erblicken. Mit letzterem, welches — seine Entstehung gegen 200 vorausgesetzt — einige Decennien älter ist, berühren sich die
Prologe mehrfach in Ausdruck und Gedanken. Die unbehilfliche, bisweilen un-
verständliche Latinität ist in den vier Traktätchen, die offenbar zur Einführung
in den Geist des betreffenden Evangeliums dienen sollen, die nämliche, so daß
die Annahme eines Verfassers unabweisbar ist. Die mit der sprachlichen
Gleichheit in Widerspruch stehenden materiellen Differenzen sind darauf zurückzuführen, daß der Vf. bei den verschiedenen Evangelien von verschiedenen Quellen
abhängig gewesen ist, die er nicht gehörig miteinander auszugleichen verstand.
Von ganz besonderem Interesse ist hier mehr das persönliche Verdienst (Virginität)
des Evangelisten als die innere Bedeutung des Evangeliums (Protest gegen die
Logoslehre im Marcusprolog) betonende Prolog zu Johannes. Corssen erweist
ihn als eine Quelle der aus Augustin, Pseudoaugustin, Hieronymus, Pseudoisidor usw. zu rekonstruierenden ‚historia ecclesiastica' d. h eines Versuches,
das Wichtigste aus der Ueberlieferung über den Apostel Johannes auf kathol.
Standpunkte in knapper Form darzustellen, als Quelle des Prologs selber aber
betrachtet er die gnostischen Johannesakten des Leucius, welche S. 118 ff. auf
ihr Verhältnis zu den johanneischen Schriften untersucht werden. Corssen glaubt,
daß der Vf. des 4. Evangeliums (als welchen er nicht den Apostel Johannes
betrachtet), wenn auch nicht das Werk des Leucius selbst, so doch die von Leucius
vorgefundenen und ausgestalteten Traditionen vor sich hatte und gegen die do-
ketische Passionsauffassung polemisiert, wie sie in den Johannesakten dem
Johannes selbst in den Mund gelegt wird. Den Schluß der äußerst anregenden
Schrift bildet ein textkritischer Exkurs zu einigen Stellen des Fragmentum
Muratorianum. S. 64 hätte gesagt werden sollen, daß der eine Brief (30)
der ,mit Cyprian korrespondierenden römischen Presbyter' ein Werk Novatiáns ist.
C. W.

*Blass (Fr.), acta apostolorum sive Lucae ad Theophilum liber alter.
Secundum formam quae videtur Romanam ed. —. Lipsiae, Teubner.
XXXII, 96 S.

Seiner größeren im Hist. Jahrb. XVI, 193 notierten Ausgabe der Apostelgeschichte hat B. eine kleinere folgen lassen, welche nur die nach seiner Ansicht
zuerst von Lucas niedergeschriebene Fassung, die β oder, wie der Hrsgb. jetzt
vorzieht, die römische Rezension (R im Gegensatze zu der zweiten an Theophilos
gesandten, die mit α [A = Antiochena ist aus äußeren Gründen unthunlich]
bezeichnet wird) enthält. ,Melius Romanam illam formam vocabimus quam
occidentalem, cum in occidente Roma et prima et praecipua novae religionis sedes fuerit; illinc igitur etiam sacros libros ad ceteras regiones
venisse putabimus. Romam autem cum Luca coniungere nullum est
negotium; immo Romae Acta haec conscripta esse, illo scilicet tempore
quo cum Paulo Lucas ibi commorabatur, et antiqua est et ex ipsis
rebus nata opinio, cui cur recentiorum opinones praeferam vagas et in-
certas incertissimisque argumentis subnixas, equidem non video' (praef.
S. VII). Die Ausgabe ist in der Weise eingerichtet, daß sich der Text so weit
als möglich an D (d. h. den griechischen Text des bilinguen codex Bezae)
und die übrigen Quellen der ,forma Romana' (2 griechische und 4 lateinische
Hss. — unter letzteren der oben S. 170 erwähnte Paris. 321 —, die
von Clédat 1887 edierte provençalische Ueberseßung des N. T., Peschittá,
Philoxeniana und die aus dem nur armenisch erhaltenen Kommentare des
Ephräm zu den Paulusbriefen gezogenen Zitate, die koptische (sahidische)
Ueberseßung und die Zitate der griechischen [Irenäus und Apost. Constit. d. h.
wohl Didaskalia] und lateinischen [bes. Cyprian u. Augustinus: über letzteren
vgl. jetzt Burkitt, Texts and Studies IV 3 S. 66 ff.] Väter) anschließt,

und diejenigen Bestandteile durch den Druck hervorgehoben werden, die sich mit einiger Sicherheit dieser ‚forma Romana' zuschreiben lassen. Denn eine rein= liche fortlaufende Scheidung der zwei Rezensionen ist heute ebenso un= möglich als ein sicheres Urteil über die Provenienz jeder einzelnen Lesart von D. — Praef. S. XXV wird aus Versehen der Vorname Delisles (‚Carl' statt ‚Leopold'), S. XXVI der Erscheinungsort von Bergers ‚Histoire de la Vulgata' (‚Nancy' statt ‚Paris') unrichtig angegeben. Zu den Anhängern der Blaßschen Theorie hat sich inzwischen Belser (Bibl. Studien I, 3 Anh. 1; vgl. Theol. Quartalschr. LXXVIII, 493), zu ihren Bestreitern Corssen Götting. Gel. Anz. 1896 Nr. 6) gesellt. C. W.

Hauler (E.), eine lateinische Palimpsestübersetzung der Didascalia aposto-lorum. Wien, Gerold in Komm. 1 Bl. 54 S. [Sitzungsber. d. Wiener Akad. phil.=hist. Cl. Bd. CXXXIV. Abhandl. XI.]

H. ediert und bespricht in dieser Abhandlung zwölf Probeseiten der in einer Veroneser Isidorhandschrift s. VIII als untere Schrift erhaltenen lateinischen Uebersetzung der Didascalia apostolorum, der ursprünglich griechisch abgefaßten, bisher aber nur in syrischer Uebersetzung bekannten Grundschrift der sechs ersten Bücher der apostolischen Konstitutionen. Diese lateinische Uebertragung, welche nicht wohl später als im 4. Jahrh. abgefaßt worden sein kann, ist ein treffliches Hülfsmittel zur Rekonstruktion des Originaltextes und auch in sprachlicher Hinsicht nicht uninteressant. Der beste Kenner der Materie, Funk, der auch zuerst den Text richtig als Uebersetzung der Didaskalia bezeichnet hat (Harnack erkannte auf eine Uebersetzung der Konstitutionen), muß nun seine lange vorbereitete Ausgabe der apostolischen Konstitutionen und der verwandten Schriften noch zurückhalten, bis die Entzifferung des Palimpsestes durch H. glücklich zu Ende geführt ist. C. W.

Wobbermin (G.), religionsgeschichtliche Studien zur Frage der Be= einflussung des Urchristentums durch das antike Mysterienwesen. Berlin, Ebering. VIII, 191 S. M 5.

Dieterich (A.), die Grabschrift des Aberkios erklärt v. —. Leipzig, Teubner. VIII, 55 S.

Nicht nur Orpheus, auch Aberkios ist jetzt in der Mode. Auf Duchesne, der Fickers Beschützer, Harnack, mit der ihm eigenen humorvollen Ritterlichkeit bekämpfte, ist alsbald ein junger Dominikaner mit ‚philologischen Bemerkungen zur Aberkiosinschrift' gefolgt (Wehofer, Röm. Quartalschr. 1896), die, auch wenn sie nicht das richtige getroffen haben, von tüchtiger Schulung und rühmenswerter Unparteilichkeit zeugen, und soeben hat der gelehrte Vf. des ‚Abraxas' und der ‚Nekyia' ein niedliches ‚Aberkiosbüchlein' erscheinen lassen, welches ohne Zweifel wieder weitere Literatur nach sich ziehen wird. Ref., der im Hist. Jahrb. XVI, 423 am christlichen Charakter der Inschrift festgehalten, gesteht offen ein, daß er nach der Lektüre von Dieterichs Abhandlung wesentlich anders urteilen muß. Denn wenn auch einzelne Ausdrücke und Züge nach wie vor eine ungezwungen christl. Deutung zulassen (vgl. z. B. zur ‚βασίλισσα' Berl. philol. Wochenschr. 1896, 1061), die Inschrift als Ganzes wird sich in den Rahmen altchristlicher Anschauung und Sitte schwerlich so mühelos einfügen lassen als in den von D. gefundenen. D. macht es, nachdem er Text und Uebersetzung des Dokumentes vorgelegt, zunächst sehr wahrscheinlich, daß die Aberkiosinschrift n a c h der in der Anfangs= und Schlußformel mit ihr überein= stimmenden des Alexandros, also nach 216 abgefaßt worden sei. Dann tritt er in die Detailinterpretation ein und deutet ‚den ‚Hirten', als dessen Jünger sich Aberkios bezeichnet, auf Attis (so schon Ficker), den ‚König' und die ‚Königin mit goldenem Gewande und goldenen Sandalen' auf den Sonnengott Helio-gabal, dessen Priester der gleichnamige Kaiser war, und die vor letzterem zwischen 219—22 mit großem Pompe ihm angetraute ‚Himmelsönigin' (dea caelestis), deren prachtvolle, mit goldenen Sandalen und einem kostbaren Gewande ge= schmückte Bildsäule von Karthago nach Rom gebracht wurde, den ‚Stein mit strahlendem Gepräge' auf den bei der damals abgehaltenen feierlichen Prozession

auf einem Wagen (ohne Lenker) gefahrenen Stein, der den Gott, den König
selbst vorstellte, und die ‚Nestis‘ (dies, nicht Pistis ist die wahrscheinlichste Lesung),
welche den Reisenden mit Fisch, Wein und Brot versorgt, auf die Wasser-,
Fisch- und Fastengottheit dieses Namens. Daß der Fisch von einer ‚reinen
Jungfrau‘ (zu der Ficker die ‚magna mater‘ beförderte!) gefangen sein muß,
ist eine rituelle Forderung, zu der sich ausreichende Analogieen nachweisen lassen.
Die Zeile, in der ‚Paulus‘ vorkömmt, bleibt für D. eine ‚kleine Enclave der
Unsicherheit‘, durch die aber die Auffassung des ganzen nicht erschüttert wird:
Aberkios, der Myste des Attiskultes, wird von seinem Gotte geschickt, den andern
Gott zu schauen. ‚Aber es ist die Herrlichkeit seines (des Attis) eigenen Kultes,
die sich in dem des Verwandten, des orientalischen Sonnengottes, in Rom
offenbart: Gesandte ziehen hin, die große Erhöhung ihres Gottes aus dem
Osten in der Reichshauptstadt mitzuerleben. Und das ist ein Hauptereignis des
Lebens, die Ehrentage des Gottes in Rom mitgemacht zu haben‘. Daher seine
Verkündigung im Epitaph. Es wird nicht an Widerspruch gegen Dieterich fehlen,
aber wenn es nicht gelingt, seine Auffassung des chronologischen Verhältnisses
der Aberkios- und der Alexandrosinschrift zu widerlegen — mit der Priorität
der ersteren wäre natürlich die Beziehung auf das einige Jahre nach 216 fallende
Fest in Rom unvereinbar —, so wird man die Inschrift im Museum des Lateran,
laut welcher Aberkios auf seinem Steine ‚universae ecclesiae consensus in
unam fidem testatur‘ um ein großes Fragezeichen bereichern müssen. — Zur
Beurteilung der Aberkiosakten hat Conybeare einen Beitrag geliefert,
indem er cap. 15—17 derselben mit einer Erzählung im Talmud von Babylon
verglich (Bull. crit. 1896, 455.). C. W.

Krüger (G.), die Apologien Justins des Märtyrers, hrsg. v. —. 2. Aufl.
Freiburg i. Br., Mohr. XVI, 87 S. ℳ 1,50. [Sammlg. ausg.
kirchen- und dogmengesch. Quellenschr. 1. H.]

Stählin (O.), Beiträge zur Kenntnis der Handschriften des Clemens
Alexandrinus. 35 S. [Schulprogr. d. neuen Gymn. in Nürnberg.]

Kötschau (P.), ein Fragment des Origenes. 49—56 S. [Schulprogr.
des Gymnasiums in Jena.]

Hufmayr (E., O. S. B.), die pseudocyprianische Schrift ‚de pascha computus‘. Augsburg, Pfeiffer. 40 S. 1 Tabelle. [Programm d. Gymn.
St. Stephan f. 1895/96.]

Die Schrift ‚de pascha computus‘ ist nach den (von Schanz, Gesch. d. röm.
Lit. III, 338 angenommenen) Ermittelungen des Vf.s nicht von einem Astronomen,
sondern von einem Kleriker (außerhalb Roms) verfaßt worden und hat den
Zweck, den Osterkanon des hl. Hippolytos zu verbessern. Der unbekannte Autor
will nur aus der hl. Schrift geschöpft haben (über seinen Danieltext f. Texts
and Studies IV 3 S. 6 f.), hat aber thatsächlich sich eng an Hippolytos angeschlossen und außerdem aus Julius Afrikanus geschöpft. Die beigefügte Tabelle
enthält den Versuch einer Rekonstruktion der Ostertafel des codex Remensis
d. h. der einen, uns nur in einer Abschrift erhaltenen Haupthandschrift für ‚de
pascha computus‘. C. W.

Krell (E.), Philo περὶ τοῦ πάντα σπουδαῖον εἶναι ἐλεύθερον, die
Echtheitsfrage. Augsburg, Pfeiffer. 38 S. [Programm d. Gymn.
b. St. Anna f. 1895/96.]

Eine alle inbetracht kommenden Momente berücksichtigende Verteidigung der
besonders von Ausfeld (1887) angefochtenen Echtheit der Schrift über die
Freiheit des Weisen. C. W.

**Hieronymus liber de viris inlustribus, Gennadius liber de viris
inlustribus** hrsg. v. E. Cushing Richardson. — Der sogen.
Sophronius hrsg. v. O. v. Gebhardt. Leipzig, Hinrichs. LXXII, 112
u. XXXIV, 62 S. [Texte u. Untersuchgn. XIV, 1.]

Der hl. Hieronymus wird für die scharfen Angriffe auf sein literarhistorisches
Verfahren nun dadurch entschädigt, daß man sich mit dem Texte der das corpus
delicti bildenden Schrift energisch beschäftigt. Der Ausgabe Bernoullis
(vgl. Hist. Jahrb. XVI, 689) ist in kurzer Zeit die auf breitester handschriftl.
Grundlage ruhende (der Hrsgb. selbst hat 114 Hss. geprüft) des Amerikaners
Richardson gefolgt, und die für die Texteskonstituierung wichtige griechische
Uebersetzung von de viris illustribus, die nichts mit Sophronius zu schaffen
hat, sondern etwa im 7. Jahrh. entstanden sein mag (über ihre Benützung bei
Suidas und Photios s. die im Hist. Jahrb. XVI. 919 notierte Untersuchung
von Wenzel), ist nach der von Bernoulli ermittelten Züricher Hs., der Grundlage der von Erasmus besorgten editio princeps, mit der Sorgfalt ediert
worden, die alle Arbeiten v. Gebhardts auszeichnet. In einem wichtigen Exkurse
S. XXI ff. weist der Hrsgb. nach, daß uns der Schriftstellerkatalog des Hieronymus in mindestens zwei verschiedenen Originalausgaben überliefert ist, und
daß wir in der griechischen Uebersetzung den bei weitem ältesten Zeugen für
eine von Hieronymus selbst etwa ein Jahr nach der ersten veranstaltete neue
Ausgabe des Traktates besitzen. Ueber die ‚Texte und Untersuchungen‘ vgl.
zuletzt oben S. 646.   C. W.

Schulze (E. F.), das Uebel in der Welt nach der Lehre des Arnobius.
Ein Beitrag zur Gesch. der patrist. Philosophie. 42 S. [Jenenser Diss.]

Contzen (B. O. S. B.), die Regel des hl. Antonius. Eine Studie von
P. —. Beilage zum Jahresber. des Gymn. v. Metten. 66 S.

Der Vf. vergleicht die uns in zwei Rezensionen (die eine bei Holste-Brockie
im codex regularum aus unbekannter Quelle, die andere von Abraham
Ecchellensis aus einer arabischen Hs. s. VIII—IX übertragen) vorliegende
Regel, welche sich an Coenobiten, nicht an Eremiten wendet und sehr spät und
sehr schwach bezeugt ist, mit der von Athanasius verfaßten Biographie des
Antonius und mit den dem letzteren zugeschriebenen Briefen und Aussprüchen.
Dabei ergibt sich, daß die Uebereinstimmungen zwischen Biographie und Regel
nicht ausschlaggebender Art sind, daß die hinsichtlich ihrer Echtheit selbst zweifelhaften Briefe ‚kaum den hl. Antonius als Autor legitimieren‘ können, daß dagegen zwischen der Regel und den dem hl. Antonius beigelegten ‚Aussprüchen‘
eine so enge Verwandtschaft besteht, daß man behaupten darf: Die unter dem
Namen des hl. Antonius überlieferte Regel hat zwar diesen nicht zum ‚unmittelbaren‘ Vf., darf aber ihrem Hauptinhalte nach) als sein Werk betrachtet werden.
Ihre Redaktion scheint in einem ‚nicht sehr bevölkerten Kloster‘ erfolgt zu sein,
welches sich der Regel des hl. Pachomius bediente, aber einer asketischen Ergänzung derselben bedurfte. S. 4 hätte erwähnt werden sollen, daß wir die
Vita Antonii des Athanasius auch in einer syrischen Rezension besitzen (vgl.
Theol. Lit.-Ztg. 1896 Nr. 14). S. 18 Anm. 2 ist die richtige Datierung
des Konzils von Gangra (die wir Braun, Hist. Jahrb. XVI, 586 verdanken) einzusetzen.   C. W.

Gismondi (H.), Maris Amri et Slibae de Patriarchis Nestorianorum
Commentaria ex cod. Vat. ed. —. Amri et Slibae textus. Rom,
de Luigi. VII, 157 S.

Vgl. die Rezension im Liter. Centralblatt 1896. Sp. 1140 ff.

Audisio (G.), histoire civile et religieuse des papes, de Constantin
à Charlemagne. 2 vol. Lille, Desclée. 448 u. 440 S.

Ambrosius (Sanctus), select works and letters. Translat. by H. de
Romestin, with the assist of E. de Romestin and H. T. F.
Duckworth. New-York. The Christ. Lit. Comp. XXIII, 497 S.
[Schaff (Ph.), a select library of Nicene and Post-Nicene Fathers,
II. Series, vol. 10.]

Merkle (S.), die ambrosianischen tituli. Eine literar=historisch=archäolog.
Studie. Mit einer Ausgabe der tituli als Anhang. Rom, Komm.
bei Herder in Freiburg i. Br. 2 Bl. 42 S. [Sonderabdr. a. der
Römischen Quartalschr. Bd. X.]

Merkle zeigt in besonnener und methodischer Untersuchung daß die überlieferungs=
geschichtlichen, ästhetischen und kunstgeschichtlichen Gründe, welche man gegen die
Echtheit der zuerst von N. Juret (Paris 1589) in M. de la Bigne s bibliotheca patrum t. VIII edierten ‚disticha sancti Ambrosii de diversis rebus
quae in basilica Ambrosiana scripta sunt' (21 je ein Distichon b. h. 2 Hexa=
meter umfassende Beischriften zu bildlichen Darstellungen biblischen Inhaltes)
geltend gemacht hat, nicht ausreichend sind und läßt S. 34 ff. einen Abdruck
der Gedichtchen in der Reihenfolge der editio princeps mit Nachweisungen der
betr. Bibelstellen, der sprachlichen und sachlichen Parallelen aus den Prosa=
schriften des Ambrosius und der Entlehnungen aus Vergil und Ovid folgen.
Mit 4, 1 ‚praestolatur ovans sponsam de gentibus Isaac' hat Ref. schon
an anderer Stelle carm. epigr. 748, 24 B. ‚adventum sponsi nunc praesto-
lantur ovantes' verglichen. Zu 9, 2 vgl. Aen. I 344, zu 17, 1 Apoll. Sid.
carm. II, : 6. Die Berührung von Dist. 19 und Prudent. Ditt. 3 erklärt
sich wohl aus gemeinsamer Vergilbenützung, nicht aus Beeinflussung des Prudentius durch Ambrosius.   C W.

Herntrich (C.), Augustin u. Rousseau, nach ihren „Bekenntnissen" beurteilt.
Schleswig, Bergas. 51 S. M. 0,80.

Leo (Magnus), the letters and sermons of Leo the Great translated,
with introduction, notes, and indices by Ch. L. Feltoe. New-York,
The Christ. Lit. Comp. XV, 216 S. [Schaff (Ph.), a select
Library of Fathers. II. Series. vol. 12.]

Bibliotheca patrum latinorum britannica. Bearb. v. Heinr. Schenkl.
2. Bd. 3. Abth.: Die schottischen Bibliotheken, nebst den Bibliotheken
v. Trinity College (in Dublin, Irland) u. Holkham (Norfolk). (2985
— 3599 A.) Wien, Gerold in Komm. 90 S. m. 1 Tafel. M. 2.

Emmerich (Frz.), der hl. Kilian, Regionarbischof u. Martyrer. Historisch=
kritisch dargestellt. Würzburg, Göbel. XII, 136 S. M 1,50.

Giannoni (C.), Paulinus II, Patriarch von Aquileja. Ein Beitrag zur
Kirchengeschichte im Zeitalter Karls d. Gr. Wien, Mayer & Co. 127 S.

Eingehende Quellenforschung und tüchtige Beherrschung der alten christlichen
Topographie zeichnen die Arbeit aus. Die Behandlung des Patriarchen Paulinus'
und seiner Heerde im engeren und weiteren Sinne (Sprengel und Provinz) ist
deswegen so interessant gestaltet worden, weil der Vf. nie die Fühlung mit der
allgemeinen Kirchengeschichte verloren hat. Die Feststellungen bezüglich des
Verhältnisses des Paulinus zum Gelehrtenkreise Karls des Großen sind außer=
ordentlich interessant und der weitere Verlauf der Untersuchung dieses Punktes
zeigt uns den Patriarchen als einen der einflußreichsten Männer des Franken=
reiches: „Zu Alcuin im Westen und Arno im Osten gehört im Süden der
Patriarch von Aquileja, Paulinus" (S. 126). Die Untersuchungen über Paulinus
Anteilnahme an den dogmatischen Fragen seiner Zeit orientieren ausgezeichnet
über die damals herrschenden Streitigkeiten, die Verteidiger der Irrlehren und
ihre Gegner. Mit Bedauern vermißt man einen Index; einzelne Druckfehler
sind stehen geblieben und die Zitiermethode ist nicht immer gleichmäßig.
                                                                  P. M. B.

Vondrák (B.), die Freisinger Denkmäler, ihr Ursprung und ihre Bedeutung
in der slavischen Literatur. (In tschechisch. Sprache.) Prag. 82 S.
8 Taf. [Akad. Ceska. III, 3]

Behandelt Codex lat. Monacensis (saec. X—XII) Nr. 6426, welcher die
Formulae liturgicae Slavicae enthält.

Evetts (B. T. A.), the churches and monasteries of Egypt attributed to Abû Sâlih, the Armenian. Edit. and transl. by —. With notes by A. J. Butler. Oxford, Clarendon Press. 1895. XXV, 382 S. nebst arab. Text und 1 Karte. [Anecd. Oxon. Semitic Series Part. VII.]

*Nicephori Blemmydae curriculum vitae et carmina nunc primum ed. A. Heisenberg. Praecedit dissertatio de vita et scriptis Nicephori Blemmydae. Lipsiae, Teubner. CXI, 136 S. ℳ. 4.

Heisenberg, ein Schüler Krumbachers, veröffentlicht aus dem cod. Monac. Gr. 225 die Selbstbiographie des Nikephoros Blemmydes (1197—c. 1272). Dieselbe ist bereits von Demetrakopulos im 1. Bde seiner ‚ἐκκλησιαστικὴ βιβλιοθήκη‘ verwertet worden, aber ohne Bezeichnung der Quelle, so daß Haneberg im Theol. Literaturbl. I (1866) 773 ff. (ich habe auf Hanebergs Notiz schon im Hist Jahrb. XII, 84 aufmerksam gemacht) bemerken konnte, diese von Demetrakopulos mitgeteilten autobiographischen Nachrichten fänden sich auch im cod. Mon. 225. Aber erst die vollständige Publikation der Vita ermöglicht eine eingehende Würdigung der interessanten Individualität des Nikephoros Blemmydes, und sowohl durch die, soweit ich urteilen kann, sorgfältige Edition als durch die aufschlußreiche Abhandlung vor dem Texte (es wird z. B. erwiesen, daß N. Bl. in der Kontroverse über den Ausgang des hl. Geistes sich zwar den Lateinern genähert, aber nie das ‚filioque‘ gebilligt hat, und das Georgius Valla sich stark am literarischen Eigentum des N. Bl. vergriffen hat) hat sich Heisenberg entschieden sehr verdient gemacht. Ref. hätte nur gewünscht, daß die Prolegomena eine etwas knappere Fassung erhalten hätten (der Abschnitt ‚de vita auctoris‘ hätte in Regestenform gebracht werden können), und der hiedurch gewonnene Raum für einen sprachlichen Index (in den beigegebenen Gedichten finden sich geradezu aristophanische Wortungeheuer) verwendet worden wäre. Auch der Nachweis der Bibelstellen wäre — besonders bei den Gedichten (die ‚Ἀκολουθία εἰς τὸν ἅγιον Γρηγόριον τὸν θεολόγον‘ bezieht sich auf Gregor von Nazianz, nicht auf Gregor den Wunderthäter, wie S. XCV angegeben wird; das richtige im Index S. 135), in denen das biblische Sprachgut bisweilen mit Händen zu greifen ist —, keineswegs überflüssig gewesen. In der die Vorrede schließenden ‚gratiarum actio‘ ist eine kleine ‚Emendation‘ zu machen; ich muß es aber dem Hrsg. selbst überlassen, die korrekturbedürftige Stelle zu ermitteln.   C. W.

Goldziher (Jgn.) u. Landberg=Hall (C. Graf v.), die Legende v. Mönch Barsisâ. In 100 Exempl. abgez. Kirchhain, Schmersow. 2. Bl. 28 S.

Kaluzniacki (Ae.), actus epistolaeque apostolorum palaeoslovenice. Ad fidem codicis Christinopolitani saeculo XII⁰ scripti edidit —. Wien, Gerold. XXXIV, 375 S. m. 1 Lichtdr.=Taf. ℳ 14.

Beissel (St.), die Verehrung U. L. Frau in Deutschland während d. MA. Freiburg i. B., Herder. VII, 154 S. ℳ. 2. [Stimmen aus Maria=Laach. Ergänzungshefte. 66.]

Albert (F. R.), die Geschichte der Predigt in Deutschland bis Luther. Tl. 3: Die Blütezeit der deutschen Predigt im MA. 1100—400. Gütersloh, Bertelsmann. VIII, 210 S. ℳ 2,80.

May (J.), zum Leben Pauls von Bernried. Nachtrag. 4⁰. S. 22—26. [Schulprogramm des Gymnasiums in Offenburg.]

Magnette (F.), Saint Frédéric, évêque de Liège 1119—20. Lüttich, Grandmont-Donders. 40 S. [Sonderabdruck.]

Pawlicki (B.), Papst Honorius IV. Eine Monographie. Münster i. W.,

Schöningh. VIII, 127 S. [Kirchengeschichtl. Studien v. Knöpfler, Schrörs u. Sdralek, Bd. 3, Heft 1.]

Honorius IV, dessen Pontifikat „allerdings mehr zu den uns sympathischen als zu den objektiv bedeutenden" gehört, wird uns in seinem Leben und Wirken in sieben Abschnitten geschildert. An die Darstellung der Vorgeschichte und Wahl Honorius IV schließt sich eine gründliche Erörterung der sizilianischen Wirren, die von dem Abschnitte: „Honorius' IV Verhältnis zu Deutschland und König Rudolf von Habsburg", durch eine Untersuchung über die Kreuzzugsfrage getrennt wird. An fünfter Stelle wird des Papstes Wirksamkeit in Italien behandelt, woran sich zwei Abschnitte über des Papstes Verhältnis zu den übrigen christlichen Ländern und seine Thätigkeit in der inneren Regierung der Kirche sachgemäß anschließen. Zum Schlusse erzählt der Vf. den Tod des Papstes und beleuchtet seine Thätigkeit im allgemeinen. Sorgfältige Quellenbenutzung, klare Anordnung und sachgemäße Darstellung zeichnen die Schrift aus. Die Kritik ist gründlich und dabei doch immer maßvoll. Ich erblicke in der Arbeit, trotz Prou, eine wesentliche Bereicherung der historischen Literatur über das 13. Jahrh. Wenn ich die beiden Abschnitte über die sizilianische Frage und über das Verhältnis des Papstes zu König und Reich als besonders gelungen bezeichne, so thue ich das mit dem Vorbehalte, daß sowohl die allgemeine Auffassung der Bemühungen Eduards von England in der Aussöhnung des aragonesischen Hauses mit der Kirche, wie die Schilderung der Ernennung Percivals von Lavagna zum Reichsverweser in Toscana eine von der Darstellung des Vf.s etwas abweichende Erklärung zulassen. Bezüglich der Bemerkung über die Briefe des Papstes gegen König Ladislaus (S. 105) siehe meine Anmerkung in der Literar Rundschau. Die sehr vorsichtige Benutzung der in sich widerspruchsvollen Angaben der Chronik Salimbenes ist nur zu loben. Wichtig ist der Nachweis, daß die Regierung Honorius' IV keinen direkten Systemwechsel im Vergleiche zu der Martins IV aufweist und daß trotzdem, dank der milden versöhnlichen Art des Papstes die schwebenden Fragen zu behandeln und zu erledigen, sich fast alle Verhältnisse zum besseren gewandt hatten, als er die Augen schloß. Bedauerlich ist, daß die Stellung des Papstes zu den Orden und der Universität Paris etwas stiefmütterlich behandelt worden ist. Der vom Vf. etwas schüchtern zugegebene Vorwurf des Nepotismus ist energisch zurückzuweisen. Die Verbesserung der Druckbogen ist hie und da etwas eilig geschehen: außer einfachen Druckfehlern sind auch Textentstellungen zu verzeichnen. Auch in der Druckerei hat es an der notwendigen Sorgfalt gefehlt. Das Namen- und Sachregister am Schlusse der Schrift ist fleißig und ausreichend.

Paul Maria Baumgarten.

Gay (Th.), the Waldenses: their rise, struggles, persecutions and triumphs. London, Blackwood and Co

Cherance (L.). St. Anthony of Padua. Rendered into english by father Marianus, with introduction by father Anselm. London, Burns and Oates. XXVIII, 220 S.

Gayraud (H.), l'Antisémitisme de St. Thomas d'Aquin. Paris, Dentu. XI, 370 S.

Ehrmann (Frz.), die Bulle „Unam Sanctam" des Papstes Bonifazius VIII. Nach ihrem authent. Wortlaut erklärt. München, Würzburg, Göbel. 51 S. ℳ 1.

Nováček (Adb.), Copialbuch des apost. Nuntius Bertrand de Macello 1366—68. Hrsg. v. —. Prag, F. Řivnáč in Komm. 41 S. ℳ 0,60. [Aus: Sitzungsber. d. k. böhm. Ges. der Wiss.]

Rondoni (G.), il mistero di Santa Caterina in un codice della biblioteca comunale senese. Siena, Lazzeri. 1895. 35 S. [Estr. dal „Bull. Sen." Anno II fasc. III—IV.]

58*

Procter (J.), Savonarola and the reformation. London, Cathol. Truth Society. 64 S.

Morgenroth (Th.), Martinus Lutherus quomodo initio theologiae suae interpretatus sit Psalmos. Oratio in memoriam Augustanae confessionis ex lege beneficii Lynckeriani die XXX. mens. mai anni MDCCCXCIV. 31 S.

Luther (M.), Disputationen in den J. 1535—45 an der Univ. Wittenberg geh. Zum 1. Male hrsg. v. P. Drews. 2. Hälfte. Göttingen, Vandenhoeck & Ruprecht. V—VI, S. 347—999. *M* 35.
Vgl. Hist. Jahrb. XVI, 897. Der Anhang enthält ein Namen=, Bibelstellen= und Sachregister.

Burckhardt (M. A.), Luthers Vorstellung. v. d. Entstehung und Entwicklg. des Papsttums. 19 S. [Schulprogr. d III. Realschule in Leipzig.]

Horbach (Ph.), die Nachkommen Luthers. Aus Anlaß der Gedächtnisfeier des 350jähr. Todestages Dr. Martin Luthers am 18. Febr. 1896. Leipzig, Wigand. 32 S. m. 9 Abbildgn. [Aus: Quellwasser.]

Gustav (G.), Philipp Melanchthon. Ein Lebensbild für jung und alt zur Feier seines 400jähr. Geburtstages Breslau, Sperber. IV, 106 S. mit 3 Abbildgn: *M* 0,90.

Calvini (Ioa.), opera quae supersunt omnia. Edd. Guil. Baum, Ed. Cunitz, Ed. Reuss. Vol. 55. Braunschweig, Schwetschke & Sohn. 4⁰. VII S. u. 516 Sp. *M* 12. [Corpus Reformatorum. Vol. 83.] Vgl. oben S. 423.

Jäckel (J.), zur Frage über die Entstehung der Täufergemeinden in Oberösterreich. 39 S. [Schulprogr. d. Gymn. in Freistadt i. Ob.=Oest.]

Stöckl (A.), Kirche und Schule während und unmittelbar nach der Reformationszeit. Mit einer kurzen Lebensskizze des Vf.s vom Hrsg. Kempten, Kösel. 61 S. *M* 0,60. [Pädagog. Vortr. u. Abhdlgn. H. 16.]

Eissenlöffel (L.), Franz Kolb, ein Reformator Wertheims, Nürnbergs u. Berns. Sein Leben und Wirken, mit 15 Beilg., darunter die von Franz Kolb i. J. 1524 eingeführte erste evang. Gottesdienstordnung und das von ihm im gleichen Jahre verfaßte erste evang. Bekenntnis der Stadt Wertheim a. M. Zell i. W., Specht. 1895. IV, 131 S. *M* 2,50.
Dieser biographische Versuch hat für die deutsche und Schweizer Reformations= geschichte Bedeutung, insofern Kolb seine Thätigkeit in Süddeutschland und der Schweiz entfaltete und die zerstreuten Notizen über ihn hier zum erstenmal zu einem Lebensbild verarbeitet werden. Mit großem Fleiße wurde alles zusammen= getragen, was sich auf K. bezieht. Er stammt aus Inzlingen bei Lörrach, geboren 1465, studierte später an der Universität Basel, wurde 1497 zum Magister promoviert und übernahm dann eine Lehrstelle an der dortigen St. Martins= schule, bis er von Zwingli abgelöst wurde. Dann trat er als Mönch in ein schweizerisches Karthäuserkloster, das Vf. nicht ausfindig machen konnte, und übernahm dann 1504 die Stelle eines Stadtpredigers in Freiburg i. Schw., im Jahre 1509 folgte er einem Rufe nach Bern in gleicher Eigenschaft und zog sich dann 1512 wieder in die Stille eines Karthäuserklosters nach Nürnberg zurück. Hier schloß er sich der Reformation an, begann 1523 eine neue Wirksam= keit als Reformator von Wertheim in Franken und verfaßte ein in manchen

Punkten von Luther abweichendes evangelisches Bekenntnis. Dann kehrte er
nach Nürnberg zurück als Vertreter der Zwinglischen Richtung und verheiratete
sich in seinem 60. Altersjahre. Da man ihn beargwöhnte und verfolgte, ging
er 1527 nach Bern zurück, und begann hier mit Erlaubnis des Rates seine
Thätigkeit als Prediger; und noch vor der Disputation wurde er als solcher
angestellt. Er verehelichte sich hier zum zweitenmale und machte sich dann mit
Eifer daran, in Bern die Reformation durchzuführen, bis der Tod seiner
Wirksamkeit ein Ziel setzte im Jahre 1535. Dies sind die äußeren Schicksale
des Berner Reformators. Zur Beurteilung der politischen Verhältnisse in Bern
und Freiburg mangelt es dem Vf. an klarem Blick und richtigem Verständnis
der Quellen. Wenn Vf. behauptet, daß die Qualität der Predigten vor der
Reformation „im großen und ganzen eine minderwertige und zum großen Teil
unterdristliche" war, so deutet das auf eine sehr flüchtige Bekanntschaft mit der
mittelalterlichen Predigtliteratur, aus der auch noch ein heutiger „Stadtvikar"
etwas lernen könnte. Auch von dem Amte eines Stadtpredigers, wie es deren
im 15. Jahrh. sehr viele gab, scheint Vf. keine richtigen Ansichten zu haben.
Kolb hatte wohl neben seiner Predigerstelle in Freiburg auch ein Benefizium
in Murten (Morat!) (vgl. Apollinaire D e l l i o n , dictionnaire des paroisses
du canton de Fribourg VI, 367), ohne daß er deswegen Freiburg verließ.
Ueber das Amt eines Kantors in Freiburg ist zu vergleichen H e i n e m a n n ,
Geschichte des Schul= und Bildungslebens im alten Freiburg S. 154 ff. (vgl.
oben 214). Kolb war nie Schulmeister in Freiburg; es ist ein arges Miß=
verständnis. Die in Anm. 35 zitierte Stelle aus Ratsbuch Nr 25 sagt nur,
daß der neue Schulmeister beim Chorgesang aushelfen mußte und deshalb dem
Magister Franz Kolb unterstellt war. Der damalige Schulmeister hieß Nikolaus
Schönenberg (vgl. H e i n e m a n n). Unter den Beilagen sind einige inedita
von Wichtigkeit wie die Berufung Kolbs nach Bern, der Ratschlag Wertheims
vom Jahre 1524, die Fragenartikel des Nürnberger Rates an Franz Kolb und
dessen Antworten.   A. B.

G e y e r (Th.), die Nördlinger evang. Kirchenordnungen des 16. Jahrh.
Erlanger Diss. Nördlingen, Beck. 23 S.
Bespricht zunächst Kaspar Kantzens evangelische Messe v. J. 1522 und zweitens
Kantzens Stellung zur Kirchenordnung v. J. 1538.

* **L o s e r t h (J.), die steirische Religionspacifikation 1572—78. Nach den**
Originalen des steiermärkischen Landesarchivs hrsg. und mit einer Ein=
leitung versehen. Graz, Selbstverlag der Kommission. 102 S. [Ver=
öffentlichungen der Histor. Landeskommission f. Steiermark I.]
Als Früchte der rührigen Thätigkeit, welche die Historische Landes=Kommission
für Steiermark entfaltet, liegen zwei Publikationen vor (s. hier S. 884, 946).
Schritt für Schritt wich Karl vor dem Andrängen der protest. Landstände Inner=
österreichs Jahre lang zurück. Welche Zugeständnisse er dabei machte, wie immer
neue Forderungen an ihn gestellt wurden, wie sich die innerösterreichischen
Protestanten kirchlich organisirten, das alles enthält die von L. edierte sogenannte
Pacifikation. In der Einleitung legt L. die damalige Sachlage ganz zutreffend
dar. „Wenn man die Härte der Gegenreformation in österreichischen Ländern
beklagt, man darf doch das Eine nicht vergessen, daß sie nichts enthält, was dem
Augsburger Religionsfrieden widerspräche." Ganz richtig zeichnet L. die List
der österr. Stände, welche sich bei ihrer Forderung nach Religionsfreiheit auf
ihre Standschaft bewiesen, während der Religionsfriede für diese Freiheit nicht
die Standschaft (Landstandschaft), sondern Reichsstandschaft voraussetzte.   H.

B r a n d i (K.), der Augsburger Religionsfriede vom 25. September 1555.
Kritische Ausgabe des Textes. München, Rieger. 36 S.
Ein im Buchhandel erschienener Sonderabdruck aus dem von Brandi bearbei=
teten IV. Bde. der D r u f f e l schen Beiträge zur Reichsgeschichte (s. oben S. 886)
der den ersten Entwurf des Religionsfriedens im Fürstenrate und den end=
giltigen Text enthält. Die Ausgabe ist außerordentlich dankenswert, denn sie

bietet zum ersten Male einen kritischen Text mit den Varianten der entscheidenden Entwürfe und mit dem wichtigsten entsprechenden Material an Vorschlägen, Bedenken, Korrespondenzen und Protokollen. Auch der augenblickliche Stand der Forschung ist bei den einzelnen Artikeln des Friedens durch Hervorhebung der Kontroversen angegeben und so die Grundlage für weitere Forschung geliefert. Sehr erleichtert wird die Benutzung durch die am Rande angefügten Artikelsüberschriften.   A M

Beiträge zur Reformationsgeschichte. Herrn Oberkonsistorialrat Professor Köstlin bei der Feier seines 70. Geburtstages ehrerbiet. gewidmet v. Albrecht, Brieger, Buchwald, Kawerau, Koffmane, Kolde, Müller, Rietschel, v. Schubert. Gotha, Perthes. VII, 228 S. ℳ 5.

*Braunsberger (O.), beati Petri Canisii, societatis Iesu, epistulae et acta. Collegit et adnotationibus illustravit — Vol. I. 1541—56. Friburgi, Herder. 8⁰. LXIII, 816. ℳ 14.

Von dem schon längst erwarteten Briefwechsel des sel. Canisius liegt nun der erste Band in mustergültiger Ausstattung vor. Das ganze Werk ist auf 6--8 Bände berechnet, von denen i J. 1897, dem dritten Centenarjahre des Hinscheidens des Seligen, der zweite und dann etwa Jahr um Jahr ein weiterer erscheinen soll. In einer längeren Einleitung verbreitet sich P. B. unter anderm über die bei der Herausgabe der Briefe befolgten Grundsätze. Mag man auch hier über die eine oder die andere Einzelheit verschiedener Ansicht sein, so wird man doch anerkennen müssen, daß das neue Quellenwerk, zu dessen Herstellung mehr als 200 Archive und Bibliotheken durchforscht worden sind, den heutigen kritischen Anforderungen vollauf genügt; es ist ein Monumentalwerk im wahren Sinne des Wortes. Nebst der orientierenden Einleitung enthält es: 1. Selbstbiographie von Canisius (S. 1–68); 2. die von und an Canisius geschriebenen Briefe aus den Jahren 1541–56 (S. 68–651); 3. aus derselben Zeitperiode zahlreiche Monumenta Canisiana, d. h. Urkunden und kleine Notizen über die Thätigkeit des berühmten Jesuiten in Mainz, Köln, Trient, Bologna, Ingolstadt, Wien und Prag. Da jedermann weiß, welche hervorragende Rolle Canisius im 16. Jahrh. in Deutschland gespielt hat, so ist es wohl unnötig, die hohe Bedeutung der neuen Publikation noch eigens hervorzuheben. Schon der erste Band, der mit der Ernennung des Seligen zum Provinzial für Oberdeutschland abschließt, bietet manche wichtige Aufschlüsse über die Niederlassung der Jesuiten in Köln, sowie über die Gründung der Jesuitenkollegien in Ingolstadt, Wien und Prag. Obgleich Ref. die hochinteressanten Briefe mit den vielen erläuternden Anmerkungen sehr aufmerksam gelesen hat, so hat er doch nur ganz wenige ungenaue Angaben entdecken können. S. 49³ steht Calvin statt Zwingli. Die auch bei anderen Autoren vorkommende Angabe, daß der Kölner Karmeliter Eberhard Billick Steinberger geheißen hat (100¹), ist irrig, wie mir ein befreundeter Forscher, der eine Monographie über Billick vorbereitet, mitteilt. Billicks Defensio (149¹) war im Mai 1545 schon veröffentlicht; Canisius erwartete den zweiten Teil des Werkes, der jedoch nie erschienen ist. Stempel und Pesselius, aus denen B. (100⁸) zwei verschiedene Dominikaner macht, sind eine und dieselbe Persönlichkeit, wie vom Ref. im Katholik 1896, Novemberheft, nachgewiesen wird. Die Salzburger Synode vom Jahre 1544 (120⁶) hat nie stattgefunden. Vgl. hierüber Druffel, Karl V und die römische Kurie. 1. Abt., in: Abhandl. d. bay. Akad. d. Wissenschaften XIII, 247. Einen Brief von Schorich an Canisius, 29. Oktober 1554, gibt es nicht (505). B. hat sich hier von Gothein, auf dessen zahlreiche irrige Angaben er übrigens hier und da hinweist, irreführen lassen. Der betreffende Brief ist am 16. Oktober an Kessel geschrieben worden. Vgl. hier oben S. 570, wo jedoch infolge eines Druckfehlers der Brief vom 15. Oktober datiert ist. Dies ist ungefähr alles, was Ref. an den höchst belehrenden Anmerkungen auszusetzen fand. Ein aus-

führliches Namen= und Sachregister erleichtert den Gebrauch des wertvollen
Briefbuches, das mit einem durch Ed. von Steinle gezeichneten Brustbilde des
sel. Canisius geziert ist. **N. P.**

* **Hansen** (J. G.), rheinische Akten zur Geschichte des Jesuitenordens
1542—82, bearbeitet von —. Bonn, Behrendt. LI, 837. 8°. *M.* 20.
[Publikationen der Gesellschaft für rheinische Geschichtskunde. XIV.].
Der Kölner Stadtarchivar Dr. Hansen, der bereits durch (s. Hist. Jahrb,
XIV, 368) die Herausgabe der Nuntiaturberichte aus Deutschland 1572—85
Bd. I und II, als Editor sich trefflich bewährt hat, bietet uns in dem vorliegenden Werke zahlreiche Dokumente, die an Wichtigkeit den Nuntiaturberichten
in nichts nachstehen. Die mitgeteilten Aktenstücke — es sind teils Privatschreiben,
die zwischen Jesuiten gewechselt worden, teils amtliche nach Rom abgesandte
Ordensberichte — wurden in erster Linie dem Archiv der Studienstiftungen zu
Köln entnommen, doch sind daneben auch verschiedene andere Archive benutzt
worden. Die Mitteilungen erstrecken sich vom J. 1542, wo die ersten Jesuiten
nach Köln kamen, bis zum J. 1582, wo es der Kölner Niederlassung nach
vierzigjährigen Anstrengungen endlich gelang, ihre feste Fundierung zu erreichen.
Sie enthalten manche wichtige Angaben nicht bloß über die Entwickelung des
Kölner Kollegiums, sondern auch über die früheste Wirksamkeit der Jesuiten in
Deutschland, namentlich aber in den Rheinlanden. Für die Geschichte der
katholischen Restauration ist das neue Werk von überaus großer Bedeutung.
Hier tritt klar zu Tage, wie die Reformbestrebungen, welche der katholischen
Kirche einen neuen Aufschwung gewährten, vornehmlich von der Gesellschaft Jesu
ausgingen. Für die ersten Jahrzehnte deckt sich diese Publikation vielfach mit
dem gleichzeitig erschienenen ersten Bande des Briefwechsels von Canisius. Viele
Aktenstücke finden sich zugleich in beiden Werken. Doch ist es H. gelungen, im
Düsseldorfer Staatsarchiv drei Canisiusbriefe (Nr. 42, 50, 61) zu entdecken, die
den Nachforschungen Braunsbergers entgangen sind; anderseits war B. in der
Lage, aus dem Ordensarchiv mehrere Briefe mitzuteilen (Nr. 13, 16, 20, 24,
25, 33, 120), die bei H. fehlen. Daß bei einer so umfangreichen Publikation
einige kleinere Irrtümer mitunterlaufen, ist kaum zu vermeiden. Wenn Ref.
einige dieser Ungenauigkeiten hervorhebt, so ist es bloß um zu zeigen, welches
Interesse er das neue Werk gelesen hat. Pesselius (18⁷) ist erst 1545 Provinzial
geworden (Braunsberger 162). Der auf S. 19⁴ erwähnte Brief von Canisius
ist vom 23. März 1543, nicht vom 11. April 1544. Nr. 25 ist 1544, nicht 1545
geschrieben worden. Nr. 33 ist vom 2., nicht vom 11 Juni. Der Orator des
Kardinals Otto in Trient 1547 war Claudius Jajus, nicht Martin de Olave
(71²). Daß Canisius 1550 zum Provinzial für ganz Deutschland ernannt
worden (163², 267²), ist unrichtig; er ist erst 1556 Provinzial geworden, und
zwar nur für Oberdeutschland (Braunsberger 623). In Nr. 136 ist nicht
von Billick die Rede. Pighius konnte nicht auf dem Trienter Konzil thätig sein
(470¹), da er bereits 1542 gestorben ist. Der S. 470³ erwähnte Dominikaner
Soto hieß Pedro, nicht Franz. In Nr. 348 (S. 491) steht Langer, statt Zanger;
ebenso im Register, das übrigens mit großer Sorgfalt bearbeitet ist. **N. P.**

Andersen (J. O.), Holger Rosenkrantz den Laerde. En biografisk
skildring med bidrag til belysning af Danske Kirke og studie —
forhold i det syttende aarhundredes første halvdel. Kopenhagen,
Bang. 1 Portr., 2 Bl., 413 S.

Vedder (H. C.), eine kurze Geschichte der Baptisten. Hamburg, Oncken.
VI, 147 S. mit 1 Bildnis. *M.* 1.

Sinclair (W. M.), Leaders of thought in the English church. London,
Hodder & S. sh. 6.

Fritschel (G. J.), Geschichte der lutherischen Kirche in Amerika, auf
Grund v. H. C. Jacobs ,History of the evang. luth. church

in the United States' bearb. Tl. 1: Geschichte der Entwicklung der lutherischen Kirche in Amerika bis zu Mühlenbergs Tode. Gütersloh, Bertelsmann. XV, 212 S. mit 25 Abbildgn. u. Karten. *M.* 3,50.

Atkinson (J.), the beginnings of the Wesleyan movement in America and the etablishment therein of Methodism. New - York, Hunt & Eaton. X, 458 S. d. 3.

Ingold (A.), le monastère des Unterlinden de Colmar au treizième siècle. Partie I: Fondation, Regestes. Strasbourg - Paris, Imprimerie Strasbourgeoise-Picard. Lex. 8⁰. 19 S.

Das Dominikanerinnenkloster Unterlinden zu Kolmar in Elsaß gehört zu den „besondern Stammsitzen, in denen das mystische Leben mit dem glänzendsten Erfolg geübt und getrieben wurde". Die Lebensbeschreibungen der ersten Schwestern des Klosters von der Priorin Katharina von Gebweiler werden oft erwähnt (vgl. Kirchenlexikon VII², 341) Vorliegende Publikation enthält einen alten Bericht über die Gründung des Klosters i. J. 1232, nebst 121 Regesten aus dem 13. Jahrh.   N. P.

****Kerler**, päpstliche Urkunden für das St. Stephanskloster zu Würzburg aus den Jahren 1228—1452. Mitgeteilt von —. S. 81—91. [Separatabdr. aus: Arch. d. hist. Ver. v. Unterfrank. Bd. XXXVII.]

Textabdrucke von Urkunden, die auf der Würzburger Universitätsbibliothek aufbewahrt werden. Vf. verweist besonders auf die Nrn. 6—9, welche die Wahl des Abtes Berthold von St. Stephan bestätigen, trotzdem dieselbe erfolgt sei im Widerspruch mit dem päpstlichen Vorhaben, bei der diesmaligen Erledigung die Ernennung des Abtes von St. Stephan dem römischen Stuhle vorzubehalten. Der Hrsgb. glaubt an der Hand dieser Urkunden zeigen zu können, wie die Kurie in der so kritischen Zeit des Baseler Konzils verfuhr, um eine vollzogene Thatsache mit ihrem abweichenden Standpunkte in Uebereinstimmung zu bringen.

****Cartellieri** (A.), regesta episcoporum Constantiensium. Regesten zur Geschichte der Bischöfe von Konstanz von Bubulcus bis Thomas Berlawer 517—1496. Hrsg. v. d. bad. hist. Komm. Bd. 2. 2. u. 3. Lfg. 1314—51. Bearbeitet von —. Innsbruck, Wagner. 4⁰. 155 S. *M.* 8.

Die vorliegende Doppellieferung trägt das Gepräge derselben Vollendung wie die erste Lieferung des zweiten Bandes. Vgl. Hist. Jahrb. XVI, 203. Der scharfsinnige und kritische Bearbeiter hat sich seitdem noch mehr in seinen Stoff eingelebt, der nun immer spröder wird, der aber auch an allgemeiner Bedeutung stets zunimmt. In der zu besprechenden Lieferung wird das Werk von dem Episkopat Gerhards IV bis auf Ulrich III Pfefferhart gefördert. Sie umfaßt daher die gesamte ereignisreiche Zeitperiode Ludwigs des Bayern. Die Stürme in der Kirche im ganzen spiegeln sich wieder in den unheilvollen Einzelwirkungen des dreißigjährigen Interdikts. Diese Wirkungen sind Sittenzerfall, der sich in Pfründenkumulation und zwiespältigen Bischofswahlen äußert, und Rückgang des kirchlichen Einflusses in den aufstrebenden, zu Ludwig haltenden Städten, hier insbesondere in Konstanz selbst. Auch die langen Vakaturen des Konstanzer Bischofsstuhles (1318—22; 1344—45) sind ein Zeichen der Zeit. Heinrich von Diessenhofen und Johann von Winterthur werden in umfassender Weise verwertet. Nächst der schon bei Besprechung der ersten Lieferung hervorgehobenen „geschichtlichen Ueberlieferung" zu den einzelnen Bischöfen sind in der Fortsetzung Notizen zur Charakteristik der Bischöfe, sowie Angaben über „Wappen und Bildnis" derselben hinzugefügt. Ebenso ist jedem Episkopat eine „Vorgeschichte" des betreffenden Bischofs vorangestellt. Durch alle diese Beigaben gewinnt das Werk für den Forscher an Wert, die spröden Regestenreihen werden dadurch belebt und illustriert, und der badischen historischen Kommission wird jeder nur Dank wissen, daß sie dieses Hinausgreifen über den ursprünglichen Plan des

Werkes ermöglicht hat. In diesen Beigaben liegt die Bleiftiftskizze einer Konstanzer Bischofsgeschichte vor uns. Die Regesten sind die volle Palette dazu, von der der künftige Darsteller die Farben zur Vollendung des Bildes nehmen muß.

K. B.

* **Schulte** (Al.), über freiherrliche Klöster in Baden. Reichenau, Wald= kirch und Säckingen. Freiburg i. Br. u. Leipzig, Akad. Verlags= buchhandlung J. C. B. Mohr. 4°. 45. S. Als Separatabdruck im Buchhandel nicht erhältlich. [Separatabdruck aus dem Freiburger Universitäts=Festprogramm zum 70. Geburtstag des Großherzogs Friedrich von Baden.]

Zu Ehren des 70. Geburtstages des Großherzogs von Baden hat die Uni= versität Freiburg ein Festprogramm erscheinen lassen. In demselben behandelt A. Sch. unter dem angegebenen Titel eine Frage, die von gleichem Interesse ist für die Kirchengeschichte, die politische Geschichte, die Wirtschafts= und die Rechtsgeschichte. Er beschreitet ein noch gänzlich unbekanntes Gebiet, für das er erst den Namen schaffen mußte. Es ist zwar seit langem bekannt, wie der Verfall vieler Klöster im späteren Mittelalter eine Folge davon war, daß dieselben zu Versorgungsanstalten für nachgeborene Adelssöhne herabgesunken waren. Daran jedoch, daß es möglicherweise Klöster gegeben, die von Anfang an nur Freie aufnahmen und an denen sich jene schlimmen Folgen erst dann zeigten, wenn durch das allmähliche Verschwinden des gemeinfreien Standes der Nach= wuchs sich nur noch aus freiherrlichen Familien rekrutierte, hat wohl niemand gedacht. Sch. tritt nunmehr an der Hand eingehender Urkundenkritik für drei Klöster im Gebiete des heutigen Baden den Beweis an, daß sie, soweit die Quellen zurückreichen, nur freiherrliche Mitglieder hatten. Es sind dies die Benediktinerabtei Reichenau, für die Sch. zwischen 1165 und 1425 115 Kon= ventualen nachweist, ferner das Frauenkloster Waldkirch im Schwarzwald, eine Stiftung der Schwabenherzogin Reginlind († 958), und das nachmalige adelige Damenstift Säckingen, das in karolingische Zeit hinaufreicht. Bei Reichenau insbesondere tritt die Abwehr gegen Mitglieder aus Ministerialenfamilien sehr zu tage. Während für Reichenau Sch. hauptsächlich Namen aus Freiherrn= familien nachweist, finden sich in den beiden Frauenklöstern eine beträchtliche Zahl aus Grafengeschlechtern. Schulte erklärt diese Thatsache damit, daß für nachgeborene Grafensöhne in den Patronatspfarreien der betreffenden Grafen= familien besser gesorgt war, insbesondere seit Ueberhandnehmen der Pfründen= häufung, als in der einzelnen Pfründe eines Klosterkonventualen. Wertvolle wirtschaftliche Zusammenstellungen über den Vermögensstand der behandelten Klöster im 13. und 14. Jahrh sind beigefügt. — Sch. hat hier reiche Anregung für fernere Arbeiten gegeben. Erst bei einer Untersuchung über die deutschen freiherrlichen Klöster insgesamt werden die hier gewonnenen Resultate gesichert und vertiefter dastehen, wird, was jetzt noch Vermutung ist, zur bewiesenen Thatsache, wird endlich die Rechtsgeschichte die wertvolle Frucht einer überaus mühsamen Aussaat ernten. Auch hier hat uns Sch. die ersten Garben aus dem Vollen geschnitten.

K. B.

Steichele (A. v.), das Bistum Augsburg, historisch u. statist. beschrieben, fortges. v. A. Schröder. 42. H. Augsburg, Schmids Verl. Namens= register zum 2. u. 3. Bd. 43 u. 56 S. ℳ 1,03.

Lehmeier (J.), Probstei und Pfarrei Litzlohe. Neumarkt i. O., J. M. Bögl. XVI, 207. ℳ 2.

Das Pfarrdorf Litzlohe, im Bistume Eichstätt, in der Nähe von Neumarkt gelegen, soll nach den Angaben L.s von etwa 700—1537 eine Probstei des Klosters St. Emmeran in Regensburg gewesen sein. Aber S. 51 gesteht der Vf. selbst, daß gegen das J. 1031 Weltpriester daselbst gewirkt haben; erst gegen 1190—1333 treffen wir in der Seelsorge Ordensleute angestellt; und nur ein einziger dieser Mönche kann mit Namen angeführt werden: Heinrich, plebanus de Luzelnoch 1262. Wenn auch die älteren Akten in Litzlohe durch verschiedene

Brandschatzungen des Dorfes verloren gegangen sein mögen, so würden sicherlich in St. Emmeran Aufzeichnungen gemacht worden sein, wenn Litzlohe eine Probstei im eigentlichen Sinne gewesen wäre. Die Angaben der Bavaria und Löwenthals sind nicht immer einwandfrei; jedenfalls beruht die Beweisführung für die Probstei auf sehr schwachen Füßen. Daß der hl. Emmeran vor dem hl. Rupert nach Bayern gekommen sei, (S. 2—3) behaupten zwar Sepp: (Vita s. Hrodberti primigenia authentica, vgl Hist. Jahrb. XII, 813—15) und Walderdorff, (Regensburg i s. Vergangenheit, 1896, S. 297 vgl. oben S. 147 f.) als das wahrscheinlichere; allein Forscher wie Jauner (Geschichte der Bischöfe von Regensburg I, 46), Riezler (Gesch. Bayerns I, 95) sprechen dem hl. Rupertus die Priorität zu. Daß Appolonius 697. der erste Abt des Benediktinerklosters St. Emmeran gewesen sei (S. 3 und 34) gibt zwar die nach 1471 aufgezeichnete Reihenfolge an; aber dieses Verzeichnis leidet an so vielen Mängeln und Fehlern, daß seine Verlässigkeit beeinträchtigt wird; außerdem erscheint Appolonius als Lehrer an der Hofschule Ludwigs des Deutschen gegen das J. 833 (Studien und Mitteilungen aus dem Benediktiner-orden 4. Jahrg. (1893) II. Bd. S. 118—34). Zu S. 23 sei bemerkt, nach dem nordgauischen Saalbuche von 1326 war „das neue Amt Trosperg, Tirolsberg oder Thyrolsberg bei Berngau mit Litzlohe, Dietkirchen, Sindelbach, 3 Pfarreien im Landgericht Kastl und 19 anderen Orten" ein gräflich-sulzbachisches Gut (Moritz, Stammreihe und Gesch. der Grafen von Sulzbach I, 3201). Die Angabe (S. 89 u. 151), daß Weihbischof Nieberlein von Eichstätt 1691 die Filialkirche zu Trautmannshofen konsekriert habe, muß als unrichtig bezeichnet werden; denn im genannten Jahre war derselbe noch Pfarrer in Buchsheim und wurde erst am 29. April 1708 zum Suffraganbischof des Fürstbischofes Johann Anton I erhoben (Strauß, viri insignes, S. 348; Steinhuber, Geschichte des Collegium Germanicum II, 101). S. 74, 76 hätten einige Aus-drücke gemildert werden sollen; auch finden sich unnötige Wiederholungen; die Angaben über die weltlichen Herren der Pfarrei Litzlohe hätten auf die that-sächlichen Beziehungen derselben beschränkt werden sollen; auch die Zitate sind oftmals mangelhaft, z. B. Graf, Helfenberg; Dr. Jauner, Bischöfe von Regensburg
A. Hirschmann.

*Ringholz (P. O.), Wallfahrtsgeschichte Unserer Lieben Frau v. Einsiedeln. Ein Beitrag zur Kulturgeschichte. Mit einem Titelbild in Lichtdruck. 57 Abbildgn. im Texte und einer Karte. Freiburg i. Br., Herder. 379 S. geb. M. 7,50.

Weit über die Grenzen des Schweizerlandes hinaus ist der Ruf der Benediktiner-abtei Einsiedeln wegen der vielbesuchten Wallfahrt zum dortigen Heiligtume bekannt und nicht erst seit kurzer Zeit, sondern schon seit vielen Jahrhunderten. Es ist darum ein Stück Kloster-Kultur- und Kirchengeschichte, welches der gelehrte Vf. auf grund eines eindringenden umfassenden Studiums in anziehender Form dem Gelehrten wie dem wißbegierigen Freunde der „Meinradsraben" vorlegt. Vor allem steht das kulturgeschichtliche Interesse im Vordergrunde und das Material, das nach dieser Richtung zusammengebracht wurde, ist sehr umfang-reich, die Ergebnisse Dank der soliden und streng wissenschaftlichen Bearbeitung durch den Vf. durchaus zuverlässig. Allerdings lag es nicht in seiner Absicht, eine Begründung der Muttergottesverehrung, der Wallfahrtsorte oder des Wall-fahrens zu geben, und dies mit Recht. Da der Vf. überall auf die Quellen zurückgeht, so finden sich manche Irrtümer, die von der bisherigen Wallfahrtsliteratur kritiklos übernommen wurden, ihre Berichtigung; von den Wundern und Gebets-erhörungen sind nur diejenigen aufgenommen, welche zuverlässig beglaubigt sind. Ganz entschieden und überzeugend wird die Echtheit des Gnadenbildes verteidigt gegenüber der Behauptung, die Franzosen hätten dieses bei ihrem Einfall im Jahre 1798 fortgeschleppt. Dasselbe ist eine bekleidete und ursprünglich bemalte Holzstatue, die 1350 zum erstenmal urkundlich erwähnt wird; die schwarze Farbe rührte ursprünglich von der Schwärzung durch Rauch und wurde dann bei einer Reparatur durch Auftragen von Farbe auch auf die weniger geschwärzten Teile ausgeglichen. In einem Exkurse untersucht Vf. auch die Engelweihebulle vom historisch-diplomatischen Standpunkte aus und verteidigt deren inhaltliche Echtheit gegenüber Jaffé, Würdtwein, Grandidier, Ladewig und Ottenthal, wenn er auch die formellen Einwände als triftig zugesteht. Nach seiner Ansicht ging die Originalbulle in Flammen unter, „um sie zu ersetzen, wurde sie mit Zuhilfenahme geretteter annalistischer Aufzeichnungen anderer Urkunden und des Gedächtnisses in Bullenform niedergeschrieben, wobei aber gar keine Absicht zu täuschen vorhanden war". Diese Niederschrift wurde dann vidimiert durch Bischof Heinrich III von Konstanz in der uns überlieferten Form Die Angaben Vitodurans S. 240 u. 247 über die Zahl verunglückter Pilger sind mit Vorsicht aufzunehmen und sind offenbar Uebertreibung; auch die Angabe aus Wurstisens Baseler Chronik (S. 250) scheint mir verdächtig. Die Abbildungen sind gut ausgewählt und trefflich gelungen. Ein Ueberdruck aus der vierblätterigen Generalstabskarte 1.250000 ermöglicht das Auffuchen der Pilgerwege, die für Ausländer durch farbige Markierung noch leichter auffindbar geworden wären Ein gutes Namen= und Sachenverzeichnis erleichtert das Nachschlagen. A. B.

Lechner (K.), zur Geschichte des ehemal. Franziskanerklosters in Kremsier. 21 S. [Schulprogramm des Gymnasiums in Kremsier.]

Zann (J. P.), Geschichte der Pfarre Lövenich bei Zülpich, sowie der Burgen Linzenich, Lövenich u. Dürfenthal. Köln, Bachem. XII, 196 S. mit 1 Abbildg. der Pfarrkirche, 1 farbig. Wappentafel und 4 Stammtaf. XII, 196 S. M. 2,50.

*Finger (H.), Pater Don Ferdinand Sterzingers Leben und Schriften. Ein Beitrag z. Gesch. der Aufklärungsepoche in Bayern. München. 50 S. [Progr. d. k Ludwigs=Kreisrealschule 1895/96.] Besprechung folgt.

Crétineau-Joly (J.), mémoires du cardinal Consalvi. Nouv. édit. illustrée. Paris, Maison de la Bonne Presse 4⁰. XL, 816 S.

Zittel (E.), das Zeitalter Karl Friedrichs als Vorbereitung der Vereinigung der lutherischen u. der reformierten Kirche im Großherzogt. Baden. Ein Büchlein für das evangel. Volk. Heidelberg, Hörning. 50 S. M 0,40. [Bilder aus der evang.=prot. Landeskirche des Großherzogtums Baden.]

Pédézert (J.), cinquante ans de souvenirs religieux et ecclésiastiques 1830—80. Paris, Fischbacher. 2 Bl. III, 528 S.

Waal (A. de), 25 Jahre in Rom, von 1870—95. Ein Bild des kathol. Lebens i. d. deutsch. Kolonie. Frankfurt a M. Foesser Nachf. 31 S. M 0,50. [Frankf. zeitgen. Broschüren. 16. Bd. 11. H.]

Götz (L. C.), die geschichtliche Stellung u. Aufgabe des deutschen Alt= katholizismus 3. u. 4. Tausd. Leipzig, Janfa. 87 S. M 0,60.

Souvenirs d'un prélat Romain sur Rome et la cour pontificale au temps de Pie IX. Receuillis. p. P. Rocfert. Paris, Putois-Cretté. fr. 3,50.

Presseusé (F. de), le Cardinal Manning. Paris, Didier & Cie. fr. 3,50.

*Brück (H.), Geschichte der katholischen Kirche im 19. Jahrh. Bd. 3. Geschichte der kathol. Kirche in Deutschland. III. Von der Bischofs= versammlung in Würzburg 1848 bis zum Anfang des fog. Kultur= kampfes 1870. Mainz, Kirchheim. XIII, 574 S. M 8. Besprechung folgt.

Rule (M.), the missal of St. Augustine's abbey Canterbury with ex= cerpts from the antiphonary and lectionary of the same monastery. Edited, with an introductory monograph, from a manuscript in the library of Corpus Christi College, Cambridge. Cambridge, University press. CLXXXIV, 174 S. ℳ 30.

Das v. R. sorgfältig edierte Sakramentar (Cod. 270 der Bibl. des Corpus Christi College zu Cambridge) ist um das J. 1100 in St. Augustin bei Canterbury entstanden. Wenn es auch, selbst abgesehen von den durch jüngere Hände angebrachten Zusätzen und Rasuren, eine sehr späte Entwickelung des fusionierten Gregorianums darstellt, so ist doch der Abdruck, wie jede Vermehrung des edierten liturgischen Quellenmaterials mit Dank zu begrüßen. In der umfangreichen Einleitung bemüht sich der Hrsgb. durch unsäglich mühsame und oft scharfsinnige Untersuchungen den Nachweis zu führen, daß hier eine zwar vermehrte, in der Textgestalt aber unveränderte und demnach aus den Zusätzen herausschälbare Abschrift des Sacr. Greg. in seiner 597 von Rom nach Canterbury gekommenen Gestalt vorliege, und zwar habe gerade Gregors Handexemplar (working copy) als Vorlage gedient, so daß sich aus den Abweichungen des Mspts. vom Texte der anderweitig edierten Gregoriana eine bisher unbekannte, von dem großen Papste selbst herrührende Rezension seines Sakramentars feststellen lasse. So beachtenswert nun der Gedanke des Hrsgb.s ist, in englischen Hss. einer vom hadrianischen Gregorianum (also v. der karolingischen Ueberlieferung) unabhängigen Tradition des Sacr. Gregor. nachzuspüren, so wenig können wir seinen Ergebnissen zustimmen, da, selbst wenn die angewandte Forschungsmethode allerwegs richtig wäre, die ganze Untersuchung auf viel zu schmaler und schwankender Basis ruht, als daß sie sichere Ergebnisse gewähren könnte. Ebner.

Wilson (H. A.), the missal of Robert of Jumièges. London, Printed for the Society by Harrison and Sons. CXXIV, 348 S. [Henry Bradshaw Society for editing of rare liturgical texts. Vol. XI.]

Durch diese treffliche Edition hat sich der verdienstvolle Hrsgb. des Sacr. Gelas. (vgl. Hist. Jahrb. XVI, 425) und des unschätzbaren Index zu Muratori einen neuen Anspruch auf den Dank der Liturgiker erworben. Die hier vollständig zum Abdruck gebrachte Hs. (Cod. Y6 der Bibl. zu Rouen) ist ein zu Anfang des 11. Jahrh. iu Winchester entstandenes reines Sakramentar. In der Einleitung bietet der Hrsg. Untersuchungen über Entstehungs-Zeit und -Ort, sowie eine Vergleichung mit den gedruckten Ausgaben des Sacr. Greg von Muratori, Ménard und Warren, welche ergibt, daß die Hs. zur Klasse der fusionierten Gregoriana mit getrennten Proprien (III, 3b ;^) unserer Klassifikation gehört. Die hohe kunstgeschichtliche Bedeutung des Codex veranschaulichen die trefflichen Abbildungen der Miniaturen (pl. 1—13, während pl. 14—15 Schriftproben geben), durch welche die Edition Wert auch für den Kunstforscher erhält. Ebner.

Rechtsgeschichte.

Pescatore (G.), kritische Studien auf dem Gebiete der zivilist. Literärgeschichte des Mittelalters. Greifswald, Abel in Komm. III, 204 S. ℳ. 6. [Beiträge z. mittelalt. Rechtsgesch. H. 4.]

Puntschart (P.), Schuldvertrag und Treuegelöbnis des sächs. Rechts im MA. Ein Beitrag zur Grundauffassung der altdeutschen Obligation. Leipzig, Veit & Cie. XVIII, 515 S. ℳ 14.

Graßhoff (Rich.), die allgemeinen Lehren des Obligationenrechts ꝛc. nach der Rechtsschule des Imam Esch schafi'i. Königsberg i. Pr. 139 S. [Inauguraldiss.]

Frommhold (G.), das rügische Landrecht des Matthäus Normann nach den kürzeren Hss. Stettin, Saunier. 4°. XII, 200 S. ℳ 10. [Quellen zur pommerischen Geschichte. Hrsg. v. d. Gesellsch. f. pomm. Geschichte u. Altertumskunde. III.]

Gross (Ch.), select cases from the Coroner's rolls A. D. 1265—1413 with a brief account of the history of the office of Coroner. Lond., Quaritch. XLVIV, 132 u. 159 S. [Publications of the Selden Soc. IX.]

Werner (L.), Gründung u. Verwaltung der Reichsmarken unter Karl dem Großen u. Otto dem Großen. Tl. 1: Das Markensystem Karls des Großen. 86 S. [Progr. d. Gymn. u. d. Realschule in Bremerhaven.]

Haedicke (H.), die Landesteilungen der fränkischen Könige und deutschen Fürsten im MA. nach ihrem Prinzipe. 52 S. [Progr. der Landesschule Pforta.]

Stadtbuch, das zweite Stralsundische. Tl. 1. Hrsg. v. E. Reuter, P. Lietz und O. Wehner. Stralsund, Regierungsdr. M. 3.

Holfelder (K.), der Stadt Regensburg Heiratsordnung vom 14. Sept. 1580. Regensburg, Bauhof in Komm. 49 S. M. 1,20.

Osten (G. v. d.), die Verfassungs= u. Verwaltungsgeschichte des Landes Wursten. 53 S. [Schulprogramm der Realschule in Geestemünde]

Gernet (A. v.), Verfassungsgeschichte des Bistums Dorpat bis zur Ausbildung der Landstände. Reval, Kluge. VII, 201 S. M. 4. [Aus: Verhandlgn. der gelehrten estn. Gesellschaft]

Bracht (E.), ständische Verhandlungen in der Kurmark unter Joachim Friedrich (1598—1608). Tl. 1: Bis zum allgemeinen Landtage von 1602. Berl. Diss. Hirschberg i. Schl., Tagblattdruck. 1895. 42 S.
Teildruck, ohne bestimmte Angabe, wo die Fortsetzung erscheint. Enthält die Kapitel: Aeußere und innere Lage Kurbrandenburgs um 1600; der Ausschußtag zu Berlin am 2. und 3 Febr. 1598; Kreistage in den Provinzen; Ausschußtag zu Berlin vom 4. Okt. bis 6. Dez. 1599 und vom 19.—25. Mai 1600 und die Kreistagsverhandlungen der einzelnen Kreise, Juni 1601.

Kahl (W.), Ebenbürtigkeit und Thronfolgerecht der Grafen zur Lippe= Biesterfeld. Bonn, Strauß. Lex.=8°. IV, 99 S. M 2.
In dem Lippeschen Thronfolgestreit hatte i. J. 1891 Paul Laband auf grund genealogisch-archivalischer Studien ein Gutachten veröffentlicht, die Thronfolge im Fürstentum Lippe; darauf hatte Kahl im August 1892, unter dem gleichen Titel drei Artikel in der „Allg. Ztg." gegen Laband verfaßt. Letzterer antwortete im März 1896 in einer Broschüre, der Streit über die Thronfolge im Fürstentum Lippe. Nachdem außerdem im J 1895 über diese Frage noch folgende selbständige Schriften erschienen sind: Bornhak, die Thronfolge im Fürstentum Lippe; Westrum, zur Lippeschen Erbfolgefrage; Reuling, die Thronfolge im Fürstentum Lippe und (Laband gewidmet) A. Freiherr von Weihe=Eimke, die rechtmäßigen Ehen des hohen Adels des hl. römischen Reiches deutscher Nation, hat K. in vorliegendem Buche seine Studien vertieft und nach Aufgabe einiger Punkte seine rechtshistorische Kernfrage präzisiert. Deshalb beschäftigt sich die Schrift nicht bloß mit der Widerlegung Labands, sondern sie ist auch eine erschöpfende Darstellung der einschlägigen Fragen mit Verarbeitung der gesamten jetzt darüber erschienenen Literatur und archivalischer Nachforschung. In vier Abschnitten über den Thatbestand des Lippeschen Thronfolgestreites, über die Quellen der Entscheidung, über das gemeine Privatfürstenrecht und über das Lippesche Hausrecht kommt Vf. zur Entscheidung, daß die Biesterfelder Linie das historische Recht auf ihrer Seite hat. Denn der Mangel der Thronfolgefähigkeit, den man der Biesterfelder Linie vorwarf, gründet sich auf die Behauptung der mangelnden Ebenbütigkeit infolge der i. J. 1803 geschlossenen Ehe des Grafen Wilhelm Ernst mit Modesta von Unruh.

K.s Beweisführung gegen diesen Einwand geht dahin, daß Modesta von Unruh einem alten Adel angehörte, und im Lippeschen Hause Ehen mit Frauen aus niederem, wenn nur altem Adel, von jeher als ebenbürtig anerkannt worden waren und an diesem Herkommen thatsächlich nichts geändert ist. Vf. weist aus der Geschichte des Lippeschen Hauses acht Mal nach, daß Vertreter desselben Damen von niederem aber alten Adel geheiratet haben, 4 Detmolder, 2 Biester= felder und 2 Schaumburger, ohne daß deshalb die Ebenbürtigkeit eingebüßt worden wäre Wären diese Ehen nicht ebenbürtig, so hätten auch die Schaum= burger keinen Anspruch auf den Lippeschen Thron, denn sie stammen gerade aus einer solchen Ehe, der des Reichsgrafen Friedrich Ernst mit Philippine Elisabeth von Friesenhausen ab. A. M.

Schwartz (E.), die Verfassungsurkunde für den preußischen Staat vom 31. Jan. 1850. Nebst Ergänzungs= u. Ausführungsgesetzen. Breslau, Koeber. VII, 632 S. ℳ 15.

Seydel (M. v.), bayerisches Staatsrecht. 4 Bde. 2. Aufl. Freiburg i Br., Mohr. XVI, 670; XII, 728; XI, 740 u. VIII, 372 S. ℳ 70.

Figgis (J. N.), the theory of the divine right of Kings. Cambridge, University Press. XIV, 304 S. [Cambridge historical essays IX.]

Haas (A.), über den Einfluß der epicureischen Staats= und Rechtsphilos. auf die Philosophie des 16. u. 17. Johrh. Ein Beitrag zur Gesch. der Lehre vom Staatsvertrag. Diss. Berlin, Mayer & Müller. 115 S. ℳ 2.

Lecky (W. & H.), democracy and liberty. London, Longmans. XXI, 568, 559 S.

Lecky ist ein geistreicher Essayist, der es trefflich versteht, fremde Gedanken dem großen Publikum mundgerecht zu machen, dem jedoch die philosophische Durch= bildung abgeht. In dem ganzen Buch findet sich keine Definition von Demokratie und Freiheit. Nicht nur wird Demokratie mit Zivilisation verwechselt, sondern es werden auch manche Sünden auf Rechnung der Demokratie gesetzt, für die die Konservativen verantwortlich sind. Schon die Inhaltsangabe (ein Register fehlt) zeigt, wie gedankenlos der Vf. Essay an Essay gereiht, wie lose die ein= zelnen Abschnitte zusammenhängen. So sehr wir die historische Methode für socialpolitische Fragen empfehlen, so sehr müssen wir Leckys Verfahren verurteilen, der jeder Beweisführung und jeder direkten Widerlegung seiner Gegner aus dem Wege geht und allerlei Fragen bei den Haaren herbeizieht, die mit Freiheit und Demokratie nichts zu schaffen haben. Der Titel des Buches sollte lauten „Lesefrüchte", denn es enthält kaum mehr als Gedanken, die L. sich bei dem Lesen verschiedener Bücher aufdrängten. Die Einseitigkeit und Parteilichkeit, mit der L. in den letzten Bänden seiner Geschichte Englands über demokratische In= stitutionen den Stab gebrochen, wird in vorliegendem Werke weit überboten. Der irische Patriot Lecky, der Bewunderer mancher katholischen Institutionen, ist zum Anwalt von Landlordismus und Tyrannei, zum gewissenlosen Angreifer der katholischen Priesterschaft in Irland herabgesunken. Morley im Nineteenth Century hat in meisterhafter Weise L. Parteilichkeit und Unfähigkeit, über politische Zustände zu urteilen, nachgewiesen. Z.

Rehm (H.), Geschichte der Staatsrechtswissenschaft. Freiburg i. Br., Mohr. VI, 268 S. ℳ 7. [Aus: Handbuch des öffentl. Rechts. Einleitgsbd.]

Pranzataro (U.), il diritto di sepolcro nella sua evoluzione storica e nelle sue attinenze col diritto moderno. Torino, Unione tipogr.-editrice. XXIV, 415 S.

*Below (G. v.), zur Entstehungsgeschichte des Duells. Münster i. W., Bredt. 4⁰. 37 S. [Beilage zum Vorlesungsverzeichnis der Akademie zu Münster i. W. für d. W. S. 1896/97.]

Der bei Besprechung der Belowschen Schrift, das Duell und der germanische Ehrbegriff (f. oben S. 673 f.), ausgesprochene Wunsch, Vf. möge die dort niedergelegten Anschauungen zu einer größeren quellenmäßigen Darstellung erweitern, ist nun schon in Erfüllung gegangen. Bereits im diesjährigen Januarheft der Göttinger gelehrten Anzeigen S. 24 hat V. außerdem über den Gegenstand gehandelt. Nunmehr werden die Quellenstudien erweitert. In der früheren Schrift hat Vf. die Versuche, die das Duell an den gerichtlichen Zweikampf, das Fehderecht, das Turnier anknüpfen, zurückgewiesen. Hier handelt er über die Turniergerichte, in denen er ebenfalls eine zur Einschränkung der freien Fehde getroffene rittermäßige Einrichtung erblickt; über die Schmähbriefe, die zeigen, daß selbst Brandmarkung eines wortbrüchigen Schuldners vor der öffentlichen Meinung nicht Grund zum Duell abgab; endlich über die Kampfgerichte zu Nürnberg und Schwäbisch-Hall. Die letzteren wurden bislang hauptsächlich als Uebergangsstufen vom mittelalterlichen gerichtlichen Zweikampf zum eigentlichen Duell angesehen. Auch für sie weist v. B. die Subsidiarität in bezug auf die ordentlichen Gerichte nach. In den beiden letzten Kapiteln des Programms: „der Ursprung des Duells" und „die Legende von dem germanischen Ursprung des Duells" fügt Vf. seinen früheren Ausführungen neue Belege hinzu. Der mittlerweile ersch. Schrift: „das Duell in Deutschland" (Kassel 1896), sehen wir mit Spannung entgegen. K. B.

Wirtschaftsgeschichte.

Leroy-Beaulieu (P.), Grundriß der Nationalökonomie. Bearbeitet v. E. Ramsperger. Frankfurt a. M., Sauerländer. VIII, 255 S. M 3.

Große (E.), Formen der Familie und die Formen der Wirtschaft. Freiburg, Mohr. VI, 245 S. M 5.

Vf. faßt sein Buch auf als einen Beitrag zur Entwickelungsgeschichte der menschlichen Familie, die nach seinem Urteile heute noch nicht geschrieben werden kann. Seine Ansichten weichen vielfach von den herrschenden ab. So findet er die alte Verfassung der nordeuropäischen Völker „der Gentilordnung der Griechen und Römer im grunde völlig gleich." In der germanischen Dorfgemeinde erkennt er die römische gens als eine Vatersippe. Die germanische Sippe ist sodann wie die römische gens nicht nur Wirtschaftsgemeinde, sondern auch Religions- und Rechtsgemeinde, sie ist eine „Gesellschaft im Kleinen." Wo der Mann die Hauptproduktion in der Hand hat, also bei Jägern und Viehzüchtern, da gehört ihm auch der Besitz und das Recht, da ist das Weib besitzlose und rechtlose Sklavin; wo aber das Weib an der Wirtschaft teilnimmt, also bei den Ackerbauern, ist sie Genossin des Mannes. Unter den niedrigsten Wirtschaftsformen hat die Sippe keine große Wirksamkeit, erst der Ackerbau macht die Sippe zur mächtigsten sozialen Organisation. Als dann der Ackerbau von der Gemeinwirtschaft zur Sonderwirtschaft überging, „da löste sich die Sippe als wirtschaftliche und soziale Körperschaft." A. M.

Nübling (E.), die Judengemeinden des MA.s, insbesondere die Judengemeinde der Reichsstadt Ulm. Ein Beitrag zur deutschen Städte- u. Wirtschaftsgeschichte. Ulm, Nübling. 566 S. M. 18.

*Ehrenberg (R.), das Zeitalter der Fugger. Geldkapital u. Kreditverkehr im 16. Jahrh. 2. (Schluß-)Bd.: Die Weltbörsen u. Finanzkrisen des 16. Jahrh. Jena, Fischer. IV, 367 S. M 7.

Vgl. oben S. 432. Besprechung folgt.

Mell (A.), die Lage des steirischen Unterthanenstandes seit Beginn der neueren Zeit bis in die Mitte des 17. Jahrhs. Weimar, Felber. IV, 115 S. M 2,50.

Damianoff (A.), die Zehentregulierung in Bayern. Stuttgart, Cotta Nachf. V, 56 S. M 2. [Münchener volkswirtschaftliche Studien, 17]

Philippi (F.), die Osnabrücker Laischaften. Eine wirtschaftsgeschichtliche Studie. Mit Quellenauszügen. Osnabrück, Rackhorst. 35 S. ℳ 0,60.

Danneil (F.), Beitrag zur Geschichte des magdeburg. Bauernstandes. Tl. 1: Der Kreis Wolmirstedt. Halle, Kämmerer & Co. XXVI, 770 S. mit Tafel u. 1 Karte. ℳ. 12.

Hoffmann (O. v.), die preußische Hauptverwaltung der Staatsschulden v. J. 1820—96. Urkundl. dargest. Berlin, Mittler & Sohn. VIII, 252 S. ℳ 5.

Bruce (Ph. A.), economic history of Virginia in the seventeenth century. 2 vol. New-York, Macmillan & Co. XIX, 634 S., 1 Karte u. VI, 647 S.

Muntz (R.), zur Geschichte u Theorie der Banknote mit besond. Rücksicht auf die Lehren der klassischen Nationalökonomie. Bern, Wyß. 68 S. ℳ 1. [Berner Beiträge zur Geschichte der Nationalökomie, hrsg. v. A. Oncken. Nr. 8.]

Dieckmann (C.), Postgeschichte deutscher Staaten seit einem halben Jahrh. Unter Berücksichtig. der Einführg. der Freimarken. Besonders für Fachmänner u. Postwertzeichensammler. Kurz gefaßt u. zusammengestellt. Leipzig, Heitmann VIII, 368 S mit Abbildgn. ℳ. 4.

Fromm (Em.), Frankfurts Textilgewerbe im MA. Ein Beitrag zur Geschichte des Zunftwesens im 14. u. 15. Jahrh. 44 S. Inauguraldiss. Gießen.

Gußmann (K.), zur Geschichte des württembergischen Obstbaus. Festschrift, hrsg. v. württemberg. Obstbauverein z. 10. Wanderversammlg. der dtschn Landwirtschaftsges. in Stuttgart im Juni 1896. Stuttgart, Kohlhammer in Komm. 124 S. m. 5 Abbildgn. ℳ 3.

Robert (R.), zur Geschichte des Bieres. Halle, Tausch & Große. 32 S. ℳ 1. [Aus: Hist. Stud. a. d. pharmakol. Inst. d. Univ. Dorpat.]

*Reiser (K. A.), Geschichte des Blei= und Salmei=Bergwerks am Rauschenberg und Staufen in Oberbayern. München, Wolf. 1895. 71 S. [Progr. der k. Luitpold=Kreisrealschule 1894/95.]
    Der Grubenbau am Rauschenberg=Kienberg wurde um 1666 begonnen, der am Staufen um 1650. Die Arbeit gibt von diesem Augenblick die Geschichte dieses Bergbaues, wobei sie die einschlägigen technischen und wirtschaftlichen Fragen behandelt; auch nach der kulturhistorischen Seite ist die Schrift von allgemeinem Interesse.

Erdberg=Krczenciewski (K. v.), Johann Joachim Becher. Ein Beitrag z. Gesch. d. Nationalökonomik. Hallenser Diff. 66 S.

Philipp (A.), Linguet, ein Nationalökonom des 18. Jahrhs. in seinen rechtlichen, sozialen und volkswirtsch. Anschauungen. Ein Beitrag zur Geschichte der Nationalökon. Zürich. Diff. Zürich, Müller. 2 Bl. 107 S.
    Vgl. hiezu das sich mit Linguet beschäftigende Buch von Cruppi (Hist. Jahrb. XVI, 684), das aber nur bis zum Jahre 1785 reicht und Linguet mehr als Advokaten und Journalisten würdigt. Bf. sucht nunmehr dessen sozialen und volkswirtschaftlichen Anschauungen gerecht zu werden. L. hat, sagt Ph., nationalökonomische Wahrheiten ausgesprochen, die seiner Zeit weit voraus eilen, aber gerade darum auch nicht verstanden werden.

Diehl (K.), Proudhon, seine Lehre u. sein Leben. Abt. 3: Sein Leben
u. seine Sozialphilosophie. Jena, Fischer. VII, 239 S. *M.* 4,50.
Bildet den Schluß des 6. Bandes der Sammlung nationalökonom. u. statist. Ab=
handlungen des naturwissenschaftlichen Seminars zu Halle.

Kraus (J.), die wissenschaftl. Grundlagen des Sozialismus. Kritik der
Marxschen Wertlehre. Vortrag. Wien, Manz. 18 S. *M.* 0,40.

Kunstgeschichte.

Knackfuß (H.), allgemeine Kunstgeschichte. Mit zahlr. Abbildgn. Bd. 1,
Abtl. 2: Kunstgeschichte des Altertums u. des MA.s bis zum Ende
der romantischen Epoche von M. G. Zimmermann. Bielefeld,
Velhagen & Klasing. Lex.=8°. S. 129—256. *M.* 2.
Vgl. oben S. 678.

Schlosser (J. v.), Quellenbuch zur Kunstgeschichte des abendländischen
MA.s. Ausgewählte Texte des 4. bis 15. Jahrh., gesammelt v. —.
Wien, Graeser. XXIV, 407 S. mit 4 Abbildgn. *M.* 6. [Quellen=
schriften für Kunstgeschichte u. Kunsttechnik des MA.s u. der Neuzeit.
Im Ver. mit Fachgen. begr. v. R. Eitelberger v. Edelberg,
fortges. v. Alb. Jlg. N. F. 7. Bd.]

Illigens (E.), der Glaube der Väter, dargestellt in den kirchl. Alter=
tümern Lübecks. Paderborn, Schöningh. 56 S. *M.* 0,60.

Evans (E. P.), animal symbolism. in ecclesiastical architecture. With
a bibliography and 78 illustr. London, Heinemann. XII, 375 S.

Adamy (R.), Architektonik auf historischer und ästhetischer Grundlage.
Bd. 3.: Architektonik d. Renaissance u. Neuzeit. 1. Abth. Frührenaissance.
Hannover, Helwing. XII, 190 S. m. 89 Zinkhochätzgn. *M.* 8.

Geiges (Fr.), Studien zur Baugesch. des Freiburger Münsters. Freiburg
i. Br., Herder in Komm. Fol. 64 S. m. Abbildgn. u. 1 Taf. *M.* 4.
[Aus: Schau=ins=Land.]

Kathedrale, die, in St. Gallen. Photogr. Aufnahmen v. C. Umriker. Zürich,
Kreutzmann. 30 Blatt. gr. Fol. Abth., 1, 10 Bl. *M.* 32.

Matthias (R.), die Stadtkirche in Schmalkalden von —. Schmalkalden,
Lohberg in Komm. Heft 13. VII, 227 S. m. 2 Taf. *M.* 1,25.
[Zeitschr. des Ver. f. Henneberg. Gesch. u. Landesk. in Schmalkalden.]

Aufleger (O.), mittelalterl. Bauten Regensburgs, photogr. aufgenommen
v. —. Mit geschichtl. Einleitg. v. G. Hager. Abtlg. 1. München,
Werner. Fol. 25 Lichtdr.=Taf. *M.* 20.

Weber (P.), die Wandgemälde zu Burgfelden auf der Schwäbischen Alb.
Ein Baustein zu einer Gesch d. deutsch. Wandmalerei im frühen MA.,
zugleich ein Beitr. zur ältesten Gesch. der zoller. Stammlande Darm=
stadt, Bergsträßer. Mit 3 Doppeltaf. u. vielen Textbildern. Lex.=8°.
XI, 100 S. *M.* 8.

Neuwirth (J.), die Satzungen des Regensburger Steinmetzentages nach
dem Tiroler Hüttenbuche v. 1460. Berlin, Ernst & Sohn. 70 S.
M. 3. [Aus: Zeitschr. f. Bauwesen.]

Meisterwerke der dekorativen Skulptur aus dem 11.—16. Jahrhundert, auf=
genommen nach den Abgüssen des Museums f. vergleich. Skulptur im
Trocadero zu Paris: 75 Lichtdr.=Taf. Mit Vorwort v. Max Schmidt.
10.—15. (Schluß=)Lfg. Fol. à 5 Taf. Stuttgart, Hoffmann. 1895. à ℳ 3.

Schönbrunner u. Meder (J.), Handzeichn. alter Meister a. d. Albertina
u. anderen Sammlungen, hrsg. v. —. Wien, Gerlach & Schenk.
Bd. 1. 11. u. 12. Lfg. Imp.=4⁰. à 10 Taf. in Licht.= u. Buchdr.
m. 10 S. Text. à ℳ 3.

Handzeichnungen alter Meister im königl. Kupferstichkabinet zu Dresden.
hrsg. u. bespr. v. Karl Wörmann. München, Hanfstängl. 1. Mappe.
gr. Fol. 25 Lichtdr.=Taf. m. XII, 12 S. Text ℳ 80.

Denkmale, die kunst= u. kulturgeschichtl., des germanischen Nationalmuseums
in Nürnberg. Eine Sammlg. v. Orig.=Abbildgn. aus den verschied.
Gebieten der Kultur. 6 Abthlgn. Nürnberg, Stein. gr. Fol. 90
photogr. Taf. m. Text. am Fuße. ℳ 160.

Studienblätter, mittelalterl. u. spätere Baukunst, Kunstgewerbe, Malerei ꝛc.
für Architekten, Bildhauer, Maler, Kunstfreunde u. f. w. Photogr.
Orig.=Aufnahmen v. Hofphotogr. G. Wolf. Serie 1. Lfg. 1. Fol.
20 Bl. m. 2 Bl. Text. Konstanz, Schimmelwitz in Komm. ℳ 40.

Kautzsch (R.), die Holzschnitte der Kölner Bibel von 1479 Mit 2 Licht=
drucktaf. Straßburg, Heitz. ℳ 4.

Fries (Frdr.), Studien zur Gesch. der Elsäßer Malerei im 14. Jahrh.
vor dem Auftreten Martin Schongauers. Diff. Frankfurt a.¹ M.,
Diesterweg. VII, 61 S. m. 2 Taf. ℳ 2.

Weisbach (W.), der Meister der Bergmannschen Offizin u. Albert Dürers
Beziehungen zur Basler Buchillustration. Ein Beitrag zur Geschichte
des deutsch. Holzschnittes v. —. Straßburg, Heitz. III, 69 S. mit
14 Zinkätzungen u. 1 Lichtdr. ℳ 5. [Studien zur deutsch. Kunst=
geschichte. H. 6.]

Dürers (Albr.) Wohnhaus u. seine Gesch. In Wort u. Bild dargestellt im
Auftrag der Verwaltg. der Albrecht Dürer=Haus=Stiftg. Nürnberg,
Schrag. 12⁰. VI, 71 S. m. 29 Abbildgn. u. 1 Urk. i. Lichtdr. ℳ 1.

Denkmäler der Baukunst. Zusammengestellt, gezeichnet u. hrsg. v. Zeichen=
ausschusse der Studierenden (früher Autographieen=Kommission) der
königl. techn. Hochschule zu Berlin. Abt. 1, 26. Lfg. Baudenkmäler
der Renaissance in Deutschland. 16 photolith. Taf. m. 2 Bl. Text.
Berlin, Ernst & Sohn in Komm. gr. Fol. ℳ 6,50.

Cattaneo (R.), architecture in Italy, from the sixth to the eleventh
century. London, Fisher Unwin.

Tüselmann, eine Studienreise durch Italien i. J. 1562. Nach Briefen
des Joh. Caselius. Nordhausen. Kirchner. 34 S.

London churches of the seventeenth and eighteenth centuries. A series
of 64 plates and numerous other illustrations, with historical and
descriptive accounts by George H. Birch. London, Batsford.
184 S. sh. 84.

Carstanjen (Fr.). Entwickelungsfaktoren der niederländ. Frührenaissance.
Leipzig, Reisland. II, 91 S.

Reymond (M.), caractère italien du génie de Rubens. Grenoble,
Allier. 19 S.
Vorstehende Schrift ist bereits 1894 (Sept.) in der Nouvelle Revue erschienen.

Knackfuß (H.), Künstler=Monographien. In Verbindg. m. Anderen hrsg.
v. —. Bd. 13: A. van Dyk. Bielefeld, Velhagen & Klasing. Lex.=8⁰.
80 S. m. 55 Abbildgn. v. Gemälden u. Zeichnungen. M. 3.

Gelis-Didot (P.), la peinture décorative en France du XVIᵉ au
XVIIIᵉ siècle. 1ʳᵉ livraison (60 planches). Paris, Schmidt. fr. 20.

Palais de Fontainebleau. Vues intérieures et extérieures. Berlin, Heßling.
gr. Fol. 30 Taf. in Phototyp. m. 7 S. Text. M. 40.

Frankreichs historische Bauten. Eine Sammlg. französ. architekton. Meister=
werke vom 11. Jahrh. bis zur Jetztzeit. Berlin, Heßling. 120 Lichtbr.=
Taf. Lfg. 1. gr. 4⁰. 12 Taf. m. 4 S. Text. M. 3,60.

Armand (A.), inventaire des dessins, photographies et gravures relatifs
à l'histoire génerale de l'art légués au département des estampes
de la Bibliothèque Nationale par —. Rédigé par Fr. Courboin.
Bd. 1 u. 2. Lille, Impr. L. Danel. 419 u. 318, LXXXVI S.

Müller (H.), die königl. Akademie der Künste zu Berlin 1696—1896.
1. Teil: Von der Begründg. durch Friedrich III v. Brandenburg bis zur
Wiederherstellg. durch Friedrich Wilhelm II v. Preußen. Berlin, Bong.
gr. 4⁰. VI, 204 S. m Abbildgn., 1 Lichtbr. u. 5 Photogr. M 25.

Heider (Mor.), Louis XVI u. Empire. Eine Sammlg. v. Façadendetails,
Plafonds, Interieurs, Gittern, Möbeln, Vasen, Oefen, Ornamenten ꝛc.
in kaiserl. Schlössern, Kirchen, Stiften, Schlössern des Adels u anderen
Monumentalbauten Oesterreichs aus der Epoche Josef II bis Franz II.
Gesammelt, aufgenommen u. gezeichnet von —. Wien, Schroll & Co.
Lfg. 1. Fol· 15 Taf. in Lichtbr. M 15.

Mathy (L.), Studien zur Geschichte der bildenden Künste in Mannheim
im 18. Jahrh. Mit Skizzen v. Thomas Welch, Architekt. 128 S.
[Schulprogramm des Gymnasiums in Mannheim.]

Harnack (O.), deutsches Kunstleben in Rom im Zeitalter der Klassik. Ein
Beitrag zur Kulturgeschichte. Weimar, Felder. XX, 208 S. M 3,50.

Pfister (Mich.), der Dom zu Bamberg. Geschichte der Restauration der
Domkirche i. d. J. 1828—44. Anh : Restaurationsarbeiten 1648—53.
Bamberg, Schmidt. 77 u. 29 S. m. 5 Illustr. M 1,25.

Verzeichnis der Kunstdenkmäler der Prov.=Posen. Im Auftrage d. Prov.=
Verbandes bearb. v. Jul. Kohte. Bd. 3: Die Landkreise des Reg.=
Bez. Posen. 4. (Schluß=)Lfg. Die Kreise Schrimm, Schroda, Wreschen,
Jarotschin, Pleschen, Krotoschin, Koschmin, Adelnau, Ostrowo, Schild=
berg u. Kempen. Berlin, Springer. Lex.=8⁰. X u. S. 257—342 m.
Abbildungen. M 2.

Frimmel (Th. v.), kleine Galeriestudien. N. F. Lfg. 4: Gemälde in

der Sammlung Albert Figdor in Wien. Leipzig. Meyer. 47 S. m.
14 Textbildern u. 1 Facſm. *M* 3.
Vgl. oben S. 682.

Kaufmann (F.), Andreas Müller. Ein Altmeiſter der Düſſeldorfer religiöſ.
Malerſchule. Frankfurt a. M., Föſſer Nachf. 32 S. *M.* 0,50.
[Frankf. zeitgem. Broſch. Bd. 16, 12, H.]

Marchal (Edm.), la sculpture et les chefs d'oeuvre de l'orfèvrerie Belges.
Bruxelles, Hayez. 1895. 4°. 806 S. 10 Taf.

Hackenſee (Heinr.), Beiträge z. Geſchichte der Emigranten in Hamburg.
I. Das franz. Theater. Progr. Hamburg, Herold. gr. 4°. 41 S. *M* 2,40.

Febvre (F.), journal d'un comédien. 2 vols. Illustré par Julian-Damazy.
T. 1ᵉʳ 1850—70, avec une préface de J. Claretie; t. 2 (1870
—94), avec une préface de A. Dumas. Paris, Ollendorf. XII,
287 u. VII, 280 S. fr. 10.

Filon (A.), le théâtre anglais, hier, aujourd'hui, demain. Paris, Calmann Lévy. fr. 3,50.

Weltner (Alb. Joſ.), Mozarts Werke u. d. Wiener Hoftheater. Statiſtiſches
u. Hiſtoriſches, nebſt einem Anh.: Mozart betr. Dichtungen. Wien,
Künaſt. VI, 108 S. *M* 2,50.

Mozarts Don Giovanni. (Don Juan.) Italieniſcher Orig.-Text u. deutſche
Ueberſetzg. Mit Illuſtr. v. B. Kühn. München, Bruckmann. IV,
62 S. *M* 1.

Farinelli (A.), Don Giovanni. Note critiche. Torino, Löscher.
S. 1—149. [Giornale storico della letteratura italiana. Vol. XXVII.]

Kleczynski (Jean), Chopin's greater works: ballads, nocturnes, polo-
naises, mazurkas; how they should be understood. Transl. with
additions by Natalie Janotha. New-York, Scribner. 115 S. d. 1,75.

Glaſenapp (C. Fr.), das Leben Richard Wagners, in 6 Büchern dargeſt.
3. Ausg. v. Richard Wagners Leben u. Wirken. Bd. 2, Abth. I.: 1843
—53. Leipzig, Breitkopf & Härtel XVII, 480 S. m. 1 Bildn. *M* 7,50.
Vgl. Hiſt. Jahrb. XVI, 220.

Chamberlain, Houſton Stewart, 1876—96. Die erſten 20 Jahre der
Bayreuther Bühnenfeſtſpiele. Bayreuth, Niehrenheim & Bayerlein.
69 S. *M* 1.
Vgl. hiezu das oben S. 440 angezeigte Werk desſelben Vfs.

Kloß (J. E.), Zwanzig Jahre Bayreuth, 1876—96. Eine Jubiläums=
ſchrift. Berlin, Schuſter & Löffler. *M* 1,50.

Literärgeſchichte.

*L. Annaei Flori epitomae libri II et P. Annii Flori fragmentum de
Vergilio oratore an poeta ed. O. Rossbach. Lipsiae, Teubner.
LXVIII, 272 S.

Die Textkritik der Epitome des Florus (sicher identisch mit dem Dichter, der mit Kaiser Hadrian Scherzgedichte wechselte) ist mit besonderen Schwierigkeiten verbunden, denn die beiden besten Hff bieten an zahlreichen Stellen stark von einander abweichende Lesarten, zwischen denen die Entscheidung von Fall zu Fall mit größter Behutsamkeit und unter Berücksichtigung aller Instanzen (indirekte Ueberlieferung bei Orosius und Jordanes, Quellen des Florus, Sprachgebrauch) getroffen werden muß. Da ich mich mit dem in mehrfacher Hinsicht interessanten Autor anläßlich der neuen Ausgabe an anderer Stelle beschäftigen muß, so genüge hier die Mitteilung, daß Roßbach seine Herausgeberpflichten sehr gewissenhaft erfüllt und eine feste Grundlage für das Studium des noch lange nicht allseitig gewürdigten Historikers resp. Rhetors geschaffen hat. Den P. Annius Florus, von dem sich der Anfang einer dialogisierten Deklamation über das Thema, „Ist Vergil ein Redner oder ein Dichter' erhalten hat, hält der neue Hrsg. nicht etwa für eine andere Persönlichkeit als den Vf. der Epitome, sondern er folgt in der Benennung des letzteren dem codex Nazarianus (Palatinus) und reproduziert den Namen des Deklamators nach der einzigen Brüsseler Hs. C. W.

Funk (S.), Akiba, ein palestinensischer Gelehrter aus dem zweiten nachchristlichen Jahrhundert. Jenenser Diff. 37 S.

Heinzelmann (W.), der Brief an Diognet, die Perle des christl. Altertums. Ueberf. u. gewürdigt. Erfurt, Neumann. 32 S. *M.* 0,60.

Preger (Th.), Beiträge zur Textgeschichte der *ΠΑΤΡΙΑ ΚΩΝΣΤΑΝΤΙΝΟΥΠΟΛΕΩΣ*. 51 S. [Schulprogramm des Maximiliansgymn. in München.]

Chalatjanz (G.), das armenische Epos in der Geschichte Armeniens des Moyses von Chorene. Versuch einer Kritik der Quellen. Moskau, Gazuk. X, 347 u. III, 80 S. 1 Tabelle. Tl. 1: Untersuchungen. Tl. 2: Materialien. (In russ. u. armen. Sprache.)

Bibliotheca arabico hispana. Tom. X: Index librorum de diversis scientiarum ordinibus quos a magistris didicit Abu Bequer ben Khair, ad fidem codicis escurialensis arabice nunc primum ediderunt indicibus additis Proff. Franc. Codera et J. Ribera Tarrago. Vol. II. Introductionem et indices continens. Caesaraugustae. Leipzig, Harrassowitz. XIII, 118 S. *M.* 4.

Le Divan d'Ibn Guzman. Texte, traduction, commentaire, enrichi de considérations historiques, philologiques et littéraires sur les poèmes d'Ibn-Guzman, sa vie, son temps, sa langue et sa métrique, ainsi que d'une étude sur l'arabe parlé en Espagne au VIe. s. de l'Hégire dans ses rapports avec les dialectes arabes en usage aujonrd'hui et avec les idiomes de la péninsule ibérienne par le Baron Dav de Gunzburg. Fasc. I: Le texte d'après le manuscrit unique du musée asiatique impérial de St. Pétersbourg. Berlin, Calvary & Co. S. 1—8 mit 146 Lichtdr.-Taf. *M.* 50.

Kelle (J.), Geschichte der deutschen Literatur von der ältesten Zeit bis zum 13. Jahrh. Berlin, Besser. IV, 403 S. *M.* 8.

Benezé (E.), das Traummotiv in altdeutscher Dichtung, bis ca. 1250. Jenenser Diff. 58 S.

Saran (Fr.), über Vortragsweise und Zweck des Evangelienbuches Otfrieds v. Weißenburg. Einladungsschrift zur Antritts-Vorlesg. über Lessing u. das Faustproblem. Halle, Niemeyer. 32 S. *M.* 1.

Das Waltharilied. Ein Heldensang aus dem 10. Jahrh. im Versmaße d. Urschr. überf. u. erläut. v. H. Althoff. Leipzig, Göschen. 152 S. *M* 0,80. [Sammlung Göschen. Bd. 46.]

Petit de Julleville (L.), histoire de la langue et de la littérature française des origines à 1900 publiée sous la direction de —. Tome 1: Moyen âge (des origines à 1500) 1er partie, facs. 2—6. Paris, Colin & Cie. S. 81—408 u. S. I—LXXX (f. oben 467).

Hecq (G.) et Paris (L.), la poétique française au moyen âge et à la Renaissance. Paris, Bouillon. 253 S.

Anonymus Mellicensis, der sogen. de scriptoribus ecclesiasticis. Text- u. quellenkrit. Ausg. mit einer Einleitg. von E. Ettlinger. Karlsruhe Braun. V, 105 S. mit 2 Taf. *M* 3.

Wimmer (L. F. A.), om undersøgelsen og tolkningen af vore Rune-mindes maerker. Indbydelsesskrift til Kjøbenhavns Universitets aarfest i anledning af H. Maj. Kongens fødselsdag den 8de April 1895. Kjobenhavn, Thiele. 4⁰. 134 S.

Vgl. Hist. Jahrb. XVI, 923.

Kölbing (E.), Flóres saga ok Blankiflúr. Halle, Niemeyer VIII, XXIV, 87 S. *M* 3. [Altnordische Saga-Bibliothek, hrsg. von G. Cederschiöld, H. Gering u. E. Mogk, 5.]

Paludan (J.), Danmarks literatur nellem Reformationen og Holberg, med henblik til den Svenske. Kopenhagen, Prior. VI, 357 S.

Salvo Di Pietraganzili (Rosario), storia delle lettere in Sicilia in rapporto alle sue condizioni politiche dall' origine della lingua sino al 1848. Vol. I—II. Palermo, Salvo e C. 4⁰. 443, 480 S. l. 22.

Joseph (E.), die Frühzeit des deutschen Minnesangs. I: Die Lieder des Kürenbergers. Straßburg, Trübner. VII, 87 S. *M* 2,50. [Quellen u. Forschgn. zur Sprach- u. Kulturgesch. d. germ. Völker. H. 79.]

Lennich (Th.), die epischen Elemente in der mittelhochdeutschen Lyrik. Götting. Diss. Göttingen, Univ.-Buchdruckerei. 71 S.
Gegen Wackernagel, der eine Entwicklung der reinen Lyrik aus der epischen Lyrik annimmt und diese reine Gefühlslyrik ohne epische Motive für den Höhe-punkt erklärt. Vf. sagt, daß die Lyrik der mittelhochdeutschen Periode gerade danu ihre schönsten Blüthen hervorgebracht hat, wenn sie sich in wahrhaft kunst-voller Weise der epischen Motive zur Veranschaulichung der Gefühle bediente.

Knortz (K.), Parzival. Literarhistor. Skizze. Mit dem Anh.: Der Ein-fluß u. das Studium der dtschn. Literatur in Nordamerika. Glarus, Schweiz. Verl.-Anst. 60 S. *M.* 0,50.

Dreves (G. M.), annalecta hymnica medii aevi. XXIII: Hymni inediti. Liturgische Hymnen des MA.s aus Hss. u. Wiegendrucken. 6. Folge. Leipzig, Reisland. 306 S. *M* 9,50.
Siehe oben S. 204.

Blow (S. E.), a study of Dante. New-York. 12⁰. sh. 6.

Bologna (L.), piccolo studi Danteschi. Oderzo, Bianchi. 66 S.
Inhalt: Concetto generale della lirica Dantesca. Che cosa è la divina commedia. Per l'interpretazione del poema. Idea generale dei regni Danteschi. Francesco d'Assisi. Lucia. Matelda.

Dante Alighieri, il trattato de vulgari eloquentia, per cura di R. Rajna. Edizione critica. Firenze, succ. Le Monnier. CCXV, 206 S. mit 3 Faſſim. (Società dantesca italiana).

Pasqualigo (Fr.), pensieri sull' allegoria della Vita nuova di Dante. Venezia. 438 S. fr. 5,50.

Brizzolara (G.), le sine titulo del Petrarca. Torino, Clausen. 65 S. [Estr. dagli Studi storici. Vol. IV.]

Moschetti (A.), i principali episodi della canzone d'Orlando. Tradotti in versi italiani da —. Turin, Clausen. fr. 4.

Tasso (Torquato), Gerusalemme liberata. Edizione critica sui mano-scritti e le prime ştampe a cura di A. Solerti e cooperatori. 3 voll. Firenze, Barbèra. 16⁰. VII, 392; VII, 395; VII, 360 S. con ritr. l. 10.

Sorrento e Torquato Tasso: album pel III centenario della morte di Torquato Tasso, pubblicato per cura del municipio sorrentino. Napoli, tip. Giannini e figli. 2⁰. 21 S. mit Taf. l. 6.

Bed (Fr.), ungedructe Gedichte des Simone Sardini da Siena nebſt einer Kanzone des Leonardo d'Arezzo. 10 S. [Schulprogramm des Gymn. in Neuburg a. d. D.]

Babuder (G.), l'eroicomica e generi affini di poesia giocoso-satirica. Parte I (storico-critica). Capodistria, Cabol e Priora. 67 S.

Kriſtian v. Troyes, Erec u. Enide. Neue verb. Textausg. mit Einltg. u. Gloſſar, hrsg. v. W. Förſter. Halle, Niemeyer. XLV, 230 S. ℳ. 6. [Romaniſche Bibliothek, hrsg. v. W. Förſter. XIII.]

Reinbot v. Durne, der hl. Georg. Mit einer Einleitg. üb. d. Legende u. das Gedicht, hrsg. u. erkl. v. F. Vetter. Halle, Niemeyer. VI, CXCII, 298 S. ℳ 14.

Hinſtorff (C. Aug.), Kulturgeſchichtliches im „Roman de l'Escoufle" u. im „Roman de la Rose ou de Guillaume de Dole". Ein Beitrag zur Erklärg. der beiden Romane. 69 S. Inauguraldiſſ. Heidelberg.

Liddell (M.), the middle-english translation of Palladius de re rustica. Edited with critical and explanatory notes. Part. I: Text. Berlin, Ebering. ℳ 8.

Moore (T.), complete poetical works of Thomas Moore. With bio-graphical sketch by N. Haskell Dole. Notes and index to first lines. 2 vols. Illustrated with photogr. portr. and other illustrat. 12⁰. New-York. sh. 14.

Zelle (F.), eine feſte Burg iſt unſer Gott. II: Die älteſten Bearbeitgn. des Liedes. Progr. d. 10. Realſchule zu Berlin. 28 S. Vgl. Hiſt. Jahrb. XVI, 692.

Bauch (A.), Barbara Harſcherin, Hans Sachſens zweite Frau. Beitrag zu einer Biographie des Dichters. Nürnberg, Raw. 112 S. mit 7 Abbildgn. ℳ 2,50.

Horčička, das geiſtige Leben in Elbogen zur Zeit der Reformation. 46 S. Schulprogramm des Obergymn. in Prag am Graben.

Pieper (H.), der märkische Chronist Zacharias Garcaeus. Tl. 1: Leben des Garcaeus. Progr. der 2. städt. Realschule zu Berlin. 21 S.

Brandes (G.), William Shakespeare. München, Langen. 1007 S. ℳ 21.

Koppel (R.), Shakespeare-Studien. Berlin, Mittler & Sohn. ℳ 1,50.

Naylor (E. W,). Shakespeare and music. London, Dent. 238 S. sh. 3.

Fischer (K.), kleine Schriften. 5.: Shakespeares Hamlet. Heidelberg, Winter. 329 S. ℳ. 5.

Abeck, die Shakespeare-Bacon-Frage. Festschrift. Köln. S. 61—102.

Michel (F.), Shakespeare u. Bacon. Darlegung u. Würdigung der sog. Bacon-Theorie. 4°. 36 S. [Schulprogramm der israel. Realschule in Frankfurt a. M.]

Schmidt (F.), Miltons Jugendjahre u. Jugendwerke. Hamburg, Verlags- anstalt u. Druck. 36 S. ℳ 0,80. [Sammlung gemeinv. wissensch. Vortr. H. 243.]

Köhler (J.), Molières u. Fénelons Stellung z. Erziehung des weiblichen Geschlechtes im Zeitalter Ludwigs XIV. Eine kulturhist.-pädagogische Abhandlung. 4°. 51 S. [Schulprogr. b. Realschule z. Plauen i. B.]

Fournol (E.), Bodin, prédécesseur de Montesquieu. Etude sur quelques théories politiques de la République et de l'Esprit des lois (thèse). Paris, Rousseau. 184 S.

Walcker (K.), Montesquieu als Polyhistor, Philosoph, Vorkämpfer der germanisch-protestantischen Kultur u. als politischer Prophet. Leipzig, Roßberg. VI, 31 S. ℳ 1.

Haynel (W.), Gellerts Lustspiele. Ein Beitrag zur deutschen Literatur- geschichte des 18. Jahrhs. Emden, Haynel. VIII, 87 S. ℳ 1,60.

Mc. Master (J. B.), Benj. Franklin as a man of letters. Boston, Houghton & Co. 1 Portr. IX, 243 S. [Americ. Men of Letters. 10.]

Baumgartner (A.), William Wordsworth. Ein Beitrag zu einer besseren Würdigung des Dichters auf deutschem Boden. 27 S. [Programm der Kantonsschule zu Zürich.]

Legouis (E.), la jeunesse de William Wordsworth, 1770.—98. Étude sur le „Prélude". Paris, Masson. VIII, 495 S. [Annales de l'Univers. de Lyon. Bd. 25.]

Le Breton (A.), Rivarol, sa vie, ses idées, son talent d'après des documents nouveaux. Paris, Hachette. 1895. 1 Portr. VII, 388 S.

Tiraboschi (G.), lettere al padre Francesco Affò a cura d. C. Frati. Parte II. Modena, Vincenzi e Nepoti. 4°. l. 10. Vgl. Hist. Jahrb. XVI, 926.

Foscolo (M.), opere poetiche. Edizione completa con biografia, illustrazioni e note di P. Gori. Firenze, Salani. 16°. VI, 603 S.

Guardione (Fr.) di Giovan Battista Niccolini, de' suoi tempi e delle sue opere. 1 vol. Palermo, Reber. 144 S.

Byrons, Lord, Werke. In krit. Texten m. Einleitgn. u. Anmerkg. hrsg. v. E. Kölbing. Bd. 1: The siege of Corinth. Bd. 2: The prisoner of Chillon and other poems. Weimar, Felber. · V, 156 S., IX, 450 S. .*M* 3; *M* 7.

Rees (T.), reminiscences of literary London from 1779 to 1853. London, Suckling. 174 S. sh. 3,6.

Müller (G. A.), Ungedrucktes aus dem Goethe=Kreise. Mit vielen Fatsm. München, Seit & Schauer. 136 S. .*M* 8.

Collin (J.), Goethes Faust in seiner ältesten Gestalt. Untersuchungen. Frankfurt a. M., Literar. Anstalt. X, 275 S. *M* 5.

Schubert (J.), die philosophischen Grundgedanken in Goethes Wilhelm Meister. Leipzig, Naumann. III, 155 S. *M* 2,50.

Scheidemantel (Ed.), zur Entstehungsgeschichte von Goethes Torquato Tasso. 20 S [Progr. des Wilh. Ernst=Gymnasiums zu Weimar.]

Staël, Frau v., essai sur les fictions (1795) m. Goethes Uebersetzg. (1796), hrsg. v. J. Imelmann. Berlin, Reimer. VII, IX, 89 S. *M* 2.

Kettner (G.), Schillerstudien. 54 S. [Progr. d. Landesschule Pforta.]

Mosapp (H), Charlotte von Schiller. Ein Lebens= und Charakterbild. Heilbronn, Kielmann. VIII, 224 S. m 2 Lichtbr.=Taf. u. 3 Text= illustrationen. *M* 2,80.

Briefwechsel zwischen Schiller u. Körner. Stuttgart, Cotta. 294 S. *M* 1. [Cottasche Bibl d. Weltlit. Bd. 270]

Weiß (R.), über Matthissons Gedichte, mit besond. Berücksichtigung der Sprache und des bildlichen Ausdrucks. 40 S. [Schulprogramm des Obergymnasiums in Komotau.]

Bottermann (W.), die Beziehungen des Dramatikers Achim von Arnim zur altdeutschen Literatur. Götting. Diff. Göttingen, Universitäts= Buchdr. 1895. 87 S.

Cardauns (H.), die Märchen Clemens Brentanos. Köln, Bachem. 1895. 2 Bl., 116 S. [3. Vereinsschrift der Görres=Ges. für 1895.]

Auf mangelnde Kenntnis, sagt C. zum Eingang, ist es zurückzuführen, wenn die Märchen Clemens Brentanos das Schicksal des Mannes teilten, der sie schuf: „Das Urteil bewegt sich auf allen Stufen zwischen fast rückhaltloser Be= wunderung und bitterster Kritik. Die einen haben sie als Meisterwerk gepriesen, die andern sind kalt oder verächtlich an ihnen vorübergegangen." Der gründ= liche Kenner Brentanos, der feinsinnige Freund goldechter Poesie, der über den Parteien stehende Kritiker haben nun bei der oben genannten Schrift zusammen= gewirkt und nicht nur für die früher so weit auseinandergehende Beurteilung der Märchen Brentanos den richtigen Maßstab geschaffen, sondern auch für die Charakteristik des liebenswürdigen Dichters neues Material zusammengetragen. Vf. untersucht zunächst die Quellen der Brentanoschen Märchen, gesteht aber, daß die Untersuchung darüber nicht zur vollen Aufklärung führen könne, weil das handschriftliche Material zu dürftig sei. Die erste Spur eines Märchen= buches von B. findet sich in einem Briefe B.s an Arnim vom 23. Dez. 1805; 1809 korrespondierte er mit den Brüdern Grimm wegen Material für eine Märchensammlung, 1810 sammelte er Kindermärchen, 1811 begann vermutlich die Ausarbeitung der Rheinmärchen, 1816 verhandelte B. über die Drucklegung der letzteren, 1825 ließ er Böhmer seine Märchen zurück, der „seine helle Freude daran hatte" und auf Drucklegung drang, wozu sich B. nach lebhaftem Wider= streben und nur von dem einzigen Motiv geleitet, den Armen nützen zu können, endlich entschloß. G. Görres besorgte in einer von C. getadelten Weise die Herausgabe. Für die sämtlichen „italienischen" Märchen wird Basiles Pentamerone

als Hauptgrundlage nachgewiesen; aber auch sonst werden für beide Märchen=
gruppen oft frei, oft im engen Anschluß benutzte Vorlagen bloßgelegt Des Vf.
Schlußurteil lautet: „Die Märchen vertreten alle Stufen von der mit sprudeln=
dem Witz erzählten Humoreske bis zum weichsten Gefühlserguß, von der knappsten
Fassung bis zur unerträglichsten Breite, von vollendeter Anmut bis zur ab=
stoßenden Schrullenhaftigkeit". Und weiter: „Kränklichkeit und seelische Ver=
stimmung, übertriebene Selbstkritik und doch Mangel an Selbstsucht haben ihn
verhindert, uns ein reifes Werk zu hinterlassen, das die schönste Blume im
Garten des deutschen Kunstmärchens hätte werden können." In den Beilagen
werden aus einem Hefte: „Nachrichten und Urteile dritter Personen über Clemens
Brentano" und aus Manuskripten im Böhmer=Jansenschen Nachlaß Erinnerungen
der Frau von Ahlefeld über B. und Briefe Arnims B. betreffend an Böhmer
und an Bürgermeister Thomas in Frankfurt, die ältere Fassung des Märchens
vom Fanferlieschen und ein Bruchstück aus einer Bearbeitung des Märchens
von dem Hause Staarenberg mitgeteilt.   Franz Kampers.

Sainte-Beuve (C. A.), Fauriel, Manzoni e Leopardi. Firenze, Sansoni.
    1895. 79 S.

Hülbrock (A.), eine Erinnerung an Hoffmann v. Fallersleben. Leipzig,
    München, Schupp. 24 S. M 0,30. [Studien, kleine. Wissenswertes
    aus allen Lebensgebieten. Hrsg. v. A. Schupp. Heft 20.]

Arnold (Rob. F.), Karl Immermann. Gedenkrede zur Centennarfeier des
    Dichters. Wien, Perles. 10 S. M 0,70.

Rabenlechner (M. M.), die ersten poetischen Versuche Hamerlings Zur
    Geschichte seines Zwettler Aufenthalts. Hamburg, Verlagsanst. u.
    Druckerei. 32 S. M 0,60. [Samml. gemeinverst. wissenschaftlicher
    Vorträge. N. F. H. 245.]

Bauernfeld, aus B.s Tagebüchern. II. 1849—79. Hrsg. v. E. Glossy.
    Wien, Konegen. 141 S. M 2. [Aus: Jahrb. d. Grillparzer=Gesellsch.]
    Vgl. Hist. Jahrb. XVI, 693.

Arnold (R. F.), Schriftsteller der Restaurationszeit über Wien. Wien,
    Bayer & Cie. 4º. 11 S.

Alberdingk Thijm (J. A.) in zyne breven geschetst als christen,
    mensch, kunstenaar, door Catharina Alberdingk Thijm.
    Amsterdam, v. Langenhuysen. 4 en 348 bl. fl. 3,25.

Cipolla (C.), Cesare Cantù ed Enrico Sybel. Cenni commemorativi
    del socio —. Torino, Clausen. 1895. 18 S.

Lenz (M.), Heinrich v. Treitschke. Ansprache. Berlin, Walther. 18 S.
    M 0,50. [Aus: Preuß. Jahrb.]

Marcou (J.), life, letters, and works of L. Agassiz. With illustr.
    2 vols. London, Macmillan. 644 S. sh. 17.

Perthes (C. T.), Friedrich Perthes Leben, nach dessen schriftl. u. mündl.
    Mittlgn. aufgezeich. 3 Bde. 8. (Titel=)Aufl. Jubil.=Ausg. Gotha,
    Perthes. 1892. IV, 284; VI, 341 u. VI, 538 S. mit Bildn. M 10.

Kirchner (Fr.), Geschichte der Philosophie von Thales bis zur Gegenw.
    3. Aufl. Leipzig, Weber. 12º. VIII, 432 S. M. 4.

Mabilleau (L.), histoire de la philosophie atomistique. Paris, Alcan.
    1895. VII, 560 S.

Krause (K. C. F.), Grundriß der histor. Logik f. Vorlesungen. Aus dem

handschr. Nachl. des Vfs. hrsg. v. P. Hohlfeld u. A. Wünsche.
2 Aufl. Weimar, Felber. X, 444 S. mit 1 Kpfr.-Taf. ℳ. 8,50.

Kreibig (J. C.), Geschichte und Kritik des ethischen Skepticismus. Wien,
Hölder. VI, 162 S. ℳ 3,20.

Pinloche (A.), Geschichte des Philanthropinismus. Preisgekr. v. d. Acad.
franç. Deutsche Bearbeitg. v. J. Rauschenfels u. A. Pinloche.
Leipzig, Brandstetter. ℳ 7.

Stumpf (C.), Tafeln zur Geschichte der Philosophie. Berlin, Speyer
& Peters. 4 Taf. auf 3 Bl. in Fol. ℳ 0,80.

Reiner (J.), Malebranches Ethik in ihrer Abhängigkeit von seiner Er-
kenntnistheorie und Methaphysik. Berlin, Mayer & Müller. IV,
48 S. ℳ 1,20.

Spinoza (B. de), opera quotquot reperta sunt. Recognoverunt J. van
Vloten et J. P. N. Land. Ed. II. Tom. II et III. Haag,
Nijhoff. 1895. IX, 435 u. VII, 356 S. ℳ 4,75.

Brahn (M.), die Entwicklung des Seelenbegriffes bei Kant. Diss Leipzig,
Fock. 66 S. ℳ 1.

Bloch (D.), Herder als Aesthetiker. Berlin, Mayer & Müller. 48 S. ℳ 1,20.

Vowinckel (E), Religion u. Religionen bei Schleiermacher u. Hegel.
Eine Verhältnisbestimmung. Erlangen, Merkel. 63 S. ℳ 1,60.

Tarozzi (G.), della necessità nel fatto naturale ed umano: studio
filosofico. Vol. I: Necessità fatale, Necessità logica, Necessità
finale da Aristotele ad Hegel. Torino, Loescher. l. 3,50.

Schopenhauer (A.), sämtliche Werke in 12 Bdn. mit Einleitung von
Rud. Steiner. Bd. 11. Stuttgart, Cotta Nachf. 335 S. ℳ 1.
[Cottasche Bibliothek der Weltlit. Bd. 269.]

Paris (G.), penseurs et poètes. (James Darmesteter. Frédéric Mistral.
Sully Prudhomme. Alexandre Bida. Ernest Renan. Albert Sorel).
Paris, Calmann Lévy. fr. 3,50.

Salomon (M.), études et portraits littéraires. Paris, Plon. fr. 3,50.
Behandelt Taine, Barbay d'Aurevilly, Guy de Maupassant, Pierre Loti, C. u.
J. de Goncourt, C. Linthillac, Ollé-Laprune, Séverine, Ch. Vincent, Père
Ollivier, Waldeck-Rousseau, J. Tellier, Aniel.

Paulsen (Fr.), Geschichte des gelehrten Unterrichts auf den deutschen
Schulen u. Universitäten v. Ausgang des MA.s bis zur Gegenwart.
Mit besond. Rücksicht auf den klass. Unterricht. 2. Aufl. 3. Halbbd.
Leipzig, Veit & Co. Bd. 2 S. 1—320. ℳ 7.
Vgl. oben S. 450.

Hoffmeister (H. W.), Comenius u. Pestalozzi als Begründer der Volksschule. Wissenschaftl. dargest. in einer Parallele unter obigem Titel
und der Dissertation „Comenii Didactica Magna“. 2. Aufl. Leipzig,
Klinkhardt. 97 S. ℳ 1.50.

Rausch (A.), Christian Thomasius als Gast in Erhard Weigels Schule
zu Jena. Ein Beitrag zur Pädagogik im 17. Jahrh. 60—68 S.
[Schulprogramm des Gymn. zu Jena.]

Weiß (A.), die allgemeine Schulordnung der Kaiserin Maria Theresia u.
J. J. Felbigers Forderungen an Schulmeister u. Lehrer. Leipzig,
Richter. 79 S. *M.* 0,80. [Neudrucke pädagog. Schriften, hrsg.
v. A. Richter XV.]

Pinloche (A.), die Reform der Universitäten in Frankreich u. ihre ge=
schichtlichen Vorbedingungen. Leipzig, Voigtländer. Lex.=8°. 22 S.
M 0,80. [Aus: Deutsche Zeitschr. für ausländ. Unterr.=Wesen.]

Chérot (H.), trois éducations princières au dix-septième siècle. Le
grand Condé, son fils, le duc d'Enghien, son petit-fils, le duc de
Bourbon 1630—84 d'après les documents originaux. Ouvr. illustré
de 30. grav. Lille, Desclée de Brouwer et Cie. Lex.=8°. 301 S.

Schön (H.), die französ. Hochschule seit der Revolution. Nach dem Werk
v. Liard: L'Enseignement supérieur en France 1789—1893. Ein
Beitrag zur Geschichte der franz. Universitäten. München, Akadem.
Verlag. 77 S. *M.* 1,50.

*Rottmanner (M.), Thaddäus Siber's Selbstbiographie bis zum J. 1803.
München, Lentner. XVIII, 60 S. mit 1 Portr. *M.* 1.20.
Der Münchener Universitätsprofessor Thad. Siber wurde i. J. 1774 geboren,
trat früh in den Benediktinerorden ein, erhielt für den mathematischen und
physikalischen Lehrberuf eine gründliche Ausbildung und wirkte segensreich als
akademischer Lehrer bis zum Jahre 1854. Der Abdruck seiner interessanten
Selbstbiographie ist mit knappen orientierenden Fußnoten versehen und nament=
lich dankenswert durch Personalnotizen illustriert

Thimme (Fr.), die Universität Göttingen unter der französisch=westfälischen
Herrschaft 1803—13. [Aus: Beilage Nr. 99 der Allgem. Zeitung.]

Thiele (Rich.), die Gründung des evangel. Realgymnas. z. Erfurt (1561)
u. die ersten Schicksale desselben Ein Beitrag z. Schul= u. Gelehrten=
geschichte des 16. Jahrhs. Mit urkundl. Beil. u. Quellenauszügen, nebst
e. Abbildg. d. ehem. Augustinerklosters. Erfurt, Neumann. 85 S. *M.* 2.

Hellmann (W.), über den Anfänge d. mathemat. Unterrichts an d. Erfurter
evangel. Schulen im 16. u. 17. Jahrh. Teil 1. Nebst einer Schul=
ordnung für die Erfurter Trivialschulen a. d. Anfange d. 17. Jahrhs.
16 S. [Schulprogramm der Realschule in Erfurt.]

Schriever, Geschichte der Schulen u. des Schulwesens im Dekanate u.
Kreise Lingen. Festschrift z. 50 jähr. Priesterjubiläum des hochwürdigst.
Herrn Bischofs Bernard Höting zu Osnabrück. Lingen, van Acken.
161 S. m farb. Titel= u. Widmungsbl. *M.* 2.

Vollheim (Frdr.), Geschichte des k. Gymnas. zu Eisleben v. 1846—96.
Festschrift z. 350 jähr. Jubelfeier. Eisleben, Kuhnt. 130 S. *M* 2,50.

Kusch (E.), C. G. J. Jacobi u. Helmholtz auf d. Gymnasium. Beitrag z.
Geschichte des Viktoria=Gymnasiums zu Potsdam. Progr. Potsdam,
Leipzig, Teubner. 43 S. m. 2 Faksim. *M* 1,60.

Militärgeschichte.

*Spatz (W.), die Schlacht von Hastings. Berlin, Ebering. *M.* 4.
Besprechung folgt.

Reitzenstein (J. Frhr. v.), das Geschützwesen und die Artillerie in den

Landen Braunschweig u. Hannover v. 1365 bis zur Gegenwart. Teil 1: Von der ersten Anwendung e. Pulvergeschützes in Deutschland i. J. 1365 durch Herzog Albrecht II v. Braunschweig=Grubenhagen bei der Vertheidigung seines Schlosses Salzderhelden bis zur Errichtung der ersten stehenden Truppen durch Herzog Georg v. Braunschweig=Lüneburg i. J. 1631. Nach authent. Quellen bearbeitet. Leipzig, Ruhl. X, 187 S. *M.* 3,50.

Liebe (G.), das Kriegswesen der Stadt Erfurt von Anbeginn bis zum Anfall an Preußen nach archival. Quellen. Weimar, Felber. VII, 101 S. *M* 2.

Fabricius (H.), der Parteigänger Friedrich v. Hellwig u. seine Streifzüge, im kriegsgeschichtl. Zusammenhange betrachtet. Ein Beitrag zur Geschichte des kleinen Krieges in d. J. 1792—1815, unter Benutzg. archival. Quellen bearb. Berlin, Bath. IV, 260 S. mit 2 Uebersichtsskizzen. *M* 6.

Schmid (Joh.), die Oberpfalz als Kriegsschauplatz im Aug. 1796. Progr. Amberg, Pustet. 44 S. m. 2 Kartenskizzen. *M* 0,60.

Forbes, Henty, Griffiths and others. Battles of the nineteenth century. With a cronological list of the more important battles of the century. Vol. I. London, Cassell. 4⁰. 763 S. m. 370 Illustr. u. 85 Plänen.

Freytag=Loringhoven, v., Napoleonische Initiative 1809 u. 1814. Ein Vortrag. Berlin, Mittler & Sohn. 24 S. m. 2 Skizzen in Steindr. *M* 0,60.

Rogier (F. L.), la r. academia militare di Torino: note storiche 1816 —60. Torino, Canteletti. 453 S. m. 10 Taf., 8 Fig. l. 8.

Darstellungen aus der bayer. Kriegs= u. Heeresgeschichte. Hrsg. vom k. b. Kriegsarchiv. Heft 5: E. Zoellner, die Bayern in Schleswig=Holstein 1848—50. Mit 15 Beil. u. 5 Skizzen. — K. Thoma, die Eisenbahntransporte für Mobilmachung u. Aufmarsch der k. bayer. Armee 1870. Mit 7 Beil. München, Lindauer. IV, 181 S. *M* 3.

Wilson (H. W.), Ironclads in action: a sketch of a naval warfare from 1855 to 1895. With some account of the development of the battleship in England. With introduction by A. T. Mahan. With maps, plans, and illustrations. London, Low. 2 vols 784 S. sh. 30.

Scudier (Ant. Frhr. v.), Betrachtungen über den Feldzug 1866 in Italien. 2. Aufl. Mit 6 Beil., 8 Taf., 11 Karten u. Plänen. Wien, Seidel & Sohn. XV, 381 u. Beilagen 34 S. *M* 6.

Krieg, der, v. 1870/71, dargestellt v. Mitkämpfern. Bd. 1: Weißenburg, Wörth, Spichern. Von E. Tanera. Mit 4 Karten. 5. Aufl. München, Beck. VIII, 242 S. *M* 2.

Frankenberg (F. Graf), Kriegstagebücher von 1866 u. 1870/71, hrsg. v. H. v. Poschinger. Stuttgart, Verlagsanst. Lex.=8⁰. 439 S. M. 5. Die Kriegstagebücher bieten durch ihre Frische und Unmittelbarkeit eine interessante Lektüre, insbesondere weil Frankenberg bei den großen Momenten in Krieg und Politik seit 1866 persönlich zugegen war. In seiner politischen

Richtung ist er ein begeisterter Anhänger Bismarks. Den Krieg 1866 machte
er als Ordonanzoffizier beim Generalkommando des VI. (schlesischen) Armee=
korps mit; im Kriege 1870/71 war er Armeedelegirter der freiwilligen Kranken=
pflege bei der dritten Armee. Den eigentlichen Tagebuchaufzeichnungen, welche
zwar durch ihre Anschaulichkeit sehr anziehend, nicht selten aber einseitig und
partikularistisch befangen sind, geht ein Lebensabriß des Grafen aus der Feder
H. v. Poschingers voraus, der besonders seine politische Entwicklung schildert.
                                                                    A. M.

Mayerhoffer (Eberh.), das Gefecht bei Nouart u. die Ereignisse bei der
    Maas=Armee am 29. August 1870. Wien, Seidel & Sohn. III,
    64 S. m. 4 Beilagen. M. 1,60.

Wengen (Fr. v. d.), la petite guerre dans le Haut-Rhin au mois de
    septembre 1870 traduit par le capitaine Carlet. Paris, Charles-
    Lavauzelle. 58 S.

Scherff (W. v.), Kriegslehren in kriegsgeschichtl. Beispielen der Neuzeit.
    Heft 4: Die Cernirung v. Metz u. die Schlacht v. Noisseville. Dar=
    stellung u. Betrachtgn Berlin, Mittler & Sohn. III, 330 S. m.
    einem Plane in Steindruck. M. 7.

Sothen (v.), die Schlacht vor Le Mans am 10., 11. u. 12. Jan. 1871.
    Vortrag v. —. Berlin, Mittler & Sohn. S. 231—63 m. 2 Beil.
    u. 3 Skizzen in Steindr. M. 0,75. [Beiheft z. Militär=Wochenblatt.
    Hrsg. v. Gen.=Maj. z. D. v. Estorff. Heft 5.]

Arnold (H.), unter General v. d. Tann. Feldzugserinnerungen 1870/71.
    Bdchn. 2: Der Feldzug an der Loire. Vor Paris. Heimmarsch u.
    Einzug in München. München, Beck. VIII, 268 S. M. 2.

Germanicus, Englands Heerwesen am Ende des 19. Jahrhs. Hamburg,
    Verlagsanst. u. Druckerei. 36 S. 0,80. [Sammlung gemeinverst.
    wissenschaftl. Vorträge. H. 248.]

Historische Hilfswissenschaften und Bibliographisches.

Müller (Sophus), nordische Altertumskunde. Nach Funden u. Denkmälern
    aus Dänemark u. Schleswig gemeinfaßl. dargest. Deutsche Ausgabe.
    Unter Mitwirkg. d. Vf.s besorgt v. O. L. Jiriczek. Straßburg,
    Trübner. Mit mehreren Taf., 250 Abbildgn. im Text u. e. archäolog.
    Karte. In ca. 15 Lfgn. 1. u. 2. Lfg. S. 1—96. à M. 1.
    Vf., eine Autorität ersten Ranges auf diesem Felde, wird mit diesem Buche,
    von dem die ersten Lieferungen vorliegen, ein grundlegendes Werk bieten,
    welches für den Historiker, der sich mit der Urzeit und der Zeit der Wanderungen
    beschäftigt, unentbehrlich sein wird. Die nordische Forschung hat gerade in den
    letzten Jahrzehnten außerordentliches geleistet, das hier zum erstenmale all-
    gemeiner zugänglich wird. Und die Resultate der nordischen Forschung sind für
    die Beurteilung der Anfänge des Germanentums heute von der größten
    Wichtigkeit. Vf. behandelt die nordisch=germanische Kulturentwicklung bis ein-
    schließlich der Völkerwanderung und der Wickingerzeit. Format, Ausstattung
    und Illustrationen sind vortrefflich.   A. M.

Schwade (L.), die kaiserl. Dezennalien u. die alexandrinischen Münzen,
    Progr. Tübingen, Heckenhauer. 4⁰. 51 S. m. 22 Illustr. M. 1,20.

Marzi (D.), la questione della riforma del calendario nel quinto con-
    cilio lateranense (1512—17) con la vita di Paolo di Middelburg,
    scritta da B. Baldi. Firenze, Carnesecchi e figli. X, 263 S.

Holthausen (F.), Lehrbuch der altisländischen Sprache. II. Altisländ. Lesebuch. Weimar, Felber. XXVII, 198 S.

*Kahle (B.), altisländisches Elementarbuch. Heidelberg, Winter. XII, 238 S. *M.* 4. [Samml. v. Elementarbüchern der altgerm. Dialekte. Hrsg. von W. Streitberg. Bd. 3.]

Bis vor kurzem war der Historiker, der einen selbständigen Einblick in die isländische Literatur zum Verständnis der Geschichte dieses Eilandes für unumgänglich hielt, recht übel bestellt. Und doch mußte ihm bei der gehaltreichen Fülle dieser Literatur, wie sie etwa von dem amerikanischen Gelehrten und Bibliographen Professor Willard Fiske in der Villa Forini in Florenz zusammengestellt ist (vgl. E P. Evans, die Bücherschätze eines amerikanischen Bibliographen I. II. III.: Beilage z. Allg. Ztg. 1896 Nr. 210, 211, 212), eine elementare, auf wissenschaftlicher Grundlage ruhende Grammatik ein entschiedenes Bedürfnis werden. A. Noreens mustergiltige Altisländische und altnorwegische Grammatik, Halle a. S., Max Niemeyer, 1892² (XII, 314 S.) schreckte durch ihre Stofffülle alle diejenigen ab, denen nicht das Studium der Sprache Selbstzweck war. Nun werden uns in kaum mehr als Jahresfrist gleich 3 zuverlässige Hilfsmittel geboten: Ferd. Holthausen, Lehrbuch der altisländischen Sprache. I. Altisländisches Elementarbuch. Weimar, Emil Felber 1895. (XV, 197 S. 2 Tabellen). II. Altisländisches Lesebuch (f. oben). A. Noreen, Abriß der altnordischen (altisländischen) Grammatik. Halle a. S., Max Niemeyer 1896 (60 S.) und das oben zitierte Buch von B. Kahle. Noreens Abriß ist äußerst knapp und mehr als Grundlage und Paradigmensammlung zu Vorlesungen gedacht. Holthausen wird in der sonst dankenswerten Bedeutungslehre und Syntax, die bei Noreen ganz fehlen, für die Zwecke des Historikers leicht zu breit. Die richtige Mitte für ihn hält vielleicht das anspruchslose und übersichtlich geschriebene Buch von Kahle, der zudem in allen ur= und indogermanischen Fragen ein für allemal auf die in der gleichen Sammlung erschienene Urgermanische Grammatik von W. Streitberg verweisen konnte (vgl. das Referat oben S. 459). Die vorausgeschickten Literaturangaben, die Kapitel über die Stellung und die Quellen des Altisländischen, eine Anzahl Lesestücke (S. 145—87) zum teil historischen Inhalts, sowie ein reiches Wörterverzeichnis (S. 188—235) erhöhen die Brauchbarkeit des Buches nach jeder Richtung. Hg.

Helten (W. L. van), zur Lexikologie des Altwestfriesischen. Amsterdam, Müller. Lex.=8°. 74 S. *M.* 1,60. [Aus: Verhandelingen van Wetenschappen te Amsterdam.]

Marschall (O.), Darstellung des Vokalismus in thüringischen u. hessischen Urkk. bis zum J. 1200. Ein Beitr. zur Grammatik der ältesten thür. u. hess. Urkundensprache. Göttinger Diss. Göttingen, Hofer. 47 S.

Gradl (H.), die Mundarten Westböhmens. Lautlehre des nordgauischen Dialektes in Böhmen. München, Kaiser. VII, 176 S. *M.* 3.

Jagić (V.), codex slovenicus rerum grammaticarum. Petropoli. Berlin, Weidmann. XXIII, 779 S. *M.* 15.

Oesterreicher (J.), Beiträge zur Gesch. d. jüdisch=französ. Sprache und Literatur im Mittelalter. Czernowitz, Pardini. 32 S. *M.* 2.

Studer (Jul.), Schweizer Ortsnamen. Ein historisch=etymolog. Versuch. Zürich, Schulthess. 2.—4 (Schluß) Lfg. S. 81—288. L. 1—4. *M.* 4,20. Vgl. oben S. 461.

Wisnar (J.), die Ortsnamen der Znaimer Bezirkshauptmannschaft. Ein toponymischer Versuch. 34 S. [Progr. d. Gymnas. zu Znaim.]

Lanciani (R.), forma urbis Romae. Consilio et auctoritate regiae academiae Lyncaeorum formam dimensus est et ad modulum 1 : 1000 delineavit —. Fasc IV. 6 Bl à 57 × 87 cm. Mailand, Hoepli. ℳ 20.

Kiepert (H.) et Huelsen (Ch.), formae urbis Romae antiquae. 1 : 10000. 2 Bl. à 55,5 × 65 cm, 1 Bl. 44 × 61 cm. Accedit nomenclator topographicus a Ch. Huelsen compositus. Berlin, Reimer. Lex.-8⁰. XII, 110 S. ℳ 12.

Riess (Rich. v.), atlas scripturae sacrae. X tabulae geographicae cum indice locorum scripturae sacrae vulg. edis., scriptorum ecclesiasticorum et ethnicorum. Freiburg i. B., Herder. Fol. VI, 15 S. ℳ 6,20.

Marcel (Gabr.), choix de cartes et de mappemondes des XIVᵉ et XVᵉ siècles publ. par —. Paris, Leroux. 2⁰. 1 Bl. VI S. 16 Taf. [Recueil de voyages et de documents pour servir à l'hist. de la géogr. Sect. cartograph. Nr. 3.]
Inhalt der Tafeln: Carte dite pisane. II Mappemonde de Dulcert. III Mappemonde de Mecia Viladestes. Mappemonde de Soleri.

*Geiger (Th.). Conrad Celtis in seinen Beziehungen zur Geographie. München, Wolf u. Sohn. 42 S. [Progr. der k. Luitpold-Kreis-realschule 1895/96.]
Vf. gibt einen kurzen Lebensabriß des Humanisten und sammelt aus dessen Werken die noch erhaltenen Vorarbeiten zu der geplanten ›Germania illustrata‹. Das Material wird nach den Flußgebieten gruppiert, darnach wird auch C.s Stellung zur Orographie, seine Würdigung der klimatischen Verhältnisse u. v. a. berührt; kurz, die übersichtliche Arbeit thut dar, daß C. die Bezeichnung des Madrider Index verdient: ›Germanus poeta et cosmographus‹.

Carli (A.) ed Favaro (A.), bibliografia Galileiana (1568—1895). Roma, Bencini. VIII. 383 S. [Indici e Cataloghi Nr. 16.]

Steger (E.),, Untersuchungen über italienische Seekarten des MA.s auf Grund der kartometrischen Methode. Diff. Göttingen, Vandenhoeck & Ruprecht. V, 52 S. m. 1 Karte. ℳ 1,40.

Elter (A.), de Henrico Glareano geographo et antiquissima forma „Americae" commentatio. Bonnae, Georgi. 30 S. 7 Taf.

Gernet (Axel v.), Forschungen zur Gesch. d. baltischen Adels. Heft 2: Die Anfänge der livländ. Ritterschaften. Reval, Kluge. 135 S. ℳ 4.

Alberti (O. v), württemberg. Adels- u. Wappenbuch. Im Auftrag des württemberg. Altertumsvereins verf. Heft 6. Stuttgart, Kohlhammer. Lex.-8⁰. S. 345—424 m. Fig. ℳ 2.

Strecker (Wilh.), Stammbuch der Familie Strecker, nach den hinterlassenen Schriften des Kreiswundarztes San.-R. Karl Strecker, bearb. und hrsg. v. Al. Schaefer u. W. St. Als Mskr. gedr. Wien, Selbstverl. XI, 408 S. m. 1 Karte u. 7 Stammtaf. ℳ 13.50.

Révérend (A.), Armorial du premier Empire. Titres, Majorats et Armoiries concédés par Napoléon 1ᵉʳ. T 2. Paris, Dentu. 376 S.

Monumenta Germaniae et Italiae typographica. Deutsche u. italienische Inkunabeln, in getreuen Nachbildgn. hrsg. v. d. Generaldirektion der Reichsdruckerei. Auswahl u. Text v. Biblioth. K. Burger. Lfg. 5. Berlin, Leipzig, Harrassowitz in Komm. Fol. 25 Taf. ℳ 20.

L'Art de l'imprimerie à Venise (pendant la Renaissance italienne). Hrsg. v. F. Ongania. Venedig. Berlin, Spielmeyer. Lex.=8°. VIII, 229 S. m. Fksm.=Reproduktionen. *M.* 18.

Heidberg (J. L.), Beiträge z. Gesch. Georg Vallas u. seiner Bibliothek v. —. Leipzig, Harrassowitz. 129 S. *M.* 5. [Centralblatt für Bibliothekswesen. Hrsg. v. O. Hartwig. Beihefte XVI.]

Schwenke (P.), Hans Weinreich u. d. Anfänge d. Buchdrucks i. Königsberg. Königsberg, Beyer. 47 S. *M.* 1. [Aus: Altpreuß. Monatsschr.]

Jahresbericht über die christlich=lateinische Literatur v. 1886/87 bis Ende 1894, von C. Weyman. Berlin, Calvary & Co. 64 S. *M.* 2,40. [Aus: Jahresber. üb. d. Fortschr. d. klaff. Altertumswiff.]

Hurst (J. F.), literature of theology: classified bibliography of theological and general religious literature. New-York. sh. 21.

Jahresbericht, theologischer. Unter Mitwirkg. v. Baur, Böhringer, Dreyer ıc. hrsg. v. H Holtzmann. Bd. 14 enthält die Literatur d. J. 1894. 5. (Schluß=)Abt. Register, bearb. v. L. Plöthner. Braunschweig, Schwetschke & Sohn. 77 S. Unentgeltlich.

— Dasselbe. Bd. 15, enth. d. Literatur d. J. 1895. Abt. 1. Ebd. *M.* 6.

Potthast (A.), bibliotheca historica medii aevi. Wegweiser durch die Geschichtswerke des europ. MA.s bis 1500. Anh.: Quellenkunde für die Geschichte der europ. Staaten während des MA. 2. Bd. (Schluß.) Berlin, Weber. S. 801—1280. *M.* 12.
Vgl. oben S. 464.

Ackermann (K.), Bibliotheca hassiaca. Repertorium der landeskundlichen Literatur f. den preuß. Reg.=Bez. Kassel, das ehemal. Kurfürstentum Hessen. 7. Nachtrag. Kassel, Selbstverlag. 9 S. *M.* 0,40.

Katalog der Bibliothek des Vereins f. d. Gesch. Berlins. Bearb. v. H. Guiard. Berlin, Mittler & Sohn. XXIII, 285 S. *M.* 4.

Catalogus codicum hagiographicorum Graecorum bibliothecae nationalis Parisiensis. Ediderunt hagiographi Bollandiani et Henricus Omout. Bruxellis, apud editores. VIII, 372 S.

Delisle (M. L.), notice sur les manuscrits originaux d'Adémar de Chabannes. Paris, Klincksieck. Mit 4 u. 6 Faff.=Taf. fr. 6,50.

Decker (A.), die Hildebold'sche Manuskriptensammlung des Kölner Doms. Festschr. Köln S. 215—251 m. 1 Taf.

Katalog der Freiherrl. v. Lipperheide'schen Sammlung f. Kostümwissensch. Berlin, Lipperheide. Mit Abbildgn. Abt. 3: Büchersammlung. Bd. 1. Lfg. 1. Lex.=8°. XVI, 48 S. *M.* 1.

Nachrichten.

Bericht über die 37. Plenarversammlung der historischen Kommission bei der k. bayer. Akademie der Wissenschaften.

Seit der letzten Plenarversammlung im Juni 1895 sind folgende Publikationen durch die Kommission erfolgt:

1. Allgemeine deutsche Biographie. Band XXXIX, Lieferung 4. 5. Band XL. Band XLI, Lieferung 1.
2. Chroniken der deutschen Städte. Band XXIV. Band III der niederrheinischen und westfälischen Städte: Soest, Duisburg.
3. Deutsche Reichstagsakten unter Kaiser Karl V. Bd. II.
4. Briefe und Akten zur Geschichte des 16. Jahrhunderts mit besonderer Rücksicht auf Bayerns Fürstenhaus. Band IV.

Die Hansarezesse sind dem Abschluß nahe. Der Herausgeber, Dr. Koppmann, hat den Druck des achten Bandes bis S. 368 gefördert, und denkt im Herbst des gegenwärtigen Jahres ihn zu Ende zu führen.

Die Chroniken der deutschen Städte, unter der Leitung des Geheimen Rats von Hegel, sind bei ihrem 25. Band, dem 5. Band der Chroniken der Stadt Augsburg, bearbeitet von Dr. Friedrich Roth, angelangt, dessen Text bereits fertig gedruckt ist. Nach Hinzufügung des Glossars und des Registers wird er demnächst erscheinen. Er enthält die „Chronik neuer Geschichten" von Wilhelm Rem, 1512 bis 1527, nebst fünf Beilagen, unter welchen besonders bemerkenswert ist die Relation über den Reichstag von Augsburg 1530 aus der Chronik von Langenmantel. Als 26. Band ist ein zweiter Band der Magdeburger Chroniken in Aussicht genommen, deren erster Band, der siebente der ganzen Reihe, die Magdeburger Schöffenchronik, bearbeitet von Janicke, enthält. Für den zweiten Band ist die hochdeutsche Fortsetzung dieser Chronik bis 1566 und die Chronik des Georg Butz 1467 — 551 bestimmt. Die Bearbeitung

hat Dr. Dittmar, Stadtarchivar von Magdeburg, übernommen. Ferner
wird Dr. Koppmann, sobald er die nötige Muße gewinnt, an die Be=
arbeitung des zweiten Bandes für Lübeck gehen.

Die Jahrbücher des deutschen Reichs haben eine sehr empfind=
liche Einbuße erlitten durch den am 10. Februar 1896 erfolgten Tod
(s. oben S. 232) des Geheimen Hofrats Winkelmann. Er war bis
zu seinem Tod mit dem zweiten Band der Jahrbücher des Reichs unter
Kaiser Friedrich II beschäftigt. Das Manuskript für die Jahre 1228—33
liegt druckfertig vor und soll demnächst als zweiter Band veröffentlicht
werden. Zur Fortsetzung und Vollendung des Werkes, für welche der
Verfasser durch die Neubearbeitung der Böhmerschen Regesten die Grund=
lage geschaffen hat, ist bisher noch kein Gelehrter bereit gefunden worden.

Für die Jahrbücher des Reichs unter Otto II und Otto III
hat Dr. Uhlirz die Sammlung und Sichtung des gesamten Quellenstoffs
beendigt und wird jetzt an die Ausarbeitung gehen. Die Arbeit für die
Jahrbücher unter Heinrich IV und Heinrich V hat Professor
Meyer von Knonau wieder aufgenommen und wird, wenn auch neuer=
dings durch die Geschäfte des Rektorats der Züricher Hochschule behindert,
nach Möglichkeit den dritten Band des Werkes fördern.

Die Geschichte der Wissenschaften in Deutschland hat in
diesem Jahre einen erfreulichen Fortschritt zu verzeichnen. Von den drei
noch immer ausständigen Werken ist eines, die Geschichte der Geologie und
Paläontologie vom Geheimen Rat von Zittel, dem Abschluß nahe gerückt.
Das druckfertige Manuskript reicht bis 1820, die Vollendung des Ganzen
glaubt der Verfasser für den Mai 1897 in Aussicht stellen zu dürfen.

Die Allgemeine deutsche Biographie, unter der Leitung des
Freiherrn von Liliencron und des Geheimen Rats Wegele, nimmt
ihren regelmäßigen Fortgang. Der Schluß des 41. Bandes ist bald nach
Ablauf des Geschäftsjahres (1. Juli) zu erwarten. Die Redaktion beschäftigt
sich bereits mit den Vorbereitungen für die Nachtragsbände sowie für das
allgemeine Namensregister zum ganzen Werk.

Die Reichstagsakten der älteren Serie, unter Leitung des
Professors Quidde, sind endlich zum Beginn der Drucklegung eines neuen
Bandes gelangt, nämlich des von Dr. Beckmann bearbeiteten elften Bandes,
der den Schluß der Regierung Sigmunds, die Zeit nach der Kaiserkrönung,
enthalten soll. Dr. Beckmann hat nach der vorigen Plenarversammlung
noch das venetianische Staatsarchiv besucht, dort die Arbeit für die Jahre
1433—39 abgeschlossen, dann nach seiner Rückkehr die Fertigstellung des
Manuskripts unternommen, eine Arbeit, die längere Zeit in Anspruch nahm
als im vorigen Jahr vorauszusehen war, indem die Behandlung des spröden
Materials der kirchenpolitischen Verhandlungen und die Anordnung der für
den Zusammenhang unentbehrlichen Akten, die sich in den Rahmen der
Reichstagsakten nicht recht fügen wollten, große Schwierigkeiten verursachte.

Ende April wurde das Manuskript der ersten großen Hauptabteilung „Ent=
wicklung der Kirchenfrage von Sigmunds Kaiserkrönung bis zum Reichstag
von Basel Juni bis Oktober 1433" dem Druck übergeben. Im Fort=
gang des Drucks, der keine Unterbrechung erfahren soll, wird sich deut=
licher herausstellen, ob es zweckmäßig sei, die letzten Reichstage Sigmunds
als einen besonderen zwölften Band abzutrennen.

Der zehnte Band, die Romzugszeit umfassend, von Dr. Herre be=
arbeitet, wird voraussichtlich noch vor Erscheinen des elften Bandes druck=
fertig werden. · Dr. Herre hat im vorigen Sommer zuerst zur Unter=
stützung Dr. Beckmanns in Venedig, dann in Mailand gearbeitet, darauf
die Bearbeitung der Konzilsakten für seinen Band durch Benützung der
Pariser Handschriften, die nach München gesandt worden sind, abgeschlossen
und · neben der Bearbeitung der Texte seine weit ausgreifenden Unter=
suchungen über die Vorgeschichte des Romzuges dermaßen gefördert, daß
die Einleitung im Sommer druckfertig werden wird, die Vollendung des
ganzen Bandes aber bis zur nächsten Plenarversammlung in Aussicht gestellt
werden kann.

In München wurden außer den Pariser Handschriften auch noch solche
aus den Bibliotheken zu Wien, Trier, Wolfenbüttel und München, Archivalien
von Nördlingen, Würzburg und München benützt. Hervorzuheben ist die
Ausbeute, welche das für die Reichstagsakten bisher noch nicht benutzte
Geheime Hausarchiv zu München gewährt hat. Notwendig wird für
Band 10 noch eine Nachlese an Ort und Stelle in Wien, vielleicht auch
in Dresden sein.

Für die Reichstagsakten der jüngeren Serie war wie bisher
Dr. Wrede mit Unterstützung von seiten des Dr. Bernays thätig. Der
zweite Band der Reichstagsakten unter Kaiser Karl V ist der Plenar=
versammlung überreicht worden. Neben dem Druck desselben hat die
Redaktion des dritten Bandes begonnen, dessen Material im wesentlichen
vorliegt. Derselbe wird die Anfänge des Regiments und den ersten Reichs=
tag zu Nürnberg März und April 1522, den Städtetag zu Eßlingen vom
Juni 1522, den zweiten Reichstag zu Nürnberg November 1522 bis
Februar 1523, den neben diesem Reichstag hergehenden Städtetag und
wo möglich auch noch den Städtetag zu Speier vom März 1523, der eine
unmittelbare Folge des Reichstags ist, umfassen. Der erste Reichstag von
Nürnberg gestattet eine knappe Behandlung. Die Städtetage hereinzuziehen,
ist unerläßlich, da es sich auf ihnen ganz vorwiegend um die gemeinsame
Stellung der Städte zu den gefaßten oder zu fassenden Reichstagsbeschlüssen
handelt; übrigens ist das für sie vorhandene Material gering, mit Aus=
nahme des Tags von Speier. Den breitesten Platz im dritten Band
wird der zweite Reichstag von Nürnberg einnehmen. Da über diesen viel
weniger veröffentlicht ist als über den Wormser Reichstag, wird der dritte
Band mehr neues bringen können als der zweite. Aus dem, was bisher

noch gänzlich unbekannt war, mag hervorgehoben werden ein ausführliches aus der Mainzer Kanzlei stammendes Protokoll über die erste Hälfte des Reichstags, und eine ausführliche Gegenschrift der Erzbischöfe und Bischöfe gegen die Gravamina.

Die ältere pfälzische Abteilung der Wittelsbacher Korrespondenzen, die am dritten Band der Briefe des Pfalzgrafen Johann Casimir steht, hat von dem Herausgeber, Professor von Bezold, nicht nach Wunsch gefördert werden können, da er durch unerwartete Einberufung zur Teilnahme am philologischen Staatsexamen verhindert wurde, die für die vorigen Herbstferien beabsichtigte größere archivalische Reise auszuführen. Während der beiden Semester und der Osterferien mußte er sich darauf beschränken, teils in München, teils in Erlangen einige Archivalien des Allgemeinen Reichsarchivs und des Staatsarchivs, ferner Akten des Straßburger Stadtarchivs, Schlobittener Archivalien und Khevenhillersche Depeschen aus dem Germanischen Museum zu benützen.

Die ältere bayerische Abteilung der Wittelsbacher Korrespondenzen, unter Leitung des Professors Loffen hat die von Druffelschen Briefe und Akten zur Geschichte des 16. Jahrhunderts mit besonderer Rücksicht auf Bayerns Fürstenhaus, in den von dem Urheber geplanten Grenzen, zu Ende geführt. Der vierte Band, bearbeitet von Dr. Brandi, wird in den nächsten Tagen ausgegeben werden. Er umfaßt die Jahre 1553—55. Die wichtigsten der in ihm enthaltenen Aktenstücke z. Gesch. des Religionsfriedens sollen in einer zum Gebrauch der histor. Uebungen geeigneten Separatausgabe veröffentlicht werden. (S. oben S. 886, 912.) Auch der Druck der Beiträge zur Geschichte Herzog Albrechts V und des Landsberger Bundes, bearbeitet von Dr. Götz, hat begonnen. Da Dr. Götz, der unterdes Privatdozent an der Universität Leipzig geworden ist, im Winter Urlaub nehmen und sich in München ganz der Bearbeitung des Manuskripts für den Druck widmen wird, so ist zu hoffen, daß dieser Band der nächsten Plenarversammlung fertig vorgelegt werden kann. Damit werden die Aufgaben dieser Abteilung der Wittelsbacher Korrespondenzen vorläufig erledigt sein.

Die jüngere bayerische und pfälzische Abteilung der Wittelsbacher Korrespondenzen, die Briefe und Akten zur Geschichte des dreißigjährigen Krieges unter Leitung des Professors Stieve, ist in erfreulichem Wachstum, so des Umfangs ihrer Forschungen wie der Zahl ihrer Mitarbeiter, begriffen. Leider ist Professor Stieve durch Krankheit im vergangenen Jahre verhindert worden und wird durch eine andere wissenschaftliche Aufgabe auch im nächsten Jahre verhindert werden, seine langjährigen Arbeiten für die Zeit von 1608—10 durch die Drucklegung des 7. und 8. Bandes zu beendigen. Anderseits ist es ihm möglich gewesen, für die Zwecke der Abteilung einen vorbereitenden Besuch der Archive zu Zerbst, Weimar und Würzburg auszuführen.

Seine alten Mitarbeiter, Dr. Chroust und Dr. Mayr=Deisinger, haben, der erstere zunächst für die Jahre 1611—13, der andere für die Jahre 1618—20, weiter gearbeitet. Dr. Chroust hat die protestantische Korrespondenz des Münchener Staatsarchivs durchgesehen und hierdurch mit den Münchner Akten für die bezeichneten Jahre nahezu abgeschlossen. Daneben beschäftigten ihn die Schlobittener Papiere, deren Uebersendung die hist. Kommission dem Entgegenkommen des Grafen Richard zu Dohna= Schlobitten auch während des verflossenen Jahres zu danken hatte, unter welchen zwei von Abraham von Dohna geschriebenen Bänden Branden= burger Geheimratsprotokolle für 1611—18 eine hervorragende Bedeutung zukommt; ferner anhaltische Akten, deren Uebersendung aus dem Zerbster Archiv die herzogliche Regierung gestattet hat. Außerdem beendigte er in sechswöchentlichem Aufenthalt zu Wien seine dortigen Arbeiten im Mini= sterium des Innern und im Staatsarchiv. Das Ergebnis seiner jetzt ab= geschlossenen Wiener Reisen ist die erschöpfende Aufhellung der kaiserlichen und der kurmainzer Reichspolitik in jenen Jahren. Unter manchen über= raschenden Aufschlüssen mag die Enthüllung der eigentlichen Ziele des Passauer Kriegsvolks erwähnt werden. Dr. Chroust wird nun den Rest der anhaltischen Papiere, dann die Dresdner und Innsbrucker Akten vor= nehmen. Schließlich darf hier darauf hingewiesen werden, daß Dr. Chroust in diesem Jahre ein umfangreiches satirisches Gedicht des Grafen Abraham von Dohna über den Reichstag von 1613 veröffentlicht hat. (Vgl oben S. 628.)

Dr. Mayr=Deisinger fuhr fort, die Dresdner Akten, insbesondere die Lebzelterschen Berichte zu bearbeiten, und hofft damit gegen Ende des Jahrs fertig zu werden. Daneben werden die anhaltischen Akten zu durch= forschen sein. Ein Wiener Aufenthalt von acht Wochen ergab überraschend reiche Ausbeute. Im Staatsarchiv fanden sich in der Sammlung Bo- hemica, die ein früherer Forscher nur oberflächlich benutzt hatte, unter andern höchst wertvollen Briefen auch Teile der nach der Schlacht am Weißen Berg erbeuteten „Heidelberger Akten" mit der Korrespondenz Friedrichs V und seiner Staatsmänner und Generale. Ferner bot das Hofkammerarchiv, welches ein anderer verstorbener Forscher auch nur höchst flüchtig benutzt hatte, in sechs mächtigen Faszikeln einen tiefen Einblick in die traurige Finanzlage des Kaisers. In der Hofbibliothek fanden sich handschriftliche Denkwürdigkeiten, die wahrscheinlich von Martiniz herrühren. Ferner erhielt Dr. Mayr durch die Vermittlung des Professors Menčik aus dem Archiv des Grafen Harrach zwei Bände eigenhändiger Auf= zeichnungen des Grafen Karl von Harrach über die Geheimratsitzungen am Wiener Hof, mit Briefen Bucquoys und anderer Feldherren u. a. m. Eine nochmalige Reise Dr. Mayrs nach Wien wird erforderlich sein.

Zwei andere junge Gelehrte, Dr. Altmann und Dr. Hopfen, sind als Mitarbeiter des Professors Stieve eingetreten, ohne Besoldung und

in einem freieren Verhältnis, in der Art, daß sie verwandte Ziele unab=
hängig verfolgen, und für die Förderung, welche ihnen der Anschluß an
die Kommission im In= und Ausland gewährt, sich verpflichten, ihre Aus=
züge und Abschriften der Kommission zu überweisen. Dr. Altmann hat
zum Gegenstand seiner Studien die auswärtige Politik Bayerns in den
Jahren 1627—30 gewählt. Nachdem er schon früher in derselben Richtung
thätig gewesen war, hat er im letzten Jahr in Dresden, Prag, Wien,
Innsbruck gearbeitet, und wird nun fortfahren, hier die Münchner und
die aus deutschen Archiven hierher geschickten Akten zu durchforschen. Dr.
Hopfen hat sich die Aufgabe gestellt, die deutsche Politik Spaniens in
den Jahren 1621—34 zu ergründen und ist zu diesem Zweck im letzten
Jahre in Simancas und Madrid, dann in Paris, weiter in London,
Brüssel und im Haag gewesen. Ihm ist gelungen, die in Simancas,
Madrid, Brüssel und London zerstreuten wöchentlichen Berichte der spanischen
Botschafter am kaiserlichen Hof aus den Jahren 1621—34 fast vollzählig
zu sammeln. Ferner fand er die meisten Instruktionen für die bezeichneten
Botschafter. Außerdem konnte er die Berichte an den König über die
Verhandlungen des Staatsrats und die Korrespondenzen der spanischen
Regierung mit dem Brüsseler Hof und den italienischen Statthaltern aus=
beuten. Ueber die gleichzeitigen Verhandlungen mit England in der Pfälzer
Frage und über das Verhältnis zu Frankreich gaben ihm die Berichte der
französischen und der englischen Gesandten am spanischen Hof Aufschluß.
Den glücklichen Erfolg, den er namentlich in Spanien selbst hatte, verdankt
er der hilfreichen Unterstützung des Ministerpräsidenten Cánovas del Castillo
und zahlreicher anderer spanischer und deutscher Gönner.

———

Dem Bericht über die wissenschaftlichen Unternehmungen der Gesellschaft für
Rheinische Geschichtskunde entnehmen wir: Für den 1. Bd. der Rheinischen
Weistümer (unter Leitung von Prof. Loersch in Bonn) finden die letzten Material=
erhebungen statt, dann beginnt der Druck. Von der Ausgabe der Rheinisch.
Urbare (geleitet von Prof. Lamprecht) steht der Abschluß der Aachener Urbare
durch Dr. Kelleter und der Urbarialien von St. Pantaleon in Köln durch Dr. Hilliger
bevor. Die Arbeiten für den 2. Bd. der Jülich=Bergischen Landtagsakten,
Abtlg. 1, von Prof. v. Below sind verzögert worden; die Bearbeitung der Akten der
II. Reihe ist bezüglich der Bergischen Akte durch Dr. Küch bis 1648 durchgeführt
und mit den Akten der Jülicher Landstände wird begonnen. Von Bd. 2 der
Aelteren Matrikeln der Universität Köln von Dr. Keussen sind die Register
druckfertig und die Dekanatsbücher bis 1485 ausgebeutet. Die Ausgabe der Aelteren
rheinischen Urkunden von Prof. Menzel ist vorgeschritten bis z. J. 900 und
die Abtlg. bis z. J. 800 in Bälde druckreif. Von den Erzbischöflich kölnischen
Regesten ist Abtlg. 1 bis z. J. 1100 vollständig gesammelt, Abtlg. 2 (1100—304)
durch Dr. Knipping bis z. J. 1205 fast abgeschlossen, Abtlg. 3 (1304—414) durch
Dr. M. Müller auf 5000 Nummern gebracht. Für die Ausgabe der Zunfturkunden
der Stadt Köln hat Prof. Gothein die Leitung übernommen. Vom Geschichtl.
Atlas der Rheinprovinz hat Dr. Fabricius die Uebersichtskarten von 1789 in

Druck gegeben. Für die Akten der Jülich-Clevischen Politik Kurbrandenburgs (1610—40) bearbeitet Dr. Löwe z. Zt. die Düsseldorfer Archivalien über die
auswärtige Politik. Dr. Voullième hat seine Bibliographie über den Buchdruck
Kölns im 15. Jahrhundert auf 915 Nummern gebracht. Von der Geschichte
der Kölner Malerschule von L. Scheibler und K. Aldenhoven steht Lfg. 3
in Aussicht. Die Herausgabe der Urkunden und Akten zur Geschichte des
Handels und der Industrie in Rheinland und Westfalen konnte Prof.
Gothein nicht erheblich fördern. Als neues Unternehmen erscheint in 2 Bänden
1896 u. 1897 von Dr. R. Knipping die Ausgabe der Kölner Stadtrechnungen
aus dem Mittelalter, und beginnt im Jahresbericht (XV pro 1895) der Abdruck
der Inventarisierung der kleinen Archive der Rheinprovinz, bearb.
von Dr. A. Tille. Die Preisaufgabe s. unten S. 959.

Von den Publikationen des Hansischen Geschichtsvereins, dessen Generalversammlung am 26. Mai zu Bremen stattfand, ist der vierte Band des Hansischen
Urkundenbuches (umfassend die Jahre 1361—92) gedruckt. Die Vorarbeiten von
Dr. Kunze und Dr. Stein für die folgenden Bände sind weit vorgerückt. Von den
Inventaren der Hans. Archive des 16. Jahrh. ist der erste Band erschienen
(s. oben S. 884), ein gleichfalls Köln behandelnder zweiter Band wird bald nachfolgen, und daran wird sich das Braunschweiger Inventar von 1531, bearbeitet
von Dr. H. Mack anreihen. Die Vorarbeiten für Bd. 6 der Abtlg. 3 der Hanse-
rezesse, herausgegeben von Professor Schäfer, sind noch nicht abgeschlossen. Dem
Drucke übergeben ist ein neuer Band der Hansischen Geschichtsquellen; sie
sind in einen anderen Verlag übergegangen und der Band hat deshalb den Titel:
Neue Folge, Bd. 1. Ein Heft der Geschichtsblätter ist im Erscheinen begriffen.
Das Preisausschreiben s. oben S. 712.

In Folge einer mit dem Hist. Vereine f. Steiermark getroffenen Vereinbarung
ist die Hist. Landeskommission f. Steiermark in der Lage, eine Reihe von
Arbeiten ihrer Mitglieder und Hilfsarbeiter, die sich entweder mit der Charakteristik und
Beschreibung ganzer Archive befassen oder einzelne besonders wertvolle archivalische
Bestände zum Gegenstand eingehender Untersuchung und wortgetreuer oder im Auszug
gegebener Mitteilung machen, in den „Beiträgen zur Kunde steiermärkischer
Geschichtsquellen" abzudrucken. Da diese Arbeiten im wesentlichen einen Teil
des Quellenmaterials ausmachen, das in der „Allgem. Verfassungs- und Verwaltungs-
Geschichte des Herzogtums Steiermark" und in den „Forschungen zur steiermärkischen
Verfassungs- und Verwaltungs-Geschichte" verarbeitet werden soll, so werden Separat-
abdrücke der bedeutenderen dieser Aufsätze veranstaltet und unter dem Gesamttitel
„Veröffentlichungen der Historischen Landeskommission für Steier-
mark" in numerierter Folge den Berichten und größeren Werken angeschlossen
(s. oben S. 884, 911). Von den größeren Unternehmungen der Gesellschaft wird die
Geschichte der Verfassung und Verwaltung der Steiermark von den
ältesten Zeiten bis 1285 von v. Krones der Vollendung entgegengeführt.
Geplant ist auch die Sammlung und Herausgabe von Korrespondenzen österreichischer Staatsmänner des 16., 17. und 18. Jahrhunderts nach steirischen
Familienarchiven.

Eine sächsische historische Kommission wurde begründet zur Förderung der Geschichte des königlichen Hauses, der Wettiner und ihrer Länder bezw. der deutschen Geschichte. Der Staat leistet jährlich 10,000 M. Den Vorsitz führt der Kultusminister, Prof. Lamprecht ist geschäftsführendes Mitglied; ordentl. Mitglieder sind u. a. die Leipziger Proff. Brieger, Bücher, Friedberg, Hauck, Marcks, Miaskovski, Seeliger, Sievers.

Der vierte deutsche Historikertag zu Innsbruck.

Der Dank dafür, daß die Tagung, der man der weiten Entfernungen wegen — ursprünglich sollte ja Graz in Frage kommen — nicht ohne berechtigte Besorgnisse entgegengesehen hatte, so schön verlaufen ist, gebührt in erster Linie der Rührigkeit des Verbandsausschusses mit Hans v. Zwiedineck (Graz) an der Spitze, sodann dem liebenswürdigen Entgegenkommen des Innsbrucker Lokalkomites und nicht zum mindesten endlich dem Ueberwiegen des süddeutschen Elementes. Hier darf es wohl einmal ausgesprochen werden, daß gerade die Teilnehmer aus Bayern und Deutsch-Oesterreich ein ganz besonderes Verdienst um das Gelingen des Historikertages von Anfang an gehabt haben und noch haben.

Ziffermäßig betrachtet, gleicht der diesjährige Kongreß dem vorjährigen in Frankfurt a./M. [s. Hist. Jahrb. XVI, 706—14] wie ein Ei dem andern: 119 Namen weisen beide Listen auf. Und doch dürfte die Bemerkung Stieves (gelegentlich der Debatte über die Festsetzung des „Teilnehmer"-Beitrages) viel Richtiges haben, daß jeder einzelne Historikertag dem vorigen mindestens in geistiger Hinsicht überlegen sei, da er von diesem ein gewisses Maß an intellektuellen Gewinnen als aufgespeichertes Deposit fertig zugestellt erhalte. Jedenfalls aber hatte Innsbrucks Lage nicht lähmend gewirkt. Schon am Abend vor dem eigentlichen ersten Verhandlungstage, am 10. Sept., konnte um 9 Uhr im „Grauen Bären" Ferd. Kaltenbrunner (Innsbruck) mit Genugthuung die Anwesenheit von 91 Mitgliedern konstatieren. Als Obmann des Verbandsausschusses bedauerte sodann v. Zwiedineck, daß Erich Marcks, Meyer von Knonau, Ed. Meyer und Geh. Archivrat v. Stälin an der Teilnahme verhindert seien und Lamprecht leider durch Krankheit abgehalten werde, zu kommen.

1. Verhandlungstag (11. September). v. Zwiedineck begrüßt ½10 Uhr die stattliche Versammlung, bittet darum, schon heute und die folgenden Tage den Entwurf einer Geschäftsordnung als maßgebend gelten zu lassen, der erst am Montag beraten werden soll, bestellt zu seiner Unterstützung als stellvertretende Vorsitzende Geh. Archivrat v. Weech (Karlsruhe) und Professor Hans Prutz (Königsberg i. P.) und schlägt als Schriftführer Dr. Hanns Schlitter (Wien) und den Unterzeichneten vor. Anstatt des ursprünglich angesetzten Referenten, Engelb. Mühlbacher (Wien), hält Osw. Redlich (Wien) einen Vortrag über das Institut für österreichische Geschichtsforschung iu Wien, ohne eine Debatte zu veranlassen. Eine längere Aussprache (von ½11—1 Uhr) rief das darauffolgende, in drei Hauptthesen gipfelnde Referat von Prutz hervor, der die Frage erörterte: Welche Wünsche haben die Historiker gegenüber den Archivverwaltungen auszusprechen? Nach eingehenden Erörterungen, an denen sich Stieve (München), v. Weech (Karlsruhe), v. Inama-Sternegg (Wien), Geh. Rat Schmoller (Berlin), v. Thudichum (Tübingen), Dr. Striedinger (München), Berth. Bretholz (Brünn), Huber (Wien), Exc. v. Wetzer (Wien) und Gerh. Seeliger (Leipzig) beteiligten, einigte man sich auf den Antrag v. Thudichums dahin, den Ausschuß mit der genaueren Formulierung der bereits von der ersten (Münchener) Historiker-

versammlung und auch heute wieder geäußerten Wünsche hinsichtlich liberalerer Grundsätze bei der Zugänglichmachung von Archiven (Zeitgrenze, Vorzugsrechte, Repertorien,
Kontrole) zu betrauen. Die lange Auseinandersetzung hatte es notwendig gemacht,
den dritten Verhandlungsgegenstand, Ed. Richters (Graz) Vorschläge über die Anlage eines historischen Atlas der Alpenländer, von dem verbrauchten Vor-
mittag auf Nachmittag 4 Uhr zu verlegen; v. Weech präsidierte dabei. Das Referat
lockte trotz der örtlichen Beschränkung seines Gegenstandes doch einige Aeußerungen
von anderen hervor: v. Thudichum plädierte für peinlichste Vermeidung alles
Partikularismus und empfahl seine Grundkarten; ferner sprachen zur Sache
v. Zwiedineck, Gothein (Bonn) und Geh. Justizrat Loersch (Bonn). Am Abend
um 7 Uhr erquickte ein vollendet schöner Vortrag von Jos. Hirn (Innsbruck) über
Innsbrucks historischen Boden das dankbare Publikum, unter dem sich auch
Erzherzog Ferdinand Karl befand. — 2. Verhandlungstag (12. September).
1/410 Uhr eröffnet v. Zwiedineck die dritte Sitzung. Zu den „Archiv-Wünschen"
war inzwischen eine Eingabe mit Aktenstücken, anscheinend ganz und gar privater
Natur, eingegangen; sie wird dem Referenten Prutz zur weiteren Erledigung anvertraut
Darauf sprach Luschin v. Ebengreuth (Graz) über die Entstehung der
Landstände. Obgleich auch bei diesem Vortrage eine Debatte keine allgemeinen
Interessen berühren und fördern konnte, so entwickelte sich doch eine Aussprache,
besonders über die Entwicklung, die der Rat des Landesherrn genommen hat;
v. Below (Münster), v. Thudichum, Schmoller, Stieve, Hirn, Geh. Reg.
Rat Ulmann (Greifswald) und Seeliger tauschten darüber ihre Erfahrungen aus.
1/212 Uhr folgte die pièces de résistance des gesamten Kongresses: das Referat
Rudolfs v. Scala über Individualismus und Sozialismus in der
Geschichtschreibung, und die sich daran anschließende, außerordentlich interessante
Debatte. Da hier nicht der Platz ist, genauer auf den sehr geschickten, weil glücklich
alle Klippen vermeidenden Vortrag und die Einzelheiten der verschiedenen, dadurch
hervorgelockten Meinungsäußerungen einzugehen, so genüge die folgende Bemerkung.
Mag die Beobachtung, daß sich alle Redner in Würdigung der Abwesenheit des
Hauptes der jüngeren Richtung eine nicht genug zu rühmende Mäßigung auferlegten,
richtig sein oder nicht, jedenfalls hatte man den Eindruck, daß der Unterschied zwischen
den mit Schlagworten gekennzeichneten Methoden der Geschichtschreibung gar nicht so
unüberbrückbar ist, wie der oberflächlich Urteilende glaubt: er ist eben nur ein Grad-
unterschied.*) Insofern nämlich, als das entscheidende Moment lediglich in dem Grade
des guten Willens liegt, die individuelle Lebens- und Weltanschauung, deren Dasein
auch die naturwissenschaftlich-empirisch-materialistische Schule nicht ableugnen kann,
nach Möglichkeit zurücktreten zu lassen. Eine Objektivität $\kappa\alpha\tau'$ $\dot{\epsilon}\xi o\chi\dot\eta\nu$ gibt es nicht
und wird es niemals geben, so lange Menschen Geschichte schreiben; nur mehr oder
weniger betonte Subjektivitäten dürfen gelten. Also gipfelt nach der Ansicht des
Unterzeichneten diese schwierige Unterscheidung in der einfachen Frage: will ich mir
Mühe geben, meine eigene Anschauung, mit der ich freilich immerfort operieren muß,
in den Hintergrund zu rücken? Und in welchem Grade will ich es zu erreichen versuchen? Wer' sich hierin redlich anstrengt, der wird der erstrebten Objektivität am
nächsten kommen; die empirische Erkenntnis jedoch als unbegrenzt zu überschätzen,
ist nicht nur nicht wissenschaftlich, sondern auch unbescheiden. An der Debatte, die

---

*) Dieser Ansicht des Referenten vermag ich mich nicht anzuschließen.   J. W.

äußerst anregende Gesichtspunkte zu tage förderte, nahmen in hervorragender Weise Gothein, Schmoller und Stieve, weniger glücklich Ludo Moritz Hartmann (Wien) und Michael (Freiburg i. Breisg.) teil. — Der Nachmittag war einem Ausfluge nach Hall und der Besichtigung der dortigen Ausstellung gewidmet. Am Abend sprach Knapp (Straßburg) auf grund einer Arbeit seines Schülers Wittich über die Grundherrschaft im Nordwesten Deutschlands d. h. im früheren Königreich Hannover; nach meinem Gefühle hie und da bei aller Geistreichigkeit zu übertrieben pointierend. Man kann den Vortrag in der „Histor. Zeitschrift" nachlesen. — 3. Verhandlungstag (14. September). Heigel (München) hielt einen Vortrag über folgende Frage: Welche geschichtlichen Aufgaben verdienen von Akademien gemeinsam gefördert zu werden? Da dieser Vortrag, der nach einstimmiger Ueberzeugung aller Anwesenden, was fruchtbare Anregung zu künftigen Thaten betrifft, entschieden die Palme vor allen anderen Darbietungen des Kongresses verdient (in diesem Sinne also unbedingt auch vor dem Scalaschen) jedenfalls im Druck erscheinen wird, so beschränke ich mich auf einige knappe Bemerkungen. Verheißungsvoll zunächst war die Anknüpfung an die Frankfurter Germanistenversammlung vor 50 Jahren und an die Pläne, die Lappenberg damals vorgelegt und teilweise durchgesetzt hatte. Wertvoll war die Aufforderung, an eine umfassende Herausgabe der Kreistagsakten heranzugehen. Am wichtigsten aber dürfte für den Augenblick die Mahnung sein, die Schätze des vatikanischen Archives systematischer auszunützen, d. h. aus dem „Preußischen" Historischen Institut ein „Deutsches" zu machen. Aus den zustimmenden Worten, die v. Weech Heigels Referate hinzufügte, ging erstens hervor, daß ein Versuch in der angedeuteten Richtung im vorigen Jahre (1895) zwar gemacht worden, aber an dem Widerspruche eines deutschen Staates leider gescheitert sei; und zweitens, daß Se. Heiligkeit Papst Leo XIII ihm (v. Weech) gegenüber geäußert habe, daß es in seiner Umgebung zwar Personen gäbe, die der liberalen Oeffnung des Archives abhold seien, daß nach seiner Ueberzeugung aber der Kirche mit der Förderung der Wahrheit nur gedient sein könne. — Damit war der eigentliche Verhandlungsstoff für diesmal erschöpft. Für diesmal, sage ich; denn sämtliches Material, das auf Historikertagen besprochen werden könnte, ist damit noch lange nicht verbraucht. Schwierige Themen können ja glücklicherweise nicht „auf Anhieb" erledigt werden, sondern ziehen sich durch mehrere Kongresse hin: siehe die „Archiv-Wünsche" oder das „Wesen der Kulturgeschichte". Also braucht uns um das Schicksal künftiger Tage nicht bange zu sein.

Den letzten Punkt der Tagesordnung für die öffentliche Versammlung bildete Hansens (Köln) Bericht über die letztjährige Thätigkeit der sogenannten Publikations-Institute (ein besserer Name für diese viel umspannende Körperschaft ist immer noch nicht gefunden); Vorsitzender dieser Einrichtung wird auch in Zukunft Lamprecht bleiben, da ihm durch die Organisation der k. s. Geschichtskommission ein ständiges Bureau zur Verfügung steht. Mit einem Dank an die auswärtigen und einmaligen „Teilnehmer" des Historikertages schließt v. Zwiedineck ½11 Uhr die öffentliche Sitzung. — Um ¼12 Uhr fand unter Pruß' Präsidium die Sitzung des „Verbandes deutscher Historiker" statt. Hansen trägt den Kassenbericht (mit dem Stande vom 31. Dezember 1895) vor und wird auf Antrag Kaerts (Gotha), der zugleich den anderen Revisor, v. Ottenthal (Innsbruck), vertritt, entlastet. Den Beschluß bilden die Aussprache über den vom Ausschuß vorgeschlagenen Entwurf einer Geschäftsordnung (s. oben), der im wesentlichen den Beifall der Verbandsmitglieder findet, und die rein geschäftlichen Angelegenheiten der Erörterung von Termin und Ort des

nächsten Tages (wahrscheinlich Oftern 1898 in Nürnberg, Bonn (?) oder Danzig (!))
und der Vorstandswahl, die glatt erledigt wird. Man wählte vorderhand 17 Herren
(die sich dann Stieve zum Vorsitzenden gesetzt haben), um die Zuwahl von drei
Vertretern aus dem noch zu bestimmenden Sitze des V. Historikertages frei zu haben.
Kurz nach 12 Uhr schließt Pruß die Versammlung; Kaerst spricht im Namen der
Versammelten dem Bureau den üblichen Dank aus.

Hatte schon der 13. September, ein Sonntag, ausschließlich dem Anknüpfen
und Wiedererneuern persönlicher Bekanntschaften in Gottes herrlicher Natur gegolten,
indem man früh 8 Uhr einen von wundervollstem Wetter begünstigten Ausflug nach
dem Wallfahrtskirchlein „Heiligwasser" unternahm, um am Nachmittage in Igls zu
dinieren und weitere Spaziergänge auszuführen, so bildete der Montagnachmittag den
solennen Abschluß: ein Festmahl im „Europäischen Hofe" vereinigte noch einmal die
Teilnehmer des IV. deutschen Historikertages zu fröhlichem, von dreizehn Toasten ge=
würztem Zusammensein.

Leipzig, am 24. September 1896.   Helmolt.

Die Generalversammlung der Görres=Gesellschaft hat unter
zahlreicher Beteiligung in Konstanz getagt, wie oben S. 706 angekündigt
wurde. Aus den allgemeinen Verhandlungen teilen wir mit, daß der Mit=
gliederstand der Gesellschaft von 2401 auf 2522 und die Teilnehmerzahl
von 690 auf 728 gestiegen ist; nach der bis zum 31. August reichenden
Aufstellung betrugen die Einnahmen rund 34 000 ℳ. gegen nur 22 394 ℳ
Ausgaben. In der historischen Sektion wurde bezüglich des Histor.
Jahrbuches die bereits von der Redaktion geplante Herstellung eines
Generalregisters über die ersten 20 Bände angeregt; in die Redaktion trat
ein Herr Privatdozent Dr. C. Weyman (München). Das Historische
Institut in Rom — wir hoffen den eingehenden Bericht im 1. Heft 1897
bringen zu können (D. R.) — ist mit der Herausgabe der Acta Tridentina
beschäftigt, wofür Prälat Dr. Franz (Gmunden) 1000 ℳ gespendet hat,
das Material für einen starken Band in 4⁰ liegt vor, den Druck wird eine
Ausgabe der Diarien und Tagebücher beginnen in zwei Bänden, von denen
einer druckfertig ist. Neben den Konzilsarbeiten obliegt dem Institut die
Herausgabe der deutschen Nuntiaurberichte, deren Bd. 2 (1587—90)
im nächsten Jahre erscheinen kann; Ende ds. Js. hofft Dr. v. Domarus
seine Akten zum Pontifikat Hadrians VI und Dr. Hahn seine Quellen
zum päpstlichen Almosen= und Finanzwesen edieren zu können. Von den
Vorträgen in der Generalversammlung notieren wir: Dr. K. Beyerle,
über die Geschichte von Konstanz; Prof. Büchi, über die Beziehungen der
Habsburger zu Freiburg i. Ue. im 15. Jahrh.; Prof. Ehrhard, über die
griechische Hagiographie der ersten zehn Jahrhunderte; Dr. Frz. Kampers
über die Weissagungen des Hermann von Lehnin, und Dompropst Dr.
Scheuffgen über Konstantin d. Gr.

Die 5. Generalversammlung der Leo=Gesellschaft fand in der Zeit
vom 14.—17. September in Wien statt mit 3 vollen Tagen Arbeitszeit und gut ge=
wählten Themata. Der Stand der Gesellschaft beläuft sich auf über 1600 Mitglieder;

Die hier vorkommende Erwähnung Hildebrands, des „verehrungs-
würdigen Mönches und Archidiakons", schien eine treffliche Bestätigung
des anderweitig bezeugten Mönchscharakters zu bieten. Wilhelm Martens
dagegen focht die Glaubwürdigkeit an unter Hinweis auf die dem Papste
Alexander beigegebene Ordinalzahl quarti. Da es sich in Wahrheit um
Alexander II (1061—73), nicht aber um Alexander IV (1254—61)
handelt, so müsse die Inschrift erst nach der Mitte des 13. Jahrhs. angebracht sein und verliere deshalb auch in ihrer Aussage über Hildebrand
die Bedeutung eines gleichzeitigen Zeugnisses. Scheffer-Boichorst[1]
begegnete diesem Einwurf mit der Bemerkung, Thür und Inschrift seien
zur Zeit Alexanders II in Konstantinopel gefertigt worden, der Irrtum
in der Papstziffer daher leichter erklärlich. Dieser Argumentation schloß
ich mich einfach an,[2] da ich nicht Gelegenheit hatte, die Inschrift selbst
für diese Frage genauer zu untersuchen.

Dagegen hat P. Hermann Grisar S. J., der treffliche Kenner der
Denkmäler des christlichen Rom, aus Anlaß der erwähnten Streitfrage im
verflossenen Sommer Inschrift und Thür einer sorgfältigen Prüfung unterzogen. In der Civiltà Cattolica berichtet er über das Ergebnis seiner
beachtenswerten Untersuchung.[3] Die schon von Nicolai i. J. 1815 vorgetragene Ansicht,[4] daß die Inschrift erst nach dem Pontifikate Alexanders IV
angebracht sei, verwirft Grisar nach eingehender Prüfung des Schriftcharakters. Die Formen des C, des A, des O, die Ligaturen TE, VR,
RV, überhaupt der ungeschickte Duktus der Schriftzüge entspreche nicht
dem 13. oder 14. Jahrh, wohl aber dem ausgehenden 11. Jahrh. Nach
Grisar ist die Inschrift in Rom i. J. 1070 angebracht worden. Die Nach-
bildungen unserer Inschrift (S. 208) und der Thür mit ihren figürlichen
Darstellungen und einer anderen längeren Inschrift Paule beate preces etc.
(S. 210), welche Grisar bietet, gestatten den Vergleich. Der Unterschied
springt in die Augen. Die letzterwähnte Inschrift ist innerhalb eines
Rahmens auf der einer Prophetenfigur entsprechenden Bronzefläche ein-
gegraben. Die Alexander-Hildebrand-Inschrift dagegen ist in den schmalen
Zwischenraum zwischen zwei Figuren und den Nägelköpfen gleichsam ein-
geklemmt. Die Inschrift Paule beate preces hat runde C, unciale E,
nach oben scharf zugespitzte A, langschaftige T, eigentümliche Q, die Alexander-
Inschrift dagegen eckige C, oben breit abgestumpfte A und eigentümliche
Ligaturen. Die Technik beider Inschriften ist die gleiche: die Buchstaben

---

[1] In Quiddes Deutsche Zeitschr. f. Geschichtsw. XI, 232 f.

[2] Hist. Jahrb. XVI, 295.

[3] Una memoria di S. Gregorio VII e del suo stato monastico in Roma
in der Civiltà Cattolica 1895, t. III, S. 205—10.

[4] Nicolai, della Basilica di S. Paolo, Roma 1815, S. 294; das Buch
war mir nicht zugänglich.

sind tief in das Erz eingegraben und dann mit Silberguß ausgefüllt. Die
Ausführung aber ist bei der Alexanderinschrift ungeschickter als bei Paule
beate etc. Letztere gehörte dem ursprünglichen Plane an, wurde in
Konstantinopel angebracht, die Alexanderinschrift dagegen nach Grisar, wie
schon erwähnt, i. J. 1070 nachträglich in Rom. An der Stelle, wo
früher (Alexandri... PP.) quarti et dni Ildeprandi gelesen wurde, ist
die Bronze jetzt leider so beschädigt resp. verschwunden, daß heute nur
noch die Buchstaben VAI . . . . LDE   P   DI wahrzunehmen
sind. Bei dieser Sachlage setzt P. Grisar mit seiner Kritik ein. Die
Existenz des et erscheint ihm wenig gesichert, zumal der Zwischenraum für
die vielen zu ergänzenden Buchstaben nicht groß genug sei. Grisar schlägt
deshalb vor, statt quarti et domini Ildeprandi zu lesen: Cum arte domini
Hildeprandi, so daß also die für qu gelesene Ligatur mit cum aufzulösen
und der in der falschen Papstzahl quarti liegende Fehler ein für allemal
beseitigt wäre. Der Name des Papstes Alexander würde dann allerdings
ohne Ordinalzahl stehen; das sei aber nicht auffällig, da in einer Inschrift
in S. Caecilia in Rom auch der Name Gregors VII ohne Ziffer vorkomme.
Der Ausdruck cum arte domini Hildeprandi „unter Mitwirkung Hildebrands“
habe seine Parallele in einer dem Anfange des 13. Jahrhs. angehörigen
Inschrift im Kreuzgange von S. Paolo, welche verkündigt, daß derselbe
arte = auf Betreiben des Abtes Petrus von Capua unternommen wurde:

> Hoc opus arte sua quem Roma Cardo beavit
> Natus de Capua Petrus olim primitiavit.

P. Grisars scharfsinniger Vorschlag, welcher die aus der Lesart quarti
erwachsende Schwierigkeit glücklich zu beseitigen scheint, darf des lebhaftesten
Interesses der Forscher sicher sein. Alle Zweifel behebt er meines Erachtens
nicht.[1]) Die Ligatur V als cum und nicht qu zu lesen, halte ich für
gewagt, weil sonst in unserer Inschrift das C immer die ganze Höhe der
Zeile ausfüllt und eckig erscheint, auch in der Ligatur RVC. Aber P. Grisar
verdient für seinen kritischen Versuch um so größeren Dank, als er durch
die erwähnte Streitfrage veranlaßt wurde, der berühmten Bronzethür auch
weiterhin eindringende Aufmerksamkeit zuzuwenden.[2]) Die Thür mit ihren
Inschriften und bildnerischem Schmuck hat nicht nur für die christliche
Archäologie und Kunstgeschichte erhebliche Bedeutung, sondern verdient auch
die Beachtung des Universalhistorikers. Die alten Kulturbeziehungen zwischen
Byzanz und Italien, zwischen Unteritalien und Rom erhalten durch sie
wie durch andere ähnliche zu gleicher Zeit von Konstantinopel nach Italien

---

[1]) Vgl. auch die Bemerkungen in den Analecta Bollandiana, tom. 15,
1896, S. 365—68.

[2]) Saggio dell' antica porta di bronzo, della basilica Ostiense in der
Civiltà Cattolica 1895, tom. III, S. 211—14.

Mit Oktober vollendet das erste Jahr ihres Bestehens die Schweizerische literarische Monatsrundschau, Verlag von H. v. Matt in Stans (Preis M. 2, gr. 4°, à 8 S.). Sie bringt Rezensionen, Notizen und Bibliographisches, und erfreut sich der Mitarbeit der kathol. Gelehrtenwelt der deutschen Schweiz. — Aug. Boughis Zeitschrift La Cultura hat am 1. Mai eine eigene Folge begonnen unter Leitung von Ettore de Ruggiero (Redaktionssekretär ist Dante Vaglieri). Sie enthält Rezensionen und bibliographische Mitteilungen und Notizen.

Unter dem Titel Bessarione (Publicazione period. di studi orientali) erscheint seit dem 1. Mai zu Rom bezw. Siena (tipographia s. Bernardino in Siena) monatlich eine Zeitschrift mit dem Zweck, die Union der lateinischen und griechischen Kirche zu erleichtern. Sie wird voraussichtlich auch geschichtswissenschaftl. Artikel bringen. Eine Biographie des Kardinals Bessarion steht S. 9—17, 65—77. S. 40 ff. teilt R. Brigiuti seine Untersuchungen mit, der aus der Beschaffenheit der Tinte Momente ableitet, um Schriftstücke, namentlich des 14. Jahrh., zeitlich fest= zulegen. — Außer dieser Zeitschrift erscheinen gegenwärtig noch drei Unionszeitschriften, die Revue de l'Orient latin und die Revue Anglo-Romaine (beide französisch; wir werden darüber nächstens berichten), und in zwei getrennten Aus= gaben in lateinischen und cyrillischen Lettern, kroatisch und serbisch: Balkan Jedinstvu i bratskoj slogi (Unitati et fraternae concordiae) herausg. in Agram (A. Scholz) von Universitätsprofessor Dr. A. v. Bresztyenszky.

Im Verlag v. Breitkopf & Härtel (Leipzig) erscheint in Kürze von P. Runge, die Sangweisen der Kolmarer Hf. u. die Liberhf. Donaueschingen, mit Faksimile in Lichtdruck gr. Fol., ca. 200 S. M. 20.

Bei Herder in Freiburg i. B. werden folgende Werke demnächst zur Ausgabe gelangen: A. de Waal, der Campo Santo der Deutschen zu Rom. Gesch. der nation. Stiftg. zum elfhundertjähr. Jubiläum ihrer Gründg. durch Karl d. Gr. Mit Abbildgn. 8°. (ca. 350 S.) — Festschrift z. elfhundertjähr. Jubiläum des Deutschen Campo Santo in Rom, d. derzeit. Rektor Mgn. de Waal gewid. v. Mitglied. u. Freunden des Kollegiums unter Leitg. v. Dr. Ehses, Lex.=8°. (s. oben S. 708.) Das Werk wird u. a. folgende Beiträge enthalten: ΚΥΡΙΕ ΕΛΗΣΟΝ bei Epiktet, v. P. Wehofer O. Pr.; die christl. Kultusgebäude in der vorkonstant. Zeit, v. J. P. Kirsch; der Martyrer v. Salona, S. Anastasius cornicularius, v. L. Jelić; die Legendensammlg. des Symeon Methaphrastes u. ihr ursprüngl. Bestand, eine paläogr. Studie zur griech. Hagiographie v. A. Ehrhard; Prudentius Dittochaeum, v. S. Merkle; das Pallium im 1 Jahrtausend, vornehml. nach monument. u. schriftl. Quellen Roms, v. P. H. Grisar S. J.; Hirsau und seine Gründgn. v. J. 1073 an, v. P. B. Albers O. S. B.; eine Urkunde der Camera Apostolica v. J. 1218, v. H. B. Sauerland; Itinerarium Johanns XXIII zum Konzil v. Konstanz 1414, v. G. Schmid; zur Geschichte des Archidiakonates, v. Fr. X. Glasschröder; die Summulae logicales d. Petrus Hispanus und ihre griech. Uebersetz., v. R. Stapper; die Kardinalsernennung. v. 18. Sept. 1294 unter Cölestin V., v. P. M. Baumgarten; die währ. d. 14. Jahrh. im Missions= gebiet d. Dominikaner u. Franziskaner erricht. Bistümer, v P. C. Eubel O. Min. Conv.; zur Geschichte der Tabula Peutingeriana, v. K. Miller; zu den ersten Verhandlgn. d. S. Congreg. Cardinalium Conc. Tridentini Interpretum 1564—65,

Die Korrespondenz Octavio Piccolominis aus der Autographen-
sammlung des verstorbenen kaiserl. Rates Dr. Edmund Schebek in Prag, sollte zu
Berlin v. J. A. Stargardt in den Tagen vom 5. bis 10. Okt. unter den Hammer gebracht
werden. Alle nur einigermaßen historisch gewordenen Persönlichkeiten des 30jährigen
Krieges befinden sich unter den Briefschreibern, wie Colloredo, Gallas, Gordon, Jlow
und Jsolano, Mansfeld, Martinicz, Montecuculi, Silvio Piccolomini, Questenberg,
Stahremberg, Tilly, Trautmannsdorf, Turenne und hundert andere. Die meisten
Briefe beziehen sich auf Schlachtaktionen, wichtige Truppenbewegungen und andere
Ereignisse der großen Kriegszeit.

Im 2. Heft des 5. Bandes der Byzantinischen Zeitschrift (1896)
S. 377—79 berichtet K. Krumbacher über die von E. Legrand vorgenommene
Entlarvung eines literarischen Hochstaplers ohne Gleichen, des Demetrios
Rhodokanakis, oder wie er sich zu nennen pflegte: Demetrios II Dukas
Angelos Kommenos Palaiologos Rhodokanakis, XV. Titularkaiser
von Konstantinopel. Dieser Fälscher bezw. Erdichter einer ganzen byzantinischen
Bibliographie und anderem Trug, ist in Wirklichkeit — Kaufmann in Syra!
Leider gestattet uns der Raum nicht, näher auf die Thätigkeit dieses Schwindlers
einzugehen. Aber wer, wie K. K. a a. O. sagt, „einmal eine Psychologie und Geschichte der literarischen Fälschungen zu schreiben unternimmt, dürfte an der ausgedehnten und nun genau bekannten Thätigkeit des „Fürsten" Demetrios Rhodokanakis
eines der schönsten Studienobjekte finden."

Lightning Source UK Ltd.
Milton Keynes UK
UKHW020402090119
334943UK00009B/1463/P